前田本色葉字類抄の音注研究

研　究　篇

二　戸　麻　砂　彦　著

汲　古　書　院

目　次

《研　究　篇》

1.　序説 …………………………………1

1-1　字類抄成立以前の字書 ……1

1-2　色葉字類抄の編纂と特徴 ……2

1-3　字類抄現存諸本の関係 ……2

1-4　音注の分析方法 ……4

2.　前田本色葉字類抄の仮名音注………11

2-1　同仮名音注のイロハ順一覧……11

2-2　同仮名音注の韻母別一覧……11

2-3　同仮名音注の声母別一覧……12

2-4　同仮名音注の声調別一覧……12

2-5　附篇……13

3.　仮名音注の韻母別考察 ……………15

3-1　I 韻類 ……15

3-1-1　-ɑ 系の字音的特徴 ……15

　　3-1-1-1　-ɑ（歌/哿/箇韻）15

　　3-1-1-2　-uɑ（戈/果/過韻）32

　　3-1-1-3　-ɑi（泰韻）49

　　3-1-1-4　-uɑi（泰韻）56

　　3-1-1-5　-ɑu（豪/晧/号韻）59

　　3-1-1-6　-ɑm/-ɑp（談/敢/闞/盍韻）91

　　3-1-1-7　-ɑn/-ɑt（寒/旱/翰/曷韻）102

　　3-1-1-8　-uɑn/-uɑt（桓/緩/換/末韻）125

　　3-1-1-9　-ɑŋ/-ɑk（唐/蕩/宕/鐸韻）149

　　3-1-1-10　-uɑŋ/-uɑk（唐/蕩/宕/鐸韻）180

　　3-1-1-11　-ɑuŋ/-ɑuk（冬/腫/宋/沃韻）186

　　3-1-1-12　-ɑ 系の基本的な表記 190

3-1-2　-ʌ 系の字音的特徴……193

3-1-2-1　-uʌ（模/姥/暮韻）193

3-1-2-2　-ʌi（咍/海/代韻）236

3-1-2-3　-uʌi（灰/賄/隊韻）257

3-1-2-4　-ʌu（侯/厚/候韻）269

3-1-2-5　-ʌm/-ʌp（覃/感/勘/合韻）291

3-1-2-6　-ʌn/-ʌt（痕/很/恨/(没)韻）305

3-1-2-7　-uʌn/-uʌt（魂/混/慁/没韻）308

3-1-2-8　-ʌŋ/-ʌk（登/等/嶝/徳韻）324

3-1-2-9　-uʌŋ/-uʌk（登/徳韻）336

3-1-2-10　-ʌuŋ/-ʌuk（東/董/送/屋韻）338

3-1-2-11　-ʌ 系の基本的な表記 365

3-2　II 韻類……368

3-2-1　-a 系の字音的特徴……368

　　3-2-1-1　-a（麻/馬/禡韻）368

　　3-2-1-2　-ua（麻/馬/禡韻）389

　　3-2-1-3　-ai（夬韻）394

　　3-2-1-4　-uai（夬韻）395

　　3-2-1-5　-au（肴/巧/効韻）396

　　3-2-1-6　-am/-ap（銜/檻/鑑/狎韻）409

　　3-2-1-7　-an/-at（刪/潸/諫/鎋韻）416

　　3-2-1-8　-uan/-uat（刪/潸/諫/鎋韻）420

　　3-2-1-9　-aŋ/-ak（庚/梗/映/陌韻）426

　　3-2-1-10　-uaŋ/-uak（庚/梗/映/陌韻）443

　　3-2-1-11　-auŋ/-auk（江/講/絳/覺韻）445

　　3-2-1-12　-a 系の基本的な表記 459

3-2-2　-ɐ 系の字音的特徴……461

　　3-2-2-1　-ɐ（佳/馬/禡韻）461

　　3-2-2-2　-uɐ（佳/馬/禡韻）467

　　3-2-2-3　-iɐ（皆/駭/怪韻）467

ii 目 次

3-2-2-4 -uɐi（皆/駭/怪韻）473

3-2-2-5 -ɐm/-ɐp（咸/嗛/陷/洽韻）476

3-2-2-6 -ɐn/-ɐt（山/産/襇/黠韻）480

3-2-2-7 -uɐn/-uɐt（山//産/襇/黠韻）488

3-2-2-8 -ɐŋ/-ɐk（耕/耿/諍/麥韻）489

3-2-2-9 -uɐŋ/-uɐk（耕/耿/諍/麥韻）498

3-2-2-10 -ɐ 系の基本的な表記 500

3-3 Ⅳ韻類……502

3-3-1 -e 系の字音的特徴 ……502

3-3-1-1 -ei（齊/薺/霽韻）502

3-3-1-2 -uei（齊/霽韻）528

3-3-1-3 -eu（蕭/篠/嘯韻）531

3-3-1-4 -em/-ep（添/忝/栝/帖韻）542

3-3-1-5 -en/-et（先/銑/霰/屑韻）549

3-3-1-6 -uen/-uet（先/銑/霰/屑韻）572

3-3-1-7 -eŋ/-ek（青/迥/徑/錫韻）575

3-3-1-8 -ueŋ/-uek（青/迥/徑/錫韻）599

3-3-1-9 -e 系の基本的な表記 600

3-4 ⅢB 韻類……602

3-4-1 -iɑ 系の字音的特徴 ……602

3-4-1-1 -iɑ（歌韻）602

3-4-1-2 -iuɑ（戈韻）603

3-4-1-3 -iɑi（廢韻）604

3-4-1-4 -iuɑi（廢韻）605

3-4-1-5 -iɑm/-iɑp（嚴/儼/釅/業韻）606

3-4-1-6 -iɑn/-iɑt（元/阮/願/月韻）608

3-4-1-7 -iuɑn/-iuɑt（元/阮/願/月韻）621

3-4-1-8 -iɑŋ/-iɑk（陽/養/漾/藥韻）630

3-4-1-9 -iuɑŋ/-iuɑk（陽/養/漾/藥韻）680

3-4-1-10 -iɑuŋ/-iɑuk（鍾/腫/用/燭韻）685

3-4-1-11 -iɑ 系の基本的な表記 711

3-4-2 -iʌ 系の字音的特徴……713

3-4-2-1 -iʌ（魚/語/御韻）713

3-4-2-2 -iuʌ（虞/麌/遇韻）743

3-4-2-3 -iʌi（微/尾/未韻）774

3-4-2-4 -iuʌi（微/尾/未韻）785

3-4-2-5 -iʌu（尤/有/宥韻）790

3-4-2-6 -iʌm/-iʌp（凡/范/梵/乏韻）828

3-4-2-7 -iʌn/-iʌt（欣/隱/焮/迄韻）834

3-4-2-8 -iuʌn/-iuʌt（文/吻/問/物韻）841

3-4-2-9 -iuʌŋ/-iʌuk（東/送/屋韻）855

3-4-2-10 -iʌ 系の基本的な表記 879

3-5 ⅢA 韻類……881

3-5-1 -ia 系の字音的特徴……881

3-5-1-1 -ia（麻/馬/禡韻）881

3-5-1-2 -iai（祭韻）891

3-5-1-3 -iuai（祭韻）898

3-5-1-4 -iau（宵/小/笑韻）901

3-5-1-5 -iam/-iap（鹽/琰/豔/葉韻）921

3-5-1-6 -ian/-iat（仙/獮/線/薛韻）937

3-5-1-7 -iuan/-iuat（仙/獮/線/薛韻）962

3-5-1-8 -iaŋ/-iak（庚/梗/映/陌韻）977

3-5-1-9 -iuaŋ（庚/梗/映韻）991

3-5-1-10 -ia 系の基本的な表記 994

3-5-2 -iɐ 系の字音的特徴……996

3-5-2-1 -iɐi（之/止/志韻）996

3-5-2-2 -iɐn/-iɐt（臻/櫛韻）1036

3-5-2-3 -iɐŋ/-iɐk（蒸/拯/證/職韻）1037

3-5-2-4 -iuɐk（職韻）1061

3-5-2-5 -iɐ 系の基本的な表記 1062

目　　次　iii

3-5-3　-ie 系の字音的特徴……1064

3-5-3-1　-ie（支/紙/寘韻）　1064

3-5-3-2　-iue（支/紙/寘韻）　1092

3-5-3-3　-iei（脂/旨/至韻）　1099

3-5-3-4　-iuei（脂/旨/至韻）　1128

3-5-3-5　-ieu（幽/黝/幼韻）　1141

3-5-3-6　-iem/-iep（侵/寑/沁/緝韻）　1143

3-5-3-7　-ien/-iet（眞/軫/震/質韻）　1174

3-5-3-8　-iuen/-iuet（諄/準/稕/術韻）　1218

3-5-3-9　-ieŋ/-iek（清/靜/勁/昔韻）　1232

3-5-3-10　-iueŋ/-iuek（清/靜/勁/昔韻）　1262

3-5-3-11　-ie 系の基本的な表記　1264

3-6　保留（廣韻不載諸例）……1266

3-7　韻母別考察による仮名音注の対応
　　　　　　……1274

4.　仮名音注の声母別考察……………1280

4-1　p- 系, pj- 系（脣音）……1281

4-1-1　p-（幫母・幫母乙）　1282

4-1-2　p‘-（滂母・滂母乙）　1284

4-1-3　b-（並母・並母乙）　1286

4-1-4　m-（明母・明母乙）　1287

4-1-5　pj-（幫母甲）　1288

4-1-6　p‘j-（滂母甲）　1289

4-1-7　bj-（並母甲）　1289

4-1-8　mj-（明母甲）　1289

4-2　t- 系（舌頭音・半舌音）……1290

4-2-1　t-（端母）　1290

4-2-2　t‘-（透母）　1291

4-2-3　d-（定母）　1293

4-2-4　n-（泥母）　1294

4-2-5　l-（来母）　1295

4-3　ṭ- 系（舌上音）……1298

4-3-1　ṭ-（知母）　1299

4-3-2　ṭ‘-（徹母）　1300

4-3-3　ḍ-（澄母）　1300

4-3-4　ṇ-（娘母）　1301

4-4　ts- 系（齒頭音）……1302

4-4-1　ts-（精母）　1303

4-4-2　ts‘-（清母）　1305

4-4-3　dz-（從母）　1306

4-4-4　s-（心母）　1307

4-4-5　z-（邪母）　1308

4-5　tṣ- 系（正齒音二等/齒上音）
　　　　　　……1309

4-5-1　tṣ-（荘母/照母二等）　1309

4-5-2　tṣ‘-（初母/穿母二等）　1309

4-5-3　dẓ-（崇母/牀母二等）　1310

4-5-4　ṣ-（生母/審母二等）　1311

4-5-5　ẓ-（俟母/禅母二等）　1312

4-6　tś- 系（正齒音三等）……1313

4-6-1　tś-（章母/照母三等）　1313

4-6-2　tś‘-（昌母/穿母三等）　1316

4-6-3　dź-（船母/牀母三等）　1317

4-6-4　ś-（書母/審母三等）　1318

4-6-5　ź-（常母/禅母三等）　1318

4-6-6　ń-（日母）　1319

4-6-7　j-（羊母/喩母四等）　1321

4-7　k- 系, kj- 系（牙喉音）……1325

4-7-1　k-（見母・見母乙）　1325

iv 目　　次

4-7-2　kʻ-（溪母・溪母乙）　1329

4-7-3　g-（群母乙）　1331

4-7-4　ŋ-（疑母・疑母乙）1332

4-7-5　x-（曉母・曉母乙）　1333

4-7-6　ɣ-（匣母・于母/喩母三等）　1334

4-7-7　ʼ-（影母・影母乙）　1335

4-7-8　kj-（見母甲）　1337

4-7-9　kʻj-（溪母甲）　1337

4-7-10　gj-（群母甲）　1337

4-7-11　ŋj-（疑母甲）　1338

4-7-12　xj-（曉母甲）　1338

4-7-13　ʼj-（影母甲）1338

4-8　声母別考察による仮名音注の対応
　　　　　　　　　　　……1339

5．前田本色葉字類抄の声調別考察
　　　　　　　　　　　……1342

5-1　平声……1343

5-1-1　平声（単字）　1344

5-1-2　平声（熟字前部／第一字）　1347

5-1-3　平声（熟字後部／第二字）　1349

5-1-4　平声（熟字後部／第三字）　1352

5-1-5　平声（熟字後部／第四字）　1354

5-1-6　平声（熟字後部／第五字）　1355

5-2　東声……1356

5-2-1　東声（単字）　1356

5-2-2　東声（熟字前部／第一字）　1358

5-2-3　東声（熟字後部／第二字）　1359

5-3　上声……1359

5-3-1　上声（単字）　1360

5-3-2　上声（熟字前部／第一字）　1363

5-3-3　上声（熟字後部／第二字）　1366

5-3-4　上声（熟字後部／第三字）　1368

5-4　去声……1370

5-4-1　去声（単字）　1370

5-4-2　去声（熟字前部／第一字）　1372

5-4-3　去声（熟字後部／第二字）　1376

5-4-4　去声（熟字後部／第三字）　1379

5-4-5　去声（熟字後部／第四字）　1380

5-5　入声……1380

5-5-1　入声（単字）　1380

5-5-2　入声（熟字前部／第一字）　1381

5-5-3　入声（熟字後部／第二字）　1383

5-5-4　入声（熟字後部／第三字）　1384

5-5-5　入声（熟字後部／第四字）　1384

5-6　徳声……1385

5-6-1　徳声（単字）　1385

5-6-2　徳声（熟字前部／第一字）　1386

5-6-3　徳声（熟字後部／第二字）　1387

5-7　声調把握の実態……1388

6．まとめ………………………………1394

7．引用文献・参考文献………………1396

あとがき ………………………………1404

1．序説

1-1 字類抄成立以前の字書

　世俗字類抄や色葉字類抄など字類抄諸本[01]に関する考察を加える場合、先行する字書群からの影響を知っておかねばならい。字類抄以前に作られた多くの字書が目指すところは、漢文の訓読および作成に資するという編纂の方向にあったと推測できる。規範となる正式な文字言語として位置づけられていた漢文、これを駆使できるようにしておくことは、当時多くの識字層にとって必須の事項であったと言える。よって、その目的を達成するために利便性のある字書が編纂されることは、字書の実用性という観点に沿った要請である。すでに字類抄諸本との先行関係が指摘されている[02]『和名類聚抄』と、同書の有力な先行文献の一つではないかと推定されている『篆隷萬象名義』『新撰字鏡』を代表として、字類抄以前の字書の状況を概観しておく。

　現存する本邦最古の字書である『篆隷萬象名義』は空海の撰になる。奈良時代から盛んに利用されていたと目睹される『玉篇』を参看しつつ、約一万六千にのぼる漢字を五四二の部首に従って配列している。漢語を語のレベルで蒐集し、反切や簡易的な意味説明を付してある。すべての見出し語は反切を有するのが源則である。当該の『玉篇』に限らず、中国の字書では先行する出典の引用が長くなる。それに対して『篆隷萬象名義』では簡略化している。これは、出典もとになった『玉篇』を改編するにあたり、日本語による訓読に資するような配慮、つまりは「文」でなく「語」のための注を目指した結果と言える。

　同じく『玉篇』を有力な先行文献として引用している昌住撰『新撰字鏡』にも言及せねばならないだろう。先の『篆隷萬象名義』と異なり、『玉篇』ばかりではなく『一切経音義』『切韻』なども引用の中心に加え、さらには散佚した『楊氏漢語抄』の引用まである。意義分類による漢語二万九百あまりを掲出する。それぞれに音や意義を付載するが、その注文採用においては、反切の後に簡潔な割注による意味説明を旨とする。このあたりの方針は『篆隷萬象名義』と同様で、やはり「文」ではなく「語」のレベルでの漢文訓読に資する方針が見て取れる。掲出字の一部には、和訓を借字である万葉仮名で示すことがある。訓読への利便性を一歩進めて「語」での日本語理解にも目が向けられた点は見逃せない。ただし、和訓を付載する漢語の選択に、一定の基準があったとは認めがたい。さらに、その「小学篇」と題する部分には、和製漢字や稀覯字を収めてあり、漢文の訓読や作成に際して、大いに貢献できる実用性を備えている。

　一方の『倭名類聚抄』は、源順が醍醐天皇の皇女勤子内親王の命によって、承平（931-938）年中に撰述した。漢語を三二部二四九門に類聚した上で掲出する。掲出した漢語に対する和名を借字により添付することもあるが、漢籍等による出典の明示を基本的な体裁とし、それぞれの音や意義を提示する。これは中国字書史上での『字雅』などに代表される意義分類体を踏襲したものである。

2　1．序説

よって、まず先に日本語の常用語を念頭に置きながら類聚したものではない。しかも、具体的な事物を蒐集することが原則であり、抽象的な概念を表す語彙の掲出は稀にしかない。

このように、いずれも漢語を部首あるいは意義によって類聚分類した上で、その音や意義を知ろうとするものである。どの字書も日本側の実情に応じた編纂の工夫をもって望んでいるが、それらは漢文の訓読や作成にとって有用な体裁であり、基本的に中国側で編纂されてきた字書の延長線上に存在すること、これに変わりはない。

1-2　色葉字類抄の編纂と特徴

世俗字類抄や色葉字類抄など字類抄諸本が目指す編纂上の特徴は、当時常用する基本的な語彙としての和名を蒐集し、対応する漢字見出しのもとに掲出字を選択していく、という原則を持って成立した。いわゆる「色葉和名」とも言える体裁である。和名をもって蒐集する試行錯誤の中で、分類体裁としてイロハ順の検索が採用されたのは従来にない独創的な方針であった。また、これら当時の字書は漢文の訓読や作成において活用が期待されたであろうから、和訓だけではなく、掲出字の字音を求める場面もあったはずである。増補改訂が進む中、この要請には反切・同音字注(03)・仮名音注を付載することで対応した。字音注記としては字類抄諸本に限らない一般的な方法と認められる。このことから、字類抄諸本の編纂過程は概ね次の二段階を想定できる。

（α）いわゆる「色葉和名」の基準に基づく和訓語彙の蒐集
　〔分類体裁としてイロハ順の検索を採用した初期段階〕
（β）語彙数の増加と字音の付載
　〔利便性の向上を目指した増補改訂段階〕

1-3　字類抄現存諸本の関係

現存する『世俗字類抄』と『色葉字類抄』等(04)の字類抄諸本について確認しておく。

《原形本》
　［イ］川瀬一馬蔵本
　▶ 鎌倉時代初期の書写になると推定する零本。原形本と認定できるかは不明。
《節用文字》
　［ロ］石川武美記念図書館蔵本（旧お茶の水図書館／成簣堂文庫旧蔵）
　▶ 二巻本色葉字類抄を平安時代末期か鎌倉時代初期に書写したともいわれる零本。

《二巻本世俗字類抄》

　[ハ]　天理図書館蔵本（松平定信旧蔵）

　▶　江戸時代中期以降の書写か。

　[ニ]　黒川家蔵本

　▶　元治元年晩夏中旬に黒川春村が書写。

　[ホ]　川瀬一馬蔵本

　▶　黒川家蔵本［ニ］の手写本。

　[ヘ]　東京大学文学部国語研究室蔵本

　▶　奥書のない黒川家旧蔵本であり、黒川家蔵本［ニ］とは別の一本。

《三巻本世俗字類抄》

　[ト]　水戸彰考館本

　▶　永正十二年の書写本。戦災で消失したという。これは、［ヘ］東京大学文学部国語研究室
　　　蔵二巻本の表裏に附箋があり、「文学博士橋本進吉云世俗字類抄三巻水戸彰考館ニアリ永
　　　正ノ寫本ニシテ順識トアリ」による。

《七巻本世俗字類抄》

　[チ]　尊経閣文庫蔵本

　▶　巻三を欠く六冊本。

《二巻本色葉字類抄】

　[リ]　尊経閣文庫蔵本

　▶　正和四年と応永三十年との二度に渡る伝写を経て、永禄八年に書写。

《三巻本色葉字類抄》

　[ヌ]　尊経閣文庫蔵本

　▶　院政期末あるいは鎌倉初期の書写ともいうが、確かではない。中巻と下巻の一部を欠く。
　　　欠落部分については黒川家蔵本の［ル］にて補う。

　[ル]　黒川家蔵本

　▶　江戸中期の書写か。

　これら諸本の位置を明らかにする場合、その前後関係を分析するとともに、どのような原撰本か
ら改編されてきたかを想定する必要がある。仮に『原撰本』[05]をxとして、そのままの書写あるい
は大きな増補改訂を加えていない一群を原撰本系としておこう。その上で、これまでの研究成果か
ら、最大公約数的に首肯できるのは以下の諸点と目される。

　（1）　『原撰本x』は現存諸本に対して最古の形態を備えていたと想定する。

4 1．序説

（2）『節用文字』は最古の形態を次いでいる部分もあるが、いまだ諸本との前後関係は確
　　　定できていない。
（3）全般的に見て、世俗字類抄諸本は色葉字類抄諸本より古態を存している。
（4）世俗字類抄諸本の中では、七巻本の一部に古態をとどめている面がある。

　右の諸点から言えることは、ある意図をもって編纂された『原撰本 x』の成立以降、二種類の改
編レベルが存在したのではないかということである。一つは世俗字類抄と呼ばれる一群、もう一つ
は色葉字類抄と呼ばれる一群である。本来、字書には実用性と規範性の両面が期待されるが、それ
ぞれの時点で希求される方向に応じて改編されることが多い。その後、その希求が満たされた諸本
が完成すれば、先んじた諸本は顧みられる機会を失いやすい。よって、現存諸本以外にも改編の手
を経たであろう諸本が存在した可能性はある。その点に留意をしつつ、先の二段階である（α）と
（β）を想定しておく。

　1-4　音注の分析方法

　尊経閣文庫蔵三巻本色葉字類抄（旧前田家所蔵の経緯から前田本と略称する）が付載する音注は
同音字注・反切・仮名音注の三種を認める。同音字注・反切については先んじて分析をした経緯が
ある (06) ので、本書では各一覧のみを【表E】と【表F】として資料篇に掲げる。よって、本書では
仮名音注に対する分析を試みる。単字・熟字に付載された仮名音注は上巻 5,101 例・下巻 4,758 例
を数える。なお、単字・熟字に声点のみを差した諸例は上巻 313 例・下巻 1,288 例を数える。その
一覧は資料篇【表A】において確認できる。
　音注の分析に際しては『観智院本類聚名義抄』 (07)『長承本蒙求』 (08)『承暦本金光明最勝王経音
義』 (09)『倭名類聚抄』 (10) を中心的に援用する。その他、類聚名義抄諸本 (07) である『図書寮本類聚
名義抄』『天理大学図書館本最勝王経音義』『西念寺本類聚名義抄』『鎮国守国神社本三寶類聚名
義抄』『高山寺本三寶類字集』『宝菩提院本類聚名義抄』を必要に応じて参照する。さらに適宜『天
治本新撰字鏡』 (11)『高山寺本篆隷萬象名義』 (12) を参看する場合がある。
　観智院本類聚名義抄は、原則として反切や同音字注による正音と仮名音注による和音を搭載する
ことがあり、有益な情報となる。同書の字音等は割注形式として掲げる。おおよそ冒頭に反切や同
音字注（片方・両方いずれの場合もある）をもって正音を示そうとする。また後尾に仮名音注によ
る和音を加えることが多い。その和音は呉音資料として扱うことができる (13) と想定されている。そ
の要点だけを簡潔に言えば、図書寮本類聚名義抄に見える「真云」（真興撰『大般若経音訓』）を
観智院本において和音としたことである。ただし、すでに指摘されているごとく、和音の中には漢
音系字音を含むことがあり、時には漢訳梵語音まで内包する点に留意しなければならない。観智院

1-4 音注の分析方法 5

本類聚名義抄の和音と一致することをもって、日本呉音そのものと単純に捉えるわけには行かないが、呉音認定の有力な情報となる。同書の編纂時、和音は正音に先行した字音と認識していたことも想定できる。呉音表記を持つ同音字注は『石山寺一切経蔵本大般若経字抄』を出典とする。何ら表示のない仮名音注を付載することもあるが、その出自は不明。少数ながら「俗云」表記を有する音注（定着久しい字音としておく）も存在する。漢字との接触以降に随時移入され、長い時間を経たため、和訓との区別ができない場合がある。さらには「此間云」（編纂時における近時の字音か）を見出すことが稀にある。

　漢音資料を代表する長承本蒙求は、各掲出字に声点を差し仮名音注を加える。その仮名音注は平安時代院政初期である長承三年（1134）に加点された墨筆（例示で両音形ある場合は右側）を中心とするが、平安時代中期と推定する古い朱筆（例示で両音形ある場合は左側）の加点もある。また、長承三年の墨点と同時期ではあるが、異なる筆致を見出す場合がある。

　承暦本金光明最勝王経音義は呉音による経本文の読誦音を掲げる。同音字注による注記が多いが、借字による「反」を伴う音注や仮名音注（後筆墨書）もある。また漢訳梵語音の陀羅尼も併載する。その借字によるイロハ提示部分等を掲げる。イロハそれぞれに対して、大字と小字を示す構成になっている。一行が長いため、一字下げしながら折り返しておく。加えて、濁音の借字についても言及する。さらには、喉内撥音韻尾「✓」表記と舌内撥音韻尾「ゝ」表記を分別するよう指示がある。

　　先可知所付借字　　　　　　　　　　　（承暦本金光明最勝王経音義／01 オ 7）

以［平］伊［上］呂［平］路［上］波［上］八［平］耳［平］尓［上］

　本［平］保［上］へ［上］反［平］止［平］都［上］

千［平］知［上］利［平］理［上］奴［平］沼［上］流［上］留［平］

　乎［上］遠［平］和王［平］加［上］可［平］

餘［上］与［平］多［上］太［平］連［平］礼［上］曽［上］祖［平］

　津［平］ッ［上］祢［上］年［平］那［上］奈［平］

良［平］羅［上］牟［平］无［上］有［平］宇［上］為［上］謂［平］

　能［上］乃［平］於［平］久［平］九［上］

耶［上］也［平］万［平］末［平］麻［上］計［平］介［平］氣［上］

　不［上］布［平］符己［平］古［上］衣［上］延［平］天［上］弖［平］

阿［上］安［平］佐［上］作［上］伎［平］幾［上］喩［平］由［上］

　女［上］馬［平］面［平］美［平］弥［上］之［上］志［平］七［?］

恵［平］會［平］廻［上］比［平］皮［平］非［上］

　毛［上］文［上］裳［平］勢［上］世［平］須［上］寸［平］

　　次可知濁音借字　　　　　　　　　　　（承暦本金光明最勝王経音義／02 オ 1）

6 1．序説

婆 [平濁・去濁] 毗 [去濁] 父 [平濁] 夫 倍 [平濁] 菩 [去濁]

　駄 [去濁] 堕 地 [平濁] 持 頭 [去濁] 徒 弟 [平濁] □

我 [平濁] 何 義 [平濁] 疑 具 [平濁] 求 下 [平濁] 夏 吾 [去濁] 五

　坐 [平濁] 自 [平濁] 事 受 [平濁] 是 [平濁] 増 [平濁?]

　　次可知✓〉二種借字　　　　　　　　　　　（承暦本金光明最勝王経音義／02 オ 4）

方 [去] ハ✓ 房 [去濁] 婆✓ 経 [去] キヤ✓ 形 [去濁] 義や✓ 東 [去] 止✓ 童 [去濁] 土✓

僧 [去] ソ✓ 増 [去濁] ミ✓ 稱 [去] シヨ✓ 乗 [去濁] 自ヨ✓ 當 [去] タ✓ 堂 [去濁] 堕✓

空 [去] ク✓ 窮 [去濁] 具✓ 中 [去] チ✓ 重 [去濁] 地✓ 香 [去] カ✓ 恒 [去濁] 我✓

　　件✓音字ニハ異也可知之　　　　　　　　（承暦本金光明最勝王経音義／02 オ 7）

仙 [平] セ〉 善 [平濁] 是〉 見 [平] 介〉 現 [平濁] 返 [平] ヘ〉 弁 [平濁] 倍〉

天 [去] テ〉 傳 [去濁] 弟〉 根 [去] コ〉 言 [去濁] 五〉 真 [去] シ〉 神 [去濁] 事〉

引 [平] イ〉 論 [平] 呂〉 本 [平] ホ〉 半 [平] ハ〉 文 [平] モ〉

　　件〉音ムニハ異也可知之　　　　　　　　（承暦本金光明最勝王経音義／02 ウ 4）

　周知の如く、日本語の音節構造は「CV（子音＋母音）」と分析できる。C=Consonant・V=Vowel であることは言うまでもない。それに対して、中国語の音節構造は「IMVF/T」となる。両構造を念頭に置きながら分析をする。

【表01】

I	Initial	頭子音	声母
M	Medial	介　音（韻頭）	韻母
V	Principal Vowel	主母音（韻腹）	
F	Final	韻　尾（韻尾）	
T	Tone	声　調	

【表02】

I 韻類	-ɑ 系	-ʌ 系		直音韻類
II 韻類	-a 系	-ɐ 系		
IV 韻類			-e 系	
IIIB 韻類	-iɑ 系	-iʌ 系		拗音韻類
IIIA 韻類	-ia 系	-iɐ 系	-ie 系	

1-4 音注の分析方法 7

　まず、韻母（MVF）については三根谷説が提示するⅠ・Ⅱ・ⅢA・ⅢB・Ⅳの五韻類に分類する方法を用いる。すなわち「便宜上〈韻腹〉-u- の有無を超えて -ɑ-, -uɑ- を〈韻頭＋韻腹〉としている韻母を -ɑ 系と呼び，同時に〈韻尾〉を除く部分が -iɑ-, -iuɑ- である韻母を -iɑ 系と呼ぶ方法」(14)である。また、介母の有無によって、Ⅰ・Ⅱ・Ⅳ韻類は〈直音韻類〉、ⅢA・ⅢB 韻類は〈拗音韻類〉とも分類する。以下、これらの関係を【表2】に纏めておく。

　韻母別・声母別・声調別それぞれの考察において、仮名音注が示す日本漢字音の把握状態を斜体 *italic* のラテン文字（いわゆるローマ字）(15) で集約していく。対応する日本語の音節構造 CV を便宜的に表示する手段である。これによって、基本的な字音の対応を集約することになる。ただし、異例が見出されることも予想できる。日本語の音韻史上における音変化を反映する場合には（　）で囲む処理をする。それ以外の異例（例えば、諧声符読みや誤認など）については［　］を用いて表示する。

　［注］

(01)　節用文字などをも含む世俗字類抄や色葉字類抄などの諸本を総称して字類抄諸本とする。単に字類抄と称する
　　　文献はない。平安時代末期において常用する基本的な語彙としての和名を蒐集し、対応する漢字見出しのもとに
　　　掲出字を選択していく、という編纂の原則を持って成立した。いわゆる「色葉和名」とも言える体裁である。こ
　　　の「色葉和名」は原撰本系諸本と想定できる初期段階の書名にもなっていたらしい。現存する字類抄諸本につい
　　　ては「1-3　字類抄現存諸本の関係」に纏めている。
(02)　次の文献を参照した。
　　　・峯岸明「前田家本色葉字類抄と和名類聚抄との関係について」（国語と国文学 41-10、pp.105-120、1964 年）
(03)　字音注記である「同音字注」という述語は小松英雄氏の説による。他には「類音」「直音注」と称する場合も
　　　ある。
　　　・小松英雄「平安末期における漢音の一断面」（国語と国文学、47 巻 10 号、1970 年）
(04)　字類抄諸本については次の複製と索引を参照した。
　　　・原装影印版 古辞書叢刊『節用文字』（古典保存会、1932 年／白帝社、1962 年）
　　　・東京大学国語研究室資料叢書 13『倭名類聚抄京本・世俗字類抄二巻本』（汲古書院、1985 年）
　　　・三宅ちぐさ『天理大学付属図書館蔵 世俗字類抄 影印ならびに研究・索引』（翰林書房、1998 年）
　　　・尊経閣影印善本集成 19『色葉字類抄二・二巻本』（八木書店、2000 年）
　　　・前田育徳会尊経閣文庫編刊『尊経閣蔵三巻本 色葉字類抄』（勉誠社、1984 年）
　　　・尊経閣影印善本集成 18『色葉字類抄一・三巻本』（八木書店、1999 年）
　　　・中田祝夫 峯岸明 共編『色葉字類抄 研究並びに 総合索引 黒川本影印篇』（風間書房、1977 年）
(05)　次の文献を参照した。前田育徳会尊経閣文庫編刊『尊経閣蔵三巻本 色葉字類抄』所収。

8　1．序説

　　・太田晶二郎『尊経閣三巻本解説』（勉誠社、1984 年）

(06)　　次の文献において前田本の同音字注と反切を分析した。

　　・前田家本色葉字類抄音注攷（1）－同音字注の考察－（國學院大學国語研究 42）

　　・前田家本色葉字類抄音注攷（Ⅱ）－反切音注の考察（上）（山梨県立女子短期大学紀要 20）

　　・前田家本色葉字類抄音注攷（Ⅱ）－反切音注の考察（下）（山梨県立女子短期大学紀要 21）

(07)　　次の複製と索引を参照した。

　　・正宗敦夫編『類聚名義抄第一・二巻』（風間書房、1975 年）

　　・天理図書館善本叢書『類聚名義抄 観智院本』（和書之部 32〜34、八木書店、1977 年）

　　・新天理図書館善本叢書『類聚名義抄 観智院本』（第 09〜11 巻、八木書店、2018 年）

　　・宮内庁書陵部蔵『図書寮本類聚名義抄』本文編・解説索引編（勉誠社、1976 年）

　　・天理大学図書館蔵『最勝王経音義』（天理図書館特別本、請求記号 183 イ 313）

　　・天理大学図書館蔵『類聚名義抄 慧琳奔（西念寺本）』（天理図書館特別本、請求記号 813 イ 59）

　　・鎮国守国神社蔵『三寶類聚名義抄』（勉誠社、1986 年）

　　・新天理図書館善本叢書『高山寺本 三寶類聚字集』（第 08 巻、八木書店、2016 年）

　　・倉島節尚編『宝菩提院本 類聚名義抄』（大正大学出版会、2002 年）

(08)　　次の複製と索引を参照した。

　　・築島裕編『長承本蒙求』（汲古書院、1990 年）

(09)　　次の複製と索引を参照した。

　　・大東急記念文庫蔵『金光明最勝王経音義』（古辞書音義集成 12、汲古書院、1981 年）

(10)　　次の複製と索引を参照した。

　　・京都大学文学部国語学国文学研究室編『諸本集成 倭名類聚抄 本文篇』（臨川書店、1971 年）

　　・同上『諸本集成 倭名類聚抄 索引篇』（臨川書店、1971 年）

　　・同上『諸本集成 倭名類聚抄 外篇／郷岡良弼著 日本地理志料』（臨川書店、1971 年）

(11)　　次の複製と索引を参照した。

　　・京都大学文学部国語学国文学研究室編『天治本新撰字鏡』増訂版（臨川書店、1979 年）

　　・同上『新撰字鏡国語索引』（臨川書店、1975 年）

(12)　　次の複製と索引を参照した。同書は『篆隷万象名義』および『金剛頂経一字頂輪王儀軌音義』を収めている。
　　　　また、掲出字一覧表が含まれ、対応する『新撰字鏡』の所在を知ることができる。

　　・高山寺典籍文書綜合調査団編『高山寺古辞書資料第一』（東京大学出版会、1977 年）

(13)　　次の文献を参照した。

　　・沼本克明「観智院本類聚名義抄和音分韻表」（鎌倉時代語研究 3、1980 年）

　　・沼本克明『平安鎌倉時代に於る日本漢字音に就ての研究』（武蔵野書院、1982 年）

(14)　　以下の著書 p.115 から引用した。なお、再録の著書では p.335 に相当する。参考として、三根谷説によって集

約した中古音の韻母表を掲げる。

・三根谷徹『越南漢字音の研究』（東洋文庫、1972年）
・三根谷徹『中古漢語と越南漢字音の研究』（汲古書院、1992年／上記著書の再録部分）

-F -MV-			-ø	-i	-u	-m(p)	-n(t)	-ŋ(k)	-uŋ(uk)
I 韻類	-ɑ系	-ɑ-	歌哿箇	○○泰	豪晧号	談敢闞盍	寒旱翰曷	唐蕩宕鐸	冬腫宋沃
		-uɑ-	戈果過	○○泰		桓緩換末		唐蕩宕鐸	
	-ʌ系	-ʌ-	咍海代		侯厚候	覃感勘合	痕很恨麧	登等嶝德	東董送屋
		-uʌ-	模姥暮	灰賄隊			魂混慁没	登○○德	
II 韻類	-a系	-a-	麻馬禡	○○夬	肴巧效	銜檻鑑狎	刪潸諫鎋	庚梗映陌	江講絳覺
		-ua-	麻馬禡	○○夬			刪潸諫鎋	庚梗映陌	
	-ɐ系	-ɐ-	佳蟹卦	皆駭怪		咸豏陷洽	山産襉黠	耕耿諍麥	
		-uɐ-	佳蟹卦	皆駭怪			山○襉黠	耕○諍麥	
IV 韻類	-e系	-e-		齊薺霽	蕭篠嘯	添忝㮇帖	先銑霰屑	青迥徑錫	
		-ue-		齊○霽			先銑霰屑	青迥徑錫	
III B 韻類	-iɑ系	-iɑ-	(歌)	○○廢		嚴儼釅業	元阮願月	陽養漾藥	鍾腫用燭
		-iuɑ-	(戈)	○○廢			元阮願月	陽養漾藥	
	-iʌ系	-iʌ-	魚語御	微尾未	尤有宥	凡范梵乏	欣隱焮迄		東○送屋
		-iuʌ-	虞麌遇	微尾未			文吻問物		
III A 韻類	-ia系	-ia-	麻馬禡	(齊薺祭)	宵小笑	鹽琰豔葉	仙獮線薛	庚梗映陌	
		-iua-		○○祭			仙獮線薛	庚梗映○	
	-iɐ系	-iɐ-		之止志			臻○○櫛	蒸拯證職	
		-iuɐ-						○○○職	
	-ie系	-ie-	支紙寘	脂旨至	幽黝幼	侵寑沁緝	眞軫震質	清靜勁昔	
		-iue-	支紙寘	脂旨至			諄準稕術	清靜勁昔	

(15)　次の著書二つを参照し援用した。同各書が述べるように、ローマ字による転写（transliterate）方法は、特に音価を示そうとしたものではなく、日本語の音節構造が把握しやすい点を考慮した表記である。以下に、その転写方針を転載しておく。

・小倉肇『日本呉音の研究／第Ⅰ部 研究篇』（新典社、1994年）

10　1．序説

　　pp.017-018（Ⅰ．序説／1.4 字音表記とローマ字転写)

・小倉肇『続・日本呉音の研究／第Ⅰ部 研究篇』（新典社、2014 年)

　　p.006（Ⅰ．序説／1.3 字音表記とローマ字転写)

　　(1) サ行・ザ行の子音は *s-/z-*，ハ行・バ行の子音は *p-/b-* で示す。

　　(2) 拗音要素は *-j-* で示す。

　　(3) 韻尾（F）については，-m韻尾は *-m*，-n韻尾は *-n*，-ŋ韻尾／-uŋ韻尾は *-ũ*，-p韻尾は *-p (-pʰ)*，-t韻尾
　　　　は *-t (-tʰ, -tʼ)*，-k韻尾／-uk韻尾は *-k (-kʰ, -kʷ)* で示す。

　　(4) 長音は同一母音を重ねた *aa, ii, uu, ee, oo* で示す。従って，仮名表記の「カウ」「コウ」「コオ」は
　　　　kau, kou, koo と転写される。

２．前田本色葉字類抄の仮名音注

2-1　同仮名音注のイロハ順一覧

　前田本色葉字類抄における仮名音注を資料篇【表Ａ】としてイロハ順に集約する。現存する上下巻を以下のように分かち、出現順に番号を付与した。各表の構成は共通するので、ここに掲げておく。

　　【表A-01】上巻（伊篇〜与篇）
　　【表A-02】下巻（古篇〜洲篇）

　　番号 → 前田本色葉字類抄に存する仮名音注それぞれに通し番号を付す。
　　　＊　熟字の場合、a（第一字）b（第二字）c（第三字）d（第四字）を加える。
　　所在 → 篇、部、現存部分の通し帖数、表裏、行数の順。
　　　＊　篇はイロハ順、部は意義分類を指す。 [16]
　　掲出字 → 見出し語。単字および熟字（二字以上）。
　　　＊　JIS 外漢字は「部首+諧声符」のように表示する場合がある。 [17]
　　仮名音注 → 仮名による字音表示。右注・右傍に付載することが多い。
　　　右注 → 双行または三行による割注の右を右注と略す。
　　　中注 → 三行割注の中央を中注と略す。付注頻度は低い。
　　　左注 → 双行または三行による割注の左を左注と略す。
　　　右傍 → 掲出字の右側を右傍と略す。
　　　左傍 → 掲出字の左側を左傍と略す。
　　中古音 → 三根谷説による推定音。
　　韻目 → 掲出字に対応する廣韻の所属韻。

2-2　同仮名音注の韻母別一覧

　仮名音注の字音的特徴を分析するためには、便宜的基準の一つとして、中国語音韻史上における中古漢語が示す中古音（Ancient Chinese） [18] を掲載することが望まれる。そこで、三根谷説による中古音と切韻系韻書 [19] の所属韻を加え、先の【表A-01】【表A-02】を編集し直し、それぞれ資料篇【表Ｂ】として韻母別一覧を掲げる。各表の構成は共通する。

12 　2．前田本色葉字類抄の仮名音注

　【表B-01】-ɑ 系（Ⅰ韻類）

　【表B-02】-ʌ 系（Ⅰ韻類）

　【表B-03】-a 系（Ⅱ韻類）

　【表B-04】-ɐ 系（Ⅱ韻類）

　【表B-05】-e 系（Ⅳ韻類）

　【表B-06】-iɑ 系（ⅢB韻類）

　【表B-07】-iʌ 系（ⅢB韻類）

　【表B-08】-ia 系（ⅢA韻類）

　【表B-09】-ɐi 系（ⅢA韻類）

　【表B-10】-ie 系（ⅢA韻類）

　2-3　同仮名音注の声母別一覧

　韻母別一覧と同じく、先の【表A-01】【表A-02】を編集し直し、それぞれ【表C】として声母別一覧を掲げる。各表の構成は共通する。

　【表C-01】p- 系, pj- 系（脣音）

　【表C-02】t- 系（舌頭音・半舌音）

　【表C-03】ṭ- 系（舌上音）

　【表C-04】ts- 系（歯頭音）

　【表C-05】tʂ- 系（正歯音二等/歯上音）

　【表C-06】tɕ- 系（正歯音三等）

　【表C-07】k- 系, kj- 系（牙喉音）

　2-4　同仮名音注の声調別一覧

　先の【表A-01】【表A-02】を編集し直し、それぞれ【表D】として声調別一覧を掲げる。各表の構成は共通する。

【表D-01】平声（単字）上巻	【表D-19】去声（熟字前部）上巻
【表D-02】平声（単字）下巻	【表D-20】去声（熟字前部）下巻
【表D-03】東声（単字）上巻	【表D-21】入声（熟字前部）上巻
【表D-04】東声（単字）下巻	【表D-22】入声（熟字前部）下巻
【表D-05】上声（単字）上巻	【表D-23】徳声（熟字前部）上巻
【表D-06】上声（単字）下巻	【表D-24】徳声（熟字前部）下巻
【表D-07】去声（単字）上巻	【表D-25】平声（熟字後部）上巻
【表D-08】去声（単字）下巻	【表D-26】平声（熟字後部）下巻
【表D-09】入声（単字）上巻	【表D-27】東声（熟字後部）上巻
【表D-10】入声（単字）下巻	【表D-28】東声（熟字後部）下巻
【表D-11】徳声（単字）上巻	【表D-29】上声（熟字後部）上巻
【表D-12】徳声（単字）下巻	【表D-30】上声（熟字後部）下巻
【表D-13】平声（熟字前部）上巻	【表D-31】去声（熟字後部）上巻
【表D-14】平声（熟字前部）下巻	【表D-32】去声（熟字後部）下巻
【表D-15】東声（熟字前部）上巻	【表D-33】入声（熟字後部）上巻
【表D-16】東声（熟字前部）下巻	【表D-34】入声（熟字後部）下巻
【表D-17】上声（熟字前部）上巻	【表D-35】徳声（熟字後部）上巻
【表D-18】上声（熟字前部）下巻	【表D-36】徳声（熟字後部）下巻

2-5　附篇

前田本色葉字類抄／同音字注一覧
　【表E-1】廣韻一致例
　【表E-2】廣韻不一致例
前田本色葉字類抄／反切一覧
　【表F-1】廣韻一致例
　【表F-1】廣韻不一致例

14   2．前田本色葉字類抄の仮名音注

［注］

(16)　字類抄諸本の基本的な編纂構造を次に示す。これは「漢家以‚音悟‚義、本朝就‚訓詳‚言、而文字且千訓解非‚一、今揚‚色葉之字‚為‚詞条之初言‚、凡四十七篇、分‚為両巻‚、篇中勒‚部、為令‚見者不労‚眸也。」（三巻本色葉字類抄、上巻001 ウ2～5）という序、あるいは「已上部類同‚伊字‚」（同、上巻001 オ7）と書かれた目録末尾に基づく。

　　　　「篇」→ 伊・呂・波・仁・保・倍・登・知・利・奴・留・乎 …
　　　　「部」→ 天象・地儀・植物・動物・人倫・人躰・人事・飲食 …
　　　　「類」→ 歳時・居処居宅具・植物具・躰・鬼神類・病瘡類 …

(17)　情報機器における日本語表示の規格としては、2004JIS（JIS X 0213: 2004）が策定され11,223文字が規定されているが、これで表示できない漢字は多数存在する。いわゆるJIS外漢字表示方法については、以下の論文に準拠した。部首や諧声符など、漢字の字形パーツを「＋」記号を使って組み合わせる方法である。当該の漢字には下線を施してある。例えば「土+畚」「隹+求」「虫+曹」「艹+補」のように表示する。ただし、情報処理推進機構（IPA: Information-technology Promotion Agency, Japan）が作成した「IPAmj明朝フォント」（Ver.006.01: 2019年05月）を使うことで、約六万字の表示や印刷が可能となる。本書の例で掲げれば、代表例として「扲」「洍」「胂」「睰」などである。

　　・二戸麻砂彦「パソコンにおける漢字処理／試論」（山梨県立女子短期大学紀要28、pp.09～18、1995年）
　　・文字情報基盤整備事業（http://ossipedia.ipa.go.jp/ipamjfont/ 独立行政法人情報処理推進機構、2012年）

(18)　中古音については三根谷説の推定音によった。
　　・三根谷徹「中古音の韻母の体系−切韻の性格−」（言語研究、31号、1956年）
　　・三根谷徹『越南漢字音の研究』（東洋文庫、1972年）
　　・三根谷徹「唐代の標準音について」（東洋学報、57巻1・2号、1976年）
　　・三根谷徹『中古漢語と越南漢字音の研究』（汲古書院、1992年）

(19)　陸方言が編纂した原本「切韻」から宋代「広韻」に至る一群の韻書。以下の複製本を参照した。
　　・陳彭年等編『校正宋本廣韻』（藝文印書館、1974年）
　　・劉復等編『十韻彙編』（台湾学生書局、1973年）
　　▶切韻系韻書の略記号は同書に準じた。
　　・龍宇純『唐写全本王仁昫刊謬補缺切韻校箋』（香港中文大学、1969年）
　　▶略記号は「王三」である。

3．仮名音注の韻母別考察

3-1　Ⅰ韻類

　Ⅰ韻類には直音韻類 -ɑ 系 -ʌ 系 が含まれる。それぞれ -ɑ-, -ʌ- を主母音としたグループで、等韻図 [20] の一等欄に配置されるため、いわゆる一等韻とも呼ぶ。以下、Ⅰ韻類について切韻系韻書が示す二百六韻を用い、三根谷説によって分類した結果を掲げた上で、仮名音注が示す字音の特徴を分析をする。

	-ø	-i	-u	-m(p)	-n(t)	-ŋ(k)	-uŋ(uk)
-ɑ-	歌笴箇	泰	豪晧号	談敢闞盍	寒旱翰曷	唐蕩宕鐸	冬(腫)宋沃
-uɑ-	戈果過	泰			桓緩換末	唐蕩宕鐸	
-ʌ-		咍海代	侯厚候	覃感勘合	痕很恨(没)	登等嶝德	東董送屋
-uʌ-	模姥暮	灰賄隊			魂混慁没	登　徳	

3-1-1　-ɑ 系の字音的特徴

　韻母 -ɑ 系グループとは、主母音 -ɑ- を有する諸韻目、歌/笴/箇韻・戈/果/過韻・泰韻・豪/晧/号韻・談/敢/闞/盍韻・寒/旱/翰/曷韻・桓/緩/換/末韻・唐/蕩/宕/鐸韻・冬/(腫)/宋/沃韻を指す。なお、記号「/」による区別は四声（平/上/去/入声）を示している。該当する前田本の諸例を 3-1-1-1 から 3-1-1-11 に集約した。

3-1-1-1　-ɑ（歌/笴/箇韻）

　資料篇【表B-01】には歌韻（平声）笴韻（上声）箇韻（去声）所属の諸例が含まれる。熟字の場合は資料篇【表A-01】【表A-02】をも参照しながら、それを当該字の直後に括弧内で示す。単字も同様の表示を行う。以下の諸韻も同様。前田本の示す仮名音注は *-a* で対応する。異例 *-ai, -aki, -ia, -o* がある。

《上巻 歌韻諸例》

▶番号 0360a「阿」（阿辨）の仮名音注「ア」については、基本的に *-a* で対応する。当該字に

16   3．仮名音注の韻母別考察　3-1　Ⅰ韻類

声点はなく、右傍に仮名音注「アヘ［上平濁］」を付載する。古い地名は先んじて存在し、それに対して漢字表記を適用したと推測する。おそらくは早くから定着した字音を反映する。図書寮本類聚名義抄に反切「广云扌何反」（その反切下字に平声点）を見出す。出典標示「广云」は『玄應撰一切経音義』（いわゆる玄應音義で中国北方洛陽長安音に拠ったと推測する）を指す。反切上字「扌」は「抒（於）」の略字である。加えて反切「悪何」（その反切下字に平声点）がある。観智院本には正音としての反切「抒何反」および上声点と去声墨点を付した和音「ア」を見つける。日本呉音では当該字「阿」の単字声調は去声であるが、熟字0360「阿辨」とする場合は［去平濁］●○ →［上平濁］●○という声調変化を起こしたと推測する。日本語の母音一音節を上昇調一拍で把握することは容易でない。呉音による経本文の読誦音を掲げる承暦本金光明最勝王経音義には「阿掲多」（掲出字「税」の右注に付載）の右傍に「アキヤタ」がある。漢訳梵語音の陀羅尼と考える。日本漢音は平声、日本呉音「ア」去声を認める。

　　　阿 广云扌何［□平］反／曲陵曰阿 … クマ［上上／巽：右注］　　　　（図書寮本類聚名義抄／186-3）

　　　阿 悪／何［□平］羅 洛／柯 漢 呼／半 …　　　　　　　　　（図書寮本類聚名義抄／186-6）

　　　阿 抒何反 クマ［□平］… 和［上］ア［去：墨点］　　　（観智院本類聚名義抄／法中037-8）

　　　阿 抒何反 クマ［上上］… 和ア　　　　　　　　（天理大学本最勝王経音義／13 オ4）

　　　阿掲多 アキヤタ［：右傍］〔＊後筆墨書入〕　　　（承暦本金光明最勝王経音義／08 ウ4）

▶番号2007b・2576a・2645a・2650a・2878a・2883a・3002a「河」（臨河・河伯・河水樂・河南浦・河海・河水・河難）の仮名音注「カ」については、基本的に *a* で対応する。当該諸字七例には平声点を差す。熟字2007「臨河」は右注「髙麗樂」を、熟字2576「河伯」は右注「カハノカミ」左注「或加神字」を、熟字2645「河水樂」は右注「同（壱越調）」を、熟字2650「河南浦」は右注「黄鍾調」を付載する。図書寮本類聚名義抄に平声点を付した同音字注「音何」と反切「玉云戸多賀柯反」（両反切下字に東声点と平声点）を見出す。出典標示「玉云」は顧野王撰『玉篇』（空海撰『髙山寺本篆隷萬象名義』に継承）を指す。観智院本には平声点を付した同音字注「音何」と去声点を付した和音「又カ」を見つける。漢音資料を代表する長承本蒙求には仮名音注「カ」があり、その掲出字「河」には平声点を加える。日本漢音「カ」平声、日本呉音「カ」去声を認める。

　　　江河 … 下音何［平］… 玉云戸多［□東］賀柯［□平］反 … 和名／賀波［上平］…

　　　　　　　　　　　　　　　　　　　　　　　　　　　　　　（図書寮本類聚名義抄／006-2）

　　河 戸多賀柯反 出昆崙　　　　　　　　（髙山寺本篆隷萬象名義／第五帖080 ウ2）

　　河 音何［平］カハ［上平］／和又カ［去］　　　（観智院本類聚名義抄／法上001-7）

　　河［平］カ　　　　　　　　　　　　　　　　　　　（長承本蒙求／005）

　　髙麗樂曲 … 臨河 或云林歌 …　　　　　　　（元和本倭名類聚抄／巻四17 ウ8）

　　河伯　兼名苑云河伯一云水伯河之神也 和名加波乃加美　　（元和本倭名類聚抄／巻二02 ウ4）

　　壱越調曲 … 河水樂 …　　　　　　　　　　（元和本倭名類聚抄／巻四14 オ7）

黄鍾調曲　… 河南浦 …　　(元和本倭名類聚抄／巻四 16 ウ 3)

▶番号 0046・0220・3016a・3017a・3018a「苛」（苛・苛・苛法・苛政・苛酷）の仮名音注「カ」については、基本的に -*a* で対応する。当該諸字五例には平声点を差す。番号 0046「苛」は右注「イラ」左注「小草生刺也」を、番号 0220「苛」は右注「イラヽク」左注「イラヽミシ」を付載する。観智院本類聚名義抄に正音として同音字注「音何」を見出す。傍証ながら、同書で「何」を再検索すると、和音「カ」（その右傍に濁音「✓」表記）を見つける。長承本蒙求には仮名音注「カ」四例があり、それらの掲出諸字に平声点を加える。元和本倭名類聚抄には同音字注「音何」がある。日本漢音は平声を認める。

苛 音何［平］イラ［平平］／カラシ［平上平］…　　(観智院本類聚名義抄／僧上 006-1)

何 胡歌反 ナソモ ナソヤ … 和カ［✓：右傍］　　(観智院本類聚名義抄／佛上 008-1)

何［平］カ　　(長承本蒙求／016・114・117・129)

苛　玉篇云苛 音何和名伊良 小草生刺也　　(元和本倭名類聚抄／巻二十 15 ウ 1)

▶番号 2818「苛」の仮名音注「カ」については、基本的に -*a* で対応する。当該字に声点はなく、左注「政苛也」を付載し、和訓「カラシ」の同訓異字として位置する。上述の分析を参照。

▶番号 0524・3299・3096b「荷」（荷・荷・感荷）の仮名音注「カ」については、基本的に -*a* で対応する。当該諸字三例には平声点を差す。番号 0524「荷」は右注「ハチス 俗ハス」を付載する。番号 3299「荷」は番号 0530「遖」の右注に存する。観智院本類聚名義抄に和音「カ」を見出す。日本呉音「カ」を認める。

荷 ハチスノハ［上□上□□］… ニ［平］和カ　　(観智院本類聚名義抄／僧上 006-1)

▶番号 3112a「荷」（荷擔）の仮名音注「カ」については、基本的に -*a* で対応する。当該字には去声点を差す。上述の分析を参照。

▶番号 2398b・2960a「歌」（和歌・歌舞）の仮名音注「カ」については、基本的に -*a* で対応する。両当該字には平声点を差す。観智院本類聚名義抄に反切「古何反」と「和音去」を見出す。声調だけが異なると言う認識か。長承本蒙求には仮名音注「カ」があり、その掲出字に東声点を加える。日本呉音は去声、日本漢音「カ」東声（四声体系では平声）を認める。

歌 謌並正多／用上字／古何反 俗哥非／ウタ［上平］… 和云去　　(観智院本類聚名義抄／僧中 048-6)

歌［東］カ　　(長承本蒙求／005)

▶番号 2765b「牱」（牂牱）の仮名音注「カ」については、基本的に -*a* で対応する。前田本は「牱」（あるいは異体字か）を掲げるが、これを「牱」と修正した。当該字には平声点を差す。船をつなぐために水中に立てる杭を指す。熟字 2765「牂牱」は右注「カシ」左注「繫舟者也」右傍「サウカ」仮名音注を付載する。観智院本類聚名義抄に同音字注「臧柯二音」を見出すが、仮名音注はない。廣韻には見母歌韻（kɑ¹）の小韻群として「歌：… 古俄切十一／牱：所以繫舟／牂：陸云上同」を掲げ、熟字 2765「牂牱」は相互に同義字と把握する。なお、倭名類聚抄そのものが切韻系韻

18　3．仮名音注の韻母別考察　3-1　Ⅰ韻類

書による引用をしている。

　　　戕𣏾 臟柯二音／カシ　　　　　　　　　　　　（観智院本類聚名義抄／佛下末008-7）

　　　柯 音哥 ヒコハユ エタ［上上濁］…　　　　　　（観智院本類聚名義抄／佛下本119-7）

　　　戕𣏾　唐韻云戕𣏾 臟柯二音漢語抄云加之 所以繋舟也　（元和本倭名類聚抄／巻十一05オ2）

　▶番号0073b「謌」の仮名音注「コ」については、異例 -o を示す。当該例は別筆による補入である。熟字0073「鸚謌」に付載する仮名音注「インコ」は日本唐音と推測する。図書寮本類聚名義抄に同音字注「类云哥音」と反切「弘云葛羅反」（その反切下字に平声点）および去声点を付した仮名音注「真云カ」を見出す。出典名「弘云」は篆隷萬象名義を指すが、その中で六箇所については金剛頂經一字頂輪王儀軌音義の引用[21]であることが判明している。観智院本には同音字注「音哥」を見つける。日本漢音は平声、日本呉音「カ」去声を認める。

　　　謌 类云哥音　　　　　　　　　　　　　　　　（図書寮本類聚名義抄／074-5）

　　　謌 弘云葛羅［□平］／反 歌也 … 真云カ［去］　（図書寮本類聚名義抄／083-4）

　　　謌 音哥［平］歌正／ウタ　　　　　　　　　　（観智院本類聚名義抄／法上051-7）

　▶番号3108b「軻」（轓軻）の仮名音注「カ」については、基本的に -a で対応する。当該字には平声点を差す。廣韻に拠れば、歌/哿/箇韻（kʻɑ¹ᐟ²³）三音を有する。観智院本類聚名義抄に反切「苦个苦哥二反」を見出す。長承本蒙求には仮名音注「カ」二例があり、両掲出字に平声点を加える。同書の仮名音注は平安時代院政初期である長承三年（1134）に加点された墨筆（以下の例示で両音形ある場合は右側）を中心とするが、平安時代中期と推定する古い朱筆（両音形ある場合は左側）の加点もある。日本漢音「カ」平声を認める。

　　　軻 苦个苦哥／二反 桻軸　　　　　　　　　　（観智院本類聚名義抄／僧中085-6）

　　　軻［平］カ　　　　　　　　　　　　　　　　（長承本蒙求／029）

　　　軻［平］カ／カ　　　　　　　　　　　　　　（長承本蒙求／034）

　▶番号2944a「呵」（呵責）の仮名音注「カ」については、基本的に -a で対応する。当該字には去声点を差す。観智院本類聚名義抄に反切「呼何反」を見出すが、後尾の注記「今無此字」とあるように、正字は「訶」〔＊「計」は誤認ゆえ修正する〕であり、当該字「呵」を通用字とする。同書で「訶」を再検索すると、反切「呼多反」と墨書で去声点を付した和音「カ」を見つける。日本呉音「カ」去声を認める。

　　　呵 通 計［正：右注］呼何反 イサフ［平平上］… 今無此字　（観智院本類聚名義抄／佛中030-4）

　　　訶 呼多反 イサフ イカル［上上□］セム … 和カ［去：墨点］（観智院本類聚名義抄／法上051-8）

　▶番号2761a（呵梨勒）の仮名音注「カ」については、基本的に -a で対応する。当該字に声点はない。大辞林第四版は「インドシナなどに産するシクンシ科の落葉木。… 果実は咳止めなど薬用に用い、材は器具用」と説明する。上述の分析を参照。

　▶番号2851a・2851b「峨」（峨々）の仮名音注「カ」については、基本的に -a で対応する。

両当該字に声点はない。その中古音が示す頭子音 ŋ-（等韻学の術語で言う疑母）は軟口蓋鼻音であり、日本語のガ行音をもって受容する。図書寮本類聚名義抄に反切「广云五歌反」を見出す。観智院本には同音字注「音俄・又我音」を見つけるが、仮名音注はない。

峨者 广云五／歌反　　　　　　　　　　　　　　　（図書寮本類聚名義抄／143-1）

峨 音俄 嶻峨 山也 又／我音 タカシ サカシ 峨ゝ サカシ　　（観智院本類聚名義抄／法上 112-7）

▶番号 2520・3122a「鵝」（鵝・鵝眼）の仮名音注「カ」については、基本的に -a で対応する。両当該字に平声濁点を差すので、字音「ガ」を想定する。その中古音が示す頭子音 ŋ-（等韻学の術語で言う疑母）は軟口蓋鼻音であり、日本語のガ行音をもって受容する。番号 2520「鵝」は左右注「カ 白毛形如／鷹人家所畜也」を付載する。観智院本類聚名義抄に平声濁点を付した同音字注「音峨」（その右傍に朱筆で仮名音注「カ」）を見出す。承暦本金光明最勝王経音義には音注を伴わない後筆による書き入れ「鵝」があるが、仮名音注はない。元和本倭名類聚抄には同音字注「音峩」を見つける。日本漢音「ガ」平声を認める。

鷺鵝 音峨 [平濁／カ：朱筆右傍] 形如鷗／人家所畜 呉／カリ ノセク ヽヒ

　　　　　　　　　　　　　　　　　　　　　（観智院本類聚名義抄／僧中 130-8）

鵝 [＊後筆墨書入]　　　　　　　　（承暦本金光明最勝王経音義／07 ウ 5）

鵝 兼名苑注云鵝 音鵝 形如鷗人家所畜也　　　（元和本倭名類聚抄／巻十八 10 オ 7）

▶番号 3127a「鵝」（鵝毛）の仮名音注「カ」については、基本的に -a で対応する。当該字に平声点を差す。濁音を示す複点の表記をし損じたか。上述の分析を参照。

▶番号 2929a「娥」（娥眉）の仮名音注「カ」については、基本的に -a で対応する。その中古音が示す頭子音 ŋ-（等韻学の術語で言う疑母）は軟口蓋鼻音であり、日本語のガ行音をもって受容する。観智院本類聚名義抄に平声濁点を付した同音字注「音俄」を見出すが、仮名音注はない。日本漢音は平声を認める。

娥 音俄 [平濁] 舜妻也／ヨシ [平上] ウルハシ セハシ　　（観智院本類聚名義抄／佛中 015-8）

▶番号 0886b「娑」（婆娑）の仮名音注「サ」については、基本的に -a で対応する。当該字に平声点を差す。熟字 0886「婆娑」は右注「ハサ」左注「舞名」を付載する。観智院本類聚名義抄に反切「桒多反」（その反切上字と反切下字に平声点を差す）と高平調を示す和音「シヤ [上上]」を見出す。日本漢音は平声、日本呉音「シヤ」上声を認める。

娑 桒多 [平平] 反 舞客／和シヤ [上上]　　　（観智院本類聚名義抄／佛中 023-2）

婆娑 マフ　　　　　　　　　　　　　（観智院本類聚名義抄／佛中 023-2）

▶番号 0785b「磋」（磨磋）の仮名音注「サ」については、基本的に -a で対応する。当該字に平声点を差す。廣韻に拠れば、歌／箇韻（ts'ɑ¹ᐟ³）二音を有する。図書寮本類聚名義抄に同音字注「音嗟」を見出す。観智院本には同音字注「音嗟 又去」[＊←音嗟反 去] と和音「差・又サ」を見出す。傍証ながら、同書で「差」を再検索すると、低平調と推測する和音「シヤ [□平]」を見つける。

20　3．仮名音注の韻母別考察　3-1　Ⅰ韻類

日本漢音は去声、日本呉音「サ」を認める。

　　　般磋 音嵯 广云梵言 …　　　　　　　　　　　　　　　（図書寮本類聚名義抄／151-1）

　　　磋 音嵯反 去 トク／ミカク［上上濁口］和差 又サ　　（観智院本類聚名義抄／法中012-3）

　　　差 … 楚宜楚佳二反 ナカハ … 和シヤ［口平］　　　　　（観智院本類聚名義抄／佛下本028-1）

　▶番号3152b「陁」（望陁）の仮名音注「タ」については、基本的に -a で対応する。当該字に声点はない。その中古音が示す頭子音 d-（等韻学の術語で言う舌音濁定母）は有声歯茎閉鎖音であり、日本語のダ行音をもって受容する。ただし、中国語音韻史上に現れる濁音声母の無声化₍₂₂₎を反映した場合はタ行音で対応する。図書寮本類聚名義抄に反切「玉云徒阿反」（その反切下字に平声点）を見出す。観智院本には平声点を付した同音字注「音馳」（歌韻 dɑ'）と墨書による去声濁点を付した和音「タ」を見つける。直後に正字として「陀」を掲げる。傍証ではあるが、承暦本金光明最勝王経音義には去声点を付した掲出字「拖」に同音字注「陁音」があり、その掲出字に去声点を加える。元和本倭名類聚抄には上総國の地名として「末宇太」を見つける。日本漢音は平声、日本呉音「ダ」去声を認める。

　　　陁 玉云徒阿［平平］反 長陛也 靡也 迆也　　　　　　（図書寮本類聚名義抄／186-5）

　　　薩陁 广云徒／多反 …　　　　　　　　　　　　　　　（図書寮本類聚名義抄／193-5）

　　　陁 オツ［平上］… 音馳［平］… 和タ［去濁：墨点］　　（観智院本類聚名義抄／法中043-3）

　　　陀 正　　　　　　　　　　　　　　　　　　　　　　（観智院本類聚名義抄／法中043-3）

　　　拖［去］陁ゝ　　　　　　　　　　　　　　　　　　　（承暦本金光明最勝王経音義／08ウ6）

　　　上総國 … 望陁 末宇太　　　　　　　　　　　　　　　（元和本倭名類聚抄／巻五15オ7）

　▶番号2542「鼉」の仮名音注「タ」については、基本的に -a で対応する。当該字には平声点を差し、右注「同（カメ）」を付載する。その中古音が示す頭子音 d-（等韻学の術語で言う舌音濁定母）は有声歯茎閉鎖音であり、ダ行音をもって受容するが、中国語音韻史上における濁音声母の無声化を反映する場合はタ行音で対応する。観智院本類聚名義抄に平声点を付した同音字注「陁」を見出すが、仮名音注はない。元和本倭名類聚抄には同音字注「陁」がある。日本漢音は平声を認める。

　　　鼉鼈 元［平濁］陁［平］二 オホカメ［平平平濁口］…　（観智院本類聚名義抄／僧下046-5）

　　　鼉鼈 玉篇云鼉鼈 元陁二音和名於保賀米 大龜也　　　（元和本倭名類聚抄／巻十九10字7）

　▶番号0746b「池」（滂池）の仮名音注「タ」については、基本的に -a で対応する。当該字には平声点を差す。その中古音が示す頭子音 d-（等韻学の術語で言う舌音濁定母）は有声歯茎閉鎖音であり、ダ行音をもって受容するが、中国語音韻史上における濁音声母の無声化を反映する場合はタ行音で対応する。熟字0746「滂池」は右注「水湛也水増欵」を付載する。図書寮本類聚名義抄に同音字注「音馳」（歌韻 dɑ'）と反切「又除知反」を見出す。後者は当該字「沱」を「池」と誤認した反切である。観智院本には同音字注「音馳」〔＊馳の誤認〕を見つけるが、仮名音注はない。

3-1-1 -a 系の字音的特徴　21

滂沱 上广云普傍 [□平] 反 沱也 … 下音馳 又除知反 …　　　　（図書寮本類聚名義抄／007-7）

沱 类云正　　　　　　　　　　　　　　　　　　　　　　　　　（図書寮本類聚名義抄／008-1）

滂沱 上普傍反 下音馳也 滂沱水多貞 タ、フ …　　　　　　　　（観智院本類聚名義抄／法上 002-5）

沱 正／ナカル　　　　　　　　　　　　　　　　　　　　　　　（観智院本類聚名義抄／法上 002-6）

▶番号 0544「鮀」の仮名音注「タイ」は、異例 -ai を示す。当該字の諧声符を「宅」と誤認した「タク」と見るべきか。当該字には平声点を差し、右注「同（ハエ）」を付載する。その中古音が示す頭子音 d-（等韻学の術語で言う舌音濁定母）は有声歯茎閉鎖音であり、ダ行音をもって受容するが、中国語音韻史上における濁音声母の無声化を反映する場合はタ行音で対応する。観智院本類聚名義抄に同音字注「音駝」を見出すが、仮名音注はない。

鮑鮀 通正 音駝　　　　　　　　　　　　　　　　　　　　　　（観智院本類聚名義抄／僧下 007-2）

鮔 ハエ ハム サハ　　　　　　　　　　　　　　　　　　　　　（観智院本類聚名義抄／僧下 007-3）

鮀　四聲字苑云鮀 巨灰反漢語抄云波江 …　　　　　　　　　　（元和本倭名類聚抄／巻十九 09 オ 1）

▶番号 0358a・0370b・0373b・0384b・3285a・3288b・1692b・3157a・3160b「多」（多氣・氣多・仁多・喜多・多可・博多・幡多・多胡・勢多）の仮名音注「タ」については、基本的に -a で対応する。当該諸字九例に声点はない。当該の熟字すべて國郡（国郡）部に属す。図書寮本類聚名義抄に反切「德何」を見出す。観智院本には反切「德何反」と和音「タ」を見つける。長承本蒙求には仮名音注「タ」があり、それを含む掲出諸字三例に東声点を加える。承暦本金光明最勝王経音義には漢訳梵語音の陀羅尼「阿掲多」（掲出字「税」の右注にあり）の右傍に仮名音注「アキヤタ」がある。同じく「主多光・蘇多末尼」の「多」には上声濁点と去声濁点を差す。日本漢音「タ」東声（四声体系では平声）日本呉音「タ」を認める。

波 真云博／禾反 羅 魯／何 蜜 弥／畢 多 德／何　　　　　　（図書寮本類聚名義抄／018-6）

多 德何反 オホシ［平平□］… 和タ　　　　　　　　　　　　　（観智院本類聚名義抄／法下 135-6）

多 ［東］タ　　　　　　　　　　　　　　　　　　　　　　　　（長承本蒙求／006）

多 ［東］　　　　　　　　　　　　　　　　　　　　　　　　　（長承本蒙求／042・095）

阿掲多 アキヤタ［：右傍］〔＊後筆墨書入〕　　　　　　　　　（承暦本金光明最勝王経音義／08 ウ 4）

主 ［去］多 ［上濁］光 ［上濁］〔＊圏点／後筆墨書入〕　　　（承暦本金光明最勝王経音義／08 ウ 4）

蘇 ［去］多 ［去濁］末 マ 尼 ニ〔＊圏点／後筆墨書入〕　　　（承暦本金光明最勝王経音義／08 ウ 4）

▶番号 2045b「他」（利他）の仮名音注「タ」については、基本的に -a で対応する。当該字には上声点を差す。観智院本類聚名義抄に反切「託何反」（その反切下字に平声点）と和音「タ」を見出す。長承本蒙求には仮名音注「タ」があり、その掲出字に東声点を加える。日本漢音「タ」東声（四声体系では平声）日本呉音「タ」を認める。

他 託何 ［□平］反 ヒト … ホカ［平上］／アタリ 和タ　　　（観智院本類聚名義抄／佛上 032-6）

他 ［東］タ　　　　　　　　　　　　　　　　　　　　　　　　（長承本蒙求／062）

22　3．仮名音注の韻母別考察　3-1　I韻類

▶番号0362a・0376a・3158a・0219「那」（那賀・那賀・那波・那）の仮名音注「ナ」については、基本的に -a で対応する。当該諸字四例に声点はない。番号0219「那」は和訓「イカテカ」の同訓異字として位置する。図書寮本類聚名義抄に同音字注「本音儺」と注記「去声云語助」さらに反切「广云奴賀反・信云奴多反」を見出す。観智院本には同音字注「本音儺 又去声」と和音「ナ」を見つける。同書で「儺」を再検索すると、反切「乃可反」（その反切下字に上声点）と同音字注「又那音」および去声点を付した和音「ナ」を見つける。承暦本金光明最勝王経音義には仮名音注「ナ」二例があり、その掲出字一例に去声点を加える。日本呉音「ナ」去声を認める。

那 … 本音／儺 去声云語助 … 广云奴賀反 …　　　　　　　　　（図書寮本類聚名義抄／171-3）

門戸那向 信云奴多反 色也 …　　　　　　　　　　　　　　　（図書寮本類聚名義抄／174-1）

那 本音儺 又去声 ナンソ … 和ナ　　　　　　　　　　　　　（観智院本類聚名義抄／法中036-3）

儺 乃可［上］反 又那音／ヲニヤライ［平平上上□／右傍：□□□□フ］… ナ［去］

　　　　　　　　　　　　　　　　　　　　　　　　　　　　（観智院本類聚名義抄／佛上029-8）

那 ナ〔＊後筆墨書入〕　　　　　　　　　　　　　　　　　（承暦本金光明最勝王経音義／10オ6）

那［去］ナ〔＊後筆朱書入〕　　　　　　　　　　　　　　　（承暦本金光明最勝王経音義／06オ4）

▶番号1053b・1517b「羅」（倍羅麼・鳥羅）の仮名音注「ラ」については、基本的に -a で対応する。両当該字には平声点を差す。熟字1053「倍羅麼」は右傍「ハイラマ」右注「ホロノハ［上平平上］」左注「鳥脇羽也」を、熟字1517「鳥羅」は右注「トリアミ」を付載する。図書寮本類聚名義抄に反切「魯何」と反切「洛柯」（その反切下字に平声点）を見出す。観智院本には同音字注「音蘿」と「俗云去声」を見つけるが、仮名音注はない。この「俗云」表記を定着久しい字音と解釈するが、和音との違いは何か。類聚名義抄の場合は和音をもって真興が示す呉音とする。ある一定の体系を念頭に置いた字音把握であろう。それに対して、当該の「俗云」は漢字との接触以降に随時移入され定着してきた字音と推測する。長い時間を経たため、和訓との区別ができない場合もある。天理大学本最勝王経音義には仮名音注「音ラ」がある。長承本蒙求に仮名音注はないが、掲出諸字二例に平声点を加える。元和本倭名類聚抄には反切「魯何反」と「此間云良」を見つける。日本漢音「ラ」平声、定着久しい字音は去声を認める。

波 真云博／禾反 羅 魯／何 蜜 弥／畢 多 得／何　　　　　（図書寮本類聚名義抄／018-6）

阿 悪／何［□平］羅 洛／柯［□平］漢 …　　　　　　　　（図書寮本類聚名義抄／186-6）

羅 音蘿［平］アミ［平平］… トリアミ［上上上上］／俗云去声 錦綺類 …

　　　　　　　　　　　　　　　　　　　　　　　　　　　　（観智院本類聚名義抄／僧中011-6）

羅 音ラ／アミ … トリアミ …　　　　　　　　　　　　　　（天理大学本最勝王経音義／23オ6）

羅［平］　　　　　　　　　　　　　　　　　　　　　　　　（長承本蒙求／036・055）

羅　唐韻云羅 魯何反此間云良一云蟬翼 綺羅亦網羅也　　　　（元和本倭名類聚抄／巻十二15オ9）

倍羅麼 ホロノハ／鳥椒羽　　　　　　　　　　　　　　　　（観智院本類聚名義抄／佛上003-5）

3-1-1　-ɑ 系の字音的特徴　23

倍羅麼 鳥ノワキノシタノケヲ／為倍羅麼 ホロハ［上平上］說也

(観智院本類聚名義抄／法下107-2)

倍羅麼　日本紀私記云倍羅麼 師說鳥乃和岐乃之多乃介乎爲倍羅麼也 … 今俗謂保呂羽訛也

(元和本倭名類聚抄／巻十八13ウ4)

鳥羅　爾雅云鳥罟謂之羅 和名度利阿美　　　　　(元和本倭名類聚抄／巻十五06ウ8)

▶番号0459c・2015b「羅」（六波羅・綾羅）の仮名音注「ラ」については、基本的に -a で対応する。両当該字に声点はない。熟字0459「六波羅」は呂篇諸寺部に属するので、空也創建と伝える六波羅蜜寺を指す。熟字2015「綾羅」は綾絹と薄物で美しい衣服を意味する。上述の分析を参照。

《下巻 歌韻諸例》

▶番号4365a・4366a（阿容・阿藟）の仮名音注「ア」については、基本的に -a で対応する。両当該字には平声点を差す。熟字4365「阿容」は左注「ヲモネリイル」を付載する。上巻の歌韻当該例で分析したように、日本漢音は平声、日本呉音「ア」去声を認める。

▶番号4096a・4363a・4412a・4413a・4422a・4423a・4425a・4427a・4428a・4429a・4807a・4812a・6382a「阿」（阿佐豆岐・阿兄・阿波・阿波・阿闍梨・阿呆・阿刀・阿閦・阿閦間人・阿支那・阿野・阿多・阿蘓）の仮名音注「ア」については、基本的に -a で対応する。当該諸字十三例に声点はない。熟字4096「阿佐豆岐」は右注「同（アサツキ）」左注「用之」を、熟字4363「阿兄」は左注「吉稱也」を付載する。上述の分析を参照。

▶番号6593b・6949b「河」（接河・駿河）の仮名音注「カ」については、基本的に -a で対応する。両当該字に声点はない。上巻の歌韻当該諸例で分析したように、日本漢音「カ」平声、日本呉音「カ」去声を認める。

東海國第五十三 … 駿河 須流加　　　　　(元和本倭名類聚抄／巻五108ウ6)

▶番号6122「牁」（膝牁）の仮名音注「カ」については、基本的に -a で対応する。当該字には平声点を差す。熟字6122「膝牁」は右注「ヒサカハラ」を付載する。観智院本類聚名義抄に音注はない。和訓「ヒサノカハラ」〔＊←ヒサフカハラ〕を見出す。元和本倭名類聚抄が掲げる「比佐乃加波良」による引用である。また反切「苦何反」を見つける。

牁 正膝阿 ヒサフ［上平□］／カハラ［上上平］阿宣作牁　(観智院本類聚名義抄／佛下本006-1)

膝牁　宿耀經云膝牁 師說比佐乃加波良今案阿宣作牁音苦何反見唐韻

(元和本倭名類聚抄／巻三14オ4)

▶番号4808b・6358b・6360b・6386b・6956b「珂」（那珂・那珂・多珂・那珂・玖珂）の仮名音注「カ」については、基本的に仮名音注 -a で対応する。当該諸字五例に声点はない。すべて

24　3．仮名音注の韻母別考察　3-1　Ⅰ韻類

國郡（国郡）部に属する地名の表記である。図書寮本類聚名義抄に反切「兹云苦何反」（その反切下字に平声点）を見出す。観智院本に反切「口何反」と和音「カ」を見つける。また、承暦本金光明最勝王経音義には仮名音注「カ」と「カ音」があり、後者の掲出字に去声点を加える。日本漢音は平声、日本呉音「カ」去声を認める。なお、元和本倭名類聚抄において、熟字「那珂」は借字「奈加」と和訓「中」を、熟字「玖珂」は「珂音如鵝」（日本語の連濁を含む「クガ」を想定するか）を付載する。

如珂 兹云苦／何［□平］反 螺／属生海中 …　　　　　　　　（図書寮本類聚名義抄／166-6）

珂 口何反 貝也 馬脳也／ミ、カネ［平平□□］和カ　　　（観智院本類聚名義抄／法中 015-6）

珂 口何反 貝也 馬脳也／ミ、カネ［平平□□］和カ　　　（観智院本類聚名義抄／法中 015-6）

珂 カ〔＊後筆朱書入〕　　　　　　　（承暦本金光明最勝王経音義／07 ウ 3）

珂 ［去］カ六〔＊後筆墨書入〕　　　　　（承暦本金光明最勝王経音義／06 ウ 4）

讃岐國 … 那珂 奈加　　　　　　　　　（元和本倭名類聚抄／巻五 25 オ 3）

常陸國 … 那珂　久慈　多珂　　　　　　（元和本倭名類聚抄／巻五 16 オ 2）

日向國 … 那珂 中　　　　　　　　　（元和本倭名類聚抄／巻五 28 オ 4）

周防國 … 玖珂 珂音如鵝　　　　　　　（元和本倭名類聚抄／巻五 28 オ 4）

▶番号 3752「柯」の仮名音注「カ」については、基本的に -a で対応する。当該字には平声点を差し、右注「同（エタ）」を付載する。観智院本類聚名義抄に同音字注「音哥」を見出すが、仮名音注はない。元和本倭名類聚抄には同音字注「哥」がある。

柯 音哥 ヒコハユ エタ［上上濁］…　　　　　　（観智院本類聚名義抄／佛下本 119-7）

枝條 玉篇云枝柯 支哥二音和名衣太 木之別也 …　　（元和本倭名類聚抄／巻二十 32 オ 4）

▶番号 6372b「哥」（聲哥）の仮名音注「カ」については、基本的に -a で対応する。当該字には平声濁点を差すので、日本語の連濁による字音「ガ」を想定する。観智院本類聚名義抄に平声点を付した同音字注「音謌」と和音「カ」を見出す。日本漢音は平声、日本呉音「カ」を認める。

哥 ウタフ／和音カ　　　　　　　　（観智院本類聚名義抄／佛上 078-5）

哥 音謌［平］ウタフ［上上下］　　　　（観智院本類聚名義抄／僧下 108-2）

▶番号 6554「訶」の仮名音注「カ」については、基本的に -a で対応する。当該字に声点はなく、和訓「セム［平上］」の同訓異字として位置する。図書寮本類聚名義抄に反切「弘云呼多反」および去声点を付した「真云カ」〔＊いわゆる真興和音〕を見出す。観智院本には反切「呼多反」と去声墨点を付した和音「カ」を見つける。日本呉音「カ」去声を認める。

訶 弘云呼多反 責也怒也／呵［同：右注］真云カ［去］　　（図書寮本類聚名義抄／073-7）

訶 呼多反 イサフ イカル［上上□］セム … 和カ［去：墨点？］（観智院本類聚名義抄／法上 051-8）

▶番号 6555「呵」の仮名音注「カ」については、基本的に -a で対応する。当該字には平声点を差し、右注「怒也」を付載する。また和訓「セム」の同訓異字として位置する。上巻の歌韻当該諸

3-1-1　-ɑ系の字音的特徴　25

例で分析したように、日本呉音「カ」去声を認める。

　▶番号4622「犠」（犧）の仮名音注「カ」については、基本的に -a で対応する。当該字に声点はない。その中古音が示す頭子音 ŋ-（等韻学の術語で言う疑母）は軟口蓋鼻音であり、日本漢字音ではガ行音をもって受容する。上巻の歌韻当該諸例で分析した。

　▶番号4815b「峨」（嶬峨）の仮名音注「カ」については、基本的に -a で対応する。当該字に声点はない。異体字である上述「犠」の分析を参照。

　▶番号5475a「鵝」（鵝毛）の仮名音注「カ」については、基本的に -a で対応する。当該字には平声濁点を差すので、字音「ガ」を想定する。また、その中古音が示す頭子音 ŋ-（等韻学の術語で言う疑母）は軟口蓋鼻音であり、日本漢字音ではガ行音をもって受容する。上巻の歌韻当該諸例で分析したように、日本漢音「ガ」平声を認める。

　▶番号6093「蛾」（蛾）の仮名音注「カ」については、基本的に -a で対応する。当該字には平声濁点を差すので、字音「ガ」を想定する。また右注「ヒヽル」左注「蚕老化作飛土也」を付載する。その中古音が示す頭子音 ŋ-（等韻学の術語で言う疑母）は軟口蓋鼻音であり、日本漢字音ではガ行音をもって受容する。上巻の歌韻当該例で分析した。

　▶番号6338b「蛾」（飛蛾）の仮名音注「カ」については、基本的に -a で対応する。当該字に声点はない。上述の分析を参照。

　▶番号4065「嵯」の仮名音注「サ」については、基本的に -a で対応する。当該字には平声点を差し、左注「荒田也」を付載する。その中古音が示す頭子音 dz-（等韻学の術語で言う従母）は有声破擦音であり、日本語のザ行音をもって受容するが、中国語音韻史上における濁音声母の無声化を反映する場合はサ行音で受容する。観智院本類聚名義抄に同音字注「音嵯」を見出すが、仮名音注はない。篆隷萬象名義には反切「在何反」を見つける。

　　嵯 音嵯 残藏田　　　　　　　　　　　　　　　（観智院本類聚名義抄／佛中 109-5）

　　嵯 在何反 病也 瘕也　　　　　　　　　　　　（高山寺本篆隷萬象名義／第一帖 037 ウ 1）

　▶番号4548「醝」の仮名音注「サ」については、基本的に -a で対応する。当該字には平声点を差し、和訓「サケ」の同訓異字として位置する。その中古音が示す頭子音 dz-（等韻学の術語で言う従母）は有声破擦音であり、日本語のザ行音をもって受容するが、中国語音韻史上における濁音声母の無声化を反映する場合はサ行音で受容する。観智院本類聚名義抄に「在何反」と和音「沙」を見出すが、仮名音注はない。傍証ではあるが、同書で「沙」を再検索すると、低平調を示す和音「シヤ」を見つける。

　　醝 在何反 白／酒 和沙　　　　　　　　　　　（観智院本類聚名義抄／僧下 058-6）

　　沙汰 タ丶ス／上 和シヤ ［平平］　　　　　　　（観智院本類聚名義抄／法上 008-4）

　▶番号4815a「嵯」（嶬峨）の仮名音注「サ」については、基本的に -a で対応する。当該字に声点はない。その中古音が示す頭子音 dz-（等韻学の術語で言う従母）は有声破擦音であり、日本

26　3．仮名音注の韻母別考察　3-1　Ⅰ韻類

語のザ行音をもって受容するが、中国語音韻史上における濁音声母の無声化を反映する場合はサ行音で受容する。図書寮本類聚名義抄に反切「广云昨歌反・玉云慈柯反」を見出す。観智院本には反切「才多反」を見出すが、仮名音注はない。

　　　嵯者 广云昨／歌反　　　　　　　　　　　　　　　　　　　　　（図書寮本類聚名義抄／142-1）

　　　嵯峨 上玉云慈柯反　　　　　　　　　　　　　　　　　　　　　（図書寮本類聚名義抄／142-7）

　　　嵯 才多反 嵯峨／タカシ［平平□］サカシ［平平濁□］　　　（観智院本類聚名義抄／法上112-6）

▶番号5924b「瑳」（匜瑳）の仮名音注「サ」については、基本的に -a で対応する。当該字に声点はない。廣韻に拠れば、歌/智韻（ts'ɑ^{1/2}）二音を有する。図書寮本類聚名義抄に反切「且我反」（その反切下字「我」には上声濁点を差すが、それ自体の濁音表記を示す）と声調表示「又平声」および「真云サ」を見出す。観智院本に反切「在何反」と「且我反」（その反切下字「我」には上声濁点を差す）および和音「サ」を見つける。日本漢音は上声、日本呉音「サ」を認める。

　　　瑳 弘云且我［上濁］反 蹉［同：右注］… 又平声 真云サ　　　（図書寮本類聚名義抄／164-4）

　　　瑳 在何反 ウルハシ … 蹉［同：右注］且我［□上濁］反 和サ　（観智院本類聚名義抄／法中016-6）

▶番号6734b「磋」（切磋）の仮名音注「サ」については、基本的に -a で対応する。当該字には平声点を差す。熟字6734「切磋」は左注「瑩也」を付載する。上巻の歌韻当該例で分析したように、日本漢音は去声、日本呉音「サ」を認める。

▶番号5769a「娑」（娑婆）の仮名音注「シヤ」については、異例 -ia を示す。当該字には去声点を差す。上巻の歌韻当該例で分析したように、日本漢音は平声、日本呉音「シヤ」上声を認める。

▶番号4301「酡」（酡）の仮名音注「タ」については、基本的に -a で対応する。当該字には平声点を差し、右注「アカシ 徒河反」中注「飲酒朱顔皃」左注「又アカラカナリ」を付載する。その中古音が示す頭子音 d-（等韻学の術語で言う定母）は有声歯茎閉鎖音であり、ダ行音をもって受容するが、中国語音韻史上における濁音声母の無声化を反映する場合はタ行音で対応する。観智院本類聚名義抄に同音字注「音移」を見出すが、仮名音注はない。同書では「酡・酏」歌韻定母（dɑ^{1}）と「酏」支/紙韻喩母（jie^{1/2}）とを混同している。

　　　酡酏 俗正 音移 … 又弋紙反〔＊弋←七〕アカシ［上上□］　　（観智院本類聚名義抄／僧下059-1）

　　　酡 アカラカナリ［平平□□□□］　　　　　　　　　　　　　（観智院本類聚名義抄／僧下064-5）

▶番号4536b「陀」（沙陀調）の仮名音注「タ」については、基本的に -a で対応する。当該字には平声点を差す。観智院本類聚名義抄に平声点を付した同音字注「音馳」（歌韻 dɑ^{1}）と去声濁点を付した和音「タ」を見出す。上巻の歌韻当該例で分析したように、日本漢音は平声、日本呉音「ダ」去声を認める。

▶番号5195b「陀」（祇陀林）の仮名音注「タ」については、基本的に -a で対応する。当該字に声点はない。熟字5195「祇陀林」は左注「キタリ」仮名音注を付載する。祇陀林寺を指し、祇園精舎の異称である。上述の分析を参照。

▶番号6361b「驒」(飛驒)の仮名音注「タ」については、基本的に -a で対応する。当該字に声点はない。観智院本類聚名義抄に同音字注「驒顚二音」を見出すが、仮名音注はない。傍証ながら、同書で「駝」を再検索すると、去声濁点を付した和音「タ」を見つける。

　　　驒 驒顚二音 白馬 黒尾／連銭驄也　　　　　　　　　（観智院本類聚名義抄／僧中102-5）

　　　馳駝 今正／徒何反／ウサキマ … 又直知反 和タ［去濁］　（観智院本類聚名義抄／僧中100-4）

▶番号3679b「多」(巨多)の仮名音注「タ」については、基本的に -a で対応する。当該字には上声点を差す。上巻の歌韻当該諸例で分析したように、日本漢音「タ」東声(四声体系では平声)日本呉音「タ」を認める。

▶番号4809a・4812b・6360a・6368b・6760b「多」(多度・阿多・多珂・哲多・勢多橋)の仮名音注「タ」については、基本的に -a で対応する。当該諸字五例に声点はない。当該の熟字すべて國郡(国郡)部に属する。上述の分析を参照。

▶番号5895b・5904d・5905d「他」(勝他心・自讃毀他・自行化他)の仮名音注「タ」については、基本的に -a で対応する。当該諸字三例に声点はない。熟字5905「自行化他」は自ら修行し他人を教化して悟りに入らしめることを指す仏教用語。上巻の歌韻当該例で分析したように、日本漢音「タ」東声(四声体系では平声)日本呉音「タ」を認める。

▶番号6586b「那」(刹那)の仮名音注「ナ」については、基本的に -a で対応する。当該字には上声点を差す。上巻の歌韻当該諸例で分析したように、日本呉音「ナ」去声を認める。

▶番号4417a・4429c・4808a・5198a・5927b・5935a・6358a・6371b・6386a「那」(那賀・阿支那・那珂・那賀・伊那・那須・那珂・安那・那珂)の仮名音注「ナ」については、基本的に -aで対応する。当該諸字九例に声点はない。熟字4429「阿支那」は阿篇姓氏部に属し、それ以外は各篇の國郡(国郡)部に属する地名である。上述の分析を参照。

▶番号5741b「羅」(雀羅)の仮名音注「ラ」については、基本的に -a で対応する。当該字には平声点を差す。上巻の歌韻当該諸例で分析したように、日本漢音「ラ」平声、定着久しい字音は去声を認める。

▶番号5111b・6376b・5423b「羅」(綺羅・世羅・雑羅)の仮名音注「ラ」については、基本的に -a で対応する。当該諸字三例に声点はない。上述の分析を参照。

▶番号5417b「羅」(新羅琴)の仮名音注「ラキ」については、異例 -aki を示す。熟字5417「新羅琴」は左右注「シラキ／コト」を付載する。朝鮮半島に由来する地名を含む。先行する地名に対して漢字表記を宛てたものか。あるいは字音「シンラ」の撥音無表記に基づくか。元和本倭名類聚抄には借字「之良岐古止」を見出す。新羅で用いられたカヤグムに対する日本での呼称である。

　　新羅琴本朝格云新羅琴師一人 新羅琴和名之良岐古止今案所出未詳疑自新羅國來歟 …

　　　　　　　　　　　　　　　　　　　　　　　　（元和本倭名類聚抄／巻四11 ウ8）

▶番号3319・6162a「蘿」(蘿・蘿鬘)の仮名音注「ラ」については、基本的に -a で対応する。

28　3．仮名音注の韻母別考察　3-1　Ⅰ韻類

両当該字には平声点を差す。番号 3319「蘿」は右注「音羅」左注「女蘿」を、熟字 6162「蘿髣」は右注「ヒカケカツラ」左注「祭具也」を付載する。観智院本類聚名義抄に平声点を付した同音字注「音羅」を見出すが、仮名音注はない。日本漢音は平声を認める。

　　　蘿 音羅［平］ヒカケ［上□□］／コケ［平平］　　　　　（観智院本類聚名義抄／僧上 035-5）

　　　蘿髣　日本紀私記云爲髣以蘿 和語云比加介加都良　　　（元和本倭名類聚抄／巻十三 07 オ 3）

▶番号 5453「籮」（籮）の仮名音注「ラ」については、基本的に -a で対応する。当該字には平声点を差し、右注「シタミ」中左注「筐底方上／円者為籮」を付載する。漢字源第五版「といだ米をあげるのに用いる、竹でつくった網目の透けたざる」とある。観智院本類聚名義抄に同音字注「音羅」を見出すが、仮名音注はない。元和本倭名類聚抄には同音字注「音羅」がある。

　　　籮 音羅 篩 シタミ［平上上］／竹器也 箕也　　　　　　（観智院本類聚名義抄／僧上 071-8）

　　　籮　考聲切韻云江南人謂筐底方上圓者爲籮 音羅和名之太美

　　　　　　　　　　　　　　　　　　　　　　　　　　　　　　（元和本倭名類聚抄／巻十六 09 オ 2）

▶番号 4573b・5422b「鑼」（鈔鑼・鈔鑼）の仮名音注「ラ」については、基本的に -a で対応する。両当該字には平声点を差す。熟字「鈔鑼」は右傍 4573「サラ」右注 5422「サフラ」左注「銅器也」を付載する。観智院本類聚名義抄に同音字注「羅」と仮名音注「ラ」を見出す。元和本倭名類聚抄には同音字注「羅」と「俗云沙布羅」があり、さらに注記「今案或説云新羅金枕出新羅國後人謂之雜羅者新之訛也正説未詳」と続く。広辞苑第七版に拠れば、その「さふら」が転訛して「さはり」になったとする。銅を主とし錫・鉛を加えた黄白色の合金。また、それで作った椀形の器を指すと説明がある。定着久しい字音「ラ」を認める。

　　　鈔鑼 沙羅二音／サフラ［平濁□□］　　　　　　　　（観智院本類聚名義抄／僧上 121-1）

　　　鈔鑼　唐韻云鈔鑼 二音與沙羅同俗云沙布羅 …　　　　（元和本倭名類聚抄／巻十六 02 ウ 8）

▶番号 6141b「鑼」（鐸鑼）の仮名音注「ラ」については、基本的に -a で対応する。当該字には平声点を差す。観智院本類聚名義抄に同音字注「畢羅二音」と「俗云ヒチラ［上上平］」を見出す。その注記「俗云（俗音か）」が何を指すか判然としないが、当該字「鑼」に対しては定着久しい字音「ラ」平声を認める。

　　　鐸鑼 畢羅二音 俗云 ヒチラ［上上平］…　　　　　　（観智院本類聚名義抄／僧上 112-7）

《上巻 哿韻諸例》

▶番号 0686「舸」の仮名音注「カ」については、基本的に -a で対応する。当該字には上声点を差し、左右注「ハヤフネ 高尾／軽舟也戰士可乗」を付載する。観智院本類聚名義抄に反切「公可反」を見出すが、仮名音注はない。元和本倭名類聚抄には反切「古我反」がある。

　　　舸 公可反／ハヤフサ［平平上濁上］　　　　　　　　（観智院本類聚名義抄／佛下本 002-3）

舸　四聲字苑云舸 古我反漢語抄云波夜布禰 髙尾舟一云戰士可乗之輕舟也

(元和本倭名類聚抄／巻十一02オ7)

　▶番号3285b・3294b「可」（多可・甲可）の仮名音注「カ」については、基本的に -a で対応
する。両当該字に声点はない。観智院本類聚名義抄に反切「口我反」（その反切下字に上声濁点）
および平声点を付した和音「カ」を見出す。長承本蒙求には仮名音注「カ」があり、その掲出字に
上声点を加える。日本漢音「カ」上声、日本呉音「カ」平声を認める。

　　　可 口我 [上上濁] 反 ヘシ [平濁平] … 和カ [平] …　　　（観智院本類聚名義抄／佛上076-5）

　　　可 [上] カ　　　　　　　　　　　　　　　　　　　　　　　　（長承本蒙求／149）

　▶番号2949a・3115a「我」（我慢・我執）の仮名音注「カ」については、基本的に -a で対応
する。両当該字には平声濁点を差すので、字音「ガ」を想定する。その中古音が示す頭子音 ŋ-（等
韻学の術語で言う疑母）は軟口蓋鼻音であり、日本語のガ行音をもって受容する。観智院本類聚名
義抄に反切「吾可反」と低平調を示す和音「カア [平濁平]」を見出す。この和音には平声濁点と
朱筆で右傍に濁音表記「✓」があり、一音節二拍相当「ガア」を想定できる。日本呉音「ガ」平声
を認める。

　　　我 吾可反 ワレ [平上] … 和カア [平濁平／✓□：朱右傍]　　（観智院本類聚名義抄／僧中042-1）

　▶番号1690b「左」（土左）の仮名音注「サ」については、基本的に -a で対応する。当該字に
声点はない。廣韻に拠れば、その中古音は哿/箇韻 (tsɑ²³) 二音である。図書寮本類聚名義抄に反切
「玉云咨可咨賀反」を見出す。観智院本に反切「作可反」と「又去」および平声点を付した和音「禾
サ」を見つける。その「禾」の右傍に濁音表記「✓」を付すが、理由は不明。あるいは和訓「ワサ」
と解釈されないための留意か。長承本蒙求には仮名音注「サ」二例があり、両掲出字に上声点を加
える。日本漢音「サ」上/去声、日本呉音「サ」平声を認める。

　　　左 玉云咨可咨賀反 左右助也 …　　　　　　　　　　　（図書寮本類聚名義抄／135-3）

　　　左 作可反 ヒタリ [平上濁□] ／又去 … 禾 [✓：墨右傍] サ [平]　　左

　　　　　　　　　　　　　　　　　　　　　　　　（観智院本類聚名義抄／佛上084-8）

　　　左 [上] サ　　　　　　　　　　　　　　　　　　　　　（長承本蒙求／086・112）

《下巻 哿韻諸例》

　▶番号4364a「婀」（婀娜）の仮名音注「ア」については、基本的に -a で対応する。当該字に
は上声点を差す。廣韻に拠れば、当該字「婀」は「痾」と相互に異体字の認識がある。部首と諸声
符が上下配置である「嫛」は別字か。熟字4364「婀娜」は右傍「タヲヤカナリ」右注「又ヤマメク」
〔*ナマメクの誤認か〕を付載する。観智院本類聚名義抄に反切「烏可反」（その反切下字に上声点）
を見出すが、仮名音注はない。日本漢音は上声を認める。

30　3．仮名音注の韻母別考察　3-1　Ⅰ韻類

閼　閼呵欲傾皃烏可切七…婀　婀娜亦作婀 嬰 人姓 … 又音瘖　　　　　　（宋本廣韻／上声曷韻 'ɑ²）

阿　曲也近也 … 烏何切七 嬰 嫛嬰不決嫊音庵 … 婀 女字 …　　　　　（宋本廣韻／平声歌韻 'ɑ¹）

婀　烏可［上］反／タヲヤカナリ　　　　　　　　　　　　　（観智院本類聚名義抄／佛中 012-5）

婀　乃可［上］反 … タヲヤカナリ 婀娜／ヨキカホ ナマメク　　　（観智院本類聚名義抄／佛中 012-6）

▶番号 3729b・5960b「我」（久我・志我閊）の仮名音注「カ」については、基本的に -a で対応する。両当該字に声点はない。上巻の曷韻当該諸例で分析したように、日本呉音「ガ」平声を認める。

▶番号 3606b「可」（許可）の仮名音注「カ」については、基本的に -a で対応する。当該字には平声点を差す。上巻の曷韻当該諸例で分析したように、日本漢音「カ」上声、日本呉音「カ」平声を認める。

▶番号 6372b「可」（奴可）の仮名音注「カ」については、基本的に -a で対応する。当該字に声点はない。上述の分析を参照。

▶番号 4723a「左」（左遷）の仮名音注「サ」については、基本的に -a で対応する。当該字には平声点を差す。上巻の曷韻当該例で分析したように、日本漢音「サ」上/去声、日本呉音「サ」平声を認める。

▶番号 4739a「尢」（尢道）の仮名音注「サ」については、基本的に -a で対応する。当該字には上声点を差す。上述の分析を参照。

▶番号 4364b「娜」（婀娜）の仮名音注「タ」については、基本的に -a で対応する。当該字には上声点を差す。熟字 4364「婀娜」は右傍「タヲヤカナリ」右注「又ヤマメク」〔*ナマメクの誤認か〕を付載する。観智院本類聚名義抄に「乃可反」（その反切下字に上声点を差す）を見出すが、仮名音注はない。その中古音が示す頭子音 n-（等韻学の術語では泥母）は、中国語音韻史上における鼻音声母の非鼻音化（denasalization）現象 ⒇ によって、n- > nd- > d- の音変化をする。原則的に、この影響を受けた日本漢音ではダ行音を反映することになる。日本漢字音において頭子音 n- をナ行音で示す場合は、より早い段階の字音享受と認める。これを呉音的特徴とするが、日本漢音と中国語音韻史上の基層を異にする点、留意しなければならない。日本漢音は上声を認める。

娜　乃可［□上］反 マ丶ハ丶 タヲヤカナリ 婀娜 …　　　　　（観智院本類聚名義抄／佛中 012-6）

《上巻 箇韻諸例》

▶番号 2649a「賀」（賀王恩）の仮名音注「カ」については、基本的に -a で対応する。当該字には去声点を差す。その中古音が示す頭子音 ɣ-（等韻学の術語で言う喉音濁匣母）は有声軟口蓋摩擦音であり、日本語のガ行音をもって受容するが、中国語音韻史上における濁音声母の無声化を反映する場合はカ行音で対応する。観智院本類聚名義抄に「戸个反」を見出すが、仮名音注はない。

その反切下字「个」について同書を再検索すると、同音字注「音箇」とともに去声点を付した反切下字「賀」が目にとまる。長承本蒙求には仮名音注「カ」があり、それを含む掲出字二例に去声点を加える。日本漢音「カ」去声を認める。

　　　賀 戸个反 ヨシ … ヨロコフ［平平□□／□□□ヒ：右傍］　　　（観智院本類聚名義抄／佛下本017-5）

　　　个 音箇 枚／古賀［□去］反　　　　　　　　　　　　　　　（観智院本類聚名義抄／僧中002-8）

　　　賀［去］カ　　　　　　　　　　　　　　　　　　　　　　　　　　（長承本蒙求／020）

　　　賀［去］　　　　　　　　　　　　　　　　　　　　　　　　　　　（長承本蒙求／064）

　▶番号2795「賀」（賀）の仮名音注「カ［平濁］」については、基本的に -a で対応する。当該字の仮名音注には平声濁点を差すので、字音「ガ」を想定する。上述の分析を参照。

　▶番号0359b・0362b・0363a・0376b・0393b・3280a・3286a・3177a「賀」（伊賀・那賀・賀茂・那賀・伊賀・賀古・賀茂・賀茂）の仮名音注「カ」については、基本的に -a で対応する。当該諸字八例に声点はない。伊篇姓氏部の0393「伊賀」と加篇姓氏部の3177「賀茂」以外は國郡（国郡）部に属する。上述の分析を参照。

　▶番号2577a・2994a「餓」（餓鬼・餓死）の仮名音注「カ」については、基本的に -a で対応する。両当該字には平声濁点を差すので、字音「ガ」を想定する。その中古音が示す頭子音 ŋ-（等韻学の術語で言う疑母）は軟口蓋鼻音であり、日本語のガ行音をもって受容する。観智院本類聚名義抄に反切「吾个反」と墨筆による平声点を付した和音「カ」（右傍に濁音「✓」表記）を見出す。日本呉音「ガ」平声を認める。

　　　餓 … 吾个反 ウフ［平上］… 和カ［平：墨点／✓：墨右傍］　　　（観智院本類聚名義抄／僧上110-6）

　▶番号3284a・3161a・1687b・1689a「佐」（佐用・佐井・引佐・佐野）の仮名音注「サ」については、基本的に -a で対応する。当該諸字四例に声点はない。いずれも國郡（国郡）部に属する。観智院本類聚名義抄に反切「子賀反」と和音「サ」を見出す。日本呉音「サ」を認める。

　　　佐 子賀反 タスク／スケ 和サ　　　　　　　　　　　　　（観智院本類聚名義抄／佛上027-2）

《下巻 箇韻諸例》

　▶番号4402b・4403b・4417b・5198b・5933b・5934b・5959b・6015b・6367a・6369b「賀」（滋賀・甲賀・那賀・那賀・都賀・芳賀・志賀・敦賀・賀夜・英賀）の仮名音注「カ」については、基本的に -a で対応する。当該諸字十例に声点はない。師篇姓氏部の5959「志賀」以外は國郡（国郡）部に属する。上巻の箇韻当該諸例で分析したように、日本漢音「カ」去声を認める。

　▶番号4096b・4829a「佐」（阿佐豆岐・佐為）の仮名音注「サ［上］」については、基本的に -a で対応する。両当該字の仮名音注には上声点を差す。熟字4096「阿佐豆岐」は右注「アサツキ［上上上上］」を、熟字4829「佐為」は右注「サキ［上平］」を付載する。上巻の箇韻当該諸例で

32 　3．仮名音注の韻母別考察　3-1　Ⅰ韻類

分析したように、日本呉音「サ」を認める。

　▶番号3871b・4410a・4827a・4828a・4830a・4830b・4831a・5931a・6379a・6958a「佐」
（曳佐・佐伯・佐太・佐伯・佐ゝ貴・佐ゝ貴・佐良ゝ・佐久・佐嘉・佐波）の仮名音注「サ」につ
いては、基本的に -a で対応する。当該諸字十例に声点はない。上述の分析を参照。

　▶番号4567a「作」（作皮）の仮名音注「サ［去］」については、基本的に -a で対応する。当
該字には去声点を差す。熟字4567「作皮」は右注「サヒツ［去上平］」左注「移鞍切付也」を付載
する。観智院本類聚名義抄に去声点を付した「茲賀反」と「子各反」〔＊←子合反〕および和音「サ
［平］・サク」を見出す。続けて注記「去者為入者造」（去声は為す、入声は造る）がある。高山
寺本篆隷萬象名義には反切「子各反」を見つける。長承本蒙求には仮名音注「サ」があり、その掲
出字に去声点を加える。日本漢音「サ」去声、日本呉音「サ」平声と「サク」を認める。

　　　作 茲賀［□去］子合二反 去者為入者造 ナル［□ス：右傍］… 和サ［平］サク

　　　　　　　　　　　　　　　　　　　　　　　　　　（観智院本類聚名義抄／佛上033-2）

　　　作［去］サ　　　　　　　　　　　　　　　　　　　　　　　（長承本蒙求／098）

　　　作 子各反 用也起也行也 … 使也佐也　　　　　（高山寺本篆隷萬象名義／第一帖054 オ1）

　▶番号4679a「作」（作法）の仮名音注「サ」については、基本的に -a で対応する。当該字に
は平声点を差す。上述の分析を参照。

　▶番号6208「拕」の仮名音注「タ」については、基本的に -a で対応する。当該字には平声点を
差し、右注「徒可反」を付載する。当該字「拕」（透母箇韻 t'ɑ³）は「挖」（透母歌韻 t'ɑ¹・定母
智韻 dɑ²）と相互に異体字であるが、その中古音は異なる。図書寮本類聚名義抄に反切「徒我」二
例を見出す。観智院本類聚名義抄に同音字注「音他」（透歌韻 t'ɑ¹）を見つけるが、仮名音注はな
い。直後に正字として「挖」を掲げる。承暦本金光明最勝王経音義には同音字注「陁音」があり、
その掲出字「拕」に去声点を加える。日本呉音は去声を認める。また日本呉音「ダ」の可能性を指
摘しておく。

　　　䑛 鳥土 波拕 徒我 邪 广云ゎ古［□去］反 …　　　　　（図書寮本類聚名義抄／177-2）

　　　迦拕 徒我 南 广云此自説 …　　　　　　　　　　　　　（図書寮本類聚名義抄／178-5）

　　　拕拖 音他 ヒク［上平］… 舊又音 …　　挖 正　　　（観智院本類聚名義抄／佛下本040-4）

　　　拕［去］陁ゝ　　　　　　　　　　　　　（承暦本金光明最勝王経音義／08 ウ6）

　　　陁 オツ［平上］… 音馳［平］… 和タ［去濁：墨点］　陀 正　（観智院本類聚名義抄／法中043-3）

　3-1-1-2 　-uɑ（戈/果/過韻）

　資料篇【表B-01】には戈韻（平声）果韻（上声）過韻（去声）所属の諸例が含まれる。前田本の
示す仮名音注は -wa, -a で対応する。両者はカ行（声母 k- 系、いわゆる牙喉音を日本語の音節構

造に馴化させた場合）とカ行以外の字音把握を示している。異例 *-an, -ari, -au, -o* がある。

《上巻 戈韻諸例》

▶番号2712「鍋」の仮名音注「クワ」については、基本的に *-wa* で対応する。当該字には平声点を差し、右注「カナヘ」を付載する。観智院本類聚名義抄に平声点を付した同音字注「戈」を見出すが、仮名音注はない。日本漢音は平声を認める。

　　　鍋 … 音戈［平］… ナヘ カナ丶ヘ カナヘ …　　　　　　　　　（観智院本類聚名義抄／僧上 117-4）
▶番号0955「痤」の仮名音注「サ」については、基本的に *-a* で対応する。当該字には平声点を差す。その中古音が示す頭子音 dz-（等韻学の術語で言う歯音濁従母）は有声破擦音であり、日本語のザ行音をもって受容する。ただし、中国語音韻史上における濁音声母の無声化を反映する場合、日本語のサ行音で対応することになる。観智院本類聚名義抄に反切「徐和反」を見出すが、仮名音注はない。同書で俗字とする「痤」を再検索すると、平声点を付した和音「サ」（その右傍に濁音「✓」表記）を見つける。日本呉音「ザ」平声を認める。

　　　痤 俗痤字 徐和反 ニキミ …　　　　　　　　　　　　　　　（観智院本類聚名義抄／法下 116-6）

　　　痤 昨戈反 ヒキ人 短臾／和云サ［平／右傍：✓］　　　　　　（観智院本類聚名義抄／僧中 032-6）
▶番号0744a・0745a・0812a・0857a・1223b「波」（波浪・波壽・波臣・波郵・奔波）の仮名音注については、基本的に *-a* で対応する。当該諸字五例には平声点を差す。図書寮本類聚名義抄に平声点を付した同音字注「音幡」（その右傍に仮名音注「ハ」）を見出す。観智院本には同音字注「音幡」と和音「ハ」を見つける。また、長承本蒙求にも仮名音注「ハ」があり、その掲出字に東声点を加える。日本漢音「ハ」東声（四声体系では平声）日本呉音「ハ」を認める。

　　　波浪 上音幡［平／ハ：右傍］…　　　　　　　　　　　　　（図書寮本類聚名義抄／018-4）

　　　波 真云博／禾反 羅魯／何 蜜弥／畢 多 得／何　　　　　　（図書寮本類聚名義抄／018-6）

　　　波 音幡 ナミ［平平］… 和ハ　　　　　　　　　　　　　　（観智院本類聚名義抄／法上 020-2）

　　　波［東］ハ　　　　　　　　　　　　　　　　　　　　　　　（長承本蒙求／005）
▶番号0834b「波」（白波）の仮名音注については、基本的に *-a* で対応する。当該字には平声濁点を差すので、日本語音韻史上の連濁による字音「バ」を想定する。上述の分析を参照。
▶番号0459b・3158b「波」（六波羅・那波）の仮名音注については、基本的に *-a* で対応する。両当該字に声点はない。上述の分析を参照。
▶番号0716a・0716b「幡」（幡ミ）の仮名音注「ハ」については、基本的に *-a* で対応する。両当該字に平声点を差す。熟字0716「幡ミ」は右注「シラク」左注「鬢眉白臾」を付載する。観智院本類聚名義抄に同音字注「婆波二音」を見出すが、仮名音注はない。

　　　幡 顚或 婆波二音 ナミ［平平］白首 イサム　　　　　　　（観智院本類聚名義抄／佛中 104-3）

34　3．仮名音注の韻母別考察　3-1　Ⅰ韻類

顥 皤二正 音婆／白首　　　　　　　　　　　　　　（観智院本類聚名義抄／佛下本 029-5）

▶番号 1354b「頗」（偏頗）の仮名音注「ハ」については、基本的に -a で対応する。当該字に
上声濁点を差すので、日本語音韻史上の連濁による字音「バ」を想定する。廣韻に拠れば、戈/果/過
韻 (p‘ɑ^{1/2/3}) の三音を有する。観智院本類聚名義抄に反切「普何反」と墨筆の圏点による平声点を付
した「音叵」を見出す。傍証ながら、同書で「叵」を再検索すると、反切「普可反」（その反切下
字に上声点を差す）と和音「破」を見つける。長承本蒙求には仮名音注「ハ」があり、その掲出字
に東声点を加える。日本漢音「ハ」東声（四声体系では平声）を認める。

頗 普何反 傾也 スコフル［上上上濁□］… 音叵［平：墨筆圏点］又去 …

　　　　　　　　　　　　　　　　　　　　　　　　　（観智院本類聚名義抄／佛下本 022-7）

頗 モシ／スコフル／カタシ　　　　　　　　　　　　（観智院本類聚名義抄／僧中 071-4）

叵 普可［□上］反 和音破／カタシ［上上上］…　　　（観智院本類聚名義抄／佛上 064-3）

頗［東］ハ　　　　　　　　　　　　　　　　　　　　（長承本蒙求／131）

▶番号 0717a・0717b「婆」（婆ぎ）の仮名音注「ハ」については、基本的に -a で対応する。
両当該字には平声点を差す。その中古音が示す頭子音 b-（等韻学の術語で言う唇音濁並母）は有声
両唇閉鎖音であり、日本語のバ行音で受容するが、中国語音韻史上における濁音声母の無声化を反
映する場合はハ行音で対応する。観智院本類聚名義抄に平声点を付した同音字注「皤」と去声濁点
を付した和音「ハ」を見出す。日本漢音は平声、日本呉音「バ」去声を認める。

婆 音皤［平］婆娑舞／ハヽ 和ハ［去濁］　婆娑 マフ　（観智院本類聚名義抄／佛中 023-2）

▶番号 0886a「婆」（婆娑）の仮名音注「ハ」については、基本的に -a で対応する。当該字に
は平声濁点を差すので、字音「バ」を想定する。熟字 0886「婆娑」は左注「舞名」を付載する。観
智院本類聚名義抄に注記「婆娑舞」があり、続けて熟字「婆娑」には和訓「マフ」を見出す。上述
の分析を参照。

▶番号 0785a・1613b「磨」（磨礱・突磨）の仮名音注「ハ」については、基本的に -a で対応
する。両当該字には平声濁点を差すので、字音「バ」を想定する。廣韻に拠れば、戈/過韻 (mɑ^{1/3})
二音を有する。その中古音が示す頭子音 m-（等韻学の術語で言う明母）は両唇鼻音であり、マ行音
をもって受容する。ただし、中国語音韻史上における鼻音声母の非鼻音化 (denasalization) 現象に
より、m- > mb- > b- の音変化をする。原則的に言えば、この影響を受けた日本漢音はバ行音を反
映する。図書寮本類聚名義抄に平声濁点を付した同音字注「音摩」と平声点を付した同音字注「川
云一音麻」を見出す。後者は倭名類聚抄による引用である。観智院本には反切「莫何反・莫賀反」
と和音「マ」を見つける。元和本倭名類聚抄は熟字「磨礱」に対して注記「二音與麻籠同又並去聲」
がある。日本漢音は平/去声、日本呉音「マ」を認める。

磨 音摩［平濁］… ミカク［記：右注］　　　　　　　（図書寮本類聚名義抄／148-4）

磨礱 川云一音麻籠［平平］同 又並／去声 和云須利宇須［平平平上］…

（図書寮本類聚名義抄／155-6）

磨𥑐 今正 莫何反 莫賀反 … ミカク［上上濁］ノソム 和マ　　（観智院本類聚名義抄／法下101-7）

䃺 … 唐韻云磨䃺 二音與麻籠同又並去聲和名須利宇數 … （元和本倭名類聚抄／巻十六05 ウ 6）

▶番号1540「磨」（磨）の仮名音注「ハ」については、基本的に *-a* で対応する。当該字に声点はない。右傍に付載する当該の仮名音注「ハ」は別筆の可能性がある。上述の分析を参照。

▶番号2905b「磨」（羯磨）の仮名音注「マ」については、基本的に *-a* で対応する。当該字には平声点を差す。熟字2905「羯磨」は右注に「僧侶分」を付載する。梵語 "karman" を漢訳した仏教用語であるので、基本的に日本呉音をもって受容する。上述の分析を参照。

▶番号3279b・3283b「磨」（播磨・飭磨）の仮名音注「マ」については、基本的に *-a* で対応する。両当該字に声点はない。先んじて存在した地名に対して漢字表記を宛てたもので、定着久しい字音を示すと想定できる。元和本倭名類聚抄に借字「波里萬」を見出す。上述の分析を参照。

播磨 波里萬　美作 美萬佐加 …　　　　　　　（元和本倭名類聚抄／巻五09 ウ 4）

播磨國 … 飭磨 國府　揖保 伊比保　　　　　　（元和本倭名類聚抄／巻五22 ウ 4）

▶番号0375b「摩」（迩摩）の仮名音注「マ」については、基本的に *-a* で対応する。当該字に声点はない。廣韻に拠れば、戈/過韻（mɑ¹ᐟ³）の二音を有する。観智院本類聚名義抄に反切「莫羅反」と「又去」および去声点を付した和音「マ」を見出す。日本漢音は去声、日本呉音「マ」去声を認める。

摩 莫羅反 ナツ［平上濁］スル … 又去 和マ［去］　（観智院本類聚名義抄／法下103-8）

岩見國 … 邇摩　那賀 …　　　　　　　　　　　（元和本倭名類聚抄／巻五22 オ 5）

備中國第百十四／下道郡／邇磨 爾萬　　　　　（元和本倭名類聚抄／巻八16 オ 3）

▶番号0598「魔」（魔）の仮名音注「ハ」については、基本的に *-a* で対応する。当該字には平声濁点を差すので、字音「バ」を想定する。その中古音が示す頭子音 m-（等韻学の術語で言う明母）は両唇鼻音であり、マ行音をもって受容する。ただし、鼻音声母の非鼻音化（denasalization）現象によって、m- > mb- > b- の音変化をする。原則的に言えば、この影響を受けた日本漢音ではバ行音を反映する。観智院本類聚名義抄に同音字注「音摩 俗云マ（俗音まか）」と去声点を付した和音「マ」を見出す。日本呉音「マ」去声を認めるが、一方では定着久しく常用する「俗音マ」を強く保持していたと推測する。

魔 音摩 俗云マ オニ コヽメ タマシヒ／和マ［去］　（観智院本類聚名義抄／法下104-2）

▶番号1112b・2729「螺」（寶螺・螺）の仮名音注「ラ」については、基本的に *-a* で対応する。両当該字に声点はない。番号2729「螺」は右注「カヒ」左注「寶螺也」を付載する。観智院本類聚名義抄に「洛戈反」を見出すが、仮名音注はない。

螺 … 贏字 洛戈反／カヒ ツヒ タツヒ　　　　　（観智院本類聚名義抄／僧下039-7）

▶番号2350a「倭」（倭琴）の仮名音注「ワ」については、基本的に *-wa* で対応する。観智院本

36　3．仮名音注の韻母別考察　3-1　Ⅰ韻類

類聚名義抄に「於為反・又烏和反」を見出すが、仮名音注はない。

　　　倭琴 夜末度古／度［平平上平上］　　　　　　　　　　　（図書寮本類聚名義抄／170-1）

　　　倭 捼為反〔＊捼=於〕長也／又烏和反 …　　　　　　（観智院本類聚名義抄／佛上 022-5）

　　　日本琴　萬葉集云梧桐日本琴一面 … 俗用倭琴二字夜萬止古止 …

　　　　　　　　　　　　　　　　　　　　　　　　　　　（元和本倭名類聚抄／巻四 12 ウ 2）

　▶番号 1017b「和」（仁和寺）の仮名音注「クワ」については、基本的に -wa で対応する。当該字に声点はない。その中古音が示す頭子音 ɣ-（等韻学の術語で言う喉音濁匣母）は有声軟口蓋摩擦音であり、日本語のガ行音をもって受容するが、中国語音韻史上における濁音声母の無声化を反映する場合はカ行音で対応する。一方で、摩擦が弱化して聞こえると有声軟口蓋接近音 ɰ-（有声両唇軟口蓋接近音 w-）のように把握する可能性がある。日本呉音の基層において、匣母が ɣ-・ɰ- に二分していた [23] と推測する。観智院本類聚名義抄に平声点を付した同音字注「音禾」と反切「胡臥反」および去声点を付した和音「ワ」を見出す。長承本蒙求には仮名音注「クワ」三例があり、それらの掲出諸字三例に平声点を加える。日本漢音「クワ」平声、日本呉音「ワ」去声を認める。

　　　和 音禾［平］胡臥反／相鷹 ヤハラク　　　　　　（観智院本類聚名義抄／佛中 049-5）

　　　和 ヤハラカナリ［□□□□ニ□／□□□ク［平濁］□］… 和ワ［去］

　　　　　　　　　　　　　　　　　　　　　　　　　　（観智院本類聚名義抄／法下 012-5）

　　　禾 音和［平］アハ［平上］　　　　　　　　　　（観智院本類聚名義抄／法下 010-3）

　　　和［平］クワ　　　　　　　　　　　　　　　　　（長承本蒙求／017・024・134）

　▶番号 2390a・2398a・2407a「和」（和顏・和歌・和儻）の仮名音注「ワ」については、基本的に -wa で対応する。当該諸字三例には平声点を差す。上述の分析を参照。

　▶番号 0996b「和」（柔和）の仮名音注「ワ」については、基本的に -wa で対応する。当該字には上声点を差す。上記の分析を参照。

　▶番号 2379a・2386a・2394a・2399a「和」（和合・和奸・和議・和市）の仮名音注「ワ」については、基本的に -wa で対応する。当該諸字四例には去声点を差す。上記の分析を参照。

　▶番号 2361「和」（和）の仮名音注「ワ［去］」については、基本的に -wa で対応する。当該字の仮名音注「ワ」に去声点を差し、右注「ワス［去上］」サ変動詞、左注「声相應也」を付載する。上記の分析を参照。

　▶番号 0385b・2415a・2416a・2418a（宇和・和安・和氣・和迩）の仮名音注「ワ」については、基本的に -wa で対応する。当該諸字四例に声点はない。上記の分析を参照。

《下巻 戈韻諸例》

　▶番号 4089「禾」の仮名音注「クワ」については、基本的に -wa で対応する。当該字には平声

点を差し、右注「アハ」中注「戸戈反」左注「粟苗也」を付載する。観智院本類聚名義抄に平声点を付した同音字注「音和」を見出すが、仮名音注はない。日本漢音は平声を認める。

　　　禾 音和［平］アハ［平上］　　　　　　　　　　　（観智院本類聚名義抄／法下 010-3）

　▶番号 6723b「窠」（千窠錦）の仮名音注「クワ」については、基本的に -wa で対応する。当該字には上声点を差す。熟字 6723「千窠錦」は右注「クワノニシキ」左注「紅葉名」を付載する。観智院本類聚名義抄に平声点を付した同音字注「音和」を見出すが、仮名音注はない。日本漢音は平声を認める。

　　　窠 音和［平］トリノス［□□上去］ハナノシヘス　　　（観智院本類聚名義抄／法下 060-8）

　▶番号 5825b「課」（所課）の仮名音注「クワ」については、基本的に -wa で対応する。当該字に声点はない。図書寮本類聚名義抄に平声点を付した同音字注「音科」を見出す。観智院本には平声点を付した同音字注「音科」を見つけるが、仮名音注はない。同書で「科」を再検索すると、反切「苦和反」があるのみ。日本漢音は平声を認める。

　　　課 音科［平］弘云訂也 … オホス［平平上／集：右注］　　　（図書寮本類聚名義抄／078-3）

　　　課 音科［平］ハカリコト … オホス［平平上］…　　　（観智院本類聚名義抄／法上 057-8）

　　　科 苦和反 シナ［上上］ツミ … オホス［平平上］　　　（観智院本類聚名義抄／法下 019-1）

　▶番号 6967「䎛」（䎛）の仮名音注「クワ」については、基本的に -wa で対応する。当該字には平声濁点を差すので、字音「グワ」を想定する。その中古音が示す頭子音 ŋ-（等韻学の術語で言う疑母）は軟口蓋鼻音であり、日本語のガ行音をもって受容する。観智院本類聚名義抄に同音字注「由訛二音」を見出すが、仮名音注はない。同書で「訛」を再検索すると、反切「五化反・五戈反」がある。それぞれ字音「グヱ・グワ」と推測する。前者の反切下字「化」は和音「クヱ」、後者の反切下字「戈」は「呉音過」を見つけることからも補強できる。長承本蒙求も同様で、平声点を付した掲出字「訛」に同音字注「臥反・化」がある。長承本蒙求の仮名音注は平安時代院政初期である長承三年（1134）に加点された墨筆（右側の音注「化」＝クヱ）を中心とするが、平安時代中期と推定する古い朱筆（左側の音注「臥反」＝クワ）の加点もある。日本漢音は平声を認める。

　　　䎛 … 由訛二音 囚鳥者媒／ヲトリ［平上／□］　　　（観智院本類聚名義抄／法下 086-2）

　　　訛 五化反 タカフ［平平濁上］… 五戈反　　　（観智院本類聚名義抄／法上 053-2）

　　　化 呼瓜［□平］呼西 翔文［顥本：墨右傍］ヲシウ … 和クヱ　（観智院本類聚名義抄／佛上 032-5）

　　　戈 音過之平声 ホコカマ … 呉、〔＊呉音か〕過［平］　　　（観智院本類聚名義抄／僧中 038-6）

　　　訛［平］臥反／化　　　　　　　　　　　　　　　　（長承本蒙求／006）

　▶番号 3334「莎」の仮名音注「サ」については、基本的に -a で対応する。当該字には平声点を差し、右注「コスケ」を付載する。観智院本類聚名義抄に反切「楽戈反」と和音「沙」を見出すが、仮名音注はない。同書で「沙」を再検索すると、低平調を示す和音「シヤ」を見つける。

　　　莎草 楽戈反／サ、メ コスケ … 和沙 …　　　（観智院本類聚名義抄／僧上 001-4）

38　3．仮名音注の韻母別考察　3-1　Ⅰ韻類

　　　沙汰 タヽス／上 和シヤ［平平］　　　　　　　　　（観智院本類聚名義抄／法上 008-4）
　▶番号 6170「桫」の仮名音注「サ」については、基本的に -a で対応する。当該字には平声点を
差し、右注「同（ヒ）」左注「或乍杪」を付載する。観智院本類聚名義抄に同音字注「音詮・音沙」
と「又七旬反」を見出すが、仮名音注はない。元和本倭名類聚抄には反切「蘓禾反」と同音字注「與
沙同」がある。

　　　桫 音詮 木名 又七旬反／音沙 ヒ 織具　　　　　　（観智院本類聚名義抄／佛下本 089-3）
　　　杼　通俗文云受緯曰筟 和名比 赤謂之桫 蘓禾反與沙同 …

　　　　　　　　　　　　　　　　　　　　　　　　　　　　（元和本倭名類聚抄／巻十四 12 オ 6）

　▶番号 6892「頗」の仮名音注「ハ」については、基本的に -a で対応する。当該字には平声点を
差し、右注「スコフル」を付載する。上巻の戈韻当該例で分析したように、日本漢音「ハ」東声（四
声体系では平声）を認める。

　▶番号 6532c「波」（青海波）の仮名音注「ハ」については、基本的に -a で対応する。当該字
には平声点を差す。熟字 6532「青海波」は右注「盤涉調」を付載する。上巻の戈韻当該諸例で分析
したように、日本漢音「ハ」東声（四声体系では平声）日本呉音「ハ」を認める。

　▶番号 4412b・4413b・6356b・6958b「波」（阿波・阿波・筑波・佐波）の仮名音注「ハ」に
ついては、基本的に -a で対応する。当該諸字四例に声点はない。いずれも國郡（国郡）部に属す。
熟字 6958「佐波」は右傍に仮名音注「サハ」を付載するが、元和本倭名類聚抄の注記「波音馬」を
参照すると、字音「サバ」と認識すべきか。上記の分析を参照。

　　　阿波國 … 阿波 美馬 美萬 …　　　　　　　　　　（元和本倭名類聚抄／巻五 25 オ 5）
　　　常陸國 … 筑波 豆久波 河内 甲知 …　　　　　　　（元和本倭名類聚抄／巻五 15 ウ 9）
　　　周防國 … 佐波 波音馬 吉敷 與之岐　　　　　　　（元和本倭名類聚抄／巻五 24 オ 8）

　▶番号 5769b「婆」（娑婆）の仮名音注「ハ」については、基本的に -a で対応する。当該字に
は上声濁点を差すので、字音「バ」を想定する。上巻の戈韻当該諸例で分析したように、日本漢音
は平声、日本呉音「バ」去声を認める。

　▶番号 5282b「蕃」（蘩蕃）の仮名音注「ハ」については、基本的に -a で対応する。当該字に
声点はなく、右注「同（シロヨモキ）」右傍 {ハンハ} 仮名音注を付載する。廣韻を始めとして切
韻系韻書にはなく、上巻の戈韻当該例で分析したように、草冠のない「皤」戈韻（pɑ'・bɑ'）は
あるが、意味を異にする。観智院本類聚名義抄に同音字注らしき「同中音」を見出すが、指示内容
が不明である。あるいは「蘩蕃」は字音という指示か。元和本倭名類聚抄には同音字注「波」（戈
韻 pɑ'）がある。

　　　蘩蕃蒿 同中音／マカキ　　　　　　　　　　　　（観智院本類聚名義抄／僧上 025-8）
　　　茵陳蒿　釋藥性云茵陳蒿 和名比岐與毛木　　　　　（元和本倭名類聚抄／巻二十 13 オ 6）
　　　白蒿　本草云白蒿一名蘩蕃蒿 蘩蕃二音繁波和名之路與毛木一云加波良與毛岐

今案菊又有此和名見上文　　　　　　　　　　　　　　　　（元和本倭名類聚抄／巻二十 13 オ 7）

　▶番号 3894b・5333b「魔」（天魔・邪魔）の仮名音注「マ」については、基本的に -ɑ で対応する。観智院本類聚名義抄に同音字注「音摩 俗云マ」と和音「マ」を見出す。日本呉音「マ」を認めるが、別に俗音として「マ」を認識しており、その字音把握が強く残ったと認める。なお、上巻の戈韻で分析した番号 0598「魔」では平声濁点を伴う仮名音注「ハ」を付注する。中国語音韻史上における鼻音声母の非鼻音化（denasalization）現象による音変化 m->mb->b- を反映する。原則的に、この影響を受けた日本漢音はバ行音を反映することになる。上巻の戈韻当該例で分析したように、日本呉音「マ」と定着久しい字音「マ」を認める。

　　魔 音摩 俗云マ オニ コヽメ タマシヒ／和マ　　　　　（観智院本類聚名義抄／法下 104-2）

　▶番号 6883「摩」（摩）の仮名音注「マ」については、基本的に -ɑ で対応する。当該字には平声点を差し、その右注に「莫婆反」を付載する。和訓「スル」の同訓異字として位置する。上巻の戈韻当該諸例で分析したように、日本漢音は去声、日本呉音「マ」去声を認める。

　▶番号 3607b「摩」（護摩）の仮名音注「マ」については、基本的に -ɑ で対応する。当該字には上声点を差す。上述の分析を参照。

　▶番号 4810b・5919b・5929b「摩」（薩摩・志摩・筑摩）の仮名音注「マ」については、基本的に -ɑ で対応する。当該諸字三例に声点はない。いずれも國郡部に属する。上述の分析を参照。

　　西海國第五十九／筑前 … 薩摩 散豆萬 …　　　　　　（元和本倭名類聚抄／巻五 10 オ 5）

　　東海國第五十三／伊賀 以加 … 志摩 之萬 …　　　　　（元和本倭名類聚抄／巻五 08 ウ 5）

　　信濃國 … 筑摩 豆加萬國府 …　　　　　　　　　　　（元和本倭名類聚抄／巻五 17 オ 4）

　▶番号 6385b「磨」（球磨）の仮名音注「マ」については、基本的に -ɑ で対応する。当該字に声点はない。上巻の戈韻当該諸例で分析したように、日本漢音は平/去声、日本呉音「マ」を認める。

　　肥後國 … 天草 安萬久佐 葦北 阿之木多 球磨 久萬　　（元和本倭名類聚抄／巻五 27 ウ 2）

　▶番号 4151c・4498b「螺」（大辛螺・榮螺子）の仮名音注「ラ」については、基本的に -ɑ で対応する。両当該字には平声点を差す。熟字 4498「榮螺子」は右注「サタエ」〔＊サミエの誤認〕左注「似蛤而円也」を付載する。上巻の戈韻当該諸例で分析した。

　　榮螺子　崔禹錫食經云榮螺子 和名安佐左江 似蛤而圓者也

　　　　　　　　　　　　　　　　　　　　　　　　　　（元和本倭名類聚抄／巻十九 11 オ 6）

　▶番号 5314b「蠃」（小蠃子）の仮名音注「ラ」については、基本的に -ɑ で対応する。当該字に平声点と去声点を付載するが、後者は差声すべき位置からは離れて相対的に付点は小さい。廣韻に拠れば、戈/過韻来母（luɑ¹ᐟ³）二音を有する。熟字 5314「小蠃子」は右注「シタ ミ ミ」を付載する。観智院本類聚名義抄に同音字注「音裸」を見出すが、仮名音注はない。

　　蠃 音裸 盾豹属又平蛤喩也／桑虫　　　　　　　　　（観智院本類聚名義抄／僧下 094-3）

　　小蠃子　崔禹錫食經云小蠃子 楊氏漢語抄云細螺之太々美 …

40　3．仮名音注の韻母別考察　3-1　Ⅰ韻類

（元和本倭名類聚抄／巻十九 11 ウ 7）

▶番号 6176b・6363a「和」（百和・和氣）の仮名音注「ワ」については、基本的に -wa で対応する。当該字に声点はない。上巻の戈韻当該諸例で分析したように、日本漢音「クワ」平声、日本呉音「ワ」去声を認める。

《上巻 果韻諸例》

▶番号 0835b「火」（放火）の仮名音注「クワ」については、基本的に -wa で対応する。当該字には上声点を差す。観智院本類聚名義抄に反切「呼菓反」と和音「クワ」を見出す。漢音資料を代表する長承本蒙求には仮名音注「クワ」がある。日本漢音「クワ」日本呉音「クワ」を認める。

　　火 呼菓反 ヒ［上］／和クワ 〻〻 火字　　　（観智院本類聚名義抄／佛下末 036-2）
　　火 クワ　　　　　　　　　　　　　　　　　（長承本蒙求／119）

▶番号 0253b「果」（因果）の仮名音注「クワ」については、基本的に -wa で対応する。当該字には平声濁点を差すので、日本語音韻史上の連濁による字音「グワ」を想定する。観智院本類聚名義抄に同音字注「音裏」を見出すが、仮名音注はない。同書で「裏」を再検索しても、同音字注「音果」を見出し、相互に掲出字と同音字注の循環関係になる。長承本蒙求には仮名音注「クワ」があり、その掲出字に上声点を加える。日本漢音「クワ」上声を認める。

　　果 俗作菓 音裏 コノミ［平平上］俗云 クタ物［平平濁□］…

（観智院本類聚名義抄／佛下本 108-6）

　　裏 音果 ツヽム［平平上］… フサ［平上］　（観智院本類聚名義抄／法中 137-3）
　　果［上］クワ　　　　　　　　　　　　　　（長承本蒙求／057）
　　菓［上］クワ　　　　　　　　　　　　　　（長承本蒙求／119）

▶番号 2675b「果」（結果）の仮名音注「クワ」については、基本的に -wa で対応する。当該字に声点はない。熟字 2675「結果」は右注「カクナハ」を付載する。紐を結んだように曲がりくねった形状の揚げ菓子を指す。上述の分析を参照。

　　結果　楊氏漢語抄云結果 形如結緒此間亦有之今案和名加久乃阿和

（元和本倭名類聚抄／巻十六 14 ウ 1）

▶番号 1911b「菓」（珍菓）の仮名音注「クワ」については、基本的に -wa で対応する。当該字には平声点を差す。観智院本類聚名義抄に音注を見出せないが、注記「俗果字」ともあるから、上記で分析した「果」と同じ扱いをすることができる。上述の分析を参照。

　　菓 俗果字／クタ物［平平濁□］コノミ　　（観智院本類聚名義抄／僧上 043-7）
　　菓子 クタモノ［平平濁平平］　　　　　　（観智院本類聚名義抄／法下 137-6）
　　菓蓏　唐韻云説文木上曰果 字或作菓日本紀私記云古乃美俗云久太毛乃 …

3-1-1　-ɑ 系の字音的特徴　41

　　　　　　　　　　　　　　　　　　　　（元和本倭名類聚抄／巻十七 07 オ 9）

　▶番号 2671a「粿」（粿米）の仮名音注「クワ」については、基本的に -wa で対応する。当該字には上声点を差し、右注「カシヨネ」を付載する。観智院本類聚名義抄に上声点を付した同音字注「音果」と「又繪音」を見出すが、仮名音注はない。元和本倭名類聚抄には同音字注「音果」がある。日本漢音は上声を認める。

　　　　粿 音果 [上] 又繪音／カシヨネ [上上上平]　　　　　　　（観智院本類聚名義抄／法下 034-6）
　　　　粿米 唐韻云粿 音果 漢語抄云粿米 加之與禰 浄米也　　　（元和本倭名類聚抄／巻十三 08 オ 7）

　▶番号 2717「鏁」の仮名音注「サ」については、基本的に -a で対応する。当該字には上声点を差し、右注「カキ」中注「カナクサリ」左注「カナツカリ」を付載する。観智院本類聚名義抄に同音字注「音瑣」を見出すが、仮名音注はない。承暦本金光明最勝王経音義には同音字注「佐音」があり、その掲出字に去声点を加える。元和本倭名類聚抄には反切「蘇果反」を見つける。日本呉音は去声を認める。

　　　　鏁鎰 カキ [平平濁]　　　　　　　　　　　　　　　　　（観智院本類聚名義抄／僧上 118-5）
　　　　銷鏁鎖鏁 次二正下俗 音瑣 カナツカリ [上上上濁上□] …　（観智院本類聚名義抄／僧上 121-2）
　　　　鏁 [去] 又作鏁 佐ゝ　　　　　　　　　　　　　　　　（承暦本金光明最勝王経音義／05 ウ 2）
　　　　鏁 唐韻云鏁 蘇果反 鐡鏁也日本紀私記云 賀奈都賀利　（元和本倭名類聚抄／巻十三 17 ウ 7）

　▶番号 0803b・0818b「坐」（傍坐・放坐）の仮名音注「サ」については、基本的に -a で対応する。両当該字には平声濁点を差すので、字音「ザ」を想定する。その中古音が示す頭子音 dz-（等韻学の術語で言う歯音濁従母）は有声破擦音であり、日本語のザ行音をもって受容するが、中国語音韻史上における濁音声母の無声化を反映する場合はサ行音で対応する。図書寮本類聚名義抄に反切「弘云徐果反」（その反切下字に上声点）を見出す。観智院本には反切「徐果反」（その反切下字に上声点）および和音「サア [□平]」を見つける。この和音「サア」は一音節二拍相当を示すが、積極的な濁音表示はなく、低平調である平声と推測する。ただし、同書の「座」には平声濁点を付した同音字注「音坐」があり、濁音の字音「ザ」と考え得る。長承本蒙求には仮名音注「サ」があり、その掲出字に上声点を加える。日本漢音「サ」上声、日本呉音「ザ」平声を認める。

　　　　坐 弘云徐果 [平上] ／反 … キル [上平／記：右注] …　　　（図書寮本類聚名義抄／229-3）
　　　　坐 徐果 [□上] 反 キル [上上] … 和サア [□平：墨点]　（観智院本類聚名義抄／法中 067-4）
　　　　座 音坐 [平濁] キモノヒキ／ナリ　　　　　　　　　　（観智院本類聚名義抄／法下 105-1）
　　　　坐 [上] サ　　　　　　　　　　　　　　　　　　　　　　　　　（長承本蒙求／137）

　▶番号 2417c「坐」（若湯坐）の仮名音注「サ」については、基本的に -a で対応する。当該字に声点はない。上述の分析を参照。

　▶番号 1440「朶」（枀）の仮名音注「タ」については、基本的に -a で対応する。当該字に声点はなく、右注「トフサ」〔＊ヒトフサの誤認か〕左注「エタ」を付載する。墨付きの濃度から見て、右

42　3．仮名音注の韻母別考察　3-1　Ⅰ韻類

傍にある仮名音注「タ」と左注「エタ」は別筆の可能性がある。観智院本類聚名義抄に注記「音同」〔＊前出する同音字注「音埀反」を指す〕を見出すが、仮名音注はない。

　　椓 音埀反 都利反／株也　　　　　　　　　　（観智院本類聚名義抄／佛下本 092-2）
　　朶 音冏 上木／實 垂臾 朶 或 エタ［上上濁］…　　　（観智院本類聚名義抄／佛下本 092-3）

　▶番号 1053c「䗪」（倍羅䗪）の仮名音注「マ」については、基本的に -a で対応する。当該字には上声濁点を差すので、字音「バ」を想定する。右傍の仮名音注「マ」とは異なる。なお前田本の掲出字「磨」を「䗪」に修正した。その中古音が示す頭子音 m-（等韻学の術語で言う脣音明母）は鼻音であり、日本語のマ行音をもって受容するが、中国語音韻史上における鼻音声母の非鼻音化 (denasalization) 現象を反映する場合はバ行音で対応する。熟字 1053「倍羅䗪」は右傍「ハイラマ」右注「ホロノハ［上平平上］」左注「鳥脇羽也」を付載する。観智院本類聚名義抄に反切「莫可反」（その反切下字に上声点）を見出すが、仮名音注はない。日本漢音は上声を認める。

　　䗪 莫可［□上］反 小也 ヲ 又䗪皮反 … アカツ［平平上］　（観智院本類聚名義抄／法下 098-6）
　　倍羅䗪 ホロノハ／鳥椏羽　　　　　　　　　（観智院本類聚名義抄／佛上 003-5）
　　倍羅䗪 鳥ノワキノシタノケヲ／為倍羅䗪 ホロハ［上平上］説也

　　　　　　　　　　　　　　　　　　　　（観智院本類聚名義抄／法下 107-2）

　　倍羅䗪　日本紀私記云倍羅䗪 師説鳥乃和岐乃之多乃介乎爲倍羅䗪也 … 今俗謂保呂羽訛也

　　　　　　　　　　　　　　　　　　　　（元和本倭名類聚抄／巻十八 13 ウ 4）

《下巻 果韻諸例》

　▶番号 3420「菓」の仮名音注「クワ」については、当該例は -wa で対応する。当該字には上声点を差し、右注「コノミ」を付載する。上巻の果韻当該例で分析したように、日本漢音「クワ」上声を認める。

　▶番号 4285「輠」の仮名音注「クワ」については、基本的に -wa で対応する。当該字に上声点を差し、右注「アフラツキ」左注「車脂角也」を付載する。観智院本類聚名義抄に反切「胡猥反」と同音字注「踝果二音」を見出すが、仮名音注はない。長承本蒙求には仮名音注「クワ」があり、その掲出字に上声点を加える。日本漢音「クワ」上声を認める。

　　輠 或椓踝 胡猥反 又踝果二音／膏車器 アフラツキ　（観智院本類聚名義抄／僧中 089-7）
　　車輠 アフラツノ［平平濁平平濁平］〔＊アフラツキの誤認〕　（観智院本類聚名義抄／僧中 089-8）
　　輠［上］クワ　　　　　　　　　　　　　（長承本蒙求／060）
　　輠　唐韻云輠 胡果反上声重又音果漢語抄云車乃阿不良都乃 車脂角也

　　　　　　　　　　　　　　　　　　　　（元和本倭名類聚抄／巻十七 08 ウ 7）

　▶番号 5908d「果」（生天得果）の仮名音注「ワ」については、基本的に -wa で対応する。当

該字に声点はない。熟字5908「生天得果」は右傍に「シヤウテントクワ」と付注する。本来は「トク、ワ」を期待するが、その踊り字「、」を記入し忘れたか。あるいは促音無表記「ト（ッ）クワ」を想定すべきか。上巻の果韻当該諸例で分析したように、日本漢音「クワ」上声を認める。

　▶番号4718a「坐」（坐臥）の仮名音注「サ」については、基本的に -a で対応する。当該字には平声点を差す。上巻の果韻当該諸例で分析したように、日本漢音「サ」上声、日本呉音「ザ」平声を認める。

　▶番号4514「坐」（坐）の仮名音注「サ［平濁］」については、基本的に -a で対応する。当該字の仮名音注に平声濁点を付載するので、字音「ザ」を想定する。当該字は右注「祖臥反坐事」左注「サス［平濁□］」サ変動詞を掲げる。上述の分析を参照。

　▶番号5466「鏁」の仮名音注「サ」については、基本的に -a で対応する。当該字には上声点を差し、右注「シヤウ」（錠前を指す）右注「門鏁」を付載する。上巻の果韻当該例で分析したように、日本呉音は去声を認める。

　▶番号4596a「鏁」（鏁子）の仮名音注「サウ」については、異例 -au を示す。当該字に声点はない。熟字4596「鏁子」は左注「或乍鎖」を付載する。元和本倭名類聚抄に注記「蔵乃賀岐」を見出す。上述の分析を参照。

　　　鏁子　唐韻云鎖 蘇果反俗作鏁子 鉄鏁也楊氏漢語抄云鏁子 蔵乃賀岐弁色立成云蔵鑰

（元和本倭名類聚抄／巻十16 ウ 2）

　▶番号4736a「瑣」（瑣才）の仮名音注「サ」については、基本的に -a で対応する。当該字に声点はない。熟字4736「瑣才」は右注「サミイ」左注「无才之意也」を付載する。前田本の当該字は「瓅」であるが、字形が類似した「瑣」と混同した可能性がある。図書寮本類聚名義抄に上声点を付した同音字注「音鏁」を見出す。観智院本には同音字注「音鏁」を見つけるが、仮名音注はない。なお、図書寮本は「瑣」の直前に「瓅」を掲げ、上声点を付した仮名音注「真云サ」がある。観智院本では両字「瑣・瓅」を連続して掲げている。両者を同字とする環境があったと推測する。日本漢音は上声を認める。また日本呉音「サ」上声の可能性を指摘しておく。

　　　鏁 鉄鏁也俗作鏁 蘇果切十二　瑣 青瑣 …　　　　　　　　　（宋本廣韻／果韻 suɑ²）
　　　早 晨也 子晧切十二 … 瓅 玉名 瓅 石次玉者　　　　　　　　　（宋本廣韻／晧韻 tsɑu²）
　　　瓅 弘云子道 ［□上］ 反／瓅也 真云サ ［上］　　　　　　　　（図書寮本類聚名義抄／164-7）
　　　瑣 音鏁 ［上］ … 東云青瑣 ［□去］／戸邊飾也 … 千云上俗　（図書寮本類聚名義抄／164-7）
　　　瑣 音鏁　瓅 音早 石次玉 ホソシ … クタク　　　　　　　　（観智院本類聚名義抄／法中 014-2）

　▶番号4070b「垜」（射垜）の仮名音注「タ」については、基本的に -a で対応する。当該字には上声点を差す。熟字4070「射垜」は右注「アツチ」左注「又イクハトコロ」を付載する。弓の的を掛けるために弓場の正面に設置する山形の盛り土を指す。図書寮本類聚名義抄に同音字注「音堕」（上声点位置に仮名音注「タ」を付載[24]）と反切「又都波反」を見出す。観智院本類聚名義抄に上

44　3．仮名音注の韻母別考察　3-1　Ⅰ韻類

声点を付した同音字注「音堕」と反切「又都皮反」を見つけるが、仮名音注はない。元和本倭名類聚抄には反切「他果反」があり、借字による「以久波止古路」と「世間云阿無豆知」を注記する。日本漢音「タ」上声を認める。

雀垛 音堕［タ：上声点位置］… 東云聚土也 … 又都波反　　　　　（図書寮本類聚名義抄／218-4）

垛 東云又作垜　　　　　　　　　　　　　　　　　　　　　　　　（図書寮本類聚名義抄／218-5）

射垛 川云以／久波止古路［平平平平上平］俗云阿都智［上上濁上］…（図書寮本類聚名義抄／218-5）

垛 音堕［上］アムツチ［上上□□］／又都皮反　垛 或　　　　　（観智院本類聚名義抄／法中062-7）

射垛 イクハトコロ［平平平平平平］／俗云アッチ［上上上］　　　（観智院本類聚名義抄／法中063-6）

射垛　唐韻云垛 他果反字亦作垛楊氏漢語抄云射垛以久波止古路世間云阿無豆知 …

　　　　　　　　　　　　　　　　　　　　　　　　　　　　　　（元和本倭名類聚抄／巻四03 オ9）

▶番号5172b「惰」（勤惰）の仮名音注「タ」については、基本的に -a で対応する。当該字には上声濁点を差すので、字音「ダ」を想定する。当該字「惰」と「堕・憜」は相互に異体字である。図書寮本類聚名義抄に反切「徒臥反」（その反切下字に去声濁点）および平声点を付した仮名音注「真云タ」を見出す。観智院本には反切「徒果反・徒臥反」（それぞれ果韻と過韻を示す）および平声濁点を付した和音「タ」さらに上声朱点を付した同音字注「音陏」（墨筆圏点による平声濁点と右注に仮名音注「タ」）を見つける。同書の凡例部分「朱音者正音也墨声者和音也」（篇目7-6）に従えば、朱墨で正音と和音を分別する傾向がある。長承本蒙求には仮名音注「タ」二例があり、それぞれ去声点および去声加濁点を加える。切韻を撰述して以降の中国語において、上声濁が次第に去声化を起こした状態を、日本漢音では反映する。これは上声を構成する上声軽と上声重とがallotone であり、後者の調値が去声と区別できないことを示すとも言える。日本漢音「ダ・タ」上／去声、日本呉音「ダ」平声を認める。

憜惰 … 下弘云徒臥 ［□去濁］反 怠也 … 真云タ［平］　　　　　（図書寮本類聚名義抄／243-6）

憜 真云正憜　　　　　　　　　　　　　　　　　　　　　　　　（図書寮本類聚名義抄／243-7）

阿惰 茲云弘云徒臥反 有作陏 …　　　　　　　　　　　　　　　（図書寮本類聚名義抄／244-1）

惰 … 俗 物ウシ オコタル／下又干鬼反　　　　　　　　　　　　（観智院本類聚名義抄／法中085-8）

堕 徒果反 徒臥反／オコタル［上上□□］／易／和タ［平濁］　　（観智院本類聚名義抄／法中085-7）

堕 音陏［上／平濁：墨圏点／タ：右注］コホル［平平去／□□ツ：右傍］

　　　　　　　　　　　　　　　　　　　　　　　　　　　　　　（観智院本類聚名義抄／法中040-1）

惰［去］タ　　　　　　　　　　　　　　　　　　　　　　　　　（長承本蒙求／107）

惰［去／去：加濁］タ　　　　　　　　　　　　　　　　　　　　（長承本蒙求／115）

▶番号6815「髻」の仮名音注「タ」については、基本的に -a で対応する。当該字には上声点を差し、右注「スミシロ」中注「丁果反小児」左注「剪髪所餘也」を付載する。観智院本類聚名義抄に同音字注「音埵」と反切「又丈追反」を見出すが、仮名音注はない。同書で「埵」を再検索する

と、反切「丁果反・又徒果反・丁戈反」と墨筆圏点による去声点を付した和音「タ」を見つける。元和本倭名類聚抄には反切「丁果反」がある。

　　　髻　音埵［土+咼イ：朱右傍］又丈追反 落也 スヽシロ［平上濁上濁平］／小兒 垂髪也

　　　　　　　　　　　　　　　　　　　　　　　　　（観智院本類聚名義抄／佛下本 033-8）

　　　埵　丁果反 又徒果反 ホトリ … 丁戈反 和タ［去：墨圏点］　　（観智院本類聚名義抄／法中 062-7）

　　　髻　文字集略云髻 丁果反和名須々之呂 小兒剪髪所餘也　（元和本倭名類聚抄／巻十七 07 オ 5）

《上巻 過韻諸例》

▶番号 0582「屎」の仮名音注「クワ」については、基本的に -wa で対応する。当該字に声点はなく、右注「ハセ」左注「又マラ」を付載する。廣韻・王仁昫刊謬補缺切韻ともに同音の異体字「髁」を掲げる。観智院本類聚名義抄に同音字注「課塊二音」を見出すが、仮名音注はない。同書で「課」を再検索すると、平声点を付した同音字注「科」を見つけるが、やはり仮名音注はない。元和本倭名類聚抄には同音字注「課」がある。

　　　課　税也試也第也苦臥切七 … 髁 髀骨也 屎 上同 …　　　　（宋本廣韻／過韻溪母 kʻuaᵃ）

　　　課　苦臥反三責功 髁 髀骨或作屎　　　　　　（王仁昫刊謬補缺切韻／去声第卅六箇韻）

　　　屎　課塊二音 髀／ハセ［平平濁］一云 マラ　　　（観智院本類聚名義抄／法下 090-8）

　　　髁　口外反 又口臥反 口化反 髀骨／シリノホネ　（観智院本類聚名義抄／佛下本 007-3）

　　　課　音科［平］ハカリコト ワサ …　　　　（観智院本類聚名義抄／法上 057-8）

　　　玉莖 … 楊氏漢語抄云屎 破前一云麻前良今案屎髀骨也音課 …

　　　　　　　　　　　　　　　　　　　　　　　　（元和本倭名類聚抄／巻三 15 オ 9）

▶番号 2382b「貨」（賄貨）の仮名音注「クワ」については、基本的に -wa で対応する。当該字には去声点を差す。観智院本類聚名義抄に反切「呼臥反」と低平調を示す和音「クエ」を見出す。天理大学本最勝王経音義には反切「呼臥反」および和音「クワ・又クエ」を見つける。承暦本金光明最勝王経音義には同音字注「化」があり、その掲出字に去声点を加える。日本呉音「クエ」平/去声と「クワ」を認める。

　　　貨　呼臥反 タカラ［平平平］… 和クエ［平平：朱圏点］（観智院本類聚名義抄／佛下本 014-3）

　　　貨　呼臥反 タカラ … 和クワ／又クエ　　　　　（天理大学本最勝王経音義／19 ウ 3）

　　　化　呼瓜［□平］呼覇反 … 和クエ　　　　　（観智院本類聚名義抄／佛上 032-5）

　　　貨　［去］化ミ／寳也　　　　　　（承暦本金光明最勝王経音義／06 オ 2）

▶番号 1237b「過」（犯過）の仮名音注「クワ」については、基本的に -wa で対応する。当該字には平声濁点を差すので、日本語音韻史の連濁による字音「グワ」を想定する。観智院本類聚名義抄に反切「古貨反」と同音字注「又音戈」および低平調と推測する和音「クワ「□平」」を見出

46　3．仮名音注の韻母別考察　3-1　Ⅰ韻類

す。日本呉音「クワ」平声を認める。

　　過 古貨反 トカ … 又音戈 和クワ［□平］　　　　　　（観智院本類聚名義抄／佛上 057-3）

▶番号 2704b・0802b・2356b「座」（高座・末座・圓座）の仮名音注「サ」については、基本
的に -a で対応する。当該諸字三例には平声濁点を差すので、字音「ザ」を想定する。その中古音
が示す頭子音 dz-（等韻学の術語で言う歯音濁従母）は有声破擦音であり、日本語のザ行音をもっ
て受容する。ただし、中国語音韻史上における濁音声母の無声化を反映する場合はサ行音で対応す
る。熟字 2704「高座」は左右注「俗／カウサ」仮名音注を付載する。定着久しい字音「カウザ」と
いう認識で「俗」表記を加えたか。観智院本類聚名義抄に平声濁点を付した同音字注「音坐」を見
出すが、仮名音注はない。上下巻の果韻諸例において分析したように、その「坐」は日本漢音「サ」
上声、日本呉音「ザ」平声を認める。長承本蒙求には仮名音注「サ」三例があり、それらの一例に
上声点を、二例には去声点を差す。切韻を撰述して以降の中国語において上声濁が次第に去声化を
起こす状態、これを日本漢音では反映したものと認める。これは上声を構成する上声軽と上声重と
が allotone であり、後者の調値が去声と区別できないことを示すとも言える。日本漢音「サ」上／
去声を認める。また日本漢音・日本呉音ともに平声を認めるべきか、その場合は字音「ザ」を想定
する。

　　座 音坐［平濁］キモノヒキ／ナリ　　　　　　　　（観智院本類聚名義抄／法下 105-1）
　　座［去］サ　　　　　　　　　　　　　　　　　　　　　（長承本蒙求／021・124）
　　座［上］サ　　　　　　　　　　　　　　　　　　　　　（長承本蒙求／045）

▶番号 1718a「座」（陣座）の仮名音注「サ」については、基本的に -a で対応する。当該字に
声点はない。熟字 1718「陣座」は右注「チンノサ」左注「一名座」を付載する。上述の分析を参照。

▶番号 1741a「唾」（唾血）の仮名音注「タ」については、基本的に -a で対応する。当該字に
は去声点を差す。熟字 1741「唾血」は右注「チハクヤマヒ」を付載する。観智院本類聚名義抄に反
切「吐臥反」（その反切下字に去声濁点）と平声点を付した和音「タ」を見出す。その中古音が示
す頭子音 tʻ-（等韻学の術語で言う徹母）は有気無声反り舌音であり、日本語のダ行音をもって受容
することは想定できないにも関わらず、同書の正音を標榜する反切下字に去声濁点を指している。
詳細は不明ながら、濁音表示に頻用する「堕」（同書では「堕イ・堕ウ」など）と同系字（上から
下へ垂れ落ちるの意味）とする認識か。あるいは反切下字「臥」の字音が去濁であることを示した
ものか。現行多くの漢和辞典[25]は慣用音「ダ」と説明する。承暦本金光明最勝王経音義には同音字
注「多音」があり、その掲出字に平声点を加える。日本漢音は去声、日本呉音「タ」平声を認める。

　　唾 吐臥［□去濁］反〔＊臥←吒〕和タ［平］ツハキ …　（観智院本類聚名義抄／佛中 061-1）
　　唾血 チハク　　　　　　　　　　　　　　　　　　（観智院本類聚名義抄／佛中 061-1）
　　唾［平］多ミ／ツハキ［：右傍］〔＊後筆朱書入〕　（承暦本金光明最勝王経音義／11 ウ5）

▶番号 0820a「破」（破題）の仮名音注「ハ」については、基本的に -a で対応する。当該字に

は去声点を差す。図書寮本類聚名義抄に反切「中云普臥反」を見出す。この「中云」は仲算撰『法華経釈文』による引用[26]であり、同書の基本的引用文献の一つである。観智院本には反切「普臥反」と墨筆圏点による平声点を付した和音「ハ」を見つける。長承本蒙求には仮名音注「ハ」二例があり、それらの掲出字に去声点を加える。日本漢音「ハ」去声、日本呉音「ハ」平声を認める。

破 中云普臥反 … ワル［上平／詩：右注］	（図書寮本類聚名義抄／156-2）
破 普臥反 釋氏云壞也	（醍醐寺本妙法蓮華經釋文／上20 オ7）
破 普臥反 ヤフル … 和ハ［平：墨筆圏点］	（観智院本類聚名義抄／法中 011-6）
破［去］ハ	（長承本蒙求／034・050）

▶番号 0845a・0846a・0599・0838a・0854a・2359「破」（破損・破壊・破・破裂・破急・破）の仮名音注「ハ」については、基本的に -a で対応する。当該諸字六例には平声点を差す。上述の分析を参照。なお、単字である番号 0599「破」は左注「序破急等也」を、同じく番号 2359「破」は左注「ワル」を付載する。

▶番号 0570a・0698「破」（破旬・破）の仮名音注「ハ」については、基本的に -a で対応する。両当該字に声点はない。上述の分析を参照。単字である番号 0698「破」は右注「怗破也」左注「一三五員等也」を付載する。

▶番号 3279a「播」（播磨）の仮名音注「ハリ」については、異例 -ari を示す。当該字に声点はない。地名が先んじて存在し、後に漢字表記を宛てたと推測する。観智院本類聚名義抄に反切「補過反」と同音字注「音簸」（幫母智／箇韻 pɑ²ᐟ³）を見出すが、仮名音注はない。元和本倭名類聚抄には借字「波里萬」がある。

播［補過反：右傍朱筆］音簸 …	（観智院本類聚名義抄／佛下本 074-4）
播磨 波里萬	（元和本倭名類聚抄／巻五09 ウ4）

▶番号 0741a「播」（播殖）の仮名音注「ハン」については、異例 -an を示す。当該字には去声濁点を差すので、字音「バン」を想定する。廣韻に拠れば、その中古音は幫母過韻（pɑ³）であるから、字音「ハ」を期待する。字音「バン」は諧声符「番」（元韻 biɑn¹・桓韻 bɑn¹）による誤認と推測する。諧声符「番」を構成要素に持つ漢字で、その字音が「ハ」であるのは「嶓・播・皤・譒・鄱」などを指摘できるが、字音「ハン」（嶓・旛・旙・橎・潘・燔・璠・磻・藩・繙・翻・膰・蕃・藩・蟠・鐇・飜・鷭など）に比べて数は少ない。類推を生む原因と考える。

《下巻 過韻諸例》

▶番号 3824b「臥」（坐臥）の仮名音注「クワ」については、基本的に -wa で対応する。当該字には平声点と去声点を差す。熟字 3824「坐臥」は上字「坐」にも平声点と上声点を差す。日本呉音・日本漢音の両声調を示したと想定する。また、その中古音が示す頭子音 ŋ-（等韻学の術語で言

48　3. 仮名音注の韻母別考察　3-1　Ⅰ韻類

う疑母）は軟口蓋鼻音であり、日本語のガ行音をもって受容する。図書寮本類聚名義抄に反切「五貨反」を見出す。観智院本には「五貨反」と和音「具ワ」を見つける。傍証ながら、同書で「具」を再検索すると、平声点を付した和音「ク」（その右傍に朱筆で濁音「✓」表記）を見つける。さらに字音「グ」を示す例として「具ウ・具ワ・具ン」を指摘できる。長承本蒙求には仮名音注「クワイ」（「イ」は異本の意味か）があり、その掲出字に去声点を加える。日本漢音「クワ」去声、日本呉音「グワ」を認める。

　　　卧 中云吾貨反 寝也休也　　　　　　　　　　　　　　（図書寮本類聚名義抄／135-2）

　　　卧 五貨反 フス／和具ワ　　　　　　　　　　　　　　（観智院本類聚名義抄／法上 096-6）

　　　卧 ［去］クワイ　　　　　　　　　　　　　　　　　　（長承本蒙求／059）

　　　具 ソナハル［平平上平］… 和ク［平／✓：朱右傍］　　（観智院本類聚名義抄／佛中 078-3）

　　　紅 音洪 クレナキ／和具ウ［口上］　　　　　　　　　（観智院本類聚名義抄／法中 115-8）

　　　窮 渠弓反 セマル … 和具ウ［口上／口✓：朱右傍］　　（観智院本類聚名義抄／法下 064-5）

　　　弘 … 胡肱反 … 和具ウ［口上／口✓：朱右傍］　　　　（観智院本類聚名義抄／僧中 027-2）

　　　群 トモカラ［上上上濁上］… 和具ン［口上］　　　　（観智院本類聚名義抄／僧中 097-5）

　　　軍 イクサ［平平平］和具ン［平濁平］　　　　　　　　（観智院本類聚名義抄／法下 056-7）

　▶番号 4718b「卧」（偃卧）の仮名音注「クワ」については、基本的に -wa で対応する。当該字には平声点を差し、左注「行住坐卧」を付載する。上述の分析を参照。

　▶番号 4766b「過」（罪過）の仮名音注「クワ」については、基本的に -wa で対応する。当該字に声点はない。上巻の過韻当該例で分析したように、日本呉音「クワ」平声を認める。

　▶番号 4589b「座」（草座）の仮名音注「サ」については、基本的に -a で対応する。当該字には平声濁点を差すので、字音「ザ」を想定する。熟字 4589「草座」は右注「サウサ俗」中左注「以草為／座是也」を付載する。僧侶が用いる草を編んで作った敷物を指す。定着久しい仏教用語の字音として俗表記を加えたと考える。上巻の過韻当該諸例で分析したように、日本漢音「サ」上／去声、日本呉音「ザ」平声を認める。

　▶番号 4701a「座」（座席）の仮名音注「サ」については、基本的に -a で対応する。当該字には平声点を差す。上述の分析を参照。

　▶番号 4823a・4826a・5953b「座」（座頭・座主・上座）の仮名音注「サ」については、基本的に -a で対応する。当該諸字三例に声点はない。熟字 4823「座頭」は当道座（琵琶法師の座として発足）における四盲官の位（検校・別当・勾当・座頭）の一つを指す。熟字 4826「座主」は大寺における住職の公称を指す。延暦寺・金剛峯寺・醍醐寺などにおかれ、官命により補任される。熟字 5953「上座」は年長・有徳の者で寺内の僧侶を統監し寺務をつかさどる役僧を意味する。三綱（上座・寺主・都維那または上座・維那・典座）の一つ。あるいは教団内の長老・比丘の敬称を指す。上述の分析を参照。

▶番号5915b「座」（昇座）の仮名音注「ソ」については、異例 -o を示す。熟字5915「昇座」は右傍「シンソ」右注「仏也」を付載するが、別筆補入と推測できる。禅宗において師僧が説法のため高座に昇ることを意味する。また「陞座」とも表記する。時代を降った日本唐音であると推測する。上述の分析を参照。

▶番号5898b「破」（序破急）の仮名音注「ハ」については、基本的に -a で対応する。当該字に声点はない。上巻の過韻当該諸例で分析したように、日本漢音「ハ」去声、日本呉音「ハ」平声を認める。

3-1-1-3　-ɑi（泰韻）

資料篇【表B-01】には泰韻開口（去声）所属の諸例が含まれる。前田本の示す仮名音注は -ai で対応する。異例として -a がある。

《上巻　泰韻開口諸例》

▶番号1645b・2833「害」（蠹害・害）の仮名音注「カイ」については、基本的に -ai で対応する。両当該字には平声濁点を差すので、字音「ガイ」を想定する。廣韻に拠れば、その中古音は泰韻（ɣɑi³）である。頭子音 ɣ-（等韻学の術語で言う喉音濁匣母）は有声軟口蓋摩擦音であり、ガ行音をもって受容するが、中国語音韻史上に現れる濁音声母の無声化を反映した場合はカ行音で対応する。観智院本類聚名義抄に反切「何頼反」と和音「我イ」を見出す。同書の和音において「我」を使う「我イ・我ウ・我ク・我チ・我フ・我ム・我ン」は濁音表記を示す意図があり、智韻諸例において分析したように、その「我」は日本呉音「ガ」平声である。長承本蒙求には仮名音注「カイ」があり、その掲出字に去声点を加える。日本漢音「カイ」去声、日本呉音「ガイ」を認める。

　　　害 コロス … 何頼反 ナスンソ［去上濁平上］和我イ　　　　（観智院本類聚名義抄／法下 052-6）
　　　我 吾可反 ワレ［平上］… 和カア［平濁平／✓□：朱右傍］　（観智院本類聚名義抄／僧中 042-1）
　　　害［去］カイ　　　　　　　　　　　　　　　　　　　　　　　　　　　　　（長承本蒙求／007）

▶番号2132b「害」（利害）の仮名音注「カイ」については、基本的に -ai で対応する。当該字には去声点を差す。上述の分析を参照。

▶番号0863b・2932a・3186「艾」〔*諧声符は「又」の字形〕（沛艾・艾髪・艾）の仮名音注「カイ」については、基本的に -ai で対応する。当該諸字三例には去声点を差す。中古音が示す ŋ-（等韻学の術語で言う疑母）は軟口蓋鼻音であり、日本語のガ行音をもって受容する。番号3186「艾」は右注「ヨモキ」を付載する。観智院本類聚名義抄に反切「五大反」二例を見出すが、仮名音注はない。長承本蒙求には仮名音注「カイ」があり、その掲出字に去声濁点を加える。元和本倭名類聚

50　3．仮名音注の韻母別考察　3-1　Ⅰ韻類

抄には反切「五盖反」を見つける。日本漢音「ガイ」去声を認める。

　　艾［艾：右傍］五大反 ミル … ヨモキ … ヒサシ［平平□］　　　（観智院本類聚名義抄／僧上 008-7）

　　艾 五大反 ヤイクサ［上上□□］ヨモキ ミル …　　　　　　（観智院本類聚名義抄／僧上 023-8）

　　沛艾 アクナフ［上上濁□□］　　　　　　　　　　　　　（観智院本類聚名義抄／法上 020-5）

　　艾［去／去：加濁］カイ／カイ　　　　　　　　　　　　　　　　　（長承本蒙求／055）

　　蓬　兼名苑云蓬一名蘳 艾也 … 和名與毛木艾音五盖反 …　（元和本倭名類聚抄／巻二十 13 オ 4）

▶番号 2742a「艾」〔＊譜声符は字形「叉」〕（艾納）の仮名音注「カイ」については、基本的に -ai で対応する。当該字には去声点を差す。熟字 2742「艾納」は左注「香名」を付載する。上述の分析を参照。

　▶番号 1169b「盖」（實盖）の仮名音注「カイ」については、基本的に -ai で対応する。当該字には去声点を差す。観智院本類聚名義抄に反切「居泰反」と上昇調を示す和音「カイ」を見出す。長承本蒙求には仮名音注「カイ」があり、その掲出字に去声点を加える。日本漢音・日本呉音ともに「カイ」去声を認める。なお、現行多くの漢和辞典は慣用音と言う名称で字音「ガイ」を掲載するが、その中古音である見母泰韻（kɑi³）からは想定できない。当該字「盖」は別音の匣母盍韻（ɣɑp）もあり、異体字「蓋」の譜声符「盍」匣母盍韻（ɣɑp）との混同を含む類推ではないかと推測する。観智院本類聚名義抄には「盍」に対して、同音字注「音合」匣母盍韻（ɣɑp）を見出す。

　　盖 居泰反 フタ［上上］… 和カイ［平上］　　　　（観智院本類聚名義抄／僧中 015-1）

　　盖［去］カイ　　　　　　　　　　　　　　　　　　　　（長承本蒙求／007）

　　盍 … 音合 ナソ … 又音榼音 …　　　　　　　　　　（観智院本類聚名義抄／僧中 012-6）

　　合 胡答反 アハセテ［平平上上］… 和我フ　　　　（観智院本類聚名義抄／僧中 012-6）

▶番号 3118a「蓋」（蓋嶺）の仮名音注「カイ」については、基本的に -ai で対応する。当該字には去声点を差す。観智院本類聚名義抄に「正歟」と付注するように、番号 1169b「盖」と当該字「蓋」とは相互に異体字である。上述の分析を参照。

　　蓋 正歟　　　　　　　　　　　　　　　　　　　　（観智院本類聚名義抄／僧中 015-1）

▶番号 2696b「帶」（革帶）の仮名音注「タイ」については、基本的に -ai で対応する。当該字には去声点を差す。熟字 2696「革帶」は右注「カハノヲヒ」を付載する。図書寮本類聚名義抄に反切「真云都盖反」（その反切下字に去声濁点）および上昇調を示す「真云タイ」を見出す。観智院本には反切「都盖」と低平調を示す和音「タイ」を見つける。長承本蒙求には仮名音注「タイ」二例があり、両掲出字に去声点を加える。日本漢音「タイ」去声、日本呉音「タイ」平/去声を認める。

　　帶 真云都盖［□去濁］反 紳也 … 真云タイ［平上］　　　（図書寮本類聚名義抄／279-6）

　　帶 都盖 ハク［上平］… 和タイ［平平］　　　　　　（観智院本類聚名義抄／法中 109-7）

　　帶［去］タイ　　　　　　　　　　　　　　　　　　　（長承本蒙求／061・115）

▶番号 1742「癟」（癟）の仮名音注「タイ」については、基本的に -ai で対応する。当該字には

去声点を差し、右注「同（チクソ）」を付載する。廣韻に拠れば、泰韻（tɑi³）祭韻（tiɑi³）二音を有する。観智院本類聚名義抄に反切「竹世反」と同音字注「又帝・音帶」を見出すが、仮名音注はない。元和本倭名類聚抄には同音字注「音滯」がある。

　　　瘹 竹世反 又帝 下病 チクソ／ナメ 音帶　　　　　　　　　（観智院本類聚名義抄／法下 116-1）

　　　瘹 釋名云瘌赤白曰瘹 音帶赤痢知久曾白瘌奈女 …　　　　（元和本倭名類聚抄／卷三 22 ウ 1）

　▶番号 1901b「鈦」（着鈦）の仮名音注「タ」については、異例 -a を示す。当該字には上声濁点を差すので、字音「ダ」を想定する。その中古音が示す頭子音 d-（等韻学の術語で言う舌音濁定母）は有声歯茎閉鎖音であり、日本語のダ行音をもって受容する。前田本の当該字は字形「隹+求」〔＊あるいは「鵀」〕であるが、池篇畳字部の法家部に属する点および次に掲げる「着鈦」から考えて、定母泰韻（dɑi³）「鈦」と修正した。相互に異体字である「鈦・鈦」は鉄製の足枷を指す。観智院本類聚名義抄に同音字注「大弟二音」〔＊弟←矛：近似した字形による誤認〕を見出すが、仮名音注はない。同じ和訓「カナキ」（鉄製または木製の頸枷を指す）を掲げる。元和本倭名類聚抄には反切「徒盖反」がある。

　　　鈦 大弟〔＊弟←矛〕二音／鉗 カナキ［上上上］…　　　　（観智院本類聚名義抄／僧上 123-7）

　　　鈦 カナキ　　　　　　　　　　　　　　　　　　　　　（観智院本類聚名義抄／僧上 123-7）

　　　鉗 漢書注云鉗 竒炎反和名加奈岐 … 野王案鈦〔＊←鈦〕徒盖反和名同上 …

　　　　　　　　　　　　　　　　　　　　　　　　　　　　（元和本倭名類聚抄／卷十三 17 オ 6）

　　　鈦 他賴反 鉗　　　　　　　　　　　　　　　　　　（高山寺本篆隷万象名義／第五帖 052 ウ 6）

　▶番号 1902b「鈦」（着鈦）の仮名音注「タ」については、異例 -a を示す。当該字には上声点を差す。熟字 1902「着鈦」は左注「俗用之」を付載する。上述の分析を参照。

　▶番号 0870b「大」（莫大）の仮名音注「タイ」については、基本的に -ai で対応する。当該字には平声点を差す。その中古音が示す頭子音 d-（等韻学の術語で言う舌音濁定母）は有声歯茎閉鎖音であり、日本語のダ行音をもって受容するが、中国語音韻史上における濁音声母の無声化を反映した場合はタ行音となる。観智院本類聚名義抄に反切「達賴反」と同音字注「又音駄」および低平調と推測する和音「タイ」（その右傍に墨筆で濁音「✓」表記）を見出す。長承本蒙求には仮名音注がなく、掲出字四例に去声点を加える。日本漢音は去声、日本呉音「ダイ」平声を認める。

　　　大 達賴反 ヲホキナリ［平平□□□］… 又音駄［去］… 和タイ［□平／墨右傍：✓□］

　　　　　　　　　　　　　　　　　　　　　　　　　　　　（観智院本類聚名義抄／佛下末 031-3）

　　　大［去］　　　　　　　　　　　　　　　　　　（長承本蒙求／055・058・063・081）

　▶番号 3169a「大」（大夫）の仮名音注「タイ」については、基本的に -ai で対応する。当該字には平声濁点を差すので、字音「ダイ」を想定する。熟字 3169「大夫」は左右注「同（カミ）用京職／并東宮坊」を付載する。上述の分析を参照。

　▶番号 2500「桗」の仮名音注「タイ」については、基本的に -ai で対応する。当該字には去声濁

52　3．仮名音注の韻母別考察　3-1　Ⅰ韻類

点を差すので、字音「ダイ」を想定する。その中古音が示す頭子音 n-（等韻学の術語で言う泥母）は中国語音韻史上における鼻音声母の非鼻音化（denasalization）現象によって、n- > nd- > d- の音変化をする。これを反映した日本漢音は一般的にダ行音で受容する。当該字「㮈」は右注「カラナシ」左注「菓子也」を付載する。その直下には異体字「奈」を掲げ、右注「同（カラナシ）」とする。観智院本類聚名義抄に低平調を示す「和音ナイ」〔＊表記は和云ナイ〕を見出す。和名と混同を起している可能性がある。同書で異体字「奈」には平声点と去声濁点を付した同音字注「内」を見つける。長承本蒙求には仮名音注「タイ」があり、その掲出字に去声濁点を加える。元和本倭名類聚抄には同音字注「音内」と「和名奈以」を見つける。日本漢音「ダイ」去声、日本呉音「ナイ」平声を認める。

　　　　㮈子　亦奈字 耐進／和云ナイ［平平］／一云カラナシ［平平平平］ タフ［平上］

　　　　　　　　　　　　　　　　　　　　　　　（観智院本類聚名義抄／佛下本 111-5）

　　　　㮈　俗㮈 石榴木／別名　　　　　　　　　（観智院本類聚名義抄／佛下本 111-5）

　　　　奈　音内［平・去濁］カラナシ／如何也 遇也　（観智院本類聚名義抄／佛下本 111-4）

　　　　㮈［去／去：加濁］タイ　　　　　　　　　　　　（長承本蒙求／111）

　　　　㮈子　本草云㮈子 上音内字亦作㮈和名奈以一云加良奈之 …

　　　　　　　　　　　　　　　　　　　　　　　（元和本倭名類聚抄／巻十七 09 オ 6）

▶番号 0092b・0492a・2547「貝」（貽貝・貝母・貝）の仮名音注「ハイ」については、基本的に -ai で対応する。当該諸字三例には去声点を差す。熟字 0092「貽貝」は右注「イカヒ」を、熟字 0492「貝母」は右注「ハ丶クリ［上上上平］」を、番号 2547「貝」は右注「カヒ」左注「水物」を付載する。観智院本類聚名義抄には去声点を付した同音字注「音拜」を見出すが、仮名音注はない。傍証ながら、同書で「拜」を再検索すると、低平調と推測する和音「ハイ」がある。承暦本金光明最勝王経音義には仮名音注「ハイ」がある。元和本倭名類聚抄には同音字注「音拜」を見つける。日本漢音は去声、日本呉音「ハイ」平声を認める。なお、現行多くの漢和辞典は慣用音と言う名称で字音「バイ」を掲載するが、その中古音（幫母泰韻 pɑi³）からは想定できない。同じ諸声符「貝」を持つ「買（蟹韻 mɛ²）賣（卦韻 mɛ³）」等の字音「バイ」による類推か。詳細は不明。

　　　　貝　音拜［去］和名カヒ 一云カヒツ物［平平平□□］　（観智院本類聚名義抄／佛下本 013-6）

　　　　拜　保界反 和ハイ［□平：墨圏点］／ヲカム［平上濁平］…　（観智院本類聚名義抄／佛下本 043-7）

　　　　貝　ハイ［：右傍］〔＊後筆墨書入〕　　　　（承暦本金光明最勝王経音義／08 ウ 3）

　　　　貽貝　爾雅注云貽貝一名黒貝 貽音怡和名伊加比　（元和本倭名類聚抄／巻十九 13 ウ 2）

　　　　貝母　ハ丶クリ　　　　　　　　　　　　　（観智院本類聚名義抄／佛下本 013-7）

　　　　貝母　陶隱居本草注云貝母 和名波々久里 …　（元和本倭名類聚抄／巻二十 08 オ 6）

　　　　貝　尚書注云貝 音拜和名加比 水物也　　　（元和本倭名類聚抄／巻十九 16 オ 4）

▶番号 0863a「沛」（沛艾）の仮名音注「ハイ」については、基本的に -ai で対応する。当該字

には去声点を差す。熟字0863「沛艾」は右傍「イサムナリ」を付載する。馬が荒々しく勇み立つさまを指す。図書寮本類聚名義抄に反切「广云普頼反・广云補昧反」を見出す。観智院本には同音字注「音貝・又需」を見つけるが、仮名音注はない。

沛然 广云普頼反 水波流也 … （図書寮本類聚名義抄／059-4）

顛沛 广云補昧反 謂偃臥／也 … （図書寮本類聚名義抄／059-4）

沛 音貝 又需／オホアメ タマル カタフク （観智院本類聚名義抄／法上020-4）

艾 アクナフ［上上濁□□］ （観智院本類聚名義抄／法上020-5）

▶番号0593b「癩」（疥癩）の仮名音注「ライ」については、基本的に -ai で対応する。当該字には去声点を差す。熟字0593「疥癩」は右注「ハタケ」左傍「ハタケ」を付載する。観智院本類聚名義抄には反切「力太反・又盧達反」と上昇調を示す和音「ライ」および同音字注「頼」を見出す。元和本倭名類聚抄には同音字注「頼」がある。日本呉音「ライ」去声を認める。

癩賴 俗正 力太反 又盧達反／シラハタケ［平平平上濁平］ シラハタ 和ライ

（観智院本類聚名義抄／法下116-3）

疥癩 戒頼二音／ハタケ［平平濁平］／上 ハタケ［平上平］／和ケ［平］

（観智院本類聚名義抄／法下116-3）

疥癩 戒頼二音／ハタケ［平平濁平］／和ケ［平］ ライ［平上］ （観智院本類聚名義抄／法下117-2）

疥癩 内典云疥癩 介頼二音和名波太介 （元和本倭名類聚抄／巻三26 オ9）

《下巻 泰韻開口諸例》

▶番号3851b・5177b・6696b「害」（要害・巨害・煞害）の仮名音注「カイ」については、基本的に -ai で対応する。当該諸字三例には平声点を差す。上巻の泰韻開口当該諸例で分析したように、日本漢音「カイ」去声、日本呉音「ガイ」を認める。

▶番号5467b・5844b・6161b「盖」（紫盖・紫盖・白盖）の仮名音注「カイ」については、基本的に -ai で対応する。当該諸字三例には平声点を差す。熟字5467「紫盖」は左注「工具也」を、熟字6161「白盖」は中左注「髙座白盖也」を付載する。上巻の泰韻開口当該例で分析したように、日本漢音・日本呉音ともに「カイ」去声を認める。

盖 涅槃經云幢幡 和名岐沼加散 又有白盖髙座上具也 （元和本倭名類聚抄／巻十三03 オ8）

▶番号4912「盖」（盖）の仮名音注「カイ」については、基本的に -ai で対応する。当該字に声点はなく、右注「キヌカサ」中左注「窃盖華盖雲盖白盖等」を付載する。上述の分析を参照。

華盖 兼名苑云華盖 和名岐沼加散 … （元和本倭名類聚抄／巻十四02 ウ8）

▶番号3708b「匃」（乞匃）の仮名音注「カイ」については、基本的に -ai で対応する。当該字には去声点を差す。熟字3708「乞匃」は中注「匃イ本」左注「音盖又乍山〔＊丐の誤か〕」を付載す

54　3．仮名音注の韻母別考察　3-1　Ⅰ韻類

る。観智院本類聚名義抄に同音字注「割盖二音歟」を見出すが、仮名音注はない。

　　　刉匃 今丐 割盖／二音歟　刉 俗歟　　　　　　　　（観智院本類聚名義抄／法下 057-7）

　　　丐 或刉字／ユルシテ［平平上囗］　　　　　　　　（観智院本類聚名義抄／佛上 077-4）

　▶番号 4398b「艾」（沛艾）の仮名音注「カイ」については、については、基本的に -ai で対応する。当該字に声点はない。上巻の泰韻当該諸例で分析したように、日本漢音「ガイ」去声を認める。

　▶番号 4681b「汰」（沙汰）の仮名音注「タ」については、異例 -a を示す。当該字には平声点を差す。図書寮本類聚名義抄に去声点を付した同音字注「大」を見出す。観智院本には同音字注「音泰」を見つけるが、仮名音注はない。傍証ながら、同書で同音字注「泰」を再検索すると、反切「土帶反」と低平調を示す和音「タイ」を見つける。同書が並列して掲げる異体字「㤗」に対して、承暦本金光明最勝王経音義には仮名音注「タイ」と「太音」（その掲出字に去声点を付載）がある。後者は借字「太」とも考え得る。同書の「先可知所付借字」において「多［上］太［平］」を見出す。なお、現行多くの漢和辞典は慣用音と言う名称で字音「タ」を掲載するが、字音の出自を明確にできない場合の処置である。日本漢音は去声を認める。

　　　洮汰 … 下音大［去］洗也 …　　　　　　　　　　（図書寮本類聚名義抄／027-2）

　　　汰 音泰 沙也 ユル［上平］／ス丶ク … スク［平平］　（観智院本類聚名義抄／法上 008-3）

　　　沙汰 タ丶ス／上 和シヤ［平平：墨筆点］　　　　　（観智院本類聚名義抄／法上 008-4）

　　　㤗泰 俗正 大也 今 土帶反 通／ヤシ［平平東］ … 和タイ［平平］

　　　　　　　　　　　　　　　　　　　　　　　　　　（観智院本類聚名義抄／僧下 095-1）

　　　泰 ヤシ［平平東］ハナハタ … 和タイ［平平：墨筆点］（観智院本類聚名義抄／僧下 111-5）

　　　清㤗 タイ／ヤス〔＊後筆墨書入〕　　　　　　　　（承暦本金光明最勝王経音義／08 オ 6）

　　　㤗［去］太ゝ　　　　　　　　　　　　　　　　　（承暦本金光明最勝王経音義／06 ウ 2）

　　　　　先可知所付借字　　　　　　　　　　　　　　（承暦本金光明最勝王経音義／01 オ 7）

　　　餘［上］与［平］多［上］太［平］連［平］礼［上］曽［上］祖［上］

　　　　　　　　　　　　　　　　　　　　　　　　　　（承暦本金光明最勝王経音義／01 ウ 3）

　▶番号 4804b・4827b・5916b・6357b・6950b「太」（雜太・佐太・信太・信太・志太）の仮名音注「タ」については、異例 -a を示す。当該諸字五例に声点はない。熟字 4827「佐太」は佐篇姓氏部に、熟字 5916「信太」は師篇諸社部に属する固有名詞であり、それ以外は各篇の國郡部（国郡部）に属する地名である。定着久しい字音「タ」と想定できる。観智院本類聚名義抄に同音字注「音泰」を見出す。長承本蒙求には仮名音注「タイ」二例があり、それらを含む掲出諸字三例に去声点を加える。万葉集で音節「タ」相当として頻用する事実はあるが、字音「タ」を認める明確な根拠がない。日本漢音「タイ」去声を認める。

　　　太 音泰 フトシ［平平上］ … 今㤗字　　　　　　（観智院本類聚名義抄／佛下末 031-3）

太 ［去］タイ　　　　　　　　　　　　　　　　　　　　　（長承本蒙求／020・025）

太 ［去］　　　　　　　　　　　　　　　　　　　　　　　（長承本蒙求／060）

佐渡國 … 雜太 佐波太國府 賀茂　　　　　　　　　　　（元和本倭名類聚抄／巻五20 ウ3）

常陸國 … 信太 志多 茨城 牟波良岐國府 …　　　　　　　（元和本倭名類聚抄／巻五16 オ1）

▶番号6159b「帶」（衿帶）の仮名音注「タイ」については、基本的に -ai で対応する。当該字には去声点を差す。熟字6159「衿帶」は右注「ヒキヲヒ」左注「小帶也」を付載する。元和本倭名類聚抄に和名「比岐於比」を見出すが、音注はない。上巻の泰韻開口当該例で分析したように、日本漢音「タイ」去声、日本呉音「タイ」平/去声を認める。

　　衿帶 　陸詞日衿 音與標同和名比岐於比 小帶也 …　　　（元和本倭名類聚抄／巻十二24 ウ8）

▶番号6550b「帶」（犀帶）の仮名音注「タイ」については、基本的に -ai で対応する。当該字には平声点を差す。熟字6550「犀帶」は右注に「藥名」を付載する。上述の分析を参照。

▶番号6173「艜」の仮名音注「タイ」については、基本的に -ai で対応する。当該字には去声点を差す。観智院本類聚名義抄に同音字注「音帶」を見出すが、仮名音注はない。元和本倭名類聚抄には反切「當盖反」および同音字注「帶」がある。

　　艜 音帶 ヒラタ／ウフネ　　　　　　　　　　　　　（観智院本類聚名義抄／佛下本002-7）

　　艜 　釋名云艇薄而長者日艜 當盖反與帶同今案和名比良太俗用平由舟

　　　　　　　　　　　　　　　　　　　　　　　　　　（元和本倭名類聚抄／巻十一02 オ5）

▶番号5315b「貝」（蜆貝）の仮名音注「ハイ」については、基本的に -ai で対応する。当該字には去声点を差す。熟字5315「蜆貝」は右注「シタミカヒ」（「シミミカヒ」の誤読か）左注「又作蠣」を付載する。元和本倭名類聚抄に和名「之々美加比」を見出す。上巻の泰韻開口当該諸例で分析したように、日本漢音は去声、日本呉音「ハイ」を認める。

　　蜆蠣 音顯 シ、ミカヒ［上上濁上上濁平］タカ　　　（観智院本類聚名義抄／僧下本026-3）

　　蜆貝 　文字集略云蜆 音顯亦作蠣和名之々美加比 …　（元和本倭名類聚抄／巻十九13 オ7）

▶番号4794d「伂」（顛伂）の仮名音注「ハイ」については、基本的に -ai で対応する。当該字には平声濁点を差すので、日本語音韻史上の連濁による字音「バイ」を想定する。廣韻を参照すると「伂：顛伂本亦作沛」とあり、異体字として「沛」（泰韻 pɑi³・p'ɑi³）を認める。王仁昫刊謬補缺切韻に「伂」はない。観智院本類聚名義抄・長承本蒙求・承暦本金光明最勝王経音義・高山寺本篆隷萬象名義に用例を見出せない。熟字4794 は「造次顛沛」であり、咄嗟の時を意味する。

　　貝 … 博盖切十四 … 伂 顛伂本亦作沛 …　　　　　　（宋本廣韻／泰韻 pɑi³）

　　造次必於。是、顛沛必於。是（造次ニモ必ズ是ニ於イテシ、顛沛ニモ必ズ是ニ於イテシ）　　（論語／里仁）

▶番号4034b「伂」（顛伂）の仮名音注「ハイ」については、基本的に -ai で対応する。当該字に声点はない。熟字「顛伂」は左注「イ沛」を付載する。

▶番号4398a「沛」（沛艾）の仮名音注「ハイ」については、基本的に -ai で対応する。当該字

56　3．仮名音注の韻母別考察　3-1　Ⅰ韻類

に声点はない。なお「艾」〔＊諧声符は字形「叉」〕と「芅」は相互に異体字である。上巻の泰韻当該例
で分析した。

　▶番号3405「頼」〔＊「勑＋貝」上下配置の字形〕の仮名音注「ライ」については、基本的に -ai で対
応する。当該字に声点はなく、和訓「コ、ロヨシ」の同訓異字として位置する。図書寮本類聚名義
抄に反切「真云力大」を見出す。観智院本には音注を見出せない。長承本蒙求には仮名音注「ライ」
があり、その掲出字に去声点を加える。日本漢音「ライ」去声を認める。

　　　阿頼 真云／力大 邪 …　　　　　　　　　　　　　　　　　　（図書寮本類聚名義抄／176-2）
　　　頼 俗頼字 タノム［平平平］… 心ヨシ … 貝部 勑＋貝［正：右注］
　　　　　　　　　　　　　　　　　　　　　　　　　（観智院本類聚名義抄／佛下本026-6）
　　　頼 今勑＋貝〔＊上下配置〕字／落盖字　　　　　　　（観智院本類聚名義抄／僧下090-2）
　　　頼 ［去］ライ　　　　　　　　　　　　　　　　　　　　　　　（長承本蒙求／008）

　▶番号6485「瀬」の仮名音注「ライ」については、基本的に -ai で対応する。当該字に声点はな
く、右注「セ」を付載する。図書寮本類聚名義抄に去声点を付した同音字注「音頼」と反切「广云
力盖反」（その反切下字に去声濁点）を見出す。観智院本に同音字注「頼」を見つけるが、仮名音
注はない。元和本倭名類聚抄にも同音字注「音頼」がある。日本漢音は去声を認める。

　　　瀬 川云音頼［去］和云／与湍［平］同 …　　　　　　（図書寮本類聚名義抄／015-5）
　　　瀬差 广云力盖［□去濁］反 依字水流／沙上也　　　　（図書寮本類聚名義抄／015-6）
　　　瀬 音頼 セ　　　　　　　　　　　　　　　　　　　（観智院本類聚名義抄／法上004-5）
　　　瀬 説文云瀬音頼水深於砂上也 世　　　　　　　（元和本倭名類聚抄／巻一 15 ウ 7）

　3-1-1-4　-uai（泰韻）

　資料篇【表3-04】には泰韻（去声合口）所属の諸例が含まれる。前田本の示す仮名音注は -wai,
-we, -ai で対応する。前二者はカ行（声母 k- 系、いわゆる牙喉音を日本語の音節構造に馴化させ
た場合）後者はカ行以外の字音把握を示している。

《上巻 泰韻合口諸例》

　▶番号0304b・2984b・2985b「會」（優會・感會・嘉會）の仮名音注「クワイ」については、
基本的に -wai で対応する。当該諸字三例には去声点を差す。廣韻に拠れば、匣母泰韻と見母泰韻
（ɣuɑi³・kuɑi³）二音を有する。前者の中古音が示す頭子音 ɣ-（等韻学の術語で言う喉音濁匣母）
は有声軟口蓋摩擦音であり、日本語のガ行音をもって受容するが、中国語音韻史上における濁音声
母の無声化を反映する場合はカ行音で対応する。一方で、摩擦が弱化して聞こえると有声軟口蓋接

近音 ɰ-（有声両唇軟口蓋接近音 w-）のように把握する可能性がある。日本語呉音の基層において、匣母が ɣ-・ɰ- に二分していたと推測する。観智院本類聚名義抄に反切「戸外反」（その反切下字には去声濁点）と平声点を付した和音「ヱ」を見出す。長承本蒙求には仮名音注「火ィ」があり、その掲出字に去声点を加える。仮名音注と共に使う「火」は合口介音 -u- を表記するための工夫である。同書では掲出字「火」に対して仮名音注「クワ」を見つける。日本漢音「クワイ」去声、日本呉音「ヱ」平声を認める。

　　　會 戸外 ［□去濁］ 反 アフ ［平上］ … 和ヱ ［平］　　　　　　　（観智院本類聚名義抄／僧中 002-1）

　　　會 ［去］ 火ィ　　　　　　　　　　　　　　　　　　　　　（長承本蒙求／027）

　　　火 クワ　　　　　　　　　　　　　　　　　　　　　　　　　（長承本蒙求／119）

▶番号 1170b・3103b「會」（法會・堪會）の仮名音注「ヱ」については、基本的に -we で対応する。両当該字には平声点を差す。上述の分析を参照。

▶番号 0643b「繪」（蠻繪）の仮名音注「ヱ」については、基本的に -we で対応する。当該字に声点はない。観智院本類聚名義抄に去声点を付した同音字注「音會」と「畫」および「ヱ」を見出す。後者は和訓「ヱ」の認識と推測する。傍証ながら、同書で「畫」を再検索すると、同音字注「卦」とともに「訓ヱ」あるいは「カクヱ ［平平□］」を見つける。呉音「化・會」と紛れないための注記であろう。日本漢音は去声を認める。

　　　繪 音會 ［去］ 畫 … ホソイヌノ ヱ　　　　　　　　　　　　（観智院本類聚名義抄／法中 116-8）

　　　畵畫 通俗 音卦 訓ヱ アヤ 呉音化／會 又郭 正獲點畫　　　　（観智院本類聚名義抄／佛上 077-7）

　　　畫 胡卦反 ハカル ［平平□］ … カクヱ ［平平□］　　　　　（観智院本類聚名義抄／僧中 014-6）

▶番号 0566a「外」（外祖父）の仮名音注「クワイ」については、基本的に -wai で対応する。当該字には去声濁点を差すので、字音「グワイ」を想定する。その中古音が示す頭子音 ŋ-（等韻学の術語で言う疑母）は軟口蓋鼻音であり、日本語のガ行音をもって受容する。観智院本類聚名義抄に反切「五會反」と和音「クヱ」を見出す。日本呉音「クヱ」を認める。

　　　外 … 五會反 ホカ ［平上］ … ト ［上］ 和クヱ　　　　　　（観智院本類聚名義抄／法下 134-3）

▶番号 2127b「外」（瀧外）の仮名音注「クワイ」については、基本的に -wai で対応する。当該字には去声点を差す。上述の分析を参照。

▶番号 2095b「外」（虜外）の仮名音注「クワイ」については、基本的に -wai で対応する。当該字には平声点を差す。上述の分析を参照。

▶番号 1524「外」（外）の仮名音注「クワイ」については、基本的に -wai で対応する。当該字に声点はなく、中注「ト」左注「内外」を付載する。上述の分析を参照。

　　　内外 ウチトノ ［上平上□］　　　　　　　　　　　　　　　（観智院本類聚名義抄／法下 134-3）

《下巻 泰韻合口諸例》

58　3. 仮名音注の韻母別考察　3-1　I韻類

▶番号4509a「噦」（噦噎）の仮名音注「クワイ」については、基本的に -wai で対応する。当該字には去声点と入声点を差す。熟字4509「噦噎」は右注「サクリ」右傍「エツ エツ」仮名音注を付載する。いわゆる「さくり・しゃくり・しゃっくり」のことで「吃逆」とも表記する。廣韻は三音を掲げる。曉母泰韻（xuɑiᵇ）影母月韻（ʔuɑt）影母薛韻（ʔiuɑt）を掲げる。王仁昫刊謬補缺切韻も同様。観智院本類聚名義抄に「於越反・又乙劣反」を見出すが、仮名音注はない。元和本倭名類聚抄には反切「上於越反下乙劣反」を見つけるが、両者ともに「噦」の反切である。

　　　　譏 虎外反衆聲四 噦 鳥聲 …　　　　　　　　　　（王仁昫刊謬補缺切韻／去聲第十二泰韻）
　　　　噦 乙劣反〔＊於月反の誤認〕氣逆一字／此亦入薛部一　　（王仁昫刊謬補缺切韻／入聲第九月韻）
　　　　噦 乙劣反氣逆一　　　　　　　　　　　　　　（王仁昫刊謬補缺切韻／入聲第十五薛韻）
　　　　噎 烏結反食塞喉五　　　　　　　　　　　　　（王仁昫刊謬補缺切韻／入聲第十四屑韻）
　　　　噦 於越反 噎也 氣悟 又乙劣反／サクリ … アヘキ　　（観智院本類聚名義抄／佛中 059-8）
　　　　噦噎 サクリ　　　　　　　　　　　　　　　　（観智院本類聚名義抄／佛中 060-1）
　　　　噦噎　唐韻云噦噎 上於越反下乙劣反楊氏漢語抄云噦噎佐久利 逆氣也

　　　　　　　　　　　　　　　　　　　　　　　　（元和本倭名類聚抄／卷三 18 ウ 8）

▶番号4174b「會」（顖會）の仮名音注「クワイ」については、基本的に -wai で対応する。当該字には去声点を差す。熟字4174「顖會」は右注「アタマ」を付載する。元和本倭名類聚抄は和名「阿太萬」を掲げる。上巻の泰韻合口当該諸例で分析したように、日本漢音「クワイ」去声、日本呉音「ヱ」平声を認める。

　　　　顖會　針灸經云顖會一云天 顖音信字作囪和名阿太萬 …　　（元和本倭名類聚抄／卷三 01 ウ 7）

▶番号5999a「會」（會釋）の仮名音注「ヱ」については、基本的に -we で対応する。当該字には平声点を差す。上述の分析を参照。

▶番号6144a「檜」（檜楚）の仮名音注「クワイ」については、基本的に -wai で対応する。当該字には去声点を差す。熟字6144「檜楚」は右注「ヒソ」右傍「クワイ」仮名音注を付載する。その直下に熟字「檜曾」を掲げ、右注「同（ヒソ）」左注「俗用之」を付載する。観智院本類聚名義抄に同音字注「音會」と入声点を付した同音字注「又音栝」を見出すが、仮名音注はない。元和本倭名類聚抄は熟字「檜楚」に和名「比曾」を注記する。

　　　　檜 音會 又音栝［入］／ヒノキ ヒ［去］　　　　（観智院本類聚名義抄／佛下本 091-3）
　　　　檜楚　漢語抄云檜楚 比曾俗用檜曾二字今案楚字是也　　（元和本倭名類聚抄／卷十五 11 ウ 7）

▶番号6483a「檜」（檜米）の仮名音注「クワイ」については、基本的に -wai で対応する。当該字に声点はない。観智院本類聚名義抄に平声点と去声点を付した同音字注「音會」があり、その右傍に朱筆で仮名音注「火イ」を、右注に墨筆で「ヱ」を見出す。同書の凡例部分「朱音者正音也墨声者和音也」（篇目 7-6）に従えば、正音「火イ」和音「ヱ」とすることになる。元和本倭名類聚

抄にも同音字注「會」を見つける。日本漢音「クワイ」去声、呉音「ヱ」平声を認める。

　　檜 音會［去・平／火イ：朱右傍／ヱ：墨左注］ヌカ／ウルシネ …

（観智院本類聚名義抄／法下 021-7）

　　檜米 アハノウルシネ［平平平平平平上］　　（観智院本類聚名義抄／法下 021-8）

　　粱米［力羊切米名：右傍］アハノウルシネ［平平平平平平上］　（観智院本類聚名義抄／法下 037-6）

　　檜米 同上〔＊アハノウルシネ］音會　　（観智院本類聚名義抄／法下 037-7）

　　粱米　崔禹錫食經云粱米一名芑粟一名檜米 … 檜音會和名阿波乃宇留之禰 …

（元和本倭名類聚抄／巻十七 05 オ 6）

　▶番号 3651b「外」（閾外）の仮名音注「クワイ」については、基本的に -wai で対応する。当該字には去声濁点を差すので、字音「グワイ」を想定する。上巻の泰韻合口当該諸例で分析したように、日本呉音「クヱ」を認める。

　▶番号 5549b「外」（城外）の仮名音注「クワイ」については、基本的に -wai で対応する。当該字に声点はない。上述の分析を参照。

　▶番号 4537a・4686a・4667a「最」（最凉洲・最初・最勝）の仮名音注「サイ」については、基本的に -ai で対応する。当該諸字三例には去声点を差す。熟字 4537「最凉洲」は右注「沙陁調」を付載する。観智院本類聚名義抄に反切「祖外反・又才句反」および低平調と推測する和音「サイ」を見出す。同書は正字「最」通用字「宷」という認識をしている。日本呉音「サイ」平声を認める。

　　宷 祖外反 又才句反 モトモ［上上上］… 亦最 和サイ［平□］　（観智院本類聚名義抄／法下 054-3）

　　罒+取〔＊上下配置〕俗 最正 宷／通　　（観智院本類聚名義抄／僧中 010-7）

　　沙陁調 … 最凉洲　　（元和本倭名類聚抄／巻四 15 オ 1）

　▶番号 4685a・4687a・4688a「宷」（宷前・宷後・宷弟）の仮名音注「サイ」については、基本的に -ai で対応する。当該諸字三例には去声点を差す。上述の分析を参照。

　▶番号 5985「繪」の仮名音注「ヱ」については、基本的に -we で対応する。当該字に声点はなく、中注「音會」左注「書物像也」を付載する。上巻の泰韻合口当該例で分析したように、日本漢音は去声を認める。ただし、和訓「ヱ」とする認識を拭えない。

　　3-1-1-5　-ɑu（豪/晧/号韻）

　資料篇【表B-01】には豪韻（平声）晧韻（上声）号韻（去声）所属の諸例が含まれる。前田本の示す仮名音注は -ou, -o および -au で対応する。前二者はハ行（声母 p- 系、いわゆる唇音を日本語の音節構造に馴化させた場合）後者はハ行以外の字音把握を示している。-o は日本語音韻史上の音変化を反映する。また、日本呉音の場合 -eu となることがある。異例としては -ak, -am, -at, -awa, -awo, -in, -iu, -op がある。

60　3．仮名音注の韻母別考察　3-1　Ⅰ韻類

《上巻 豪韻諸例》

▶番号1454a・2866a・2971a・3058a「髙」（髙祖父・髙佪・髙脣・髙苗）の仮名音注「カウ」については、基本的に -au で対応する。当該諸字四例には平声点を差す。観智院本類聚名義抄に同音字注「音羔」と上昇調と推測する和音「カウ」を見出す。長承本蒙求には仮名音注「カウ」があり、それを含む掲出字四例に東声点を加える。日本漢音「カウ」東声（四声体系では平声）日本呉音「カウ」去声を認める。

　　　髙高 今正 音羔 タカシ［平平上］… 和カウ［□上］　　　　（観智院本類聚名義抄／法下 043-2）
　　　髙［東］　　　　　　　　　　　　　　　　　　　　　　（長承本蒙求／022・036・115）
　　　髙［東］カウ　　　　　　　　　　　　　　　　　　　　　（長承本蒙求／110）

▶番号3009a・3012a・3014a・3029a・3041a・3085a「髙」（髙才・髙悔・髙教・髙匡・髙湖・髙覽）の仮名音注「カウ」については、基本的に -au で対応する。当該諸字六例には東声点を差すが、前田本の加篇疊字部108 ウ〜109 ウに集中している。番号3029a は東声点の位置に破損を確認した上での推測である。上述の分析を参照。

▶番号2704a・2931a・2972a・2987a・3059a・3080a「髙」（髙座・髙年・髙聲・髙家・髙實・髙直）の仮名音注「カウ」については、基本的に -au で対応する。当該諸字六例には去声点を差すので、日本呉音「カウ」去声による字音把握である。熟字2704「髙座」は左右注「俗／カウサ」を付載する。この「俗」表記は定着久しい字音という認識か。上述の分析を参照。

▶番号2703a・3147a「髙」（髙麗・髙野）の仮名音注「カウ」については、基本的に -au で対応する。両当該字に声点はない。上述の分析を参照。

▶番号2455b「㮖」（桔㮖）の仮名音注「カウ」については、基本的に -au で対応する。当該字に声点はない。熟字2455「桔㮖」は右注「カナツナキ」中注「ハネツルヘ［＊別筆の疑義あり］」左注「桰〔＊撥の誤認か〕機汲水具」を付載する。観智院本類聚名義抄に同音字注「髙」を見出すが、仮名音注はない。ただし、見出し語の熟字が錯綜しており、二行に渡って「桔梗」（佛下本 103-3）「桔㮖」（佛下本 103-4）と訂正すべきであろう。元和本倭名類聚抄にも同音字注「髙」がある。高山寺本篆隷萬象名義には反切「古勞反」を見出す。天治本新撰字鏡にも原本玉篇からの引用を見つける。

　　　桔梗㮖 結髙二音／カナツナキ［上上上濁上上］〔＊「桔梗㮖」は「桔梗」の誤認か〕
　　　　　　　　　　　　　　　　　　　　　　　　　　　（観智院本類聚名義抄／佛下本 103-3）
　　　楔㮖 音訓 同　㮖㮖〔＊「桔㮖」の誤認か〕正　　　　（観智院本類聚名義抄／佛下本 103-4）
　　　桔㮖　辨色立成云桔㮖鐵索井也結髙二音 和名加奈豆奈爲　（元和本倭名類聚抄／巻一 15 ウ 1）
　　　㮖 古勞反桔㮖　　　　　　　　　　　　　　　　　　（高山寺本篆隷萬象名義／第四帖 019 オ 2）

桿 … 古勞反桔桿也 　　　　　　　　　　　　　　　　　　（天治本新撰字鏡／巻七 13 オ 2）

　▶番号 3187「蒿」の仮名音注「カウ」については、基本的に -au で対応する。当該字には東声点を差し、右注「ヨモキ」を付載する。観智院本類聚名義抄に反切「呼豪反」を見出す。長承本蒙求には仮名音注「カウ」二例があり、両掲出字に東声点を加える。日本漢音「カウ」東声（四声体系では平声）を認める。

　　　蒿 呼豪反 ヨモキ［平上上上濁］… ナツナ　　　　　（観智院本類聚名義抄／僧上 025-7）

　　　蒿［東］カウ　　　　　　　　　　　　　　　　　　　（長承本蒙求／101・109）

　▶番号 2865a「膏」（膏腴）の仮名音注「カウ」については、基本的に -au で対応する。当該字には平声点を差す。観智院本類聚名義抄に同音字注「音高」二例と「又音告」を見出す。傍証ながら、同書で「高」を再検索すると、上昇調と推測する和音「カウ」を見つける。承暦本金光明最勝王経音義には同音字注「高音」があり、その掲出字に去声点を加える。日本呉音は去声を認める。また日本呉音「カウ」の可能性を指摘しておく。

　　　膏 音高 アフラ［平平濁上］… 又音告　　　　　　　（観智院本類聚名義抄／佛中 121-5）

　　　膏 … 音高　　　　　　　　　　　　　　　　　　　　（観智院本類聚名義抄／佛中 136-8）

　　　高高 今正 音羔 タカシ［平平上］… 和カウ［□上］　　（観智院本類聚名義抄／法下 043-2）

　　　膏［去］高氵　　　　　　　　　　　　　　　　　　　（承暦本金光明最勝王経音義／09 オ 3）

　▶番号 0083「嗥」の仮名音注「カウ」については、基本的に -au で対応する。当該字には去声濁点を差すので、字音「ガウ」を想定する。また右注「イカム」左注「犬嗥也」を付載する。その中古音が示す頭子音 ɣ-（等韻学の術語で言う喉音軟口蓋摩擦音匣母）は有声軟口蓋摩擦音であり、ガ行音をもって受容するが、中国語音韻史上に現れる濁音声母の無声化を反映した場合はカ行音となる。観智院本類聚名義抄に反切「胡刀反」と上昇調を示す和音「カフ」（日本語の音変化 -ap > -au を背景にした字音把握で「カウ」の誤認と推測する）を見出す。日本呉音「カウ」去声を認める。

　　　嗥 胡刀反 ホユ／イカム 和カフ［平上］　　　　　　（観智院本類聚名義抄／佛中 052-3）

　▶番号 1141「嗥」の仮名音注「カウ」については、基本的に -au で対応する。当該字には平声点を差し、左右注「犀狼／嗥也」を付載する。和訓「ホユ」の同訓異字として位置する。上述の分析を参照。

　▶番号 2615・2937a「豪」の仮名音注「カウ」については、基本的に -au で対応する。両当該字には平声点を差す。その中古音が示す頭子音 ɣ-（等韻学の術語で言う喉音濁の匣母）は有声軟口蓋摩擦音であり、ガ行音をもって受容するが、中国語音韻史上に現れる濁音声母の無声化を反映した場合はカ行音となる。観智院本類聚名義抄に反切「胡刀反」と平声点を付した同音字注「赤毫」（異体字「毫」を示した可能性もある）を見出す。長承本蒙求には仮名音注「カウ」二例があり、両掲出字それぞれに平声点と東声点を加える。後者の東声点は平声点の誤認か、疑義を残す。日本漢音「カウ」平声を認める。

豪 胡刀反／亦毫 [平] ／サトル …　　　　　　　　（観智院本類聚名義抄／法下 041-8）

豪毫 二今　　　　　　　　　　　　　　　（観智院本類聚名義抄／僧下 122-2）

豪 [平] カウ　　　　　　　　　　　　　　　　　　　（長承本蒙求／079）

豪 [東]〔*平声点の誤認か〕カウ　　　　　　　　　　（長承本蒙求／105）

▶番号 2790「毫」の仮名音注「カウ」については、基本的に -au で対応する。当該字には平声
濁点を差すので、字音「ガウ」を想定する。その中古音が示す頭子音 ɣ- (等韻学の術語で言う喉音
濁匣母) は有声軟口蓋摩擦音であり、日本漢字音のガ行音をもって受容するが、中国語音韻史上に
現れる濁音声母の無声化を反映した場合はカ行音となる。観智院本類聚名義抄に反切「胡刀反」と
同音字注「音豪」を見出すが、仮名音注はない。正音を標榜する反切と同音字注の両者を付載する
理由は明確でないが、字音「カウ」と「ガウ」の違いを示すためか。傍証ながら、大般若経字抄(27)
に同音字注として「音毫」四例 (うち一例には圏点で平声濁点を加え字音「ガウ」を示す) を見つ
ける。同書の同音字注は漢呉二音相同を目指した字音把握であるが、それが可能とならない場合は
呉音を同音字注で示し、正音として漢音を別に掲げる。(28) 掲出字「秏」には「音毫・正教」があり、
同音字注「音毫」は呉音「ガウ」を示す字音把握と考える。

　毫 … 胡刀反 音豪／フムテ [上上上濁] サヲケ [平平平濁]　　（観智院本類聚名義抄／僧上 102-6）

　正教 秏 [音毫：右傍] 損也　　　　　　　　　　（石山寺一切経蔵本大般若経字抄／12 ウ 7）

　翱 [音毫 [平濁：圏点]：右傍] 翔 [音祥：右傍] …　（石山寺一切経蔵本大般若経字抄／14 オ 1）

　遨 音毫／遊也　　　　　　　　　　　　　　（石山寺一切経蔵本大般若経字抄／17 オ 5）

　翺 音毫　　　　　　　　　　　　　　　　（石山寺一切経蔵本大般若経字抄／22 オ 4）

▶番号 3077a「毫」(毫氂) の仮名音注「カウ」については、基本的に -au で対応する。当該字
には去声濁点を差すので、字音「ガウ」を想定する。上述の分析を参照。

▶番号 2551「螯」の仮名音注「カウ」については、基本的に -au で対応する。当該字には平声
濁点を差すので、字音「ガウ」を想定する。その中古音が示す頭子音 ŋ- (等韻学の術語で言う疑母)
は軟口蓋鼻音であり、日本語のガ行音をもって受容する。番号 2551「螯」は右注「カニノオホツメ」
を付載する。観智院本類聚名義抄に同音字注「音敖」を見出すが、仮名音注はない。同書で「敖」
を再検索すると、反切「五高反」を見つける。元和本倭名類聚抄にも同音字注「音敖」を見つける。

　螯 … 蟹 音敖／オホツメ [平平上濁上] ウミカニ　　（観智院本類聚名義抄／僧下 032-1）

　敖 五高反 アソフ [上上平濁] … タハフレ　　　　（観智院本類聚名義抄／僧中 060-2）

　螯 野王案蟹 音敖亦作螯和名於保豆米 …　　　　　（元和本倭名類聚抄／巻十九 16 ウ 5）

▶番号 2961a「遨」(遨遊) の仮名音注「カウ」については、基本的に -au で対応する。当該字
に声点はない。その中古音が示す頭子音 ŋ- (等韻学の術語で言う疑母) は軟口蓋鼻音であり、日本
語のガ行音をもって受容するので、字音「ガウ」を想定する。観智院本類聚名義抄に反切「五刀反」
を見出すが、仮名音注はない。異体字として「俗敖字」があり、同書で「敖」を再検索すると、反

3-1-1 -ɑ系の字音的特徴 63

切「五高反」を見つける。大般若経字抄には漢呉二音相同の同音字注「音毫」がある。

遨 俗敖字 五刀反／アソフ［上上□］タハフル［上上□□］ （観智院本類聚名義抄／佛上 052-8）

敖 五高反 アソフ［上上平濁］… タハフレ （観智院本類聚名義抄／僧中 060-2）

遨 音毫／遊也 （石山寺一切経蔵本大般若経字抄／17 オ 5）

▶番号2847a・2847b「嗷」（嗷ミ）の仮名音注「カウ」については、基本的に -au で対応する。両当該字には平声濁点を差すので、字音「ガウ」を想定する。その中古音が示す頭子音 ŋ-（等韻学の術語で言う疑母）は軟口蓋鼻音であり、日本語のガ行音をもって受容する。観智院本類聚名義抄に同音字注「音敖」を見出す。異体字「謷」には平声濁点を付した同音字注「敖」（その右傍には朱筆で「カウ」）を見つける。日本漢音「ガウ」平声を認める。

謷 音敖［平濁／カウ：朱右傍］衆口 （観智院本類聚名義抄／佛中 044-5）

嗷 音敖 俄也／サハクトヽロク （観智院本類聚名義抄／佛中 044-5）

▶番号2819「翱」の仮名音注「カウ」については、基本的に -au で対応する。当該字には平声点を差し、和訓「カケル」の同訓異字として位置する。その中古音が示す頭子音 ŋ-（等韻学の術語で言う疑母）は軟口蓋鼻音であり、日本語のガ行音をもって受容するので、字音「ガウ」を想定する。観智院本類聚名義抄に平声濁点を付した同音字注「音敖」（その右傍に朱筆で「カウ」）と去声濁点を伴う呉音字注「毫」を見出す。後者は大般若経字抄による漢呉二音相同の同音字注を出典とするが、漢音声調である平声濁点を差す。日本漢音「ガウ」平声、日本呉音は去声を認める。

翱 音敖［平濁／カウ：朱右傍］カケル［上上平］／呉音 毫［去濁］トフ［上□］

（観智院本類聚名義抄／僧上 099-2）

翱 俗 カケル ヒル （観智院本類聚名義抄／僧上 099-2）

翱 ［音毫［平濁：圏点］：右傍］翔［音祥：右傍］… （石山寺一切経蔵本大般若経字抄／14 オ 1）

翱 音毫 翔 音祥 （石山寺一切経蔵本大般若経字抄／22 オ 4）

▶番号2541「鼇」の仮名音注「カム」については、異例 -am を示すが、仮名字形の類似による「カウ」の誤認か。当該字には平声点を差し、右注「同（カメ）」を付載する。観智院本類聚名義抄に同音字注「音敖」を見出すが、仮名音注はない。元和本倭名類聚抄にも同音字注「音敖」がある。

鼇 … 音敖／ウミカメ［平上平濁上］ （観智院本類聚名義抄／僧下 047-3）

龜 … 兼名苑云龜一名鼇 音敖漢語抄云宇美加米 （元和本倭名類聚抄／巻十九 10 ウ 6）

▶番号2806「搔」の仮名音注「サウ」については、基本的に -au で対応する。当該字には平声点を差し、和訓「カク」の同訓異字として位置する。観智院本類聚名義抄に同音字注「音騷」を見出すが、仮名音注はない。

搔 音騷 カラム［平平上］／カク［平上］ （観智院本類聚名義抄／佛下本 081-1）

▶番号1565「曹」（曺）の仮名音注「チウ」については、異例 -iu を示す。当該字には平声点を

64　3．仮名音注の韻母別考察　3-1　Ⅰ韻類

差し、和訓「トモカラ」〔＊←トカモラ〕の同訓異字として位置する。字形の近似する「冑」（透母宥韻 ȡiʌu³）との混同による字音把握か。観智院本類聚名義抄に同音字注「音槽」を見出す。長承本蒙求には仮名音注「サウ」があり、掲出字に平声点を加える。別に仮名音注「□ウ」があり、掲出字に東声点を加えるが、疑義を残す。当該字「曹」は等韻学の術語で言う従母濁豪韻一等（dzɑu¹）であり、東声ではなく平声を期待する。日本漢音「サウ」平声を認める。

　　　　曹 音槽 トモカラ［上上上濁□］…　曹 同／正　　　　　　（観智院本類聚名義抄／佛中 099-7）
　　　　曹［東］〔＊平声点の誤認か〕□ウ　　　　　　　　　　　　　（長承本蒙求／022）
　　　　曹［平］サウ　　　　　　　　　　　　　　　　　　　　　　（長承本蒙求／149）
　　　　冑 音宙 カフト［平上濁平］／タネ 和チウ［平上］　　　　（観智院本類聚名義抄／佛中 117-5）
　　　　冑［去］智宇反　　　　　　　　　　　　　　　　　　　　　（承暦本金光明最勝王経音義／12 オ3）
　　　　冑 説文云冑 音宙和名加布度 首鎧也　　　　　　　　　　　（元和本倭名類聚抄／巻十三 12 ウ9）

▶番号2641「嘈」の仮名音注「サウ」については、基本的に -au で対応する。当該字には東声点を差し、和訓「カマヒスシ」の同訓異字として位置する。その差声位置は諧声符「曹」の下部「日」左上部隅である。当該字「嘈」は等韻学の術語で言う従母濁豪韻一等（dzɑu¹）であり、東声ではなく平声を期待する。部首「口」を上部に書写したため、その下部に空間ができて適切な差声位置に苦慮した結果と推測する。観智院本類聚名義抄に同音字注「音曹」を見出すが、仮名音注はない。

　　　　嘈 音曹 … カマヒスシ 喧声嘈ミ　　　　　　　　　　　　（観智院本類聚名義抄／佛中 033-3）

▶番号2664「糟」の仮名音注「サウ」については、基本的に -au で対応する。当該字には平声点を差し、右注「カス」を付載する。観智院本類聚名義抄に平声点を付した同音字注「音曹」と和音「サウ」を見出す。元和本倭名類聚抄には反切「子勞反」がある。日本漢音は平声、日本呉音「サウ」を認める。

　　　　糟 音曹［平］カス［平上］… 和サウ　　　　　　　　　　（観智院本類聚名義抄／法下 030-3）
　　　　糟 説文云糟 子勞反和名加須 酒滓也　　　　　　　　　　（元和本倭名類聚抄／巻十六 11 オ6）

▶番号0832b「刀」（拔刀）の仮名音注「タウ」については、基本的に -au で対応する。当該字には去声点を差す。観智院本類聚名義抄に反切「都髙反」と上昇調を示す和音「タウ」を見出す。長承本蒙求には仮名音注「タウ」二例があり、うち一例に平声点と圏点による上声点、他方一例に東声点を加える。同書が示す声調体系は平安時代中期の六声による朱点を基盤とし、それと異なる声調を示す場合（用例は少ない）等に、平安時代院政初期長承三年（1134）の四声による墨圏点を確認する。元和本倭名類聚抄には反切「都牢反」がある。日本漢音「タウ」東声（四声体系では平声）日本呉音「タウ」去声を認める。

　　　刀 都髙反 丘器也 小舩也 カタナ／又瑚音 刀ミ 和動相應之声 フネ［平上］和タウ［平上：墨点］
　　　　　　　　　　　　　　　　　　　　　　　　　　　　　　（観智院本類聚名義抄／僧上 085-6）
　　　刀［平／上：圏点］タウ　　　　　　　　　　　　　　　　　（長承本蒙求／054）

3-1-1　-ɑ系の字音的特徴　65

　　刀［東］タウ　　　　　　　　　　　　　　　　　　　　　（長承本蒙求／110）

　　刀　四聲字苑云似劔而一刃曰刀　都牢反 …　　　　　（元和本倭名類聚抄／巻十三14ウ3）

　▶番号2718「刀」（刀）の仮名音注「タウ」については、基本的に -au で対応する。当該字には平声点を差し、右注「カタナ」左注「刀子」を付載する。元和本倭名類聚抄に反切「都牢反」を見出す。上述の分析を参照。

　　刀子　漢語抄云刀子 賀太奈都牢反　　　　　　　　　（元和本倭名類聚抄／巻十五13ウ8）

　▶番号1699a「刀」（刀祢）の仮名音注「ト」については、基本的に -o で対応する。当該字に声点はない。熟字1699「刀祢」は律令制における主典以上の官人に対する総称である。万葉集ではト甲類仮名「刀」として多数の使用例を認める。その3413番歌には「刀祢河泊乃」とある。定着久しい古くからの字音把握である。日本語音韻史上から考えて、-au＞-ou＞-oo＞-o と音変化した。上述の分析を参照。

　　刀祢河泊乃 可波世毛思良受 多太和多里 奈美尓安布能須 安敝流伎美可母
　　〔利根川の 川瀬も知らず 直渡り 波にあふのす 逢へる君かも〕

　　　　　　　　　　　　　　　　　　　　　　　　　　（西本願寺本万葉集巻14／3413）

　▶番号0047b「桃」（羊桃）の仮名音注「タウ」については、基本的に -au で対応する。当該字には平声点を差す。廣韻に拠れば、その中古音は豪韻（dɑu¹）である。頭子音 d-（等韻学の術語で言う舌音濁定母）は有声歯茎閉鎖音であり、日本語のダ行音をもって受容するが、中国語音韻史上に現れる濁音声母の無声化を反映した場合はタ行音で対応する。熟字0047「羊桃」は右注「イラクサ」左注「イラミクサ」を付載する。図書寮本類聚名義抄は熟字「桃花石」に対して注記「此間音道卦尺［去上入］」を見出す。近時の字音把握と考えるべきか。観智院本には平声点を付した同音字注「音陶」（その右傍に墨筆で「タフ」）を見つける。長承本蒙求には仮名音注「タウ」があり、その掲出字に平声点を加える。元和本倭名類聚抄には同音字注「音陶」（豪韻 dɑu¹）と「此間音道卦尺」（道：晧韻 dɑu²）がある。日本漢音「タウ」平声を認める。

　　桃花石 此間音／道卦尺［去上入］　　　　　　　　（図書寮本類聚名義抄／147-6）

　　桃 音陶［平／タフ：墨右傍］モ、［上上］…　　（観智院本類聚名義抄／佛下本086-8）

　　桃［平］タウ　　　　　　　　　　　　　　　　　　　（長承本蒙求／086）

　　羊桃 … 和名本草云伊良々久佐 似桃花而白今之羊桃也　（元和本倭名類聚抄／巻二十06オ9）

　　桃花石 本草云桃花石色如桃花故以名之此間云 道卦尺　（元和本倭名類聚抄／巻一10オ2）

　　桃子 漢武内傳云西王母桃三千年一生實 … 桃音陶和名毛々 …

　　　　　　　　　　　　　　　　　　　　　　　　　　（元和本倭名類聚抄／巻十七09ウ5）

　▶番号1465a「陶」（陶朱）の仮名音注「タウ」については、基本的に -au で対応する。当該字には平声点を差す。熟字1465「陶朱」は度篇人事部に属する掲出字「徳」の右注（その注記には「已上徳別名也」と続く）にある。広辞苑第七版に拠れば「越の大夫、范蠡の異称。官を退いて陶の地

に住み、朱と称したのでいう」と解説する。その中古音が示す頭子音 d-（等韻学の術語で言う舌音濁定母）は有声歯茎閉鎖音であり、日本語のダ行音をもって受容するが、中国語音韻史上に現れる濁音声母の無声化を反映した場合はタ行音で対応する。図書寮本類聚名義抄に平声点を付した同音字注「音桃・又遥音」を見出す。観智院本には墨筆で平声点を付した同音字注「音桃」（その右注に墨筆で仮名音注「タウ」）を見つける。長承本蒙求にも仮名音注「タウ」がある。日本漢音「タウ」平声を認める。

  陶 川云音桃［平］… 又遥［平］音　　　　　　　　　　（図書寮本類聚名義抄／203-4）

  陶 音桃［平：墨点／タウ：墨右注］スヱ物 … 又音遥　（観智院本類聚名義抄／法中040-8）

  陶〔＊左下隅欠〕タウ　　　　　　　　　　　　　　　（長承本蒙求／144）

▶番号0978「逃」の仮名音注「タウ」については、基本的に -au で対応する。当該字には平声点を差す。和訓「ニク」の同訓異字として位置する。その中古音が示す頭子音 d-（等韻学の術語で言う舌音濁定母）は有声歯茎閉鎖音であり、日本語のダ行音をもって受容するが、中国語音韻史上に現れる濁音声母の無声化を反映した場合はタ行音で対応する。観智院本類聚名義抄に平声点を付した同音字注「音桃」と低平調と推測する和音「テウ」（その右傍には濁音「✓」表記）を見出す。日本漢音は平声、日本呉音「デウ」平声を認める。後者は諧声符「兆」（定母濁小韻三等 ḍiau²）の字音を転用した字音把握（いわゆる諧声符読み）であろう。大般若経字抄では「掉」に対して正音「正趙」と呉音「逃」を掲げる。これらは漢音「テウ」と呉音「デウ」を想定するが、呉音「ダウ」の可能性も否定できない。

  逃 音桃［平］ノカル［平上濁平］… 和テウ［□平／✓□：朱右傍］

              （観智院本類聚名義抄／佛上057-3）

  正趙 掉 音逃／動也　　　　　　（石山寺一切経蔵本大般若経字抄／02 オ 5）

▶番号0745b「濤」（波濤）の仮名音注「タウ」については、基本的に -au で対応する。当該字には平声点を差す。図書寮本類聚名義抄に平声点を付した同音字注「東云音桃」と上声点を付した同音字注「憲曰 … 又音同受」を見出す。後者は諧声符「壽」（有韻 źiʌu²）による字音把握である。観智院本には同音字注「音桃・又音受」を見つけるが、仮名音注はない。日本漢音は平声を認める。

  濤 東云音桃［平］… 憲曰潮頭大波／又音同受［上］訓ナミ［平平／小切：右注］

              （図書寮本類聚名義抄／020-3）

  濤 音桃 ナミ … フ丶ム 又音受　　　　　（観智院本類聚名義抄／法上020-3）

  水波 … 又波浪濤蘭猗字 和名奈三　　　（元和本倭名類聚抄／巻一 14 オ 6）

▶番号0078「獒」の仮名音注「ハウ」については、-au で対応するが、豪韻において円唇性を有する頭子音 p- 系の場合は基本的に -ou で対応する。いわゆる唇音を日本語の音節構造に馴化させた字音の把握である。当該字「獒」の頭子音 ŋ-（等韻学の術語で言う牙音清濁疑母）は軟口蓋鼻音であり唇音ではないので、日本語のガ行音をもって受容する。その諧声符「敖」を「放」（養/漾韻

piaŋ²³⁾）と誤認したことによる字音把握と推測する。当該字には平声点を差し、右注「イヌ」左注「大犬也」を付載する。観智院本類聚名義抄に同音字注「音敖」を見出すが、仮名音注はない。

　　　　獒 音敖 犬高四尺　　　　　　　　　　　　　　　（観智院本類聚名義抄／佛下本 135-7）

▶番号 1210a「褒」（褒誉）の仮名音注「ホウ」については、基本的に -ou で対応する。当該字には平声点と去声点を差す。図書寮本類聚名義抄に反切「東云博毛反」を見出す。観智院本には反切「博袍反」と平声濁点を付した同音字注「毛」を見つける。当該字「褒」の中古音（幫母清豪韻 pɑuˡ）から考えても、その同音字注「毛」が示す平声濁点は想定できない。これは反切下字「袍」（並母濁豪韻 bɑuˡ）の字音を示したと考えたい。長承本蒙求には仮名音注「ホウ」二例があり、それらの掲出字に東声点を加える。日本漢音「ホウ」東声（四声体系では平声）を認める。

　　　　褒 東云博毛反 稱褒博［大／也：左右注］…　　　　　（図書寮本類聚名義抄／332-7）

　　　　裒 博袍 毛［平濁：右注］反 幼衣也 稱也… 褒 正　　（観智院本類聚名義抄／法中 148-3）

　　　　褒 俗通 ホム／衣ソテ ホマレ［平平東］　　　　　　（観智院本類聚名義抄／法中 148-4）

　　　　褒［東］ホウ／ホウ　　　　　　　　　　　　　　　　　　　（長承本蒙求／032）

　　　　褒［東］ホ〔＊？〕ウ／ホウ　　　　　　　　　　　　　　（長承本蒙求／074）

▶番号 1227a・1266a「褒」（褒美・褒貶）の仮名音注「ホウ」については、基本的に -ou で対応する。両当該字には平声点を差す。上述の分析を参照。

▶番号 1222a「褒」（褒賞）の仮名音注「ホウ」については、基本的に -ou で対応する。当該字には上声点を差す。上述の分析を参照。

▶番号 1076「褒」（褒）の仮名音注「ホウ」については、基本的に -ou で対応する。当該字に声点はなく、右注「ホム」右傍「ホウ」仮名音注を付載する。上述の分析を参照。

▶番号 1193a・1216a・1263a・1265a・2558b・3127b「毛」（毛庸・毛挙・毛群・毛衣・烏毛虫・鵝毛）の仮名音注「ホウ」については、基本的に -ou で対応する。当該諸字六例には平声濁点を差すので、字音「ボウ」を想定する。その中古音が示す頭子音 m-（等韻学の術語では明母）は両唇鼻音であり、マ行音をもって受容する。ただし、中国語音韻史上における鼻音声母の非鼻音化（denasalization）現象により、m->mb->b- の音変化を反映する場合はバ行音で対応する。熟字 2558「烏毛虫」は右注「カハムシ」を付載する。観智院本類聚名義抄に平声濁点を付した同音字注「音旄」（その右傍に墨筆で仮名音注「ホウ」）と上昇調と推測する和音「モウ［□上］」を見出す。長承本蒙求には仮名音注「ホウ」三例があり、それらの掲出諸字に平声点（うち二例は圏点）を加える。同書が示す声調体系は平安時代中期の六声による朱点を基盤とし、それと異なる声調を示す場合や声点の施されていない場合（用例は少ない）に、平安時代院政初期長承三年（1134）の四声による墨圏点を確認する。日本漢音は「ボウ」平声、日本呉音「モウ」去声を認める。

　　　　毛 音旄［平濁／ホウ：墨右傍］ケ［上］… 和モウ［□上：墨点］

　　　　　　　　　　　　　　　　　　　　　　　　　　　　（観智院本類聚名義抄／僧上 100-4）

68　3．仮名音注の韻母別考察　3-1　Ⅰ韻類

毛［平：圏点］ホウ　　　　　　　　　　　　　　　　　　（長承本蒙求／015・021）

毛［平］ホウ　　　　　　　　　　　　　　　　　　　　　（長承本蒙求／066）

烏毛虫　兼名苑云鴟虫一名烏毛虫 和名加波無之　　　（元和本倭名類聚抄／巻十九20 オ6）

▶番号0893b「毛」（白毛）の仮名音注「ホウ」については、基本的に -ou で対応する。当該字には去声濁点を差すので、字音「ボウ」を想定する。当該字の中古音（豪/号韻 mɑu¹ʲ³）は平声と去声との両声調を示す。日本漢音「ボウ」去声の可能性もあるが、証左がない。上述の分析を参照。

▶番号1574b「毛」（土毛）の仮名音注「モ」については、基本的に -o で対応する。当該字には平声点を差す。日本語音韻史上から考えて、おそらくは -ou＞-oo＞-o と音変化した字音である。上述の分析を参照。

▶番号2583「髦」の仮名音注「ホウ」については、基本的に -ou で対応する。当該字には平声濁点を差すので、字音「ボウ」を想定する。その中古音が示す頭子音 m-（等韻学の術語では明母）は両唇鼻音であり、マ行音をもって受容する。ただし、中国語音韻史上における鼻音声母の非鼻音化（denasalization）現象により、m-＞mb-＞b- の音変化を反映する場合はバ行音で対応する。観智院本類聚名義抄に同音字注「音毛」を見出すが、仮名音注はない。

髦 音毛 … 太髪 タチカミ［平平平濁□］… メサシ　　　（観智院本類聚名義抄／佛下本037-5）

▶番号0650「旄」の仮名音注「モウ」については、基本的に -ou で対応する。当該字には平声点を差す。その中古音が示す頭子音 m-（等韻学の術語では明母）は鼻音であり、マ行音をもって受容する。ただし、中国語音韻史上における鼻音声母の非鼻音化（denasalization）現象により、m-＞mb-＞b- の音変化を反映する場合はバ行音で対応する。観智院本類聚名義抄に平声濁点を付した同音字注「音毛」を見出すが、仮名音注はない。日本漢音は平声を認める。

旄 … 音毛［平濁］牛尾 … ハタ　　　　　　　　　　　（観智院本類聚名義抄／僧中029-5）

▶番号0145・0208「勞」（勞・勞）の仮名音注「ラウ」については、基本的に -au で対応する。両当該字には平声点を差す。その中古音（豪/号韻 lɑu¹ʲ³）は両声調を示す。番号0145は右注「イタハル」左注「又イタハシ」を付載する。番号0208は和訓「イトナム」の同訓異字として位置する。観智院本類聚名義抄に反切「力髙反・郎到反」および上昇調と推測する和音「ラウ」を見出す。この和音「ラウ」右傍には「✓」を付すが、何を示すのか不明。末子音 -u を喉内撥音韻尾 -ŋ と誤認したか。承暦本金光明最勝王経音義には仮名音注「ラウ」と同音字注「良音」があり、それらの両掲出字に去声点を加える。日本呉音「ラウ」去声を認める。

勞 力髙反 … ネキラフ［上上濁上平］和音 ラウ［□上／□✓：右傍］

　　　　　　　　　　　　　　　　　　　　　　　　　　　（観智院本類聚名義抄／僧上083-2）

勞 郎到反 ツトム／イトナム イコフ …　　　　　　　（観智院本類聚名義抄／佛下末038-6）

勞［去］ラウ〔＊後筆墨書入〕　　　　　　　　　　　（承暦本金光明最勝王経音義／07 ウ2）

勞［去］良ゝ／伊太八留　　　　　　　　　　　　　　（承暦本金光明最勝王経音義／08 オ5）

3-1-1　-ɑ 系の字音的特徴　69

▶番号0999b「勞」（日勞）の仮名音注「ラウ」については、基本的に *-au* で対応する。当該字には上声点を差す。上述の分析を参照。

▶番号0388b「勞」（一勞）の仮名音注「ラウ」については、基本的に *-au* で対応する。当該字に声点はない。熟字0388「一勞」は右注「同（イチラウ）」左注「用上日所」を付載する。上述の分析を参照。

▶番号0768b「勞」（博勞）の仮名音注「シン」については、異例 *-in* を示す。当該字には平声点を差す。熟字0768「博勞」は右傍「伯樂」〔＊別筆の可能性あり〕右注「ハンシン〔＊直上「凡人」に対する仮名音注を誤配置したか〕善馬相也」中左注「今案賣馬者号／博勞此歟」を付載する。

▶番号2917b「澇」（旱澇）の仮名音注「ラウ」については、基本的に *-au* で対応する。当該字には上声点を差す。その中古音は三声調（豪/晧/号韻 lɑu^{1/23}）を示す。廣韻に拠れば、当該字「澇」と「潦」は相互に異体字と認識する。熟字2917は右傍「ニワタツミ」を付載する。日旱と長雨を指す。図書寮本類聚名義抄に平声点を付した同音字注「東云音牢」と同音字注「又音同老［上］」さらに声調表示「又去」を見出す。観智院本類聚名義抄に同音字注「音勞・又音老」と声調表示「又去」を見つけるが、仮名音注はない。まさに三声調を示す。また同書で和訓「ニワタツミ」を付載する掲出字「潦」を見つける。元和本倭名類聚抄が掲げる掲出字「潦」には和名「爾八太豆美」がある。日本漢音は平/上/去声を認める。

澇　東云音牢［平］… 雨水也 又音同／老［上］／水名 又去 …　　　　（図書寮本類聚名義抄／020-5）

澇　音勞 水名 オホ水／又音老 水名 又去　　　　　　　　　　　　（観智院本類聚名義抄／法上011-6）

潦　音老 又郎倒反／ニハタツミ［平平上上濁平］アマ水　　　　　　（観智院本類聚名義抄／佛上037-1）

潦　唐韻云潦音老 和名爾八太豆美 雨水也　　　　　　　　　　　（元和本倭名類聚抄／巻一04 ウ7）

潦　淹或作澇〔＊澇の誤認〕　　　　　　　　　　　　　　　　（王仁昫刊謬補缺切韻／去声第卅五号韻）

澇　淹又水名或作潦 潦 同上　　　　　　　　　　　　　　　　（宋本廣韻／去声第三十七号韻）

▶番号2203「牢」の仮名音注「ラウ」については、基本的に *-au* で対応する。当該字には平声点を差し、右注「ヲリ」左注「又作牢」を付載する。観智院本類聚名義抄に同音字注「音勞」と反切「力刀反」を見出すが、仮名音注はない。承暦本金光明最勝王経音義には同音字注「良音」があり、その掲出字に去声点を加える。日本呉音は去声を認める。

牢牢　音勞／カタシ／養牛 馬闌也 カタム／マタシ マコト　　　（観智院本類聚名義抄／佛下末001-5）

牢　牢字 力刀反 マタシ カタシ … 俗牢　　　　　　　　　　（観智院本類聚名義抄／法下048-8）

牢　［去］良丶／ツヨシ　　　　　　　　　　　　　　　　（承暦本金光明最勝王経音義／05 ウ2）

《下巻 豪韻諸例》

▶番号4507「毫」（毫）の仮名音注「カウ」については、基本的に *-au* で対応する。当該字に

70　3．仮名音注の韻母別考察　3-1　Ⅰ韻類

は平声点を差し、右注「サヲケ」を付載する。上巻の豪韻当該例で分析した。

　▶番号 6241b「毫」（白毫）の仮名音注「カウ」については、基本的に -au で対応する。当該字には去声濁点を差すので、字音「ガウ」を想定する。上述の分析を参照。

　▶番号 5337「尻」の仮名音注「カウ」については、基本的に -au で対応する。当該字には平声点を差し、右注「シリ 苦刀反」左注「臀也」を付載する。観智院本類聚名義抄に「苦髙反」と和音「髙」を見出すが、仮名音注はない。元和本倭名類聚抄には反切「苦郎反」がある。

　　　尻 苦髙反 シリ［平平］／キサラヒ スフ 和髙　　　　　　　（観智院本類聚名義抄／法下 089-6）

　　　臀　… 唐韻云尻 苦郎〔＊←部〕反和名之利 臀也 …　　　　（元和本倭名類聚抄／巻三 09 ウ 1）

　▶番号 4436「皋」の仮名音注「カウ」については、基本的に -au で対応する。当該字には平声点を差し、右注「サハ」を付載する。観智院本類聚名義抄に平声点を付した同音字注「音髙」を見出す。長承本蒙求には同音字注「髙反」と仮名音注「カウ」二例があり、両掲出字に東声点を加える。日本漢音「カウ」東声（四声体系では平声）を認める。

　　　皋 音髙［平］地名　　　　　　　　　　　　　　　　　　　（観智院本類聚名義抄／佛中 079-3）

　　　皋［東］髙反／カウ　　　　　　　　　　　　　　　　　　　（長承本蒙求／019）

　　　皋［東］カウ　　　　　　　　　　　　　　　　　　　　　　（長承本蒙求／109）

　▶番号 4585「橋」の仮名音注「カウ」については、基本的に -au で対応する。当該字には平声点を差し、右注「サヲ 又乍篙」左注「判進船竿也」を付載する。観智院本類聚名義抄に異体字「亦篙」を見出すが、仮名音注はない。同書で「篙」を再検索すると、同音字注「髙」がある。元和本倭名類聚抄には同音字注「音髙」を見つける。

　　　橋橰［赤篙：墨右傍］サヲサヽフ［平平平平平］／二俗下／又鐸音

　　　　　　　　　　　　　　　　　　　　　　　　　　　　　　（観智院本類聚名義抄／佛下本 103-6）

　　　篙 音髙 サホ［平平］船篙　　　　　　　　　　　　　　　（観智院本類聚名義抄／僧上 062-1）

　　　橋　唐韻云橋 音髙字亦作篙和名佐乎 …　　　　　　　　（元和本倭名類聚抄／巻十一 04 ウ 2）

　▶番号 6084「羔」の仮名音注「カウ」については、基本的に -au で対応する。当該字には平声点を差し、右注「ヒツシ」左注「羊子也」を付載する。観智院本類聚名義抄に音注を見出せない。元和本倭名類聚抄には同音字注「音髙」がある。なお「羊」は別字である。

　　　羔 ヒツシ　　　　　　　　　　　　　　　　　　　　　　（観智院本類聚名義抄／僧中 097-7）

　　　羊羋 今正 音陽 ヒツシ［上上上濁］／養也　　　　　　（観智院本類聚名義抄／僧中 094-6）

　　　羊 羔附　兼名苑云 … 羔 音髙 一名羜 音竚 羊子也　　（元和本倭名類聚抄／巻十八 21 ウ 2）

　▶番号 6167b「髙」（鼻髙履）の仮名音注「カウ」については、基本的に -au で対応する。当該字に声点はない。熟字 6167「鼻髙履」は左注「今僧侶」を付載する。上巻の豪韻当該諸例で分析したように、日本漢音「カウ」東声（四声体系では平声）日本呉音「カウ」去声を認める。

　　　鼻髙履　楊氏漢語抄云突子 … 今僧侶所著鼻廣履是歟 鼻髙履也

3-1-1　-ɑ系の字音的特徴　71

(元和本倭名類聚抄／巻十二 26 ウ 4)

▶番号6430「餻」の仮名音注「カウ」については、基本的に -au で対応する。当該字には平声
点を差し、右注「モチキ」を付載する。観智院本類聚名義抄に同音字注「音高」を見出すが、仮名
音注はない。元和本倭名類聚抄には反切「古勞反」がある。

　　餻 … 音高 食／クサモチヒ［平平平上平］　　　　　　　　　　(観智院本類聚名義抄／僧上 107-4)

　　餻　考聲切韻云餻 古勞反字亦作餻久佐毛知比 …　　　　(元和本倭名類聚抄／巻十六 14 オ 2)

▶番号4187「膏」の仮名音注「カウ」については、基本的に -au で対応する。当該字には平声
点を差し、右注「アフラ」を付載する。上巻の豪韻当該諸例で分析したように、日本呉音は去声を
認める。

▶番号6058c「蒿」（茵陳蒿）の仮名音注「カウ」については、基本的に -au で対応する。当該
字に声点はない。熟字6058「茵陳蒿」は右注「ヒキヨモキ［上上平上平濁］」を付載する。元和本
倭名類聚抄には和名「比岐與毛木」を見つける。上巻の豪韻諸例で分析したように、日本漢音「カ
ウ」東声（四声体系では平声）を認める。

　　茵陳蒿　釋藥性云茵陳蒿 和名比岐與毛木　　　　　　　(元和本倭名類聚抄／巻二十 13 オ 6)

▶番号4447a・4819b「曹」（曹司・将曹）の仮名音注「サウ」については、基本的に -au で対
応する。両当該字に声点はない。上巻の豪韻例で分析したように、日本漢音「サウ」平声を認める。

▶番号6810b「螬」（蠐螬）の仮名音注「サウ」については、基本的に -au で対応する。当該字
には平声点を差す。熟字6810「蠐螬」は右注「スクモムシ」を付載する。観智院本類聚名義抄に同
音字注「曹」を見出すが、仮名音注はない。元和本倭名類聚抄には同音字注「曹」がある。

　　蠐螬 斉曹二音 スクモムシ［上上上上平］ 上 トモムシ　　(観智院本類聚名義抄／僧下 022-6)

　　虫+曹 今螬字　　　　　　　　　　　　　　　　　　　(観智院本類聚名義抄／僧下 022-8)

　　蠐螬　本草云蠐螬 齊曹二音 … 和名須久毛無之 …　　　(元和本倭名類聚抄／巻十九 21 オ 2)

▶番号4568「槽」の仮名音注「サウ」については、基本的に -au で対応する。当該字には平声
点を差し、右注「サカフネ」左注「酒」を付載する。観智院本類聚名義抄に平声点を付した同音字
注「音曹」と呉音「糟」を見出すが、仮名音注はない。後者は大般若経字抄による漢呉二音相同の
同音字注を出典とする。傍証ながら、同書で「糟」を再検索すると、平声点を付した同音字注「曹」
と和音「サウ」を見つける。元和本倭名類聚抄には同音字注「音曹」がある。日本漢音は平声を認
める。日本呉音「サウ」の可能性を指摘しておく。

　　槽 音曹［平］ムマフネ … 呉糟　　　　　　　　　　　(観智院本類聚名義抄／佛下本 094-4)

　　糟 音曹［平］カス［平上］… 和サウ　　　　　　　　　(観智院本類聚名義抄／法下 030-3)

　　槽 ［音傍：右傍］馬舩／也此謂馬篓／申欶　　　　　　(石山寺一切経蔵本大般若経字抄／17 オ 6)

　　酒槽　文選酒德頌注云槽 音曹酒槽佐賀布禰 …　　　　　(元和本倭名類聚抄／巻十六 06 オ 3)

▶番号4143「鰺」の仮名音注「サウ」については、基本的に -au で対応する。当該字には平声

点を差し、右注「アチ」を付載する。観智院本類聚名義抄に同音字注「音同（騒）」〔＊直前の同音字注「音騒」を指す〕を見出すが、仮名音注はない。元和本倭名類聚抄には反切「蘓遇反與騒同」を見つける。その反切が帰納する字音と「騒」とが同音であることを示唆する。

　　　鰠 音騒 ミ［去］鯉属　　　　　　　　　　　　　　　　　（観智院本類聚名義抄／僧下 004-2）

　　　鯵鰷 俗正 音同／上 アチ［上平濁］　　　　　　　　　　（観智院本類聚名義抄／僧下 004-3）

　　　鰺　崔禹錫食經云鰺 蘓遇反與騒同和名阿遅 …　　　　　（元和本倭名類聚抄／巻十九 05 オ 2）

▶番号 4523・4529「騒」（騒・騒）の仮名音注「サウ」については、基本的に -au で対応する。当該字には平声点を差す。番号 4523 は右注「サハク」左注「愁也」を付載する。番号 4529「騒」は和訓「サハカシ」の同訓異字として位置する。観智院本類聚名義抄に反切「棨刀反」を見出す。承暦本金光明最勝王経音義には借字による「佐宇反」があり、その掲出字に平声点を加える。日本呉音「サウ」平声を認める。

　　　騒 棨刀反 動也／サハク［平平□］ウレ　　　　　　　　（観智院本類聚名義抄／僧中 101-3）

　　　騒［平］佐宇反／サハク　　　　　　　　　　　　　　　（承暦本金光明最勝王経音義／11 オ 5）

▶番号 4738a「騒」（騒動）の仮名音注「サウ」については、基本的に -au で対応する。当該字には去声点を差す。上述の分析を参照。

▶番号 4702a「操」（操行）の仮名音注「サウ」については、基本的に -au で対応する。当該字には去声点を差す。廣韻に拠れば、豪/号韻（ts'ɑu¹ᐟ³）の二音を有する。観智院本類聚名義抄に反切「厝勞反」（その反切下字に平声点）と「又去」を見出すが、仮名音注はない。長承本蒙求には仮名音注「サウ」があり、その掲出字に去声点を加える。日本漢音「サウ」平/去声を認める。

　　　操 厝勞［□平］反 ミサヲ［上上□］ … 又去 アヤツリ …　（観智院本類聚名義抄／佛下本 056-3）

　　　操［去］サウ　　　　　　　　　　　　　　　　　　　　（長承本蒙求／089）

　　　操行［□去］心ハセ［平平上］　　　　　　　　　　　　（観智院本類聚名義抄／佛下本 056-4）

▶番号 5621b「操」（心操）の仮名音注「サウ」については、基本的に -au で対応する。当該字には去声濁点を差すので、日本語音韻史上の連濁による字音「ザウ」を想定する。その中古音が示す頭子音 ts'-（等韻学の述語で言う歯音次清の清母）は有気無声破擦音であり、日本語のサ行音をもって受容する。上述の分析を参照。

　　　心操 コ丶ロハセ［平平平平上］　　　　　　　　　　　（観智院本類聚名義抄／佛下本 056-3）

▶番号 4516「操」（操）の仮名音注「サウ［平上］」については、基本的に -au で対応する。当該字は去声相当である上昇調の声点を付した仮名音注があり、また中注「七到反」（等韻学の述語で言う清母号韻去声）左注「心操」を付載する。上述の分析を参照。

▶番号 4776a・6250b「操」（操懍・美操）の仮名音注「サウ」については、基本的に -au で対応する。両当該字に声点はない。熟字 4776「操懍」は右傍「カマヒヲソル」を付載する。上述の分析を参照。

3-1-1 -ɑ系の字音的特徴 73

▶番号4773a「糟」（糟糠）の仮名音注「サウ」については、基本的に -au で対応する。当該字には去声点を差す。上巻の豪韻当該例で分析したように、日本漢音は平声、日本呉音「サウ」を認める。

▶番号3339c・6396・6397a・6399a「桃」（獼猴桃・桃・桃奴・桃脂）の仮名音注「タウ」については、基本的に -au で対応する。当該諸字四例には平声点を差す。番号6396「桃」は右注「モ、」中注「徒刀反」左注「果木名也」を、熟字3339「獼猴桃」は右注「コクハ」左注「又シラクチ」を、熟字6397「桃奴」は右注「モ、ノサネ」を、熟字6399「桃脂」は右注「モ、ノヤニ」を付載する。上巻の豪韻当該諸例で分析したように、日本漢音「タウ」平声を認める。

獼猴桃 シラクチ [平平平平] ／一云コクワ [平平□／□□ハ：墨右傍]

(観智院本類聚名義抄／佛下本087-2)

桃人 モ、ノサネ [□□□平平]　桃奴 同　　(観智院本類聚名義抄／佛下本087-1)

桃脂 モ、ノヤニ [□□□平平]　　　　　(観智院本類聚名義抄／佛下本087-1)

獼猴桃　七巻食經云獼猴桃 和名之良久知一云古久波　(元和本倭名類聚抄／巻十七08オ4)

桃奴　本草云桃人一名桃奴 和名毛々乃佐禰　　(元和本倭名類聚抄／巻十七11ウ8)

桃脂　神仙服餌方云桃脂一名桃膠 和名毛々乃夜迩　(元和本倭名類聚抄／巻十七12ウ2)

▶番号5285c「桃」（獼猴桃）の仮名音注「タウ」については、基本的に -au で対応する。当該字には上声点を差す。熟字5285「獼猴桃」は右注「シラクチ」左注「又コクハ」を付載する。元和本倭名類聚抄には「和名之良久知一云古久波」がある。上述の分析を参照。

▶番号6398a「桃」（桃人）の仮名音注「タウ」については、基本的に -au で対応する。当該字に声点はない。熟字6398「桃人」は右注「モ、ノサネ」を付載する。元和本倭名類聚抄には「和名毛々乃佐禰」がある。上述の分析を参照。

▶番号3696b・3987a「逃」（語逃・逃散）の仮名音注「テウ」については、基本的に -eu で対応する。両当該字には去声濁点を差すので、字音「デウ」を想定する。その中古音が示す頭子音 d-（等韻学の術語で言う舌音濁定母）は有声歯茎閉鎖音であり、日本語のダ行音をもって受容するが、中国語音韻史上に現れる濁音声母の無声化を反映した場合はタ行音で対応する。上巻の豪韻当該例で分析したように、日本漢音は平声、日本呉音「デウ」平声を認める。

▶番号3982a・3983a・3984a・3985a・3986a「逃」（逃亡・逃名・逃去・逃隠・逃脱）の仮名音注「テウ」については、基本的に -eu で対応する。当該諸字五例には平声点を差す。上述の分析を参照。

▶番号4425b「刀」（阿刀）の仮名音注「ト」については、基本的に -o で対応する。当該字に声点はない。熟字4425「阿刀」は度篇姓氏部に属し、定着久しい古くからの字音把握である。日本語音韻史上から考えて、-au＞-ou＞-oo＞-o と音変化した。上巻の豪韻当該諸例で分析したように、日本漢音「タウ」東声（四声体系では平声）日本呉音「タウ」去声を認める。

74   3．仮名音注の韻母別考察　3-1　Ｉ韻類

▶番号6049「匏」の仮名音注「ハウ」については、基本的に -au で対応するが、その諧声符「包」（幫母肴韻 pau¹）を字音「ハウ」として把握した可能性がある。豪韻において円唇性を有する頭子音 p- 系の場合は基本的に -ou で対応する。いわゆる唇音を日本語の音節構造に馴化させた字音の把握である。当該字には平声点を差し、右注「ヒサコ」左注「匏瓜」を付載する。その中古音が示す頭子音 b-（等韻学の術語で言う唇音濁並母）は有声両唇音であり、日本語のバ行音をもって受容する。ただし、中国語音韻史上における濁音声母の無声化を反映する場合、日本語のハ行音で対応する。観智院本類聚名義抄に平声点を付した同音字注「音庖」を見出すが、仮名音注はない。元和本倭名類聚抄に反切「薄交反」がある。日本漢音は平声を認める。

　　匏 音庖 [平] ／ヒサコ [平平上]　　　　　　　　　　（観智院本類聚名義抄／僧下 108-3）

　　杓 瓟附 唐韻云杓 … 匏 薄交反 可爲飲器者也　　　　（元和本倭名類聚抄／巻十六 06 オ 9）

▶番号4743b・6753b「袍」（袍裁・青袍）の仮名音注「ハウ」については、基本的に -au で対応するが、その諧声符「包」（幫母肴韻 pau¹）を字音「ハウ」として把握した可能性がある。豪韻において円唇性を有する頭子音 p- 系の場合は基本的に -ou で対応する。いわゆる唇音を日本語の音節構造に馴化させた字音の把握である。両当該字には去声点を差す。その中古音が示す頭子音 b-（等韻学の術語で言う唇音濁並母）は有声両唇音であり、日本語のバ行音をもって受容する。ただし、中国語音韻史上における濁音声母の無声化を反映する場合、日本語のハ行音で対応する。観智院本類聚名義抄に反切「薄襃反・蒲労反」を見出す。また異体字「褒」には反切「薄報反」（並母号韻 bau³）を見つける。長承本蒙求には仮名音注「ハウ」があり、その掲出字に東声点を加えるが、疑義が残る。当該字「袍」は等韻学の術語で言う並母濁豪韻一等（bɑu¹）であり、東声ではなく平声を期待する。同本も諧声符「包」（幫母肴韻 pau¹）による字音把握か。元和本倭名類聚抄には反切「薄交反」がある。日本漢音「ハウ」平声を認める。

　　袍 薄襃反 ウヘノキヌ [上上平□□] … 蒲労反　　　（観智院本類聚名義抄／法中 143-4）

　　褒 薄報反 衣前／衿　　　　　　　　　　　　　　　（観智院本類聚名義抄／法中 143-5）

　　袍 [東] 〔＊平声の誤認か〕ハウ　　　　　　　　　　（長承本蒙求／075）

　　袍 楊氏漢語抄云袍 薄交反和名宇倍乃岐沼一云朝服 …　（元和本倭名類聚抄／巻十二 19 オ 8）

▶番号3861b「髳」（英髳）の仮名音注「ホウ」については、基本的に -ou で対応する。当該字には平声濁点を差すので、字音「ボウ」を想定する。上巻の豪韻当該例で分析した。

▶番号5475b・6343b「毛」（鵝毛・鬃毛）の仮名音注「ホウ」については、基本的に -ou で対応する。両当該字には平声濁点を差すので、字音「ボウ」を想定する。その中古音が示す頭子音 m-（等韻学の術語では唇音明母）は両唇鼻音であり、中国語音韻史上における鼻音声母の非鼻音化（denasalization）現象によって、m->mb->b- の音変化をする。原則的に言えば、この影響を受けた日本漢音ではバ行音を反映し、日本呉音の字音把握はマ行音である。上巻の豪韻当該諸例で分析したように、日本漢音は「ボウ」平声、日本呉音「モウ」去声を認める。

3-1-1　-ɑ系の字音的特徴　75

▶番号4787b「毛」（霜毛）の仮名音注「モウ」については、基本的に -ou で対応する。当該字に声点はない。上述の分析を参照。

▶番号4547・6426「醪」の仮名音注「ラウ」については、基本的に -au で対応する。両当該字には平声点を差す。番号6426「醪」は右注「モロミ」中注「力刀反」左注「計澤〔＊汁滓の誤認〕酒也」を付載する。観智院本類聚名義抄に平声点を付した同音字注「音勞」を見出す。長承本蒙求には仮名音注「ラウ〔＊←ライ〕」があり、その掲出字に平声点を加える。元和本倭名類聚抄には反切「力刀反」がある。日本漢音「ラウ」平声を認める。

　　　醪 … 音／勞［平］／ニコリサケ［平平濁平平平］…　　　　（観智院本類聚名義抄／僧下 056-3）

　　　醪［平］ライ〔＊「ラウ」の誤認か〕　　　　　　　　　　　　　　　（長承本蒙求／107）

　　　醪 玉篇云醪 力刀反漢語抄云濁醪毛呂美 汁滓酒也　　（元和本倭名類聚抄／巻十六10オ7）

▶番号5171b・5646b「勞」（勤勞・心勞）の仮名音注「ラウ」については、基本的に -au で対応する。両当該字には上声点を差す。その中古音（豪/号韻 lɑu¹/³）は両声調を示す。上巻の豪韻当該諸例で分析したように、日本呉音「ラウ」去声を認める。

《上巻　晧韻諸例》

▶番号2465b「芙」（苦芙）の仮名音注「アウ」については、基本的に -au で対応する。当該字には上声点を差す。熟字2465「苦芙」は右注「カマナ」左注「カミオコシナ」を付載する。観智院本類聚名義抄には同音字注「音襖」を見出すが、仮名音注はない。元和本倭名類聚抄には反切「烏老反」がある。

　　　芙 音襖 鉤芙／カマナ 一云カミヲコシナ［平平平上上］　　（観智院本類聚名義抄／僧上 023-2）

　　　苦芙　本草云苦芙 烏老反和名加萬奈一云加美於古之奈　（元和本倭名類聚抄／巻二十06オ6）

▶番号2676「腠」の仮名音注「アウ」については、基本的に -au で対応する。当該字には去声点を差し、右注「カスモミ」左注「糟藏肉也」を付載する。観智院本類聚名義抄には「抾陸反・抾報反」を見出すが、仮名音注はない。元和本倭名類聚抄には反切「烏到反」がある。

　　　腠 抾陸反 抾報反 腠腔 カスモミ ［平平平平］　　　　（観智院本類聚名義抄／佛中 135-4）

　　　腠 四聲字苑云腠 烏到反今案俗云加須毛美 糟藏肉也　（元和本倭名類聚抄／巻十六19オ5）

▶番号2924a・2935a・3054a「好」（好突・好色・好飲）の仮名音注「カウ」については、基本的に -au で対応する。当該諸字三例には上声点を差す。廣韻によれば、晧/号韻（xɑu²³）二声調を有する。観智院本類聚名義抄に反切「呼到反」と「和平」を見出す。直下に熟字「好悪」を掲げ、右注「上ミ 下入」左注「上下 倶去」とする。上字「好」が上声と去声であることを示す。長承本蒙求には仮名音注「カウ」があり、その掲出字を含む二例に上声点を加える。日本漢音「カウ」上/去声、日本呉音は平声を認める。

76　3．仮名音注の韻母別考察　3-1　Ⅰ韻類

好 呼到反 ヨシ … コノム 和平　　　　　　　　　　　　　（観智院本類聚名義抄／佛中014-2）

好悪 上ミ 下入／上下倶去　　　　　　　　　　　　　　　（観智院本類聚名義抄／佛中014-2）

好［上］　　　　　　　　　　　　　　　　　　　　　　　　（長承本蒙求／040）

好［上］カウ　　　　　　　　　　　　　　　　　　　　　　（長承本蒙求／085）

▶番号2854a「皓」（皓天）の仮名音注「カウ」については、基本的に -au で対応する。当該字
には去声点を差す。観智院本類聚名義抄に反切「胡老反」（その反切下字に去声点）を見出すが、
仮名音注はない。日本漢音は去声を認める。

皓 胡老［□去］反 シロシ［平平上］／アキラカ カ ヤク　　（観智院本類聚名義抄／佛中103-8）

▶番号2355「藁」の仮名音注「カウ」については、基本的に -au で対応する。当該字には上声
点を差し、右注「ワラ」左注「又乍藁」を付載する。廣韻の晧韻見母小韻字には「稾：禾稈又藁本
草꿙之本／藁：俗」を見つける。観智院本類聚名義抄では異体字である「稾」に「古活反」を見出
すが、仮名音注はない。箋注倭名類聚抄には反切「古老反」がある。高山寺本篆隷萬象名義には「公
道反」を見つける。

藁 ワラ　　　　　　　　　　　　　　　　　　　　　　　　（観智院本類聚名義抄／法下037-1）

藁 ワラ　　　　　　　　　　　　　　　　　　　　　　　　（観智院本類聚名義抄／僧上026-2）

稾 古活反／禾草 ワラ［平上］　　　　　　　　　　　　　　（観智院本類聚名義抄／法下016-6）

稾 麻果曰稾 古老反訓和良 …　　　　　　　　　　　　　　（箋注倭名類聚抄／巻九21 ウ4）

稾 公道反 稈也草也　　　　　　　　　　（高山寺本篆隷萬象名義／第四帖080 ウ6）

▶番号2809「槁」（槀）の仮名音注「カウ」については、基本的に -au で対応する。当該字に
声点はない。和訓「カル」の同訓異字として位置する。観智院本類聚名義抄に上声点を付した同音
字注「考」と「和去」を見出すが、仮名音注はない。日本漢音は上声、日本呉音は去声を認める。

槁 音考［上］ … カル［上平］クヒセ［上上上濁］和去　　（観智院本類聚名義抄／佛下本103-6）

▶番号2907a「考」（考定）の仮名音注「カウ」については、基本的に -au で対応する。当該字
には平声点を差す。観智院本類聚名義抄に上声点を付した同音字注「音好」を見出すが、仮名音注
はない。日本漢音は上声を認める。

考 音好［上］　　　　　　　　　　　　　　　　　　　　　（観智院本類聚名義抄／僧下123-2）

▶番号3020a・3023a・2832「拷」〔＊諧声符「考」〕（拷掠・拷悶・拷）の仮名音注「カウ」につ
いては、基本的に -au で対応する。当該諸字三例には平声点を差す。打ち据える、あるいは無理に
奪い取るの意味である。番号2832「拷」は右注「カウス」サ変動詞を、熟字3020「拷掠」は右傍
「ウチウツ」を付載する。当該字「拷」は廣韻など切韻系韻書に掲げない。篆隷萬象名義にもなく、
後世の増補である大廣益會玉篇(29)は当該字「拷」を掲げ、反切「苦老切」を見出す。木篇の別字「栲・
栲」は観智院本類聚名義抄に上声点を付した同音字注「音考」を見出すが、仮名音注はない。

考 校也 … 苦浩切十 … 栲 木名山樗也 …　　　　　　　　　（宋本廣韻／晧韻 kʻɑu²）

考 苦浩反或俗作㧀七 㧒 木名亦作栲 …　　　　　　　　　（王仁昫刊謬補缺切韻／晧韻 kʻɑu²）

㧒〔＊諧声符「考」〕苦老切打也　　　　　　　　　　（大廣益會玉篇／巻上48 ウ 1／晧韻 kʻɑu²）

栲 音同〔＊音考［上］：前掲〕以縄織／柳枝爲器　　　　（観智院本類聚名義抄／佛下本103-7）

栲 正 掉　　　　　　　　　　　　　　　　　　　　　（観智院本類聚名義抄／佛下本103-8）

栲 口考反 呉桃／久留比也　　　　　　　　　　　　　　　　　（新撰字鏡／巻七02 ウ 1）

▶番号3021a「㧒」〔＊諧声符「考」〕（㧒迅）の仮名音注「カウ」については、基本的に -au で対応する。当該字には平声濁点を差すので、字音「ガウ」を想定する。その中古音が示す頭子音 kʻ-（等韻学の術語で言う牙音次清溪母）は無声有気軟口蓋閉鎖音であり、日本漢字音では原則的にカ行音で受容する。現行多くの漢和辞典では慣用音「ガウ」を認めているが、有声音であるガ行音により受容する理由を述べてはいない。上述の分析を参照。

▶番号3197「嫂」の仮名音注「サウ」については、基本的に -au で対応する。当該字には上声点を差す。左右注「ヨメ［上上］俗作／娷兄弟妻也」を付載する。観智院本類聚名義抄に上声点を付した同音字注「早」を見出すが、仮名音注はない。日本漢音は上声を認める。

嫂 音早［上］　嫂娷 俗通 ヨメ［上上］　　　　　　　　（観智院本類聚名義抄／佛中009-4）

▶番号0680a「掃」（掃墨）の仮名音注「サウ」については、基本的に -au で対応する。当該字には去声点を差す。廣韻による中古音（晧/号韻 sɑu²³）は上声と去声との両声調を示す。熟字0680「掃墨」は右注「ハイスミ」を付載する。観智院本類聚名義抄に上声点を付した同音字注「音澡」と「和去」を見出す。長承本蒙求には仮名音注「サウ」二例があり、それら掲出字それぞれに上声点と去声点を加える。日本漢音「サウ」上/去声、日本呉音は去声を認める。

掃 音澡［上］ハキクツ［平平平上濁］… 和去　　　　　（観智院本類聚名義抄／佛下本045-7）

掃［上］サウ／サウ　　　　　　　　　　　　　　　　　　（長承本蒙求／078）

掃［去］サウ　　　　　　　　　　　　　　　　　　　　　（長承本蒙求／146）

▶番号1438c・2471b「草」（石楠草・劇草）の仮名音注「サウ」については、基本的に -au で対応する。両当該字に声点はない。熟字2471「劇草」は右注「カキツハタ」を付載する。観智院本類聚名義抄に上声点を付した同音字注「音早」と上昇調を示す和音「左ウ」を見出す。同書で仮名音注相当「左」を使うことは他にない。また、同書には掲出字「石楠草」の右注「俗云サクナムサ［平平平上平濁］」がある。定着久しい字音として「サクナムサウ」が音変化したか。元和本倭名類聚抄には「俗云佐久奈無佐」を見つける。長承本蒙求に仮名音注はないが、掲出諸字三例に上声点を加える。日本漢音は上声、日本呉音「サウ」去声を認める。

艸 音早［上］…　草 或 クサ［平平］… 和音左ウ［平上：墨点］

　　　　　　　　　　　　　　　　　　　　　　　　　（観智院本類聚名義抄／僧上001-2）

左 作可反 ヒタリ［平上□］… 和［✓：墨右傍］サ［平］　　（観智院本類聚名義抄／佛上084-8）

草［上］　　　　　　　　　　　　　　　　　　　　（長承本蒙求／029・039）

78　3．仮名音注の韻母別考察　3-1　Ⅰ韻類

　　　　草［上：圏点］　　　　　　　　　　　　　　　　　　　　　　　　（長承本蒙求／080）

　　　　石楠草 トヒラノキ［上上濁□□□］俗云 サクナムサ［平平平上平濁］

　　　　　　　　　　　　　　　　　　　　　　　　　（観智院本類聚名義抄／僧上 009-3）

　　　　石楠草　本草云石楠草 楠音南和名止比良乃木俗云佐久奈無佐

　　　　　　　　　　　　　　　　　　　　　　　（元和本倭名類聚抄／巻二十 29 ウ 5）

　　　　劇草 カキツハタ［上上上□□］　　　　　（観智院本類聚名義抄／僧上 009-2）

　　　　劇草　蘇敬本草注云劇草一名馬藺 和名加木豆波太　　　（元和本倭名類聚抄／巻二十 16 オ 7）

　▶番号 2481b「草」（苔草）の仮名音注「サウ」については、基本的に -au で対応する。当該字には平声濁点を差すので、日本語音韻史上の連濁による字音「ザウ」を想定する。熟字 2481「苔草」は左注「藥名」右傍「甘 イ本」を付載する。上述の分析を参照。

　　　　甘草 アマキ［上上上濁］　　　　　　　　　（観智院本類聚名義抄／僧上 009-6）

　　　　甘草　本草云甘草一名蜜草 和名阿萬木　　　（元和本倭名類聚抄／巻二十 04 ウ 2）

　▶番号 0940b・1724c・3015b「藻」（海藻・稚海藻・翰藻）の仮名音注「サウ」については、基本的に -au で対応する。当該諸字三例には上声点を差す。熟字 0940「海藻」は右注「ニキメ」を付載する。観智院本類聚名義抄に上声点を付した同音字注「音早」を見出すが、仮名音注はない。日本漢音は上声を認める。

　　　　藻 … 音早［上］モ［平］一云モハ［上上］…　　　（観智院本類聚名義抄／僧上 027-1）

　　　　海藻 ニキメ［平上濁□］　　　　　　　　　（観智院本類聚名義抄／僧上 027-1）

　　　　海藻　本草云海藻 … 和名迩木米俗用和布　　　（元和本倭名類聚抄／巻十七 17 ウ 4）

　▶番号 1960a「早」（早良）の仮名音注「サワ」については、異例 -awa を示す。当該字に声点はない。熟字 1960「早良」は池篇國郡部に属する地名である。おそらくは「サウラ」saura > sawara「サワラ」のように母音連続を回避するため /wa/ に音変化する環境を背景として、すでに存在する地名に対して漢字表記を与えたものか。定着久しい字音把握と認める。あるいは字音を援用しているという認識がない可能性もある。観智院本類聚名義抄に上声点を付した同音字注「音澡」を見出すが、仮名音注はない。元和本倭名類聚抄には借字「佐波良」二例がある。日本漢音は上声を認める。

　　　　早晩 上音澡［上］ハヤク［平上平／□□シ：平／右傍］…　　　（観智院本類聚名義抄／佛中 100-8）

　　　　筑前國 … 早良 佐波良　　　　　　　　　　（元和本倭名類聚抄／巻五 26 オ 1）

　　　　筑前國第百二十五 … 早良 佐波良　　　　　（元和本倭名類聚抄／巻九 10 ウ 4）

　▶番号 2488a「皂」（皂筴）の仮名音注「サチ」については、異例 -at を示す。当該字に声点はない。右注の仮名音注「サチ」は字形相似による「サウ」の誤認と推測する。その中古音が示す頭子音 dz-（等韻学の術語で言う歯音濁従母）は有声破擦音であり、日本語のザ行音をもって受容するが、中国語音韻史上における濁音声母の無声化を反映する場合はサ行音で対応する。熟字 2488

「皂笑」は右注「カハラフチ」を付載する。観智院本類聚名義抄に上声点を付した同音字注「音造」を見出すが、仮名音注はない。傍証ながら、同書で「造」を再検索すると、和音「サウ」（その右傍に朱筆で濁音「✓」表記）を見つける。日本漢音は上声を認める。

皂 音造［上］クロシ　皁 正 クロシ／ムマフネ　　　　　　　（観智院本類聚名義抄／佛中 104-1）

皂笑 カハラフチ［上上上平平濁］俗云蚰結［平濁入］　　　（観智院本類聚名義抄／僧上 047-1）

造 徐道［平上］反 ツクル … 和サウ［✓□：朱右傍］　　　（観智院本類聚名義抄／佛上 058-2）

▶番号 2643b「倒」（擲倒）の仮名音注「タウ」については、基本的に -au で対応する。当該字には上声点を差す。熟字 2643「擲倒」は右注「カヘリウツ」を付載する。観智院本類聚名義抄に同音字注「音島」（その右傍に朱筆で仮名音注「タウ」）と「木耳〔＊禾平の誤認か〕」を見出す。長承本蒙求には仮名音注「タウ」二例があり、それらを含む掲出字三例に上声点を加える。日本漢音「タウ」上声を認める。日本呉音は平声の可能性がある。

倒 音島［タウ：朱右傍］タフル［平上平］… 木耳　　　（観智院本類聚名義抄／佛上 023-4）

倒［上］タウ　　　　　　　　　　　　　　　　　　　　（長承本蒙求／039・076）

倒［上］　　　　　　　　　　　　　　　　　　　　　　（長承本蒙求／043）

▶番号 1271b・1404b「倒」（潦倒・漂倒）の仮名音注「タウ」については、基本的に -au で対応する。両当該字には平声点を差す。上述の分析を参照。

▶番号 0704「討」の仮名音注「タウ」については、基本的に -au で対応する。当該字に声点はない。和訓「ハナル」の同訓異字として位置する。図書寮本類聚名義抄に反切「茲云恥老反」（その反切下字に上声点）を見出す。観智院本には反切「恥老反」と和音「タウ」を見つける。承暦本金光明最勝王経音義には仮名音注「タウ音」と借字による「太字反」がある。日本漢音は上声、日本呉音「タウ」を認める。

討伐 茲云恥老［□上］反 除也 誅也 …　　　　　　　　　（図書寮本類聚名義抄／073-6）

討 恥老反 タツヌ［平平濁上］… ハナル … 和タウ　　　（観智院本類聚名義抄／法上 061-6）

討 タウ六〔＊後筆朱書入〕　　　　　　　　　　　　　　（承暦本金光明最勝王経音義／07 ウ 3）

討 太字反　　　　　　　　　　　　　　　　　　　　　　（承暦本金光明最勝王経音義／07 ウ 3）

▶番号 1656b・2886b「道」（同道・海道）の仮名音注「タウ」については、基本的に -au で対応する。当該字には平声濁点を差すので、字音「ダウ」を想定する。その中古音が示す頭子音 d-（等韻学の術語で言う舌音濁定母）は有声歯茎閉鎖音であり、日本語のダ行音をもって受容するが、中国語音韻史上に現れる濁音声母の無声化を反映した場合はタ行音となる。観智院本類聚名義抄に上声点を付した同音字注「音稲」と和音「随ウ」を見出す。この和音は「隋ウ」あるいは「堕ウ」の誤認であろう。同書では日本語の濁音「ダ」を標音するために「堕イ・堕ウ・堕ン」を用いることがある。なお「堕」には平声濁点を付した和音「タ［平濁］」を見つける。日本漢音は上声、日本呉音「ダウ」を認める。

80   3．仮名音注の韻母別考察　3-1　Ⅰ韻類

道 音稲［上］ミチ［上上］… 和随ウ　　　　　　　　　　（観智院本類聚名義抄／佛上 044-6）

臺 … 音苔 ウテナ［平平□］和堕イ　　　　　　　　　　（観智院本類聚名義抄／僧下 070-3）

堂 音唐［平］俗云堕ウトノ … オホイナリ　　　　　　　（観智院本類聚名義抄／法中 059-6）

段 徒亂反 撃 キル … 和堕ン［□平］　　　　　　　　　　（観智院本類聚名義抄／佛中 066-1）

堕 徒果反 徒臥反／オコタル［上上□□］… 和タ［平濁］　（観智院本類聚名義抄／法中 085-7）

▶番号 1708b「道」（馳道）の仮名音注「タウ」については、基本的に -au で対応する。当該字に声点はない。熟字 1708「馳道」は左注「天子所行之道也」を付載する。上述の分析を参照。

▶番号 0070a「稲」（稲負鳥）の仮名音注「タウ」については、基本的に -au で対応する。当該字には上声点を差す。熟字 0070「稲負鳥」は左右注「イナオホ／セトリ」を付載する。観智院本類聚名義抄に同音字注「音道」と低平調を示す和音「タウ」を見出す。承暦本金光明最勝王経音義には仮名音注「タウ」二例がある。日本呉音「タウ」平声を認める。

稲 音道 イネ［平上］／和タウ［平平］　　　　　　　　　（観智院本類聚名義抄／法下 010-4）

稲 タウ〔＊後筆墨書入〕　　　　　　　　　　　　　　　（承暦本金光明最勝王経音義／07 オ 5）

稲 タウ〔＊後筆墨書入〕　　　　　　　　　　　　　　　（承暦本金光明最勝王経音義／10 オ 1）

稲負鳥 イナオ［平平平］／ホセトリ［平平上濁平］　　　（観智院本類聚名義抄／僧中 111-2）

▶番号 0038・2292b「稲」（稲・早稲）の仮名音注「タウ」については、基本的に -au で対応する。両当該字には上声点を差す。上述の分析を参照。

▶番号 1482b「脳」（頭脳）の仮名音注「タウ」については、基本的に -au で対応する。当該字には上声濁点を差すので、字音「ダウ」を想定する。その中古音が示す頭子音 n-（等韻学の術語で言う舌音清濁泥母）は、中国語音韻史上における鼻音声母の非鼻音化（denasalization）現象によって、n->nd->d- の音変化をする。原則的に、この影響を受けた日本漢音ではダ行音を反映することになる。日本漢字音において、頭子音 n- をナ行で示す場合には早い段階の字音享受で、これを日本呉音の特徴とする。観智院本類聚名義抄に反切「奴老反」と上声濁点を付した同音字注「音悩」を見出すが、仮名音注はない。元和本倭名類聚抄には反切「奴道反」がある。日本漢音は上声を認める。

脳 奴老反 ナツキ［平平平］／脳［正：右注］音悩［上濁］　（観智院本類聚名義抄／佛中 122-4）

脳　說文云脳 奴道反 … 和名奈豆岐 頭中髄脳　　　　　　（元和本倭名類聚抄／巻三 01 ウ 6）

▶番号 1481b「脳」（頭脳）の仮名音注「ナウ」については、基本的に -au で対応する。熟字「頭脳」は右注 1481「トウナウ」右傍 1482「トウタウ」を付載する。上述の分析を参照。

▶番号 2010b「脳」（龍脳）の仮名音注「ナウ」については、基本的に -au で対応する。当該字には平声点を差す。熟字 2010「龍脳」は中注「薬名香名」左注「樹根中乾脂也」を付載する。上述の分析を参照。

龍脳香　蘇敬本草注云龍脳香者樹根中乾脂也　　　　　　（元和本倭名類聚抄／巻十二 02 ウ 5）

▶番号1189b「惱」（煩惱）の仮名音注「ナウ」については、基本的に -au で対応する。当該字には平声点を差す。図書寮本類聚名義抄に同音字注「音腦」を見出す。また、当該字「惱」は「惚・懊」と相互に異体字であるという認識を持つ。観智院本に反切「奴道反」と低平調と推測する和音「ナウ」を見つける。承暦本金光明最勝王経音義には仮名音注「ナウ」がある。日本呉音「ナウ」平声を認める。

惚惱 千云上／俗 音腦　　　　　　　　　　　　（図書寮本類聚名義抄／268-3）

懊惱 音奥［アウ：去声位置］… 惚惚［ナウ：去声位置／□✓］　　（図書寮本類聚名義抄／268-3）

懊懊 广云／今皆／作惱同 奴道反／懊懊 憂痛也　　　　（図書寮本類聚名義抄／268-4）

惱 奴道反 ナヤム［平平上／□□マス：右傍］… 和ナウ［□平］　　惱 正
　　　　　　　　　　　　　　　　　　　　（観智院本類聚名義抄／法中082-8）

惱 ナウ〔＊後筆墨書入〕　　　　（承暦本金光明最勝王経音義／08ウ2）

▶番号0778a「抱」（抱膝）の仮名音注「ハウ」については、基本的に -au で対応するが、晧韻において円唇性を有する頭子音 p- 系の場合は基本的に -ou で対応する。いわゆる唇音を日本語の音節構造に馴化させた字音の把握である。その諧声符「包」（幫母肴韻平声 pau⌐）を字音「ハウ」として把握した可能性がある。当該字には去声点を差す。観智院本類聚名義抄に反切「歩浩反」を見出すが、仮名音注はない。

抱 歩浩反 イタク［上上濁平］…　　　　　　（観智院本類聚名義抄／佛下本040-5）

▶番号3282b・1058a「保」（揖保・保夜）の仮名音注「ホ」については、基本的に -o で対応する。両当該字に声点はない。日本語音韻史上から考えて、-ou > -oo > -o と音変化する環境があり、それを踏まえた漢字選択で、固有名詞としての日本語が先んじて存在し、後から漢字表記を宛てたと推測する。熟字3282「揖保」は波磨國郡部に属する。熟字1058「保夜」は波磨動物部に属し、右注「同（ホヤ）」左注「俗用之」を付載する。観智院本類聚名義抄に上声点を付した同音字注「音寶」と去声点を付した和音「ホ」と和音「ホウ」を見出す。日本漢音は上声、日本呉音「ホ」去声と「ホウ」を認める。

保 音寶［上］タモツ［上□□］… 和ホ［去］ホウ　　　　（観智院本類聚名義抄／佛上033-1）

▶番号1277a「保」（保司）の仮名音注「ホウ」については、基本的に -ou で対応する。当該字に声点はない。上述の分析を参照。

▶番号1176a・1218a「寶」（寶祚・寶物）の仮名音注「ホウ」については、基本的に -ou で対応する。両当該諸字には上声点を差す。観智院本類聚名義抄に反切「補道反」と同音字注「音保」および低平調と推測する和音「ホウ」を見出す。長承本蒙求に仮名音注はないが、掲出諸字六例に上声点を差す。日本漢音は上声、日本呉音「ホウ」平声を認める。

寶寶 上通下正 補道反／音保 タカラ … 和ホウ［□平］　　（観智院本類聚名義抄／法下044-8）

寶［上］　　　　　　　　　（長承本蒙求／040・044・066・066・069・093）

82   3．仮名音注の韻母別考察　3-1　Ⅰ韻類

　▶番号1177a「實」（實鈔）の仮名音注「ホフ」については、異例 -op を示す。当該字には上声点を差す。仮名の字形相似による誤認と推測する。ハ行転呼による仮名「フ」と「ウ」の混同もあり得るが、前田本全体から見ると該当例は極小である。上述の分析を参照。

　▶番号1111a・1168a・1169a・1247a・1888b「實」（實鐸・實幢・實盖・實冠・珍實）の仮名音注「ホウ」については、基本的に -ou で対応する。当該諸字五例には平声点を差す。熟字1111「實鐸」は右注「ホウチヤク俗」左注「大領〔＊大鈴の誤認か〕也」を付載する。仏堂や塔の四方の簷（のき）に吊るして飾りとする大形の風鈴を指す。上述の分析を参照。

　▶番号1110a・1112a・1275a「實」（實幢・實螺・實幢院）の仮名音注「ホウ」については、基本的に -ou で対応する。当該字に声点はない。熟字1110「實幢」は右注「ホウトウ俗」を付載する。上述の分析を参照。

　▶番号0283b・2957b「老（邑老・偕老）の仮名音注「ラウ」については、基本的に -au で対応する。両当該字には上声点を差す。観智院本類聚名義抄に反切「旅道反」を見出す。長承本蒙求には仮名音注「ラウ」があり、その掲出字に上声点を加える。日本漢音「ラウ」上声を認める。

　　老 旅道反 オユ［平上］オイケラシ［平上□□□］… 七十　　　（観智院本類聚名義抄／僧下122-7）

　　老［上］ラウ［□、：右肩］　　　　　　　　　　　　　　　　（長承本蒙求／111）

　▶番号1271a・0929「潦」（潦倒・潦）の仮名音注「ラウ」については、基本的に -au で対応する。両当該字には上声点を差す。廣韻に拠れば、晧/号韻（lɑu²³）の二音を有する。熟字1271「潦倒」は右注「ホミク［平平上］」左注「ホミケタリ」を、番号0929「潦」は右注「ニハタツミ」左注「雨水也潢潦」を付載する。図書寮本類聚名義抄に上声点を付した同音字注「音老」を見出す。観智院本には同音字注「音老」と反切「又朗倒反」を見つけるが、仮名音注はない。元和本倭名類聚抄には同音字注「老」がある。日本漢音は上声を認める。

　　泥潦 广云音老［上］雨水也 … 川云东八太豆美［上上上上濁平］　（図書寮本類聚名義抄／013-1）

　　潦水 信云 … 音老 謂漛雨水 為行潦水也　　　　　　　　　　（図書寮本類聚名義抄／013-2）

　　潦 音老 又朗倒反／ニハタツミ［平平上上濁平］アマ水　　（観智院本類聚名義抄／法上031-1）

　　潦　唐韻云潦音老 和名爾八太豆美 雨水也　　　　　　　　（元和本倭名類聚抄／巻一04ウ7）

《下巻 晧韻諸例》

　▶番号4250「襖」（襖）の仮名音注「アヲ」については、異例 -awo を示す。当該字には上声点を差す。広辞苑第七版に拠れば「腋のあいた無襴の盤領の上着で、若年または武官の礼服。闕腋。わきあけのころも」を意味する。観智院本類聚名義抄に同音字注「音懊」を見出す。同音字注の前に配置する注記「アヲ」は字音「アウ」から転用し和訓として定着する。元和本倭名類聚抄には反切「烏老反」を見つける。おそらくは「アウ」au＞awo「アヲ」のように母音連続を回避するため

/wo/ に音変化したと認める。字音を活用しているという認識がないか。借字「阿乎之」がある。

襖 アヲ 音襖 （観智院本類聚名義抄／法中 144-6）

襖子 唐令云諸給時服冬則白襖子一領 襖音烏老反襖子阿乎之

（元和本倭名類聚抄／巻十二 20 オ 2）

▶番号 4249a「襖」（襖子）の仮名音注「アヲ」については、異例 -awo を示す。当該字に声点はない。熟字 4249「襖子」は中注「烏老反」左注「衣服具」を付載する。上述の分析を参照。

▶番号 3645b「橋」（枯橋）の仮名音注「カウ」については、基本的に -au で対応する。当該字には上声点を差す。上巻の晧韻当該例で分析したように、日本漢音は上声、日本呉音は去声を認める。

▶番号 4454a「藁」（藁本）の仮名音注「カウ」については、基本的に -au で対応する。当該字には上声点を差す。上巻の晧韻当該例で分析した。

▶番号 6701b「好」（精好）の仮名音注「カウ」については、基本的に -au で対応する。当該字には上声濁点を差すので、日本語音韻史上の連濁による字音「ガウ」を想定する。上巻の晧韻当該諸例で分析したように、日本漢音「カウ」上/去声、日本呉音は平声を認める。

▶番号 5277a「皂」（皂莢）の仮名音注「サウ」については、基本的に -au で対応する。当該字には上声点を差す。熟字 5277「皂莢」は右注「シヤケチ」を付載する。観智院本類聚名義抄には「俗云虵結」を見出す。上巻の晧韻当該例で分析したように、日本漢音は上声を認める。

皂莢 カハラフチ［上上上平平濁］／俗云虵結 （観智院本類聚名義抄／僧上 047-1）

艹+皂莢 本草云艹+皂莢 造爽二音和名加波良布知此俗云虵結

（元和本倭名類聚抄／巻二十 19 オ 1）

▶番号 4722a「掃」（掃除）の仮名音注「サウ」については、基本的に -au で対応する。当該字には去声点を差す。上巻の晧韻当該例で分析したように、日本漢音「サウ」上/去声、日本呉音は去声を認める。

▶番号 4118c「澡」（滑海澡）の仮名音注「サウ」については、基本的に -au で対応する。当該字には上声点を差す。観智院本類聚名義抄には同音字注「音早」と「和平」を見出す。承暦本金光明最勝王経音義には同音字注「草音」があり、その掲出字には去声点を加える。元和本倭名類聚抄にも同音字注「音早」を見つける。日本呉音は平/去声を認める。

澡 音早 スゝク［上上□］… サクツ … 和平 （観智院本類聚名義抄／法上 004-7）

澡［去］草ゝ （承暦本金光明最勝王経音義／10 オ 4）

澡浴第百八十一 澡 音早 洒手也 … （元和本倭名類聚抄／巻十四 06 オ 8）

▶番号 4598a・4599a「澡」（澡豆・澡豆）の仮名音注「サク」については、異例 -ak を示す。両当該字には上声点を差す。両例は同じ熟字「澡豆」が左傍 4598a「サク」と右注 4599「サクツ俗」を付載し、中注「手洗澡豆」左注「又作澡」と続く。豆の粉を材料とした洗い粉を指す。観智

84　3．仮名音注の韻母別考察　3-1　Ⅰ韻類

院本類聚名義抄に「和語サクツ［平平濁□］」を見出す。同書が意識的に和語という表記をすることは稀であり、字音「サウツ」と混同しないための注記か。上述の分析を参照。

　　　澡豆 和語／サクツ［平平濁□］　　　　　　　　　　　（観智院本類聚名義抄／法上 096-1）

　　　澡豆　温室經云澡浴之法用七物其三曰澡豆　　　（元和本倭名類聚抄／巻十四 06 ウ 1）

　▶番号 4452a「藻」（藻璧門）の仮名音注「サウ」については、基本的に -au で対応する。当該字には上声点を差す。上巻の晧韻当該諸例で分析したように、日本漢音は上声を認める。

　▶番号 4642a・4643a「早」（早晩・早衙）の仮名音注「サウ」については、基本的に -au で対応する。両当該字には上声点を差す。上巻の晧韻当該例で分析したように、日本漢音は上声を認める。

　▶番号 4635a・4635b・4689a「早」（早ミ・早ミ・早速）の仮名音注「サウ」については、基本的に -au で対応する。当該諸字三例に声点はない。上述の分析を参照。

　▶番号 4580a・4749a・4779a「草」（草子・草創・草聖）の仮名音注「サウ」については、基本的に -au で対応する。当該諸字三例には上声点を差す。熟字 4749「草創」は中注「始也」を付載する。上巻の晧韻当該諸例で分析したように、日本漢音は上声、日本呉音「サウ」去声を認める。

　　　草創 クサニハシム　　　　　　　　　　　　　　　（観智院本類聚名義抄／僧上 090-7）

　▶番号 4589a「草」（草座）の仮名音注「サウ」については、基本的に -au で対応する。当該字には平声点を差す。熟字 4589「草座」は右注「サウサ俗」中左注「以草爲／座是也」を付載する。広辞苑第七版に「僧の敷く座具の一種。四方に糸を垂れて草の葉にかたどったもの。釈尊が成道したとき吉祥草を敷いた故事による」と説明する。上述の分析を参照。

　　　草座　因果經云於是菩薩以草爲座　　　　　　　　（元和本倭名類聚抄／巻十三 06 ウ 2）

　▶番号 4814a「草」（草墪）の仮名音注「サウ［平平］」については、基本的に -au で対応する。当該字の仮名音注は平声相当の低平調を示す。熟字 4814「草墪」は左注「坐也」を付載する。広辞苑第七版に「平安時代、宮中で用いた円筒形の腰掛。真菰などを芯とし、上面と周囲を錦で包む」と説明する。上述の分析を参照。

　　　草墪　本朝式云清涼殿設錦草墪　　　　　　　　　（元和本倭名類聚抄／巻十四 17 オ 4）

　▶番号 4108b「草」（甘草）の仮名音注「サウ」については、基本的に -au で対応する。当該字には平声濁点を差すので、日本語音韻史上の連濁による字音「ザウ」を想定する。熟字 4108「甘草」は右注「アマキ」を付載する。上述の分析を参照。

　　　甘草 アマキ［上上濁］　　　　　　　　　　　　　（観智院本類聚名義抄／僧上 003-6）

　　　甘草　本草云甘草一名蜜草 和名阿萬木　　　　　（元和本倭名類聚抄／巻二十 04 ウ 2）

　▶番号 4463c・4577a・4637a・4637b・5896c「草」（石楠草・草履・草ミ・草ミ・指佞草）の仮名音注「サウ」については、基本的に -au で対応する。当該諸字五例に声点はない。熟字 4463「石楠草」は右注「サクナムサウ俗」〔＊←サクサムサウ俗〕左注「又トヒラス」を付載する。字音に

3-1-1　-ɑ系の字音的特徴　85

よる定着久しい名称を俗とする。熟字「石楠草」は上巻の晧韻当該諸例で分析した。熟字4577「草履」については、観智院本類聚名義抄に「俗云サウリ」を、元和本倭名類聚抄に借字「俗云佐宇利」を見出す。上述の分析を参照。

　　　草履 ワラクツ／俗云サウリ　　　　　　　　　　　（観智院本類聚名義抄／法下091-6）

　　　草履　楊氏漢語抄云草履 和名與䚩同俗云佐宇利　　　（元和本倭名類聚抄／巻十二27ウ6）

　▶番号3628b「道」（蠱道）の仮名音注「タウ」については、基本的に -au で対応する。当該字には平声濁点を差すので、字音「ダウ」を想定する。熟字3628「蠱道」は右傍「マシモノ〻ミチ」を付載する。災厄が人に及ぶよう神霊に祈禱する法術を指すか。上巻の晧韻当該諸例で分析したように、日本漢音は上声、日本呉音「ダウ」を認める。

　▶番号4739b・4997b・6301b「道」（左道・行道・非道）の仮名音注「タウ」については、基本的に -au で対応する。当該諸字三例には平声点を差す。上述の分析を参照。

　▶番号3310b「道」（徼道）の仮名音注「タウ」については、基本的に -au で対応する。当該字には去声点を差す。熟字3310「徼道」は右注「コミチ」左注「小道也」を付載する。元和本倭名類聚抄には借字「古多宇」がある。上述の分析を参照。

　　　徼道　唐韻云徼道 音叫古多宇 小道也　　　　　　　（元和本倭名類聚抄／巻十17オ6）

　▶番号4095a「嶋」（嶋蒜）の仮名音注「タウ」については、基本的に -au で対応する。当該字には上声点を差す。観智院本類聚名義抄には反切「丁老反」と同音字注「一音鳥」を見出すが、仮名音注はない。元和本倭名類聚抄には反切「都晧反」がある。

　　　嶋 丁老反 一音鳥／シマ　嶌 正　　　　　　　　　（観智院本類聚名義抄／法上107-6）

　　　嶌 丁老反／海中山　島嶋 俗／シト〻　　　　　　　（観智院本類聚名義抄／僧中126-1）

　　　島嶼　説文云島海中山可依止也都晧反一音鳥 和名之萬 …

　　　　　　　　　　　　　　　　　　　　　　　　　　　（元和本倭名類聚抄／巻一07ウ3）

　▶番号4027b「倒」（顛倒）の仮名音注「タウ」については、基本的に -au で対応する。当該字には平声点を差す。上巻の晧韻当該諸例で分析したように、日本漢音「タウ」上声を認める。日本呉音は平声の可能性がある。

　▶番号4988b「禱」（祈禱）の仮名音注「タウ」については、基本的に -au で対応する。当該字には上声点を差す。観智院本類聚名義抄には同音字注「音倒」と「和同」（和音「倒」と解するか）を見出すが、仮名音注はない。

　　　禱 音倒 イノル［□□リ：右傍］／コフ 和同　　　　（観智院本類聚名義抄／法下003-3）

　▶番号6936b「脳」（髄脳）の仮名音注「ナウ」については、基本的に -au で対応する。当該字に声点はない。上巻の晧韻当該例で分析したように、日本漢音は上声を認める。

　▶番号4423b「保」（阿保）の仮名音注「ホ」については、基本的に -o で対応する。当該字に声点はない。熟字4423「阿保」は阿篇姓氏部に属する。固有名詞が先んじて存在し、そこに漢字表

記を宛てたと推測する。日本語音韻史上 *-ou*＞*-oo*＞*-o* と音変化する環境があるための漢字選択も視野に置くべきである。上巻で分析したように、日本漢音は上声、日本呉音「ホ」去声と「ホウ」を認める。

▶番号5038b「緥」（繦緥）の仮名音注「ホウ」については、基本的に *-o* で対応する。当該字には去声点を差す。観智院本類聚名義抄には同音字注「音保」を見出すが、仮名音注はない。元和本倭名類聚抄には同音字注「保」がある。

繦緥 上居雨反／ツラヌ 下音保 ムツキミ　　　（観智院本類聚名義抄／法中135-3）

繦緥　孫愐曰繦緥 響保二音和名無豆岐 小兒被也　　　（元和本倭名類聚抄／巻十二22オ7）

▶番号5045b「老」（窮老）の仮名音注「ラウ」については、基本的に *-au* で対応する。当該字には上声点を差す。上巻の晧韻当該諸例で分析したように、日本漢音「ラウ」上声を認める。

▶番号3633b・4541c・5459b「老」（古老・採桒老・紙老鴟）の仮名音注「ラウ」については、基本的に *-au* で対応する。当該諸字三例には平声点を差す。熟字4541「採桒老」は右傍「盤渉調」を、熟字5459「紙老鴟」は右傍「シラウシ俗」右中左注「雑／藝／具也」を付載する。仮名音注に付した「俗」表記は定着久しい常用の字音と解釈すべきか。元和本倭名類聚抄には借字「此間云師勞之」がある。上述の分析を参照。

盤渉調　蘇合香 … 採乗老 有詠　　　（元和本倭名類聚抄／巻四17オ4）

紙老鴟　辨色立成云紙老鴟 此間云師勞之 …　　　（元和本倭名類聚抄／巻四08オ3）

▶番号5186b・5272b「老」（却老・却老）の仮名音注「ラウ」については、基本的に *-au* で対応する。両当該字に声点はない。熟字5186「却老」は左注「芝名」を付載する。熟字5272「却老」は師篇植物部に属し、掲出字「芝」の右注に存する。上述の分析を参照。

《上巻 号韻諸例》

▶番号3090a「傲」（傲慉）の仮名音注「カウ」については、基本的に *-au* で対応する。当該字には去声点を差す。その中古音が示す頭子音 ŋ-（等韻学の術語で言う疑母）は軟口蓋鼻音であり、日本漢字音ではガ行音をもって受容する。観智院本類聚名義抄に反切「五到反」と同音字注「昊音・号」を見出す。異体字「慠」には反切「五告反」を見つける。長承本蒙求には仮名音注「カウ」があり、その掲出字に平声点と去声点を加える。平声は呉音系字音の混入か。日本漢音「ガウ」去声を認める。

傲 五到反 昊音 ホコル［上上平］慠 或 … 号 ヲコル［上上濁平］…

（観智院本類聚名義抄／佛上014-5）

慠 五告反 オコル［上上平］… 傲［或：右注］　　　（観智院本類聚名義抄／法中081-5）

傲［平・去］カウ　　　（長承本蒙求／105）

3-1-1 　-α系の字音的特徴　87

▶番号2617「号」の仮名音注「カウ［平上］」については、基本的に -au で対応する。その仮名音注は去声相当である上昇調を示す声点を差す。当該字は右注「カウ［平上］号令」左注「又乍號」を付載する。観智院本類聚名義抄に反切「胡告反」と低平調と推測する和音「カウ」（その右傍には濁音「✓」表記）を見出す。長承本蒙求には異体字「號」に仮名音注「カウ」があり、その掲出字に平声点（去声とすべきで呉音系字音の混入か）を加える。承暦本金光明最勝王経音義には同音字注「号音」があり、その掲出字に平声点を加える。日本漢音「カウ」日本呉音「ガウ」平声を認める。

　　　号 胡告反 ナ［平］… 和カウ［□平／✓□：墨右傍］　　　（観智院本類聚名義抄／佛中037-1）

　　　號 ヨハウ サケフ／又与号同　　　　　　　　　　　　　（観智院本類聚名義抄／僧下106-7）

　　　號［平］カク／カウ　　　　　　　　　　　　　　　　　　　（長承本蒙求／045）

　　　號［平］号ゝ　　　　　　　　　　　　　（承暦本金光明最勝王経音義／12 オ2）

▶番号2458・2714「竃」の仮名音注「サウ」については、基本的に -au で対応する。両当該字には去声点を差す。番号2485「竃」は右注「カマト」左注「又カマ」を付載する。観智院本類聚名義抄に同音字注「音澡」を見出す。長承本蒙求には仮名音注「サウ」があり、その掲出字に去声点を加える。元和本倭名類聚抄には反切「則到反」と同音字注「躁」を見つける。日本漢音「サウ」去声を認める。

　　　竃 音澡 カマ／カマト 竃竃 上通下／正　　　　　　　（観智院本類聚名義抄／法下064-4）

　　　竃［去］サウ　　　　　　　　　　　　　　　　　　　　　（長承本蒙求／106）

　　　竃 … 四聲字苑云竃 則到反與躁同和名加萬 …　　　（元和本倭名類聚抄／巻十二 12 オ7）

▶番号2672a「糙」（糙米）の仮名音注「サウ」については、基本的に -au で対応する。当該字には去声点を差す。観智院本類聚名義抄に同音字注「音造」を見出すが、仮名音注はない。なお、和訓「モアヨネ」は「モミヨネ」の誤認である。元和本倭名類聚抄の借字「毛美與禰」からも確認できる。同書には同音字注「音造」も見つける。

　　　糙 音造 モアヨネ［上平上平］／カチシネ［平平平上］…　（観智院本類聚名義抄／法下036-5）

　　　糙　唐韻云糙 音與造同漢語抄云毛美與禰 …　　　　（元和本倭名類聚抄／巻十七 02 オ9）

▶番号0132「悼」の仮名音注「タウ」については、基本的に -au で対応する。当該字に声点はない。和訓「イタム」の同訓異字として位置する。図書寮本類聚名義抄に反切「弘云徒到反」（その反切下字に去声点）を見出す。観智院本には反切「徒到反」を見つけるが、仮名音注はない。日本漢音は去声を認める。

　　　悼慨 弘云徒到［平去］反 … イタム［平平上／後：右注］　　（図書寮本類聚名義抄／258-6）

　　　悼 徒到反 イタム／オソル …　　　　　　　　　　　　（観智院本類聚名義抄／法中093-5）

▶番号0251b「導」（導因）の仮名音注「タウ」については、基本的に -au で対応する。当該字には平声濁点を差すので、字音「ダウ」を想定する。観智院本類聚名義抄に同音字注「音盗」と和

88　3．仮名音注の韻母別考察　3-1　Ⅰ韻類

音「タウ」（その右傍には濁音「✓」表記）を見出す。長承本蒙求に仮名音注はないが、掲出字「導」
に上声点を加える。日本漢音は上声、日本呉音「ダウ」を認める。

　　　導 音盗 ミチヒク … 和タウ［✓□：右傍］　　　　　（観智院本類聚名義抄／法下 143-5）

　　　導［上］〔＊この行は欠落があり不鮮明］　　　　　　　（長承本蒙求／002）

▶番号3044b「盗」（強盗）の仮名音注「タウ」については、基本的に -au で対応する。当該字
には上声濁点を差すので、字音「ダウ」を想定する。その中古音が示す d-（等韻学の術語で言う舌
音濁定母）は有声歯茎閉鎖音であり、日本語のダ行音をもって受容するが、中国語音韻史上におけ
る濁音声母の無声化を反映する場合はタ行音で対応する。観智院本類聚名義抄に同韻字注「音導」
と「和同」を見出す。長承本蒙求には仮名音注「タウ」三例があり、それら掲出字二例に去声点を
差す。承暦本金光明最勝王経音義にも仮名音注「タウ」を見つけるが、ダ行音と断定できない。日
本漢音「タウ」去声、日本呉音「タウ」を認める。

　　　盗盗 音導 和同 ヌスム［平平東／□□ミ］カヽフ／ヒソカニ　　（観智院本類聚名義抄／僧中 014-7）

　　　盗［去］タウ　　　　　　　　　　　　　　　　　　　（長承本蒙求／042・105）

　　　盗〔＊右上隅欠］タウ　　　　　　　　　　　　　　　（長承本蒙求／063）

　　　盗 タウ〔＊後筆墨書入］　　　　　（承暦本金光明最勝王経音義／08 オ2）

▶番号2155「盗」（盗）の仮名音注「タウ」については、基本的に -au で対応する。当該字に
声点はなく、右注「ヌスム」中注「ヌスミ」左注「盗賊」を付載する。上述の分析を参照。

▶番号1152a・1206a・1207a「暴」（暴風・暴悪・暴虐）の仮名音注「ホ」については、基本
的に -o で対応する。当該諸字三例には去声濁点を差すので、字音「ボ」を想定する。日本語音韻
史上から考えて、-ou＞-oo＞-o と音変化したか。観智院本類聚名義抄に反切「歩報反」および低平
調を示す和音「ホオ［平濁平］」を見出す。実際の音声実態を反映した一音節二拍語の表記と解釈
する。また同書には仮名音注「ホウ・ホク」があり、その掲出字に去声圏点と入声圏点を加える。
日本漢音「ホウ」去声「ホク」入声、日本呉音「ボ」平声を認める。

　　　暴 歩報反 暴 正　　　　　　　　　　　　　　　　　（観智院本類聚名義抄／佛中 095-1）

　　　暴 俗通 アラシ ニハカニ［平上平□］… 和ホオ［平濁平］　（観智院本類聚名義抄／佛中 095-1）

　　　暴［去・入：墨圏点］ホウ ホク／アラシ　　　　　　　（観智院本類聚名義抄／佛中 095-3）

　　　曝［去・入：墨圏点］サラス 暴［去：墨圏点］ニハカ 魡別　（観智院本類聚名義抄／佛中 095-3）

　　　暴［去］ホウ　　　　　　　　　　　　　　　　　　　（長承本蒙求／077）

▶番号0464a「暴」（暴虣）の仮名音注「ホウ」については、基本的に -ou で対応する。当該字
には去声点を差す。その中古音が示す頭子音 b-（等韻学の術語で言う脣音濁並母）は有声両脣閉鎖
音であり、日本語のバ行音をもって受容するが、中国語音韻史上に現れる濁音声母の無声化を反映
した場合はハ行音となる。上述の分析を参照。

▶番号1077・1161a・1214a・1215a・1230a「報」（報・報賽・報答・報命・報繳）の仮名音

3-1-1 -ɑ系の字音的特徴 89

注「ホウ」については、基本的に -ou で対応する。当該諸字五例には去声点を差す。観智院本類聚
名義抄に「博憎反・補到反」と上昇調と推測する和音「ホウ」を見出す。日本呉音「ホウ」去声を
認める。

　　報 博憎反 … 補到反／和音ホウ [□上：墨点]　　　　　　　（観智院本類聚名義抄／僧下 083-6)

　　報 俗狄 ムクユ [上上平]／ツク コタユ [平平□]　　　　　（観智院本類聚名義抄／僧下 083-6)

　▶番号 1143「報」の仮名音注「ホウ [平平]」については、基本的に -ou で対応する。当該字
には去声点を差し、右注「ホウス [平平上濁]」仮名音注を付載する。去声を示す当該字は日本呉
音で字音把握する。低平調である平声を示す仮名音注は、サ変動詞としての用法に関わる字音把握
と推測できる。上述の分析を参照。

　▶番号 1200a「報」（報恩）の仮名音注「ホウ」については、基本的に -ou で対応する。当該字
には平声点を差す。上述の分析を参照。

　▶番号 2272「冒」の仮名音注「ホウ」については、基本的に -ou で対応する。当該字に声点は
ない。観智院本類聚名義抄に反切「亡報反」を見出すが、仮名音注はない。その中古音が示す頭子
音 m- (等韻学の術語では唇音清濁明母) は、鼻音声母の非鼻音化 (denasalization) 現象により、
m- > mb- > b- の音変化をする。原則的に、この影響を受けた日本漢音ではバ行音を反映する。音
変化以前に受容した日本呉音はマ行音の字音把握である。

　　冒 亡報反 ヲカス … オホフ　　　　　　　　　　　　　　　　（観智院本類聚名義抄／佛中 086-2)

　▶番号 1105a「帽」（帽子）の仮名音注「ホウ」については、基本的に -ou で対応する。当該字
「帽」には去声濁点を差すので、字音「ボウ」(30) を想定する。その中古音が示す頭子音 m- (等韻
学の術語では唇音清濁明母) は、鼻音声母の非鼻音化現象により、m- > mb- > b- の音変化をする。
原則的に、この影響を受けた日本漢音ではバ行音を反映する。図書寮本類聚名義抄に同音字注「音
毳」を見出す。観智院本には反切「莫報反」と去声点を付した同音字注「音毳」および濁音を含む
上昇調を示す仮名音注「ホウ [平濁上]」を見つける。長承本蒙求には仮名音注「ホウ」二例があ
り、それらの掲出字それぞれに去声点と去声加濁点を加える。元和本倭名類聚抄には同音字注「音
毳」を見つける。日本漢音「ボウ」去声を認める。

　　帽 川云音毳 憲云頭衣也 …　　　　　　　　　　　　　　　　（図書寮本類聚名義抄／284-1)

　　帽 莫報反 冠也 巾也 オホフ … 音毳 [去]　　　　　　　　　（観智院本類聚名義抄／法中 102-7)

　　烏帽 エン [平平] ホウ [平濁上]／一名頭衣　帽子 ホウシ　（観智院本類聚名義抄／法中 102-8)

　　帽 [去] ホウ　　　　　　　　　　　　　　　　　　　　　　（長承本蒙求／106)

　　帽 [去／去：加濁] ホウ　　　　　　　　　　　　　　　　　（長承本蒙求／115)

　　烏帽 帽子附 兼名苑云帽一名頭衣 帽音毳 …　　　　　　　　（元和本倭名類聚抄／巻十二 18 オ 3)

　▶番号 1079「毳」の仮名音注「ホク [平濁上]」については、異例 -ok を示す。当該字に声点
はなく、右注「ホル」和訓（年を取ってぼんやりすること）左注「ホク [平濁上]」仮名音注を付

90　3．仮名音注の韻母別考察　3-1　Ⅰ韻類

載する。その仮名音注に付した声点は濁音を含む上昇調を示すので、字音「ボク」を想定する。入声の調値としては上平調（入声軽＝徳声）あるいは低平調（入声重＝入声）の二種類で、上昇調を示すのは原則的に去声である。当該の仮名音注は去声「ボウ」の誤認と推測する。あるいは和訓「ホク・ホグ」（知覚が鈍くなり、ぼんやりする）と混同を起こした可能性もある。観智院本類聚名義抄に反切「莫報反」とともに和訓「ホク」を見出す。

　　　耄耄 通正 莫報反 オユ／ミタル　　　　　　　　　（観智院本類聚名義抄／僧上 102-6）

　　　耄 オユ ワスル／ミタル ホク　　　　　　　　　　（観智院本類聚名義抄／僧下 123-1）

　　　耄 莫報反／オユ ミタル／ワスル ホク ［平上濁］　（天理大学本最勝王経音義／23 オ 2）

《下巻 号韻諸例》

　▶番号 4519「號」の仮名音注「カウ」については、基本的に -au で対応する。当該字に声点はなく、右傍「カウ又乎到反」を付載する。上巻の号韻当該例で分析したように、日本漢音「カウ」日本呉音「ガウ」平声を認める。

　▶番号 6431a「糙」（糙米）の仮名音注「サウ」については、基本的に -au で対応する。当該字には去声点を差す。上巻の号韻当該例で分析した。

　▶番号 3850b・4750a・4786a・4794a「造」（營造・造化・造舟・造次）の仮名音注「サウ」については、基本的に -au で対応する。当該諸字四例には去声点を差す。廣韻に拠れば、号韻(ts‘ɑuᵇ)晧韻 (dzɑuᵇ)の二音を有する。観智院本類聚名義抄に反切「徐道反」（反切下字に上声点）と和音「サウ」（その右傍に濁音「✓」表記）を見出す。長承本蒙求には仮名音注「サウ」があり、その掲出字に去声点を加える。同書では上声点と去声圏点を加える例もある。日本漢音「サウ」上／去声、日本呉音「ザウ」を認める。

　　　造 徐道［平上］反 ツクル … 和サウ［✓□：朱右傍］　（観智院本類聚名義抄／佛上 058-2）

　　　造［上／去：圏点］　　　　　　　　　　　　　　　　（長承本蒙求／056）

　　　造［去］サウ　　　　　　　　　　　　　　　　　　　（長承本蒙求／075）

　▶番号 4737a・4748a「造」（造意・造作）の仮名音注「サウ」については、基本的に -au で対応する。当該字に声点はない。上述の分析を参照。

　▶番号 3672b「盜」（冦盜）の仮名音注「タウ」については、基本的に -au で対応する。当該字には去声点を差す。上巻の号韻当該諸例で分析したように、日本漢音「タウ」去声、日本呉音「ダウ」を認める。

　▶番号 6295b「盜」（被盜）の仮名音注「タウ」については、基本的に -au で対応する。当該字には上声点を差す。上述の分析を参照。

　▶番号 3587「眊」の仮名音注「ネウ」については、異例 -eu を示す。当該字に声点はなく、和

訓「コノム」の同訓異字として位置する。その仮名音注は字形相似による「ホウ」の誤認か。観智院本類聚名義抄に同音字注「音昌」〔＊「冒」の誤認〕「又音邀」を見出すが、仮名音注はない。

　　　眊 メクラシ メホノカシ／音昌 又音邀 ／シノフ コノム　　　（観智院本類聚名義抄／佛中 075-6)

　▶番号 3780b・3781b「帽」（烏帽子・烏帽子）の仮名音注「ホウ」については、基本的に -ou で対応する。両当該字には去声点を差す。上巻の号韻当該例で分析したように、日本漢音「ボウ」去声を認める。

　　　烏帽 兼名苑云帽一名頭衣 帽音耄烏帽子俗訛烏爲焉今案烏焉或通見文選注玉篇等 …

　　　　　　　　　　　　　　　　　　　　　　　　　（元和本倭名類聚抄／巻十二 18 オ 3)

　▶番号 6443a「帽」（帽額）の仮名音注「モ」については、基本的に -o で対応する。当該字に声点はない。日本語音韻史上から考えて、-ou > -oo > -o と音変化したか。上述の分析を参照。

　▶番号 6420「耄」の仮名音注「モウ」については、基本的に -ou で対応する。当該字に声点はない。その中古音が示す頭子音 m-（等韻学の術語では脣音清濁明母）は、鼻音声母の非鼻音化（denasalization）現象により、m-＞mb-＞b- の音変化をする。原則的に、この影響を受けた日本漢音ではバ行音を反映することになる。その音変化を反映しない日本呉音の字音把握はマ行音である。番号 6420「耄」は右注に「莫報反或乍耄〔＊←耄〕」左注「老耄」を付載する。観智院本類聚名義抄に「莫報反」を見出すが、仮名音注はない。上巻の号韻当該例では仮名音注「ホク［平濁上］」（「ホウ」の誤認）を分析した。

　　　耄耄 通俗 莫報反 オユ／ミタル　　　　　　　（観智院本類聚名義抄／僧上 102-6)
　　　耄 オユ ワスル／ミタル ホク　　　　　　　　（観智院本類聚名義抄／僧下 123-1)

3-1-1-6　-am/-ap（談/敢/闞/盍韻）

　資料篇【表B-01】には談韻（平声）敢韻（上声）闞韻（去声）盍韻（入声）所属の諸例が含まれる。前田本の示す仮名音注は -am/-ap で基本的に対応する。異例として -ai, -an, -apa, -au, -we がある。

《上巻 談韻諸例》

　▶番号 0934a・2743a・2941a・2983a「甘」（甘遂・甘松・甘心・甘醴）の仮名音注「カム」については、基本的に -am で対応する。当該諸字四例には平声点を差す。熟字 0934「甘遂」は右注「ニハソ［上上上］」左注「ニヒソ［上上上］」を、熟字 2941「甘心」は右傍「アマナク〔＊アマナフか〕」を付載する。観智院本類聚名義抄に反切「古舍反」と上昇調を示す和音「カム」を見出す。長承本蒙求には仮名音注「カム」二例があり、両掲出字に東声点を加える。日本漢音「カム」

92 3．仮名音注の韻母別考察 3-1 I韻類

東声（四声体系では平声）日本呉音「カム」去声を認める。

　　　　甘 古含反［□平］甜 アマムス［上上□□］… アマナフ 和カム［平上：墨点］

　　　　　　　　　　　　　　　　　　　　　　（観智院本類聚名義抄／僧下082-3）

　　　　甘［東］カム　　　　　　　　　　　　　　　　（長承本蒙求／045・079）

　　　　甘遂 本草云甘遂 和名迩波曾一云仁比曾　　（元和本倭名類聚抄／巻二十10ウ4）

　▶番号3098a「甘」（甘露）の仮名音注「カム」については、基本的に -am で対応する。当該
字には去声点を差す。上述の分析を参照。

　　　　甘露 アマキツユ［上上上平上］　　　　　　（観智院本類聚名義抄／法下071-7）

　▶番号3156a・3178a「甘」（甘樂・甘南備）の仮名音注「カム」については、基本的に -am で
対応する。両当該字に声点はない。熟字3156「甘樂」は加篇國郡部上野國に属する地名である。熟
字3178「甘南備」は加篇姓氏部に属す。上述の分析を参照。

　　　　上野國 … 甘樂 加牟良 …　　　　　　　　（元和本倭名類聚抄／巻四17オ9）

　▶番号2496a「柑」（柑子）の仮名音注「カム」については、基本的に -am で対応する。当該
字には平声点を差す。観智院本類聚名義抄に熟字「柑子」があり、平声点を付した同音字注「音甘」
と東声相当である下降調を示す仮名音注「カム［上平］」を見出す。元和本倭名類聚抄には同音字
注「音甘」と借字「和名加無之」がある。字音による受容でありながら、すでに和訓の意識を持っ
ていたか。日本漢音は平声、字音「カム」を認める。

　　　　柑子〔＊二字欠損］カムシ［上平上濁］／音甘［平］　（観智院本類聚名義抄／佛下本084-1）

　　　　柑子 馬琬食經云柑子 上音甘和名加無之　　（元和本倭名類聚抄／巻十七08オ1）

　▶番号2654a「泔」（泔州）の仮名音注「カム」については、基本的に -am で対応する。当該
字には平声点を差す。熟字2654「泔州」は右注「平調」（雅楽の音階で言う十二律の第三音）を付
載する。唐楽「甘州」のことか。図書寮本類聚名義抄に反切「何敢反」（その反切下字に上声点）
と平声点を付した同音字注「广云音甘」を見出す。観智院本類聚名義抄に同音字注「音甘」と「又
上声」を見つけるが、仮名音注はない。日本漢音は平/上声を認める。

　　　　泔汁 東云何／敢［□上］反 泔淡美味也 广云音甘［平］…　（図書寮本類聚名義抄／057-2）

　　　　泔 音甘 ユスル［平平□］／ミテリ 又上声　　（観智院本類聚名義抄／法上040-6）

　　　　平調曲 相夫憐 萬歳樂 泔州 有詠 …　　　（元和本倭名類聚抄／巻四15オ9）

　▶番号3120a「酣」（酣暢）の仮名音注「カム」については、基本的に -am で対応する。当該
字には平声点を差す。観智院本類聚名義抄に反切「胡甘反」を見出すが、仮名音注はない。

　　　　酣 胡甘反 或衟／タケナハナリ［平平平上□□／□□□□ニ：右傍］

　　　　　　　　　　　　　　　　　　　　　　（観智院本類聚名義抄／僧下057-4）

　▶番号2655a「酣」（酣酔樂）の仮名音注「カム」については、基本的に -am で対応する。当
該字には上声点を差す。熟字2655「酣酔樂」は右注「高麗樂」を付載する。雅楽の高麗樂で高麗壱

越調の廃絶曲を指す。上述の分析を参照。

　　高麗樂曲 … 醉醉樂　啄木 …　　　　　　　　　　（元和本倭名類聚抄／巻四 17 ウ 5）

　▶番号 2481a「苷」（苷草）の仮名音注「カン」については、異例 -an を示す。その中古音が示す末子音の脣内撥音韻尾 -m を「ン」で対応する。熟字 2481「苷草」は左注「藥名」右傍「甘　イ　本」を付載する。観智院本類聚名義抄に同音字注「音甘」を見出すが、仮名音注はない。

　　苷 音甘 甘草也　　　　　　　　　　　　　　　（観智院本類聚名義抄／僧上 039-6）

　中国語音の導入に際しては、どこまで原音に忠実であるべきかという字音享受の問題が常に存在する。その観点から言えば、中国語音における末子音（韻尾）の区別をも保ちたいという要求もあったはずである。承暦本金光明最勝王経音義では、中国語音の末子音に出現する脣内撥音韻尾 -m・舌内撥音韻尾 -n・喉内撥音韻尾 -ŋ それぞれを区別して表記する。すなわち「ム」「ゝ」「✓」(31)三種の借字である。

　　次可知✓ゝ二種借字　　　　　　　　　　　　　（承暦本金光明最勝王経音義 02 オ 4）

　　件✓音字ニハ異也可知也　　　　　　　　　　　（承暦本金光明最勝王経音義 02 オ 8）

　　件ゝ音ムニハ異也可知也　　　　　　　　　　　（承暦本金光明最勝王経音義 02 ウ 4）

　しかし、これらの区別を保つべき日本語の仮名表記はなく、あくまで借字であり、知識音として把握しようという努力を払ったと見て良い。よって、日本語に馴化した漢字音の理解が定着すれば、その区別をすることが困難になったと推測できる。

　▶番号 0980・3112b「擔」（擔・荷擔）の仮名音注「タム」については、基本的に -am で対応する。両当該字には平声点を差す。番号 0980「擔」は和訓「ニナフ」の同訓異字として位置する。廣韻に拠れば、談／闞韻（tɑm¹ᐟ³）二音を有する。観智院本類聚名義抄に反切「丁甘反」と低平調と推測する和音「タム」がある。長承本蒙求には仮名音注「タム」があり、その掲出字に平声点を加える。承暦本金光明最勝王経音義には借字「墮牟反」がある。この「墮」は日本語の濁音を示すと認めるが、当該字の頭子音 t-（等韻学の術語で言う端母）と相容れない。同書の冒頭の記述「次可知濁音借字」があり、日本語の濁音「ダ」として借字「墮」を掲げる。これは経本文「捨諸重擔」（金光明最勝王経／序品第一）の読誦音を反映するか。日本漢音「タム」平声、日本呉音「タム」平声を認める。

　　擔 丁甘［平平］反 ニナフ［平平上］… 和タム［□平］　　（観智院本類聚名義抄／佛下本 070-5）

　　擔［平］タム　　　　　　　　　　　　　　　　（長承本蒙求／099）

　　擔［平］墮牟反／荷物　　　　　　　　　　　　（承暦本金光明最勝王経音義／03 オ 3）

　　　次可知濁音借字　　　　　　　　　　　　　　（承暦本金光明最勝王経音義／02 オ 1）

　　婆［平濁・去濁］毗［去濁］父［平濁］夫 倍［平濁］菩［去濁］

　　駄［去濁］墮 地［平濁］持 頭［去濁］徒 弟［平濁］□

　▶番号 2970b「談」（閑談）の仮名音注「タム」については、基本的に -am で対応する。当該

94　3．仮名音注の韻母別考察　3-1　Ⅰ韻類

字には平声濁点を差すので、字音「ダム」を想定する。その中古音が示す頭子音 d-（等韻学の術語
で言う定母）は有声歯茎閉鎖音であり、日本語のダ行音をもって受容するが、中国語音韻史上に現
れる濁音声母の無声化を反映する場合にはタ行音で対応する。図書寮本類聚名義抄に平声点を付し
た同音字注「音痰」を見出す。観智院本には平声点を付した同音字注「音痰」を見つける。長承本
蒙求には仮名音注「タム」があり、その掲出字に平声点を加える。日本漢音「タム」平声を認める。

　　　談 音痰［平］… カタラフ［上上□□/切：右注］　　　　　　　　（図書寮本類聚名義抄／090-4）

　　　談 音痰［平］カタル［上上□］カタラフ［上上□□］　　　　（観智院本類聚名義抄／法上071-6）

　　　談［平］タム　　　　　　　　　　　　　　　　　　　　　　　（長承本蒙求／096）

　▶番号0437b「談」（論談）の仮名音注「タン」については、異例 -an を示す。当該字には平声
濁点を差すので、字音「ダン」を想定する。その中古音が示す末子音の脣内撥音韻尾 -m を「ン」
で対応する。上述の分析を参照。

　▶番号0810b「談」（芳談）の仮名音注「タン」については、異例 -an を示す。当該字には平声
点を差す。その中古音が示す末子音の脣内撥音韻尾 -m を「ン」で対応する。上述の分析を参照。

　▶番号0179「籃」の仮名音注「ラム」については、基本的に -am で対応する。当該字には平声
点を差し、右注「イシミ」左注「筐也籠属也」を付載する。竹で編んだ籠を指す。観智院本類聚名
義抄に平声点を付した同音字注「藍音」（その右傍には朱筆で仮名音注「ラム」）を見出す。日本
漢音「ラム」平声を認める。

　　　籃 藍［平/ラム：朱右傍］音／ハコ　　　　　　　　　　　　（観智院本類聚名義抄／僧上067-2）

　▶番号2438b・2895b「藍」（伽藍・伽藍）の仮名音注「ラム」については、基本的に -am で
対応する。両当該字には上声点を差す。広辞苑第七版には「梵語 saṃghārāma 僧伽藍の略。衆園・
僧園と訳す」と解説がある。観智院本類聚名義抄に反切「勒含反」と和音「ラム」を見出す。元和
本倭名類聚抄には反切「盧甘反」がある。日本呉音「ラム」を認める。

　　　藍 勒［＊勒←勤］含反／アキ 和ラム　　　　　　　　　　　（観智院本類聚名義抄／僧上019-6）

　　　藍 藍䕫附 唐韻云藍 盧甘反 …　　　　　　　　　　　　　（元和本倭名類聚抄／巻十四11 オ3）

　▶番号1051a「鸇」（鸇鶒）の仮名音注「ラン」については、異例 -an を示す。当該字には上声
点を差す。その中古音が示す末子音の脣内撥音韻尾 -m を「ン」で対応する。熟字1051 は右注「ホ
ト、キス」を付載する。観智院本類聚名義抄に当該の熟字を掲げ、同音字注「藍縷二音」を見出す
が、仮名音注はない。元和本倭名類聚抄には同音字注「藍縷二音」がある。

　　　鸇鶒 藍縷二音 ホト、キス　　　　　　　　　　　　　　　（観智院本類聚名義抄／僧中131-2）

　　　唐韻云鸇鶒 藍縷二音和名保度々木須 …　　　　　　　　　（元和本倭名類聚抄／巻十八08 オ2）

　《下巻 談韻諸例》

3-1-1 -ɑ 系の字音的特徴 95

▶番号 4864a「甘」（甘皮）の仮名音注「カム」については、基本的に -am で対応する。当該字には平声点を差す。熟字 4864「皮甘」は右注「キカハ」左注「一名朶皮其色黄義也」を付載する。上巻の談韻当該諸例で分析したように、日本漢音「カム」東声（四声体系では平声）日本呉音「カム」去声を認める。

　　甘皮　本草云橘皮一名甘皮 和名木加波其色黄之義也　　　　（元和本倭名類聚抄／巻十七 11 ウ 9）

▶番号 4108a「甘」（甘草）の仮名音注「カム」については、基本的に -am で対応する。当該字には去声点を差す。熟字 4108「甘草」は右注「アマキ」を付載する。上述の分析を参照。

　　甘草　本草云甘草一名蜜草 和名阿萬木　　　　　　　（元和本倭名類聚抄／巻二十 04 ウ 2）

▶番号 4876「蚶」の仮名音注「カム」については、基本的に -am で対応する。当該字には平声点を差し、右注「キサ 乎談反」中左注「蚶属状如蛤圓而／厚外有理縦横即／今鉗也」を付載する。観智院本類聚名義抄に反切「火甘切」を見出すが、仮名音注はない。同反切は大廣益會玉篇の引用である。同書による引用は極めて少ない。元和本倭名類聚抄には反切「乎談反」がある。

　　蚶 火甘切 ［平平］ ウムキ ツヒ／正憨 癡也　　　　　　（観智院本類聚名義抄／僧下 027-2）
　　蚶　唐韻云蚶 乎談反辨色立成云和名木佐 蚶屬状如蛤圓而厚外有理縦横即今鉗也
　　　　　　　　　　　　　　　　　　　　　　　　　（元和本倭名類聚抄／巻十九 12 ウ 5）
　　蚶 火含反 … 蛤也宇牟支又豆比　　　　　　　　　　（天治本新撰字鏡／巻八 22 オ 1）
　　蚶 火甘切 蚶屬　　　　　　　　　　　　　（小學彙函本大廣益會玉篇／巻下 37 オ 13）
　　蚶 蚶屬爾雅云魁陸本草云魁狀如海蛤貟而厚外有文縦横即今鉗也亦作蚶呼談切五　　（宋本廣韻／曉母談韻）
　　蚶 火談反蚶出會稽四　　　　　　　　　　（王仁昫刊謬補缺切韻／曉母談韻）

▶番号 4492a・4781a「三」（三封・三友）の仮名音注「サム」については、基本的に -am で対応する。両当該字には東声点を差す。廣韻に拠れば、談／闞韻（sɑm¹⁄³）の両声調を有する。観智院本類聚名義抄に「思甘反」（反切下字に平声点）と「又去 和」（和音も去声とするか）を見出す。長承本蒙求には仮名音注「サム」二例があり、両掲出字に東声点を加える。日本漢音「サム」東声（四声体系では平声）と去声を認める。加えて、日本呉音を去声とすべきか。

　　三 思甘 ［□平］ 反 ミトコロ／又去 和 玄也　　　　（観智院本類聚名義抄／佛上 074-2）
　　三 ［東］ サム　　　　　　　　　　　　　　　　（長承本蒙求／028・138）

▶番号 4668a「三」（三礼）の仮名音注「サム」については、基本的に -am で対応する。当該字には平声点を差す。上述の分析を参照。

▶番号 4587a・4588a「三」（三鉆・三衣匣）の仮名音注「サム［平平］」については、基本的に -am で対応する。両当該字の仮名音注には平声相当である低平調を示す声点を差す。上述の分析を参照。

▶番号 4658a・4664a「三」（三昧・三論）の仮名音注「サム」については、基本的に -am で対応する。両当該字には去声点を差す。両者ともに仏教用語である。上述の分析を参照。

96 　3．仮名音注の韻母別考察　3-1　Ⅰ韻類

▶番号 4693a・4717a「三」（三兆・三夜）の仮名音注「サム」については、基本的に *-am* で対応する。両当該字に声点はない。上述の分析を参照。

▶番号 4785a・4790a「三」（三尺・三品）の仮名音注「サン」については、異例 *-an* を示す。両当該字に声点はない。その中古音が示す末子音の脣内撥音韻尾 -m を「ン」で対応する。上述の分析を参照。

▶番号 4801a「三」（三枝）の仮名音注「サイ」については、異例 *-ai* を示す。当該字に声点はない。熟字 4801「三枝」は右注「率川社南有社号三枝名御子也」左注「以三枝花餅酒樽祭故四三枝祭」を付載する。茎や枝が三つに分かれている植物の意味か。和訓「サキクサ」のイ音便による音変化「サイクサ」に対して宛字した用例か。

　　　草 募字附 … 文字集略云募 音娘和名佐木久佐日本紀私記云福草 草枝枝相値葉葉相當也

　　　　　　　　　　　　　　　　　　　　　　（元和本倭名類聚抄／巻二十 01 オ 9）

▶番号 5383c「三」（庶人三墓）の仮名音注「サハ」については、異例 *-apa* を示す。その仮名音注は字形相似による「サム」の誤認という可能性がある。その場合は異例ではなく、基本的に *-am* で対応する。熟字 5383「庶人三墓」は「ショシ〔＊←ショミ〕サムタイ」か。上述の分析を参照。

　　　道調曲　上元樂 … 庶人三墓　　　　　　　（元和本倭名類聚抄／巻四 16 オ 1）

▶番号 4674b「慙」（懺慙）の仮名音注「クエ」については、異例 *-we* を示す。当該字には平声点を差し、中注「サンクエ」左注「又下字悔」を付載する。その「悔」（賄／隊韻 xuʌi²³）に対する仮名音注「クエ」と推測する。図書寮本類聚名義抄で「悔」を検索すると、同音字注「音与晦同」および低平調を示す「真云クエ」がある。観智院本では去声点を付した同音字注「晦」と低平調と推測する和音「クエ」を見つける。本来の当該字「慙」は図書寮本に反切「弘云辞甘反」（その反切下字に平声点）を見出す。観智院本には反切「辞甘反」および低平調と推測する和音「坐ム」を見つける。同書では掲出字「覵・暫」に和音「坐ム」を見つける。仮名音注と共に使用する「坐」は「坐イ・坐ウ・坐フ・坐ム・坐ン」のように濁音の字音を示す。日本漢音は平声、日本呉音「ザム」平声を認める。

　　　慙愧 弘云辞甘 [□平] 反 … ハツ [切：右注] …　　　　　（図書寮本類聚名義抄／263-4）

　　　慙 辞甘反 ハツ／和坐ム [平□：墨点]　　　（観智院本類聚名義抄／法中 096-4）

　　　坐 徐果 [□上] 反 キル [上上] … 和サア [□平：墨点]　　（観智院本類聚名義抄／法中 067-4）

　　　座 音坐 [平濁] ヰモノヒキ／ナリ　　　　（観智院本類聚名義抄／法下 105-1）

　　　悔過 音与晦同 弘云呼對 [□去] 反 … 真云クエ [平平] … クユ [平上／書：右注]

　　　　　　　　　　　　　　　　　　　　　　　（図書寮本類聚名義抄／252-2）

　　　悔 クユ ムクユ … 音晦 [去]／恨也 … 和クエ [□平]　　（観智院本類聚名義抄／法中 094-7）

▶番号 4741a「慚」（慚愧）の仮名音注「サン」については、異例 *-an* を示す。当該字には去声濁点を差すので、字音「ザン」を想定する。当該字「慚」は「慙」と相互に異体字である。その中

古音が示す末子音の脣内撥音韻尾 -m を「ン」で対応する。上述の分析を参照。

　　　慚 ハツ ミツ　　　　　　　　　　　　　　　　　（観智院本類聚名義抄／法中 096-4）

　▶番号5856b「談」（手談）の仮名音注「タム」については、基本的に -am で対応する。当該字には平声点を差す。上巻の談韻当該諸例で分析したように、日本漢音「タム」平声を認める。

　▶番号3396b「談」（手談）の仮名音注「タン」については、異例 -an を示す。当該字には平声点を差す。その中古音が示す末子音の脣内撥音韻尾 -m を「ン」で対応する。上述の分析を参照。

　▶番号4306「藍」の仮名音注「ラム」については、基本的に -am で対応する。上巻の談韻当該諸例で分析したように、日本呉音「ラム」を認める。

《上巻 敢韻諸例》

　▶番号3248b「敢」（勇敢）の仮名音注「カム」については、基本的に -am で対応する。当該字には上声点を差す。観智院本類聚名義抄に反切「古覧反」と和音「カム」を見出す。日本呉音「カム」を認める。

　　　敢 古覧反 アヘテ［平平上］… 和カム　　　　　　（観智院本類聚名義抄／僧中 060-3）

　▶番号3030a「敢」（敢言）の仮名音注「カム」については、基本的に -am で対応する。当該字には去声点を差す。上述の分析を参照。

　▶番号0113・0440b「膽」（膽・露膽）の仮名音注「タム」については、基本的に -am で対応する。両当該字には上声点を差す。番号0113「膽」は右注「イ」を付載する。観智院本類聚名義抄に平声点を付した同韻字注「呉音湛」と上声点を付した「正毯」を見出す。これらは大般若経字抄の引用である。同書では漢呉二音相同の注字選択が困難であると判断し、掲出字の頭頂に正音「正毯」右傍に呉音「音湛」を配置する。長承本蒙求には仮名音注「タム・タ✓」があり、その掲出字に平声点〔＊呉音声調か〕を加える。元和本倭名類聚抄には反切「都敢反」を見つける。日本漢音「タム」上声、日本呉音は平声を認める。

　　　膽 呉音湛［平］正毯［上］イ［上］キモ［平平］／ユタカナリ （観智院本類聚名義抄／佛中 125-8）
　　　正／毯 膽 音湛［：右傍］肝府也／イ　　　　　　　　　（大般若経字抄／04 ウ 3）
　　　膽［平］タム／セム・タ✓ イ本　　　　　　　　　　　　（長承本蒙求／054）
　　　膽　中黄子云膽 都敢反和名伊 爲中精之府　　　　（元和本倭名類聚抄／巻三 12 オ 9）

　▶番号2952b「膽」（肝膽）の仮名音注「タム」については、基本的に -am で対応する。当該字には平声点を差す。熟字2952「肝膽」は右傍に「ヲロナカナリ」を付載する。上述の分析を参照。

　▶番号0933b「膽」（龍膽）の仮名音注「タウ」については、異例 -au を示す。当該字には上声濁点を差すので、日本語音韻史上の連濁による字音「ダウ」を想定する。熟字0933「龍膽」は右傍に「リンタウ俗」とある。本来は字音「リウタム」を期待するが、熟字の上下で末子音の把握が逆

98　3. 仮名音注の韻母別考察　3-1　I韻類

転している。類似例として、熟字「林檎」には右注1896「リウコウ」と右傍1897「リムキ」を指摘できる。同じ掲出字「林檎」に付載する仮名音注二種である。元和本倭名類聚抄に和名「利宇古宇」を見出す。字音に由来する意識が薄れ和名と認定している。早くから日本語に馴化し定着した字音と推測する。

　　　龍膽 エヤミクサ［平平平上濁平］／一云ニカナ［平上濁上］　　（観智院本類聚名義抄／佛中126-1）

　　　龍膽 陶隱居本草注云龍膽 和名衣夜美久佐一云迩加奈 味甚苦故以膽爲名也

　　　　　　　　　　　　　　　　　　　　　　　　　　　　　　（元和本倭名類聚抄／巻二十02オ2）

　　　林檎 本草云林檎 音禽和名利宇古宇 與奈相似而小者也　　（元和本倭名類聚抄／巻十七09オ8）

　▶番号1983b「膽」（龍膽）の仮名音注「タウ」については、異例 -au を示す。当該字に声点はない。熟字「龍膽」は右注1983「リウタウ俗」左注1984「リウタム」を付載する。上述の分析を参照。

　▶番号1984b「膽」（龍膽）の仮名音注「タム」については、基本的に -am で対応する。当該字に声点はない。上述の分析を参照。

　▶番号0822b・3085b「覧」（博覧・高覧）の仮名音注「ラム」については、基本的に -am で対応する。両当該字には上声点を差す。観智院本類聚名義抄に「呂敢反」と和音「平」を見出すが、仮名音注はない。長承本蒙求には仮名音注「ラム」二例があり、両掲出字に上声点を加える。日本漢音「ラム」上声、日本呉音は平声を認める。

　　　覧 呂敢［□上］反 ミル［□上］… 和平　　　　　　　　（観智院本類聚名義抄／佛中084-7）

　　　覧［上］ラム　　　　　　　　　　　　　　　　　　　　　　（長承本蒙求／015・073）

　▶番号0300b「覧」（遊覧）の仮名音注「ラン」については、異例 -an を示す。当該字には上声点を差す。その中古音が示す末子音の脣内撥音韻尾 -m を「ン」で対応する。上述の分析を参照。

　▶番号1534「攬」の仮名音注「ラム」については、基本的に -am で対応する。当該字に声点はない。観智院本類聚名義抄に同音字注「音覧」を見出すが、仮名音注はない。

　　　攬 トル … 音覧 … ミタル［平平濁上］　　　　　　　（観智院本類聚名義抄／佛下本043-2）

《下巻 敢韻諸例》

　▶番号3744b「膽」（龍膽）の仮名音注「タウ」については、異例 -au を示す。当該字には上声濁点を差すので、日本語音韻史上の連濁による字音「ダウ」を想定する。熟字3744「龍膽」の右傍「リウタウ俗」を確認する。上巻の敢韻当該諸例で分析したように、早くから日本語に馴化し定着した字音と推測する。

《上巻 闞韻諸例》

▶番号0959「瞰」の仮名音注「カム」については、基本的に -am で対応する。当該字に声点はなく、右注「鬼瞰」を付載する。和訓「ニラム」の同訓異字に位置する。観智院本類聚名義抄に反切「苦紺反」を見出すが、仮名音注はない。

　　瞰　苦紺反　ニラム［平平上］／ノソム　ミル［平上］　　　　　（観智院本類聚名義抄／佛中 072-1）

▶番号1303b「朕」（餅朕）の仮名音注「タム」については、基本的に -am で対応する。当該字には平声濁点と去声濁点を差すので、字音「ダム」を想定する。その中古音が示す頭子音 d-（等韻学の術語では舌音濁定母）は有声歯茎閉鎖音であり、原則的に日本語のダ行音をもって受容するが、中国語音韻史上における濁音声母の無声化を反映する場合はタ行音で対応する。廣韻は注記「朕：相飯也或作啖」を付載する。観智院本類聚名義抄に反切「大濫反」を見出す。異体字「啖」には反切「大敢反」（反切下字に上声点）と同音字注「又淡音」および濁音を含む上昇調を示す和音「太ム」を見つける。日本漢音は上声、日本呉音「ダム」去声を認める。

　　朕　大濫也〔＊大濫反の誤認〕餅／朕也　　　　　　　　　　（観智院本類聚名義抄／佛中 124-4）

　　啖　大敢［□上］反　上又淡音　クラフ［上上平］…　和太ム［平濁上］

　　　　　　　　　　　　　　　　　　　　　　　　　　　　　　（観智院本類聚名義抄／佛中 124-4）

▶番号2884b「纜」（解纜）の仮名音注「ラム」については、基本的に -am で対応する。当該字には上声点を差す。観智院本類聚名義抄に同音字注「音濫」を見出すが、仮名音注はない。元和本倭名類聚抄は異体字「纜」に対して反切「藍淡反」と同音字注「又音濫」を見つける。

　　纜　音濫　トモツナ［平平平濁平］／タツナ　　　　　　　　（観智院本類聚名義抄／法中 121-5）

　　纜　考聲切韻云纜　藍淡反又音濫和名度毛都奈　維舟索也　　（元和本倭名類聚抄／巻十一 04 ウ 8）

▶番号1685b「纜」の仮名音注「ラン」については、異例 -an を示す。当該字には声点はない。その中古音が示す末子音の脣内撥音韻尾 -m を「ン」で対応する。上記の分析を参照。

▶番号3033b「濫」（奸濫）の仮名音注「ラン」については、異例 -an を示す。当該字には去声点を差す。その中古音が示す末子音の脣内撥音韻尾 -m を「ン」で対応する。観智院本類聚名義抄に去声点を付した同音字注「纜」を見出すが、仮名音注はない。日本漢音は去声を認める。

　　濫　音纜［去］ミタリカハシ［平平平□□□］…　ス、ム　　（観智院本類聚名義抄／法上 032-4）

《下巻 闞韻諸例》

該当例なし。

《上巻 盍韻諸例》

100　3．仮名音注の韻母別考察　3-1　Ⅰ韻類

▶番号3131b「闔」（開闔）の仮名音注「カフ」については、基本的に -ap で対応する。当該字には入声点を差す。熟字3131「開闔」は中注「戸閇開也」左注「闔字閇也」を付載する。観智院本類聚名義抄に同音字注「音盍」を見出すが、仮名音注はない。

　　　　闔 音盍 … トヒラ［上上濁□］トツ［平上濁］　　　　　　　　（観智院本類聚名義抄／法下 075-8）

▶番号3218「鉀」（鉀）の仮名音注「カフ」については、基本的に -ap で対応する。当該字に声点はなく、和訓「ヨロヒ」の同訓異字として位置する。観智院本類聚名義抄に同音字注「音閤」（その右傍に朱筆で仮名音注「カフ」）と和音「カフ」を見出す。日本漢音「カフ」日本呉音「カフ」を認める。

　　　　鉀 音閤 ［カフ：朱右傍］箭 ヨロヒ［平平平］… 和カフ　　　　（観智院本類聚名義抄／僧上 125-1）

▶番号2581「頜」の仮名音注「カフ」については、基本的に -ap で対応する。当該字には入声点を差し、右注「カハチ」を付載する。上下の顎骨を指すが、車などの両側に添えて荷の落ちるのを防ぐ枠の意味もある。廣韻は「頜：頜車頜骨古盍切八」と注記する。観智院本類聚名義抄に同音字注「音閤」を見出すが、仮名音注はない。元和本倭名類聚抄には反切「古盍反」がある。

　　　　頜 音閤 カハチ［平平□］　　　　　　　　　　　　　　　　（観智院本類聚名義抄／佛下本 029-4）
　　　　頜 文字集略云頜 古盍反和名加波知 頜車也　　　　　　　　　（元和本倭名類聚抄／巻三 02 オ 3）
　　　　顄 古斤反上頬後也加波知　　　　　　　　　　　　　　　　　（天治本新撰字鏡／巻二 03 オ 7）

▶番号2894b「塔」（鴈塔）の仮名音注「タウ」については、異例 -au を示す。日本語音韻史上 -ap > -au の音変化を反映する。当該字には入声点を差す。図書寮本類聚名義抄に反切「中云他合反俗音吐臈反」と「川云俗云本音之重」を見出す。観智院本には徳声点と入声点を付した同音字注「榻」（その左傍に朱筆で仮名音注「タフ」）を見つける。元和本倭名類聚抄には反切「吐盍反」がある。日本漢音「タフ」徳声（四声体系では入声）を認める。

　　　　塔 … 中云他合反俗音吐臈反佛墳也 … 川云俗云本音之重　　　（図書寮本類聚名義抄／213-4）
　　　　塔 音榻 ［徳・入／タフ：朱左傍］俗云音之重或作繇非　　　（観智院本類聚名義抄／法中 048-2）
　　　　塔 孫愐切韻云斉楚曰塔 吐盍反 …　　　　　　　　　　　　　（元和本倭名類聚抄／巻十三／法中 048-2）

▶番号1489b・2742b「納」（兜納・艾納）の仮名音注「ナウ」については、異例 -au を示す。両当該字には平声点を差す。日本語音韻史上 -ap > -au の音変化を反映する。図書寮本類聚名義抄に反切「中云奴荅反」（反切上字は平声濁点、同下字は入声点）を見出す。観智院本には反切「奴荅反」（反切上字は平声濁点、同下字は入声点）と低平調を示す和音「ナフ・ノフ」を見つける。その中古音が示す頭子音 n-（等韻学の術語では泥母）は、いわゆる非鼻音化（denasalization）現象によって、n->nd->d- の音変化をする。原則的に、この影響を受けた日本漢音ではダ行音を反映することになる。日本漢字音において、頭子音 n-（泥母）をナ行音で受容する場合には早い段階の字音享受であり、これを呉音的特徴とする。観智院本の和音「ナフ」が端的に示している。ただし、和音「ノフ」も加えていることから、実際の音声上では長音化していたと認める。すなわち、

-au > -ou > -oo の音変化である。日本漢音は入声、日本呉音「ナフ・ノフ」入声を認める。

　　納處 中云奴荅 [平濁入] 反 … ヲサム [平平上／後：右注]　　　　（図書寮本類聚名義抄／298-1）

　　納 奴荅 [平濁入] 反 … 和ナフ [平平] ノフ [平平]　　　　（観智院本類聚名義抄／法中134-7）

▶番号1968b「納」（中納言）の仮名音注「ナウ」については、異例 -au を示す。当該字に声点はない。日本語音韻史上 -ap- > -au の音変化を反映する。上述の分析を参照。

▶番号0387b「朧」（一朧）の仮名音注「ラウ」については、異例 -au を示す。当該字に声点はない。日本語音韻史上 -ap- > -au の音変化を反映する。熟字「一朧」は伊篇官職部に属し、左注「用外記」を付載する。観智院本類聚名義抄に音注は見出せない。

　　朧鷷鳥 アトリ [平平平]　　　　　　　　　　　　　　（観智院本類聚名義抄／僧中111-1）

　　朧鷷〔＊鷷←雝〕アトリ　　　　　　　　　　　　　　（観智院本類聚名義抄／僧中137-2）

　　獦子鳥　辨色立成云朧鷷鳥 阿止里一云胡雀 …　　　　（元和本倭名類聚抄／巻十八06オ3）

《下巻　盍韻諸例》

▶番号4578a「靴」（靴鞋）の仮名音注「サウ [平上]」については、異例 -au を示す。当該字には入声点を差す。また仮名音注に上昇調を示す声点を付載する。日本語音韻史上 -ap- > -au の音変化を反映する。観智院本類聚名義抄に徳声点を付した同音字注「音颯」（その右注に朱筆で仮名音注「サウ」）を見出す。日本漢音「サウ」徳声（四声体系では入声）を認める。

　　靴 … 小児／履 音颯 [徳／サウ：朱右注]　　　　　（観智院本類聚名義抄／僧中075-5）

▶番号5441「㯶」の仮名音注「タウ」については、異例 -au を示す。当該字には入声点を差し、右注「シチ」左注「吐盍反」を付載する。日本語音韻史上 -ap- > -au の音変化を反映する。観智院本類聚名義抄に同音字注「音塔」二例（うち一例に徳声点）と呉音「荅」二例を見出す。同書では右傍に朱筆で仮名音注「タフ」を付載した同音字注「音荅」をも見つける。この呉音注は漢呉二音相同を原則とした大般若経字抄の引用である。長承本蒙求には仮名音注「タフ」があり、その掲出字に徳声点を加える。日本漢音「タフ」徳声（四声体系では入声）日本呉音「タフ」入声を認める。

　　㯶〔＊「日」部分が「羽」〕音塔 シチ／呉荅　　　　（観智院本類聚名義抄／佛下本098-2）

　　㯶 音塔〔＊←境〕[徳] 呉荅／シチ [平上濁] 枰博 弅局也　（観智院本類聚名義抄／佛下本098-3）

　　畲 … 音荅 [入／タフ：朱右傍] … 荅 [今：右注]　　（観智院本類聚名義抄／僧中001-6）

　　㯶 [音荅：右傍] シチ　　　　　　　　　（石山寺一切経蔵本大般若経字抄／01ウ6）

　　㯶 [音荅：右傍]　　　　　　　　　　　（石山寺一切経蔵本大般若経字抄／17ウ7）

　　㯶 音荅　　　　　　　　　　　　　　　（石山寺一切経蔵本大般若経字抄／20オ7）

　　㯶 [徳] タフ　　　　　　　　　　　　　　　　　　　　（長承本蒙求／123）

▶番号4021b・5675b「納」（填納・収納）の仮名音注「ナフ」基本的に -ap で対応する。両当

該字には入声点を差す。上巻の盍韻当該諸例で分析したように、日本呉音「ナフ・ノフ」入声を認める。

　▶番号5886b「納」（出納）の仮名音注「ナウ」については、異例 *-au* を示す。当該字には平声点を差す。日本語音韻史上 *-ap* > *-au* の音変化を反映する。上述の分析を参照。

　▶番号6763b「納」（少納言）の仮名音注「ナウ」については、異例 *-au* を示す。当該字に声点はない。上述の分析を参照。

　▶番号5950b「納」（出納）の仮名音注「サウ」の仮名音注「サウ」については、異例 *-au* を示す。当該字に声点はない。この仮名音注は字形相似（「七」に近似した字形）による「ナウ」の誤認であろう。熟字5950「出納」は左注「三人在蔵人所」を付載する。上述の分析を参照。

　▶番号6188b「鑞」（白鑞）の仮名音注「ラウ」については、異例 *-au* を示す。当該字に声点はない。日本語音韻史上 *-ap* > *-au* の音変化を反映する。熟字6188「白鑞」は右注「鑞イ本」中左注「又シラナ／マリ」を付載する。観智院本類聚名義抄に反切「盧盍反」と和音「ラフ」を見出す。元和本倭名類聚抄には反切「盧盍反」がある。日本呉音「ラフ」を認める。

　　鑞 盧盍反 ナマリ／和ラフ　　　　　　　　　　（観智院本類聚名義抄／僧上114-4）
　　錫 … 兼名苑云一名白鑞 盧盍反和名之路奈麻利　　（元和本倭名類聚抄／巻十一 17 オ 6）

3-1-1-7　-an/-at（寒/旱/翰/曷韻）

　資料篇【表B-01】には寒韻（平声）旱韻（上声）翰韻（去声）曷韻（入声）所属の諸例が含まれる。前田本の示す仮名音注は *-an/-at* で基本的に対応する。異例として *-a, -am, -anu, -en, -u* がある。

《上巻 寒韻諸例》

　▶番号1342b「安」（平安）の仮名音注「アン」については、基本的に *-an* で対応する。当該字には平声点を差す。図書寮本類聚名義抄に反切「憲云 烏夲反」と反切「真云 阿干反」さらに声調注記「行円云恬安［平去］」を見出す。観智院本には同音字注「音鞍」と「和ノ去」を見つける。長承本蒙求には仮名音注「アゝ」三例と「ア✓」一例があり、それらの掲出字に東声点を加える。承暦本金光明最勝王経音義の場合は舌内撥音韻尾 -n「ゝ」喉内撥音韻尾 -ŋ「✓」を区別するが、あくまで原則である。日本漢音「アン」東声（四声体系では平声）日本呉音は去声を認める。

　　安隠 憲云 … 烏夲反 安穏也 …　　　　　　　　（図書寮本類聚名義抄／206-3）
　　安忍 真云耐也／上阿干反 寧　　　　　　　　　　（図書寮本類聚名義抄／263-7）
　　恬安 シツカニ［平上濁平□／異：右注］行円云恬安［平去］　（図書寮本類聚名義抄／241-3）

安 音鞍 ヤスシ／オク ナンソ … 和ノ去　　　　　　（観智院本類聚名義抄／法下 050-5）

安 ［東］アゝ　　　　　　　　　　　　　　　　　　　　（長承本蒙求／008・083）

安 ［東］アν　　　　　　　　　　　　　　　　　　　　（長承本蒙求／113）

▶番号 2415b「安」（和安）の仮名音注「アン」については、基本的に -an で対応する。当該字に声点はない。上述の分析を参照。

▶番号 2449a・2855a・2856a・2857a・2858a・2864a・2995a・2996a・2997a・2998a・3106a「寒」（寒瓜・寒天・寒温・寒燠・寒暑・寒地・寒素・寒門・寒苦・寒苦・寒心）の仮名音注「カン」については、基本的に -an で対応する。当該諸字十一例には平声点を差す。熟字 2449「寒瓜」は右注「同（カモウリ）〔＊カツウリと混同〕」を、熟字 2858「寒暑」は右傍「サムクアツシ」を、熟字 3106「寒心」は左注「賀怨極也」を付載する。図書寮本類聚名義抄に反切「胡安反」を見出す。観智院本には平声点を付した同音字注「音翰」と和音「カン」を見つける。日本漢音は平声、日本呉音「カン」を認める。

冷寒 … 下胡安反／嚴冷也 上玉云寒也　　　　　　（図書寮本類聚名義抄／067-1）

寒 音翰［平］サムシ［平平□］ … 俗云ニコヨス［上上上上／□□□シ］和カン

　　　　　　　　　　　　　　　　　　　　　　　（観智院本類聚名義抄／法下 047-7）

寒　文選云寒鵠蒸霾 師説寒讀古與之毛乃此間云迩古與春　（元和本倭名類聚抄／巻十六 20 オ 3）

寒瓜 カツウリ［平□□□］　　　　　　　　　　　　（観智院本類聚名義抄／僧中 004-8）

寒心 ムネヒヤカス［上平□□□□／□□□□□スロ］　　（観智院本類聚名義抄／法下 047-8）

寒瓜　兼名苑注云寒瓜 和名加豆宇利 至寒熟也　　　（元和本倭名類聚抄／巻十七 13 オ 8）

冬瓜　神農食經云冬瓜 … 和名加毛宇利　　　　　　（元和本倭名類聚抄／巻十七 13 ウ 1）

▶番号 0961・2563a「寒・寒蜩」の仮名音注「カム」については、異例 -am を示す。両当該字には平声点を差す。その中古音が示す末子音の舌内撥音韻尾 -n を「ム」で対応する。番号 0961「寒」は右注「ニコヤス」を付載する。元和本倭名類聚抄には借字「此間云迩古與春」がある。熟字 2563「寒蜩」は右注「カムセミ」左注「似蟬小青也」を付載する。元和本倭名類聚抄には「俗云加無世美」を見出す。定着久しい字音「カム」を認識していたか。

寒蜩　兼名苑云寒蜩 … 俗云加無世美 似蟬而小青 …　　（元和本倭名類聚抄／巻十九 22 オ 8）

▶番号 3129a「邯」（邯鄲歩）の仮名音注「カン」については、基本的に -an で対応する。当該字には平声点を差す。図書寮本類聚名義抄に平声点を付した同音字注「类云寒音」を見出す。観智院本類聚名義抄に同音字注「音寒」を見つけるが、仮名音注はない。日本漢音は平声を認める。

邯鄲 类云寒／丹［平平］音 …　　　　　　　　　　（図書寮本類聚名義抄／183-3）

邯 音寒 コゝ ナンソ … 含也 ナラ、カナリ　　　　　（観智院本類聚名義抄／法中 032-2）

鄲 音單 邯鄲／縣名　　　　　　　　　　　　　　　（観智院本類聚名義抄／法中 032-2）

▶番号 3073a「邯」（邯鄲）の仮名音注「カム」については、異例 -am を示す。当該字には平

104　3．仮名音注の韻母別考察　3-1　Ⅰ韻類

声点を差す。同じ加篇疊字部に属する両熟字「邯鄲・邯鄲歩」の仮名音注でありながら、その中古音が示す舌内撥音韻尾 -n の字音表記に相違（カムとカン）がある。上述の分析を参照。

▶番号0943「翰」（翰）の仮名音注「カン」については、基本的に -an で対応する。当該字には平声点を差す。廣韻に拠れば、寒/翰韻（ɣɑn[1/3]）の二音を有する。観智院本類聚名義抄に平声点を付した同音字注「韓」と去声点を付した同音字注「汗」を見出すが、仮名音注はない。日本漢音は平声と去声を認める。

　　　　翰 … 韓［平］／汗［去］二音 髙飛臮／コハシ［平平□］　　　（観智院本類聚名義抄／法下142-3）

▶番号3015a「翰」（翰藻）の仮名音注「カン」については、基本的に -an で対応する。当該字には去声点を差す。熟字3015「翰藻」は加篇疊字部の文書分〔＊文書部を訂正〕に属す。詩や文章を指す。上述の分析を参照。

▶番号1126・2479b・3040a「干」（干・射干・干紀）の仮名音注「カン」については、基本的に -an で対応する。当該諸字三例には平声点を差す。番号1126は右注「水際也」を、熟字2479「射干」は右注「カラスアフキ」左注「夜干」を付載する。観智院本類聚名義抄に平声点を付した同音字注「音乾」を見出す。長承本蒙求には仮名音注「カ﹅」があり、その掲出字に平声点と東声点を加える。日本漢音「カン」東声（四声体系では平声）を認める。

　　　　干仐 今正 音乾［平］ヲカス［上上平］…　　　　　　　（観智院本類聚名義抄／佛上083-3）

　　　　干［平・東］カ﹅　　　　　　　　　　　　　　　　　　　　　（長承本蒙求／080）

　　　　射干 本草云射干一名烏扇 射音夜和名加良須安布木　　　（元和本倭名類聚抄／巻二十12ウ3）

▶番号1138・2271「干」（干・干）の仮名音注「カン」については、基本的に -an で対応する。両当該字に声点はない。番号1138「干」は右注「ホス」を付載する。番号2271「干」は「ヲカス」の同訓異字として配置する。上述の分析を参照。

▶番号2694a「汗」（汗衫）の仮名音注「カ［上］」については、異例 -a を示す。当該字の仮名音注には上声点を付載する。熟字2694「汗衫」は右注に「カサミ［上平平］俗」を付載する。定着久しい字音という認識から「俗」表記を加えたと推測する。本来の字音は「カンサム」であろう。その音変化のため、字音という認識が薄れていたか。図書寮本類聚名義抄に去声点を付した同音字注「東云音翰」と同音字注「東云又音寒干旱［平平上］」および上昇調と推測する仮名音注「真云カン［□上］」を見出す。観智院本には同音字注「音翰」と「又音寒旱干」を見つける。元和本倭名類聚抄には同音字注「寒反」がある。同音字注を多く掲げることで複数の字音と声調を示すか。廣韻に拠れば、当該字「汗」は寒（匣母寒韻 ɣɑn[1]）干（見母寒韻 kɑn[1]）旱（匣母翰韻 ɣɑn[3]）三音を有する。日本漢音は平/去声、日本呉音「カン」去声を認める。

　　　　汗 東云音翰［去］… 東云又音寒干旱［平平上］／川云和云阿勢［平上］真云カン［□上］

　　　　　　　　　　　　　　　　　　　　　　　　　　　　　（図書寮本類聚名義抄／014-5）

　　　　汗 音翰 アセナカス［平上□□□］／又音寒旱干　　　（観智院本類聚名義抄／法上002-2）

3-1-1　-ɑ系の字音的特徴　　105

　汗　蔣魴云汗 寒反和名阿勢 人身上熱汁也　　　　　　　　　（元和本倭名類聚抄／巻三 10 オ 2）

　　汗衫　唐令云諸給時服夏則汗衫一領 衫音所銜反衣名也　（元和本倭名類聚抄／巻十二 19 ウ 7）

▶番号2952a「肝」（肝膽）の仮名音注「カン」については、基本的に -an で対応する。当該字には平声点を差す。熟字2952「肝膽」は右傍に「ヲロナカナリ」を付載する。観智院本類聚名義抄に平声点を付した同音字注「音干」（その右傍に朱筆で仮名音注「カン」）を見出す。日本漢音「カン」平声を認める。

　　肝 音干［平／カン：朱右傍］キモ［平平］／ヤム［平上］　　　（観智院本類聚名義抄／佛中 122-8）

▶番号3087a「肝」（肝心）の仮名音注「カン」については、基本的に -an で対応する。当該字には去声点を差す。熟字3087「肝心」は左注「云人之咎也」を付載する。上述の分析を参照。

▶番号1117b「竿」（帆竿）の仮名音注「カン」については、基本的に -an で対応する。当該字には平声点を差す。熟字1117「帆竿」は左注「ホケタ」を付載する。観智院本類聚名義抄に東声点を付した同音字注「音干」（その右傍に朱筆で仮名音注「カン」）を見出す。元和本倭名類聚抄には反切「古寒反」がある。日本漢音「カン」平声を認める。

　　竿 音干［平／カン：朱右傍］／サヲフタ［平平□□］　　　　（観智院本類聚名義抄／僧上 066-3）

　　帆竿　楊氏漢語抄云帆竿 保偈多下古寒反　　　　　　　（元和本倭名類聚抄／巻十一 03 ウ 1）

▶番号3055a「看」（看清）の仮名音注「カン」については、基本的に -an で対応する。当該字には平声点を差す。その中古音は寒／翰韻（kʻɑn¹ᐟ³）の両声調を示す。観智院本類聚名義抄に反切「苦寒反」を見出すが、仮名音注はない。

　　看 … 苦寒反／ミル［上上］カヘリミル［平平平□□］…　　　（観智院本類聚名義抄／佛中 077-1）

▶番号2920a「看」（看病）の仮名音注「カン」については、基本的に -an で対応する。当該字には去声点を差す。上述の分析を参照。

▶番号3172a「看」（看督長）の仮名音注「カ」については、異例 -a を示す。熟字3172「看督長」は右傍「カトノヲサ」右注「在使廳」を付載する。平安時代に検非違使の属官として罪人の追捕や牢獄の管理を担当した下級職員を指す。仮名音注「カト」は字音「カントク」であるが、撥音無表記と末子音である入声韻尾 - k を省略し、連濁を含めた音変化を経る。定着久しい字音と言う認識をしていたと推測する。上述の分析を参照。

▶番号1520b「犴」（獨犴）の仮名音注「カン」については、基本的に -an で対応する。当該字には去声濁点を差すので、字音「ガン」を想定する。その中古音が示す頭子音 ŋ-（等韻学の述語で言う疑母）は軟口蓋鼻音であり、日本漢字音ではガ行音をもって受容する。また寒／翰韻（ŋɑn¹ᐟ³）の両声調を有する。熟字1520「獨犴」は左注「葦鹿皮曰獨犴」を付載する。観智院本類聚名義抄に同音字注「岸犴二音」を見出すが、仮名音注はない。元和本倭名類聚抄には反切「俄寒反」と同音字注「岸」がある。

　　犴 岸犴二音 胡／地野犬　　　　　　　　　　　　　　　（観智院本類聚名義抄／佛下本 132-2）

106　3．仮名音注の韻母別考察　3-1　Ⅰ韻類

獨犴　唐韻云犴 俄寒反又音岸今案和名未詳但本朝式云葦鹿皮獨犴皮云云 … 胡地野犬名也

（元和本倭名類聚抄／巻十八 17 ウ 5）

▶番号0867b「飡」（放飡）の仮名音注「サン」については、基本的に -an で対応する。当該字
には平声濁点を差すので、日本語音韻史上の連濁による字音「ザン」を想定する。その中古音が示
す頭子音 ts'-（等韻学の術語では清母）は無声有気破擦音であり、原則的に日本漢字音ではサ行音
をもって受容する。観智院本類聚名義抄に反切「千安反」を見出す。異体字「飱」には同音字注「音
孫・又餐音」と和音「坐ン」を見つける。仮名音注と共に使用する「坐」は「坐イ・坐ウ・坐フ・
坐ム・坐ン」のように濁音の字音「ザ」を示す。廣韻には「飡：上同（餐）俗作飱」と注記し、相
互に異体字と把握する。承暦本金光明最勝王経音義には「殘ン」（その掲出字に去声点を加える）
と仮名音注「サン」がある。前者は呉音による経本文の読誦音を掲げる同書の本文「得飡法味」に
該当する。法華経読誦音も「ザン」で受容する。日本呉音「サン」および「ザン」去声を認める。

飡 クラフ 物クフ ［平平上］／ナム ハム フサク	（観智院本類聚名義抄／法上 046-7）
飡 餐 或餐 作飡 千安反 … クラフ ［上平平］クフ ［平上］…	（観智院本類聚名義抄／僧上 109-6）
飡 孫音 水澆飢	（観智院本類聚名義抄／法上 009-5）
喰飱 俗或正 音孫 下一 又餐／音 下 クラフ 和坐ン	（観智院本類聚名義抄／僧上 109-5）
餐 … 倉干反	（観智院本類聚名義抄／僧上 109-5）
坐 徐果 ［□上］反 キル ［上上］… 和サア ［□平：墨点］	（観智院本類聚名義抄／法中 067-4）
座 音坐 ［平濁］キモノヒキ／ナリ	（観智院本類聚名義抄／法下 105-1）
飡 ［去］殘ン	（承暦本金光明最勝王経音義／10 オ 5）
飡 サン〔＊後筆墨書入］	（承暦本金光明最勝王経音義／10 ウ 1）
サム ［濁□］… 残 ［去濁］竄 ［去濁］飡 ［去濁］已上／舌	（永正十七年本法華經音義／11 ウ 4）
飡 ［去濁：縦複点］七安反説文云食吞／也 作餐矣	（醍醐寺本妙法蓮華經釋文／中巻 25 ウ 2）

▶番号3257b「殘」（用殘）の仮名音注「セン」については、異例 -en を示す。当該字には平声
濁点を差すので、日本語音韻史上の連濁による字音「ゼン」を想定する。その中古音が示す頭子音
dz-（等韻学の術語では歯音濁従母）は有声破擦音であり、原則的に日本漢字音ではザ行音をもって
受容するが、濁音声母の無声化を反映する場合は日本語のサ行音で対応する。観智院本類聚名義抄
に「在安反」および濁音を含む低平調を示す和音「サン」と低平調を示す「セン」を見出す。後者
の字音「セン」は同じ諧声符を持つ精母先韻（tsen¹）所属字「牋・幟・淺・濺・籛」からの類推に
よるか。日本呉音「ザン・セン」平声を認める。

殘 在安反 ソコナフ ［平平上平］… 和サン ［平濁平］セン ［平平］

（観智院本類聚名義抄／法下 133-4）

▶番号1584b「壇」（登壇）の仮名音注「タン」については、基本的に -an で対応する。当該字
には平声濁点を差すので、字音「ダン」を想定する。その中古音が示す頭子音 d-（等韻学の術語で

は舌音濁定母）は有声歯茎閉鎖音であり、原則的に日本語のダ行音をもって受容するが、濁音声母の無声化を反映する場合はタ声行音で対応する。図書寮本類聚名義抄に平声点を付した同音字注「音但」と注記「川云俗云卒音之濁」を見出す。観智院本には同音字注「音但」と「俗云卒／音之濁」（和訓「アキラカナリ」を挿んで分断する。倭名類聚抄の引用）を見つける。字音として「ダン」を想定する。元和本倭名類聚抄には反切「達丹反」と「俗云本音之濁」を見つける。長承本蒙求には仮名音注「タゝ」があり、その掲出字に平声点を加える。日本漢音「タン」平声、定着久しい字音「ダン」を認める。

壇 音但 [平] 弘云堂也 川云俗云／卒音之濁 　　　　　　　　（図書寮本類聚名義抄／224-4）

壇 音但 ニハ トコロ ハシ 俗云卒／アキラカナリ 音之濁 　　（観智院本類聚名義抄／法中067-2）

壇 [平] タゝ 　　　　　　　　　　　　　　　　　　　　　（長承本蒙求／074）

壇 考聲切韻云壇 達丹反俗云本音之濁 　　　　　　　　　（元和本倭名類聚抄／巻十12オ5）

▶番号1439b「檀」（石檀）の仮名音注「タン」については、基本的に -an で対応する。当該字には平声点を差す。その中古音が示す頭子音 d-（等韻学の術語で言う舌音濁定母）は有声歯茎閉鎖音であり、日本語のダ行音をもって受容するが、濁音声母の無声化を反映する場合は日本語のタ行音で対応する。熟字1439「石檀」は右注「トネリコノキ」左注「又タンノキ［平平平平］」を付載する。観智院本類聚名義抄は熟字「栴檀」に同音字注「仙壇」と「俗云セムタム［平上上濁上］下和名」および上昇調を示す和音「タン」を見出す。また熟字「石檀」に「一云タムキ［上上□］」も見つける。元和本倭名類聚抄には和名「一云太無乃木」がある。定着久しい字音「ダム」上声、日本呉音「タン」去声を認める。

栴檀 仙壇二音 俗云セムタム［平上上濁上］下和名 和タン［平上］／マユミ［上平上］…

　　　　　　　　　　　　　　　　　　　　　　　　　（観智院本類聚名義抄／佛下本083-3）

石檀 トネリノコキ［平平上□上□□］一云タムキ［上上□］／タモノキ［上上□□］

　　　　　　　　　　　　　　　　　　　　　　　　　（観智院本類聚名義抄／佛下本083-4）

石檀 蘇敬本草云秦皮一名石檀 和名止禰利古乃木 一云太無乃木 葉似檀故以名之

　　　　　　　　　　　　　　　　　　　　　　　　　（元和本倭名類聚抄／巻二十28ウ1）

▶番号0709「弾」の仮名音注「タン」については、基本的に -an で対応する。当該字に声点はなく、右注「ハシク」左注「弾丸」〔弾弓の誤認か〕を付載する。廣韻に拠れば、、当該字「弾」は寒／翰韻（dɑn[1/3]）の両声調を有する。その中古音が示す頭子音 d-（等韻学の術語では定母）は有声閉鎖音であり、日本語のダ行音をもって受容するが、濁音声母の無声化を反映する場合は日本語のタ行音で対応する。観智院本類聚名義抄に同音字注「音丹・又去声」と平声点を付した和音「單」を見出す。同書では熟字「彈弓」に「俗タンクウ［平濁平上濁上］」を見つける。元和本倭名類聚抄には反切「徒丹反去声」と「彈弓俗音暖宮」を見つける。長承本蒙求には仮名音注「タ✓・タゝ」があり、両掲出字に平声点を加える。日本漢音「タン」平/去声、日本呉音は平声、定着し久しい字

108 3. 仮名音注の韻母別考察 3-1 Ⅰ韻類

音「ダン」平声を認める。

　　　弓彈 或正 音丹 又去声 ハシク［平平濁上］ … 和單［平］　　　　（観智院本類聚名義抄／僧中023-8）

　　　彈弓 俗タンクウ［平濁平上濁上］　　　　　　　　　　　　　　（観智院本類聚名義抄／僧中024-1）

　　　彈［平］タム　　　　　　　　　　　　　　　　　　　　　　　　　　　（長承本蒙求／061）

　　　彈［平］タゝ　　　　　　　　　　　　　　　　　　　　　　　　　　　（長承本蒙求／073）

　　　彈弓　唐韻云彈 徒лл反去声彈弓俗音暖宮 放丸弓也 …　　（元和本倭名類聚抄／巻十三12ウ3）

　▶番号0971・1037b・1038b・1049a「丹」（丹・牡丹・牡丹・牡穴）の仮名音注「タン」については、基本的に -an で対応する。当該諸字四例には平声点を差す。番号0971「丹」は左注「ニ」を付載する。観智院本類聚名義抄に平声点を付した同音字注「音單」を見出す。長承本蒙求には「タゝ・タ✓」があり、両掲出字に東声点を加える。長承本蒙求の平安時代院政期長承三年（1134）の墨点では舌内撥音韻尾 -n を「ゝ・✓」両表記で示すことがある。元和本倭名類聚抄には反切「都寒反」を見つける。日本漢音「タン」東声（四声体系では平声）を認める。

　　　丹 音單［平］ ニ［平］／アカシ［上上□］　丹 正　　　（観智院本類聚名義抄／佛下本004-8）

　　　丹［東］タゝ　　　　　　　　　　　　　　　　　　　　　　　　　　（長承本蒙求／050）

　　　丹［東］シウ／タ✓ イ本　　　　　　　　　　　　　　　　　　　　（長承本蒙求／052）

　　　牡丹 フカミクサ　　　　　　　　　　　（観智院本類聚名義抄／佛下本005-1）

　　　牡丹　本草云牡丹一名鹿韭 攀有反和名布加美久佐　　（元和本倭名類聚抄／巻二十02オ8）

　　　丹砂　考聲切韻云丹砂 丹音都寒反和名迹　　　　　（元和本倭名類聚抄／巻十三11ウ5）

　▶番号2372b「丹」（黄丹）の仮名音注「タン」については、基本的に -an で対応する。当該字には上声点を差す。熟字2372「黄丹」は左注「御服色也」を付載する。広辞苑第七版は「紅を帯びた梔子色。紅花と梔子の果実とで染めたもの。春宮の袍の地を染めるのに用いた」と説明する。上述の分析を参照。

　▶番号0629c「丹」（汎龍丹）の仮名音注「タン」については、基本的に -an で対応する。当該字に声点はない。熟字0629「汎龍丹」は右注「水調」を付載する。上述の分析を参照。

　　　水調曲 … 汎龍丹　　　　　　　　　　　（元和本倭名類聚抄／巻四16ウ9）

　▶番号3149a「丹」（丹北）の仮名音注「タ」については、異例 -a を示す。当該字に声点はない。熟字3149「丹北」は右傍に仮名音注「タホク」左傍「タチヒ」を付載する。撥音無表記に対応した例と想定する。先行して地名があり、そこに漢字表記を施した工夫したと考える。あるいは字音を活用しているという認識がない可能性もある。元和本倭名類聚抄には「太知比爲丹南爲丹北」を見出す。上述の分析を参照。

　　　丹比 太知比爲丹南爲丹北　　　　　　　　（元和本倭名類聚抄／巻五11オ6）

　▶番号3073b・3129b「郢」（邯鄲・邯鄲歩）の仮名音注「タン」については、基本的に -an で対応する。当該字には平声点を差す。図書寮本類聚名義抄に平声点を付した同音字注「类云 丹音」

を見出す。観智院本類聚名義抄に同音字注「音單」を見つけるが、仮名音注はない。日本漢音は平声を認める。

邯鄲 炎云寒／丹［平平］音 …   （図書寮本類聚名義抄／183-3）

鄲 音單 邯鄲／縣名   （観智院本類聚名義抄／法中032-2）

　▶番号「難」1379b・1890b・2181b・3002b・3069b（反難・沈難・留難・河難・艱難）の仮名音注「ナン」については、基本的に -an で対応する。当該諸字五例には平声点を差す。廣韻に拠れば、寒/翰韻（nɑn$^{1/3}$）の両声調を有する。図書寮本類聚名義抄に反切「中云乃干」（その東声点位置に仮名音注「カン」）を見出す。観智院本には注記「去声」と低平調と上昇調を示す和音「ナン」を見つける。その和音「ン」部分には平声点と上声点（東声点とも見えるが、仮名音注に東声点を差すことは考えにくい）を差す。日本漢音は去声、日本呉音「ナン」平/去声を認める。

難陁 中云／乃干［カン：徳声点位置］茲云㐫 …   （図書寮本類聚名義抄／194-4）

難 カタシ［上上平］… 去声 … 和ナン［平平・平上］   （観智院本類聚名義抄／僧中136-4）

　▶番号2483b「蘭」（芃蘭）の仮名音注「ラン」については、基本的に -an で対応する。当該字には平声点を差す。熟字2483「芃蘭」は右注「カ〻ミ」を付載する。観智院本類聚名義抄に同音字注「音闌」を見出す。長承本蒙求は掲出字「蘭」に平声点を加える。元和本倭名類聚抄には同音字注「闌」がある。日本漢音は平声を認める。

蘭 音闌 フチハカマ［上上濁上濁□□］… エラフ［平上□］ （観智院本類聚名義抄／僧上016-3）

蘭 ［平］   （長承本蒙求／104）

蘭　兼名苑云蘭一名蕙 蘭蕙二音和名本草云布知波賀萬 …

　　　　　　　　　　　　　　　　　　　　　　　　　（元和本倭名類聚抄／巻二十01ウ2）

芃蘭 カ〻ミ［平平濁上］上音丸 草名 …   （観智院本類聚名義抄／僧上016-5）

芃蘭　本草云藘摩子一名芃蘭 上音丸和名加加美   （元和本倭名類聚抄／巻二十13オ9）

　▶番号0320b（椅蘭）の仮名音注「ラン」については、基本的に -an で対応する。当該字には上声点を差す。上述の分析を参照。

　▶番号0487a「欄」（欄楯）の仮名音注「ラン」については、基本的に -an で対応する。当該字には平声点を差す。熟字0487「欄楯」は右注「ハシラヌキ」を付載する。観智院本類聚名義抄に平声点と去声点を付した同音字注「蘭」を見出すが、仮名音注はない。元和本倭名類聚抄に借字「波之良沼岐」がある。日本漢音は平/去声を認める。

欄 音蘭［平・去］木／マセ［平平］ハシラヌキ   （観智院本類聚名義抄／佛下本110-3）

欄 ハシラヌキ［平平平□□］   （観智院本類聚名義抄／佛下本110-3）

欄楯　辨色立成云欄楯 波之良沼岐   （元和本倭名類聚抄／巻十11オ5）

　▶番号2448b「欄」（檻欄）の仮名音注「ラン」については、基本的に -an で対応する。当該字に声点はない。上述の分析を参照。

110　3．仮名音注の韻母別考察　3-1　Ⅰ韻類

《下巻 寒韻諸例》

▶番号4078a・4079a・4115a・4381a・4389a・3723b・6013b「安」（安福殿・安衆房・安楷榴・安置・固安・永安）の仮名音注「アン」については、基本的に -an で対応する。当該諸字七例には平声点を差す。上巻の寒韻当該諸例で分析したように、日本漢音「アン」東声（四声体系では平声）日本呉音は去声を認める。

　　　安福殿 西之南一　　　　　　　　　　　　　　　　（元和本倭名類聚抄／巻十02ウ1）
　　　安衆坊 七條東鴻臚館在此坊　　　　　　　　　　　（元和本倭名類聚抄／巻十05ウ1）
　　　楷榴 音留［平］若榴 安若榴 和名 サクロ［平濁平上］…　（観智院本類聚名義抄／佛下本104-4）
　　　石榴　兼名苑云若榴一名安若榴 音留和名佐久呂今案若正作楛見四声字苑
　　　　　　　　　　　　　　　　　　　　　　　　　　（元和本倭名類聚抄／巻十七07ウ5）

▶番号4357a・4359a・4382a「安」（安居・安堵・安穏）の仮名音注「アン」については、基本的に -an で対応する。当該諸字三例には去声点を差す。上述の分析を参照。

▶番号4421a「安」（安主）の仮名音注「アン」については、基本的に -an で対応する。当該字に声点はない。上述の分析を参照。

▶番号4399a・4401a・4407a・4409a・4424a・4426a・5930a・5932a「安」（安房・安房・安藝・安藝・安倍・安曇・安曇・安藝）の仮名音注「ア」については、異例 -a を示す。当該諸字八例に声点はない。番号4424a・4426aは姓氏部、それ以外は國郡（国郡）部に属す。これらは定着久しい字音の把握であり、漢字表記の以前から固有名詞としては存在していたと推測する。上述の分析を参照。

　　　東海國第五十三／伊賀 以加 … 安房 阿八　　　　（元和本倭名類聚抄／巻五08ウ7）
　　　信濃國 … 安曇 阿都之　　　　　　　　　　　　　（元和本倭名類聚抄／巻五17オ4）

▶番号4584「竿」（竿）の仮名音注「ウ」については、異例 -u を示す。当該字には平声点を差し、右注「サヲ」中注「古寒反」左注「漁竿釣竿竹竿也」を付載する。これは諸声符「干」（寒韻 kɑnˈ）を「于」（虞韻 ɣiuʌˈ）と誤認した諸声符読みである。上巻の寒韻当該例で分析したように、日本漢音「カン」東声（四声体系では平声）を認める。

▶番号5080b「寒」（飢寒）の仮名音注「カン」については、基本的に -an で対応する。上巻の寒韻当該諸例で分析したように、日本漢音は平声、日本呉音「カン」を認める。

▶番号3421・4806a「寒」（寒・寒川）の仮名音注「カン」については、基本的に -an で対応する。両当該字に声点はない。番号3421「寒」は右注「コヨシモノ」を付載する。元和本倭名類聚抄には借字「古與之毛乃」がある。熟字4806「寒川」は右傍「カンカハ」〔＊「サムカハ」の誤認か〕を付載する。元和本倭名類聚抄に借字「佐無加波」を見つける。上述の分析を参照。

寒　文選云寒鶴蒸麕 師説寒讀古與之毛乃此間云迩古與春　　（元和本倭名類聚抄／巻十六20オ3）

讃岐國 … 寒川 佐無加波　　　　　　　　　　　　　　（元和本倭名類聚抄／巻五25ウ1）

▶番号4883「肝」の仮名音注「カン」については、基本的に *-an* で対応する。当該字には平声点を差し、右注「キモ」を付載する。上巻の寒韻当該諸例で分析したように、日本漢音「カン」平声を認める。

▶番号6849b「干」（水干）の仮名音注「カン」については、基本的に *-an* で対応する。当該字に声点はない。上巻の寒韻当該諸例で分析したように、日本漢音「カン」東声（四声体系では平声）を認める。

▶番号4185「汗」（汗）の仮名音注「カン」については、基本的に *-an* で対応する。当該字には平声点と去声点を差し、右注「アセ」左注「人身上熱汁也」右傍「ヲ」（当該字を「汙」と誤認した仮名音注）を付載する。廣韻に拠れば、匣母寒韻（ɣɑn¹）見母寒韻（kɑn¹）匣母翰韻（ɣɑn³）三音であり、平声と去声の両声調を有する。上巻の寒韻当該例で分析したように、日本呉音「カン」去声を認める。

▶番号4137a「汗」（汗構）の仮名音注「カン」については、基本的に *-an* で対応する。当該字には去声点を差す。熟字4137「汗構」は右注「アセミゾ」左注「馬汗構」を付載する。元和本倭名類聚抄には借字「俗云阿世美蘓」を見出す。上述の分析を参照。

汗溝　李緒曰汗溝欲深 汗溝俗云阿世美蘓　　　　　　　　　　　　　　（14オ6）

▶番号4784a「珊」（珊瑚）の仮名音注「サン」については、基本的に *-an* で対応する。当該字には平声点を差す。図書寮本類聚名義抄に東声点を付した同音字注「川云刪」を見出す。観智院本類聚名義抄に同音字注「音刪」を見出す。また熟字「珊瑚」には同音字注「刪胡二音」と「俗サムコ［平平上濁］」がある。元和本倭名類聚抄には同音字注「刪胡二音」を見つける。日本漢音は東声（四声体系では平声）定着久しい字音「サム」平声を認める。

珊瑚 川云刪胡［東平濁］二音 俗云／珊音如疎 … 東云又［入：右注］…

　　　　　　　　　　　　　　　　　　　　　　　　　（図書寮本類聚名義抄／159-2）

珊 音刪 珠名　珊 正／ソヨメク　　　　　　　　（観智院本類聚名義抄／法中014-7）

珊瑚 刪胡二音 俗サムコ［平平上濁］…　　　　　（観智院本類聚名義抄／法中014-8）

珊瑚　説文云珊瑚 刪胡二音 …　　　　　　　（元和本倭名類聚抄／巻十一18ウ9）

▶番号4574a「珊」（珊瑚）の仮名音注「サン［平平］」については、基本的に *-an* で対応する。当該字には平声点を差し、仮名音注には平声相当の低平調を示す声点を付載する。上述の分析を参照。

▶番号5218a「珊」（珊瑚）の仮名音注「サン」については、基本的に *-an* で対応する。当該字に声点はない。上述の分析を参照。

▶番号6062b「檀」（白檀）の仮名音注「タン」については、基本的に *-an* で対応する。当該字

112　3．仮名音注の韻母別考察　3-1　Ｉ韻類

には平声濁点を差すので、字音「ダン」を想定する。熟字6062「白檀」は右注「ヒヤクタン俗」中左注「栴檀百者白檀」を付載する。上巻の寒韻当該例で分析したように、定着久しい字音「ダム」上声と日本呉音「タン」去声を認める。

▶番号5289b・6505b「檀」（紫檀・栴檀）の仮名音注「タン」については、基本的に -an で対応する。両当該字には平声点を差す。上述の分析を参照。

▶番号5098b「弾」（糾弾）の仮名音注「タン」については、基本的に -an で対応する。当該字には平声濁点を差すので、字音「ダン」を想定する。上巻の寒韻当該例で分析したように、日本漢音「タン」平声と去声、日本呉音は平声、定着し久しい字音「ダン」平声を認める。

▶番号4028b・4090a「丹」（傳丹・丹黍）の仮名音注「タン」については、基本的に -an で対応する。両当該字には平声点を差す。上巻の寒韻当該諸例で分析したように、日本漢音「タン」東声（四声体系では平声）を認める。

▶番号5253b・6158a「單」（油單・單衣）の仮名音注「タン」については、基本的に -an で対応する。両当該字には平声点を差す。廣韻に拠れば、寒韻 (tɑn¹) 仙/獮/線韻 (ʑian¹²/³) 四音を有する。熟字5253「油單」は右注「ユタン俗」を、熟字6158「單衣」は右注「ヒトヘキヌ」左注「都寒反」を付載する。観智院本類聚名義抄に同音字注「音善」と平声を付した同音字注「又丹」を見出す。長承本蒙求には仮名音注「タヽ」があり、その掲出字に東声点を加える。日本漢音「タン」東声（四声体系では平声）を認める。

　　單 今單字 音善 又丹 ［平］ヒトヘニ …　　　　　　　（観智院本類聚名義抄／佛中 032-8）

　　單 ［東］タヽ　　　　　　　　　　　　　　　　　　　（長承本蒙求／041）

▶番号4661b「嘆」（讃嘆）の仮名音注「タン」については、基本的に -an で対応する。当該字には平声濁点を差すので、日本語音韻史上の連濁による字音「ダン」を想定する。廣韻に拠れば、寒/翰韻 (t'ɑn¹/³) の二音を有する。観智院本類聚名義抄に平声点と去声点を付した同音字注「音歎」を見出す。古体「歎」は同音字注「音炭」（翰韻 t'ɑn³）と反切「又他丹反」（寒韻 t'ɑn¹）および低平調と推測する和音「タン」を見つける。日本漢音は平/去声、日本呉音「タン」平声を認める。

　　嘆 音歎 ［平・去］ナケク ［□平濁□］／古歎 ホム ［平上］　（観智院本類聚名義抄／佛中 029-2）

　　歎 … 音炭 又他丹反 ホム ［平上］… 和タン ［□平］　　（観智院本類聚名義抄／僧中 046-5）

▶番号5348a「殫」（殫誕）の仮名音注「タン」については、基本的に -an で対応する。当該字には平声点を差す。廣韻に拠れば、寒韻 (t'ɑn¹) 先韻 (den¹) を有する。熟字5348「殫誕」は右注「シタツキ」左注「語不正也」を付載する。観智院本類聚名義抄に同音字注「音田」（先韻 den¹）と平声点を付した「又音灘」（寒韻 t'ɑn¹）を見出すが、仮名音注はない。元和本倭名類聚抄には同音字注「灘」がある。日本漢音は平声を認める。

　　殫 音田 又音灘 ［平］シタツキ ［平平□□］／殫誕 シタツキ　（観智院本類聚名義抄／佛中 025-5）

　　誕 音天 ［平］シタツキ　　　　　　　　　　　　　　　（観智院本類聚名義抄／佛中 025-5）

　　譂誕　張揖云譂誕 灘天二音之多都岐 舌不正也　　　　　　　　（元和本倭名類聚抄／20 オ 1）

▶番号 6486「灘」の仮名音注「タン」については、基本的に *-an* で対応する。当該字には平声点を差す。廣韻に拠れば、透母寒韻（tʻɑn¹）匣母旱韻（ɣɑn²）暁母翰韻（xɑn³）泥母翰韻（nɑn³）の四音を有する。図書寮本類聚名義抄に平声点を付した同音字注「音嘆」と反切「又奴旦反」（その反切下字に去声点）さらに「又呼旱反」を見出す。観智院本には平声点を付した同音字注「歎」を見出すが、仮名音注はない。日本漢音は平声を認める。

　　河灘 音嘆［平］… 又奴旦［□去］反 … 又呼旱反 …　　　　　（図書寮本類聚名義抄／015-1）

　　灘 音歎［平］セ［上］　　　　　　　　　　　　　　　　（観智院本類聚名義抄／法上 004-4）

▶番号 4692b・5602b「難」（災難・障難）の仮名音注「ナン」については、基本的に *-an* で対応する。両当該字には平声点を差す。上巻の寒韻当該諸例で分析したように、日本漢音は去声、日本呉音「ナン」平/去声を認める。

▶番号 4102a・4103b・4455b・5677b「蘭」（蘭蒿・澤蘭・澤蘭・芝蘭）の仮名音注「ラン」については、基本的に *-an* で対応する。当該諸字四例には平声点を差す。熟字 4102「蘭蒿」は右注「アラヽキ」左傍「アラヽキ」を、熟字 4103「澤蘭」は右注「アカマクサ［上上上上平］」左注「又サワアラヽキ［上上上上上平］」を、熟字 4455「澤蘭」は右中注「サハアラ／ラキ」左注「又アカマクサ」を付載する。熟字 5677「芝蘭」は師篇疊字部の朋友部に属し、人格者や徳ある君子の譬えを指す。上巻の寒韻当該諸例で分析したように、日本漢音は平声を認める。

　　蘭蒿草 アラヽキ［平上□□］　　　　　　　　　　　　（観智院本類聚名義抄／僧上 004-1）

　　蘭蒿 アラヽキ 下音隔 フノリ／又音歴 …　　　　　　　（観智院本類聚名義抄／僧上 016-5）

　　澤蘭 サハアラヽキ［上上上上上平濁］／アカマクサ［上上上上濁平］

　　　　　　　　　　　　　　　　　　　　　　　　　　（観智院本類聚名義抄／僧上 016-4）

　　蘭蒿　養生祕要云蘭蒿 音隔和名阿良々木（元和本倭名類聚抄／巻十六 23 オ 3）

　　澤蘭　陶隠居本草注云澤蘭 和名佐波阿良々木一云阿加末久佐

　　　　　　　　　　　　　　　　　　　　　　　　　　（元和本倭名類聚抄／巻二十 06 ウ 5）

▶番号 6403b「蘭」（林蘭）の仮名音注「ラン［平平］」については、基本的に *-an* で対応する。当該字の仮名音注は平声相当の低平調を示す声点を差す。熟字 6403「林蘭」は右傍「モクラン」右注「モチツヽチ」を付載する。観智院本類聚名義抄に仮名音注「モクラニ［平平□□］」を見出す。中古音が示す舌内撥音韻尾 -n を「ニ」と受容する。元和本倭名類聚抄には和名「毛久良迩」がある。すでに定着久しい字音で、あるいは和訓と認識していたか。上述の分析を参照。

　　木蘭 モクラニ［平平□□］　　　　　　　　　　　　　（観智院本類聚名義抄／僧上 004-1）

　　木蘭　本草云木蘭一名林蘭 和名毛久良迩　　　　　　（元和本倭名類聚抄／巻二十 29 ウ 7）

《上巻 旱韻諸例》

114　3．仮名音注の韻母別考察　3-1　Ⅰ韻類

▶番号2916a・2917a「旱」（旱魃・旱潦）の仮名音注「カン」については、基本的に -an で対応
する。両当該字には去声点を差すが、それらの中古音は喉音濁匣母旱韻上声（ɣɑn²）である。切韻
を撰述して以降の中国語において、上声濁が次第に去声化を起こした状態を反映したものと認める。
これは上声を構成する上声軽と上声重とが allotone であり、後者の調値が去声と区別できないこ
とを示すとも言える。観智院本類聚名義抄に反切「胡誕反」（その反切下字に上声点）を見出すが、
仮名音注はない。日本漢音は上声を認める。

　　　旱 胡誕［□上］反 ヒテリ［上声濁□］／ヒテツス［上上濁］　　　（観智院本類聚名義抄／佛中 091-8）

▶番号2992b「散」（閑散）の仮名音注「サン」については、基本的に -an で対応する。当該字に
は去声点を差す。廣韻に拠れば、旱/翰韻（sɑn²³）の二音を有する。観智院本類聚名義抄に去声点を
付した同音字注「傘」（その右傍に仮名音注「サン」）と「又上声」を見出す。承暦本金光明最勝
王経音義には仮名音注「サン」がある。日本漢音「サン」去/上声、日本呉音「サン」を認める。

　　　散 … 音傘［去／サン：朱右傍］／又上声 ホトコス …　　　（観智院本類聚名義抄／僧中 059-4）
　　　散 サン〔＊後筆墨書入〕　　　　　　　　　　　　　　　（承暦本金光明最勝王経音義 09 オ 6）

▶番号0866b「散」（放散）の仮名音注「サン」については、基本的に -an で対応する。当該字に
は平声濁点を差すので、日本語音韻史上の連濁による字音「ザン」を想定する。上述の分析を参照。

▶番号2632a・3138a「襢」（襢裼・襢裼）の仮名音注「タン」については、基本的に -an で対
応する。両当該字には去声点を差すが、それらの中古音は舌音濁定母旱韻上声（dɑn²）を示す。切
韻を撰述して以降の中国語において上声濁は次第に去声化を起こす。その状態を日本漢音では反映
したものと認める。これは上声を構成する上声軽と上声重とが allotone であり、後者の調値が去
声と区別できないことを示すとも言える。両熟字 2632・3138「襢裼」は右注「カタヌク」を付載
する。観智院本類聚名義抄に反切「竹扇反」（知母仙/線韻に相当）を見出すが、仮名音注はない。

　　　襢 竹扇反 王妃衣 … カタヌク［平平上平濁］　　　　　　（観智院本類聚名義抄／法中 141-2）
　　　裼 音錫［入］王妃衣 … カタヌク［平平□□］…　　　　　（観智院本類聚名義抄／法中 143-1）

▶番号2306b「疸」（黄疸）の仮名音注「タン」については、基本的に -an で対応する。当該字に
は上声点を差す。廣韻に拠れば、旱/翰韻（tɑn²³）の二音を有する。熟字2306「黄疸」は左注「黄
病也」を付載する。観智院本類聚名義抄に去声点を付した同音字注「音旦」（その右傍に朱筆で仮
名音注「タン」）と「又上平」〔＊又上平か〕を見出す。元和本倭名類聚抄に同音字注「音旦」がある。
日本漢音「タン」上/去声を認める。

　　　疸 … 音旦［去／タン：朱右傍］… キハム［上上濁上］ヤマヒ／又上平

　　　　　　　　　　　　　　　　　　　　　　　　　　　　（観智院本類聚名義抄／法下 114-1）
　　　黄疸　病源論云黄疸 音旦一云黄病岐波無夜萬比 …　　　（元和本倭名類聚抄／巻三 24 オ 1）

3-1-1　-ɑ 系の字音的特徴　115

《下巻　旱韻諸例》

▶番号 6212「暯」の仮名音注「カン」については、基本的に *-an* で対応する。当該字に声点は
なく、和訓「ヒル［平平］」の同訓異字として位置する。廣韻に拠れば、旱/翰韻（xɑn²³）の二音を
有する。観智院本類聚名義抄に同音字注「音漢」を見出すが、仮名音注はない。直後に「映暎」を
俗字として掲げるので、当該字「暯」と相互に異体字であるが、字音は異なる。

　　　暯 音漢 カヽヤク／サラス 映暎 俗　　　　　　　　　　　（観智院本類聚名義抄／佛中 091-5）

　　　映暎 於敬反 … ヒル［上平］和エイ［平上］アフ［平平］　（観智院本類聚名義抄／佛中 091-5）

▶番号 4543a・4583a「散」（散手破陣樂・散豆）の仮名音注「サン」については、基本的に *-an* で対応する。両当該字には上声点を差す。上巻の旱韻当該諸例で分析したように、日本漢音「サ
ン」去/上声、日本呉音「サン」を認める。

　　　道調曲 … 散手破陣樂 俗云散手 …　　　　　　　　　　（元和本倭名類聚抄／巻四 15 ウ 8）

▶番号 4680a・5889b「散」（散斑・聚散）の仮名音注「サン」については、基本的に *-an* で対
応する。両当該字には去声点を差す。熟字 4680「散斑」は左注「散位也」を付載する。熟字 5889
「聚散」の右注「シユサン」は摺り消し跡がある。上述の分析を参照。

▶番号 3987b・4655a・4669a「散」（逃散・散齊・散花）の仮名音注「サン」については、基
本的に *-an* で対応する。当該諸字三例には平声点を差す。熟字 4669「散花」の右注「サンケ」は
摺り消し跡がある。上述の分析を参照。

▶番号 4531a・4557a「散」（散樂・散飯）の仮名音注「サン［平平］」については、基本的に
-an で対応する。両当該字の仮名音注に平声相当の低平調を示す声点を差す。上述の分析を参照。

▶番号 4623「散」（散）の仮名音注「サン［去平］」については、基本的に *-an* で対応する。
当該字は右注「サンス［去平上濁］」〔＊仮名音注に去声点を差すことは稀少〕サ変動詞と左注「蘇汗反」
（心母翰韻 sɑn³）を付載する。当該字「散」が去声であることを示すか。上述の分析を参照。

▶番号 4634a・4634b・4763a・4764a・4825a「散」（散ゝ・散ゝ・散用・散在・散仕）の仮
名音注「サン」については、基本的に *-an* で対応する。当該諸字五例に声点はない。上述の分析を
参照。

▶番号 6189b「繖」（屛繖）の仮名音注「サン」については、基本的に *-an* で対応する。当該字
には上声濁点を差すので、日本語音韻史上の連濁による字音「ザン」を想定する。図書寮本類聚名
義抄に平声点を付した同音字注「川云音与散同」と「弘云尒尓反」〔＊「サニ」相当か〕および「真云
散音」を見出す。観智院本には同音字注「散」を見つけるが、仮名音注はない。元和本倭名類聚抄
に同音字注「散」がある。日本漢音は平声を認める。

　　　繖 川云音与散［平］同 … 广云盖也 弘云/尒尓反 … 真云散音　（図書寮本類聚名義抄／318-6）

　　　繖 音散 キヌ［平上］カサ［平上］… 或傘　　　　　　（観智院本類聚名義抄／法中 135-6）

116　3．仮名音注の韻母別考察　3-1　Ⅰ韻類

　　繖〔＊夊←夋〕思爛反 盖　　　　　　　　　　　　　（高山寺本篆隷萬象名義／第六帖142-2）
　　屛繖 唐令云腰一吹大繖四 繖音散 本朝式云屛繖　　　（元和本倭名類聚抄／巻十四03 オ1）
　▶番号4891b「疸」（黄疸）の仮名音注「タン」については、基本的に -an で対応する。当該字
に声点はない。上巻の旱韻当該例で分析したように、日本漢音「タン」去/上声を認める。
　▶番号5056b「誕」（虚誕）の仮名音注「タン」については、基本的に -an で対応する。当該字
には平声点を差す。中古音が示す頭子音 d-（等韻学の述語で言う舌音濁定母）は有声歯茎閉鎖音で
あり、原則的に日本語のダ行音をもって受容するが、中国語音韻史上における濁音声母の無声化を
反映する場合はタ行音をもって対応する。観智院本類聚名義抄に同音字注「音但・又延音俗」と和
音「又平」を見出すが、仮名音注はない。傍証ながら、同書で「但」を再検索すると、同音字注「憚」
（その右傍に朱筆で仮名音注「タム」）と平声相当の低平調を示す和音「タン」（その右傍に墨筆
で濁音「✓」表記）を見つける。承暦本金光明最勝王経音義には同音字注「短音」があり、その掲
出字「誕」には平声点を差す。日本呉音は平声を認める。
　　誕 音但 又延音俗 サカル［上上□］… 和又平　　　（観智院本類聚名義抄／法上053-7）
　　但 音憚［タム：朱右傍］タヽシ［平去濁平］… 和タン［平平／✓□：墨右傍］
　　　　　　　　　　　　　　　　　　　　　　　　　（観智院本類聚名義抄／佛上031-6）
　　誕［平］短、／牟末留　　　　　　　　　　　（承暦本金光明最勝王経音義06 ウ5）

《上巻 翰韻諸例》

　▶番号1897b「案」（長案）の仮名音注「アン」については、基本的に -an で対応する。当該字
には平声点を差す。観観智院本類聚名義抄に平声点と去声点を付した同音字注「按」を見出すが、
仮名音注はない。日本漢音は平/去声を認める。
　　案 音按［平・去］カムカフ［平平上濁平］…　　　　（観智院本類聚名義抄／佛下本111-3）
　▶番号2939a「幹」（幹了）の仮名音注「カン」については、基本的に -an で対応する。当該字
には去声濁点を差すので、字音「ガン」を想定する。その中古音が示す頭子音 k-（等韻学の術語で
言う牙音清見母）は無声無気軟口蓋閉鎖音であるから、日本語のカ行音をもって受容する。ガ行音
で対応する理由は不明。あるいは「翰」（匣母濁翰韻 ɣɑn³）との混同による字音把握か。元和本倭
名類聚抄には同音字注「翰」がある。観智院本類聚名義抄に反切「工旦反」および上昇調を示す和
音「カン」を見出す。日本呉音「カン」去声を認める。
　　幹 工旦反 カラ［上平］… 和カン［平上］　　　　　（観智院本類聚名義抄／法下142-5）
　　枝條 … 纂要云大枝曰幹 音翰和名加良 …　　　　　（元和本倭名類聚抄／巻二十32 オ4）
　▶番号2081b「幹」（吏幹）の仮名音注「カン」については、基本的に -an で対応する。当該字
には平声点を差す。上述の分析を参照。

▶番号0864b「漢」（半漢）の仮名音注「カン」については、基本的に -an で対応する。当該字には平声点を差す。熟字0864「半漢」は左注「イサムナリ」を付載する。観智院本類聚名義抄に反切「呼幹反」と和音「平」を見出す。長承本蒙求には仮名音注「カ〻」三例があり、それら掲出諸字に去声点を加える。日本漢音「カン」去声、日本呉音は平声を認める。

漢 呼幹反 ソラ／トホル キヨシ 和平　　　　　　（観智院本類聚名義抄／法上006-8）

半漢 イサム［平上□］　　　　　　　　　　　　　（観智院本類聚名義抄／法上006-8）

漢［去］カ〻　　　　　　　　　　　　　　　　　（長承本蒙求／013・097・123）

▶番号1510「鞁」の仮名音注「カン」については、基本的に -an で対応する。当該字には去声点を差し、右注「トモ」左注「射具也」を付載する。その直下には掲出字「鞀」を掲げ、右注「トモ」左注「俗用之」を付載する。観智院本類聚名義抄に同音字注「音旱」（匣母濁旱韻 ɣɑn²）を見出すが、仮名音注はない。元和本倭名類聚抄には同音字注「旱」がある。切韻を撰述して以降の中国語においては上声濁が次第に去声化を起こした。これを日本漢音では反映したものと認める。これは上声を構成する上声軽と上声重とが allotone であり、後者の調値が去声と区別できないことを示すとも言える。

鞁 音旱 トモ［平上］〔＊東上にも見える〕　　　（観智院本類聚名義抄／僧中071-6）

鞁　蔣魴切韻云 音旱和名止毛楊氏漢語抄日本紀等用鞀字俗亦用之本文未詳 …

　　　　　　　　　　　　　　　　　　　　　　　（元和本倭名類聚抄／巻四03オ3）

▶番号2838「扞」の仮名音注「カン」については、基本的に -an で対応する。当該字には去声点を差し、和訓「カムカフ」の同訓異字として位置する。観智院本類聚名義抄に同音字注「音汗」を見出すが、仮名音注はない。

扞 … 音汗 マモル 蔽也 拾也 … カムカフ［平上□□］…　（観智院本類聚名義抄／佛下本051-8）

▶番号0540「駻」（駻）の仮名音注「カン」については、基本的に -an で対応する。当該字には去声点を差し、右注「ハネムマ」左注「突悪馬也」を付載する。当該字「駻」（翰韻 ɣɑn³・刪韻 kʼan¹）は「駻」（翰韻 ɣɑn³）と相互に異体字である。観智院本類聚名義抄に去声点を付した同音字注「汗」（寒/翰韻 ɣɑn¹ᐟ³）および上声点を付した同音字注「音旱」（旱韻 ɣɑn²）を見出すが、仮名音注はない。元和本倭名類聚抄には同音字注「音旱」がある。日本漢音は上/去声を認める。

駻駻 或正 音汗［去］… 音/旱［上］ハネムマ［平平平平］　（観智院本類聚名義抄／僧中107-5）

駻馬　孫愐云駻 音汗今案此間云波禰無萬 突悪馬也　　　（元和本倭名類聚抄／巻十一10オ9）

▶番号1810b・2880b「岸」（着岸・涯岸）の仮名音注「カン」については、基本的に -an で対応する。両当該字には去声濁点を差すので、字音「ガン」を想定する。その中古音が示す頭子音 ŋ-（等韻学の術語で言う疑母）は軟口蓋鼻音であり、日本漢字音ではガ行音をもって受容する。熟字2880「涯岸」は右傍「カキリカキル」を付載する。図書寮本類聚名義抄に同音字注「川云音与鴈同」を見出す。観智院本には同音字注「音鴈」を見つけるが、仮名音注はない。

118   3．仮名音注の韻母別考察　3-1　I 韻類

　　　崖岸 … 下 川云音与鴈同 …　　　　　　　　　　　　　　（図書寮本類聚名義抄／138-5）

　　　岸 キシ［平平］タカシ 音鴈 … カタフク［平平□□］　　（観智院本類聚名義抄／法上 111-8）

　　　涯岸　集注云水邊曰涯五佳反涯隙而高曰岸 和名岐之　　（元和本倭名類聚抄／巻一 17 ウ 3）

　▶番号 2410b「粲」（王粲）の仮名音注「サム」については、異例 -am を示す。当該字に声点はない。その中古音が示す末子音の舌内撥音韻尾 -n を「ム」で対応する。観智院本類聚名義抄に反切「且旦反」を見出す。長承本蒙求には仮名音注「サゝ」があり、その掲出字に去声点を加える。日本漢音「サン」去声を認める。

　　　粲然 明良／且旦反　　　　　　　　　　　　　　　　　（観智院本類聚名義抄／法下 037-6）

　　　粲［去］サゝ？〔＊二字目不鮮明〕　　　　　　　　　　　　　　（長承本蒙求／147）

　▶番号 3095b「歎」（感歎）の仮名音注「タム」については、異例 -am を示す。当該字には平声点を差す。その中古音が示す末子音の舌内撥音韻尾 -n を「ム」で対応する。観智院本類聚名義抄に同音字注「音炭」と反切「又他丹反」および低平調と推測する和音「タン」および注記「嘆正」を見出す。当該字「歎・嘆」を相互に異体字とする。同書の掲出字「嘆」には平声点と去声点を付した同音字注「音歎」を見つける。その注記「古歎・ホム」から見て、正字ではなく古体と扱う。日本漢音は平/去声、日本呉音「タン」平声を認める。

　　　歎 … 音炭 又他丹反 ホム［平上］／ナケク［平平濁上］嘆正 和タン［□平］

　　　　　　　　　　　　　　　　　　　　　　　　　　　（観智院本類聚名義抄／僧中 046-4）

　　　嘆 音歎［平・去］ナケク［□平濁□］／古歎 ホム［平上］　（観智院本類聚名義抄／佛中 029-2）

　▶番号 0237b「旦」（一旦）の仮名音注「タン」については、基本的に -an で対応する。当該字には去声点を差す。観智院本類聚名義抄に「呉音但」と去声点を付した同音字注「但」を見出す。その呉音とは大般若経字抄を出典とする漢音二音相同の同音字注「但」である。傍証ながら、同書で「但」を再検索すると、同音字注「憚」（その右傍に朱筆で仮名音注「タム」）と低平調を示す和音「タン」（その右傍に墨筆で濁音「✓」表記）を見つける。長承本蒙求には仮名音注「タゝ」があり、その掲出字に去声点を加える。日本漢音「タン」去声を認める。

　　　旦 呉音但 アシタ／カツ、、　　　　　　　　　　　　（観智院本類聚名義抄／法上 078-4）

　　　旦 音但［去］アシタ［平平平］… ツトメテ　　　　　（観智院本類聚名義抄／佛中 097-5）

　　　但 音憚［タム：朱右傍］… 和タン［平平／✓□：墨右傍］（観智院本類聚名義抄／佛上 031-6）

　　　旦 … 従日一字音但アシタ …　　　　　　（石山寺一切経蔵本大般若経字抄／14 ウ 5）

　　　今旦［但：右傍］…　　　　　　　　　　　（石山寺一切経蔵本大般若経字抄／23 オ 2）

　　　旦［去］タゝ　　　　　　　　　　　　　　　　　　　　　　　（長承本蒙求／019）

　▶番号 1328b「旦」（平旦）の仮名音注「タン」については、基本的に -an で対応する。当該字には平声点を差す。熟字 1328「平旦」は右傍「アケホノ」を付載する。上述の分析を参照。

　▶番号 1671b「炭」（塗炭）の仮名音注「タン」については、基本的に -an で対応する。当該字

には去声点を差す。熟字1671「塗炭」は左注「水火也」を付載する。図書寮本類聚名義抄に同音字注「音歎」（その右傍に仮名音注「タン」）を見出す。観智院本には同音字注「音嘆」を見つける。長承本蒙求には仮名音注「タ丶」があり、その掲出字に去声点を加える。承暦本金光明最勝王経音義には同音字注「但音」があり、その掲出字に平声点を加える。さらに仮名音注「タン音」を見つける。日本漢音「タン」去声、日本呉音「タン」平声を認める。

    炭 音歎［タン：右傍］東云／薪 …　　　　　　　　　　（図書寮本類聚名義抄／140-2）

    炭 音嘆 スミ／アラスミ／可在山部　　　　　　　（観智院本類聚名義抄／佛下末052-8）

    炭［去］タ丶　　　　　　　　　　　　　　　　　　　　　（長承本蒙求／085）

    炭［平］但ミ　　　　　　　　　　　　（承暦本金光明最勝王経音義10ウ1）

    炭 スミ／タン六〔＊後筆墨書入〕　　　　（承暦本金光明最勝王経音義10ウ2）

《下巻 翰韻諸例》

▶番号4338「按」（按）の仮名音注「アン［平平］」については、基本的に -an で対応する。当該字は右注「烏肝反」左注「アンス［平平平］」仮名音注によるサ変動詞を付載する。観智院本類聚名義抄に同音字注「音案」を見出すが、仮名音注はない。

    按 音案 オス … シツカナリ　　　　　　　　　（観智院本類聚名義抄／佛下本074-4）

▶番号4419a「按」（按察使俯）の仮名音注「アン」については、基本的に -an で対応する。当該字に声点はない。上述の分析を参照。

▶番号4292・4337「案」（案・案）の仮名音注「アン［平平］」については、基本的に -an で対応する。両当該字の仮名音注には平声相当の低平調を示す声点を差す。番号4292は右注「アン［平平］音按」左注「几属也」を、番号4337は右注「アンス［平平平］」左注「案曰案罪」を付載する。上巻の翰韻当該例で分析したように、日本漢音は平/去声を認める。

▶番号4383a「案」（案内）の仮名音注「アン」については、基本的に -an で対応する。当該字に声点はない。上述の分析を参照。

▶番号6012b「岸」（遠岸）の仮名音注「カン」については、基本的に -an で対応する。当該字には去声点を差す。上巻の翰韻当該諸例で分析した。

▶番号3875b・4964b「漢」（銀漢・銀漢）の仮名音注「カン」については、基本的に -an で対応する。両当該字には去声点を差す。上巻の翰韻当該諸例で分析したように、日本漢音「カン」去声、日本呉音は平声を認める。

▶番号3639b「捍」（拒捍）の仮名音注「カン」については、基本的に -an で対応する。当該字には上声点を差す。観智院本類聚名義抄に同音字注を見出すが、欠損のため不鮮明である。続けて「々」とあり、その直前に位置する異体字「扞」の同音字注「音汗」を指すか。両者ともに仮名音注はない。

120 　3．仮名音注の韻母別考察　3-1　Ⅰ韻類

　　　扞 … 音汗 マモル 蔽也 拾也／フセク［平平上］…　　　　　（観智院本類聚名義抄／佛下本 051-8）

　　　捍 音□〔＊欠損〕／々 コハム … マモル［平平上］…　　　（観智院本類聚名義抄／佛下本 052-1）

▶番号 3397b「燦」（王燦）の仮名音注「サム」については、異例 -am を示す。当該字には去
声点を差す。その中古音が示す舌内撥音韻尾 -n を「ム」で対応する。観智院本類聚名義抄に同音
字注「音粲」（その右傍に墨筆で仮名音注「サン」）を見出す。日本漢音「サン」を認める。

　　　燦 音粲［サン：墨右傍］　　　　　　　　　　　　　　　（観智院本類聚名義抄／佛下末 052-4）

▶番号 4661a・4676a「讚」（讚嘆・讚佛）の仮名音注「サン」については、基本的に -an で対
応する。両当該字には平声点を差す。図書寮本類聚名義抄に同音字注「音賛」（その去声点位置に
仮名音注「サン」）を見出す。観智院本には去声点を付した同音字注「音賛」を見つける。日本漢
音「サン」去声を認める。

　　　讚嘆 音賛［サン：去声点位置］…　　　　　　　　　　　　（図書寮本類聚名義抄／096-3）

　　　讚 音賛 ホム … 物カタリ タスク　　　　　　　　　　　（観智院本類聚名義抄／法上 048-5）

　　　賛讚 音讚［去］スヽム … 導也　　　　　　　　　　　　　（観智院本類聚名義抄／佛下本 020-7）

▶番号 5904b「讚」（自讚毀他）の仮名音注「サン」については、基本的に -an で対応する。当
該字に声点はない。上述の分析を参照。

▶番号 4805a「讚」（讚岐）の仮名音注「サヌ」については、異例 -anu を示す。熟字 4805「讚
岐」は佐篇國郡部に属する地名「サヌキ」である。先行して存在する地名に漢字表記を与えたと推
測する。定着して久しい字音把握と考える。あるいは字音を活用しているという認識がない可能性
もある。上述の分析を参照。

▶番号 4707b「歎」（嗟歎）の仮名音注「タン」については、基本的に -an で対応する。当該字
には平声点を差す。上巻の翰韻当該例で分析したように、日本漢音は平/去声、日本呉音「タン」平
声を認める。

▶番号 5726b・5745b「歎」（自歎・食歎）の仮名音注「タン」については、基本的に -an で対
応する。両当該字に声点はない。上述の分析を参照。

▶番号 6842・6843a「炭」（炭・炭鉤）の仮名音注「タン」については、基本的に -an で対応
する。両当該字には去声点を差す。番号 6842「炭」は右注「スミ」左注「他旦反」を、熟字 6843
「炭鉤」は右注「スミヤキ」を付載する。上巻の翰韻当該例で分析したように、日本漢音「タン」
去声、日本呉音「タン」平声を認める。

▶番号 6446b「欄」（木欄）の仮名音注「ラン」については、基本的に -an で対応する。当該字
に声点はない。草冠を加えた「蘭」（翰韻 lan³）と相互に異体字である。観智院本類聚名義抄に同
音字注「音瀾之去」（寒/翰韻 lan¹ᐟ³）と和音「乱也」を見出すが、仮名音注はない。傍証ながら、
同書で「乱」を再検索すると、和音「ラン」を見つける。承暦本金光明最勝王経音義には同音字注
「亂音」があり、その掲出字に去声点を加える。日本漢音・日本呉音は去声を認める。

3-1-1 -ɑ 系の字音的特徴　121

爛 音瀾之去 ミタル／タヽル［上上□］… 和乱、　　　　　（観智院本類聚名義抄／佛下末041-8）

爛 俗通 タヽル … ユルフ［平平東］　　　　　　　　　　　（観智院本類聚名義抄／佛下末042-1）

乱亂 上俗下正 郎段反 ミタル［平平□］… 和ラン　　　　　（観智院本類聚名義抄／佛下末013-4）

爛 ［去］亂彡／多彡留　　　　　　　　　　　　　　　　（承暦本金光明最勝王経音義07 オ3）

《上巻 曷韻諸例》

▶番号0572「齃」の仮名音注「アツ」については、基本的に -at で対応する。当該字には入声点を差し、右注「ハナクキ 鼻莖也」左注「又作頞」を付載する。観智院本類聚名義抄には和訓「ハナクキ」のみであるが、異体字「頞」に同音字注「音遏」を見出す。傍証ながら、同書で「遏」を再検索すると、入声点を付した同音字注「閼」と和音「アチ・カチ」を見つける。元和本倭名類聚抄には反切「烏曷反」と注記「亦作頞和名波奈久岐」と「鼻莖也」がある。

　　　齃 ハナクキ　　　　　　　　　　　　　　　　　　（観智院本類聚名義抄／佛中080-6）

　　　頞 正齃［或：右注］音遏／マユアヒ［平上□□］　（観智院本類聚名義抄／佛下本027-2）

　　　遏 音閼［入］トヽム［上上濁□］… 和アチ カチ　（観智院本類聚名義抄／佛上050-8）

　　　齃 説文云齃 烏曷反字亦作頞和名波奈久岐 鼻莖也　　（元和本倭名類聚抄／巻三05 オ1）

▶番号2612b「瘑」（瘠瘑）の仮名音注「カチ」については、基本的に -at で対応する。当該字には入声点を差す。熟字2612「瘠瘑」は左右注「カチノ／ヤマヒ」を付載する。異体字「喝」を含めて、観智院本類聚名義抄に同音字注「音謁・渇」と「烏代反又於歇反」および「俗云カチノヤマヒ」〔*←カタノヤマヒ〕を見出す。元和本倭名類聚抄には同音字注「遏」と借字「加知乃也萬比」がある。定着久しい字音「カチ」を認める。

　　　瘑 … 喝正／音謁 傷熱　　　　　　　　　　　　（観智院本類聚名義抄／法下124-6）

　　　喝 正 瘑 … 烏代反又於歇反／アタヽカ［平平□□］アツシ　（観智院本類聚名義抄／佛中097-6）

　　　瘠瘑 音綱〔*鋼か〕渇／俗云／カタノヤマヒ　　（観智院本類聚名義抄／法下124-6）

　　　瘠瘑 病源論云瘠瘑 今案四声字苑云瘠瘑音與消遏同俗云加知乃也萬比 …

　　　　　　　　　　　　　　　　　　　　　　　　　（元和本倭名類聚抄／巻三23 ウ8）

▶番号1488b「褐」（兎褐）の仮名音注「カチ」については、基本的に -at で対応する。当該字には入声点を差す。熟字1488「兎褐」は右傍「トカチ」右注「繒衣以兎毛和織也」を付載する。兎の毛を綿糸に混ぜた織物を指す。図書寮本類聚名義抄に入声点を付した同音字注「音曷」および「真云」として仮名音注「カチ」を見出す。直後に掲げる熟字「兎褐」には注記「川云俗云度賀知［去平平］」がある。観智院本には同音字注「音曷」を見つける。続けて掲げる熟字「兎褐」には注記「俗云トカケ［去平平］」がある。仮名の字形相似による「トカチ」の誤認である。元和本倭名類聚抄は「戸葛反此間云止加千」と付注する。日本漢音は入声、日本呉音「カチ」入声、定着久しい

122　3．仮名音注の韻母別考察　3-1　Ⅰ韻類

字音「カチ」入声を認める。

　　褐 音曷［入］布也 馬枝也 …　　　　　　　　　　　（図書寮本類聚名義抄／333-7）

　　兎褐 川云俗云／度賀知［去平平］　　　　　　　　　（図書寮本類聚名義抄／333-7）

　　褐 何遏 麗 犁帝 筏 拔月 多 真云韻麗筏多 … 真云褐麗筏多［入去入□／カチレイ□□：右傍］

　　　　　　　　　　　　　　　　　　　　　　　　　　（図書寮本類聚名義抄／343-6）

　　褐 音曷 ムマキヌ／ツル　兎褐 俗云／トカケ［去平平］　（観智院本類聚名義抄／法中142-7）

　　兎褐 蒋魴切韻云兎褐 戸葛反此間云止加千 繪衣以兎毛和織也

　　　　　　　　　　　　　　　　　　　　　　　　（元和本倭名類聚抄／巻十二 14 ウ 8）

　▶番号2693a「褐」（褐衣）の仮名音注「カチ［平平］」については、基本的に -at で対応する。
当該字に声点はない。熟字2693「褐衣」は低平調を示す右注「カチ［平平］」を付載する。本来の
字音「カチイ」が母音の連続を回避して「カチ」と音変化したか。荒い粗末な衣服を指す。上述の
分析を参照。

　▶番号2892a「渇」（渇仰）の仮名音注「カツ」については、基本的に -at で対応する。当該字
には入声点を差す。熟字2892「渇仰」は左注「帰依渇仰」を付載する。図書寮本類聚名義抄に反切
「中云苦遏反」（その反切下字に徳声点）および低平調と推測する「真云カチ」を見出す。観智院
本には反切「苦遏反」と同音字注「蝎音」および和音「カチ」を見出す。日本漢音は徳声（四声体
系では入声）日本呉音「カチ」入声を認める。

　　渇 中云苦遏［□徳］反 須飲也 … 真云カチ［□平］　　（図書寮本類聚名義抄／024-6）

　　渇 苦遏反 水ニウヘタリ［□上平平□□］ツク 説久反 蝎音 … 和カチ

　　　　　　　　　　　　　　　　　　　　　　　　　（観智院本類聚名義抄／法上033-3）

　▶番号0258b・3099a「割」（一割・割置）の仮名音注「カツ」については、基本的に -at で対
応する。両当該字には入声点を差す。観智院本類聚名義抄に徳声点を付した同音字注「葛音」を見
出す。入声点は朱と墨との二種を差す。朱は徳声点の可能性もあり、あらためて墨点による平声を
加えたか。長承本蒙求にも同音字注「葛反／カツ」があり、その掲出字に徳声点を加える。前者「葛
反」は平安時代中期と推定する古い朱筆による加点、後者「カツ」は平安時代院政初期である長承
三年（1134）の墨筆による加点である。日本漢音「カツ」徳声（四声体系では入声）を認める。

　　割 … 音葛［徳・入：墨点］サク［平上］…　　　（観智院本類聚名義抄／僧上086-5）

　　割［徳］葛反／カツ　　　　　　　　　　　　　　　　（長承本蒙求／017）

　▶番号2487「葛」の仮名音注「カツ」については、基本的に -at で対応する。当該字に声点はな
く、右注「カツラ」を付載する。観智院本類聚名義抄に同音字注「音割」を見出す。長承本蒙求に
は仮名音注「カツ」二例があり、掲出字それぞれに徳声点と入声点を加える。日本漢音「カツ」徳
声（四声体系では入声）を認める。

　　葛葛 音割 カツラ［上上濁□］クスカツラ　　　　（観智院本類聚名義抄／僧上047-3）

3-1-1　-α系の字音的特徴　123

葛［徳］カツ　　　　　　　　　　　　　　　　　　　　　　　（長承本蒙求／016）

葛［入］カツ　　　　　　　　　　　　　　　　　　　　　　　（長承本蒙求／074）

▶番号2674a「餲」（餲餬）の仮名音注「カツ」については、基本的に -at で対応する。当該字
に声点はない。観智院本類聚名義抄に入声点を付した同音字注「音蝎」と反切「又拎列反」を見出
すが、仮名音注はない。傍証ながら、同書で「蝎」を再検索すると、入声点を付した同音字注「音
曷」と低平調と推測する和音「カチ」を見つける。元和本倭名類聚抄には同音字注「音與蝎同」が
ある。日本漢音は入声を認める。

　餲 音蝎［入］… 又拎列反／廱喝［エイアイ：朱右傍］二音　　　（観智院本類聚名義抄／僧上105-1）

　蝎 音曷［入］クツナハ … 和カチ［□平］　　　　　　　　　（観智院本類聚名義抄／僧下027-3）

　餲餬 四聲字苑云餲 音與蝎同俗云餲餬今案餬寄食也 …　　　（元和本倭名類聚抄／巻十六15オ6）

▶番号2767a「鞨」（鞨靺）の仮名音注「カツ」については、基本的に -at で対応する。当該字
には入声点を差す。熟字2767「鞨靺」は左注「俗用楬字」を付載する。観智院本類聚名義抄に同音
字注「音羯」を見出すが、仮名音注はない。元和本倭名類聚抄には同音字注「音曷」がある。

　鞨 音羯　　　　　　　　　　　　　　　　　　　　　　（観智院本類聚名義抄／僧中077-4）

　鞨靺 … 鞨侯提靺 鞨音曷俗用楬字未詳 即鞨靺也　　　　　（元和本倭名類聚抄／巻四09ウ8）

▶番号1066b「薩」（菩薩）の仮名音注「サツ」については、基本的に -at で対応する。当該字
に声点はない。観智院本類聚名義抄に反切「楽割反」と入声相当の低平調を示す和音「サチ［平平］」
を見出す。日本呉音「サチ」入声を認める。

　菩薩 … 下楽割反 洲也 美女也 和サチ［平平］…　　　　　（観智院本類聚名義抄／僧上004-4）

《下巻 曷韻諸例》

▶番号4380a・4386a「遏」（遏絶・遏密）の仮名音注「アツ」については、基本的に -at で対
応する。両当該字には入声点を差す。熟字4386「遏密」は左注「五帝死也」を付載する。観智院本
類聚名義抄に入声点を付した同音字注「音閼反」を見出すが、仮名音注はない。高山寺本篆隷萬象
名義には反切「於曷反」と注記「閼字」を見つける。日本漢音は入声を認める。

　遏 音閼［入］反 トヽム［上上濁□］… タユ［□ッ：墨右傍］　（観智院本類聚名義抄／佛上050-8）

　遏 於曷反 絶也止也遠也逮也病也 閼字 遮也　　　　　　（高山寺本篆隷萬象名義／第三帖044ウ2）

▶番号5096b「遏」（禁遏）の仮名音注「アツ」については、基本的に -at で対応する。当該字
に声点はない。上述の分析を参照。

▶番号4281a「閼」（閼伽）の仮名音注「アツ」については、基本的に -at で対応する。当該字
には入声点を差す。熟字4281「閼伽」は梵語 argha, arghya の音訳で、原義は価値あるものを言
う。貴賓または仏前に供えるもの、特に功徳水を指す。それを入れる容器の意味もある。観智院本
類聚名義抄に同音字注「遏」と注記「正也遏字」を見出すが、仮名音注はない。当該字「閼」と上

124　3．仮名音注の韻母別考察　3-1　Ⅰ韻類

述の「遏」は相互に異体字（あるいは通用字）と認識していたか。元和本倭名類聚抄にも同音字注「音遏」があり、梵語に由来する旨を述べる。高山寺本篆隷萬象名義には反切「於達反」と注記「遏字」を見つける。

　　　　閼 音遏 正也 遏字／絶也　　　　　　　　　　　　　（観智院本類聚名義抄／法下 076-3）

　　　　閼伽 内典云閼伽 上音遏 梵語也　　　　　　　　　　（元和本倭名類聚抄／巻十三 04 オ 3）

　　　　閼 於達反 遏字止絶也　　　　　　　　　　　　　　（高山寺本篆隷萬象名義／第三帖 067 ウ 3）

　▶番号 5391c「鞨」（新靺鞨）の仮名音注「カ」については、異例 -a を示す。当該字に声点はない。熟字 5391「新靺鞨」は高麗楽壱越調の一曲目を指す。なお、高麗楽とは雅楽における外来楽舞二様式の一つ。三韓楽と渤海楽とを併せて平安時代に様式統一されたもので、日本で新作された曲目をも含む。演奏は舞楽形式のみで行う。元和本倭名類聚抄に同音字注「曷」を見出す。当該字「鞨」は上巻の曷韻当該例で分析した。

　　　　高麗楽曲 … 新靺鞨 靺鞨二音末曷蕃人出北土見唐韻 …　　　（元和本倭名類聚抄／巻四 17 ウ 6）

　▶番号 6524b「瘑」（瘖瘑）の仮名音注「カチ」については、基本的に -at で対応する。当該字には入声点を差す。熟字 6524「瘖瘑」は右傍「セウカチ」左注「又カチノヤマヒ」を付載する。上巻の曷韻当該例で分析したように、定着久しい字音「カチ」入声を認める。

　▶番号 5922a「葛」（葛飾）の仮名音注「カト」については、基本的に -at で対応する。当該字に声点はない。元和本倭名類聚抄に借字「加止志加」を見出す。すでに呼び習わしていた地名に対して漢字表記を与えたと推測する。定着久しい字音の把握である。上巻の曷韻当該例で分析したように、日本漢音「カツ」徳声（四声体系では入声）を認める。

　　　　下総國 … 葛飾 加止志加　　　　　　　　　　　　　　（元和本倭名類聚抄／巻五 15 ウ 3）

　▶番号 4810a「薩」（薩摩）の仮名音注「サツ」については、基本的に -at で対応する。当該字に声点はない。元和本倭名類聚抄に借字「散豆萬」を見出す。上巻の曷韻当該例で分析したように、日本呉音「サチ」入声を認める。

　　　　西國第五十九 … 薩摩 散豆萬　　　　　　　　　　　　（元和本倭名類聚抄／巻五 10 オ 5）

　▶番号 5804b「達」（執達）の仮名音注「タツ」については、基本的に -at で対応する。当該字には入声点を差す。観智院本類聚名義抄に反切「徒葛反」（その反切下字に入声点）を見出すが、仮名音注はない。長承本蒙求は掲出字「達」に入声点を差すのみ。日本漢音は入声を認める。

　　　　達 徒葛反 [□入] 反 イタル … サトル　　　　　　　　（観智院本類聚名義抄／佛上 052-1）

　　　　達 [入]　　　　　　　　　　　　　　　　　　　　　（長承本蒙求／067）

　▶番号 6519b「達」（先達）の仮名音注「タツ」については、基本的に -at で対応する。当該字に声点はない。上述の分析を参照。

3-1-1-8 -uɑn/-uɑt （桓/緩/換/末韻）

資料篇【表B-01】には桓韻（平声）緩韻（上声）換韻（去声）末韻（入声）所属の諸例が含まれる。前田本の示す仮名音注は、カ行で把握する k- 系（いわゆる牙喉音）は -wan/-wat それ以外は -an/-at で基本的に対応する。異例としては、-a, -am, -au, -et, -iu, -jun, -o, -wen がある。

《上巻 桓韻諸例》

▶番号 2909b「官」（閑官）の仮名音注「クワン」については、基本的に -wan で対応する。当該字には平声点を差す。観智院本類聚名義抄に反切「古寛反」（その反切下字に平声点）と和音「火ン」を見出す。同書で「火」を再検索すると、和音「クワ」を見つける。仮名音注と共に使う「火」は「火イ・火ウ・火ク・火チ・火ン」がある。長承本蒙求にも仮名音注「クワ」がある。この「火」表記は合口介音 -u- を受容するための工夫である。日本漢音は平声、日本呉音「クワン」を認める。

　　官 古寛［□平］反 ツカサ［上上上］… 和火ン　　　　（観智院本類聚名義抄／法下 054-2）

　　火 呼果反 ヒ［上］／和クワ　　　　　　　　　　　（観智院本類聚名義抄／佛下末 036-2）

　　火 クワ　　　　　　　　　　　　　　　　　　　　　　　　　　（長承本蒙求／119）

▶番号 0916b・1973b「官」（判官・廳官）の仮名音注「クワン」については、基本的に -wan で対応する。両当該字に声点はない。上述の分析を参照。

▶番号 2165「貫」の仮名音注「クワン」については、基本的に -wan で対応する。当該字に声点はなく、和訓「ヌク」の同訓異字として位置する。廣韻に拠れば、桓/換韻（kuɑn¹ᐟ³）の両声調を有する。観智院本類聚名義抄に反切「古玩反」と和音「クワン」を見出す。長承本蒙求には仮名音注「クワヽ」があり、その掲出字に去声点を加える。日本漢音「クワン」去声、日本呉音「クワン」を認める。

　　貫 ツラヌク ヌク ウカツ ツク／ナラフ 和クワン　　（観智院本類聚名義抄／佛中 024-3）

　　貫 古玩反 ツラヌク［上上□□］… ヤル　　　　　（観智院本類聚名義抄／佛下本 021-2）

　　貫 ［去］クワヽ　　　　　　　　　　　　　　　　　　　　　　（長承本蒙求／045）

▶番号 2678・0326b・1441b・1447・2507b・3052b「冠」（冠・衣冠・鷄冠菜・冠・鷄冠子・加冠）の仮名音注「クワン」については、基本的に -wan で対応する。当該諸字六例には平声点を差す。廣韻に拠れば、桓/換韻（kuɑn¹ᐟ³）の両声調を有する。番号 2678「冠」は右注「カウフリ」を付載する。観智院本類聚名義抄に同音字注「音官」を見出す。長承本蒙求には仮名音注「クワヽ・火✓」があり、それら掲出字に去声点一例と東声点二例とを加える。平安時代院政初期の長承三年（1134）の墨点においては、舌内撥音韻尾 -n を「ヽ」で示すことが多いが、別途「✓」を使う場

合もある。承暦本金光明最勝王経音義には仮名音注「クワン」を見つける。元和本倭名類聚抄には同音字注「音官」がある。日本漢音「クワン」東/去声（四声体系では平/去声）日本呉音「クワン」を認める。

冠 … 音官／カウフリ［平平平濁平］トサカ［上上□］…　　　（観智院本類聚名義抄／法下 054-7）

冠［去］クワヽ　　　　　　　　　　　　　　　　　　　　　（長承本蒙求／020）

冠［東］火ン?　　　　　　　　　　　　　　　　　　　　　（長承本蒙求／062）

冠［東］火✓　　　　　　　　　　　　　　　　　　　　　　（長承本蒙求／073）

冠 クワン〔*後筆墨書入〕　　　　　（承暦本金光明最勝王経音義06 オ5）

冠 幞頭附 兼名苑注云冠 音官 皇帝造也辨色立成云幞頭 加宇布利 …

　　　　　　　　　　　　　　　　　　　　　　　　　（元和本倭名類聚抄／巻十三17 オ9）

▶番号1247b「冠」（寶冠）の仮名音注「クワン」については、基本的に -wan で対応する。当該字には去声点を差す。上述の分析を参照。

▶番号2843「冠」（冠）の仮名音注「クワン」については、基本的に -wan で対応する。当該字に声点はなく、右注「同（カフラシム）」を付載する。上述の分析を参照。

▶番号2483a「芫」（芫蘭）の仮名音注「クワン」については、基本的に -wan で対応する。当該字には平声点を差す。観智院本類聚名義抄に平声点を付した同音字注「音丸」を見出すが、仮名音注はない。元和本倭名類聚抄には同音字注「音丸」がある。日本漢音は平声を認める。

芫蘭 カ、ミ［平平濁上］上音丸［平］…　　　　（観智院本類聚名義抄／僧上 016-5）

芫蘭 本草云蘿摩子一名芫蘭 上音丸和名加加美　　（元和本倭名類聚抄／巻二十13 オ9）

▶番号1717b「観」（貞観殿）の仮名音注「クワン」については、基本的に -wan で対応する。当該字には平声濁点を差すので、日本語音韻史上の連濁による字音「グワン」を想定する。廣韻に拠れば、桓/換韻（kuɑn^{1/3}）の両声調を有する。熟字1717「貞観殿」は右傍「ミクシケトノ」右注「殿名」左注「チヤウクワンテン」を付載する。観智院本類聚名義抄に同音字注「音官・又音貫」と低平調と推測する和音「クワン」を見出す。長承本蒙求には仮名音注がなく、その掲出字「觀」に東声点を差す。日本漢音は東声（四声体系では平声）日本呉音「クワン」平声を認める。

觀 音官 ミルツク … 又音貫 シメス ミモノ　　　　（観智院本類聚名義抄／佛中 081-3）

観 ツチクリス［上上上上濁□□□］和クワン［□平平］　（観智院本類聚名義抄／佛中 081-4）

觀［東］　　　　　　　　　　　　　　　　　　　　　　　（長承本蒙求／079）

▶番号0255b「観」（遊観）の仮名音注「クワン」については、基本的に -wan で対応する。当該字には去声点を差す。上述の分析を参照。

▶番号2648b・2966b・3210「歡」（合歡塩・感歡・歡）の仮名音注「クワン」については、基本的に -wan で対応する。当該諸字三例には平声点を差す。番号3210「歡」は和訓「ヨロコフ・ヨロコヒ」の同訓異字として位置する。観智院本類聚名義抄に反切「呼官反」二例と和音「火ン」

を見出す。仮名音注に「火」を活用する表記は合口介音 -u- を受容するための工夫である。日本呉音「クワン」を認める。

懽歡 千云並正		（図書寮本類聚名義抄／246-6）
懽 呼官反 正歡／ヨロコフ［平平上□／ヒ：右傍］教也		（観智院本類聚名義抄／法中 089-3）
歡 呼官反 ヨロコフ［平平上濁平／本ノマ：左傍］… 和火ン		（観智院本類聚名義抄／僧中 049-5）
火 呼菓反 ヒ［上］／和クワ 〻 火字		（観智院本類聚名義抄／佛下末 036-2）
火 クワ		（長承本蒙求／119）

▶番号 1039a「酸」（酸漿）の仮名音注「サン」については、基本的に -an で対応する。当該字には平声点を差す。熟字 1039「酸漿」は右注「ホミツキ」を付載する。観智院本類聚名義抄に平声点を付した同音字注「呉音散」を見出すが、仮名音注はない。この呉音注は大般若経字抄の引用ではないが、同書には漢呉二音相同を標榜する同音字注「音刪」と仮名音注「サン」がある。承暦本金光明最勝王経音義には同音字注「春音」（諧声符「夋」による類推が働いた字音把握か）があり、その掲出字に去声点を加える。また「散」に対して仮名音注「サン」もある。日本漢音「サン」平声、日本呉音は去声を認める。また日本呉音「サン」の蓋然性が高い。

酸 呉音散［平］… 山 スシ［平平］… イタム［平平上］		（観智院本類聚名義抄／僧下 059-8）
酸 ［音刪［サン：右注］：右傍］スシ		（石山寺一切経蔵本大般若経字抄 13 ウ 1）
酸 ［音刪：右傍］		（石山寺一切経蔵本大般若経字抄 22 オ 2）
酸 ［去］春ミ／酢也		（承暦本金光明最勝王経音義／09 オ 6）
散 サン〔＊後筆墨書入〕		（承暦本金光明最勝王経音義／09 オ 6）
酸漿 兼名苑注云酸漿一名洛神珠 和名保々豆木		（元和本倭名類聚抄／巻二十 13 オ 2）

▶番号 1476a「團」（團乱旋）の仮名音注「ト」については、異例 -o を示す。当該字には平声点を差す。熟字 1476「團乱旋」とは雅楽の一つで、左方の新楽に属する壱越調の大曲を指す。后帝團乱旋・團龍傳とも言う。元和本倭名類聚抄には大曲と付注するのみ。観智院本類聚名義抄に反切「大丸反」を見出すが、仮名音注はない。当該の字音把握「ト」については、字形の類似する「圖」との混同によるものか。

團 大丸反 マロナリ …		（観智院本類聚名義抄／法下 085-6）
圖 音徒［平］シルス … 畫也		（観智院本類聚名義抄／法下 084-6）
壱越調曲 皇帝破陣樂 … 團亂旋 大曲		（元和本倭名類聚抄／巻四 14 オ 4）

▶番号 0693「端」の仮名音注「ハン」については、基本的に -an で対応する。当該字には平声点を差し、右注「ハシ」右傍「ハン」仮名音注（右注の和訓に牽引された「タン」の誤認か）を付載する。図書寮本類聚名義抄に「玉云都丸反・弘云都丸反」（それらの反切下字に平声点）を見出す。観智院本には反切「都官反」と低平調を示す和音「タン」を見出す。長承本蒙求には仮名音注「タ√」があり、その掲出字を含む二例に東声点を加える。同書は舌内撥音韻尾 -n を「〻」で示

128　3．仮名音注の韻母別考察　3-1　Ⅰ韻類

すことが多いが「√」を使う場合もある。日本漢音「タン」東声（四声体系では平声）日本呉音「タン」平声を認める。

　　　端　玉云都丸［□平］反 … サキ［上上／集：右注］　　　　　　　（図書寮本類聚名義抄／124-2）

　　　端嚴 … 弘云都丸［□平］反 題也 …　　　　　　　　　　　　　　（図書寮本類聚名義抄／125-3）

　　　端　都官反 ウツクヒ … 和タン［平平：墨点］　　　　　　（観智院本類聚名義抄／法上090-2）

　　　端［東］　　　　　　　　　　　　　　　　　　　　　　　　　　　　　（長承本蒙求／102）

　　　端［東］タ√　　　　　　　　　　　　　　　　　　　　　　　　　　　（長承本蒙求／120）

　▶番号0852a「般」（般輸）の仮名音注「ハン」については、基本的に -an で対応する。当該字には平声点を差す。廣韻に拠れば、並母桓韻（ban'）幫母桓韻（pan'）幫母刪韻（pan'）幫母末韻（pat）の四音を有する。観智院本類聚名義抄に平声点と去声点を付した同音字注「盤」（その右傍には朱筆で仮名音注「ハン」）を見出す。さらに反切「又布瞞反」（幫母桓韻 pan'）と入声点を差した同音字注「鉢」（幫母末韻 pat）も見つける。日本漢音「ハン」平/去声、別途に入声を認める。

　　　般　音盤［平・去／ハン：朱右傍］又布瞞反 … 音鉢［入］　　　（観智院本類聚名義抄／佛下本001-5）

　▶番号0458b・0844b「盤」（露盤・盃盤）の仮名音注「ハン」については、基本的に -an で対応する。両当該字には平声点を差す。その中古音が示す頭子音 b-（等韻学の術語で言う脣音濁並母）は有声両唇閉鎖音であり、原則的に日本語のバ行音をもって受容するが、中国語音韻史上における濁音声母の無声化を反映する場合にはハ行音で対応する。観智院本類聚名義抄に平声点を付した同音字注「音磐」と和音「ハン」および俗云「ハン［上上］」を見出す。元和本倭名類聚抄には反切「薄官反」がある。日本漢音は平声、日本呉音「ハン」を認める。さらに定着久しい字音「ハン」上声も認める。

　　　盤　或繋字 音磐［平］ワカヌ［上上濁平］… 和ハン　　　　　　（観智院本類聚名義抄／僧中014-3）

　　　露盤　俗云ルハン［去上上］　　　　　　　　　　　　　　　　　（観智院本類聚名義抄／僧中014-4）

　　　盤　唐韻云 薄官反佐良 器也　　　　　　　　　　（元和本倭名類聚抄／巻十六08 オ7）

　▶番号0456b「盤」（鏤盤）の仮名音注「ハム」については、異例 -am を示す。その中古音が示す末子音の舌内撥音韻尾 -n を「ム」で対応する。当該字には平声点を差す。上述の分析を参照。

　▶番号0631a「盤」（盤渉調）の仮名音注「ハム」については、異例 -am を示す。当該字には去声点濁を差すので、字音「バム」を想定する。雅楽の唐楽における六調子の一つで、呂音である盤渉の音高を主音の宮とする律旋の調子を指す。上述の分析を参照。

　　　盤渉調　蘇合香 大曲俗只云蘇合 … 盤渉参軍 …　　　　　（元和本倭名類聚抄／巻四17 オ6）

　▶番号2178b「盤」（露盤）の仮名音注「ハン［上濁上］」については、基本的に -an で対応する。当該字は仮名音注に濁音を含む高平調を示す声点を付載するので、字音「バン」上声を想定する。熟字2178「露盤」は右注「ルハン［去上濁上］」左注「塔具也」を付載する。上述の分析を参照。

3-1-1　-ɑ系の字音的特徴　129

▶番号0632a・0662・1709a「盤」（盤渉參軍・盤・盤石）の仮名音注「ハン」については、基本的に -an で対応する。当該諸字三例に声点はない。0662「盤」は左注「食具」を付載する。熟字1709「盤石」〔＊磐石の誤認か〕は左右注「チヒキノ／イシ」を付載する。上述の分析を参照。

　　磐　…　日本紀云千人可引盤石 和名知比木乃以之　　　　　（元和本倭名類聚抄／巻一08ウ1）

▶番号2602「癜」の仮名音注「ハン」については、基本的に -an で対応する。当該字に声点はなく、右注「カサトコロ」左注「カサノアト」を付載する。観智院本類聚名義抄に同音字注「音槃」を見出すが、仮名音注はない。同書で「槃」を再検索すると、同音字注「般」および上昇調を示す「俗云ハン」と和音「ハン」を見つける。元和本倭名類聚抄には同音字注「音般」がある。

　　癜 … 音槃 ハ、クソ キス／カサトコロ　　　　　　　（観智院本類聚名義抄／法下120-6）
　　槃 … 音般 盂 俗云ハン［平上］… 和ハン　　　　　（観智院本類聚名義抄／佛下本084-6）
　　瘢　唐韻云 … 癜 音般和名加佐度古呂 瘢痕也 …　　　　（元和本倭名類聚抄／巻三24ウ3）

▶番号0882a「磻」（磻溪）の仮名音注「ハム」については、異例 -am を示す。その中古音が示す末子音の舌内撥音韻尾 -n を「ム」で対応する。観智院本類聚名義抄に異体字「碆」を掲げ、同音字注「音幡」を見出すが、仮名音注はない。

　　碆 音幡 以石 普維又布何反 ヤサキ／オホイナリ　　　（観智院本類聚名義抄／法中005-6）
　　磻 正　　　　　　　　　　　　　　　　　　　　　　（観智院本類聚名義抄／法中005-7）

▶番号2363「蟠」の仮名音注「ハン」については、基本的に -an で対応する。当該字には平声点を差し、右注「ワタカマル」左注「虫蟠」を付載する。観智院本類聚名義抄に平声点を付した同音字注「音煩」と同音字注「又音槃」を見出すが、仮名音注はない。元和本倭名類聚抄には同音字注「音煩」がある。日本漢音は平声を認める。

　　蟠 音煩［平］ワタカマル［平平濁平上平］／又音槃 シ、マル　（観智院本類聚名義抄／僧下017-6）
　　蟠　野王案蟠 音煩訓和太加末流 龍蛇卧貌也　　　　（元和本倭名類聚抄／巻十九28ウ7）

▶番号0668「鑻」の仮名音注「ハン」については、基本的に -an で対応する。当該字には平声点を差し、右注「同（ハラオヒ）」を付載する。観智院本類聚名義抄に平声点を付した同音字注「音槃」を見出すが、仮名音注はない。なお、平声点を付した同音字注「音桓」は出自不明で疑義が残る。元和本倭名類聚抄には同音字注「音槃」がある。日本漢音は平声を認める。

　　鑻 音槃［平］ウハ、ラオヒ［上上上上平上濁］音桓［平］オヒ［平上濁］／ハラオヒ［平平平上濁］
　　　　　　　　　　　　　　　　　　　　　　　　　　（観智院本類聚名義抄／僧中075-5）
　　鑻　周禮云鑻 音槃和名宇波々良於比 馬大帶也　　　（元和本倭名類聚抄／巻十五02ウ5）
　　鑻 蒲安反 馬大帶也　　　　　　　　　　（高山寺本篆隷萬象名義／第六帖120オ2）

▶番号0062a・0500a・1045a「蔓」（蔓椒・蔓荊・蔓枡）の仮名音注「マン」については、基本的に -an で対応する。当該諸字三例には去声点を差す。熟字0062「蔓椒」は右注「イタチハシカミ」左注「枡 イ本／セウ［:左右注］」を、熟字0500「蔓荊」は右注「ハマハヒ」を、熟字1045「蔓

130　3．仮名音注の韻母別考察　3-1　Ⅰ韻類

枡」は右注「ホソキ」左注「又イタチハシカミ」を付載する。観智院本類聚名義抄に去声濁点を付した同音字注「万」（字音「バン」を想定）と「又平」および和音「マン」を、別に同音字注「蠻・又万」を見出す。日本漢音は平/去声、日本呉音「マン」を認める。なお、日本漢音「バン」去声の可能性も指摘できる。

　　　蔓 … 音万［去濁］… 又平 アヲナ 和マン　　　　　　（観智院本類聚名義抄／僧上013-3）

　　　蔓菁 アヲナ／上音蠻 又万 ハヘリ　　　　　　　　　（観智院本類聚名義抄／僧上013-3）

　　　欖椒 イタチハシカミ［平平平□□□］／一云ホソキ［平平□］

　　　　　　　　　　　　　　　　　　　　　　　　　　　（観智院本類聚名義抄／佛下本101-4）

　　　椒枡 音蕭［東］ハシカミ／ホソキ　　　　　　　　　（観智院本類聚名義抄／佛下本101-3）

　　　蔓荊 ハマハヒ［平平□□］…　　　　　　　　　　　（観智院本類聚名義抄／僧上014-1）

　▶番号0548a「鰻」（鰻鱺魚）の仮名音注「マン」については、基本的に -an で対応する。当該字には平声点を差す。熟字0548「鰻鱺魚」は右注「ハシカミイヲ」を付載する。観智院本類聚名義抄に同音字注「音万」と反切「又芙般反」を見出すが、仮名音注はない。同書は続けて「鰻鱺」を掲げ、同音字注「蠻・謾」を見つける。元和本倭名類聚抄には同音字注「蠻」がある。

　　　鰻魚 ハム　鰻 正 音万 又芙般反／イカル　　　　　（観智院本類聚名義抄／僧下005-7）

　　　鰻鱺 蠻縲二音 ハシカミイヲ［上上濁上上上平］／音謾黎 鰻鱺魚 同［：右注］

　　　　　　　　　　　　　　　　　　　　　　　　　　　（観智院本類聚名義抄／僧下005-7）

　　　鰻鱺魚 本草云鰻鱺 蠻縲二音和名波之加美伊乎　　　（元和本倭名類聚抄／巻十九06 ウ 1）

　▶番号1774b・1913b・2349「垸」（茶垸・中垸・垸）の仮名音注「ワン」については、基本的に -wan で対応する。当該諸字三例には上声点を差す。廣韻に拠れば、匣母桓/換韻（ɣuɑn¹ᐟ³）の二音を有する。その中古音が示す頭子音 ɣ-（等韻学の術語で言う喉音濁匣母）は有声軟口蓋摩擦音であり、日本語のガ行音をもって受容するが、中国語音韻史上における濁音声母の無声化を反映する場合はカ行音で対応する。一方で、摩擦が弱化して聞こえると有声軟口蓋接近音 ɰ-（有声両唇軟口蓋接近音 w-）のように把握する可能性がある。日本呉音の基層において、匣母が ɣ-・ɰ- に二分していたと推測する。番号2349「垸」は左注「茶垸」を付載する。観智院本類聚名義抄に同音字注「音換・又桓」を見出すが、仮名音注はない。

　　　垸 音換 又桓 ユモ／ヒカハラケ　　　　　　　　　（観智院本類聚名義抄／法中049-7）

　▶番号2339a・2396a「垸」（垸飯・垸飯）の仮名音注「ワウ」については、異例 -au を示す。両当該字には上声点を差す。両熟字は「垸飯［上平濁］」として掲げる。日本語音韻史上の連濁含む音変化により字音「ワンハン」/wanpan/ が「ワウバン」/wauban/ になったと推測する。

　　　《下巻 桓韻諸例》

3-1-1　-ɑ系の字音的特徴　131

▶番号 5180b・5943b・5949b「官」（給官・次官・政官）の仮名音注「クワン」については、基本的に -wan で対応する。当該諸字三例に声点はない。上巻の桓韻当該諸例で分析したように、日本漢音は平声、日本呉音「クワン」を認める。

▶番号 4965b「丸」（銀丸）の仮名音注「クワン」については、基本的に -wan で対応する。当該字に声点はない。その中古音が示す頭子音 ŋ-（等韻学の術語で言う疑母）は軟口蓋鼻音であり、日本漢字音ではガ行音をもって受容する。観智院本類聚名義抄に平声点を付した同音字注「音桓」二例と和音「完」を見出すが、仮名音注はない。その和音「完」を再検索すると、平声点を付した同音字注「音桓」（右傍に朱筆で「クワン」）と去声濁点を付した和音「丸」を見つける。日本漢音は平声を認める。また日本呉音「グワン」去声の可能性を指摘しておく。

　　丸 音桓 [平] マトナリ [平東□□] … 和完　　　　　　（観智院本類聚名義抄／佛下末018-5）

　　丸 音桓　　　　　　　　　　　　　　　　　　　　　（観智院本類聚名義抄／佛下末021-5）

　　完 … 胡官反 マタシ [上上□] カタシ [上上□]　　　（観智院本類聚名義抄／佛下末017-3）

　　完 音桓 [平／クワン：朱右傍] … 和ヽ丸 [去濁]　　　（観智院本類聚名義抄／法下053-2）

▶番号 5571b「觀」（止觀）の仮名音注「クワン」については、基本的に -wan で対応する。当該字に声点はない。上巻の桓韻当該諸例で分析したように、日本漢音は東声（四声体系では平声）日本呉音「クワン」平声を認める。

▶番号 6183「棺」の仮名音注「クワン」については、基本的に -wan で対応する。当該字には平声点と去声点を差し、右注「ヒツキ」左注「又去声」を付載する。廣韻に拠れば、桓/換韻 (kuɑn¹/³) の両声調を有する。観智院本類聚名義抄に同音字注「音官・一音貫」を見出すが、仮名音注はない。元和本倭名類聚抄には同音字注「音官・一音貫」がある。

　　棺 音官 一音貫／ヒトキ [上上上／□ツ□：右傍]　　（観智院本類聚名義抄／佛下本101-3）

　　棺　四聲字苑云棺 音官一音貫和名比止岐 …　　　　（元和本倭名類聚抄／巻十四20ウ6）

▶番号 4910「紈」の仮名音注「クワン」については、基本的に -wan で対応する。当該字には平声点を差し、右注「キヌ」を付載する。図書寮本類聚名義抄に同音字注「桓」（その平声点位置に仮名音注「火ン」）を見出す。同書で仮名音注と共に使う「火」は中古音の合口介音 -u- を受容するための工夫である。観智院本には平声点を付した同音字注「桓」を見つけるが、仮名音注はない。日本漢音「クワン」平声を認める。

　　紈 季云音桓 [火ン：平声点位置] … シラヌキ [平平平平] …　　（図書寮本類聚名義抄／318-4）

　　紈 音桓 [平] ムスフ … マリヽカナリ [平平□□□]　　（観智院本類聚名義抄／法中123-3）

　　火 呼菓反 ヒ [上]／和クワ ⺌ 火字　　　　　　　　（観智院本類聚名義抄／佛下末036-2）

　　火 クワ　　　　　　　　　　　　　　　　　　　　　（長承本蒙求／119）

▶番号 4475「冠」（冠）の仮名音注「クワン」については、基本的に -wan で対応する。当該字には平声点を差し、右注「サカ」左注「馬冠」を付載する。上巻の桓韻当該諸例で分析したよう

132　3．仮名音注の韻母別考察　3-1　Ⅰ韻類

に、日本漢音「クワン」東/去声（四声体系では平/去声）日本呉音「クワン」を認める。

　　　冠　文選射雉賦云朱冠 師説冠訓佐加　　　　　　　　　（元和本倭名類聚抄／巻十八 12 オ 3）

　▶番号 3906b「冠」（天冠）の仮名音注「火ン」については、基本的に -wan で対応する。当該字に声点はない。上述の分析を参照。

　▶番号 4732a「鑽」（鑽仰）の仮名音注「サン」については、基本的に -an で対応する。当該字には去声点を差す。廣韻に拠れば、桓/換韻（tsuɑn$^{1/3}$）の両声調を有する。熟字 4732「鑽仰」は右傍「ホメアフク」を付載する。観智院本類聚名義抄に反切「祖官 又作礼反」と「呉賛」を見出すが、仮名音注はない。この呉音注は大般若経字抄による引用で、漢呉二音相同の同音字注である。元和本倭名類聚抄には同音字注「音賛」がある。

　　　鑽鑽　今正 祖官 又作礼反 … ツトフ［平平濁上］呉賛　　　（観智院本類聚名義抄／僧上 125-8）

　　　鑽［賛：右傍］錐類也／キル　　　　　　（石山寺一切経蔵本大般若経字抄／26 ウ 1）

　　　火鑽　内典云譬如因燧因鑽 音賛和名比岐利 …　　　　　（元和本倭名類聚抄／巻十二 12 オ 5）

　▶番号 4944「鑽」（鑽）の仮名音注「サン」については、基本的に -an で対応する。当該字には平声点を差し、和訓「キル」の同訓異字として位置する。上述の分析を参照。

　▶番号 6157「鑽」（鑽）の仮名音注「サン」については、基本的に -an で対応する。当該字に声点はなく、右注「ヒキリ」左注「子籆反」を付載する。上述の分析を参照。

　▶番号 6830「酸」の仮名音注「シユン」については、異例 -jun を示す。当該字には平声点を差し、左注「素官反」を付載する。承暦本金光明最勝王経音義には同音字注「春音」（昌母諄韻 tś'iuen^1）があり、その掲出字に去声点を加える。諧声符「夋」（清母諄韻 ts'iuen^1）による類推が働いた字音把握か。上巻の桓韻当該諸例で分析したように、日本漢音「サン」平声、日本呉音は去声を認める。また日本呉音「サン」の蓋然性が高い。

　　　酸［去］春ミ／酢也　　　　　　　　　　（承暦本金光明最勝王経音義／09 オ 6）

　▶番号 6487「湍」の仮名音注「タン」については、基本的に -an で対応する。当該字には平声点を差し、右注「セ」左注「他端反」を付載する。廣韻に拠れば、桓韻（t'uɑn^1）仙韻（tsiuan^1）二音を有する。図書寮本類聚名義抄に反切「广云土桓反」（その反切下字に平声点）を見出す。観智院本には反切「他端反」と同音字注「一音専」を見つけるが、仮名音注はない。元和本倭名類聚抄には「唐韻云他端反一音専」がある。日本漢音は平声を認める。

　　　激湍　广云土桓［□平］反 … 季云曽ミ久［上上平］　　　（図書寮本類聚名義抄／015-4）

　　　湍 他端反 ソク［上上□］一音／専 セ ハヤシトシ［平上］　（観智院本類聚名義抄／法上 004-3）

　　　湍　唐韻云他端反一音／専 和名世 急瀬也　　　　　（元和本倭名類聚抄／巻一 15 ウ 8）

　▶番号 4886「癍」の仮名音注「ハン」については、基本的に -an で対応する。当該字には平声点を差し、右注「キス」を付載する。上巻の桓韻当該例で分析した。

　▶番号 5405b「盤」（鏤盤）の仮名音注「ハン」については、基本的に -an で対応する。当該字

には平声点を差す。上巻の桓韻当該諸例で分析したように、日本漢音は平声、日本呉音「ハン」を認める。さらに定着久しい字音「ハン」上声も認める。

　▶番号3562b「鏝」（泥鏝）の仮名音注「ハン」については、基本的に -an で対応する。当該字には平声濁点を差すので、字音「バン」を想定する。その中古音が示す頭子音 m-（等韻学の術語で言う明母）は鼻音声母の非鼻音化（denasalization）現象により、m- > mb- > b- の音変化をする。原則的に、この影響を受けた日本漢音ではバ行音を反映することになる。観智院本類聚名義抄に反切「莫干反」二例を見出すが、仮名音注はない。元和本倭名類聚抄には同音字注「音蠻」がある。

　　　椼 鏝二今 莫干反／泥椼也 虫名　　　　　　　　（観智院本類聚名義抄／佛下本120-3）

　　　鏝 椼二正 草干反 モチ コテ／或慢　　　　　　　（観智院本類聚名義抄／僧上132-8）

　　　泥鏝 爾雅云鏝 音蠻 … 郭璞曰圬泥鏝也 …　　　　（元和本倭名類聚抄／巻十五11 ウ2）

　▶番号4214「謾」の仮名音注「ハン」については、基本的に -an で対応する。当該字には平声点を差し、和訓「アサムク」の同訓異字として位置する。廣韻に拠れば、桓/換韻（mɑn^{1/3}）刪/諫韻（man^{1/3}）仙韻（mian¹）五音を有する。その中古音が示す頭子音 m-（等韻学の術語で言う明母）は鼻音声母の非鼻音化（denasalization）現象により、m- > mb- > b- の音変化をする。原則的に、この影響を受けた日本漢音ではバ行音を反映することになる。図書寮本類聚名義抄に同音字注「类云曼慢二音」と反切「广云麻諫反」（その反切下字の去声点位置に仮名音注「カン」）を見出す。観智院本には反切「芒山反」と同音字注「又曼慢二音」を見つけるが、仮名音注はない。日本漢音は去声を認める。

　　　謾訑 类云曼慢二音 … アサケル［上上濁□□］…　　　（図書寮本類聚名義抄／096-6）

　　　謾淪 广云麻／諫［カン：去声点位置］力均／反 …　　（図書寮本類聚名義抄／096-6）

　　　謾 芒山反 又曼慢二音／アサムク［上上濁□□］… 懽也　（観智院本類聚名義抄／法上065-6）

　▶番号4099a「蔓」（蔓菁）の仮名音注「マン」については、基本的に -an で対応する。当該字には去声点を差す。熟字4099「蔓菁」は右注「アヲナ」を付載する。上巻の桓韻当該諸例で分析したように、日本漢音は平/去声、日本呉音「マン」を認める。

　▶番号4264「羉」の仮名音注「ラン」については、基本的に -an で対応する。当該字には平声点を差し、右注「アミ」を付載する。観智院本類聚名義抄に同音字注「音欒」を見出すが、仮名音注はない。傍証ながら、同書で「欒」を再検索すると、同音字注「鸞」を見つける。

　　　羉 音欒 王矦／罟　　　　　　　　　　　　　　（観智院本類聚名義抄／僧中010-4）

　　　罟 アミ　　　　　　　　　　　　　　　　　　　（観智院本類聚名義抄／僧中007-5）

　　　欒 音鸞／ムキレムシノキ〔＊ムクレニシノキの誤認〕　（観智院本類聚名義抄／佛下本090-2）

　　　網罟 廣雅云罟 音古阿美 魚網也　　　　　　　　（元和本倭名類聚抄／巻十五07 ウ4）

　▶「鸞」の仮名音注「ラン」については、基本的に -an で対応する。当該字に声点はなく、右注「ヒヨク」中注「比翼鳥也」左注「似鳥一目一足一翼也」を付載する。観智院本類聚名義抄に平声

点を付した同音字注「鑾」（その右傍に朱筆で仮名音注「ラン」）を見出す。長承本蒙求には仮名音注「ラゝ」があり、その掲出字に平声点を加える。舌内撥音韻尾 -n を「ゝ」で示す。日本漢音「ラン」平声を認める。

　　　鸞 音鑾［平／ラン：朱右傍］　　　　　　　　　　（観智院本類聚名義抄／僧中 126-2）

　　　鸞 ［平］ラゝ　　　　　　　　　　　　　　　　　　　　（長承本蒙求／073）

▶番号6857「鑾」の仮名音注「ラン」については、基本的に -an で対応する。当該字には平声点を差し、右注「スゝ」左注「大鈴」を付載する。観智院本類聚名義抄に「力丸反」を見出すが、仮名音注はない。

　　　鑾 … 力丸反 鈴下／クツハミ［上上□□］　　　　　（観智院本類聚名義抄／僧上 135-2）

《上巻 緩韻諸例》

▶番号2024b「暖」（涼暖）の仮名音注「タム」については、異例 -am を示す。当該字には上声点を差す。その中古音が示す末子音の舌内撥音韻尾 -n を「ム」で対応する。その中古音が示す頭子音 n-（等韻学の述語で言う泥母）は歯茎鼻音であり、中国語音韻史上における鼻音声母の非鼻音化（denasalization）現象によって、n- > nd- > d- の音変化をする。これを反映した日本漢音は一般的にダ行音で受容する。観智院本類聚名義抄に反切「乃管反」と同音字注「又音暄」および下降調を示す和音「ナム」を見出す。下降調は六声体系の東声に相当するから、四声体系を基本とする和音（あるいは日本呉音）に現れることはない。低平調［平平］の誤認と推測する。また異体字「煖」には反切「奴短反」と同音字注「又暄暄」がある。日本呉音「ナム」平声を認める。

　　　暖 煖二正 乃管反 アタゝカナリ［平平上平□□］又音暄 … 和ナム［上平］〔＊平平の誤認か〕

　　　　　　　　　　　　　　　　　　　　　　　　　　（観智院本類聚名義抄／佛中 091-1）

　　　煖 暖二正 奴短反 又暄音 アタゝカナリ／和ナン　　　（観智院本類聚名義抄／佛下末 038-2）

▶番号1952b「短」（長短）の仮名音注「タン」については、基本的に -an で対応する。当該字には上声濁点を差すので、日本語音韻史上の連濁による字音「ダン」を想定する。観智院本類聚名義抄に平声相当の低平調と推測する和音「タン」を見出す。長承本蒙求には仮名音注「タゝ」があり、その掲出字に上声点を差す。日本漢音「タン」上声、日本呉音「タン」平声を認める。

　　　短 ミシカシ［平平濁平上］… 和タン［□平］　　　　（観智院本類聚名義抄／僧中 033-1）

　　　短 ［上］タゝ　　　　　　　　　　　　　　　　　　　（長承本蒙求／004）

▶番号0827b「断」（判断）の仮名音注「タン」については、基本的に -an で対応する。当該字には平声濁点を差すので、字音「ダン」を想定する。廣韻に拠れば、定母緩韻（duɑn²）および緩/端母換韻（tuɑn²³）の三音を有する。観智院本類聚名義抄に同音字注「音短」と低平調を示す和音「タン」（その右傍に濁音「✓」表記）を見出す。長承本蒙求には仮名音注「タゝ」二例があり、

3-1-1 -ɑ系の字音的特徴 135

両掲出字に上声点を加える。日本漢音「タン」上声、日本呉音「ダン」平声を認める。

　　　斷 音短／今　　　　　　　　　　　　　　　（観智院本類聚名義抄／僧中 034-1）

　　　斷 俗 タヱヌ［平平上］… 和タン［平平／√□：朱右傍］　（観智院本類聚名義抄／僧中 034-2）

　　　續斷 ハミ［平平］一云オニノヤカラ［平平上上濁平］／草類　（観智院本類聚名義抄／僧中 034-3）

　　　斷［上］タゝ　　　　　　　　　　　　　　　　　（長承本蒙求／034・103）

　▶番号1591b「斷」（童斷）の仮名音注「タン」については、基本的に -an で対応する。当該字
には平声点を差す。上述の分析を参照。

　▶番号0509b「斷」（續斷）の仮名音注「タン」については、基本的に -an で対応する。当該字
に声点はない。熟字0509「續斷」は右注「ハミ［平平］」と左注「又オニノヤカラ」を付載する。
元和本倭名類聚抄には去声と注記するので、端母換韻（tuɑn³）の字音を指すと考える。上述の分析
を参照。

　　　續斷 拾遺本草云續斷 去声和名波美一云於仁乃夜加良 …　（元和本倭名類聚抄／巻二十06ウ6）

　▶番号0811a「伴」（伴類）の仮名音注「ハン」については、基本的に -an で対応する。当該字
には平声濁点を差すので、字音「バン」を想定する。観智院本類聚名義抄に反切「艹+補 ⑸ 旦反」
（その反切下字に去声点）と低平調を示す和音「ハン」（その右傍に墨筆で濁音「√」表記）を見
出す。日本漢音は去声、日本呉音「バン」平声を認める。

　　　伴 艹+補旦［□去］反 トモ … 和ハン［平平／√□：墨右傍］　（観智院本類聚名義抄／佛上 034-3）

　▶番号0766a「伴」（伴僧）の仮名音注「ハン」については、基本的に -an で対応する。当該字
には去声濁点を差すので、字音「バン」を想定する。上述の分析を参照。

　▶番号0780a「伴」（伴惹）の仮名音注「ハン」については、基本的に -an で対応する。当該字
には去声点を差す。その中古音が示す頭子音 b-（等韻学の術語で言う唇音濁並母）は有声両唇閉鎖
音であり、日本語のバ行音をもって受容するが、中国語音韻史上における濁音声母の無声化を反映
する場合はハ行音で対応する。上述の分析を参照。

　▶番号0843b・1389b「滿」（飽滿・遍滿）の仮名音注「マン」については、基本的に -an で対
応する。両当該字には平声点を差す。図書寮本類聚名義抄に反切「中云莫旱反」を見出す。この「中
云」は仲算撰『法華経釈文』による引用であり、同書の基本的引用文献の一つである。観智院本に
は反切「莫旱」と低平調を示す和音「マン」を見つける。長承本蒙求には仮名音注「マ√・マゝ」
があり、それらの掲出字に上声点を加える。当該字「滿」は日本漢音においても「マン」であり、
字音「バン」を受容する環境になかったか。日本漢音「マン」上声、日本呉音「マン」平声を認め
る。

　　　滿 中云莫旱反 盈也充也 玉云實也　　　　　　　（図書寮本類聚名義抄／046-4）

　　　懣滿 千云上俗下正慎滿字 或／懣 一音亡夲反　　　（図書寮本類聚名義抄／058-3）

　　　憂滿 广云古／懣 莫夲／反 懣煩也煩也　　　　　　（図書寮本類聚名義抄／058-3）

136　3．仮名音注の韻母別考察　3-1　Ⅰ韻類

　　滿 莫旱 ミツ［平上］… 和マン［平平：墨点］　　　　　　（観智院本類聚名義抄／法上 042-6）

　　滿［上］マ✓　　　　　　　　　　　　　　　　　　　　　（長承本蒙求／067）

　　滿［上］マゝ　　　　　　　　　　　　　　　　　　　　　（長承本蒙求／124）

　▶番号 1880b「滿」（秩滿）の仮名音注「マン」については、基本的に -an で対応する。当該字には上声点を差す。上述の分析を参照。

　▶番号 0910b「滿」（飽滿）の仮名音注「マン」については、基本的に -an で対応する。当該字に声点はない。熟字 0910「飽滿」は別筆補入である。上述の分析を参照。

　▶番号 2521「卵」の仮名音注「ラン」については、基本的に -an で対応する。当該字（実際の字形は「歹+阝」に近い）には上声点を差し、右注「カヒコ」左注「鳥胎也」を付載する。観智院本類聚名義抄に同音字注「嬾」（来母旱韻 lɑn²）と反切「盧短反」（来母緩韻 luɑn²）および低平調と推測する和音「ラン」を見出す。元和本倭名類聚抄には同音字注「嬾」がある。当該の「卵」は来母緩韻所属で小韻には単独一字しかないため、他に同音字注の候補はない。切韻諸本によれば、開口の旱韻と合口の緩韻は本来分化していなかった環境も背景にあり、来母旱韻の同音字注「嬾」を選択せざるを得なかったと推測する。日本呉音「ラン」平声を認める。

　　夘 音嬾 カヒコ［平平上濁］〔＊平平上か〕　卵 ゥ　　　（観智院本類聚名義抄／法下 134-4）

　　　　　　　　　　　　　　　　　〔＊「夘（卵）」と「卵（歹+阝）」を混同している〕

　　卵 … 盧短反 鳥㲉 カヒコ［平平平濁］／和ラン［□平：墨点］　（観智院本類聚名義抄／僧下 073-7）

　　卵 陸詞切韻云卵 音嬾和名加比古 鳥胎也 …　　　　　（元和本倭名類聚抄／巻十八 02 オ 2）

　　卵 落官反〔＊落管反の誤認か〕　　　　　　　　　　（天治本新撰字鏡／巻十一 35 オ 4）

　　卵 落管反鳥胎一　　　　　　　　　　　　　　　　　（王仁昫刊謬補缺切韻／上声第廿二旱韻）

　　卵 説文曰凡物無乳者卵生盧管切一　　　　　　　　　（宋本廣韻／上声第廿四緩韻）

《下巻 緩韻諸例》

　▶番号 6328b「管」（被管）の仮名音注「クワン」については、基本的に -wan で対応する。当該字に声点はない。観智院本類聚名義抄に反切「古短反・公緩反」を見出す。長承本蒙求には仮名音注「クワゝ」二例があり、両掲出字に上声点を加える。日本漢音「クワン」上声を認める。

　　筦管 或正 古短反 ツゝ … ツカサトル［上上□□□］　（観智院本類聚名義抄／僧上 072-2）

　　管 公緩反 ツゝ〔上上］… ツカサトル　　　　　　　（観智院本類聚名義抄／僧上 072-3）

　　管［上］クワゝ　　　　　　　　　　　　　　　　　　（長承本蒙求／017・104）

　▶番号 5094b・5099b「斷」（禁斷・糺斷）の仮名音注「タン」については、基本的に -an で対応する。両当該字には平声濁点を差すので、字音「ダン」を想定する。上巻の緩韻当該諸例で分析したように、日本漢音「タン」上声、日本呉音「ダン」平声を認める。

▶番号5768b「満」（充満）の仮名音注「マン」については、基本的に -an で対応する。当該字には平声点を差す。上巻の緩韻当該諸例で分析したように、日本漢音「マン」上声、日本呉音「マン」平声を認める。

《上巻 換韻諸例》

▶番号0390b「灌」（己灌頂）の仮名音注「クワン」については、基本的に -wan で対応する。当該字には去声点を差す。廣韻に拠れば、その中古音は換韻 (kuɑn³) である。熟字0390「己灌頂」は密教において灌頂（阿闍梨より法を受ける時の儀式）を授かった者と言う意味か。仏教関連用語は原則的に日本呉音で受容する。図書寮本類聚名義抄に去声点を付した同音字注「明憲云貫」（桓/換韻 kuɑn¹ᐟ³）および平声点を付した「真云貫音」を見出す。観智院本には同音字注「音貫」と和音「又去」を見つける。長承本蒙求には仮名音注「クワヽ」があり、その掲出字には平声点を加える。日本漢音「クワン」平声、日本呉音は平/去声を認める。

　　　　洮灌 … 下 明憲云貫 ［去］ 音 洗沃又注也 … 真云貫 ［平］ 音　　　　　（図書寮本類聚名義抄／009-4）

　　　　灌緶 广云或作禾+觀同 古/亂反 汲器也　　　　　　　　　　　　　　（図書寮本類聚名義抄／010-4）

　　　　灌緶 广云古亂反 汲器也 下／格杏反 汲井縄也　　　　　　　　　　（図書寮本類聚名義抄／322-6）

　　　　灌 音貫 ソヽク ［上平□］ … 和又去　灌 正　　　　　（観智院本類聚名義抄／法上022-4）

　　　　灌 ［平］ クワヽ　　　　　　　　　　　　　　　　　　　　　　　　（長承本蒙求／142）

▶番号3004b「館」（學館）の仮名音注「クワン」については、基本的に -wan で対応する。当該字には去声点を差す。観智院本類聚名義抄に同音字注「音管」と「音官」（その右傍に朱筆で仮名音注「火ン」）を見出す。同書で仮名音注と共に使う「火」は「火イ・火ウ・火ク・火チ・火ン」があり、中古音の合口介音 -u- を受容するための工夫である。日本漢音「クワン」去声を認める。

　　　　館 音管 音官 ［去／火ン：朱右傍］ 或舘字 … タチ ［平上］ …　　（観智院本類聚名義抄／僧上110-6）

　　　　火 呼果反 ヒ ［上］／和クワ　　　　　　　　　　　　（観智院本類聚名義抄／佛下末036-2）

　　　　火 クワ　　　　　　　　　　　　　　　　　　　　　　　　　　　　（長承本蒙求／119）

▶番号3191a「喚」（喚子鳥）の仮名音注「クワン」については、基本的に -wan で対応する。当該字には去声点を差す。熟字3191「喚子鳥」は右注「ヨフコトリ」を付載する。郭公など鳴き声が人を呼ぶように聞こえる鳥を指す。観智院本類聚名義抄に低平調と上昇調を示す仮名音注「火ン」を見出す。承暦本金光明最勝王経音義には同音字注「官」があり、その掲出字に去声点を加える。日本呉音「クワン」平/去声を認める。

　　　　喚 今 サケフ ［上上□］ … 火ン ［平平・平上］　　　（観智院本類聚名義抄／佛中046-1）

　　　　喚 ［去］ 官／餘父 ［上平］　　　　　　　　　　　（承暦本金光明最勝王経音義08 オ3）

　　　　喚子鳥 萬葉集云喚子鳥 其讀與不古止里　　　　　　（元和本倭名類聚抄／巻十八07 オ3）

138　3．仮名音注の韻母別考察　3-1　Ⅰ韻類

▶番号3104b「爨」（炊爨）の仮名音注「キウ」については、異例 -iu を示す。当該字に声点はない。熟字3104「炊爨」は右傍「イヒカシクナリ」右注「カムキウ」を付載する。本来は仮名音注「スイサン」を期待する。当該字の下部「焚」を近似する「灸」（有/宥韻 kiʌu[23]）と認識した字音の把握か。観智院本類聚名義抄に同音字注「音竄」と反切「倉亂反」を見出すが、仮名音注はない。

　　爨爨 音竄　　　　　　　　　　　　　　　　　（観智院本類聚名義抄／佛下末040-2）

　　爨 俗通 ヒタク［平平平］／カシク［平平平］　　　（観智院本類聚名義抄／佛下末040-3）

　　爨 倉亂反／炊 爨 通　　　　　　　　　　　　　（観智院本類聚名義抄／僧下071-4）

▶番号2570a「鍛」（鍛冶）の仮名音注「タン」については、基本的に -an で対応する。当該字には上声点と去声点を差す。熟字2570「鍛冶」は右注「カチ」左注「俗謂訛也」を付載する。字形の近似する「鍛冶・鍜冶」を想起する注記である。観智院本類聚名義抄に同音字注「音段」と去声点を付した「呉但」を見出すが、仮名音注はない。この呉音注は大般若経字抄による漢呉二音相同の同音字注を出典とする。元和本倭名類聚抄には同音字注「段反」がある。日本呉音は去声を認める。

　　鍛 音段 ウツ［平上］… 呉、但［去］…　　　　　（観智院本類聚名義抄／僧上120-2）

　　鍛 ［音但：右傍］小治也　　　　　　（石山寺一切経蔵本大般若経字抄／24 ウ6）

　　鍛冶 四聲字苑云鍛 叚反 冶 夜反 打金鉄爲器也俗云鍜冶訛也焼鉄銷鑠也

　　　　　　　　　　　　　　　　　　　　　　　　（元和本倭名類聚抄／巻二09 オ5）

▶番号1926a「箰」（箰量）の仮名音注「チウ」については、異例 -iu を示す。当該字には去声点を差すが、字形近似による「籌（籌）」（尤韻 ɖiʌu¹）との誤認と推測する。本来は仮名音注「サン」を期待する。観智院本類聚名義抄に去声点を付した同音字注「音蒜」（換韻 suɑn¹）と低平調を示す「俗音サム」および和音「平」を見出す。同書で「籌」を再検索すると、平声点を付した同音字注「紐」と「和去」があり、さらに注記「箰」（異体字「籌」の誤認）も見つかる。日本漢音は去声、日本呉音は平声、定着久しい字音「サム」平声を認める。

　　笇箰 或正 音蒜［去］カス 俗音サム［平平］… 和平　　（観智院本類聚名義抄／僧上066-4）

　　籌 音紐［平］カス［平上濁］箰 … 和去　　　　　（観智院本類聚名義抄／僧上062-4）

▶番号0864a・0891a「半」（半漢・半月）の仮名音注「ハン」については、基本的に -an で対応する。両当該字には去声点を差す。観智院本類聚名義抄に反切「博慢反」（その反切下字に去声点）と和音「ハン」を見出す。日本漢音は去声、日本呉音「ハン」を認める。

　　半 博慢［□去］反 ナカハ［平平平濁］… 和ハン　　（観智院本類聚名義抄／佛上080-2）

▶番号0640a「半」（半臂）の仮名音注「ハム」については、異例 -am を示す。当該字には去声点を差す。その中古音が示す末子音の舌内撥音韻尾 -n を「ム」で対応する。熟字0640「半臂［去上濁］」は、仮名音注「ハムヒ」/pambi/ が示すような逆行同化（regressive assimilation）による脣内撥音 /m/ であるため、本来の字音「ハン」表記を選択しなかったと推測する。観智院本類聚名

義抄に仮名音注「ハンヒ［平上上濁］」を見出す。その「半」については舌内撥音韻尾 -n を「ン」で表記し、去声相当の上昇調を示す。元和本倭名類聚抄には注記「此間名如字但下音比」があり、和訓はなく字音で受容する状況を示す。上述の分析を参照。

半臂 ハンヒ［平上上濁］　　　　　　　　　　　　　（観智院本類聚名義抄／佛中 125-1）

半臂 蔣魴切韻云半臂 此間名如字但下音比 衣名也　　　　（元和本倭名類聚抄／巻十二 19 ウ 5）

▶番号 0569a・0659a・0727a・0761a・1036a「半」（半月・半熟・半夜・半死・半夏）の仮名音注「ハン」については、基本的に -an で対応する。当該諸字五例には平声点を差す。熟字 0569「半月」は右注「ハンワレ 又ハンワリ」右注「十五日為男十五日為女之稱也」を、熟字 0659「半熟」は右注「ハンスク俗」左注「好銅半熟也」を、熟字 1036「半夏」は右注「ホソクミ」を付載する。元和本倭名類聚抄には和名「保曾久美」を見つける。上述の分析を参照。

半夏 本草云半夏 和名保曾久美　　　　　　　　　　（元和本倭名類聚抄／巻二十 10 ウ 1）

▶番号 0647a「半」（半靴）の仮名音注「ハン」については、基本的に -an で対応する。当該字に声点はない。熟字 0647「半靴」は騎馬用に靴の沓を簡略化したものを指す。上述の分析を参照。

▶番号 0448b・1335b「畔」（路畔・邊畔）の仮名音注「ハン」については、基本的に -an で対応する。両当該字には平声点を差す。観智院本類聚名義抄に去声点を付した同音字注「音半」を見出すが、仮名音注はない。承暦本金光明最勝王経音義には同音字注「半音」があり、その掲出字には平声点を差す。元和本倭名類聚抄には同音字注「音半」を見つける。日本漢音は去声、日本呉音は平声を認める。

畔 音半［去］ホトリ … ソムク［平上□］…　　　　（観智院本類聚名義抄／佛中 110-7）

畔［平］半彡　　　　　　　　　　　　　　　　　（承暦本金光明最勝王経音義 08 ウ 6）

畔 陸詞云畔音半田界也 和名久呂一云阿世　　　　　（元和本倭名類聚抄／巻一 12 オ 1）

▶番号 0833b「畝」（反畝）の仮名音注「ホ」については、異例 -o を示す。当該字には去声点を差す。熟字 0833「反畝」は右傍「ソムク」を付載する。類似した意味（翻り背く）を重ねた用法である。観智院本類聚名義抄にも和訓「ソムク」がある。当該字の仮名音注「ホ」は「畆（異体字：畒・畞・畂）」との誤認による字音把握か。同書で上声濁点を付した同音字注「牡」〔＊←牝〕を見出す。元和本倭名類聚抄字音には同音字注「牡」がある。字音「ボ」を想定する。

畝 音牡［上濁］ウネ［平平］　　　　　　　　　　（観智院本類聚名義抄／佛上 035-7）

畝 陸詞云畝數也音牡 和名宇禰 …　　　　　　　　（元和本倭名類聚抄／巻一 12 ウ 1）

▶番号 0827a「判」（判断）の仮名音注「ハン」については、基本的に -an で対応する。当該字の左下隅は欠損しているが、平声点を差すと推定する。観智院本類聚名義抄に反切「普丹反・普半反」と和音「平」を見出すが、仮名音注はない。日本呉音は平声を認める。

判 普丹反 フハル ウツ … アキラカニ［平平□□□］　（観智院本類聚名義抄／僧上 093-6）

判 普半反 和平 … フハル［平上平／□和□：右傍］　（観智院本類聚名義抄／僧上 095-3）

140　3．仮名音注の韻母別考察　3-1　Ⅰ韻類

▶番号 0712「判」（判）の仮名音注「ハン［平平］」については、基本的に -an で対応する。当該字は右注「ハンス［平平平濁］」サ変動詞を付載する。この仮名音注は平声相当の低平調を示す。上述の分析を参照。

▶番号 0916a・0917a「判」（判官・判事）の仮名音注「ハン」については、基本的に -an で対応する。両当該字に声点はない。上述の分析を参照。

▶番号 1114「絆」の仮名音注「ハン」については、基本的に -an で対応する。当該字には去声点を差し、右注「ホタシ」左注「牛馬絆也」を付載する。馬の足に絡めて縛る紐を指す。図書寮本類聚名義抄に同音字注「音半」を見出す。観智院本には同音字注「音半」を見つけるが、仮名音注はない。元和本倭名類聚抄には同音字注「音半」がある。

　　　鞊絆 广云音／半 馬也　　　　　　　　　　　　　（図書寮本類聚名義抄／320-2）

　　　絆 音半 靽 … ホタシ［平上濁□／□□ス：墨右傍］…　　（観智院本類聚名義抄／法中113-2）

　　　絆　釋名云絆 音半和名保太之 …　　　　　　　　（元和本倭名類聚抄／巻十五05 オ 7）

▶番号 1308b「幔」（斑幔）の仮名音注「マン［平平］」については、基本的に -an で対応する。当該字に声点はないが、その仮名音注に低平調を示す声点を付載する。観智院本類聚名義抄に反切「菓半反」〔＊莫半反の誤認〕と低平調を示す仮名音注「俗云マン」を見出す。元和本倭名類聚抄には反切「莫半反」がある。定着久しい字音「マン」平声を認める。

　　　幔 菓半反 帷 トハリ … 俗云／マン［平平］…　　　（観智院本類聚名義抄／法中105-6）

　　　幔　唐韻云幔 莫半反 帷幔也 俗名如字 …　　　　（元和本倭名類聚抄／巻十四15 ウ 3）

▶番号 1476b「乱」（團乱）の仮名音注「ラン」については、基本的に -an で対応する。当該字には去声点を差す。観智院本類聚名義抄に反切「郎段反」と和音「ラン」を見出す。日本呉音「ラン」を認める。

　　　乱亂 上俗下正 郎段反 ミタル［平平濁□］… 和ラン …　　（観智院本類聚名義抄／佛下末013-4）

▶番号 1642b「乱」（鬭乱）の仮名音注「ラン」については、基本的に -an で対応する。当該字には平声点を差す。上述の分析を参照。

▶番号 2134b「乱」（理乱）の仮名音注「ラム」については、異例 -am を示す。当該字には平声点を差す。その中古音が示す末子音の舌内撥音韻尾 -n を「ム」で対応する。その表記方法が確立していない時期には「ゝ・ム・✓」などで表示する試みがあったと推測する。観智院本類聚名義抄を検索すると、熟字「霍乱」に仮名音注「俗云火クラム」二例を見つける。定着久しい字音表記として「ラム」を認識していた可能性がある。既述の繰り返しになるが、承暦本金光明最勝王経音義では、中国語音の末子音に出現する脣内撥音韻尾 -m・舌内撥音韻尾 -n・喉内撥音韻尾 -ŋ それぞれを区別して表記する。すなわち「ム・ゝ・✓」三種の借字である。上述の分析を参照。

　　　霍乱 俗云火クラム［平平平平］… コクヤマヒ［平上平上平］　（観智院本類聚名義抄／法下069-4）

　　　霍乱 俗云火クラム［平平平平］… コクヤマヒ［平平平上平］　（観智院本類聚名義抄／僧中135-4）

次可知✓ゝ二種借字　　　　　　　　　　　　（承暦本金光明最勝王経音義02 オ4）

件✓音字ニハ異也可知也　　　　　　　　　　（承暦本金光明最勝王経音義02 オ8）

件ゝ音ムニハ異也可知也　　　　　　　　　　（承暦本金光明最勝王経音義02 ウ4）

《下巻 換韻諸例》

▶番号4371b「䡇」（愛䡇）の仮名音注「クワン」については、基本的に -wan で対応する。当該字には平声点を差す。同じ熟字「愛䡇」に付載した仮名音注で、左注4371b「クワン」中注4370b「クエン」を並列に配置する。その中古音が示す頭子音 ŋ-（等韻学の術語で言う疑母）は軟口蓋鼻音であり、日本語のガ行音をもって受容する。観智院本類聚名義抄に反切「五貫反」と同音字注「音玩」を見出すが、仮名音注はない。

　　忨〔＊←巾：部首〕䡇或 五貫反　　　　　　　（観智院本類聚名義抄／法中106-2）

　　䡇 音玩 モテアソフ［平上□□□］… 習也　　　（観智院本類聚名義抄／僧下106-4）

▶番号4370b「䡇」（愛䡇）の仮名音注「クエン」については、異例 -wen を示す。当該字には平声点を差す。これは諸声符「元」（元韻 ŋiuɑnˈ）を日本漢音「クエン」で把握したものか。

▶番号4756a「筭」（筭數）の仮名音注「サン」については、基本的に -an で対応する。当該字には平声点を差す。観智院本類聚名義抄に去声点を付した同音字注「音蒜」と低平調の「俗音サム」および「和平」を見出す。日本漢音は去声、日本呉音は平声、定着久しい字音「サム」平声を認める。

　　筭筭 或正 音蒜［去］カス 俗音サム［平平］… 和平　　（観智院本類聚名義抄／僧上066-4）

▶番号4611「筭」（筭）の仮名音注「サン［平平］」については、基本的に -an で対応する。当該字の仮名音注に平声相当の低平調を示す声点を差し、その右注「蘇實反」中左注「長六寸／以計暦数者也」を付載する。上述の分析を参照。

▶番号4754a・4755a・4820a「筭」（筭計・筭術・筭博士）の仮名音注「サン」については、基本的に -an で対応する。当該諸字三例に声点はない。上述の分析を参照。

▶番号6918b「爨」（炊爨）の仮名音注「サン」については、基本的に -an で対応する。当該字には去声点を差す。熟字6918「炊爨」は右傍「カシキ カシク」を付載する。上巻の換韻当該例で分析した。

▶番号4325「攢」の仮名音注「サン」については、基本的に -an で対応する。当該字には平声点を差し、和訓「アツム」の同訓異字として配置する。右注「在丸反」左注「在玩反」右傍「サン」仮名音注を付載する。観智院本類聚名義抄に反切「在丸反」と「在乱反」（その反切下字に去声点）を見出すが、仮名音注はない。日本漢音は去声を認める。

　　攢 在丸反 … アツム［平平□／□□マル［上平］：右傍］… 又在乱［□去］反 …

142 　3．仮名音注の韻母別考察　3-1　Ⅰ韻類

（観智院本類聚名義抄／佛下本 061-5）

▶番号 6428「糯」の仮名音注「タン」については、基本的に -an で対応する。当該字には平声濁点を差すので、字音「ダン」を想定する。右注「モチノヨネ」中注「奴乱反」左注「或乱反」を付載する。その中古音が示す頭子音 n-（等韻学の術語で言う泥母）は歯茎鼻音であり、日本漢字音ではナ行音をもって受容するが、中国語音韻史上における鼻音声母の非鼻音化現象 (denasalization) による音変化 n- > nd- > d- を反映する場合はダ行音で対応する。観智院本類聚名義抄に反切「奴乱反・奴亂反」を見出すが、仮名音注はない。元和本倭名類聚抄には反切「奴乱反」を見つける。

　　稬 奴乱反 黏秔也／俗奴過反 今糯　　　　　　　　　　（観智院本類聚名義抄／法下 022-7）

　　糯米 … 奴亂反 俗又／奴貨反 モチノヨネ　　　　　　　（観智院本類聚名義抄／法下 032-5）

　　糯米 モチノヨネ［上上上上上］上奴乱反　　　　　　　（観智院本類聚名義抄／法下 037-7）

　　糯　蒼頡篇云糯 奴乱反糯米和名毛知乃與禰 …　　　　（元和本倭名類聚抄／巻十七 03 オ 4）

▶番号 6807「鴠」の仮名音注「タン」については、基本的に -an で対応する。当該字には去声点を差す。観智院本類聚名義抄に去声点を付した同音字注「音段」を見出すが、仮名音注はない。日本漢音は去声を認める。

　　鴠 鳥卵 不孚／音段［去］スモリ［平上平］　　　　　（観智院本類聚名義抄／僧下 073-8）

▶番号 4067「畔」の仮名音注「ハン」については、基本的に -an で対応する。当該字に声点はなく、中注「田界也」左注「又ア」を付載する。なお右注「アセ」を欠落した可能性がある。番号 4067「畔」の直後には掲出字「塍」があり、その右注「同」は「アセ」と推測する。上巻の換韻当該諸例で分析したように、日本漢音は去声、日本呉音は平声を認める。

　　畔　陸詞云畔音半田界也 和名久呂一云阿世　　　　　（元和本倭名類聚抄／巻一 12 オ 1）

▶番号 3835b「乱」（櫌乱）の仮名音注「ラン」については、基本的に -an で対応する。当該字には上声点を差す。上巻の換韻当該諸例で分析したように、日本呉音「ラン」を認める。

▶番号 5909c「乱」（酒不乱觺）の仮名音注「ラン」については、基本的に -an で対応する。当該字に声点はない。上述の分析を参照。

　《上巻 末韻諸例》

▶番号 2478a「栝」（栝樓）の仮名音注「クワツ」については、基本的に -wat で対応する。当該字には入声点を差す。熟字 2478「栝樓」は右注「カラスウリ」を付載する。観智院本類聚名義抄に反切「苦活反」と「呉音活」を見出すが、仮名音注はない。この呉音は大般若経音抄所載の同音字注「音活」を出典とする。異体字の表記「或作箬」も同じく参照できる。日本呉音は入声を認める。

　　栝 苦活反 ヤハス［上上上濁］… 或箬 呉―活［入］…　　（観智院本類聚名義抄／佛下本 093-2）

或作筈 栝 [音活：右傍] ヤハス　　　　　　　　　（石山寺一切経蔵本大般若経字抄 14 オ 1）

　　栝樓　兼名苑注云栝樓 … 和名加良須宇里　　　　（元和本倭名類聚抄／巻二十 12 ウ 1）

　▶番号 0119「活」の仮名音注「クワツ」については、基本的に -wat で対応する。当該字に声点はない。図書寮本類聚名義抄に同音字注「音括」を見出す。観智院本には同音字注「音括」を見つける。長承本蒙求には仮名音注「クワツ」がある。日本漢音「クワツ」を認める。

　　活 音括 イク [平上／集：右注] … ヤシナフ [上上上平]　　（図書寮本類聚名義抄／043-7）

　　活 音括 イク [平上] … シツカナリ　　　　　　　（観智院本類聚名義抄／法上 015-8）

　　活 〔*右下隅欠〕クワツ　　　　　　　　　　　　（長承本蒙求／116）

　▶番号 2555a「蛞」（蛞蝓）の仮名音注「クワツ」については、基本的に -wat で対応する。当該字に声点はない。観智院本類聚名義抄に同音字注「活・闊」を見出すが、仮名音注はない。元和本倭名類聚抄には同音字注「活」を見つける。

　　蛞蝓 活東二音 蛙兒　　　　　　　　　　　　　（観智院本類聚名義抄／僧下 020-1）

　　蛞蝓 闊踰／二音　　　　　　　　　　　　　　　（観智院本類聚名義抄／僧下 040-4）

　　蝦蟇 … 唐韻云蛞蝓 活東二音 蝌斗也 …　　　　（元和本倭名類聚抄／巻十九 24 オ 9）

　▶番号 2005d「脱」（臨胡褌脱）の仮名音注「タツ」については、基本的に -at で対応する。当該字には入声濁点を差すので、字音「ダツ」を想定する。廣韻に拠れば、当該字「脱」は定母末韻（duat）と透母末韻（t'uat）二音を有する。観智院本類聚名義抄に同音字注「音奪」を見出す。長承本蒙求には仮名音注「タツ」があり、掲出字二例に徳声点を加える。日本漢音「タツ」徳声（四声体系では入声）を認める。

　　脱 音奪 マヌヌ … トク [平上]　　　　　　　　（観智院本類聚名義抄／佛中 134-7）

　　脱 [徳] タ□／タツ／□ツ　　　　　　　　　　（長承本蒙求／023）

　　脱 [徳] タ□　　　　　　　　　　　　　　　　（長承本蒙求／084）

　　平調曲 … 臨胡褌脱 …　　　　　　　　　　　　（元和本倭名類聚抄／巻四 15 オ 9）

　▶番号 3113b「脱」（解脱）の仮名音注「タツ」については、基本的に -at で対応する。当該字には入声点を差す。上述の分析を参照。

　▶番号 3267b「奪」の仮名音注「タツ」については、基本的に -at で対応する。当該字には入声点を差す。その中古音が示す頭子音 d-（等韻学の術語で言う舌音濁定母）は有声歯茎閉鎖音であり、日本語のダ行音をもって対応するが、中国語音韻史上における濁音声母の無声化を反映する場合はタ行音で対応する。観智院本類聚名義抄に入声濁点を付した同音字注「脱」を見出す。これは字音「ダツ」を想定する。承暦本金光明最勝王経音義には仮名音注「タツ」がある。日本漢音は入声、日本呉音「タツ」を認める。加えて日本漢音「ダツ」入声の可能性も指摘しておく。

　　奪 音脱 [入濁] ムハフ [平平濁□] …　　　　　（観智院本類聚名義抄／佛下末 031-7）

　　奪 タツ〔*後筆墨書入〕　　　　　　　　　　　（承暦本金光明最勝王経音義 07 ウ 2）

144　3．仮名音注の韻母別考察　3-1　Ⅰ韻類

▶番号0666「鉢」の仮名音注「ハチ」については、基本的に -at で対応する。当該字には入声点を差し、左注「又作盋」を付載する。観智院本類聚名義抄に高平調を示す仮名音注「ハチ［上上］」と低平調を示す「俗云ハチ」および同音字注「撥」を見出す。元和本倭名類聚抄には反切「博末反」と注記「和名以音爲名」がある。和名は訓がなく字音に依拠していることを指す。早くからの定着久しい字音「ハチ」入声を認める。

　　　銅鈸子 トウハチシ［平東上上□］／銅鉢子 同　　　　　　（観智院本類聚名義抄／僧上120-2）

　　　鉢 音撥 或盋 俗云／ハチ［平平］以音為名　　　　　　（観智院本類聚名義抄／僧上120-2）

　　　鉢　四聲字苑云鉢 博末反字亦作盋見唐韻今案無和名以音爲名 …

　　　　　　　　　　　　　　　　　　　　　　　　　　　（元和本倭名類聚抄／巻十六03 オ 2）

▶番号0880a「撥」（撥撫）の仮名音注「ハツ」については、基本的に -at で対応する。当該字には入声点を差す。熟字0880「撥撫」は右傍「ハラヒスツ」を付載する。観智院本類聚名義抄には同音字注「鉢」を見出すが、仮名音注はない。

　　　撥 音鉢 ヲサム ハラフ／スツ … 射發也　　　　　　（観智院本類聚名義抄／佛下本072-6）

▶番号2473b「跋」（由跋）の仮名音注「ハツ」については、基本的に -at で対応する。当該字には入声点を差す。その中古音が示す頭子音 b-（等韻学の術語で言う唇音濁並母）は有声両唇閉鎖音であり、日本語のバ行音をもって受容するが、中国語音韻史上における濁音声母の無声化を反映する場合はハ行音で対応する。熟字2473「由跋」は右注「カキツハタ」を付載する。図書寮本類聚名義抄に入声点を付した同音字注「音鉢」と反切「又蒲物反」（その反切下字に入声濁点）および仮名音注「真云ハチ」（その右傍に濁音「✓」表記）を見出す。観智院本類聚名義抄に同音字注「音颰・又貝鉢二音」と「又蒲牙反」を見つける。長承本蒙求には仮名音注「ハツ」があり、その掲出字に入声点を加える。元和本倭名類聚抄には反切「薄葛反」を見つける。日本漢音「ハツ」入声、日本呉音「バチ」を認める。

　　　跋 音鉢［入］… 又蒲物［□入濁］反 … 真云ハチ［✓□：右傍］　　　（図書寮本類聚名義抄／102-3）

　　　由跋 川云和云加／跋都波奈［上上上上濁平］　　　　　（図書寮本類聚名義抄／102-6）

　　　頻跋羅 广／云／蒲末反 …　　　　　　　　　　　　（図書寮本類聚名義抄／120-1）

　　　跋 音颰 又貝鉢二音 フム … 又蒲牙反 モト［平平］　（観智院本類聚名義抄／法上075-7）

　　　由跋 俗欤 カキツハタ［上上上上濁平／□□□□ナ［平］：右傍］

　　　　　　　　　　　　　　　　　　　　　　　　　　　（観智院本類聚名義抄／法上075-8）

　　　跋［入］ハ／ハツ　　　　　　　　　　　　　　　　　（長承本蒙求／004）

　　　由跋　本草云由跋 薄葛反和名加木豆波奈　　　　　（元和本倭名類聚抄／巻二十15 ウ 4）

▶番号0748a・0825a・0826a・0830a・0832a「拔」（拔禊・拔萃・拔群・拔扈・拔刀）の仮名音注「ハツ」については、基本的に -at で対応する。当該諸字五例には入声点を差す。その中古音が示す頭子音 b-（等韻学の術語で言う唇音濁並母）は有声両唇音であり、日本語のバ行音をもって

3-1-1　-ɑ系の字音的特徴　145

受容するが、中国語音韻史上における濁音声母の無声化を反映する場合はハ行音で対応する。観智院本類聚名義抄には反切「歩八反」（點韻 bɐt）と入声濁点を付した同音字注「又跋［入濁］音」（末韻 bɑt）を見出す。後者からは字音「バツ」を想定する。日本漢音は入声を認める。

　　　抜 歩八反 又跋［入濁］音／ヌキツ　　　　　　　（観智院本類聚名義抄／佛下本 050-7）

　　　拔 … ヌク［上平］… マヌカル　　　　　　　　　（観智院本類聚名義抄／佛下本 050-7）

　▶番号0628a「拔」（拔頭）の仮名音注「ハ」については、異例 -a を示す。当該字には上声濁点を差すので、字音「バ」を想定する。熟字0628「拔頭」は右注「大食調」左注「ハトウ」仮名音注を付載する。促音の無表記による字音把握である。この表記実態に牽制されて、入声の字音把握をできなかったか。元和本倭名類聚抄には同音字注相当の注記「拔音如末」がある。これは当該字「拔」（末韻 bɑt・月韻 biɑt・點韻 bɐt）に対して、その頭子音が異なる「末」（末韻 mɑt）による字音把握を示す。上述の分析を参照。

　　　　道調曲 … 拔頭 拔音如末 …　　　　　　　　　（元和本倭名類聚抄／巻四 16 オ 3）

　▶番号2163「拔」（拔）の仮名音注「チウ」については、異例 -iu を示す。当該字には平声点を差し、左注「ヌク［上平］」を付載する。前田本では「ヌク」の同訓異字として「拔・抽」等を掲げる。廣韻に拠れば、その「抽」に注記「拔也」とあり、また「捒」とは相互に異体字である。字形の近似する「捒」と誤認したか。それゆえ入声点ではなく平声点を差した可能性がある。観智院本類聚名義抄では同じ和訓「ヌク」を有する「抽」に続き、異体字として「捒」を掲げる。上述の分析を参照。

　　　拔［平］チウ／ヌク［上平］擢 挺 援 抽 … 說 已上／ヌク

　　　　　　　　　　　　　　　　　　　（前田本色葉字類抄／上奴・078 オ 4・辞字）

　　　抽 拔也引也或作岫岫引其端緒也 丑鳩切八 捒 上同 …　　（宋本廣韻／尤韻徹母 tʰiʌuˡ）

　　　抽 ヌク［上平］ヌキイツ ノソク 音惆 …又音岫 牛黒皆也　（観智院本類聚名義抄／佛下本 075-8）

　　　捒 或 又云俗透字／式六反　　　　　　　　　　　（観智院本類聚名義抄／佛下本 075-8）

　　　惆 音抽 呉音籌 又／去 呼戒反／ウレフ［平平□］…　　（観智院本類聚名義抄／法中 071-7）

　　　岫 音袖［去］山穴 … イハホ　　　　　　　　　　（観智院本類聚名義抄／法上 113-7）

　▶番号 2169「拔」（拔）の仮名音注「チウ」については、異例 -iu を示す。当該字に声点はなく、右注「ヌキイツ」を付載する。前田本では「ヌキイツ」の同訓異字として「拔・抽」等を掲げる。前述の番号2163「拔」に後れること五行目に配置する。上述の分析を参照。

　　　拔［平］チウ／ヌキイツ 擢 挺 抽 審 貫 挺 紬 磠 讀 已上

　　　　　　　　　　　　　　　　　　　（前田本色葉字類抄／上奴・078 ウ 2・辞字）

　▶番号1512b「鈸」（銅鈸子）の仮名音注「ハツ」については、基本的に -at で対応する。当該字には入声点を差す。熟字「銅鈸子」は左傍1512「トウハツ」右注1568「トヒヤウシ」左注「鈸即鉢也」を付載する。銅製の中央部か椀上に盛り上がった円盤の打楽器で、二枚を打ち合わせて鳴

らす。観智院本類聚名義抄に同音字注「跋」と仮名音注「ハチ」を見出す。また同書では「銅鈸子」掲げ、注記「同（トウハチシ）」とする。元和本倭名類聚抄には注記「今案鈸即鉢字也」があり、やはり「銅鉢子」とも認識する。定着久しい字音「ハチ」入声を認める。

　　　鈸 音跋／タマフ　銅鈸子 トウハチシ［平東上上□］　　　　（観智院本類聚名義抄／僧上 120-1）

　　　銅鉢子 同〔＊トウハチシ［平東上上□］〕　　　　　　　　（観智院本類聚名義抄／僧上 120-2）

　　　鉢 音撥 或盋 俗云／ハチ［平平］以音為名　　　　　　　　（観智院本類聚名義抄／僧上 120-2）

　　　銅鈸子　律書樂圖云銅鈸子 今案鈸即鉢字也 …　　　　　（元和本倭名類聚抄／巻四 09 オ 6）

　▶番号 1568「鈸」（銅鈸子）の仮名音注「ヒヤウ」については、異例 -jau を示す。当該字には入声点を差す。上述と同じ熟字「銅鈸子」は左傍 1512「トウハツ」右注 1568「トヒヤウシ」左注「鈸即鉢也」を付載する。それに続いて熟字 1513「頓拍子」を掲げ、右注「同（トヒヤウシ）」を付載する。同じ打楽器を指すにも関わらず、異なる二つの漢字表記「銅鈸子・頓拍子」が存在することで誤認が生じた字音把握であろう。

　▶番号 2916b「魃」（旱魃）の仮名音注「ハツ」については、基本的に -at で対応する。当該字には平声濁点を差すので、字音「バツ」を想定する。観智院本類聚名義抄に同音字注「音跋」を見出すが、仮名音注はない。元和本倭名類聚抄には反切「歩末反」がある。

　　　魃 或妭 音跋 旱鬼／ヒテリノカミ［上上濁上上平上］　　（観智院本類聚名義抄／僧下 049-7）

　　　旱魃　孫愐切韻云魃歩末反 和名比天利乃加美 旱神也　　（元和本倭名類聚抄／巻二 02 ウ 6）

　▶番号 0783a・0802a「末」（末葉・末座）の仮名音注「ハツ」については、基本的に -at で対応する。両当該字には入声濁点を差すので、字音「バツ」を想定する。その中古音が示す頭子音 m-（等韻学の術語では明母）は両唇鼻音であり、日本語のマ行音をもって受容するが、鼻音声母の非鼻音化（denasalization）現象により m- > mb- > b- の音変化をする。原則的に、この影響を受けた日本漢音ではバ行音で対応する。観智院本類聚名義抄に反切「莫曷反」と和音「マチ」を見出す。傍証ながら、同書では「沫」に入声濁点を付した同音字注「末」があり、その右注「ハチ」左注「マチ」を付載する。日本呉音「マチ」を認める。

　　　末 莫曷反 スヱ［上上］和マチ ノチ［平平］… エタ　　（観智院本類聚名義抄／佛下 113-6）

　　　沫 音末［入濁／ハチ：右注・マチ：左注］…　　　　　　（観智院本類聚名義抄／法上 008-1）

　▶番号 1185b・1490a「末」の仮名音注「マツ」については、基本的に -at で対応する。両当該字には入声点を差す。中古音が示す末子音 -t（いわゆる t 入声韻尾）の受容については「チ・ツ」両字音表記があり、一般的に日本呉音「チ」日本漢音「ツ」のような区分をするが、実態は整然とした弁別にはなっていない。両当該字「末」は日本呉音「マチ」日本漢音「バツ」を期待しながらも、実際には「マツ」を掲げる。上述の分析を参照。

　▶番号 0765a「末」（末仕）の仮名音注「ハ」については、異例 -a を示す。当該字には去声濁点を差すので、字音「バ」を想定する。熟字 0765「末仕」は右注「ハシ」仮名音注を掲げるので、

三拍二音節語である促音の無表記「バ（ッ）シ」であると推測する。ただし、上昇調である去声濁点を差すので、二拍二音節語「バシ」［去濁平＝◐○］とも考え得る。

　▶番号2535「鮇」の仮名音注「ハツ」については、基本的に *-at* で対応する。当該字には入声点を差し、右注「カマツカ 小魚也」左注「又カマス」を付載する。これらは倭名類聚抄による引用で、その出典は玉篇とするが、篆隷萬象名義・新撰字鏡に同じ注記を確認できない。観智院本類聚名義抄および元和本倭名類聚抄に同音字注「音末・一音蔑」を見出すが、仮名音注はない。

鮇 音末 一音／蔑 カマツカ［平□平平］／ツクラ	（観智院本類聚名義抄／僧下008-2）
鱴 或	（観智院本類聚名義抄／僧下008-3）
蔑 莫結反 アツマル … 和メチ ヘチ［✓□：右傍］	（観智院本類聚名義抄／僧上058-8）
鮇 玉篇云 音末一音蔑漢語抄云加末豆加 少魚名也	（元和本倭名類聚抄／巻十九09オ3）
鮇 莫恬反似鮑小	（高山寺本篆隷萬象名義／第六帖082オ3）
鮇 莫恬莫結二切海中魚鮑也	（小學彙函本大廣益會玉篇／巻下22ウ5）
鮇 莫哲反	（天治本新撰字鏡／巻九03オ5）

　▶番号2536「鮇」の仮名音注「ヘツ」については、異例 *-et* を示す。当該字には入声点を差す。観智院本類聚名義抄に同音字注「一音蔑」を見出すが、仮名音注はない。次に掲げる異体字「鱴」に牽引された字音把握と推測する。傍証ながら、同書で「蔑」を再検索すると、反切「莫結反」および和音「メチ」と「ヘチ」（その右傍に濁音「✓」表記）を見つける。

蔑 莫結反 アツマル … 和メチ ヘチ［✓□：朱右傍］	（観智院本類聚名義抄／僧上058-8）

　▶番号2324「怵」の仮名音注「マツ」については、基本的に *-at* で対応する。当該字に声点はなく、和訓「ワスル」の同訓異字として位置する。観智院本類聚名義抄に反切「毛鉢反」を見出すが、仮名音注はない。

怵 毛鉢反／ワスル［上上□］クム	（観智院本類聚名義抄／法中092-1）
怵 莫達反忘也	（高山寺本篆隷萬象名義／第三帖003オ4）

《下巻 末韻諸例》

　▶番号6438「髻」の仮名音注「クワツ」については、基本的に *-at* で対応する。当該字には入声点を差し、右注「モトユヒ」中注「音活又音膾以但束髪也」左注「女髻又作髻」を付載する。異体字「髻」に対して、観智院本類聚名義抄に同音字注「活括二音」を見出すが、仮名音注はない。元和本倭名類聚抄には同音字注「音活」がある。

髻 活括二音／以麻組髪也　髻 或／モトユヒ［平平□□］	（観智院本類聚名義抄／佛下本037-4）
髻 孫愐切韻云髻 音活和名毛度由比 以組束髪也	（元和本倭名類聚抄／巻十四05オ5）

　▶番号4456b「葜」（拔葜）の仮名音注「クワツ」については、基本的に *-at* で対応する。当該

148　3．仮名音注の韻母別考察　3-1　I韻類

字に声点はない。熟字4456「菝葜」は右注「サルトリ」左注「又ヲホウハラ」を付載する。廣韻は「葜」を掲出せず、異体字「𦯈：菝𦯈瑞草」（黠韻 kuɑt）がある。観智院本類聚名義抄に音注を見出せないが、注記「下音」がある。ここに何らかの同音字注があったか。異体字「𦯈」には同音字注「括」を見出すが、仮名音注はない。

　　　　　拔葜 サルトリ［平平□□］一云／オホウハラ［平平□□□］下音

　　　　　　　　　　　　　　　　　　　　　　　　（観智院本類聚名義抄／僧上047-7）

　　　　　菝 音跋 菝𦯈　　　　　　　　　　　　（観智院本類聚名義抄／僧上030-1）

　　　　　𦯈𦯈 消括二音／瑞草　　　　　　　　　（観智院本類聚名義抄／僧上030-2）

　　　　　菝葜 本草云菝葜 方八反和名佐止里一云於保宇波良　（元和本倭名類聚抄／巻二十13ウ9）

　▶番号4609「撮」の仮名音注「サチ」については、基本的に -at で対応する。当該字に声点はなく、右注「サチ」中注「倉括反」中左注「六十四黍為圭四／圭為撮撮手取也」を付載する。観智院本類聚名義抄に反切「子活反」と同音字注「呉薩」を見出すが、仮名音注はない。この呉薩注は大般若経字抄による引用で、漢呉二音相同の同音字注である。傍証ながら、同書で「薩」を再検索すると、反切「棗割反」と低平調を示す和音「サチ」がある。

　　　　　撮 俗 トル［平上］スヘテ［上平□］／呉薩　（観智院本類聚名義抄／佛下本047-3）

　　　　　撮 子活反 トル／スフ ノフ　　　　　　（観智院本類聚名義抄／佛下本047-3）

　　　　　菩薩 … 下棗割反 洲也 … 和サチ［平平］／菩音 薩洲也　（観智院本類聚名義抄／僧上004-4）

　　　　　撮［薩：右傍］トル　　　　　（石山寺一切経蔵本大般若経字抄23ウ5）

　▶番号3986b・5350a「脱」（逃脱・脱疘）の仮名音注「タツ」については、基本的に -at で対応する。両当該字には入声点を差す。上巻の末韻当該諸例で分析したように、日本漢音「タツ」徳声（四声体系では入声）を認める。

　▶番号4603b「鉢」（砂鉢）の仮名音注「ハチ」については、基本的に -at で対応する。当該字に声点はない。上巻の末韻当該例で分析したように、早くからの定着久しい字音「ハチ」を認める。

　▶番号4456a「菝」（菝葜）の仮名音注「ハツ」については、基本的に -at で対応する。当該字には入声点を差す。熟字4456「菝葜」は右注「サルトリ」左注「又ヲホウハラ」を付載する。観智院本類聚名義抄に同音字注「音跋」を見出すが、仮名音注はない。元和本倭名類聚抄には反切「方八反」がある。

　　　　　拔葜 サルトリ［平平□□］一云／オホウハラ［平平□□□］下音

　　　　　　　　　　　　　　　　　　　　　　　　（観智院本類聚名義抄／僧上047-7）

　　　　　菝 音跋 菝𦯈　　　　　　　　　　　　（観智院本類聚名義抄／僧上030-1）

　　　　　菝葜 本草云菝葜 方八反和名佐止里一云於保宇波良　（元和本倭名類聚抄／巻二十13ウ9）

　▶番号5391b「鞨」（新靺鞨）の仮名音注「マ」については、異例 -a を示す。当該字に声点はない。熟字5391「新靺鞨」は右注「髙麗樂」左注に「シンマカ」を付載する。これは促音無表記「シ

ンマ（ツ）カ」を想定する。観智院本類聚名義抄に反切「亡代反」と同音字注「音末」を見出すが、仮名音注はない。元和本倭名類聚抄には同音字注「末」がある。

　　　靺 … 亡代反 … シタウツ シタクラ　　　　　　　　　（観智院本類聚名義抄／僧中 074-7）

　　　袜 … 音末 シタウツ 或靺　　　　　　　　　　　　　（観智院本類聚名義抄／法中 138-2）

　　　新靺鞨 靺鞨二音末曷蕃人出北土見唐韻　　　　　　　（元和本倭名類聚抄／巻四／17 ウ 6）

▶番号 6872「末」の仮名音注「マツ」については、基本的に -at で対応する。当該字に声点はなく、右注「スヱ」を付載する。上巻の末韻当該諸例で分析したように、日本呉音「マチ」入声を認める。

　　3-1-1-9　-aŋ/-ak （唐/蕩/宕/鐸韻）

資料篇【表 B-01】には唐韻（平声）蕩韻（上声）宕韻（去声）鐸韻（入声）開口所属の諸例が含まれる。前田本の示す仮名音注は、-aŭ/-ak で基本的に対応する。異例として、-a, -aka, -aki, -an, -ap, -au, -jaŭ, -jak, -o がある。

　　《上巻 唐韻開口諸例》

▶番号 2221b「鴌」の仮名音注「アウ」については、基本的に -aŭ で対応する。当該字には平声点を差す。熟字 2221「鴛鴌」は右注「ヲシ」右傍「ヲシ」を付載する。観智院本類聚名義抄に同音字注「鴌・又央音」を見出す。元和本倭名類聚抄には同音字注「鴌」和名「乎之」を見つける。承暦本金光明最勝王経音義には借字「阿宇反」があり、その掲出字には平声点を加える。日本呉音「アウ」平声を認める。

　　　鴌 … 又央音 タカヘ　　　　　　　　　　　　　　　（観智院本類聚名義抄／僧中 116-5）

　　　鴛鴌 宛鴌二音 ヲシ［上上］／名匹鳥 上ヲヲシ 下メヲシ　（観智院本類聚名義抄／僧中 116-6）

　　　鴌［平］阿宇反　　　　　　　　　　　　　　　　　（承暦本金光明最勝王経音義 09 ウ 2）

　　　鴛鴌　崔豹古今注云鴛鴌 宛鴌二音和名乎之 … 故名匹鳥也

　　　　　　　　　　　　　　　　　　　　　　　　　　（元和本倭名類聚抄／巻十八 10 オ 2）

▶番号 2083b・2084b「亢」（流亢・流亢）の仮名音注「カウ」については、基本的に -aŭ で対応する。当該字（両例は同一字）には平声点を差す。熟字 2083・2084「流亢」の左傍と左注に重複して仮名音注「リウカウ」を、右傍「ナカル アカル」を付載する。観智院本類聚名義抄に同音字注「音剛」と「又上」および「去頡反〔*反←ス〕」を見出すが、仮名音注はない。元和本倭名類聚抄に反切と声調表記「胡郎反又去聲」を見つける。日本漢音は上/去声を認める。

　　　亢 音剛 星名亢夊 … アク［□平濁］… 又上／去 …　（観智院本類聚名義抄／佛下末 017-3）

150　3．仮名音注の韻母別考察　3-1　Ⅰ韻類

阬　史記云絶阬而死 阬音胡郎反又去聲亦唐韻從口作阬訓上同俗云乃無止布江

（元和本倭名類聚抄／巻三 06 オ 8）

▶番号 0580「胻」（胻）の仮名音注「カウ」については、基本的に -aŭ で対応する。当該字に
は平声点を差し、右注「ハキ」を付載する。観智院本類聚名義抄に反切「戸郎反・又下更反」およ
び和音「行」を見出すが、仮名音注はない。元和本倭名類聚抄には反切「胡郎反」がある。

　　胻 戸郎反 又下更反／アシ ハキ［去平濁］和音行　　　　（観智院本類聚名義抄／佛中 129-3）

　　胻 説文云胻 胡郎反和名波岐 脛也 …　　　　　　　　　（元和本倭名類聚抄／巻三 14 ウ 1）

▶番号 1119b・3072a「綱」（帆綱・綱丁）の仮名音注「カウ」については、基本的に -aŭ で対
応する。両当該字には平声点を差す。熟字 1119「帆綱」は右注「ホツナ」を付載する。図書寮本類
聚名義抄に同音字注「音罡+寸（＝剛）」（その東声点位置に仮名音注「カウ」／喉内撥音韻尾「✓」
表記）を見出す。観智院本には同音字注「音罡+寸（＝剛）」を見つける。傍証ながら、同書で「剛」
を再検索すると、同音字注「音罡」と和音「我ウ」（その右傍に墨筆で喉音撥音韻尾「✓」表記）
がある。長承本蒙求には仮名音注「カウ」があり、その掲出字には東声点を加える。日本漢音「カ
ウ」東声（四声体系では平声）日本呉音「ガウ」を認める。

　　綱紀 类立罡+寸［カウ［□✓］／東声点位置］音 …　　　（図書寮本類聚名義抄／297-4）

　　綱 音罡+寸 紀也 維／持也 ツナ［平平］　　　　　　　（観智院本類聚名義抄／法中 121-6）

　　剛 … 俗罡+寸 音罡 … 和我ウ［□✓：墨右傍］　　　　（観智院本類聚名義抄／僧上 094-3）

　　綱［東］カウ　　　　　　　　　　　　　　　　　　　（長承本蒙求／077）

　　帆綱　文選注云長梢 所交反䑺說都奈 今之帆綱也　　　（元和本倭名類聚抄／巻十一 03 ウ 5）

▶番号 3174a・3175a「綱」（綱所・綱掌）の仮名音注「カウ」については、基本的に -aŭ で対
応する。両当該字に声点はない。上述の分析を参照。

▶番号 1977b「綱」（中綱）の仮名音注「カフ」については、異例 -ap で対応する。当該字に声
点はない。仮名の字形相似による「カウ」の誤認か、あるいは -ap > -au と音変化する環境がある
ための混同か。上述の分析を参照。

▶番号 2159「糠」の仮名音注「カウ」については、基本的に -aŭ で対応する。当該字には平声
点を差し、右注「ヌカ」左注「米皮也」を付載する。観智院本類聚名義抄に同音字注「音康」二例
と低平調と推測する和音「カウ」を見出す。日本呉音「カウ」平声を認める。

　　糠 音康 ヌカ アラ／或糠 和カウ［□平］　　　　　　（観智院本類聚名義抄／法下 032-3）

　　穅 音康 ヌカ／アラ［上平］糠俗　　　　　　　　　　（観智院本類聚名義抄／法下 023-8）

▶番号 2199「崗」の仮名音注「カウ」については、基本的に -aŭ で対応する。当該字には平声
点を差し、右注「ヲカ」左注「或說罡」を付載する。図書寮本類聚名義抄に反切「广云古郎反」を
見出す。観智院本には反切「古郎反」を見つけるが、仮名音注はない。

　　山崗 广云古郎反 山長脊名也　　　　　　　　　　　　（図書寮本類聚名義抄／140-5）

3-1-1　-ɑ系の字音的特徴　151

　　罘 古郎反 ヲカ　罷 或岡［正：右注］…　　　　　　　（観智院本類聚名義抄／法上 109-8）

▶番号 3183「枷」の仮名音注「カウ」については、基本的に -aū で対応する。当該字には去声点を差し、右注「ヨセハシラ」左注「繋馬柱也」を付載する。廣韻に拠れば、唐/宕韻 (ŋɑŋ¹/³) 二音がある。観智院本類聚名義抄に反切「五浪反・巨凶反」を見出すが、仮名音注はない。元和本倭名類聚抄には反切「五浪反」がある。天治本新撰字鏡には反切「伍浪反」を見つける。

　　枷 五浪反 ヨセハシラ［上上上濁上平］… 巨凶反 榎柜　　（観智院本類聚名義抄／佛下本 083-7）

　　枷 唐韻云 五浪反和名與勢波之良 繋馬柱也　　　　　（元和本倭名類聚抄／巻十五 04 ウ 3）

　　枷 伍浪反繋馬柱也　　　　　　　　　　　　　　　（天治本新撰字鏡／第四帖 18 オ 4）

▶番号 3116b「蔵」（行蔵）の仮名音注「サウ」については、基本的に -aū で対応する。当該字には平声点を差す。廣韻に拠れば、唐/宕韻 (dzɑŋ¹/³) 二音がある。観智院本類聚名義抄には反切「辝唐反」と「又去」および低平調・上昇調と推測する和音「坐ウ」（その「ウ」に平声点と上声点）を見出す。この「坐」は濁音表示の用字選択（仮名音注と共に使用する「坐」は「坐イ・坐ウ・坐フ・坐ム・坐ン」）である。また「ウ」右傍には「√」表記を付載する。これは喉内撥音韻尾 -ŋ への留意を促す処置と考える。日本漢音は去声、日本呉音「ザウ」平/去声を認める。

　　蔵 俗　藏 正 辝唐反 … 又去 五藏 … 和坐ウ［□平・□上/□√：墨右傍］

　　　　　　　　　　　　　　　　　　　　　　　　（観智院本類聚名義抄／僧上 033-4）

　　坐 徐果［□上］反 キル［上上］… 和サア［□平：墨点］　（観智院本類聚名義抄／法中 067-4）

　　座 音坐［平濁］キモノヒキ/ナリ　　　　　　　（観智院本類聚名義抄／法下 105-1）

▶番号 2765a「牂」（牂柯）の仮名音注「サウ」については、基本的に -aū で対応する。当該字には平声点を差す。熟字 2765「牂柯」は右注「カシ」左注「繋舟者也」を付載する。舟を繋ぐため水中に立てる杭を指す。観智院本類聚名義抄には同音字注「音臧」二例と「在良七良二反」を見出すが、仮名音注はない。元和本倭名類聚抄には同音字注「臧」がある。

　　牂 音臧 在良/七良二反 … ヤフル［平平濁□］　　　（観智院本類聚名義抄／僧中 040-8）

　　牂柯 臧柯二音/カシ　　　　　　　　　　　（観智院本類聚名義抄／法下末 008-7）

　　牂柯 唐韻云牂柯 臧柯二音漢語抄云加之 所以繋舟也　（元和本倭名類聚抄／巻十一 05 オ 2）

▶番号 2259a「煻」（煻煨）の仮名音注「タウ」については、基本的に -aū で対応する。当該字には平声点を差す。その中古音が示す頭子音 d-（等韻学の術語で言う舌音濁定母）は有声歯茎閉鎖音であり、日本語のダ行音をもって受容するが、中国語音韻史上における濁音声母の無声化を反映する場合はタ行音で対応する。熟字 2259「煻煨」は右注「ヲキヒ」左注「熱灰新火也」を付載する。観智院本類聚名義抄に同音字注「唐」を見出すが、仮名音注はない。元和本倭名類聚抄には同音字注「唐」がある。

　　煻 音唐 オキヒ/アツシ ハヒ、　　　　　　　（観智院本類聚名義抄／佛下末 041-1）

　　煻煨 オキ　　　　　　　　　　　　　　　　（観智院本類聚名義抄／佛下末 041-2）

煨 音隈 オキヒ／アツハヒ アツシ　（觀智院本類聚名義抄／佛下末 040-2）

煻煨 … 四聲字苑云煻煨 唐隈二音和名上同〔＊於岐比〕熱灰新火也

（元和本倭名類聚抄／巻十一二 11 ウ 5）

▶番号 3022b「當」（勘當）の仮名音注「タウ」については、基本的に *-aũ* で対応する。当該字には上声濁点を差すので、日本語音韻史上の連濁による字音「ダウ」を想定する。廣韻に拠れば、唐/宕韻（$tɑŋ^{1/3}$）二音がある。觀智院本類聚名義抄に反切「多郎反」と「去声」および和音「タウ」を見出す。反切に加えて「去声」を注記することで、両声調あることを示す。長承本蒙求は掲出字「當」に東声点を加える。承暦本金光明最勝王経音義には仮名音注「タ✓」があり、その掲出字に去声点を付載する。日本漢音は東声（四声体系では平声）日本呉音「タウ」去声を認める。

當 多郎反 マサニ … 去声 ムカフ … 和タウ　（觀智院本類聚名義抄／佛中 110-6）

當〔東〕　（長承本蒙求／064）

當〔去〕タ✓〔＊音義本文の前書〕　（承暦本金光明最勝王経音義 02 オ 6）

▶番号 1412b「當」（別當）の仮名音注「タウ」については、基本的に *-aũ* で対応する。当該字に声点はない。上述の分析を参照。

▶番号 0563b・1199b「堂」（母堂・母堂）の仮名音注「タウ」については、基本的に *-aũ* で対応する。両当該字には平声点を差す。その中古音が示す頭子音 d-（等韻学の術語で言う舌音濁定母）は有声歯茎閉鎖音であり、日本語のダ行音をもって受容するが、中国語音韻史上における濁音声母の無声化を反映する場合はタ行音で対応する。図書寮本類聚名義抄に平声点を付した同音字注「音唐」と反切「川云俗云奴浪反」（その反切上字に平声濁点と反切下字に去声点）を見出す。觀智院本には同音字注「音唐」と「俗云堕ウ」および上昇調を示す和音「タウ」を見つける。同書では日本語の濁音「ダ」を標音するために「堕イ・堕ウ・堕ン」を用いることがある。長承本蒙求の掲出字「堂」には平声点を差す。承暦本金光明最勝王経音義には「堕✓」があり、その掲出字に去声濁点を加える。元和本倭名類聚抄には反切「徒郎反」を見つける。日本漢音は平声、日本呉音「タウ・ダウ」去声、定着久しい字音「ダウ」去声を認める。

堂〻 音唐〔平〕… 川云俗云奴／浪〔平濁去〕反 广云堂〻〔□去〕高大皃

（図書寮本類聚名義抄／219-2）

堂 在下 和タウ〔平上〕　（觀智院本類聚名義抄／法中 050-3）

堂 音唐 俗云堕ウ トノ ネヤ … オホイナリ　（觀智院本類聚名義抄／法中 059-6）

堂〔平〕〻　（長承本蒙求／140）

堂〔去濁〕堕✓　（承暦本金光明最勝王経音義／02 オ 6）

堂 名附出 釋名云堂徒郎反俗云猶堂高顕壇也　（元和本倭名類聚抄／巻十 03 オ 3）

▶番号 2437b・2893b「堂」（講堂・講堂）の仮名音注「タウ」については、基本的に *-aũ* で対応する。両当該字には上声濁点を差すので、字音「ダウ」を想定する。熟字 2437「講堂」右注「カ

ウタウ俗」を付載する。定着し久しい字音と推測する。上述の分析を参照。

▶番号3005b「堂」（學堂）の仮名音注「タウ」については、基本的に -aū で対応する。当該字には去声点を差す。上述の分析を参照。

▶番号0912b「堂」（法堂）の仮名音注「タウ」については、基本的に -aū で対応する。当該字に声点はない。熟字0912「法堂」は別筆補入である。上述の分析を参照。

▶番号0095a「蟷」（蟷蜋）の仮名音注「タウ」については、基本的に -aū で対応する。当該字には平声点を差す。熟字0095「蟷蜋」は右注「イホムシリ」を付載する。続いて熟字「蟷蟇」を掲げるので、熟字0095は本来「蟷蜋」と掲げるべきであるが、錯綜している。観智院本類聚名義抄に同音字注「音當」二例を見出すが、仮名音注はない。元和本倭名類聚抄には同音字注「當」がある。

> 蟷 … 音當　　　　　　　　　　　　　　　　　　（観智院本類聚名義抄僧下017-8）
>
> 蟷蟇 當蚵二音 … カミキリムシ［平平平平上平］　　（観智院本類聚名義抄僧下017-8）
>
> 蟷蜋　兼名苑云蟷蜋 堂郎二音 一名蟷蟇 當蚵二音和名以保無之利 …
>
> 　　　　　　　　　　　　　　　　　　　　　　（元和本倭名類聚抄／巻十九18オ9）

▶番号2016b「襠」（裲襠）の仮名音注「タウ」については、基本的に -aū で対応する。当該字には平声濁点を差すので、日本語音韻史上の連濁による字音「ダウ」を想定する。熟字2016「裲襠」は左注「又ウチカケ」を付載する。図書寮本類聚名義抄に平声点を付した同音字注「音當」を見出す。観智院本には同音字注「音當」を見出すが、仮名音注はない。元和本倭名類聚抄には同音字注「音當」がある。日本漢音は平声を認める。

> 裲襠 川云裲或作補 襠音當［平］和云／宇知加介［平上上上］ …　（図書寮本類聚名義抄／337-7）
>
> 補襠 … 广云音裲當 …　　　　　　　　　　　　　（図書寮本類聚名義抄／338-1）
>
> 裲 音裲／裲襠 婦人／之衣　　　　　　　　　　　（観智院本類聚名義抄／法中144-1）
>
> 補襠 音當／、訓〔＊不鮮明］ウチカケ［平上上上］　（観智院本類聚名義抄／法中144-1）
>
> 裲襠 裲或／作補　　　　　　　　　　　　　　　　（観智院本類聚名義抄／法中144-2）
>
> 補襠　唐韻云襠 音當 裲襠衣名也釋名云裲襠 … 和名宇知加介
>
> 　　　　　　　　　　　　　　　　　　　　　　（元和本倭名類聚抄／巻十二20オ4）

▶番号2550b「囊」（沙囊）の仮名音注「ナウ」については、基本的に -aū で対応する。当該字には平声点を差す。その中古音が示す頭子音 n-（等韻学の術語で言う泥母）は歯茎鼻音であり、日本語のナ行音をもって受容する。熟字2550「沙囊」は右注「カニノモノハミ」左注「在蟹腹内者也」を付載する。図書寮本類聚名義抄に反切「真云奴當反」（反切下字に平声点）および低平調と推測する「真云ナウ」を見出す。観智院本には反切「奴當反」と低平調と推測する和音「ナウ」を見つける。長承本蒙求には仮名音注「ナウ」三例があり、それら掲出諸字に平声点を加える。承暦本金光明最勝王経音義には仮名音注「ナウ」と同音字注「腦音」を見つける。両掲出字に去声点を付載

154　3．仮名音注の韻母別考察　3-1　I韻類

する。日本漢音「ナウ」平声、日本呉音「ナウ」平/去声を認める。

　　　囊囊 千云上俗 真云奴當 [□平] 反 袋也 … 真云ナウ [□平]　　　　（図書寮本類聚名義抄／342-4）

　　　沙囊 和云加迩乃毛乃波美 [上上上平平平平] 龜貝躰　　　　　　　　（図書寮本類聚名義抄／342-5）

　　　襄 俗 奴當反／和ナウ [□平]　　　　　　　　　　　　　　　（観智院本類聚名義抄／法中 143-2）

　　　囊 正 フクロ [平平□] ／ツ、ム　　　　　　　　　　　　　（観智院本類聚名義抄／法中 143-2）

　　　囊 [平] ナウ／ナウ　　　　　　　　　　　　　　　　　　　　　　　　（長承本蒙求／056）

　　　囊 [平] ナウ　　　　　　　　　　　　　　　　　　　　　　　　　（長承本蒙求／128・135）

　　　囊 [去] ナウ〔＊後筆墨書入〕　　　　　　　　　　（承暦本金光明最勝王経音義 07 ウ 2）

　　　囊 [去] 腦ミ／布久呂　　　　　　　　　　　　　　（承暦本金光明最勝王経音義 08 オ 5）

　　　沙囊　食療經云蟹不得并沙囊食之沙囊 和名加仁乃毛乃波美 在蟹腹内者也

　　　　　　　　　　　　　　　　　　　　　　　　　　　（元和本倭名類聚抄／巻十九 17 オ 1）

　▶番号 2757b「囊」（香囊）の仮名音注「ナウ」については、基本的に -aū で対応する。当該字
に声点はない。上述の分析を参照。

　▶番号 3287b「囊」（美囊）の仮名音注「ナキ」については、異例 -aki で対応する。当該字に
声点はない。熟字 3287「美囊」は波篇國郡部の播磨國に属する地名である。先んじて存在する地名
に対して、後から漢字表記を宛てたものであろう。元和本倭名類聚抄には播磨國の地名として「美
囊」を掲げ、借字「美奈木」を付載する。

　　　播磨國 … 美囊 美奈木　　　　　　　　　　　　　（元和本倭名類聚抄／巻五 22 ウ 6）

　▶番号 0759a・0763a・0764a・0803a「傍」（傍例・傍系・傍輩・傍坐）の仮名音注「ハウ」
については、基本的に -aū で対応する。当該諸字四例には平声点を差す。その中古音が示す頭子音
b-（等韻学の術語で言う唇音濁並母）は有声両唇閉鎖音であり、日本語のバ行音をもって受容する
が、中国語音韻史上における濁音声母の無声化を反映する場合はハ行音で対応する。観智院本類聚
名義抄に平声点を付した同音字注「音ハ房」を見出すが、仮名音注はない。あるいは「バウ」ではな
く、仮名音注「ハウ」を導く意図か。日本漢音は平声を認める。

　　　傍 音 [ハ：右注] 房 [平] カタハラ [平平□□] …　　　（観智院本類聚名義抄／佛上 003-8）

　▶番号 0206・0209・0224「忙」の仮名音注「ハウ」については、基本的に -aū で対応する。当
該諸字三例には平声濁点を差すので、字音「バウ」を想定する。その中古音が示す頭子音 m-（等韻
学の術語で言う明母）は両唇鼻音であり、日本語のマ行音をもって受容する。ただし、中国語音韻
史上における鼻音声母の非鼻音化（denasalization）現象によって、m- > mb- > b- の音変化をす
る。この影響を受けた日本漢音では原則的にバ行音を反映する。図書寮本類聚名義抄に平声濁点を
付した同音字注「季云音亡」二例と反切「東云莫郎反」（その反切下字に平声点）を見出す。観智
院本には平声濁点を付した同音字注「音亡」を見つけるが、仮名音注はない。承暦本金光明最勝王
経音義には同音字注「亡音」二例があり、それらの掲出字には去声点と平声点を加える。また同音

字注「望音」（陽/漾韻 miɑŋ$^{1/3}$）もある。日本漢音は平声、日本呉音は平/去声を認める。

忙 季云音亡［平濁］	（図書寮本類聚名義抄／242-2）
忙 季云音亡［平濁］	（図書寮本類聚名義抄／273-4）
忙 東云莫郎［□平］反 怖也 迫也 …	（図書寮本類聚名義抄／267-7）
忙忰 音亡［平濁］ウレフ … イソク［平平□］…	（観智院本類聚名義抄／法中 070-1）
忙［去］又作忰 亡ゝ 望ゝ	（承暦本金光明最勝王経音義／06 ウ 1）
忰［平］亡ゝ	（承暦本金光明最勝王経音義／09 オ 1）

▶番号 1338b の掲出字「茫」（森茫）の仮名音注「ハウ」については、基本的に -aũ で対応する。当該字には平声濁点を差すので、字音「バウ」を想定する。その中古音が示す頭子音 m-（等韻学の術語で言う明母）は両唇鼻音であり、日本語のマ行音をもって受容する。ただし、中国語音韻史上における鼻音声母の非鼻音化（denasalization）現象によって、m- > mb- > b- の音変化をする。この影響を受けた日本漢音では原則的にバ行音を反映する。観智院本類聚名義抄に反切「莫郎反」二例を見出すが、仮名音注はない。

| 茫 莫郎反／廣大 | （観智院本類聚名義抄／僧上 008-2） |
| 茫 … 莫郎反／廣大 | （観智院本類聚名義抄／僧上 027-7） |

▶番号 0719a・0719b「茫」（茫ゝ・茫ゝ）の仮名音注「ハウ」については、基本的に -aũ で対応する。両当該字に声点はない。熟字 0719「茫ゝ」は左注「水色也」を付載する。上述の分析を参照。

▶番号 2839「旁」の仮名音注「ハウ」については、基本的に -aũ で対応する。当該字に声点はなく、右注「カタゝゝ」を付載する。観智院本類聚名義抄に同音字注「音傍」を見出すが、仮名音注はない。

| 旁 音傍 … カタハラ［平平□］… アマネシ［平平□□］ | （観智院本類聚名義抄／法上 092-5） |

▶番号 0856a「彷」（彷徨）の仮名音注「ハウ」については、基本的に -aũ で対応する。当該字には平声点を差す。廣韻に拠れば、唐韻（bɑŋ^1）養韻（pʻiɑŋ^2）の二音を有する。その注記から見て、前者の注音と判断する。観智院本類聚名義抄に平声点を付した同音字注「房」を見出すが、仮名音注はない。日本漢音は平声を認める。

彷徉 房羊［平平］二音 ヤスラフ … ヲノヽク	（観智院本類聚名義抄／佛上 040-8）
傍 歩光反他八 彷 彷徨 …	（王仁昫刊謬補缺切韻／平声第卅八唐韻並母）
髣 芳兩反ゝ髣古作彷佛三 …	（王仁昫刊謬補缺切韻／上声第卅五養韻滂母）
傍 … 歩光切十三 彷 彷徨 …	（宋本廣韻／下平声第十一唐韻並母）
髣 … 妃兩切六 彷 彷彿俗 …	（宋本廣韻／上声第三十六養韻滂母）

▶番号 0746a「滂」（滂池）の仮名音注「ハウ」については、基本的に -aũ で対応する。当該字には平声点を差す。熟字 0746「滂池」は左注「水湛也水槽歟」を付載する。図書寮本類聚名義抄に

156 　3．仮名音注の韻母別考察　3-1　Ⅰ韻類

反切「广云普傍反」を見出す。観智院本には反切「普傍反」を見つけるが、仮名音注はない。

　　　 㳍㳒 上广云普傍反 沱也 水／多艮 …　　　　　　　　　　（図書寮本類聚名義抄／007-7）

　　　 㳍㳒 上普傍反 下音馳也 水多艮 … ハヒコル　　　　　　（観智院本類聚名義抄／法上002-5）

　▶番号0095b「蜋」（蟷蜋）の仮名音注「ラウ」については、基本的に -aū で対応する。当該字
には平声点を差す。廣韻に拠れば、唐韻 (laŋ¹) 陽韻 (liaŋ¹) 二音を有する。熟字0095「蟷蜋」は
右注「イホムシリ」を付載する。観智院本類聚名義抄に同音字注「音郎」と「又音良」および平声
朱点と上声墨点を付した仮名音注「ラウ」を見出す。同書の凡例部分「朱音者正音也墨声者和音也」
　（篇目7-6）に従えば、朱墨で正音と和音を分別する傾向がある。その他「蟷・蜋・蠰」三字を相互
に組み合わせた熟字を掲げ、そこには共通した和訓「イヒホムシリ・イホムシリ」を付載する。熟
字0095「蟷蜋」は本来「蟷蜋」と修正するべきであろう。元和本倭名類聚抄には同音字注「郎」が
ある。日本漢音「ラウ」平声と日本呉音「ラウ」上声を認める。

　　　 蟷蜋 堂郎二音 イヒホムシリ［平囗平濁平上平］／下又音良　　（観智院本類聚名義抄／僧下017-7）

　　　 蟷蠰 當餉二音 イホムシリ［平平濁平上平］…　　　　　　（観智院本類聚名義抄／僧下017-8）

　　　 蟷蠰 奴郎反／如草／息亮舒障三反 重俗 イホムシリ …　　（観智院本類聚名義抄／僧下017-8）

　　　 蠰 曩音 蟷蠰也／目囊形也　　　　　　　　　　　　　（観智院本類聚名義抄／僧下018-1）

　　　 蜣蜋 … 郎［平：朱点・上：墨点／ラウ：墨左注］二音 … イヒホムシリ

　　　　　　　　　　　　　　　　　　　　　　　　　　　　（観智院本類聚名義抄／僧下018-1）

　　　 蟷蜋　兼名苑云蟷蜋 堂郎二音 一名蟷蠰 當餉二音和名以保無之利 …

　　　　　　　　　　　　　　　　　　　　　　　　　　　（元和本倭名類聚抄／巻十九18オ9）

　▶番号1033「廊」の仮名音注「ラウ」については、基本的に -aū で対応する。当該字には平声
点を差し、左注「ホソトノ」を付載する。観智院本類聚名義抄に同音字注「音郎」を見出すが、仮
名音注はない。元和本倭名類聚抄には同音字注「音郎」がある。

　　　 廊 音郎 ホソトノ　　　　　　　　　　　　　　　　（観智院本類聚名義抄／法下100-2）

　　　 廊　唐韻云廊音郎 和名保曾止乃 殿下外屋也　　　　　（元和本倭名類聚抄／巻十04ウ5）

　▶番号0744b「浪」（波浪）の仮名音注「ラウ」については、基本的に -aū で対応する。当該字
には平声点を差す。廣韻に拠れば、唐/宕韻 (laŋ¹/³) の二音を有する。観智院本類聚名義抄に反切「盧
宕反・又魯浪反」と低平調を示す和音「ラウ」を見出す。日本呉音「ラウ」平声を認める。

　　　 浪 盧宕反 ナミ［平平］… 又魯浪反 和ラウ［平平］　　（観智院本類聚名義抄／法上020-1）

　▶番号2188b「浪」（流浪）の仮名音注「ラウ」については、基本的に -aū で対応する。当該字
には上声点を差す。上述の分析を参照。

　　　《下巻 唐韻開口諸例》

3-1-1 -ɑ 系の字音的特徴 157

▶番号 4773b「糠」（糟糠）の仮名音注「カウ」については、基本的に -aŭ で対応する。当該字には上声点を差す。上巻の唐韻開口当該例で分析したように、日本呉音「カウ」平声を認める。

▶番号 3579「剛」（剛）の仮名音注「カウ」については、基本的に -aŭ で対応する。当該字には平声点を差し、右注「古郎反」を付載する。また和訓「コハシ」の同訓異字として位置する。その中古音が示す頭子音 k-（等韻学の術語で言う見母）は無声無気軟口蓋閉鎖音であり、日本語のカ行音をもって受容する。観智院本類聚名義抄に同音字注「音罡」と和音「我ウ」（その右傍に墨筆で喉内撥音韻尾「✓」表記）を見出す。同書の仮名音注において「我」を使う「我イ・我ウ・我ク・我チ・我フ・我ム・我ン」は濁音表記を示す意図がある。さらに同書で「罡」を再検索すると、反切「古郎反」を見つける。その反切上字「古」は見母 k- を示すから、字音「カウ」を期待する。篆隷萬象名義・新撰字鏡には反切「居郎反」があり、その反切上字は見母である。日本呉音「ガウ」を認めるが、その中古音からは許容できない。現行多くの漢和辞典は慣用音「ガウ」とする。意味の類似する「強」（陽韻群母 giɑŋ'）による類推の字音か、定かならず。

剛 … 音罡 コハシ［平平平］… 和我ウ［□✓:墨右傍］　　　（観智院本類聚名義抄／僧上 094-3）

岡 古郎反 ヲカ 罡 或岡 正［:右注］　崗 俗通　　　（観智院本類聚名義抄／法上 109-8）

我 吾可反 ワレ［上上］… 和カア［平濁平／✓□:朱右傍］　（観智院本類聚名義抄／僧中 042-1）

剛 居郎反 堅強也　　　　　　　　　　（高山寺本篆隷萬象名義／第五帖 043 オ 6）

剛 居郎反 堅也強也　　　　　　　　　　（天治本新撰字鏡／巻十一 16 オ 3）

▶番号 3440b「剛」（金剛砂）の仮名音注「カウ［上濁上］」については、基本的に -aŭ で対応する。当該字には上声点を差す。その仮名音注には濁音を含む高平調の差声を施すので、字音「ガウ」上声を想定する。上述の分析を参照。

▶番号 5247b「堈」（游堈）の仮名音注「カウ」については、基本的に -aŭ で対応する。当該字には平声点を差す。熟字 5247「游堈」は右注「ユカ又ユカヲケ」左注「甕也［モタヒ:右傍］」を付載する。この「ユカ」は字音「ユカウ・ユウカウ」の音変化によるか。観智院本類聚名義抄に同音字注「音罡+寸」を見出す。また熟字「游堈」に対して「ユカ［上上］」を見つける。元和本倭名類聚抄には同音字注「音剛」と注記「楊氏漢語抄云游堈由賀」がある。

堈 音罡+寸 甕属　　　　　　　　　　（観智院本類聚名義抄／法中 066-7）

游堈 ユカ［上上］　　　　　　　　　　（観智院本類聚名義抄／法中 066-8）

游堈 唐韻云堈 音剛楊氏漢語抄云游堈由賀 甕也 …　　（元和本倭名類聚抄／巻十六 07 ウ 3）

▶番号 5956b「綱」（小綱）の仮名音注「カウ」については、基本的に -aŭ で対応する。当該字に声点はない。上巻の唐韻開口当該諸例で分析したように、日本漢音「カウ」東声（四声体系では平声）日本呉音「ガウ」を認める。

▶番号 6268b・6591b「蔵」（秘蔵・西蔵）の仮名音注「サウ」については、基本的に -aŭ で対応する。両当該字には平声点を差す。上巻の唐韻当該例で分析したように、日本漢音は去声、日本

158　3．仮名音注の韻母別考察　3-1　Ⅰ韻類

呉音「ザウ」平/上声を認める。

▶番号3387b「蔵」（五蔵）の仮名音注「サウ［平濁平］」については、基本的に *-aū* で対応する。その仮名音注には濁音を含む低平調の声点を加えるので、字音「ザウ」平声を想定する。熟字3387「五蔵」は右中注「肝肺心／腎脾也」を付載する。上述の分析を参照。

▶番号4506a・4714a「蔵」（蔵府・蔵苻）の仮名音注「サウ」については、基本的に *-aū* で対応する。当該字に声点はない。熟字4506「蔵府」は左注「五蔵六府」を付載する。熟字4714「蔵苻」は畳字部人躰部に属するので、鬼目草を意味する「苻」ではなく「蔵府」と修正すべきであろう。上述の分析を参照。

▶番号4671a「桒」（桒門）の仮名音注「サウ」については、基本的に *-aū* で対応する。観智院本類聚名義抄に平声点を付した同音字注「音枲」（その左傍に朱筆で仮名音注「サウ」）を見出す。長承本蒙求には仮名音注「サウ」二例があり、両掲出字に東声点を加える。長承本蒙求の仮名音注は平安時代院政初期である長承三年（1134）に加点された墨筆（両音形ある場合は右側）を中心とするが、平安時代中期と推定する古い朱筆（両音形ある場合は左側）の加点もある。元和本倭名類聚抄には同音字注「音荘」を見つける。日本漢音「サウ」東声（四声体系では平声）を認める。

桒 音枲［平／サウ：朱左傍］クハフキ［平平□□］　（観智院本類聚名義抄／佛下本 123-6）

桑 今正　　　　　　　　　　　　　　　　　　　　（観智院本類聚名義抄／佛下本 123-6）

桒 ［東］サウ／サウ　　　　　　　　　　　　　　　　　　（長承本蒙求／066）

桒 ［東］サウ　　　　　　　　　　　　　　　　　　　　　（長承本蒙求／101）

桑　玉篇云桑 音荘字亦作桒和名久波　　　　（元和本倭名類聚抄／巻二十 24 オ 9）

▶番号4541b「桒」（採桒老）の仮名音注「シヤウ」については、異例 *-jaū* を示す。当該字には平声点を差す。これは当該字「桒」を「乗」（蒸/證韻 dźieŋ^1/3）と誤認した字音把握「シヤウ」と判断できる。熟字4541「採桒老」は右注「盤渉調」を付載する。

盤渉調曲 … 採桒老 有詠 …　　　　　　　（元和本倭名類聚抄／巻四 17 オ 4）

▶番号5819b「喪」（心喪）の仮名音注「サウ」については、基本的に *-aū* で対応する。当該字には平声濁点を差すので、日本語音韻史上の連濁による字音「ザウ」を想定する。廣韻に拠れば、唐/宕韻（sɑŋ^1/3）の二音を有する。観智院本類聚名義抄に同音字注「音枲・又音桒」と反切「蘓浪反」および和音「サウ」を見出す。承暦本金光明最勝王経音義には仮名音注「サウ」がある。日本呉音「サウ」を認める。

喪 音枲 … 蘓浪反 又音桒 ホロフ［上平□］… 和サウ　（観智院本類聚名義抄／佛上 085-3）

喪 サウ〔＊後筆墨書入〕　　　　　　　　（承暦本金光明最勝王経音義 08 ウ 1）

喪 サウ〔＊後筆墨書入〕　　　　　　　　（承暦本金光明最勝王経音義 10 オ 1）

▶番号6424b「喪」（問喪）の仮名音注「サウ」については、基本的に *-aū* で対応する。当該字に声点はない。上述の分析を参照。

3-1-1　-ɑ系の字音的特徴　159

▶番号4644a「倉」（倉卒）の仮名音注「サウ」については、基本的に -aū で対応する。当該字には上声点を差す。熟字4644「倉卒」は右注「タチマチ」を付載する。観智院本類聚名義抄に反切「且郎反」と低平調と推測する和音「サウ・坐ウ」を見出す。和音「或坐ウ」は字音「ザウ」を想定するが、当該字「倉」の中古音が示す頭子音 ts‘-（等韻学の術語で言う清母）から考えると、濁音での受容は容認しがたい。長承本蒙求には仮名音注「サウ」があり、その掲出字に東声点を加える。日本漢音「サウ」東声（四声体系では平声）日本呉音「サウ」平声を認める。なお日本呉音「ザウ」平声は保留する。

　　　倉 且郎反 クラ［平平］… 和サウ［□平］或坐ウ［□平］…　　　（観智院本類聚名義抄／僧中002-2）
　　　倉［東］サウ　　　　　　　　　　　　　　　　　　　　　　　　　　　　　　（長承本蒙求／129）

▶番号6075a「鶬」（鶬鶊）の仮名音注「サウ」については、基本的に -aū で対応する。当該字に声点はない。廣韻に拠れば、その中古音は唐韻（ts‘ɑŋ¹）である。熟字6075「鶬鶊」は右注「ヒハリ」左注「俗用倉庚」を付載する。観智院本類聚名義抄に同音字注「音倉」および平声点と東声点〔*平声濁点ではない〕を付した同音字注「倉」を見出すが、仮名音注はない。元和本倭名類聚抄にも同音字注「倉」を見つける。日本漢音は東声（四声体系では平声）を認める。

　　　鶬 或雞 音倉 鶬鶊鳥／ヒハリ　　　　　　　　　　　　（観智院本類聚名義抄／僧中122-3）
　　　鶬鶊 倉［平・東］庚［平・去］／二音／ヒハリ［平上濁上］…　（観智院本類聚名義抄／僧中122-3）
　　　雲雀 … 楊氏漢語抄云鶬鶊 倉庚二音和名同上　　　　　（元和本倭名類聚抄／巻十八08オ8）

▶番号4294・4778a「蒼」（蒼・蒼梧）の仮名音注「サウ」については、基本的に -aū で対応する。両当該字には平声点を差す。廣韻に拠れば、唐／蕩韻（ts‘ɑŋ¹/²）二音を有する。番号4294「蒼」は右注「同（アヲシ）」を付載する。観智院本類聚名義抄に平声点を付した同音字注「音倉」を見出す。長承本蒙求には仮名音注「サウ」二例があり、両掲出字を含む三例に東声点を加える。日本漢音「サウ」東声（四声体系では平声）を認める。

　　　蒼 音倉［平］アヲシ［平平上］／シロシ［平平上］…　　（観智院本類聚名義抄／僧上040-4）
　　　蒼［東］サウ　　　　　　　　　　　　　　　　　　　　　　　　（長承本蒙求／003・104）
　　　蒼［東］　　　　　　　　　　　　　　　　　　　　　　　　　　　　　（長承本蒙求／056）

▶番号4678a「蒼」（蒼穹）の仮名音注「サウ」については、基本的に -aū で対応する。当該字に声点はない。熟字4678「蒼穹」は左注「云星居也」を付載する。上述の分析を参照。

▶番号4768a「贓」（贓物）の仮名音注「サウ」については、基本的に -aū で対応する。当該字には平声点と去声濁点を差すので、字音「サウ・ザウ」を想定する。熟字4768「贓物」は賄賂や盗みなど不正な手段で得た物を指す。その中古音が示す頭子音 ts-（等韻学の術語で言う歯音清精母）から考えると、日本語の濁音「ザウ」による受容は認めがたい。おそらくは、その諧声符「臧」を介して字形が近似する「蔵」（dzɑŋ¹/³）との混同を起こした字音把握と推測する。観智院本類聚名義抄に平声点を付した同音字注「音臧」を見出すが、仮名音注はない。傍証ながら、同書で「臧」

160   3. 仮名音注の韻母別考察   3-1   I韻類

を再検索すると、東声点を付した同音字注「賥」（その右傍に朱筆で「サウ」）を見つける。日本
漢音は平声を認める。

　　　　賥 音臧 [平] カタマシ／カクス　　　　　　　　　　（観智院本類聚名義抄／佛下本 020-3）

　　　　臧 音賥 [東／サウ：朱右傍] ヨミス [去平上] …　　　（観智院本類聚名義抄／僧中 041-4）

　▶番号5239「湯」の仮名音注「タウ」については、基本的に -aŭ で対応する。当該字には平声
点を指す。廣韻に拠れば、唐/宕韻 (tʻɑŋ¹/³) の二音を有する。図書寮本類聚名義抄に反切「广云託
唐・玉云他浪反」（両反切下字に平声点）と反切「又託浪反」（その反切下字に去声点）を見出
す。観智院本には「他郎反・又託浪反」と和音「去」を見つける。長承本蒙求には仮名音注「タウ」
二例があり、両掲出字に東声点を差す。日本漢音「タウ」東/去声（四声体系では平/去声）日本呉音
は去声を認める。

　　　　排湯 广云託唐 [□平] 反 … 玉云他浪 [□平] 反 …

　　　　　又託浪 [□去] 反 蕩也 又始煬 [□平] 反 湯ミ流／貝 …　　（図書寮本類聚名義抄／052-6）

　　　　湯 他郎反 ユ ヒカリ／和去／オス 又託浪反 蕩也　　（観智院本類聚名義抄／法上 033-2）

　　　　湯 [東] タウ／タウ　　　　　　　　　　　　　　　　　　　（長承本蒙求／048）

　　　　湯 [東] タウ　　　　　　　　　　　　　　　　　　　　　　（長承本蒙求／089）

　　　　湯 [＊右傍右注等不鮮明]　　　　　　　　（承暦本金光明最勝王経音義 09 オ 6）

　▶番号3311b「堂」（金堂）の仮名音注「タウ」については、基本的に -aŭ で対応する。当該字
には上声点を差す。上巻の唐韻開口当該諸例で分析したように、日本漢音は平声、日本呉音「タウ・
ダウ」去声、定着久しい字音「ダウ」を認める。

　▶番号4226・6544b「餹」（餹・詹餹）の仮名音注「タウ」については、基本的に -aŭ で対応
する。両当該字には平声点を差す。その中古音が示す頭子音 d-（等韻学の術語で言う舌音濁定母）
は有声歯茎閉鎖音であり、日本語のダ行音をもって受容するが、中国語音韻史上における濁音声母
の無声化を反映する場合にはタ行音で対応する。番号 4226 は右注「アメ 餹与同」左注「俗用之」
を付載する。観智院本類聚名義抄に同音字注「音唐」を見出す。承暦本金光明最勝王経音義には同
音字注「唐」と仮名音注「タウ」があり、両掲出字に平声点を加える。日本呉音「タウ」平声を認
める。

　　　　餹 音唐 沙糖／又餹 アメ [上上] 又餳　　　　（観智院本類聚名義抄／法下 032-2）

　　　　餹 [平] 唐　　　　　　　　　　　　　　（承暦本金光明最勝王経音義 10 ウ 1）

　　　　餹 [平] タウ〔＊後筆墨書入〕　　　　　　（承暦本金光明最勝王経音義 10 ウ 2）

　▶番号3733b・5952b・6768b「當」（勾當・執當・專當）の仮名音注「タウ」については、基
本的に -aŭ で対応する。当該諸字三例に声点はない。上巻の唐韻開口当該諸例で分析したように、
日本漢音は東声（四声体系では平声）日本呉音「タウ」去声を認める。

　▶番号3454「璫」の仮名音注「タウ」については、基本的に -aŭ で対応する。当該字には平声

点を差し、右注「コシリ」左注「屋具也」を付載する。観智院本類聚名義抄に平声点を付した同音字注「當」を見出すが、仮名音注はない。元和本倭名類聚抄には同音字注「音當」がある。日本漢音は平声を認める。

瑘 當 [平] コシリ [平平濁平] ／耳ノ クサリ [平濁上平]　　（観智院本類聚名義抄／法中 024-7）

瑘 文選云裁金璧以飾瑘 音當師説古之利 …　　　　　（元和本倭名類聚抄／巻十 10 ウ 1）

▶番号 5226a「膀」（膀胱）の仮名音注「ハウ」については、基本的に -aŭ で対応する。当該字には平声点を差す。熟字 5226「膀胱」は右注「ユハリフクロ」を付載する。観智院本類聚名義抄に同音字注「音傍・旁」を見出すが、仮名音注はない。元和本倭名類聚抄には同音字注「旁」がある。

膀 音傍 ワキ ユハリフクロ／カタハラ　　　　　　　（観智院本類聚名義抄／佛中 117-1）

膀胱 旁光二音／ユハリフクロ [平上濁囗上濁平上]　　（観智院本類聚名義抄／佛中 117-2）

膀胱 廣雅云膀胱 旁光二反和名由波利不久呂　　　　（元和本倭名類聚抄／巻三 12 ウ 5）

▶番号 4608「芒」（芒）の仮名音注「ハウ」については、基本的に -aŭ で対応する。当該字には平声点を差し、右注「サキ」左注「又ノキ」を付載する。その中古音が示す頭子音 m-（等韻学の術語で言う明母）は両唇鼻音であり、日本語のマ行音をもって受容する。ただし、中国語音韻史上における鼻音声母の非鼻音化 (denasalization) 現象による音変化 m->mb->b- を反映する場合、原則的にバ行音で対応する。観智院本類聚名義抄に平声濁点を付した同音字注「音亡」を見出すが、仮名音注はない。元和本倭名類聚抄には同音字注「音與亡同」がある。日本漢音は平声を認める。

芒 … 音亡 [平濁] ノキ [上上] サキ [上上] … シノネ　（観智院本類聚名義抄／僧上 007-8）

稻 芒穗等附 … 薩珣切韻云芒 音與亡同和名乃木 …　　（元和本倭名類聚抄／巻十七 01 ウ 7）

▶番号 6195「芒」（芒）の仮名音注「ハウ」については、基本的に -aŭ で対応する。当該字には平声濁点を差すので、字音「バウ」を想定する。上述の分析を参照。

▶番号 3333a「狼」（狼牙）の仮名音注「ラウ」については、基本的に -aŭ で対応する。当該字には平声点を差す。熟字 3333「狼牙」は右注「コマツナキ」を付載する。観智院本類聚名義抄に同音字注「郎」と上昇調を示す和音「ラウ」を見出す。長承本蒙求には仮名音注「ラウ」二例があり、両掲出字に平声点を差す。日本漢音「ラウ」平声、日本呉音「ラウ」去声を認める。

狼牙 コマツナキ草 [上上上上上濁囗]　　　　　　　（観智院本類聚名義抄／佛上 077-8）

犲狼 音才郎 訓皆 オホカミ [平平囗囗] … 和ラウ [平上]　（観智院本類聚名義抄／佛下本 128-3）

狼 [平] ラウ　　　　　　　　　　　　　　　　　　　（長承本蒙求／004・013）

狼 陶隱居本草注云狼牙一名犬牙 和名古末豆奈木 …（元和本倭名類聚抄／巻二十 15 オ 1）

▶番号 4166b「郎」（泉郎）の仮名音注「ラウ」については、基本的に -aŭ で対応する。当該字には平声点を差す。熟字 4166「泉郎」は右注「アマ [平平]」を付載するが、本来は「白水郎」と掲げるべきである。図書寮本類聚名義抄に反切「弘云力當反」を見出す。観智院本には反切「力當反」を見つけるが、仮名音注はない。

162　3．仮名音注の韻母別考察　3-1　Ⅰ韻類

郎 弘云力當反　　　　　　　　　　　　　　　　　　　　（図書寮本類聚名義抄／183-6）

白水郎 川云和㕥阿末 日本紀／用漁人二字　　　　　　　　　（図書寮本類聚名義抄／183-7）

郎 力當反／アキラカナリ　　　　　　　　　　　　　　　　（観智院本類聚名義抄／法中 037-2）

白水郎 アマ［平平］　　　　　　　　　　　　　　　　　　（観智院本類聚名義抄／法中 037-3）

白水郎　辨色立成云白水郎 和名阿萬 …　　　　　　　　　（元和本倭名類聚抄／巻二 10 オ 4）

▶番号4796b「浪」（泮浪）の仮名音注「ラウ」については、基本的に -aū で対応する。当該字には平声点を差す。上巻の唐韻開口当該諸例で分析したように、日本呉音「ラウ」平声を認める。

▶番号6066b「榔」（檳榔子）の仮名音注「ラウ」については、基本的に -aū で対応する。当該字には平声点を差す。廣韻に拠れば、唐/蕩韻（lɑŋ^{1/2}）二音を有する。熟字6066「檳榔子」は左注「菜名」〔＊薬名の誤認か〕を付載する。観智院本類聚名義抄に同音字注「郎」を見出すが、仮名音注はない。元和本倭名類聚抄には同音字注「郎」（唐韻 lɑŋ¹）と「朗」（蕩韻 lɑŋ²）がある。後者は「此間音㫐朗」とあり、当時（倭名類聚抄を編纂した十世紀半ば）における字音把握の現実を指すか。

檳榔 賓郎二音　　　　　　　　　　　　　　　　　　　　（観智院本類聚名義抄／佛下本 097-5）

賓 必隣反／マラフト … 和ヒン［平平・平上］　　　　　　（観智院本類聚名義抄／法下 053-4）

㫐 音眠［平濁］ ヒロシ … カナシフ　　　　　　　　　　（観智院本類聚名義抄／佛中 099-1）

檳榔 子附 兼名苑注云檳榔 賓郎二音此間音㫐朗 … 本草云檳榔子 …

　　　　　　　　　　　　　　　　　　　　　　　　　　（元和本倭名類聚抄／巻二十 30 ウ 9）

▶番号6063b「榔」（檳榔）の仮名音注「リヤウ」については、異例 -jaū を示す。当該字に声点はない。熟字6063「檳榔」は右傍「ヒリヤウ」を付載する。これは撥音の無表記であり、字音「ヒ（ン）リヤウ」を想定する。おそらくは binraū > binroo > binrjoo のような音変化が生じたか。上述の分析を参照。

《上巻 蕩韻開口諸例》

▶番号3089a「慷」（慷慨）の仮名音注「カウ」については、基本的に -aū で対応する。当該字には去声点を差す。図書寮本類聚名義抄に反切「广云又忼口葬反」を見出す。当該字「慷」と「忼」は相互に異体字である。観智院本類聚名義抄に反切「苦黨反・又苦浪反」を見つけるが、仮名音注はない。

慷 慷慨愒誠也 苦朗切七 忼 上同　　　　　　　　　　　（宋本廣韻／溪母蕩韻 k'ɑŋ²）

慷慨 广云又／忼 口葬／反 忼慨大息也 … 真云カイ［平上］　（図書寮本類聚名義抄／240-2）

忼慷 … 苦／黨反 慷慨失／志也 又苦浪反／ハケム ネタム（観智院本類聚名義抄／法中 080-5）

慷慨 ネタム　　　　　　　　　　　　　　　　　　　　　（観智院本類聚名義抄／法中 080-6）

3-1-1　-ɑ系の字音的特徴　163

▶番号1390b・2903b「䣓」（偏䣓・合䣓）の仮名音注「タウ」については、基本的に -aū で対
応する。両当該字には上声点を差す。観智院本類聚名義抄に反切「多朗反」と和音「タウ」（その
右傍に墨筆で喉内撥音韻尾 -ŋ「✓」表記）を見出す。日本呉音「タウ」を認める。

　　䣓 多朗反 トモカラ … 和タウ［□✓：墨右傍］　　　　　（観智院本類聚名義抄／佛下末057-2）
▶番号0774b「儻」（放儻）の仮名音注「タウ」については、基本的に -aū で対応する。当該字
には上声点を差す。観智院本類聚名義抄に反切「勑朗反」と和音「平」を見出すが、仮名音注はな
い。日本呉音は平声を認める。

　　儻 … 勑朗反 和平 タマヽヽ … コヒネカハクハ … カタチハフ　（観智院本類聚名義抄／佛上021-2）
▶番号0303b「蕩」（優蕩）の仮名音注「タウ」については、基本的に -aū で対応する。当該字
には去声点を差す。廣韻に拠れば、蕩韻 (dɑŋ²) 唐/宕韻 (t'ɑŋ¹ᐟ³) 三音を有する。その中古音が示
す頭子音 d-（等韻学の術語で言う舌頭濁定母）は有声歯茎閉鎖音であり、日本語のダ行音をもって
受容するが、中国語音韻史上における濁音声母の無声化を反映する場合はタ行音で対応する。また、
当該字「蕩」に去声点を差すことは、切韻を撰述して以降の中国語において、上声濁が次第に去声
化を起こした状態を反映する。日本漢音では上声を構成する上声軽と上声重とが allotone であり、
後者の調値が去声と区別できないことを示すとも言える。図書寮本類聚名義抄に反切「玉云達郎反」
（その反切下字に上声点）を見出す。観智院本には反切「堂朗反」を見つけるが、仮名音注はない。
日本漢音は上声を認める。

　　蕩ゝ 玉云達郎［□上］反 … ウコク［平平濁上］　　　　　　（図書寮本類聚名義抄／060-7）

　　蕩 今 堂朗反 トク … ホシマヽ　　　　　　　　　　　　　（観智院本類聚名義抄／僧上017-4）
▶番号0738a「牓」（牓示）の仮名音注「ハウ」については、基本的に -aū で対応する。当該字
には上声点を差す。観智院本類聚名義抄に反切「博朗反・補莽反」を見出すが、仮名音注はない。
元和本倭名類聚抄には反切「博朗反」がある。

　　牓 博朗反 補莽反 …　　　　　　　　　　　　　　　　（観智院本類聚名義抄／佛下末007-5）

　　牓示 孫愐切韻云牓 博朗反 題示也　　　　　　　　　　（元和本倭名類聚抄／巻十三10ウ9）
▶番号1147「朗」の仮名音注「ラウ」については、基本的に -aū で対応する。当該字には上声
点を差す。観智院本類聚名義抄に反切「郎黨反」を見出す。長承本蒙求には仮名音注「ラウ」があ
り、その掲出字に上声点と平声点を加える。日本漢音「ラウ」上/平声を認める。

　　朗 郎黨反／アキラカナリ … イカニ 何也　　　　　　　　（観智院本類聚名義抄／佛中137-5）

　　朗［上・平］ラウ　　　　　　　　　　　　　　　　　　　　　　（長承本蒙求／142）

《下巻 蕩韻開口諸例》

▶番号4366b「䣓」（阿䣓）の仮名音注「タウ」については、基本的に -aū で対応する。当該字

164　3．仮名音注の韻母別考察　3-1　Ⅰ韻類

には平声点を差す。上巻の蕩韻開口当該諸例で分析したように、日本呉音「タウ」を認める。

▶番号5859b「黨」（上黨）の仮名音注「タン」については、異例 *-an* を示す。仮名の字形相似による「タウ」の誤認か。当該字には上声点を差す。上述の分析を参照。

▶番号3336b「蒡」（牛蒡）の仮名音注「ハウ［上濁上］」については、基本的に *-aŭ* で対応する。当該字には上声濁点を差し、仮名音注は濁点を含む高平調を示すので、日本語音韻史上の連濁による字音「バウ」を想定する。廣韻に拠れば、当該字は幫母蕩韻（pɑŋ²）並母庚韻（baŋ¹）の二音を有する。熟字3336「牛蒡」は右注「北朗反」（pɑŋ²）中注「キタキス」左注「又ウマフミキ」を付載する。観智院本類聚名義抄に同音字注「音彭」を見出すが、仮名音注はない。元和本倭名類聚抄には反切「博郎反」（pɑŋ¹）がある。

　　蒡 音彭 隠葱也 トク … ホシマ丶　　　　　　　　　（観智院本類聚名義抄／僧上042-5）

　　牛蒡 キタキス［平平上平］一云／ム［ウ：右傍］マフ丶キ［平平平濁平］

　　　　　　　　　　　　　　　　　　　　　　　　　（観智院本類聚名義抄／僧上042-5）

　　牛蒡　本草云悪實一名牛蒡 博郎反和名岐太岐須一云宇末不々岐今案俗作房者非也

　　　　　　　　　　　　　　　　　　　　　　　　　（元和本倭名類聚抄／巻十七24オ8）

▶番号5288a「莽」（莽草）の仮名音注「マウ」については、基本的に *-aŭ* で対応する。当該字には上声点を差す。廣韻に拠れば、当該字は蕩韻（mɑŋ²）厚韻（mʌu²）姥韻（muʌ²）の三音を有する。熟字5288「莽草」は右注「シキミ」中左注「木名所以毒魚也」を付載する。観智院本類聚名義抄に反切「莫朗反」（蕩韻 mɑŋ²）「莫古反」（姥韻 muʌ²）を見出すが、仮名音注はない。

　　莽莽 下俗 莫朗反 シ下シ［平平濁上］… 又莫古反／毒草也　　（観智院本類聚名義抄／僧上051-4）

　　莽菓 シキミ　　　　　　　　　　　　　　　　　　（観智院本類聚名義抄／僧上051-5）

　　莽草　山海經注云莽草 和名本草云之木美 可以毒魚者也　（元和本倭名類聚抄／巻二十29オ9）

《上巻 宕韻開口諸例》

▶番号2956a「伉」（伉儷）の仮名音注「カウ」については、基本的に *-aŭ* で対応する。当該字には去声点を差す。熟字2956「伉儷」は夫婦を意味する。観智院本類聚名義抄に反切「苦浪反」と呉音「掌」（「幸」の誤認）を見出すが、仮名音注はない。当該字「伉」と字形の近似した「仉」の字音「シヤウ」と混同する環境にあったか。この呉音注は大般若経字抄からの引用であり、漢呉二音相同の同音字注「音幸」を見つける。

　　伉仉 苦浪反 呉音掌 ヒトシ ナラフ … タフ　　　　　（観智院本類聚名義抄／佛上009-6）

　　伉儷 物ノコノミスルナリ … マナフ　　　　　　　　（観智院本類聚名義抄／佛上009-7）

　　或作杭 仉［音幸：右傍］歌也　　　　　　　　（石山寺一切経蔵本大般若経字抄／19ウ5）

3-1-1 -ɑ 系の字音的特徴　165

《下巻　宕韻開口諸例》

▶番号 4530a「葬」（葬送）の仮名音注「サウ」については、基本的に -aū で対応する。当該字に声点はない。観智院本類聚名義抄に反切「祖浪反」を見出すが、仮名音注はない。

　　葬 祖浪反 ハウフル［平平平濁平］… ハカ　薹 俗　　　　　（観智院本類聚名義抄／僧上 048-1）

▶番号 4395b「宕」（浮宕）の仮名音注「タウ」については、基本的に -aū で対応する。当該字には去声点を差す。その中古音が示す頭子音 d-（等韻学の術語で言う舌音濁定母）は有声歯茎閉鎖音であり、原則的に日本語のダ行音をもって受容するが、中国語音韻史上における濁音声母の無声化を反映する場合は日本語のタ行音で対応する。熟字 4395「浮宕」は右注「アクカル」左注「又ウカレタリ」を付載する。漂い動くことを意味する熟字「浮蕩・浮動」と同用法か。観智院本類聚名義抄は当該字を掲出しない。天治本新撰字鏡と高山寺本篆隷萬象名義には反切「達荅反」がある。当該字「宕」の中古音が示す末子音 -ŋ を反切下字「荅」の末子音 -p で対応する。両書（玉篇の引用）は当該字を入声音と認識する。

　　宕 徒浪反　　　　　　　　　　　　　　　　　　　　（観智院本類聚名義抄／僧上 017-3）
　　宕 達荅反 入 過也　　　　　　　　　　　　　　　　（天治本新撰字鏡／巻十一 011-2）
　　宕 達荅反 過也 洞室也 益分　　　　　　　（高山寺本篆隷萬象名義／第三帖 064 ウ 3）

▶番号 4418b「宕」（愛宕護山）の仮名音注「タ」については、異例 -a を示す。当該字に声点はない。熟字 4418「愛宕山」は左右注「アタコノヤマ」を付載する。先んじて山名があり、後に漢字表記を宛てた用法である。元和本倭名類聚抄には地名「愛宕」を掲げ、借字「於多岐・於多木」を見出す。上述の分析を参照。

　　山城國 … 愛宕 於多岐 …　　　　　　　　　　　　　（元和本倭名類聚抄／巻五 10 ウ 1）
　　愛宕郡 … 愛宕 於多木 …　　　　　　　　　　　　　（元和本倭名類聚抄／巻六 02 オ 6）

▶番号 6258b「謗」（誹謗）の仮名音注「ハウ」については、基本的に -aū で対応する。当該字には平声点を差す。図書寮本類聚名義抄に反切「弘云謗補浪反」を見出す。観智院本類聚名義抄に低平調と推測する和音「ハウ」（「ハ」の右傍に濁音「✓」表記）を見つける。鎮国守神社本三實類聚名義抄には和音「ハウ」（「ウ」の右傍に喉内撥音韻尾「✓」表記）がある。天理大学本最勝王経音義本には和音「ハウ」がある。日本呉音「バウ」平声を認める。ただし、その中古音が示す頭子音 p-（等韻学の術語で言う唇音清幫母）は無声無気両唇閉鎖音であり、原則的に日本語のハ行音をもって受容する。バ行音で字音把握する理由が不明であるためか、現行多くの漢和辞典は慣用音とする。あるいは諧声符「旁」（並母唐韻 baŋ¹）に牽引された字音把握か。

　　誹謗 … 下弘云謗補浪反 … ソシル［上上平／詩：右傍］　　　（図書寮本類聚名義抄／089-2）
　　謗 ソシル アサムク／和ハウ［□平：墨点／✓□：右傍］　　（観智院本類聚名義抄／法上 062-7）
　　謗 ソシル／和ハウ［□✓：右傍］／アサムク　　（鎮国守国神社本三實類聚名義抄／中一 33 ウ 1）

166　3．仮名音注の韻母別考察　3-1　Ⅰ韻類

謗 補曠反 ソシル／アサムク 和ハウ　　　　　　　（天理大学本最勝王経音義本／02 ウ 6）

《上巻 鐸韻開口諸例》

▶番号1206b「悪」（暴悪）の仮名音注「アク」については、基本的に -ak で対応する。当該字には入声点を差す。鐸韻（'ɑk）模／暮韻（'uʌ¹ᐟ³）三音を有する。図書寮本類聚名義抄に反切「弘云㧖〔*←扌〕各反真云烏各反」と反切「茲云烏故反・广云烏故反」を見出す。観智院本類聚名義抄に反切「㧖各反」と墨点で上昇調を示す和音「アク」₍ₓ₎と平声墨点を付した「又ヲ」を見つける。長承本蒙求には仮名音注「アク」があり、その掲出字に徳声点を加える。高山寺本篆隷萬象名義には反切「㧖各反」がある。日本漢音「アク」徳声（四声体系では入声）日本呉音「アク」と「ヲ」平声を認める。

　　　惡師 弘云扌各 [□入] 反 陋也悪過也憎也何也 …　　　　　　（図書寮本類聚名義抄／249-3）

　　　險惡 真云烏各 [□入] 反／不善也　　　　　　　　　　　　（図書寮本類聚名義抄／249-5）

　　　惡作 茲云烏故反 憎也 …　　　　　　　　　　　　　　　　（図書寮本類聚名義抄／249-2）

　　　猒惡 公任云下去声 ニクム [平平上]／善悪之處入声　　　　（図書寮本類聚名義抄／249-4）

　　　憎惡 … 广云下烏／故反 … 中云／去声　　　　　　　　　　（図書寮本類聚名義抄／249-5）

　　　惡 㧖各反 アシ … 又音汙 [去] … 音烏 … 和アク [平上：墨点] 又ヲ [平：墨点]

　　　　　　　　　　　　　　　　　　　　　　　　　　　　　　（観智院本類聚名義抄／法中 075-8）

　　　惡 正 イツクソ／ナソ イヤシ　　　　　　　　　　　　　（観智院本類聚名義抄／法中 076-1）

　　　惡 [徳] アク　　　　　　　　　　　　　　　　　　　　　　　　　（長承本蒙求／095）

　　　下惡 [去聲：右傍] ニクム　　　　　　（石山寺一切経蔵本大般若経字抄／04 ウ 7）

　　　惡 㧖各反 陋也悪也怨也憎也何也　　　（高山寺本篆隷萬象名義／第二帖 088 オ 2）

▶番号2452a「格」（格子）の仮名音注「カウ」については、異例 -au を示す。当該字に声点はない。熟字2452「格子」は右注「同（カウシ）」左注「用之」を付載する。その直上には熟字「篇子」を掲げ、右傍「カク」右注「カウシ」左注「又乍篇」を付載する。観智院本類聚名義抄に反切「柯額反・乎格反」と同音字注「又音格」〔*存疑〕を見出すが、仮名音注はない。高山寺本篆隷萬象名義には反切「柯額反」がある。熟字2452「格子」の仮名音注「カウシ」は日本語音韻史上におけるウ音便を反映した「カクシ」からの音変化と考える。

　　　格 音絡 … 柯額反 椻也移也／エタ 乎格反 鞍格 又音格木名 …

　　　　　　　　　　　　　　　　　　　　　　　　　　（観智院本類聚名義抄／佛下本 085-4）

　　　篇 通俗文云篇 篇音隔字亦作簵俗用格子二字 竹障名也　　　（元和本倭名類聚抄／巻十 10 ウ 8）

　　　格 柯額反 椻也栢也度也量也　　　　　　（高山寺本篆隷萬象名義／第四帖 10 オ 5）

▶番号3179a「各」（各務）の仮名音注「カ、」については、異例 -aka を示す。当該字に声点

はない。熟字3179「各務」は加篇姓氏部に属す。早くから存在する日本語の固有名詞に漢字表記を宛てた例である。観智院本類聚名義抄に同音字注「音閣」と「古愕反」を見出すが、仮名音注はない。なお、元和本倭名類聚抄に地名「各務」に対して借字「加々美」がある。

　　各 音閣 オノ、、／ツクス　　　　　　　　　　　　（観智院本類聚名義抄／佛中 058-2）

　　各 古愕反　　　　　　　　　　　　　　　　　　　（観智院本類聚名義抄／僧中 064-3）

　　美濃國 … 各務 加々美 …　　　　　　　　　　　（元和本倭名類聚抄／巻五 16 ウ 5）

▶番号2999a「恪」（恪勤）の仮名音注「カク」については、基本的に -ak で対応する。当該字には入声点を差す。熟字2999「恪勤」は右傍「ツ、シムツトム」を付載する。図書寮本類聚名義抄に反切「广云苦各反」と反切「广云口各反」（その反切下字に入声点）を見出す。観智院本には反切「苦各反」を見つけるが、仮名音注はない。当該字「恪」は「愙」と相互に異体字である。高山寺本篆隷萬象名義と天治本新撰字鏡には反切「口咢反」を見つける。日本漢音は入声を認める。

　　謙恪 广云古愙苦各反 ―恭也敬也 …　　　　　　（図書寮本類聚名義抄／271-6）

　　恭恪 广云口／各 [口入] 反 ―敬也恭也 …　　　　（図書寮本類聚名義抄／271-6）

　　恪 苦各反 ウヤマフ [上上:□□] … ツ、シム [平平□□]　（観智院本類聚名義抄／法中 075-4）

　　愙 正　　　　　　　　　　　　　　　　　　　　　（観智院本類聚名義抄／法中 075-5）

　　愙 口咢反 敬也　　　　　　　　　　　　　　（高山寺本篆隷萬象名義／第二帖 081 ウ 1）

　　恪 愙字　　　　　　　　　　　　　　　　　　（高山寺本篆隷萬象名義／第二帖 081 ウ 2）

　　愙 口咢反 敬也 恪字　　　　　　　　　　　　　（天治本新撰字鏡／巻二 24 オ 5）

▶番号2933a・3084a「鶴」（鶴髪・鶴望）の仮名音注「カク」については、基本的に -ak で対応する。当該字には入声点を差す。熟字2933「鶴髪」は鶴の羽のように白い髪を意味する。観智院本類聚名義抄に反切「河各反」を見出す。続けて「鶴・鶴」に対して「上俗／下正」とういう注記があり、両者は相互に異体字である。長承本蒙求には仮名音注「カク」二例「火ク」一例があり、これら掲出諸字三例に入声点を加える。日本漢音「カク」入声を認める。

　　鶴 河各反／ツル [平上] 鶴 上俗／下正　　　　　（観智院本類聚名義抄／僧中 113-3）

　　鶴 [入] カク　　　　　　　　　　　　　　　　　（長承本蒙求／013・103）

　　鶴 [入] 火ク　　　　　　　　　　　　　　　　　　（長承本蒙求／130）

▶番号3053a「鶴」（鶴頭）の仮名音注「カウ」については、異例 -au を示す。当該字には入声点を差し、規範的な声調を示す。熟字3053「鶴頭」は日本語音韻史上におけるウ音便を反映した「カクトウ」からの音変化と考える。上述の分析を参照。

▶番号2673a「鶴」（鶴頭）の仮名音注「カウ」については、異例 -au を示す。当該字に声点はない。熟字2673「鶴頭」は左注「橘葉也」を付載する。日本語音韻史上におけるウ音便を反映した「カクトウ」からの音変化と考える。上述の分析を参照。

▶番号2585a「鶴」（鶴髪）の仮名音注「カフ」については、異例 -ap を示す。当該字に声点は

168　3．仮名音注の韻母別考察　3-1　Ⅰ韻類

ない。熟字 2585「鶴髪」の右注「カフシ」仮名音注は「カククシ→カクシ→カウシ（カフシ）」の音変化を反映するか。同じ加篇にありながら、既述した畳字部の人倫部老耄分に掲げる熟字 2933「鶴髪」には左注「カクハツ」仮名音注を付載する。上述の分析を参照。

▶番号 2059b「閣」（麟閣）の仮名音注「カク」については、基本的に -ak で対応する。当該字には入声点を差す。観智院本類聚名義抄に入声点を付した同音字注「音各」を見出す。長承本蒙求には仮名音注「カク」二例があり、両掲出字には徳声点を加える。日本漢音「カク」徳声（四声体系では入声）を認める。

　　　閣 俗 恪字　　　　　　　　　　　　　　　　　　　（観智院本類聚名義抄／法下 080-7）

　　　閣 音各 [入] サシオク [平上上平] … ヒラク　　　（観智院本類聚名義抄／法下 082-3）

　　　閣 [徳] カク　　　　　　　　　　　　　　　　　　（長承本蒙求／123・140）

▶番号 2435「閣」（閣）の仮名音注「カク［上上］」については、基本的に -ak で対応する。当該字に声点はなく、右注「カク［上上］屋名也」左注「毎間有戸也」を付載する。右注の仮名音注は高平調を示すので、徳声（入声軽）を想定できる。上述の分析を参照。

▶番号 1631b「閣」（東閣）の仮名音注「カフ」については、異例 -ap を示す。当該字には入声点を差す。仮名の字形が近似する「カク」と誤認した可能性もあるが、東にある宮殿の意味であれば、字形が類似する「閤」（合韻 kʌp）と混同したか。上述の分析を参照。

▶番号 0523「蕚」の仮名音注「カク」については、基本的に -ak で対応する。当該字には入声濁点を差すので、字音「ガク」を想定する。その中古音が示す頭子音 ŋ-（等韻学の術語で言う疑母）は軟口蓋鼻音であり、日本語のガ行音をもって受容する。当該字は右注「ハナフサ」を付載する。観智院本類聚名義抄に同音字注「腭音」を見出すが、仮名音注はない。元和本倭名類聚抄に東宮切韻を出典とする反切「五各反」がある。菅原是善が編纂した同書は佚書である。

　　　蕚 腭音 花フサ [□平濁平] ／フサ　蕚 今　　　　（観智院本類聚名義抄／僧上 046-6）

　　　蕚　東宮切韻云蕚 五各反和名波奈布佐一云花房 承花拊也（元和本倭名類聚抄／巻二十 33 オ 5）

▶番号 1575b・2871b「作」（東作・耕作）の仮名音注「サク」については、基本的に -ak で対応する。両当該字には入声点を差す。観智院本類聚名義抄に去声点を付した「茲賀反」と「子各反」〔*各←合〕および和音「サ [平]・サク」を見出す。続けて注記「去者為入者造」（去声は為す、入声は造る）がある。高山寺本篆隷萬象名義には反切「子各反」を見つける。長承本蒙求には仮名音注「サ」があり、その掲出字に去声点を加える。日本漢音「サ」去声、日本呉音「サ」平声と「サク」を認める。

　　　作 茲賀 [□去] 子合二反 去者為入者造 ナル [□ス:右傍] … 和サ [平] サク

　　　　　　　　　　　　　　　　　　　　　　　　　　（観智院本類聚名義抄／佛上 033-2）

　　　作 [去] サ　　　　　　　　　　　　　　　　　　　（長承本蒙求／098）

　　　作 子各反 用也 起也 行也 … 使也 佐也　　　　　（高山寺本篆隷萬象名義／第一帖 054 オ 1）

3-1-1 -ɑ系の字音的特徴 169

▶番号1673b「作」（頓作）の仮名音注「サク」については、基本的に -ak で対応する。当該字には入声濁点を差すので、日本語音韻史上の連濁による字音「ザク」を想定する。上述の分析を参照。

▶番号0513「柞」の仮名音注「サク」については、基本的に -ak で対応する。当該字には入声点を差し、右注「ハミソ」を付載する。廣韻に拠れば、精母鐸韻 (tsɑk) と従母鐸韻 (dzɑk) の二音を有する。観智院本類聚名義抄に入声点を付した同音字注「音作・又昨音」を見出すが、仮名音注はない。元和本倭名類聚抄には同音字注「音柞・一音昨」がある。日本漢音は入声を認める。

　　柞　音作［入］ユシ［去上］ハミソ［上上上］… 又昨音 …　　（観智院本類聚名義抄／佛下本112-2）

　　柞　四聲字苑云柞 音柞一音昨和名由之漢語抄云波々曾 …　　（元和本倭名類聚抄／巻二十24 オ4）

▶番号2387b「錯」（猥錯）の仮名音注「シヤク」については、異例 -jak を示す。当該字には入声点を差す。廣韻に拠れば、鐸韻 (ts'ɑk) 暮韻 (ts'uʌ³) の二音を有する。観智院本類聚名義抄に「倉故反・千各反」と和音「者ク・尺」（仮名音注「シヤク・セキ」に相当）を見出す。なお、同書で仮名音注と共に用いる「者」は「者ウ・者ク」を指摘できる。元和本倭名類聚抄には反切「倉各反」を見つける。日本呉音「シヤク」の蓋然性が高い。あるいは諧声符「昔」の字音「シヤク」による把握とも考え得る。

　　錯　倉故反 千各反 ミタル … 和者ク … 和尺　　　　　　　　（観智院本類聚名義抄／僧上126-1）

　　者　諸野反 モノ／ヒト［上平］… 者［正：右注］　　　　　　（観智院本類聚名義抄／僧下104-3）

　　尺　音赤 者ク／十寸 サタム［平平濁上］　　　　　　　　　（観智院本類聚名義抄／僧下104-3）

　　錯子　唐韻云錯 倉各反漢語抄云錯子古須利 …　　　　　　　（元和本倭名類聚抄／巻十五14 ウ9）

▶番号2475a「酢」（酢漿）の仮名音注「ソ」については、異例 -o を示す。当該字には去声点を差す。熟字2475「酢漿」は右注「カタハミ」左注「又酢草」を付載する。廣韻に拠れば、当該字「酢」は鐸韻入声 (dzɑk) であるが、異体字「醋」は清母暮韻去声 (ts'uʌ³) である。観智院本類聚名義抄に反切「倉故反」（その反切下字に去声点を付載）と入声点を付した同音字注「昨」および和音「ソ」を見出す。元和本倭名類聚抄には反切「倉故反」がある。天治本新撰字鏡には反切「七故反去」を見つける。高山寺本篆隷萬象名義には反切「且故反」がある。日本漢音は去/入声、日本呉音「ソ」を認める。

　　昨　昨日隔一宵 … 在各切二十 酢 酬酢 …　　　　　　　　（宋本廣韻／従母鐸韻入声 dzɑk）

　　厝　置也 倉故切五 … 醋 醬醋説文作酢 …　　　　　　　　（宋本廣韻／清母暮韻去声 ts'uʌ³）

　　醋酢　倉故［口去］反／ス … 又昨［入］今二正 … スシ［平平］和ソ

　　　　　　　　　　　　　　　　　　　　　　　　　　　　　（観智院本類聚名義抄／僧下060-1）

　　酢漿　本草云酢漿草 和名加太波美　　　　　　　　　　　　（元和本倭名類聚抄／巻二十13 オ1）

　　酢　本草云酢酒味酸温無毒 酢音倉故反字亦作醋和名須 …　　（元和本倭名類聚抄／巻十六21 ウ4）

　　醋　徐各反 報也酢也酸也加良之又須之 酢 上同 七故反去 …　　（天治本新撰字鏡／巻四24 オ3）

170　3．仮名音注の韻母別考察　3-1　Ⅰ韻類

　　　酢 且故反 上文　　　　　　　　　　　　　　　　　　（高山寺本篆隷萬象名義／第六帖186 オ4)

　▶番号1385b・3294「索」（平索・索）の仮名音注「サク」については、基本的に -ak で対応
する。両当該字には入声点を差す。廣韻に拠れば、鐸韻（sɑk）陌韻（ṣak）麥韻（ṣɐk）の三音を有
する。図書寮本類聚名義抄に反切「又所戟反」と反切「茲云所戟蘇各反」（それらの反切下字に入
声点）さらに反切「真云所各」を見出す。観智院本には入声点を付した同音字注「錯」（その右注
「シヤク」左注「サク」）を見つける。承暦本金光明最勝王経音義には同音字注「尺音」があり、
その掲出字に入声点および圏点による入声濁点を加える。同書の掲出字「索訶」には仮名音注「シ
ヤカ」を見つける。続けて注記「婆婆名之也」とあるように、これは梵語 sahā の音訳であり、釈
尊の世界を意味する。日本漢音「サク・シヤク」入声、日本呉音は入声を認める。

　　　索 東云 … 又所戟反 … 川云和云／奈波［平平］　　　　　　（図書寮本類聚名義抄／325-1)

　　　求索 茲云所戟［□入］蘇各［□入］反 … ナフ［平上／記：右注］　（図書寮本類聚名義抄／325-4)

　　　以索 广云所各［□入］反 求也 …　　　　　　　　　　　　（図書寮本類聚名義抄／325-5)

　　　鄔波索 真云／所各 迦 …　　　　　　　　　　　　　　　（図書寮本類聚名義抄／177-5)

　　　己索 真云／所各 迦 …　　　　　　　　　　　　　　　　（図書寮本類聚名義抄／177-5)

　　　索 音錯［入／シヤク：墨右注／サク：墨左注］／ナハ［平平］… ナフ

　　　　　　　　　　　　　　　　　　　　　　　　　　　　（観智院本類聚名義抄／法中114-6)

　　　綱［平］券彡 索［入／入濁：圏点］尺彡 二字合繩也　　（承暦本金光明最勝王経音義／09 ウ6)

　　　索訶 シヤカ［：右傍］婆婆名之也 ［＊後筆墨書］　（承暦本金光明最勝王経音義／07 オ6)

　　　胃索　辨色立成云胃索 和名加介奈波上音古縣反 取馬繩也

　　　　　　　　　　　　　　　　　　　　　　　　　　　　（元和本倭名類聚抄／巻十五15 オ5)

　▶番号2772b「索」（羂索）の仮名音注「サク」については、基本的に -ak で対応する。当該字
に声点はない。熟字2772「羂索」は右注「カケナハ」左注「取馬繩也」を付載する。上述の分析を
参照。

　▶番号0635b「飥」（餺飥）の仮名音注「タク」については、基本的に -ak で対応する。当該字
には入声点を差す。観智院本類聚名義抄に同音字注「託」を見出すが、仮名音注はない。元和本倭
名類聚抄には同音字注「託」を見つける。

　　　餺飥 博託二音 …　　　　　　　　　　　　　　　　　　（観智院本類聚名義抄／僧上112-8)

　　　餺飥　楊氏漢語抄云餺飥 愽託二音 …　　　　　　　　（元和本倭名類聚抄／巻十六15 オ1)

　▶番号0636b「飥」（餺飥）の仮名音注「タウ」については、異例 -au を示す。当該字には入声
点を差す。熟字「餺飥」は右傍0635「ハクタク」右注0636「ハウタウ」を付載する。右傍は規範
的な字音を、右注は熟字として常用する場合の字音を示したものであろう。上述の分析を参照。

　▶番号0620・0697「度」の仮名音注「タク」については、基本的に -ak で対応する。両当該字
に声点はない。廣韻に拠れば、鐸韻（dɑk）暮韻（duʌ³）の二音を有する。その中古音が示す頭子音

3-1-1　-a系の字音的特徴　171

d-（等韻学の術語で言う舌音濁定母）は有声歯茎閉鎖音であり、日本語のダ行音をもって受容するが、中国語音韻史上に現れる濁音声母の無声化を反映した場合はタ行音となる。番号0620「度」は右注「支度」左注「知長短」を付載し、和訓「ハカル」の同訓異字として位置する。番号0697「度」は右注「訓ハカル量也」中注「知長短」左注「知丈尺段歩ハカリ」を付載する。観智院本類聚名義抄に入声点を付した同音字注「又音鐸」を見出すが、仮名音注はない。別音として平声濁点と去声点を付した同音字注「渡」を見つける。和音「同」は三音（平/去/入声）すべてを指すものか決めがたい。高山寺本篆隷萬象名義には反切「徒故反」がある。日本漢音は平/去/入声を認める。

　　度 … 音渡［平濁・去］ワタル［上上□］又音鐸［入］和同 …　　（観智院本類聚名義抄／法下 105-1）

　　度 徒故反 量也法也居也 …　　　　　　　　　　　　　　（高山寺本篆隷萬象名義／第二帖 052 オ 3）

▶番号0308b「諾」（一諾）の仮名音注「タク」については、基本的に -ak で対応する。当該字には入声点を差す。その中古音が示す頭子音 n-（等韻学の術語で言う泥母）は歯茎鼻音であり、鼻音声母の非鼻音化（denasalization）現象によって、n- > nd- > d- の音変化を起こす。この影響を受けた日本漢音では原則的にダ行音を反映することになる。日本漢字音において、頭子音 n- をナ行音で対応する場合は早い段階の字音享受と考える。これを呉音的特徴とするが、日本漢音とは中国語音韻史上の基層を異にする点、留意しなければならない。観智院本類聚名義抄に反切「奴谷反」と和音「若」を見出す。傍証ながら、同書で「若」を再検索すると、低平調を示す和音「ニヤ［平平］」を見つける。長承本蒙求には仮名音注「タク」二例があり、掲出字一例に入声加濁点を加える。日本漢音「ダク」入声を認める。

　　諾 奴谷反 ムヘナフ［上上濁□□］… 和若　　　　　　（観智院本類聚名義抄／法上 051-4）

　　若 音弱［入濁］／シヤク：朱右傍］… 又音惹 和又ニヤ［平平］　（観智院本類聚名義抄／僧上 047-4）

　　諾［入／入：加濁］タク　　　　　　　　　　　　　　　　　　（長承本蒙求／028）

　　諾〔＊右下隅欠］タク　　　　　　　　　　　　　　　　　　　（長承本蒙求／137）

▶番号1111b「鐸」（實鐸）の仮名音注「チヤク」については、異例 -jak を示す。当該字には入声点を差す。熟字1111「實鐸」は右注「ホウチヤク俗」左注「大領也」を付載する。この「俗」表記は定着久しい字音を示す。観智院本類聚名義抄に同音字注「音澤（陌韻 ɖak）」と和音「茶ク」を見出す。同書では、掲出字「擲」（澄母昔韻 ɖiek）にも和音「茶ク」を見つける。承暦本金光明最勝王経音義には仮名音注「チヤク」と入声点を付した同音字注「著音」がある。日本呉音「チヤク」入声を認める。

　　鐸 音澤 オホス丶／ヌリテ ユヒマキ／和茶ク　　　　　（観智院本類聚名義抄／僧上 137-8）

　　擲 鄭亦反 ナク［平上］… 和茶ク　　　　　　　　　　（観智院本類聚名義抄／佛下本 058-1）

　　鐸 チヤク〔＊後筆墨書］　　　　　　　　　　　　（承暦本金光明最勝王経音義／09 ウ 1）

　　鐸［入］著丶　　　　　　　　　　　　　　　　　（承暦本金光明最勝王経音義／09 ウ 4）

　　擲［入］著丶／投也　　　　　　　　　　　　　　（承暦本金光明最勝王経音義／10 オ 3）

172 3．仮名音注の韻母別考察　3-1　Ⅰ韻類

▶番号 0671・0736a・0874a「薄」（薄・薄地・薄命）の仮名音注「ハク」については、基本的に -ak で対応する。当該諸字三例には入声点を差す。その中古音が示す頭子音 b-（等韻学の術語で言う唇音濁並母）は有声両唇閉鎖音であり、日本語のバ行音をもって受容するが、中国語音韻史上における濁音声母の無声化を反映する場合はハ行音をもって対応する。観智院本類聚名義抄に反切「蒲各反」と低平調を示す和音「ハク」を見出す。日本呉音「ハク」入声を認める。

　　　薄 蒲各反／ウスシ［□□平］… 和ハク［平平］　　　　　　　　（観智院本類聚名義抄／僧上 028-7）

▶番号 0499a「薄」（薄荷）の仮名音注「ハ［平濁］」については、異例 -a を示す。当該字には平声濁音を差すので、字音「バ」を想定する。熟字 0499「薄荷」は右注「ハカ［平濁上］」を付載する。本来の字音「バクカ」が軟口蓋閉鎖音であるカ行音の連続により促音化を起した結果、促音を無表記とする「ハ（ッ）カ」となった。いわゆる植物の「薄荷」と同じか。観智院本類聚名義抄に仮名音注「ハカ［平濁上］」を見出す。元和本倭名類聚抄には和名「波加」がある。すでに字音の意識が薄れていたと推測する。

　　　薄荷 ハカ［平濁上］下音　　　　　　　　　　　　　　　　　（観智院本類聚名義抄／僧上 029-1）
　　　薄荷　養生祕要云薄荷 和名波加今案荷字所出未詳　　　　　（元和本倭名類聚抄／巻十六 23 オ 4）

▶番号 0488a「搏」（搏風）の仮名音注「ハク」については、基本的に -ak で対応する。前田本の字形「榑」を手偏の「搏」に修正する。当該字には入声点を差す。熟字 0488「搏風」は右注「ハフ」右傍「ハクフウ」仮名音注を付載する。屋根の両側に取り付ける山形の板「破風」を意味する。右傍は当該各字の規範的な字音を、右注は熟字として常用する場合の字音を示したものであろう。図書寮本類聚名義抄に反切「广云上補莫反」（その反切下字に入声濁点）を見出す。観智院本には反切「補洛反」と同音字注「音傳」（その右注に仮名音注「フ」）および和音「ハク」を見つける。元和本倭名類聚抄は熟字「榑風」を掲げ、反切「布悪反 和名如字 楊氏漢語抄説同」がある。字音に由来する和名である。日本漢音は入声、日本呉音「ハク」を認める。

　　　搏踏 广云上補莫［□入濁］反 …　　　　　　　　　　　　　（図書寮本類聚名義抄／108-3）
　　　搏 補洛反 ウツ［平上］和ハク … 音傳［フ：墨右注］　　（観智院本類聚名義抄／佛下本 071-5）
　　　榑風　辨色立成云榑風板 上音布悪反和名如字楊氏漢語抄説同

　　　　　　　　　　　　　　　　　　　　　　　　　　　　　　　（元和本倭名類聚抄／巻十 10 オ 1）

▶番号 0758a・0819a・0821a・0822a・0823a・0877a「博」（博陸・博士・博学・博覧・博聞・博愛）の仮名音注「ハク」については、基本的に -ak で対応する。当該諸字六例には入声点を差す。類聚名義抄諸本に反切「補各反」を見出す。この反切上字「補」は幫母である。承暦本金光明最勝王経音義には借字による「八久反」があり、その「八」（幫母黠韻 pet）は日本語の清音「ハ」に相当する。同書が掲げる「先可知所付借字」からも証明できる。日本漢音・日本呉音ともに「ハク」入声を認める。

　　　博 補各［□入］反 廣也太也大通也／廣大無所不通也　　　（図書寮本類聚名義抄／佛上 269-4）

3-1-1　-ɑ系の字音的特徴　173

博博 千云上通 … ヒロム［平平上／異：右注］　　　　（図書寮本類聚名義抄／佛上269-7）

博 補各反 ヒロシ［平平上］／カフ［上平］　　　　（観智院本類聚名義抄／佛上082-7）

慱［入］ハク　　　　　　　　　　　　　　　　　　　　（長承本蒙求／005・009）

慱［入］ハ久反　　　　　　　　　　　　（承暦本金光明最勝王経音義／03ウ1）

慱［入］ハク〔＊後筆墨書入〕　　　（承暦本金光明最勝王経音義／08ウ2・10オ6）

　　先可知所付借字　　　　　　　　　（承暦本金光明最勝王経音義／01オ7）

以［平］伊［上］呂［平］路［上］波［上］八［平］耳［平］尓［上］

　　　　　　　　　　　　　　　　　　　（承暦本金光明最勝王経音義／01ウ1）

▶番号0850a「博」（博奕）の仮名音注「ハク」については、基本的に -ak で対応する。当該字には入声濁点を差すので、字音「バク」を想定する。その中古音が示す頭子音 p-（等韻学の術語で言う幫母）は無声無気両唇閉鎖音であり、日本語のハ行音をもって受容する。バ行音での対応は許容しがたい。現行多くの漢和辞典は慣用音「バク」とするが、出自は不明。同じ諧声符「尃」を持つ「薄・簿」（脣音濁並母鐸韻 bɑk）や「縛」（脣音濁並母藥韻 biɑk）等との混同による誤認か。上述の分析を参照。

▶番号0768a「博」（博勞）の仮名音注「ハン」については、異例 -an を示す。当該字には入声濁点を差す。熟字0768「博勞」は右注「ハンシン」を付載するが、これは直上に配置する熟字0767「凡人」の右注「ハンシム」を再度付載した誤認と認める。上述の分析を参照。

▶番号3288a・0915a（博多・博士）の仮名音注「ハカ」については、異例 -aka を示す。両当該字に声点はない。熟字3288「博多」は波篇國郡部に属する地名、熟字0915「博士」は波篇官職部に属する律令時代の官名。両者ともに定着久しい字音と推測する。元和本倭名類聚抄に借字「波加世」を見出す。上述の分析を参照。

　　史生 … 俗云醫 久須之 博士 波加世 弩師 於保由美乃之　　　（元和本倭名類聚抄／巻五02ウ2）

▶番号0622a「愽」（愽打）の仮名音注「ハク」については、基本的に -ak で対応する。当該字に声点はない。立心偏を部首とする「愽」は「博」の異体字。観智院本類聚名義抄に「博」を「正」とする。上述の分析を参照。

　　博愽 上通 下正 ヒロシ カフ … マロナリ　　　　（観智院本類聚名義抄／法中096-8）

▶番号0386b「博」（醫博士）の仮名音注「ハカ」については、異例 -aka を示す。当該字に声点はない。熟字0386「醫博士」は伊篇官職部に属する律令時代の官名。上述の分析を参照。

▶番号0635a「餺」（餺飥）の仮名音注「ハク」については、基本的に -ak で対応する。当該字には入声点を差す。観智院本類聚名義抄に同音字注「博」を見出すが、仮名音注はない。

　　餺飥 博飥二音 …　　　　　　　　　　　　　（観智院本類聚名義抄／僧上112-8）

▶番号0636a「餺」（餺飥）の仮名音注「ハウ」については、異例 -au を示す。当該字には入声点を差す。熟字「餺飥」には右傍0635「ハクタク」右注0636「ハウタウ」を付載する。右傍は当

174　3．仮名音注の韻母別考察　3-1　I 韻類

該各字の字音を、右注は熟字として常用する場合の字音を示したものであろう。

▶番号 1502「轉」の仮名音注「ハク」については、基本的に -ak で対応する。当該字には入声点を差し、右注「トコシハリ」左注「一云トコカヘリ」を付載する。観智院本類聚名義抄に同音字注「博」を見出すが、仮名音注はない。元和本倭名類聚抄には同音字注「慱」がある。

　　轉 … 音博 車下橐／トコシハリ［上上上上濁平］　　　　（観智院本類聚名義抄／僧中 076-3）

　　轉　唐韻云轉 音博 車下索釋名云轉 今案和名度古之波利 …

　　　　　　　　　　　　　　　　　　　　　　　（元和本倭名類聚抄／巻十一 07 ウ 3）

▶番号 2589「髆」の仮名音注「ハク」については、基本的に -ak で対応する。当該字に声点はなく、右注「カタ」左注「又乍膊」を付載する。観智院本類聚名義抄に入声点を付した和音「薄」を見出すが、仮名音注はない。石山寺一切経蔵本大般若経字抄には同音字注「薄」二例がある。異体字「膊」に対しては同音字注「薄」三例と同音字注「白」を見つける。日本呉音は入声を認める。

　　髆 正膊 カタ［平上］… 和薄［入］　　　　　（観智院本類聚名義抄／佛下本 006-4）

　　髆［音薄：右傍］肩骨也　　　　　（石山寺一切経蔵本大般若経字抄／01 オ 5）

　　髆 音薄　　　　　　　　　　　　（石山寺一切経蔵本大般若経字抄／15 オ 4）

　　膊［音薄：右傍］可從骨　　　　　（石山寺一切経蔵本大般若経字抄／02 ウ 6）

　　膊［音薄：右傍］可從骨 外典用白音若又有其音歘　　　（石山寺一切経蔵本大般若経字抄／05 オ 2）

　　膊 音薄　　　　　　　　　　　　（石山寺一切経蔵本大般若経字抄／20 ウ 2）

▶番号 1418「泊」の仮名音注「ハク」については、基本的に -ak で対応する。当該字に声点はなく、右注「トマリ」を付載する。その中古音が示す頭子音 b-（等韻学の術語で言う脣音濁並母）は有声両唇閉鎖音であり、日本語のバ行音をもって受容する。ただし、中国語音韻史上における濁音声母の無声化を反映する場合は日本語のハ行音で対応する。図書寮本類聚名義抄は熟字「泊湘」に対して同音字注「川云白相［入去］二音」を注記する。また熟字「淡泊」に対して「和タム［平平］ハク」を注記する。観智院本には反切「普博反」と同音字注「薄音」を見出す。長承本蒙求には仮名音注「ハク」があり、その掲出字に入声点を加える。元和本倭名類聚抄には同音字注「白」を見つける。日本漢音「ハク」入声、日本呉音「ハク」を認める。

　　泊湘 川云白相［入去］二音 … 上和度度末利［上上上］…　　　（図書寮本類聚名義抄／025-3）

　　淡泊 真云下水白皃 … 和タム［平平］ハク　　　（図書寮本類聚名義抄／025-4）

　　泊 普博反 … 薄音 … トマリ［上上上］…　　　（観智院本類聚名義抄／法上 009-2）

　　泊［入］ハク　　　　　　　　　　　　　　　　　（長承本蒙求／028）

　　泊湘　唐韻云淺水貌也白柏二音文選師説 左々良奈三　　（元和本倭名類聚抄／巻一 14 オ 8）

▶番号 0870a・1040a「莫」（莫大・白莫）の仮名音注「ハク」については、基本的に -ak で対応する。両掲出字ともに入声濁点を差すので、字音「バク」を想定する。その中古音が示す頭子音 m-（等韻学の術語で言う明母）は両唇鼻音であり、日本語のマ行音をもって受容するが、中国語音

韻史上における鼻音声母の非鼻音化により m->mb->b- のように音変化する。これを反映する場合はバ行音をもって対応する。観智院本類聚名義抄に反切「無各反」と低平調を示す和音「マク」を見出す。日本呉音「マク」入声を認める。ただし、熟字1040「白莫」は右注「ホロシ」を付載し、続けて直後に熟字「鬼白草」があり、その右注「同（ホロシ）」を掲げる。元和本倭名類聚抄が掲げる「白英」には「一名鬼目草」和名「保魯之」があり、熟字1040「白莫」は「白英」を誤認した可能性がある。

　　　莫 無各反 マナ［上平］… 和マク［平平］　　　　　　（観智院本類聚名義抄／僧上002-2）

　　　白英 蘇敬本草云白英一名鬼目草 和名保魯之 …　　　（元和本倭名類聚抄／巻二十12オ5）

▶番号1326b・2709b「落」（碧落・鐵落）の仮名音注「ラク」については、基本的に *-ak* で対応する。両当該字には平声点を差す。観智院本類聚名義抄に入声点を付した同音字注「洛」を見出す。長承本蒙求には仮名音注「ラク」二例があり、それらを含む掲出字三例に德声点を加える。日本漢音「ラク」德声（四声体系では入声）を認める。

　　　落 音洛［入］オツ［平上］… ミチ　　　　　　　　（観智院本類聚名義抄／僧上012-7）

　　　落［德］ラク　　　　　　　　　　　　　　　　　　　（長承本蒙求／087・115）

　　　落［德］　　　　　　　　　　　　　　　　　　　　　　　（長承本蒙求／090）

▶番号2530a「駱」（駱馬）の仮名音注「ラク」については、基本的に *-ak* で対応する。当該字に声点はない。熟字2530「駱馬」は右注「カハラケノムマ」左注「川原毛馬也」を付載する。観智院本類聚名義抄に入声点を付した同音字注「洛」を見出すが、仮名音注はない。元和本倭名類聚抄には同音字注「落」がある。日本漢音は入声を認める。

　　　駱 音洛［入］馬名 又駝駝 又音託／トム　　　　　（観智院本類聚名義抄／僧中100-5）

　　　駱馬 毛詩注云駱 音落漢語抄云駱馬川原毛也 …　　　（元和本倭名類聚抄／巻十一12ウ2）

▶番号1936b「樂」（長樂）の仮名音注「ラク」については、基本的に *-ak* で対応する。当該字には入声点を差す。廣韻に拠れば、鐸韻（lɑk）覺韻（ŋauk）効韻（ŋauᶾ）三音を有する。観智院本類聚名義抄に「盧各反」と和音「ラク」を見出す。日本呉音「ラク」を認める。

　　　樂 盧各反 タノシヒ［平平上平濁］又五覺反 五声八音 惣名 又五孝反 … 或随音乙 … 和ラク 又ケウ

　　　　　　　　　　　　　　　　　　　　　　　　　　（観智院本類聚名義抄／佛下本105-1）

▶番号0154c・0634c・1302c・2645c「樂」（溢金樂・放鷹樂・平蠻樂・河水樂）の仮名音注「ラク」については、基本的に *-ak* で対応する。当該諸字四例に声点はない。上述の分析を参照。

　　　壱越調曲 … 河水樂　溢金樂 一云承和樂 …　　　　（元和本倭名類聚抄／巻四14オ7）

　　　乞食調曲 … 放鷹樂 …　　　　　　　　　　　　　　（元和本倭名類聚抄／巻四16オ7）

　　　平調曲 … 平蠻樂 …　　　　　　　　　　　　　　　（元和本倭名類聚抄／巻四15ウ3）

▶番号0153c「樂」（壱弄樂）の仮名音注「ラウ」については、異例 *-au* を示す。当該字には平声点を差す。熟字0153「壱弄樂」は伊篇人事部に属する壱越調の曲名「イツロラウ」である。元和

176　3．仮名音注の韻母別考察　3-1　Ⅰ韻類

本倭名類聚抄に注記「弄音如郎下皆同」を見出す。熟字中の「弄」は字音「郎」であり、次の「樂」も字音「郎」と同じ（「ラウラウ」）であるということか。この注記に従えば、*ituraurau* > *ituroorau* > *iturorau* を想定する。

　　　　壹越調曲 … 壹弄樂 弄音如郎下皆同 …　　　　　　　　　　　（元和本倭名類聚抄／巻四 14 オ 5）

　▶番号3156b「樂」（甘樂）の仮名音注「ラ」については、異例 *-a* を示す。熟字3456「甘樂」は加篇國郡部に属する地名「カムラ」である。先んじて地名があり、後に類似した字音による漢字表記を宛てたと推測する。元和本倭名類聚抄には借字「加牟良」を見出す。

　　　　上野國 … 甘樂 加牟良 … 邑樂 於波良岐　　　　　　　　　　（元和本倭名類聚抄／巻五 17 オ 9）

　▶番号3162b「樂」（邑樂）の仮名音注「ラキ」については、異例 *-aki* を示す。当該の熟字3162「邑樂」は加篇國郡部に属する地名「ヲハラキ」である。先んじて地名があり、後に類似した字音による漢字表記を宛てたと推測する。元和本倭名類聚抄には借字「於波良岐」を見出す。

　　　　上野國 … 甘樂 加牟良 … 邑樂 於波良岐　　　　　　　　　　（元和本倭名類聚抄／巻五 17 ウ 4）

《下巻 鐸韻開口諸例》

　▶番号5651b「悪」（醜悪）の仮名音注「アク」については、基本的に *-ak* で対応する。当該字に声点はない。上巻の鐸韻開口当該例で分析したように、日本漢音「アク」徳声（四声体系では入声）日本呉音「アク」入声を認める。

　▶番号5009b・6335b「閣」（綺閣・秘閣）の仮名音注「カク」については、基本的に *-ak* で対応する。両当該字には入声点を差す。上巻の鐸韻開口当該諸例で分析したように、日本漢音「カク」徳声（四声体系では入声）を認める。

　▶番号4175「腭」の仮名音注「カク」については、基本的に *-ak* で対応する。当該字には入声濁点を差すので、字音「ガク」を想定する。右注「アキ」左注「又乍咢」を付載する。その中古音が示す頭子音 ŋ-（等韻学の術語で言う疑母）は軟口蓋鼻音であり、日本語のガ行音をもって受容する。観智院本類聚名義抄に同音字注「音薛」を見出すが、仮名音注はない。

　　　　腭 俗儞字 アキ［上平濁］／又咢 薛咢　　　　　　　　　　（観智院本類聚名義抄／佛中 115-8）

　▶番号5281b「薛」（紫薛）の仮名音注「カク」については、基本的に *-ak* で対応する。当該字には入声濁点を差すので、字音「ガク」を想定する。上巻の鐸韻開口当該例で分析した。

　▶番号5870b「薛」（紫薛）の仮名音注「カク」については、基本的に *-ak* で対応する。当該字に声点はない。上述の分析を参照。

　▶番号4235「臛」の仮名音注「カク」については、基本的に *-ak* で対応する。当該字には入声点を差し、右注「アツモノ 呼各反」を付載する。観智院本類聚名義抄に反切「呼各反」を見出すが、仮名音注はない。元和本倭名類聚抄には反切「呼各反」二例を見つける。

3-1-1 -ɑ 系の字音的特徴 177

臛 アツシ	（観智院本類聚名義抄／佛中 139-）
饐饔饕 三俗 臛臞二正／呼各反	（観智院本類聚名義抄／僧上 107-7）
羹 … 無菜曰臛 呼各反和名上同今案是以魚鳥肉爲羹也	（元和本倭名類聚抄／巻十六 18 ウ 7）
臛 楚辭云煎鰿臛臛雀 臛音呼各反訓與羹同已見上文	（元和本倭名類聚抄／巻十六 19 ウ 8）

▶番号 4811b・4748b「作」（伊作・造作）の仮名音注「サク」については、基本的に *-ak* で対応する。両当該字に声点はない。上巻の鐸韻開口当該諸例で分析したように、日本漢音「サ」去声、日本呉音「サ」平声と「サク」を認める。

▶番号 5223「柞」の仮名音注「サク」については、基本的に *-ak* で対応する。当該字には入声点を差し、右注「ユシノキ」左注「又ハミソ」を付載する。上巻の鐸韻開口当該例で分析したように、日本漢音は入声を認める。

▶番号 3564a「錯」（錯子）の仮名音注「サク」については、基本的に *-ak* で対応する。当該字には入声点を差す。熟字 3564「錯子」は右注「コスリ」左注「倉各反」を付載する。元和本倭名類聚抄には反切「倉各反」と借字「古須利」を見つける。上巻の鐸韻開口当該例で分析したように、日本呉音「シヤク」入声を認めるが、諧声符「昔」の字音「シヤク」による把握とも考え得る。

錯子 唐韻云錯 倉各反漢抄云錯子古須利 …	（元和本倭名類聚抄／巻十五 14 ウ 9）

▶番号 5663b「錯」（失錯）の仮名音注「シヤク」については、異例 *-jak* を示す。当該字に声点はない。上述の分析を参照。

▶番号 6829「酢」の仮名音注「ソ」については、異例 *-o* を示す。当該字には去声点を差し、右注「倉故反」左注「又作醋」右傍「ソ」を付載する。洲篇飲食部に属するが、注記「ス」はない。上巻の鐸韻開口当該例で分析したように、日本漢音は去/入声、日本呉音「ソ」を認める。

▶番号 6472b・6739b「索」（木索・蕭索）の仮名音注「サク」については、基本的に *-ak* で対応する。両当該字には入声点を差す。上巻の鐸韻開口当該諸例で分析したように、日本漢音「サク・シヤク」入声、日本呉音は入声を認める。

▶番号 6858「鐸」の仮名音注「タク」については、基本的に *-ak* で対応する。当該字に声点はなく、右注「同（スゞ）」左注「今鈴也」〔＊大鈴の誤認〕を付載する。上巻の鐸韻開口当該例で分析したように、日本呉音「チヤク」入声を認める。

▶番号 5747b・5903b「度」（支度・支度相違）の仮名音注「タク」については、基本的に *-ak* で対応する。当該字には入声点を差す。上巻の鐸韻開口当該諸例で分析したように、日本漢音は平/去/入声を認める。

▶番号 5175b「諾」（許諾）の仮名音注「タク」については、基本的に *-ak* で対応する。当該字には入声点を差す。上巻の鐸韻開口当該例で分析したように、日本漢音「ダク」入声を認める。

▶番号 5665b「諾」（承諾）の仮名音注「タク」については、基本的に *-ak* で対応する。当該字には入声濁点を差すので、字音「ダク」を想定する。上述の分析を参照。

178　3．仮名音注の韻母別考察　3-1　Ⅰ韻類

▶番号6669b「託」（請託）の仮名音注「タク」については、基本的に -ak で対応する。当該字には入声点を差す。観智院本類聚名義抄に同音字注「槖」を見出すが、仮名音注はない。同書で「槖」を再検索すると、同音字注「託」があり、相互に依存した循環する字音把握である。

　　託 音槖 ツク［上上］ヨル［上平］… 奇也　　　　　　　（観智院本類聚名義抄／法上050-4）

　　槖 音託 無底 囊 …　　　　　　　　　　　　　　　　（観智院本類聚名義抄／佛下本126-2）

▶番号4774b「博」（相博）の仮名音注「ハク」については、基本的に -ak で対応する。当該字「博」には入声濁点を差すので、日本語音韻史上の連濁による字音「バク」を想定する。上巻の鐸韻開口当該諸例で分析したように、日本漢音・日本呉音ともに「ハク」入声を認める。

▶番号4820b・5942b・5944b・6481c「博」（筭博士・針博士・書博士・文章博士）の仮名音注「ハカ」については、異例 -aka を示す。当該諸字四例に声点はない。元和本倭名類聚抄に借字「波加世」を見出す。上巻の鐸韻開口当該諸例（番号3288a・0915a）で分析したように、定着久しい字音と推測する。上述の分析を参照。

▶番号3731a「愽」（歴博士）の仮名音注「ハカ」については、異例 -aka を示す。当該字に声点はない。立心偏を部首とする「愽」は「博」の異体字。上述の分析を参照。

▶番号3783b・6787「薄」（螿薄・薄）の仮名音注「ハク」については、基本的に -ak で対応する。両当該字には入声点を差す。上巻の鐸韻開口当該諸例で分析したように、日本呉音「ハク」入声を認める。

▶番号3727b「薄」（厚薄）の仮名音注「ハチ」については、異例 -at を示す。当該字には入声点を差す。熟字3727「厚薄」は左注「ハチ」仮名音注を付載するが、その右傍に「□ク」を加える。当初付載した仮名音注に修正添加している。上述の分析を参照。

▶番号6470b「簿」（文簿）の仮名音注「ハク」については、基本的に -ak で対応する。当該字「簿」には入声濁点を差すので、字音「バク」を想定する。その中古音が示す頭子音 b-（等韻学の術語で言う脣音濁並母）は有声両唇鼻音であり、日本語のバ行音をもって受容する。ただし、中国語音韻史上における濁音声母の無声化を反映する場合はハ行音で対応する。観智院本類聚名義抄に同音字注「音薄・又音部」を見出す。長承本蒙求には仮名音注「ホ・ホ」がある。長承本蒙求の仮名音注は平安時代院政初期である長承三年（1134）に加点された墨筆（両音形ある場合は右側）を中心とするが、平安時代中期と推定する古い朱筆（両音形ある場合は左側）の加点もある。元和本倭名類聚抄には同音字注「薄」を見つける。日本漢音「ホ」上声を認める。

　　簿 音薄 エヒラ［平上濁平］又音部 フタ［上上濁］…　　（観智院本類聚名義抄／僧上077-7）

　　簿［上］ホ／ホ　　　　　　　　　　　　　　　　　　（長承本蒙求／004）

　　蠶簿 唐韻兼名苑云簿 音薄和名衣比良 …　　　　　　（元和本倭名類聚抄／巻十四14オ2）

▶番号4438a「泊」（泊湘）の仮名音注「ハク」については、基本的に -ak で対応する。当該字には入声点を差す。熟字4438「泊湘」は右注「サミラナミ」を付載する。上巻の鐸韻開口当該例で

3-1-1 -ɑ系の字音的特徴　179

分析したように、日本漢音「ハク」入声、日本呉音「ハク」を認める。

　　　泊湘　唐韻云淺水貌也白柏音文選師説 左々良奈三　　　　（元和本倭名類聚抄／巻一 14 オ 8）

　▶番号 6846「箔」の仮名音注「ハク」については、基本的に -ak で対応する。当該字に声点はなく、右注「同（スタレ）」を付載する。その中古音が示す頭子音 b-（等韻学の術語で言う唇音濁並母）は有声両唇鼻音であり、日本語のバ行音をもって受容するが、中国語音韻史上における濁音声母の無声化を反映する場合は日本語のハ行音で対応する。観智院本類聚名義抄に反切「蒲各反」を見出すが、仮名音注はない。

　　　艹+泊　俗箔字／蒲各反／スタレ ハチス／コクハ　　　（観智院本類聚名義抄／僧上 027-5）

　　　箔 スタレ　　　　　　　　　　　　　　　　　　　　　（観智院本類聚名義抄／僧上 080-5）

　▶番号 6697b「寞」（寂寞）の仮名音注「ハク」については、基本的に -ak で対応する。当該字には入声点を差す。その中古音が示す頭子音 m-（等韻学の術語では明母）は両唇鼻音であり、日本語のマ行音をもって受容するが、鼻音声母の非鼻音化（denasalization）現象によって、m- > mb- > b- の音変化をする。原則的に言えば、この影響を受けた日本漢音ではバ行音を反映する。熟字 6697「寂寞」は右傍「サウサシ」中注「セキハク」を付載する。観智院本類聚名義抄に同音字注「莫」（その左注には仮名音注「マク」）を見出す。同書の凡例部分「朱音者正音也墨声者和音也」（篇目 7-6）に従えば、朱墨で正音と和音を分別する傾向がある。日本呉音「マク」を認める。

　　　寞 音莫 [マク：墨左注] … 正漠　　　　　　　　　　（観智院本類聚名義抄／法下 046-8）

　　　默 〔*左右逆の字形〕莫北反 … サウサシ 和モク　　（観智院本類聚名義抄／佛下末 055-3）

　▶番号 4594「鎛」の仮名音注「ハク」については、基本的に -ak で対応する。当該字には入声点を差し、中注「サイツヱ」左注「鋤属也田器也」を付載する。観智院本類聚名義抄に同音字注「音 土+専」〔*博の誤認か〕を見出すが、仮名音注はない。元和本倭名類聚抄には同音字注「博」がある。

　　　鎛 音土+専 鋤属／サヒツヱ [平上上□／□イ□□：右傍] ツミ　（観智院本類聚名義抄／僧上 127-1）

　　　鎛 國語云鎛 音博漢語抄云佐比都恵 鋤属也 …　　（元和本倭名類聚抄／巻十五 09 オ 6）

　▶番号 4913「襮」の仮名音注「ハク」については、基本的に -ak で対応する。当該字には徳声点を差し、右注「同（キヌノクヒ）」を付載する。ただし、やや縦長字形であるため、入声点を差した可能性もある。観智院本類聚名義抄に同音字注「博」を見出すが、仮名音注はない。高山寺本篆隷萬象名義には反切「補各反」がある。

　　　襮… 音博 ヌト／キヌノクヒ [平上□□□]　　　　（観智院本類聚名義抄／法中 145-1）

　　　襮 補各反 領表也　　　　　　　　　　　　　　　　（高山寺本篆隷萬象名義／第六帖 150 ウ 3）

　▶番号 6107a「洛」（洛川）の仮名音注「ラク」については、基本的に -ak で対応する。観智院本類聚名義抄に同音字注「落」を見出すが、仮名音注はない。

　　　洛 音落 ミヤコ サト／ミチ　　　　　　　　　　　（観智院本類聚名義抄／法上 029-2）

　▶番号 3874b・5550b「落」（碧落・聚楽）の仮名音注「ラク」については、基本的に -ak で対

応する。当該字には入声点を差す。上巻の鐸韻開口当該諸例で分析したように、日本漢音「ラク」徳声（四声体系では入声）を認める。

▶番号4791b「落」（灑落）の仮名音注「ラク」については、基本的に -ak で対応する。当該字に声点はない。上述の分析を参照。

▶番号3406b・4390b「樂」（獨樂・哀樂）の仮名音注「ラク」については、基本的に -ak で対応する。両当該字には入声点を差す。熟字3406「獨樂」は右注「コマツフリ」左注「ツムクリ」を付載する。上巻の鐸韻開口当該諸例で分析したように、日本呉音「ラク」を認める。

　　獨樂　辨色立成云獨樂 和名古末玖利 有孔者也　　　　　（元和本倭名類聚抄／巻四08 ウ 2）

▶番号3704b・5382c・5983c・6530c「樂」（娛樂・澁金樂・永隆樂・韶應樂）の仮名音注「ラク」については、基本的に -ak で対応する。当該諸字四例に声点はない。上述の分析を参照。

　　平調曲 … 澁金樂 豊生樂 永隆樂 …　　　　　　（元和本倭名類聚抄／巻四15 ウ 4）
　　壹越調曲 … 韶應樂 …　　　　　　　　　　　（元和本倭名類聚抄／巻四14 オ 8）

▶番号4538c「樂」（催馬樂）の仮名音注「ラ」については、異例 -a を示す。催馬樂は古代歌謡のひとつで、平安時代になると民謡を雅楽風に編曲したもの。もとは馬子唄であろう。

　　雙調曲 … 催馬樂 律我賜曲是也 … 和風樂　　　（元和本倭名類聚抄／巻四15 オ 6）

3-1-1-10　-uɑŋ/-uɑk（唐/蕩/宕/鐸韻）

資料篇【表B-01】には唐韻（平声）蕩韻（上声）宕韻（去声）鐸韻（入声）合口所属の諸例が含まれる。前田本の示す仮名音注は、-waŭ/ wak で基本的に対応する。ただし、前田本の諸例は頭子音が k- 系（いわゆる牙喉音）声母に限られている。異例として、-ou がある。

《上巻 唐韻合口諸例》

▶番号3123b「光」（霞光）の仮名音注「クワウ」については、基本的に -waŭ で対応する。当該字には去声点を差す。廣韻に拠れば、唐/宕韻（kuɑŋ^{1/3}）二音を有する。観智院本類聚名義抄に反切「古黃反・古皇反」と和音「火ウ」を見出す。同書で仮名音注と共に使う「火」は「火イ・火ウ・火ク・火チ・火ン」がある。この「火」を用いる表記は中古音が示す合口介音 -u- を受容するための工夫である。長承本蒙求に仮名音注ないが、掲出字「光」に東声点を差す。承暦本金光明最勝王経音義にも仮名音注はないが、その掲出字に上声濁圏点を差す。これは読金光明最勝王経本文（第七巻：名主多光・主多光者火也）の誦音である。日本漢音は東声（四声体系では平声）日本呉音「クワウ」上声を認める。

　　光 古黃反 ミツ … ヒカリ テル　発 正　芡 古　　　（観智院本類聚名義抄／佛下末021-6）

3-1-1 -ɑ系の字音的特徴 181

｜ 尤 古皇反 光今 ミテリ … ヒカリ テラス 和火ウ （観智院本類聚名義抄／佛下末036-5）

｜ 光 [東] （長承本蒙求／089）

｜ 主 [去：圏点] 多 [上濁：圏点] 光 [上濁：圏点] （承暦本金光明最勝王経音義08 ウ4）

▶番号2334a「皇」（皇轝）の仮名音注「ワウ」については、基本的に -waū で対応する。当該
字には平声点を差す。その中古音が示す頭子音 ɣ-（等韻学の術語で言う喉音濁匣母）は有声軟口蓋
摩擦音であり、日本語のガ行音をもって受容するが、中国語音韻史上における濁音声母の無声化を
反映する場合はカ行音で対応する。一方で、摩擦が弱化して聞こえると有声軟口蓋接近音 ɰ-（有
声両唇軟口蓋接近音 w-）のように把握する可能性がある。日本呉音の基層において、匣母が ɣ-・
ɰ- に二分していたと推測する。図書寮本類聚名義抄に平声点を付した同音字注「音黄」を見出す。
観智院本には同音字注「音黄」を見つけるが、仮名音注はない。元和本倭名類聚抄には注記「皇如
王」があり、字音「ワウ」を示唆する。日本漢音は平声を認める。

｜ 皇 音黄 [平] … オホキニ [平平□□／記：右注] （図書寮本類聚名義抄／168-5）

｜ 皇 音黄 オホイ [キ：右傍] ナリ [平平□□□] … （観智院本類聚名義抄／法中013-5）

｜ 平調曲 … 皇轝 皇如王 … （元和本倭名類聚抄／巻四16 ウ2）

▶番号2371a「皇」（皇城）の仮名音注「ワウ」については、基本的に -waū で対応する。当該
字には去声点を差す。上述の分析を参照。

▶番号2245「惶」の仮名音注「クワウ」については、基本的に -waū で対応する。当該字には
平声点を差し、右注「ヲツ」左注「悚恕也」を付載する。図書寮本類聚名義抄に反切「兹云上胡光
反」（その反切下字に平声点）と平声点を付した同音字注「季云音黄」を見出す。観智院本に去声
点を付した同音字注「音皇」（その左傍には朱筆で仮名音注「ワウ」）と和音「或平」を見つける。
日本漢音は平声と「ワウ」去声、日本呉音は平声を認める。

｜ 惶怖 兹云上／胡光 [□平] 反／悚也 … （図書寮本類聚名義抄／268-6）

｜ 憧惶 中云兹云／悚也 [栗：右注] … 季云音黄 [平] … （図書寮本類聚名義抄／263-1）

｜ 惶 音皇 [去／ワウ：朱左傍] オソル … 和或平 （観智院本類聚名義抄／法中094-5）

▶番号0856b「徨」（彷徨）の仮名音注「クワウ」については、基本的に -waū で対応する。当
該字には平声点を差す。熟字0856「彷徨」は右傍「タチモトヲル」を付載する。観智院本類聚名義
抄に同音字注「音皇」を見出すが、仮名音注はない。

｜ 徬徨 徬徨 ト タ／チモトホル [上上平上平] （観智院本類聚名義抄／佛上004-1）

｜ 彷徨 同 下 音皇 タチモトホル／タチマチ ホトコス （観智院本類聚名義抄／佛上004-1）

｜ 徬徨 見人部 上音／ヨロホフ／傍 ユク [上平] （観智院本類聚名義抄／佛上040-7）

｜ 彷徨 同 タ、スム／下 スム イトマ （観智院本類聚名義抄／佛上040-8）

▶番号0210「遑」の仮名音注「クワウ」については、基本的に -waū で対応する。当該字に声
点はなく、和訓「イトナム」の同訓異字として位置する。観智院本類聚名義抄に平声点を付した同

音字注「音皇」を見出すが、仮名音注はない。日本漢音は平声を認める。

遑 音皇［平］ ミヽ ヤク イトマ［平平□］…　（観智院本類聚名義抄／佛上046-8）

▶番号1047b「凰」（鳳凰）の仮名音注「ワウ」については、基本的に *-waũ* で対応する。当該字には平声点を差す。その中古音が示す頭子音 ɣ-（等韻学の術語で言う喉音濁匣母）は有声軟口蓋摩擦音であり、日本語のガ行音をもって受容するが、中国語音韻史上における濁音声母の無声化を反映する場合はカ行音で対応する。一方で、摩擦が弱化して聞こえると有声軟口蓋接近音 ɰ-（有声両唇軟口蓋接近音 w-）のように把握する可能性がある。日本語呉音の基層において、匣母が ɣ-・ɰ- に二分していたと推測する。熟字「鳳凰」は中注1047「ホウワウ」左注1048「ホウクワウ」を付載する。同じ熟字に二つの字音を並列する。観智院本類聚名義抄に同音字注「音皇」を見出すが、仮名音注はない。元和本倭名類聚抄にも同音字注「音皇」がある。

凰 音皇 雌曰凰／俗皇 正［：右注］　（観智院本類聚名義抄／僧下055-4）

鳳凰　爾雅云雄曰鳳 音俸俗云豊 雌曰凰 音皇 …　（元和本倭名類聚抄／巻十八02ウ4）

▶番号1048b「凰」（鳳凰）の仮名音注「クワウ」については、基本的に *-waũ* で対応する。当該字には平声点を差す。上述の分析を参照。

▶番号1587a「璜」（璜纊）の仮名音注「トウ」については、異例 *-ou* を示す。当該字には平声点を差す。熟字1587「璜纊」は左注「トウワウ」仮名音注を付載する。仮名の字形相似による左注「ワウクワウ」の誤認か。観智院本類聚名義抄に同音字注「音黄」を見出すが、仮名音注はない。高山寺本篆隷萬象名義には反切「胡光反」がある。

璜 音黄 半辟　（観智院本類聚名義抄／法中018-2）

璜 胡光反 半辟也　（高山寺本篆隷萬象名義／第一帖023オ2）

▶番号0691a「黄」（黄櫨）の仮名音注「クワウ」については、基本的に *-waũ* で対応する。当該字には平声点を差す。熟字0691「黄櫨」は右注「ハニシ」を付載する。観智院本類聚名義抄に平声点を付した同音字注「音皇」を見出す。同書の熟字「黄菜・石硫黄」に俗云「ワウサイ［平平平平］・ユワウ［平平上］」を見出す。元和本倭名類聚抄の「王佐以・由王」による引用と推測する。長承本蒙求「化ウ・クワウ」があり、その掲出字に平声点を加える。傍証ながら、同書で「王」を再検索すると、仮名音注「ワウ」があり、その掲出字に平声点を加える。日本漢音「クワウ」平声、定着久しい字音「ワウ」平/去声を認める。

石硫黄 和云由乃阿波［平平平平］俗云由王［平上］　（図書寮本類聚名義抄／148-2）

黄草 音皇［平］キナリ［上□□］… カイナ　（観智院本類聚名義抄／僧上001-7）

黄菜 俗云ワウサイ［平平平平］一云サハカケ［平平平平］　（観智院本類聚名義抄／僧上025-3）

石硫黄 ユノアハ／俗云ユワウ［平平上］　（観智院本類聚名義抄／法中013-1）

黄菜 … 黄菜俗云王佐以一云佐波夜介　（元和本倭名類聚抄／巻十六18オ8）

流黄　本草疏云石流黄焚石液也 和名由乃阿和俗云由王　（元和本倭名類聚抄／巻一17オ7）

黄 ［平］化ウ／クワウ 　　　　　　　　　　　　　　　　　　　　（長承本蒙求／008）

王 ［平］ワウ 　　　　　　　　　　　　　　　　　　　　　　　　（長承本蒙求／010）

黄櫨 文選注云櫨 落胡反和名波迩之 今之黄櫨木也 　　（元和本倭名類聚抄／巻十四10 オ5）

▶番号1521b・1721b「黄」（同黄・地黄）の仮名音注「ワウ」については、基本的に -waũ で対応する。両当該字には上声点を差す。熟字1521「同黄」は右注「トウワウ俗」左注「銅イ本」を、熟字1721「地黄」は右注「チワウ俗」左注「一名地髓」を付載する。上述の分析を参照。

同黄 漢語鈔云同黄 　　　　　　　　　　　　　　　　　　（元和本倭名類聚抄／巻十三12 ウ1）

地黄 本草云地黄一名地髓 　　　　　　　　　　　　　　　（元和本倭名類聚抄／巻二十04 ウ1）

▶番号2306a・2372a「黄」（黄疸・黄丹）の仮名音注「ワウ」については、基本的に -waũ で対応する。両当該字には去声点を差す。上述の分析を参照。

黄疸 病源論云黄疸 音旦一云黄病岐波無夜萬比 … 　　　　（元和本倭名類聚抄／巻三24 オ1）

▶番号2294a・2307a・2338a・2358a・2468b「黄」（黄連・黄病・黄菜・黄土・麻黄）の仮名音注「ワウ」については、基本的に -waũ で対応する。当該諸字五例に声点はない。熟字2294「黄連」は左注「又カクマクサ」を、熟字2468「麻黄」は右傍「マワウ俗」右注「カツネクサ［平上上上平］」左注「又アマナ［上上上］」を付載する。上述の分析を参照。

黄連 本草云麻黄連一名王連 和名加久末久佐 　　　　　　（元和本倭名類聚抄／巻二十04 ウ3）

麻黄 本草云麻黄 和名加豆繭久佐一云阿萬奈 　　　　　　（元和本倭名類聚抄／巻二十07 ウ8）

▶番号2384a「尩」（尩弱）の仮名音注「ワウ」については、基本的に -waũ で対応する。当該字には平声点を差し、右傍「チカラナシ」左注「尩弱詞」を付載する。当該字「尩」と「尫」は相互に異体字である。観智院本類聚名義抄に反切「烏黄反」を見出すが、仮名音注はない。

尫羸 音汪 ［平］广云弱也 … 　　　　　　　　　　　　　（図書寮本類聚名義抄／169-3）

尫 通今作尢 烏黄反 弱也 ツフル アツシ／ヨハシ 脛曲 （観智院本類聚名義抄／佛下末018-6）

尩尫 　　　　　　　　　　　　　　　　　　　　　　　　（観智院本類聚名義抄／佛下末018-7）

▶番号2405a「尩」（尩羸）の仮名音注「ワウ」については、基本的に -waũ で対応する。当該字には平声点を差す。上述の分析を参照。

《下巻 唐韻合口諸例》

▶番号4133a・4936a・5213a・5707a「黄」（黄牛・黄・黄昏・黄巻）の仮名音注「クワウ」については、基本的に -waũ で対応する。当該諸字四例には平声点を差す。熟字4133「黄牛」は右注「アメウシ」を、番号4936「黄」は右注「キナリ 金彩」左注「胡光反」を付載する。上巻の唐韻合口当該諸例で分析したように、日本漢音「クワウ」平声、定着久しい字音「ワウ」平/去声を認める。

184　3．仮名音注の韻母別考察　3-1　Ⅰ韻類

　　　黄牛　宜都記云黄牛灘有人牽黄牛 辨色立成云阿米宇之　　（元和本倭名類聚抄／巻十一 10 ウ 8）

▶番号5215c「黄」（石硫黄）の仮名音注「ワウ」については、基本的に -waū で対応する。当
該字には平声点を差す。熟字5215「石硫黄」は右注「ユワウ」左注「或无石字」を付載する。上述
の分析を参照。

　　　流黄　本草疏云石流黄焚石液也 和名由乃阿和俗云由王　　（元和本倭名類聚抄／巻一 17 オ 7）

▶番号5479b「黄」（雌黄）の仮名音注「ワウ」については、基本的に -waū で対応する。当該
字には上声点を差す。上述の分析を参照。

▶番号4891a「黄」（黄疸）の仮名音注「ワウ」については、基本的に -waū で対応する。当該
字に声点はない。上述の分析を参照。

　　　黄疸　病源論云黄疸 音旦一云黄病岐波無夜萬比 …　　　　（元和本倭名類聚抄／巻三 24 オ 1）

▶番号5771b「潢」（装潢）の仮名音注「ワウ」については、基本的に -waū で対応する。当該
字には平声点を差す。観智院本類聚名義抄に反切「胡謗反・胡兊反」を見出すが、仮名音注はない。

　　　潢 胡謗反 セタヽフ／イサキヨシ 胡兊反　　　　　　（観智院本類聚名義抄／法上 030-8）

▶番号6192「光」の仮名音注「クワウ」については、基本的に -waū で対応する。当該字には
平声点を差し、中注「古黄反」左注「或作尭」を付載する。二巻本色葉字類抄を参照すれば、右注
「ヒカリ」を補うべきであろう。上巻の唐韻合口当該例で分析したように、日本漢音は東声（四声
体系では平声）日本呉音「クワウ」上声を認める。

▶番号5226b「胱」（膀胱）の仮名音注「クワウ」については、基本的に -waū で対応する。当
該字には平声点を差す。熟字5226「膀胱」は右注「ユハリフクロ」を付載する。観智院本類聚名義
抄に同音字注「音光」を見出すが、仮名音注はない。元和本倭名類聚抄には同音字注「光」がある。

　　　胱 音光 膀胱脅 ユハリツホ／尿フクロ　　　　　　（観智院本類聚名義抄／佛中 117-2）

　　　膀胱　廣雅云膀胱 旁光二反和名由波利不久呂 脬也 …　　（元和本倭名類聚抄／巻三 12 ウ 5）

《上巻 蕩韻合口諸例》

▶番号1485「幌」の仮名音注「クワウ」については、基本的に -waū で対応する。当該字には
上声点を差し、右注「トハリ」を付載する。廣韻に拠れば、その中古音は喉音濁匣母蕩韻（ɣuɑŋ²）
である。図書寮本類聚名義抄に反切「川云胡廣反」（その反切下字に上声濁点）と注記「上声之重」
を見出す。切韻を撰述して以降の中国語において上声濁が次第に去声化を起こす。この状態を日本
漢音では反映する。これは上声を構成する上声軽と上声重とが allotone であり、後者の調値が去
声と区別できないことを示すとも言える。観智院本には反切「胡廣反」を見つけるが、仮名音注は
ない。元和本倭名類聚抄には反切「胡廣反」がある。日本漢音は上声を認める。

　　　幌 川云胡廣 [平上濁] 反 上声之重 和云／度波利 [上上濁平]　　（図書寮本類聚名義抄／285-3）

3-1-1　-ɑ系の字音的特徴　185

　　幌 胡廣反 トハリ［上上濁平］／アカシ　　　　　　（観智院本類聚名義抄／法中109-6）
　　幌　唐韻云幌 胡廣反上声之重和名止波利 帷幔也 …　（元和本倭名類聚抄／巻十四15ウ5）

《下巻 蕩韻合口諸例》

該当例なし。

《上巻 宕韻合口諸例》

▶番号1587b「纊」（璜纊）の仮名音注「ワゥ」については、基本的に -waū で対応する。当該字には去声点を差す。廣韻に拠れば、その中古音は溪母宕韻（k'uɑŋ³）であり、仮名音注「クワゥ」を期待する。熟字1587「璜纊」は左注「トゥワゥ」仮名音注を付載する。仮名の字形相似による左注「ワゥクワゥ」の誤認か。図書寮本類聚名義抄に去声点を付した同音字注「广云音曠」（宕韻 k'uɑŋ³）を見出す。観智院本には去声点を付した同音字注「音曠」を見つけるが、仮名音注はない。傍証ながら、同書で「曠」を再検索すると、反切「苦浪反」と低平調と推測する和音「火ゥ」を見つける。日本漢音は去声を認める。

　　繪纊 … 下广云音曠［去］… ワタ［平平／集：右注］　（図書寮本類聚名義抄／294-5）
　　纊 細絹 音曠［去］／ワタ［平平］　　　　　　　　（観智院本類聚名義抄／法中119-4）
　　曠 苦浪反 ハルカ［平上平］… 和火ゥ［口平］　　　（観智院本類聚名義抄／佛中088-1）

《下巻 宕韻合口諸例》

該当例なし。

《上巻 鐸韻合口諸例》

▶番号1268b「廓」（寥廓）の仮名音注「クワク」については、基本的に -wak で対応する。当該字に声点はない。熟字1268「寥廓」は右注「ホカラカ」を付載する。観智院本類聚名義抄に反切「口郭反」を見出すが、仮名音注はない。

　　廓 口郭反 ホカラカナリ［平平濁□□□□］… ツイヒテ　（観智院本類聚名義抄／法下100-2）

《下巻 鐸韻合口諸例》

186　3．仮名音注の韻母別考察　3-1　I韻類

▶番号6179「籗」の仮名音注「クワク」については、基本的に -wak で対応する。当該字には入声点（差声位置からすると徳声点にも見えるが、やや縦長に当該字を筆写したことによる）を差し、右注「ヒシ」左注「魚取也」を付載する。観智院本類聚名義抄に反切「苦郭反」を見出すが、仮名音注はない。元和本倭名類聚抄には反切「虎郭反・士角反」がある。

　　　籗　苦郭反　ヒシ　／漁釣具　　　　　　　　　　　　（観智院本類聚名義抄／僧上069-1）

　　　籗　纂要云籗 虎郭反又士角反漢語抄云比之　　　　　　（元和本倭名類聚抄／巻十五08 オ7）

▶番号6187a「鑊」（鑊子）の仮名音注「クワク」については、基本的に -wak で対応する。当該字に声点はない。熟字6187「鑊子」は右注「ヒラカメ」を付載する。観智院本類聚名義抄に音注はない。元和本倭名類聚抄には同音字注「音獲」がある。

　　　鑊鏄　音猴 カナヘ … ヒラナヘ ［上上上平濁／カ或 ［上濁□］：右傍］

　　　　　　　　　　　　　　　　　　　　　　　　（観智院本類聚名義抄／僧上119-6）

　　　鑊子　周禮注云鑊 音獲方言要目云比良賀奈倍今案無和名 …

　　　　　　　　　　　　　　　　　　　　　　　　（元和本倭名類聚抄／巻十六02 オ7）

3-1-1-11　-ɑuŋ/-ɑuk　（冬/(腫)/宋/沃韻）

資料篇【表B-01】には冬韻（平声）宋韻（去声）沃韻（入声）所属の諸例が含まれる。腫韻（上声）の当該例はない。もともと上声該当字は明母と端母の二小韻三字しかなく、便宜上から拗音の腫韻 (-iɑuŋ²) に組み込まれている。この点を明示するため、3-1冒頭の表では括弧付きの（腫）と処理した。前田本の示す仮名音注は、-oū/-ok で基本的に対応する。異例として、-o, -op がある。

　冬/宋/沃韻の場合、円唇性を有する末子音である -uŋ/-uk 韻尾の影響があって、-oū/-ok で字音の把握をしたと推測する。

《上巻 冬韻諸例》

▶番号0735b・1796b・2482a「冬」（晩冬・仲冬・冬瓜）の仮名音注「トウ」については、基本的に -oū で対応する。当該諸字三例には平声点を差す。熟字2482「冬瓜」は右注「カモウリ」を付載する。図書寮本類聚名義抄に反切「玉云都農反」を見出す。観智院本には反切「都農反」を見つける。長承本蒙求には仮名音注「トウ」があり、その掲出字に東声点を加える。日本漢音「トウ」東声（四声体系では平声）を認める。

　　　冬　玉云都農反 …　　　　　　　　　　　　　（図書寮本類聚名義抄／068-6）

　　　冬 … 都農反／フユ　　　　　　　　　　　　（観智院本類聚名義抄／法上045-8）

　　　冬［東］トウ　　　　　　　　　　　　　　　　　　　　（長承本蒙求／145）

3-1-1 -ɑ 系の字音的特徴 187

冬瓜 神農食經云冬瓜 … 和名加毛宇利 （元和本倭名類聚抄／巻十七 13 ウ 1）

▶番号 1567a・1567b「鼕」（鼕ゞ・鼕ゞ）の仮名音注「トウ」については、基本的に -oū で対応する。当該字には平声点と上声点を差す。熟字 1567「鼕ゞ」は重點であり、左注「叩門皷等聲」を付載する。これは連打する太鼓や鼓の音を意味する。その中古音が示す頭子音 d-（等韻学の術語で言う舌音濁定母）は有声歯茎閉鎖音であり、日本語のダ行音をもって受容するが、中国語音韻史上に現れる濁音声母の無声化を反映した場合はタ行音で対応する。観智院本類聚名義抄に同音字注「音童」を見出すが、仮名音注はない。続けて注記「叩門戸声 鼕ゞ」がある。傍証ながら、同書で「童」を再検索すると、反切「徒紅反」と和音「圡ウ」を見つける。

鼕 音童 叩門／戸声 鼕ゞ （観智院本類聚名義抄／僧下 089-4）

童 徒紅反 ワラハ［平平上］／カフロ［平上濁□］和圡ウ （観智院本類聚名義抄／法上 092-7）

▶番号 2310「儂」の仮名音注「ノウ」については、基本的に -oū で対応する。当該字に声点はなく、和訓「ワレ」の同訓異字として位置する。その中古音が示す頭子音 n-（等韻学の術語で言う泥母）は歯茎鼻音であり、日本語のナ行音をもって受容する。ただし、中国語音韻史上における鼻音声母の非鼻音化（denasalization）現象によって n-> nd-> d- の音変化をする。これを反映する場合はダ行音で対応する。観智院本類聚名義抄に同音字注「農」（その右傍に朱筆で仮名音注「フウ」）を見出す。仮名音注「ノウ」を期待するが、仮名の字形相似による誤認か。日本漢音「ノウ」の蓋然性が高い。

儂 音農［フウ：朱右傍］ワレ［平上］／ヒト （観智院本類聚名義抄／佛上 033-8）

《下巻 冬韻諸例》

▶番号 4303「彤」の仮名音注「トウ」については、基本的に -oū で対応する。当該字には平声点を差し、右注「アカシ」を付載する。観智院本類聚名義抄に同音字注「同融二音」二例を見出すが、仮名音注はない。その同音字注「融」は異体字「彤」の字音である。傍証ながら、同書で「同」を再検索すると、平声点を付した同音字注「童」を見つける。

彤 同融二音 彤或 アカシ （観智院本類聚名義抄／佛下本 005-1）

彤 同融二音 彤 或 音又勅林反 （観智院本類聚名義抄／佛下本 032-3）

同 音童［平］オナシ［平平平濁］… カタシ （観智院本類聚名義抄／僧下 106-1）

▶番号 6127「疼」の仮名音注「トウ」については、基本的に -oū で対応する。当該字に声点はなく、左注「亦乍牒［同：右注］」を付載する。当該字の上には番号 6126「疼［平］」を掲げ、右注「ヒルム」を付載する。同じ掲出字「疼」を近接二箇所に掲げる。観智院本類聚名義抄に同音字注「音冬」を見出すが、仮名音注はない。元和本倭名類聚抄には反切「徒冬反」を見つける。

疼 … 音冬／ヒヽラク［上上上□］… （観智院本類聚名義抄／法下 118-7）

188　3．仮名音注の韻母別考察　3-1　I韻類

　　胳　俗頷字五 クヒホネ シタカフ／格反 カタ　　　　　　　（観智院本類聚名義抄／法下 118-7）
　　疼　　說文云疼 徒冬反訓比々良久 動痛也　　　　　　　（元和本倭名類聚抄／巻三 28 ウ 9）

　▶番号6789c「冬」（天門冬）の仮名音注「トウ」については、基本的に -oū で対応する。当該
字には上声点を差す。熟字6789「天門冬」は右傍「テンモントウ俗」右注「スマロクサ」を付載す
る。定着久しい字音という認識か。元和本倭名類聚抄に「和名須末呂久佐」を見出す。上巻の冬韻
当該諸例で分析したように、日本漢音「トウ」東声（四声体系では平声）を認める。

　　天門冬　本草云天門冬 和名須末呂久佐今案楊玄操音義冬作東也

　　　　　　　　　　　　　　　　　　　　　　　　（元和本倭名類聚抄／巻二十 04 オ 3）

　《上巻 宋韻諸例》

　▶番号1310「綜」の仮名音注「ソウ」については、基本的に -oū で対応する。当該字には去声
点を差し、右注「ヘ［平］織縷也」左注「織也」を付載する。図書寮本類聚名義抄に反切「广云子
宋反」（その反切下字に去声点）を見出す。観智院本には反切「祖統反」を見つけるが、仮名音注
はない。元和本倭名類聚抄には反切「蕉統反」がある。日本漢音は去声を認める。

　　綜習 广云子宋 ［□去］反 … スヘタリ［上平濁□□／異：右注］　　（図書寮本類聚名義抄／295-3）
　　綜 祖統反 ヘ［平］スフ［上平濁／□ヘテ：右傍］…　　（観智院本類聚名義抄／法中 113-6）
　　綜　野王案綜 蕉統反和名閈 機縷持絲交者也　　（元和本倭名類聚抄／巻十四 12 ウ 2）

　▶番号1697a「統」の仮名音注「トウ」については、基本的に -oū で対応する。熟字1697「統
領」は右注「在太宰符」右傍「トウリヤウ」を付載する。図書寮本類聚名義抄に反切「真云他宋反」
および上昇調を示す仮名音注「真云ツウ」と低平調を示す仮名音注「トウ」を見出す。両者は「ウ」
に喉内撥音韻尾「✓」表記を付載する。観智院本類聚名義抄に音注はない。長承本蒙求には仮名音
注「トウ」があり、その掲出字に去声点を加える。日本漢音「トウ」去声、日本呉音「ツウ」去声
「トウ」平声を認める。

　　統攝 真云他宋反 惣也 又他／孔反 … 真云ツウ［平上／□✓］トウ［平平／□✓］

　　　　　　　　　　　　　　　　　　　　　　　　（図書寮本類聚名義抄／301-3）
　　統 スフ ムネ　　　　　　　　　　　　　　　（観智院本類聚名義抄／法中 127-2）
　　統［去］ト□／トウ　　　　　　　　　　　　　　（長承本蒙求／073）

　《下巻 宋韻諸例》

　該当例なし。

3-1-1 -ɑ系の字音的特徴 189

《上巻 沃韻諸例》

▶番号3018b「酷」（苛酷）の仮名音注「コク」については、基本的に -ok で対応する。当該字
には入声点を差す。熟字3018「苛酷」は左注「カラシ」を付載する。観智院本類聚名義抄に反切「口
木反」を見出す。長承本蒙求には仮名音注「コク」がある。日本漢音「コク」を認める。

　　酷 … 口木反 … アツシ ハナハタ … シ、カラシ　　　　　　（観智院本類聚名義抄／僧下 056-8）

　　酷 コク　　　　　　　　　　　　　　　　　　　　　　　　（長承本蒙求／146）

▶番号3172b「督」（看督長）の仮名音注「ト」については、異例 -o を示す。熟字3172「看督
長」は右傍「カトノヲサ」を付載する。これは検非違使庁の下級役人を指し、平安時代初期に定着
した字音を含む語と言える。当該の仮名音注「ト」は入声末子音 -k（いわゆるk入声）を省略した
表記である。あるいは字音という意識が希薄で、和訓と同等に捉えていたか。その音変化を敢えて
示せば、kantoku > kandou > kaᵈdoo > kado となろうか。観智院本類聚名義抄に同音字注「音薦」
を見出す。同書で「薦」を再検索すると、入声点を付した同音字注「音督」（その右傍に朱筆で仮
名音注「トク」）を見出す。

　　督 … タ、ス［平上濁□］… 音薦 … カミ［平上］　　　　（観智院本類聚名義抄／佛中 087-7）

　　篤薦 下俗 音督［入／トク：朱右傍］アツシ［上上□］…　（観智院本類聚名義抄／僧中 109-4）

▶番号1483「毒」の仮名音注「トク［平濁平］」については、基本的に -ok で対応する。当該
字に声点はないが、仮名音注に濁音を含む低平調の声点を付載するので、字音「ドク」平声を想定
する。その中古音が示す頭子音 d-（等韻学の術語で言う舌音濁定母）は有声歯茎閉鎖音であり、日
本語のダ行音をもって受容するが、中国語音韻史上における濁音声母の無声化を反映する場合はタ
行音で対応する。観智院本類聚名義抄に反切「徒沃反」を見出すが、仮名音注はない。

　　毒 徒沃反 害也 … イタム［平平□］　　　　　　　　　（観智院本類聚名義抄／僧下 110-2）

▶番号1633b「僕」（僮僕）の仮名音注「ホク」については、基本的に -ok で対応する。当該字
「僕」には入声濁点を差すので、字音「ボク」を想定する。その中古音が示す頭子音 b-（等韻学の
術語で言う脣音濁並母）は両脣鼻音であり、日本語のバ行音をもって受容するが、中国語音韻史上
における濁音声母の無声化を反映する場合はハ行音で対応する。観智院本類聚名義抄に反切「蒲木
反」と和音「ホク」（朱筆で「ホ」の右傍に濁音「✓」表記）を見出す。長承本蒙求には仮名音注
「ホク」があり、その掲出字に入声点を加える。日本漢音「ホク」入声、日本呉音「ボク」入声を
認める。

　　僕 … ヤツカレ［平上上平］… 蒲木反 … 和ホク［✓□：朱右傍］

　　僕［入］ホク／ホク　　　　　　　　　　　　　　　　　　（長承本蒙求／037）

《下巻 沃韻諸例》

190　3．仮名音注の韻母別考察　3-1　Ⅰ韻類

▶番号3656a「酷」（酷吏）の仮名音注「コク」については、基本的に -ok で対応する。当該字に声点はない。熟字3656「酷吏」は左注「云稠吏也」を付載する。上巻の沃韻当該例で分析したように、日本漢音「コク」を認める。

▶番号3352「鵠」の仮名音注「コフ」については、異例 -op を示す。当該字に声点はなく、右注「コフ 大鳥名也」左注「又クヽヒ」を付載する。観智院本類聚名義抄に反切「胡穀反」と「コフ」および和音「コク」を見出す。元和本倭名類聚抄には反切「胡篤反」と「漢語抄云古布」がある。漢語抄の引用は原則的に和訓である。当該字の「コフ」を仮名音注としたが、和訓と捉えていた蓋然性が高い。日本呉音「コク」を認める。

　　鵠 胡穀反／コフ［上平］… 和コク　　　　　　　　（観智院本類聚名義抄／僧中112-3）

　　鵠　野王案鵠 胡篤反漢語抄云古布日本紀私記云久々比 大鳥也

（元和本倭名類聚抄／巻十八10オ9）

▶番号3702b「毒」（蠱毒）の仮名音注「トク」については、基本的に -ok で対応する。当該字に声点はない。上巻の沃韻当該例で分析した。

▶番号3693b「篤」（懇篤）の仮名音注「トク」については、基本的に -ok で対応する。当該字に声点はない。観智院本類聚名義抄に入声点を付した同音字注「音督」（その右傍に朱筆で仮名音注「トク」）を見出す。日本漢音「トク」入声を認める。

　　篤薦 下俗 音督［入／トク：朱右傍］アツシ［上上□］…　　（観智院本類聚名義抄／僧中109-4）

3-1-1-12　-α 系の基本的な表記

以下に資料篇【表B-01】を分析した結果をまとめる。なお、日本語音韻史における音変化などを反映する場合には（　）で囲む処理をする。それ以外の異例（例えば、諧声符読みや誤認など）については［　］を用いて表示する。

-α	〔歌/哿/箇韻〕	*-a*	-uα	〔戈/果/過韻〕	*-a*
					-wa 〈k-系〉
		[-ai] [-ak] [-ia] [-o]			*[-an] [-ari] [-au] [-o]*
-αi	〔泰韻〕	*-ai*	-uαi	〔泰韻〕	*-ai*
		[-a]			*-wai,-we* 〈k-系〉
-αu	〔豪/晧/号韻〕	*-au, -eu*			
		-ou 〈p-系〉			
		(-o)			

3-1-1　-ɑ系の字音的特徴　191

		[-ak] [-am] [-at] [-awa] [-awo] [-in] [-iu] [-op]			
-ɑm	〔談/敢/闞韻〕	*-am*			
		(-an)			
		[-ai] [-apa] [-au] [-we]			
-ɑp	〔盍韻〕	*-ap*			
		(-au)			
-ɑn	〔寒/旱/翰韻〕	*-an*	-uɑn	〔桓/緩/換韻〕	*-an*
					-wan 〈k-系〉
		(-am)			*(-am)*
		[-a] [-anu] [-en] [-u]		[-au] [-iu] [-jun] [-o] [-wen]	
-ɑt	〔曷韻〕	*-at*	-uɑt	〔末韻〕	*-at*
					-wat 〈k-系〉
		[-a]			[-a] [-et] [-iu]
-ɑŋ	〔唐/蕩/宕韻〕	*-aŭ*	-uɑŋ	〔唐/蕩/宕韻〕	*-waŭ* 〈k-系〉
		[-a] [-aki] [-ap] [-jaŭ]			[-ou]
-ɑk	〔鐸韻〕	*-ak*	-uɑk	〔鐸韻〕	*-wak* 〈k-系〉
		[-a] [-aka] [-aki] [-an] [-ap] [-au] [-jak] [-o]			
-ɑuŋ	〔冬/末韻〕	*-oŭ*			
-ɑuk	〔沃韻〕	*-ok*			
		(-o)			
		[-op]			

　ここで、-ɑ系における前田本の仮名音注が示す基本的対応を【表03】にまとめると、-ɑ系は *-a*（日本語のア列音）で対応し、日本漢字音として把握する。*-o*（オ列音）で対応する場合など個々の問題は当該箇所で述べた。唇的頭子音および円唇的韻尾 -u, -uŋ/-uk の影響を想定できる。

　また、呉音的特徴であるか、漢音的特徴であるか、その判別をし得ない場合もある。先んじて定着した字音が日本語に馴化して定着しており、すでに重層的な様相を呈していたと想像する。その後導入した異なる基層を持つ中国語音の特徴が混淆した状態を現出している。日本呉音や日本漢音のような体系的な字音把握とともに、定着久しい字音として継承してきた経緯を示す場合がある。それは仮名音注に付載する「俗」表記に垣間見える。

192　3．仮名音注の韻母別考察　3-1　Ⅰ韻類

【表03】

	-ø	-i	-u	-m	-p	-n	-t	-ŋ	-k	-uŋ	-uk
-ɑ-	-a	-ai	-au -eu -ou (-o)	-am (-an)	-ap (-au)	-an (-am)	-at	-aŭ	-ak	-oŭ	-ok (-o)
-uɑ-	-a -wa	-ai -wai -we				-an -wan (-am)	-at -wat	-waŭ	-wak		

3-1-2 -ʌ系の字音的特徴 193

3-1-2 -ʌ系の字音的特徴

韻母 -ʌ系グループとは、主母音 -ʌ- を有する諸韻目、模/姥/暮韻・哈/海/代韻・灰/賄/隊韻・侯/厚/候韻・覃/感/勘/合韻・痕/很/恨/(没)韻・魂/混/慁/没韻・登/等/嶝/徳韻・東/董/送/屋韻を指す。なお、記号「/」による区別は四声（平/上/去/入声）を示している。該当する前田本の諸例を 3-1-2-1 から 3-1-2-10 に集約した。

3-1-2-1 -uʌ（模/姥/暮韻）

資料篇【表B-02】には模韻（平声）姥韻（上声）暮韻（去声）所属の諸例が含まれる。なお、韻母の介音がゼロ（-φ）である -ʌ は元来存在しない。熟字の場合は資料篇【表A-01】【表A-02】をも参照しながら、それを当該字の直後に括弧内で示す。単字も同様の表示を行う。以下の諸韻も同様。前田本の示す仮名音注は、-o, -u で基本的に対応するが、-o が圧倒的に多い。異例としては、-e, -jo, -ou がある。

《上巻 模韻諸例》

▶番号 2477b「觚」の仮名音注「コ」については、基本的に -o で対応する。当該字に声点はない。熟字 2477「瓝觚」は右注「カラスウリ」を付載する。観智院本類聚名義抄に同音字注「姑」を見出すが、仮名音注はない。元和本倭名類聚抄には同音字注「姑」がある。

　　瓝觚 … 圭姑二音 カラスウリ［平上上平］　　　　　　　　　（観智院本類聚名義抄／僧中 005-6）

　　栝樓　兼名苑云栝樓一名瓝觚 圭姑二音和名加良須字里　（元和本倭名類聚抄／巻二十 12 ウ 1）

▶番号 3195a「蛄」（蛄蟴）の仮名音注「コ」については、基本的に -o で対応する。当該字には平声点を差す。熟字 3195「蛄蟴」は右注「ヨナムシ」を付載する。観智院本類聚名義抄に同音字注「姑」三例を見出すが、仮名音注はない。元和本倭名類聚抄には同音字注「姑」がある。

　　蛄蟴 姑翅／二音／ヨナムシ［上上上平］上ケラ　　　　（観智院本類聚名義抄／僧 027-1）

　　蛄螻　婁姑二音 ケラ［平平］…　　　　　　　　　　　（観智院本類聚名義抄／僧下 017-3）

　　螻蛄　惠婁姑二音 ケラ　　　　　　　　　　　　　　　（観智院本類聚名義抄／僧下 017-3）

　　蛄蟴　爾雅集注云蛄蟴 姑翅二音和名與奈無之 …　　　（元和本倭名類聚抄／巻十九 28 オ 8）

▶番号 2808「枯」の仮名音注「コ」については、基本的に -o で対応する。当該字に声点はなく、右注「カル［上平］」左注「不榮也」を付載する。観智院本類聚名義抄に反切「苦胡反」（その反切下字に平声点）および和音「去」を見出す。呉音による経本文の読誦音を掲げる承暦本金光明最勝王経音義には仮名音注「コ」があり、その掲出字に去声を差す。日本漢音は平声、日本呉音「コ」

194　3．仮名音注の韻母別考察　3-1　Ⅰ韻類

去声を認める。

　　　枯 苦胡 ［囗平］反 カル ［上平］／カラキ カハク 和去　　　　（観智院本類聚名義抄／佛下本 103-5）

　　　枯 ［去］コ 悴 スイ ［＊後筆墨書］　　　　　　　　　　　　（承暦本金光明最勝王経音義／10 オ 1）

　▶番号 2508a「呉」（呉茱萸）の仮名音注「コ」については、基本的に -o で対応する。当該字
には平声濁点を差すので、字音「ゴ」を想定する。その中古音が示す頭子音 ŋ-（等韻学の術語で言
う疑母）は軟口蓋鼻音であり、日本語のガ行音をもって受容する。熟字 2508「呉茱萸」は左傍「カ
ハシカミ」［＊カハヽシカミの誤記］を付載する。観智院本類聚名義抄・元和本倭名類聚抄に音注を見
出せない。高山寺本篆隷萬象名義には反切「牛胡反」を見つける。

　　　呉 カマヒスシ ［平平囗囗］…　　　　　　　　　　　　　　（観智院本類聚名義抄／佛中 062-5）

　　　呉茱萸 カハヽ／シカミ　　　　　　　　　　　　　　　　　（観智院本類聚名義抄／僧上 023-7）

　　　呉茱萸　本草云呉茱萸 朱臾二音和名加波々之加美　　　　　　（元和本倭名類聚抄／巻二十 25 オ 1）

　　　呉 牛胡反 国名呉 ［古文：右注］　　　　　　　　　　　　（高山寺本篆隷萬象名義／第五帖 148 オ 4）

　▶番号 0293b・2303a「胡」（意胡・胡鼻）の仮名音注「コ」については、基本的に -o で対応
する。両当該字には平声点を差す。熟字 2303「胡鼻」は右注「ワキクソ」を付載する。観智院本類
聚名義抄に平声点を付した同音字注「音狐」を見出す。漢音資料を代表する長承本蒙求には仮名音
注「コ」二例がある。同書の掲出諸字四例いずれも平声点を差す。日本漢音「コ」平声を認める。

　　　胡 音狐 ［平］シタクヒ ［上上平平濁］…　　　　　　　　（観智院本類聚名義抄／佛中 136-1）

　　　頡 音胡 ［平］牛頭下垂臾／シタクヒ ［上上囗囗］胡今　　（観智院本類聚名義抄／佛下本 029-5）

　　　胡 ［平］コ　　　　　　　　　　　　　　　　　　　　　（長承本蒙求／008・088）

　　　胡 ［平］　　　　　　　　　　　　　　　　　　　　　　（長承本蒙求／035・062）

　　　胡鼻 ワキクソ　　　　　　　　　　　　　　　　　　　　（観智院本類聚名義抄／佛中 136-2）

　　　胡鼻　病源論云胡鼻 和岐久曾 人腋下鼻如葱鼓之氣 …　　　（元和本倭名類聚抄／巻三 20 ウ 4）

　▶番号 2005b「胡」（臨胡禪脱）の仮名音注「コ」については、基本的に -o で対応する。当該
字には上声濁点を差すので、字音「ゴ」を想定する。中古音が示す頭子音 ɣ-（等韻学の術語で言う
匣母）は有声軟口蓋摩擦音であり、日本語のガ行音をもって受容するが、中国語音韻史上における
濁音声母の無声化 ₍₂₂₎ を反映する場合はカ行音で対応する。熟字 2005「臨胡禪脱」は右傍「リンコ
クタツ」右注「平調」を付載する。上述の分析を参照。

　　　平調曲　相夫憐 … 平蠻樂　臨胡禪脱 …　　　　　　　　（元和本倭名類聚抄／巻四 15 オ 9）

　▶番号 1451a・3157b「胡」（胡獺・多胡）の仮名音注「コ」については、基本的に -o で対応
する。両当該字に声点はない。熟字 1451「胡獺」は右注「トミ」左注「コヒンノ若名也」を付載す
る。熟字 3157「多胡」は熟字「上野」の左注に付載する。先んじて地名が存在し、後に漢字表記を
宛てたと推測する。元和本倭名類聚抄には注記「胡音如呉」があり、濁音を含む地名「タゴ」の可
能性を指摘しておく。上述の分析を参照。

3-1-2　-ʌ系の字音的特徴　195

　　　　上野國 … 多胡 胡音如呉 …　　　　　　　　　　　（元和本倭名類聚抄／巻五 17 ウ 1）

　▶番号 2674b「餬」（餳餬）の仮名音注「コ」については、基本的に -o で対応する。当該字に
声点はない。観智院本類聚名義抄に同音字注「音胡」を見出すが、仮名音注はない。

　　　　餬 … 音胡 鬻 正饘也／モラフ［上上平］…　　　　　（観智院本類聚名義抄／僧上 104-8）

　　　　餳餅 四聲字苑云餳 音與餳同俗云餳餬今案餳餬寄食也 …　　（元和本倭名類聚抄／巻十六 15 オ 6）

　▶番号 3041b「湖」（髙湖）の仮名音注「コ」については、基本的に -o で対応する。当該字に
は平声点を差す。図書寮本類聚名義抄に平声点を付した同音字注「川云音胡」および平声点を付し
た「真云古」を見出す。後者は借字によるか。観智院本には同音字注「音胡」を見つける。長承本
蒙求には仮名音注「コ」がある。元和本倭名類聚抄には同音字注「音胡」がある。日本漢音「コ」
平声、日本呉音「コ」平声を認める。

　　　　湖利 川云音胡［平］和云美都宇美［□上濁平濁上］… 真云古［平］　（図書寮本類聚名義抄／042-6）

　　　　湖 音胡 水ウミ［□東上］／ナミ …　　　　　　　　（観智院本類聚名義抄／法上 024-7）

　　　　湖〔＊左下隅欠〕コ　　　　　　　　　　　　　　　　（長承本蒙求／069）

　　　　湖 廣雅云湖音胡大池也 和名三都宇美　　　　　　　　（元和本倭名類聚抄／巻一 16 ウ 4）

　▶番号 3111b「乎」（乎）の仮名音注「コ」については、基本的に -o で対応する。当該字に
は平声点を差す。観智院本類聚名義抄に反切「戸枯反」（その反切下字に平声点）と平声点を付し
た和音「コ」を見出す。日本漢音は平声、日本呉音「コ」平声を認める。

　　　　乎 ヤ［上］和 コ［平］　　　　　　　　　　　　　（観智院本類聚名義抄／佛上 081-3）

　　　　乎 戸枯［□平］反 カ［上］／カナ［平上］ヤ［上］　　（観智院本類聚名義抄／佛上 083-7）

　▶番号 0438b「呼」（嘘呼）の仮名音注「コ」については、基本的に -o で対応する。当該字に
は東声点を差す。書写において最終第八画の縦棒が上下に長くなる字形で、平声を差したつもりで
あっても、東声と見える可能性はある。その中古音が示す頭子音 x-（等韻学の術語で言う暁母）は
喉音清（いわゆる次清音）であり、日本漢音の六声体系では東声（平声軽）を示す。熟字 0438「嘘
呼」は左注「又作胡」を付載する。観智院本類聚名義抄に反切「火故反」を見出す。長承本蒙求に
は仮名音注「コ」があり、その掲出字に平声点（東声点とも見える）を加える。日本漢音「コ」東
声（四声体系では平声）であると認める。

　　　　謼 嘑呼三或／ヨフ［□平濁］／火故反 ヨハフ［上平濁平］　（観智院本類聚名義抄／法上 062-5）

　　　　呼［平］コ　　　　　　　　　　　　　　　　　　　　（長承本蒙求／138）

　▶番号 0399b「蘓」（伊蘓志）の仮名音注「ソ」については、基本的に -o で対応する。当該字
に声点はない。熟字「伊蘓志」は伊篇姓氏部に属し、右傍「イソシ」を付載する。観智院本類聚名
義抄には平声点を付した同音字注「音穌」と和音の声調表記「去」を見出す。長承本蒙求には仮名
音注「ソ」三例があり、それら掲出諸字に東声点を加える。承暦本金光明最勝王経音義には仮名音
注「ソ・ソ音」を見つける。また、去声を差す経本文の音読例（名蘇多末尼）もある。日本漢音「ソ」

196　3．仮名音注の韻母別考察　3-1　I韻類

東声（四声体系では平声）日本呉音「ソ」去声を認める。

　　蘸蘇 音酥 [平] イヌエ [平平平] 一云 ヌカエ [平平平] … 和去
　　　　　　　　　　　　　　　　　　　　　　（観智院本類聚名義抄／僧上018-6）

　　蘸 [東] ソ　　　　　　　　　　　　　　　（長承本蒙求／046・068・099）

　　蘸 ソ〔*後筆墨書〕　　　　　　　　　　（承暦本金光明最勝王経音義／09 ウ3）

　　蘸 ソ六〔*後筆墨書〕　　　　　　　　　（承暦本金光明最勝王経音義／10 ウ2）

　　蘸 ク〔*「ソ」の誤認か〕〔*後筆墨書〕　（承暦本金光明最勝王経音義／08 ウ2）

　　蘸 [去] 多 [去濁] 末 マ 尼 ニ〔*後筆墨書〕　（承暦本金光明最勝王経音義／08 ウ4）

▶番号1479b「蘇」（屠蘇）の仮名音注「ソ」については、基本的に -o で対応する。当該字に声点はない。熟字1479「屠蘇」は左右注「酒元日飲之可／除湿氣也」右傍「トソ」を付載する。廣韻など切韻系韻書に同様の注記がある。観智院本類聚名義抄に同音字注「音蘇」を見出すが、仮名音注はない。

　　蘇 屠蘇草庵又屠蘇酒元日飲之可除瘟氣　　　　（宋本廣韻／心母模韻 suʌˈ）

　　蘇 … 音蘇　　　　　　　　　　　　　　（観智院本類聚名義抄／法下099-6）

▶番号1480b・3211「酥」（屠酥・酥）の仮名音注「ソ」については、基本的に -o で対応する。両当該字に声点はない。熟字1480「屠酥」は右注「同（トソ）」左注「俗用之」を付載する。番号3211「酥」は右注「ヨミカヘル」を付載するので、これは「蘇」の誤認か。前田本の欄外にも書き入れ「蘇」がある。観智院本類聚名義抄に平声点を付した同音字注「音蘇」を見出すが、仮名音注はない。元和本倭名類聚抄には同音字注「音與蘇同・俗音曾」がある。日本漢音は平声を認める。

　　酥 音蘇 [平] 更生／ヨミカヘル [□□平濁平平]　（観智院本類聚名義抄／法下020-5）

　　酥 陶隠居本草注云酥 音與蘇同俗音曾　　　　（元和本倭名類聚抄／巻十六17 オ4）

▶番号0040「稌」の仮名音注「ト」については、基本的に -o で対応する。当該字には平声点と去声点を差し、右注「同（イネ）」右傍0039「シヨ」と左傍0040「ト」を付載する。廣韻に拠れば、模/姥韻（tʰuʌ¹ᐟ²）二音を有する。観智院本類聚名義抄には同音字注「音吐」を見出すが、仮名音注はない。

　　稌 音吐 稲／イネ　　　　　　　　　　　（観智院本類聚名義抄／法下023-3）

▶番号0039「稌」の仮名音注「シヨ」については、異例 -jo を示す。当該字には平声点と去声点を差し、右注「同（イネ）」右傍0039「シヨ」と左傍0040「ト」を付載する。右傍は当該字を「徐」と誤認したか。その「徐」については観智院本類聚名義抄に平声点を付した同音字注「音蜍」および平声濁点を付した同音字注「呉音序」を見出す。後者は大般若経字抄による公任呉音の引用である。傍証ながら、同書で「序」を再検索すると、和音「シヨ [平濁平]」を見つける。

　　徐 音蜍 [平] ヤウヤク … 呉音序 [平濁]　　　（観智院本類聚名義抄／佛上040-4）

　　序 徐呂反 ノフ [平上] … 和ショ [平濁平]　　（観智院本類聚名義抄／佛上040-4）

蜍正 徐 ［音序：右傍］ 筞 ［冊：右傍］　　　　　　（石山寺一切経蔵本大般若経字抄／12 ウ 6）

徐 ［音序：右傍］ 筞 ［冊：右傍］　　　　　　　　　（石山寺一切経蔵本大般若経字抄／22 オ 1）

▶番号 1679a「都」（都鄙）の仮名音注「ト」については、基本的に -o で対応する。当該字には平声点を差す。熟字 1679「都鄙」は右傍「ミヤコ ヰナカ」を付載する。図書寮本類聚名義抄に反切「旦胡反」（その反切下字に平声点）を見出す。観智院本には反切「旦胡反」および去声墨圏点を付した和音「ト」を見つける。長承本蒙求には仮名音注「ト」があり、その掲出字に東声点を加える。日本漢音「ト」東声（四声体系では平声）日本呉音「ト」去声を認める。

所都 弘云旦胡 ［□平／タン：右傍］ 反 閑也 …　　　　　（図書寮本類聚名義抄／179-3）

都 旦胡反 スヘ ［フ：右傍］ テ ［平平濁□］ カツテ ミヤコ … 和ト ［去：墨圏点］

　　　　　　　　　　　　　　　　　　　　　　　（観智院本類聚名義抄／法中 036-5）

都 ［東］ ト　　　　　　　　　　　　　　　　　　　　　　（長承本蒙求／003）

▶番号 3151a「都」（都留）の仮名音注「ツ」については、基本的に -u で対応する。当該字に声点はない。元和本倭名類聚抄に地名として借字「豆留」を見出す。観智院本類聚名義抄で「豆」（定母濁候韻 dʌu³）を再検索すると、熟字「巴豆」に仮名音注「ハツ ［上平濁］」を見つける。また「澡豆」には「和語サクツ ［平平濁□］」とある。豆の粉を材料にした荒い粉を指す。中国語音韻史上に現れる濁音声母の無声化を反映していれば、字音「ツ」と享受していた可能性がある。

甲斐國 … 都留 豆留　　　　　　　　　　　　　　　（元和本倭名類聚抄／巻五 14 オ 3）

豆 音寶　　　　　　　　　　　　　　　　　　　　（観智院本類聚名義抄／法上 093-6）

巴豆 ハツ ［上平濁］ 〔＊←上東濁〕　　　　　　　　　（観智院本類聚名義抄／法上 095-8）

澡豆 和語／サクツ ［平平濁□］　　　　　　　　　　（観智院本類聚名義抄／法上 096-1）

▶番号 0908a・1588a・1609a「徒」（徒跣・徒然・徒跣）の仮名音注「ト」については、基本的に -o で対応する。掲出諸字三例には平声点を差す。その中古音が示す頭子音 d-（等韻学の術語で言う舌音濁定母）は有声歯茎閉鎖音であり、日本語のダ行音をもって受容するが、中国語音韻史上における濁音声母の無声化を反映する場合はタ行音で対応する。図書寮本類聚名義抄に反切「广云達胡反」を見出す。観智院本類聚名義抄に平声点を付した同音字注「音途」を見つけるが、仮名音注はない。日本漢音は平声を認める。

徒跣 广云上達胡反 …　　　　　　　　　　　　　　（図書寮本類聚名義抄／116-7）

徒 音途 ［平］ イタツラ … タクヒ　　　　　　　　　（観智院本類聚名義抄／佛上 039-7）

▶番号 0212「徒」（徒）の仮名音注「ト」については、基本的に -o で対応する。当該字に声点はなく、右注「イタツラ」を付載する。上述の分析を参照。

▶番号 0411a・2800「圖」（圖籙・圖）の仮名音注「ト」については、基本的に -o で対応する。両当該字に平声点を差す。その中古音が示す頭子音 d-（等韻学の術語で言う舌音濁定母）は有声歯茎閉鎖音であり、日本語のダ行音をもって受容するが、中国語音韻史上における濁音声母の無声化

198　3. 仮名音注の韻母別考察　3-1　Ⅰ韻類

を反映する場合はタ行音で対応する。番号2800「圖」は和訓「カク」の同訓異字として位置する。観智院本類聚名義抄に平声点を付した同音字注「音徒」を見出すが、仮名音注はない。日本漢音は平声を認める。

　　　圖 音徒［平］シルス … ハカリ┐ 盡也　　　　　　　　　　（観智院本類聚名義抄／法下084-6）

　▶番号1681a「圖」（圖書）の仮名音注「トウ」については、異例 -ou を示す。当該字に平声点を差す。熟字1681「圖畫［平去濁］」は左注「トウクワ」仮名音注を付載する。平声を示す一音節の字音「ト」の後に、上昇調である去声濁点を付した「クワ」（合口介音を含む二拍相当）に連接する字音の環境となるため、その「圖」を二音節の字音「トウ」で把握したと推測する。詳細は不明。上述の分析を参照。

　▶番号3255b「途」（用途）の仮名音注「ト」については、基本的に -o で対応する。当該字には平声濁点を差すので、字音「ド」を想定する。その中古音が示す頭子音 d-（等韻学の術語で言う舌音濁定母）は有声歯茎閉鎖音であり、日本語のダ行音をもって受容するが、中国語音韻史上における濁音声母の無声化を反映する場合はタ行音で対応する。観智院本類聚名義抄には同音字注「音塗」を見出す。その「塗」の右注として「徒」を付載し、そこに平声点を差しているが、仮名音注はない。日本漢音は平声を認める。

　　　途 音塗［徒［平］：右注］ミチ／アト ハシ［上平］　　　（観智院本類聚名義抄／佛上052-7）

　▶番号2082b・3079b「途」（吏途・家途）の仮名音注「ト」については、基本的に -o で対応する。両当該字には平声点を差す。上述の分析を参照。

　▶番号1652a「途」（途中）の仮名音注「ト」については、基本的に -o で対応する。当該字には上声点を差す。上述の分析を参照。

　▶番号「塗」1671a・2167・2574a（塗炭・塗・塗工）の仮名音注「ト」については、基本的に -o で対応する。当該諸字三例には平声点を差す。その中古音が示す頭子音 d-（等韻学の術語で言う舌音濁定母）は有声歯茎閉鎖音であり、日本語のダ行音をもって受容するが、中国語音韻史上における濁音声母の無声化を反映する場合はタ行音で対応する。図書寮本類聚名義抄に平声点を付した同音字注「宋云音徒」を見出す。観智院本には平声点と去声濁点を付した同音字注「音徒」を見出すが、仮名音注はない。去声濁点は呉音系字音か、保留する。日本漢音は平声を認める。

　　　三塗 宋云音／徒［平］… ミチ［上上／命：右注］　　　（図書寮本類聚名義抄／220-4）

　　　塗 徒上［＊「上」は「亠（音）」の誤認か］　　　　　　（観智院本類聚名義抄／法上009-4）

　　　塗 音徒［平・去濁］ヌル［上平］… ヨタハル［上上平囗］　（観智院本類聚名義抄／法中067-3）

　▶番号1479a「鷹」（鷹蘇）の仮名音注「ト」については、基本的に -o で対応する。当該字に声点はない。熟字1479「鷹蘇」は左右注「酒元日飲之可／除温氣也」を付載する。観智院本類聚名義抄には同音字注「音徒」を見出すが、仮名音注はない。

　　　屠鷹 俗正 音徒 … 草庵　　　　　　　　　　　　　（観智院本類聚名義抄／法下099-5）

3-1-2 -ʌ系の字音的特徴 199

▶番号1083「屠」（屠）の仮名音注「ト」については、基本的に -o で対応する。当該字には平声点を差し、右注「ホフル［平上濁平］」左注「切肉鳥也」を付載する。観智院本類聚名義抄に平声点を付した同音字注「音徒・又音除」および平声点を付した和音「ト」を見出す。長承本蒙求には仮名音注「ト」があり、その掲出字に東声点を加える。日本漢音「ト」東声（四声体系では平声）日本呉音「ト」平声を認める。

　　屠 音徒［平］ホフル［平上濁平］… 又音除［平］和ト［平］　　　（観智院本類聚名義抄／法下089-1）
　　屠［東］ト　　　　　　　　　　　　　　　　　　　　　　　（長承本蒙求／103）

▶番号1480a「屠」（屠穌）の仮名音注「ト」については、基本的に -o で対応する。当該字に声点はない。熟字1480「屠穌」は右注「同（トソ）」左注「俗用之」を付載する。上述の分析を参照。

▶番号0616「畾」の仮名音注「ト」については、基本的に -o で対応する。当該字に声点はなく、和訓「ハカル」の同訓異字として位置する。観智院本類聚名義抄には平声点を付した同音字注「音圖」（その右傍に朱筆で仮名音注「ト」）を見出す。日本漢音「ト」平声を認める。

　　畾 音圖［平／ト：朱右傍］ハカリコト … ハカル［平平□］　　　（観智院本類聚名義抄／佛中060-1）

▶番号1788「鍍」の仮名音注「ト」については、基本的に -o で対応する。当該字に声点はない。番号1788「鍍」は右注「同（チリハム）」を付載する。観智院本類聚名義抄には同音字注「音度」を見出すが、仮名音注はない。

　　鍍 音度 金飾 トロモス … チリハム［上上上濁平］　　　（観智院本類聚名義抄／僧上129-8）

▶番号1016a・1661a・2227「駑」（駑駘・駑駘・駑）の仮名音注「ト」については、基本的に -o で対応する。当該諸字三例に平声濁点を加えるので、字音「ド」を想定する。その中古音が示す頭子音 n-（等韻学の術語で言う泥母）は歯茎鼻音であり、日本語のナ行音をもって受容する。ただし、中国語音韻史上における非鼻音化（denasalization）現象 (22) によって、n- > nd- > d- の音変化をする。原則的に、この影響を受けた日本漢音ではダ行音を反映することになる。日本漢字音において、頭子音 n- をナ行で示す場合には早い段階の字音享受である。これを呉音的特徴とするが、いわゆる漢音とは中国語音韻史上の基層を異にする点、留意しなければならない。熟字1016「駑駘」は右注「ニフシ」を、番号2227「駑」は右注「ヲソキムマ」を付載する。観智院本類聚名義抄には平声濁点を付した同音字注「奴音」（その右傍には朱筆で仮名音注「ト」）を見出す。日本漢音「ド」平声を認める。

　　駑 奴［平濁／ト：朱右傍］音 オソシ … ヨハシ　　　（観智院本類聚名義抄／僧中101-6）

▶番号1515「笯」の仮名音注「ト」については、基本的に -o で対応する。当該字には平声濁点を加えるので、字音「ド」を想定する。廣韻に拠れば、模／姥韻（nuʌ¹/²）の二音を有する。その頭子音 n-（等韻学の術語で言う泥母）の非鼻音化（denasalization）現象による字音把握である。図書寮本類聚名義抄に同音字注「唐韻音与怒同」を見出す。観智院本には同音字注「奴怒二音」を見

200　3．仮名音注の韻母別考察　3-1　I韻類

つけるが、仮名音注はない。

　　　 呶 唐韻音与怒／同 云石／可為矢鏃　　　　　　　　　（図書寮本類聚名義抄／155-7）

　　　 呶 奴怒二音 砎石／可為矢鏃　　　　　　　　　　　（観智院本類聚名義抄／法中001-7）

　▶番号1693a「奴」（奴夷國）の仮名音注「ト」については、基本的に -o で対応する。当該字に声点はない。その中古音が示す頭子音 n-（等韻学の術語では泥母）は歯茎鼻音であり、日本語のナ行音をもって受容するが、中国語音韻史上における鼻音声母の非鼻音化（denasalization）現象₍₂₂₎によって、n- > nd- > d- の音変化をする。原則的に、この影響を受けた日本漢音ではダ行音を反映することになる。日本漢字音において、頭子音 n- をナ行で示す場合には早い段階の字音享受である。熟字1693「奴夷國」は右注「トイコク」仮名音注を付載する。図書寮本類聚名義抄に反切「弩胡」〔＊〈反〉表記なし〕を見出す。観智院本には平声濁点を付した同音字注「音駑」および和音「ヌ」を見つける。日本漢音は平声、日本呉音「ヌ」を認める。

　　　 奴 弩／胡 郊 真云秘音／又毗必反　　　　　　　　　（図書寮本類聚名義抄／183-1）

　　　 奴 音駑 [平濁] ツフニ [平上濁□] ヤツコ [□上上] … 和ヌ　（観智院本類聚名義抄／佛中013-6）

　▶番号2170a「奴」（奴婢）の仮名音注「ヌ」については、基本的に -u で対応する。当該字には去声点を差す。上述の分析を参照。

　▶番号1091「脯」（脯）の仮名音注「フ」については、基本的に -u で対応する。当該字には平声点を差し、右注「ホシ〻シ」左注「乾肉也」を付載する。その中古音が示す頭子音 b-（等韻学の術語で言う唇音濁並母）は有声両唇閉鎖音であり、日本語のバ行音をもって受容するが、中国語音韻史上における濁音声母の無声化を反映する場合はハ行音で対応する。観智院本類聚名義抄に上声点を付した同音字注「音甫」（麌韻 piuʌ²）を見出すが、仮名音注はない。当該字「脯」（模韻 buʌ¹）の声調とは異なる。諧声符「甫」による字音把握か。元和本倭名類聚抄には同音字注「音甫」がある。日本漢音は上声を保留する。

　　　 脯 音甫 [上] ホシ、ホシ〻シ [平平濁平□] …　　　　（観智院本類聚名義抄／佛中116-6）

　　　 甫 音斧 ハシム … オホシ　　　　　　　　　　　　　（観智院本類聚名義抄／佛上080-6）

　　　 雉脯　遊仙窟云西山鳳脯 音甫師說保之止利俗用干鳥二字　（元和本倭名類聚抄／巻十六20オ9）

　▶番号1174a「菩」（菩提）の仮名音注「ホ」については、基本的に -o で対応する。当該字には去声濁点を差すので、字音「ボ」を想定する。その中古音が示す頭子音 b-（等韻学の術語で言う唇音濁並母）は有声両唇閉鎖音であり、日本語のバ行音をもって受容するが、中国語音韻史上における濁音声母の無声化を反映する場合はハ行音で対応する。観智院本類聚名義抄に平声点を付した同音字注「音匍」（模韻 buʌ¹）と同音字注「又音負」（有韻 biʌu²）および墨筆圏点による去声濁点を付した和音「ホ」を見出す。反切「又蒲口父乃父力三反」（厚韻 bʌu²・海韻 bʌi²・職韻 biek）は別音を示す。日本漢音は平声、日本呉音「ボ」去声を認める。

　　　 菩薩 上音匍 [平] 香草也 又音負 又蒲口父乃父力三反／又村邑名 和ホ [去濁：墨墨点] …

3-1-2　-ʌ 系の字音的特徴　201

（観智院本類聚名義抄／僧上 004-4）

▶番号 1066a（菩薩）の仮名音注「ホ」については、基本的に -o で対応する。当該字に声点はない。上述の分析を参照。

▶番号 2637b・1198a・1258a・1380b「蒲」（樗蒲・蒲柳・蒲輪・碧蒲）の仮名音注「ホ」については、基本的に -o で対応する。当該諸字四例に平声点を差す。番号 2637b を除く前田本の掲出字形は「艹+補」 ⒅ であるが、これを「蒲」に修正する。その中古音が示す頭子音 b-（等韻学の術語で言う脣音濁並母）は有声両唇閉鎖音であり、日本語のバ行音をもって受容するが、中国語音韻史上における濁音声母の無声化を反映する場合はハ行音で対応する。観智院本類聚名義抄に平声点を付した同音字注「音脯」および去声点を付した和音「フ」を見出す。また、熟字「樗蒲」を見つけるが、注記がない。長承本蒙求には仮名音注「ホ」があり、その掲出字に平声点を加える。長承本蒙求の仮名音注は平安時代院政初期である長承三年（1134）に加点された墨筆（例示で両音形ある場合は右側）を中心とするが、平安時代中期と推定する古い朱筆（両音形ある場合は左側）の加点もある。日本漢音「ホ」平声、日本呉音「フ」去声を認める。

　蒲 上音脯［平］カマ［上上］／州名 和フ［去］　　　（観智院本類聚名義抄／僧上 018-8）

　樗蒲　　　　　　　　　　　　　　　　　　　　　（観智院本類聚名義抄／僧上 019-1）

　蒲［平］ホ／ホ　　　　　　　　　　　　　　　　　　（長承本蒙求／052）

▶番号 1212a「蒲」（蒲伏）の仮名音注「ホ」については、基本的に -o で対応する。当該字に声点はない。前田本の掲出字形は「艹+補」であるが、これを「蒲」に修正する。

▶番号 2741「模」（模）の仮名音注「ホ」については、基本的に -o で対応する。当該字には平声濁点を差すので、字音「ボ」を想定する。右注「カタキ 又乍撫」左注「剥木曰模」を付載する。その中古音が示す頭子音 m-（等韻学の術語では明母）は両唇鼻音であり、日本語のマ行音をもって受容する。ただし、中国語音韻史上における鼻音声母の非鼻音化（denasalization）現象によって、m- > mb- > b- の音変化をする。これを反映した場合は日本語のバ行音で対応する。観智院本類聚名義抄に同音字注「音謨」を見出す。長承本蒙求には仮名音注「ホ」があり、その掲出字に東声点を加える。元和本倭名類聚抄には反切「莫胡反」がある。日本漢音「ボ」東声（四声体系では平声）を認める。

　模 音謨 カタキ［上平平濁］… 法也　　　（観智院本類聚名義抄／佛下本 100-8）

　模［東］□反／ホ　　　　　　　　　　　　　　　　（長承本蒙求／032）

　模 唐韻云模 莫胡反俗語加太岐 法也形也　　　（元和本倭名類聚抄／巻十四09 オ7）

▶番号 3094b「摸」（揩摸）の仮名音注「ホ」については、基本的に -o で対応する。当該字には上声濁点を差すので、字音「ボ」を想定する。上述と同じく、その中古音が示す頭子音 m- の非鼻音化現象を反映する。観智院本類聚名義抄に同音字注「莫謨二音」および反切「莫胡反」を見出すが、仮名音注はない。

202　3．仮名音注の韻母別考察　3-1　Ⅰ韻類

　　　摸 莫謨二音 カタキ … サクル　　　　　　　　　　　　（観智院本類聚名義抄／佛下本 055-6）

　　　蟇 或 音摸 ニキル／オキテ 規也 形也 法也　　　　　　（観智院本類聚名義抄／佛下本 055-7）

　　　暮 莫胡反 ノトル … ウツス　　　　　　　　　　　　　（観智院本類聚名義抄／僧上 002-7）

▶番号0088b「鮆」（鮄鮆）の仮名音注「ホ」については、基本的に -o で対応する。当該字に
は平声点を差す。廣韻に拠れば、幫母模韻字「鯆」の異体字として注記がある。熟字0088「鮄鮆」
は右注「イルカ」を付載する。観智院本類聚名義抄に同音字注「布」を見出すが、仮名音注はない。
元和本倭名類聚抄には同音字注「布」がある。

　　　逋 逋懸也博孤切十三 … 鯆 鯆鮄魚名亦作鮆　　　　　（宋本廣韻／上平声第十一幫母模韻）

　　　鮄鮆 浮布二音　　　　　　　　　　　　　　　　　　（観智院本類聚名義抄／僧下 007-7）

　　　鮄鮆 臨海異物誌云鮄鮆 浮布二音和名伊流可　　　　　（元和本倭名類聚抄／巻十九02 オ 5）

▶番号0089a「鯆」（鯆鮄）の仮名音注「ホ」については、基本的に -o で対応する。当該字に
は平声点を差す。模韻 (puʌ¹・pʼuʌ¹) 麌韻 (piuʌ²) 三音を有する。熟字0089「鯆鮄」は右注「同
（イルカ）」を付載する。観智院本類聚名義抄に同音字注「音甫」（piuʌ²）三例を見出すが、仮名
音注はない。元和本倭名類聚抄には同音字注「音甫」二例がある。

　　　鯆 音甫／ナハサハ［平平平平濁］　　　　　　　　　（観智院本類聚名義抄／僧下 003-6）

　　　鯆鮞 甫毗二音／ムナキ［平上上濁］　　　　　　　　（観智院本類聚名義抄／僧下 007-2）

　　　鯆䱰 甫畢二音 …　　　　　　　　　　　　　　　　（観智院本類聚名義抄／僧下 007-7）

　　　鮄鮆 … 兼名苑云一名鯆䱰 甫畢二音 …　　　　　　（元和本倭名類聚抄／巻十九02 オ 7）

　　　鯆魚 唐韻云鯆 音甫辨色立成云奈波佐波 大魚名也　　（元和本倭名類聚抄／巻十九05 ウ 1）

▶番号1211a「匍」（匍匐）の仮名音注「ホ」については、基本的に -o で対応する。当該字に
は上声点を差す。熟字1211「匍匐」は右傍「ハラハフ」を付載する。観智院本類聚名義抄に反切
「蒲北反」（これは「匐」に付載すべき反切）を見出すが、仮名音注はない。高山寺本篆隷萬象名
義と天治本新撰字鏡には反切「薄胡反」（模韻 buʌ¹）がある。

　　　匍 蒲北反 匍匐　　　　　　　　　　　　　　　　　（観智院本類聚名義抄／法下 057-2）

　　　匍匐 ハラハフ［平平上濁平］下音蹼／伏也　　　　　（観智院本類聚名義抄／法下 057-2）

　　　匍 薄胡反 盡力也 手　　　　　　　　　　　　　（高山寺本篆隷萬象名義／第六帖 161 オ 5）

　　　匍 薄胡反平 匍匐平行盡力也䠱蹩也匐也　　　　　　（天治本新撰字鏡／巻五18 ウ 1）

▶番号1080「醋」の仮名音注「ホ」については、基本的に -o で対応する。当該字の右注「ホス
［平平］」は低平調を示すサ変動詞である。観智院本類聚名義抄に同音字注「蒲」を見出すが、仮
名音注はない。

　　　醋 音蒲 樂／飲酒　　　　　　　　　　　　　　　　（観智院本類聚名義抄／僧下 061-7）

▶番号0512・0691b「櫨」（櫨・黄櫨）の仮名音注「ロ」については、基本的に -o で対応する。
両当該字には平声点を差す。番号0512「櫨」は右注「ハマシ」左注「又ハシ」を、熟字0691「黄

櫨」は右注「ハニシ」を付載する。元和本倭名類聚抄には反切「落胡反」がある。観智院本類聚名義抄に同音字注「盧」と反切「力胡反」を見出すが、仮名音注はない。傍証ながら、同書で「盧」を再検索すると、和音「ロ［去］ル［去］」を見つける。同じく長承本蒙求に仮名音注「ロ」（その掲出字に平声点を加える）を見つける。諧声符「盧」を有する場合、日本漢音「ロ」平声、日本呉音「ロ・ル」去声の蓋然性が高い。

柹櫨 二音託盧 枸杷／一名下ハニシ［上上平］		（観智院本類聚名義抄／佛下本 094-1）
橇轤 又轤櫨／力木力胡反 汲水者也		（観智院本類聚名義抄／佛下本 094-2）
盧 クロシ ホコル キルヲリ／和ロ［去］ル［去］		（観智院本類聚名義抄／法下 094-5）
盧［平］ロ		（長承本蒙求／046・054）
黄櫨 文選注云櫨 落胡反和名波恋之 今之黄櫨木也		（元和本倭名類聚抄／巻十四 10 オ 5）

▶番号 2222b「櫨」（柹櫨）の仮名音注「ロ」については、基本的に -o で対応する。当該字に声点はない。上述の分析を参照。

▶番号 2580「顱」の仮名音注「ロ」については、基本的に -o で対応する。当該字には平声点を差し、右注「カシラノカハラ」左注「首骨也又乍顱」を付載する。観智院本類聚名義抄に同音字注「音盧」二例（うち一例に平声点を差す）を見出すが、仮名音注はない。元和本倭名類聚抄には反切「落胡反」がある。日本漢音は平声を認める。

髗 顱二正 音盧 頭顱		（観智院本類聚名義抄／佛下本 008-6）
顱 音盧［平］ヒタヒ［上上上］／カシラ［平平平］ノカハラ 亦髗		
		（観智院本類聚名義抄／佛下本 022-3）
顱 髗髏髑附 文字集略云顱 落胡反字亦作髗和名加之良乃加波良 脳盖也 …		
		（元和本倭名類聚抄／巻三 01 ウ 3）

▶番号 0457a「蘆」（蘆洲）の仮名音注「ロ」については、基本的に -o で対応する。当該字には平声点を差す。熟字「蘆洲」は左注「萩名」を付載する。観智院本類聚名義抄に同音字注「音盧」二例（うち一例には平声点）を見出すが、仮名音注はない。日本漢音は平声を認める。

蘆 音盧 アシ アシハラ イキクサ／ヤミヌ ウルホヒ		（観智院本類聚名義抄／僧上 012-2）
蒹蘆 音黎 盧［平］ヤマ［平平］ウハラ［平上濁平］… ウルホヒ		
		（観智院本類聚名義抄／僧上 042-1）

▶番号 0415b「轤」（轆轤）の仮名音注「ロ」については、基本的に -o で対応する。当該字には上声点を差す。観智院本類聚名義抄に同音字注「盧」と仮名音注「俗云ロクロ［平平上］」を見出す。すでに字音語である認識が希薄になっていたか。元和本倭名類聚抄は熟字「轆轤」に同音字注「鹿盧」と「俗云六路」を注記する。定着久しい字音「ロ」上声を認める。

轆轤 鹿盧／二音／俗云 ロクロ［平平上］		（観智院本類聚名義抄／僧中 085-8）
轆轤 四聲字苑云轆轤 鹿盧二音俗云六路 圓轉木機也		（元和本倭名類聚抄／巻十五 10 ウ 1）

204　3．仮名音注の韻母別考察　3-1　Ⅰ韻類

▶番号0438a「嚧」（嚧呼）の仮名音注「ロ」については、基本的に -o で対応する。当該字には平声点を差す。熟字0438「嚧呼」は左注「又作胡」を付載する。観智院本類聚名義抄に平声点を付した同音字注「盧」を見出すが、仮名音注はない。続く注記に「借音犖倶反／呼豬声」があり、豬が呼号するオノマトペを指すか。日本漢音は平声を認める。

　　嚧　音盧［平］借音犖倶反／呼豬声　　　　　　　（観智院本類聚名義抄／佛中 060-6）

▶番号1496b・1660b「爐」（燈爐・燈爐）の仮名音注「ロ」については、基本的に -o で対応する。両当該字には上声点を差す。熟字1496「燈爐」は右注「トウロ俗」を付載する。これは定着久しい字音という認識であろう。観智院本類聚名義抄に同音字注「盧音」を見出すが、仮名音注はない。元和本倭名類聚抄には同音字注「音盧」がある。

　　爐　盧音 鑢 正［：右注］／ツカル ヤク　　　　　　（観智院本類聚名義抄／佛下末 039-8）
　　爐　聲類云爐 音盧楊氏漢語抄云火爐比多岐 …　　　（元和本倭名類聚抄／巻十二 14 オ 4）

▶番号0418「爐」（爐）の仮名音注「ロ［平］」については、基本的に -o で対応する。当該字の仮名音注には平声点を差す。上述の分析を参照。

▶番号2756b「爐」（香爐）の仮名音注「ロ」については、基本的に -o で対応する。当該字に声点はない。熟字2756「香爐」は右注「カウロ俗」を付載する。これは定着久しい字音との認識であろう。上述の分析を参照。

▶番号1504「艫」（艫）の仮名音注「ロ」については、基本的に -o で対応する。当該字には平声点を差す。観智院本類聚名義抄に同音字注「音盧」を見出すが、仮名音注はない。元和本倭名類聚抄には同音字注「音盧」がある。

　　艫　音盧 トモ［平平］／ヘ　　　　　　　　　（観智院本類聚名義抄／佛下本 002-6）
　　艫　兼名苑注云船後頭謂之艫 音盧 … 和語云度毛　　（元和本倭名類聚抄／巻十一 03 オ 4）

▶番号0417「艫」（艫）の仮名音注「ロ［上］」については、基本的に -o で対応する。当該字には上声点（その仮名音注「ロ」にも上声点）を差し、右注「ロ　舟具」左注「イ本艫」を付載する。上述の分析を参照。

▶番号0094a・1571b・2128b・2262a・2513・2558a「烏」（烏賊・銅烏・流烏・烏藥・烏・烏毛虫）の仮名音注「ヲ」については、基本的に -o で対応する。当該諸字六例すべてに平声点を差す。熟字0094「烏賊」は右注「イカ」を、番号2513「烏」は右注「カラス」左注「陽烏」を、熟字2558「烏毛虫」は右注「カハムシ」を付載する。観智院本類聚名義抄に平声点を付した同音字注「音悪」（朱筆で右傍に仮名音注「ヲ」）および和音「ウ」（その右傍に朱筆で「✓」表記〔*意図不明あるいは去声点相当か〕）を見出す。長承本蒙求には仮名音注「ヲ」があり、その掲出字には平声点を付載する。承暦本金光明最勝王経音義には仮名音注「ウ」があり、その掲出字に上声点を加える。日本漢音「ヲ」平声、日本呉音「ウ」上声を認める。

　　烏　音悪［平／ヲ：朱右傍］カラス［平上上］… 和ウ［✓：朱右傍］

＿＿＿＿＿＿＿＿＿＿＿＿＿＿＿＿＿＿＿＿＿＿（観智院本類聚名義抄／僧中 132-4）

烏 ［平］ ヲ　　　　　　　　　　　　　　　　　　　　　　　（長承本蒙求／009）

烏 ［上］ ウ〔＊後筆墨書〕　　　　　　　　　（承暦本金光明最勝王経音義／10 オ 6）

烏賊　南越志云烏賊 … 和名伊加 …　　　　　　（元和本倭名類聚抄／巻十九 14 ウ 1）

烏　唐韻云烏 哀都反和名加良須 孝烏也 …　　　　（元和本倭名類聚抄／巻十八 05 オ 7）

《下巻　模韻諸例》

▶番号 3327a・3408a・4254a・4855a・5308・5335「胡」（胡荾・胡飲酒・胡床・胡瓜・胡・胡）の仮名音注「コ」については、基本的に -o で対応する。当該諸字六例には平声点を差す。熟字 3327「胡荾」は右注「コニシ［平平上］」を、熟字 4254「胡床」は右注「アグラ」を、熟字 4855「胡瓜」は右注「キウリ［平平上］」左注「又ソハウリ」を、番号 5308「胡」は右注「シタクヒ」左注「牛頚ノ下垂也」を、番号 5335「胡」は右注「シタクヒ」左注「戸呉反或乎頡」を付載する。上巻の模韻当該諸例で分析したように、日本漢音「コ」平声を認める。

胡荾　崔禹錫食經云胡荾 息遺反和名古仁之 …　　　　（元和本倭名類聚抄／巻十六 23 オ 5）

胡床　風俗通云靈帝好胡服京皆作胡床 此間名阿久良　　（元和本倭名類聚抄／巻十四 17 オ 5）

胡瓜　孟詵食經云胡瓜 … 和名曾波字里俗云木宇利　　（元和本倭名類聚抄／巻十七 13 ウ 3）

頡　音胡 ［平］ 牛頭下垂皃／シタクヒ ［上上］□□ 胡今　（観智院本類聚名義抄／佛下本 029-5）

胡　釋名云咽下垂曰胡 和名之太久比　　　　　　　（元和本倭名類聚抄／巻三 03 オ 6）

▶番号 3571a「胡」（胡粉）の仮名音注「コ」については、基本的に -o で対応する。当該字には去声点を差す。熟字 3571「胡粉」は右注「コフン［去濁上上］俗」を付載するので、定着久しい字音「ゴ」去声を想定する。上述の分析を参照。

胡粉　張華博物志云燒錫成胡粉　　　　　　　　（元和本倭名類聚抄／巻十三 12 ウ 2）

▶番号 3332a・3412a「胡」（胡麻・胡蝶樂）の仮名音注「コ」については、基本的に -o で対応する。両当該字に声点はない。元和本倭名類聚抄には同音字注「音五」（疑母姥韻 ŋuʌ²）があり、声調を異にするが、字音「ゴ」を想定できる。同書では借字「訛云宇古末」も見出す。規範的ではないが、常用する「ウコマ」が存在した。上述の分析を参照。

胡麻　陶隱居本草注云胡麻 音五萬訛云宇古末 …　　（元和本倭名類聚抄／巻十七 06 ウ 5）

うごまハ油に絞りて賣るに多くの錢出〈デ來〉

＿＿＿＿＿＿＿＿＿＿＿＿＿＿＿＿＿（古典大系本宇津保物語・藤原君／第一巻 192-1）

高麗樂曲 … 胡蝶樂 …　　　　　　　　　　　　（元和本倭名類聚抄／巻四 17 ウ 7）

▶番号 4784b「瑚」（珊瑚）の仮名音注「コ」については、基本的に -o で対応する。当該字には平声点を差す。その中古音が示す頭子音 ɣ-（等韻学の術語で言う喉音濁匣母）は有声軟口蓋摩擦

206　3．仮名音注の韻母別考察　3-1　Ⅰ韻類

音であり、日本語のガ行音をもって受容するが、中国語音韻史上における濁音声母の無声化を反映する場合にはカ行音で対応する。熟字「珊瑚」に対して、図書寮本類聚名義抄に同音字注「川云刪胡［東平濁］二音」を見出す。観智院本には同音字注「刪胡二音」と仮名音注「俗サムコ［平平上濁］」を見つける。元和本倭名類聚抄には同音字注「刪胡二音」がある。日本漢音は平声、定着久しい字音「ゴ」上声を認める。

　　　珊瑚 川云刪胡［東平濁］／二音 俗云／珊音如散 …　　　　　　　　（図書寮本類聚名義抄／159-2）
　　　珊瑚 刪胡二音 俗サムコ［平平上濁］… 或瑚　　　　　　　（観智院本類聚名義抄／法中 014-8）
　　　珊瑚 説文云珊瑚 刪胡二音 色赤玉出於海底山中也　　（元和本倭名類聚抄／巻十一 18 ウ 9）

　▶番号 4574b「瑚」（珊瑚）の仮名音注「コ」については、基本的に -o で対応する。当該字には平声点を差す。加えて仮名音注「コ」には平声濁点を差すので、字音「ゴ」を想定する。上述の分析を参照。

　▶番号 5218b「瑚」（珊瑚）の仮名音注「コ」については、基本的に -o で対応する。当該字に声点はない。熟字 5218「珊瑚」は由篇地儀部に属する掲出字「壯」の左注に存する。上述の分析を参照。

　▶番号 6421「餬」の仮名音注「コ」については、基本的に -o で対応する。当該字には平声点を差し、右注「モラフ」中注「寄食也」左注「口扵村呂」を付載する。上巻の模韻当該例で分析した。

　▶番号 3565「糊」の仮名音注「コ［去濁］」については、基本的に -o で対応する。当該字に声点はないが、その仮名音注「コ」に去声濁点を差すので、字音「ゴ」を想定する。当該字は右注「俗音五 豆粉也」左注「續紙具也」を付載する。観智院本類聚名義抄に同音字注「音胡」二例を見出すが、仮名音注はない。

　　　糊粘 二或黏字／音胡　　　　　　　　　　　（観智院本類聚名義抄／法下 033-4）
　　　黏 正趙俗糊粘／二或 音胡　　　　　　　　（観智院本類聚名義抄／法下 028-1）

　▶番号 3642a・4870「狐」（狐疑・狐）の仮名音注「コ」については、基本的に -o で対応する。両掲出字に平声点を差す。番号 4870「狐」は右注「キツネ」左注「射干也」を付載する。観智院本類聚名義抄に同音字注「音胡」および和音「去」を見出すが、仮名音注はない。元和本倭名類聚抄には同音字注「音胡」がある。日本呉音は去声を認める。

　　　狐 音胡 キツネ［平上上］ヒトリ 野干也 … 和去　　（観智院本類聚名義抄／佛下本 128-4）
　　　狐 考聲切韻云狐 音胡和名木豆禰 獸名射干也 …　　（元和本倭名類聚抄／巻十八 19 オ 3）

　▶番号 3893b「狐」（天狐）の仮名音注「ク」については、基本的に -u で対応する。当該字に声点はない。熟字 3893「天狐」は右注「テンク」左注「イ本㺊」を付載する。上述の分析を参照。

　▶番号 5241「弧」（弧）の仮名音注「コ」については、基本的に -o で対応する。当該字には平声点を差し、右注「ユミ」左注「木弓也」を付載する。観智院本類聚名義抄に同音字注「音胡」を見出すが、仮名音注はない。

弧 音胡 弓／ハシメ　　　　　　　　　　　　　（観智院本類聚名義抄／僧中 024-5）

　▶番号 5755b「乎」（使乎）の仮名音注「コ」については、基本的に -o で対応する。当該字に
は平声点を差す。上巻の模韻当該例で分析したように、日本漢音は平声、日本呉音「コ」平声を認
める。

　▶番号 6050・6166「壺」の仮名音注「コ」については、基本的に -o で対応する。両掲出字に
は平声点を差し、右注「ヒサコ」を付載する。観智院本類聚名義抄に同音字注「音胡」を見出すが、
仮名音注はない。元和本倭名類聚抄には同音字注「胡」がある。

　　壺壺 今正／音胡　　　　　　　　　　　　　　（観智院本類聚名義抄／佛上 076-6）
　　壺　周禮注云壺 音胡和名都保 所以盛飲也 …　　　（元和本倭名類聚抄／巻十六 03 ウ 4）

　▶番号 3662a・3663a・3664a「孤」（孤獨・孤露・孤栖）の仮名音注「コ」については、基本
的に -o で対応する。当該諸字三例には平声点を差す。観智院本類聚名義抄に同音字注「音姑」を
見出す。長承本蒙求には仮名音注「コ」三例があり、それら掲出諸字に東声点を加える。日本漢音
「コ」東声（四声体系では平声）を認める。

　　孤 音姑 ミナシコ［上上上平濁］…　　　　　　（観智院本類聚名義抄／法下 139-8）
　　孤［東］コ　　　　　　　　　　　　　　　　　（長承本蒙求／070・117・146）

　▶番号 4261「罛」の仮名音注「コ」については、基本的に -o で対応する。当該字には平声点を
差し、右注「アミ」を付載する。観智院本類聚名義抄に同音字注「孤・音弧」（見母模韻 kuʌ¹・匣
母模韻 ɣuʌ¹）を見出すが、仮名音注はない。元和本倭名類聚抄には異体字「罟」に対して同音字注
「古」（見母姥韻 kuʌ²）がある。

　　罛〔＊←罟〕罟 通正 孤古二音 アミ／トリアミ …　（観智院本類聚名義抄／僧中 007-5）
　　罛 音弧 魚罟也／アミ　　　　　　　　　　　　（観智院本類聚名義抄／僧中 011-5）
　　網罟　廣雅云罛 音古阿美 魚網也 …　　　　　　（元和本倭名類聚抄／巻十五 07 ウ 4）

　▶番号 5319・5320b・5846b「姑」（姑・外姑・舒姑）の仮名音注「コ」については、基本的に
-o で対応する。当該諸字三例に平声点を差す。番号 5319「姑」は右注「シウトメ」左注「夫之母
曰姑」を、熟字 5320「外姑」右注「シウトメ」左注「妻之母」を付載する。観智院本類聚名義抄に
平声点を付した同音字注「音孤」を見出す。長承本蒙求には仮名音注「コ」があり、その掲出字に
は平声点を加える。日本漢音は「コ」平声を認める。

　　姑 音孤［平］ヲハ シハラク／シフトメ マタ／父姉未也　（観智院本類聚名義抄／佛中 015-2）
　　姑［平］コ　　　　　　　　　　　　　　　　　（長承本蒙求／141）

　▶番号 6512b「蛄」（螻蛄）の仮名音注「コ」については、基本的に -o で対応する。当該字に
声点はない。熟字 6512「螻蛄」は右注「同（セミ）」を付載する。上巻の模韻当該例で分析した。

　▶番号 4550「酤」の仮名音注「コ」については、基本的に -o で対応する。当該字に声点はなく、
和訓「サケ」の同訓異字として位置する。廣韻に拠れば、模／暮韻（kuʌ¹ᐟ³）姥韻（ɣuʌ²）三音を有す

208　3．仮名音注の韻母別考察　3-1　Ⅰ韻類

る。観智院本類聚名義抄に東声点を付した同音字注「音孤」（模韻 kuʌ¹）を見出し、その右傍に朱
筆で仮名音注「コ」付載する。さらに「又去酤」と上声点を付した「又音古」（姥韻 kuʌ²）を見つ
ける。また同義語として「或沽」も掲げる。以下に同書の字音把握を整理しておく。なお、長承本
蒙求の掲出字「孤」には東声点を差す。日本漢音「コ」東声（四声体系では平声）を認める。

　　　　酤 音孤 ［東／コ：朱右傍］ 又去酤 又音古 ［上］ 或沽／ウルカフ ［上平上平］ …

　　　　　　　　　　　　　　　　　　　　　　　　　　　　（観智院本類聚名義抄／僧下 056-7）

　　　　辜辜 上俗 音姑 音孤 ［東／コ：右傍］ ／ツミ ［平上］　　（観智院本類聚名義抄／僧下 066-4）

　　　　孤 ［東］ コ　　　　　　　　　　　　　　　　　　　　（長承本蒙求／070・117・146）

　　　　＊音孤（模韻 kuʌ¹）　　＊又去酤（暮韻 kuʌ³）　　＊又音古（姥韻 kuʌ²）

　　　　＊或沽 ［酤と同義は暮韻］　（模/姥/暮韻 kuʌ¹ᐟ²ᐟ³）

▶番号 6509「鮬」の仮名音注「コ」については、基本的に -o で対応する。当該字には平声点を
差し、右注「セヒ ［上平］」左注「音枯文ゝ歩」を付載する。観智院本類聚名義抄に同音字注「音
枯」を見出すが、仮名音注はない。元和本倭名類聚抄には同音字注「音枯」がある。

　　　　鮬 音枯 セヒ ［上平］ ／ウルハシ　　　　　　　　　　（観智院本類聚名義抄／僧下 008-2）

　　　　鮬 唐韻云鮬 音枯漢語抄云世比今訛𡢋妄謂妄婢也 …　　（元和本倭名類聚抄／巻十九 05 ウ 3）

▶番号 3645a「枯」（枯槁）の仮名音注「コ」については、基本的に -o で対応する。当該字に
は平声点と去声点を差す。廣韻に拠れば、その中古音は溪母模韻（k'uʌ¹）を示し、複声調ではない。
日本漢音と日本呉音の各声調を示すか。熟字 3645「枯槁」は草木が枯れることを指す。上巻の模韻
当該例で分析したように、日本漢音は平声、日本呉音「コ」去声を認める。

▶番号 4778b・4860「梧」（蒼梧・梧）の仮名音注「コ」については、基本的に -o で対応する。
両掲出字には平声濁点を差すので、字音「ゴ」を想定する。その中古音が示す頭子音 ŋ-（等韻学の
術語で言う疑母）は軟口蓋鼻音であり、日本語のガ行音をもって受容する。番号 4860「梧」は右注
「キリ」を付載する。観智院本類聚名義抄に平声濁点を付した同音字注「音吾」を見出すが、仮名
音注はない。元和本倭名類聚抄には同音字注「吾」がある。日本漢音は平声を認める。

　　　　梧桐 上音吾 ［平濁］　　　　　　　　　　　　　　　　（観智院本類聚名義抄／佛下本 090-5）

　　　　梧桐　陶隠居本草注云桐有四種青桐 音同 梧桐 上音吾 …

　　　　　　　　　　　　　　　　　　　　　　　　　　　　（元和本倭名類聚抄／巻二十 25 オ 9）

▶番号 5192b「鱮」（䱾鱮）の仮名音注「コ」については、基本的に -o で対応する。当該字に
は平声点を差す。廣韻に拠れば、模韻（ŋuʌ¹）魚/語韻（ŋiʌ¹ᐟ²）の三音を有する。その中古音が示す
頭子音 ŋ-（等韻学の術語で言う疑母）は軟口蓋鼻音であり、日本語のガ行音をもって受容する。熟
字 5192「䱾鱮」は右注「キカフ」を付載する。軋り合う意味か。観智院本類聚名義抄に同音字注
「魚語二音」を見出すが、仮名音注はない。高山寺本篆隷萬象名義には反切「牛徐反」がある。

　　　　鱮 魚語二音 ハキカヘル ［去平平濁□□］ ／カム クフ キカフ　　（観智院本類聚名義抄／法上 106-1）

3-1-2　-ʌ系の字音的特徴　209

　　　齭 牛徐反 一所一㓤也　　　　　　　　　　　　　（高山寺本篆隷萬象名義／第二帖023 ウ6）

　▶番号 6798a「蘇」（蘇枋）の仮名音注「ス」については、基本的に -u で対応する。当該字「蘇」には平声点を差す。以下の「蘓」とは相互に異体字である。上巻の模韻当該例で分析したように、日本漢音「ソ」東声（四声体系では平声）日本呉音「ソ」去声を認める。

　　　蘇枋 蘇敬本草注云蘇枋 唐韻作放音與方同俗云須房 …　　（元和本倭名類聚抄／巻二十22 ウ2）

　▶番号6866a「蘓」（蘓枋）の仮名音注「ス」については、基本的に -u で対応する。当該字「蘓」には平声点を差す。熟字「蘓枋」は右注6866「スハウ俗」と右傍6865「ソハウ」を併載する。その「俗」表記は定着久しい字音という認識であったと推測する。上述の分析を参照。

　▶番号6865a・5932b「蘓」（蘓枋・安蘓）の仮名音注「ソ」については、基本的に -o で対応する。両当該字には平声点を差す。上述の分析を参照。

　　　下野國 … 安蘓 …　　　　　　　　　　　　　　　（元和本倭名類聚抄／巻五17 ウ8）

　▶番号 6375b・6382b（恵蘓・阿蘓）の仮名音注「ソ」については、基本的に -o で対応する。両当該字に声点はなく、いずれも地名である。上述の分析を参照。

　　　備後國 … 恵蘓 …　　　　　　　　　　　　　　　（元和本倭名類聚抄／巻五23 ウ7）

　　　肥後國 … 阿蘓 阿曾 …　　　　　　　　　　　　（元和本倭名類聚抄／巻五27 オ8）

　▶番号5359「殂」の仮名音注「ソ」については、基本的に -o で対応する。当該字に声点はなく、和訓「シヌ」の同訓異字として位置する。観智院本類聚名義抄に反切「才故反」を見出すが、仮名音注はない。高山寺本篆隷萬象名義には反切「在呼反」がある。

　　　殂 才故反 死ソコナフ　　　　　　　　　　　　　（観智院本類聚名義抄／法下130-5）

　　　殂 在呼反 死也　　　　　　　　　　　　　　　　（高山寺本篆隷萬象名義／第三帖082 オ3）

　▶番号 5933a・6957a「都」（都賀・都濃）基本的に -u で対応する。両当該字に声点はない。上巻の模韻当該例で分析したように、日本漢音「ト」東声（四声体系では平声）日本呉音「ト」去声を認める。それぞれ元和本倭名類聚抄に地名として掲げるが、借字による表記はない。

　　　下野國 … 都賀 國府　　　　　　　　　　　　　（元和本倭名類聚抄／巻五17 ウ8）

　　　周防國 … 都濃　　　　　　　　　　　　　　　　（元和本倭名類聚抄／巻五24 オ8）

　▶番号5197b・6366a「都」（伊都・都宇）の仮名音注「ト」については、基本的に -o で対応する。熟字5197「伊都」の右傍は仮名音注「イト」と推測するが、綴じ目に係る破損で不鮮明。元和本倭名類聚抄に地名として掲げるが、借字による表記はない。熟字6366「都宇」は右注「トウ」を付載する。元和本倭名類聚抄に借字「津」を見出すので、長音を伴う一音節二拍語「ツ」という認識か。一音節語の安定した音声認識を促す事象と認められる。あるいは漢字二字をもって地名を表記するという慣習があったか。上述の分析を参照。

　　　紀伊國 … 伊都　　　　　　　　　　　　　　　　（元和本倭名類聚抄／巻五24 ウ7）

　　　備中國 … 都宇 津　　　　　　　　　　　　　　（元和本倭名類聚抄／巻五24 ウ7）

210 　3．仮名音注の韻母別考察　3-1　Ⅰ韻類

▶番号5836b「徒」（衆徒）の仮名音注「ト」については、基本的に -o で対応する。当該字には平声点を差す。上巻の模韻当該諸例で分析したように、日本漢音は平声を認める。

▶番号6479b「徒」（門徒）の仮名音注「ト」については、基本的に -o で対応する。当該字に声点はない。上述の分析を参照。

▶番号6663b・6707b「途」（世途・前途）の仮名音注「ト」については、基本的に -o で対応する。両掲出字ともに平声点を差す。上巻の模韻当該諸例で分析したように、日本漢音は平声を認める。

▶番号4026b・6032「塗」（泥塗・塗）の仮名音注「ト」については、基本的に -o で対応する。両掲出字ともに平声点を差す。番号6032「塗」は右注「ヒチリコ」を付載する。上巻の模韻当該諸例で分析したように、日本漢音は平声を認める。

▶番号5978a「屠」（屠兒）の仮名音注「ト」については、基本的に -o で対応する。当該字に声点はない。熟字5978「屠兒」には左注「ヱトリ」を付載する。元和本倭名類聚抄には反切「居徒反」を見出すが、反切上字に疑義がある。あるいは「音徒反」の誤認か。上巻の模韻当該諸例で分析したように、日本漢音「ト」東声（四声体系では平声）日本呉音「ト」平声を認める。

　　　屠兒 ヱトリ　　　　　　　　　　　　　　　（観智院本類聚名義抄／佛下末015-8）

　　　屠兒　楊氏漢語鈔云屠 居徒反 訓 保布流 屠兒 和名恵止利 …

　　　　　　　　　　　　　　　　　　　　　（元和本倭名類聚抄／巻二10ウ2）

　　　屠兒　楊氏漢語鈔云屠兒 居音徒 訓保布流屠兒和名恵止利 …（箋注倭名類聚抄／巻一109オ5）

▶番号3449「笯」の仮名音注「ト」については、基本的に -o で対応する。当該字には平声点を差し、右注「コ」和訓を付載する。廣韻に拠れば、模／暮韻（nuʌ$^{1/3}$）麻韻（ŋa^1）の三音を有する。その中古音が示す頭子音 n-（等韻学の術語で言う舌音清濁泥母）は、中国語音韻史上の非鼻音化（denasalization）現象によって、n->nd->d- の音変化をする。当該字の場合、この影響を受けた日本漢音は字音「ド」と享受した。観智院本類聚名義抄に平声濁点を付した同音字注「音奴」と「又去也」および「一音那」を見出すが、仮名音注はない。この「一音那」を和音とは表記しないので、日本呉音・日本漢音ともに字音「ナ」を保持すると想定できる。日本漢音は平/去声を認める。

　　　笯 音奴 [平濁] 拳雞籠／又去也 一音那 トリコ　　　（観智院本類聚名義抄／僧上069-6）

▶番号4697b「帑」（妻帑）の仮名音注「ト」については、基本的に -o で対応する。当該字には上声濁点を差すので、字音「ド」を想定できる。その中古音が示す頭子音 n-（等韻学の術語で言う泥母）の非鼻音化（denasalization）現象を反映した字音享受である。観智院本類聚名義抄に同音字注「音奴」を見出すが、仮名音注はない。

　　　帑 或帑 音奴 子努 俗／トリコ [平平□]　　　（観智院本類聚名義抄／法下139-4）

▶番号4591b・6397b「奴」（袴奴・桃奴）の仮名音注「ト」については、基本的に -o で対応する。両当該ともに平声濁点を差すので、字音「ド」を想定する。その中古音が示す頭子音 n-（等

韻学の術語で言う泥母）の非鼻音化（denasalization）現象を反映した字音享受である。上巻の模韻当該例で分析したように、日本漢音は平声、日本呉音「ヌ」を認める。

▶番号6372a「奴」（奴可）の仮名音注「ヌ」については、基本的に -u で対応する。当該字に声点はない。熟字6372「奴可」は備後の地名「ヌカ」である。上述の分析を参照。

　　　備後 … 奴可 奴加 … 甲奴 加不乃 …　　　　　　　　（元和本倭名類聚抄／巻五23 ウ6）

▶番号6374b「奴」（甲奴）の仮名音注「ノ」については、基本的に -o で対応する。当該字に声点はない。熟字6374「甲奴」は備後の地名「カフノ」である。上述の分析を参照。

　　　備後 … 奴可 奴加 … 甲奴 加不乃 …　　　　　　　　（元和本倭名類聚抄／巻五23 ウ7）

▶番号4105b・5279b「蒲」〔*蒲←艹+補〕（昌蒲・昌蒲）の仮名音注「フ」については、基本的に -u で対応する。両掲出字ともに上声点を差す。熟字4105には右傍「シヤウフ俗」右注「アヤメクサ」を、熟字5279の右注「シヤウフ」左注「又アヤメクサ」を付載する。その俗表記は定着久しい字音という意識か。観智院本類聚名義抄に「昌蒲」と「昌艹+補」 ⑫ を掲げ、同じ和訓「アヤメクサ」とする。長承本蒙求には仮名音注「ホ」三例があり、それらの掲出諸字に平声点を加える。同書で左右併載した仮名音注については、左側が平安時代中期（十世紀中葉）の朱書加点、右側が平安時代院政期長承三年の墨書加点である。日本漢音「ホ」平声を認める。

　　　昌蒲 アヤメクサ　昌艹+補 同　　　　　　　　（観智院本類聚名義抄／僧上018-8）

　　　鼻蒲 同〔*アヤメクサ〕　菖蒲 上音昌　　　　　　（観智院本類聚名義抄／僧上019-1）

　　　蒲 ［平］ハ?／ホ〔*蒲←艹+補〕　　　　　　　　　（長承本蒙求／033）

　　　蒲 ［平］ホ／ホ〔*蒲←艹+補〕　　　　　　　　　（長承本蒙求／069）

　　　蒲 ［平］ホ〔*蒲←艹+補〕　　　　　　　　　　（長承本蒙求／125）

　　　昌蒲 養性要集云昌蒲一名鼻蒲 和名阿夜女久佐　　（元和本倭名類聚抄／巻二十16 オ5）

▶番号3312b・6038b「鋪」（助鋪・助鋪）の仮名音注「フ」については、基本的に -u で対応する。両当該字ともに平声点を差す。廣韻によれば、滂母模／暮韻（p'uʌ$^{1/3}$）と滂母虞韻（p'iuʌ^1）の三音を有する。観智院本類聚名義抄に平声点を付した同音字注「敷」（右傍に朱筆で仮名音注「フ」）同音字注「又甫」（右傍に朱筆で仮名音注「フ」）同音字注「又怖」（右傍に朱筆で仮名音注「ホ」）と反切「普胡反」（反切下字に平声点）および和音「布」を見出す。傍証ながら、同書で「布」を再検索すると、和音「フ」を見つける。掲げる音注が多いので、以下に整理する。日本漢音は「フ」平声と「ホ」を認める。

　　　鋪 上敷 ［平／フ:朱右傍］ 又甫 ［フ:朱右傍］ 又／怖 ［ホ:朱右傍］ 徧 又普胡 ［□平］ ／反 … 和布

　　　　　　　　　　　　　　　　　　　　（観智院本類聚名義抄／僧上127-1）

　　　＊同音字注「敷」　［平／フ］　　滂母虞韻平声 p'iuʌ^1

　　　＊同音字注「又甫」　［フ］　　幫母麌韻上声 piuʌ^2

　　　＊同音字注「又怖」　［ホ］　　滂母暮韻去声 p'uʌ^3

212　3．仮名音注の韻母別考察　3-1　Ⅰ韻類

　　＊反切「普胡反」［平］　　　　滂母模韻平声 p'uʌ¹
　　＊和音「布」　　　　　　　　幫母模韻去声 puʌ³

　　　布 ヌノ［上平］シク［上平］／和ノフ　　　　　（観智院本類聚名義抄／法中 110-4）

　▶番号 5212「晡」の仮名音注「フ」については、基本的に -u で対応する。当該字には平声点を差し、その右注「ユフヘ」左注「申時也」を付載する。観智院本類聚名義抄に反切「博胡反」と同音字注「音通」を見出すが、仮名音注はない。

　　　晡 正舗 或博胡反 申時／ユフヘ クル シメヤク／音通　　　（観智院本類聚名義抄／佛中 091-6）

　▶番号 5020b「摸」（規摸）の仮名音注「ホ」については、基本的に -o で対応する。当該字には平声濁点を差すので、字音「ボ」を想定する。上巻の模韻当該例で分析した。

　▶番号 4257a「簬」（簬簥）の仮名音注「ロ」については、基本的な対応 -o で対応する。熟字 4257「簬簥」は右注「同（アムシロ）」を付載する。観智院本類聚名義抄に音注はない。元和本倭名類聚抄には同音字注「蘆」を見出す。高山寺本篆隷萬象名義には反切「力胡反」がある。

　　　簬 ヲキ　　　　　　　　　　　　　　　（観智院本類聚名義抄／僧上 078-7）

　　　簬簬　說文云簬簥 蘆癈二音 … 和名阿無師略　　（元和本倭名類聚抄／巻十四 16 オ 9）

　　　簬 力胡反 筐也 藍也　　　　　　　　（高山寺本篆隷萬象名義／第四帖 62 オ 1）

　▶番号 5299a「鸕」（鸕鷀）の仮名音注「ロ」については、基本的に -o で対応する。当該字には平声点を差す。熟字 5299「鸕鷀」は右注「シマツキトリ」中左注「鶏大之名／也見宇部」を付載する。観智院本類聚名義抄に反切「力吾反」と平声点を付した同音字注「盧」（その右傍に朱筆で仮名音注「ロ」）を見出す。元和本倭名類聚抄には同音字注「盧」がある。日本漢音「ロ」平声を認める。

　　　鸕 力吾反 ウ／鸕鷀　　　　　　　　　（観智院本類聚名義抄／僧中 115-7）

　　　鸕鷀 盧茲［平平／ロシ：朱右傍］二音 ウ 大曰鸕鷀／シマツトリ［平平平上濁平］

　　　　　　　　　　　　　　　　　　　　　（観智院本類聚名義抄／僧中 115-7）

　　　鸕鷀　辨色立成云大曰鸕鷀 盧茲二音日本紀私記云志萬豆止利 …

　　　　　　　　　　　　　　　　　　　　　（元和本倭名類聚抄／巻十八 11 オ 6）

　▶番号 6112「顱」（顱）の仮名音注「ロ」については、基本的に -o で対応する。当該字には平声点を差す。番号 6112「顱」は右注「同（ヒタイ）」を付載する。上巻の模韻当該例で分析したように、日本漢音は平声を認める。

　▶番号 6154b「爐」（火爐）の仮名音注「ロ」については、基本的に -o で対応する。当該字には平声点を差す。熟字 6154「火爐」は右注「ヒタキ」右傍「ロ俗」を付載する。定着久しい字音「ロ」という認識であろう。上巻の模韻当該諸例で分析した。

　▶番号 6809「鱸」の仮名音注「ロ」については、基本的に -o で対応する。当該字には平声点を差し、右注「スミキ」左注「似鯉而鰓大開者也」を付載する。観智院本類聚名義抄に同音字注「音

盧」を見出すが、仮名音注はない。元和本倭名類聚抄には同音字注「音盧」がある。

　　鱸 … 音盧／スヽキ［上上濁上］　　　　　　　（観智院本類聚名義抄／僧下 005-3）

　　鱸　崔禹錫食經云鱸 音盧和名須々木 貌似鯉而鰓大開者也 …

　　　　　　　　　　　　　　　　　　　　　　　（元和本倭名類聚抄／巻十九 07 オ 8）

　▶番号4085「盧」の仮名音注「ロ」については、基本的に -o で対応する。当該字には平声点を差し、右注「アシ」左注「落胡反」を付載する。上巻の模韻当該例で分析したように、日本漢音は平声を認める。

　▶番号4368b「悪」（愛悪）の仮名音注「ヲ」については、基本的に -o で対応する。当該字には去声点を差す。廣韻に拠れば、模/暮韻（'uʌ¹ᐟ³）鐸韻（'ɑk）三音を有する。図書寮本類聚名義抄に反切「茲云烏故反」と「音与汙同」を見出す。観智院本には反切「於各反」と去声点を付した同音字注「又音汙」および同音字注「音烏」さらに墨筆による和音「アク［平上］・又ヲ［平］」を見つける。長承本蒙求には仮名音注「アク」があり、その掲出字に徳声を加える。日本漢音は去声と「アク」徳声（四声体系では入声）日本呉音「アク」と「ヲ」平声を認める。

　　悪作 茲云烏故反 憎也 … 唯識云悔語悪作 音与汙同 …　　（図書寮本類聚名義抄／249-2）

　　可悪 真云烏故／反 憎也 憎也 又入声　　　　　　　　　（図書寮本類聚名義抄／249-7）

　　悪 於各反 アシ … 又音汙［去］… 音烏 … 和アク［平上：墨点］又ヲ［平：墨点］

　　　　　　　　　　　　　　　　　　　　　　（観智院本類聚名義抄／法中 075-8）

　　悪 正 イツクソ／ナソ イヤシ　　　　　　（観智院本類聚名義抄／法中 076-1）

　　悪 ［徳］アク　　　　　　　　　　　　　　　　　　　（長承本蒙求／095）

　▶番号3781a「烏」（烏帽子）の仮名音注「エ」については、異例 -e を示す。当該字には平声点を差す。熟字3781「烏帽子」は右注「エホウシ」を付載する。元和本倭名類聚抄に注記「帽音耄烏帽子俗訛烏爲焉」を見出す。漢語表現で「焉烏」とは字形が近似し取り間違え安いことを意味する。これは「烏帽子」を俗訛して「焉帽子」と誤認し、字音「エンボウシ→エボウシ→エボシ」になると解釈する。撥音の無表記により字音表記「エ」となるか。上巻の模韻当該諸例で分析したように、日本漢音「ヲ」平声、日本呉音「ウ」上声を認める。

　　烏帽 兼名苑云帽一名頭衣 帽音耄烏帽子俗訛烏爲焉今案烏焉或通見文選注玉篇等 …

　　　　　　　　　　　　　　　　　　　　　　（元和本倭名類聚抄／巻十二 18 オ 3）

　　烏 於胡反 孝烏也安也　　　　　　　　　（高山寺本篆隷萬象名義／第六帖 57 オ 3）

　　焉 於連反 安也　　　　　　　　　　　　（高山寺本篆隷萬象名義／第六帖 57 オ 4）

　　烏 於胡反 ② 孝也烏也呼吁也語之辞　　　（天治本新撰字鏡／巻十一 09 ウ 8）

　▶番号3780a・6152b「烏」（烏帽子・流烏）の仮名音注「ヲ」については、基本的な対応 -o で対応する。両当該字には平声点を差す。熟字3780「烏帽子」は上記の3781と同一熟字であり、右傍「ヲホウ」を付載する。熟字6152「流烏」は飛篇雑物部に属する掲出字「火」の右注にあり、右

214　3．仮名音注の韻母別考察　3-1　Ⅰ韻類

傍「リウヲ」を付載する。上述の分析を参照。

▶番号4465a「烏」（烏草樹）の仮名音注「ヲ」については、基本的な対応 -o で対応する。当該字に声点はない。熟字4465「烏草樹」は右注「サシフノキ」を付載する。上述の分析を参照。

　　烏草樹 楊氏漢語抄云烏草樹 佐之夫乃紀辨色立成說同　　　（元和本倭名類聚抄／巻二十 29 オ 4）

▶番号4184「汙」の仮名音注「ヲ」については、基本的に -o で対応する。当該字には平声点と去声点を差し、右注「アセ」左注「人身上熱汁也」左傍「カン」を付載する。左注の表記（元和本倭名類聚抄にも同様の注記あり）からは本来「汗」とすべきであるが、その右傍「ヲ」仮名音注は掲出字を「汙」と見る。字形が類似した「汗・汙」両字の混同である。図書寮本類聚名義抄に反切「茲云抌故反・广云烏故反」（いずれも反切下字に去声点）および「真云ワヲ［平去］」を見出す。後者は「ワ」平声と「ヲ」去声の二音か。観智院本には反切「烏胡［平去］反・又烏臥反」および平声点を付した和音「禾」を見つける。後者は和音「ワ」仮名音注である。承暦本金光明最勝王経音義には同音字注「又於音」があり、その掲出字に平声点を加える。日本漢音は去声、日本呉音「ワ」平声と「ヲ」去声を認める。

　　染汙 … 下茲云抌故 [□去] 反 … 東云 … 又烏臥 [平去濁] 反 … 真云ワヲ [平去]

　　　　　　　　　　　　　　　　　　　　　　　　　　　（図書寮本類聚名義抄／014-1）

　　汙 广云烏故 [□去] 反 …　　　　　　　　　　　　　　（図書寮本類聚名義抄／014-3）

　　汚 烏胡 [平去] 反 又烏臥反／和音禾 [平]　　　　　（観智院本類聚名義抄／法上 002-2）

　　汙汚 二或／ケカル [平上濁□／□□ス：墨右傍]　　　（観智院本類聚名義抄／法上 002-2）

　　禾 音和 [平] アハ [平上]　　　　　　　　　　　　　（観智院本類聚名義抄／法下 010-3）

　　抌 俗㧞 又音烏 又烏可反／ア 和オ [去]　　　　　　（観智院本類聚名義抄／僧中 030-5）

　　汙 [平] 又於〻　　　　　　　　　　　（承暦本金光明最勝王経音義／11 ウ 6）

　　汗　蔣魴云汗 寒反和名阿勢 人身上熱汁也　　　　　（元和本倭名類聚抄／巻三 10 オ 2）

《上巻 姥韻諸例》

▶番号2997b「苦」（寒苦）の仮名音注「ク」については、基本的に -u で対応する。当該字には上声点を差す。廣韻に拠れば、姥／暮韻（kʻuʌ²³）の二音を有する。熟字「寒苦」は中注2998「カンコ」左注2997「カンク」を付載する。観智院本類聚名義抄に反切「空戸反」と平声点を付した和音「ク」を見出す。日本呉音「ク」平声を認める。

　　苦 空戸反／クルシフ　　　　　　　　　（観智院本類聚名義抄／佛中 028-3）

　　苦 空戸反 クルシ [フ：墨右傍] … 和ク [平]　　　（観智院本類聚名義抄／僧上 006-8）

▶番号2998b「苦」（寒苦）の仮名音注「コ」については、基本的に -o で対応する。当該字には上声点を差す。熟字「寒苦」は中注2998「カンコ」左注2997「カンク」を付載する。上述の分

析を参照。

▶番号2465a「苦」（苦芙）の仮名音注「コ」については、基本的に -o で対応する。当該字に声点はない。熟字2465「苦芙」は右注「カマナ」左注「カミオコシナ」を付載する。上述の分析を参照。

　　　苦芙　本草云苦芙 烏老反和名加萬奈一云加美於古之奈　　　（元和本倭名類聚抄／巻二十06オ6）

▶番号1843b「古」（中古）の仮名音注「コ」については、基本的に -o で対応する。当該字には上声点を差す。観智院本類聚名義抄に和音「和コ□」〔＊「コオ」か〕を見出す。虫食いにより不鮮明であるが、鎮国守国神社蔵本三寶類聚名義抄、いわゆる蓮成院本類聚名義抄には「和コ」とある。長承本蒙求には仮名音注「コ」があり、その掲出字に上声点を加える。日本漢音は「コ」上声、日本呉音「コ」を認める。

　　　古 イニシヘ［上上上平］和コ□〔＊破損により不明〕　　　（観智院本類聚名義抄／佛上 085-1）

　　　古 イニシヘ ムカシ［上上□］　　　　　　　　　　　　（観智院本類聚名義抄／佛中 063-3）

　　　古 イニシヘ 和コ　　　　　　　　（鎮国守国神社蔵本三寶類聚名義抄／上一20ウ7）

　　　古［上］コ　　　　　　　　　　　　　　　　　　　　　（長承本蒙求／149）

▶番号2374b「古」（往古）の仮名音注「コ」については、基本的に -o で対応する。当該字には上声濁点を差すので、日本語音韻史上の連濁による字音「ゴ」を想定する。上述の分析を参照。

▶番号0008・3280b「古」（古・賀古）の仮名音注「コ」については、基本的に -o で対応する。両当該字に声点はない。番号0008「古」は右注「イニシヘ」を付載する。熟字3280「賀古」は播磨國の地名であり、元和本倭名類聚抄に「賀古」を掲げる。上述の分析を参照。

　　　播磨國 … 賀古 …　　　　　　　　　　　　　　　　　（元和本倭名類聚抄／巻五22ウ4）

▶番号1511b「鈷」（獨鈷）の仮名音注「コ」については、基本的に -o で対応する。当該字に音注はない。廣韻に拠れば、その中古音は姥韻（kuʌ²）である。観智院本類聚名義抄に同音字注「音古」と平声点を付した仮名音注「コ」を見出す。他に「三鈷・五鈷」もあり、日本語音韻史上の連濁による仮名音注「コ［上濁］」を見つける。字音「コ」平/上声を認める。

　　　鈷 音古　獨鈷 トクコ［平平平］　　　　　　　　　　（観智院本類聚名義抄／僧上 115-6）

　　　三鈷 サムコ［平平上濁］　五鈷 コ、［上濁平］　　　　（観智院本類聚名義抄／僧上 115-7）

▶番号2009b「皷」（輪皷）の仮名音注「コ」については、基本的に -o で対応する。当該字には上声濁点を差すので、日本語音韻史上の連濁による字音「ゴ」を想定する。観智院本類聚名義抄に上声点を付した同音字注「音古」と和音「ク」を見出す。日本漢音は上声、日本呉音「ク」を認める。

　　　皷 … 音古［上］ツ、ミ［上上濁上］… 和ク　　　　（観智院本類聚名義抄／僧中 068-6）

▶番号2767b「皷」（鞨皷）の仮名音注「コ」については、基本的に -o で対応する。当該字には上声点を差す。熟字2767「鞨皷」は左注「俗用掲字」を付載する。元和本倭名類聚抄に注記「俗

216　3．仮名音注の韻母別考察　3-1　Ⅰ韻類

用楬字未詳」がある。上述の分析を参照。

　　　鞺鼓　律書樂圖云荅臘鼓者今之鞺侯提鼓 鞺音曷俗用楬字未詳 即鞺鼓也

　　　　　　　　　　　　　　　　　　　　　　（元和本倭名類聚抄／巻四09 ウ8）

　▶番号0187c「皷」（壱腰皷）の仮名音注「コ」については、基本的に -o で対応する。当該字
に音注はない。当該字「皷」と「鼓・皷」は相互に異体字である。上述の分析を参照。

　　　鼓　蔡邕斷云鼓 公戸反和名都々美 黄帝臣岐伯所作也　　　（元和本倭名類聚抄／巻四09 オ9）

　　　腰鼓　唐令云高麗伎一部横笛腰鼓各一 腰鼓俗云三乃豆々美 …

　　　　　　　　　　　　　　　　　　　　　　（元和本倭名類聚抄／巻四10 オ4）

　▶番号1747a「股」（股肱）の仮名音注「コ」については、基本的に -o で対応する。当該字に
は上声点を差す。観智院本類聚名義抄に上声点を付した同音字注「音古」を見出すが、仮名音注は
ない。日本漢音は上声を認める。

　　　股 … 音古 [上] モヽ／ウチモヽ … 骰 或　　　　　（観智院本類聚名義抄／佛中117-8）

　▶番号0053a・0557b・1449「扂」（扂杖・蠅扂・扂）の仮名音注「コ」については、基本的に
-o で対応する。当該諸字三例には上声点を差す。熟字0053「扂杖」は右注「イタトリ」を、熟字
0577「蠅扂」は左右注「ハヘトリ 似蜘蛛／捕蠅為粮也」を、番号1449「扂」は右注「トラ」左注
「牛哀［□東／キウアイ：右傍］」を付載する。図書寮本類聚名義抄に反切「古魯反」を見出す。
観智院本類聚名義抄に反切「呼古反」と去声点を付した和音「コ」を見つける。長承本蒙求には仮
名音注「コ」があり、その掲出字に上声点を加える。承暦本金光明最勝王経音義には同音字注「古
音」があり、その掲出字には去声点を差す。日本漢音は「コ」上声、日本呉音は「コ」去声を認め
る。

　　　阿虎 古／魯 洛 …　　　　　　　　　　　　　　（図書寮本類聚名義抄／029-7）

　　　虎 呼古反 トラ [上上] ／和コ [去]　　　　　　（観智院本類聚名義抄／法下095-2）

　　　扂 俗欤 トラ　　　　　　　　　　　　　　　　（観智院本類聚名義抄／法下095-3）

　　　虎 [上] コ／コ　　　　　　　　　　　　　　　　（長承本蒙求／003）

　　　虎 [去] 又作扂 古ゝ　　　　　　　（承暦本金光明最勝王経音義／11 ウ3）

　　　扂杖 イタトリ [平上上濁平] 一名武杖 草類　　　　（観智院本類聚名義抄／法下095-4）

　　　虎杖　本草疏云虎杖一名武杖 和名伊太止里　　　　（元和本倭名類聚抄／巻二十11 ウ3）

　　　蠅虎　兼名苑注云蠅虎 和名波倍度里 此虫似蜘蛛恒捕蠅為粮者也 …

　　　　　　　　　　　　　　　　　　　　　　（元和本倭名類聚抄／巻十九25 オ6）

　▶番号1242b・1283・1420・1915b「戸」（蓬戸・戸・戸・中戸）の仮名音注「コ」について
は、基本的に -o で対応する。当該諸字四例には上声点を差す。廣韻に拠れば、その中古音は匣母
濁姥韻上声（ɣuʌ²）である。切韻を撰述して以降の中国語において、上声濁が次第に去声化を起こ
した状態を、日本漢音では反映する。これは上声を構成する上声軽と上声重とが allotone であり、

3-1-2　-ʌ系の字音的特徴　217

後者の調値が去声と区別できないことを示すとも言える。観智院本類聚名義抄に上声点を付した同音字注「音扈」および和音「去」を見出す。長承本蒙求には仮名音注「コ」があり、その掲出字に去声点と上声圏点を見つける。日本漢音は「コ」上/去声、日本呉音は去声を認める。

　　　戸 音扈［上］卜［上］ヤム … 和去　戸 今　　　　　　　（観智院本類聚名義抄／法下 092-5）

　　　戸［去/上：圏点］コ/コ　　　　　　　　　　　　　　　　　　（長承本蒙求／003）

　▶番号 1334b「戸」（偏戸）の仮名音注「コ」については、基本的に -o で対応する。当該字には去声点を差す。上述の分析を参照。

　▶番号 0830b「扈」（跋扈）の仮名音注「コ」については、基本的に -o で対応する。当該字には平声点を差す。廣韻に拠れば、その中古音は匣母濁姥韻上声（ɣuʌ²）である。切韻を撰述して以降の中国語において、上声濁が次第に去声化を起こした状態を、日本漢音では反映する。これは上声を構成する上声軽と上声重とが allotone であり、後者の調値が去声と区別できないことを示すとも言える。熟字 0830「跋扈」は左傍「フミハタカル」を付載する。図書寮本類聚名義抄に反切「弘云胡古反」（その反切下字に上声点）を見出す。観智院本類聚名義抄に反切「胡戸反」（その反切下字には去声点）を見つける。長承本蒙求には仮名音注「コ」があり、その掲出字には上声点を差す。同書で左右併載した仮名音注については、左側が平安時代中期（十世紀中葉）の朱書加点、右側が平安時代院政期長承三年の墨書加点である。日本漢音「コ」上/去声を認める。

　　　扈 弘云胡古［平上］反/緩也 … 健也　　　　　　　　（図書寮本類聚名義抄／180-5）

　　　扈 胡戸［□去］反 セシム［上上平］… 健也　　　　　（観智院本類聚名義抄／法下 093-5）

　　　扈［上］コ・コ　　　　　　　　　　　　　　　　　　　（長承本蒙求／004）

　▶番号 1454b・2073a・2185b「祖」（高祖父・祖席・累祖）の仮名音注「ソ」については、基本的に -o で対応する。当該諸字三例いずれにも上声点を差す。熟字 1454「高祖父」は右注「トヲツオヤ」左注「曽祖父母之父母也」を付載する。観智院本類聚名義抄に反切「子魯反」（その反切下字に上声点）と去声点を付した和音「ソ」を見出す。長承本蒙求には仮名音注「ソ」三例があり、それらの掲出字いずれにも上声点を加える。日本漢音「ソ」上声、日本呉音「ソ」去声を認める。

　　　祖 子魯［□上］反 オホチ［平平上濁］… 和ソ［去］　（観智院本類聚名義抄／法下 007-1）

　　　祖［上］ソ　　　　　　　　　　　　　　　　　　　　（長承本蒙求／013・085・133）

　　　高祖父　爾雅云曽祖王父之考爲高祖王父日本紀止祖 和名止保豆於夜 …

　　　　　　　　　　　　　　　　　　　　　　　　　　　　（元和本倭名類聚抄／巻二 12 ウ 9）

　▶番号 2504「楮」の仮名音注「卜」については、基本的に -o で対応する。当該字に声点はなく、右注「同（カチ）」左注「有書カウソ」を付載する。廣韻によれば、端母姥韻（tuʌ²）と徹母語韻（ťiʌ²）の二音を有する。当該の仮名音注「卜」は前者を受容した結果である。観智院本類聚名義抄に同音字注「褚観［□上］二音・又音貯［上］・又諸［東］」を見出すが、仮名音注はない。元和本倭名類聚抄には反切「都古反」がある。日本漢音は上声を認める。

218　3．仮名音注の韻母別考察　3-1　Ⅰ韻類

　　楉 褚觀［囗上］二音 カチノキ ハキ 又音貯［上］又／諸［束］

　　　　　　　　　　　　　　　　　　　　（觀智院本類聚名義抄／佛下本117-7）

　　　穀　玉篇云楛 都古反 穀木也唐韻云穀 音穀和名加知 …　（元和本倭名類聚抄／巻二十27 ウ 9）

　▶番号0641b「肚」（勒肚巾）の仮名音注「ト」については、基本的に -o で対応する。その掲
出字には上声点を差す。廣韻によれば、端母姥韻（tuʌ²）と定母姥韻（duʌ²）の二音を有する。熟字
0641「勒肚巾」は右注「ハラマキ」左注「肬イ本」を付載する。觀智院本類聚名義抄に同音字注「音
杜ン」（「ン」は濁音「✓」表記の誤認か）を見出すが、仮名音注はない。

　　肚 音杜ン ハラ ヒハラ 犬胃／クソフクロ　　　　　　　（觀智院本類聚名義抄／佛中119-2）

　　勒肚巾 楊氏漢語抄云勒肚巾 波良萬岐一云腹帶　　　（元和本倭名類聚抄／巻十二25 オ 1）

　▶番号1336b・1574a・1636a・1649a「土」（土邊・土毛・土代・土器）の仮名音注「ト」は、
基本的に -o で対応する。当該諸字四例には平声濁点を差すので、字音「ド」を想定する。廣韻に
拠れば、透母姥韻（tʻuʌ²）と定母姥韻（duʌ²）の二音を有する。後者の字音を反映すると考えたい
が、前者を本来の音とする注記「本音吐」（姥／暮韻 tʻuʌ²³）がある。王仁昫刊謬補缺切韻は前者の
透母姥韻のみを掲げる。そのためか、現行多くの漢和辞典は「ド」を慣用音とする。図書寮本類聚
名義抄に同音字注「宋云本音吐」と「川云俗音鷔空［平濁去］」〔＊熟字「土公」に対する同音字注〕さ
らに反切「中云徒古反・又他古反」（前者の反切下字に去声点）を見出す。觀智院本には平声濁点
を付した同音字注「音吐」（その右傍に墨筆で仮名音注「ト」）を見つける。本音とする「音吐」
を示しながら、仮名音注「ト」平声濁点を補う。また同書は熟字「土公」に対して低平調を示す仮
名音注「トクウ俗音」を掲げる。元和本倭名類聚抄には同音字注「鷔」（模韻 nuʌ¹）がある。日本
漢音は去声、定着久しい字音「ド」平声を認める。

　　土 他魯切四 吐 口吐 … 杜 徒古切九 … 土 土田地主也本音吐　　　（宋本廣韻／上声第十姥韻）

　　土 他古反四 吐 歐 … 杜 徒古反棠樹五 …　　　　　（王仁昫刊謬補缺切韻／上声第十姥韻）

　　土 宋云本音吐 … ツチフル［平平平上／異：右注］　　　（図書寮本類聚名義抄／213-1）

　　土公 川云俗音／鷔空［平濁去］　　　　　　　　　　　（図書寮本類聚名義抄／213-2）

　　佛土 中云徒古［囗去］反 … 又他古反 …　　　　　　（図書寮本類聚名義抄／213-3）

　　土土 上通下正 音吐［平濁／ト：墨右傍］ツチ［平平］ …　（觀智院本類聚名義抄／法中048-1）

　　土公 トクウ［平平平］／俗音　　　　　　　　　　　（觀智院本類聚名義抄／佛下末027-3）

　　土公 董仲舒書云土公鷔空二反春三月在 …　　　　　（元和本倭名類聚抄／巻二02 ウ 8）

　▶番号1595a・1805b「土」（土人・塵土）の仮名音注「ト」は、基本的に -o で対応する。両
当該字には平声点を差す。上述の分析を参照。

　▶番号1572a・1573a・1597a・1598a・1601a「土」（土風・土産・土餌・土德・土民）の仮
名音注「ト」は、基本的に -o で対応する。当該諸字五例には上声点を差す。上述の分析を参照。

　▶番号1651a「土」（土木）の仮名音注「ト」は、基本的に -o で対応する。当該字には去声点

3-1-2　-ʌ 系の字音的特徴　219

を差す。熟字 1651「土木」は左注「工匠分又造作名也」を付載する。上述の分析を参照。

　▶番号 1458a・1690a・1958b・2358b「土」（土公・土左・土志・黄土）の仮名音注「ト」は、基本的に -o で対応する。当該諸字四例に声点はない。熟字 1458「土公」は右注「トクム」を付載する。陰陽道において土を司る神を指す。この音注は仮名字形の相似による「トクウ」の誤認と推測する。上述の分析を参照。

　▶番号 1296b「吐」〔*諧声符字形「圡」〕（歐吐）の仮名音注「ト」については、基本的に -o で対応する。当該字には上声点を差す。その頭子音が示す tʰ-（等韻学の術語で言う透母）は無声有気歯茎閉鎖音であり、日本語のタ行音をもって受容し、ダ行音では対応しない。熟字 1296「歐吐」は右注「ヘトツク」左注「又タマヒ」を付載する。観智院本類聚名義抄に平声濁点を付した同音字注「圡」を見出す。この濁音差声は「音圡」の字音に牽引された結果か。その「圡土」には平声濁点を付した同音字注「音吐」（その右傍に墨筆で仮名音注「ト」）を見つける。同書では和音「圡ウ・圡ク・圡ム・圡ン」があり、濁音の字音「ド」を含む表記である。長承本蒙求には仮名音注「ト」三例があり、それらの掲出字には上声点を加える。日本漢音は「ト」上声を認める。諧声符「土」による読みの可能性を視野に入れつつ、字音「ド」平声が定着していたことを指摘しておく。

　　吐　音圡［平濁］ハク … イタム　　　　　　　　　　　　　　　（観智院本類聚名義抄／佛中 059-7）

　　圡土　上通下正　音吐［平濁／ト：墨右傍］ツチ［平平］…　　（観智院本類聚名義抄／法中 048-1）

　　歐吐　ヘトツク［平平濁上平］／又タマヒ［平平平］　　　　　（観智院本類聚名義抄／僧中 049-6）

　　撞　宅江反 … ウツ［平上］和圡ウ　　　　　　　　　　　　　（観智院本類聚名義抄／佛下本 063-1）

　　童　徒紅反 ワラハ［平平上］／カフロ［平上濁□］和圡ウ　　（観智院本類聚名義抄／法上 092-7）

　　動　徒童反 … 和圡ウ［平：墨点／□√：右傍］　　　　　　　（観智院本類聚名義抄／僧上 083-5）

　　特　徳得反 コトニ［平上□］… 和圡ク　　　　　　　　　　　（観智院本類聚名義抄／佛下末 002-6）

　　曇　徒甘反 クモル … 和圡ム［□上］　　　　　　　　　　　　（観智院本類聚名義抄／佛中 089-7）

　　鈍　音遁 ニフシ［平平濁上］… 和圡ン［□√：左傍］　　　　（観智院本類聚名義抄／僧上 123-1）

　　吐［上］ト／ト　　　　　　　　　　　　　　　　　　　　　　　（長承本蒙求／060）

　　吐［上］ト　　　　　　　　　　　　　　　　　　　　　　　　　（長承本蒙求／146）

　　歐吐　病原論云胃氣逆則歐吐 … 倍止都久又太萬比　　　　　（元和本倭名類聚抄／巻三 19 オ 5）

　▶番号 0514a「杜」（杜仲）の仮名音注「ト」については、基本的に -o で対応する。当該字には上声点を差す。廣韻に拠れば、その中古音は姥韻（duʌ²）である。頭音 d-（等韻学の術語で言う舌音濁定母）は有声歯茎閉鎖音であり、日本語のダ行音で受容するが、中国語音韻史上における濁音声母の無声化を反映する場合はタ行音で対応する。また切韻を撰述して以降の中国語において、上声濁が次第に去声化を起こした状態を、日本漢音では反映する。これは上声を構成する上声軽と上声重とが allotone であり、後者の調値が去声と区別できないことを示すとも言える。熟字 0514「杜仲」には右注「ハヒマユミ」を付載する。観智院本類聚名義抄に上声点を付した同音字注「音

220　3．仮名音注の韻母別考察　3-1　Ⅰ韻類

度」を見出す。長承本蒙求には仮名音注「ト」六例があり、それらの掲出字いずれにも上声点を加えるが、去声圏点も見つかる。元和本倭名類聚抄には同音字注「音度」がある。日本漢音「ト」上/去声を認める。

　　　杜 音度［上］フサク［上平平濁］／ウチモ、…　　　　　　（観智院本類聚名義抄／佛下本109-5）

　　　杜［上／去：圏点］ト　　　　　　　　　　　　　　　　　　　　（長承本蒙求／010）

　　　杜［上］ト／ト　　　　　　　　　　　　　　　　　　　　　　　（長承本蒙求／037）

　　　杜［上］ト　　　　　　　　　　　　　　　　　　（長承本蒙求／038・048・056）

　　　杜中 ハヒマユミ［平平平上平］　　　　　　　　　（観智院本類聚名義抄／佛下本109-6）

　　　杜中　陶隱居本草注云杜中一名木縣 杜音度和名波比末由美 …

　　　　　　　　　　　　　　　　　　　　　　　　　　　　（元和本倭名類聚抄／巻二十28 オ3）

▶番号2258b「弩」（鼠弩）の仮名音注「ト」については、基本的に -o で対応する。当該字には平声濁点を差すので、字音「ド」を想定する。その中古音が示す頭子音 n-（等韻学の術語では泥母）は歯茎鼻音であり、日本語のナ行音をもって受容する。ただし、中国語音韻史上における鼻音声母の非鼻音化（denasalization）現象により、n- > nd- > d- の音変化をする。この影響を受けた日本漢音ではダ行音を反映することになる。熟字2258「鼠弩」は右注「ヲシ」左注「イ本弓」を付載する。観智院本類聚名義抄に同音字注「音怒」を見出すが、仮名音注はない。

　　　弩 音怒／オホユミ　鼠弩 オシ［上上］　　　　　　（観智院本類聚名義抄／僧中027-1）

　　　鼠弩　漢語抄云鼠弩 於之 一云鼠弓　　　　　　　（元和本倭名類聚抄／巻十五06 ウ7）

▶番号0139・1604a・1605a「怒」（怒・怒怒・怒目）の仮名音注「ト」については、基本的に -o で対応する。掲出諸字三例には上声点を差す。その中古音が示す頭子音 n-（等韻学の術語では泥母）は中国語音韻史上における鼻音声母の非鼻音化現象により、n- > nd- > d- の音変化をする。この影響を受けた日本漢音ではダ行音を反映することになる。当該字は字音「ド」上声を想定したいが、上声濁点ではないため、字音「ト」を想定しておく。番号0139「怒」は和訓「イカル」の同訓異字として位置する。図書寮本類聚名義抄に反切「弘云奴古反」（反切上字に平声濁点／反切下字に上声点）を見出す。観智院本には反切「諾古反」（その反切下字「古」には上声点）を見つける。長承本蒙求には仮名音注「ト」がある。その掲出字に声点を見つけるが、上声点は不鮮明。日本漢音「ド」上声を認める。

　　　怒怒 … 下弘云奴古［平濁上］反 … イカル［上上平］　　（図書寮本類聚名義抄／242-5）

　　　怒 諾古［□上］反 イカル［上上□］…　　　　　　（観智院本類聚名義抄／法中086-7）

　　　怒［上?］ト　　　　　　　　　　　　　　　　　　　　　（長承本蒙求／141）

▶番号1007b・1042b「部」（入部・百部）の仮名音注「フ」については、基本的に -u で対応する。両当該字には平声点を差す。その中古音が示す頭子音 b-（等韻学の術語で言う唇音濁並母）は有声両唇閉鎖音であり、日本語のバ行音をもって受容するが、中国語音韻史上における濁音声母

の無声化を反映する場合はハ行音で対応する。熟字 1042「百部」は右注「ホトツラ」左注「ホトカツラ」右傍「ハクフ俗」を付載する。観智院本類聚名義抄に反切「蒲後反」と墨筆の圏点による平声濁点を付した和音「フ」を見出す。日本呉音「ブ」平声を認める。

　　　百部　陶隱居本草云百部 和名保止豆良 …　　　　　　　（元和本倭名類聚抄／巻二十 20 オ 3）

　　　部 蒲後反 ハカリ … 和フ［平濁：墨圏点］　　　　　　　（観智院本類聚名義抄／法中 036-8）

▶番号 1966b「部」（治部省）の仮名音注「フ」については、基本的に -u で対応する。当該字に声点はなく、左右注「郷鋪／丞録」を付載する。上述の分析を参照。

　　　省　職貞令云 … 治部省 乎佐牟留都加佐 …　　　　　　　（元和本倭名類聚抄／巻五 05 ウ 5）

▶番号 0454b「簿」（鹵簿）の仮名音注「フ」については、基本的に -u で対応する。当該字には上声点を差す。熟字 0454「鹵簿」は左注「行烈圖也」を付載する。お供が並んだ天子の行列を意味する。その中古音が示す頭子音 b-（等韻学の術語で言う脣音濁並母）は有声両唇閉鎖音であり、日本語のバ行音をもって受容するが、中国語音韻史上における濁音声母の無声化を反映する場合はハ行音で対応する。観智院本類聚名義抄に同音字注「音薄」と上声点を付した「又音部」を見出す。それに続けて、同書は熟字「鹵簿」を掲げ、仮名音注「ロフ」を付載する。長承本蒙求には上声点を付した仮名音注「ホ」がある。日本漢音「ホ」上声、字音「フ」を認める。

　　　簿 音薄 エハラ［平上濁平］又音部［上］フタ［上上濁］／一名援箙

　　　　　　　　　　　　　　　　　　　　　　　　　　　（観智院本類聚名義抄／僧上 077-7）

　　　鹵簿 ロフ／圖簿　　　　　　　　　　　　　　　　　（観智院本類聚名義抄／僧上 077-8）

　　　簿［上］ホ／ホ　　　　　　　　　　　　　　　　　　　　（長承本蒙求／004）

▶番号 1387b「補」（弁補）の仮名音注「フ」については、基本的に -u で対応する。当該字には上声点を差す。廣韻に拠れば、その中古音は姥韻（puʌ²）である。図書寮本類聚名義抄に上声点を付した同音字注「音普」および「真云フ」を見出す。いわゆる真興和音を引き継いだ注記。観智院本には平声点を付した同音字注「音普」（その右注には墨筆で仮名音注「フ」左注には朱筆で「ホ」）を見つける。長承本蒙求には仮名音注「ホ」二例あり、それらの掲出字には上声点を加える。日本漢音「ホ」上声、日本呉音「フ」平声を認める。

　　　補處 音普［上］… オキヌフ［上上上平／異：右注］真云フ …　　（図書寮本類聚名義抄／335-3）

　　　補 ツヽル … 音普［平／フ：墨右注／ホ：朱左注］　　　（観智院本類聚名義抄／法中 145-8）

　　　補［上］ホ　　　　　　　　　　　　　　　　　　　（長承本蒙求／008・113）

▶番号 1158a・1246a「補」（補天・補綴）の仮名音注「ホ」については、基本的に -o で対応する。両掲出字には上声点を差す。上述の分析を参照。

▶番号 1151a「普」（普天）の仮名音注「ホ」については、基本的に -o で対応する。当該字には平声点を差す。観智院本類聚名義抄に同音字注「音浦」（その右傍に朱筆で仮名音注「フ」）を見出す。日本漢音「フ」を認める。

222　3．仮名音注の韻母別考察　3-1　I韻類

普 音浦 [フ：朱右傍] アマネシ [平平平上] … クモル [平上□]

(観智院本類聚名義抄／佛中089-2)

▶番号2094a・2096a「虜」（虜領・虜椋）の仮名音注「リヨ」については、異例 -jo を示す。両当該字には上声を差す。熟字2096「虜椋」は右傍「トリコニシ カスム」を付載する。観智院本類聚名義抄に同音字注「音魯」を見出すが、仮名音注はない。字形が近似する「慮」（御韻 liʌ³）との誤認による字音把握か。現行多くの漢和辞典は慣用音「リヨ」を掲げる。

　　　虜 音魯 ヲロカナリ／ツカフ タキカスム　　　　（観智院本類聚名義抄／法下094-7）

　　　慮 力據反 ハカル … 和リヨ 或平　　　　　　　（観智院本類聚名義抄／法下094-8）

▶番号2095a「虜」（虜外）の仮名音注「リヨ」については、異例 -jo を示す。当該字には去声を差す。上記と同じく誤認によるか。上述の分析を参照。

▶番号0452a「虜」（虜椋）の仮名音注「ロ」については、基本的に -o に対応する。当該字には上声点を差す。熟字0452「虜椋」は右傍「トリコニシ カスム」を付載する。上述の分析を参照。

▶番号0453a「魯」（魯愚）の仮名音注「ロ」については、基本的に -o で対応する。当該字には平声点を差す。図書寮本類聚名義抄に反切「盧古」を見出す。観智院本類聚名義抄に反切「力古反」を見出す。長承本蒙求には仮名音注「ロ」三例があり、それらの掲出字に上声点を差す。日本漢音「ロ」上声を認める。

　　　鄒 鳥／古 魯 盧／古 ゝゝ　　　　　　　　　（図書寮本類聚名義抄／178-4）

　　　魯 力古反 マフシ [上平濁上] … ミチ　　　　　（観智院本類聚名義抄／佛中100-3）

　　　魯 [上] ロ　　　　　　　　　　　　　　　　（長承本蒙求／031・032・041）

▶番号0455a「魯」（魯鈍）の仮名音注「ロ」については、基本的に -o で対応する。当該字には上声点を差す。上述の分析を参照。

▶番号0454a「鹵」（鹵簿）の仮名音注「ロ」については、基本的に -o で対応する。当該字には上声点を差す。図書寮本類聚名義抄に上声点を付した同音字注「魯音」および「公云呉音魯」さらに上平調を示す仮名音注「真云リヨ」を見出す。いわゆる真興和音であるが、異例 -jo を示す理由は不明。観智院本には上声点を付した同音字注「音魯」と「呉音魯」を見つける。後者は大般若経字抄における漢呉二音相同の同音字注「魯」を出典とする。また仮名音注「ロ」がある。日本漢音は上声、字音「ロ」を認める。日本呉音「リヨ」上声は保留する。

　　　鹹鹵 类云魯 [上] 音 … 公云呉音魯　　　　　　（図書寮本類聚名義抄／132-5）

　　　鹵薄 … 真云リヨ [上上]　　　　　　　　　　（図書寮本類聚名義抄／135-4）

　　　鹵 … 音魯 [上] 強也 奪也 呉音魯 シホカラシ …　（観智院本類聚名義抄／法下099-7）

　　　鹵簿 ロフ／鹵簿　　　　　　　　　　　　　（観智院本類聚名義抄／僧上077-8）

　　　正咸 鹹 [欠：右傍] 鹵 [音魯：右傍]　　　　　（石山寺一切経蔵本大般若経字抄／22 オ6）

3-1-2 -ʌ系の字音的特徴 223

《下巻 姥韻諸例》

▶番号5605b「苦」（辛苦）の仮名音注「ク」については、基本的に -u で対応する。当該字には平声濁点を差すので、日本語音韻史上の連濁による字音「グ」を想定する。上巻の姥韻当該諸例で分析したように、日本呉音「ク」平声を認める。

▶番号3409a・3633a・3688a「古」（古詠詩・古老・古幣）の仮名音注「コ」については、基本的に -o で対応する。当該諸字三例には平声点を差す。上巻の姥韻当該諸例で分析したように、日本漢音は「コ」上声、日本呉音「コ」を認める。

▶番号6018a「古」（古志）の仮名音注「コ」については、基本的に -o で対応する。当該字に声点はない。熟字6018「古志」は地名である。先行する地名に漢字表記を宛てたと推測する。

　　　越後國 … 古志 …　　　　　　　　　　　　　　（元和本倭名類聚抄／巻五20オ5）

▶番号4587b「鈷」（三鈷）の仮名音注「コ［上濁］」については、基本的に -o で対応する。熟字4587bには上声濁点を差し、その仮名音注にも上声濁点を加えるので、日本語音韻史上の連濁による字音「ゴ」を想定する。熟字4587「三鈷」には右注「サムコ［平平上濁］俗」仮名音注を付載する。俗表記も含め、上巻の姥韻当該例で分析したように、字音「コ」平/上声を認める。

▶番号3443b「鈷」（五鈷）の仮名音注「コ［平］」については、基本的に -o で対応する。当該字には平声点を差し、その仮名音注にも平声点を加える。上述の分析を参照。

▶番号6151b「皷」（金皷）の仮名音注「ク」については、基本的に -u で対応する。当該字には平声点を差す。熟字6151「金皷」は右注「ヒラカネ」を付載する。上巻の姥韻当該諸例で分析したように、日本漢音は上声、日本呉音「ク」を認める。

　　　金皷 最勝經云妙菩薩於夢中見大金皷 和名比良加禰　　　（元和本倭名類聚抄／巻十三03ウ5）

▶番号3709a・4657「皷」（皷動・賽皷）の仮名音注「コ」については、基本的に -o で対応する。両当該字には上声点を差す。上述の分析を参照。

▶番号3705a「皷」（皷藻）の仮名音注「コ」については、基本的に -o で対応する。当該字に声点はない。上述の分析を参照。

▶番号3428b「鼓」（金鼓）の仮名音注「ク」については、基本的に -u で対応する。当該字には平声点を差し、その仮名音注には平声濁点を加える。この平声濁点は日本語音韻史上の連濁による字音「グ」を想定する。熟字3428「金鼓」は注「又ヒラカネ」を付載する。上記の「皷」と当該字「鼓」は相互に異体字である。上述の分析を参照。

▶番号5420b「鼓」（鉦鼓）の仮名音注「コ」については、基本的に -o で対応する。当該字には上声濁点を差すので、日本語音韻史上の連濁による字音「ゴ」を想定する。上述の分析を参照。

▶番号6859b「鼓」（揩鼓）の仮名音注「コ」については、基本的に -o で対応する。当該字には上声点を差す。熟字6859「揩鼓」は右注「スリツミミ」を付載する。上述の分析を参照。

224　3．仮名音注の韻母別考察　3-1　I 韻類

　　　揩鼓　律書樂圖云揩鼓 揩摩也俗云比須利都々美　　　　　　　（元和本倭名類聚抄／巻四09 ウ7）

　▶番号3619a・6417「股」（股肱・股）の仮名音注「コ」については、基本的に -o で対応する。
両掲出字には上声点を差す。熟字3619「股肱」は中左注「臣下也／又人躰／同又忠名」右傍「モ、
ヒチ」を、番号6417「股」は右注「モ、」左注「公戸反」を付載する。元和本倭名類聚抄に見出す
「胇」〔＊「股」の異体字「腴」の誤認か〕は「公戸反上声」を注記する。上巻の姥韻当該例で分析した
ように、日本漢音は上声を認める。

　　　股　唐韻云牌 … 股也胇 公戸反上声 古文股字也　　　　　　（元和本倭名類聚抄／巻三14 オ1）

　▶番号3628a「蠱」（蠱道）の仮名音注「コ」については、基本的に -o で対応する。当該字に
は去声点を差す。熟字3628「蠱道」は右傍「マシモノミミチ」を付載する。観智院本類聚名義抄に
上声点を付した同音字注「音古・又音野」および去声点を付した和音「コ」を見出す。承暦本金光
明最勝王経音義には同音字注「故音」と「居音」（その掲出字に去声点）がある。日本漢音は上声、
日本呉音は「コ」去声を認める。

　　　蠱 … 音古［上］マトフ ウタカフ［上上□□］… 又音野［上］　　（観智院本類聚名義抄／僧中012-7）

　　　蠱 音古［上］ヤフル ミタル マトフ［平平濁□］… 和コ［去］　　（観智院本類聚名義抄／僧下039-5）

　　　蠱 故六［：右傍］〔＊後筆墨書〕　　　　　　　　　　　　　（承暦本金光明最勝王経音義／09 オ4）

　　　蠱［去］居音　　　　　　　　　　　　　　　　　　　　　　（承暦本金光明最勝王経音義／03 オ6）

　▶番号3702a「蠱」（蠱毒）の仮名音注「コ」については、基本的に -o で対応する。当該字に
声点はない。上述の分析を参照。

　▶番号3720b「羖」（五羖）の仮名音注「コ」については、基本的に -o で対応する。当該字に
は上声点を差す。黒い牡羊を意味する。観智院本類聚名義抄に上声点を付した同音字注「音古」を
見出す。日本漢音は上声を認める。

　　　羘羖 通正／音古［上］　　　　　　　　　　　　　　　　　（観智院本類聚名義抄／僧中095-7）

　▶番号6082b「羖」（五羖）の仮名音注「コ」については、基本的に -o で対応する。当該字に
は平声点を差す。上述の分析を参照。

　▶番号4260「罟」の仮名音注「コ」については、基本的に -o で対応する。当該字には上声点を
差し、右注「同（アミ）」左注「魚罟」を付載する。廣韻に拠れば、その中古音は姥韻（kuʌ²）で
ある。観智院本類聚名義抄に同音字注「孤古二音」（模韻 kuʌ¹・姥韻 kuʌ²）を見出すが、仮名音注
はない。元和本倭名類聚抄には同音字注「音古」がある。

　　　古 … 公戸切二十一 … 罟 網罟 …　　　　　　　　　　　　（宋本廣韻／姥韻 kuʌ²）

　　　孤 … 古胡切二十八 … 罛 魚罟 …　　　　　　　　　　　　（宋本廣韻／模韻 kuʌ¹）

　　　罟〔＊←孤〕罟 通正 孤古二音 アミ／トリアミ …　　　　（観智院本類聚名義抄／僧中007-5）

　　　罟 音狐 魚罟也／アミ　　　　　　　　　　　　　　　　　（観智院本類聚名義抄／僧中011-5）

　　　網罟　廣雅云罟 音古阿美 魚網也　　　　　　　　　　　　（元和本倭名類聚抄／巻十五07 ウ4）

▶番号 5251「戽」の仮名音注「コ」については、基本的に *-o* で対応する。当該字には去声点を差し、その右注「トトリ」〔＊「ユトリ」の誤認〕中左注「音故 洩舟中水／之斗也」を付載する。広辞苑第七版は「船中に溜まった淦を汲み取る器。あかとり。あかとり杓」と説明する。廣韻に拠れば、姥/暮韻（$xu\Lambda^{2/3}$）姥韻（$\gamma u\Lambda^{2}$）三音を有する。観智院本類聚名義抄に同音字注「音故」（暮韻 $ku\Lambda^{3}$）二例と「虎」（姥韻 $xu\Lambda^{2}$）を見出すが、仮名音注はない。それぞれ去声と上声を示す工夫であろう。

虎 … 呼古切七 … 戽 戽斗舟中渫水器又音戸　（宋本廣韻／上聲暁母姥韻 $xu\Lambda^{2}$）

謼 … 荒故切又火姑切二 … 戽 戽斗舀水器也　（宋本廣韻／去聲暁母暮韻 $xu\Lambda^{3}$）

戸 … 侯古切二十三 … 戽 抒也　（宋本廣韻／上聲匣母姥韻 $\gamma u\Lambda^{2}$）

戽 音故 ユトリ［平平平］　（観智院本類聚名義抄／法下 093-7）

戽 音虎 音故／ユトリ［平平平］　（観智院本類聚名義抄／法下 141-6）

戽 淦附　蔣魴切韻云戽 音故和名由土利 洩舟中水之斗也 …

（元和本倭名類聚抄／巻十七 08 ウ 7）

▶番号 3393「戸」（戸）の仮名音注「コ［去］」については、基本的に *-o* で対応する。当該字の仮名音注に去声点を差す。番号 3393「戸」は左注「酒之上戸下戸也」を付載する。上巻の姥韻当該諸例で分析したように、日本漢音は「コ」上/去声、日本呉音は去声を認める。

▶番号 3456a（戸籍）の仮名音注「コ［平］」については、基本的に *-o* で対応する。当該字には平声点を差し、その仮名音注「コ」にも平声点を加える。熟字 3456「戸籍」は左注「与簡札同也」を付載する。上述の分析を参照。

▶番号 3589a・3589b（戸ゝ・戸ゝ）の仮名音注「コ［上］」については、基本的に *-o* で対応する。両当該字の仮名音注それぞれに上声点を加える。熟字 3589「戸ゝ」は左注「門ゝ戸ゝ」を付載する。上述の分析を参照。

▶番号 3856b・5833b「怙」（依怙・所怙）の仮名音注「コ」については、基本的に *-o* で対応する。両掲出字には平声点を差す。熟字 5833「所怙」は右傍「タノム」左注「恃欤」を付載する。図書寮本類聚名義抄に同音字注「戸音」と反切「茲云胡古反」（その反切下字に上声点）を見出す。観智院本には同音字注「音戸」と平声点を付した和音「古」を見つけるが、仮名音注はない。日本漢音は上声、日本呉音は平声を認める。

恃怙 … 下音観仏云戸音 茲云胡古［平上］反 … タノム［平平□／後：右注］

（図書寮本類聚名義抄／240-6）

怙 音戸 タノム［平平□］… 和古［平：墨点］　（観智院本類聚名義抄／法中 078-4）

▶番号 3939b「午」（亭午）の仮名音注「コ」については、基本的に *-o* で対応する。当該字には上声点を差す。その中古音が示す頭子音 ŋ-（等韻学の術語で言う疑母）は軟口蓋鼻音であり、日本語のガ行音をもって受容する。正午を意味する熟字 3939「亭午」は右傍「ウマニトヽマル」右注「同（晨夜分）」中注「又南名」左注「テイコ」仮名音注を付載する。観智院本類聚名義抄・長承

226　3．仮名音注の韻母別考察　3-1　I 韻類

本蒙求・承暦本金光明最勝王経音義に音注を見出せない。高山寺本篆隷萬象名義には反切「吾皴反」
を見出す。

　　　　午　ムマトキ［平平□□］　　　　　　　　　　　　（観智院本類聚名義抄／佛上 083-8）

　　　　午　吾皴反 交也　　　　　　　　　　　　　　（高山寺本篆隷萬象名義／第六帖 183-5）

　▶番号 3596a・3720a「五」（五包・五羿）の仮名音注「コ」については、基本的に -o で対応
する。両当該字には上声点を差す。その中古音が示す頭子音 ŋ-（等韻学の術語では疑母）は軟口蓋
鼻音であり、日本語のガ行音で受容する。観智院本類聚名義抄に同音字注「音午」を見出す。長承
本蒙求には仮名音注「コ」二例があり、これらを含む掲出諸字六例には上声点（上声加濁点が二例）
を加える。日本漢音「ゴ」上声を認める。

　　　　五　音午 イツ、［平平平］／トモ　　　　　　　（観智院本類聚名義抄／佛上 074-2）

　　　　五［上］　　　　　　　　　　　　　　　　　（長承本蒙求／049・062）

　　　　五［上／上：加濁］　　　　　　　　　　　　　（長承本蒙求／072・117）

　　　　五［上］コ　　　　　　　　　　　　　　　　（長承本蒙求／100・145）

　▶番号 6082a「五」（五羿）の仮名音注「コ」については、基本的に -o で対応する。当該字に
は上声濁点を差すので、字音「ゴ」を想定する。上述の分析を参照。

　▶番号 3443a「五」（五鈷）の仮名音注「コ［上］」については、基本的に -o で対応する。当
該字には去声濁点を差すので、字音「ゴ」を想定する。一方で、その仮名音注に上声点を加える。
上述の分析を参照。

　▶番号 3387a「五」（五蔵）の仮名音注「コ」については、基本的に -o で対応する。当該字の
仮名音注には平声濁点を差すので、字音「ゴ」を想定する。上述の分析を参照。

　　　　五蔵　中黄子云五蔵肺心脾肺腎也　　　　　　　（元和本倭名類聚抄／巻三 11 ウ 2）

　▶番号 3343a・3344a・3900a・3609a・3719a「五」（五粒松・五葉松・五穀・五德・五明）
の仮名音注「コ」については、基本的に -o で対応する。当該諸字五例に声点はない。熟字 3343・
3344「五粒松・五葉松」は右注「コエウノマツ」を付載する。上述の分析を参照。

　　　　松子　…　楊氏漢語抄云五粒松 五葉松子和名萬豆乃美　（元和本倭名類聚抄／巻十七 08 ウ 7）

　▶番号 3918b「土」（兆土）の仮名音注「ト」については、基本的に -o で対応する。当該字に
は平声濁点を差すので、字音「ド」を想定する。熟字 3918「兆土」は左注「雙六一」を付載する。
上巻の姥韻当該諸例で分析したように、日本漢音は去声、定着久しい字音「ド」平声を認める。

　　　　雙六　兼名苑注云雙六子一名六釆 … 俗云須久呂久　（元和本倭名類聚抄／巻四 05 ウ 9）

　▶番号 6384b「土」（宇土）の仮名音注「ト」については、基本的に -o で対応する。当該字に
声点はない。熟字 6384「宇土」は肥後國の地名である。上述の分析を参照。

　　　　肥後國　…　宇土　…　　　　　　　　　　　　（元和本倭名類聚抄／巻五 27 ウ 1）

　▶番号 4357b「堵」（安堵）の仮名音注「ト」については、基本的に -o で対応する。当該字に

は上声点を差す。廣韻に拠れば、姥韻（tuʌ²）馬韻（tśia²）二音を有する。図書寮本類聚名義抄に上声点を付した同音字注「音覩」および「真云斗音」を見出す。後者は借字による字音把握か。いわゆる真興和音である。観智院本類聚名義抄に上声点を付した同音字注「音都」および平声点と去声点を付した和音「ト」を見出す。日本漢音は上声、日本呉音「ト」平/去声を認める。

　　　堵　音覩［上］… 真云斗音　　　　　　　　　　　　　　　（図書寮本類聚名義抄／217-5）

　　　堵　音都［上］カキ … 又俗緒字／音者［上］和ト［平・去］　（観智院本類聚名義抄／法中 055-2）

　▶番号5159b「怒」（喜怒）の仮名音注「ト」については、基本的に -o で対応する。当該字には平声濁点を差すので、字音「ド」を想定する。その中古音が示す頭子音 n-（等韻学の術語で言う泥母）は、中国語音韻史上における鼻音声母の非鼻音化（denasalization）現象により、n-＞nd-＞d- の音変化をする。この影響を受けた日本漢音ではダ行音を反映することになる。上巻の姥韻当該諸例で分析したように、日本漢音「ド」上声を認める。

　▶番号5201b・5936b・6389b・6482b「部」（刑部省・式部省・兵部省・門部）の仮名音注「フ」については、基本的に -u で対応する。当該諸字三例に声点はない。熟字 6482「門部」は左注「在東門」を付載する。広辞苑第七版は「律令制で、衛門府に属し、皇居の門の警備を指揮した下級武官」と説明する。上巻の姥韻当該諸例で分析したように、日本呉音「ブ」平声を認める。

　　　省　職貟令云 … 式部省 乃利乃豆加佐　　　　　　　　　　（元和本倭名類聚抄／巻五 05 ウ 6）

　　　省　職貟令云 … 兵部省 都波毛乃々都加佐　　　　　　　　（元和本倭名類聚抄／巻五 05 ウ 7）

　　　省　職貟令云 … 刑部省 宇多倍多々須都加佐　　　　　　　（元和本倭名類聚抄／巻五 05 ウ 8）

　《上巻 暮韻諸例》

　▶番号1106b「故」（反故）の仮名音注「コ」については、基本的に -o で対応する。当該字に声点はない。熟字「反故」には右注 1107「ホク俗」左注 1106「ホンコ」を付載する。観智院本類聚名義抄に反切「古護反」（その反切下字には去声点を差す）を見出すが、仮名音注はない。日本漢音は去声を認める。

　　　故 … 古護［□去］反 ユヘ［上平］…　　　　　　　　　　（観智院本類聚名義抄／僧中 054-8）

　▶番号1107b「故」（反故）の仮名音注「ク」については、基本的に -u で対応する。当該字に声点はない。熟字「反故」には右注 1107「ホク俗」左注 1106「ホンコ」を付載する。撥音無表記を含む定着久しい字音握把である。上述の分析を参照。

　▶番号0638・1857b「袴」（袴・着袴）の仮名音注「コ」については、基本的に -o で対応する。両当該字には去声点を付載する。廣韻に拠れば、その中古音は溪母暮韻（k'uʌ³）である。番号 0638「袴」は右注「ハカマ」左注「又作絝」を付載する。図書寮本類聚名義抄に去声点を付した同音字注「川云音故」と反切「苦故反」を見出す。観智院本には反切「苦誤反」（暮韻 k'uʌ³）と同音字注

228　3．仮名音注の韻母別考察　3-1　Ⅰ韻類

「音故」（暮韻 kuʌ³）を見つけるが、仮名音注はない。後者の字音把握は頭子音が正確ではない。日本漢字音として馴化した状況を示す。元和本倭名類聚抄には同音字注「音故」がある。日本漢音は去声を認める。

　　　絝　川云音故［去］和云ハ加麻［平平平］　　　　　　　　（図書寮本類聚名義抄／336-1）

　　　着絝　信云同記云着用一丈三／尺　苦故反　　　　　　　（図書寮本類聚名義抄／343-3）

　　　絝　袴二正　苦誤反／ハカマ　　　　　　　　　　（観智院本類聚名義抄／法中 116-7）

　　　袴　音故　ハカマ［平平□］　　　　　　　　　　　（観智院本類聚名義抄／法中 151-4）

　　　袴　蒋鲂切韻云袴　音故和名八賀萬　脛上衣名也 …　　（元和本倭名類聚抄／巻十二 21 ウ 1）

　▶番号 1245b「袴」（布袴）の仮名音注「コ」については、基本的に -o で対応する。当該字には平声点を差す。上述の分析を参照。

　▶番号 1815b・2890b「護」（鎮護・加護）の仮名音注「コ」については、基本的に -o で対応する。両当該字には平声濁点を差すので、字音「ゴ」を想定する。観智院本類聚名義抄に同音字注「音牙」と和音「コオ」（その右傍に墨筆で濁音「✓□」表記）を見出す。一音節二拍語として字音「ゴオ」（やや長音化した「ゴ」）と把握したか。同書では和音「コオ」四例を見つけ、そのうち二例は濁音表記を併載する「ゴオ」である。日本呉音「ゴ」を認める。

　　　護　音牙　マホル［平□上／□モ□：墨右傍］… 和コオ［✓□：墨右傍］

　　　〔＊「マホル」虫損で不鮮明［平平濁上］か？〕　　　（観智院本類聚名義抄／法上 051-1）

　　　戌　音輪［去］マホル［平平濁上／□モ□：墨右傍］… 和主　（観智院本類聚名義抄／僧中 039-4）

　　　後　音后［上］ノチ … 和コオ［□平／✓□：墨右傍］…　（観智院本類聚名義抄／佛上 038-3）

　　　御　魚據［□去］反 ヲサム … 和コオ［□平／✓□：墨右傍］…（観智院本類聚名義抄／佛上 039-5）

　　　悟　音誤［去濁］サトル［上上□］／シル 和コオ［□平：墨点］（観智院本類聚名義抄／法中 100-5）

　　　虚 … ムナシ［上上□］… 和コオ［平上］　　　　（観智院本類聚名義抄／法下 094-2）

　▶番号 2934b「悟」（覺悟）の仮名音注「コ」については、基本的に -o で対応する。当該字には平声濁点を差すので、字音「ゴ」を想定する。その中古音が示す頭子音 ŋ-（等韻学の術語で言う疑母）は軟口蓋鼻音であり、日本語のガ行音をもって受容する。図書寮本類聚名義抄に去声濁点を付した同音字注「音誤」と「漢書注云音仵」を見出す。観智院本類聚名義抄に去声濁点を付した同音字注「音誤」および低平調と推測する和音「コオ［□平］」を見つける。一音節二拍語として字音「ゴオ」（やや長音化した「ゴ」）と把握したか。日本漢音は去声、日本呉音「ゴ」平声を認める。

　　　悟　音誤［去濁］… 漢書注云音仵 サトル［上上平／異：右注］　（図書寮本類聚名義抄／245-5）

　　　悟　音誤［去濁］サトル［上上□］／シル 和コオ［□平：墨点］（観智院本類聚名義抄／法中 100-5）

　▶番号 1176b「祚」（寶祚）の仮名音注「ソ」については、基本的に -o で対応する。当該字には去声点を差す。その中古音が示す頭子音 dz-（等韻学の術語で言う歯音濁従母）は有声歯茎破擦

音であり、日本語のザ行音をもって受容するが、中国語音韻史上における濁音声母の無声化を反映する場合はサ行音で対応する。観智院本類聚名義抄に反切「徂故反」（その反切下字「故」には去声点）を見出すが、仮名音注はない。日本漢音は去声を認める。

　　祚 徂故 [□去] 反 サイハヒ [上上/□□] …　　　　　　（観智院本類聚名義抄／法下 008-1）

▶番号3047b「素」（閑素）の仮名音注「ソ」については、基本的に -o で対応する。当該字には去声点を差す。図書寮本類聚名義抄に同音字注「音訴」（その去声点位置に仮名音注「ソ」）を見出す。観智院本には去声点を付した同音字注「音訴」（その右傍には墨筆で仮名音注「ソ」）を見つける。長承本蒙求には仮名音注「ソ」二例があり、その掲出字一例に去声点を加える。日本漢音「ソ」去声を認める。

　　素在 音訴 [ソ：去声点位置] … シロシ [平平平／詩：右注]　　（図書寮本類聚名義抄／289-3）

　　素 音訴 [去／ソ：墨右傍] キヌ シロシ [平平□] … キオツ　（観智院本類聚名義抄／法中 114-7）

　　素 〔＊右上隅欠〕ソ　　　　　　　　　　　　　　　　　　（長承本蒙求／029）

　　素 [去] ソ　　　　　　　　　　　　　　　　　　　　　　（長承本蒙求／108）

▶番号2995b「素」（寒素）の仮名音注「ソ」については、基本的に -o で対応する。当該字には上声点と去声点を差す。複声調を示す両声点は撥音に後接する一音節去声字が上声化する経緯を反映したと推測する。上述の分析を参照。

　　＊寒素（カンソ）[平上] ○○●「素」去声が上声に変化する

　　＊寒素（カンソ）[平去] ○○❶「素」去声を保持する

▶番号2993b「素」（閑素）の仮名音注「ソ」については、基本的に -o で対応する。当該字には上声点を差す。これは撥音に後接する一音節去声字が上声化する状況を示す。上述の分析を参照。

▶番号0115a・1488a「兎」（兎缺・兎褐）の仮名音注「ト」については、基本的に -o で対応する。両当該字には去声点を差す。観智院本類聚名義抄に去声点を付した同音字注「音度」を見出すが、仮名音注はない。元和本倭名類聚抄には同音字注「度」がある。日本漢音は去声を認める。

　　兎 音度 [去] ウサキ [平上□] … 兎 …　　　　　　（観智院本類聚名義抄／佛下末 016-8）

　　兎 四聲字苑云兎 音度和名宇佐木 …　　　　　　　（元和本倭名類聚抄／巻十八19 ウ5）

▶番号0340b・1583a「度」（己度・度縁）の仮名音注「ト」については、基本的に -o で対応する。両当該字には平声点を差す。廣韻に拠れば、その中古音は暮韻 (duʌ³) 鐸韻 (dɑk) の二音を有する。頭子音 d- （等韻学の術語で言う舌音濁定母）は有声歯茎閉鎖音であり、日本語のダ行音をもって受容するが、中国語音韻史上に現れる濁音声母の無声化を反映する場合はタ行音で対応する。観智院本類聚名義抄に平声濁点と去声点を付した同音字注「音渡」および入声点を付した同音字注「鐸」さらに和音「同」を見出す。日本漢音・日本呉音ともに平/去声および入声を認める。また日本呉音「ド」の可能性を指摘しておく。

　　度 … 音渡 [平濁・去] ワタル [上上□] 又音鐸 [入] 和同 … （観智院本類聚名義抄／法下 105-1）

230 　3．仮名音注の韻母別考察　3-1 　I 韻類

▶番号 3256b「度」（用度）の仮名音注「ト」については、基本的に -o で対応する。当該字に平声濁点を差すので、字音「ド」を想定する。熟字 3256「用度」は右傍「モチヰハカリコトヲ」を付載する。上述の分析を参照。

▶番号 1526「度」（度）の仮名音注「ト［平濁］」については、基本的に -o で対応する。当該字の仮名音注「ト」に平声濁点を加えるので、字音「ド」を想定する。上述の分析を参照。

▶番号 1579a「渡」（渡海）の仮名音注「ト」については、基本的に -o で対応する。当該字に平声点を差す。その中古音が示す頭子音 d-（等韻学の術語で言う舌音濁定母）は有声歯茎閉鎖音であり、日本語のダ行音をもって受容するが、中国語音韻史上に現れる濁音声母の無声化を反映する場合はタ行音で対応する。図書寮本類聚名義抄に去声点〔＊破損で不明瞭〕を付した同音字注「音度」を見出す。観智院本には去声点を付した同音字注「音度」を見つけるが、仮名音注はない。日本漢音は去声を認める。

　　　渡 音度［去?］… ワタル［上上□／詩：右注］　　　　　　　　（図書寮本類聚名義抄／051-1）

　　　渡 音度［去］ワタリ／ワタル ホトリ　　　　　　　　　　（観智院本類聚名義抄／法上 012-5）

▶番号 2362・3276b（渡・与渡）の仮名音注「ト」については、基本的に -o で対応する。両当該字に声点はない。番号 2362「渡」は和訓「ワタル」の同訓異字として位置する。熟字 3276「与渡」は左注「俗用淀字」を付載する地名である。上述の分析を参照。

▶番号 1638a・1645a「蠱」（蠱簡・蠱害）の仮名音注「ト」については、基本的に -o で対応する。両掲出字に去声点を差す。当該字「蠱」は「蠱・蠱」と相互に異体字である。観智院本類聚名義抄に去声点を付した同音字注「音妬」（暮韻 tuʌ³）を見出すが、仮名音注はない。元和本倭名類聚抄には同音字注「妬」がある。日本漢音は去声を認める。

　　　蠱蠱 … 音妬［去］ノムシ［平平平濁］…　　　　　　　　（観智院本類聚名義抄／僧下 030-6）

　　　蠱　説文云桃蠱 音妬和名乃牟之 木中虫也　　　　　　（元和本倭名類聚抄／巻十九 21 ウ 3）

▶番号 1157a・1252a「暮」（暮山・暮往）の仮名音注「ホ」については、基本的に -o で対応する。両掲出字ともに去声濁点を差すので、字音「ボ」を想定する。その中古音が示す頭子音 m-（等韻学の術語で言う明母）は両唇鼻音であり、日本語のマ行音をもって受容する。ただし、中国語音韻史上における鼻音声母の非鼻音化（denasalization）現象によって、m->mb->b- の音変化をする。原則的に、この影響を受けた日本漢音ではバ行音を反映することになる。観智院本類聚名義抄に同音字注「音慕」（暮韻 muʌ³）を見出す。その「慕」を再検索すると、墨筆圏点による平声濁点と去声濁点を付した和音「ホ」を見つける。これに続けて掲げる「暮」には「音与上同」があるので、日本呉音「ボ」平/去声を認める。

　　　暮 音慕 ユフヘ ヨフヘ［上上□］… クレヌ　　　　　（観智院本類聚名義抄／佛中 101-5）

　　　慕 音暮／コヒシ［平平平］… 和ホ［平濁・去濁：墨点］　（観智院本類聚名義抄／僧上 002-3）

　　　暮 音与上 同／ユフヘ … オソシ［上上□］　　　　　（観智院本類聚名義抄／僧上 002-4）

3-1-2　-ʌ系の字音的特徴　231

▶番号1196a「嫫」（嫫母）の仮名音注「ホ」については、基本的に -o で対応する。当該字には平声濁点を差すので、字音「ボ」を想定する。その中古音が示す頭子音 m-（等韻学の術語で言う明母）は両唇鼻音であり、日本語のマ行音をもって受容する。ただし、中国語音韻史上における鼻音声母の非鼻音化（denasalization）現象によって、m->mb->b- の音変化をする。原則的に、この影響を受けた日本漢音ではバ行音を反映することになる。熟字1196「嫫母」は左注「悪女」を付載する。観智院本類聚名義抄に反切「莫胡反」を見出すが、仮名音注はない。高山寺本篆隷萬象名義には反切「妄好反」を見つける。天治本新撰字鏡には反切「亡奴反」がある。

　　嫫 莫胡反　　　　　　　　　　　　　　　　　（観智院本類聚名義抄／佛中 010-4）

　　嫫〔＊部首と諸声符を上下配置〕妄好反 母醜也　　　（高山寺本篆隷萬象名義／第一帖 078 オ 2）

　　嫫〔＊部首と諸声符を上下配置〕亡奴反 母醜者也　　（天治本新撰字鏡／巻三 21 オ 3）

▶番号1244a・1245a・2161「布」（布衣・布袴・布）の仮名音注「ホ」については、基本的に -o で対応する。当該諸字三例には去声点を差す。番号2161「布」は右注「ヌノ」左注「黄泪」を付載する。図書寮本類聚名義抄に反切「广云補故反」（その反切下字に去声点）を見出す。観智院本には和音「フ」を見つける。長承本蒙求には仮名音注「ホ」二例がある。それらの掲出字には去声加濁点を加える。同書では朱書による平安時代中期点の声点「・」に、墨書による平安時代院政期長承三年点の声点「○」を並列に加えて濁音を表示する（加濁と呼ぶ）ことがある。元和本倭名類聚抄には反切「愽故反」を見つける。日本漢音「ボ」去声、日本呉音「フ」を認める。

　　布施 广云補故 ［□去］反 分布也. … 真云陳也　　　（図書寮本類聚名義抄／278-5）

　　布 ヌノ［上平］シク［上平］／和ノフ〔＊「和音フ」か〕　（観智院本類聚名義抄／法中 110-4）

　　　布 ［去／去：加濁］ホ　　　　　　　　　　　　　（長承本蒙求／028・075）

　　　布 四聲字苑云布 愽故反和名沼能 織麻及紵爲帛也　　（元和本倭名類聚抄／巻十二 16 ウ 2）

▶番号3219b「布」（庸布）の仮名音注「フ」については、基本的に -u で対応する。当該字に声点はない。租税の庸として納めた麻や枲などの布を指す。上述の分析を参照。

▶番号2246「怖」（怖）の仮名音注「ホ」については、基本的に -o で対応する。当該字に声点はなく、和訓「ヲツ」の同訓異字として位置する。観智院本類聚名義抄に反切「普攻反」および和音「フ」を見出す。日本呉音「フ」を認める。

　　　怖 普攻反〔＊攻←攺〕… オソル［平平上］和フ　　（観智院本類聚名義抄／法中 094-1）

▶番号1221a・1250a・2636a・3129c「歩」（歩卒・歩行・歩射・邯鄲歩）の仮名音注「ホ」については、基本的に -o で対応する。当該諸字四例には去声点を差す。その中古音が示す頭子音 b-（等韻学の術語で言う脣音濁並母）は有声両唇閉鎖音であり、日本語のバ行音をもって受容するが、中国語音韻史上における濁音声母の無声化を反映する場合はハ行音で対応する。熟字2636「歩射」は右注「カチユミ」を付載する。図書寮本類聚名義抄に反切「弘云蒲故反」を見出す。観智院本には反切「蒲故反」および和音「フ」を見つける。長承本蒙求には仮名音注「ホ」二例があり、

232　3．仮名音注の韻母別考察　3-1　Ⅰ韻類

これらの掲出字には去声点を加える。日本漢音「ホ」去声、日本呉音「フ」を認める。

　　　　歩　弘云蒲故反 … アユム［平平上／異：右注］…　　　　　　　（図書寮本類聚名義抄／133-5）

　　　　歩　蒲故反 アユム … カチ［平上］和フ　　　　　　　　　（観智院本類聚名義抄／法上 097-6）

　　　　歩［去］ホ　　　　　　　　　　　　　　　　　　　　　　　　　（長承本蒙求／096・145）

　　　　歩射　李太尉歩射法云夫歩射以目先領其特心射之 歩射和名加知由美 …

　　　　　　　　　　　　　　　　　　　　　　　　　　　　　　（元和本倭名類聚抄／巻四01 ウ4）

　▶番号1616b「歩」（獨歩）の仮名音注「ホ」については、基本的に -o で対応する。当該字には上声点と去声点を差す。廣韻に拠れば、その中古音は並母暮韻去声（buʌ³）である。熟字 1616「獨歩」は中注「トクホ」左注「オ一名得詞」を付載する。複声調を示す両声点は入声字に後接する一音節去声字が上声化する経緯を反映したと推測する。上述の分析を参照。

　　　　＊獨歩（トクホ）［入去］○○◖「歩」去声を保持する

　　　　＊獨歩（トクホ）［入上］○○●「歩」去声が上声に変化する

　▶番号3074b「歩」（行歩）の仮名音注「ホ」については、基本的に -o で対応する。当該字には上声点を差す。上記と同じく一音節去声字の上声化を反映するか。一音節内の上昇調は安定しない字音の環境にある。上述の分析を参照。

　▶番号1075「哺」（哺）の仮名音注「ホ［上］」については、基本的に -o で対応する。その仮名音注には上声点を差し、右注「含口之物也」左注「吐哺反哺等」を付載する。単字であるが、一音節去声字の上声化（上昇調→上平調）を反映するか。観智院本類聚名義抄に去声点を付した同音字注「音布」と反切「又薄布反」を見出す。長承本蒙求には仮名音注「ホ」があり、その掲出字には去声点を加える。日本漢音「ホ」去声を認める。

　　　　哺 音布［去］又薄布反 … クラフ　　　　　　　　　　（観智院本類聚名義抄／佛中 057-4）

　　　　哺［去］ホ　　　　　　　　　　　　　　　　　　　　　　　　　　（長承本蒙求／146）

　▶番号0241b・0446a・0448a「路」（隠路・路次・路畔）の仮名音注「ロ」については、基本的に -o で対応する。当該諸字三例には去声点を差す。図書寮本類聚名義抄に同音字注「音露」（その去声点位置に仮名音注「ロ」）を見出す。観智院本には去声点を付した同音字注「音露」を見つける。長承本蒙求には仮名音注「ロ」があり、その掲出字を含む二例には去声点を加える。日本漢音「ロ」去声を認める。

　　　　車路 音露［ロ：去声点位置］… アタル［上上平］　　　（図書寮本類聚名義抄／112-1）

　　　　路 音露［去］ミチ［上上］… ツマツク　　　　　　　（観智院本類聚名義抄／法上 088-2）

　　　　路［去］ロ　　　　　　　　　　　　　　　　　　　　　　　　　　（長承本蒙求／015）

　　　　路［去］　　　　　　　　　　　　　　　　　　　　　　　　　　　（長承本蒙求／089）

　▶番号0445a・0447a・3250ｂ「路」（路頭・路上・勇路）の仮名音注「ロ」については、基本的に -o で対応する。当該諸字三例には上声点を差す。一音節去声字の上声化（上昇調→上平調）

を反映するか。上述の分析を参照。

*路頭（ロトウ）　　［上平］　●○○（←◗○○）　「路」去声が上声に変化する

*路上（ロシヤウ）　　［上去］　●○●（←◗○●）　「路」去声が上声に変化する

*勇路（ヨウロ）　　　［上去］　●●●（←●●◗）　「路」去声が上声に変化する

▶番号2193b「路」（累路）の仮名音注「ロ」については、基本的に -o で対応する。当該字には平声点を差す。上述の分析を参照。

▶番号2032b「路」（陸路）の仮名音注「ロ」については、基本的に -o で対応する。当該字に声点はない。上述の分析を参照。

▶番号2381b「賂」（賄賂）の仮名音注「ロ」については、基本的に -o で対応する。当該字に声点はない。熟字2381「賄賂」は右傍「マヒナヒ」を付載する。観智院本類聚名義抄には去声点を付した同音字注「音路」を見出すが、仮名音注はない。日本漢音は去声を認める。

　　　賂 音路［去］タカラ …　　　　　　　　　　　　　　（観智院本類聚名義抄／佛下本016-3）

▶番号0344b・0436a・0444a・0458a「露」（飲露・露顕・露驛・露盤）の仮名音注「ロ」については、-o で対応する。当該諸字四例には去声点を差す。熟字0458「露盤」は左注「鐕」を付載する。観智院本類聚名義抄に去声点を付した同音字注「音路」を見出す。また同書では熟字「露盤」に仮名音注「俗云ルハン」を見つける。長承本蒙求には去声点を差した掲出字「露」がある。承暦本金光明最勝王経音義には仮名音注「ロ」を見つける。日本漢音は去声、日本呉音「ロ」を認める。また定着久しい字音「ル」を認める。

　　　露 音路［去］ツユ［平上］… ウルフ［平平□］　　　（観智院本類聚名義抄／法下071-6）

　　　露［去］　　　　　　　　　　　　　　　　　　　　　　　　（長承本蒙求／064）

　　　露 ロ〔＊後筆墨書〕　　　　　　　　　　　　　（承暦本金光明最勝王経音義／07 オ6）

　　　露盤 俗云ルハン［去上上］　　　　　　　　　　　（観智院本類聚名義抄／法下071-6）

　　　露盤　梁孝元帝有雲寺露盤銘　　　　　　　　　（元和本倭名類聚抄／巻十三02 オ1）

▶番号2178a「露」（露盤）の仮名音注「ロ［去］」については、-o で対応する。当該字の仮名音注「ロ」に去声点を差す。熟字2178「露盤」は左注「塔具也」を付載する。上述の分析を参照。

▶番号「露」0440a「露」（露瞻）の仮名音注「ロ」については、-o で対応する。当該字には上声点を差す。一音節去声字の上声化（上昇調→上平調）を反映するか。上述の分析を参照。

*露瞻（ロトウ）　　　［上上］　●●●（←◗●●）　「露」去声が上声に変化する

▶番号1172b・3098b「露」（發露・甘露）の仮名音注「ロ」については、-o で対応する。両当該字には平声点を差す。上述の分析を参照。

《下巻 暮韻諸例》

234　3．仮名音注の韻母別考察　3-1　Ⅰ韻類

▶番号3373a・3649a・3658a「故」（故實・故障・故舊）の仮名音注「コ」については、基本的に -o で対応する。当該諸字三例には去声点を差す。上巻の暮韻当該諸例で分析したように、日本漢音は去声を認める。

▶番号5173b「故」（舊故）の仮名音注「コ」については、基本的に -o で対応する。当該字には平声点を差す。上述の分析を参照。

▶番号3624a「故」（故人）の仮名音注「コ」については、基本的に -o で対応する。当該字に声点はない。上述の分析を参照。

▶番号3597a「沽」（沽洗）の仮名音注「コ」については、基本的に -o で対応する。当該字には去声点を差す。廣韻によれば、模/姥/暮韻（kuʌ¹/²/³）の三音を有する。図書寮本類聚名義抄に東声点を付した同音字注「音孤」と去声点を付した同音字注「音故」さらに反切「玉云公奴反」を見出す。観智院本には去声点を付した同音字注「音孤」（模韻 kuʌ¹）を見つけるが、仮名音注はない。日本漢音は東声（四声体系では平声）と去声を認める。

　　　沽 音孤 ［東］又玉云又公扈反 … ウル ［上平／集：右注］カフ ［上平］…
　　　　　　　　　　　　　　　　　　　　　　　（図書寮本類聚名義抄／030-6）

　　　沽酒 音故 ［去］广云沽酒臤沽水名 …　　　（図書寮本類聚名義抄／030-7）

　　　沽洗 玉云公奴反 礼記季律中沽洗 …　　　（図書寮本類聚名義抄／030-7）

　　　沽 音孤 ［去］ウル ［上平］ウルフ … カフ　（観智院本類聚名義抄／法上 019-5）

▶番号3650a・3723a「固」（固辞・固安）の仮名音注「コ」については、基本的に -o で対応する。両当該字には去声点を差す。観智院本類聚名義抄に去声点を付した同音字注「音故」を見出す。長承本蒙求には仮名音注「コ」があり、その掲出字には去声点を加える。日本漢音「コ」去声を認める。

　　　固 音故 ［去］マコト … イヤシ ［平上□］　（観智院本類聚名義抄／法下 086-5）

　　　固 ［去］コ　　　　　　　　　　　　　　　（長承本蒙求／054）

▶番号5097b「固」（禁固）の仮名音注「コ」については、基本的に -o で対応する。当該字には平声点を差す。上述の分析を参照。

▶番号3689a・3697a「顧」（顧眄・顧命）の仮名音注「コ」については、基本的に -o で対応する。両当該字には去声点を差す。廣韻に拠れば、その中古音は暮韻（kuʌ³）である。熟字3689「顧眄」は右傍「カヘリミル」を付載する。観智院本類聚名義抄に平声点を付した同音字注「音故」を見出すが、去声点でない理由は不明。あるいは呉音声調か。長承本蒙求には仮名音注「コ」四例があり、それらの掲出字には去声点を加える。日本漢音「コ」去声（平声は保留）を認める。

　　　顧 音故 ［平］カヘリミル … 　顧 正　　　（観智院本類聚名義抄／佛下本 023-4）

　　　顧 〔＊右上隅欠〕コ／コ　　　　　　　　　（長承本蒙求／013）

　　　顧 ［去］コ／コ　　　　　　　　　　　　　（長承本蒙求／050）

顧 ［去］コ   （長承本蒙求／074・130）

▶番号3607a「護」（護摩）の仮名音注「コ」については、基本的に -o で対応する。当該字には平声濁点を差すので、字音「ゴ」を想定する。上巻の暮韻当該諸例で分析したように、日本呉音「ゴ」を認める。

▶番号3704a「娛」〔＊譜声符字形「吳」〕（娛樂）の仮名音注「コ」については、基本的に -o で対応する。当該字には去声濁点を差すので、字音「ゴ」を想定する。廣韻に拠れば、暮韻（ŋuʌ³）虞韻（ŋiuʌ¹）二音を有する。観智院本類聚名義抄に平声濁点を付した同音字注「音故」（その右傍に朱筆で仮名音注「ク」）と各去声点を付した和音「ク・コ」（墨筆で各濁音表記「√」）を見出す。日本漢音「グ」平声、日本呉音「グ・ゴ」去声を認める。

　娛 音虞［平濁／ク：朱右傍］タノシフ［□□□平濁／□□□ヒ［平濁］］

　… 又音愄 娛／俗 和クコ［去去／√√：墨右傍］　（観智院本類聚名義抄／佛中 015-1）

▶番号6611b「祚」（踐祚）の仮名音注「ソ」については、基本的に -o で対応する。当該字には去声点を差す。上巻の暮韻当該例で分析したように、日本漢音は去声を認める。

▶番号3715b「素」（後素）の仮名音注「ソ」については、基本的に -o で対応する。当該字には去声点を差す。上巻の暮韻当該例で分析したように、日本漢音「ソ」去声を認める。

▶番号5878b「素」（緇素）の仮名音注「ソ」については、基本的に -o で対応する。当該字には上声点を差す。一音節去声字が上声化する経緯を反映するか。熟字5878「緇素」は黒衣と白衣を指し、転じて僧と世俗の人をも意味する。上述の分析を参照。

　＊緇素（シソ）［去上］●●（←●●）「素」去声が上声に変化する

▶番号6410「膆」の仮名音注「ソ」については、基本的に -o で対応する。当該字に声点はない。観智院本類聚名義抄に同音字注「音素」を見出すが、仮名音注はない。異体字である「嗉」にも同様の同音字注「音素」を見つける。

　膆 音素 物ハミ［□平平］　　　　　　　　　（観智院本類聚名義抄／佛中 127-6）

　嗉 音素／物ハミ［□平平］　　　　　　　　（観智院本類聚名義抄／佛中 056-1）

▶番号3919b・4019b「度」（調度・調度）の仮名音注「ト」については、基本的に -o で対応する。両当該字には平声濁点を加えるので、字音「ド」を想定する。熟字3919「調度」は中注「云胡錄」左注「又調度文書」を付載する。上巻の暮韻当該諸例で分析したように、日本漢音・日本呉音ともに平/去声および入声を認める。また日本呉音「ド」の可能性を指摘しておく。

▶番号4809b・6952b「度」（多度・有度）の仮名音注「ト」については、基本的に -o で対応する。両当該字に声点はない。それぞれ讃岐國と駿河國の地名である。先行する地名に対して漢字表記を宛てたと推測する。

　讃岐國 … 多度　　　　　　　　　　　　　　（元和本倭名類聚抄／巻五 25 ウ 3）

　駿河國 … 有度 宇止　　　　　　　　　　　　（元和本倭名類聚抄／巻五 13 ウ 4）

236   3．仮名音注の韻母別考察　3-1　Ⅰ韻類

▶番号 3350b・3907b・5194b「布」（昆布・調布・貴布祢）の仮名音注「フ」については、基本的に -u で対応する。当該諸字三例に声点はない。上巻で分析したように、日本漢音「ボ」去声、日本呉音「フ」を認める。

▶番号 6580b「暮」（歳暮）の仮名音注「ホ」については、基本的に -o で対応する。当該字には去声点を差す。上巻の暮韻当該諸例で分析したように、日本呉音「ボ」平/去声を認める。

▶番号 4474「鷺」の仮名音注「ロ」については、基本的に -o で対応する。当該字には去声点を差し、右注「サキ」を付載する。廣韻に拠れば、その中古音は暮韻（luʌ³）である。観智院本類聚名義抄に平声点と去声点を付した同音字注「音路」を見出すが、仮名音注はない。平声点は呉音声調か。日本漢音は去声（平声は保留）を認める。

　　　　鷺 … 音路［平・去］／サキ シラサキ／ミトサキ　　　　　　　（観智院本類聚名義抄／僧中 115-5）

▶番号 6589b「路」（世路）の仮名音注「ロ」については、基本的に -o で対応する。当該字には平声点を差す。熟字 6589「世路」は中注「セイロ」仮名音注を付載する。上巻の暮韻当該諸例で分析したように、日本漢音「ロ」去声を認める。

▶番号 3663b・6942b「露」（孤露・垂露）の仮名音注「ロ」については、基本的に -o で対応する。両当該字には去声点を差す。上巻の暮韻当該諸例で分析したように、日本漢音は去声、日本呉音「ロ」を認める。また定着久しい字音「ル」も認める。

▶番号 4341「露」（露）の仮名音注「ロ」については、基本的に -o で対応する。当該字に声点はなく、和訓「アラハス・アラハル」の同訓異字として位置する。上述の分析を参照。

▶番号 6319b「露」（披露）の仮名音注「ロウ」については、異例 -ou を示す。当該字には去声点を差す。熟字 6319「披露」以外には「ロウ」とする字音把握を見出せない。熟字後部「露／ロ［去 ◐］」が一音節二拍相当［○●］と認識されて「ロウ」と字音把握したか。そのまま受容定着し、日葡辞書 ₍₃₄₎ にも「Firô・Firôjŏ」を見つける。現行多くの漢和辞典は慣用音として掲げる。上述の分析を参照。

　　　　Firô. ヒラゥ（披露）Firaqi arauasu. …　　　（ボードレー文庫本邦訳日葡辞書／243L-30）
　　　　Firôjŏ. ヒラゥジャゥ（披露状）…　　　　　（ボードレー文庫本邦訳日葡辞書／243R-32）
　　　　＊披露（ヒロウ）［平去］○○●←○◐）「露」去声を一音節二拍相当の上昇調と認識

　3-1-2-2　-ʌi（咍/海/代韻）

　資料篇【表 B-02】には咍韻（平声）海韻（上声）代韻（去声）所属の諸例が含まれる。前田本の示す仮名音注は、-ai, -e で基本的に対応する。異例として、-a, -i がある。

　《上巻 咍韻諸例》

▶番号1070「胲」の仮名音注「カイ」については、基本的に -ai で対応する。当該字には平声点と上声点を差し、その右中左注に「同（ホミ）又作頯今案／此字足指／毛内也」を付載する。廣韻に拠れば、当該字「胲」（咍韻平声 kʌiˡ）は足の親指を意味する。異体字とする「頯」は頤（おとがい）を指し、海韻上声（kʌiˀ）である。本来両者は別字であるが、前田本は仮名音注「カイ」と判断した上で、両声調を差した結果を示す。観智院本類聚名義抄に反切「古来反」（咍韻 kʌiˡ）と同音字注「音改」（海韻 kʌiˀ）を見出すが、仮名音注はない。後者の同音字注は異体字「骸」（皆韻 ɣɐiˡ）に対する字音であるが、別音で一致しない。元和本倭名類聚抄には同音字注「音改」があるが、出典を明らかにしない異例の同音字注である。高山寺本篆隷萬象名義には反切「古才反」(咍韻 kʌiˡ)を見つける。

該 … 古哀切二十 … 胲 足大指毛肉也 …　　　　　　　　　（宋本廣韻／見母咍韻 kʌiˡ）

改 … 古亥切三 頯 頯頯又戸垓切 …　　　　　　　　　　　（宋本廣韻／見母海韻 kʌiˀ）

胲 古来反 足大指 骸字 音改 ホ、［平平］… ツラ　　　（観智院本類聚名義抄／佛中117-1）

胲　音改師古漢書注云胲頯内也　　　　　　　　（元和本倭名類聚抄／巻三02 オ9）

胲 古才反 足大指也骸字　　　　　　　（高山寺本篆隷萬象名義／第二帖068 ウ1）

▶番号2789「姟」（孩）の仮名音注「カイ」については、基本的に -ai で対応する。当該字には平声濁点を差すので、字音「ガイ」を想定する。その中古音が示す頭子音 k-（等韻学の術語で言う牙音清見母）は無声無気軟口蓋閉鎖音であり、日本語のカ行音をもって受容する。諧声符「亥」（海韻 ɣʌiˀ）に牽引された字音把握か。観智院本類聚名義抄に平声点を付した同音字注「音該」（咍韻 kʌiˡ）と和音「我イ」を見出す。同書の仮名音注において「我」を含む「我イ・我ウ・我ク・我チ・我フ・我ム・我ン」は濁音「ガ」を示す意図がある。日本漢音は平声、日本呉音「ガイ」を認める。

姟 音該 ［平］ 數ミ／十經日姟 和我イ　　　　　（観智院本類聚名義抄／佛中014-7）

我 吾可反 ワレ ［平上］… 和カア ［平濁平／√□：朱右傍］　　（観智院本類聚名義抄／僧中042-1）

▶番号2460a・2873a・3093a・3131a「開」（開建坊・開發・開撿・開闊）の仮名音注「カイ」については、基本的に -ai で対応する。当該諸字四例には平声点を差す。熟字2460「開建坊」は左右注「九条／東也」を付載する。観智院本類聚名義抄に反切「苦来反」を見出す。長承本蒙求には仮名音注「カイ」二例があり、それらの掲出字には東声点を加える。日本漢音「カイ」東声（四声体系では平声）を認める。

開 苦来反 ヒラク ［平平平］… トク　　　　　（観智院本類聚名義抄／法下074-6）

開 ［東］ カイ　　　　　　　　　　　　　　　（長承本蒙求／129・143）

▶番号2875a「開」（開墾）の仮名音注「カイ」については、基本的に -ai で対応する。当該字には去声点を差す。上述の分析を参照。

▶番号1035b・1889b「財」（豊財坊・珍財）の仮名音注「サイ」については、基本的に -ai で

238　3．仮名音注の韻母別考察　3-1　Ⅰ韻類

対応する。両当該字に声点はない。その中古音が示す頭子音 dz-（等韻学の術語で言う歯音濁従母）は有声破擦音であり、原則として日本語のザ行音をもって受容するが、中国語音韻史上における濁音声母の無声化を反映する場合はサ行音で対応する。熟字1035「豊財坊」は左注「三条西」を付載する。観智院本類聚名義抄に平声点を付した同音字注「音裁」と低平調と推測する和音「坐イ」（「坐」に朱筆で平声圏点）を見出す。同書で仮名音注とともに使用する「坐」は「坐イ・坐ウ・坐フ・坐ム・坐ン」のように濁音の字音「ザ」を示す。長承本蒙求には仮名音注「サイ」があり、その掲出字に平声点を加える。日本漢音は「サイ」平声、日本呉音は「ザイ」平声を認める。

　　　財 音裁［平］タカラ［平平□］… 和坐イ［平□：朱圏点］　　　（観智院本類聚名義抄／佛下本 014-2）

　　　財［平］サイ　　　　　　　　　　　　　　　　　　　　　　　　　　　　（長承本蒙求／085）

　　　坐 徐果［□上］反 キル［上上］… 和サア［□平：墨点］　　（観智院本類聚名義抄／法中 067-4）

　　　座 音坐［平濁］キモノヒキ／ナリ　　　　　　　　　　　　（観智院本類聚名義抄／法下 105-1）

　▶番号 0341b・3009b・3266b「才」（逸才・髙才・庸才）の仮名音注「サイ」については、基本的に -ai で対応する。当該諸字三例には平声点を差す。その中古音が示す頭子音 dz-（等韻学の術語で言う歯音濁従母）は有声破擦音であり、原則として日本語のザ行音をもって受容するが、中国語音韻史上における濁音声母の無声化を反映する場合はサ行音で対応する。熟字3266「庸才」は左注「无才意也」を付載する。観智院本類聚名義抄に平声点を付した同音字注「音財」と和音「坐イ」を見出す。同書で仮名音注とともに使用する「坐」は「坐イ・坐ウ・坐フ・坐ム・坐ン」のように濁音の字音「ザ」を示す。長承本蒙求では掲出字「才」に平声点を加える。日本漢音は平声、日本呉音「ザイ」を認める。

　　　才 音財［平］カ、／用也 伎藝也　　　　　　　　　（観智院本類聚名義抄／佛上 085-6）

　　　才 タカフ 和坐イ　　　　　　　　　　　　　　　　（観智院本類聚名義抄／僧下 113-7）

　　　才［平］　　　　　　　　　　　　　　　　　　　　　　　　　　　（長承本蒙求／020）

　▶番号 1373b「才」（弁才）の仮名音注「サイ」については、基本的に -ai で対応する。当該字には去声濁点を差すので、字音「ザイ」を想定する。日本語音韻史上における連濁ではない。熟字1373「弁才」は巧に仏法を説く才能を意味する。仏教用である点からも、日本呉音「ザイ」である。上述の分析を参照。

　▶番号 0575「胎」の仮名音注「タイ」については、基本的に -ai で対応する。当該字には平声点を差し、右注「ハラコモリ」左注「亦作殆〔＊殆の誤認か〕」を付載する。観智院本類聚名義抄に平声点を付した同音字注「音台」および和音「タイ」を見出す。その和音第一音節「タ」部分に平声点、第二音節「イ」に平声点と上声点を差すので、低平調と上昇調を想定する。日本漢音は平声、日本呉音は「タイ」平/去声を認める。

　　　胎 音台［平］ハシメ［上上濁上／□□ム：平・墨右傍］… 和タイ［平平・平上］

　　　　　　　　　　　　　　　　　　　　　　　　　　　　（観智院本類聚名義抄／佛中 133-5）

3-1-2 -ʌ系の字音的特徴 239

▶番号0900b・2512b「苔」（苺苔・水苔）の仮名音注「タイ」については、基本的に -ai で対応する。両当該字には平声点を差す。熟字2512「水苔」は右注「カハナ」を付載する。観智院本類聚名義抄に平声点を付した同音字注「音臺」を見出すが、仮名音注はない。元和本倭名類聚抄には同音字注「音臺」がある。日本漢音は平声を認める。

    苔 音臺 [平] コケノリ [平平平平] ／ミノリ ミル   （観智院本類聚名義抄／僧上014-7）

    苔 陸詞切韻云苔 音臺和名古介 水衣也   （元和本倭名類聚抄／巻二十17 オ5）

    水苔 辨色立成云水苔一名河苔 和名加波奈   （元和本倭名類聚抄／巻十七18 ウ2）

▶番号0926b「苔」（苺苔）の仮名音注「タイ」については、基本的に -ai で対応する。当該字に声点はない。上述の分析を参照。

▶番号2006b「臺」（輪臺）の仮名音注「タイ」については、基本的に -ai で対応する。当該字には平声点を差す。熟字2006「輪臺」は右注「盤渉調」を付載する。その中古音が示す頭子音 d-（等韻学の術語で言う舌音濁定母）は有声歯茎閉鎖音であり、日本語のダ行音をもって受容する。ただし、中国語音韻史上に現れる濁音声母の無声化を反映する場合にはタ行音で対応する。観智院本類聚名義抄に同音字注「音苔」および和音「堕イ」を見出す。同書では字音「ダ」を標音するために「堕イ・堕ウ・堕ン」を用いることがある。同書で「堕」を再検索すると、平声濁点を付した和音「タ」を見つける。長承本蒙求には仮名音注「タイ」三例があり、それらを含む掲出諸字四例に平声点を加える。日本漢音は「タイ」平声、日本呉音「ダイ」を認める。

    臺 … 音苔 ウテナ [平平□] ／和堕イ   （観智院本類聚名義抄／僧下070-3）

    堕 徒果反 徒臥反／オコタル [上上□□] … 和タ [平濁]   （観智院本類聚名義抄／法中085-7）

    臺 [平] タイ   （長承本蒙求／011・060・134）

    臺 [平]   （長承本蒙求／040）

    盤渉調曲 … 輪臺 青海波 有詠 …   （元和本倭名類聚抄／巻四17 オ3）

▶番号1495b・2706b「臺」（燈臺・鏡臺）の仮名音注「タイ」については、基本的に -ai で対応する。両当該字には上声濁点を差す。熟字1495「燈臺」は右注「トウタイ俗」を、熟字2706「鏡臺」は右傍「キヤウタイ俗」右注「カ、ミカケ」を付載する。定着久しい字音「ダイ」と解釈する。上述の分析を参照。

▶番号2208b「蔓」（芸蔓）の仮名音注「タイ」については、基本的に -ai で対応する。当該字には平声点を差す。その中古音が示す頭子音 d-（等韻学の術語で言う舌音濁定母）は有声歯茎閉鎖音であり、日本語のダ行音をもって受容する。ただし、中国語音韻史上に現れる濁音声母の無声化を反映する場合にはタ行音で対応する。熟字2208「芸蔓」は右注「ヲチ」を付載する。観智院本類聚名義抄に同音字注「臺」二例を見出すが、仮名音注はない。

    芸蔓 雲臺／二音 ヲチ [上平]   （観智院本類聚名義抄／僧上024-8）

    蕓蔓 音云 臺／ヲチ   （観智院本類聚名義抄／僧上025-1）

240　3．仮名音注の韻母別考察　3-1　Ⅰ韻類

　　　芸薹　本草云芸薹 雲薹和名加波奈　　　　　　　　　　　（元和本倭名類聚抄／巻十七23ウ6）

　▶番号1016b・1661b「駘」（駑駘・駑駘）の仮名音注「タイ」については、基本的に -ai で対
応する。両当該字には平声点を差す。廣韻に拠れば、咍/海韻（dʌi¹ᐟ²）二音を有する。その中古音が
示す頭子音 d-（等韻学の術語で言う舌音濁定母）は有声歯茎閉鎖音であり、日本語のダ行音をもっ
て受容する。ただし、中国語音韻史上に現れる濁音声母の無声化を反映する場合にはタ行音で対応
する。熟字「1016」は右注「ニフシ」を付載する。観智院本類聚名義抄に同音字注「音臺（咍韻 dʌi¹）
又殆（海韻 dʌi²）」を見出すが、仮名音注はない。元和本倭名類聚抄には同音字注「音臺」がある。

　　　駘 正 音臺 駑駘 又殆 上馬／衒脱彡 ニフウマ フム　　　　（観智院本類聚名義抄／僧中 101-6）
　　　駑馬 駑附 唐韻云駘 音臺 駑馬也 …　　　　　　　　　　（元和本倭名類聚抄／巻十一10オ6）

　▶番号2228「駘」（駘）の仮名音注「タイ」については、基本的に -ai で対応する。当該字に声
点はなく、右注「同（ヲソキムマ）」を付載する。上述の分析を参照。

　▶番号2540「能」（能）の仮名音注「タイ」については、基本的に -ai で対応する。当該字には
平声点を差し、その右注「同（カメ）」左注「三足也」を付載する。廣韻が示すように鼈・鱉（す
っぽん）のことである。その中古音が示す頭子音 n-（等韻学の術語で言う泥母）は歯茎鼻音であり、
ナ行音をもって受容するが、中国語音韻史上における鼻音声母の非鼻音化（denasalization）現象
によって、n- > nd- > d- の音変化を反映する場合はダ行音で対応する。図書寮本類聚名義抄に反
切「玉云奴登反」（その反切下字に平声点）を見出す。観智院本には反切「奴登反・乃登反」およ
び和音「ノウ」を見つけるが、これらは泥母登韻（nʌŋ¹）の別音である。

　　　能 爾雅謂三足鼈也又獸名禹父所化也奴來切又奴登切二　　　（宋本廣韻／泥母咍韻 nʌi¹）
　　　能 玉云奴登［□平］反 ヨク［去平／記：右注］ヨウス［去平平］　（図書寮本類聚名義抄／133-4）
　　　能 奴登反 ヨク［去平・去去／□シ：墨右傍］…　　　　　　（観智院本類聚名義抄／法上 097-4）
　　　能 … 乃登反 熊属 ヨシ［平上］和ノウ［平□：墨点］　　　（観智院本類聚名義抄／僧下 080-2）

　▶番号0260b・0725b・2400b「來」（以來・迫來・往來）の仮名音注「ライ」については、基
本的に -ai で対応する。当該諸字三例には平声点を差す。観智院本類聚名義抄に反切「盧臺反」お
よび和音「ライ」を見出す。長承本蒙求には仮名音注「ライ」があり、その掲出字には平声点を加
える。日本漢音「ライ」平声、日本呉音「ライ」を認める。

　　　來来 … 盧臺反 カヘル［平平上］… 和ライ　　　　　　　（観智院本類聚名義抄／僧下 081-2）
　　　来［平］ライ　　　　　　　　　　　　　　　　　　　　（長承本蒙求／095）

　▶番号0760b「來」（方來）の仮名音注「ライ」については、基本的に -ai で対応する。当該字
には上声点を差す。上述の分析を参照。

　▶番号1159b「莱」（蓬莱）の仮名音注「ライ」については、基本的に -ai で対応する。当該字
には平声点を差す。観智院本類聚名義抄に同音字注「音来」を見出す。長承本蒙求には仮名音注「ラ
イ」があり、その掲出字に平声点を加える。元和本倭名類聚抄には同音字注「音來」がある。日本

3-1-2 -ʌ系の字音的特徴　241

漢音「ライ」平声を認める。

　　萊草 音〔＊ー← 二〕来／萊草シハ［上平濁］　萊 正　　　（観智院本類聚名義抄／僧上 001-5）

　　菜〔＊萊か〕［平］ライ　　　　　　　　　　　　　　　　　　　　　　　（長承本蒙求／111）

　　萊草　辨色立成云萊草 上音來和名之波 一名類草　　　（元和本倭名類聚抄／巻二十 14 ウ 4）

《下巻 咍韻諸例》

▶番号 4372a・4375a・4390a・5183b「哀」（哀憐・哀傷・哀樂・牛哀）の仮名音注「アイ」については、基本的に -ai で対応する。当該諸字四例には平声点を差す。熟字 4375「哀傷」は右傍「カナシヒ イタム」を付載する。図書寮本類聚名義抄に東声点を付した同音字注「音埃」と反切「弘云烏来反」（その反切下字に平声点）を見出す。観智院本類聚名義抄に反切「烏来反」および墨点による上昇調を示す和音「アイ［平上］」を見つける。日本漢音「アイ」東声（四声体系では平声）日本呉音「アイ」去声を認める。

　　哀 音埃［東／アイ：右注］弘云烏来［□平］反 … カナシフ［上上上平濁／礼：右注］

　　　　　　　　　　　　　　　　　　　　　　　　　　　　　　（図書寮本類聚名義抄／340-1）

　　慈哀 行円云／慈哀［去濁上］　　　　　　　　　　　　（図書寮本類聚名義抄／237-1）

　　哀 烏来反 カナシフ［上上□□］… 和アイ［平上：墨点］　（観智院本類聚名義抄／法中 137-6）

▶番号 4373a「哀」（哀愍）の仮名音注「アイ」については、基本的に -ai で対応する。当該字には去声点を差す。熟字 4373「哀愍［去平］」は左注「アイミン」を付載するので、日本呉音による字音把握と考える。上述の分析を参照。

▶番号 3817b「孩」（嬰孩）の仮名音注「カイ」については、基本的に -ai で対応する。当該字には平声濁点と去声点を差す。その中古音が示す頭子音 ɣ-（等韻学の術語で言う喉音濁匣母）は有声軟口蓋摩擦音であり、日本語のガ行音をもって受容するが、中国語韻史上における濁音声母の無声化を反映する場合はカ行音で対応する。観智院本類聚名義抄に平声点を付した同音字注「音咳」を見出す。同書で掲出字「咳」を再検索すると同音字注「音孩［平］」を見つけるが、相互に字音把握が循環してしまう。承暦本金光明最勝王経音義には同音字注「亥音」があり、その掲出字には去声点を加える。元和本倭名類聚抄には反切「戸來反」を見つける。日本漢音は平声、日本呉音は去声を認める。

　　孩 音咳［平］アキトフ／ヲサム スフ／ムネ コ　　　　（観智院本類聚名義抄／法下 133-1）

　　嬰孩 アキトフ［上上濁上平］　　　　　　　　　　　　（観智院本類聚名義抄／法下 133-2）

　　咳 音孩［平］小兒笑／シハフキ アキトフ［上上上□］　（観智院本類聚名義抄／佛中 042-7）

　　孩［去］又作咳 亥ⵜ　　　　　　　　　　　　　　（承暦本金光明最勝王経音義／11 オ 2）

　　嬰兒　… 一云孩 戸來反 始生小兒也　　　　　　　　（元和本倭名類聚抄／巻二 08 ウ 1）

242 3．仮名音注の韻母別考察 3-1 Ⅰ韻類

▶番号3763b「孩」（嬰孩）の仮名音注「カイ」については、基本的に *-ai* で対応する。当該字に声点はない。熟字3763「嬰孩」は右注「戸米反」〔＊戸來反の誤認〕中注「始生児也」左注「エイカイ」を付載する。上述の分析を参照。

▶番号5476「皚」（皚）の仮名音注「キ」については、異例 *-i* を示す。当該字には平声点を差し、左右注「霜雪／白」を付載する。和訓「シロシ」の同訓異字として位置す。廣韻に拠れば、その中古音は咍韻（ŋʌi¹）である。諧声符「豈」（尾韻 kʻiʌi²）による字音把握か。観智院本類聚名義抄に反切「五哀反」（咍韻 ŋʌi¹）と「又魚幾反」（その反切下字に平声点を差す／微韻 ŋiʌi¹）を見出す。あるいは後者の反切を参看したか。日本漢音は平声を認める。

　　皚 五哀反 シロシ［平平上］／又魚幾 ［□平］反 　　　　（観智院本類聚名義抄／佛中104-5）

▶番号3814b「才」（英才）の仮名音注「サイ」については、基本的に *-ai* で対応する。当該字には平声点を差す。上巻の咍韻当該諸例で分析したように、日本漢音は平声、日本呉音「ザイ」を認める。

▶番号3714b・4515・4736b・5324b・5947b「才」（鴻才・才・瑱才・逸才・秀才）の仮名音注「サイ」については、基本的に *-ai* で対応する。当該諸字五例に声点はない。番号4515「才」は右注「昨哉反」左注「文才」を、熟字4736「瑱才」は左注「无才之意也」を、熟字5947「秀才」は左注「文章得業生」を付載する。上述の分析を参照。

▶番号4604a「材」（材木）の仮名音注「サイ」については、基本的に *-ai* で対応する。当該字に声点はない。観智院本類聚名義抄に平声点を付した同音字注「音才」を見出すが、仮名音注はない。元和本倭名類聚抄にも同音字注「音才」がある。日本漢音は平声を認める。

　　材 音才［平］我古キ木 … 　　　　　　　　　（観智院本類聚名義抄／佛下本100-3）
　　材木 楲附 唐韻云材 音才 衆木也 … 　　　　（元和本倭名類聚抄／巻十五12オ3）

▶番号5761b「財」（資財）の仮名音注「サイ」については、基本的に *-ai* で対応する。当該字には上声点を差す。上巻の咍韻当該諸例で分析したように、日本漢音は「サイ」平声、日本呉音は「ザイ」平声を認める。

▶番号4744a「裁」（裁縫）の仮名音注「サイ」については、基本的に *-ai* で対応する。当該字には平声点を差す。観智院本類聚名義抄に同音字注「財」を見出すが、仮名音注はない。

　　裁 音財 ワツカニ［平上濁平上］… ツクル［平平□］　　（観智院本類聚名義抄／僧中043-1）

▶番号6507b「栽」（前栽）の仮名音注「サイ［上上］」については、基本的に *-ai* で対応する。その仮名音注「サイ」は高平調（上声に相当）を示す。廣韻によれば、当該字「栽」は咍／代韻（tsʌi¹ᐟ³）の二音を有する。熟字6507「前栽」の右注「センサイ［平上上上］」仮名音注を付載するので、上昇調「セン」に後続するため、低平調から高平調「サイ」になったか。観智院本類聚名義抄に平声点を付した同音字注「音哉」および低平調を示す和音「サイ［平平］」を見出す。日本漢音は平声、日本呉音「サイ」平声を認める。

3-1-2　-ʌ 系の字音的特徴　243

　　　栽 音哉［平］ウフ［上平］／和サイ［平平］　　　　　　（観智院本類聚名義抄／僧中 043-1）

　▶番号 3357「鰓」（鰓）の仮名音注「サイ」については、基本的に -ai で対応する。当該字には
平声点を差し、右注「コツノ 蘿來反」左注「牛角中骨也」を付載する。観智院本類聚名義抄に反切
「先来反」を見出すが、仮名音注はない。元和本倭名類聚抄には反切「先來反」二例がある。

　　　鰓 先来反 牛ノコツノ［上上濁□］／コツノ［上上濁□］　　（観智院本類聚名義抄／佛下本 010-8）
　　　牛角　本草云牛角鰓 先來反和名古都能角等已見上文　　（元和本倭名類聚抄／巻十一 13 オ 8）
　　　鰓　説文云鰓 先來反本草云牛角鰓和名古豆乃 角中骨也　　（元和本倭名類聚抄／巻十八 22 オ 3）

　▶番号 4691a「災」（災異）の仮名音注「サイ」については、基本的に -ai で対応する。当該字
には平声点を差す。観智院本類聚名義抄に反切「作才反」と同音字注「音哉」および和音「サイ」
を見出す。日本呉音「サイ」を認める。

　　　災 作才反 音哉 裁［正：右注］／ワサワイ 和サイ　　　（観智院本類聚名義抄／佛下末 040-6）
　　　秋災 二俗　　　　　　　　　　　　　　　　　　　　（観智院本類聚名義抄／佛下末 040-6）

　▶番号 4692a「災」（災難）の仮名音注「サイ」については、基本的に -ai で対応する。当該字
には去声点を差す。上述の分析を参照。

　▶番号 4617「災」の（災）の仮名音注「サイ［平平］」については、基本的に -ai で対応する。
その仮名音注「サイ」〔＊「イ」部分は不鮮明〕は平声相当である低平調を示す。上述の分析を参照。

　▶番号 3318「苔」の仮名音注「タイ」については、基本的に -ai で対応する。当該字には平声点
を差し、右注「コケ」中注「徒哀反」左右注「石髪／水衣也」を付載する。上巻の哈韻当該諸例で
分析したように、日本漢音は平声を認める。

　▶番号 6172b「臺」（筆臺）の仮名音注「タイ」については、基本的に -ai で対応する。当該字
には上声濁点を差すので、字音「ダイ」を想定する。熟字 6172「筆臺」は左右注「置筆／是也」を
付載する。上巻の哈韻当該諸例で分析したように、日本漢音は「タイ」平声、日本呉音「ダイ」を
認める。

　▶番号 4920b・5383d「臺」（鏡臺・庶人三臺）の仮名音注「タイ」については、基本的に -ai
で対応する。両該当字に声点はない。熟字 5383「庶人三臺」は右注「大食調〔＊道調の誤認〕」を付
載する。上述の分析を参照。

　　　道調曲 … 庶人三臺　　　　　　　　　　　　　　　　　（元和本倭名類聚抄／巻四 16 オ 1）

　▶番号 6457「擡」の仮名音注「タイ」については、基本的に -ai で対応する。当該字に声点はな
く、右注「モタク」左注「擡頭」を付載する。観智院本類聚名義抄に平声点を付した同音字注「臺」
を見出すが、仮名音注はない。日本漢音は平声を認める。

　　　擡 音臺［平］モタク［平上平濁］／タ╴ク［平平上］　　（観智院本類聚名義抄／佛下本 073-7）

　▶番号 6863a「炲」（炲煤）の仮名音注「タイ」については、基本的に -ai で対応する。当該字
には平声点を差す。その中古音が示す頭子音 d-（等韻学の術語で言う舌音濁定母）は有声歯茎閉鎖

音であり、日本語のダ行音をもって受容するが、中国語音韻史上における濁音声母の無声化を反映する場合はタ行音で対応する。熟字 6863「炲煤」は右注「スゝ」左注「灰集屋也」を付載する。観智院本類聚名義抄に同音字注「音苔・臺」を見出すが、仮名音注はない。元和本倭名類聚抄には同音字注「臺」がある。

　　　　炱 音苔　　　　　　　　　　　　　　　　　　　　（観智院本類聚名義抄／佛下末 041-3）

　　　　炲煤 臺梅二音 スゝ［平上］… アマノアカ　　　（観智院本類聚名義抄／佛下末 041-4）

　　　　炲煤　唐韻云炲煤 臺梅二音和名須々 灰集屋也　　（元和本倭名類聚抄／巻十二 13 オ 5）

　▶番号 4495「鮐」（鲐）の仮名音注「タイ」については、基本的に -ai で対応する。当該字に声点はなく、右注「同（サメ）」を付載する。観智院本類聚名義抄に東声点を付した同音字注「台」を見出すが、仮名音注はない。その「台」については、長承本蒙求に仮名音注「タイ」があり、その掲出字を含め二例に東声点を付載する。日本漢音は東声（四声体系では平声）を認める。

　　　　鮐 音台［東］ウラ／サメ フク　　　　　　　　（観智院本類聚名義抄／僧下 003-4）

　　　　台［東］タイ　　　　　　　　　　　　　　　　（長承本蒙求／086）

　　　　台［東］　　　　　　　　　　　　　　　　　　（長承本蒙求／116）

　▶番号 5024b「來」（今來）の仮名音注「ラヒ」については、摺り消し跡があるが、基本的に -ai で対応するとしておく。当該字には平声点を差す。熟字 5024「今來」は中注「イマヨリコノカタ」左注「キンラヒ」を付載する。上巻の咍韻当該諸例で分析したように、日本漢音「ライ」平声、日本呉音「ライ」を認める。

　　　　今属 コノコロ［上上上濁平］　今来 訓同　　　（観智院本類聚名義抄／僧中 001-5）

　▶番号 5599b「来」（将来）の仮名音注「ライ」については、基本的に -ai で対応する。当該字には上声点を差す。熟字 5599「将来」は右傍「ユクスヘ」を付載する。上述の分析を参照。

　　　　将来 ユクスエ／キテキタル／モテキタル／ユクサキ　　　（観智院本類聚名義抄／佛下末 008-6）

　▶番号 5270a「萊草」の仮名音注「ライ」については、基本的に -ai で対応する。当該字には平声点を差す。熟字 5270「萊草」は右注「シハ［上上濁］」を付載する。上巻の咍韻当該例で分析したように、日本漢音「ライ」平声を認める。

　　　　萊草　辨色立成云萊草 上音來和名之波 一名類草　　　（元和本倭名類聚抄／巻二十 14 ウ 4）

　《上巻 海韻諸例》

　▶番号 1391b「改」（變改）の仮名音注「カイ」については、基本的に -ai で対応する。当該字には上声濁点を差すので、日本語音韻史上の連濁による字音「ガイ」を想定する。観智院本類聚名義抄に反切「古亥反」と「余止〔*別字「攺」の反切〕」を見出すが、仮名音注はない。同書は当該字「改」と「攺」を相互に異体字と認識するが、別字である。天治本新撰字鏡および高山寺本篆隷萬

3-1-2 -ʌ 系の字音的特徴　245

象名義は別字とする。廣韻に拠っても明らかである。

改改 古亥反 アラタム［平平上□］… 今正 改 余止　　　　　　（観智院本類聚名義抄／僧中 059-8）

改 古亥反 上更也改或作　　　　　　　　　　　　　　　　　（天治本新撰字鏡／巻十一 03 ウ 8）

攺 餘止反 攷攺大堅邜以辟逐鬼　　　　　　　　　　　　　　（天治本新撰字鏡／巻十一 03 オ 1）

改 公亥反 更也　　　　　　　　　　　　　　　　　　（高山寺本篆隷萬象名義／第五帖 63 オ 6）

攺 余中反 逐鬼　　　　　　　　　　　　　　　　　　（高山寺本篆隷萬象名義／第五帖 65 ウ 3）

改 更也 … 古亥切三 頛 頛頛又戸垓切 …　　　　　　　　（宋本廣韻／見母海韻 kʌi²）

以 … 羊已切七 … 攺 大堅說文曰毄攺大剛邜以逐鬼彭也　　（宋本廣韻／喩母止韻 jiɐi²）

▶番号 2861a・3026a・3102a「改」（改年・改定・改易）の仮名音注「カイ」については、基本的に -ai で対応する。当該諸字三例には平声点を差す。上述の分析を参照。

▶番号 3215「鎧」の仮名音注「カイ」については、基本的に -ai で対応する。当該字には去声点を差し、右注「ヨロヒ」を付載する。廣韻によれば、海/代韻（kʻʌi²³）二音を有する。その中古音が示す頭子音 kʻ（等韻学の術語で言う牙音次清溪母）は有気無声軟口蓋閉鎖音であり、日本語のカ行音をもって受容する。観智院本類聚名義抄に反切「又古改反」と「呉改反」（その反切下字に去声濁点を差す）および仮名音注「カイ」を見出す。その同音字注「音恨」は「音慨」の誤認か。石山寺一切経蔵本大般若経字抄には漢呉二音相同である同音字注「音蓋・音盖」（泰韻 kɑi³）がある。元和本倭名類聚抄には反切「苦盖反」を見つける。現行多くの漢和辞典は慣用音「ガイ」を掲げるが、諧声符「豈」（溪母尾韻 kʻiʌi²）からの類推とも考えにくい。あるいは諧声符を「亥」（匣母海韻 ɣʌi²）と誤認した結果か。日本漢音は去声、字音「カイ」を認める。

鎧 音恨 ヨロヒ／又古改反／カフト 呉改［□去濁］反／カイ　（観智院本類聚名義抄／僧上 124-8）

鎧［音盖：右傍］ヨロヒ　　　　　　　　　　　　（石山寺一切経蔵本大般若経字抄／03 ウ 5）

鎧［音盖：右傍］　　　　　　　　　　　　　　　（石山寺一切経蔵本大般若経字抄／13 オ 6）

甲　唐韻云鎧 苦盖反和名興略比 甲也 …　　　　　　（元和本倭名類聚抄／巻十三 13 ウ 7）

鎧 可戴反 甲　　　　　　　　　　　　　　　　　（高山寺本篆隷萬象名義／第五帖 055 オ 5）

▶番号 0403b・0899b・1579b・1634b・1724b・2878b・2879a・2881a・2882b・2885a・2886a・3043a「海」（望海・望海・渡海・東海・稚海藻・河海・海濱・海渚・紅海・海人）の仮名音注「カイ」については、基本的に -ai で対応する。当該諸字十例には上声点を差す。観智院本類聚名義抄に同音字注「音改」および和音「カイ」を見出す。長承本蒙求は掲出字「海」に上声点を加える。元和本倭名類聚抄には同音字注「音改」を見つける。日本漢音は上声、日本呉音「カイ」を認める。

海 音川云改［上］和名宇美［平上］…　　　　　　　　（図書寮本類聚名義抄／005-4）

海 音改 ウミ／和カイ　　　　　　　　　　　　　　（観智院本類聚名義抄／法上 001-5）

海［上］　　　　　　　　　　　　　　　　　　　　（長承本蒙求／069）

246　3．仮名音注の韻母別考察　3-1　Ⅰ韻類

　　海　四聲字苑云百川所歸也音改 和名字三　　　　　　　　　（元和本倭名類聚抄／巻一 16 ウ 6）

　▶番号 2886a・3043a「海」（海道・海賊）の仮名音注「カイ」については、基本的に -ai で対応する。両当該字には平声点を差す。上述の分析を参照。

　▶番号 1183b「宰」（牧宰）の仮名音注「サイ」については、基本的に -ai で対応する。当該字には上声点を差す。観智院本類聚名義抄に和音「手」を見出す。あるいは和音「才」（咍韻 dzʌiⁱ）の誤認か。ただし、和音に同音字注を用いることは稀である。仮名音注はない。高山寺本篆隷萬象名義には反切「子殆反」がある。

　　　宰 ツカサトル［□□□上濁平］… 和手〔＊才の誤認か〕　　　（観智院本類聚名義抄／法下 052-1）
　　　宰 子殆反 官也制也家也　　　　　　　　　　　　（高山寺本篆隷萬象名義／第三帖 063 ウ 4）

　▶番号 1416「載」（載）の仮名音注「サイ」については、基本的に -ai で対応する。当該字に声点はなく、右注「同（トシ）」左注「年也」を付載する。廣韻によれば、海/代韻 (tsʌi²³) 代韻 (dzʌiˢ) の三音を有する。観智院本類聚名義抄に反切「側代反」と同音字注「音再」を見出す。長承本蒙求には仮名音注「サイ」があり、その掲出字には去声点を差す。同書の仮名音注は平安時代院政初期である長承三年（1134）に加点された墨筆（例示で両音形ある場合は右側）を中心とするが、平安時代中期と推定する古い朱筆（両音形ある場合は左側）の加点もある。後者の仮名音注「タイ」は掲出字を「戴」と誤認した可能性がある。日本漢音「サイ」去声を認める。

　　　載 側代反 … コト［平平］　　　　　　　　　　　　（観智院本類聚名義抄／僧中 039-1）
　　　載 音再 ノス［上平／□ル：右傍］… コトハル［平平上□］　（観智院本類聚名義抄／僧中 039-1）
　　　載［去］タイ／サイ　　　　　　　　　　　　　　　　　　　（長承本蒙求／043）

　▶番号 1538「采」の仮名音注「サイ」については、基本的に -ai で対応する。当該字に声点はない。観智院本類聚名義抄に平声点と上声点を付した同音字注「音綵」を見出すが、仮名音注はない。日本漢音は平/上声を認める。

　　　采 音綵［平・上］イロトル［平平平上］… 桑　　　（観智院本類聚名義抄／佛下本 089-6）

　▶番号 0922a「採」（採幢）の仮名音注「サイ」については、基本的に -ai で対応する。当該字には上声点を差す。観智院本類聚名義抄に平声点を付した同音字注「音采」を見出す。この差声は「災」（咍韻 tsʌiⁱ）との混用か。長承本蒙求には仮名音注「サイ」があり、その掲出字には上声点を加える。日本漢音「サイ」上声を認める。

　　　採 音采［平］トル［平上］… トフラフ　　　　　（観智院本類聚名義抄／佛下本 076-7）
　　　採［上］サイ　　　　　　　　　　　　　　　　　　　　　　（長承本蒙求／066）

　▶番号 0342b「彩」（育彩）の仮名音注「サイ」については、基本的に -ai で対応する。当該字には上声点を差し、左右注「俗乍／採」を付載する。和訓「トル」の同訓異字として位置する。観智院本類聚名義抄に上声点を付した同音字注「采音」と低平調を示す和音「サイ［平平］」を見出す。承暦本金光明最勝王経音義には同音字注「細音」（その掲出字に平声点を差す）と仮名音注「サ

イ」がある。日本漢音は上声、日本呉音「サイ」平声を認める。

彩填 音采［上］カケ … 和サイ［平平］	（図書寮本類聚名義抄／215-6）
彩 音采［上］カケ … 和サイ［平平］	（観智院本類聚名義抄／佛下本032-5）
彩［平］細ミ／色也	（承暦本金光明最勝王経音義／06ウ4）
彩 サイ［＊後筆墨書］	（承暦本金光明最勝王経音義／07ウ1）

▶番号0351a「綵」（綵緻）の仮名音注「サイ」については、基本的に -ai で対応する。当該字には上声点を差す。熟字0351「綵緻」は右注「イロキヒシ」を付載する。図書寮本類聚名義抄に上声点を付した同音字注「音采」および低平調を示す「真云サイ」を見出す。観智院本には上声点を付した同音字注「音采」を見つける。承暦本金光明最勝王経音義には同音字注「細音」（その掲出字に平声点を差す）と仮名音注「サイ」がある。日本漢音は上声、日本呉音「サイ」平声を認める。

綵緻 音采［上］… 真云サイチ［平平去］	（図書寮本類聚名義抄／317-4）
綵 音采［上］イロ［平平］… イロトル	（観智院本類聚名義抄／法中135-2）
綵［平］細ミ	（承暦本金光明最勝王経音義／10オ6）
綵 サイ［＊後筆墨書］	（承暦本金光明最勝王経音義／09オ6）

▶番号1847b・1879b「怠」（遅怠・重怠）の仮名音注「タイ」については、基本的に -ai で対応する。両当該字には去声点を差す。廣韻に拠れば、その中古音は舌音濁定母海韻上声 $(d\Lambda i^2)$ である。頭子音 d- は有声歯茎閉鎖音であり、日本語のダ行音をもって受容するが、中国語音韻史上における濁音声母の無声化を反映する場合はタ行音で受容する。また、切韻を撰述して以降の中国語において、上声濁が次第に去声化を起こした状態を、日本漢音では反映する。これは上声を構成する上声軽と上声重とが allotone であり、後者の調値が去声と区別できないことを示すとも言える。熟字1879「重怠」は右傍「ヲモキヲコタリ」を付載する。図書寮本類聚名義抄に同音字注「異音決云音殆」を見出す。観智院本には同音字注「音殆」および和音「平」を見つける。日本呉音は平声を認める。

| 懈怠 … 下異音決云／音殆 … オコタル［上上上平／詩：右注］… | （図書寮本類聚名義抄／243-4） |
| 怠 音殆 オコタル［上上□□］… 和平 | （観智院本類聚名義抄／法中079-6） |

▶番号2280b の「怠」（擁怠）の仮名音注「タイ」については、基本的に -ai で対応する。当該字には平声濁点を差すので、字音「ダイ」を想定する。熟字2280「擁怠」は右傍「ト、コホル」を付載する。上述の分析を参照。

▶番号1785「殆」（殆）の仮名音注「タイ」については、基本的に -ai で対応する。当該字には去声点を差し、和訓「チカシ・チカツク」の同訓異字として位置する。観智院本類聚名義抄に同音字注「音待」を見出すが、仮名音注はない。

| 殆 … 音待 アヤフシ … オヨフ | （観智院本類聚名義抄／法下131-6） |

▶番号1053a「倍」（倍羅縻）の仮名音注「ハイ」については、基本的に -ai で対応する。当該

248　3．仮名音注の韻母別考察　3-1　Ⅰ韻類

字には上声点を差す。熟字1053「倍羅麼」は右傍「ハイラマ」右注「ホロノハ［上平平上］」左注
「鳥脇羽也」を付載する。その中古音が示す頭子音 b-（等韻学の術語で言う脣音濁並母）は有声両
唇閉鎖音であり、日本語のバ行音をもって受容するが、中国語音韻史上における濁音声母の無声化
を反映する場合は日本語のハ行音で対応する。観智院本類聚名義抄に反切「薄乃反」（その反切下
字に上声濁点を差し、右傍には朱筆で仮名音注「タイ」）および和音「ハイ［去□］」と「ヘ」を
見出す。日本漢音は上声、日本呉音「ハイ」と「ヘ」を認める。借字「倍」（ヘ乙類・ベ乙類・ホ）
は単母音化した字音を基盤とする。字音「ホ」と解する「倍」は萬葉集「於毛倍遊・於母倍由」二
例のみであるが、熟字「倍羅麼」が「ホロノハ」で定着しているので、かなり古くから字音「ホ」
を受容していたと推測する。

　　　倍　薄乃［□上濁／タイ：朱右傍］反 … 和ハイ［去□］ヘ …　　　（観智院本類聚名義抄／佛上 003-4）

　　　倍羅麼　ホロノハ／鳥旅羽　　　　　　　　　　　　　　　　　（観智院本類聚名義抄／佛上 003-4）

　　　倍羅麼　鳥ノワキノシタノケヲ／為倍羅麼　ホロハ［上平上］説也

　　　　　　　　　　　　　　　　　　　　　　　　　　　　　　　　（観智院本類聚名義抄／法下 107-2）

　　　倍羅麼　日本紀私記云倍羅麼 師説鳥乃和岐乃之多乃介乎爲倍羅麼也 … 今俗謂保呂羽靴也

　　　　　　　　　　　　　　　　　　　　　　　　　　　　　　（元和本倭名類聚抄／巻十八 13 ウ 4）

　　　鳳至郡渡饒石川之時作歌一首

　　　伊母尓安波受　比左思久奈里奴　尓藝之河波　伎欲吉瀬其登尓　美奈宇良波倍弖奈

　　　　［妹に逢はず久しくなりぬ饒石川清き瀬ごとに水占延へてな］

　　　　〔＊波線「ヘ乙類」〕　　　　　　　　　　　　　　　（西本願寺本萬葉集／巻 17・4028）

　　　乎敷乃佐吉　許藝多母等保里　比祢毛須尓　美等母安久倍伎　宇良尓安良奈久尓

　　　　［乎布の崎漕ぎた廻りひねもすに見とも飽くべき浦にあらなくに］

　　　右一首守大伴宿祢家持

　　　　〔＊波線「ベ乙類」〕　　　　　　　　　　　　　　　（西本願寺本萬葉集／巻 17・4037）

　　　高市連黒人歌一首

　　　賣比能野能　須ゝ吉於之奈倍　布流由伎尓　夜度加流家敷之　可奈之久於毛倍遊

　　　　［婦負の野のすすき押しなべ降る雪に宿借る今日し悲しく思ほゆ］

　　　　〔＊波線「ホ」〕　　　　　　　　　　　　　　　　　（西本願寺本萬葉集／巻 17・4027）

　　　能登郡従香嶋津發船射熊来村徃時作歌二首

　　　香嶋欲里　久麻吉乎左之氏　許具布祢能　河治等流間奈久　京師之於母倍由

　　　　［香島より熊来をさして漕ぐ船の楫取る間なく都し思ほゆ］

　　　　〔＊波線「ホ」〕　　　　　　　　　　　　　　　　　（西本願寺本萬葉集／巻 17・4027）

▶番号 0762a「倍」（倍増）の仮名音注「ハイ」については、基本的に -ai で対応する。当該字
には平声濁点を差すので、字音「バイ」を想定する。上述の分析を参照。

3-1-2　-ʌ系の字音的特徴　249

《下巻　海韻諸例》

▶番号5398「醢」（醢）の仮名音注「カイ」については、基本的に *-ai* で対応する。当該字には上声点を差し、右注「シゝヒシホ」中左注「呼改反 宍醤／魚醤皆呼為醢」を付載する。観智院本類聚名義抄に上声点を付した同音字注「音海」を見出すが、仮名音注はない。元和本倭名類聚抄には反切「乎改反」と同音字注「音海」がある。日本漢音は上声を認める。

　　　醢　音海［上］シ、ヒシホ［平平平濁上平］／タヒシ、ホ　　（観智院本類聚名義抄／僧下 058-1）

　　　醢　爾雅云醢 乎改反與海同和名之々比之保　　　　　　　（元和本倭名類聚抄／巻十六20 ウ6）

▶番号6532b「海」（青海波）の仮名音注「カイ」については、基本的に *-ai* で対応する。当該字には去声濁点を差すので、日本語音韻史上の連濁による字音「ガイ」を想定する。熟字6532「青海波」は右注「盤渉調」を付載する。上巻の海韻当該諸例で分析したように、日本漢音は上声、日本呉音「カイ」を認める。

　　　盤渉調曲　…　青海波 有詠　　　　　　　　　　　　　（元和本倭名類聚抄／巻十六17 オ4）

▶番号3869b・6847b「海」（縁海・酒海）の仮名音注「カイ」については、基本的に *-ai* で対応する。両当該字に声点はない。上述の分析を参照。

▶番号5647b「在」（自在）の仮名音注「サイ」については、基本的に *-ai* で対応する。当該字には平声濁点を差すので、字音「ザイ」を想定する。廣韻によれば、海／代韻（dzʌi²³）の二音を有する。その中古音が示す頭子音 dz-（等韻学の術語で言う歯音濁従母）は有声破擦音であり、日本語のザ行音をもって受容するが、中国語音韻史上における濁音声母の無声化を反映する場合はサ行音で対応する。観智院本類聚名義抄に去声点を付した同音字注「音載」と「又上声」を見出すが、仮名音注はない。日本漢音は上/去声を認める。

　　　在 音載［去］又上声 アリマシマス［上上□上平□］…　　（観智院本類聚名義抄／佛上 084-6）

▶番号4633a・4633b・4764b・4822a「在」（在ゝ・在ゝ・散在・在廰）の仮名音注「サイ」については、基本的に *-ai* で対応する。当該諸字四例に声点はない。上述の分析を参照。

▶番号4597・6862c「采」（采・雙六采）の仮名音注「サイ」については、基本的に *-ai* で対応する。当該字に声点はない。番号4597「采」は左注「雙六采」を、熟字6862「雙六采」は左右注「スクロク／サイ」を付載する。上巻の海韻当該例で分析したように、日本漢音は平/上声を認める。

▶番号4682a・4683a・4684a・4777a・4782a「採」（採澤・採用・採擢・採幢・採薇）の仮名音注「サイ」については、基本的に *-ai* で対応する。当該諸字五例には上声点を差す。上巻の海韻当該例で分析したように、日本漢音「サイ」上声を認める。

▶番号4541a「採」（採菜老）の仮名音注「サイ」については、基本的に -ai で対応する。当該字には去声点を差す。熟字「採菜老」は右注「盤渉調」を付載する。上述の分析を参照。

盤渉調曲 … 採桑老 有詠　　　　　　　　　（元和本倭名類聚抄／巻十六 17 オ 4）

▶番号 4666a・5189b「彩」（彩幡・金彩）の仮名音注「サイ」については、基本的に -ai で対応する。両掲出字には平声点を差す。上巻の海韻当該例で分析したように、日本漢音は上声、日本呉音「サイ」平声を認める。

▶番号 4765a・4789a「綵」（綵繖・綵銭）の仮名音注「サイ」については、基本的に -ai で対応する。両当該字には上声点を差す。熟字 4765「綵繖」は右傍「イロキヒシ」を付載する。上巻の海韻当該例で分析したように、日本漢音は上声、日本呉音「サイ」平声を認める。

▶番号 4660a「綵」（綵匝）の仮名音注「サイ」については、基本的に -ai で対応する。当該字には平声点を差す。熟字 4660「綵匝」は右傍「イロトル」を付載する。上述の分析を参照。

▶番号 3960b「宰」（家宰）の仮名音注「サイ」については、基本的に -ai で対応する。当該字には上声点を差す。上巻の海韻当該例で分析した。

▶番号 3655b・4821a「宰」（國宰・宰相）の仮名音注「サイ」については、基本的に -ai で対応する。両当該字に声点はない。熟字 4821「宰相」は左注「曰参議」を付載する。上述の分析を参照。

▶番号 5772b「載」（勝載）の仮名音注「サイ」については、基本的に -ai で対応する。当該字には平声濁点を差すので、字音「ザイ」を想定する。廣韻によれば、海/代韻 (tsʌi²³) 代韻 (dzʌi³) の三音を有する。上巻の海韻当該例で分析したように、日本漢音「サイ」去声を認める。

▶番号 3805b「怠」（延怠）の仮名音注「タイ」については、基本的に -ai で対応する。当該字には去声点を差す。上巻の海韻当該諸例で分析したように、日本呉音は平声を認める。

▶番号 5062b「殆」（疑殆）の仮名音注「タイ」については、基本的に -ai で対応する。当該字には平声点を差す。上巻の海韻当該例で分析した。

▶番号 3734c・4424b・6953b「倍」（許曽倍・安倍・上倍）の仮名音注「ヘ」については、基本的に -e で対応する。当該諸字三例に声点はない。熟字 3734「許曽倍」は古篇姓氏部に、熟字 4424「安倍」は阿篇姓氏部に属す。熟字 6953「上倍」は洲篇国郡部に属する地名である。元和本倭名類聚抄を参照すれば、同熟字は「安倍」の誤認と推測できる。前田本の各國郡（国郡）項目は倭名類聚抄を出典とした蓋然性が高い。上巻の海韻当該諸例で分析したように、日本漢音は上声、日本呉音「ハイ」と「ヘ」を認める。借字の「倍」（ヘ乙類・べ乙類）は単母音化した字音を基盤とする。

駿河國 … 有度 宇止 安倍　廬 伊保波良 …　　　　　　（元和本倭名類聚抄／巻五 13 ウ 5）

《上巻 代韻諸例》

▶番号 0775b「愛」（汎愛）の仮名音注「アイ」については、基本的に -ai で対応する。当該字

には平声点を差す。観智院本類聚名義抄に掲出字「愛」を掲げるが、注記は何もない。別途「二古愛字」として異体字を掲げるが、音注はない。傍証ながら、同書で「靉」を再検索すると、去声点を付した同音字注「音愛」および低平調と推測する和音「アイ」を見つける。天治本新撰字鏡にも異体字を掲げる。高山寺本篆隷萬象名義には反切「於戴反」を見出す。

愛〔＊注記なし〕 (観智院本類聚名義抄／僧中 053-7)

㤅懇 二古 愛字 (観智院本類聚名義抄／法中 080-8)

靉 音愛［去］タナヒク … 和アイ［□平］ (観智院本類聚名義抄／法下 072-6)

㤅 愛字恵也 (天治本新撰字鏡／巻二 24 オ 6)

愛 於戴反 隠也惜也傷也親也憐也縦也仁也 (高山寺本篆隷萬象名義／第二帖 084 オ 1)

愛 烏代反心悽六 … 靉 靆ゝ … (王仁昫刊謬補缺切韻／影母代韻 'ʌi³)

愛 … 烏代切九 㤅 恵也 懇 古文 … 靉 靆靆雲狀 … (宋本廣韻／影母代韻 'ʌi³)

▶番号 0877b・1932b「愛」（博愛・寵愛）の仮名音注「アイ」については、基本的に -ai で対応する。両当該字には去声点を差す。上述の分析を参照。

▶番号 1529b「概」（槩）の仮名音注「キ」については、異例 -i を示す。当該字に声点はない。熟字 1529「斗概」には右注「トカキ」右傍「キ」仮名音注を付載する。升の中に穀物を入れて平らにならす棒を意味する。元和本倭名類聚抄には注記「平斗斛者也斗概」および借字「度加岐」を見出す。容量の単位である字音語「斗」に動詞「掻く」の連用形「掻き」が連接した語と推測する。その「掻き」は連用形名詞としてイ音便化する環境にもあり、平斗の意味を持つ漢字表記「概」を宛てた。注記「俗云」による定着久しい字音語であるため、すでに和訓と認識していたのであろう。当該の右傍「キ」仮名音注は和訓「トカキ」を誤認し、諧声符「既」（未韻 kiʌi³）による字音を示した可能性がある。

斗概 トカキ［平平平］ (観智院本類聚名義抄／佛下本 099-1)

斗 斗槩附 … 唐韻禮記注云概 古礙反 平斗斛者也斗概 俗云度加岐

(元和本倭名類聚抄／巻十四 04 オ 4)

▶番号 3088b「槩」（捹槩）の仮名音注「カイ」については、基本的に -ai で対応する。当該字には平声濁点を差すので、日本語音韻史上の連濁による字音「ガイ」を想定する。熟字 3088「捹槩」は左注「大略也」を付載する。観智院本類聚名義抄に去声点を付した同音字注「音漑」を見出すが、仮名音注はない。同書では異体字とする「摡」に去声点を付した同音字注「音漑」がある。日本漢音は去声を認める。

槩 ハカリ［上上平］スル［平上］ハラフ 音漑［去］… (観智院本類聚名義抄／佛下本 099-1)

概 或 梗槩 オホムネ［平平平平］／上在下 (観智院本類聚名義抄／佛下本 099-1)

摡 音漑［去］拭俗 又云今槩字 取也 又平 丯也／オホムネ［平平□□］ハカリ［平平上］…

(観智院本類聚名義抄／佛下本 063-2)

252　3．仮名音注の韻母別考察　3-1　Ⅰ韻類

溉 古礙反灌五 槩 平　　　　　　　　　　　　　　（王仁昫刊謬補缺切韻／見母代韻 kʌi³）

溉 灌也 … 古代切六 槩 平斗斜木　　　　　　　　　　（宋本廣韻／見母代韻 kʌi³）

▶番号3089b「慨」（慷慨）の仮名音注「カイ」については、基本的に -ai で対応する。当該字には去声点を差す。観智院本類聚名義抄に同音字注「音鎧」と上昇調である和音「カイ［平上］」を見出す。日本呉音「カイ」去声を認める。

　　慨 音鎧 慷慨 ハケム … 和カイ［平上］　　　　　　（観智院本類聚名義抄／法中 080-8）

▶番号1408b「塞」（邊塞）の仮名音注「サイ」については、基本的に -ai で対応する。当該字には去声点を差す。廣韻によれば、代韻（sʌi³）德韻（sʌk）の二音を有する。観智院本類聚名義抄に反切「蘓得反」と去声点を付した同音字注「又音賽」および和音「ソク」を見出す。元和本倭名類聚抄には反切「先代反」がある。日本漢音は去声、日本呉音「ソク」を認める。

　　塞 蘓得反 ツヒヤス［上上上□］道 又音賽［去］ … 和ソク　（観智院本類聚名義抄／法中 067-6）

　　塞 …顧野王案塞險惡之處所以隔内外也先代反 和名曾古

　　　　　　　　　　　　　　　　　　　　　　　（元和本倭名類聚抄／巻一 10 ウ 9）

▶番号1161b「賽」（報賽）の仮名音注「サイ」については、基本的に -ai で対応する。当該字には去声点を差す。熟字1161「報賽」は右傍「カヘリマウシ」を付載する。観智院本類聚名義抄に反切「先代反」を見出すが、仮名音注はない。

　　賽 先代反 ムクユ … マウシ　　　　　　　　　　（観智院本類聚名義抄／法下 047-7）

▶番号2338b「菜」（黄菜）の仮名音注「サイ」については、基本的に -ai で対応する。当該字に声点はない。観智院本類聚名義抄に上声点を付した同音字注「音在」を見出す。同書では熟字「黄菜」に対しては仮名音注「俗云ワウサイ［平平平濁平］」も見つける。定着久しい低平調の字音「ワウザイ」であり、日本語音韻史上の連濁による音変化を含む。日本漢音は上声を、定着久しい字音「サイ」平声を認める。

　　菜 音在［上］ナ［平］／クサヒラ サカナリ　　　（観智院本類聚名義抄／僧上 025-1）

　　黄菜 俗云ワウサイ［平平平濁平］／一云サハカケ［平平平平］　（観智院本類聚名義抄／僧上 025-3）

▶番号2268「逮」（逮）の仮名音注「タイ」については、基本的に -ai で対応する。当該字に声点はなく、和訓「ヲヨフ」の同訓異字として位置する。廣韻によれば、代韻（dʌi³）霽韻（dei³）の二音を有する。その中古音が示す頭子音 d-（等韻学の術語で言う舌音濁定母）は有声歯茎閉鎖音であり、日本語のダ行音をもって対応するが、中国語音韻史上における濁音声母の無声化を反映した場合はタ行音で対応する。観智院本類聚名義抄に去声点を付した同音字注「音代・又弟」および和音「タイ」を見出す。日本漢音は去声、日本呉音「タイ」を認める。

　　逮 音代［去］又弟［去］正隷 ヲヨホフス［上上□□□］ … 和タイ

　　　　　　　　　　　　　　　　　　　　　　　（観智院本類聚名義抄／佛上 046-4）

▶番号1270b「靆」（靆靆）の仮名音注「タイ」については、基本的に -ai で対応する。当該字

に声点はない。熟字1270「氊氊」は右注「同（ホノカナリ）」右傍「タイ」仮名音注を付載する。この右傍は別筆の可能性もある。観智院本類聚名義抄に平声点と去声点を付した同音字注「音待」を見出すが、仮名音注はない。日本漢音は平/去声を認める。なお、前田本では「氊」と掲げる当該字を「氊」と修正したが、これは仮名音注からの判断である。廣韻には「氊」（見母末韻 kiʌiˀ）があり、注記「氊氊雲状」を掲げる。同書「氊」の注記「氊氊雲状」と非常に紛れやすい。

　　　氊 氊氊雲状　　　　　　　　　　　　　　　　　　（宋本廣韻／定母代韻 dʌiˀ）

　　　氊 氊氊雲状　　　　　　　　　　　　　　　　　　（宋本廣韻／見母末韻 kiʌiˀ）

　　　氊 音待［平・去］／氊氊 タナヒク［上上□□］　　　（観智院本類聚名義抄／法下 072-6）

　▶番号2186b「代」（累代）の仮名音注「タイ」については、基本的に -ai で対応する。当該字には去声点を差す。その中古音が示す頭子音 d-（等韻学の術語で言う舌音濁定母）は有声歯茎閉鎖音であり、日本語のダ行音をもって対応するが、中国語音韻史上における濁声声母の無声化を反映した場合はタ行音で対応する。観智院本類聚名義抄に同音字注「音逮」を見出す。長承本蒙求には仮名音注「タイ」があり、その掲出字には去声点を加える。日本漢音「タイ」去声を認める。

　　　代 音逮 ヨ［上］… シロ　　　　　　　　　　　　　（観智院本類聚名義抄／佛上 012-8）

　　　代［去］タイ　　　　　　　　　　　　　　　　　　（長承本蒙求／120）

　▶番号1636b・1874b「代」（土代・重代）の仮名音注「タイ」については、基本的に -ai で対応する。両当該字には上声濁点を差すので、字音「ダイ」を想定する。上述の分析を参照。

　▶番号3298c・2375b「代」（判事代・往代）の仮名音注「タイ」については、基本的に -ai で対応する。両当該字に声点はない。上述の分析を参照。

　▶番号2065b「黛」（柳黛）の仮名音注「タイ」については、基本的に -ai で対応する。当該字には去声点を差す。観智院本類聚名義抄に同音字注「音代」二例を見出すが、仮名音注はない。元和本倭名類聚抄には同音字注「音代」がある。

　　　黛 音代 マユスミ／マユカキ　　　　　　　　　　　（観智院本類聚名義抄／佛上 013-3）

　　　黛 音代 クロシ マユスミ［平上平平］…　　　　　　（観智院本類聚名義抄／佛下末 056-1）

　　　黛 説文云黛 音代和名萬由須美 畫眉墨也　　　　　　（元和本倭名類聚抄／巻十四 05 ウ 3）

　▶番号2269・2313「態」（態・態）の仮名音注「タイ」については、基本的に -ai で対応する。両当該字に声点はない。番号2269「態」は和訓「ヲヨフ」の同訓異字として位置する。番号2313「態」は右注「ワサ」を付載する。図書寮本類聚名義抄に去声点を付した同音字注「音戴」と「音貸」を見出す。観智院本には同音字注「音貸」を見つけるが、仮名音注はない。高山寺本篆隷萬象名義には反切「他戴反」がある。日本漢音は去声を認める。

　　　恣態 音戴［去］… 應云又作能 … スカタ［平平濁上／白：右注］　（図書寮本類聚名義抄／248-3）

　　　溺態 … 下音貸 … スカタ［集：右注］　　　　　　　（図書寮本類聚名義抄／248-3）

　　　態 音貸 ワサ［上平濁］サマ スカタ［平平濁上］…　（観智院本類聚名義抄／法中 098-4）

　　　　態 他戴反 意态也姿也　　　　　　　　　　　　　（高山寺本篆隷萬象名義／第二帖086 オ2）

　▶番号2315「傂」（傂）の仮名音注「タイ」については、基本的に -ai で対応する。当該字には去声点を差す。番号2315「傂」は和訓「ワサ」の同訓異字として位置する。観智院本類聚名義抄に音注はないが、注記「或態字」を記す。高山寺本篆隷萬象名義には反切「勑賚反」を見つける。同じく「態」の異体字とする。

　　　　傂 或態字　　　　　　　　　　　　　　　　　　（観智院本類聚名義抄／佛上034-1）

　　　　傂 勑賚反 意也态也或態　　　　　　　　　　　（高山寺本篆隷萬象名義／第一帖061 ウ2）

　　　　傂 他代切 意态從也說文云意也與態同　　　　（小學彙函本大廣益會玉篇／卷上21 ウ2）

　▶番号1817b「戴」（頂戴）の仮名音注「タイ」については、基本的に -ai で対応する。当該字には平声点を差す。観智院本類聚名義抄に反切「都代反」および低平調と推測する和音「タイ」を見出す。長承本蒙求には仮名音注「タイ」五例があり、掲出字いずれにも去声点を加える。承暦本金光明最勝王経音義には同音字注「躰音」があり、その掲出字に平声点を差す。日本漢音「タイ」去声、日本呉音「タイ」平声を認める。

　　　　戴 都代反 イタ、ク［上上上濁平］… 和タイ［口平］　　（観智院本類聚名義抄／僧中042-3）

　　　　戴［去］タイ　　　　　　　　　　　　　　　（長承本蒙求／012・044・050・127・128）

　　　　戴［平］躰、　　　　　　　　　　　　　　　（承暦本金光明最勝王経音義／10 オ5）

　▶番号0213「戴」（戴）の仮名音注「タイ」については、基本的に -ai で対応する。当該字に声点はなく、右注「イタミク」を付載する。上述の分析を参照。

　《下巻 代韻諸例》

　▶番号4368a「愛」（愛惡）の仮名音注「アイ」については、基本的に -ai で対応する。当該字には平声点を差す。上巻の代韻当該諸例で分析した。

　▶番号5638b「愛」（鍾愛）の仮名音注「アイ」については、基本的に -ai で対応する。当該字には去声点を差す。上述の分析を参照。

　▶番号4210・4369a・4384a・4803a「愛」（愛・愛着・愛習・相愛）の仮名音注「アイ」については、基本的に -ai で対応する。当該諸字四例に声点はない。番号4210「愛」は右注「アイス」サ変動詞を付載する。上述の分析を参照。

　▶番号4405a「愛」（愛智）の仮名音注「エ」については、基本的に -e で対応する。当該字に声点はない。熟字「愛智」は阿篇国郡部に属し、右傍「エチ」を付載する地名である。先行して存在していた地名に漢字表記を宛てたと推測する。基本的字音 -ai の単母音化 -e である。借字「愛（エ）」の基盤となった字音と認める。上述の分析を参照。

　　　　近江國 … 愛智 衣知 …　　　　　　　　　　（元和本倭名類聚抄／卷五16 オ7）

▶番号 4418a「愛」（愛宕護山）の仮名音注「ア」については、異例 -a を示す。当該字に声点はない。熟字 4418「愛宕護山」は阿篇国郡部に属し、左右注「アタコノ／ヤマ」を付載する地名である。元和本倭名類聚抄に「於多岐・於多木」を見出す。上述の分析を参照。

  山城國 … 愛宕 於多岐 …   （元和本倭名類聚抄／巻五 10 ウ 1）

  愛宕郡 … 愛宕 於多木 …   （元和本倭名類聚抄／巻六 02 オ 6）

▶番号 5349a「欬」（欬嗽）の仮名音注「カイ」については、基本的に -ai で対応する。当該字には去声点を差す。熟字 5349「欬嗽」は右注「シハフキ」左注「又乍咳敕」を付載する。観智院本類聚名義抄に反切「苦代反」と同音字注「亥」を見出すが、仮名音注はない。元和本倭名類聚抄には同音字注「亥」がある。

  欬 苦代反 サカイキ 有咳非   （観智院本類聚名義抄／僧中 045-1）

  欬軟 亥東二音 生角反 又咳嗽 シハフキ［平平上濁平］… （観智院本類聚名義抄／僧中 046-1）

  欬嗽　病原論云欬 亥走二音欬字亦作咳之波不岐 … （元和本倭名類聚抄／巻三 19 オ 3）

▶番号 5580b「礙」（障礙）の仮名音注「ケ」については、基本的に -e で対応する。当該字には平声点を差す。その中古音が示す頭子音 ŋ-（等韻学の術語で言う疑母）は軟口蓋鼻音であり、日本語のガ行音をもって受容する。図書寮本類聚名義抄に反切「兹云五代反」および平声点を付した「真云ケ」を見出す。観智院本には反切「五代反」と平声点を付した和音「ケ」を見つける。日本呉音「ゲ」平声を認める。基本的字音 -ai の単母音化 -e である。借字「礙（ゲ乙類）」の基盤となった字音である。

  礙 兹云五代反 … サフ［□平／白：右注］／真云ケ［平］ （図書寮本類聚名義抄／154-2）

  礙 五代反 サハル［上上□／□フ□：平 墨右傍］… 和ケ［平］ （観智院本類聚名義抄／法中 002-2）

▶番号 4939b「塞」（邊塞）の仮名音注「サイ」については、基本的に -ai で対応する。当該字には去声点を差す。上巻の代韻当該例で分析したように、日本漢音は去声、日本呉音「ソク」を認める。

▶番号 4657a「賽」（賽皷）の仮名音注「サイ」については、基本的に -ai で対応する。当該字には去声点を差す。上巻の代韻当該例で分析した。

▶番号 5564b「賽」（宿賽）の仮名音注「サイ」については、基本的に -ai で対応する。当該字に声点はない。上述の分析を参照。

▶番号 4100b「菜」（生菜）の仮名音注「サイ」については、基本的に -ai で対応する。当該字には去声点を差す。熟字 4100「生菜」は右注「同（アヲナ）」を付載する。上巻の代韻当該例で分析したように、日本漢音は上声を、定着久しい字音「サイ」平声を認める。

▶番号 4747a「菜」（菜食）の仮名音注「サイ」については、基本的に -ai で対応する。当該字には平声点を差す。上述の分析を参照。

▶番号 5274c「菜」（羊蹄菜）の仮名音注「シ」については、異例 -i を示す。当該字に声点はな

い。熟字5274「羊蹄菜」に右注「シフクサ［平平上平］」右傍「ヤウテイシ」を付載する。観智院本類聚名義抄には「シ」に加え「シフクサ」を見出す。両者は元和本倭名類聚抄の注記「和名之布久佐一云之」を出典とする。この「シ（之）」は字音ではなく和訓か。上述の分析を参照。

　　　羊蹄菜 シ／シフクサ　　　　　　　　　　　　　　（観智院本類聚名義抄／僧上025-4）

　　　菫 音勤 シフクサ［平平濁平□］／一云シ 攄力反　蓬 或　　　（観智院本類聚名義抄／僧上046-8）

　　　羊蹄菜　唐韻云菫 丑六反字亦作蓬和名之布久佐一云之 羊蹄菜也

　　　　　　　　　　　　　　　　　　　　　　　　　　（元和本倭名類聚抄／巻十七25 オ2）

▶番号5106b・5820b「代」（希代・精代）の仮名音注「タイ」については、基本的に -ai で対応する。両当該字には平声点を差す。上巻の代韻諸例で分析したように、日本漢音「タイ」去声を認める。

▶番号4931b・6965c「代」（裛代・主典代）の仮名音注「タイ」については、基本的に -ai で対応する。両当該字に声点はない。熟字4931「裛代」は中左注「夏裏ナシ／冬有裏」を、熟字6965「主典代」は左注「在院宮」を付載する。上述の分析を参照。

▶番号4917b・4918b「袋」（魚袋・魚袋）の仮名音注「タイ」（同一の掲出字に重複して付載）については、基本的に -ai で対応する。当該字に去声点を差す。図書寮本類聚名義抄に同音字注「川云音代」を見出す。観智院本には同音字注「音門」を見つけるが、仮名音注はない。この同音字注は「同」の誤認で、直前の掲出字「黛」に付載する同音字注「音代」を指す。元和本倭名類聚抄には同音字注「音代」がある。

　　　袋 川云音代 和云／布久路［平平平］　　　　　　　（図書寮本類聚名義抄／341-7）

　　　帒 音門〔＊音同の誤認か〕フクロ　袋 俗　　　　　（観智院本類聚名義抄／佛上013-4）

　　　囊　蔣魴切韻云袋 音代字亦作帒和名布久路 囊名魚帒　　（元和本倭名類聚抄／巻十四20 ウ1）

▶番号6551b「黛」（青黛）の仮名音注「タイ」については、基本的に -ai で対応する。当該字には去声点を差す。上巻の代韻当該例で分析した。

▶番号3863b「態」（艶態）の仮名音注「タイ」については、基本的に -ai で対応する。当該字には去声点を差す。上巻の代韻当該諸例で分析したように、日本漢音は去声を認める。

▶番号3356a「戴」（戴星馬）の仮名音注「タイ」については、基本的に -ai で対応する。当該字には去声点を差す。熟字3356「戴星馬」は左右注「コヒタヒノウマ」〔＊ウヒタヒノウマの誤認〕を付載する。額に白い斑文のある馬を指す。上巻の代韻当該諸例で分析したように、日本漢音「タイ」去声、日本呉音「タイ」平声を認める。

　　　戴星馬 ウヒタヒ［平平濁上平］／ノムマ　　　　　（観智院本類聚名義抄／僧中098-7）

　　　戴星馬　爾雅注云白顚一名的顙俗呼爲戴星馬 和名宇比太非能無麻

　　　　　　　　　　　　　　　　　　　　　　　　　　（元和本倭名類聚抄／巻十一12 ウ7）

3-1-2-3 -uʌi（灰/賄/隊韻）

　資料篇【表B-02】には灰韻（平声）賄韻（上声）隊韻（去声）所属の諸例が含まれる。前田本の示す仮名音注は、-ai で基本的に対応する。これは合口介音 -u- を捨象した字音把握と言える。ただし、頭子音が k- 系（いわゆる牙喉音）の場合には合口介音を反映した -wai, -we で対応する。異例として、-wa, -ui, -an がある。

《上巻　灰韻諸例》

　▶番号0543「鮖」の仮名音注「クワ」については、異例 -wa を示す。当該字には平声点を差し、右注「ハエ」左注「似鮎而白色也」を付載する。その直下に掲出する「鰕」の字音と誤認したか、あるいは字形の近似する「魤」と誤認したか、判然としない。観智院本類聚名義抄に反切「巨灰反・又五回反」と同音字注「詭音」を見出すが、仮名音注はない。元和本倭名類聚抄には反切「巨灰反」がある。

　　鮖　巨灰反 ハエ［平平］詭音 又五回反　　　　　（観智院本類聚名義抄／僧下 005-2）

　　鮖　四聲字苑云鮖 巨灰反漢語抄云波江又用鰕字所出未詳 魚似鮎而白色

　　　　　　　　　　　　　　　　　　　　　　　　（元和本倭名類聚抄／巻十九 09 オ 1）

　▶番号0052・0109「魁」（魁・魁）の仮名音注「クワイ」については、基本的に -wai で対応する。両当該字には平声点を差す。番号0052「魁」は右注「イモカシラ」左注「芋根也」を、番号0109は右注「同（イクサ）」左注「帥也」を付載する。観智院本類聚名義抄に同音字注「音灰」と「又化」および低平調と上昇調を示す「呉音火以」を見出す。別には東声点を付した同音字注「音恢」（その右傍に朱筆で仮名音注「火イ」）および和音「クエ［平濁平］」と「或火イ」を見つける。この呉音表記は大般若経字抄からの引用である。中古音の合口介音を示す「火」を含むので、日本漢音「クワイ」東声（四声体系では平声）日本呉音「クワイ」平/去声、また日本呉音「クエ・グエ」平声〔＊「グエ」は誤認か〕を認める。

　　魁　音灰 イクサ［平平平］／呉音 火以［平平・平上］〔＊火以←大以〕又化

　　　　　　　　　　　　　　　　　　　　　　　　（観智院本類聚名義抄／法下 141-3）

　　魁　音恢［東／火イ：朱右傍］イクサ［平平□］… 和クエ［平濁平］或火イ

　　　　　　　　　　　　　　　　　　　　　　　　（観智院本類聚名義抄／僧下 048-6）

　　古迴反 魁膾［音火以：右傍］奸盗之長者／兒之主也　　（石山寺一切経蔵本大般若経字抄／02 オ 3）

　▶番号0690「灰」（灰）の仮名音注「クワイ」については、基本的に -wai で対応する。当該字には平声点を差す。観智院本類聚名義抄に反切表記のない「呼回」と低平調を示す和音「クエ」を見出す。元和本倭名類聚抄には反切「呼恢反」がある。日本呉音「クエ」平声を認める。

258   3．仮名音注の韻母別考察   3-1   I 韻類

灰 呼回 ハヒ［平平］／和クエ［平平］　　　　　　　（観智院本類聚名義抄／佛下末 046-4）

石灰 イシハシ［上上上濁□／□□□ヒ：墨右傍］　　　（観智院本類聚名義抄／佛下末 046-4）

灰 俗灰字 ハヒ［上上］　　　　　　　　　　　　　　（観智院本類聚名義抄／法下 109-6）

灰　陸詞切韻云灰 呼桄反波比 火燼滅也　　　　　　　（元和本倭名類聚抄／巻十二 13 オ 4）

　▶番号 0183b「灰」（石灰）の仮名音注「クワヒ」については、基本的に -wai で対応する。当
該字には平声点を差す。熟字 0183「石灰」は右注「イシハヒ」を付載する。当初「イシハシ」と記
述した後に「□□□ヒ」を重ね書きしている。観智院本類聚名義抄が掲げる熟字「石灰」の注記か
らも確認できる。前田本の右注「イシハヒ」が仮名音注「クワヒ」を導いたか。上述の分析を参照。

　▶番号 0858b「徊」（徘徊）の仮名音注「クワイ」については、基本的に -wai で対応する。当
該字には平声点を差す。熟字 0858「徘徊」は右傍「タチモトヲル」を付載する。観智院本類聚名義
抄に同音字注「回」を見出すが、仮名音注はない。

徘徊 見人部 タヽスム／タチモトホル　　　　　　　　（観智院本類聚名義抄／佛上 040-7）

徊 正 ワカル／タチモトル　　　　　　　　　　　　　（観智院本類聚名義抄／佛上 040-7）

徘徊 音棑回ト タチモトホル［平上:□□□□］…　　　（観智院本類聚名義抄／佛上 023-7）

　▶番号 0627a・0813a「陪」（陪廬・陪従）の仮名音注「ハイ」については、基本的に -ai で対
応する。両当該字には平声濁点を差すので、字音「バイ」を想定する。その中古音が示す頭子音 b-
（等韻学の術語で言う唇音濁並母）は有声両唇閉鎖音であり、日本語のバ行音をもって受容するが、
中国語音韻史上における濁音声母の無声化を反映する場合はハ行音で対応する。熟字 0627「陪廬」
は右注「平調」を付載する。図書寮本類聚名義抄に反切「父才反」（その反切下字に平声点）を見
出す。観智院本類聚名義抄に同音字注「音俳」二例（そのうち一例に平声点を差す）を見つけるが、
仮名音注はない。日本漢音は平声を認める。

陪階 鸞云重土曰陪 父才［□平］／反 …　　　　　　　（図書寮本類聚名義抄／202-5）

陪 ソフ … 音俳 アリ … イヨタツ　　　　　　　　　　（観智院本類聚名義抄／法中 043-5）

培 陪二俗 … 俳［平］カサヌ［上上平］マス［上平］　　（観智院本類聚名義抄／法中 051-8）

　▶番号 1401a「陪」（陪従）の仮名音注「ヘイ」については、異例 -ei を示す。当該字には平声
濁点を差すので、字音「ベイ」を想定する。熟字 1401「陪従」は邊篇に属するので、仮名字形の類似
による「ハイ」の誤認とは考えにくい。同じ熟字「陪従」を掲げる番号 0813 には、上記のように
仮名音注「ハイ」を付載する。短母音化した -e との混同か。上述の分析を参照。

　▶番号 0720a・0720b「陪」（陪彡・陪彡）の仮名音注「ハイ」については、基本的に -ai で対
応する。当該字に声点はない。上述の分析を参照。

　▶番号 0858a「徘」（徘徊）の仮名音注「ハイ」については、基本的に -ai で対応する。当該字
には平声点を差す。熟字 0858「徘徊」は右傍「タチモトヲル」を付載する。観智院本類聚名義抄に
同音字注「音棑」を見出すが、仮名音注はない。

徘徊 見人部 タ、スム／タチモトホル　　　　　　（観智院本類聚名義抄／佛上 040-7）

俳佪 音桮回ト タチモトホル［平上□□□□］…　　　（観智院本類聚名義抄／佛上 023-7）

　▶番号 2663「醅」（醅）の仮名音注「ハイ」については、基本的に -ai で対応する。当該字には平声点を差し、右注「カスコメ」左注「醇未釃」を付載する。観智院本類聚名義抄に東声点を付した同音字注「音盃」（その右傍に朱筆で仮名音注「ハイ」）を見出す。東声（平声軽）は等韻学の術語で言う声母が「清・次清」の場合、平声（平声重）は「清濁・濁」の場合に認識する声調区分であるから、次清滂母（p'-）である当該字は六声体系の東声と認める。元和本倭名類聚抄には同音字注「音與盃同」がある。日本漢音「ハイ」東声（四声体系では平声）を認める。

　　醅 音盃［東／ハイ：朱右傍］カスコメ［平上上濁上］… サケ［上上］

　　　　　　　　　　　　　　　　　　　　　（観智院本類聚名義抄／僧下 057-4）

　　醅 字付釃 説文云醅 音與盃同漢語抄云加須古女俗云糟交 醇未釃也 …

　　　　　　　　　　　　　　　　　　　　（元和本倭名類聚抄／巻十六 10 オ 9）

　▶番号 0558「醅」（醅）の仮名音注「ハイ」については、基本的に -ai で対応する。当該字には平声濁点を差すので、字音「バイ」を想定する。その中古音が示す頭子音 p'-（等韻学の術語で言う唇音次清滂母）は有気無声両唇閉鎖音であり、日本語のハ行音をもって受容する。バ行音での対応は受容しがたい。共通の諧声符「咅」を持つ「培・陪」（灰韻並母 buʌi¹）や「倍」（灰韻並母 bʌi²）等からの類推による字音把握か。熟字 0558「醅」は右注「ワサ、」左注「醇未釃也／カクサケノシタケ：右傍」を付載する。新酒あるいは漉していない酒を意味する。上述の分析を参照。

　▶番号 0900a「苺」（苺苔）の仮名音注「ハイ」については、基本的に -ai で対応する。当該字には平声濁点を差すので、字音「バイ」を想定する。その中古音が示す頭子音 m-（等韻学の術語で言う明母）は鼻音声母の非鼻音化（denasalization）現象によって、m- > mb- > b- の音変化をする。これを反映する場合はバ行音で対応する。観智院本類聚名義抄に同音字注「音梅」を見出すが、仮名音注はない。

　　苺 音梅／コケ　　　　　　　　　　　　　　（観智院本類聚名義抄／僧上 044-8）

　▶番号「苺」0926b・0715a・0715b「苺」（苺苔・苺、・苺、）の仮名音注「ハイ」については、基本的に -ai で対応する。当該諸字三例に声点はない。上述の分析を参照。

　▶番号 0722a・0905a「梅」（梅天・梅口）の仮名音注「ハイ」については、基本的に -ai で対応する。両当該字には平声濁点を差すので、字音「バイ」を想定する。上記と同じく鼻音声母の非鼻音化（denasalization）現象を反映する字音把握である。観智院本類聚名義抄に同音字注「枚音」を見出すが、仮名音注はない。元和本倭名類聚抄には反切「莫杯反」がある。和訓「ウメ・ムメ」は頭子音の非鼻音化以前に短母音化した字音「メ」に基づくか。

　　梅 枚音 ウメ［上上］／ムメノキ［上上□□］　　（観智院本類聚名義抄／佛下本 083-4）

　　梅　爾雅注云梅 莫杯反和名宇女　　　　　　（元和本倭名類聚抄／巻十七 10 ウ 9）

260　3．仮名音注の韻母別考察　3-1　Ⅰ韻類

▶番号0784a・1875b・2074b「媒」（媒介・中媒・良媒）の仮名音注「ハイ」については、基本的に -ai で対応する。当該諸字三例には平声濁点を差すので、字音「バイ」を想定する。上記と同じく鼻音声母の非鼻音化（denasalization）現象を反映する字音把握である。観智院本類聚名義抄に平声濁点を付した同音字注「音牧」〔＊枚の誤認〕を見出すが、仮名音注はない。日本漢音は平声を認める。

　　　　媒 音牧 ［平濁］ナカタチ ［平平□平］… ヲトリ ［平上平］　　　（観智院本類聚名義抄／佛中015-5）

▶番号1399b「坏」（平坏）の仮名音注「ハイ」については、基本的に -ai で対応する。当該字には平声点を差す。図書寮本類聚名義抄に同音字注「季云音胚」（その東声点位置に仮名音注「ハイ」）を見出す。観智院本には同音字注「音丕」と反切「匹才反」および平声点を付した同音字注「敗」（その右傍には墨筆で仮名音注「ハイ」）を見つける。日本漢音「ハイ」東声（四声体系では平声）を認める。

　　　　瓶坏 季云音胚 ［ハイ：東声点位置］… ツキ ［上平］　　　　　　（図書寮本類聚名義抄／232-1）

　　　　炋 俗 坏岯二正 … 音丕 山名　　　　　　　　　　　　　（観智院本類聚名義抄／佛下末043-3）

　　　　坏 音丕 山一成也 匹才反／ツキ／岯俗通 サカツキ　　　　　（観智院本類聚名義抄／法中059-7）

　　　　坏 音敗 ［平／ハイ：墨右傍］瓦未焼 ツキ／サカツキ …　　　（観智院本類聚名義抄／法中059-7）

▶番号0844a・0847a・2072b・2124b「盃」（盃盤・盃酒・離盃・利盃）の仮名音注「ハイ」については、基本的に -ai で対応する。当該諸字四例に平声点を差す。観智院本類聚名義抄に平声点を付した同音字注「音坏」を見出すが、仮名音注はない。同書では異体字「杯」の同音字注として「音盃」を掲げる。循環した字音把握に陥る。日本漢音は平声を認める。

　　　　盃 通 杯正 音坏 ［平］ ツキ サカツキ ［上上上濁平］…　　　（観智院本類聚名義抄／僧中014-8）

　　　　杯 音盃 サカツキ ［上上上濁□］　　　　　　　　　　　　（観智院本類聚名義抄／佛下本120-5）

　　　　桮 正 盃或 …　　　　　　　　　　　　　　　　　　　　（観智院本類聚名義抄／佛下本120-5）

　　　　盃盞 兼名苑云杯一名巵 盃亦作杯巵音支和名佐賀都木 …　　（元和本倭名類聚抄／巻十六08 オ8）

▶番号0607「胚」（肧）の仮名音注「ハイ」については、基本的に -ai で対応する。当該字に声点はなく、和訓「ハラム」の同訓異字として位置する。観智院本類聚名義抄に反切「普才反」を見出すが、仮名音注はない。

　　　　胚 普才反／ハラム ［平平□］ツハリ　　　　　　　　　　（観智院本類聚名義抄／佛中125-2）

▶番号0001・0002a「雷」（雷・雷公）の仮名音注「ライ」については、基本的に -ai で対応する。両当該字には平声点を差す。番号0001「雷」は右注「イカツチ」左注「又乍霤」を、熟字0002「雷公」は右注「同（イカツチ）」を付載する。観智院本類聚名義抄に平声点を付した同音字注「音儡」（その右傍に朱筆で仮名音注「ライ」）および「和音同」を見出す。長承本蒙求には仮名音注「ライ」二例があり、それら両掲出字に平声点を加える。よって、日本漢音「ライ」平声、日本呉音「ライ」を認める。

3-1-2 -ʌ系の字音的特徴　261

雷 音偏 ［平／ライ：朱右傍］イカツチ［上上上濁上］一云ナルカミ［上上平平］和音同

　（観智院本類聚名義抄／法下066-3）

雷公 イカツチ　　　　　　　　　　　　　　　（観智院本類聚名義抄／法下066-4）

雷［平］ライ　　　　　　　　　　　　　　　　　（長承本蒙求／027・110）

▶番号2259b「煨」（煻煨）の仮名音注「ワイ」については、基本的に -ai で対応する。当該字
には平声点を差す。熟字2259「煻煨」は右注「ヲキヒ」左注「熱灰新火也」を付載する。観智院本
類聚名義抄に同音字注「音隈」を見出すが、仮名音注はない。元和本倭名類聚抄には同音字注「隈」
がある。

　煨 音隈 ハヒ オキヒ／アツハヒ アツシ　煖 俗　　　（観智院本類聚名義抄／佛下末040-2）

　煻煨 … 四聲字苑云煻煨 唐隈二音和名上同〔＊於岐比〕熱灰新火也

　　　　　　　　　　　　　　　　　　　　　　　（元和本倭名類聚抄／巻十二11ウ5）

《下巻 灰韻諸例》

▶番号6218「恢」（恢）の仮名音注「クワイ」については、基本的に -wai で対応する。当該字
には平声点を差し、右注「又ヒロム」を付載する。和訓「ヒロシ」の同訓異字として位置する。図
書寮本類聚名義抄に平声点を付した同音字注「音灰」を見出す。観智院本には平声点を付した同音
字注「音灰」を見つけるが、仮名音注はない。日本漢音は平声を認める。

　恢 季云音灰［平］師曰比呂牟［平濁平上］　　　　　（図書寮本類聚名義抄／273-4）

　恢 … ヒロシ［平平上／□□ム［上］：右傍］音灰［平］…　（観智院本類聚名義抄／法中074-6）

▶番号6848「磑」（磑）の仮名音注「タイ」については、基本的に -ai で対応する。当該字は去
声濁点を差すので、字音「ダイ」を想定する。右注「スリウス」左注「五灰五對二反」右傍「タイ」
仮名音注を付載する。廣韻によれば、当該字は灰／隊韻（ŋuʌi¹/³）の二音を有する。仮名の字形相似
による「カイ」の誤認か。図書寮本類聚名義抄に同音字注「川云音豈」を見出す。また平声濁点を
付した熟字「磑〻」（その右傍に仮名音注「カイ」）がある。観智院本には反切「五對反」（その
反切下字に去声点）および平声濁点を付した同音字注「又音嵬」（灰韻 ŋuʌi¹）と「又音豈」（尾韻
kʰiʌi¹）を見出すが、仮名音注はない。元和本倭名類聚抄には反切「五對反」と同音字注「音豈」が
ある。日本漢音「ガイ」平／去声を認める。

　磑 川云音豈 一／名磧 磑〻［平濁／カイ］トタ／カシ［□平平上］　（図書寮本類聚名義抄／148-7）

　磑 五對［□去］反 カラウス 又音機［平］又音嵬［平濁］又音豈／一名磧 スリウス トク ミカク

　　　　　　　　　　　　　　　　　　　　　　　（観智院本類聚名義抄／法中007-3）

　磑　兼名苑云磑 五對反 … 和名須利宇数 磑也　　　（元和本倭名類聚抄／巻十六05ウ6）

　磧　兼名苑云磑 音豈 一名磧 音黄和名阿良度 …　　（元和本倭名類聚抄／巻十五17オ1）

262　3．仮名音注の韻母別考察　3-1　I韻類

▶番号4310b「灰」（淋灰）の仮名音注「クワイ」については、基本的に *-wai* で対応する。当該字には平声点を差す。熟字4310「淋灰」は右注「アクタル」を付載する。上巻の灰韻当該諸例で分析したように、日本呉音「クエ」平声を認める。

　　　淋灰　アクタル［上上□□］　　　　　　　　　（観智院本類聚名義抄／佛下末046-5）

　　　灰汁　辨色立成云灰汁 阿久 淋 阿久太流音林　　（元和本倭名類聚抄／巻十四11 ウ8）

▶番号5997a「廻」（廻向）の仮名音注「ヱ」については、基本的に *-e* で対応する。当該字には去声点を差す。観智院本類聚名義抄に同音字注「音回」および去声点を付した和音「ヱ」を見出す。日本呉音「ヱ」去声を認める。基本的字音 *-ai* の単母音化 *-e* は借字「廻（ヱ）」の基盤となった字音であろう。

　　　廻　音回 メクル カヘル … 和ヱ［去］　廻 正　　（観智院本類聚名義抄／佛上051-4）

▶番号4842「堆」（堆）の仮名音注「ツイ」については、異例 *-ui* を示す。当該字には平声点を差し、右注「同（キシ）」左注「髙上也」を付載する。図書寮本類聚名義抄に反切「慈云都雷反」（その反切下字に平声点）および低平調を示す仮名音注「真云又ツイ」を見出す。観智院本類聚名義抄に低平調を示す和音「ツイ」を見出すが、その右傍には墨筆で仮名音注「タイ」を加える。図書寮本から継承した真興和音「ツイ」を修正する加筆か。元和本倭名類聚抄には反切「都回反」がある。日本漢音は平声、日本呉音は「ツイ」平声と「タイ」を認める。

　　　堆阜　慈云都雷［□平］ 聚土也 … 真云又ツイ［平平］　　（図書寮本類聚名義抄／230-1）

　　　堆 正 ヲカ … 和ツイ［平平／タイ：墨右傍］　　（観智院本類聚名義抄／法中052-7）

▶番号4068b「堆」（糞堆）の仮名音注「クワイ」については、基本的に *-wai* で対応する。当該字には去声点を差す。熟字4068「糞堆」は右注「アクタ」左傍「アクタ アクタ」を付載する。当該字の仮名音注「クワイ」は「タイ」の誤認か。元和本倭名類聚抄に反切「都回反」がある。上述の分析を参照。

　　　糞堆　辨色立成云 阿久太布 上附問反下都回反　　（元和本倭名類聚抄／巻一13 オ8）

▶番号4772a「催」（催促）の仮名音注「サイ」については、基本的に *-ai* で対応する。当該字には平声点を差す。観智院本類聚名義抄に同音字注「崔音」（その右傍には朱筆で仮名音注「サイ」）を見出す。日本漢音「サイ」を認める。

　　　催 崔音［サイ：朱右傍］ モヨヲス［平平上□］ … ツクル　　（観智院本類聚名義抄／佛上017-5）

▶番号4538a「催」（催馬樂）の仮名音注「サイ［平上］」については、基本的に *-ai* で対応する。当該字の仮名音注は去声相当の上昇調を示す。上述の分析を参照。

　　　雙調曲 … 催馬樂 律我賜曲是也　　　　　　　（元和本倭名類聚抄／巻四15 オ6）

▶番号3777b「梅」（塩梅）の仮名音注「ハイ」については、基本的に *-ai* で対応する。当該字には平声濁点を差すので、字音「バイ」を想定する。熟字3777「塩梅」は左注「塩醶梅酢也／シハ ユク：右傍」を付載する。上巻の灰韻当該諸例で分析した。

鹽梅　尚書說命篇云若作和羹爾惟鹽梅 孔安國云鹽鹹也梅酢也
(元和本倭名類聚抄／巻十六21オ8)

▶番号3340b・3837b「梅」(紅梅・塩梅)の仮名音注「ハイ」については、基本的に *-ai* で対応する。両当該字には平声点を差す。上述の分析を参照。

▶番号6863b「煤」(炲煤)の仮名音注「ハイ」については、基本的に *-ai* で対応する。当該字には平声濁点を差すので、字音「バイ」を想定する。その中古音が示す頭子音 m-(等韻学の術語では明母)は両唇鼻音であり、日本語のマ行音をもって受容する。ただし、中国語音韻史上における鼻音声母の非鼻音化(denasalization)現象によって、m->mb->b- の音変化をする。これを反映する場合はバ行音で対応する。観智院本類聚名義抄に平声点を付した同音字注「梅」を見出すが、仮名音注はない。元和本倭名類聚抄には同音字注「梅」がある。日本漢音は平声を認める。

炲煤 臺梅［平平］二音 スヽ［平上］…　(観智院本類聚名義抄／佛下末041-4)

炲煤　唐韻云炲煤 臺梅二音和名須ゝ 灰集屋也　(元和本倭名類聚抄／巻十二13オ5)

▶番号4269「䍉」(䍉)の仮名音注「ハイ」については、基本的に *-ai* で対応する。当該字には平声濁点を差すので、中国語音韻史上における鼻音声母の非鼻音化(denasalization)現象を反映した字音「バイ」を想定する。また左注「雉䍉」を付載する。観智院本類聚名義抄に同音字注「音武」を見出すが、仮名音注はない。

䍉 … 音武／雉网　(観智院本類聚名義抄／僧中009-3)

▶番号4545「醅」(醅)の仮名音注「ハイ」については、基本的に *-ai* で対応する。当該字には平声点を差す。上巻の灰韻当該諸例で分析したように、日本漢音「ハイ」東声(四声体系では平声)を認める。

▶番号4558「盃」(盃)の仮名音注「ハイ」については、基本的に *-ai* で対応する。当該字には平声点を差し、右注「サカツキ」中注「布回反」左注「或乍杯」を付載する。上巻の灰韻当該諸例で分析したように、日本漢音は平声を認める。

▶番号6432「罍」(罍)の仮名音注「ライ」については、基本的に *-ai* で対応する。当該字には平声点を差し、右注「モタヒ」左注「酒器也」を付載する。観智院本類聚名義抄に反切「勒回反」と同音字注「音雷」を見出すが、仮名音注はない。

罍 三 勒回反 酒器／サカツキ モタヒ　(観智院本類聚名義抄／佛中108-5)

罍 … 音雷 酒尊／モタヒ［平平平］力癸反　(観智院本類聚名義抄／僧中022-8)

甕　楊雄方言云自關而東甖謂之甕 … 字亦作罋和名毛太非
(元和本倭名類聚抄／巻十六07オ5)

《上巻 賄韻諸例》

264　3．仮名音注の韻母別考察　3-1　Ⅰ韻類

▶番号3012b「悔」（髙悔）の仮名音注「クワイ」については、基本的に -wai で対応する。当該字には去声点を差す。図書寮本類聚名義抄に同音字注「音与晦同」と反切「弘云呼對反」（その反切下字に去声点）および低平調を示す「真云クヱ」を見出す。観智院本には去声点を付した同音字注「音晦」および低平調と推測する和音「クヱ」を見つける。日本漢音は去声、日本呉音「クヱ」平声を認める。

　　　悔過 音与晦同 弘云呼對［□去］反 … 真云クヱ［平平］… クユ［平上／書：右注］

（図書寮本類聚名義抄／252-2）

　　　悔 クユ ムクユ … 音晦［去］恨也 咎也 病也 和クヱ［□平］　　（観智院本類聚名義抄／法中094-7）

▶番号1238b「罪」（犯罪）の仮名音注「サイ」については、基本的に -ai で対応する。当該字には平声濁点を差すので、字音「ザイ」を想定する。観智院本類聚名義抄に反切「徂賄反」および低平調と推測する和音「サイ」（その右傍に朱筆で濁音「✓」表記）を見出す。日本呉音「ザイ」平声を認める。

　　　罪 徂賄反 辠 同／ツミ［平上］アヤマチ 和サイ［□平／✓□：朱右傍］

（観智院本類聚名義抄／僧中011-4）

▶番号2191b「罪」（流罪）の仮名音注「サイ」については、基本的に -ai で対応する。当該字には平声点を差す。その中古音が示す頭子音 dz-（等韻学の術語で言う歯音濁従母）は有声破擦音であり、日本語のザ行音をもって受容するが、中国語音韻史上における濁音声母の無声化を反映する場合はサ行音で対応する。上述の分析を参照。

▶番号3271c「罪」（与同罪）の仮名音注「サイ」については、基本的に -ai で対応する。当該字に声点はない。上述の分析を参照。

▶番号2380a・2387a・2388a「猥」（猥誑・猥錯・猥雑）の仮名音注「ワイ」については、基本的に -ai で対応する。当該諸字三例には上声点を差す。熟字2380「猥誑」は左傍「ミタリニ イツハル」を付載する。観智院本類聚名義抄に反切「於隈反」および低平調を示す仮名音注「呉ワイ」を見出す。この呉音注は大般若経字抄による引用で、借字による「音禾以」三例がある。日本呉音「ワイ」平声を認める。

　　　猥 扵隈反 又ミタリ［平平濁平］… 呉ワイ［平平］　　　　（観智院本類聚名義抄／佛下本129-1）
　　 焉恢反 猥［音禾以：右傍］ミタリ／カハシ　　（石山寺一切経蔵本大般若経字抄／09 ウ 1）
　　　猥［音禾以：右傍］　　　　　　　　　　　　（石山寺一切経蔵本大般若経字抄／18 ウ 5）
　　　猥［音禾以：右傍］　　　　　　　　　　　　（石山寺一切経蔵本大般若経字抄／21 オ 4）

▶番号2381a・2382a「賄」（賄略・賄貨）の仮名音注「ワイ」については、基本的に -ai で対応する。両当該字には上声点を差す。熟字2381「賄略」は右傍「マヒナヒ」を付載する。当該字「賄」（曉母賄韻 xu_Ai^2）は本来「クワイ」を期待するが、諧声符「有」（匣母有韻 γi_Au^2）を持つためか、字音把握が容易ではない。現行多くの漢和辞典は慣用音「ワイ」を掲げる。同音の小韻所

属字「蛕」も同様である。同じ賄韻所属の「猥」（影母有韻 ʼuʌi²）を類推した字音把握か。詳細不明。観智院本類聚名義抄に反切「呼罪反」を見出すが、仮名音注はない。

賄 財也又贈送也 呼罪切七 䢔 同上 … 悔 悔吝 蛕 土蛕毒蟲 …　　　（宋本廣韻／暁母賄韻 xuʌi²）

賄 呼罪反 オクル／タカラ［平平□］　　　　　　（観智院本類聚名義抄／佛下本 014-3）

《下巻 賄韻諸例》

▶番号4705a「罪」（罪障）の仮名音注「サイ」については、基本的に -ai で対応する。当該字には平声濁点を差すので、字音「ザイ」を想定する。上巻の賄韻当該諸例で分析したように、日本呉音「ザイ」平声を認める。

▶番号4704a・4766a・5822b「罪」（罪根・罪過・死罪）の仮名音注「サイ」については、基本的に -ai で対応する。当該諸字三例に声点はない。

《上巻 隊韻諸例》

▶番号2610a「蚘」（蚘虫）の仮名音注「クワイ」については、基本的に -wai で対応する。当該字には平声点を差し、右注「カイ」中注「又アクタ」左注「寸白也」を付載する。観智院本類聚名義抄に同音字注「音廻」を見出す。また熟字2610「蚘虫」に対して「俗云カイ」を見つける。元和本倭名類聚抄には同音字注「音回」と「俗云加以」がある。定着久しい字音「カイ」を認める。その中古音による頭子音が k- 系（いわゆる牙喉音）であっても、合口介音 -u- を捨象した字音把握があることは興味深い。ただし、字音という意識はなく、和訓相当と把握している。

蚘 音廻 虫字／在上 虵 同　　　　　　　　　　（観智院本類聚名義抄／僧下 023-4）

蚘虫 一名寸白 俗云カイ［平平］／又アクタ［上上上］　（観智院本類聚名義抄／僧下 023-4）

蜖 俗虵字／香鬼反　　　　　　　　　　　　　　（観智院本類聚名義抄／僧下 049-6）

蚘虫 唐韻云蚘 音回蛕蛔幷同 … 病源論云蚘虫 今案一名寸白俗云加以又云阿久太 …

　　　　　　　　　　　　　　　　　　　　　　（元和本倭名類聚抄／巻三 21 ウ 7）

▶番号2752「碓」（碓）の仮名音注「タイ」については、基本的に -ai で対応する。当該字には去声点を差し、中注「カラウス」左注「又乍碓」を付載する。図書寮本類聚名義抄に同音字注「川云音与對同」を見出す。観智院本には反切「千回反」を見つけるが、仮名音注はない。元和本倭名類聚抄には「都隊反」と「對同」がある。

碓 川云音与對同／和云賀良宇須［平平平上］…　（図書寮本類聚名義抄／法中 006-5）

碓 俗㩙／千回反　　　　　　　　　　　　　　　（観智院本類聚名義抄／法中 006-5）

碓 祝尚丘曰碓 都隊反對同和名加良宇須 踏舂具也　（元和本倭名類聚抄／巻十四 08 ウ 9）

266　3．仮名音注の韻母別考察　3-1　Ⅰ韻類

▶番号2413a「懃」（懃澀）の仮名音注「タン」については、異例 -an を示す。当該字には去声
点を差す。諧声符「敦」（魂/慁韻 tuʌn¹ᐟ³）による字音把握か。観智院本類聚名義抄の「俗敦字」と
いう注記から見ても、諧声符読みの可能性が高い。立心偏による「懃」と「憝」を異体字とすれば、
同書が掲げる「憝」に対して同音字注「音墜」と反切「徒對反」を見出すが、仮名音注はない。

　　　憝 徒對反／ニクマル［平平平上／書：右注］　　　　　　　　　　（図書寮本類聚名義抄／274-5）

　　　懃 俗敦字／イタム ワツラハシ［上上濁上□□］　　　　（観智院本類聚名義抄／法中081-8）

　　　憝 音墜 ニクマル［平平平上］／アタ 俗議／ウラム［平平上］徒對反

　　　　　　　　　　　　　　　　　　　　　　　　　　　　　（観智院本類聚名義抄／法中081-8）

　　　惇 音敦 又純 アツシ［上上上］… サイハヒ　　　　　　　　（観智院本類聚名義抄／法中081-8）

　　　敦 都屯反 … 古惇反 又都雷［□平］反 ヲサム［平平平］　　（観智院本類聚名義抄／僧中057-5）

▶番号0788b「内」（房内）の仮名音注「ナイ」については、基本的に -ai で対応する。当該字
には平声点を差す。観智院本類聚名義抄に反切「奴對反」および低平調と推測する和音「ナイ」を
見出す。日本呉音「ナイ」平声を認める。

　　　内内 奴對反 ウチ［上平］… 和ナイ［□平：墨点］又ヌイ［平□：墨点］イル

　　　　　　　　　　　　　　　　　　　　　　　　　　　　　（観智院本類聚名義抄／僧下109-6）

▶番号2698a「背」（背子）の仮名音注「ハイ」については、基本的に -ai で対応する。当該字
には去声点を差す。観智院本類聚名義抄に同音字注「音輩」を見出すが、仮名音注はない。

　　　背 音輩 ウシロ セナカ［平上上］… セ［上］ソク　　　　（観智院本類聚名義抄／佛中124-5）

　　　背子 カラキヌ［平平平上］　　　　　　　　　　　　　　（観智院本類聚名義抄／佛中124-6）

　　　背子 領巾附 辨色立成云背子 和名加良岐沼 …　　　　　（元和本倭名類聚抄／巻十二20 オ8）

▶番号0764b・1623b「輩」（傍輩・等輩）の仮名音注「ハイ」については、基本的に -ai で対
応する。両当該字には去声濁点を差すので、日本語音韻史上の連濁による字音「バイ」を想定する。
観智院本類聚名義抄に同音字注「音背」を見出すが、仮名音注はない。

　　　輩輩 音背 トモカラ［上上上濁上］／上通下正 ヒトシ［平平□］

　　　　　　　　　　　　　　　　　　　　　　　　　　　　　（観智院本類聚名義抄／僧中087-5）

▶番号0789a「配」（配偶）の仮名音注「ハイ」については、基本的に -ai で対応する。当該字
には去声点を差し、右傍「ヒト コロフ」左注「男女懐抱也」を付載する。観智院本類聚名義抄に反
切「普對反」および和音「ハイ」を見出す。日本呉音「ハイ」を認める。

　　　配 普對反 … タクヒ［平平平濁］アツ［上平］クハシ 和ハイ　（観智院本類聚名義抄／僧下057-1）

▶番号0814a「配」（配流）の仮名音注「ハイ」については、基本的に -ai で対応する。当該字
には平声点を差す。上述の分析を参照。

▶番号0713「配」（配）の仮名音注「ハイ［平上］」については、基本的に -ai で対応する。当
該字の右傍「ハイス［平上平］」は去声相当である上昇調の声点を付したサ変動詞である。上述の

分析を参照。

　▶番号0101「妹」（妹）の仮名音注「マイ」については、基本的に *-ai* で対応する。当該字には去声点を差し、中注「イモト　姉妹」左注「イモウト」を付載する。観智院本類聚名義抄に去声点を付した同音字注「音昧」を見出す。承暦本金光明最勝王経音義には仮名音注「マイ音」がある。日本漢音は去声、日本呉音「マイ」を認める。

　　妹　音昧［去］コシフトメ［上平濁□□□］／イモフト　イロト［平□□］

（観智院本類聚名義抄／佛中016-4）

　　　妹　イモウト／マイ六〔＊後筆墨書〕　　　　（承暦本金光明最勝王経音義／09 ウ 3）

　▶番号0171「纇」（纇）の仮名音注「ライ」については、基本的に *-ai* で対応する。当該字に声点はなく、右注「イトフシ」を付載する。観智院本類聚名義抄に反切「力對反」を見出すが、仮名音注はない。元和本倭名類聚抄には反切「盧對反」がある。

　　纇　…　力對反　フシ／龜絲也　イトフシ　　　（観智院本類聚名義抄／佛下本031-1）

　　絲　…　纇　盧對反伊度乃布之　絲節也　　　　（元和本倭名類聚抄／巻十四14 オ 8）

　《下巻　隊韻諸例》

　▶番号6717b「碎」（細碎）の仮名音注「スイ」については、異例 *-ui* を示す。当該字には去声点を差す。諸声符「卒（卒）」を共通に持つ「埣（埣）悴（悴）粹（粹）綷（綷）」などの類推による字音把握か。下記の番号6916aを参照。図書寮本類聚名義抄に反切「真云所對反」（その反切下字に去声点）および上昇調を示す仮名音注「真云サイ」を見出す。また注記「真云亦作碎」のように「碎」とは異体字の関係にある。観智院本には反切「蕵對反」および墨筆圏点を付した上昇調の和音「サイ［平上］」を見出す。日本漢音は去声、日本呉音「サイ」去声を認める。

　　碎　真云所對［□去］反 … クタク［平平濁上／集：右注］真云サイ［平上］

（図書寮本類聚名義抄／153-6）

　　碎　真云亦作碎／クタク［平平濁上／詩：右注］　　（図書寮本類聚名義抄／153-7）

　　碎　蕵對反　クタク［平平濁平］／チル　和サイ［平上：墨圏点］（観智院本類聚名義抄／法中007-7）

　　碎　或又　　　　　　　　　　　　　　　　　　　　（観智院本類聚名義抄／法中007-8）

　▶番号6916a「綷」（綷繻）の仮名音注「スイ」については、異例 *-ui* を示す。当該字には去声点を差す。観智院本類聚名義抄に反切「作會反」を見出すが、仮名音注はない。同書では異体字「䘏」を掲げ、同音字注「音崒」と反切「又七對反」を見つける。異体字「悴」については、承暦本金光明最勝王経音義に同音字注「衰音」と仮名音注「スイ」がある。字音「スイ」が異例ではなく、早くから定着していた可能性がある。

　　綷　作會反　アサヤカニ［平平濁□□□］／子出反 …　　（観智院本類聚名義抄／法中123-1）

268　3．仮名音注の韻母別考察　3-1　Ⅰ韻類

　　　靆 或㷀綷 音㝡 … 又七對反　　　　　　　　　　　　（観智院本類聚名義抄／僧下 067-5）
　　　悴 [平] 衰シ／ツ為由 [上上平]　　　　　　　　　（承暦本金光明最勝王経音義／10 ウ 1）
　　　枯 [去] コ 悴 スイ [＊後筆墨書]　　　　　　　　（承暦本金光明最勝王経音義／10 オ 1）

　▶番号 5588b「退」（辞退）の仮名音注「タイ」については、基本的に -ai で対応する。当該字
には去声点を差す。観智院本類聚名義抄に同音字注「土對反」および和音「タイ」を見出す。日本
呉音「タイ」を認める。

　　　退 通 土對反／シリソク … 和タイ　　　　　　　　（観智院本類聚名義抄／佛上 048-6）

　▶番号 5068b「退」（休退）の仮名音注「タイ」については、基本的に -ai で対応する。当該字
には平声点を差す。上述の分析を参照。

　▶番号 5758b「退」（進退）の仮名音注「タイ」については、基本的に -ai で対応する。当該字
には去声濁点を差すので、日本語音韻史上の連濁による字音「ダイ」を想定する。上述の分析を参
照。

　▶番号 4003b「對」（敵對）の仮名音注「タイ」については、基本的に -ai で対応する。当該字
には平声点を差す。観智院本類聚名義抄に反切「都内反」および墨筆圏点を付した上昇調の和音「タ
イ」を見出す。長承本蒙求には仮名音注「タイ」二例があり、両掲出字に去声点を加える。日本漢
音「タイ」去声、日本呉音「タイ」を認める。

　　　對 都内反 トク [平上濁] コタフ [平平上] … 和タイ　　（観智院本類聚名義抄／法下 144-2）
　　　對 [去] タイ　　　　　　　　　　　　　　　　　（長承本蒙求／029・055）

　▶番号 4383b「内」（案内）の仮名音注「ナイ」については、基本的に -ai で対応する。当該字
に声点はない。上巻の隊韻当該例で分析したように、日本呉音「ナイ」平声を認める。

　▶番号 4618「悖」（悖）の仮名音注「ハイ」については、基本的に -ai で対応する。当該字に声
点はない。図書寮本類聚名義抄に反切「弘云補潰反」（反切下字の去声点位置に「火イ」）および
低平調と推測する仮名音注「真云ホチ」を見出す。また去声点を付した同音字注「音背」および平
声点を付した同音字注「公云音背」がある。後者は大般若経字抄による漢呉二音相同の同音字注を
出典とする。観智院本には同音字注「音背」を見つける。さらに「又勃音」および和音「發」もあ
るが、これらは入声の別音を示す。日本漢音は去声、日本呉音「ホチ」平声を認める。

　　　悖悪 弘云補 [上] ／潰 [火イ：去声点位置] … 真云ホチ [□平]　（図書寮本類聚名義抄／265-5）
　　　兇悖 音背 [去] … 公云音背 [平] 或作悉音／發 …　　（図書寮本類聚名義抄／265-6）
　　　悖 … 音背 又勃音 ミタル [平平濁上] … 和發　　　（観智院本類聚名義抄／法中 081-7）
　　　悖 [音背：右傍] 逆也或作悉音／發正蒲没反　　　（石山寺一切経蔵本大般若経字抄／08 オ 4）

　▶番号 5628b「配」（支配）の仮名音注「ハイ」については、基本的に -ai で対応する。当該字
には去声点を差す。上巻の隊韻当該諸例で分析したように、日本呉音「ハイ」を認める。

　▶番号 6521「背」（背）の仮名音注「ハイ」については、基本的に -ai で対応する。当該字には

去声点を差し、右注「セナカ」左注「補妹反」を付載する。廣韻に拠れば、幫母隊韻 ($pu\Lambda i^3$) 並母隊韻 ($bu\Lambda i^3$) の二音を有する。王仁昫刊謬補缺切韻は幫母隊韻字のみを掲げる。上巻の隊韻当該例で分析した。

▶番号5049b「背」（向背）の仮名音注「ハイ」については、基本的に -ai で対応する。当該字には平声濁点を差すので、字音「バイ」を想定する。上述の分析を参照。

▶番号4658b「昧」（三昧）の仮名音注「マイ」については、基本的に -ai で対応する。当該字には平声点を差す。ただし、熟字4658「三昧」に付載する左注「サムマイ」は摺り消しの跡があり、その仮名音注は復元推測による。観智院本類聚名義抄に同音字注「音妹」（その右注には仮名音注「マイ」）および和音「又平」を見出す。日本漢音「マイ」日本呉音は平声を認める。

昧 音妹［マイ：墨筆右注］クラシ … 和又平　　　　　　（観智院本類聚名義抄／佛中 101-4）

▶番号6442「鋳」（鋳）の仮名音注「ライ」については、基本的に -ai で対応する。当該字には去声点を差す。観智院本類聚名義抄に反切「盧對反」と平声点を付した同音字注「音雷」を見出すが、仮名音注はない。日本漢音は平声を認める。

鋳 盧對反／音雷［平］モチ［平平濁］　　　　　　（観智院本類聚名義抄／僧上 125-3）

3-1-2-4　-Λu（侯/厚/候韻）

資料篇【表B-02】には侯韻（平声）厚韻（上声）候韻（去声）所属の諸例が含まれる。前田本の示す仮名音注は、-ou, -o, -u で基本的に対応する。異例として -au, -ei, -eu, -iu が見つかる。

《上巻 侯韻諸例》

▶番号2751「篝」（篝）の仮名音注「コウ」については、基本的に -ou で対応する。当該字には平声点を差す。観智院本類聚名義抄に同音字注「音溝」を見出すが、仮名音注はない。元和本倭名類聚抄には反切「古侯反」がある。

篝溝 重衣籠／カ、リ［上上濁上］　　　　　　（観智院本類聚名義抄／僧上 067-8）
篝　説文云篝 古侯反和名加々里 竹器也　　　　　　（元和本倭名類聚抄／巻十六09 オ 9）

▶番号2716a「鈎」（鈎匙）の仮名音注「コウ」については、基本的に -ou で対応する。当該字には平声点を差す。観智院本類聚名義抄に反切「古侯反」を見出す。長承本蒙求には仮名音注「ク」と「コウ」二例があり、それらの掲出字には平声点を加える。同書の仮名音注は平安時代院政初期である長承三年 (1134) に加点された墨筆（以下の例示で両音形ある場合は右側）を中心とするが、平安時代中期と推定する古い朱筆（両音形ある場合は左側）の加点もある。元和本倭名類聚抄には反切「古侯反」を見つける。日本漢音「ク・コウ」平声を認める。

270　3．仮名音注の韻母別考察　3-1　Ⅰ韻類

鉤鉤 今正 古侯反 カキカクコ［平平濁平上平］… ツリカコ　　　　（観智院本類聚名義抄／僧上115-2）

鉤匙 トノカキ［上上平平濁］一云／カラカキ［平平平上濁］　　（観智院本類聚名義抄／僧上115-3）

鉤［平］ク／コウ　　　　　　　　　　　　　　　　　　　　　　　　　（長承本蒙求／026）

鉤［平］コウ　　　　　　　　　　　　　　　　　　　　　　　　　　　（長承本蒙求／097）

鉤匙　楊氏漢語抄云鉤匙 戸乃加岐一云加良加岐鉤音古侯反　　（元和本倭名類聚抄／巻十16 オ9）

▶番号2145a「枸」（枸杞）の仮名音注「コウ」については、基本的に -ou で対応する。当該字
には上声点を差す。廣韻に拠れば、侯/候韻（kʌu¹ᐟ³）虞韻（kiuʌ²）三音を有する。観智院本類聚名
義抄に上声点を付した同音字注「矩」と「又去」さらに反切「后离反」と同音字注「又狗音」を見
出すが、仮名音注はない。天治本新撰字鏡には熟字「枸杞」に対して「久古」があり、元和本倭名
類聚抄には同音字注「苟起二音」と「俗音久古」を見つける。日本漢音は上/去声を認める。定着久
しい字音「ク」を認める。

　枸棋 蒟三正 音矩［上］／又去／カラタチ エタ　　　　（観智院本類聚名義抄／佛下本106-8）

　枸 后离反 又狗音　　　　　　　　　　　　　　　　　　　（観智院本類聚名義抄／佛下本107-2）

　枸杞 春夏採莖葉葉秋冬採實根凌干久古　　　　　　　　　（天治本新撰字鏡／巻七35 ウ2）

　枸杞　本草云枸杞 苟起二音 根下潤黄泉其聖靈多爲犬子或小兒 和名沼久須利俗音久古 …

　　　　　　　　　　　　　　　　　　　　　　　　　　　　　（元和本倭名類聚抄／巻二十24 ウ3）

▶番号2242a「齵」（齵齒）の仮名音注「コウ」については、基本的に -ou で対応する。当該字
には平声濁点を差すので、字音「ゴウ」を想定する。その中古音が示す頭子音 ŋ-（等韻学の術語で
言う疑母）は軟口蓋鼻音であり、日本語のガ行音をもって受容する。熟字2242「齵齒」は右注「オ
ソハ」を付載する。観智院本類聚名義抄に同音字注「音愚」と反切「又五溝反」を見出すが、仮名
音注はない。元和本倭名類聚抄には反切「五溝反」と同音字注「音隅」がある。

　齵 音愚 オソハ カム／イフ 又五溝反　　　　　　　　　（観智院本類聚名義抄／法上103-2）

　齵齒　蒼頡篇云齵 五溝反又音隅齵齒於曾波 齒重生也　　　（元和本倭名類聚抄／巻三20 オ2）

▶番号2373b「侯」（王侯）の仮名音注「コウ」については、基本的に -ou で対応する。当該字
には去声点を差す。その中古音が示す頭子音 ɣ-（等韻学の術語で言う喉音濁匣母）は有声軟口蓋摩
擦音であり、日本語のガ行音をもって受容するが、中国語音韻史上における濁音声母の無声化を反
映する場合はカ行音で対応する。観智院本類聚名義抄に同音字注「音喉」を見出す。長承本蒙求に
は仮名音注「コウ」四例があり、それら掲出字四例には平声点を加える。日本漢音「コウ」平声を
認める。

　侯矣 音喉 キミ［上上］… イル　　　　　　　　　　　　（観智院本類聚名義抄／佛上017-3）

　侯［平］コウ／コウ　　　　　　　　　　　　　　　　　　　　　（長承本蒙求／026）

　侯［平］コウ　　　　　　　　　　　　　　　　　　　（長承本蒙求／027・059・067）

▶番号2776「帿」の仮名音注「カウ」については、異例 -au を示す。当該字は別筆書き入れで

3-1-2　-ʌ系の字音的特徴　271

あり、その仮名音注や注記（右注：弓帳張布也／左注：釣声）の扱いは保留しておく。観智院本類聚名義抄に反切「戸鉤反」を見出すが、仮名音注はない。

帳 或侯字 戸鉤反／討張巾　　　　　　　　　　　　　　（観智院本類聚名義抄／法中105-2）

▶番号0367b・0688b「頭」（智頭・巴頭）の仮名音注「ツ」については、基本的に -u で対応する。両当該字に声点はない。日本漢字音で -u という把握を可能にした環境は、中古音が示す末子音 -u の円唇性が影響した結果、その主母音 -ʌ- が日本漢字音 -o よりも狭められて、その末子音に同化あるいは吸収されたと推測できる。熟字0367「智頭」は因幡國の地名である。熟字0688「巴頭」には左注「藥名」（巴豆の種子から採った黄褐色の油は軟膏として外用する）を付載する。観智院本類聚名義抄に「巴豆」があり、仮名音注「ハツ［上平濁］」を見出すので、字音「ハヅ」を想定する。その中古音が示す頭子音 d-（等韻学の術語で言う舌音濁定母）は日本語のダ行音をもって受容するが、中国語音韻史上における濁音声母の無声化を反映する場合はタ行音で対応する。なお、観智院本類聚名義抄が掲げる熟字「頭風」に仮名音注「俗云ツフウ［去濁上上］」を、また熟字「氷頭［平上］」に「ヒツ」を見つける。定着久しい字音「ヅ」去声、また字音「ヅ」平声と「ツ」上声を認める。

　　　因幡國 … 智頭 知豆　　　　　　　　　　　　　　　　（元和本倭名類聚抄／巻五21 ウ2）

　　　巴豆 ハツ［上平濁］　　　　　　　　　　　　　　　（観智院本類聚名義抄／法上095-8）

　　　頭風 カシライタミヤマヒ［平平□□□□□□］／俗云ツフウ［去濁上上］

　　　　　　　　　　　　　　　　　　　　　　　　　　　（観智院本類聚名義抄／佛下本021-8）

　　　氷頭 ヒツ［平上］　　　　　　　　　　　　　　　　（観智院本類聚名義抄／佛下本022-1）

▶番号0445b・0628b・1481a・1482a・2126b・2150b・2579・3053b「頭」（路頭・拔頭・頭腦・頭腦・瀧頭・叩頭虫・頭・鶴頭）の仮名音注「トウ」については、基本的に -ou で対応する。当該諸字八例には平声点を差す。熟字0628「拔頭」は大食調を、熟字2150「叩頭」は右注「ヌカツキムシ」を、番号2579「頭」は右注「同（カウヘ）」左注「カシラ」を付載する。その中古音が示す頭子音 d-（等韻学の術語で言う舌音濁定母）は有声歯茎閉鎖音であり、日本語のダ行音をもって受容するが、中国語音韻史上における濁音声母の無声化を反映する場合にはタ行音で対応する。長承本蒙求には仮名音注「トウ」があり、その掲出字には平声点を加える。観智院本類聚名義抄に去声濁点を付した同音字注「音投」を見出すが、仮名音注はない。同書割注の冒頭に配置する反切と同音字注は正音を標榜するので、日本漢音「ドウ」去声を想定したいが、声調の違いを認めにくい。あるいは日本呉音の混入とすべきか。元和本倭名類聚抄には反切「度具反」を見つける。日本漢音「トウ」平声を認める。

　　　頭 音投［去濁］始也 カウヘ［平上上濁］一云 カシラ［平平□］ホトリ［平上□］／イタル カミ

　　　　　　　　　　　　　　　　　　　　　　　　　　　（観智院本類聚名義抄／佛下本021-8）

　　　頭［平］トウ　　　　　　　　　　　　　　　　　　　（長承本蒙求／051）

272　3．仮名音注の韻母別考察　3-1　I 韻類

首頭　釋名云 … 頭 度具反訓上同〔*加字倍〕一云賀之良　　（元和本倭名類聚抄／巻三 01 ウ 1）

頭腦　崔禹錫食經云鹿頭腦治内熱 今案麋鹿頭之名謂之頭腦故別置之

（元和本倭名類聚抄／巻十六 21 オ 2）

▶番号 0729b・2013b「頭」（晩頭・龍頭）の仮名音注「トウ」については、基本的に -ou で対
応する。両当該字には平声濁点を差すので、字音「ドウ」を想定するが、日本語音韻史上の連濁に
よる字音把握であると推測する。熟字 0729「晩頭」は右傍「カケ」を、熟字 2013「龍頭」は左注
「舟名」を付載する。上述の分析を参照。

▶番号 1696・1831b・2673b「頭」（頭・陣頭・鶴頭）の仮名音注「トウ」については、基本的
に -ou で対応する。両当該字に声点はない。熟字 1696「頭」は左注「蔵人頭」を、熟字 2673「鶴
頭」は左注「橘葉也」を付載する。上述の分析を参照。

▶番号 1195b「頭」（蓬頭）の仮名音注「トウ」については、基本的に -ou で対応する。当該字
には去声濁点を差すので、字音「ダウ」を想定する。上述の分析を参照。

蓬頭 オホトレカシラ［上平濁上上上濁上□］　　　　　　　（観智院本類聚名義抄／僧上 037-2）

▶番号 1647a「頭」（頭巾）の仮名音注「ト」については、基本的に -o で対応する。当該字に
は平声点を差す。上述の分析を参照。

頭巾　唐令云諸給時服冬則頭巾一枚　　　　　　（元和本倭名類聚抄／巻十二 18 オ 6）

▶番号 1487a「頭」（頭巾）の仮名音注「ト」については、基本的に -o で対応する。当該字に
声点はない。熟字 1487「頭巾」は左注「以衣覆頭也」を付載する。上述の分析を参照。

▶番号 1769a「鍮」（鍮石）の仮名音注「チウ」については、異例 -iu を示す。当該字「鍮」の
諧声符「兪」は羊母麌韻（jiuʌˊ）徹母宥韻（tʻiʌuˋ）二音を有する。後者の字音による類推「チウ」
と推測する。熟字 1769「鍮石」は右注「鉐イ本」中注「チウサク俗」左注「唐物也」を付載する。
仮名音注には俗表記があり、定着久しい字音と認識していたか。観智院本類聚名義抄に同音字注「音
偷」と低平調と推測する和音「チウ」を見出す。さらに同書が掲げる熟字「鍮石」には同音字注「俗
云中尺」がある。元和本倭名類聚抄には反切「他候反」および注記「鍮石二音俗云中尺」を見つけ
る。日本呉音「チウ」平声、定着久しい字音「チウ」を認める。

鉅鍮 音偷／和チウ［□平：墨点］　　　　　　　　　（観智院本類聚名義抄／僧上 132-7）

鍮石 俗云中尺　　　　　　　　　　　　　　　　（観智院本類聚名義抄／僧上 132-7）

鍮石 考聲切韻云鍮 他候反字亦作鉅鍮石二音俗云中尺 …　　（元和本倭名類聚抄／巻十一 19 オ 7）

▶番号 2152a「偷」（偷兒）の仮名音注「トウ」については、基本的に -ou で対応する。当該字
には平声点と去声点を差す。廣韻に拠れば、その中古音は透母侯韻（tʻʌuˊ）である。熟字「偷兒」
は右傍 2151「チウ去声俗」右注「ヌスヒト」左注 2152「トウ」を付載する。この左注は規範的な
字音を仮名音注で示す。観智院本類聚名義抄に同音字注「音投」と和音「チウ」を見出す。元和本
倭名類聚抄には反切「他候反」がある。日本呉音「チウ」を認める。

3-1-2 -ʌ 系の字音的特徴　273

偸 音投 ヌスミ［平平平／□□ム：墨右傍］… 和チウ　　　　　（観智院本類聚名義抄／佛上 016-1）

偸兒 ヌスヒト　　　　　　　　　　　　　　　　　　　　　　　（観智院本類聚名義抄／佛上 016-2）

偸兒　世説云園中夜呵云有偸兒 他候反 偸兒 和名奴須比止 …

（元和本倭名類聚抄／巻二 12 オ 8）

　▶番号 2151a「偸」（偸兒）の仮名音注「チウ」については、異例 -iu を示す。当該字「偸」の諧声符「兪」は羊母虞韻（jiuʌˡ）徹母宥韻（ʈʻiʌuˢ）二音を有する。後者の字音による類推「チウ」と推測する。現行多くの漢和辞典は慣用音として「チウ」を掲げる。同じ熟字「偸兒」に対して、右傍 2151「チウ去声俗」と左注 2152「トウ」を掲げる。定着久しい字音「チウ」去声を想定する。上述の分析を参照。

　▶番号 2156（偸）の仮名音注「チウ」については、異例 -iu を示す。当該字には去声点を差し、和訓「ヌスム」の同訓異字として位置する。上述の分析を参照。

　▶番号 0236a「偸」（偸閑）の仮名音注「イウ」については、異例 -iu を示す。当該字には平声点を差す。諧声符「兪」（羊母虞韻 jiuʌˡ）による字音把握と推測する。熟字 0236「偸閑」は「偸間」と同じで暇を盗むことであるが、仮初めの意味としても使う。上述の分析を参照。

　▶番号 2446「窬」（窬）の仮名音注「ト」については、基本的に -o で対応する。当該字に声点はなく、右注「門邊小竇也」左注「已上墻也」を付載する。また和訓「カキ」の同訓異字として位置する。その注記「門邊小竇也」は切韻系韻書の喩母虞韻（jiuʌˡ）に相当する「窬：門邊小竇又穿窬也」が引用元と推測する。これは日本漢字音「ユ」を想定するが、当該の仮名音注「ト」は別音の侯/候韻（dʌuˡ/ˢ）による。観智院本類聚名義抄に平声点を付した同音字注「俞」同音字注「又豆音・又頭音」反切「又徒楪反」を見出すが、仮名音注はない。また同書では異体字「牏」を掲げ、同音字注「豆音・音偸・又頭音・又音俞」を見つける。元和本倭名類聚抄には異体字「牏」に対して同音字注「音偸又音頭」がある。日本漢音は平声を認める。

　　窬 音俞［平］穿也 盗也 又豆音 … 又頭音 … 又徒楪反　　　　（観智院本類聚名義抄／法下 061-6）

　　牏 或窬字 豆音 門旁狗孔也 音偸 ツイ［上上］ヒチイタ 又頭音 … 又俞音 穿窬盗也 空

（観智院本類聚名義抄／佛下末 007-4）

　　牏 野王案牏 音偸又音頭和名豆以比知伊太 築垣短板也　　（元和本倭名類聚抄／巻十 13 ウ 3）

　▶番号 1489a・1490a「兜」（兜納・兜末）の仮名音注「ト」については、基本的に -o で対応する。両当該字には去声点を差す。観智院本類聚名義抄に反切「丁侯反」と同音字注「又斗音」を見出すが、仮名音注はない。

　　兜 丁侯反 兜鍪也 又斗音　　　　　　　　　　　　　　　　（観智院本類聚名義抄／佛中 105-1）

　▶番号 0685「篼」（篼）の仮名音注「トウ」については、基本的に -ou で対応する。当該字には平声点を差し、右注「ハタコ」を付載する。観智院本類聚名義抄に平声点を付した同音字注「音兜反」（その右傍に朱筆で仮名音注「トウ」）がある。元和本倭名類聚抄には反切「當侯反」を見

出す。日本漢音「トウ」平声を認める。

　　　　筧 … 音 兜 ［平／トウ：朱右傍］反 ハタコ［平上平濁］　　　（観智院本類聚名義抄／僧上068-5）

　　　　筧　唐韻云筧 當侯反漢語抄云波太古俗用旅籠二字 …　　　（元和本倭名類聚抄／巻十四18 ウ 8）

　▶番号 0204・0225・1657a・1665a・1992a「投」（投・投・投跡・投杖・投杖）の仮名音注「トウ」については、基本的に -ou で対応する。掲出諸字五例に平声点を差す。番号 0204「投」は和訓「イタル」の同訓異字として位置する。番号 0225「投」は右注「已上怸也」を付載する。観智院本類聚名義抄に平声点と去声濁点〔＊呉音声調か〕を付した同音字注「音頭」および低平調と推測する和音「又トウ」を見出す。長承本蒙求には仮名音注「トウ」六例があり、それら掲出諸字には平声点を加える。日本漢音「トウ」平声、日本呉音「トウ」平声を認める。

　　　　投 音頭 ［平・去濁］ナク［平平濁］… 和又トウ［□平］　　（観智院本類聚名義抄／佛下本077-2）

　　　　投 ［平］トウ／トウ　　　　　　　　　　　　　　　　　　　（長承本蒙求／043・062）

　　　　投 ［平］トウ　　　　　　　　　　　　　　　　　　　　　　（長承本蒙求／107・118・140）

　　　　投 〔＊左上下隅欠〕トウ　　　　　　　　　　　　　　　　　（長承本蒙求／141）

　▶番号 2647b「樓」（迦樓頻）の仮名音注「レウ」については、異例 -eu を示す。当該字には上声点を差す。熟字 2647「迦樓頻」は右注「沙陁調」を付載する。雅楽における林邑楽系の唐楽を指す。元和本倭名類聚抄に「迦樓頻」を見出すが、これは「迦陵頻」（陵：蒸韻 lieŋ¹）の誤認と考えられる。同表記を前田本が継承したか。

　　　　沙陁調 … 迦樓頻 或譜云天竺語也 …　　　　　　　　　　（元和本倭名類聚抄／巻四14 ウ 7）

　▶番号 2058b「樓」（龍樓）の仮名音注「ロウ」については、基本的に -ou で対応する。当該字には平声点を差す。観智院本類聚名義抄に同音字注「音婁」および上昇調と推測する和音「ロウ」（その右傍に朱筆で「✓」）がある。この「✓」表記は濁音・喉内撥音韻尾いずれでもなく、詳細は不明。長承本蒙求には仮名音注「ロウ」があり、その掲出字には平声点を加える。元和本倭名類聚抄には和名「呂」がある。日本漢音「ロウ」平声、日本呉音「ロウ」去声を認める。

　　　　樓 音婁 タカトノ［平平平濁平］／和ロウ［□上／□✓：朱］

　　　　　　　　　　　　　　　　　　　　　　　　　　　　　　（観智院本類聚名義抄／佛下本094-3）

　　　　樓 ［平］ロウ　　　　　　　　　　　　　　　　　　　　　（長承本蒙求／070）

　　　　樓　辨色立成云 太加止乃 一云 和名呂 …　　　　　　　（元和本倭名類聚抄／巻十04 オ 2）

　▶番号 0400「樓」（樓）の仮名音注「ロウ［平平］」については、基本的に -ou で対応する。当該字には平声点を差し、その右注「ロウ［平平］」仮名音注は低平調を示す声点を付載する。上述の分析を参照。

　▶番号 0423a「樓」（樓子）の仮名音注「ロウ［上上］」については、基本的に -ou で対応する。当該字に声点はないが、その右注「ロウ［上上］」は上平調を示す声点を付載する。熟字 0423「樓子」は右注「同（ロウシ［上上上濁］）」を付載する。上述の分析を参照。

3-1-2 -ʌ 系の字音的特徴 275

▶番号0401「樓」（樓）の仮名音注「ル」については、基本的に -u で対応する。当該字には平声点を差し、その右傍「ル」仮名音注がある。右注には仮名音注「ロウ［平平］」（上記の番号0400に相当）を併載する。日本漢字音で -u という把握を可能にした環境は、中古音が示す末子音 -u の円唇性が影響した結果、その主母音 -ʌ- が日本漢字音 -o よりも狭められて、その末子音に同化あるいは吸収されたと推測できる。上述の分析を参照。

▶番号1459b「髏」（髑髏）の仮名音注「ロ」については、基本的に -o で対応する。当該字に声点はない。観智院本類聚名義抄に平声点を付した同音字注「婁」（その右傍に朱筆「ロウ」）および和音「ロ［上］」を見出す。日本漢音「ロウ」平声、日本呉音「ロ」上声を認める。

　　髑髏 音獨婁［□平／ロウ：朱右傍］ ヒトカシラ［上上上濁上平］ … 和トクロ［□平上］

　　　　　　　　　　　　　　　　　　　　　　　（観智院本類聚名義抄／佛下本005-4）

▶番号2357「艛」（艛）の仮名音注「ロウ」については、基本的に -ou で対応する。当該字に声点はなく、右注「方舟也」左注「ワタシフネ」を付載する。なお前田本の字形「舟+童（艟）」を「艛」と修正する。観智院本類聚名義抄に同音字注「音樓」を見出すが、仮名音注はない。

　　艛 音樓　　　　　　　　　　　　　　　　　（観智院本類聚名義抄／佛下本003-4）

　　舮 ワタシフネ　　　　　　　　　　　　　　（観智院本類聚名義抄／佛下本004-3）

　　艨艟 蒙衝二音 又並去声／イクサフネ［平平平上濁上］　（観智院本類聚名義抄／佛下本003-5）

▶番号2554a「螻」（螻蛄）の仮名音注「ロウ」については、基本的に -ou で対応する。当該字に声点はなく、右注「同（カヘル）」を付載する。観智院本類聚名義抄に同音字注「婁」を見出すが、仮名音注はない。元和本倭名類聚抄には同音字注「婁」がある。

　　螻蛄 婁姑［□平］二音 ケラ［平平］ …　　　　（観智院本類聚名義抄／僧下017-3）

　　螻蟈［又火ク：右傍］婁膕［クキヤク：朱右傍］二音 同訓〔＊カヘル〕 下又胡／淵反

　　　　　　　　　　　　　　　　　　　　　　　（観智院本類聚名義抄／僧下019-8）

　　蝦蟇 … 兼名苑云蝦蟇 遐麻二音一名螻蟈 婁膕二音 …　（元和本倭名類聚抄／巻十九24 オ 8）

▶番号0495b「蔞」（蘩蔞）の仮名音注「ロウ」については、基本的に -ou で対応する。当該字には平声点を差す。熟字0495「蘩蔞」は右注「ハクヘラ」を付載する。観智院本類聚名義抄に平声点を付した同音字注「婁」を見出すが、仮名音注はない。元和本倭名類聚抄には同音字注「婁」がある。日本漢音は平声を認める。

　　蘩蔞 繁婁［平平］／二音 … ハコヘラ … 下ハクヘラ 又音趍　（観智院本類聚名義抄／僧上026-5）

　　蘩蔞 本草云蘩蔞 繁婁二音和名ハ久倍良 …　　　（元和本倭名類聚抄／巻十七24 ウ 8）

▶番号2517「鷗」（鷗）の仮名音注「ヲウ」については、基本的に -ou で対応する。当該字には平声点を差し、右注「カモメ 毛衣」左注「又カモヘ」を付載する。観智院本類聚名義抄に平声点を付した同音字注「音漚」を見出すが、仮名音注はない。元和本倭名類聚抄には反切「烏侯反」がある。日本漢音は平声を認める。

276 3. 仮名音注の韻母別考察 3-1 Ⅰ韻類

　　　鷗 音漚 ［平］ 水鳥／カモメ ［平上上］　　　　　　　（観智院本類聚名義抄／僧中 115-8）
　　　鷗 唐韻云鷗 烏侯反和名加毛米 …　　　　　　　　　（元和本倭名類聚抄／巻十八11 ウ9）
　▶番号 1296a「歐」（歐吐）の仮名音注「ヲウ」については、基本的に -ou で対応する。当該字
には上声点を差す。廣韻に拠れば、侯／厚韻（'ʌu¹ᐟ²）二音を有する。熟字 1296「歐吐」は右注「ヘ
トツク」左注「又タマヒ」を付載する。観智院本類聚名義抄に平声点を付した同音字注「漚」と反
切「又烏口反」および和音「ウ」と低平調を示す和音「オウ」を見出す。同書では、異体字「歐」
についても、去声点を付した和音「ウ」と低平調を示す和音「オウ」がある。この和音「オウ」は
日本語音韻史における音変化 wou > ou を想定できる。元和本倭名類聚抄には反切「於后反」があ
る。日本漢音は平声、日本呉音「オウ」平声と「ウ」去声を認める。

　　　漚 音漚 ［平］ 又烏口反 ツク ［上平］ … 歐 俗 タマヒ 和ウ オウ ［平平］
　　　　　　　　　　　　　　　　　　　　　　　　　（観智院本類聚名義抄／佛中 036-4）
　　　歐 於口反 又平 漚 亦 ハク ［平上］／和ウ ［去］ オウ ［平平］　（観智院本類聚名義抄／僧中 049-6）
　　　歐吐 ヘトハク ［平平濁上平］／又タマヒ ［平平平］　　　　（観智院本類聚名義抄／僧中 049-6）
　　　歐吐 病源論云胃氣逆則歐吐 上於后反字亦作嘔倍止都久又太萬比
　　　　　　　　　　　　　　　　　　　　　　　　　　（元和本倭名類聚抄／巻三19 オ5）

《下巻 侯韻諸例》

　▶番号 4137b・5012b「溝」（汙溝・郷溝）の仮名音注「コウ」については、基本的に -ou で対
応する。両当該字には平声点を指す。熟字 4137「汙溝」は右注「アセミゾ」左注「馬也」を、熟字
5012「御溝」は右傍「ミカハ ミツ」〔＊ミゾの誤認〕を付載する。図書寮本類聚名義抄に平声点を付
した同音字注「音鉤」を見出す。観智院本には同音字注「音鉤」および和音「去」を見つけるが、
仮名音注はない。日本漢音は平声、日本呉音は去声を認める。

　　　溝港 … 上川云音鉤 ［平］ 和云美曽 ［上上濁］ …　　　　　（図書寮本類聚名義抄／023-4）
　　　溝 音鉤／ミゾ フカシ 和去　　　　　　　　　　　　　（観智院本類聚名義抄／法上 042-4）
　　　汙溝 李緒曰汙溝欲深 汙溝俗云阿世美蘰　　　　　　　　（元和本倭名類聚抄／巻十一14 オ6）
　▶番号 3800b「溝」（偃溝）の仮名音注「コウ」については、基本的に -ou で対応する。当該字
には上声点を差す。熟字 3800「偃溝」は右傍「キ ミゾ」を付載する。上述の分析を参照。
　▶番号 6843b「鉤」（炭鉤）の仮名音注「コウ」については、基本的に -ou で対応する。当該字
には平声点を差す。熟字 6843「炭鉤」は右注「同（スミカキ）」を付載する。上巻の侯韻当該例で
分析したように、日本漢音「コウ」平声を認める。

　　　炭鉤 陸詞切韻云鉊 音欲和名須美加岐 炭鉤也　　　　　　（元和本倭名類聚抄／巻十五16 オ3）
　▶番号 3563b「韝」（射韝）の仮名音注「コウ」については、基本的に -ou で対応する。当該字

には平声点を差す。熟字3563「射韝」は右注「コテ［上上］」中注「又タマキ」左注「射具也」を付載する。観智院本類聚名義抄に反切「古侯反」を見出すが、仮名音注はない。元和本倭名類聚抄には反切「古侯反」がある。

　　韝 … 古侯反 タマキ［平平上］俗云コテ［上上］… ムスフ　　（観智院本類聚名義抄／僧中081-4）
　　射韝　説文云韝 古侯反和名太末岐一云小手也 …　　　　　　（元和本倭名類聚抄／巻四02 ウ7）
　▶番号4880「侯」（侯）の仮名音注「コウ」については、基本的に -ou で対応する。当該字の右下隅が不鮮明であるが、声点はないと推測する。上巻の侯韻該当例で分析したように、日本漢音「コウ」平声を認める。

　▶番号3388a「喉」（喉痹）の仮名音注「コウ」については、基本的に -ou で対応する。当該字には平声点を差す。熟字3388「喉痹」は右傍「コウヒ」右注「コヒ［平平］」左注「喉腫也」を付載する。観智院本類聚名義抄に平声点を付した同音字注「音侯」を見出す。また注記「俗訛云コヒ［去平］」を見つける。その調値は上昇調〔◑○〕である。元和本倭名類聚抄には同音字注「音侯」および注記「俗訛云古比」がある。日本漢音は平声、定着久しい字音「コ」去声を認める。

　　喉 音侯［平］ノムト　　　　　　　　　　　　　　　　　（観智院本類聚名義抄／佛中059-5）
　　喉痹 侯卑二音 俗訛云コヒ［去平］ヒルム … 和卑　　　　（観智院本類聚名義抄／法下118-3）
　　喉痹　病源論云喉痹 侯卑二音俗訛云古比 …　　　　　　（元和本倭名類聚抄／巻三19 ウ4）
　▶番号3426b「箜」（箜篌）の仮名音注「コウ」については、基本的に -ou で対応する。当該字には平声点を差す。熟字3426「箜篌」は右注「コウ丶丶俗」左注「音樂具」を付載する。古代の中国・朝鮮・日本などに行われた弦楽器（百済琴）で、竪箜篌・鳳首箜篌・臥箜篌の三種がある。観智院本類聚名義抄は熟字「箜篌」に同音字注「空侯二音」および「俗云コウコ・又クウコ」を見出す。さらに「呉音箜篌［平平］」とする差声がある。これは大般若経字抄による引用である。元和本倭名類聚抄は熟字「箜篌」に同音字注「空侯二音」および「俗云如江胡二音」を注記する。日本呉音は平声、定着久しい字音「コ」を認める。

　　箜篌 空侯二音 俗云 コウコ／又クウコ 塔具 呉音箜篌［平平］或空侯［去上］

　　　　　　　　　　　　　　　　　　　　　　　　　　　　（観智院本類聚名義抄／僧上065-6）

　　箜篌［平平：圏点］或空侯［去上：圏点］云也然而依度高麗物不用呉音

　　　　　　　　　　　　　　　　　　　　（石山寺一切経蔵本大般若経字抄／17 オ6）

　　箜篌　唐韻云箜篌 空侯二音俗云如江胡二音 …　　　　（元和本倭名類聚抄／巻四19 オ6）
　▶番号4485b「猴」（獼猴）の仮名音注「コウ」については、基本的に -ou で対応する。当該字には平声点を差す。観智院本類聚名義抄が掲げる熟字「獼猴」に同音字注「弥侯［平平濁］」を、熟字「㺇猴」には仮名音注「エムコ［平平平］」を、熟字「猴孫」には同音字注「胡孫」を見出す。元和本倭名類聚抄が掲げる熟字「彌猴」には同音字注「彌侯」を、熟字「猴孫」には同音字注「胡孫」を見つける。長承本蒙求には仮名音注「コウ」があり、その掲出字に平声点を加える。承暦本

278　3．仮名音注の韻母別考察　3-1　I 韻類

金光明最勝王経音義には同音字注「五音」があり、その掲出字には上声点を加える。日本漢音「コ
ウ」平声、日本呉音「ゴ」上声、字音「コ」平声を認める。

　　猴猴 弥侯［平平濁］二音／サル［平上］　　　　　　（観智院本類聚名義抄／佛下本 127-7）

　　猨猴 音園 サル／下 ヱムコ［平平平］　　　　　　　（観智院本類聚名義抄／佛下本 127-8）

　　猴孫 音孫［平］胡孫 猨猴孫　　　　　　　　　　　（観智院本類聚名義抄／佛下本 137-6）

　　猨 … 兼名苑云一名獼猴 獼侯二音 … 失木切韻云猴孫 音孫楊氏漢語抄云胡孫

　　　　　　　　　　　　　　　　　　　　　　　　　（元和本倭名類聚抄／巻十八 18 ウ 8）

　　猴［平］コウ　　　　　　　　　　　　　　　　　　　　　　　（長承本蒙求／024）

　　猴［去］弥ゝ 猴［上］五ゝ 二字合訓佐流　　　（承暦本金光明最勝王経音義／10 ウ 5）

▶番号 3339b・5285b「猴」（獼猴桃・獼猴桃）の仮名音注「コ」については、基本的に -o で
対応する。両当該字に上声点を差す。熟字 3393「獼猴桃」は右注「コクハ」左注「又シラクチ」を、
熟字 5285「獼猴桃」は右注「シラフ［ク：右傍］チ」左注「又コクハ」を付載する。上述の分析を
参照。元和本倭名類聚抄に和名「之良久知一云古久波」を見出す。上述の分析を参照。

　　獼猴桃援　七巻食經云獼猴桃 和名之良久知一云古久波　　（元和本倭名類聚抄／巻十七 08 オ 4）

▶番号 3568b・6951b・6975b「頭」（牛頭・益頭・氷頭）の仮名音注「ツ」については、基本
的に -u で対応する。熟字 3568「牛頭」には仮名音注「コツ」右注「香名」とある。これは熱帯地
方に産する麝香の香がする香料で、万病を除くという牛頭香（南天竺の牛頭山＝摩羅耶山に産する
栴檀から製した）を指す。熟字 6951「益頭」は洲篇国郡部に属する駿河の右注に付載する。元和本
倭名類聚抄に借字「末志豆」を見出す。すでに字音であるという認識が希薄であったか。熟字 6975
「氷頭」は左注「鮏氷頭」右注「ヒツ俗」を付載する。上巻の侯韻当該諸例で分析したように、定
着久しい字音「ヅ」去声、また字音「ヅ」平声と「ツ」上声を認める。

　　駿河國 … 益頭 末志豆　　　　　　　　　　　　　（元和本倭名類聚抄／巻五 13 ウ 4）

　　氷頭 背膓附 本朝式年魚氷頭背膓 年魚者鮏魚也氷魚者比豆也 …

　　　　　　　　　　　　　　　　　　　　　　　　　（元和本倭名類聚抄／巻十六 20 オ 7）

▶番号 5842b「頭」（雀頭）の仮名音注「トウ」については、基本的に -ou で対応する。当該字
には平声点を差す。上巻の侯韻当該諸例で分析したように、日本漢音「トウ」平声を認める。上述
の分析を参照。

▶番号 4032b「頭」（纏頭）の仮名音注「トウ」については、基本的に -ou で対応する。当該字
には平声濁点を差すので、日本語音韻史上の連濁による字音「ドウ」を想定する。上述の分析を参
照。

▶番号 4823b「頭」（座頭）の仮名音注「トウ」については、基本的に -ou で対応する。当該字
に声点はない。上述の分析を参照。

▶番号 6168b「籔」（械籔）の仮名音注「トウ」については、基本的に -ou で対応する。当該字

には平声点を差す。熟字6168「㷭㷭」は右注「ヒ」左注「糞也」を付載する。上巻の侯韻当該諸例で分析したように、日本漢音は平声を認める。

　▶番号6211「塿」（塿）の仮名音注「ル」については、基本的に -u で対応する。当該字に声点はない。観智院本類聚名義抄に反切「力珠反」（その反切下字に平声点）と同音字注「又音樓」を見出すが、仮名音注はない。長承本蒙求の掲出字「塿」には東声点を加える。日本漢音は東声（四声体系では平声）を認める。

　　塿 力珠［入平］反 空也 愚也／又音樓 星名　　　　　　（観智院本類聚名義抄／佛中 021-4）

　　塿［東］　　　　　　　　　　　　　　　　　　　　　　（長承本蒙求／134）

　▶番号5199b「塿」（牟塿）の仮名音注「ロ」については、基本的に -o で対応する。当該字に声点はない。先んじて存する地名に漢字表記を宛てる。上述の分析を参照。

　　紀伊國 國府在名草郡 … 牟塿 牟呂　　　　　　　　　　（元和本倭名類聚抄／巻五 24 ウ 8）

　▶番号6776b「樓」（鐘樓）の仮名音注「ロウ」については、基本的に -ou で対応する。当該字には平声点を差す。上巻の侯韻当該諸例で分析したように、日本漢音「ロウ」平声、日本呉音「ロウ」去声を認める。

　《厚韻 上巻諸例》

　▶番号0075「狗」（狗）の仮名音注「コウ」については、基本的に -ou で対応する。当該字に声点はなく、右注「同（イヌ）」を付載する。観智院本類聚名義抄に同音字注「音苟」および平声点を付した和音「ク」を見出す。元和本倭名類聚抄には同音字注「音苟」がある。日本呉音「ク」平声を認める。

　　狗 音苟 ヱヌ［上上］／又イヌ［平平］和ク［平］　狗 上俗下正

　　　　　　　　　　　　　　　　　　　　　（観智院本類聚名義抄／佛下本 128-8）

　　犬 狗附 … 爾雅集注云狗 音苟和名惠沼又與犬同 犬子也　（元和本倭名類聚抄／巻十八 21 ウ 4）

　▶番号0099a「狗」（狗蠅）の仮名音注「コウ」については、基本的に -ou で対応する。当該字には上声点を差す。熟字0099「狗蠅」は右注「イヌハエ」左注「着犬蠅也」を付載する。上述の分析を参照。

　　狗蠅 兼名苑云狗蠅一名犬蠅 著於犬者也　　　　（元和本倭名類聚抄／巻十九 26 ウ 3）

　▶番号0314b・0905b・1367b・2088b・3038b「口」（有口・梅口・閒口・利口・鉗口）の仮名音注「コウ」については、基本的に -ou で対応する。当該諸字五例に上声点を差す。観智院本類聚名義抄に反切「苦厚反」および平声点を付した和音「ク」を見出す。長承本蒙求には仮名音注「コウ」があり、その掲出字には上声点を加える。日本漢音「コウ」上声、日本呉音「ク」平声を認める。

280　3．仮名音注の韻母別考察　3-1　Ⅰ韻類

口 苦厚反 クチ／和ク［平］　　　　　　　　　　　　　（観智院本類聚名義抄／佛中026-2）

口 ［上］コウ　　　　　　　　　　　　　　　　　　　　　（長承本蒙求／095）

▶番号2150a「叩」（叩頭虫）の仮名音注「コウ」については、基本的に -ou で対応する。当該字には上声点を差す。熟字2150「叩頭虫」は右注「ヌカツキムシ」を付載する。観智院本類聚名義抄に上声点を付した同音字注「音口」および平声点を付した和音「ク」を見出す。和音の右傍には墨筆で仮名音注「コフ［平上］」〔＊「コウ」の誤認か／去声相当の上昇調を示す朱声点〕を付載する。日本漢音は上声、日本呉音「ク」平声「コウ」去声を認める。

叩 音口［上］オコス［平上上］… 和ク［平／コフ［平上］：墨右傍］

　　　　　　　　　　　　　　　　　　　　　　　　　　（観智院本類聚名義抄／佛中042-3）

叩頭虫 ヌカツキムシ［上上上上上上］　　　　　（観智院本類聚名義抄／僧下015-8）

叩頭虫 … 叩頭 叩頭虫和名沼加豆木無之　　　　　（元和本倭名類聚抄／巻十九20 オ1）

▶番号0527「藕」（藕）の仮名音注「コウ」については、基本的に -ou で対応する。当該字には上声濁点を差すので、字音「ゴウ」を想定する。その中古音が示す頭子音 g-（等韻学の術語で言う牙音濁群母）は日本語のガ行音をもって受容する。観智院本類聚名義抄に上声濁点を付した同音字注「音偶」および上昇調と推測する呉音「五ウ［□上］」と平声濁音を付した呉音「ク」を見出す。呉音の前者は漢呉二音相同の音注を標榜する大般若経字抄による引用である。傍証ながら、観智院本で「偶」を再検索すると、上声濁点を付した同音字注「音藕」（その右傍に朱筆で「コウ」）を見つける。元和本倭名類聚抄には同音字注「音偶」がある。日本漢音は上声、日本呉音「ゴウ」去声「グ」平声を認める。また日本漢音「ゴウ」上声の蓋然性が高い。

藕 音偶［上濁］ハチスノネ［上上□□□］… 呉音 五ウ［□上］ク［平濁］

　　　　　　　　　　　　　　　　　　　　　　　　　　（観智院本類聚名義抄／僧上005-7）

偶 音藕［上濁／コウ：朱右傍］タマサカ［□平□□］…　（観智院本類聚名義抄／佛上028-3）

藕 ［五字：右傍］ハチス　　　　　（石山寺一切経蔵本大般若経字抄／23 オ7）

藕 爾雅云其根藕 音偶和名波知須乃禰　　　　　（元和本倭名類聚抄／巻二十17 ウ8）

▶番号0789b「偶」（配偶）の仮名音注「コウ」については、基本的に -ou で対応する。当該字には上声濁点を差すので、字音「ゴウ」を想定する。その中古音が示す頭子音 ŋ-（等韻学の術語で言う疑母）は軟口蓋鼻音であり、日本語のガ行音をもって受容する。熟字0789「配偶」は右傍「ヒト コロフ」左注「男女懐抱也」を付載する。観智院本類聚名義抄に上声濁点を付した同音字注「音藕」二例を見出し、その一方には朱筆で右傍「コウ」仮名音注を付載する。日本漢音「ゴウ」上声を認める。

偶 音藕［上濁］タマサカ［上上□□］… トモカラ　　（観智院本類聚名義抄／佛上011-7）

偶 音藕［上濁／コウ：朱右傍］タマサカ［□東□□］… トモカラ アフ

　　　　　　　　　　　　　　　　　　　　　　　　　　（観智院本類聚名義抄／佛上028-3）

3-1-2 -ʌ 系の字音的特徴　281

▶番号 1961b「後」（筑後）の仮名音注「コ」については、基本的に -o で対応する。当該字に
声点はない。その中古音が示す頭子音 ɣ-（等韻学の術語で言う喉音濁匣母）は有声軟口蓋摩擦音で
あり、日本語のガ行音をもって受容するが、中国語音韻史上における濁音声母の無声化を反映する
場合はカ行音で対応する。観智院本類聚名義抄に上声点を付した同音字注「音后」および低平調と
推測する和音「コオ［□平］」を見出す。和音表記の右傍には濁音を示す「✓」があり、字音「ゴ
オ」を想定する。これは長音を伴う一音節二拍語という認識か。一音節語「ゴ」の安定した音声認
識を促す事象と認められる。日本漢音は上声、日本呉音「ゴ」平声を認める。

　　　後 音后［上］ノチ ウシロ … 和［✓：右傍］コオ［□平］…　　　（観智院本類聚名義抄／佛上 038-3）

▶番号 0904b「后」（馬后）の仮名音注「コウ」については、基本的に -ou で対応する。当該字
には去声点を差す。廣韻に拠れば、厚/候韻（ɣʌu²³）二音を有する。観智院本類聚名義抄に上声点
を付した同音字注「音後」を見出す。長承本蒙求には仮名音注「コウ」五例があり、それら掲出諸
字に上声点と去声圏点を加える。承暦本金光明最勝王経音義には仮名音注「コ」を見つける。日本
漢音「コウ」上/去声、日本呉音「コ」を認める。

　　　后 … 音後［上］／キミ／ノチ［平平］天子之妃　　　（観智院本類聚名義抄／僧下 102-5）

　　　后［上/去：圏点］コウ　　　　　　　　　　　　　　　　　　（長承本蒙求／010）

　　　后［上］コウ　　　　　　　　　　　　　（長承本蒙求／034・058・088・093）

　　　后妃 コヒ［：右傍］〔＊後筆墨書〕　　　（承暦本金光明最勝王経音義／07 ウ 2）

▶番号 1044a「厚」（厚朴）の仮名音注「コウ」については、基本的に -ou で対応する。当該字
には上声点を差す。熟字 1044「厚朴」は右注「ホゝカシハノキ」を付載する。観智院本類聚名義抄
に上声点を付した同音字注「音後」および和音「カウ」（字音仮名遣としては「コウ」の誤認）を
見出す。日本漢音は上声、日本呉音「コウ」を認める。

　　　厚 … 音後［上］… アツシ［上上上］… 和カウ　　　（観智院本類聚名義抄／法下 108-7）

　　　厚朴 重複附 本草云厚朴一名厚皮 楊氏漢語抄云厚木保々加之波乃木 …

　　　　　　　　　　　　　　　　　　　　　　　　　（元和本倭名類聚抄／巻二十 25 ウ 5）

▶番号 1582b「藪」（斗藪）の仮名音注「ソウ」については、基本的に -ou で対応する。当該字
には上声点を差す。観智院本類聚名義抄に上声点を付した同音字注「音叟」および低平調を示す和
音「ソウ」を見出す。長承本蒙求には仮名音注「ソウ」があり、その掲出字には上声点を加える。
承暦本金光明最勝王経音義には仮名音注「ソウ」があり、その掲出字には平声点を加える。日本漢
音「ソウ」上声、日本呉音「ソウ」平声を認める。

　　　藪 … 音叟［上］… ヤフ［上上濁］和ソウ［平平：墨点］　　　（観智院本類聚名義抄／僧上 014-2）

　　　藪［上］ソウ　　　　　　　　　　　　　　　　　　　　　　（長承本蒙求／096）

　　　藪［平：圏点］ソウ［：右傍］／クサムラ［：左傍］〔＊後筆墨書〕

　　　　　　　　　　　　　　　　　　　　　　（承暦本金光明最勝王経音義／07 ウ 2）

282　3．仮名音注の韻母別考察　3-1　I韻類

▶番号1249b「走」（奔走）の仮名音注「ソウ」については、基本的に -ou で対応する。当該字には平声濁点を差すので、日本語音韻史上の連濁による字音「ゾウ」を想定する。観智院本類聚名義抄に反切「子厚反」（反切下字の右傍に朱筆で仮名音注「コウ」）および和音「ソウ」を見出す。長承本蒙求には仮名音注「ソウ」があり、その掲出字に上声点を加える。承暦本金光明最勝王経音義には同音字注「奏音」があり、その掲出字に平声点を加える。日本漢音「ソウ」上声、日本呉音「ソウ」平声を認める。

　　　走 子厚［コウ：朱右傍］反… 走 俗通 ハシル … 和ソウ　　　　（観智院本類聚名義抄／佛上064-6）

　　　走［上］ソウ　　　　　　　　　　　　　　　　　　　　　　　　（長承本蒙求／095）

　　　走［平］奏ミ／八之流　　　　　　　　　　　（承暦本金光明最勝王経音義／07 オ2）

▶番号1939b「走」（馳走）の仮名音注「ソウ」については、基本的に -ou で対応する。当該字には平声点を差す。上述の分析を参照。

▶番号1150b「斗」（北斗）の仮名音注「ト」については、基本的に -o で対応する。当該字には上声点を差す。観智院本類聚名義抄に反切「丁口反」と去声点を付した仮名音注「俗音ト」を見出す。長承本蒙求には仮名音注「ト・トウ」があり、掲出字それぞれに上声点を加える。日本漢音「ト・トウ」上声、定着久しい字音「ト」去声を認める。

　　　斗 丁口反 俗音ト［去］十舛器斗十舛／アト フス　　　　（観智院本類聚名義抄／法下140-8）

　　　斗［上］ト　　　　　　　　　　　　　　　　　　　　　　　　（長承本蒙求／054）

　　　斗［上］トウ　　　　　　　　　　　　　　　　　　　　　　　（長承本蒙求／096）

▶番号1528「斗」（斗）の仮名音注「ト」については、基本的に -o で対応する。当該字には去声点を差し、右注1527「トウ」中注1528「ト俗」左注「又作斞」を付載する。定着久しい字音「ト」を想定する。上述の分析を参照。

▶番号1029b「斗」（北斗）の仮名音注「ト」については、基本的に -o で対応する。当該字に声点はない。熟字「北斗」は右注1028「ホクトウ［上上上上］」左注1029「ホクト」を付載する。上述の分析を参照。

▶番号1582a「斗」（斗藪）の仮名音注「トウ」については、基本的に -ou で対応する。当該字には上声点を差す。上述の分析を参照。

▶番号1028b「斗」（北斗）の仮名音注「トウ［上上］」については、基本的に -ou で対応する。当該字の仮名音注には高平調を示す差声があり、上声に相当する。上述の分析を参照。

▶番号1527「斗」（斗）の仮名音注「トウ」については、基本的に -ou で対応する。当該字には去声点を差す。上述の分析を参照。

▶番号1428「枓」（枓）の仮名音注「トウ」については、基本的に -ou で対応する。当該字には上声点を差し、右注「トカタ」右傍「トウ」仮名音注を付載する。廣韻に拠れば、厚韻 (tʌu²) 麌韻 (tśiuʌ²) 二音を有する。観智院本類聚名義抄に同音字注「音斗・又音主」を、また去声点を付し

た「音主」と「又斗音」を見出すが、仮名音注はない。元和本倭名類聚抄には同音字注「音斗」を見つける。日本漢音は去声を認める。

料 音斗 トカタ［平平濁上］／又斗主 勘水貞　　　　　（観智院本類聚名義抄／佛下本 108-2）

料 音主［去］酌水器／又斗音 柱上方木　　　　　　（観智院本類聚名義抄／法下 141-6）

料　唐韻云料 音斗和名度賀太 柱上方木也　　　　　（元和本倭名類聚抄／巻十 11 オ6）

▶番号 0492b・1190a・1196b・1593b・2231b・2409b「母」（貝母・母儀・媒母・同母・伯母・王母）の仮名音注「ホ」については、基本的に -o で対応する。掲出諸字六例に上声濁点を差すので、字音「ボ」を想定する。その中古音が示す頭子音 m-（等韻学の術語で言う明母）は両唇鼻音であり、日本語のマ行音をもって受容する。ただし、中国語音韻史上における鼻音声母の非鼻音化（denasalization）現象によって、m->mb->b- の音変化をする。この影響を受けた日本漢音は原則的にバ行音を反映する。熟字 0492「貝母」は右注「ハ、クリ［上上上平］」を、熟字 1190「母儀」は左注「云母也」を、熟字 1196「媒母」は左注「悪女也」を、熟字「伯母」は左注「父之姉曰伯母」を付載する。観智院本類聚名義抄に反切「莫后反」（反切下字に上声点）および和音「モ」を見出す。長承本蒙求には仮名音注「ホ」二例があり、それらの掲出字に上声点を加える。また掲出字に上声加濁点を付した例がある。日本漢音「ボ」上声、日本呉音「モ」を認める。

母 莫后［□上］反 イロハ／俗云ハ、ミチ 和モ　　（観智院本類聚名義抄／佛中 021-6）

母［上／上：加濁］　　　　　　　　　　　　　　　（長承本蒙求／034）

母［上］ホ　　　　　　　　　　　　　　　　　　　（長承本蒙求／081・146）

伯母 ヲハ 父之姉　　　　　　　　　　　　　　　　（観智院本類聚名義抄／佛中 021-6）

貝母 ハ、クリ　　　　　　　　　　　　　　　　　　（観智院本類聚名義抄／佛下本 013-7）

父母 … 父 加曾 母 伊呂波 俗云父 和名知々 母 波々 …（元和本倭名類聚抄／巻二 14 オ8）

伯母 … 九族圖云伯母 和名乎波 今案父之姉也　　　（元和本倭名類聚抄／巻二 15 オ8）

貝母 陶隱居本草注云貝母 和名波々久里 …　　　　（元和本倭名類聚抄／巻二十 08 オ6）

▶番号 1199a「母」（母堂）の仮名音注「ホ」については、基本的に -o で対応する。当該字に声点はない。上述の分析を参照。

▶番号 2226「牡」（牡）の仮名音注「ホ」については、基本的に -o で対応する。当該字には上声濁点を差すので、字音「ボ」を想定する。その中古音が示す頭子音 m-（等韻学の術語で言う明母）は両唇鼻音であり、日本語のマ行音をもって受容する。ただし、中国語音韻史上における鼻音声母の非鼻音化（denasalization）現象を反映する場合はバ行音で対応する。観智院本類聚名義抄に同音字注「音母」を見出すが、仮名音注はない。元和本倭名類聚抄には同音字注「音母」がある。

牡 音母 ヲケモノ［平平平平］／ヲウシ　　　　　　（観智院本類聚名義抄／佛下末 002-3）

牡　説文云牡 音母和名乎毛乃 畜父也　　　　　　　（元和本倭名類聚抄／巻十八 15 ウ3）

▶番号 1037a「牡」（牡丹）の仮名音注「ホ」については、基本的に -o で対応する。当該字に

284　3．仮名音注の韻母別考察　3-1　Ⅰ韻類

は去声濁点を差すので、字音「ボ」を想定する。熟字「牡丹」は右注「紅房」中注1037「ホタン」左注1038「ホウタン俗」を付載する。上述の分析を参照。

　　　牡丹　フカミクサ　　　　　　　　　　　　　　　　　　（観智院本類聚名義抄／佛下本005-1）

　　　牡丹　本草云牡丹一名鹿韮 挙有反和名布加美久佐　　　　　（元和本倭名類聚抄／巻二十02 オ 8）

　▶番号1038a「牡」（牡丹）の仮名音注「ホウ」については、基本的に -ou で対応する。当該字には上声点を差す。俗表記を持つ左注「ホウタン俗」は定着久しい字音であり、中注の字音「ボタン」を規範とする意識が見て取れる。上述の分析を参照。

　▶番号2042b「畝」（隴畝）の仮名音注「ホ」については、基本的に -o で対応する。当該字には上声点を差す。熟字「隴畝」は右傍「ウネ ウネ」を付載する。観智院本類聚名義抄に上声濁点を付した同音字注「音牡」を見出すが、仮名音注はない。元和本倭名類聚抄には同音字注「音牡」がある。日本漢音は上声を認める。

　　　畝　音牡［上濁］〔＊牡←牝］ウネ［平平］　　　　　　（観智院本類聚名義抄／佛上035-7）

　　　畝　在人部　　　　　　　　　　　　　　　　　　　　（観智院本類聚名義抄／僧下125-5）

　　　畝　陸詞云畝數也音牡 和名宇禰 …　　　　　　　　　　（元和本倭名類聚抄／巻一12 ウ 1）

　《厚韻 下巻諸例》

　▶番号3326a「苟」（苟若）の仮名音注「コ」については、基本的に -o で対応する。当該字に声点はない。熟字3326「苟若」の右注「同（コニヤク）」は直上にある熟字3325「蒟蒻」の右注「コニヤク」を受けた表記であるが、同右傍「クシヤク」を引き継いだと見るべきかもしれない。観智院本類聚名義抄に同音字注「音狗」を見出す。長承本蒙求には仮名音注「コウ」があり、その掲出字には上声点を加える。承暦本金光明最勝王経音義には同音字注「九音」があり、その掲出字には去声点を加える。同書の「先可知所付借字」では借字として「九［上］」を見つける。元和本倭名類聚抄では和名「古迩夜久」を掲げる。すでに字音「コ」と言う認識がないと見るべきか。日本漢音「コウ」上声、日本呉音「ク」去声、定着久しい字音「コ」を認める。

　　　苟　苟俗 音狗／シハシ［平上濁濁□］〔＊シハシ←シハゝ］イヤシクモ［平上□□□］

　　　　　　　　　　　　　　　　　　　　　　　　　　　　（観智院本類聚名義抄／僧上043-8）

　　　苟［上］コウ　　　　　　　　　　　　　　　　　　　（長承本蒙求／146）

　　　苟［去］九ゞ　　　　　　　　　　　　　　　　　　　（承暦本金光明最勝王経音義／09 オ 3）

　　　久［平］九［上］　　　　　　　　　　　　　　　　　（承暦本金光明最勝王経音義／01 ウ 4）

　　　蒟蒻　文選蜀都賦注云蒟蒻 栩弱二音和名古迩夜久 …　　　（元和本倭名類聚抄／巻十七22 オ 4）

　▶番号5910b「狗」（乳狗莝𥝱）の仮名音注「コ」については、基本的に -o で対応する。当該字には上声点を差す。熟字5910「乳狗莝𥝱」には右傍「シウ コハ クフ ヲ」を付載する。上巻の

厚韻当該諸例で分析したように、日本呉音「ク」平声を認める。

　▶番号5976「狗」（狗）の仮名音注「コウ」については、基本的に -ou で対応する。当該字に声点はなく、右注「ヱヌ［上上］犬子也」左注「与犬同」を付載する。上述の分析を参照。

　▶番号5972a「狗」（狗尾草）の仮名音注「コウ」については、基本的に -ou で対応する。当該字には上声点を差す。熟字「狗尾草」は右注「コ又コクサ」を付載する。上述の分析を参照。

　　狗尾草 ヱノコクサ［上上□□□］　　　　　　　　　　（観智院本類聚名義抄／僧上 003-8）

　　狗尾草　辨色立成云狗尾草 惠沼能古久佐　　　　　（元和本倭名類聚抄／巻二十 08 オ 5）

　▶番号4186「垢」（垢）の仮名音注「コウ」については、基本的に -ou で対応する。当該字には去声点を差し、右注「アカ」中注「古厚反」左注「塵垢」を付載する。図書寮本類聚名義抄に上声点を付した同音字注「音苟」を見出す。当該字「垢」と「坿」は相互に異体字か。観智院本には同音字注「音苟」および平声点を付した和音「ク」を見出す。日本呉音「ク」平声を認める。

　　垢 宋法花云音苟［上］… 真云塵垢也　　　　　　　（図書寮本類聚名義抄／228-2）

　　坿 音苟 土+苟 俗　　　　　　　　　　　　　　　（観智院本類聚名義抄／法中 050-8）

　　垢 正 アカ アカック／チリ クモル　　　　　　　（観智院本類聚名義抄／法中 051-1）

　　垢 ハチ［平平濁］アカ［上平］／和ク［平：墨点］　（観智院本類聚名義抄／法中 068-1）

　▶番号6047b「茖」（薜茖）の仮名音注「コウ」については、基本的に -ou で対応する。当該字に声点はない。熟字6047「薜茖」は右注「同（ヒシ）」を付載する。観智院本類聚名義抄に去声点を付した同音字注「后」を見出すが、仮名音注はない。元和本倭名類聚抄には同音字注「后」がある。日本漢音は去声を認める。

　　薜茖 皆后［平去］二音／ヒシ［上上］…　　　　　（観智院本類聚名義抄／僧上 044-1）

　　菱子　説文云 … 薜茖 皆后二音 …　　　　　　　（元和本倭名類聚抄／巻十七 14 オ 7）

　▶番号3652a「偶」（偶語）の仮名音注「コウ」については、基本的に -ou で対応する。当該字には上声点を差す。上巻の厚韻当該例で分析したように、日本漢音「ゴウ」上声を認める。

　▶番号6110a「偶」（偶人）の仮名音注「コウ」については、基本的に -ou で対応する。当該字には上声濁点を差すので、字音「ゴウ」を想定する。熟字6110「偶人」は右注「ヒトカタ」中左注「土偶人木／偶人等也」を付載する。元和本倭名類聚抄に反切「五狗反」を見出す。上述の分析を参照。

　　偶人　史記云土偶人木偶人 偶音五狗反俗云人形 …　（元和本倭名類聚抄／巻十三 07 オ 7）

　▶番号3673a・3674a・4687b「後」（後懸・後宴・寅後）の仮名音注「コ」については、基本的に -o で対応する。当該諸字三例には平声点を差す。上巻の厚韻当該例で分析したように、日本漢音は上声、日本呉音「ゴ」平声を認める。

　▶番号3701a・6017b・6370b「後」（後世・越後・備後）の仮名音注「コ」については、基本的に -o で対応する。当該字に声点はない。上述の分析を参照。

286　3．仮名音注の韻母別考察　3-1　Ⅰ韻類

▶番号5028b「後」（向後）の仮名音注「コウ」については、基本的に -ou で対応する。当該字には平声点を差す。上述の分析を参照。

▶番号3316a・3715a「後」（後涼殿・後素）の仮名音注「コウ」については、基本的に -ou で対応する。両当該字には去声点を差す。上述の分析を参照。

▶番号5699b「後」（儒後）の仮名音注「コウ」については、基本的に -ou で対応する。当該字に声点はない。上述の分析を参照。

▶番号3599a・3727a「厚」（厚地・厚薄）の仮名音注「コウ」については、基本的に -ou で対応する。両当該字には去声点を差す。上巻の厚韻当該例で分析したように、日本漢音「コウ」上声を認める。

▶番号5085b「厚」（勤厚）の仮名音注「コウ」については、基本的に -ou で対応する。当該字には平声濁点を差すので、字音「ゴウ」を想定する。その中古音が示す頭子音 ɣ-（等韻学の術語で言う喉音濁匣母）は有声軟口蓋摩擦音であり、日本語のガ行音をもって受容するが、中国語音韻史上における濁音声母の無声化を反映する場合はカ行音で対応する。上述の分析を参照。

▶番号6838b「斗」（墨斗）の仮名音注「トウ」については、基本的に -ou で対応する。当該字には上声点を差す。熟字6838「墨斗」は右注「スミツホ」を付載する。上巻の厚韻当該諸例で分析したように、日本漢音「ト・トウ」上声、定着久しい字音「ト」去声を認める。

▶番号3921b「斗」（弖斗）の仮名音注「トウ［上上］」については、基本的に -ou で対応する。当該字には上声点を差し、その仮名音注にも高平調の差声がある。熟字3921「弖斗」は右注「上都聊反」中注「軍器」左注「テウトウ［上平上上］」を付載する。上述の分析を参照。

▶番号6315b「牡」（牝牡）の仮名音注「ホ」については、基本的に -o で対応する。当該字には上声点を差す。上巻の厚韻当該諸例で分析した。

《候韻　上巻諸例》

▶番号3039b「逅」（邂逅）の仮名音注「コウ」については、基本的に -ou で対応する。当該字には去声点を差す。観智院本類聚名義抄に反切「胡遘反」を見出すが、仮名音注はない。

　　邂逅 タマサカ 下胡遘反／アク　　　　　　　　　　　　（観智院本類聚名義抄／佛上 049-3）

▶番号0361b「豆」（伊豆）の仮名音注「ツ」については、の仮名音注「ツ」については、基本的に -u で対応する。当該字に声点はない。日本漢字音で -u という把握を可能にした環境は、中古音が示す末子音 -u の円唇性が影響した結果、その主母音 -ʌ- が日本漢字音 -o よりも狭められて、その末子音に同化あるいは吸収されたと推測できる。図書寮本類聚名義抄に同音字注「类云寶音」（その去声点位置に仮名音注「トウ」）を見出す。観智院本が掲げる熟字「巴豆」には仮名音注「ハツ［上平濁］」を見つける。また熟字「澡豆」には「和語サクツ［平平濁□］」とあるが、

字音に由来する「サウツ［平□平濁］」の誤認で仮名音注と推測する。豆の粉を材料にした荒い粉を指す。日本漢音「トウ」去声、字音「ヅ」平声を認める。

豆 类云寶［トウ：去声点位置］音　　　　　　　　　　　　　（図書寮本類聚名義抄／128-1）

巴豆 ハツ［上平濁］　　　　　　　　　　　　　　　　　　（観智院本類聚名義抄／法上 095-8）

澡豆 和語／サクツ［平平濁□］　　　　　　　　　　　　　（観智院本類聚名義抄／法上 096-1）

　▶番号 1560・1655a「逗」（逗）の仮名音注「トウ」については、基本的に -ou で対応する。当該字に声点はなく、右注「トマル」中注「止也」を付載する。和訓「ト、ム」の同訓異字として位置する。観智院本類聚名義抄に去声点を付した同音字注「音豆」を見出すが、仮名音注はない。日本漢音は去声を認める。

逗 音豆［去］ト、マル … ホコル　　　　　　　　　　　　（観智院本類聚名義抄／佛上 052-6）

　▶番号 1655a「逗」（逗留）の仮名音注「トウ」については、基本的に -ou で対応する。当該字には平声点を差す。上述の分析を参照。

　▶番号 1475a・1642a「鬭」（鬭鷄・鬭乱）の仮名音注「トウ」については、基本的に -ou で対応する。両当該字には去声点を差す。熟字 1475「鬭鷄」は右注「トリアハセ」を付載する。観智院本類聚名義抄に反切「當候反」を見出す。長承本蒙求には仮名音注「トウ」があり、その掲出字に去声点を加える。承暦本金光明最勝王経音義には同音字注「等音」（その掲出字「鬭」に平声点を差す）と仮名音注「トウ」がある。日本漢音「トウ」去声、日本呉音「トウ」平声を認める。

鬭 當候反 タ、カフ［平平上平］ … アラソフ　　　　　　　（観智院本類聚名義抄／法下 083-1）

鬭［去］トウ　　　　　　　　　　　　　　　　　　　　　　　　（長承本蒙求／031）

鬭［平］等、　　　　　　　　　　　　　　　　　（承暦本金光明最勝王経音義／07 ウ2）

鬭 トウ［＊後筆墨書］　　　　　　　　　　　　　（承暦本金光明最勝王経音義／09 オ6）

　▶番号 1643a「鬭」（鬭訟）の仮名音注「トウ」については、基本的に -ou で対応する。当該字には平声点と去声点を差す。日本漢音と日本呉音の両声調を示す。熟字「鬭訟」は右傍「イサカヒウタフ」左注「トウソウ」を付載する。上述の分析を参照。

　▶番号 1644a「鬭」（鬭靜）の仮名音注「トウ」については、基本的に -ou で対応する。当該字には平声点を差す。日本呉音の声調を示す。熟字 1644「鬭靜［平平濁］」は左注「トウシヤウ」を付載するので、日本語音韻史上の連濁による字音「トウジヤウ」を想定する。上述の分析を参照。

　▶番号 0049「苺」（苺）の仮名音注「ホ」については、基本的に -o で対応する。当該字に声点はなく、右注「同（イチコ）」左注「又作莓」を付載する。その中古音が示す頭子音 m-（等韻学の術語で言う明母）は両唇鼻音であり、日本語のマ行をもって受容する。ただし、中国語音韻史上における鼻音声母の非鼻音化（denasalization）現象によって、m->mb->b- の音変化をする。原則的に、この影響を受けた日本漢音はバ行音で対応することになる。観智院本類聚名義抄に去声濁点を付した同音字注「音茂・音毎」を見出すが、仮名音注はない。日本漢音は去声を認める。

288　3．仮名音注の韻母別考察　3-1　Ⅰ韻類

　　　苺 音茂 [去濁] 苺子 即／覆盆也 音毎 [去濁]　　　　　（観智院本類聚名義抄／僧上 044-8）

▶番号0363b・3286b・3177b「茂」（賀茂・賀茂・賀茂）の仮名音注「モ」については、基本的に -o で対応する。伊篇国郡部と波篇國郡部に属する地名および加篇姓氏部に属する姓である。観智院本類聚名義抄に去声朱濁点と平声墨点を付した同音字注「音戊」（その右注に墨筆で仮名音注「ム」）を見出す。同書の凡例部分「朱音者正音也墨声者和音也」（篇目7-6）に従えば、朱墨で正音と和音を分別する傾向がある。日本漢音は去声、日本呉音「ム」平声を認める。

　　　茂 音戊 [去濁：朱点・平：墨点／ム：墨右注] モシ [平上] …　　（観智院本類聚名義抄／僧上 033-2）
　　　伊豆國 … 那賀 奈加 賀茂　　　　　　　　　　　　　　　（元和本倭名類聚抄／巻四13 ウ 8）
　　　播磨國 … 賀茂 美嚢 美奈不　　　　　　　　　　　　　（元和本倭名類聚抄／巻四22 ウ 6）

▶番号0431a・0450a・0451a「漏」（漏剋・漏宣・漏失）の仮名音注「ロ」については、基本的に -o で対応する。当該諸字三例には平声点を差す。図書寮本類聚名義抄に去声点を付した同音字注「音陋」を見出す。観智院本には同音字注「音陋」（その右傍に朱筆で仮名音注「ロウ」）および平声墨点を付した和音「ロ」を見つける。長承本蒙求には仮名音注「ロウ」がある。日本漢音「ロウ」去声、日本呉音「ロ」平声を認める。

　　　漏泄 上音陋 [去] … モラス [平上平／孝：右注]　　　　（図書寮本類聚名義抄／035-6）
　　　漏 音陋 [ロウ：朱右傍] モル [平上] … 和ロ [平：墨点]　（観智院本類聚名義抄／法上 012-2）
　　　漏〔＊右上隅欠〕ロウ　　　　　　　　　　　　　　　　　　（長承本蒙求／125）

▶番号0460a「漏」（漏剋）の仮名音注「ロ」については、基本的に -o で対応する。当該字に声点はない。熟字0460「漏剋」は左注「在陰陽寮」を付載する。上述の分析を参照。

▶番号2179「漏」（漏）の仮名音注「ル [去]」については、基本的に -u で対応する。掲出字に声点はなく、その仮名音注に去声点を差し、右注「器也」左注「鑄師具」を付載する。日本漢字音で -u という把握を可能にした環境は、中古音が示す末子音 -u の円唇性が影響した結果、その主母音 -ʌ- が日本漢字音 -o よりも狭められて、その末子音に同化あるいは吸収されたと推測できる。上述の分析を参照。

▶番号0124「陋」（陋）の仮名音注「ロウ」については、基本的に -ou で対応する。当該字には去声点を差し、和訓「イヤシ」の同訓異字として位置する。図書寮本類聚名義抄に同音字注「音漏」（その去声点位置に仮名音注「ロウ」）を見出す。観智院本には去声点を付した同音字注「音漏」および墨筆で去声圏点を付した和音「ル」を見つける。日本漢音「ロウ」去声、日本呉音「ル」去声を認める。

　　　醜陋 音漏 [ロウ：去声点位置] … イヤシムスル [平上上□□□／異：右注] 真云ル
　　　　　　　　　　　　　　　　　　　　　　　　　　　　　　（図書寮本類聚名義抄／206-7）

　　　陋 音漏 [去] イヤシ [平上上／□□ムス [平上]] … 和ル [去：墨圏点] …
　　　　　　　　　　　　　　　　　　　　　　　　　　　　　　（観智院本類聚名義抄／法中 046-7）

▶番号0407b「瘺」（瘺瘦）の仮名音注「ロウ」については、基本的に -ou で対応する。当該字には去声点を差す。観智院本類聚名義抄に去声点を付した「正音瘺」（その右傍に朱筆で仮名音注「ロウ」）および去声点を付した和音「ロ」を見出す。元和本倭名類聚抄に同音字注「漏」と「俗云路」がある。日本漢音「ロウ」去声、日本呉音「ロ」去声を認める。

　　　瘺 … 正音瘺 [去／ロウ：朱右傍] 和ロ [去]　　　　　　（観智院本類聚名義抄／法下 118-4）

　　　瘺瘦　説文云瘺瘦 郎漏二音俗云路 頸腫也　　　　　　（元和本倭名類聚抄／巻三 25 ウ7）

▶番号0456a・1787「鏤」（鏤盤・鏤）の仮名音注「ロウ」については、基本的に -ou で対応する。両当該字には平声点を差す。番号1787「鏤」は右注「チリハム」を付載する。観智院本類聚名義抄に同音字注「音漏・又音樓」を見出すが、仮名音注はない。

　　　鏤 音漏 キサム [上上濁平] … 又音樓 又赵　　　　　　（観智院本類聚名義抄／僧上 128-8）

《候韻 下巻諸例》

▶番号3733a「勾」（勾當）の仮名音注「コウ」については、基本的に -ou で対応する。当該字に音注はなく、左注「在僧在俗」を付載する。観智院本類聚名義抄に反切「九遇反」（反切下字に去声濁点）および和音「ク」を見出す。同書では「句」と「勾」を相互に異体字とする。廣韻においても「句：勾當 … 俗作勾」という注記がある。長承本蒙求には仮名音注「コウ」があり、その掲出字には上声点を加える。日本漢音「コウ」上/去声、日本呉音「ク」を認める。

　　　句 九遇 [□去濁] 反 カ、マル [上上濁上平] … 和ク　勾 俗／アマネシ

　　　　　　　　　　　　　　　　　　　　　　　　　　　　（観智院本類聚名義抄／法下 057-8）

　　　勾 [上] コウ　　　　　　　　　　　　　　　　　　　　（長承本蒙求／107）

▶番号5746b「搆」（宿搆）の仮名音注「コウ」については、基本的に -ou で対応する。当該字には去声点を差す。観智院本類聚名義抄に反切「公豆反」と同音字注「又溝音」を見出すが、仮名音注はない。石山寺一切経蔵本大般若経字抄は異体字「構」を掲げ、その右傍に漢呉二音相同を標榜する同音字注「侯」がある。

　　　搆 俗構字 公豆反／又溝音　　　　（観智院本類聚名義抄／佛下本 051-7）

　　　構 [侯：右傍] カマフ／字従木也　　　（石山寺一切経蔵本大般若経字抄／25 オ4）

▶番号3672a・4212「寇」（寇盗・寇）の仮名音注「コウ」については、基本的に -ou で対応する。両当該字には去声点を差す。番号4212「寇」は右注「アタム」左注「人等」を付載する。観智院本類聚名義抄に去声点を付した同音字注「音叩」を見出す。長承本蒙求には仮名音注「コウ」があり、その掲出字には去声点を加える。日本漢音「コウ」去声を認める。

　　　寇寇 … 音叩 [去] カタキ／アタ [上上] ヌス人　　　（観智院本類聚名義抄／法下 046-2）

　　　寇 [去] コウ　　　　　　　　　　　　　　　　　　　（長承本蒙求／117）

290　3．仮名音注の韻母別考察　3-1　Ⅰ韻類

▶番号5693b「候」（祗候）の仮名音注「コウ」については、基本的に -ou で対応する。当該字には去声点を差す。熟字5693「祗候」は右傍「ツ Ｚ シミツカフ」を付載する。観智院本類聚名義抄に同音字注「音後」を見出すが、仮名音注はない。

　　　候　音後　マツ … モラフ　　　　　　　　　　　　　　　（観智院本類聚名義抄／佛上017-3）

▶番号5125b「奏」（九奏）の仮名音注「ソウ」については、基本的に -u で対応する。当該字には去声点を差す。熟字5125「九奏」は左注「雅樂名」を付載する。観智院本類聚名義抄に同音字注「音走」を見出すが、仮名音注はない。承曆本金光明最勝王経音義には借字による「曽宇反」がある。日本呉音は平声を認める。また日本呉音「ソウ」の蓋然性が高い。

　　　奏　音走　進也／為也　　　　　　　　　　　　　　　　（観智院本類聚名義抄／僧下095-2）

　　　奏　[平]　曽宇反／申也　　　　　　　　　　　　　（承曆本金光明最勝王経音義／03 ウ 3）

▶番号5340「腠」（腠）の仮名音注「ソウ」については、基本的に -ou で対応する。当該字に声点はない。観智院本類聚名義抄に同音字注「音奏」を見出すが、仮名音注はない。

　　　腠　音奏　膚裏／シ、[平平] ワキ [平平]　腠理　シ、ワキ　（観智院本類聚名義抄／佛中124-2）

　　　肉　腠理附 … 淮南子云解肉必中腠 和名之々和岐　　　（元和本倭名類聚抄／巻三11 オ 2）

▶番号4583b「豆」（散豆）の仮名音注「ツ」については、基本的に -u で対応する。当該字には上声濁点を差すので、字音「ヅ」を想定する。日本漢字音で -u という把握を可能にした環境は、中古音が示す末子音 -u の円唇性が影響した結果、その主母音 -ʌ- が日本漢字音 -o よりも狭められて、その末子音に同化あるいは吸収されたと推測できる。上巻の候韻当該例で分析したように、日本漢音「トウ」去声、字音「ヅ」上声を認める。

▶番号4096c・4599b「豆」（阿佐豆岐・澡豆）の仮名音注「ツ」については、基本的に -u で対応する。両当該字に声点はない。熟字4096「阿佐豆岐」は左右注「同（アサツキ [上上上上]）／用之」を、熟字4599「澡豆」は右注「サクツ俗」中注「手洗澡豆也」左注「又作澡」を付載する。観智院本類聚名義抄に「和語サクツ」とあるが、字音に由来する「サウツ [平□平濁]」の誤認で仮名音注と推測する。豆の粉を材料にした荒い粉を指す。上述の分析を参照。

　　　島蒜　楊氏漢語抄云島蒜 阿佐豆木本朝式文用之　　　（元和本倭名類聚抄／巻十七16 オ 9）

　　　澡豆　和語／サクツ [平平濁□]　　　　　　　　　　（観智院本類聚名義抄／法上096-1）

▶番号5971b「豆」（園豆）の仮名音注「トウ」については、基本的に -ou で対応する。当該字に声点はない。図書寮本類聚名義抄に同音字注「类云寶音」（その去声点位置に仮名音注「トウ」）を見出す。観智院本には同音字注「音寶」を見つける。傍証ながら、反切下字「豆」に朱筆で仮名音注「トウ」を付載する例がある。元和本倭名類聚抄には反切「徒鬪反」を見つける。上述の分析を参照。日本漢音「トウ」去声を認める。

　　　豆　类云寶 [トウ：去声点位置] 音　　　　　　　　　　（図書寮本類聚名義抄／128-1）

　　　豆　音寶　　　　　　　　　　　　　　　　　　　　　（観智院本類聚名義抄／法上093-6）

超 字豆［トウ：朱右傍］反 又赴音／甓 又歩北反　　　　（観智院本類聚名義抄／佛上 064-7）

大豆 其附 本草云大豆 徒觝反 …　　　　　　　　　　　（元和本倭名類聚抄／巻十七 05 ウ 1）

▶番号 4408b「茂」（賀茂）の仮名音注「モ」については、基本的に -o で対応する。当該字に
声点はない。安藝國の地名である。上巻の候韻当該諸例で分析したように、日本漢音は去声、日本
呉音「ム」平声を認める。

安藝國 … 沼田 奴太 賀茂 …　　　　　　　　　　　　（元和本倭名類聚抄／巻五 06 オ 3）

▶番号 3664b「陋」（孤陋）の仮名音注「ロウ」については、基本的に -ou で対応する。当該字
には平声点を差す。上巻の候韻当該例で分析したように、日本漢音「ロウ」去声、日本呉音「ル」
去声を認める。

▶番号 4377b「陋」（暗陋）の仮名音注「ヘイ」については、異例 -ei を示す。当該字には去声
点を差す。熟字 4377「暗陋」は右傍「イヤシ」を付載する。諧声符「丙」（梗韻 piaŋ²）による字
音把握か。本来は仮名音注「ロウ」あるいは「ル」を期待する。上述の分析を参照。

▶番号 5405a「鏤盤」の仮名音注「ロウ」については、基本的に -ou で対応する。当該字には平
声点を差す。上巻の候韻当該例で分析した。

3-1-2-5　-ʌm/-ʌp（覃/感/勘/合韻）

資料篇【表B-02】には覃韻（平声）感韻（上声）勘韻（去声）合韻（入声）所属の諸例が含まれ
る。前田本の示す仮名音注は、-am/-ap, -om/-op で基本的に対応する。異例として、-a, -an, -au,
-im, -on, -ami, -umi が見つかる。

《覃韻 上巻諸例》

▶番号 0028「庵」（庵）の仮名音注「アム」については、基本的に -am で対応する。当該字に
声点はなく、右注「同（イホリ）小草舎也」左注「今案俗作非也」を付載する。観智院本類聚名義
抄に反切「戸甘反」と平声点を付した同音字注「音諳」（その右傍に朱筆で仮名音注「アム」）を
見出す。元和本倭名類聚抄には反切「烏含反」がある。日本漢音「アム」平声を認める。

庵 戸甘反 盧 音諳［平／アム：朱右傍］ヲサム／クサノイホリ［平平平平上］

（観智院本類聚名義抄／法下 102-8）

庵室 唐韻云庵 烏含反 方言腰云草庵 和名伊保 草舎也　　（元和本倭名類聚抄／巻十 08 オ 5）

▶番号 0496a「菴」（菴蘆）の仮名音注「アム」については、基本的に -am で対応する。当該
字には平声点を差す。熟字 0496「菴蘆」は「ハミコ」を付載する。観智院本類聚名義抄に反切「烏
甘反」と同音字注「又音淹」および低平調を示す和音「アム」を見出す。承暦本金光明最勝王経音

義には借字による「阿牟反」があり、その掲出字には平声点を加える。元和本倭名類聚抄には同音字注「音淹」を見つける。日本呉音「アム」平声を認める。

菴蘆子 ヒキヒモキ［平平平□平濁］〔＊「モ」虫損で声点不明〕

(観智院本類聚名義抄／法下 138-1)

菴藺 上烏甘反 又音淹／イホリ［平平平］和アム［平平］　　(観智院本類聚名義抄／僧上 016-8)

菴［平］阿牟反／以保リ［平平平］　　　　　　(承暦本金光明最勝王経音義／03 ウ5)

菴蘆子 本草云菴蘆子 上音淹和名波々古　　　　(元和本倭名類聚抄／巻二十 11 ウ5)

▶番号 3103a「堪」（堪會）の仮名音注「カム」については、基本的に -am で対応する。当該字には平声点を差す。図書寮本類聚名義抄に平声点を付した同音字注「音龕」を見出す。観智院本には同音字注「音龕」および上昇調を示す和音「カム」を見つける。長承本蒙求には仮名音注「カム」があり、その掲出字に上声点を加える。日本漢音「カム」平/上声、日本呉音「カム」去声を認める。

堪 音龕［平］… タヘタリ［切：右注］　　　　　　(図書寮本類聚名義抄／221-3)

堪 アヘテ … 又猪甚反 煞音龕／オホキナリ［平平□□□］和カム［平上：墨点］

(観智院本類聚名義抄／法中 061-7)

堪［上］カム　　　　　　　　　　　　　　　　(長承本蒙求／125)

▶番号 3081a「堪」（堪能）の仮名音注「カム」については、基本的に -am で対応する。当該字には去声点を差す。上述の分析を参照。

▶番号 2798「戡」（戡）の仮名音注「カム」については、基本的に -am で対応する。和訓「カツ」の同訓異字として位置する。観智院本類聚名義抄に反切「竹甚反」を見出すが、仮名音注はない。

戡 竹甚反 小斫也／サス［平上］カツ［平上］… キル［平平］　　(観智院本類聚名義抄／僧中 041-3)

▶番号 2463a・2887a「含」（含耀門・含霊）の仮名音注「カム」については、基本的に -am で対応する。両当該字には平声点を差す。観智院本類聚名義抄に同音字注「音函」および上昇調と推測する和音「我ム［□上］」を見出す。同書の仮名音注において「我」を使う「我イ・我ウ・我ク・我チ・我フ・我ム・我シ」は濁音「ガ」を示す意図がある。承暦本金光明最勝王経音義には借字による「我牟反」があり、その掲出字には去声点を加える。日本呉音「ガム」去声を認める。

含 … 音函 フクム［平平上］… 和我ム［□上］　　(観智院本類聚名義抄／僧中 003-5)

含［去］我牟反／布有牟［平平上］　　　(承暦本金光明最勝王経音義／05 オ3)

我 吾可反 ワレ［平上］… 和カア［平濁平／✓□：朱右傍］　(観智院本類聚名義抄／僧中 042-1)

▶番号 2464a「答」（答竹）の仮名音注「カム」については、基本的に -am で対応する。当該字には平声点を差す。熟字 2464「答竹」は左注「又乍竹函」〔＊一字「箇」の誤認〕を付載する。観智院本類聚名義抄に平声点を付した同音字注「音含」を見出すが、仮名音注はない。元和本倭名類聚

抄には同音字注「音含」がある。日本漢音は平声を認める。

　　答 … 音含 [平] 竹+隋竹實中 箇 同　　　　　　　　（観智院本類聚名義抄／僧上 063-3）

　　答竹　唐韻云箇 音含亦作答 竹名也　　　　　　　　（元和本倭名類聚抄／巻二十20 ウ6）

▶番号2782「魽」（魽）の仮名音注「カム」については、基本的に -am で対応する。当該字に声点はなく、和訓「カウハシ」に関わる同訓異字（香・馨・馥・馦・魽・馣・䮉・馪・䫨など）の一つとして位置する。観智院本類聚名義抄に反切「呼甘反」を見出すが、仮名音注はない。高山寺本篆隷萬象名義には反切「呼含反」がある。大廣益會玉篇は異体字「䭽」を掲げる。

　　嵰 大谷也 火含切八 … 䭽 小香 …　　　　　　　　　　　（宋本廣韻／覃韻 xʌm¹）

　　嵰 火含反大谷五 … 䭽 小香 …　　　　　　　　　　（王仁昫刊謬補缺切韻／覃韻 xʌm¹）

　　魽 呼甘反 香　　　　　　　　　　　　　　　　　　（観智院本類聚名義抄／法下 027-4）

　　魽 呼含反 香也　　　　　　　　　　　　　　（高山寺本篆隷萬象名義／第五帖 003-1）

　　䭽 呼含切 香也　　　　　　　　（小學彙函本大廣益會玉篇／巻中三十六オ 5）

▶番号0673「函」（函）の仮名音注「カム」については、基本的に -am で対応する。当該字には平声点を差す。観智院本類聚名義抄に同音字注「含」を見出す。承暦本金光明最勝王経音義には借字による「可牟反」があり、その掲出字に平声点を加える。日本呉音「カム」平声の蓋然性が高い。

　　函 … 含咸二音 器 フムハコ [上上平濁平] … イル [上平]　　（観智院本類聚名義抄／僧下 071-8）

　　函 [平] 可牟反／不牟比ツ [上上平平]　　　（承暦本金光明最勝王経音義／03 ウ4）

▶番号3117a「函」（函谷）の仮名音注「カム」については、基本的に -am で対応する。当該字には東声点を差すが、その中古音は等韻学の術語で言う匣母濁覃韻一等（ɣʌm¹）であるから、東声（清・次清）ではなく平声（濁・清濁）である。差声位置の誤認か。上述の分析を参照。

▶番号3216「鎘」（鎘）の仮名音注「カム」については、基本的に -am で対応する。当該字に声点はない。観智院本類聚名義抄に音注を見出せない。王仁昫刊謬補缺切韻には注記「鎧別名」を見つける。

　　含 胡南反容物十四 … 金+函 鎧別名 …　　（王仁昫刊謬補缺切韻／覃韻匣母一等 ɣʌm¹）

　　金+函 ヨロヒ　　　　　　　　　　　　　　（観智院本類聚名義抄／僧上 137-5）

▶番号1848b「槮」（遅槮）の仮名音注「サム」については、基本的に -am で対応する。当該字には平声点を差す。廣韻に拠れば、覃/勘韻（tsʻʌm¹ʼ³ʼ）談韻（sɑm¹）侵韻（ʂiem¹）侵韻（tʂʻiem¹）五音を有する。観智院本類聚名義抄に反切「食含反」と「又去」を見出す。長承本蒙求には仮名音注「サム」二例があり、その掲出字に東声点を加える。日本漢音「サム」東/去声（四声体系では平/去声）を認める。

　　槮 食含反 即三也 又音森 星名 又去 … ワカレニタリ [平平□□□□]

　　　　　　　　　　　　　　　　　　　　　　（観智院本類聚名義抄／僧下 100-6）

294　3．仮名音注の韻母別考察　3-1　Ⅰ韻類

　　　參叄 古俗　　　　　　　　　　　　　　　　　　（観智院本類聚名義抄／僧下 100-7）

　　　參［東］三／サウ・サム　　　　　　　　　　　　　　　（長承本蒙求／004）

　　　參［東］サム　　　　　　　　　　　　　　　　　　　（長承本蒙求／022）

▶番号0632c「參」（盤涉參軍）の仮名音注「サン」については、異例 -an を示す。当該字に声
点はなく、左右注「盤涉／調」を付載する。その中古音が示す脣内撥音韻尾 -m を「ン」で対応す
る。上述の分析を参照。

　　　盤涉調曲 … 盤涉參軍　永實樂　登貞樂　　　　（元和本倭名類聚抄／巻四 17 オ 6）

▶番号2557「蚕」（蚕）の仮名音注「サム」については、基本的に -am で対応する。当該字に
は平声点を差し、左右注「カヒコ俗乍蚕／吐綵虫也」とあるが、廣韻では「蠶：吐絲蟲俗作蚕非」
とあり、銑韻「蚕」（t'en²）を異体字と認めない。観智院本類聚名義抄に反切「在含反」を見出す。
承暦本金光明最勝王経音義には仮名音注「サム サウ 二音」と借字による「佐牟反」（その掲出字
に平声点を差す）を見つける。元和本倭名類聚抄には反切「昨含反」二例があり、注記「俗爲蚕字」
二例を加える。日本呉音「サム」平声を認める。

　　　蚕 コカヒ［上上濁上］　　　　　　　　　　　　　（観智院本類聚名義抄／僧下 038-4）

　　　蠶蠶 … 在含反〔＊含←布〕／カヒコ［平上平］一訓 コカヒス［上上濁上□］

　　　　　　　　　　　　　　　　　　　　　　　　　（観智院本類聚名義抄／僧下 038-5）

　　　蠶 サム サウ 二六〔＊後筆墨書〕　　　　（承暦本金光明最勝王経音義／09 ウ 1）

　　　蠶［平］佐牟反　　　　　　　　　　　　　（承暦本金光明最勝王経音義／09 ウ 3）

　　　蠶　說文云蠶 昨含反和名加比古一訓占加比須 虫吐絲也俗爲蚕字

　　　　　　　　　　　　　　　　　　　　　　　（元和本倭名類聚抄／巻十四 13 ウ 3）

　　　蠶　說文云蠶 昨含反俗爲蚕和名賀比古 虫吐絲也 …　　（元和本倭名類聚抄／巻十九 23 オ 8）

▶番号1602a「貪」（貪欲）の仮名音注「トン」については、異例 -on を示す。当該字には去声
点を差す。その中古音が示す脣内撥音韻尾 -m を「ン」で対応する。図書寮本類聚名義抄に反切「他
含反」を見出す。観智院本類聚名義抄に反切「他含反」および和音「トム」二例を見つける。和音
の一つは低平声調を示すと想定する。日本呉音「トム」平声を認める。

　　　慳貪 兹云苦／間他含反 …　　　　　　　　　　　（図書寮本類聚名義抄／255-1）

　　　貪 他含反 ムサホル［上上□□］和トム［平□］　（観智院本類聚名義抄／佛下本 020-3）

　　　貪 ムサホル［上上□□］／ネカフ 和トム　　　（観智院本類聚名義抄／僧中 004-5）

▶番号2650b「南」（河南浦）の仮名音注「ナム」については、基本的に -am で対応する。当
該字には平声点を差す。観智院本類聚名義抄に同音字注「音男」を見出す。長承本蒙求には仮名音
注「ナム」四例があり、いずれの掲出字にも平声点を加える。日本漢音「ナム」平声を認める。

　　　南 音男 ミナミ［上上上］／舞也 果也　　　　（観智院本類聚名義抄／佛上 085-5）

　　　南［平］ナム　　　　　　　　　　　（長承本蒙求／030・099・112・123）

▶番号3178b（甘南備）の仮名音注「ナ」については、異例 -a を示す。熟字3178「甘南備（甘南備）」は加篇姓氏部に属し、右傍「カムナミ」を付載する。西本願寺本萬葉集に「神名火・神名備」を見出す。神霊が鎮座する山や森を指す。姓氏「甘南備」は臣籍降下した諸王などが称する。先行する固有名詞に漢字表記を宛てたと推測する。

　　　神名火之 山下動 去水丹 川津鳴成 秋登将云鳥屋　　　　（西本願寺本萬葉集／巻十 2162）
　　　三諸乃 神名備山尓 五百枝刺 繁生有 都賀乃樹乃 …　　　（西本願寺本萬葉集／巻三 0324）

▶番号3281b（印南）の仮名音注「ナミ」については、異例 -ami を示す。熟字3281「印南」は波篇國郡部に属する「播磨」の左注に付載する地名である。元和本倭名類聚抄に借字「伊奈美」がある。地名が先行して存在し、漢字表記を宛てたと推測する。

　　　播磨國 國府在餝磨郡 … 印南 伊奈美　　　　　　　　　　（元和本倭名類聚抄／巻五 22 ウ 4）

▶番号1438b「楠」（石楠草）の仮名音注「ナム」については、基本的に -am で対応する。当該字には平声点を差す。観智院本類聚名義抄に同音字注「音南」を見出す。また熟字「石楠草」に対して「俗云サクナムサ［平平平上平濁］」を見つける。元和本倭名類聚抄には同音字注「音南」がある。定着久しい字音「ナム」去声を認める。

　　　楠 音南 クスノキ［平上平囗］　　　　　　　　　　　　　（観智院本類聚名義抄／佛下本 086-5）
　　　柑 … 而占反／マセカキ タテキ　　　　　　　　　　　　（観智院本類聚名義抄／佛下本 086-5）
　　　石楠草 トヒラノキ［上上濁囗囗囗］俗云サクナムサ［平平平上平濁］
　　　　　　　　　　　　　　　　　　　　　　　　　　　　　（観智院本類聚名義抄／僧上 003-3）
　　　楠　唐韻云楠 音南字亦作相和名本草久須乃木　　　　　　（元和本倭名類聚抄／巻二十 31 オ 5）

▶番号2236a「男」（男子）の仮名音注「ナム」については、基本的に -am で対応する。当該字には平声点と去声点を差し、右注「ヲノコ」右傍「ナム 去声俗」を付載する。観智院本類聚名義抄に平声点を付した同音字注「音南」を見出すが、仮名音注はない。日本漢音は平声を認める。

　　　男 音南［平］ヲノコ／ヲノコ、［囗囗上平濁］ヲ［上］　　（観智院本類聚名義抄／佛中 111-8）

《覃韻 下巻諸例》

▶番号4075a「庵」（庵室）の仮名音注「アン」については、異例 -an を示す。当該字には平声点を差す。その中古音が示す唇内撥音韻尾 -m を「ン」で対応する。上巻の覃韻当該例で分析したように、日本漢音「アム」平声を認める。

▶番号3366「蚕」（蚕）の仮名音注「サム」については、基本的に -am で対応する。当該字には平声点を差す。中注「コー」左注「コカイス」を付載する。上巻の覃韻当該例で分析したように、日本呉音「サム」平声を認める。

▶番号3367a「蚕」（蚕沙）の仮名音注「サウ」については、異例 -au を示す。当該字には平声

296 　3．仮名音注の韻母別考察　3-1　Ⅰ韻類

点を差す。その「サウ」は仮名字形の近似による「サム」の誤認と推測する。熟字3367「蝨沙」は
右注「コクソ」左注「蝨具也」を付載する。上述の分析を参照。

　　　　蝨沙 コクソ［上上濁上］　　　　　　　　　　　　　（観智院本類聚名義抄／僧下 038-4）

　　　　蟲沙 本草云蠶沙 和名古久曾 蠶矢名也　　　　　　（元和本倭名類聚抄／巻十四 14 オ 1）

　▶番号 4769a・4771a「參」（參入・參仕）の仮名音注「サム」については、基本的に -am で
対応する。両当該字には平声点を差す。上巻の覃韻当該諸例で分析したように、日本漢音「サム」
東/去声（四声体系では平/去声）を認める。

　▶番号 4770a・4775a「參」（參拜・參期）の仮名音注「サム」については、基本的に -am で
対応する。両当該字に声点はない。上述の分析を参照。

　▶番号 4824a「參」（參軍）の仮名音注「サン」については、異例 -an を示す。当該字に声点は
ない。その中古音が示す脣内撥音韻尾 -m を「ン」で対応する。上述の分析を参照。

　▶番号 4923「鐕」（鐕）の仮名音注「サム」については、基本的に -am で対応する。当該字に
は平声点を差し、右注「昨含反」中注「キリクキ」左注「无盖釘也／又タカネ〔*←タカレ〕」を付載
する。観智院本類聚名義抄に反切「則三反」を見出すが、仮名音注はない。同書では当該字「鐕」
（覃韻 tsʌm¹）と「鑽」（桓/換韻 tsuɑn¹/³）とを相互に異体字とする。元和本倭名類聚抄には「鐕」
に対して反切「昨含反」を、一方「鑽（鑽）」には「徐感反上声之重」を見つける。和訓も異なり、
両者を区別している。

　　　　鐕鑽 今正 則三反 タカネ［上上濁上］… キリ［平平］／クキ［平平濁］キリクキ

　　　　　　　　　　　　　　　　　　　　　　　　　　　（観智院本類聚名義抄／僧上 126-1）

　　　　鐕　唐韻云鐕 昨含反和名岐利久木 無盖釘也　　　（元和本倭名類聚抄／巻十五 10 ウ 7）

　　　　鑽　陸詞切韻云鑽 徐感反上声之重漢語抄云太加繭 …　（元和本倭名類聚抄／巻十五 16 ウ 6）

　▶番号 5507「譚」（譚）の仮名音注「タム」については、基本的に -am で対応する。当該字に
は平声点を差し、和訓「シツカニ」の同訓異字として位置する。図書寮本類聚名義抄に反切「弘云
徒扤反・广云徒南反」（前者の反切下字に平声点）を見出す。観智院本には反切「徒南反」（その
反切下字に平声点）を見つける。長承本蒙求に仮名音注「タム」があり、その掲出字に平声点を加
える。日本漢音「タム」平/上声を認める。

　　　　譚 弘云徒扤［平平］反 … 東云／國也 又［上：右注］…　　（図書寮本類聚名義抄／080-6）

　　　　譚婆 广云徒南反 赤俗為徒紺反 …　　　　　　　　　　（図書寮本類聚名義抄／080-7）

　　　　譚者 广云投／南反　　　　　　　　　　　　　　　　（図書寮本類聚名義抄／080-7）

　　　　俱譚滑提 广云徒南［□平］反 …　　　　　　　　　　（図書寮本類聚名義抄／081-2）

　　　　譚 徒南反 大 セム … カタム　　　　　　　　　　　（観智院本類聚名義抄／法上 069-2）

　　　　譚［平］タム／タム　　　　　　　　　　　　　　　　　　　　（長承本蒙求／006）

　▶番号 4173b・4619「探」（天探女・探）の仮名音注「タム」については、基本的に -am で対

応する。両当該字には平声点を差す。熟字 4173「天探女」は「アマサクメ」を、番号 4619「探」
は右注「サクル［上上濁平］」左注「他含反」を付載する。観智院本類聚名義抄に反切「他含反」
と同音字注「音貪」を見出すが、仮名音注はない。

　　　探 他含反 サクル［上上濁□］… クシル　　　　　　（観智院本類聚名義抄／佛下本 046-5）

　　　探 音貪 サクル［上上濁平］　　　　　　　　　　　（観智院本類聚名義抄／佛下本 048-7）

　▶番号 6462「耽」（耽）の仮名音注「タム」については、基本的に -am で対応する。当該字に
は平声点を差し、和訓「モテアソフ」の同訓異字として位置する。観智院本類聚名義抄に和音「タ
ム」を見出す。長承本蒙求には仮名音注「タム」があり、その掲出字に東声点を加える。日本漢音
「タム」東声（四声体系では平声）日本呉音「タム」を認める。

　　　耽 俗躭字欤 フケル 和タム　　　　　　　　　　　（観智院本類聚名義抄／佛中 005-8）

　　　耽 ［東］ タム　　　　　　　　　　　　　　　　　　　　　　（長承本蒙求／067）

　▶番号 5572b「曇」（悉曇）の仮名音注「タム」については、基本的に -am で対応する。当該
字には去声点を差す。図書寮本類聚名義抄に反切「徒含」を見出す。観智院本には反切「徒甘反」
および上昇調と推測する和音「圡ム」を見つける。同書で和音に用いる「圡」は「圡ウ・圡ク・圡
ム・圡ン」などがあり、日本語の濁音「ド」に相当する。日本呉音「ドン」去声を認める。

　　　波尼煞 山／八 曇 徒／含 分 …　　　　　　　　　（図書寮本類聚名義抄／178-2）

　　　曇 徒甘反 クモル … 和圡ム［□上］　　　　　　　（観智院本類聚名義抄／佛中 089-7）

　　　撞 宅江反 … 鐘 ウツ［平上］和圡ウ　　　　　　　（観智院本類聚名義抄／佛下本 063-1）

　　　圡土 上通下正 和吐［平濁／ト：朱右傍］ツチ［平平］…　（観智院本類聚名義抄／法中 048-1）

　▶番号 5930b「曇」（安曇）の仮名音注「ツミ」については、異例 -umi を示す。熟字 5930「安
曇」は信濃の右注に付載する。元和本倭名類聚抄には「安曇」の注記として借字「阿都之〔＊阿都美
か〕」がある。地名が先行して存在し、後に漢字表記したものと推測する。

　　　信濃國 國府在筑摩郡 … 安曇 阿都之　　　　　　（元和本倭名類聚抄／巻五 17 オ 4）

　▶番号 4056a「南」（南呂）の仮名音注「ナム」については、基本的に -am で対応する。当該
字には平声点を差す。熟字 4056「南呂」は左右注「八月／名」を付載する。上巻の覃韻当該諸例で
分析したように、日本漢音「ナム」平声を認める。

　▶番号 5463b「南」（指南車）の仮名音注「ナム」については、基本的に -am で対応する。当
該字に声点はない。上述の分析を参照。

　▶番号 5757b「南」（指南）の仮名音注「ナム」については、基本的に -am で対応する。当該
字には去声点を差す。熟字 5757「指南」は「シルヘ」を付載する。上述の分析を参照。

　▶番号 4463b「楠」（石楠草）の仮名音注「サム」については、基本的に -am で対応する。当
該字には平声点を差す。熟字 4463「石楠草」は右注「サクサムサウ俗」左注「又トヒラス」を付載
する。この仮名音注は字形相似（「七」に近似した字形）による「ナム」の誤認であろう。上巻の

覃韻当該例で分析した。

▶番号 4050「嵐」（嵐）の仮名音注「ラム」については、基本的に *-am* で対応する。当該字には東声点を差すが、その中古音は等韻学の術語で言う来母清濁覃韻一等（lʌmˡ）であるから、東声（清・次清）ではなく平声（濁・清濁）である。差声位置の誤記か。図書寮本類聚名義抄に同音字注「音婪」（その平声点位置に仮名音注「ラム」）を見出す。観智院本には同音字注「音婪」二例を見つける。うち一例は右傍に朱筆で仮名音注「ラム」を付載する。元和本倭名類聚抄には反切「盧合反」がある。日本漢音「ラム」平声を認める。

嵐 季云音婪［ラム：平声点位置］／川云和云阿良之［平平平］　　　（図書寮本類聚名義抄／143-1）

嵐 音婪 アラシ［平平平］　　　　　　　　　　　（観智院本類聚名義抄／法上 122-2）

嵐 音婪［ラム：朱右傍］アラシ 又呼監反　　　　（観智院本類聚名義抄／僧下 054-8）

嵐 孫愐云嵐山下出風也盧合反 和名阿良之　　　　（元和本倭名類聚抄／巻一 05 オ 6）

《感韻 上巻諸例》

▶番号 1364b・2651a・2962a・2963a・2964a・2965a・2966a・2968a・2984a・3095a・3096a「感」（抃感・感城樂・感興・感情・感心・感悦・感歡・感緒・感會・感歎・感荷）の仮名音注「カム」については、基本的に *-am* で対応する。当該諸字十一例に上声点を差す。観智院本類聚名義抄に反切「古坎反」および和音「カン」（右傍に墨筆で平声点を差した「□ム」）を見出す。その左傍に見せ消ち相当の縦棒を付載し、唇内撥音韻尾「ム」が正しいことを示すか。長承本蒙求には仮名音注「カム」四例があり、それらの掲出字いずれにも上声点を加える。日本漢音「カム」上声、日本呉音「カム」平声を認める。

感 古坎反 … イタム［平平上］… 和カン［□ム［平］：墨右傍］〔＊左傍に縦棒〕

（観智院本類聚名義抄／僧中 038-6）

感［上］カム　　　　　　　　　　　　（長承本蒙求／005・052・136・144）

▶番号 2462a・2967a「感」（感化門・感欣）の仮名音注「カン」については、異例 *-an* を示す。両当該字に上声点を差す。その中古音が示す唇内撥音韻尾 -m を「ン」で対応する。

▶番号 3108a「轗」（轗軻）の仮名音注「カム」については、基本的に *-am* で対応する。当該字には上声点を差す。廣韻に拠れば、感/勘韻（kʻʌm²³）二音を有する。車が凸凹につかえて上手く進まないことを指す。転じて、好機に恵まれず不遇を託つことを意味する。観智院本類聚名義抄に反切「苦紺反・口咸反」を見出すが、仮名音注はない。

轗 苦紺反 口咸反 車声／口減反 モハラ［上平□］　　　（観智院本類聚名義抄／僧中 085-5）

▶番号 3109a「坎」（坎壈）の仮名音注「カム」については、基本的に *-am* で対応する。当該字には上声点を差す。図書寮本類聚名義抄に反切「茲云苦感反」を見出す。観智院本には反切「枯

頫反〔＊枯頫反か〕」および和音「カム」を見つける。長承本蒙求には仮名音注「カム」があり、その掲出字に上声点を加える。日本漢音「カム」上声、日本呉音「カム」を認める。

坑坎 …下茲云苦感反 … アナ［平平／集：右注］　(図書寮本類聚名義抄／222-2)

坎 枯頫反 アナホル フモト アナホル／和カム　(観智院本類聚名義抄／法中 057-8)

坎［上］カム／カム　(長承本蒙求／071)

▶番号 0531a「菡」(菡萏) の仮名音注「カム」〔＊綴じ目に掛かり不明瞭〕については、基本的に *-am* で対応する。当該字には上声点を差す。熟字 0531「菡萏」は右注「ハチスノハ 其華菡萏」左注「芙蕖未舒曰菡萏」を付載する。観智院本類聚名義抄に反切「胡感反」を見出すが、仮名音注はない。元和本倭名類聚抄には反切「胡感反」がある。

菡萏 上胡感反 下徒感反／菡萏 ハチスノハナ　(観智院本類聚名義抄／僧上 005-6)

菡萏　爾雅云其華菡萏 上胡感反下徒感反並上声之重　(元和本倭名類聚抄／巻二十 18 オ 5)

▶番号 0131「慘」(慘) の仮名音注「サム」については、基本的に *-am* で対応する。当該字に声点はなく、和訓「イタム」の同訓異字として位置する。図書寮本類聚名義抄に反切「弘云饍感反」(その反切下字に上声点) を見出す。観智院本には反切「千感反」(反切下字に上声点) を見つけるが、仮名音注はない。日本漢音は上声を認める。

慘烈 弘云饍感［□上］反 … ウレフ［平平上］　(図書寮本類聚名義抄／253-6)

慘 千感［□上］反 ウレフ［平平上］… カナシフ　(観智院本類聚名義抄／法中 077-8)

▶番号 0531b「萏」(萏) の仮名音注「タム」については、基本的に *-am* で対応する。当該字には上声点を差す。熟字 0531「菡萏」は右注「ハチスノハ 其華菡萏」左注「芙蕖未舒曰菡萏」を付載する。観智院本類聚名義抄に反切「徒感反」を見出すが、仮名音注はない。元和本倭名類聚抄には「徒感反並上声之重」がある。

菡萏 上胡感反 下徒感反／菡萏 ハチスノハナ　(観智院本類聚名義抄／僧上 005-6)

菡萏　爾雅云其華菡萏 上胡感反下徒感反並上声之重　(元和本倭名類聚抄／巻二十 18 オ 5)

▶番号 3109b「壈」(坎壈) の仮名音注「リム」については、異例 *-im* を示す。当該字には上声点を差す。その諧声符「稟」(liem²) による字音把握である。本来は字音「ラム」を期待する。観智院本類聚名義抄に反切「力敢反」を見出す。長承本蒙求に仮名音注「リム」があり、その掲出字には上声点を加える。日本漢音「リム」上声を認める。

壈 坎壈 盧感切八 …　(宋本廣韻／感韻 lʌm²)

壈 盧感反坎〻五 …　(王仁昫刊謬補缺切韻／感韻 lʌm²)

壈 力敢反 坎　(観智院本類聚名義抄／法中 060-6)

稟 筆錦反／稞　(観智院本類聚名義抄／法下 024-7)

壈［上］リマ／リム　(長承本蒙求／071)

300　3．仮名音注の韻母別考察　3-1　Ⅰ韻類

《感韻　下巻諸例》

　▶番号5162b「感」（機感）の仮名音注「カン」については、異例 -an を示す。当該字には上声点を差す。その中古音が示す唇内撥音韻尾 -m を「ン」で対応する。上巻の感韻当該諸例で分析したように、日本漢音「カム」上声、日本呉音「カム」平声を認める。
　▶番号4975b「坎」（坑坎）の仮名音注「カム」については、基本的に -am で対応する。当該字には上声点を差す。熟字4975「坑坎」は右傍「アナ」を付載する。上巻の感韻当該例で分析したように、日本漢音「カム」上声、日本呉音「カム」を認める。

《勘韻　上巻諸例》

　▶番号2050b「闇」（諒闇）の仮名音注「アム」については、基本的に -am で対応する。当該字には上声点を差す。熟字2050「諒闇」は右傍「マコトニ クラシ」を付載する。観智院本類聚名義抄に反切「烏紺反」および低平調を示す和音「アム・オム」を見出す。日本呉音「アム・オム」平声を認める。
　　　　闇 烏紺反 クラシ［上上□］ヤミ … 和アム［平平］オム［平平］又暗

　　　　　　　　　　　　　　　　　　　　　（観智院本類聚名義抄／法下081-5）
　▶番号2913a・2914a・2945a・2975a・2976a・3024a・3076a「勘」（勘返・勘發・勘責・勘畢・勘濟・勘糺・勘合）の仮名音注「カム」については、基本的に -am で対応する。当該諸字七例には平声点を差す。観智院本類聚名義抄に反切「枯紞反」を見出すが、仮名音注はない。
　　　　勘 枯紞反／カムカフ［平平上濁平］サタム … 克也　　　　（観智院本類聚名義抄／僧上084-4）
　▶番号3022a「勘」（勘當）の仮名音注「カム」については、基本的に -am で対応する。当該字には去声点を差す。上述の分析を参照。
　▶番号3164a「勘」（勘解由使）の仮名音注「カム」については、基本的に -am で対応する。当該字に声点はない。上述の分析を参照。
　▶番号3019a「勘」（勘間）の仮名音注「カン」については、異例 -an を示す。当該字には平声点を差す。その中古音が示す唇内撥音韻尾 -m を「ン」で対応する。上述の分析を参照。

《勘韻　下巻諸例》

　▶番号4378a「暗」（暗誦）の仮名音注「アン」については、異例 -an を示す。当該字には去声点を差す。廣韻に拠れば、その中古音は勘韻（'ʌm³）である。唇内撥音韻尾 -m を「ン」で対応する。観智院本類聚名義抄に反切「烏紺反」と平声点を付した同音字注「音闇」（その右傍に朱筆で

同音字注「アム」）を見出す。後者の平声点は呉音声調の混入か。日本漢音「アム」を認める。

暗 音闇［平／アム：朱右傍］クラシ［上上□］… 又闇 ヨル［平上］

(観智院本類聚名義抄／佛中 092-5)

暗闇 烏紺反 (観智院本類聚名義抄／法上 093-2)

▶番号 4049a・4356a・4377a「暗」（暗聲・暗聲・暗晒）の仮名音注「アン」については、異例 *-an* を示す。当該諸字三例には上声点を差す。その中古音が示す脣内撥音韻尾 -m を「ン」で対応する。上述の分析を参照。

▶番号 6458「闇」（闇）の仮名音注「イム」については、異例 *-im* を示す。直上の掲出字「陰」に対する仮名音注の誤配置か。当該字には平声点を差し、和訓「モタス［去平濁平］」の同訓異字として位置する。上巻の感韻当該例で分析したように、日本呉音「アム・オム」平声を認める。

▶番号 3570「紺」（紺）の仮名音注「コム」については、基本的に *-om* で対応する。当該字には平声点を差し、左注「紺布紙等也」を付載する。図書寮本類聚名義抄に反切「古暗反」を見出す。観智院本には反切「古暗反」および上昇調を示す和音「コム」を見出す。日本呉音「コム」去声を認める。

紺 慈云古／暗反／帛染青而楊赤包也… (図書寮本類聚名義抄／310-1)

紺 古暗反 青赤／ミトリ［上口平］… 和コム［平上：墨点］ (観智院本類聚名義抄／法中 132-7)

▶番号 3573a「紺」（紺青）の仮名音注「コム」については、基本的に *-om* で対応する。当該字に声点はなく、右注「同（コムシヤウ俗）」仮名音注を付載する。定着久しい字音「コム」を想定する。上述の分析を参照。

《合韻 上巻諸例》

▶番号 0068「鴿」（鴿）の仮名音注「カフ」については、基本的に *-ap* で対応する。当該字には入声点を差し、右注「イヘハト」を付載する。観智院本類聚名義抄に入声点を付した同音字注「音合」を見出すが、仮名音注はない。日本漢音は入声を認める。

鴿 音合［入］／イヘハト［平平平濁平・上］ヤマハト (観智院本類聚名義抄／僧中 126-5)

▶番号 0551「蛤」（蛤）の仮名音注「カフ」については、基本的に *-ap* で対応する。当該字には入声点を差し、中注「ハマクリ」左注「蚌蛤也大曰蜃蛤曰蛤」を付載する。観智院本類聚名義抄に同音字注「甲」（狎韻 kap）を見出すが、仮名音注はない。元和本倭名類聚抄には同音字注「甲」がある。

蚌蛤 放甲二音 ハマクリ［平平平濁上］今／ツヒ 上下倶 ハマクリ

(観智院本類聚名義抄／僧下 027-7)

蚌蛤 兼名苑云蚌蛤 放甲二音蚌或作蟀和名波萬久理… (元和本倭名類聚抄／巻十九 12 ウ 8)

302　3．仮名音注の韻母別考察　3-1　Ⅰ韻類

▶番号 2436「閤」（閤）の仮名音注「カフ［上上］」については、基本的に -ap で対応する。当該字の仮名音注「カフ」には高平調の差声をするので、徳声を想定する。左右注「毎間／有戸家也」を付載する。観智院本類聚名義抄同音字注「音合」を見出すが、仮名音注はない。

　　　閤 音合 門傍戸／オク アキト　　　　　　　　　　　（観智院本類聚名義抄／法下 082-2）

▶番号 2648a・2826・2901a・2903a・2955a・3031a・3083a「合」（合歡塩・合・合煞・合黨・合聟・合戰・合應）の仮名音注「カフ」については、基本的に -ap で対応する。当該諸字七例には入声点を指す。廣韻に拠れば、合韻（ɣʌp・kʌp）二音を有する。観智院本類聚名義抄に反切「胡荅反」（その反切下字に入声）と同音字注「又音閤」（その右傍に墨筆で仮名音注「カク」〔＊カフの誤認〕）および和音「我フ」を見出す。同書の仮名音注において「我」を使う「我イ・我ウ・我ク・我チ・我フ・我ム・我ン」は濁音「ガ」を示す意図がある。長承本蒙求には仮名音注「カフ」があり、その掲出字に入声点を加える。日本漢音「カフ」入声、日本呉音「ガフ」を認める。

　　　合 胡荅［平入］反 アハセテ［平平上上］… 又音閤［カク［平□］：墨右傍］六合 和我フ
　　　　　　　　　　　　　　　　　　　　　　　　　　　　（観智院本類聚名義抄／僧中 001-3）

　　　合［入］カフ　　　　　　　　　　　　　　　　　　　　　　　　（長承本蒙求／124）

▶番号 3105a「合」（合夕）には入声濁点の仮名音注「カフ」については、基本的に -ap で対応する。当該字には入声濁点を差すので、字音「ガフ」を想定する。上述の分析を参照。

▶番号 2794・3130a「合」（合・合別）の仮名音注「カフ」については、基本的に -ap で対応する。両当該字に声点はない。上述の分析を参照。

▶番号 2918a「合」（合藥）の仮名音注「カウ」については、異例 -au を示す。当該字には入声濁点を差すので、字音「ガウ」を想定する。これは日本語音韻史上の音変化 -ap > -au を反映する。上述の分析を参照。

▶番号 2724a「合」（合子）の仮名音注「カウ［上濁上］」については、異例 -au を示す。当該字の仮名音注は濁音を含む高平調の差声を示すので、字音「ガウ」を想定する。同じく日本語音韻史上の音変化 -ap > -au を反映する。上述の分析を参照。

▶番号 2379b・2947a・2948a「合」（和合・合力・合眼）の仮名音注「カウ」については、異例 -au を示す。当該諸字三例には入声点を差す。同じく日本語音韻史上の音変化 -ap > -au を反映する。上述の分析を参照。

▶番号 3076b「合」（勘合）の仮名音注「カウ」（右傍に「□フ」）については、異例 -au を示す。当該字には入声点を差す。同じく日本語音韻史上の音変化 -ap > -au を反映する一方で、変化以前の「カフ」をも規範的に認識しようとする。上述の分析を参照。

▶番号 1637b「合」（讀合）の仮名音注「カウ」については、異例 -au を示す。当該字には平声濁点を差すので、字音「ガウ」を想定する。同じく日本語音韻史上の音変化 -ap > -au を反映し、字音表記上のみならず、声調の把握においても入声の規範を失う。日本漢字音として一層馴化した

3-1-2 -ʌ系の字音的特徴　303

姿を物語る。上述の分析を参照。

　▶番号0192b「匝」（一匝）の仮名音注「サウ」については、異例 -au を示す。当該字に声点は
ない。当該字「匝」と「帀・迊」とは相互に異体字である。日本語音韻史上の音変化 -ap > -au を
反映し、字音「サウ」と把握した。観智院本類聚名義抄に反切「子荅反」二例（うち一例には反切
下字に入声点）および低平調と推測する和音「サフ」を見出す。日本漢音は入声、日本呉音「サフ」
入声を認める。

　　迊 通帀字／メクル［上上濁□］アマネシ　　　　　　　（観智院本類聚名義抄／佛上060-4）

　　帀 子荅［□入］反／メクル 和サフ［□平］　　　　　（観智院本類聚名義抄／佛上080-3）

　　帀 子荅反 迊　　　　　　　　　　　　　　　　　　　（観智院本類聚名義抄／法中110-7）

　▶番号2388b「雜」（猥雜）の仮名音注「サフ」については、基本的に -ap で対応する。当該字
には入声点を差す。熟字2388「猥雜」は右傍「ミタリカハシ」を付載する。観智院本類聚名義抄に
反切「徂合反」および和音「坐フ」を見出す。同書で仮名音注とともに使用する「坐」は「坐イ・
坐ウ・坐フ・坐ム・坐ン」のように濁音「ザ」を示す。長承本蒙求には仮名音注「サフ」があり、
その掲出字には入声点を加える。日本漢音「サフ」入声、日本呉音「ザフ」を認める。

　　雜雜 正通 徂合反 マシフ［平平濁上／□□ハル：墨右傍］… 和坐フ

　　　　　　　　　　　　　　　　　　　　　　　　　　　（観智院本類聚名義抄／僧中137-1）

　　雜［入］サフ　　　　　　　　　　　　　　　　　　　　　　　（長承本蒙求／124）

　　坐 徐果［□上］反 キル［上上］… 和サア［□平：墨点］　（観智院本類聚名義抄／法中067-4）

　　座 音坐［平濁］キモノヒキ／ナリ　　　　　　　　　　（観智院本類聚名義抄／法下105-1）

　▶番号1214b「荅」（報荅）の仮名音注「タウ」については、異例 -au を示す。当該字には入声
点を差す。日本語音韻史上の音変化 -ap > -au を反映する。観智院本類聚名義抄に反切「都合反」
を見出す。また同書には掲出字「當」〔*←へ+畐〕に付載した同音字注「荅」の右傍に朱筆で仮名音
注「タフ」を見つける。日本漢音「タフ」入声を認める。

　　荅 都合反／コタフ　　　　　　　　　　　　　　　　　（観智院本類聚名義抄／僧上047-2）

　　荅 コタフ タムカフ … 今荅字　　　　　　　　　　（観智院本類聚名義抄／佛下末029-6）

　　當 … 音荅［入／タフ：朱右傍］コタフ［平平上］… 荅 今　（観智院本類聚名義抄／僧中001-6）

　▶番号1829b「荅」（勅荅）の仮名音注「タウ」については、異例 -au を示す。当該字には平声
点を差す。同じく日本語音韻史上の音変化 -ap > -au を反映する。字音の表記上のみならず、声調
把握においても入声の規範を失う。日本漢字音として一層馴化した姿を物語る。上述の分析を参照。

　▶番号2322「諮」（諮）の仮名音注「タウ」については、異例 -au を示す。日本語音韻史上の
音変化 -ap > -au を反映する。当該字に声点はなく、和訓「ワスル」の同訓異字として位置する。
観智院本類聚名義抄に反切「他荅反・徒合反」を見出すが、仮名音注はない。

　　諮 他荅反 妄語／カタラフ カシマシ　　　　　　　　（観智院本類聚名義抄／法上049-4）

304　3．仮名音注の韻母別考察　3-1　I 韻類

諸 … 聚語也 徒合反　　　　　　　　　　　　　　　　（観智院本類聚名義抄／法上 056-4）

《合韻 下巻諸例》

▶番号 5219b「合」（百合）の仮名音注「カフ」については、基本的に -ap で対応する。当該字には平声濁点を差すので、字音「ガフ」を想定するが、声調は入声の規範を失う。日本語音韻史上の音変化 -ap>-au を背景とするためである。熟字 5219「百合」は右注「ユリ［去上］」を付載する。上巻の合韻当該諸例で分析したように、日本漢音「カフ」入声、日本呉音「ガフ」を認める。

▶番号 5732b「合」（辱合）の仮名音注「カウ」については、異例 -au を示す。当該字には入声濁点を差すので、字音「ガウ」を想定する。日本語音韻史上の音変化 -ap>-au を反映する。上述の分析を参照。

▶番号 3706b（混合）の仮名音注「カウ」については、異例 -au を示す。これは日本語音韻史上の音変化 -ap>-au を反映する。当該字に声点はなく、右傍「ヒタ〻ケ」右注「アハス」を付載する。上述の分析を参照。

▶番号 5924a「匝」（匝瑳）の仮名音注「サフ」については、基本的に -ap で対応する。当該字声点はない。上巻の合韻当該例で分析したように、日本漢音は入声、日本呉音「サフ」入声を認める。

▶番号 5567b「迊」（周迊）の仮名音注「サウ」については、異例 -au を示す。当該字には去声点を差す。日本語音韻史上の音変化 -ap>-au を反映する。入声について表記上の規範を失い、加えて去声により日本漢字音として馴化した姿を示す。上述の分析を参照。

▶番号 3683b・4743a「雑」（混雑・雑袍）の仮名音注「サフ」については、基本的に -ap で対応する。両当該字には入声点を差す。熟字 3683「混雑」は右傍「マシハル」を付載する。上巻の合韻当該例で分析したように、日本漢音「サフ」入声、日本呉音「ザフ」を認める。

▶番号 4804a・5423a「雑」（雑太・雑羅）の仮名音注「サフ」については、基本的に -ap で対応する。両当該字に声点はない。熟字 5423「雑羅」は右注「同（サフラ）」左注「俗用之」を付載する。元和本倭名類聚抄は佐渡國府の地名「雑太」を掲げ、注記に「佐波太」を見つける。また同書には熟字「鈔鑼」があり、注記「俗云沙布羅」を見出す。さらに注記は「今案或説云新羅金枕出新羅國後人謂之雑羅者新之訛也正説未詳」と続く。上述の分析を参照。

　　佐渡國 … 雑太 佐波太／國府　　　　　　　　　　（元和本倭名類聚抄／巻五 20 ウ 3）

　　鈔鑼　唐韻云鈔鑼 二音與沙羅同俗云沙布羅 …　　（元和本倭名類聚抄／巻十六 02 ウ 8）

▶番号 4751a「雑」（雑藝）の仮名音注「サウ」については、異例 -au を示す。当該字には入声濁点を差すので、字音「ザウ」を想定する。日本語音韻史上の音変化 -ap>-au を反映する。上述の分析を参照。

3-1-2 -ʌ系の字音的特徴 305

▶番号 4503a・4504a・4638a・4638b「雜」（雜色・雜仕・雜〻・雜〻）の仮名音注「サウ」については、異例 -au を示す。当該諸字四例に声点はない。日本語音韻史上の音変化 -ap > -au を反映する。上述の分析を参照。

▶番号 6476b「荅」（問荅）の仮名音注「タフ」については、基本的に -ap で対応する。当該字には入声濁点を差すので、字音「ダフ」を想定する。日本語音韻史上の連濁による字音把握である。上巻の合韻当該諸例で分析したように、日本漢音「タフ」入声を認める

▶番号 5920a「荅」（荅志）の仮名音注「タウ」については、異例 -au を示す。当該字に声点はない。日本語音韻史上の音変化 -ap > -au を反映する。熟字 5920「荅志」は志摩の左注に配置する。元和本倭名類聚抄に「荅志」を見出すが、借字による注記はない。上述の分析を参照。

　　志摩國 … 荅志 英虞 阿呉　　　　　　　　　　　　　　　（元和本倭名類聚抄／巻五 12 ウ 3）

3-1-2-6 -ʌn/-ʌt（痕/很/恨/（没）韻）

　資料篇【表 B-02】には痕韻（平声）很韻（上声）恨韻（去声）没韻（入声）所属の諸例が含まれる。これら諸韻は所属字が少なく、恨韻は該当例がない。また、入声の場合は合口と併せて没韻としているが、没韻の該当例がないため、-ot は予想するに留まる。前田本の示す仮名音注は、-on で基本的に対応する。異例としては、-om, -eu がある。

　《痕韻 上巻諸例》

▶番号 2086b「根」（利根）の仮名音注「コン」については、基本的に -on で対応する。当該字には去声点を差す。観智院本類聚名義抄に同音字注「音痕」を見出す。承暦本金光明最勝王経音義には舌内撥音韻尾を示す仮名音注「コ〻」があり、その掲出字には去声点を加える。日本呉音「コン」去声を認める。

　　根 音痕 ネ［平］カキリ［平平濁平］／ハシメ［上上濁上］　（観智院本類聚名義抄／佛下本 093-3）
　　根［去］コ〻　　　　　　　　　　　　　　　（承暦本金光明最勝王経音義／02 ウ 2）

▶番号 1608b「根」（鈍根）の仮名音注「コン」については、基本的に -on で対応する。当該字には去声濁点を差すので、日本語音韻史の連濁による字音「ゴン」を想定する。上述の分析を参照。

▶番号 2603「痕」（痕）の仮名音注「コン」については、基本的に -on で対応する。当該字には平声点を差し、左右注「カサト 一訓／カサノアト」を付載する。観智院本類聚名義抄に反切「何恩反」を見出すが、仮名音注はない。元和本倭名類聚抄には反切「戸恩反」がある。

　　痕 何恩反 アト キス［上上濁］… キハ［平平］　　　（観智院本類聚名義抄／法下 127-7）
　　瘢 … 四聲字苑云痕 戸恩反訓上同一訓岐波 故瘢處也 …　（元和本倭名類聚抄／巻三 24 ウ 4）

306　3．仮名音注の韻母別考察　3-1　Ⅰ韻類

▶番号1663a「吞」（吞鳥）の仮名音注「トム」については、異例 -om を示す。当該字には平声点を差す。廣韻に拠れば、痕韻（tʻʌnˈ）先韻（tʻenˈ）二音を有する。その末子音である舌内撥音韻尾 -n を「ム」で対応する。観智院本類聚名義抄に同音字注「音天」と反切「又他痕反」および和音「敦」を見出す。長承本蒙求には「トゝ・トム」があり、それら掲出字には東声点（東声加濁点は存疑）を加える。承暦本金光明最勝王経音義には濁音と舌内撥音韻尾を示す「圡ゝ反」を見つける。類聚名義抄には和音「圡ウ・圡ク・圡ム・圡ン」があり、濁音の字音「ド」を含む表記である。日本漢音「トン」東声（四声体系では平声）日本呉音「ドン」平声を認める。

　　当該字「吞」の中古音が示す頭子音 tʻ-（等韻学の術語で言う舌音次清透母）は無声有気歯茎閉鎖音であり、日本語のタ行音をもって受容する。日本呉音「ドン」が示すダ行音は想定が困難である。そのため現行多くの漢和辞典は慣用音「ドン」として扱う。類似した意味を持つ「屯」（duʌnˈ）から類推が働いた結果を示すか。詳細不明。

吞 音天 又他痕反／ノム 和歆	（観智院本類聚名義抄／佛中 058-3）
敦 都屯反 アツシ［上上□／□□クス［平平］］…	（観智院本類聚名義抄／僧中 057-4）
圡公 川云俗音／鷲空［平濁去］	（図書寮本類聚名義抄／213-2）
圡土 上通下正 音吐［平濁／ト：墨右傍］ツチ［平平］…	（観智院本類聚名義抄／法中 048-1）
吞［東／東：加濁］〔＊東声加濁点は存疑〕トゝ	（長承本蒙求／036）
吞［東］トム	（長承本蒙求／085）
吞［平］圡ゝ反	（承暦本金光明最勝王経音義／03 オ 6）

▶番号1200b「恩」（報恩）の仮名音注「ヲム」については、異例 -om を示す。当該字には去声点を差す。その中古音が示す末子音の舌内撥音韻尾 -n を「ム」で対応する。図書寮本類聚名義抄に反切「弘云才根反」（その反切下字に平声点）を見出す。観智院本は掲出字の右傍に朱筆の仮名音注「ヲン」および和音「ヲン」を見出す。日本漢音「ヲン」平声、日本呉音「ヲン」を認める。

恩怨 弘云才根［平平］反 … ヲシム［平平上／切：右注］	（図書寮本類聚名義抄／244-2）
恩［ヲン：朱右傍］ウックシム［平平□□□］… 和ヲン	（観智院本類聚名義抄／法中 071-2）

《痕韻 下巻諸例》

▶番号3634a・3684a・3686a「根」（根性・雑根・根本）の仮名音注「コン」については、基本的に -on で対応する。当該字には去声点を差す。熟字3686「根本」の右注「コンホン」仮名音注は「コム」と筆記した後に「コン」と重ね書きした形跡がある。舌内撥音韻尾「ン」を脣内撥音韻尾「ム」で表記したが、修正したと推測できる。字音把握の実態として興味深い。上巻の痕韻当該諸例で分析したように、日本呉音「コン」去声を認める。

▶番号4704b「根」（罪根）の仮名音注「コン」については、基本的に -on で対応する。当該字

に声点はない。上述の分析を参照。

▶番号5176b「根」（機根）の仮名音注「コン」については、基本的に -on で対応する。当該字には上声点を差す。上述の分析を参照。

▶番号4196・4890「痕」（痕）の仮名音注「コン」については、基本的に -on で対応する。両当該字には平声点を差す。番号4196「痕」は右傍「アト」左注「又キストコロ」を付載する。上巻の痕韻当該例で分析した。

▶番号5231a「呑」（呑鳥）の仮名音注「トム」については、異例 -om を示す。当該字には平声点を差す。その中古音が示す末子音の舌内撥音韻尾 -n を「ム」で対応する。上巻の痕韻当該諸例で分析したように、日本漢音「トン」東声、日本呉音「ドン」平声を認める。

《佷韻 上巻諸例》

▶番号2875b「墾」（開墾）の仮名音注「メウ」については、異例 -eu を示す。当該字には上声点を差す。仮名音注「メウ」の出自が不明である。字類抄諸本である二巻本色葉字類抄や節用文字においても仮名音注「メウ」を確認する。諸声符を「貌」（効韻 mau³）と誤認した字音「メウ」による把握の可能性がある。図書寮本類聚名義抄に上声点を付した同音字注「音懇」（佷韻 kʻʌn²）を見出す。観智院本には反切「口佷反」と同音字注「音懇」を見つけるが、仮名音注はない。同書で「貌」を再検索すると、和音「メウ」がある。日本漢音は上声を認める。

開墾 メウ［:左傍］	（尊経閣文庫蔵二巻本色葉字類抄／巻上下 15 ウ 7）
開墾 メウ［:右傍］	（石川武美記念図書館蔵本節用文字／カ疊字 23 ウ 5）
墾 音懇［上］弘云耕也 … ヒタヽク	（図書寮本類聚名義抄／228-6）
墾 俗墾字／口佷反	（観智院本類聚名義抄／佛下末 009-8）
墾 音懇	（観智院本類聚名義抄／法中 048-6）
墾開 ハリヒラク［平平□□□］	（観智院本類聚名義抄／法中 048-7）
貌 … 皃正／カタチ 和メウ／莫考反 カホ	（観智院本類聚名義抄／佛下末 009-3）

《佷韻 下巻諸例》

▶番号3622a・3694a「懇」（懇望・懇切）の仮名音注「コン」については、基本的に -on で対応する。両当該字には上声点を差す。図書寮本類聚名義抄に反切「弘曰口佷反」を見出す。観智院本には反切「口佷反」と上声点を付した同音字注「音懇」〔＊「墾」と誤認したか〕を見つけるが、仮名音注はない。廣韻に拠れば、佷韻所属は八字のみであり、小韻代表字「墾」の所属字（すなわち同音字）は「懇・齦・狠」三字に過ぎなく、同音字注の選択に困難がある。日本漢音は上声を認める。

308　3．仮名音注の韻母別考察　3-1　I 韻類

懇到 弘曰口很反 … 珠云弥毛／古呂尔［平上平濁平上］　　　　　（図書寮本類聚名義抄／238-7）

狠+土 懇二正 懇墾／二俗 口很反　　　　　　　　　　　（観智院本類聚名義抄／佛下末011-3）

懇懇 音懇［上］マ┐ … 上通下正　　　　　　　　　　　（観智院本類聚名義抄／法中086-5）

▶番号3693a・3695a「懇」（墾篤・墾志）の仮名音注「コン」については、基本的に -on で対応する。両当該字に声点はない。上述の分析を参照。

3-1-2-7　-uʌn/-uʌt（魂/混/慁/没韻）

資料篇【表B-02】には魂韻（平声）混韻（上声）慁韻（去声）没韻（入声）所属の諸例が含まれる。前田本の示す仮名音注は、-on/-ot, -un で基本的に対応する。異例として -in, -o, -om, -ou, -u, -uru がある。

《魂韻 上巻諸例》

▶番号2856b「温」（寒温）の仮名音注「ウン」については、基本的に -un で対応する。当該字には平声点を差す。観智院本類聚名義抄に反切「烏昆反」および和音「ウン」を見出す。長承本蒙求には仮名音注「ウゝ・ヲ√・ヲゝ」があり、掲出字いずれにも東声点を加える。日本漢音「ウン・ヲン」東声（四声体系では平声）日本呉音「ウン」を認める。

温 烏昆反 アタゝム … 和ウン　　　　　　　　　（観智院本類聚名義抄／法上015-3）

溫［東］ウゝ　　　　　　　　　　　　　　　　　　（長承本蒙求／033）

溫［東］ヲ√ イ本　　　　　　　　　　　　　　　　（長承本蒙求／055）

溫［東］ヲゝ　　　　　　　　　　　　　　　　　　（長承本蒙求／069）

▶番号0906b「魂」（反魂香）の仮名音注「コム」については、異例 -om を示す。当該字には平声点を差す。その中古音が示す末子音の舌内撥音韻尾 -n を「ム」で対応する。熟字0906「反魂」の左注「ハンコムカウ」仮名音注を付載する。観智院本類聚名義抄に同音字注「音繩」を見出すが、仮名音注はない。

魂魄 上音繩 … 二並 タマシヒ［平上平平］ …　　　　（観智院本類聚名義抄／僧下047-8）

▶番号1812b「魂」（鎮魂）の仮名音注「コン」については、基本的に -on で対応する。当該字には平声濁点を差すので、字音「ゴン」を想定する。廣韻に拠れば、その中古音は魂韻平声（ɣuʌn'）である。その頭子音 ɣ-（等韻学の術語で言う喉音濁匣母）は有声軟口蓋摩擦音であり、日本語のガ行音をもって受容するが、中国語音韻史上における濁音声母の無声化を反映する場合はカ行音で対応する。上述の分析を参照。

▶番号2005c「㪍」（臨胡㪍脱）の仮名音注「ク」については、異例 -u を示す。当該字には平

声点を差す。前田本の字形は部首「ネ」であるが、これを「ネ」に修正する。字音「クン」の撥音無表記による「ク」であるか。熟字2005「臨胡襌脱」は右傍「リンコクタツ」右傍「平調」を付載する。雅楽「輪鼓襌脱」のことか、廃絶曲で詳細不明。元和本倭名類聚抄に「臨胡襌脱」がある。図書寮本類聚名義抄に同音字注「川云音昆」（その東声点位置に仮名音注「コン」）を見出す。観智院本には同音字注「音昆」を見つけるが、仮名音注はない。元和本倭名類聚抄には同音字注「音昆」がある。日本漢音「コン」東声（四声体系では平声）を認める。

　　　襌　川云音昆 [コン：東声点位置] … 季云之多毛 [上上平]　　　（図書寮本類聚名義抄／335-7）

　　　襌　音昆 シタノハカマ … 褌 [或：右注] シタモ [上上平]　　　（観智院本類聚名義抄／法中141-6）

　　　襌　方言注云而無跨謂之襌 音昆和名須萬之毛能一云知此佐岐毛乃 …

　　　　　　　　　　　　　　　　　　　　　　　　　　　　（元和本倭名類聚抄／巻十二22 オ1）

　　　平調曲　相夫憐 … 臨胡襌脱 …　　　　　　　　　　　（元和本倭名類聚抄／巻四15 ウ3）

　▶番号1471「婚」（婚）の仮名音注「コン」については、基本的に -on で対応する。当該字には平声点を差し、和訓「トツク」の同訓異字として位置する。前田本の字形は「婚」であるが、これを「婚」に修正する。観智院本類聚名義抄に同音字注「音昏」を見出す。長承本蒙求には舌内撥音韻尾の表記を含む仮名音注「コン」があり、その掲出字に東声を加える。元和本倭名類聚抄には同音字注「昏反」を見つける。日本漢音「コン」東声（四声体系では平声）を認める。

　　　婚　音昏 トツキ [□□上濁／□□ク：墨右傍] … コヒト　　（観智院本類聚名義抄／佛中015-5）

　　　婚 [東] コン　　　　　　　　　　　　　　　　　　　　　（長承本蒙求／046）

　　　婚姻　爾雅云壻之父爲姻 因女 婦之父爲婚 昏反 …　　　（元和本倭名類聚抄／巻二18 ウ5）

　▶番号0983「渾」（渾）の仮名音注「コン」については、基本的に -on で対応する。当該字には平声点を差し、和訓「ニコル」の同訓異字として位置する。廣韻に拠れば、魂/混韻（ɣuʌn¹ʴ²）二音を有する。図書寮本類聚名義抄に同音字注「季云音魂」と反切「广云又胡兖反」を見出す。観智院本には同音字注「魂混二音」を見出すが、仮名音注はない。

　　　五渾 季云音魂 广云又胡兖反 … ニコリ [平平濁平／集：右注]　（図書寮本類聚名義抄／046-5）

　　　渾 魂混二音 ニコル [平平濁上／□□リ：右傍] … ホトコス　（観智院本類聚名義抄／法上031-3）

　▶番号0763b・1666b「孫」（傍孫・桐孫）の仮名音注「ソン」については、基本的に -on で対応する。両当該字には平声点を差す。図書寮本類聚名義抄に反切「思渾」〔＊「反」表示なし〕を見出す。観智院本には平声点を付した同音字注「音尊」を見つける。長承本蒙求には仮名音注「ソン」三例「ソン」五例がある。それら掲出字九例に東声点を加える。元和本倭名類聚抄には同音字注「尊反」がある。日本漢音「ソン」東声（四声体系では平声）を認める。

　　　孫悌 〔＊玄應音義「愻悌」〕广云蘇寸 [□去] 反 孫順也 …　　（図書寮本類聚名義抄／259-1）

　　　孫 中云思渾 陁羅難陁 …　　　　　　　　　　　　　　（図書寮本類聚名義抄／194-4）

　　　孫 音尊 [平] ムマコ [□□平濁／鄙語云ヒコ [上平]　　　（観智院本類聚名義抄／法下140-1）

310　3．仮名音注の韻母別考察　3-1　Ⅰ韻類

孫［東］尊反／ソ✓　　　　　　　　　　　　　　　　　　　（長承本蒙求／003）

孫［東］ソヽ　　　　　　　　　　　　　（長承本蒙求／016・018・020・081・101）

孫［東］ソ✓　　　　　　　　　　　　　　　　　　　　　（長承本蒙求／038・044）

孫　爾雅云子之子爲孫 尊反和名無萬古 一云 比古　　　（元和本倭名類聚抄／巻二 17 ウ 2）

▶番号2389b「孫」（王孫）の仮名音注「ソン」については、基本的に -on で対応する。当該字には平声濁点を差すので、日本語音韻史上の連濁による字音「ゾン」を想定する。上述の分析を参照。

▶番号2370b「孫」（王孫）の仮名音注「ソン」については、基本的に -on で対応する。当該字に声点はない。上述の分析を参照。

▶番号2142「蓀」（蓀）の仮名音注「ソン」については、基本的に -on で対応する。当該字には平声点を差し、左注「香草」を付載する。観智院本類聚名義抄に同音字注「音孫」を見出すが、仮名音注はない。

　　蓀 音孫 香草　　　　　　　　　　　　　（観智院本類聚名義抄／僧上 048-7）

▶番号1530・1650a「屯」（屯・屯食）の仮名音注「トン」については、基本的に -on で対応する。両当該字に声点はない。廣韻に拠れば、魂韻（duʌn¹）諄韻（ȶiuen¹）二音を有する。番号1530「屯」は左注「綿十六両為屯」を付載する。観智院本類聚名義抄に反切「徒昆反」を見出すが、仮名音注はない。なお、同書が掲げる「宛」（魂韻 duʌn¹）には同音字注「音屯」があり、その左傍に朱筆で「トン」を付載する。日本漢音「トン」の蓋然性が高い。

　　屯 徒昆反 タムロ … 陬隣反 … クシク　　　　　　（観智院本類聚名義抄／佛下末 013-6）

　　宛 音屯［ツキン：朱右傍／トン：朱左傍］アツシ　　　（観智院本類聚名義抄／法下 061-3）

▶番号2670b「饙」（饙饙）の仮名音注「フン」については、基本的に -un で対応する。当該字には平声点を差す。熟字2670「饙饙」は左右注「カタカシキ／ノイヒ」を付載する。観智院本類聚名義抄に同音字注「紛」を見出すが、仮名音注はない。元和本倭名類聚抄には同音字注「紛」がある。

　　饙饙 終紛二音 カタカシキノイヒ［平平平上平平平平］　　　（観智院本類聚名義抄／僧上 106-6）

　　饙饙　四聲字苑云饙饙 修紛二音漢語抄云加太加之木乃以比 半熟飯也

　　　　　　　　　　　　　　　　　　　　　　　　　　（元和本倭名類聚抄／巻十六 12 ウ 8）

▶番号0611・1208a・1223a・1249a「奔」（奔・奔營・奔波・奔走）の仮名音注「ホン」については、基本的に -on で対応する。当該諸字四例には平声点を差す。番号0611「奔」は右注「ハシル」を付載する。観智院本類聚名義抄に同音字注「音犇」および和音「ホン・ホム」を見出す。舌内撥音韻尾 -n に対する表記に混同がある。承暦本金光明最勝王経音義には同音字注「本音」があり、その掲出字に平声点を加える。日本呉音「ホン」平声を認める。

　　奔 音犇 オモムク … 和ホン［□ミ：上声圏点か］　　　（観智院本類聚名義抄／佛下末 032-8）

3-1-2 -ʌ 系の字音的特徴　311

奔 ハシル［平平□］… 和ホム　　　　　　　　　（観智院本類聚名義抄／佛下末 035-6）

奔 ［平］本ミ／伎保不　　　　　　　　　　　　（承暦本金光明最勝王経音義／07 オ 2）

▶番号 0273b「奔」（姪奔）の仮名音注「ホン」については、基本的に -on で対応する。当該字には平声濁点を差すので、日本語音韻史上の連濁による字音「ボン」を想定する。上述の分析を参照。

▶番号 2590b「盆」（缺盆骨）の仮名音注「ホン」については、基本的に -on で対応する。当該字には平声点を差す。その中古音が示す頭子音 b-（等韻学の術語で言う脣音濁並母）は有声両脣閉鎖音であり、日本語のバ行音をもって受容するが、中国語音韻史上における濁音声母の無声化を反映する場合はハ行音で対応する。熟字 2590「缺盆骨」は右注「同（カタノホネ）」を付載する。観智院本類聚名義抄に反切「蒲魂反」を見出す。承暦本金光明最勝王経音義には仮名音注「ホン音」がある。元和本倭名類聚抄には反切「蒲奔反」を見つける。日本呉音「ホン」を認める。

盆 蒲魂反 赤瓷 ヒラカ／俗云ホトキ　　　　　　（観智院本類聚名義抄／僧中 015-6）

盆 ホン六／ホトキ〔＊後筆墨書〕　　　　　　　（承暦本金光明最勝王経音義／09 オ 6）

盆 唐韻云盆 蒲奔反字亦作瓫辨色立成云比良加俗云保止岐 …

　　　　　　　　　　　　　　　　　　　　　　（元和本倭名類聚抄／巻十六 07 ウ 5）

髑髀　廣雅云髑髀 二音曷弓針灸經云缺盆骨肩骨也和名加太乃保禰

　　　　　　　　　　　　　　　　　　　　　　（元和本倭名類聚抄／巻三 07 ウ 9）

▶番号 0050b「葐」（覆葐子）の仮名音注「ホン」については、基本的に -on で対応する。当該字には平声点を差す。熟字 0050「覆葐子」は左右注「同（イチコ）俗作／覆盆」を付載する。観智院本類聚名義抄に同音字注「盆音」と反切「又芳云反」を見出すが、仮名音注はない。元和本倭名類聚抄には同音字注「盆」がある。

葐 … 盆音 オホフ／又芳云反　　　　　　　　　（観智院本類聚名義抄／僧上 035-7）

覆盆子 イチコ［平上平濁］覆瓷子 同　　　　　（観智院本類聚名義抄／法下 137-4）

覆葐子 イチコ　　　　　　　　　　　　　　　（観智院本類聚名義抄／僧上 035-8）

覆盆子　爾雅注云蒛葐 缺盆二音 覆盆也本草云覆盆子 和名以知古今案宜作覆芳禰反見唐韻

　　　　　　　　　　　　　　　　　　　　　　（元和本倭名類聚抄／巻十七 14 ウ 2）

▶番号 0268b・1625b・2131b・2991b・2996b・3008b「門」（一門・同門・李門・衡門・寒門・學門）の仮名音注「モン」については、基本的に -on で対応する。当該諸字六例には平声点を差す。観智院本類聚名義抄に反切「莫昆反」および和音「モン」を見出す。長承本蒙求には仮名音注「モム」一例「モゝ」四例があり、掲出字いずれにも平声点を加える。日本漢音「モン」平声、日本呉音「モン」を認める。

門 莫昆反 カト［上平濁］／キク［上平］和モン　（観智院本類聚名義抄／法下 074-5）

門 ［平］モム　　　　　　　　　　　　　　　　（長承本蒙求／022）

312　3．仮名音注の韻母別考察　3-1　Ⅰ韻類

門〔平〕モ〉　　　　　　　　　　　　　　　　（長承本蒙求／046・078・118・124）

門〔＊左下隅欠〕モ〉　　　　　　　　　　　　　　　　　　　（長承本蒙求／118）

　魂/混/慁韻に所属する明母諸字は、その頭子音である両唇鼻音 m- と合口介音 -u- との両円唇性が主母音 -ʌ- よりも強く音的特徴として保持されるためか、中国語音韻史上における鼻音声母の非鼻音化（denasalization）による音変化 m-＞mb-＞b- を反映した字音「ボン」は稀である。門・捫 (muʌn¹) 虋 (muʌn²³) 悶 (muʌn³) なども同様。

　▶番号1241b「門」（蓬門）の仮名音注「モン」については、基本的に -on で対応する。当該字に声点はない。上述の分析を参照。

　▶番号0485b・1819b「門」（坊門・中門）の仮名音注「モン」については、基本的に -on で対応する。当該字には上声点を差す。熟字0485「坊門」は右注「ハウモン俗」仮名音注を付載する。定着久しい字音「モン」を想定する。上述の分析を参照。

　▶番号1539「捫」（捫）の仮名音注「モン」については、基本的に -on で対応する。当該字には平声点を差し、右注「捫䕝也」を付載する。和訓「トル」の同訓異字として位置する。観智院本類聚名義抄に平声点と去声点を付した同音字注「音門」と反切「又莫本反」を見出す。承暦本金光明最勝王経音義には同音字注「文音」があり、その掲出字に平声点を加える。その「文」を掲出字（去声点を差す）として仮名音注「モ〉」も見つける。日本漢音は平/去声、日本呉音「モン」平/去声を認める。

捫　音門〔平・去〕… トル … 又莫本反 … サクル　　　　（観智院本類聚名義抄／佛下本062-7）

捫　手部 ノコフ／トル スル オス　　　　　　　　　　（観智院本類聚名義抄／法下081-7）

捫〔平〕文〉／伎保不　　　　　　　　　　　　　（承暦本金光明最勝王経音義／12 オ 1）

文〔去〕モ〉　　　　　　　　　　　　　　　　　（承暦本金光明最勝王経音義／02 ウ 3）

　▶番号0433a・0434a・2092b「論」（論議・論匠・理論）の仮名音注「ロン」については、基本的に -on で対応する。当該諸字三例には平声点を差す。廣韻に拠れば、魂/慁韻（luʌn¹³）諄韻（liuen¹）三音を有する。図書寮本類聚名義抄に反切「弘云力昆反」（その反切下字に平声点）と「中云上去声」さらに反切「中云力屯反」を見出す。観智院本には反切「力昆反」と「又去」および低平調を示す和音「ロン」を見出す。長承本蒙求には仮名音注「ロ✓」があり、その掲出字には平声点を加える。承暦本金光明最勝王経音義には借字を含む仮名音注「呂〉」があり、その掲出字には平声点を加える。日本漢音「ロン」平/去声、日本呉音「ロン」平声を認める。

論議 弘云力昆〔□平〕反 … 中云上去声 議也 … 真云即寸反 論議也 又平声 …

　　　　　　　　　　　　　　　　　　　　　　　　　（図書寮本類聚名義抄／071-4）

　　論議 中云力屯反 言有理也 …　　　　　　　　　（図書寮本類聚名義抄／071-6）

　　論 力昆反 アラソフ〔平上□□〕… 又去 議也 和ロン〔平平〕　（観智院本類聚名義抄／法上068-3）

　　論〔平〕ロ✓　　　　　　　　　　　　　　　　　　　（長承本蒙求／029）

論［平］呂〉　　　　　　　　　　　　　　（承暦本金光明最勝王経音義／02 ウ 3）

▶番号 0409・0437a・3034b「論」（論・論談・確論）の仮名音注「ロン」については、基本的に -on で対応する。熟字 3034「確論」は右傍「アサカヘシ アラソフ」を付載する。当該諸字三例には去声点を差す。上述の分析を参照。

▶番号 0420・0427「論」（論・論）の仮名音注「ロン」については、基本的に -on で対応する。当該字に声点はない。番号 0427「論」は右注「ロンス」サ変動詞を付載する。上述の分析を参照。

《魂韻 下巻諸例》

▶番号 3323a・5214a「温」（温菘・温泉）の仮名音注「ヲン」については、基本的に -on で対応する。両当該字には平声点を差す。熟字 3323「温菘」は右注「コヲホネ」を、熟字 5214「温泉」は右注「ユ」左注「上烏渾反」を付載する。上巻の魂韻で分析したように、日本漢音「ウン・ヲン」東声（四声体系では平声）日本呉音「ウン」を認める。

温菘　崔禹錫食經云温菘 音終和名古保禰 …　　　（元和本倭名類聚抄／巻十七 21 オ 8）

▶番号 3370「昆」（昆）の仮名音注「コン」については、基本的に -on で対応する。当該字には平声点を差す。観智院本類聚名義抄に平声点を付した同音字注「音崑」を見出す。長承本蒙求には舌内撥音韻尾の表記を含む仮名音注「コ〉」があり、その掲出字には上声点を加える。承暦本金光明最勝王経音義には同音字注「建音」（願韻 kiɑn³）があり、その掲出字に平声点を加える。その「建」を掲出字として仮名音注「コン」も見つける。日本漢音「コン」平/上声、日本呉音は平声を認める。また日本呉音「コン」の蓋然性が高い。

昆 … 音崑［平］コノカミ［上上／□□］… ヲソシ　　　（観智院本類聚名義抄／佛中 093-4）

昆布 ヒロメ［平平上］／… エスメ［上上下／□ヒ［上濁］□：墨右傍］

　　　　　　　　　　　　　　　　　　　　　　　　　（観智院本類聚名義抄／法中 110-6）

昆［上］コ〉　　　　　　　　　　　　　　　　　　　　（長承本蒙求／119）

昆［平］建〉　　　　　　　　　　　　　（承暦本金光明最勝王経音義／10 ウ 6）

建 コン〔＊後筆墨書〕　　　　　　　　　（承暦本金光明最勝王経音義／10 ウ 1）

▶番号 3350a「昆」（昆布）の仮名音注「コン」については、基本的に -on で対応する。当該字に声点はない。上述の分析を参照。

▶番号 6850「褌」（褌）の仮名音注「コン」については、基本的に -on で対応する。当該字に声点はない。番号 6850「褌」は右注「スマシモノ」左注「又チキサキモノ」を付載する。上巻の魂韻当該例で分析したように、日本漢音「コン」東声（四声体系では平声）を認める。

▶番号 6203「坤」（坤）の仮名音注「コン」については、基本的に -on で対応する。当該字には平声点を差し、左注「苦昆反」を付載する。図書寮本類聚名義抄に反切「弘云口魂反」を見出す。

314　3．仮名音注の韻母別考察　3-1　Ⅰ韻類

高山寺本篆隷萬象名義を出典とする反切である。観智院本には反切「口魂反」を見出すが、仮名音注はない。

　　坤　弘云口魂反 地也従也形也葉也　　　　　　　　　　　　　（図書寮本類聚名義抄／214-6)

　　坤　口魂反 《《通地也／ヒツシサル シタカフ／ヤハラカナリ　　（観智院本類聚名義抄／法中 048-5)

　　坤　口魂反 地也従也形也葉也　　　　　　　　　　　　（高山寺本篆隷萬象名義／第一帖 029-5)

　▶番号3648a「婚」（婚姻）の仮名音注「コン」については、基本的に -on で対応する。当該字に声点はない。上巻の魂韻当該例で分析したように、日本漢音「コン」東声（四声体系では平声）を認める。

　▶番号5213b「昏」（黄昏）の仮名音注「コン」については、基本的に -on で対応する。当該字には東声点を差すが、その字形が縦長二字分相当で書写されたため、東声の位置になったか。平声の可能性もある。熟字5213「黄昏」は掲出字「暮」の左注に配置する。同行下二字目には単字「昏」を掲げ、その右注に反切「呼昆反」を付載する。観智院本類聚名義抄に同音字注「音惛」を見出す。承暦本金光明最勝王経音義には同音字注「根音」（痕韻 kʌn¹）があり、その掲出字には去声点を加える。その「根」を掲出字（去声点を差す）として仮名音注「コ〻」も見つける。日本呉音は去声を認める。また日本呉音「コン」の蓋然性が高い。

　　昏 ユフヘ［上上平濁］… 音惛 ヤミ［平平］クル［上平］　　（観智院本類聚名義抄／佛中 101-2)

　　黄昏 ユフクレ／ユフマクレ　　　　　　　　　　　　　（観智院本類聚名義抄／僧上 002-2)

　　昏 ［去］根〻　　　　　　　　　　　　　　（承暦本金光明最勝王経音義／09 オ 2)

　　根 ［去］コ〻　　　　　　　　　　　　　　（承暦本金光明最勝王経音義／02 ウ 2)

　▶番号5533b「昏」（晨昏）の仮名音注「コン」については、基本的に -on で対応する。当該字には東声濁点（平声濁点か）を差すので、日本語音韻史上の連濁による字音「ゴン」を想定する。上述の分析を参照。

　▶番号3419a「餛」（餛飩）の仮名音注「コン［平平］」については、基本的に -on で対応する。当該字には平声点を差し、その仮名音注には低平調を示す声点を加える。熟字3419「餛飩」は左注「魂屯言」を付載する。観智院本類聚名義抄に反切「戸昆反」と同音字注「昆」を見出すが、仮名音注はない。元和本倭名類聚抄には同音字注「渾」がある。

　　餫餛 俗正 戸昆／反　餛飩 昆屯二音〔＊昆←毘〕　　　　（観智院本類聚名義抄／僧上 107-6)

　　餛飩 四聲字苑云餛飩 渾屯二音上亦作餫見唐韻 …　　　（元和本倭名類聚抄／巻十六 14 ウ 8)

　▶番号4857b・6096b「孫」（桐孫・曽孫）の仮名音注「ソン」については、基本的に -on で対応する。両当該字には平声点を差す。熟字6096「曽孫」は右注「ヒ〻コ」中左注「孫之子／為曽孫」を付載する。上巻の魂韻当該諸例で分析したように、日本漢音「ソン」東声（四声体系では平声）を認める。

　　曽孫 ヒ〻コ　　　　　　　　　　　　　　（観智院本類聚名義抄／法下 140-1)

曾孫　爾雅云孫之子爲曾孫 和名比々古 一云曾疎也　　　（元和本倭名類聚抄／巻二 17 ウ 4）

　▶番号 5700b・5907c・5907d「孫」（儒孫・子ゝ孫ゝ・子ゝ孫ゝ）の仮名音注「ソン」については、基本的に -on で対応する。当該諸字三例に声点はない。上述の分析を参照。

　▶番号 6790a「蓀」（蓀蕉）の仮名音注「ソン」については、基本的に -on で対応する。当該字には平声点を差す。熟字 6790「蓀蕉」は右注「スシ［平上濁］」を付載する。観智院本類聚名義抄に同音字注「音孫」を見出すが、仮名音注はない。元和本倭名類聚抄には同音字注「飧」がある。

　　蓀 … 音孫／蓀蕉　　　　　　　　　　　　　（観智院本類聚名義抄／僧上 051-7）

　　蓀蕉　爾雅云蓀蕉 飧無二音和名須之 …　　　（元和本倭名類聚抄／巻二十 15 ウ 2）

　▶番号 4332「敦」（敦）の仮名音注「トン」については、基本的に -on で対応する。当該字には平声点を差し、左傍「都昆反」を付載する。和訓「アツシ［上上上］」の同訓異字として位置する。観智院本類聚名義抄に反切「都屯反」を見出すが、仮名音注はない。

　　敦 都屯反 アツシ［上上□／□□クス：墨右傍］… 古惇 又都雷反 ヲサム［平平平］
　　　　　　　　　　　　　　　　　　　　　　（観智院本類聚名義抄／僧中 057-5）

　▶番号 6015a「敦」（敦賀）の仮名音注「ツル」については、異例 -uru を示す。当該字に声点はない。元和本倭名類聚抄に借字「都留我」を見出す。地名が先行して存在し、後に漢字表記を与えたものであろう。

　　越前國 … 敦賀 都留我　　　　　　　　　　（元和本倭名類聚抄／巻五 19 オ 9）

　▶番号 4814b「墪」（草墪）の仮名音注「トン［平濁平］」については、基本的に -on で対応する。当該字に声点はなく、その仮名音注に濁音を含む低平調の声点を加えるので、日本語音韻史上の連濁による字音「ドン」平声を想定する。当該字「墪」は「墩」と相互に異体字である。熟字 4814「草墪」は左注「坐也」を付載する。図書寮本類聚名義抄に同音字注「音敦」を見出す。観智院本には同音字注「音敦」を見つけるが、仮名音注はない。

　　墩 音敦　　　　　　　　　　　　　　　　　（図書寮本類聚名義抄／231-7）

　　墩 音敦　　　　　　　　　　　　　　　　　（観智院本類聚名義抄／法中 054-8）

　▶番号 6027「暾」（暾）の仮名音注「トン」については、基本的に -on で対応する。当該字には平声点を差し、右注「同（ヒ）」中注「日時出皃也」左注「朝暾」を付載する。観智院本類聚名義抄に反切「勅昆反」を見出すが、仮名音注はない。高山寺本篆隷萬象名義にも反切「勅昆反」がある。両反切上字「勅」は徹母（ţʻ-）を示し、当該字「暾」（透母魂韻 tʻuʌnˈ）とは頭子音が異なる。魂韻は等韻学の術語で言う一等韻であり、その頭子音として舌上音（知徹澄娘の各声母／反り舌音）は結合しない。

　　暾 他昆反 日出皃亦作旽七　　　　　　　　（王仁昫刊謬補缺切韻／透母魂韻 tʻuʌnˈ）

　　暾 勅昆反／アタ、カニ［平上□□□］サカナリ［上上□□］　（観智院本類聚名義抄／佛中 102-6）

　　暾 勅昆反 日出形盛　　　　　　　　　　　（高山寺本篆隷萬象名義／第五帖 127 オ 4）

316　3．仮名音注の韻母別考察　3-1　Ⅰ韻類

▶番号6451「屯」（屯）の仮名音注「トン」については、基本的に -on で対応する。当該字には平声点を差し、右注「モチ［平平濁］綿貞也」中注「徒渾反」左注「綿六両為屯」を付載する。上巻の魂韻当該諸例で分析したように、日本漢音「トン」の蓋然性が高い。

▶番号3419b「魨」（鯤魨）の仮名音注「トン［平濁平］」については、基本的に -on で対応する。当該字には平声濁点を差し、その仮名音注には濁音を含む低平調の声点を加えるので、字音「ドン」平声を想定する。熟字3419「鯤魨」は左注「魂屯言」を付載する。観智院本類聚名義抄に同音字注「屯」を見出すが、仮名音注はない。元和本倭名類聚抄には同音字注「屯」がある。

　　鯶鯤　俗正　戸昆／反　　鯤魨　昆屯二音〔＊昆←毘〕　　　　　　（観智院本類聚名義抄／僧上 107-6）
　　鯤魨　四聲字苑云鯤魨　渾屯二音上亦作鯶見唐韻 …　　　　　（元和本倭名類聚抄／巻十六 14 ウ 8）

▶番号6177「盆」（盆）の仮名音注「ヒン」については、異例 -in を示す。当該字に声点はなく、右注「ヒラカ」中注「又乍瓫」左注「見保部」を付載する。字形の近似する「貧」と混同した字音把握か、出自不明。上巻の魂韻当該例で分析したように、日本呉音「ホン」を認める。

▶番号6464a・6464b・6777b「門」（門彡・門彡・水門）の仮名音注「モン」については、基本的に -on で対応する。当該諸字三例には平声点を差す。上巻の魂韻当該諸例で分析したように、日本漢音「モン」平声、日本呉音「モン」を認める。

▶番号6789b「門」（天門冬）の仮名音注「モン」については、基本的に -on で対応する。当該字には上声点を差す。熟字6789「天門冬」は右注「スマロクサ」右傍「テンモントウ俗」を付載する。定着久しい字音「モン」を想定する。上述の分析を参照。

▶番号3742c・4671b・6019b・6393・6479a・6482a・6684b「門」（延政門・棗門・衛門府・門・門徒・門部・席門）の仮名音注「モン」については、基本的に -on で対応する。当該諸字七例に声点はない。上述の分析を参照。

《混韻 上巻諸例》

▶番号0845b「損」（破損）の仮名音注「ソン」については、基本的に -on で対応する。当該字には平声点を差す。観智院本類聚名義抄に反切「先卆反」と低平調を示す和音「ソム」を見出す。長承本蒙求には仮名音注「ソヽ」があり、その掲出字には上声点を加える。日本漢音「ソン」上声、日本呉音「ソン」平声を認める。

　　損　先卆反　オトス … スツ［上平］／和ソム［□平］　　　　（観智院本類聚名義抄／佛下本 073-8）
　　損［上］キヽ・ソヽ　　　　　　　　　　　　　　　　　　　　（長承本蒙求／074）

▶番号1398b「損」（反損）の仮名音注「ソン」については、基本的に -on で対応する。当該字には平声濁点を差すので、日本語音韻史上の連濁による字音「ゾン」を想定する。上述の分析を参照。

3-1-2　-ʌ系の字音的特徴　317

▶番号 1615a・1672a「遁」（遁避・遁世）の仮名音注「トン」については、基本的に -on で対応する。両当該字には去声点を差す。廣韻に拠れば、混/慁韻（duʌn²³）二音を有する。それらの頭子音は等韻学の術語で言う舌音濁定母である。切韻を撰述して以降の中国語において、上声濁が次第に去声化を起こした状態を、日本漢音では反映する。これは上声を構成する上声軽と上声重とが allotone であり、後者の調値が去声と区別できないことを示すとも言える。観智院本類聚名義抄に去声点を付した同音字注「音鈍」および平声点を付した和音「頓」を見出すが、仮名音注はない。日本漢音は去声、日本呉音は平声を認める。

　　　遁 音鈍 [去] 和頓 [平] ／ノカル [平平濁上] … マフ　　　　（観智院本類聚名義抄／佛上 052-3）

▶番号 1185a・1201a・1234a・1259a・1260a「卒」（卒末・卒意・卒系・卒軆・卒様）の仮名音注「ホン」については、基本的に -on で対応する。掲出諸字五例には平声点を差す。熟字 1234「卒系」は右傍「モトヲツク」を付載する。観智院本類聚名義抄に同音字注「音吻」および和音「ホム」を見出す。承暦本金光明最勝王経音義には舌内撥音韻尾の表記を含む仮名音注「ホヽ」があり、その掲出字に平声点を加える。日本呉音「ホン」平声を認める。

　　　卒 俗 モト [平平] … 音吻 … 和ホム　　　　　（観智院本類聚名義抄／佛下本 113-5）

　　　卒 [平] ホヽ　　　　　　　　　　　　　　（承暦本金光明最勝王経音義／02 ウ 3）

▶番号1840b「卒」（張本）の仮名音注「ホン」については、基本的に -on で対応する。当該字には平声濁点を差すので、日本語音韻史上の連濁による字音「ボン」を想定する。上述の分析を参照。

《混韻 下巻諸例》

▶番号 4382b「穏」（安穏）の仮名音注「オン」については、基本的に -on で対応する。当該字には平声点を差す。観智院本類聚名義抄に反切「烏夲反」を見出すが、仮名音注はない。

　　　穏 烏夲反 ヲタヒカナリ [平平濁上平□□／□□□ニ：墨右傍] … タヒラカナリ

　　　　　　　　　　　　　　　　　　　　　　　（観智院本類聚名義抄／法下 022-2）

▶番号 3651a「閫」（閫外）の仮名音注「コン」については、基本的に -on で対応する。当該字には上声点を差す。観智院本類聚名義抄に同音字注「悃」を見出すが、仮名音注はない。同書を再検索すると、掲出字「悃」に同音字注「閫」があり、字音把握は相互に依存してしまう。

　　　閫 音悃 … トノシキミ [上上上上上]　　　　（観智院本類聚名義抄／法下 077-3）

　　　悃 音閫 心サシ イタム マコト モハラ／イタル　　（観智院本類聚名義抄／法下 077-3）

▶番号 3683a・3687a・6220「混」（混雑・混同・混）の仮名音注「コン」については、基本的に -on で対応する。掲出諸字三例には去声点を差す。廣韻に拠れば、その中古音は喉音濁匣母混韻上声（ɣuʌn²）である。切韻を撰述して以降の中国語において、上声濁が次第に去声化を起こした状

態を、日本漢音では反映する。これは上声を構成する上声軽と上声重とが allotone であり、後者の調値が去声と区別できないことを示すとも言える。熟字3683「混雑」は右傍「マシハル」を、番号6220「混」は注「ヒタス」左注「子鴆反」（二字下の掲出字「浸」の反切を誤配置）を付載する。観智院本類聚名義抄に反切「胡夲反」（その反切下字には上声点）を見出すが、仮名音注はない。日本漢音は上声を認める。

混 胡夲［□上］反 ヒタヽケテ［平平平平□］… ニコル　　　　　（観智院本類聚名義抄／法上 043-4）

▶番号3706a「混」（混合）の仮名音注「コン」については、基本的に -on で対応する。当該字に声点はない。熟字3706「混合」は右注「アハス」右傍「ヒタミケ」を付載する。上述の分析を参照。

▶番号4141「鯇」（鯇）の仮名音注「コン」については、基本的に -on で対応する。当該字には上声点を差し、左右注「或乍鯶似鱓／也 アメ」を付載する。廣韻に拠れば、混韻（ɣuʌn²）緩韻（ɣuan²）二音を有する。観智院本類聚名義抄に反切「胡本反」（その反切下字に上声点）を見出すが、仮名音注はない。さらに異体字「鯶」には同音字注「昆音」がある。元和本倭名類聚抄には反切「胡本反」がある。続く注記「上声之重字」については中国語音韻史上における上声濁の去声化（日本漢音においては相補的に上声と去声に分布する傾向）に関わる。上述した「混」諸例を参照。日本漢音は上声を認める。

鯇 胡夲［平上］反／アメ［平平］　　鯇 胡板反 鯶／魚　　（観智院本類聚名義抄／僧下 006-4）

鯶 亦　　　　　　　　　　　　　　　　　　　　　　　（観智院本類聚名義抄／僧下 006-5）

鯶 昆音　　　　　　　　　　　　　　　　　　　　　　（観智院本類聚名義抄／僧下 011-1）

鯇　爾雅集注云鯇 胡本反上声之重字亦作鯶和名阿米 似鱓者也

　　　　　　　　　　　　　　　　　　　　　　　　　（元和本倭名類聚抄／巻十九 07 ウ 2）

混 … 胡本切十六 鯶 魚名 鯇 同上　　　　　（宋本廣韻／喉音濁匣母混韻 ɣuʌn²）

脘 … 戸板切七 … 鯇 魚名又胡本切　　　　　（宋本廣韻／喉音濁匣母緩韻 ɣuan²）

混 胡本反隕陽未分十三 … 鯶 魚名亦作鯇　　（王仁昫刊謬補缺切韻／喉音濁匣母混韻 ɣuʌn²）

脘 戸板反大目四 鯇 魚名　　　　　　　　　（王仁昫刊謬補缺切韻／喉音濁匣母緩韻 ɣuan²）

▶番号3686b「夲」（張夲）の仮名音注「ホン」については、基本的に -on で対応する。当該字には平声点を差す。上巻の混韻当該諸例で分析したように、日本呉音「ホン」平声を認める。

《慁韻 上巻諸例》

▶番号1850b「困」（沈困）の仮名音注「コン」については、基本的に -on で対応する。当該字には去声点を差す。観智院本類聚名義抄に反切「苦鈍反」（その反切下字に去声点）および低平調と推測する和音「コン」を見出す。承暦本金光明最勝王経音義には同音字注「根音」と仮名音注「コ

ン」がある。前者の掲出字に去声点を差す。日本漢音は去声、日本呉音「コン」平/去声を認める。

　　　困 苦鈍［□去］反 ハナハタシ … 和コン［平□］　　　　（観智院本類聚名義抄／法下 085-2）

　　　困［去］根ミ／太之奈牟　　　　　　　　　　　　　（承暦本金光明最勝王経音義／08 オ 6）

　　　困厄 コンヤク［：右傍］〔＊後筆墨書〕　　　　　　（承暦本金光明最勝王経音義／07 ウ 2）

▶番号 2413b「溷」（懊溷）の仮名音注「コン」については、基本的に -on で対応する。当該字には去声点を差す。熟字 2413「懊溷」は右注「ワツラハシ」を付載する。図書寮本類聚名義抄に平声点を付した同音字注「音混」を見出す。観智院本には同音字注「混」を見つけるが、仮名音注はない。日本漢音は平声を認める。

　　　廁溷 音混［平］… ニコル　　　　　　　　　　　　　（図書寮本類聚名義抄／034-3）

　　　溷 セヽナキ［平上上上］カハヤ … 音混 … トヽム　　（観智院本類聚名義抄／法上 014-1）

▶番号 0312b・1676a「頓」（猗頓・頓首）の仮名音注「トン」については、基本的に -on で対応する。両当該字には去声点を差す。熟字 1676「頓首」は右傍「ヌカツク」を付載する。観智院本類聚名義抄に同音字注「音敦之去声」および和音「平也」を見出す。なお、同音字注として選択した「敦」は四音（端母灰韻 tuʌi¹・端母魂/慁韻 tuʌn¹/³・定母桓韻 duɑn¹）を有するため、混乱を避けて「之去声」を追記したと推測する。日本漢音は去声、日本呉音は平声を認める。

　　　頓 … 音敦之去声／ニハカニ … 和平也　　　　　　　（観智院本類聚名義抄／佛下本 023-7）

▶番号 1610a「頓」（頓滅）の仮名音注「トン」については、基本的に -on で対応する。当該字には去声濁点を差すので、字音「ドン」を想定する。その中古音が示す頭子音 t-（等韻学の術語で言う舌音清端母）は無声無気歯茎閉鎖音であり、日本語のタ行音をもって受容する。ダ行音で対応することは許容しがたい。諧声符「屯」（定母魂韻 duʌn¹）による字音把握か。上述の分析を参照。

▶番号 1673a「頓」（頓作）の仮名音注「トン」については、基本的に -on で対応する。当該字には平声点を差す。上述の分析を参照。

▶番号 1466b「頓」（猗頓）の仮名音注「トム」については、異例 -om を示す。当該字には去声点を差す。その中古音が示す末子音の舌内撥音韻尾 -n を「ム」で対応する。熟字 1466「猗頓」には仮名音注「イトム」を右傍に付載する。上述の分析を参照。

▶番号 1513a「頓」（頓拍子）の仮名音注「ト」については、異例 -o を示す。当該字に声点はない。熟字 1513a「頓拍子」は右注「同（トヒヤウシ）」仮名音注を付載する。撥音無表記による字音「ト」である。上述の分析を参照。

▶番号 1586a「頓」（頓宮）の仮名音注「トウ」については、異例 -ou を示す。当該字には平声点を差す。上述の分析を参照。

　　　行宮 カリミヤ［上上上□］　頓宮 同／俗用之　　　（観智院本類聚名義抄／法下 056-8）

▶番号 1866b「鈍」（遅鈍）の仮名音注「トン」については、基本的に -on で対応する。当該字には去声濁点を差すので、字音「ドン」を想定する。観智院本類聚名義抄に同音字注「音遁」およ

320　3．仮名音注の韻母別考察　3-1　Ⅰ韻類

び和音「圡ン」（その「ン」左傍に「✓」）を見出す。同書では和音「圡ウ・圡ク・圡ム・圡ン」
があり、濁音の字音「ド」を含む表記である。日本呉音「ドン」を認める。

　　　鈍 音遁 ニフシ［平平濁上］… 和圡ン［□✓：墨左傍］　　　　（観智院本類聚名義抄／僧上 123-1）

　▶番号 0455b・1608a「鈍」（魯鈍・鈍根）の仮名音注「トン」については、基本的に *-on* で対
応する。両当該字には平声濁点を差すので、字音「ドン」を想定する。上述の分析を参照。

　▶番号 2133b「鈍」（利鈍）の仮名音注「トン」については、基本的に *-on* で対応する。当該字
には平声点を差す。その中古音が示す頭子音 d-（等韻学の術語で言う舌音濁定母）は有声歯茎閉鎖
音であり、日本語のダ行音をもって受容するが、中国語音韻史上における濁音声母の無声化を反映
する場合はタ行音で対応する。上述の分析を参照。

　▶番号 3023b「悶」（拷悶）の仮名音注「モン」については、基本的に *-on* で対応する。当該字
には平声点を差す。観智院本類聚名義抄に反切「莫頓反」および和音「モン」を見出す。日本呉音
「モン」を認める。

　　　悶 莫頓反 ウレフ … 和モン　　　　　　　　　　　　　　　（観智院本類聚名義抄／法下 082-2）

《慁韻 下巻諸例》

　▶番号 5082b「困」（窮困）の仮名音注「コン」については、基本的に *-on* で対応する。当該字
に声点はない。上巻の慁韻当該例で分析したように、日本漢音は去声、日本呉音「コン」平/去声を
認める。

　▶番号 6874「寸」（寸）の仮名音注「スン」については、基本的に *-un* で対応する。当該字に
声点はなく、左注「十分為寸」を付載する。観智院本類聚名義抄に同音字注「音村之去声」を見出
すが、仮名音注はない。廣韻に拠れば、当該字「寸」は清母慁韻（ts'uʌnˀ）の小韻代表字であるが、
同音は稀覯字「鏰」しかなく、同音字注の選択に制限がある。それゆえに、声調以外は同音の「村」
清母魂韻（ts'uʌnˀ）を選び、さらに「之去声」を加えたと推測する。

　　　寸 音村之去声 十分 … ツタ、、［平平濁□□］　　　　　　（観智院本類聚名義抄／法下 143-2）

　▶番号 6821a「寸」（寸白）の仮名音注「ス」については、異例 *-u* を示す。当該字に声点はな
く、撥音無表記の字音「ス」を想定する。上述の分析を参照。

　　　蚘虫 … 病源論云蚘虫 今案一名寸白俗云加以又云阿久太 …（元和本倭名類聚抄／巻三 21 ウ 8）
　　　御ありさまを醫師に語りきかすれば、「寸白すばくにおはしますなり」とて、その方の療治ども
　　　を仕うまつれば、勝るやうにもおはしまさず。

　　　　　　　　　　　　　　　　　　　　　　　　（古典大系本栄華物語／とりべ野・上巻 228-5）

　▶番号 6467a「悶」（悶絶）の仮名音注「モン」については、基本的に *-on* で対応する。当該字
には平声点を差す。熟字 6467「悶絶」は右傍「ウレヘ マトフ」を付載する。上巻の慁韻当該例で

分析したように、日本呉音「モン」を認める。

《没韻 上巻諸例》

　　▶番号0021「窟」（窟）の仮名音注「コツ」については、基本的に -ot で対応する。当該字には入声点を差し、右注「イハヤ」左注「石窟」を付載する。観智院本類聚名義抄に入声点を付した同音字注「音骨」および和音「クツ・コツ」を見出す。長承本蒙求には仮名音注「クツ」があり、その掲出字に徳声点を加える。元和本倭名類聚抄には同音字注「骨反」を見つける。日本漢音「クツ」徳声（四声体系では入声）日本呉音「クツ・コツ」を認める。

　　　　窟 … 音骨［入］イワヤ［上上上］… 和クツ コツ　　　　（観智院本類聚名義抄／法下058-7）

　　　　窟［徳］クツ　　　　　　　　　　　　　　　　　　　　（長承本蒙求／096）

　　　　窟　説文云窟 骨反和名伊波夜 土屋也一云堀地爲之　　（元和本倭名類聚抄／巻八10 オ3）

　　▶番号1071・2511a「骨」（骨・骨蓬）の仮名音注「コツ」については、基本的に -ot で対応する。両当該字には入声点を差す。番号1071「骨」は右注「ホネ」を、熟字2511「骨蓬」は右注「カハホネ」を付載する。観智院本類聚名義抄に入声点を付した同音字注「音忽」を見出す。長承本蒙求には仮名音注「コツ」があり、その掲出字に徳声を加える。元和本倭名類聚抄には同音字注「忽反」を見つける。日本漢音「コツ」徳声（四声体系では入声）を認める。

　　　　骨　音忽［入］ホネ［平平］　　　　　　　　　　　　（観智院本類聚名義抄／佛下本005-3）

　　　　骨［徳］コツ　　　　　　　　　　　　　　　　　　　（長承本蒙求／055）

　　　　骨　野王案云骨 忽反和名保禰 肉之核也 …　　　　　（元和本倭名類聚抄／巻三09 ウ4）

　　　　骨蓬　崔禹錫食經云骨蓬 和名加波保禰 …　　　　　（元和本倭名類聚抄／巻十七20 ウ3）

　　▶番号0535「鶻」（鶻）の仮名音注「コツ」については、基本的に -ot で対応する。当該字には入声点を差し、右注「同（ハヤフサ）」を付載する。廣韻に拠れば、見母没韻（kuʌt）匣母没韻（ɣuʌt）匣母黠韻（ɣuɐt）の三音を有する。観智院本類聚名義抄に同音字注「骨滑二音」と反切「又胡骨反」を見出すが、仮名音注はない。元和本倭名類聚抄には同音字注「音骨」がある。

　　　　鶻 骨滑二音 又胡骨反／鷹鷗属　　　　　　　　　　（観智院本類聚名義抄／佛下本006-6）

　　　　鶻 胡骨反 鷹也 又骨滑二音 … ハヤフサ［平平平濁平］　（観智院本類聚名義抄／僧中112-5）

　　　　鶻　斐務齊切韻云鶻 音骨和名八夜布佐 鷹屬也 …　　（元和本倭名類聚抄／巻十八04 オ6）

　　▶番号1221b「卒」（歩卒）の仮名音注「ソツ」については、基本的に -ot で対応する。当該字には入声点を差す。観智院本類聚名義抄に反切「祖没反」（その反切下字に入声濁点）と低平調を示す和音「ソチ」を見出す。日本漢音は入声、日本呉音「ソチ」入声を認める。

　　　　卒 … 祖没［□入濁］反 ニハカニ［平上平上］… 和ソチ［平平］

　　　　　　　　　　　　　　　　　　　　　（観智院本類聚名義抄／佛上082-8）

322　3．仮名音注の韻母別考察　3-1　Ⅰ韻類

▶番号2572b「卒」（列卒）の仮名音注「ソツ」については、基本的に -ot で対応する。当該字に声点はない。熟字2572「列卒」は右注「カリコ」を付載する。狩猟に際して鳥獣を駆り立てる者を指す。上述の分析を参照。

　　　列卒　文選云列卒滿山 和名加利古　　　　　　　　　　　　　　（元和本倭名類聚抄／巻二 10 ウ 1）

▶番号1613a・1876b・2924b「突」（突磨・畫突・好突）の仮名音注「トツ」については、基本的に -ot で対応する。当該諸字三例には入声点を差す。廣韻に拠れば、当該字「突」は定母没韻（duʌt）であるが、異体字「宊」は透母没韻（tʼuʌt）の音を示す。熟字1613「突磨」は右傍「ツキスル」を付載する。観智院本類聚名義抄に反切「陀骨・又他骨反」を見出すが、仮名音注はない。

　　　突 … 陀骨 又他骨反 ツク［上平］… フル　　　　　　　　　　　（観智院本類聚名義抄／法下 060-1）

▶番号1240b「訥」（木訥）の仮名音注「トツ」については、基本的に -ot で対応する。当該字には入声濁点を差すので、字音「ドツ」を想定する。その中古音が示す頭子音 n-（等韻学の術語では泥母）は歯茎鼻音であり、日本語のナ行音をもって受容する。ただし、中国語音韻史上における鼻音声母の非鼻音化（denasalization）現象により、n- ＞ nd- ＞ d- の音変化をする。この影響を受けた日本漢音では原則的にダ行音で対応する。図書寮本類聚名義抄に反切「奴骨反」を見出す。観智院本には反切「奴骨反」を見つけるが、仮名音注はない。

　　　謇訥 广云古吶同 奴骨反 遅鈍也 …　　　　　　　　　　　　　（図書寮本類聚名義抄／087-1）

　　　訥 古吶 奴骨反 難也／カトモリ［□平濁上□］…　　　　　　　（観智院本類聚名義抄／法上 072-5）

▶番号0989b「沒」（日沒）の仮名音注「モツ」については、基本的に -ot で対応する。当該字には入声点を差す。図書寮本類聚名義抄に入声濁点を付した同音字注「音歿」および低平調と推測する和音「モチ」を見出す。観智院本には同音字注「音歿」（その右注には墨筆で仮名音注「モチ」）を見つける。同書の凡例部分「朱音者正音也墨声者和音也」（篇目 7-6）に従えば、朱墨で正音と和音を分別する傾向がある。日本漢音は入声、日本呉音「モチ」入声を認める。

　　　淪沒 … 下音歿［入濁］溺也 … イレテ［上平上／記：右注］…　　（図書寮本類聚名義抄／020-5）

　　　殞沒 真云隠也 終也 … 和モチ［□平］　　　　　　　　　　　　（図書寮本類聚名義抄／022-1）

　　　沒 音歿［モチ：墨右注］イル［上平］… ツキヌ［上平上］　　　（観智院本類聚名義抄／法上 042-2）

　　　日沒 イリアヒ［上上□□］　　　　　　　　　　　　　　　　　（観智院本類聚名義抄／佛中 086-1）

《没韻 下巻諸例》

▶番号6794「楣」（楣）の仮名音注「ウン」については、異例 -un を示す。当該字「楣」には上声点を差し、右注「スキ」左注「俗用之非也」を付載するので、国字「椙」と誤認したか。廣韻の注記には「楣：楣桲果似樝也」（没韻 ʼuʌt）とあり、樹木の杉とは異なる。観智院本類聚名義抄に同音字注「音惲」（吻韻 ʼiuʌn²）を見出すが、仮名音注はない。この同音字注は切韻系韻書（王

一・王二・全王）からの引用によるもので、小韻代表字「惲」に属する「榲」と注記「柱」を確認する。元和本倭名類聚抄に掲げる「杉」においては、注記「今案俗用榲字非也榲音於粉反柱也見唐韻」があり、これは「俗に榲字を用いるが、本来は非であり、榲の字音は於粉反で柱を意味する。唐韻を見よ」と解釈できる。

榲 音惲 柱也 スキ　　　　　　　　　　　　　　　（観智院本類聚名義抄／佛下本 088-7）

杉 音衫［平］一音纖［平］／スキ［上上濁］榲非也　（観智院本類聚名義抄／佛下本 088-7）

榲榑 スキクレ［上上濁□□］　　　　　　　　　　　（観智院本類聚名義抄／佛下本 113-8）

杉　爾雅音義云杉 音衫一音纖和名須木見日本紀私記今案俗用字非也榲音於粉反柱也見唐韻

　　　　　　　　　　　　　　　　　　　　　　　　（元和本倭名類聚抄／巻二十 25 オ 3）

頠 内頭水中 烏沒切九 … 榲 榲梓果似櫨也 …　　　　　　　（宋本廣韻／影母没韻）

惲 於粉反厚重七 … 榲 柱　　　　　　　（唐寫全本王仁昫刊謬補缺切韻／影母吻韻）

▶番号 3621a・5090b「骨」（骨鯁・竒骨）の仮名音注「コツ」については、基本的に -ot で対応する。両当該字には入声点を差す。上巻の没韻当該諸例で分析したように、日本漢音「コツ」徳声（四声体系では入声）を認める。

▶番号 3631a・3647a・3698a・3713a・3901b「骨」（骨肉・骨髄・骨法・骨張・天骨）の仮名音注「コツ」については、基本的に -ot で対応する。当該諸字五例に声点はない。上述の分析を参照。

▶番号 3557a「兀」（兀子）の仮名音注「コツ［上上］」については、基本的に -ot で対応する。当該字には入声濁点を差し、その仮名音注は上平調の差声を示すので、字音「ゴツ」徳声（入声軽）を想定する。その中古音が示す頭子音 ŋ-（等韻学の術語で言う牙音清濁疑母）は軟口蓋鼻音であり、日本語のガ行音をもって受容する。熟字 3557「兀子」は左注「公卿座也」を付載する。観智院本類聚名義抄に反切「五骨反」を見出すが、仮名音注はない。

兀 … 五骨反 高而上平／シッカニ［平平濁□□］－欤　（観智院本類聚名義抄／佛下末 014-6）

▶番号 3692a・3699a「忽」（忽焉・忽忘）の仮名音注「コツ」については、基本的に -ot で対応する。両当該字には入声点を差す。熟字 3692「忽焉」は右傍「タチマチナリ」を付載する。図書寮本類聚名義抄に反切「弘云呼没反」（その反切下字に入声点）を見出す。観智院本には反切「呼没反」（その反切下字に入声濁点）および和音「コツ」を見つける。日本漢音は入声、日本呉音「コツ」を認める。

忽 弘云呼没［□入］反 … タチマチニ［平上□平平／記：右注］…　（図書寮本類聚名義抄／249-1）

忽 呼没［□入濁］反 タチマチ［平上□□］… 和コツ　（観智院本類聚名義抄／法中 083-1）

▶番号 3700a「忽」（忽尒）の仮名音注「コツ」については、基本的に -ot で対応する。当該字に声点はない。上述の分析を参照。

▶番号 5430「笏」（笏）の仮名音注「コツ」については、基本的に -ot で対応する。当該字に

324　3．仮名音注の韻母別考察　3-1　Ⅰ韻類

は入声点を差す。観智院本類聚名義抄に同音字注「音勿・音忽」を見出すが、仮名音注はない。別
途「俗云シヤク［平平平］」を併載するが、笏の長さ一尺に由来すると言われ、本来の字音ではな
い。現行多くの漢和辞典は慣用音「シヤク」とする。元和本倭名類聚抄には同音字注「音忽」と「俗
云尺」がある。

　　　笏　音勿　　　　　　　　　　　　　　　　　（観智院本類聚名義抄／僧上061-8）
　　　笏　音忽 官所執／俗云 シヤク［平平平］　　　（観智院本類聚名義抄／僧上073-5）
　　　笏　四聲字苑云笏 音忽俗云尺 …　　　　　　（元和本倭名類聚抄／巻十四01 禹2）

　▶番号4644b「卒」（倉卒）の仮名音注「ソツ」については、基本的に -ot で対応する。当該字
には入声点を差す。熟字4644「倉卒」は右注「タチマチ」を付載する。上巻の没韻当該諸例で分析
したように、日本漢音は入声、日本呉音「ソチ」入声を認める。

　▶番号6336b「突」（蜜突）の仮名音注「トツ」については、基本的に -ot で対応する。当該字
に声点はない。上巻の没韻当該諸例で分析した。

　▶番号6447a「沒」（沒藥）の仮名音注「モツ」については、基本的に -ot で対応する。当該字
に声点はない。上巻の没韻当該例で分析したように、日本呉音「モチ」を認める。

　3-1-2-8　-ʌŋ/-ʌk（登/等/嶝/徳韻）

　資料篇【表B-02】には登韻（平声）等韻（上声）嶝韻（去声）徳韻（入声）所属の諸例が含まれ
る。前田本の示す仮名音注は、-oŭ/-ok で基本的に対応する。異例として -o, -wan, -uk, -jok があ
る。

　《登韻　上巻諸例》

　▶番号0766b「僧」（伴僧）の仮名音注「ソウ」については、基本的に -oŭ で対応する。当該字
には上声濁点を差すので、日本語音韻史上の連濁による字音「ゾウ」を想定する。観智院本類聚名
義抄に反切「蘇曽反」（その反切下字に東声点）および低平調を示す和音「ソウ」（右傍に朱筆で
「✓」を付載）を見出す。承暦本金光明最勝王経音義には「ソ✓」がある。末子音である喉内撥音
韻尾 -ŋ「✓」表記を特徴とする。日本漢音は東声、日本呉音「ソウ」平声を認める。

　　　僧　蘇曽［□東］反 カハラク［上上上平濁］… 和音ソウ［平平／✓□：朱右傍］
　　　〔＊「✓」表記は「ウ」の右傍とすべきか〕　　　（観智院本類聚名義抄／佛上002-1）
　　　僧　ソ✓　　　　　　　　　　　　　　　　（承暦本金光明最勝王経音義／02 オ6）

　▶番号1018c「僧」（入寺僧）の仮名音注「ソウ」については、基本的に -oŭ で対応する。当該
字に声点はない。上述の分析を参照。

3-1-2 -ʌ系の字音的特徴　325

▶番号0762b「増」（倍増）の仮名音注「ソウ」については、基本的に -oū で対応する。当該字には去声濁点を差すので、日本語音韻史上の連濁による字音「ゾウ」を想定する。廣韻に拠れば、登/嶝韻 (tsʌŋ$^{1/3}$) 二音を有する。その頭子音 ts-（等韻学の術語で言う精母）は無声無気歯茎破擦音であり、日本語のサ行音をもって受容する。現行多くの漢和辞典が慣用音「ゾウ」を認定するが、これは諧声符「曽」（従母登韻 dzʌŋ^1）による字音把握か。図書寮本類聚名義抄に平声点を付した同音字注「音曽」と反切「真云作僧反」を見出す。観智院本には上昇調を示す和音「ソウ」を見つける。日本漢音は平声、日本呉音「ソウ」去声を認める。

　　　増 音曽［平］弘云益也 … 真云マス丶丶［上上平平］　　　　　　（図書寮本類聚名義抄／223-1）

　　　増上縁 真云上作僧反 益也 加也 …　　　　　　　　　　　　　　（図書寮本類聚名義抄／223-1）

　　　増 マス マサル … 和ソウ［平上：墨点］　　　　　（観智院本類聚名義抄／法中 066-7）

▶番号0957「憎」（憎）の仮名音注「ソウ」については、基本的に -oū で対応する。当該字には平声点を差し、和訓「ニクム」の同訓異字として位置する。図書寮本類聚名義抄に反切「季云音曽」（その反切下字に東声点）を見出す。観智院本には平声点と去声濁点を付した同音字注「音曽」を見つけるが、仮名音注はない。その中古音が示す頭子音 ts-（等韻学の術語で言う精母）を日本語の濁音で把握することはないので、去声濁点の付載は不審と言える。現行多くの漢和辞典が慣用音「ゾウ」を認定するが、これは諧声符「曽」（従母登韻 dzʌŋ^1）による字音把握か。日本漢音は東声（四声体系では平声）を認める。

　　　憎 季云音曽［東］… ニクム［平平上／詩：右注］　　　　　（図書寮本類聚名義抄／249-5）

　　　憎 音曽［平・去濁］ニクム［平平上］ソネム／坪也 難也　　（観智院本類聚名義抄／法中 101-2）

▶番号1429a・1569・1584a・1585a・1590a・1635a・1639a「登」（登華殿・登睦・登壇・登霞・登用・登省・登天）の仮名音注「トウ」については、基本的に -oū で対応する。当該諸字七例には平声点を差す。熟字1569「登睦」は右傍「スナハチ」を付載する。図書寮本類聚名義抄に平声点を付した同音字注「音燈」を見出す。観智院本には同音字注「音燈」を見つける。長承本蒙求には仮名音注「トウ」があり、その掲出字に東声点を加える。日本漢音「トウ」東声（四声体系では平声）を認める。

　　　不登 音燈［平］ノホル［上上濁平／異：右注］… アク［上平濁／集：右注］

　　　　　　　　　　　　　　　　　　　　　　　　　　　　　　　（図書寮本類聚名義抄／129-6）

　　　登 音燈 ノホル［上上濁平］… アク［上平濁］　　　（観智院本類聚名義抄／法上 095-5）

　　　登［東］トウ　　　　　　　　　　　　　　　　　　　　　　（長承本蒙求／110）

▶番号1614a「登」（登臨）の仮名音注「トウ」については、基本的に -oū で対応する。当該字には去声点を差す。上述の分析を参照。

▶番号1701a「登」（登美）の仮名音注「ト」については、異例 -o を示す。当該字に声点はない。熟字1701「登美」は度篇姓氏部に属する。借字「登」はト乙類で頻用する。元和本倭名類聚抄

326　3．仮名音注の韻母別考察　3-1　I韻類

が掲げる地名「登米・登利・登志」において、借字「止・鳥」（ト乙類）と「度」（ト甲類）を見出す。

　　　陸奥國 … 登米 止與米　　　　　　　　　　　　　　（元和本倭名類聚抄／巻五18ウ4）

　　　土佐國 … 長岡郡 登利 鳥加利　　　　　　　　　　（元和本倭名類聚抄／巻九10ウ1）

　　　土佐國 … 志摩郡 … 登志 度之　　　　　　　　　　（元和本倭名類聚抄／巻九09ウ3）

　▶番号1491・1659a「燈」（燈・燈燭）の仮名音注「トウ」については、基本的に -oū で対応する。両当該字には平声点を差す。番号1491「燈」は右注「百丈 常生」中注「トモシヒ」左注「九枝」を付載する。観智院本類聚名義抄に同音字注「音登」を見出すが、仮名音注はない。

　　　燈 音登 熊属 トモシヒ［平平平平濁／□ホ□□：墨右傍］／アフラヒ

　　　　　　　　　　　　　　　　　　　　　　　　　　（観智院本類聚名義抄／佛下末052-2）

　▶番号1494a・1495a・1496a・1580a・1660a「燈」（燈心・燈臺・燈爐・燈明・燈爐）の仮名音注「トウ」については、基本的に -oū で対応する。当該諸字五例には去声点を差す。熟字1495「燈臺」は右注「トウタイ俗」を、熟字1496「燈爐」は右注「トウロ俗」を付載する。観智院本類聚名義抄に「俗トウロ」を見出す。これら俗表記は定着久しい字音と推測する。元和本倭名類聚抄は熟字「燈心」に対して借字による和名「度宇之美心音訛也」を掲げる。上述の分析を参照。

　　　燈籠 俗トウロ［□平上］　燈爐 同　　　　　　　（観智院本類聚名義抄／佛下末052-2）

　　　燈械 下音戒　　　　　　　　　　　　　　　　　　（観智院本類聚名義抄／佛下末052-3）

　　　燈明 オホミアカシ　　　　　　　　　　　　　　　（観智院本類聚名義抄／佛下末052-3）

　　　燈心　考聲切韻云炷 音主又去声和名度字之美心音訛也 燈心也

　　　　　　　　　　　　　　　　　　　　　　　　　　（元和本倭名類聚抄／巻十二12ウ4）

　▶番号1497a・1498a「燈」（燈械・燈擎）の仮名音注「トウ」については、基本的に -oū で対応する。両当該字に声点はない。熟字1498「燈擎」は右注「同（トウカイ）」を付載する。上述の分析を参照。

　▶番号1668a「騰」（騰躍）の仮名音注「トウ」については、基本的に -oū で対応する。当該字には平声点を差す。熟字1668「騰躍」は右傍「アカリ ヲトル」を付載する。観智院本類聚名義抄に平声点を付した同音字注「藤」〔＊艹+騰を修正〕を見出すが、仮名音注はない。長承本蒙求には仮名音注「トウ」があり、その掲出字に平声点を加える。日本漢音「トウ」平声を認める。

　　　騰 音藤［平］アカル［平平濁□］… ハフ［平上］　（観智院本類聚名義抄／佛中123-6）

　　　騰［平］トウ　　　　　　　　　　　　　　　　　　（長承本蒙求／057）

　▶番号1669a「藤」（藤花）の仮名音注「トウ」については、基本的に -oū で対応する。当該字には平声点を差す。観智院本類聚名義抄に同音字注「騰」を見出すが、仮名音注はない。

　　　藤 … 音／騰 フチ［上□］　　　　　　　　　　　（観智院本類聚名義抄／僧上040-7）

　▶番号0331b・3081b「能」（異能）の仮名音注「ノウ」については、基本的に -oū で対応す

る。当該字には平声点を差す。廣韻に拠れば、登/等韻（nʌŋ$^{1/2}$）二音を有する。図書寮本類聚名義抄に反切「玉云奴登反」（その反切下字に平声点）を見出す。観智院本には同音字注「奴登反・乃登反」および低平調と推測する和音「ノウ」を見つける。日本漢音は平声、日本呉音「ノウ」平声を認める。

能 玉云奴登［□平］反 ヨク［去平／記：右注］ヨウス［去平平］　　　（図書寮本類聚名義抄／133-4）

能 奴登反 ヨク［去平／□シ［上］：墨右傍］…　　　　　　　（観智院本類聚名義抄／法上 097-4）

能 … 乃登反 熊属 ヨシ［平上］和ノウ［平□：墨点］　　　（観智院本類聚名義抄／僧下 080-2）

　▶番号 3081b「能」（堪能）の仮名音注「ノウ」については、基本的に -oǔ で対応する。当該字には上声点を差す。上述の分析を参照。

　▶番号 0372a・3163a「能」（能義・能美）の仮名音注「ノ」については、異例 -o を示す。熟字 0372「能義」は伊篇国郡部の出雲に、熟字 3163「能美」は加篇國郡部の加賀に属する地名である。元和本倭名類聚抄には熟字「能義」と借字「乃木」を見出す。

加賀國 … 能美 國府　　　　　　　　　　　　　　　　　（元和本倭名類聚抄／巻五 19 ウ 6）

出雲國 … 能義 乃木　　　　　　　　　　　　　　　　　（元和本倭名類聚抄／巻五 21 ウ 9）

　▶番号 1626b「朋」（同朋）の仮名音注「ホウ」については、基本的に -oǔ で対応する。当該字には平声濁点を差すので、字音「ボウ」を想定する。日本語音韻史上の連濁による字音「ボウ」の可能性もある。その中古音が示す頭子音 b-（等韻学の術語では脣音濁並母）は日本語のバ行音をもって受容するが、中国語音韻史上における濁音声母の無声化を反映する場合はハ行音で対応する。観智院本類聚名義抄に反切「歩崩反」および和音「ホウ」を見出す。日本呉音「ホウ」を認める。

朋 歩崩反 ムラカル／トモ 和ホウ　　　　　　　　（観智院本類聚名義抄／佛中 138-1）

　▶番号 1217a「朋」（朋友）の仮名音注「ホウ」については、基本的に -oǔ で対応する。当該字には去声濁点を差すので、字音「ボウ」を想定する。

　▶番号 1084「崩」（崩）の仮名音注「ホウ［上平］」については、基本的に -oǔ で対応する。当該字には平声点を差す。その仮名音注は右注「ホウス［上平上濁］」下降調（東声か）を示すサ変動詞を付載する。図書寮本類聚名義抄に反切「中云北勝反」および上平調を示す「真云ホウ」（「ウ」に喉内撥音韻尾「✓」表記）を見出す。観智院本には反切「北朋反」（その反切下字に平声点）および和音「ホウ」を見つける。日本漢音は平声、日本呉音「ホウ」上声を認める。

崩 中云北勝反 … クツル［平平濁上／詩：右注］真云ホウ［上上／□✓］

　　　　　　　　　　　　　　　　　　　　　　　　　　　　（図書寮本類聚名義抄／138-4）

崩 北朋［□平］反 クツル［平平上］… 和ホウ　　　（観智院本類聚名義抄／法上 110-1）

《登韻 下巻諸例》

328 　3. 仮名音注の韻母別考察　3-1　Ⅰ韻類

▶番号 5260「摑」（摑）の仮名音注「クワン」については、異例 -wan を示す。当該字に声点はなく、右左注「ユミハリ／急也」を付載する。当該字「摑」（登/嶝韻 kʌŋ¹ᐟ³）を「桓」（桓韻 ɣuɑn¹）と誤認した字音把握か。観智院本類聚名義抄に反切「古鄧反」を見出すが、仮名音注はない。

　　　摑 古鄧反 急／リ　　　　　　　　　　　　　　　（観智院本類聚名義抄／佛下本 062-3）

▶番号 6096a「曽」（曽孫）の仮名音注「ソウ」については、基本的に -oū で対応する。当該字には平声点を差す。熟字 6096「曽孫」は右注「ヒミコ」中左注「孫之子／為曽孫」を付載する。観智院本類聚名義抄に反切「昨稜反」と同音字注「音増」を見出す。長承本蒙求には仮名音注「ソウ」があり、その掲出字には東声点を加える。日本漢音「ソウ」東声（四声体系では平声）を認める。

　　　曽 昨稜反 ムカシ［上上□］… カサヌ［上上□］　　　（観智院本類聚名義抄／佛中 100-4）

　　　曽 音増 カツテ［平平□］ムカシ … ソノカミ 曾 正　（観智院本類聚名義抄／佛下末 027-6）

　　　曽孫 ヒヽコ　　　　　　　　　　　　　　　　　　（観智院本類聚名義抄／法下 140-1）

　　　曽［東］ソウ　　　　　　　　　　　　　　　　　　　　　　　　（長承本蒙求／129）

　　　曾孫 爾雅云孫之子爲曾孫 和名比々古 一云曾踈也 　　（元和本倭名類聚抄／巻二 17 ウ 4）

▶番号 3734b「曽」（許曽倍）の仮名音注「ソ」については、異例 -o を示す。熟字 3734「許曽倍」は古篇姓氏部に属する人名である。借字としての「曽」はソ乙類である。上述の分析を参照。

　　　餘［上］与［平］多［上］太［平］連［平］礼［上］曽［上］祖［平］…

　　　　　　　　　　　　　　　　　　　　　　　　　　（承暦本金光明最勝王経音義／01 ウ 3）

▶番号 3313「層」（層）の仮名音注「ソウ」については、基本的に -oū で対応する。当該字には平声点を差し、右注「コシ 昨稜反」右注「塔層重屋也」を付載する。観智院本類聚名義抄に反切「昨徒反」〔＊昨稜反の誤認か〕と平声点を付した同音字注「一音曽」を見出すが、仮名音注はない。元和本倭名類聚抄には反切「昨稜反」がある。日本漢音は平声を認める。

　　　層 昨徒反 一音曽［平］シナ カサヌ［上上平］… タカシ　　（観智院本類聚名義抄／法下 089-2）

　　　層 … 唐韻云音昨稜反一々曾重屋也 和名太布乃古之 　（元和本倭名類聚抄／巻十三 01 ウ 6）

▶番号 5327b・5329b「僧」（請僧・従僧）の仮名音注「ソウ」については、基本的に -oū で対応する。両当該字に声点はない。上巻の登韻当該諸例で分析したように、日本呉音「ソウ」平声を認める。

▶番号 4263「罾」（罾）の仮名音注「ソウ」については、基本的に -oū で対応する。当該字には平声点を差し、和訓「アミ」の同訓異字として位置する。観智院本類聚名義抄に同音字注「音増」を見出すが、仮名音注はない。

　　　罾 … 音増 魚网　　　　　　　　　　　　　　　　（観智院本類聚名義抄／僧中 007-4）

▶番号 5773b「燈」（燈掌）の仮名音注「トウ」については、基本的に -oū で対応する。当該字に声点はない。上巻の登韻当該諸例で分析した。

▶番号 6300b「騰」（飛騰）の仮名音注「トウ」については、基本的に -oū で対応する。当該字

3-1-2 -ʌ系の字音的特徴　329

には平声点を差す。熟字6300「飛騰」は右傍「トヒ　アカル」を付載する。上巻の登韻当該例で分析したように、日本漢音「トウ」平声を認める。

　▶番号3717b「藤」（紅藤）の仮名音注「トウ」については、基本的に -oū で対応する。当該字には平声点を差す。上巻の登韻当該例で分析した。

　▶番号4071「堋」（堋）の仮名音注「ホウ」については、基本的に -oū で対応する。当該字には平声点を差し、右注「同（アツチ）」を付載する。弓の的を掛けるために弓場の正面に設置する山形の盛り土を指す。意味が類似する「坡・陂」との混乱が起きたか。詳細は不明。観智院本類聚名義抄に同音字注「音陂」を見出すが、疑義がある。図書寮本には同音字注「音朋」を見つける。元和本倭名類聚抄には同音字注「音朋」がある。

　　堋 川云／音朋 …　　　　　　　　　　　　　　　　（図書寮本類聚名義抄／218-7）

　　堋 音陂 過／アツチ［上上濁上］　　　　　　　　　（観智院本類聚名義抄／法中062-6）

　　坡 陂二正 彼彼反／上又頗音 ツ、ミ［上上上］　　　（観智院本類聚名義抄／法中054-7）

　　射堁 唐韻云堁 他果反字亦作堁楊氏漢語抄云射堁以久波止古路世間云阿無豆知今案又用堋字音朋 …

　　　　　　　　　　　　　　　　　　　　　　　　　（元和本倭名類聚抄／巻四03ウ1）

《等韻　上巻諸例》

　▶番号1564・1603a・1623a「等」（等・等閑・等輩）の仮名音注「トウ」については、基本的に -oū で対応する。当該諸字三例には上声点を差す。番号1564「等」は和訓「トモカラ」の同訓異字として位置する。観智院本類聚名義抄に反切「得肯反」および低平調と推測する和音「トウ」を見出す。日本呉音「トウ」平声を認める。

　　等 … 得肯反 ラ［上］… 又都怠反 トモカラ［上上上濁上］和トウ［□平］

　　　　　　　　　　　　　　　　　　　　　　　　　（観智院本類聚名義抄／僧上079-2）

　▶番号1629a・1658a・1674a「等」（等倫・等分・等同）の仮名音注「トウ」については、基本的に -oū で対応する。当該諸字三例には平声点を差す。上述の分析を参照。

　▶番号1675b「等」（同等）の仮名音注「トウ」については、基本的に -oū で対応する。当該字には去声濁点を差すので、日本語音韻史上の連濁による字音「ドウ」を想定する。上述の分析を参照。

《等韻　下巻諸例》

　▶番号6311b「等」（平等）の仮名音注「トウ」については、基本的に -oū で対応する。当該字には平声濁点を差すので、連濁による字音「ドウ」を想定する。上巻の等韻当該諸例で分析したよ

330　3．仮名音注の韻母別考察　3-1　Ⅰ韻類

うに、日本呉音「トウ」平声を認める。

《嶝韻　上巻諸例》

該当例なし。

《嶝韻　下巻諸例》

▶番号4138b「鐙」（羡鐙肉）の仮名音注「トウ」については、基本的に -oŭ で対応する。当該字には去声点を差す。熟字4138「羡鐙肉」は右注「アフミスリ」を付載する。観智院本類聚名義抄に同音字注「音登」と反切「又都鄧反」を見出すが、仮名音注はない。元和本倭名類聚抄には反切「都鄧反」がある。

　　鐙 音登 又都鄧反 アフミ［平平濁平］／タツキ　　　　　　（観智院本類聚名義抄／僧上 130-4）
　　鐙　蒋魴切韻云鐙 都鄧反和名阿布美 鞍両邊承脚具也　　（元和本倭名類聚抄／巻十五 02 ウ 7）
　　承鐙肉　李緒相馬經云承鐙肉欲垂 承鐙肉俗云阿布美須利

　　　　　　　　　　　　　　　　　　　　　　　　　　（元和本倭名類聚抄／巻十一 14 オ 3）

▶番号4434「嶝」（嶝）の仮名音注「トウ」については、基本的に -oŭ で対応する。当該字には去声点を差し、その右注「サカ」左注「都鄧反」を付載する。元和本倭名類聚抄には反切「都鄧反」を見出す。

　　嶝 ノホル サカ　　　　　　　　　　　　　　　　　　（観智院本類聚名義抄／法上 121-3）
　　嶝　唐韻云坂地險也 和名左加 嶝小坂也都鄧反　　　　（元和本倭名類聚抄／巻一 07 オ 9）

《徳韻　上巻諸例》

▶番号0431b「尅」（漏尅）の仮名音注「コク」については、基本的に -ok で対応する。当該字には入声点を差す。当該字「尅」と「剋」とは相互に異体字である。観智院本類聚名義抄に同音字注「音刻」を見出す。長承本蒙求には仮名音注「コク」があり、その掲出字には徳声点を加える。日本漢音「コク」徳声（四声体系では入声）を認める。

　　剋 音刻 ハタス ツトム［平平上］カツ［平上］…　　　　（観智院本類聚名義抄／僧上 093-5）
　　尅［徳］コク　　　　　　　　　　　　　　　　　　　　（長承本蒙求／084）

▶番号0460b「尅」（漏尅）の仮名音注「コク」については、基本的に -ok で対応する。当該字に声点はない。上述の分析を参照。

▶番号0596a・0679a「黒」（黒子・黒歯）の仮名音注「コク」については、基本的に -ok で対

応する。両当該字には入声点を差す。熟字 0596「黒子」は右注「ハミクソ」を、熟字 0679「黒齒」は右注「ハクロメ」を付載する。観智院本類聚名義抄に反切「呼得反」および低平調と推測する和音「コク」を見出す。日本呉音「コク」入声を認める。

黒 呼得反 クロシ [平平□] ／和コク [□平] …	（観智院本類聚名義抄／法下末 053-8）
黒子 ハミクソ [上上上上]	（観智院本類聚名義抄／法下 137-8）
黒子 漢書云黒子 和名波々久曾 …	（元和本倭名類聚抄／巻三 27 ウ 5）
黒齒 文選云黒齒 … 俗云波久路女 …	（元和本倭名類聚抄／巻十四 05 ウ 6）

▶番号 0235b「則」（夷則）の仮名音注「ソク」については、基本的に -ok で対応する。当該字には入声点を差す。観智院本類聚名義抄に反切「子徳反」二例を見出すが、仮名音注はない。

則 子徳反 スナハチ／ノトル ノリ ナスラフ	（観智院本類聚名義抄／法下本 020-6）
則 子徳反 ノリ [上平] ノトル [上平上] … スナハチ [平平□□]	
	（観智院本類聚名義抄／僧上 094-4）

▶番号 3043b「賊」（海賊）の仮名音注「ソク」については、基本的に -ok で対応する。当該字には入声濁点を差すので、字音「ゾク」を想定する。その中古音が示す頭子音 dz-（等韻学の術語で言う歯音濁従母）は有声歯茎破擦音であり、日本語のザ行音をもって受容するが、中国語音韻史上における濁音声母の無声化を反映する場合はサ行音で対応する。観智院本類聚名義抄に反切「昨則反・辭則反」および和音「ソク」を見出す。日本呉音「ソク」を認める。

賊 昨則反 ヌスム [右傍：□□ミ] カミ／アタ 和ソク	（観智院本類聚名義抄／佛下本 020-2）
賊 辭則反 ヤフル [平平濁上] ウツ [上上]	（観智院本類聚名義抄／僧中 041-6）
海賊 カイソク [平平□□]	（観智院本類聚名義抄／僧中 041-6）

▶番号 0094b・1434b「賊」（烏賊・木賊）の仮名音注「ソク」については、基本的に -ok で対応する。両当該字には入声点を差す。熟字 0094「烏賊」は右注「イカ」を、熟字 1434「木賊」は右注「トクサ」を付載する。上述の分析を参照。

木賊 トクサ [平平平]	（観智院本類聚名義抄／僧中 041-6）
烏賊 イカ [上上]	（観智院本類聚名義抄／僧中 041-7）
木賊 辨色立成云木賊 度久散	（元和本倭名類聚抄／巻十五 15 オ 2）
烏賊 南越志云烏賊 … 和名伊加 …	（元和本倭名類聚抄／巻十九 14 ウ 1）

▶番号 0584a「塞」（塞鼻）の仮名音注「ソク」については、基本的に -ok で対応する。当該字には入声点を差す。熟字 0584「塞鼻」は右注「ハナヒセ」を付載する。観智院本類聚名義抄に反切「蘇得反」および和音「ソク」を見出す。長承本蒙求には仮名音注「ソク」があり、その掲出字には徳声点を加える。承暦本金光明最勝王経音義には仮名音注「ソク」を見つける。日本漢音「ソク」徳声（四声体系では入声）日本呉音「ソク」を認める。

塞 蘇得反 ツヒヤス [上上上□] 道又音賽 … 和ソク	（観智院本類聚名義抄／法中 067-6）

332　3．仮名音注の韻母別考察　3-1　Ⅰ韻類

　　塞［徳］ソク　　　　　　　　　　　　　　　　　　　（長承本蒙求／046）

　　塞 ソク［：右傍］〔＊後筆墨書〕　　　　　　　（承暦本金光明最勝王経音義／10 オ 6）

　　塞鼻　釋名云鼻塞日齆 音一共反和名波奈比世 …　　　（元和本倭名類聚抄／巻三 18 オ 4）

　▶番号 1576a・1621a・1622a・1678a「得」（得酒・得替・得意・得失）の仮名音注「トク」については、基本的に -ok で対応する。当該諸字四例には入声点を差す。観智院本類聚名義抄に反切「都勒反」（その反切下字に入声点）および和音「トク」を見出す。傍証ながら、承暦本金光明最勝王経音義は「㝵」に同音字注「得音」を注記し、その掲出字に入声点を加える。日本漢音は入声、日本呉音「トク」入声を認める。

　　得 都勒［□入］反 ウ［去］… 和トク　　　　　　（観智院本類聚名義抄／佛上 037-1）

　　㝵［入］得ミ　　　　　　　　　　　　　　　　　（承暦本金光明最勝王経音義／09 ウ 2）

　▶番号 1470・1700a・1702「得」（得・得遷・得）の仮名音注「トク」については、基本的に -ok で対応する。当該諸字三例に声点はない。上述の分析を参照。

　▶番号 1630a・1640a・1641a・1680a「德」（德望・德誇・德化・德行）の仮名音注「トク」については、基本的に -ok で対応する。当該諸字四例には入声点を差す。観智院本類聚名義抄に反切「多勒反」（その反切下字に入声点）および和音「トク」を見出す。長承本蒙求に仮名音注はないが、徳声点二例と入声点二例がある。日本漢音は徳声（四声体系では入声）日本呉音「トク」を認める。

　　德 多勒［□入］反 ノリ［上平］サイハイ … 和トク　　　（観智院本類聚名義抄／佛上 036-8）

　　徳［徳］　　　　　　　　　　　　　　　　　　　（長承本蒙求／025・047）

　　徳［入］　　　　　　　　　　　　　　　　　　　（長承本蒙求／092・100）

　▶番号 1050b・1598b・1664b・2129b「德」（六德・土德・通德・六德）の仮名音注「トク」については、基本的に -ok で対応する。当該諸字四例には入声点を差す。総画数十四「德」と同十五「德」とは相互に異体字である。上述の分析を参照。

　▶番号 0156b「德」（壱德塩）の仮名音注「トク」については、基本的に -ok で対応する。当該字に声点はない。上述の分析を参照。

　　沙陁調曲 … 壹德鹽　曹婆筑　紫諸懸　　　　　（元和本倭名類聚抄／巻四 15 オ 2）

　▶番号 1703「德」（德）の仮名音注「トク」については、基本的に -ok で対応する。当該字に声点はなく、右注「同（トク）」仮名音注を付載する。度篇の名字部に属する。上述の分析を参照。

　▶番号 1149a・1150a「北」（北辰・北斗）の仮名音注「ホク」については、基本的に -ok で対応する。両当該字には入声点を差す。図書寮本類聚名義抄に反切「玉云補黙反」（その反切下字に徳声点）を見出す。観智院本には反切「補黙」〔＊「反」表記なし〕および和音「ホク」を見つける。日本漢音は徳声（四声体系では入声）日本呉音「ホク」を認める。

　　北 玉云補黙［徳］反 …　　　　　　　　　　　（図書寮本類聚名義抄／134-6）

3-1-2 -ʌ系の字音的特徴 333

北 補黙 キタ［上平］ノカル［平上濁平］… 和ホク　　　　　（観智院本類聚名義抄／法上 099-4)

▶番号 1028a「北」（北斗）の仮名音注「ホク［上上］」については、基本的に -ok で対応する。当該字に声点はなく、その仮名音注に上平調を示す声点を差すので、徳声を想定する。熟字「北斗」は右注 1028「ホクトウ［上上上上］」左注 1029「ホクト」を付載する。上述の分析を参照。

▶番号 0979・1029a・1087a・1272a・3149b「北」（北・北斗・北庭樂・北狄・北野・丹北）の仮名音注「ホク」については、基本的に -ok で対応する。当該諸字五例に声点はない。番号 0979「北」は和訓「ニク」の同訓異字として位置する。熟字 1087「北庭樂」は右注「同（壹越調）」左注「无舞」を、熟字 3149「丹北」は右傍「タホク」左傍「タチヒ」を付載する。上述の分析を参照。

壹越調曲 … 北庭樂 …　　　　　　　　　　　　　　　（元和本倭名類聚抄／巻四 14 オ 9)

河内國 … 丹比 太知比爲丹南爲丹北　　　　　　　　　　（元和本倭名類聚抄／巻五 11 オ 6)

▶番号 1264a「墨」（墨子）の仮名音注「ホク」については、基本的に -ok で対応する。当該字には入声濁点を差すので、字音「ボク」を想定する。その中古音が示す頭子音 m-（等韻学の術語で言う明母）は両唇鼻音であり、日本語のマ行音をもって受容する。ただし、中国語音韻史上における鼻音声母の非鼻音化（denasalization）現象により、m->mb->b- の音変化をする。原則的に、この影響を受けた日本漢音はバ行音で対応する。観智院本類聚名義抄に反切「莫北反」および和音「モク」二例（うち一例に低平調を示す墨点）を見出す。長承本蒙求には仮名音注「ホク」があり、その掲出字には入声点を加える。日本漢音「ボク」入声、日本呉音「モク」入声を認める。

墨 川云目［入濁］和云須美［平平］…　　　　　　　　（図書寮本類聚名義抄／222-5)

墨 スミ［平平］／和モク［平平：墨点］　　　　　　（観智院本類聚名義抄／佛下末 054-8)

墨 莫北反 スミ／和モク　　　　　　　　　　　　　（観智院本類聚名義抄／法中 068-1)

墨〔＊墨 ← 黒〕［入］ホク　　　　　　　　　　　　　（長承本蒙求／009)

▶番号 2797「克」（克）の仮名音注「ヨク」については、異例 -jok を示す。当該字に声点はなく、和訓「カツ」の同訓異字として位置する。この右傍「ヨク」仮名音注は「コク」の誤認か。観智院本類聚名義抄に同音字注「音尅」を見出すが、仮名音注はない。

克 音尅 又作尅／ヨシ［去平］カツ［平上］マタシ　　（観智院本類聚名義抄／佛下末 017-2)

▶番号 0641a・0426「勒」（勒肚巾・勒）の仮名音注「ロク」については、基本的に -ok で対応する。両当該字には入声点を差す。熟字 0641「勒肚巾」は右注「ハラマキ」左注「肷イ本」を、番号 0426 は右注「ロクス」サ変動詞を付載する。観智院本類聚名義抄に反切「陵得反」および和音「ロク」を見出す。日本呉音「ロク」を認める。

勒 陵得反 オモツラ［平平上］和ロク　　　　　　　（観智院本類聚名義抄／僧上 085-1)

勒肚巾 楊氏漢語抄云勒肚巾 波良萬岐一云腹帶　　　（元和本倭名類聚抄／巻十二 25 オ 1)

▶番号 2761c「勒」（訶梨勒）の仮名音注「ロク」については、基本的に -ok で対応する。当該字に声点はない。梵語 harītakī の音訳「訶梨勒」を指す。上述の分析を参照。

334　3．仮名音注の韻母別考察　3-1　Ⅰ韻類

《德韻 下巻諸例》

▶番号3588a・3588b「尅」（尅ミ・尅ミ）の仮名音注「コク」については、基本的に -ok で対応する。上巻の德韻当該諸例で分析したように、日本漢音「コク」德声（四声体系では入声）を認める。

▶番号4054b「則」（夷則）の仮名音注「ソク」については、基本的に -ok で対応する。当該字には入声点を差す。上巻の德韻当該例で分析した。

▶番号3354a・5151b「特」（特牛・奇特）の仮名音注「トク」については、基本的に -ok で対応する。両当該字には入声点を差す。その中古音が示す頭子音 d-（等韻学の術語で言う舌音濁定母）は有声歯茎閉鎖音であり、日本語のダ行音をもって受容するが、中国語音韻史上における濁音声母の無声化を反映する場合はタ行音で対応する。熟字3354「特牛」は右注「コトヒ」左注「徒得反」を付載する。観智院本類聚名義抄に反切「徒得反」および和音「玍ク」二例を見出す。同書では和音「玍ウ・玍ク・玍ム・玍ン」があり、濁音の字音「ド」を含む表記である。承暦本金光明最勝王経音義には仮名音注「トク」がある。日本呉音「ドク」を認める。

　　　特 徒得反 コトニ［平上□］… 和玍ク　　　　　（観智院本類聚名義抄／佛下末002-6）

　　　特 コトヒ［平平平］… 和玍ク　　　　　　　　（観智院本類聚名義抄／佛下末002-6）

　　　特 トク［：右傍］〔＊後筆墨書〕　　　　　　　（承暦本金光明最勝王経音義／08 オ1）

　　　特牛　辨色立成云特牛 俗語云古度比 頭大牛也　　（元和本倭名類聚抄／巻十一09 ウ2）

▶番号6629b「德」（碩德）の仮名音注「トク」については、基本的に -ok で対応する。当該字には入声点を差す。上巻の德韻当該諸例で分析したように、日本漢音「トク」德声（四声体系では入声）日本呉音「トク」を認める。

▶番号3609b・5001b・6743b「德」（五德・九德・勢德）の仮名音注「トク」については、基本的に -ok で対応する。当該諸字三例に声点はない。上述の分析を参照。

▶番号5824b「得」（所得）の仮名音注「トク」については、基本的に -ok で対応する。当該字に声点はない。上巻の德韻当該諸例で分析したように、日本漢音は入声、日本呉音「トク」入声を認める。

▶番号5908c「得」（生天得果）の仮名音注「ト」については、異例 -o を示す。当該字に声点はない。熟字5908「生天得果」は右傍「シヤウテントクワ」を付載する。音変化 tokuka > toʔka に対応する促音無表記の仮名音注である。上述の分析を参照。

▶番号4123a「蔔」（蔔子）の仮名音注「フク」については、異例 -uk を示す。当該字に声点はない。熟字4123「蔔子」は右注「アケヒ」を付載する。当該字「蔔」と「菔」とは相互に異体字である。熟字「蘆菔」は大根（古名「おほね」）や清白・蘿蔔（大根の異称「すずしろ」）を指す。

3-1-2 -ʌ系の字音的特徴　335

観智院本類聚名義抄に和音「福」を見出すが、仮名音注はない。元和本倭名類聚抄には同音字注「音福」がある。異体字「𦜕」の字音を媒介として「フク」と把握した可能性がある。現行多くの漢和辞典は慣用音「フク」とする。

　　𦜕　步北反 蘆𦜕　蔔 或 アケヒ／和福　蘆𦜕 二音羅伏／オホネ

　　　　　　　　　　　　　　　　　　　　　　（観智院本類聚名義抄／僧上 034-5）

　　福　甫伏反 サイハヒ［平上上上／□□□□ス［上］］… キル　　（観智院本類聚名義抄／法下 008-1）

　　伏　音服 フス［平上］… クタル　　　　　　　　（観智院本類聚名義抄／佛上 013-6）

　　蔔子　本草注云蔔藤 上音福 …　　　　　　　　（元和本倭名類聚抄／巻十七 14 オ 5）

▶番号 6834・6838a「墨」（墨・墨斗）の仮名音注「ホク」については、基本的に -ok で対応する。両当該字には入声濁点を差す。番号 6834「墨」は右注「スミ」を、熟字 6838「墨斗」は右注「スミツホ」を付載する。上巻の德韻当該例で分析したように、日本漢音「ボク」入声、日本呉音「モク」入声を認める。

　　墨　蔣魴云墨 音目和名須美 以松烟和膠合成也 …　　（元和本倭名類聚抄／巻十三 09 オ 1）

　　墨斗　漢語抄云墨斗 須美都保　　　　　　　　（元和本倭名類聚抄／巻十五 13 オ 9）

▶番号 6839b「墨」（縄墨）の仮名音注「ホク」については、基本的に -ok で対応する。当該字に声点はない。熟字 6839「縄墨」は右注「スナハ」左注「スミナハ」を付載する。上述の分析を参照。

　　縄墨　内典云端直不曲喩如繩墨 … 縄墨和名須美奈波　　（元和本倭名類聚抄／巻十五 13 ウ 1）

▶番号 6477a「黙」（黙然）の仮名音注「モク」については、基本的に -ok で対応する。当該字に声点はない。その中古音が示す頭子音 m-（等韻学の術語で言う明母）は両唇鼻音であり、日本語のマ行音をもって受容する。ただし、中国語音韻史上における鼻音声母の非鼻音化現象によって、m- > mb- > b- の音変化をする。原則的に、この影響を受けた日本漢音はバ行音で対応する。観智院本類聚名義抄に入声濁点を付した同音字注「墨」を見出すが、仮名音注はない。日本漢音は入声を認める。

　　黙　音墨［入濁］モタル［平平濁□］　　　　　（観智院本類聚名義抄／佛下本 131-3）

▶番号 5493「勒」（勒）の仮名音注「ロク」については、基本的に -ok で対応する。当該字に声点はなく、和訓「シルス」の同訓異字として位置する。上巻の德韻当該諸例で分析したように、日本呉音「ロク」入声を認める。

▶番号 4286「朸」（朸）の仮名音注「ロク」については、基本的に -ok で対応する。当該字には入声点を差し、右注「アフコ」左注「杖也」右傍「ロク リヨク」を付載する。荷物を刺し通して肩に担ぐ棒、いわゆる天秤棒を指す。観智院本類聚名義抄に同音字注「音力」を見出すが、仮名音注はない。元和本倭名類聚抄には同音字注「音力」がある。

　　朸　音力 理也 隅也／アフコ［平平平］材也　　（観智院本類聚名義抄／佛下本 103-2）

336 　3．仮名音注の韻母別考察　3-1　Ⅰ韻類

　枛　聲類云枛 音力和名阿布古 杖名也　　　　　　　　　　（元和本倭名類聚抄／巻十四20 オ 6）

3-1-2-9　-uʌŋ/-uʌk（登/德韻）

　資料篇【表B-02】には登韻合口（平声）德韻合口（入声）所属の諸例が含まれる。もともと上声
と去声は存在しない。前田本の示す仮名音注は、-oū/-ok で基本的に対応する。異例として -wak,
-ou がある。

　《登韻合口　上巻諸例》

　▶番号1747b「肱」（肱股）の仮名音注「コウ」については、基本的に -oū で対応する。当該字
には上声点を差す。観智院本類聚名義抄に反切「古弘反」および和音「洪」（東韻 ɣʌuŋ'）を見出
す。和音を仮名音注でなく、同音字注によった理由は不明である。登韻合口字は所属数が少ない（廣
韻が示す小韻代表字は「弘・肱・薨」のみ）ため、同音字注の選択に苦慮する状況があり、近似し
た字音を有する「洪」を付載したか。元和本倭名類聚抄には反切「古弘反」がある。
　　肱 古弘反 カヒチ／ヒチ［上平濁］モ、和洪　　　　　　　（観智院本類聚名義抄／佛中 135-1）
　　臂　廣雅云臂 音秘 謂之肱 古弘反 …　　　　　　　　　　（元和本倭名類聚抄／巻三 13 ウ 8）

　《登韻合口　下巻諸例》

　▶番号3619b「肱」（肱股）の仮名音注「コウ」については、基本的に -oū で対応する。当該字
には平声点を差す。熟字3619「肱股」は右傍「モ、ヒチ」を付載する。上巻の等韻合口当該例で分
析した。
　▶番号6120「肱」（肱）の仮名音注「トウ」については、基本的に -oū で対応する。当該字に
は平声点を差し、右注「同（ヒチ）」左注「古弘反」右傍「トウ」仮名音注を付載する。この「ト
ウ」は誤認か。詳細不明。上述の分析を参照。
　▶番号3716b「肱」（曲肱）の仮名音注「コウ」については、基本的に -oū で対応する。当該字
声点はない。熟字3716「曲肱」は右傍「マク ヒチヲ」を付載する。上述の分析を参照。
　▶番号3317a「弘」（弘徽殿）の仮名音注「コウ」については、基本的に -oū で対応する。当該
字には平声点を差す。観智院本類聚名義抄に反切「胡肱反」および和音「具ウ」（その右傍には朱
筆で喉内撥音韻尾 -ŋ「✓」表記）を見出す。同書の和音においては濁音表記として「具」を用いる
ことがある。観智院本で「具」を再検索すると、朱筆の濁音「✓」表記を付した和音「ク」を見つ
ける。長承本蒙求には仮名音注「コウ」三例があり、それらの掲出字に平声点を加える。日本漢音

「コウ」平声、日本呉音「グウ」を認める。

    弘 … 胡肱反／ヒロシ [平平囗] … 和具ウ [囗✓：朱右傍]   （観智院本類聚名義抄／僧中 027-2)

    具 ソナハル [平平上平] … 和ク [平／✓：朱右傍]   （観智院本類聚名義抄／佛中 078-3)

    具 音懼 ソナフ … ツマヒラカニ   （観智院本類聚名義抄／佛下末 025-5)

    弘 [平] コウ   （長承本蒙求／058・065・097)

《徳韻合口 上巻諸例》

  ▶番号 2034b「國」（隣國）の仮名音注「コク」については、基本的に -ok で対応する。当該字には入声濁点を差すので、日本語音韻史上の連濁による字音「ゴク」を想定する。観智院本類聚名義抄に反切「古或反」および和音「コク」を見出す。長承本蒙求には仮名音注「コク」二例があり、それらを含む掲出字三例に徳声点を加える。日本漢音「コク」徳声（四声体系では入声）日本呉音「コク」を認める。

    國 … 古或反／クニ トカ 和コク　国 或   （観智院本類聚名義抄／法下 084-2)

    國 [徳] コク   （長承本蒙求／019・113)

    國 [徳]   （長承本蒙求／060)

  ▶番号 1693c「國」（奴夷國）の仮名音注「コク」については、基本的に -ok で対応する。当該字に声点はない。上述の分析を参照。

  ▶番号 2392b「惑」（枉惑）の仮名音注「ホウ」については、異例 -ou を示す。当該字には入声点を差す。熟字 2392「枉惑」の直前に熟字 2391「枉法」を配置する。仮名音注「ホウ」は番号 2391b「法」に付載すべきもので、誤認があったと推測する。

  ▶番号 1405b「惑」（迷惑）の仮名音注「ワク」については、異例 -ak を示す。当該字には入声点を差す。観智院本類聚名義抄に反切「胡國反」および和音「ワク」を見出す。同書が掲げる「或」には同音字注「音惑」（その左注に墨筆で仮名音注「ワク」）も見つける。長承本蒙求には仮名音注「コク」二例があり、うち掲出字一例に入声点を加える。日本漢音「コク」入声、日本呉音「ワク」を認める。なお、日本呉音において「惑」が「ワク」を示すことは高松政雄 (1982) ₍₃₅₎ に指摘がある。その中古音が示す頭子音 ɣ-（等韻学の術語で言う喉音濁匣母）は有声軟口蓋摩擦音であり、日本語のガ行音をもって受容するが、中国語音韻史上における濁音声母の無声化を反映する場合はカ行音で対応する。一方で、摩擦が弱化して聞こえると有声軟口蓋接近音 ɰ-（有声両唇軟口蓋接近音 w-）のように把握する可能性がある。日本呉音の基層において、匣母が ɣ-・ɰ- に二分していた ₍₂₃₎ と推測する。

    惑 マトフ [平平濁囗] ウルハシ   （観智院本類聚名義抄／僧中 043-8)

    惑 胡國反 ウタカフ マトフ [平平濁上] … 和ワク   （観智院本類聚名義抄／僧中 039-6)

338　3．仮名音注の韻母別考察　3-1　Ⅰ韻類

或 … アリ［平上］… 音惑［ワク：墨左注］… クニ　　　　　（観智院本類聚名義抄／僧中 039-5）

惑〔＊右下隅欠〕コク　　　　　　　　　　　　　　　　　　　　　　　　　　（長承本蒙求／047）

惑［入］コク　　　　　　　　　　　　　　　　　　　　　　　　　　　　　　（長承本蒙求／147）

▶番号 1954b「惑」（沈惑之僻）の仮名音注「ワク」については、異例 -ak を示す。当該字に声
点はない。熟字 1954「沈惑之僻」は右傍「ワクノヘキナリ」を付載する。上述の分析を参照。

《徳韻合口　下巻諸例》

▶番号 3654a・3655a「國」（國司・國宰）の仮名音注「コク」については、基本的に -ok で対
応する。両当該字に声点はない。上巻の徳韻合口当該例で分析したように、日本漢音「コク」徳声
（四声体系では入声）日本呉音「コク」を認める。

3-1-2-10　-ʌuŋ/-ʌuk（東/董/送/屋韻）

資料篇【表B-02】には東韻（平声）董韻（上声）送韻（去声）屋韻（入声）所属の諸例が含まれ
る。前田本の示す仮名音注は、基本的に -uũ(-ǖ), -oũ/-ok で対応する。異例として、-o, -on, -op, -
ou, -u, -iũ, -ik がある。

《東韻　上巻諸例》

▶番号 1458b「公」（土公）の仮名音注「クウ」については、基本的に -uũ で対応する。当該字
に声点はない。熟字 1458「土公」は右注「トクム」仮名音注を付載するが、これを「トクウ」と修
正した。仮名の字形相似による誤認と推測する。観智院本類聚名義抄には「土公」があり、低平調
を示す「トクウ俗音」を見出す。同書における「俗音」表記の解釈は確定しがたいが、定着久しい
字音「クウ」を認める。

土公 トクウ［平平平］／俗音　　　　　　　　　　　　（観智院本類聚名義抄／佛下末 027-3）

▶番号 0002b・1184b「公」（雷公・奉公）の仮名音注「コウ」については、基本的に -oũ で対
応する。両当該字には平声点を差す。熟字 0002「雷公」は右注「同（イカツチ）」を付載する。観
智院本類聚名義抄に同音字注「音工」を見出す。長承本蒙求には仮名音注「コウ」六例があり、そ
れらを含む掲出諸字七例に東声点を加える。日本漢音「コウ」東声（四声体系では平声）を認める。

公 音工 キミ［平平］オホヤケ［平上□□］… アラハス　　（観智院本類聚名義抄／佛下末 027-2）

雷公 イカツチ［上上上濁上］　　　　　　　　　　　　　（観智院本類聚名義抄／佛下末 027-3）

公［東］コウ　　　　　　　　　（長承本蒙求／021・022・026・041／076／082）

3-1-2 -ʌ系の字音的特徴 339

公 ［東］　　　　　　　　　　　　　　　　　　　　　　　　　　（長承本蒙求／057）

雷公 電等附 兼名苑云雷公一名雷師力回反 和名伊加豆知 …

　　　　　　　　　　　　　　　　　　　　　　　　　（元和本倭名類聚抄／巻二 02 オ 3）

　▶番号2707「釭」（釭）の仮名音注「コウ」については、基本的に -oū で対応する。当該字には平声点を差し、右注「カモ」左注「車釭」を付載する。廣韻に拠れば、当該字「釭」は三音を有するが、その注記「釭：車釭説文曰車轂中鐵也」から見て、東韻を反映すると判断できる。観智院本類聚名義抄に平声点を付した同音字注「工江二音」を見出すが、仮名音注はない。元和本倭名類聚抄には反切「古紅反・又古雙反」がある。

　　釭 車釭説文曰車轂中鐵也又古雙切　　　　　　　　（宋本廣韻／東韻見母 kʌuŋ¹）

　　釭 燈也又音江　　　　　　　　　　　　　　　　　（宋本廣韻／冬韻見母 kɑuŋ¹）

　　釭 燈又工　　　　　　　　　　　　　　　　　　　（宋本廣韻／江韻見母 kauŋ¹）

　　釭 工江［平平］二音 カモ［平平］… トモシヒ　　（観智院本類聚名義抄／僧上 122-6）

　　釭　説文云釭 古紅反又古雙反和名車乃加利毛 轂口鉄也　（元和本倭名類聚抄／巻十一 08 オ 5）

　▶番号2148「鵁」（鵁）の仮名音注「コウ」については、基本的に -oū で対応する。当該字には平声点を差し、右注「ヌエ」左注「恠鳥也」を付載する。観智院本類聚名義抄に同音字注「音空」を見出すが、仮名音注はない。元和本倭名類聚抄には同音字注「音空」がある。

　　鵁 音空 恠鳥／ヌエ［上上］　　　　　　　　　　（観智院本類聚名義抄／僧中 130-5）

　　鵁　唐韻云鵁 音空漢語抄云渋江 … 恠鳥也　　　（元和本倭名類聚抄／巻十八 07 ウ 3）

　▶番号0054「葓」（葓）の仮名音注「コウ」については、基本的に -oū で対応する。当該字には平声点を差し、右注「イヌタテ 水草也」左注「又作葒」を付載する。観智院本類聚名義抄に平声点を付した同音字注「音紅」を見出すが、仮名音注はない。元和本倭名類聚抄には同音字注「紅」がある。日本漢音は平声を認める。

　　葓 音紅［平］イヌタテ［□平平濁］　　　　　　　（観智院本類聚名義抄／僧上 007-3）

　　葒草　陶隱居本草注云葒草 … 葒音紅和名伊沼多天　（元和本倭名類聚抄／巻二十 15 オ 8）

　▶番号0090・1727「鯼」（鯼・鯼）の仮名音注「ソウ」については、基本的に -oū で対応する。両当該字には平声点を差す。番号0090「鯼」は右注「イシモチ」左注「頭中有石故名之」を、番号1727「鯼」は右注「同（チミカフリ）」を付載する。観智院本類聚名義抄に平声点を付した同音字注「音聰」と反切「又子貢反」を見出すが、仮名音注はない。元和本倭名類聚抄には同音字注「音聰」がある。日本漢音は平声を認める。

　　鯼 音聰［平］イシモチ［上上上上］／又子貢反　（観智院本類聚名義抄／僧下 005-3）

　　鯼　字指云鯼 音聰和名伊之毛知 其頭中有石故亦名石首魚也

　　　　　　　　　　　　　　　　　　　　　　　　　（元和本倭名類聚抄／巻十九 04 オ 4）

　▶番号0223「蓯」（蓯）の仮名音注「ソウ」については、基本的に -oū で対応する。当該字に

340　3．仮名音注の韻母別考察　3-1　Ⅰ韻類

は平声点を差し、和訓「イソカハシ」の同訓異字として位置する。図書寮本類聚名義抄に反切「憲
云倉紅反」（その反切下字に平声点）を見出す。観智院本には同音字注「音聡」を見つけるが、仮
名音注はない。日本漢音は平声を認める。

　　　忩邅 憲云倉紅 ［囗平］反 速也 … 昫云／古作忩 方云邅也　　　（図書寮本類聚名義抄／266-5）

　　　忩 音聡 イソカハシ ［平平平濁平上］… 忽 正　一㤟　　　（観智院本類聚名義抄／法中 079-5）

　▶番号1542「聡」（聡）の仮名音注「ソウ」については、基本的に -oŭ で対応する。当該字に
は平声点を差し、和訓「トシ」の同訓異字として位置する。観智院本類聚名義抄に反切「千公反」
および低平調を示す和音「ソウ」を見出す。日本呉音「ソウ」平声を認める。

　　　聡聰 二正 千公反 トシ ［平上］… 和ソウ ［平平］　　　（観智院本類聚名義抄／佛中 001-4）

　▶番号0432b「通」（六通）の仮名音注「ツウ」については、基本的に -uŭ で対応する。当該字
には去声点を差す。観智院本類聚名義抄に反切「勅東反」（その反切下字に平声点）および和音「ツ
ウ」を見出す。長承本蒙求には仮名音注「トウ」があり、その掲出字に東声点を加える。日本漢音
「トウ」東声（四声体系では平声）日本呉音「ツウ」を認める。

　　　通 勅東 ［囗平］反 トホル ［平平上］… 和ツウ　　　（観智院本類聚名義抄／佛上 056-4）

　　　通 ［東］ トウ　　　（長承本蒙求／059）

　▶番号2192b「通」（流通）の仮名音注「ツウ」については、基本的に -uŭ で対応する。当該字
には上声点を差す。上述の分析を参照。

　▶番号1430a・1612a・1648a・1664a「通」（通陽門・通家・通天・通徳）の仮名音注「トウ」
については、基本的に -oŭ で対応する。当該諸字四例には平声点を差す。上述の分析を参照。

　▶番号2524b「通」（鴨通）の仮名音注「トウ」については、基本的に -oŭ で対応する。当該字
に声点はない。上述の分析を参照。

　　　鴨通 カモノクソ ［平平平平平］　　　（観智院本類聚名義抄／僧中 114-3）

　▶番号1575a・1577a・1653a・1667a「東」（東作・東傾・東夷・東園）の仮名音注「トウ」
については、基本的に -oŭ で対応する。当該諸字四例には平声点を差す。観智院本類聚名義抄に反
切「都公反・德紅反」および和音「トウ」（その右傍に朱筆で喉内撥音韻尾 -ŋ「✓」表記）を見出
す。なお高山寺本篆隷萬象名義に「都公反」がある。長承本蒙求には仮名音注「トウ」があり、そ
れを含む三例に東声点を加える。承暦本金光明最勝王経音義には喉内撥音韻尾の表記を含む「止✓」
を見つけ、その掲出字には去声点を差す。日本漢音「トウ」東声（四声体系では平声）日本呉音「ト
ウ」去声を認める。

　　　東 都公反／ヒムカシ ［上上囗囗］ 和トウ ［囗✓：墨右傍］　　　（観智院本類聚名義抄／佛下本 085-6）

　　　東 德紅反 … ヒムカシ ［上上上濁平］／木部　　　（観智院本類聚名義抄／僧下 099-7）

　　　東西 ヤマトカ ［平平上上］／ウチ ［上上］　　　（観智院本類聚名義抄／僧下 099-7）

　　　東 ［東］　　　（長承本蒙求／002・040）

東［東］トウ　　　　　　　　　　　　　　　　　　　　　　　（長承本蒙求／123）

東［去］止✓　　　　　　　　　　　　　　　（承暦本金光明最勝王経音義／02 オ5）

東 都公反 動也 …　　　　　　　　　　（高山寺本篆隷萬象名義／第四帖 25 ウ3）

　▶番号 1631a・1634a・1654a「東」（東閣・東海・東西）の仮名音注「トウ」については、基本的に -oŭ で対応する。当該諸字三例には去声点を差す。上述の分析を参照。

　▶番号 1695a・3289b「東」（東宮・板東）の仮名音注「トウ」については、基本的に -oŭ で対応する。両当該字に声点はない。熟字 3289「板東」は別筆補入か。上述の分析を参照。

　▶番号 0924b・2555b「蝀」（蝃蝀・蚔蝀）の仮名音注「トウ」については、基本的に -oŭ で対応する。廣韻に拠れば、東/董韻 (tʌuŋ)½ 二音を有する。熟字 0924「蝃蝀」は右注「同（ニシ）」を、熟字 2555「蚔蝀」は右注「同（カヘルコ）」を付載する。番号 2555b は部首「虫」と諧声符「東」とを上下に配置する字形である。観智院本類聚名義抄に同音字注「董・東」を見出すが、仮名音注はない。元和本倭名類聚抄には同音字注「董・東」がある。

　　蝃蝀 帝董／二音 ニシ［上平濁］蝀 与蝃字同　　　　（観智院本類聚名義抄／僧下 019-2）

　　蚔蝀 ［□コ：墨右傍］〔＊蝀←蟗］活東二音 蛙兒　　　（観智院本類聚名義抄／僧下 020-1）

　　虹　毛詩註云蝃蝀虹也帝董二音蝀又作螮 和名爾之 …　　（元和本倭名類聚抄／巻一 03 ウ6）

　　蝦蟇　… 唐韻云蚔蝀 活東二音 蝌斗也 …　　　　（元和本倭名類聚抄／巻十九 24 オ9）

　▶番号 1591a・1599a・1600a・2299「童」（童断・童蒙・童稚・童）の仮名音注「トウ」については、基本的に -oŭ で対応する。当該諸字四例には平声点を差す。その中古音が示す頭子音 d-（等韻学の術語で言う舌音濁定母）は有声歯茎閉鎖音であり、日本語のダ行音をもって受容するが、中国語音韻史上における濁音声母の無声化を反映する場合はタ行音で対応する。番号 2299「童」は右注「ワラハ」を付載する。図書寮本類聚名義抄に同音字注「音与同彡」と反切「慈云徒紅反」（その反切下字に平声点）を見出す。観智院本には反切「徒紅反」および和音「圡ウ」を見つける。承暦本金光明最勝王経音義には喉内撥音韻尾の表記を含む「圡✓」があり、その掲出字には去声濁点を差す。元和本倭名類聚抄には反切「徒紅反」を見出す。日本漢音は平声、日本呉音「ドウ」去声を認める。

　　童 音与同彡 慈云徒紅［□平］反 … 川云／和云和良波［平平上］…　（図書寮本類聚名義抄／122-5）

　　童 徒紅反 ワラハ［平平上］／カフロ［平上濁□］和圡ウ　　（観智院本類聚名義抄／法上 092-7）

　　童［去濁］圡✓　　　　　　　　　　　　（承暦本金光明最勝王経音義／02 オ5）

　　童　禮記云童 徒紅反和名和良波 未冠之称也　　　　（元和本倭名類聚抄／巻二 08 オ4）

　▶番号 1457a「童」（童子）の仮名音注「トウ」については、基本的に -oŭ で対応する。当該字に声点はない。上述の分析を参照。

　▶番号 1633a「僮」（僮僕）の仮名音注「トウ」については、基本的に -oŭ で対応する。当該字には平声点を差す。観智院本類聚名義抄に墨圏点による去声濁点を付した同音字注「音童」を見出

342　3．仮名音注の韻母別考察　3-1　I 韻類

すが、仮名音注はない。同書の凡例部分「朱音者正音也墨声者和音也」（篇目 7-6）に従えば、朱墨で正音と和音を分別する傾向がある。日本呉音は去声を認める。

　　　僮 音童 [去濁：墨圍点] ヤツカレ ヤツコ ワラヘ [平平□] … （観智院本類聚名義抄／佛上 003-7）

▶番号 1592a・1596a・1611a・1625a・1662a・1675a「同」（同腹・同氣・同穴・同門・同車・同等）の仮名音注「トウ」については、基本的に -oū で対応する。当該諸字六例には平声点を差す。その中古音が示す頭子音 d-（等韻学の術語で言う舌音濁定母）は有声歯茎閉鎖音であり、日本語のダ行音をもって受容するが、中国語音韻史上における濁音声母の無声化を反映する場合はタ行音で対応する。観智院本類聚名義抄に平声点を付した同音字注「音童」を見出すが、仮名音注はない。日本漢音は平声を認める。

　　　同 音童 [平] オナシ [平平平濁] ヒトシ [平平上] …　　　　（観智院本類聚名義抄／僧下 106-1）

▶番号 1593a・1594a「同」（同母・同族）の仮名音注「トウ」については、基本的に -oū で対応する。両当該字には平声点と去声点を差す。上述の分析を参照。

▶番号 1624a「同」（同僚）の仮名音注「トウ」については、基本的に -oū で対応する。当該字には平声点と去声濁点を指すので、字音「トウ・ドウ」を想定する。熟字 1624「同僚」は右傍「オナシツカサ」を付載する。上述の分析を参照。

▶番号 1521a・1607a・1626a・1627a・1628a・1656a・1674b「同」（同黄・同心・同朋・同隷・同行・同道・等同）の仮名音注「トウ」については、基本的に -oū で対応する。当該諸字七例に去声濁点を差すので、字音「ドウ」を想定する。熟字 1521「同黄」は右注「トウワウ俗」左注「銅イ本」を付載する。上述の分析を参照。

▶番号 3271b「同」（与同罪）の仮名音注「トウ」については、基本的に -oū で対応する。当該字に声点はない。上述の分析を参照。

▶番号 0263b・1666a「桐」（異桐・桐孫）の仮名音注「トウ」については、基本的に -oū で対応する。両当該字には平声点を差す。観智院本類聚名義抄に同音字注「音同」を見出すが、仮名音注はない。なお、同書が掲げる熟字「青桐」には仮名音注「シヤウト [平濁平上上濁]」があり、その「桐」に対して字音「ド」を想定する。異例 -o を示す。

　　　桐 音同 桐有四種　　　　　　　　　　　　　　（観智院本類聚名義抄／佛下本 090-4）
　　　青桐 シヤウト [平濁平上上濁]　　　　　　　　（観智院本類聚名義抄／佛下本 090-5）

▶番号 1463a・1512a・1571a・1632a・1646a「銅」（銅山・銅鈸子・銅烏・銅山・銅馬）の仮名音注「トウ」については、基本的に -oū で対応する。当該諸字五例に平声点を差す。観智院本類聚名義抄に平声朱点と去声墨濁点を付した同音字注「音同」を見出す。同書の凡例部分「朱音者正音也墨声者和音也」（篇目 7-6）に従えば、朱墨で正音と和音を分別する傾向がある。長承本蒙求には仮名音注「トウ」二例があり、それらを含む掲出字三例に平声点を加える。日本漢音「トウ」平声、日本呉音は去声を認める。

3-1-2 　-ʌ系の字音的特徴　343

　　　銅 音同［平：朱点／去濁：墨点］アカヽネ［上上上濁上］…　　（観智院本類聚名義抄／僧上113-8）

　　　銅［平］トウ　　　　　　　　　　　　　　　　　　　　　（長承本蒙求／026・059）

　　　銅［平］　　　　　　　　　　　　　　　　　　　　　　　　　（長承本蒙求／032）

　▶番号1568a「銅」（銅鈸子）の仮名音注「ト」については、異例 -o を示す。当該字には平声
点を差す。熟字「銅鈸子」には右注1568「トヒヤウシ」左注「鈸即鉢也」左傍1512「トウハツ」
を付載する。観智院本類聚名義抄に仮名音注「トウ［平平］」を見出す。大辞林第四版「どうびょ
うし」には「【銅拍子】打楽器の一。銅鈸（どうばち）の小形のもの。… 古くは伎楽・散楽・田楽などの芸
能に、現在は民俗芸能などで用いられる。銅鈸子。土拍子（どびょうし）」とある。

　　　銅鈸子 トウハチシ［平平上上□］　　　　　　　　　　（観智院本類聚名義抄／僧上120-1）

　　　銅鉢子 トウハチシ［平平上上□］　　　　　　　　　　（観智院本類聚名義抄／僧上120-2）

　　　銅鈸子 律書樂圖云銅鈸子 今案鈸即鉢字也 …　　　　（元和本倭名類聚抄／巻四09 オ6）

　▶番号1578a「洞」（洞庭）の仮名音注「トウ」については、基本的に -oū で対応する。当該字
には去声点を差す。廣韻に拠れば、東/送韻（dʌuŋ¹/³）二音を有する。図書寮本類聚名義抄に反切「徒
貢反」（その反切下字に去声点）および低平調と推測する「真云トウ」（「ウ」に喉内撥音韻尾「✓」
表記）を見出す。観智院本には反切「徒貢［平去］反」および和音「トウ」を見つける。日本漢音
は去声、日本呉音「トウ」平声を認める。

　　　洞 广云徒／貢［□去］反 … 真云トウ［□平／□✓］　　（図書寮本類聚名義抄／034-3）

　　　洞 徒貢［平去］反 ホラ … 和トウ　　　　　　　　　　（観智院本類聚名義抄／法上002-8）

　▶番号1519「筒」（筒）の仮名音注「トウ［上濁平］」については、基本的に -oū で対応する。
当該字には平声点を差し、左注「雙六筒」を付載する。その右注にある仮名音注「トウ［上濁平］」
は濁音を含む下降調を示すので、字音「ドウ」を想定する。観智院本類聚名義抄に同音字注「音同」
と去声点を付した「一音棟」および「俗用去声」を見出すが、仮名音注はない。その掲出字「筒」
自体にも平声朱点と去声墨濁点を加える。元和本倭名類聚抄には同音字注「音同・一音棟」および
「俗用去声」がある。日本漢音は平声、日本呉音は去声を認める。定着久しい字音も去声である。

　　　筒［平：朱点／去濁：墨点］ 音同 一音棟［去］／ツ丶［上上］俗用去声

　　　　　　　　　　　　　　　　　　　　　　　　　　　　　（観智院本類聚名義抄／僧上065-7）

　　　筒 唐韻云筒 音同一音棟俗用去声 竹名也　　　　　　（元和本倭名類聚抄／巻二十21 オ4）

　▶番号1554「筒」（筒）の仮名音注「トウ［上濁平］」については、基本的に -oū で対応する。
当該字に声点はなく、左注「筒突是也」を付載する。上述の分析を参照。

　▶番号0133「恫」（恫）の仮名音注「トウ」については、基本的に -oū で対応する。当該字に
声点はなく、和訓「イタム」の同訓異字として位置する。廣韻に拠れば、透母東韻（t'ʌuŋ¹）定母送
韻（dʌuŋ³）の二音を有する。図書寮本類聚名義抄に東声点を付した同音字注「音通」（t'ʌuŋ¹）と
声調表記「又去」を見出す。観智院本には「又去」と東声点を付した同音字注「音通」を見つける

344　3. 仮名音注の韻母別考察　3-1　I韻類

が、仮名音注はない。なお、中注「又去」は挿入した表記と推測したので、注記上「音又去」とは見ない。日本漢音は東/去声（四声体系では平/去声）を認める。

　　　恫　季云音通［東］又［去：右注］宋云／イタシ［平平上／書：右注］　　（図書寮本類聚名義抄／273-5）

　　　恫　正 痌咸 音／又去／通［東］イタム［平平上／□□シ：墨右傍］

　　　　　　　　　　　　　　　　　　　　　　　　　　　　　（観智院本類聚名義抄／法中071-7）

　▶番号0554・1236a「蜂」（蜂・蜂起）の仮名音注「ホウ」については、基本的に -oū で対応する。両当該字には平声点を差す。番号0554「蜂」は中注「ハチ」左注「螫人虫也」を付載する。観智院本類聚名義抄に同音字注「峯」を見出すが、仮名音注はない。元和本倭名類聚抄には同音字注「峯」がある。

　　　蜂薑　峯帯二音 ハチ［上上］下／呉音 泰［ハチ：右注］上ハチ　（観智院本類聚名義抄／僧下026-5）

　　　蜂 薑附　説文云蜂薑 峯帯二音和名波知 螫人虫也 …　　（元和本倭名類聚抄／巻十九25ウ1）

　▶番号1159a・1179a・1195a・1197a・1205a・1242a・1243a・2511b・3184「蓬」（蓬莱・蓬宮・蓬頭・蓬鬢・蓬郷・蓬戸・蓬屋・骨蓬・蓬）の仮名音注「ホウ」については、基本的に -oū で対応する。当該諸字九例に平声点を差す。その中古音が示す頭子音 b-（等韻学の術語で言う脣音濁並母）は有声両唇閉鎖音であり、日本語のバ行音をもって受容するが、中国語音韻史上における濁音声母の無声化を反映する場合はハ行音で対応する。熟字2511「骨蓬」は左注「カハホネ」を、番号3184「蓬」は右注「ヨモキ」を付載する。観智院本類聚名義抄に平声朱点と平声墨濁点を付した同音字注「音逢」（その左注に墨筆で「フウ」）を見出す。同書の凡例部分「朱音者正音也墨声者和音也」（篇目 7-6）に従えば、朱墨で正音と和音を分別する傾向がある。朱墨による声点の並列は稀である。長承本蒙求には仮名音注「ホウ」があり、その掲出字には平声点を加える。元和本倭名類聚抄には同音字注「逢」がある。日本漢音「ホウ」平声、日本呉音「ブウ」平声を認める。

　　　蓬 音逢［平朱・平濁墨／フウ：左注］ヨモキ［上上上濁］…　　（観智院本類聚名義抄／僧上037-1）

　　　骨蓬 カハホネ［上上□□］　　　　　　　　　　　　　　　（観智院本類聚名義抄／僧上037-1）

　　　蓬頭 オホトレカシラ［上上濁上上上濁上□］　　　　　　　（観智院本類聚名義抄／僧上037-1）

　　　蓬［平］ホウ　　　　　　　　　　　　　　　　　　　　　　　　　　（長承本蒙求／109）

　　　蓬　兼名苑云蓬一名華 艾也蓬華二音逢畢和名與毛木 …　（元和本倭名類聚抄／巻二十13オ4）

　▶番号1241a「蓬」（蓬門）の仮名音注「ホウ」については、基本的に -oū で対応する。当該字には去声点を差す。上述の分析を参照。

　▶番号1505「篷」（篷）の仮名音注「ホウ」については、基本的に -oū で対応する。番号1505「篷」は右注「トマ 又ノマ」左注「編竹葦覆舟也」を付載する。観智院本類聚名義抄に同音字注「音蓬」を見出すが、仮名音注はない。元和本倭名類聚抄には同音字注「蓬」がある。

　　　篷 … 音蓬 … 下ノマ［上平］… 所以冒舟屋者　　　　　（観智院本類聚名義抄／僧上067-6）

　　　篷庫　唐韻云篷庫 蓬備二音布奈夜加太 舟上屋也 …　　（元和本倭名類聚抄／巻十一04オ2）

3-1-2 　-ʌ系の字音的特徴　345

▶番号0602「慛」（慛）の仮名音注「ホウ」については、基本的に -oū で対応する。当該字には平声濁点を差すので、字音「ボウ」を想定する。和訓「ハツ」の同訓異字として位置する。観智院本類聚名義抄に同音字注「音夢」を見出すが、仮名音注はない。傍証ながら、同書で「夢」を再検索すると、反切「莫鳳反・又莫中反」および低平調と推測する和音「ムウ」（その右傍に墨筆で喉内撥音韻尾「✓」表記／一音節二拍語）を見つける。

　　慛 音夢／クラシ［上上□］　　　　　　　　　（観智院本類聚名義抄／法中091-3）

　　夢 莫鳳反 ユメ［平平］又莫中反／和ムウ［□平：墨点／✓□：墨右傍］

　　　　　　　　　　　　　　　　　　　　　　　（観智院本類聚名義抄／僧上049-3）

▶番号1599b「蒙」（蒙童）の仮名音注「モウ」については、基本的に -oū で対応する。当該字には平声点を差す。その中古音が示す頭子音 m-（等韻学の術語で明母）は両唇鼻音であり、日本語のマ行をもって受容するが、中国語音韻史上における鼻音声母の非鼻音化（denasalization）の音変化を反映する場合はバ行音で対応する。観智院本類聚名義抄に「莫公［入濁平］反」および低平調を示す和音「ムウ」（その右傍に朱筆で喉内撥音韻尾「✓」表記）を見出す。前者の反切上字には入声濁点を差し、中国語音韻史上における鼻音声母の非鼻音化による「バウ」を想定する。後者の「ムウ」は一音節二拍語による字音把握 muū である。長承本蒙求には仮名音注「モウ」があり、その掲出字に東声点を加える。日本漢音「モウ」東声（四声体系では平声）日本呉音「ムウ」平声を認める。現行多くの漢和辞典は慣用音「モウ」漢音「バウ」呉音「ム」とする。

　　蒙 莫公［入濁平］反 カウフル … 和ムウ［平平／□✓：朱右傍］

　　　　　　　　　　　　　　　　　　　　　　　（観智院本類聚名義抄／僧上018-5）

　　蒙 ［東］モウ　　　　　　　　　　　　　　　（長承本蒙求／075）

▶番号0181a「艨」（艨艟）の仮名音注「モウ」については、基本的に -oū で対応する。当該字には平声点を差す。廣韻に拠れば、東韻（mʌuŋˈ）送韻（miʌuŋˈ）の二音を有する。熟字0181「艨艟」は右注「イクサフネ」左注「戰船也」を付載する。観智院本類聚名義抄に同音字注「蒙」と声調表記「又並去声」を見出すが、仮名音注はない。元和本倭名類聚抄には同音字注「蒙」と「又並去声」がある。

　　艨艟 蒙衝二音 又並去声／イクサフネ［平平平上濁上］　（観智院本類聚名義抄／佛下本003-6）

　　艨艟　四聲字苑云艨艟 蒙衝二音又並去声漢語抄云以久佐乃不禰 戰船也

　　　　　　　　　　　　　　　　　　　　　　　（元和本倭名類聚抄／巻十一02 オ9）

▶番号2283a「朦」（朦朧）の仮名音注「モウ」については、基本的に -oū で対応する。当該字には平声点を差す。熟字2283「朦朧」は右注「ヲクラシ」を付載する。観智院本類聚名義抄に反切「莫孔反」を見出すが、仮名音注はない。

　　朧 莫孔反 茂／盛　朦 正／クラマス［上上上□］　（観智院本類聚名義抄／佛中121-3）

▶番号2562b「矇」（矇矇）の仮名音注「モウ」については、基本的に -oū で対応する。当該字

には上声点を差す。熟字2562「蠛蠓」は右注「カツヲムシ」左注「小虫乱飛也」を付載する。観智院本類聚名義抄に反切「亡孔反」（その反切下字に上声点）を見出すが、仮名音注はない。元和本倭名類聚抄には反切「亡孔反」がある。日本漢音は上声を認める。

蠛蠓 … 下亡孔［□上］反／蠛蠓 カツラムシ［上上上上□／□□ヲ□□：右傍］
（観智院本類聚名義抄／僧下022-3）

蠓 サカハヘ　（観智院本類聚名義抄／僧下022-4）

蠛蠓　爾雅集注云蠛蠓 上亡結反下亡孔反漢語抄云加豆乎無之 … 小虫亂飛也 …
（元和本倭名類聚抄／巻十九28ウ1）

▶番号0435a・0441a・1518b「籠」（籠居・籠鳥・鳥籠）の仮名音注「ロウ」については、基本的に *-oū* で対応する。当該諸字三例には平声点を差す。廣韻に拠れば、東/董韻（lʌuŋ$^{1/2}$）鍾韻（liɑuŋ^{1}）三音を有する。熟字1518「鳥籠」は右注「トリコ」を付載する。観智院本類聚名義抄に反切「慮紅反・又力孔反」と同音字注「一音龍」を見出すが、仮名音注はない。元和本倭名類聚抄には反切「慮紅反・又力董反」と同音字注「一音龍」がある。

籠 … 慮紅反／一音龍 又力孔反 コ［平］…　（観智院本類聚名義抄／僧上074-1）

籠　唐韻云籠 慮紅反一音龍又力董反和名古 … 竹器也　（元和本倭名類聚抄／巻十六08ウ6）

鳥籠　說文云籢 音奴一音那和名度利古 鳥籠也　（元和本倭名類聚抄／巻十五07オ2）

▶番号0422a「籠」（籠子）の仮名音注「ロウ［上上］」については、基本的に *-oū* で対応する。当該字に声点はなく、その仮名音注に上平調の声点を加えるので、上声を想定する。熟字0422「籠子」は右注「同（ロウシ［上上上濁］）」を付載する。上述の分析を参照。

▶番号2196・2283b「朧」（朧・朦朧）の仮名音注「ロウ」については、基本的に *-oū* で対応する。両当該字には平声点を差す。番号2196「朧」は左注「ヲホロツキヨ」を、熟字2283「朦朧」は「ヲクラシ」を付載する。観智院本類聚名義抄に平声点を付した同音字注「音籠」と和音「リヨウ・リウ」を見出す。その「リウ」は右傍に喉内撥音韻尾を示す「✓」を加える。承暦本金光明最勝王経音義には同音字注「龍音」があり、その掲出字に平声点を付載する。元和本倭名類聚抄には反切「力東反」を見つける。日本漢音は平声、日本呉音「リヨウ・リウ」平声を認める。

朧 俗聾字　（観智院本類聚名義抄／佛中121-2）

聾 音籠［平］ミヽシヒ／和リヨウ リウ［□✓：墨右傍］　（観智院本類聚名義抄／佛中005-3）

聾［平］龍ゝ／美ゝ志比［平□平平］　（承暦本金光明最勝王経音義／03ウ3）

聾　四聲字苑云聾 音力東反和名美々之比 耳不聞聲也　（元和本倭名類聚抄／巻三17オ2）

▶番号2708「轆」（轆）の仮名音注「ロウ」については、基本的に *-oū* で対応する。当該字には平声点を差し、右注「同（カモ）」を付載する。廣韻には注記「軸頭」がある。観智院本類聚名義抄に反切「盧紅反」を見出すが、仮名音注はない。

轆 盧紅反 車／軸頭　（観智院本類聚名義抄／僧中092-2）

▶番号 0055「龓」（龍）の仮名音注「ロウ」については、基本的に -oũ で対応する。当該字には平声点を差し、右注「同（イヌタテ）」を付載する。観智院本類聚名義抄に反切「盧紅反」を見出すが、仮名音注はない。

　　龓 … 盧紅反　　　　　　　　　　　　　　　（観智院本類聚名義抄／僧上 052-3）

　　遊龓 イヌタテ　　　　　　　　　　　　　　（観智院本類聚名義抄／僧上 052-4）

　　莊草　陶隱居本草云莊草一名遊龍 莊音紅和名伊沼多天　（元和本倭名類聚抄／巻二十 15 オ 8）

《東韻 下巻諸例》

▶番号 4502b「工」（相工）の仮名音注「コウ」については、基本的に -oũ で対応する。当該字に声点はない。熟字 4502「相工」は左注「相人也」を付載する。観智院本類聚名義抄に同音字注「音功」を見出すが、仮名音注はない。元和本倭名類聚抄には同音字注「功反」がある。

　　工 音功 タクミ／ツカサ　相工 上去声 俗云／相人　　（観智院本類聚名義抄／佛上 075-8）

　　工匠　穀梁傳云工 功反和名太久美 匠 上反 巧人也　　（元和本倭名類聚抄／巻二 09 オ 3）

▶番号 4524b「工」（細工）の仮名音注「ク」については、基本的に -ũ で対応する。当該字に声点はない。これは円脣性韻尾 -uŋ に主母音が同化された影響を示す字音把握である。上述の分析を参照。

▶番号 4879「公」（公）の仮名音注「コウ」については、基本的に -oũ で対応する。当該字には平声点を差し、右注「古紅反」を付載する。和訓「キミ」の同訓異字として位置する。上巻の東韻当該諸例で分析したように、日本漢音「コウ」東声（四声体系では平声）を認める。

▶番号 5084b「公」（勤公）の仮名音注「コウ」については、基本的に -oũ で対応する。当該字には平声濁点を差すので、日本語音韻史上の連濁による字音「ゴウ」を想定する。上述の分析を参照。

▶番号 5350b「疘」（脱疘）の仮名音注「コウ」については、基本的に -oũ で対応する。当該字には平声点を差す。観智院本類聚名義抄に平声点を付した同音字注「音工」を見出すが、仮名音注はない。次の「又肛」は異体字を指す。元和本倭名類聚抄には反切「古紅反」がある。日本漢音は平声を認める。

　　疘 音工［平］又肛　　　　　　　　　　　（観智院本類聚名義抄／法中 128-2）

　　脱疘 シリイツルヤマヒ［平平平平濁上□□□］　　（観智院本類聚名義抄／法中 128-2）

　　脱疘　病源論云脱疘 古紅反字亦作肛和名之利以豆流夜萬比 …

　　　　　　　　　　　　　　　　　　　　　　（元和本倭名類聚抄／巻三 22 オ 5）

▶番号 6553「攻」（攻）の仮名音注「コウ」については、基本的に -oũ で対応する。当該字には平声点を差し、右注「古紅反」中注「攻敵也」左注「繋也」を付載する。和訓「セム［平上］」

の同訓異字として位置する。観智院本類聚名義抄に平声点を付した同音字注「音公」を見出す。長承本蒙求には仮名音注「コウ」がある。日本漢音「コウ」平声を認める。

攻 音公［平］セム［平平］… ツクル［平平□］ （観智院本類聚名義抄／僧中060-6）

攻 〔＊左上下隅欠〕コウ （長承本蒙求／108）

▶番号3398「功」（功）の仮名音注「コウ［上平］」については、基本的に -oū で対応する。その仮名音注「コウ」には東声相当の下降調を示す声点を差し、右注「古紅反」左注「功續也」を付載する。観智院本類聚名義抄に平声点と去声点を付した同音字注「音工」を見出す。さらには「音工」の右注に朱筆で「コウ」（その右傍に朱筆で喉内撥音韻尾「✓」表記）を、同じく「音工」の左注に墨筆で「クウ」（その右傍に墨筆で喉内撥音韻尾「✓」表記）を付載する。同書の凡例部分「朱音者正音也墨声者和音也」（篇目7-6）に従えば、朱墨で正音と和音を分別する傾向がある。日本漢音「コウ」平声、日本呉音「クウ」去声を認める。

功 音工［平：朱・去：墨圏点／コウ［□✓］：朱右注／クウ［□✓］：墨左注］

（観智院本類聚名義抄／僧上084-8）

▶番号3685a「空」（空手）の仮名音注「クウ」については、基本的に -uū で対応する。当該字には平声点を差す。廣韻に拠れば、東/送韻（kʻʌuŋ¹ᐟ³）二音を有する。観智院本類聚名義抄に反切「口公反」（その反切下字に平声点）と「又去」および低平調と推測する和音「クウ」（その右傍に朱筆で喉内撥音韻尾「✓」表記）を見出す。承暦本金光明最勝王経音義には仮名音注「ク✓」があり、その掲出字に去声点を加える。日本漢音は平/去声、日本呉音「クウ」平/去声を認める。

空 口公［□平］反 ムナシ … 又去 … 和クウ［□平/✓：朱右傍］

（観智院本類聚名義抄／法下058-6）

空 ［去］ク✓ （承暦本金光明最勝王経音義／02オ7）

▶番号3426a「箜」（箜篌）の仮名音注「コウ」については、基本的に -oū で対応する。当該字には平声点を差す。熟字3426「箜篌」は右注「コウ𝄇𝄇俗」左注「音樂具」を付載する。古代の中国・朝鮮・日本などに行われた弦楽器（百済琴）で、竪箜篌・鳳首箜篌・臥箜篌の三種がある。観智院本類聚名義抄に同音字注「空」と「俗云コウ・又クウ」を見出す。さらには、呉音声調が平声あるいは去声とする注記がある。これは大般若経字抄による引用である。元和本倭名類聚抄には同音字注「空」俗云「江」を見つける。日本呉音は平/去声、定着久しい字音「コウ・クウ」を認める。

箜篌 空侯二音 俗云コウコ／又クウコ 塔具 呉音箜篌［平平］或空侯［去上］

（観智院本類聚名義抄／僧上065-6）

箜篌 ［平平：圏点］或空侯 ［去上：圏点］云也然而依度高麗物不用呉音

（石山寺一切経蔵本大般若経字抄／17オ6）

箜篌 唐韻云箜篌 空侯二音俗云如江胡二音 … （元和本倭名類聚抄／巻四19オ6）

▶番号3340a・3717a・3722a・3724a「紅」（紅梅・紅藤・紅艶・紅膚）の仮名音注「コウ」

については、基本的に -oū で対応する。当該諸字四例には平声点を差す。その中古音が示す頭子音 γ-（等韻学の術語で言う喉音濁匣母）は有声軟口蓋摩擦音であり、日本語のガ行音をもって受容するが、中国語音韻史上における濁音声母の無声化を反映する場合はカ行音で対応する。図書寮本類聚名義抄に平声点を付した同音字注「类云洪音」および上昇調を示す「真云クウ」（濁音「√」表記と喉内撥音韻尾「√」表記）を見出す。観智院本には平声点を付した同音字注「音洪」と上昇調と推測する和音「具ウ」を見出す。同書では字音「グ」を示す例として「具ウ・具ワ・具ン」を指摘できる。日本漢音は平声、日本呉音「グウ」去声を認める。

　　紅 类云洪［平］音 … クレナヰ［上上平平／記：右注］和クウ［平上／√√］

　　　　　　　　　　　　　　　　　　　　　　　　　（図書寮本類聚名義抄／309-5）

　　紅 音洪［平］クレナヰ［平□□□］／和具ウ［□上］　　　（観智院本類聚名義抄／法中115-8）

▶番号3575a・3726a「紅」（紅雪・紅葉）の仮名音注「コウ」については、基本的に -oū で対応する。両当該字に声点はない。熟字3575「紅雪」は左注「唐物」を付載する。上述の分析を参照。

　　黄葉 モミチハ［平平平濁平濁］紅葉 同　　　　　　　（観智院本類聚名義抄／僧上046-1）

▶番号3725a「紅」（紅苞）の仮名音注「コ」については、異例 -o を示す。当該字には平声点を差す。熟字3725「紅苞」は右注「コハウ」左注「花名」を付載する。右注は「コウハ」仮名音注の誤読と推測する。上述の分析を参照。

▶番号3718a「虹」（虹形）の仮名音注「コウ」については、基本的に -oū で対応する。当該字に声点はない。廣韻に拠れば、東韻（γʌuŋ¹）送韻（kʌuŋ³）絳韻（kauŋ³）三音を有する。観智院本類聚名義抄に同音字注「音紅又貢」と反切「又古巷反」を見出すが、仮名音注はない。

　　虹蜺 上音紅又貢 又古巷反 ニシ／下音鯢 … 呉下以　　　（観智院本類聚名義抄／僧下019-1）

▶番号3613a「鴻」（鴻慈）の仮名音注「コウ」については、基本的に -oū で対応する。当該字には平声点を差す。観智院本類聚名義抄に同音字注「音洪」および低平調を示す和音「コウ」（その右傍に朱筆で喉内撥音韻尾「√」表記）を見出す。元和本倭名類聚抄には同音字注「洪」がある。日本呉音「コウ」平声を認める。

　　鴻 音洪 カリ［平上］ … 和コウ［平平／□√：朱右傍］　　（観智院本類聚名義抄／僧中126-8）

　　鴻鴈 毛詩鴻鴈篇注云大曰鴻小曰鴈 洪岸二音和名加利　　（元和本倭名類聚抄／巻十八09ウ6）

▶番号3308a・3714a「鴻」（鴻水・鴻才）の仮名音注「コウ」については、基本的に -oū で対応する。当該字に声点はない。熟字3308「鴻水」は左右注「コウスイ 用／洪水」を付載する。上述の分析を参照。

▶番号4295・4853「葱」（葱・葱）の仮名音注「ソウ」については、基本的に -oū で対応する。両当該字には平声点を差す。番号4295は右注「同（アヲシ）」を、番号4853は右注「キ」を付載する。当該字「葱」は「蔥・葱」と相互に異体字である。観智院本類聚名義抄に同音字注「音聡」を見出すが、仮名音注はない。その右傍「二字共玉」は共に丸い形と解しておく。元和本倭名類聚

350　3．仮名音注の韻母別考察　3-1　Ⅰ韻類

抄には同音字注「音聰」がある。

　　　蔥葱［二字共玉：墨右傍］下正欵／音聰／キ［上］ナキ …　　　（観智院本類聚名義抄／僧上019-8）

　　　葱　唐韻云葱 音聰 菫菜也本草云葱莖令葉熱 和名紀 …

　　　　　　　　　　　　　　　　　　　　　　　　　　　　（元和本倭名類聚抄／巻十七16 ウ1）

　▶番号4132a「聰」（聰馬）の仮名音注「ソウ」については、基本的に -oū で対応する。当該字
には平声点を差す。熟字4132「聰馬」は右注「アシケムマ」左注「葦花毛馬也」を付載する。観智
院本類聚名義抄に同音字注「音聰」を見出すが、仮名音注はない。元和本倭名類聚抄には同音字注
「音聰」がある。

　　　聰 …　音／聰／ミタラヲノウマ［平平濁平平平□□］青白雜毛馬　（観智院本類聚名義抄／僧中109-1）

　　　聰　說文云聰 音聰漢語抄云聰青馬也黃聰馬葦花毛馬也 …　　　（元和本倭名類聚抄／巻十一11 オ5）

　▶番号3750「椶」（棕）の仮名音注「ソウ」については、基本的に -oū で対応する。当該字に
は平声点を差し、右注「同（エタ）」を付載する。観智院本類聚名義抄に同音字注「惣」と上昇調
を示す俗云「シユウ［平上上］」を見出す。後者は字音「シウ」と同じか。元和本倭名類聚抄には
同音字注「惣」と俗云「種」がある。定着久しい字音「シユウ」去声を認める。

　　　椶櫚 惣閭二音／俗云シユウロ［平上上上］上カラタチ　　　（観智院本類聚名義抄／佛下本088-3）

　　　種 音種［上］タネ［平上］… 又去 ウフ［上平］在下 和主ウ　　（観智院本類聚名義抄／法下019-3）

　　　椶櫚　唐韻云椶櫚一名蒲葵 椶櫚二音惣閭俗云種魯 …　　　（元和本倭名類聚抄／巻二十25 ウ8）

　▶番号5290a「椶」（椶櫚）の仮名音注「ソウ」については、基本的に -oū で対応する。当該字
に声点はない。熟字「椶櫚」は右傍5290「ソウロ」右注6971「同 シウロ」左注6972「又スロ」
を付載する。仮名音注「ソウ・シウ・ス」三種を併載する。上述の分析を参照。

　▶番号6971a「椶」（椶櫚）の仮名音注「シウ」については、異例 -iū を示す。当該字に声点は
ない。熟字「椶櫚」は右傍5290「ソウロ」右注6971「同 シウロ」左注6972「又スロ」を付載す
る。仮名音注「ソウ・シウ・ス」三種を併載する。上述の分析を参照。

　▶番号6972a「椶」（椶櫚）の仮名音注「ス」については、基本的に -ū で対応する。当該字に
は声点はない。熟字「椶櫚」は右傍5290「ソウロ」右注6971「同 シウロ」左注6972「スロ」を
付載する。仮名音注「ソウ・シウ・ス」三種を併載する。上述の分析を参照。

　▶番号6792a「椶」（椶櫚）の仮名音注「ス［去］」については、基本的に -ū で対応する。当
該字の仮名音注には去声点を差す。熟字6792「椶櫚」は「スロ［去上俗］」を付載する。表記「俗」
を加えるので、定着久しい字音「ス」を想定する。上昇調である去声点を差す「ス」は一音節二拍
として認識した可能性があり、実際には字音「スウ」と把握したか。上述の分析を参照。

　▶番号3751・6799「蔥」（蔥・蔥）の仮名音注「ソウ」については、基本的に -oū で対応する。
両当該字には平声点を差す。番号3751「蔥」は右注「同（エタ）子紅反」左注「弱也」を、番号
6799「蔥」は右注「同（スハエ）」を付載する。観智院本類聚名義抄に同音字注「聰」と反切「子

切反」を見出すが、仮名音注はない。元和本倭名類聚抄には同音字注「聰」がある。

蔑 … 音聰 シモト／エタ［上上濁］イツハル［平上□□］　　（観智院本類聚名義抄／僧上 022-6）

蔑〔*部首「竹」〕蔑正 子切反／木細枝　　　　　　　　（観智院本類聚名義抄／僧上 076-8）

枝條 … 唐韻云蔑 音聰和名之毛止 木細枝也　　　　　　（元和本倭名類聚抄／巻二十 32 オ 6）

▶番号5291「蔑」（蔑）の仮名音注「ソウ」については、基本的に -oũ で対応する。当該字に声点はなく、右注「シモト」左注「木枝細也」を付載する。上述の分析を参照。

▶番号6270b「通」（密通）の仮名音注「トウ」については、基本的に -oũ で対応する。当該字には平声点を差す。熟字6270「密通」は右傍「ヒソカニカヨフ」を付載する。上巻の東韻当該諸例で分析したように、日本漢音「トウ」東声（四声体系では平声）日本呉音「ツウ」を認める。

▶番号4415b「東」（名東）の仮名音注「トウ」については、基本的に -oũ で対応する。当該字に声点はない。熟字4415「名東」は阿篇国郡部「阿波」の左注にある。上巻の東韻当該諸例で分析したように、日本漢音「トウ」東声（四声体系では平声）日本呉音「トウ」去声を認める。

阿波國 國府在名東郡本是名方郡也今分爲東西二郡 …　（元和本倭名類聚抄／巻五 25 オ 3）

▶番号3305「凍」（凍）の仮名音注「トウ」については、基本的に -oũ で対応する。当該字には平声点を差し、左右注「同（コホリ［上上上］）音東又／多貢反」を付載する。廣韻に拠れば、東/送韻（tʌuŋ¹/³）二音を有する。図書寮本類聚名義抄に東声点を付した同音字注「東」と「又去声」を見出す。観智院本には同音字注「東凍二音」（東には平声点／凍は凍の誤認か）を見つけるが、仮名音注はない。日本漢音は東/去声（四声体系では平/去声）を認める。

東 春方也 … 德紅切十七 … 凍 凍凌 又都貢切 …　　　（宋本廣韻／東韻 tʌuŋ¹）

凍 瀺雨 … 多貢切又音東七 凍 冰凍 又音東 …　　　　（宋本廣韻／送韻 tʌuŋ³）

寒凍 川云音東［東］又去声 寒水 … コホリ［切／右注］　（図書寮本類聚名義抄／065-7）

凍凍 千云 上俗 上唐韻云上都弄切／水凍也 下得紅切 暴雨（図書寮本類聚名義抄／066-2）

凍 東［平］凍二音 コホリ［上□□／□□ル：墨右傍］…　（観智院本類聚名義抄／法上 044-7）

▶番号3687b「同」（混同）の仮名音注「トウ」については、基本的に -oũ で対応する。当該字には平声点を差す。上巻の東韻当該諸例で分析したように、日本漢音は平声を認める。

▶番号5901d・5902d「同」（衆議不同・次第不同）の仮名音注「トウ」については、基本的に -oũ で対応する。両当該字に声点はない。上述の分析を参照。

▶番号4857a・4858「桐」（桐孫・桐）の仮名音注「トウ」については、基本的に -oũ で対応する。両当該字には平声点を差す。番号4858「桐」は右注「キリ」を付載する。上巻の東韻当該諸例で分析した。

▶番号4242「銅」（銅）の仮名音注「トウ」については、基本的に -oũ で対応する。当該字には平声点と去声点を差し、右注「去声俗」左注「アカヽネ」を付載する。上巻の東韻当該諸例で分析したように、日本漢音「トウ」平声、日本呉音は去声を認める。

352　3．仮名音注の韻母別考察　3-1　Ⅰ韻類

▶番号 5421b「銅」（赤銅）の仮名音注「トウ」については、基本的に -oū で対応する。当該字に声点はない。熟字 5421「赤銅」は左注「唐物」を付載する。上述の分析を参照。

▶番号 4262「罿」（罿）の仮名音注「トウ」については、基本的に -oū で対応する。当該字には平声点を差し、左注「車上網也」を付載する。観智院本類聚名義抄に同音字注「音童一音衝」を見出すが、仮名音注はない。元和本倭名類聚抄には同音字注「音童一音衝」がある。

　　　罿 音童一音衝／アミ［平平］車ノアミ［平平］／トリアミ　　　（観智院本類聚名義抄／僧中 009-5）
　　　罿 唐韻云罿 音童一音衝車乃阿美 車上網也　　　　　　　（元和本倭名類聚抄／巻十一 08 ウ 1）

▶番号 4836「雺」（雺）の仮名音注「モウ」については、基本的に -oū で対応する。当該字には平声点を差し、右注「同（キリ）」左注「莫紅反」を付載する。観智院本類聚名義抄の注記「籀」を書体の「籀文」と解すれば、異体字として「霚」を扱えるので、同音字注「音蒙」を見出すが、仮名音注はない。元和本倭名類聚抄には同音字注「音蒙」がある。

　　　霚 音蒙 キリ［上上］／ミタル 雺 籀　　　　　　　（観智院本類聚名義抄／法下 068-3）
　　　霧 … 兼名苑云一名雺音蒙一名雺音分水気著樹木爲雺也
　　　　　　　　　　　　　　　　　　　　　　　　（元和本倭名類聚抄／巻一 03 ウ 4）

▶番号 5296「鸄」（鸄）の仮名音注「ロウ」については、基本的に -oū で対応する。当該字には平声点を差し、右注「シキ」左注「野鳥也」を付載する。観智院本類聚名義抄に平声点を付した同音字注「音龍」を見出すが、仮名音注はない。元和本倭名類聚抄には同音字注「音籠」がある。日本漢音は平声を認める。

　　　鸄 音龍［平］／シキ［平上濁］　　　　　　　（観智院本類聚名義抄／僧中 128-7）
　　　鸄 玉篇云鸄 音籠楊氏漢語抄云之木一云田鳥 野鳥也　　　（元和本倭名類聚抄／巻十八 08 オ 7）

▶番号 3448「籠」（籠）の仮名音注「ロウ」については、基本的に -oū で対応する。当該字に声点はなく、右注「コ 盧紅反」左注「竹器也」を付載する。上巻の東韻当該諸例で分析した。

▶番号 4499b「螉」（蠮螉）の仮名音注「ヲウ」については、基本的に -oū で対応する。当該字には平声点を差し、右注「サソリ」左注「似蜂細腰也」を付載する。観智院本類聚名義抄に平声点を付した同音字注「翁」を見出すが、仮名音注はない。元和本倭名類聚抄には同音字注「翁」がある。日本漢音は平声を認める。

　　　蠮螉 悦翁［平］二音 サワリ［平上上］　　　　　　　（観智院本類聚名義抄／僧下 016-7）
　　　蠮螉 爾雅注云蠮螉 悦翁二音和名佐曾里 似蜂而細腰者也 …
　　　　　　　　　　　　　　　　　　　　　　　　（元和本倭名類聚抄／巻十九 26 オ 1）

《董韻 上巻諸例》

▶番号 2265「惣」（惣）の仮名音注「ソフ」については、異例 -op を示す。その末子音である

喉内撥音韻尾 -ŋ を「フ」で対応する。当該字に声点はなく、和訓「ヲス」の同訓異字として位置する。その仮名音注「ソフ」は直下にある掲出字「扨」（蒸/證韻 ńieŋ¹/³）の右傍に付載するが、当該字「惣」の仮名音注と判断する。当該字「惣」は「揔・捴」と相互に異体字である。観智院本類聚名義抄は異体字「捴」に反切「祖孔反」および和音「ソウ」（その右傍に墨筆で喉内撥音韻尾「✓」表記）を見出す。日本呉音「ソウ」を認める。

總 聚束也合也皆也衆也 作孔切十五 揔 上同 惣 俗 … （宋本廣韻／董韻 tsʌuŋ²）

惣 揔二正 捴字 （観智院本類聚名義抄／佛下末 045-2）

惣 正揔字 スフ［上平濁］ウク［美：墨右注］ （観智院本類聚名義抄／法中 082-7）

捴 祖孔反 … スフ［□ヘテ［□平平］：墨右傍］… 和ソウ［□✓：墨右傍］

（観智院本類聚名義抄／佛下本 065-5）

▶番号 0240b・1620a「動」（動右・動静）の仮名音注「トウ」については、基本的に -oū で対応する。両当該字には去声点を差す。廣韻に拠れば、その中古音は定母濁董韻上声（dʌuŋ²）である。頭子音 d-（等韻学の術語で言う舌音濁定母）は有声歯茎閉鎖音であり、日本語のダ行音をもって受容するが、中国語音韻史上における濁音声母の無声化を反映する場合はタ行音で対応する。また、切韻を撰述して以降の中国語において、上声濁が次第に去声化を起こした状態を、日本漢音では反映する。これは上声を構成する上声軽と上声重とが allotone であり、後者の調値が去声と区別できないことを示すとも言える。観智院本類聚名義抄に反切「徒董反」と低平調と推測する和音「圡ウ」（その右傍に喉内撥音韻尾「✓」表記）を見出す。同書では和音「圡ウ・圡ク・圡ム・圡ン」があり、濁音の字音「ド」を含む表記である。日本呉音「ドウ」平声を認める。

動 徒董反 オコク［平平濁上／ウ［平］□□：墨右傍］… 和圡ウ［□平：墨点／□✓：墨右傍］

（観智院本類聚名義抄／僧上 083-5）

▶番号 1677a「動」（動植）の仮名音注「トウ」については、基本的に -oū で対応する。当該字には平声点を差す。上述の分析を参照。

▶番号 1188b「動」（發動）の仮名音注「トウ」については、基本的に -oū で対応する。当該字には平声濁点を差すので、字音「ドウ」を想定する。上述の分析を参照。

▶番号 0519「奉」（奉）の仮名音注「フ」については、基本的に -ū で対応する。これは円唇性韻尾 -uŋ に主母音が洞化された字音把握である。当該字には平声点を差し、右注「同（ハナ）」を付載する。観智院本類聚名義抄に反切「補動反」を見出すが、仮名音注はない。

奉 補動反／草盛 キヒシ［平平濁上］ （観智院本類聚名義抄／僧上 042-4）

《董韻 下巻諸例》

▶番号 4169a「総」（総角）の仮名音注「ソウ」については、基本的に -oū で対応する。当該字

354　3．仮名音注の韻母別考察　3-1　Ⅰ韻類

には上声点を差す。当該字「総」は「總・揔・惣」と相互に異体字である。熟字4169「総角」は右
注「アケマキ」左注「童名也」を付載する。図書寮本類聚名義抄に上声点を付した同音字注「类云
捴音」（董韻 tsʌuŋ²）と平声を付した同音字注「广云音忩」（東韻 ts'ʌuŋ¹）さらに同音字注「音
惣」（董韻 tsʌuŋ²）を見出す。観智院本には同音字注「音惣・又音惣」と「音苁」（東韻 ts'ʌuŋ¹）
を見つけるが、仮名音注はない。元和本倭名類聚抄には反切「作孔反」がある。日本漢音は平/上声
を認める。

　　　　總 聚束也 … 作孔切十五 揔 上同 惣 俗 …　　　　　　　　　　　（宋本廣韻／精母董韻 tsʌuŋ²）
　　　　総布 类云捴音［上］… 聚束也／广云音忩［平］… 川云和㽵布散［平平］
　　　　　　　　　　　　　　　　　　　　　　　　　　　　　　　　（図書寮本類聚名義抄／306-1）
　　　　總 宋云總惣上／同 音惣　　　　　　　　　　　　　　　　　　（図書寮本類聚名義抄／306-2）
　　　　総 音惣 束 フサ［平平］／フサック［平平□□］　　　　　　　（観智院本類聚名義抄／法中 113-6）
　　　　総 音苁 青白色 ヌヒメ［□□平］／又音惣 束 フサ［平平］…　（観智院本類聚名義抄／法中 127-1）
　　　　総角 アケマキ［平平濁上上］／老［者イ：朱左傍］幻類　　　（観智院本類聚名義抄／佛下本 009-5）
　　　　總　蒋䲑切韻云總 作孔反和㽵布散 聚糸成束也　　　　　　　　（元和本倭名類聚抄／巻十四02オ9）

　▶番号3709b「動」（鼓動）の仮名音注「トウ」については、基本的に -oŭ で対応する。当該字
には去声点を差す。上巻の董韻当該例で分析したように、日本呉音「ドウ」平声を認める。

　▶番号5036b「動」（吟動）の仮名音注「トウ」については、基本的に -oŭ で対応する。当該字
には去声濁点を差し、日本語音韻史上の連濁による字音「ドウ」を想定する。上述の分析を参照。

　▶番号4738b「動」（騒動）の仮名音注「トウ」については、基本的に -oŭ で対応する。当該字
には平声点を差す。上述の分析を参照。

　▶番号5838b「動」（震動）の仮名音注「トウ」については、基本的に -oŭ で対応する。には平
声濁点を差すので、字音「ドウ」を想定する。上述の分析を参照。

　　　《送韻 上巻諸例》

　▶番号1761「糉」（糭）の仮名音注「ソウ」については、基本的に -oŭ で対応する。当該字に
は去声点を差し、右注「チマキ」左注「俗作糭」を付載する。観智院本類聚名義抄に反切「祖送反」
（その反切下字に去声濁点／濁点は存疑）を見出すが、仮名音注はない。日本漢音は去声を認める。
　　　　糉 祖送［□去濁］反 チマキ［上上上］　　　　　　　　　（観智院本類聚名義抄／法下 031-6）

　▶番号1670a「痛」（痛悠）の仮名音注「トウ」については、基本的に -oŭ で対応する。当該字
には去声点を差す。熟字1670「痛悠」は右傍「イタミ イタム」を付載する。観智院本類聚名義抄
に同音字注「音洞」および上昇調を示すと推測する和音「ツウ」を見出す。長承本蒙求には仮名音
注「トウ」があり、その掲出字に去声点を加える。承暦本金光明最勝王経音義には仮名音注「ツウ

音」を見つける。日本漢音「トウ」去声、日本呉音「ツウ」去声を認める。

痛 音洞 イタム［□□シ：墨右傍］… 和ツウ［□上］　　　（観智院本類聚名義抄／法下 113-4）

痛［去］トウ　　　　　　　　　　　　　　　　　　　　　　　　　（長承本蒙求／112）

痛 ツウ六〔＊後筆墨書〕　　　　　　（承暦本金光明最勝王経音義／10 オ 5）

▶番号 0127「痛」（痛）の仮名音注「トウ」については、基本的に -oǔ で対応する。当該字に声点はなく、右注「イタム」左注「イタミ」を付載する。上述の分析を参照。

▶番号 1589a「棟」（棟梁）の仮名音注「トウ」については、基本的に -oǔ で対応する。当該字には去声点を差す。観智院本類聚名義抄に同音字注「音東」を見出すが、仮名音注はない。

棟 音東 ムネ［上上］　　　　　　　　　（観智院本類聚名義抄／佛下本 085-6）

▶番号 1153a「夢」（夢澤）の仮名音注「ホウ」については、基本的に -oǔ で対応する。当該字には去声濁点を差すので、字音「ボウ」を想定する。その中古音が示す頭子音 m-（等韻学の術語で言う明母）は両唇鼻音であり、日本語のマ行音をもって受容する。ただし、中国語音韻史上における鼻音声母の非鼻音化（denasalization）により、m- > mb- > b- の音変化をする。この影響を受けた日本漢音では原則的にバ行音を反映することになる。観智院本類聚名義抄に反切「莫公反・莫鳳反・又莫中反」と「又去音」および低平調と推測する和音「ムウ」（その右傍に喉内撥音韻尾「✓」表記）を見出す。日本漢音は去声、日本呉音「ムウ」平声を認める。

夢 莫公反 又去音／ユメ［平□］…　　　　　　（観智院本類聚名義抄／法下 135-1）

夢 莫鳳反 ユメ［平平］又莫中反／和ムウ［□平：墨点／✓□：墨右傍］

　　　　　　　　　　　　　　　　　　　　　（観智院本類聚名義抄／僧上 049-3）

▶番号 1103「瓫」（瓫）の仮名音注「ホン」については、異例 -on を示す。当該字には平声点を差し、その右注「同（ホトキ［平平上］）」中左注「又乍盆」を付載する。廣韻には小韻代表字「瓫：説文罌也烏貢切五」とあり、異体字として「甕・罋」を同小韻中に見つけるので、本来は仮名音注「ヲウ」を期待する。しかし、同じく廣韻に小韻代表字「盆：瓦器亦作瓫蒲奔切四」とあり、同字と見做していたことがわかる。元和本倭名類聚抄にも「盆」に対して「又乍瓫」「比良加俗云保止岐」を見出すので、すでに「瓫＝盆」という認識があったと推測する。観智院本類聚名義抄に低平調と推測する和音「慕ン」を見出す。同書で「慕」を再検索すると、平声濁点と去声濁点を付した和音「ホ」を見つける。承暦本金光明最勝王経音義には同音字注「ホ✓音」がある。日本呉音「ボン」平声を認める。

瓫 説文罌也 烏貢切五 甕 上同 罋 瓶也 …　　　　　（宋本廣韻／影母送韻 'ʌuŋ³）

盆 瓦器亦作瓫 … 蒲奔切四 …　　　　　　　　　（宋本廣韻／並母魂韻 buʌn¹）

瓫 ホトキ／和慕ン［□平］　　　　　（観智院本類聚名義抄／僧中 021-5）

甕瓫 並正／罋或　　　　　　　　　　（観智院本類聚名義抄／僧中 018-2）

盆 蒲魂反 亦瓫 ヒラカ／俗云 ホトキ　　　（観智院本類聚名義抄／僧中 015-6）

356　3．仮名音注の韻母別考察　3-1　Ⅰ韻類

　　慕 音暮／コヒシ［平平平］… 和ホ［平濁・去濁：墨点］　　　　　（観智院本類聚名義抄／僧上 002-3）

　　盆　唐韻云盆 蒲奔反字亦作瓫辨色立成云比良加俗云保止岐　　（元和本倭名類聚抄／巻十七 07 ウ 5）

　　盆 ホ✓六／ホトキ ［：右傍］〔＊後筆墨書〕　　　　　　　　（承暦本金光明最勝王経音義／09 オ 5）

　▶番号 0443a・1086a「弄」（弄槍・弄搶）の仮名音注「ロウ」については、基本的に -oū で対
応する。両当該字には去声点を差す。熟字 1086「弄搶」は右注「壹越調」中注「无舞」左注「ホコ
トリ」を付載する。観智院本類聚名義抄に同音字注「音哢」および和音「ロウ」を見出す。日本呉
音「ロウ」を認める。

　　弄哢 モテアソフ／キテアソフ 和ロウ　　　　　　　　　　　（観智院本類聚名義抄／佛下末 023-3）

　　弄槍 ホコトリ［平平平平］　　　　　　　　　　　　　　　（観智院本類聚名義抄／佛下末 023-3）

　▶番号 0153b「弄」（壹弄樂）の仮名音注「ロ」については、異例 -o を示す。当該字には上声
点を差す。熟字 0153「壹弄樂」は「イツロラウ」を付載する。本来は「イツロウカク」か。上述の
分析を参照。

　▶番号 0414a・0439a「哢」（哢槍・哢言）の仮名音注「ロウ」については、基本的に -oū で対
応する。両当該字には去声点を差す。熟字 0414「哢槍」は右注「壹越調」左注「无舞」を付載する。
観智院本類聚名義抄に同音字注「音弄」を見出すが、仮名音注はない。

　　哢 音弄 ツミナフ サヘツル／アサケル［上上濁□□］　　　（観智院本類聚名義抄／佛中 040-5）

《送韻 下巻諸例》

　▶番号 6433「甕」（甕）の仮名音注「オウ」については、基本的に -oū で対応する。当該字に
は去声点を差し、右注「同（モタヒ）」中注「烏貢反」左注「或乍瓫」を付載する。廣韻に拠れば、
影母送韻（ʼʌuŋ³）であり、拗介音を含むことはない。観智院本類聚名義抄に反切「烏貢反」を見出
す。長承本蒙求には仮名音注「ヰヨウ・オウ」があり、その掲出字に去声点を加える。前者の仮名
音注「ヰヨウ」は諧声符「雍」影母用韻（ʼiɑuŋ³）よる字音把握か。元和本倭名類聚抄には反切「烏
貢反」がある。日本漢音「ヰヨウ・オウ」去声を認める。

　　甕 烏貢反 ミカ［上平］モタヒ［平平平］／オホキナリ　　（観智院本類聚名義抄／僧中 018-1）

　　甕瓫 並正／罋或 … 甕子 モタヒ［平平上］　　　　　　　（観智院本類聚名義抄／僧中 018-2）

　　甕［去］ヰヨウ・オウ　　　　　　　　　　　　　　　　　　（長承本蒙求／051）

　　甕　揚雄方言云自關而東罋謂之甕 烏貢反字亦作瓫罋音烏罌反字亦作罌和名毛太非

　　　　　　　　　　　　　　　　　　　　　　　　　　　　　（元和本倭名類聚抄／巻十六 07 オ 5）

　▶番号 4530b「送」（葬送）の仮名音注「ソウ」については、基本的に -oū で対応する。観智院
本類聚名義抄に反切「蘓貢反」および低平調を示すと推測する和音「ソウ」（その右傍に朱筆で喉
内撥音韻尾「✓」表記）を見出す。長承本蒙求には仮名音注「ソウ」二例があり、両掲出字に去声

点を加える。日本漢音「ソウ」去声、日本呉音「ソウ」平声を認める。

　　　送　蘓貢反／オクル［上上□］和ソウ［□平／□✓：朱右傍］　　　（観智院本類聚名義抄／佛上 059-1)

　　　送［去］ソウ／ソウ　　　　　　　　　　　　　　　　　　　　　（長承本蒙求／061)

　　　送［去］ソウ　　　　　　　　　　　　　　　　　　　　　　　　（長承本蒙求／110)

　▶番号 4835a「夢」（夢澤）の仮名音注「ホウ」については、基本的に -oũ で対応する。4835a には去声点を差す。上巻の送韻当該例で分析したように、日本漢音は去声、日本呉音「ムウ」平声を認める。

　▶番号 5229「夢」（夢）の仮名音注「ホウ」については、基本的に -oũ で対応する。当該字には平声点を差し、右注「ユメ」を付載する。上述の分析を参照。

　▶番号 3848b「夢」（燕夢）の仮名音注「ホウ」については、基本的に -oũ で対応する。当該字に声点はない。上述の分析を参照。

《屋韻　上巻諸例》

　▶番号 1503「轂」（轂）の仮名音注「コク」については、基本的に -ok で対応する。当該字には入声点を差し、右注「トウ」左注「車轂」を付載する。観智院本類聚名義抄に同音字注「音鏗」を見出すが、当該字とは別音の耕韻（kʻeŋˈ）である。廣韻では「鏗：鏗鏦金石聲也」とあり、金属や石の鳴る音を表す擬声語であるから、同音字注「鏗」は義注の可能性がある。承暦本金光明最勝王経音義には仮名音注「コク」がある。元和本倭名類聚抄には反切「古祿反」を見つける。日本呉音「コク」を認める。

　　　轂 … 音鏗　車堅／コシキ　　　　　　　　　　　　　　　　　（観智院本類聚名義抄／僧中 091-1)

　　　轂　コク［：右注］〔＊後筆墨書〕　　　　　　　　　　　　　（承暦本金光明最勝王経音義／07 ウ 6)

　　　轂　說文云轂 古祿反漢語抄云車乃古之岐俗云簹　　　　　　　（元和本倭名類聚抄／巻十七 07 ウ 9)

　▶番号 2503「穀」（穀）の仮名音注「コク」については、基本的に -ok で対応する。当該字に声点はなく、右注「カチ」を付載する。字形の近似した「穀」との誤認による。いわゆる「禾」部分を「木」と見誤った結果で、本来は和訓「タナツモノ・ヤシナフ・モミ」の付載を想定する。なお、両字は同音である。元和本倭名類聚抄では「穀」に対して注記「音穀和名加知」を、一方「穀」に対して注記「音谷和名毛美」を付載する。両例ともに字音と和訓を正しく把握している。観智院本類聚名義抄は倭名類聚抄を踏まえての引用であろう。ただし、禾を含む当該字「穀」には「正也」と朱筆を加え、直前の木を含む「穀」に対する異体字であるとの誤認が見て取れる。前田本が混同する所以である。また、観智院本類聚名義抄に入声濁点を付した同音字注「谷」を見出すが、その濁点を縦に加えており疑義が残る。あるいは入声点と徳声点との両声調を示すか。承暦本金光明最勝王経音義には仮名音注「コク」がある。日本呉音「コク」入声を認める。

358   3．仮名音注の韻母別考察　3-1　Ⅰ韻類

穀 音穀［入］／カチノキ［上上濁□□］オフ 穀欶　　　　　　（観智院本類聚名義抄／僧中 066-8）

穀［正也：朱右傍上］谷［入濁］ヤシナフ［上上□□］… モミ［上上］

　　　　　　　　　　　　　　　　　　　　　　　　　　　　（観智院本類聚名義抄／僧中 067-1）

五穀 イッ、［平平□］ノタ／ナツモノ　　　　　　　　　　（観智院本類聚名義抄／僧中 067-1）

穀 … 唐韻云穀 音穀和名加知 木名也　　　　　　　　　　　（元和本倭名類聚抄／巻二十 26 ウ 9）

穀 周禮注云五穀 音谷和名毛美日本紀私記云五穀以都ミ乃太奈豆毛乃 …

　　　　　　　　　　　　　　　　　　　　　　　　　　　　（元和本倭名類聚抄／巻十七 02 オ 6）

穀 コク［：右傍］〔＊後筆墨書〕　　　　　　　　　　　　（承暦本金光明最勝王経音義／10 オ 6）

▶番号 0246b・3117b・3126b「谷」（幽谷・函谷・解谷）の仮名音注「コク」については、基本的に -ok で対応する。当該諸字三例に入声点を差す。観智院本類聚名義抄に同音字注「穀欶二音」を見出す。長承本蒙求には仮名音注「コク」があり、その掲出字に徳声点を加える。日本漢音「コク」徳声（四声体系では入声）認める。

谷 穀欶二音 タニ … キハム［平平平］コ、　　　　　　　（観智院本類聚名義抄／佛下末 030-5）

谷［徳］コク　　　　　　　　　　　　　　　　　　　　　（長承本蒙求／050）

▶番号 0267b・1594b「族」（一族・同族）の仮名音注「ソク」については、基本的に -ok で対応する。両当該字には入声点を差す。観智院本類聚名義抄に反切「徂鹿反」および和音「ソク」（その右傍に朱筆で濁音「√」表記）を見出す。日本呉音「ゾク」を認める。

族 徂鹿反 ヤカラ［平平平］… 和ソク［√□：朱右傍］　　（観智院本類聚名義抄／僧中 030-3）

▶番号 1845b「速」（遅速）の仮名音注「ソク」については、基本的に -ok で対応する。当該字には入声点を差す。観智院本類聚名義抄に反切「素木反」および和音「ソク」を見出す。日本呉音「ソク」を認める。

速 素木反 スミヤカニ … 和ソク　　　　　　　　　　　　（観智院本類聚名義抄／佛上 048-3）

▶番号 1520a・1616a・1617a・1618a・1619a「獨」（獨犴・獨歩・獨立・獨身・獨行）の仮名音注「トク」については、基本的に -ok で対応する。当該諸字五例に入声点を差す。熟字 1520「獨犴」は左注「葦鹿皮曰獨犴」を付載する。観智院本類聚名義抄に同音字注「音讀」を見出す。長承本蒙求には仮名音注「トク」二例があり、その掲出字一例に徳声を加えるが、疑義がある。中古音が示す頭子音 d- 定母は等韻学の術語で言う「舌音濁」であり、六声体系の場合には入声重（入声）となる。徳声は「清・次清・清濁」声母を示す場合である。中国語音韻史上に現れる濁音声母の無声化を反映した日本漢音「トク」を認める。

獨 音讀 ヒトリ／ムカフ ヨル カモス　　　　　　　　　　（観智院本類聚名義抄／佛下本 130-4）

獨［徳］トク　　　　　　　　　　　　　　　　　　　　　（長承本蒙求／096）

獨〔＊右下隅欠〕トク　　　　　　　　　　　　　　　　　（長承本蒙求／138）

▶番号 1511a「獨」（獨鈷）の仮名音注「ト」については、異例 -o を示す。当該字に声点はな

3-1-2 -ʌ系の字音的特徴　359

い。熟字1511「獨鈷」は右注「トコ」を付載する。密教で用いる仏具であり、早くから定着した字音「トクコ」が音変化を受け、促音無表記「トコ」となった蓋然性が高い。観智院本類聚名義抄に低平調を示す「トク」を見出す。中国語音韻史上に現れる濁音声母の無声化を反映した字音「トク」入声を認める。上述の分析を参照。

　　　獨鈷 トクコ［平平平］　　　　　　　　　　　　（観智院本類聚名義抄／僧上115-6）

　▶番号1459a「髑」（髑髏）の仮名音注「トク」については、基本的に -ok で対応する。当該字に声点はない。観智院本類聚名義抄に同音字注「音獨」および低平調を示すと推測する和音「トク」を見出す。日本呉音「トク」入声を認める。

　　　髑髏 音獨婁［□平／ロウ：朱右傍］　ヒトカシラ［上上上濁上平］… 和トクロ［□平上］

　　　　　　　　　　　　　　　　　　　　　　　　（観智院本類聚名義抄／佛下本005-4）

　▶番号1581a・1637a「讀」（讀経・讀合）の仮名音注「トク」については、基本的に -ok で対応する。両当該字には入声点を差す。図書寮本類聚名義抄に入声点を付した同音字注「音獨」を見出す。観智院本には入声点を付した同音字注「音獨」を見つけるが、仮名音注はない。日本漢音は入声を認める。

　　　讀誦 上音獨［入］… ヨム［平上／論：右注］…　　　　　（図書寮本類聚名義抄／070-6）

　　　讀 音獨［入］ヨム［平上］〔*←東上］… カソフ　　（観智院本類聚名義抄／法上047-7）

　▶番号1456a「讀」（讀師）の仮名音注「トク」については、基本的に -ok で対応する。当該字に声点はない。上述の分析を参照。

　▶番号2599「禿」（禿）の仮名音注「トク」については、基本的に -ok で対応する。当該字には入声点を差し、右注「カフロ」左注「又乍禿」を付載する。観智院本類聚名義抄に音注を見出せない。元和本倭名類聚抄には反切「土木反」がある。天治本新撰字鏡・高山寺本篆隸萬象名義では反切「吐木反」とする。なお、和訓「加夫呂奈利」は禿の姿を意味する。

　　　禿 カフロナリ／カタクナシ オツ　　　　　　　（観智院本類聚名義抄／法下015-6）

　　　瘍 禿附 … 周禮云禿 土木反加不路 頭瘡也野王案無髮也　（元和本倭名類聚抄／巻三26ウ2）

　　　禿 吐木反无髮加夫呂奈利　　　　　　　　　　（天治本新撰字鏡／巻十一34ウ2）

　　　禿 吐木反无髮　　　　　　　　（高山寺本篆隸萬象名義／第六帖174ウ6）

　▶番号0849b・1240a・1262a・1651b「木」（八木・木訥・木強・土木）の仮名音注「ホク」については、基本的に -ok で対応する。熟字1262「木強」は右傍「キ スク」を付載する。当該諸字四例に入声濁点を差すので、字音「ボク」を想定する。その中古音が示す頭子音 m-（等韻学の術語では脣音明母）は、中国語音韻史上における鼻音声母の非鼻音化 (denasalization) 現象により、m- > mb- > b- の音変化をする。この影響を受けた日本漢音では原則的にバ行音を反映することになる。観智院本類聚名義抄に反切「莫木反」と和音「モク」を見出す。長承本蒙求には仮名音注「ホク」二例があり、それらを含む掲出字四例に德声点および德声加濁点を加える。日本漢音「ボク」

360　3．仮名音注の韻母別考察　3-1　Ⅰ韻類

徳声（四声体系では入声）日本呉音「モク」を認める。

　　　木 莫木反 キ／サトル 和モク　　　　　　　　（観智院本類聚名義抄／佛下本 082-4）

　　　木強 キコハシ［上上上上］　　　　　　　　（観智院本類聚名義抄／僧中 004-4）

　　　木［徳／徳：加濁］ホク　　　　　　　　　　　　　　（長承本蒙求／080）

　　　木［徳］ホク　　　　　　　　　　　　　　　　　（長承本蒙求／092）

　　　木［徳］　　　　　　　　　　　　　　　　　　　（長承本蒙求／102）

　　　木［徳／徳：加濁］　　　　　　　　　　　　　　（長承本蒙求／104）

▶番号 1068・1219a・1220a「僕」（僕・僕従・僕夫）の仮名音注「ホク」については、基本的に -ok で対応する。当該諸字三例には入声濁点を差すので、字音「ボク」を想定する。その中古音が示す頭子音 b-（等韻学の術語で言う脣音濁並母）は有声両脣閉鎖音であり、日本語のバ行音をもって受容するが、中国語音韻史上における濁音声母の無声化を反映する場合はハ行音で対応する。番号 1068「僕」は左右注「僮僕／従者也」を付載する。当該字「僕」は「僕」と相互に異体字である。観智院本類聚名義抄に反切「蒲木反」と和音「ホク」（その右傍に朱筆で濁音「✓」表記）を見出す。長承本蒙求には仮名音注「ホク」があり、その掲出字に入声点を加える。日本漢音「ホク」入声、日本呉音「ボク」を認める。

　　　僕僕 上俗下正 ヤツカレ［平上上平］ … 蒲木反 … 和ホク［✓□：朱右傍］

　　　　　　　　　　　　　　　　　　　　　　　　（観智院本類聚名義抄／佛上 004-2）

　　　僕［入］ホク／ホク　　　　　　　　　　　　　（長承本蒙求／037）

▶番号 1186a「卜」（卜筮）の仮名音注「ホク」については、基本的に -ok で対応する。当該字には入声濁点を差すので、字音「ボク」を想定する。その中古音が示す頭子音 p-（等韻学の術語で言う脣音清幫母）は無声無気両脣閉鎖音であり、日本語のハ行音をもって対応する。バ行音での対応は許容しがたい。現行多くの漢和辞典は慣用音「ボク」を掲げるが、出自は不明。図書寮本類聚名義抄に反切「弘云補鹿反」（その反切下字に入声点）を見出す。観智院本には反切「補鹿反」を見つける。長承本蒙求には仮名音注「ホク」があり、その掲出字には入声点を加える。承暦本金光明最勝王経音義には同音字注「北音」（徳韻 pʌk）があり、その掲出字には入声点を付載する。日本漢音「ホク」入声、日本呉音は入声を認める。また日本呉音「ホク」の蓋然性が高い。

　　　卜 弘云補鹿［□入］反 …　　　　　　　　　（図書寮本類聚名義抄／131-1）

　　　卜 補鹿反 ウラナフ［平平□□］／シム［平上］　（観智院本類聚名義抄／法上 096-4）

　　　卜［入］ホク　　　　　　　　　　　　　　　　（長承本蒙求／092）

　　　卜［入］北ゝ　　　　　　　　（承暦本金光明最勝王経音義／08 ウ 5）

　　　北 補黙 キタ［上平］ノカル［平上濁平］ … 和ホク　（観智院本類聚名義抄／法上 099-4）

▶番号 1226b「禄」（俸禄）の仮名音注「ロク」については、基本的に -ok で対応する。当該字には入声点を差す。観智院本類聚名義抄に入声点を付した同音字注「音鹿」を見出すが、仮名音注

はない。日本漢音は入声を認める。

　　　禄 音鹿 [入] タマフ／サイハヒ　　　　　　　　　（観智院本類聚名義抄／法下 005-5）

　▶番号 0408・0419a（禄・禄物）の仮名音注「ロク」については、基本的に -ok で対応する。両当該字に声点はない。番号 0408「禄」は左注「賜也」を付載する。上述の分析を参照。

　▶番号 0410「籙」（籙）の仮名音注「ロク[上上]」については、基本的に -ok で対応する。その仮名音注に上平調を示す声点を差すので、徳声と想定する。当該字は右注「圖籙」左右「云帝之運欤」を付載する。観智院本類聚名義抄に同音字注「音録」と反切「力玉反」（その反切下字に入声濁点）を見出すが、仮名音注はない。日本漢音は入声を認める。

　　　籙 音録 圖 シルス／フタ　　　　　　　　　　　（観智院本類聚名義抄／僧上 077-2）

　　　籙 力玉 [□入濁] 反 圖 録 シルシ [上上□／□□ス [平] ：墨右傍] …

　　　　　　　　　　　　　　　　　　　　　　　　　（観智院本類聚名義抄／僧上 137-1）

　▶番号 0490a・0742b・2525・2719a「鹿」（鹿鳴草・白鹿・鹿・鹿杖）の仮名音注「ロク」については、基本的に -ok で対応する。当該諸字四例には入声点を差す。熟字 0490「鹿鳴草」は右注「同（ハキ）」を、番号 2525「鹿」は右注「随車」中注「又カセキ」左注「カノシヽ」を付載する。観智院本類聚名義抄に入声点を付した同音字注「音禄」を見出す。長承本倶求には仮名音注「ロク」があり、その掲出字には徳声点を加える。元和本倭名類聚抄には同音字注「音祿」を見つける。日本漢音「ロク」徳声（四声体系では入声）を認める。

　　　麃鹿 今正 音禄 [入] ／和名カ [平]　　　　　　（観智院本類聚名義抄／法下 110-3）

　　　麃杖 カセツヱ [平平平濁上]　　　　　　　　　（観智院本類聚名義抄／佛下本 105-6）

　　　鹿 [徳] ロク　　　　　　　　　　　　　　　　（長承本倶求／072）

　　　鹿 麠附　陸詞切韻云鹿 音祿和名加 斑獸也 …　　（元和本倭名類聚抄／巻十八 18 オ 5）

　▶番号 0404「鹿」（鹿）の仮名音注「ロク」については、基本的に -ok で対応する。当該字に声点はない。上述の分析を参照。

　▶番号 0421a「簏」（簏子）の仮名音注「ロウ[上上]」については、異例 -ou を示すので、字音「ロウ」上声を想定する。熟字 0421「簏子」には右傍「ロウシ [上上上濁]」を付載する。日本語音韻史上におけるウ音便と連濁を含む字音把握である。観智院本類聚名義抄に同音字注「禄」を見出すが、仮名音注はない。元和本倭名類聚抄に同音字注「音鹿」がある。

　　　簏 音禄 ハコ スリ [平平] ／竹器也 ハヲ クタ　（観智院本類聚名義抄／僧上 061-6）

　　　簏 說文云 音鹿楊氏漢語抄云簏子須利 竹篋也　　（元和本倭名類聚抄／巻十四 18 ウ 7）

　▶番号 0415a「轆」（轆轤）の仮名音注「ロク」については、基本的に -ok で対応する。当該字には入声点を差す。観智院本類聚名義抄に同音字注「音録」と反切「力木力胡反」を見出すが、仮名音注はない。元和本倭名類聚抄には同音字注「鹿」および「俗云六」がある。

　　　轆轤 音禄／轆轤　　　　　　　　　　　　　　（観智院本類聚名義抄／僧中 085-8）

362　3．仮名音注の韻母別考察　3-1　Ⅰ韻類

轆轤 又轆轤／力木力胡反 汲水者轆轤　　　　　　　　　（観智院本類聚名義抄／佛下本 094-2）

轆轤 四聲字苑云轆轤 鹿盧二音俗云六路 圓轉木機也　　　（元和本倭名類聚抄／巻十五 15 ウ 1）

▶番号 0430a・0430b「轆」（轆ミ・轆ミ）の仮名音注「ロク」については、基本的に -ok で対応する。両当該字に声点はない。熟字 0430「轆ミ」は左注「不絶義也」を付載する。上述の分析を参照。

▶番号 3045b「屋」（家屋）の仮名音注「オク」については、基本的に -ok で対応する。当該字には入声点を差す。ア行「オ」/o/ とワ行「ヲ」/wo/ との音韻的弁別を反映しない状況が見て取れる。観智院本類聚名義抄に反切「扵鹿反」を見出すが、仮名音注はない。

　　　　屋 扵鹿反 ヤ ［去］／居也 形也　　　　　　　（観智院本類聚名義抄／法下 092-2）

▶番号 0841b・1243b「屋」（茅屋・蓬屋）の仮名音注「ヲク」については、基本的に -ok で対応する。両当該字には入声点を差す。上述の分析を参照。

《屋韻 下巻諸例》

▶番号 3415・6427「穀」（穀・穀）の仮名音注「コク」については、基本的に -ok で対応する。両当該字には入声点を差す。番号 6427「穀」は右注「同（モミ）」を付載する。当該字「穀」は「穀と相互に異体である。観智院本類聚名義抄に音注はない。上巻の屋韻当該例で分析したように、異体字「穀」については日本呉音「コク」入声を認める。

　　　　穀 モチ　　　　　　　　　　　　　　　　　　（観智院本類聚名義抄／法下 037-4）

▶番号 3900b「穀」（五穀）の仮名音注「丶ク（コク）」については、基本的に -ok で対応する。当該字に声点はない。熟字 3900「五穀」は右注「古禄反」中注「コ丶ク」左注「又乍穀」を付載する。上述の分析を参照。

▶番号 6924b「穀」（推穀）の仮名音注「コク」については、基本的に -ok で対応する。当該字に声点はない。上巻の屋韻当該例で分析したように、日本呉音「コク」を認める。

▶番号 3436「穀」（穀）の仮名音注「コク」については、基本的に -ok で対応する。当該字には入声点を差し、右注「コメ 胡谷反」左注「羅穀」を付載する。観智院本類聚名義抄に反切「胡木反」二例を見出すが、仮名音注はない。元和本倭名類聚抄には反切「胡谷反」がある。

　　　　穀 胡木反 羅穀　　　　　　　　　　　　　　（観智院本類聚名義抄／法中 113-7）

　　　　穀 胡木反／コメ　　　　　　　　　　　　　　（観智院本類聚名義抄／僧中 067-3）

　　　　穀 纖附 釋名云穀 胡谷反和名古女 …　　　　　（元和本倭名類聚抄／巻十二 15 ウ 2）

▶番号 5250「斛」（斛）の仮名音注「コク」については、基本的に -ok で対応する。当該字には入声点を差し、右注「ユフネ」を付載する。観智院本類聚名義抄に反切「胡穀反」二例を見出すが、仮名音注はない。元和本倭名類聚抄には反切「胡谷反」がある。

斛 胡縠反 （観智院本類聚名義抄／佛下本009-7）

斛 … 十斗／胡縠反 （観智院本類聚名義抄／佛下本009-7）

斛 漢書律暦志云龠合升斗斛 胡谷反 … （元和本倭名類聚抄／巻十四04オ8）

▶番号3576「斛」（斛）の仮名音注「コク」については、基本的に -ok で対応する。当該字に声点はなく、右注「コク 胡谷反」左注「十斗為斛」を付載する。上述の分析を参照。

▶番号6791b「蘚」（石蘚）の仮名音注「コク」については、基本的に -ok で対応する。当該字には入声点を差す。熟字6791「石蘚」は右注「スクナヒコノクスネ［平平平上上平上上］」左注「又イハクスリ［上上上平］」を付載する。観智院本類聚名義抄に音注はない。元和本倭名類聚抄には反切「胡谷反」がある。

石蘚 スクナヒコノ／クスネ／一云 イハク スリ （観智院本類聚名義抄／僧上044-6）

石蘚 本草云石蘚 胡谷反和名須久奈比古乃久須禰一云以波久須利

（元和本倭名類聚抄／巻二十04ウ6）

▶番号5029b・5818b「速」（急速・神速）の仮名音注「ソク」については、基本的に -ok で対応する。両当該字には入声点を差す。上巻の屋韻当該例で分析したように、日本呉音「ソク」を認める。

▶番号4689b「速」（早速）の仮名音注「ソク」については、基本的に -ok で対応する。当該字に声点はない。上述の分析を参照。

▶番号5513「數」（數）の仮名音注「ソク」については、基本的に -ok で対応する。当該字には入声点を差し、右注「又音朔」を付載する。和訓「シハシハ」の同訓異字として位置する。観智院本類聚名義抄に反切「色矩色角二反」と同音字注「又音速」注記「去声」および和音「シユ・又ソク」を見出す。承暦本金光明最勝王経音義に借字「佐久反」と同音字注「又足音」があり、その掲出字に入声点を加える。日本漢音は上/去声、日本呉音「シユ」と「ソク・サク」入声を認める。

數 … 色矩色角二反 又音速 去声 カス［平上濁］… 上声 アマタ［平平上］… 和シユ 又ソク

（観智院本類聚名義抄／僧中055-7）

數ゝ［入□］佐久反 又足音／之婆［上上］ゝゝ （承暦本金光明最勝王経音義／04ウ5）

▶番号5349b「嗽」（欬嗽）の仮名音注「ソク」については、基本的に -ok で対応する。当該字には入声点を差す。熟字5349「欬嗽」は右注「シハフキ」左注「又乍咳欶」を付載する。観智院本類聚名義抄に入声点を付した同音字注「朔」（その右傍に朱筆で仮名音注「サク」）および平声点と去声点を付した和音「シ」を見出す。別に圏点による入声点を付した仮名音注「サク」も見つける。日本漢音「サク」入声、日本呉音「シ」平/去声を認める。

嗽 … 音朔［入／サク：朱右傍］… 和音シ［平・去］スフ［上平］ノム［平上］

シハフキ［平上上濁平／□□□ク 平：墨右傍］… （観智院本類聚名義抄／佛中027-7）

唈［タム／去］醋［サク／入］嗽［サク／入］獲［火ク／入］ト ハオトヽキス［平平平平上□］

364　3．仮名音注の韻母別考察　3-1　Ⅰ韻類

　　　[＊四字熟語：墨圏点を付載]　　　　　　　　　　　　（観智院本類聚名義抄／佛下本130-7）

　▶番号3406a・3662b・6034a「獨」（獨樂・孤獨・獨梁）の仮名音注「トク」については、基本的に *-ok* で対応する。当該諸字三例に入声点を差す。熟字3406「獨樂」は右注「コマツフリ」左注「又ツムクリ」を、熟字6034「獨梁」は右注「ヒトツハシ」を付載する。上巻の屋韻当該諸例で分析した。

　▶番号6694b「犢」（青犢）の仮名音注「トク」については、基本的に *-ok* で対応する。当該字には入声点を差す。その中古音が示す頭子音 d-（等韻学の術語で言う舌音濁定母）は有声歯茎閉鎖音であり、日本語のダ行音をもって受容するが、中国語音韻史上に現れる濁音声母の無声化を反映する場合はタ行音で対応する。観智院本類聚名義抄に同音字注「音讀」を見出す。長承本蒙求には仮名音注「トク」があり、その掲出字に入声点を加える。日本漢音「トク」入声を認める。

　　　犢 音讀 コウシ［上上上］／ウシノコ　　　　　　（観智院本類聚名義抄／佛下末002-5）

　　　犢［入］トク／トク　　　　　　　　　　　　　　（長承本蒙求／017）

　▶番号3300b「霂」（霡霂）の仮名音注「ホク」については、基本的に *-ok* で対応する。当該字には入声濁点を差すので、字音「ボク」を想定する。その中古音が示す頭子音 m-（等韻学の術語では唇音明母）は両唇鼻音であり、日本語のマ行音をもって受容する。ただし、中国語音韻史上における鼻音声母の非鼻音化（denasalization）現象によって、m->mb->b- の音変化をする。この影響を受けた日本漢音は原則的にバ行音で対応する。観智院本類聚名義抄に入声濁点を付した同音字注「木」（その右傍に朱筆で仮名音注「ホク」）を見出す。日本漢音「ボク」入声を認める。

　　　霡霂 コサメ［□上上］脉木［入濁／ホク：朱右傍］二／音　　（観智院本類聚名義抄／法下068-3）

　▶番号5254a・5855b「木」（木綿・入木）の仮名音注「ホク」については、基本的に *-ok* で対応する。両当該字には入声濁点を差すので、字音「ボク」を想定する。上巻の屋韻当該諸例で分析したように、日本漢音「ボク」徳声（四声体系では入声）日本呉音「モク」を認める。

　▶番号5709b「木」（入木）の仮名音注「ホク」については、基本的に *-ok* で対応する。当該字に声点はない。上述の分析を参照。

　▶番号6472a「木」（木索）の仮名音注「モク」については、基本的に *-ok* で対応する。当該字には入声濁点を差すので、字音「ボク」を想定するが、仮名音注と一致しない。上述の分析を参照。

　▶番号6404a「木」（木槵子）の仮名音注「モク［平平］」については、基本的に *-ok* で対応する。当該字の仮名音注には低平調を示す声点を加える。上述の分析を参照。

　▶番号4604b・5278b・6446a・6480a「木」（材木・青木香・木爛地・木工寮）の仮名音注「モク」については、基本的に *-ok* で対応する。当該諸字四例に声点はない。上述の分析を参照。

　▶番号5845b「卜」（周卜）の仮名音注「ホク」については、基本的に *-ok* で対応する。当該字には入声濁点を差すので、字音「ボク」を想定する。上巻の屋韻当該例で分析したように、日本漢音「ホク」入声、日本呉音は入声を認める。

▶番号 4135b・5302「鹿」（葦鹿・鹿）の仮名音注「ロク」については、基本的に *-ok* で対応する。両当該字には入声点を差す。熟字 4135「葦鹿」は右注「アシカ」を、番号 5302「鹿」は右注「シカ」を付載する。上巻の屋韻当該諸例で分析したように、日本漢音「ロク」徳声（四声体系では入声）を認める。

▶番号 6864a「麓」（麓子）の仮名音注「ロク」については、基本的に *-ok* で対応する。当該字に声点はない。上巻の屋韻当該例で分析した。

▶番号 5657b「禄」（食禄）の仮名音注「ロク」については、基本的に *-ok* で対応する。当該字に声点はない。熟字 5657「食禄」は右傍「ハム ロクヲ」を付載する。和訓と字音が混在する稀な例と言える。上巻の屋韻当該諸例で分析した。

▶番号 6627b「簶」（攝簶）の仮名音注「ロク」については、基本的に *-ok* で対応する。当該字には入声点を差す。上巻の屋韻当該例で分析したように、日本漢音は入声を認める。

▶番号 6237b「屋」（比屋）の仮名音注「ヲク」については、基本的に *-ok* で対応する。当該字には入声点を差す。上巻の屋韻当該諸例で分析した。

3-1-2-11　-ʌ 系の基本的な表記

以下に資料篇【表 B-02】を分析した結果をまとめる。なお、日本語音韻史における音変化などを反映する場合には（　）で囲む処理をする。それ以外の異例（例えば、譜声符読みや誤認など）については〔　〕を用いて表示する。

			-uʌ	〔模/姥/暮韻〕	*-o, -u*
					(-ou)
					[-e] [-jo]
-ʌi	〔咍/海/代韻〕	*-ai, -e*	-uʌi	〔灰/賄/隊韻〕	*-ai*
		(-a)			*-wai, -we* 〈k-系〉
		[-i]			*[-wa] [-ui] [-an]*
-ʌu	〔侯/厚/候韻〕	*-ou, -u, -o*			
		[-au] [-ei] [-eu] [-iu]			
-ʌm	〔覃/感/勘韻〕	*-am, -om*			
		(-an) (-on)			
		[-a] [-au] [-im] [-ami] [-umi]			
-ʌp	〔合韻〕	*-ap, -op*			
		(-au)			

366　3．仮名音注の韻母別考察　3-1　Ⅰ韻類

-ʌn	〔痕/很/恨韻〕	-on	-uʌn	〔魂/混/慁韻〕	-on, -un
		(-om)			(-om)
		[-eu]			[-in] [-o] [ou] [-u] [-uru]
-ʌt	〔没韻〕	＊例なし	-uʌt	〔没韻〕	-ot
					[-un]
-ʌŋ	〔登/等/嶝韻〕	-oũ	-uʌŋ	〔登韻〕	-oũ
		[-o] [-wan]			
-ʌk	〔徳韻〕	-ok	-uʌk	〔徳韻〕	-ok
					(-wak)
		[-uk] [-jok]			[-ou]
-ʌuŋ	〔東/董/送韻〕	-oũ, -uũ(-ũ)			
		[-o] [-on] [-op] [-u] [-iũ]			
-ʌuk	〔屋韻〕	-ok			
		(-ik)			
		[-o] [-ou]			

　ここで、-ʌ 系における前田本の仮名音注が示す基本的対応を【表04】にまとめておくと、-ʌ 系は o（日本語のオ列音）で対応し、日本漢字音として把握する。一部 -a（ア列音）で対応する場合など個々の問題は当該箇所で述べた。

　やはり、呉音的特徴であるか、漢音的特徴であるか、その判別をし得ない場合が多い。先の -ɑ 系と同じく、先んじて定着した字音が日本語に馴化して定着しており、すでに重層的な様相を呈していたと想像する。その後導入した異なる基層を持つ中国語音の特徴が混淆した状態を現出している。日本呉音や日本漢音のような体系的な字音把握とともに、定着久しい字音として継承してきた経緯を示す場合がある。それは仮名音注に付載する「俗」表記に垣間見える。

【表04】

	-ø	-i	-u	-m	-p	-n	-t	-ŋ	-k	-uŋ	-uk
-ʌ-		-ai -e (-a)	-ou -o -u	-om (-on) -am (-an)	-op -ap (-au)	-on (-om)		-oũ	-ok	-oũ -uũ -ũ	-ok (-ik)
-uʌ-		-o -u (-ou) -ai -wai -we				-on -un (-om)	-ot	-oũ	-ok -wak		

368　3．仮名音注の韻母別考察

3-2　II韻類

　II韻類には直音韻類 -a 系 -e 系 が含まれる。それぞれ -a-, -e- を主母音としたグループで、等韻図の二等欄に配置されるため、いわゆる二等韻とも呼ぶ。以下、II韻類について、切韻系韻書が示す二百六韻を用い、三根谷説によって分類した結果を掲げた上で、仮名音注が示す字音の特徴を分析をする。

	-ø	-i	-u	-m(p)	-n(t)	-ŋ(k)	-uŋ(uk)
-a-	麻馬禡	夬	肴巧効	銜檻鑑狎	刪潸諫鎋	庚梗映陌	江講巧覺
-ua-	麻馬禡	夬			刪潸諫鎋	庚梗映陌	
-e-	佳蟹卦	皆駭怪		咸豏陷洽	山産襇黠	耕耿諍麥	
-ue-	佳蟹卦	皆駭怪			山　襇黠	耕　諍麥	

3-2-1　-a系の字音的特徴

　韻母 -a 系グループとは、主母音 -a- を有する諸韻目、麻/馬/禡韻・夬韻・肴/巧/効韻・銜/檻/鑑/狎韻・刪/潸/諫/鎋韻・庚/梗/映/陌韻・江/講/絳/覺韻を指す。なお、記号「/」による区別は四声（平/上/去/入声）を示している。該当する前田本の諸例を 3-2-1-1 から 3-2-1-11 に集約した。

3-2-1-1　-a（麻/馬/禡韻）

　資料篇【表B-03】には麻韻（平声）馬韻（上声）禡韻（去声）開口所属の諸例が含まれる。熟字の場合は資料篇【表 A-01】【表 A-02】をも参照しながら、それを当該字の直後に括弧内で示す。単字も同様の表示を行う。以下の諸韻も同様。前田本の示す仮名音注は、*-a, -e* で基本的に対応する。頭子音が反り舌音（等韻学の術語で言う舌音の知母・徹母・澄母・娘母と歯音の荘母・初母・崇母・生母）の場合は *-ja* で対応することがある。異例として、*-au, -ak, -i* がある。

《上巻 麻韻開口諸例》

▶番号 0023・0756b・1612b・2923a・3045a・3078a・3079a「家」（家・忘家・通家・家訓・家屋・家計・家途）の仮名音注「カ」については、基本的に *-a* で対応する。当該諸字七例に平声点を差す。単字である番号 0023「家」は右注「イヘ居也」左注「三位已上云家」右傍 0022「ケ俗」

3-2-1 -a 系の字音的特徴　369

左傍「カ」を付載する。観智院本類聚名義抄に平声点を付した同音字注「音嘉」と去声点を付した和音「ケ」を見出す。漢音資料を代表する長承本蒙求には仮名音注「カ」二例があり、それらの掲出字には東声点を加える。元和本倭名類聚抄には同音字注「音嘉」を見つける。日本漢音「カ」東声（四声体系では平声）日本呉音「ケ」去声を認める。

　　　家 音嘉 [平] イヘ [平平] ／シツカナリ 和ケ [去]　　　　　（観智院本類聚名義抄／法下 052-3）

　　　家 [東] カ　　　　　　　　　　　　　　　　　　　　　（長承本蒙求／082・084）

　　　家 弟宅附 四聲字苑云家嘉反 和名伊閉 …　　　　　　　　（元和本倭名類聚抄／巻十 06 オ 6）

▶番号 1748b「家」（忘家）の仮名音注「カ」については、基本的に -a で対応する。当該字に声点はない。上述の分析を参照。

▶番号 1972b・1995b「家」（知家事・良家子）の仮名音注「ケ」については、基本的に -e で対応する。両当該字に声点はない。上記の分析を参照。

▶番号 0022「家」（家）の仮名音注「ケ俗」については、基本的に -e で対応する。当該字には去声点を差し、右注「イヘ居也」左注「三位已上云家」右傍「ケ俗」左傍 0023「カ」を付載する。右傍の「俗」表記は定着久しい字音という認識か。上述の分析を参照。

▶番号 0265b・1231b・2987b「家」（醫家・法家・髙家）の仮名音注「ケ」については、基本的に -e で対応する。掲出諸字三例すべてに上声点を差す。上述の分析を参照。

▶番号 2889a・2890a・2902a・2910a・2911a・3052a「加」（加持・加護・加茶・加階・加汲・加冠）の仮名音注「カ」については、基本的に -a で対応する。当該諸字六例すべてに去声点を差す。観智院本類聚名義抄に平声点（縦長に書写した字形のために東声点に見えるが修正）を付した同音字注「音嘉」を見出すが、仮名音注はない。

　　　加 音嘉 [平] 〔＊←東〕クハフ [平平上] … マス　　　　（観智院本類聚名義抄／僧上 084-2）

▶番号 3176a「加」（加陽）の仮名音注「カ」については、基本的に -a で対応する。当該字に声点はない。上述の分析を参照。

▶番号 3196「蛆」（蛆）の仮名音注「カ」については、基本的に -a で対応する。当該字に声点はなく、右注「同（ヨナムシ）」を付載する。その直上に熟字 3195「蛄蟹」を掲げ、右注「ヨナムシ」を付載する。当該字「蛆」と「蟹」について、廣韻の注記は似ているが、別音である。観智院本類聚名義抄・天治本新撰字鏡・高山寺本篆隷万象名義に「蛆」は見出せない。

　　　蛆 米中黒蟲　　　　　　　　　　　　　　　　　　　　（宋本廣韻：麻韻 ka¹）

　　　蟹 米穀中蟲　　　　　　　　　　　　　　　　　　　　（宋本廣韻：支韻 śie¹）

　　　蟹 爾雅曰蚰蟹強蟒 郭璞云今米穀中蠹小黒蟲是也建平人呼爲蟒子　　　（宋本廣韻：霣韻 śie³）

　　　蟹 音翅 蚰蟹／米中黒甲虫　　　　　　　　　　　　　　（観智院本類聚名義抄／僧下 032-5）

　　　蚰蟹 爾雅集注云蚰蟹 姑翅二音和名與奈無之 今穀米中蠹小黒虫是也

　　　　　　　　　　　　　　　　　　　　　　　　　　　　（元和本倭名類聚抄／巻十九 28 オ 8）

370　3．仮名音注の韻母別考察　3-2　Ⅱ韻類

　　蝱 式鼓反／米中黒　　　　　　　　　　　　　（天治本新撰字鏡／巻八22ウ4）

　　蝱 式鼓反 米中甲虫也　　　　　　　　　（高山寺本篆隷万象名義／第六帖089ウ2）

▶番号2647a「迦」（迦樓頻）の仮名音注「カ」については、基本的に -a で対応する。当該字に去声点を差す。熟字2647「迦樓頻」は右注「沙陁調」を付載する。いわゆる「迦陵頻伽」のことで、梵語 kalaviṅka を中国で音訳した仮借の応用による表記。広辞苑第七版に「仏教で、雪山または極楽にいるという想像上の鳥。美妙な鳴き声を持つとされることから、仏の音声の形容ともする。その像は、人頭・鳥身の姿で表すことが多い。」と説明する。観智院本類聚名義抄に同音字注「音加」を見出す。呉音による経本文の読誦音を掲げる承暦本金光明最勝王経音義には仮名音注「カ」二例がある。日本呉音「カ」を認める。

　　迦 音加 不得進／カナフ　　　　　　　　　（観智院本類聚名義抄／佛上055-4）

　　索 [去濁] シヤ 迦 カ〔＊後筆墨書〕　　　（承暦本金光明最勝王経音義／08オ6）

　　斯 [去] シ 迦 カ〔＊後筆墨書〕　　　　　（承暦本金光明最勝王経音義／08オ6）

　　沙陀調 … 迦樓頻 或譜云天竺語也 …　　　　　（元和本倭名類聚抄／巻四14ウ7）

▶番号2753b「枷」（枷）の仮名音注「カ」については、基本的に -a で対応する。当該字に平声点を差す。廣韻に拠れば、麻韻（kaˡ）と歌韻（giɑˡ）の二音を有する。観智院本類聚名義抄に平声点と去声点を付した同音字注「音加」および「音駕」（禡韻 ka³）を見出す。承暦本金光明最勝王経音義に仮名音注「カ」があり、その掲出字に去声点を加える。日本漢音は平/去声、日本呉音「カ」去声を認める。

　　枷 音加 [平・去] クヒカシ [□上濁上平] ネリ 音駕 …　（観智院本類聚名義抄／佛下本103-2）

　　枷 [去] カ 縛 ハク〔＊後筆墨書〕　　　（承暦本金光明最勝王経音義／09ウ5）

▶番号0529「茄」（茄）の仮名音注「カ」については、基本的に -a で対応する。当該字に平声点を差し、右注「ハチスノクキ」左注「其茎茄」を付載する。観智院本類聚名義抄に平声点を付した同音字注「音加」を見出すが、仮名音注はない。元和本倭名類聚抄にも同音字注「音加」がある。日本漢音は平声を認める。

　　茄 音加 [平] ハチスノクキ [上上□□□] …　　　（観智院本類聚名義抄／僧上006-2）

　　茄 爾雅云其茎茄 音加和名波知須乃久木　　　（元和本倭名類聚抄／巻二十18オ2）

▶番号2604「痂」（痂）の仮名音注「カ」については、基本的に -a で対応する。当該字に平声点を差し、右注「カサフタ」を付載する。観智院本類聚名義抄に平声点を付した同音字注「音加」を見出すが、仮名音注はない。元和本倭名類聚抄にも同音字注「音加」がある。日本漢音は平声を認める。

　　痂 音加 [平] 瘡痂／カサフタ [上上上上]　　　（観智院本類聚名義抄／法下116-5）

　　瘡 … 廣雅云痂 音加和名加佐布太 瘡上甲也　　　（元和本倭名類聚抄／巻三24ウ5）

▶番号2461a・2915a・2985a・2986a「嘉」（嘉喜門・嘉祥・嘉會・嘉招）の仮名音注「カ」

については、基本的に *-a* で対応する。当該諸字四例に平声点を差す。観智院本類聚名義抄に同音字注「音家」を見出す。長承本蒙求に仮名音注「カ」二例があり、両掲出字に東声点を加える。承暦本金光明最勝王経音義には平声点を差した掲出字「嘉」を見つける。日本漢音「カ」東声（四声体系では平声）日本呉音は平声を認める。

嘉 音家 ヨシ［平上］／ヨミス［去平上］　（観智院本類聚名義抄／僧下 108-3）

嘉［東］カ　（長承本蒙求／115・131）

嘉［平］□／ヨシ〔＊右注破損につき不鮮明〕　（承暦本金光明最勝王経音義／06 オ 1）

▶番号 2229「麚」（麚）の仮名音注「カ」については、基本的に *-a* で対応する。当該字に声点はなく、右注「ヲシカ」左注「又サヲシカ」を付載する。観智院本類聚名義抄に平声点を付した同音字注「音加」を見出すが、仮名音注はない。元和本倭名類聚抄には同音字注「家」がある。日本漢音は平声を認める。

麚 … 音加［平］牡鹿 カノシヽ サヲシカ［上上上上］　（観智院本類聚名義抄／法下 110-8）

鹿　… 爾雅集注云牡鹿曰麚 音家日本紀私記云牡鹿佐乎之加 …

（元和本倭名類聚抄／巻十八 18 オ 6）

▶番号 2611b「瘕」（癥瘕）の仮名音注「カ」については、基本的に *-a* で対応する。当該字には去声点を差す。廣韻に拠れば、麻/馬/禡韻（$ka^{1/2/3}$）の三音を有する。王仁昫刊謬補缺切韻も同様であり、注記から見て禡韻を採るべきか。熟字 2867「癥瘕」は右注「カメハラ」を付載する。観智院本類聚名義抄に同音字注「賈嫁二音・嫁」を見出すが、仮名音注はない。元和本倭名類聚抄には同音字注「嫁」がある。

嘉 古牙反善十九 … 瘕 病 …　（王仁昫刊謬補缺切韻／見母麻韻）

檟 古雅反木名亦作榎八 … 瘕 病又公詐反 …　（王仁昫刊謬補缺切韻／見母馬韻）

駕 古訝反木牽乘十 … 嫁 歸ミ 瘕 腹病 …　（王仁昫刊謬補缺切韻／見母禡韻）

瘕 … 賈嫁二音 腹中病　（観智院本類聚名義抄／法下 125-6）

癥瘕 徴嫁二音／カメハラ［平平平濁平］　（観智院本類聚名義抄／法下 125-6）

癥瘕　蒼頡篇云癥瘕 徴嫁二音 … 師傳云加女波良此類也 腹中病也

（元和本倭名類聚抄／巻三 21 ウ 1）

▶番号 2434「衙」（衙）の仮名音注「カ［平濁］」については、基本的に *-a* で対応する。当該字に声点はないが、その仮名音注には平声濁点を差すので、字音「ガ」を想定する。その中古音が示す頭子音 ŋ-（等韻学の術語で言う疑母）は軟口蓋鼻音であり、日本語のガ行音をもって受容する。観智院本類聚名義抄に平声濁点を付した同音字注「音牙」を見出すが、仮名音注はない。日本漢音は平声を認める。

▶番号 2852a・2852b「颬」（颬ミ）の仮名音注「カ」については、基本的に *-a* で対応する。両当該字には平声点を差す。観智院本類聚名義抄に反切「呼加反」を見出すが、仮名音注はない。

372　3．仮名音注の韻母別考察　3-2　II韻類

高山寺本篆隷萬象名義・天治本新撰字鏡にも反切「呼加反」がある。

　　　　厬 呼加反 舎／利風　　　　　　　　　　　　　　（観智院本類聚名義抄／僧下 054-2）

　　　　厬 呼加反 利也　　　　　　　　　　　　（高山寺本篆隷萬象名義／第五帖117ウ6）

　　　　厬 呼加反　　　　　　　　　　　　　　　　　（天治本新撰字鏡／巻一18オ8）

　　　　衙 音牙［平濁］ヲコナフ … 又音魚［平濁］　　　（観智院本類聚名義抄／佛上 044-3）

　▶番号 2553a「蝦」（蟇蝦）の仮名音注「カ」については、基本的に -a で対応する。当該字に
は平声点を差す。熟字 2553「蟇蝦」は右注「同（カヘル）」左注「カヘル」を付載する。観智院本
類聚名義抄に同音字注「遐」を見出すが、仮名音注はない。元和本倭名類聚抄にも同音字注「遐」
がある。

　　　　蝦蟇 遐麻二音／カヘル　　　　　　　　　　　　（観智院本類聚名義抄／僧上 019-6）

　　　　蝦蟇 蝌斗附 … 兼名苑云蝦蟇 遐麻二音 …　　　（元和本倭名類聚抄／巻十九24オ7）

　▶番号 3091a・3092a「瑕」（瑕璺・瑕瑾）の仮名音注「カ」については、基本的に -a で対応
する。両当該字には平声点を差す。図書寮本類聚名義抄に平声点を付した同音字注「公云音計」〔＊
平声点は漢音声調の混入か〕と平声点を付した同音字注「正河」を見出す。観智院本には同音字注「呉音
計」と正音「正河」を見つける。これらは大般若経字抄による引用である。同書は漢呉二音相同の
同音字注を付載できない場合、それぞれを分けて注音することがある。承暦本金光明最勝王経音義
には仮名音注「カ音・カ」があり、それらの掲出字中一例に去声点を加える。日本漢音は平声、日
本呉音「カ」去声を認める。

　　　　瑕疵 公云音計［平］正河［平］キス［上上濁］…　　（図書寮本類聚名義抄／164-2）

　　　　瑕 呉音計 正河 赤小瑕 玉キス［□上平濁］… サク　（観智院本類聚名義抄／法中 013-6）

　　　　正河 瑕［音計：右傍］陳［音撃：右傍］上キス／下ヒマ

　　　　　　　　　　　　　　　　　　　　　　　　（石山寺一切経蔵本大般若経字抄／03オ5）

　　　　瑕［去］カ六［：右傍］／喩白玉也〔＊後筆墨書〕　（承暦本金光明最勝王経音義／06ウ4）

　　　　瑕 カ〔＊後筆朱書〕　　　　　　　　　　　（承暦本金光明最勝王経音義／07ウ3）

　▶番号 1585b「霞」（登霞）の仮名音注「カ」については、基本的に -a で対応する。当該字に
は平声濁点を差すので、日本語音韻史上の連濁による字音「ガ」を想定する。その中古音が示す ɣ-
（等韻学の術語で言う匣母）は有声軟口蓋摩擦音であり、原則的に日本語のガ行音をもって受容す
る。ただし、中国語音韻史上における濁音声母の無声化 (22) を反映する場合はカ行音で対応する。観
智院本類聚名義抄に平声点を付した同音字注「遐」を見出す。長承本蒙求には仮名音注「カ」があ
り、その掲出字に平声点を加える。元和本倭名類聚抄には反切「胡加反」を見つける。日本漢音「カ」
平声を認める。

　　　　霞 音遐［平］暇 或／カスミ［上上上］　　　　　（観智院本類聚名義抄／法下 067-1）

　　　　霞［平］カ　　　　　　　　　　　　　　　　（長承本蒙求／027）

霞　唐韻云霞赤氣雲也胡加反 和名加須美　　　　　　　　（元和本倭名類聚抄／巻一 03 オ 8）

▶番号 2424・3123a「霞」（霞・霞光）の仮名音注「カ」については、基本的に -a で対応する。両当該字には平声点を差す。番号 2424「霞」は右注「カスミ」左注「九光九疑」を付載する。上述の分析を参照。

▶番号 2867a「遐」（遐迩）の仮名音注「カ」については、基本的に -a で対応する。当該字には平声点を差す。観智院本類聚名義抄に平声点を付した同音字注「霞音」を見出すが、仮名音注はない。日本漢音は平声を認める。

遐　霞音［平］トホシ［上上□］… サカル　　　　　（観智院本類聚名義抄／佛上 058-7）

▶番号 0530「蕸」（蕸）の仮名音注「カ」については、基本的に -a で対応する。当該字には平声点を差し、右注「ハチスノハ又作荷［平／カ：墨右注］」左注「其葉蕸」を付載する。観智院本類聚名義抄に同音字注「蕸加二音」を見出すが、仮名音注はない。元和本倭名類聚抄には反切「胡歌反」がある。

蕸　蕸加二音 ハチスノハ／或荷字也　　　　　　　（観智院本類聚名義抄／僧上 005-8）

蕸　爾雅云其葉蕸 胡歌反 郭璞注云蕸亦荷字也　　　（元和本倭名類聚抄／巻二十 18 オ 3）

▶番号 0013・1716b・2550a・3121b「沙」（沙・絳沙・沙囊・絳沙）の仮名音注「サ」については、基本的に -a で対応する。当該諸字四例に平声点を差す。廣韻に拠れば、麻/禡韻（ṣa¹ᐟ³）二音を有する。番号 0013「沙」は右注「イサコ」中注「水散也」左注「俗作砂」を、熟字 2550「沙囊」は右注「カニノモノハミ」左注「在蠏腹内者也」を付載する。図書寮本類聚名義抄に反切「中云所加反」（その反切下字に平声点）を見出す。観智院本には低平調を示す和音「シヤ」を見つける。日本漢音は平声、日本呉音「シヤ」平声を認める。

洮沙 … 下中云所加［□平］反 小散石也 宋云砂［俗：右注］　（図書寮本類聚名義抄／027-3）

沙 真云全真云／上声呼之 冊二　　　　　　　　　（図書寮本類聚名義抄／027-3）

沙 ノソク［平平濁□］　　　　　　　　　　　　　（観智院本類聚名義抄／法上 044-4）

沙汰 タ、ス／上 和音シヤ［平平］　　　　　　　　（観智院本類聚名義抄／法上 008-4）

砂　聲類云砂水中細礫也所加反 和名以左古又須奈古　（元和本倭名類聚抄／巻一 10 オ 8）

沙囊　食療經云 … 沙囊 和名加仁乃毛乃波美 在蟹腹内者也

　　　　　　　　　　　　　　　　　　　　　　　　（元和本倭名類聚抄／巻十九 17 オ 1）

▶番号 2137b「沙」（流沙）の仮名音注「サ」については、基本的に -a で対応する。当該字に声点はない。熟字 2137「流沙」は利篇官職部に紛れているが、本来は同國郡部に属すべきである。中国西域の砂漠地帯を指す。上述の分析を参照。

▶番号 0956a「皶」（皶鼻）の仮名音注「サ」については、基本的に -a で対応する。当該字には平声点を差す。熟字 0956「皶鼻」は右注「ニキミハナ」左注「皻イ本」を付載する。観智院本類聚名義抄に平声点を付した同音字注「音砂」を見出すが、仮名音注はない。元和本倭名類聚抄には

同音字注「音砂」がある。日本漢音は平声を認める。

皶 音砂［平］ニキミ／アカシ　　（観智院本類聚名義抄／僧中071-1）

皶鼻　野王案皶 音砂和名迩岐美波奈 鼻上皰也　　（元和本倭名類聚抄／巻三27オ7）

▶番号2902b「荼」（加荼）の仮名音注「タ」については、基本的に -a で対応する。当該字には上声濁点を差すので、日本語音韻史上の連濁による字音「ダ」を想定する。廣韻に拠れば、麻韻（ḍa¹・dźia¹）模韻（duʌ¹）三音を有する。その頭子音 ḍ-（等韻学の術語で言う舌音濁澄母）は有声反り舌閉鎖音であるが、日本語のタ行音をもって受容する。ダ行音で対応する徴証がないことは声母別考察で詳細を述べる。廣韻は「荼：苦菜又音徒」（澄母麻韻 ḍa¹）と注記する。元和本倭名類聚抄にも類似する注記「音途和名於保都知／苦菜也可食也」がある。図書寮本類聚名義抄に反切「奴加」を見出す。観智院本には反切「宅加反・又宅加反」と同音字注「音途・音虵・又音佘」を見つける。承暦本金光明最勝王経音義には仮名音注「タ」二例がある。日本呉音「タ」を認める。

阿荼 奴／加 迦羅广子 真日古云阿藍迦羅子 …　　（図書寮本類聚名義抄／193-4）

荼 宅加反 春蔵草／煎湯預也 …　　（観智院本類聚名義抄／佛下本125-7）

荼 音途 オホトチ 又音虵 又音佘／ネムコロ 又宅加反 …　　（観智院本類聚名義抄／僧上008-2）

荼 在木部 可／書也　　（観智院本類聚名義抄／僧上060-7）

梌 宅加反 槐　　（観智院本類聚名義抄／佛下本091-6）

荼　爾雅注云荼 音途和名於保都知 苦菜也可食也　　（元和本倭名類聚抄／巻二十七24オ3）

荼 タ〔＊後筆墨書〕　　（承暦本金光明最勝王経音義／07オ6・10ウ3）

▶番号1774a・1723「茶」（茶垸・茶）の仮名音注「チヤ」については、基本的に -ja で対応する。両当該字には平声点を差す。その中古音が示す頭子音 ḍ-（等韻学の術語で言う澄母）は有声反り舌閉鎖音であり、聴覚上は拗音として字音把握した。廣韻は「茶：俗」と注記する。当該字「茶」は「荼」から横棒一画を減じて成立したとする。観智院本類聚名義抄に反切「居奉居辱二反」二例を見出すが、これらは字形の近似する「拲」（腫韻 kiɑuŋ²・燭韻 kiɑuk）に付載すべき誤認と推測する。承暦本金光明最勝王経音義には同音字注「陀音」があり、その掲出字に上声点を加える。さらに「又作荼」も付載する。日本呉音は上声を認める。

茶 居奉居辱二反／木部　　（観智院本類聚名義抄／佛下本125-8）

茶 居奉居辱／二反　　（観智院本類聚名義抄／僧上008-3）

茶［上］陀音／又作荼　　（承暦本金光明最勝王経音義／03オ5）

▶番号1760「茶」（茶）の仮名音注「チヤ」については、基本的に -ja で対応する。当該字に声点はなく、左注「茶茗」を付載する。上述の分析を参照。

▶番号0853a・0892b・2205「麻」（麻柱・白麻・麻）の仮名音注「ハ」については、基本的に -a で対応する。当該諸字三例には平声濁点を差すので、字音「バ」を想定する。その中古音が示す頭子音 m-（等韻学の術語で言う明母）は両唇鼻音であり、日本語のマ行音をもって受容する。ただ

し、中国語音韻史上における鼻音声母の非鼻音化（denasalization）[22]により、m- ＞ mb- ＞ b- の音変化をする。これを反映する場合はバ行音で対応する。熟字0853「麻柱」は右傍「アナゝヒ」を、番号2205「麻」は右注「ヲ」を付載する。観智院本類聚名義抄に同音字注「磨」を見出す。また掲出字「胡麻」に対しては「俗音五マ［去□］・訛云ウコマ［上上濁上］」を見つける。傍証ながら、同書で「磨」を再検索すると、平声濁点を付した同音字注「音摩」を見つける。元和本倭名類聚抄には同音字注「磨」がある。定着久しい字音「マ」上声を認める。

　　　麻 音磨 ヲ［去］／一云 アサ［平平］　　　　　　（観智院本類聚名義抄／法下103-6）

　　　磨 音摩［平濁］トク［平上濁］／ミカク　　　　　（観智院本類聚名義抄／法中006-8）

　　　胡麻 俗音五マ［去□］／訛云ウコマ［上上濁上］〔＊訛←説〕（観智院本類聚名義抄／法下103-6）

　　　麻苧 説文云麻 音磨和名乎一云阿佐 …　　　　　　（元和本倭名類聚抄／巻十四13 オ5）

　　　胡麻 陶隠居本草注云胡麻 音五萬訛云宇古末 …　　（元和本倭名類聚抄／巻十七06 ウ5）

　▶番号1435b「麻」（夅麻）の仮名音注「ハ」については、基本的に -a で対応する。当該字には平声点を差す。熟字1435「夅麻」は右注「トリノアシクサ［上上上平平平］」左注「又ウタカクサ［上平平平平］」を付載する。上述の分析を参照

　　　升麻 本草云升麻 和名止里乃阿之久佐一名宇太加久佐　（元和本倭名類聚抄／巻二十20 オ5）

　▶番号0380b・1959b・3150b・2468a「麻」（宇麻・志麻・巨麻・麻黄）の仮名音注「マ」については、基本的に -a で対応する。当該諸字に声点はない。熟字0380「宇麻」1959「志麻」3150「巨麻」は國郡部に属する地名である。熟字2468「麻黄」は右注「カツネクサ［平上上上平］」左注「又アマナ［上上上］」右傍「マワワ俗」を付載する。定着久しい字音「マ」を想定する。

　　　麻黄 カツネクサ［平上上上濁平］／一云アマナ［上上上］　（観智院本類聚名義抄／法下103-7）

　▶番号0894a「巴」（巴峡）の仮名音注「ハ」については、基本的に -a で対応する。当該字には平声点を差す。観智院本類聚名義抄に反切「伯加反」を見出す。長承本蒙求には仮名音注「ハ」があり、その掲出字に平声点を加える。日本漢音「ハ」平声を認める。

　　　巴 伯加反 虵　　　　　　　　　　　　　　（観智院本類聚名義抄／佛下末013-8）

　　　巴［平］ハ　　　　　　　　　　　　　　　　（長承本蒙求／092）

　▶番号0688a「巴」（巴頭）の仮名音注「ハ」については、基本的に -a で対応する。当該字に声点はない。上述の分析を参照。

　▶番号0497a「芭」（芭蕉）の仮名音注「ハ」については、基本的に -a で対応する。当該字には平声点を差す。熟字0497「芭蕉」は右注「ハセヲハ」を付載する。観智院本類聚名義抄に平声点を付した同音字注「巴」と去声点を付した和音「ハ」（その右傍に朱筆で濁音「✓」表記）を見出す。後者は和音「バ」を想定するが、その中古音が示す頭子音 p-（等韻学の術語で言う脣音清幫母）は無声無気両脣閉鎖音であり、日本語のハ行音をもって受容する。バ行音による対応は許容しがたい。そのためか、現行多くの漢和辞典は慣用音「バ」として扱う。元和本倭名類聚抄には同音字注

376　3．仮名音注の韻母別考察　3-2　Ⅱ韻類

「巴」がある。その和名「發勢手波」は「ハセウハ→ハセヲハ」の音変化であろう。日本漢音は平声、日本呉音「バ」去声を認める。

　　芭蕉 今 巴焦［平東］／二音／ハセヲハ［平上上上濁］／和ハセウ［去上上／✓□□：墨右傍］

　　　　　　　　　　　　　　　　　　　　　　　　　（観智院本類聚名義抄／僧上043-1）

　　芭蕉　唐韻云芭蕉 巴焦二音和名發勢手波 其葉如席者也 …

　　　　　　　　　　　　　　　　　　　　　　　　　（元和本倭名類聚抄／巻二十02ウ7）

　▶番号0521「葩」（葩）の仮名音注「ハ」については、基本的に -a で対応する。当該字には平声点を差し、右注「ハナヒラ又作葩」左注「草木花片也」を付載する。廣韻は「葩：花也又草花白亦作葩普巴切七」と注記する。その異体字「葩」に対して、観智院本類聚名義抄に反切「怖巴反」を見出すが、仮名音注はない。元和本倭名類聚抄には同音字注「音巴」がある。

　　葩 怖巴反／シロシ　　　　　　　　　　　　　　（観智院本類聚名義抄／佛中103-7）

　　葩　東宮切韻云葩 音巴和名波奈比良 草木花片也　　（元和本倭名類聚抄／巻二十33オ3）

　▶番号2553b「蟇」（蝦蟇）の仮名音注「ハ」については、基本的に -a で対応する。当該字には平声濁点を差すので、字音「バ」を想定する。その中古音が示す頭子音 m-（等韻学の術語で言う明母）は両唇鼻音であり、日本語のマ行音をもって受容する。ただし、中国語音韻史上における鼻音声母の非鼻音化（denasalization）現象により、m->mb->b- の音変化をする。これを反映する場合はバ行音で対応する。熟字2553「蝦蟇」は右注「同（カヘル）」左注「カヘル」を付載する。観智院本類聚名義抄に反切「莫加反」と同音字注「麻」を見出す。長承本蒙求には仮名音注「ハ」があり、その掲出字に平声点を加える。元和本倭名類聚抄には同音字注「麻」を見つける。日本漢音「ハ」平声を認める。

　　蟇 莫加反／蝦蟇　　　　　　　　　　　　　　　（観智院本類聚名義抄／僧上002-3）

　　蝦蟇 遐麻二音／カヘル　　　　　　　　　　　　（観智院本類聚名義抄／僧下019-6）

　　蟇［平］ハ　　　　　　　　　　　　　　　　　　（長承本蒙求／082）

　　蝦蟇 蝌斗附 … 兼名苑云蝦蟇 遐麻二音 …　　　（元和本倭名類聚抄／巻十九24オ7）

《下巻 麻韻開口諸例》

　▶番号3741b「嘉」（延嘉房）の仮名音注「カ」については、基本的に -a で対応する。当該字には平声点を差す。熟字3741「延嘉房」は左注「八条西」を付載する。上巻の麻韻当該諸例で分析したように、日本漢音「カ」東声（四声体系では平声）日本呉音は平声を認める。

　▶番号6379b「嘉」（佐嘉）の仮名音注「カ」については、基本的に -a で対応する。当該字に声点はない。熟字6379「佐嘉」は飛驒國郡部に属する地名である。上述の分析を参照。

　▶番号3943b「家」（店家）の仮名音注「カ」については、基本的に -a で対応する。当該字に

は平声点を差す。上巻の麻韻当該諸例で分析したように、日本漢音「カ」東声（四声体系では平声）日本呉音「ケ」去声を認める。

▶番号 4183「蹦」（蹦）の仮名音注「カ」については、基本的に *-a* で対応する。当該字には平声点を差し、右注「同（アナウラ）」を付載する。直前の番号 4181「蹠」4182「跖」に和訓「アナウラ」がある。観智院本類聚名義抄に同音字注「加」を見出すが、仮名音注はない。

蹦 音加 カサネノアシ／ウタクミ　跖 アナウラ　（観智院本類聚名義抄／法上 088-3）

蹠　說文云跖 音尺字亦作蹠和名阿奈宇良 足下也　（元和本倭名類聚抄／巻三 15 オ 3）

▶番号 4488「麚」（麚）の仮名音注「カ」については、基本的に *-a* で対応する。当該字に声点はなく、右注「サヲシカ」左注「牡曰麚」を付載する。上巻の麻韻当該例で分析したように、日本漢音は平声を認める。

▶番号 5303「麚」（麚）の仮名音注「カ」については、基本的に *-a* で対応する。当該字には平声点を差し、右注「同（シカ）」左注「牡鹿也」を付載する。上述の分析を参照。

▶番号 4086b「葭」（蒹葭）の仮名音注「カ」については、基本的に *-a* で対応する。当該字には平声点を差す。熟字 4086「蒹葭」は右注「同（アシ）」を付載する。観智院本類聚名義抄に平声点を付した同音字注「音家」を見出すが、仮名音注はない。元和本倭名類聚抄には同音字注「家」がある。日本漢音は平声を認める。

葭 音家［平］アシ［上□］　（観智院本類聚名義抄／僧上 012-4）

蘆葦　兼名苑云葭一名葦 家煒二音和名阿之 …　（元和本倭名類聚抄／巻二十 03 オ 8）

▶番号 3333b・4490・4885「牙」（狼牙・牙・牙）の仮名音注「カ」については、基本的に *-a* で対応する。当該字には平声濁点を差すので、字音「ガ」を想定する。その中古音が示す頭子音 ŋ-（等韻学の術語で言う疑母）は軟口蓋鼻音であり、日本語のガ行音をもって受容する。熟字 3333「狼牙」は右注「コマツナキ」を、番号 4490「牙」は右注「サウノキ」を、番号 4885「牙」は右注「キハ」左注「五加反」を付載する。観智院本類聚名義抄に反切「魚加反」（その反切下字に平声点を付載する）と去声濁点を付した和音「ケ」を見出す。長承本蒙求には仮名音注「カ」があり、それら掲出字に平声加濁点を加える。元和本倭名類聚抄には反切「魚加反」を見つける。日本漢音「ガ」平声、日本呉音「ゲ」去声を認める。

牙 魚加［□平］反 キハ［□平濁］… 和ケ［去濁：朱右傍圏点］

（観智院本類聚名義抄／佛上 075-7）

牙［平／平：加濁］カ　（長承本蒙求／030）

牙［平］カ　（長承本蒙求／142）

狼牙　陶隱居本草注云狼牙一名犬牙 和名古末豆奈木 …（元和本倭名類聚抄／巻二十 15 オ 1）

牙　廣雅云機謂之牙 魚加反和名岐波 …　（元和本倭名類聚抄／巻三 05 ウ 8）

▶番号 4713b「牙」（爪牙）の仮名音注「カ」については、基本的に *-a* で対応する。当該字に

378　3．仮名音注の韻母別考察　3-2　Ⅱ韻類

は平声点を差す。上述の分析を参照。

▶番号4643b「衙」（早衙）の仮名音注「カ」については、基本的に -a で対応する。当該字には平声濁点を差すので、字音「ガ」を想定する。上巻の麻韻当該例で分析したように、日本漢音は平声を認める。

▶番号3755「鰕」（鰕）の仮名音注「カ」については、基本的に -a で対応する。当該字には平声点を差し、右注「エヒ［上上濁］」を付載する。観智院本類聚名義抄に同音字注「音遐」を見出すが、仮名音注はない。元和本倭名類聚抄には同音字注「音遐」がある。

　　　鰕　音遐 エヒ［上上濁］　　　　　　　　　　　　　　　（観智院本類聚名義抄／僧下 004-2）

　　　鰕　七巻食經云鰕 音遐和名衣比俗用海老二字 …　　　　（元和本倭名類聚抄／巻十九04 ウ 7）

▶番号4156b「蝦」（青蝦蟇）の仮名音注「カ」については、基本的に -a で対応する。当該字には平声点を差す。熟字4156「青蝦蟇」は右注「アヲカヘル」を付載する。上巻の麻韻当該例で分析した。

　　　青蝦蟇　陶隱居本草注云蝦蟇大而青脊謂之土鴨 和名阿乎加閇流

　　　　　　　　　　　　　　　　　　　　　　　　　　　　　（元和本倭名類聚抄／巻十九24 ウ 2）

▶番号4950「瑕」（瑕）の仮名音注「カ」については、基本的に -a で対応する。当該字には平声点を差す。上巻の麻韻当該諸例で分析したように、日本呉音「カ」平/去声を認める。

▶番号4334「叉」（叉）の仮名音注「サ」については、基本的に -a で対応する。当該字には平声点を差し、右注「アサウ」左注「叉手」を付載する。観智院本類聚名義抄に反切「側加反」と上昇調である和音「シヤ」を見出す。また和訓「アサフ［上上濁平］」は組み合わせることを指す。元和本倭名類聚抄には反切「初牙反」がある。日本呉音「シヤ」去声を認める。

　　　叉　側加反 アサフ［上上濁平］… 和シヤ［平上］　　　　（観智院本類聚名義抄／僧中 051-4）

　　　叉　六韜云叉 初牙反 兩岐鐵柄長六尺文選叉簇 讀比之 今案簇即鏃字也

　　　　　　　　　　　　　　　　　　　　　　　　　　　　　（元和本倭名類聚抄／巻十三15 オ 4）

▶番号6178a「叉」（叉簇）の仮名音注「サ」については、基本的に -a で対応する。当該字に声点はない。熟字6178「叉簇」は左右注「又用［ヒシ：右傍］簇字両／長六寸戦具」右傍「ヒシ・ヒシ」を付載する。和訓「ヒシ」を三度も重ねて書く。元和本倭名類聚抄には借字による「讀比之」を確認できる。上述の分析を参照。

▶番号5248「靫」（靫）の仮名音注「ヒ」については、異例 -i を示す。これは字形相似による仮名音注「七（サ）」の誤読と推測する。当該字には平声点を差し、右注「ユキ［平上濁」」中注「楚佳初牙歩人所帶也／以箭叉其中也」右注「鞍靫也」を付載する。観智院本類聚名義抄に同音字注「音叉」を見出すが、仮名音注はない。元和本倭名類聚抄には反切「初牙反」がある。

　　　靫　音叉 矢歩靫／ツホヤナクヒ　　　　　　　　　　　（観智院本類聚名義抄／僧中 077-5）

　　　靫　釋名云歩人所帶曰靫 初牙反和名由岐 以箭叉其中也

（元和本倭名類聚抄／巻十三 13 ウ 5）

▶番号 4449a「权」（权首）の仮名音注「サ」については、基本的に -a で対応する。当該字に声点はない。熟字 4449「权首」は左注「初牙反」右注「サス」仮名音注を付載する。棟木などを支えるために合掌形に組んだ材を指す。観智院本類聚名義抄に同音字注「砂」と反切「上又初緅反」〔＊緅←糸+家〕さらに熟字「权首」に対して仮名音注「サス［平上］」を見出す。元和本倭名類聚抄には熟字「权首」に対して借字「佐須」続けて「权音初牙反」がある。この借字注記から見ると、字音であるという認識が希薄であった可能性を指摘できる。字音「サ」平声を認める。

권極 砂鶿二音 マタフリ［平平平濁平］… 上又初緅反 （観智院本類聚名義抄／佛下本 101-5）

权首 サス［平上］ （観智院本類聚名義抄／佛下本 101-5）

权首 楊氏漢語抄云权首 佐須权音初牙反 （元和本倭名類聚抄／巻十 11 ウ 6）

▶番号 4707a「嗟」（嗟歎）の仮名音注「サ」については、基本的に -a で対応する。当該字には平声点を差す。観智院本類聚名義抄に反切「作何反・又子邪反」を見出すが、仮名音注はない。

嗟 作何反 又子邪反 ナゲク［□平濁上］… ア （観智院本類聚名義抄／佛中 028-7）

▶番号 5625a「差」（差別）の仮名音注「シヤ」については、基本的に -ja で対応する。当該字には上声点を差す。その中古音が示す頭子音 tʂ-（等韻学の術語で言う初母）は無声無気反り舌破擦音であるため、中心母音 -a- に加えて拗介音 -i- があるように聴き取る結果が生じた。観智院本類聚名義抄に反切「楚宜楚佳二反」と低平調と推測する和音「シヤ」を見出す。天理大学本最勝王経音義には和音「シヤ・シ・サ」を見つける。日本呉音「シヤ」平声および「シ・サ」を認める。

差 … 楚宜楚佳二反 ナカハ … 和シヤ［□平］ （観智院本類聚名義抄／佛下末 028-1）

差 楚宜反 楚佳反／ナカハ … 和シヤ シ サ （天理大学本最勝王経音義／24 ウ 5）

▶番号 4652a・6772「砂」（砂磧・砂）の仮名音注「サ」については、基本的に -a で対応する。両当該字には平声点を差す。観智院本類聚名義抄に平声点を付した同音字注「音沙」（その右傍に墨筆で仮名音注「サ」）と「俗沙」を見出す。承曆本金光明最勝王経音義には仮名音注「シヤ音」がある。日本漢音「サ」平声、日本呉音「シヤ」を認める。

砂 音沙［平／サ：右傍墨筆］イサコ［上上□］／マ スナコ［平平平］俗沙

（観智院本類聚名義抄／法中 011-4）

砂 シヤ六〔＊後筆朱書〕 （承曆本金光明最勝王経音義／06 オ 5）

▶番号 3440c「砂」（金剛砂）の仮名音注「サ」については、基本的に -a で対応する。当該字には上声点を差す。上述の分析を参照。

▶番号 4603a「砂」（砂鉢）の仮名音注「サ」については、基本的に -a で対応する。当該字に声点はない。上述の分析を参照。

▶番号 3441c「砂」（金剛砂）の仮名音注「シヤ［上濁上］」については、基本的に -ja で対応する。当該字には上声点を差し、その仮名音注には濁音を含む高平調の差声を施すので、日本語音

380　3．仮名音注の韻母別考察　3-2　II韻類

韻史上の連濁による字音「ジヤ」上声を想定する。その中古音が示す頭子音 ʂ-（等韻学の術語で言う生母）は無声反り舌摩擦音であるため、中心母音 -a- に加えて拗介音 -i- があるように聴き取る結果が生じた。上述の分析を参照。

　▶番号5461b「砂」（縮砂）の仮名音注「シヤ」については、基本的に -ja で対応する。当該字に声点はない。上述の分析を参照。

　▶番号5434「紗」（紗）の仮名音注「サ」については、基本的に -a で対応する。当該字には平声点を差す。観智院本類聚名義抄に東声点を付した同音字注「音沙」と下降調を示す仮名音注「俗音シヤ」を見出す。その中古音が示す頭子音 ʂ-（等韻学の術語で言う生母）は無声反り舌摩擦音であるため、中心母音 -a- に加えて拗介音 -i- があるように聴き取る結果が生じた。日本漢音は東声（四声体系では平声）定着久しい字音「シヤ」を認める。

　　紗 音沙［東］俗音シヤ［上平］ウス物 … 又音眇［ヘウ：墨右注］又要

　　　　　　　　　　　　　　　　　　　　　　（観智院本類聚名義抄／法中134-2）

　▶番号5435「紗」（紗）の仮名音注「シヤ」については、基本的に -ja で対応する。当該字には平声点を差す。上述の分析を参照。

　▶番号5477b・5478b「紗」（朱紗・朱紗）の仮名音注「シヤ」については、基本的に -ja で対応する。当該字には上声点を差す。熟字「朱紗」は右注5477「シウシヤ」右傍5478「スウシヤ俗」を付載する。上述の分析を参照。

　▶番号3367b・4536a・4681a「沙」（蜑沙・沙陀調・沙汰）の仮名音注「サ」については、基本的に -a で対応する。当該諸字三例には平声点を差す。上巻の麻韻当該諸例で分析したように、日本漢音は平声、日本呉音「シヤ」平声を認める。

　▶番号4411a・4832a「沙」（沙田・沙田）の仮名音注「サ」については、基本的に -a で対応する。両当該字に声点はない。上述の分析を参照。

　▶番号5328a「沙」（沙弥）の仮名音注「シヤ」については、基本的に -ja で対応する。当該字に声点はない。中古音が示す頭子音 ʂ-（等韻学の術語で言う生母）は反り舌摩擦音であるため、中心母音 -a- に加えて拗介音 -i があるように聴き取る結果が生じた。上述の分析を参照。

　▶番号4206「齇」（齇）の仮名音注「サ」については、基本的に -a で対応する。当該字には平声点を差し、右注「アカム」左注「皰鼻也」を付載する。観智院本類聚名義抄に反切「側加」を見出すが、仮名音注はない。高山寺本篆隷萬象名義には反切「庄加反」がある。

　　櫨 側加反似棃耐酸十二 … 齇 皰鼻或作䶇 …　　　　（王仁昫刊謬補缺切韻／荘母麻韻 tʂaˈ）

　　櫨 似棃耐酸或作柤 側加切十二 … 齇 皰鼻 …　　　　　（宋本廣韻／荘母麻韻 tʂaˈ）

　　齇 … 側加 鼻病 アカム［上上平］　　　　　（観智院本類聚名義抄／僧中070-8）

　　齇 庄加反 皰也　　　　　　　　　　　（高山寺本篆隷萬象名義／第六帖119オ3）

　▶番号6351a「挲」（挲攞）の仮名音注「タ」については、基本的に -a で対応する。当該字に

は平声濁点を差すので、字音「ダ」を想定する。その中古音が示す頭子音 n-（等韻学の術語で言う舌音清濁泥母）は歯茎鼻音であり、日本語のナ行音をもって受容する。ただし、中国語音韻史上における鼻音声母の非鼻音化（denasalization）を反映する場合はダ行音で対応する。図書寮本類聚名義抄に反切「广云下女加反」（その反切下字に平声点）を見出す。観智院本には反切「女牙反」と声調表記「去声」を見つける。承暦本金光明最勝王経音義には同音字注「駄音又玉音」があり、両掲出字に上声点を加える。同書が掲げる「次可知濁音借字」に「駄［去濁］」を見出すので、日本呉音「ダ」の蓋然性が高い。日本漢音は平声、日本呉音は上声を認める。

阿蘭拏 广云下／女加 ［□平］反 …　　　　　　　　　　（図書寮本類聚名義抄／188-5）

拏 … 女牙反 ヒク ［上平］ … 去声 ミタル ［平平濁□］ …　（観智院本類聚名義抄／佛下本 052-4）

拏 ［上］駄ミ又玉ミ　　　　　　　　　　　　　　　（承暦本金光明最勝王経音義／08 オ 4）

拏 ［上］玉ミ 天　　　　　　　　　　　　　　　　（承暦本金光明最勝王経音義／10 オ 3）

次可知濁音借字　　　　　　　　　　　　　　　　（承暦本金光明最勝王経音義／02 オ 1）

婆 ［平濁・去濁］… 駄 ［去濁］墮 地 ［平濁］持 …　（承暦本金光明最勝王経音義／02 オ 2）

▶番号6146b「琶」（琵琶）の仮名音注「ハ」については、基本的に -a で対応する。当該字には平声点を差す。その中古音が示す頭子音 b-（等韻学の術語で言う唇音濁唇並母）は有声両唇閉鎖音であり、日本語のバ行音をもって受容するが、中国語音韻史上に現れる濁音声母の無声化を反映した場合はハ行音で対応する。熟字6146「琵琶」は中左注「馬上 ［上濁去／ハシヤウ：右傍］／樂器也」を付載する。観智院本類聚名義抄に同音字注「毗婆二音」と「俗云ヒワ」を見出す。定着久しい字音「ワ」（字音「ハ」のハ行転呼による音変化）を認める。この「俗云」表記を定着久しい字音と解釈するが、和音との違いは何か。類聚名義抄の場合は和音をもって真興が示す呉音とする。ある一定の体系を念頭に置いた字音把握であろう。それに対して、当該の「俗云」は漢字との接触以降に随時移入され定着してきた字音と推測する。長い時間を経たため、和訓との区別ができない場合もある。元和本倭名類聚抄には同音字注「毘婆二音」と「俗云微波」がある。

琵琶 毗婆二音／俗云 ヒワ　　　　　　　　　　　（観智院本類聚名義抄／法中 015-4）

琵琶　兼名苑云琵琶 毘婆二音俗云微波二音 …　　　（元和本倭名類聚抄／巻四 11 オ 7）

▶番号6064b「杷」（枇杷）の仮名音注「ハ」については、基本的に -a で対応する。当該字には平声点を差す。上記と同じく濁音声母の無声化を反映する。熟字6046「枇杷」は左注「果木」を付載する。観智院本類聚名義抄に同音字注「琵琶二音」と「此間云ヒハ ［去濁平］」を見出す。同書編纂当時（いわゆる近時）の字音「ハ」平声を認める。

枇杷 琵琶二音 此間云 ヒハ ［去濁平］…　　　　（観智院本類聚名義抄／佛下本 100-5）

▶番号4077a・4092「麻」（麻柱・麻）の仮名音注「ハ」については、基本的に -a で対応する。当該字には平声濁点を差すので、字音「バ」を想定する。上巻の麻韻当該諸例で分析したように、定着久しい字音「マ」を認める。

382　3．仮名音注の韻母別考察　3-2　Ⅱ韻類

▶番号3332b・6383b「麻」（胡麻・詑麻）の仮名音注「マ」については、基本的に -a で対応する。両当該字に声点はない。上述の分析を参照。

▶番号4156c「蟇」（青蝦蟇）の仮名音注「ハ」については、基本的に -a で対応する。当該字には平声濁点を差すので、字音「バ」を想定する。上巻の麻韻当該例で分析したように、日本漢音「ハ」平声を認める。

▶番号4483a「巴」（巴峽）の仮名音注「ハ」については、基本的に -a で対応する。当該字には平声点を差す。上巻の麻韻当該諸例で分析したように、日本漢音「ハ」平声を認める。

▶番号3725b「葩」（紅葩）の仮名音注「ハウ」については、異例 -au を示す。当該字には平声点を差す。熟字3725「紅葩」の右注「コハウ」仮名音注は「コウハ」の誤認と推測する。上巻の麻韻当該例で分析した。

《上巻 馬韻開口諸例》

▶番号2243b「瘂」（瘖瘂）の仮名音注「ア」については、基本的に -a で対応する。当該字には平声点を差す。熟字2243「瘖瘂」は右注・左傍「ヲフシ」を付載する。観智院本類聚名義抄に反切「烏下反」と去声点を付した和音「ア」を見出す。元和本倭名類聚抄には同音字注「鶡」がある。日本呉音「ア」去声を認める。

　　　瘂 烏下反 オフシ … 和ア［去］　　　　　　　　　（観智院本類聚名義抄／法下 119-2）

　　　瘖瘂　説文云瘖瘂 音鶡二音於布之 … 不能言也　　　（元和本倭名類聚抄／巻三 18 オ 6）

▶番号2938a・3065a「雅」（雅意・雅旨）の仮名音注「カ」については、基本的に -a で対応する。両当該字には上声濁点を差すので、字音「ガ」を想定する。その中古音が示す頭子音 ŋ-（等韻学の術語で言う疑母）は軟口蓋鼻音であり、日本語のガ行音をもって受容する。観智院本類聚名義抄に反切「古疋魚瑕反」と和音「ケ」（その右傍に朱筆で濁音「✓」表記）を見出す。前者「古疋」は「雅」の古体「疋」を指す。承暦本金光明最勝王経音義には同音字注「夏音」があり、その掲出字に去声点を加える。日本呉音「ゲ」去声を認める。

　　　雅 古疋〔＊疋←牙+疋〕魚瑕反／和ケ［✓：朱右傍］マサシ［平平平］…

　　　　　　　　　　　　　　　　　　　　　　　　　　（観智院本類聚名義抄／僧中 135-6）

　　　雅［去］夏、／吉也　　　　　　　　　　　　　（承暦本金光明最勝王経音義／05 ウ 1）

▶番号3063a「雅」（雅樂）の仮名音注「カ」については、基本的に -a で対応する。当該字には平声濁点と去声濁点を差すので、字音「ガ」を想定する。上述の分析を参照。

▶番号3064a「雅」（雅音）の仮名音注「カ」については、基本的に -a で対応する。当該字には去声濁点を差すので、字音「ガ」を想定する。上述の分析を参照。

▶番号1340b・2989a・2990a「下」（陸下・下宅・下愚）の仮名音注「カ」については、基本

的に -a で対応する。当該諸字三例には去声点を差す。廣韻に拠れば、馬/禡韻（ɣa²³）二音を有する。観智院本類聚名義抄に同音字注「音夏」（馬/禡韻 ɣa²³）と「又去」を見出す。長承本蒙求には仮名音注「カ」五例があり、それらを含む掲出諸字七例に上声点（五例）去声点（二例）を加える。日本漢音「カ」上/去声を認める。

下 音夏 又去 シモ［上入］〔＊上平か〕シタ［上平］…　　　（観智院本類聚名義抄／佛上 074-5）

下 ［上／去：圏点］カ　　　　　　　　　　　　　　　　　　　　　　（長承本蒙求／013）

下 ［上］カ　　　　　　　　　　　　　　　　　　　　（長承本蒙求／047・051・090）

下 ［上］　　　　　　　　　　　　　　　　　　　　　　　　　　　（長承本蒙求／065）

下 ［去］カ　　　　　　　　　　　　　　　　　　　　　　　　　　（長承本蒙求／123）

▶番号 2943b・2988a「下」（眼下・下種）の仮名音注「カ」については、基本的に -a で対応する。当該字には平声点を差す。上述の分析を参照。

▶番号 0316b「夏」（遊夏）の仮名音注「カ」については、基本的に -a で対応する。当該字には上声点を差す。廣韻に拠れば、馬/禡韻（ɣa²³）二音を有する。その頭子音 ɣ-（等韻学の術語で言う喉音濁匣母）は有声軟口蓋摩擦音であり、日本語のが行音をもって受容するが、中国語音韻史上における濁音声母の無声化を反映する場合はカ行音で対応する。観智院本類聚名義抄に上声点を付した同音字注「音下」を見出す。長承本蒙求には仮名音注「カ」があり、その掲出字に去声点を加える。日本漢音「カ」上/去声を認める。

夏 音下［上］大也 中國名／オホキナリ［平平□□□］　　（観智院本類聚名義抄／僧中 052-7）

夏 ［去］カ　　　　　　　　　　　　　　　　　　　　　　　　　　（長承本蒙求／067）

▶番号 0733b「夏」（晩夏）の仮名音注「カ」については、基本的に -a で対応する。当該字には去声点を差す。上述の分析を参照。

▶番号 1794b「夏」（仲夏）の仮名音注「カ」については、基本的に -a で対応する。当該字には平声点を差す。上述の分析を参照。

▶番号 1036b「夏」（半夏）の仮名音注「ケ」については、基本的に -e で対応する。当該字には上声点を差す。上述の分析を参照。

▶番号 0695「把」（把）の仮名音注「ハ」については、基本的に -a で対応する。当該字に声点はなく、左右注「以十分為把／以十把為束」を付載する。観智院本類聚名義抄に反切「博下反」（その反切下字に上声点）と「布加反」および和音「ハ」を見出す。長承本蒙求には仮名音注「ハ」があり、その掲出字に平声点を加える。これは諸声符「巴」（麻韻 pa¹）に牽引された声調把握か。日本漢音「ハ」平/上声、日本呉音「ハ」を認める。

把 博下［□上］反 布加反 トル［平上］… 和ハ　　（観智院本類聚名義抄／佛下本 040-3）

把 ［平］ハ　　　　　　　　　　　　　　　　　　　　　　　　　　（長承本蒙求／132）

▶番号 0333b・0751b・0889a・0904a・1646b・2116b「馬」（遊馬・白馬・馬上・馬后・銅

384   3．仮名音注の韻母別考察　3-2　Ⅱ韻類

馬・兩馬）の仮名音注「ハ」については、基本的に -a で対応する。当該諸字六例には上声濁点を差すので、字音「バ」を想定する。その中古音が示す頭子音 m-（等韻学の術語で言う明母）は両唇鼻音であり、日本語のマ行音をもって受容する。ただし、中国語音韻史上における鼻音声母の非鼻音化（denasalization）現象により、m->mb->b- の音変化をする。これを反映する場合はバ行音で対応する。観智院本類聚名義抄に同音字注「麻之上声」（倭名類聚抄の引用か）と平声点を付した和音「メ」を見出す。長承本蒙求には仮名音注「ハ」七例があり、それらを含む掲出諸字十一例に上声加濁点（四例）上声点（六例）欠損不明（一例）を加える。日本漢音「バ」上声、日本呉音「メ」平声を認める。

　　　馬 麻之上声／和丶 ウマ［平平］和メ［平］　　　　　　　　（観智院本類聚名義抄／僧中 098-4）
　　　馬［上／上：加濁］ハ　　　　　　　　　　　　　　　　　　（長承本蒙求／040・121）
　　　馬［上］　　　　　　　　　　　　　　　　　　　　　　　　（長承本蒙求／052・083）
　　　馬［上／上：加濁］　　　　　　　　　　　　　　　　　　　（長承本蒙求／058・061）
　　　馬［上］ハ　　　　　　　　　　　　　　　　　（長承本蒙求／089・104・135・143）
　　　馬〔＊左上隅欠〕ハ　　　　　　　　　　　　　　　　　　　（長承本蒙求／125）
　　　馬 駒等附 四聲字苑云馬 麻之上声和名無萬 …　　　（元和本倭名類聚抄／巻十一 09 ウ 9）

　▶番号1859b「馬」（竹馬）の仮名音注「ハ」については、基本的に -a で対応する。当該字には上声点を差す。上述の分析を参照。

　▶番号3159b「馬」（郡馬）の仮名音注「マ」については、基本的に -a で対応する。当該字に声点はない。加篇國郡部に属する地名である。上述の分析を参照。観智院本類聚名義抄は倭名類聚抄を引用しており、注記「和丶ウマ」は「和名ウマ」と判明する。さらに、元和本倭名類聚抄には注記「無萬・米萬・乎萬・古萬」を見出す。早くに定着した字音「マ」を和名として認識していたと推測する。

　　　馬 駒等附 … 驛馬 上音草和名米萬 … 駁馬 上音父和名乎萬 … 駒 音倶和名古萬 …

　　　　　　　　　　　　　　　　　　　　　　　　　　（元和本倭名類聚抄／巻十一 10 オ 1）

《下巻 馬韻開口諸例》

　▶番号3747「榎」（榎）の仮名音注「カ」については、基本的に -a で対応する。当該字に声点はない。観智院本類聚名義抄に同音字注「賈」を見出すが、仮名音注はない。元和本倭名類聚抄には反切「古雅反」がある。

　　　榎 音賈 エノキ［上上平］　　　　　　　　　　　　（観智院本類聚名義抄／佛下本 085-1）
　　　榎　爾雅注云榎一名梩 上音古雅反 … 和名衣　　（元和本倭名類聚抄／巻二十 26 オ 6）

　▶番号4397b「賈」（商賈）の仮名音注「カ」については、基本的に -a で対応する。当該字に

3-2-1 -a系の字音的特徴　385

は上声点を差す。観智院本類聚名義抄に同音字注「音古」と反切「柯雅反」を見出す。長承本蒙求には仮名音注「カ」七例があり、それらの掲出字に上声点を加える。日本漢音「カ」上声を認める。

　　　賈　音古 アタヒ ウル／柯雅反 ヤフル　　　　　　　　　　　（観智院本類聚名義抄／佛下本016-7）

　　　賈［上］カ　　　　　　（長承本蒙求／010・064・109・114・131・133・139）

　▶番号6851a「假」（假髻）の仮名音注「カ」については、基本的に -a で対応する。当該字には上声点を差す。廣韻に拠れば、馬/禡韻（ka²³）二音を有する。熟字6851「假髻」は右注「假覆髪上者也」左注「スヱ 容飾具」を付載する。観智院本類聚名義抄に反切「吉雅」（その反切下字に上声濁点）「古訝反」（その反切下字に去声濁点と右傍に朱筆で仮名音注「カ」を付載）および和音「ケ」を見出す。それらの濁声点は両反切下字自体の声調表記であり、当該字「假」に帰納するものではない。日本漢音「カ」上/去声、日本呉音「ケ」を認める。

　　　假 … 吉雅［□上濁］／古訝［□去濁／カ：朱右傍］反 … 又音挌 イタル 和ケ

　　　　　　　　　　　　　　　　　　　　　　　　　　　　（観智院本類聚名義抄／佛上033-4）

　　　假髪　釋名云假髪 和名須惠 以假覆髪上也　　　　　（元和本倭名類聚抄／巻十四05 オ1）

　▶番号5222b「椵」（橻椵）の仮名音注「カ」については、基本的に -a で対応する。当該字には上声点を差す。廣韻に拠れば、馬/禡韻（ka²³）二音を有する。熟字5222「橻椵」は右注「ユカウ」を、続く掲出字「柚柑」は右注「同（ユカウ）」〔*ユカムの誤認か〕を付載する。観智院本類聚名義抄に同音字注「加」（麻韻ka¹）同音字注「音賈」（馬/禡韻ka²³）を見出すが、仮名音注はない。元和本倭名類聚抄には同音字注「加」がある。

　　　橻椵 廢加 柑上椵也／下音賈 柚属　　　　　　　　（観智院本類聚名義抄／佛下本109-8）

　　　橻椵 爾雅注云橻椵 廢加二音漢語抄云柚柑 柚屬也　　（元和本倭名類聚抄／巻十七10 ウ7）

　▶番号6006b「下」（垣下）の仮名音注「カ」については、基本的に -a で対応する。当該字には去声点を差す。上巻の馬韻当該諸例で分析したように、日本漢音「カ」上/去声を認める。

　▶番号4783b「下」（霜下）の仮名音注「カ」については、基本的に -a で対応する。当該字に声点はない。上述の分析を参照。

　▶番号6252b「下」（卑下）の仮名音注「ケ」については、基本的に -e で対応する。当該字には平声濁点を差すので、字音「ゲ」を想定する。その中古音が示す頭子音 ɣ-（等韻学の術語で言う喉音濁匣母）は有声軟口蓋摩擦音であり、日本語のガ行音をもって受容するが、中国語音韻史上における濁音声母の無声化を反映する場合はカ行音で対応する。観智院本類聚名義抄が掲げる「無下」に仮名表記「ムケナリ」を見出す。字音「ケ」を認める。

　　　無下 ムケナリ　　　　　　　　　　　　　　　　　（観智院本類聚名義抄／佛上074-7）

　▶番号5888b「下」（上下）の仮名音注「ケ」については、基本的に -e で対応する。当該字に声点はない。上述の分析を参照。

　▶番号4791a「灑」（灑落）の仮名音注「サ」については、基本的に -a で対応する。当該字に

声点はな、左注「落葉名」を付載する。廣韻に拠れば、馬韻（ṣa²）蟹韻（ṣe²）紙/寘韻（ṣie²/³）四音を有する。観智院本類聚名義抄に反切「所蟹反」および上昇調を示す和音「シヤ」を見出す。承暦本金光明最勝王経音義には同音字注「沙音」があり、その掲出字に去声点を加える。同書には仮名音注「シヤ」二例も見つける。日本呉音「シヤ」去声を認める。

灑 所蟹反 ソ＼ク［上上□］… 和シヤ［平上：墨点］　　　　（観智院本類聚名義抄／法上 035-5）

灑 ［去］沙ミ/曽ミ久　　　　　　　　　　　　　　　　（承暦本金光明最勝王経音義／06 オ 5）

灑 シヤ［：右傍］〔＊後筆墨書〕　　　　　　　　　　（承暦本金光明最勝王経音義／09 オ 6）

灑 シヤ［：右傍］〔＊後筆墨書〕　　　　　　　　　　（承暦本金光明最勝王経音義／10 オ 6）

纚　文選注云纚 所買反師説佐天 網如箕形 …　　　　　（元和本倭名類聚抄／巻十五 07 ウ 5）

淋灑 上古林反下七移七柯二反 … 曽ミ久又志太留又毛留　　（天治本新撰字鏡／巻十二 22 オ 3）

▶番号 5118b「把」（擬把）の仮名音注「ハ」については、基本的に -a で対応する。当該字には上声点を差す。熟字 5118「擬把」は右傍「ストラムト」を付載する。上巻の馬韻当該例で分析したように、日本漢音「ハ」平/上声、日本呉音「ハ」を認める。

▶番号 4153a・5462b・6147a「馬」（馬陸・四馬・馬上）の仮名音注「ハ」については、基本的に -a で対応する。当該諸字三例には上声濁点を差すので、字音「バ」を想定する。上巻の馬韻当該諸例で分析したように、日本漢音「バ」上声、日本呉音「メ」平声を認める。

▶番号 4538b「馬」（催馬樂）の仮名音注「ハ［上濁］」については、基本的に -a で対応する。当該字の仮名音注には上声濁点を付載する。上述の分析を参照。

▶番号 6961b「馬」（主馬）の仮名音注「メ」については、基本的に -e で対応する。当該字に声点はない。熟字 6961「主馬」は右注「ステン」左注「正佑令史」を付載する。律令制の春宮坊主馬寮において乗馬や馬具の管理を司った役人を指す。上述の分析を参照。

▶番号 4414b・5925b「馬」（美馬・相馬）の仮名音注「マ」については、基本的に -a で対応する。両当該字に声点はない。それぞれ阿波・下総の地名である。上巻の馬韻当該諸例で分析したように、定着久しい字音「マ」を認める。

阿波國 … 美馬 美萬 …　　　　　　　　　　　　　　（元和本倭名類聚抄／巻五 25 オ 5）

下総國 … 相馬 佐萬 …　　　　　　　　　　　　　　（元和本倭名類聚抄／巻五 15 ウ 5）

《上巻 禡韻開口諸例》

▶番号 0172b「架」（衣架）の仮名音注「カ［平］」については、基本的に -a で対応する。当該字には平声点を差し、その仮名音注に平声点を加える。熟字 0172「衣架」には右注「イカ［上平］俗」左注「又ミソカケ」を付載する。定着久しい字音「イカ」という認識か。観智院本類聚名義抄に去声点を付した同音字注「音駕」（禡韻 ka³）を見出すが仮名音注はない。日本漢音は去声を認

める。

架 音駕 [去] マカキ／カマフ [平平上] 掛衣 裳架具 　　　　（観智院本類聚名義抄／佛下本 103-3)

　　衣架 　爾雅注云篪 音移字亦作椸和名美曾加介 懸衣架也 　　（元和本倭名類聚抄／巻十四 16 ウ4)

▶番号 2870a・3060a「稼」（稼穂・稼子）の仮名音注「カ」については、基本的に -a で対応する。当該字には平声点を差す。熟字 2870「稼穂」は中注「稲穂也」を付載する。観智院本類聚名義抄に去声点を付した同音字注「音嫁」（その左注に墨筆で仮名音注「ケ」を付載）を見出す。同書の凡例部分「朱音者正音也墨声者和音也」（篇目 7-6）に従えば、朱墨で正音と和音を分別する傾向がある。承暦本金光明最勝王経音義には仮名音注「ケ」がある。日本漢音は去声、日本呉音「ケ」を認める。

　　稼 音嫁 [去／ケ：墨左注] … ホタリ 　　　　　　（観智院本類聚名義抄／法下 011-4)

　　稼 ケ [：右傍]〔＊後筆墨書〕 　　　　　　（承暦本金光明最勝王経音義／10 オ6)

▶番号 2485「稼」（稼）の仮名音注「カ」については、基本的に -a で対応する。当該字に声点はなく、左注「稲也」を付載する。上述の分析を参照。

▶番号 2925a「嫁」（嫁娶）の仮名音注「カ」については、基本的に -a で対応する。当該字には去声点を差す。観智院本類聚名義抄に反切「姑暇反」（その反切下字に去声点を付載）を見出すが、仮名音注はない。日本漢音は去声を認める。

　　嫁 姑暇 [□去] 反 … ヨハフ [平平濁上] 　　　　（観智院本類聚名義抄／佛中 022-2)

▶番号 1191b「駕」（𠻺駕）の仮名音注「カ」については、基本的に -a で対応する。当該字には平声点を差す。熟字 1191「𠻺駕」は右傍「ハヤリスキタリ」を付載する。観智院本類聚名義抄に同音字注「音賀」（箇韻 γɑ³）と去声点を付した和音「カ」を見出す。長承本蒙求には仮名音注「カ」があり、その掲出字に去声点を加える。日本漢音・日本呉音ともに「カ」去声を認める。

　　駕 音賀 ノホル [上上平] … 和カ [去] 　　　　　（観智院本類聚名義抄／僧中 109-6)

　　駕 [去] カ 　　　　　　　　　　　　　　　　（長承本蒙求／007)

▶番号 3171a「駕」（駕輿丁）の仮名音注「カ」については、基本的に -a で対応する。当該字に声点はない。熟字 3171「駕輿丁」は左注「在近衛」を付載する。上述の分析を参照。

▶番号 3049b「暇」（閑暇）の仮名音注「カ」については、基本的に -a で対応する。当該字には上声濁点を差すので、日本語音韻史上の連濁による字音「ガ」を想定する。その中古音が示す頭子音 γ-（等韻学の術語で言う喉音濁匣母）は有声軟口蓋摩擦音であり、日本語のガ行音をもって受容するが、中国語音韻史上における濁音声母の無声化を反映する場合はカ行音で対応する。熟字 3049「閑暇」には平声と上声濁点「○●」を差すが、平声と去声濁点「○◑」からの変化であろう。これは熟字後部が一音節の字音「カ」であるために起きたと考える。観智院本類聚名義抄に反切「下嫁反」を見出す。天理大学本最勝王経音義には「和カ [去] ケ [平]」〔＊「カ」去声は漢音系字音か〕を見つける。承暦本金光明最勝王経音義には同音字注「計音・假音」があり、掲出字それぞれに平

声点を加える。同書が掲げる「先可知所付借字」に「計［平］介［平］氣［上］」を見つける。日本呉音「ケ」平声を認める。日本漢音「カ」去声は保留とする。

暇 下嫁反 安也／イトマ［平平□］…　　　　　　　　　（観智院本類聚名義抄／佛中 091-3）

暇 イトマ … 和カ［去］ケ［平］　　　　　　　　　　（天理大学本最勝王経音義／19 オ 2）

暇［平］計ミ／以止万　　　　　　　　　　　　　　（承暦本金光明最勝王経音義／05 ウ 1）

暇［平］假ミ　　　　　　　　　　　　　　　　　　（承暦本金光明最勝王経音義／11 ウ 3）

　　先可知所付借字　　　　　　　　　　　　　　　（承暦本金光明最勝王経音義／01 オ 7）

… 和王［平］加［上］可［平］　　　　　　　　　　（承暦本金光明最勝王経音義／01 ウ 2）

… 計［平］介［平］氣［上］　　　　　　　　　　　（承暦本金光明最勝王経音義／01 ウ 5）

▶番号 0148「詐」（詐）の仮名音注「サ」については、基本的に -a で対応する。当該字に声点はなく、和訓「イツハル」の同訓異字として位置する。図書寮本類聚名義抄に反切「測駕反」（その反切下字に去声点）を見出す。観智院本には反切「測駕反」を見つける。承暦本金光明最勝王経音義には仮名音注「サ」がある。日本漢音は去声、日本呉音「サ」を認める。

詭詐 … 下 憲云測駕［□去］反 … イツハリ［平平上上／後：右注］　（図書寮本類聚名義抄／078-6）

詐 測駕反 アサムク／イツハル［平平□□］…　　　（観智院本類聚名義抄／法上 061-3）

詐 サ［：右傍］〔＊後筆墨書〕　　　　　　　　　　（承暦本金光明最勝王経音義／10 オ 6）

《下巻 禡韻開口諸例》

▶番号 4163「婭」（婭）の仮名音注「ア」については、基本的に -a で対応する。当該字には去声点を差し、右注「アヒムコ」左注「両聟相曰也」を付載する。妻の姉妹の夫「婭婿」を意味する。観智院本類聚名義抄に注記「俗亞字」があり、同書で「亞」を再検索すると、反切「鴉訶反」と「和音阿」を見出す。元和本倭名類聚抄には同音字注「亞反」がある。

婭 俗亞字／アヒムコ［平平平上］　　　　　　　　　（観智院本類聚名義抄／佛中 009-5）

亞 鴉訶反 ツキ［上平濁］… 和音阿　　　　　　　　（観智院本類聚名義抄／僧下 123-4）

婭 釋名云兩聟相謂爲婭 亞反和名阿比無古 …　　　　（元和本倭名類聚抄／巻二 19 オ 3）

▶番号 4387b「駕」（晏駕）の仮名音注「カ」については、基本的に -a で対応する。当該字には平声濁点を差すので、日本語音韻史上の連濁による字音「ガ」を想定する。熟字 4387「晏駕」は左注「同（五帝死）也」を付載する。上巻の禡韻当該諸例で分析したように、日本呉音「カ」去声を認める。

▶番号 4708a「詐」（詐偽）の仮名音注「サ」については、基本的に -a で対応する。当該字には上声点と去声点を差す。上巻の禡韻当該諸例で分析したように、日本漢音は去声、日本呉音「サ」を認める。

3-2-1 -a系の字音的特徴 389

▶番号6383a「詑」（詑麻）の仮名音注「タク」については、異例 -ak を示す。諧声符「宅」（陌韻 ḍak）による字音把握か。熟字「詑麻」は飛騨國郡部に属する。観智院本類聚名義抄に反切「丑駕反」を見出すが、仮名音注はない。元和本倭名類聚抄には肥後國の郡名「託麻」に対して借字による「多久萬」があるので、当該字「詑」は本来「託」の誤認か。

 詑 丑駕反 誇   （観智院本類聚名義抄／法上 050-4）

 託 音橐 ツク［上上］ヨル［上平］…   （観智院本類聚名義抄／法上 050-4）

 宅 音澤［入］イヘ［平平］…   （観智院本類聚名義抄／法下 053-6）

 肥後國 … 託麻 多久萬 益城 萬志岐國府 … （元和本倭名類聚抄／巻五 27 オ 9）

▶番号3431a「㞎」（㞎蟆）の仮名音注「ハ」については、基本的に -a で対応する。当該字には去声点を差す。廣韻に拠れば、滂母禡韻（p'a³）は「㞎：㞎蟆 … 普駕切二／怕：怕懼」二字のみであり、同音の注字選択に制限がある。観智院本類聚名義抄に反切「普覇反」（その反切下字に去声点）と平声点を付した「呉音把」を見出す。この呉音は大般若経字抄による引用で、漢呉二音相同の同音字注「音把」（馬韻 pa³）である。元和本倭名類聚抄には反切「普賀反去声之輕」がある。日本漢音は去声、日本呉音は平声を認める。

 㞎 普覇［□去］反 オホフ［平平□／□□ヒ［平］］／呉音把［平］

           （観智院本類聚名義抄／法中 103-8）

 㞎［音把：右傍］ヲホヒ   （石山寺一切経蔵本大般若経字抄／16 ウ 6）

 㞎蟆 通俗文云帛三幅曰㞎 普賀反去声之輕 㞎衣曰蟆 音僕 楊氏漢語抄云衣幞 古路毛都々美

          （元和本倭名類聚抄／巻十四 20 オ 7）

3-2-1-2 -ua（麻/馬/禡韻）

資料篇【表 B-03】には麻韻（平声）馬韻（上声）禡韻（去声）合口所属の諸例が含まれる。前田本の示す仮名音注は、-wa, -we で基本的に対応する。異例として、-e がある。

《上巻 麻韻合口諸例》

▶番号2529a「騧」（騧馬）の仮名音注「クワ」については、基本的に -wa で対応する。当該字には平声点を差す。熟字2529「騧馬」は右注「カケノムマ」左注「鹿毛馬也」を付載する。観智院本類聚名義抄に平声点を付した同音字注「瓜音」（その右傍に朱筆で仮名音注「クワ」を付載）を見出す。元和本倭名類聚抄には同音字注「音花」がある。日本漢音「クワ」平声を認める。

 騧 瓜音［平／クワ：朱右傍］馬名也／麻毛馬   （観智院本類聚名義抄／僧中 104-8）

 騧馬 爾雅注云騧 音花漢語抄云騧馬鹿毛馬也 淺黄色馬也

390　3．仮名音注の韻母別考察　3-2　Ⅱ韻類

（元和本倭名類聚抄／巻十三 11 ウ 6）

　▶番号 2549a「蝸」（蝸牛）の仮名音注「クワ」については、基本的に *-wa* で対応する。当該
字には平声点を差す。熟字 2549「蝸牛」は右注「カタツフリ」を付載する。廣韻に拠れば、当該字
「蝸」は麻韻（kua¹）佳韻（kuɐ¹）二音を有する。王仁昫刊謬補欠薛切韻には別音として反切「女
侍又於果反」（'uɑ²）があるが、廣韻は「媧」の又反切と修正する。あるいは「蛙」（麻韻 'ua¹・
佳韻 'uɐ¹）との混同に基づく字音把握か。詳細不明。観智院本類聚名義抄に同音字注「音過・又瓜」
および「呉音倭又クワ」を見出す。後者の「呉音倭」は大般若経字抄による漢呉二音相同を目指し
た同音字注「音倭」を出典とする。元和本倭名類聚抄には反切「古華反」がある。字音「クワ」を
認めるが、日本漢音か日本呉音か判然としない。また日本呉音「ワ」の可能性を指摘しておく。

　　　瓜 說文蓏 … 古華切七 … 媧 女侍又果切 蝸 蝸牛小螺 …　　　　　（宋本廣韻／見母麻韻 kua¹）

　　　瓜 古華反蓏屬五 … 蝸 蝸牛小螺女侍又於果反 …　　（王仁昫刊謬補欠薛切韻／見母麻韻 kua¹）

　　　蝸 音過 又瓜／カタツフリ［上上平上濁平］カニ　　　　　　（観智院本類聚名義抄／僧下 021-1）

　　　蝸牛 カタツフリ［上上平上濁上］／呉音倭 又クワ　　　　　（観智院本類聚名義抄／僧下 021-1）

　　　倭 扵為反 長也／又烏和反／カマト イタム …　　　　　　　（観智院本類聚名義抄／佛上 022-5）

　　　蝸 ［音倭：右傍］カタツムリ　　　　（石山寺一切経蔵本大般若経字抄／09 ウ 2）

　　　蝸牛 … 本草云蝸牛 上古華反和名加太豆不利 …　　　　（元和本倭名類聚抄／巻十九 20 ウ 6）

　▶番号 2395a「蝸」（蝸廬）の仮名音注「ワ」については、基本的に *-wa* で対応する。当該字
には平声点を差す。上述の分析を参照。

　▶番号 2393a「蝸」（蝸舍）の仮名音注「ワ」については、基本的に *-wa* で対応する。当該
字には去声点を差す。熟字 2393「蝸舍」は中注「云我宅詞」を付載する。上述の分析を参照。

　▶番号 1082・1640b「誇」（誇・徳誇）の仮名音注「クワ」については、基本的に *-wa* で対応
する。両当該字には平声点を差す。番号 1082「誇」は右注「ホコル」を付載する。図書寮本類聚名
義抄に反切「玉云苦華反・广云苦瓜反」（それらの反切下字に平声点）を見出す。観智院本には反
切「谷花反」を見つけるが、仮名音注はない。日本漢音は平声を認める。

　　　誇 玉云苦華［□平］反／ホコル［上上平／唱：右注］…　　　　（図書寮本類聚名義抄／101-1）

　　　自誇 广云苦瓜［□平］反 … ホコル［上上平／唱：右注］…　　　（図書寮本類聚名義抄／089-1）

　　　誇 谷花反　　　　　　　　　　　　　　　（観智院本類聚名義抄／法上 069-8）

　▶番号 1429b・3236b「華」（登華殿・容華）の仮名音注「クワ」については、基本的に *-wa* で
対応する。両当該字には平声点を差す。廣韻に拠れば、麻韻（xua¹）麻／禡韻（ɣua¹ᐟ³）三音を有す
る。熟字 3236「容華」は右傍「カタチヨシ」を付載する。観智院本類聚名義抄に反切「呼瓜反」と
「又去声」を見出す。長承本蒙求に仮名音注「火」二例（これは合口介音を反映する字音「クワ」
を想定した注音）があり、これらを含む掲出字三例に東声点を加える。同書には去声点を差した一
例も見つける。日本漢音「クワ」東／去声（四声体系では平／去声）を認める。

蓮華 上音連 [平] … 下呼瓜反 ハナ [平平] … 又去声　　　（観智院本類聚名義抄／僧上 004-7）

華 [東]　　　　　　　　　　　　　　　　　　　　　　　　（長承本蒙求／053）

華 [去]　　　　　　　　　　　　　　　　　　　　　　　　（長承本蒙求／062）

華 [東] 火　　　　　　　　　　　　　　　　　　　　　　（長承本蒙求／116・149）

火 クワ　　　　　　　　　　　　　　　　　　　　　　　　（長承本蒙求／119）

▶番号1167b「華」（法華）の仮名音注「クヱ」については、基本的に -we で対応する。当該字には上声点を差す。傍証ではあるが、承暦本金光明最勝王経音義に同じ掲出字「乖」に対して同音字注「花音」と仮名音注「クヱ」がある。相互に異体字とする「花・華」は字音「クヱ」の可能性を指摘できる。

乖 クヱ〔＊後筆墨書〕　　　　　　　　　　　　　　　　（承暦本金光明最勝王経音義／07 オ 5）

乖 [去] 花ミ／曽牟久　　　　　　　　　　　　　　　　（承暦本金光明最勝王経音義／07 ウ 4）

▶番号1273b「華」（法華寺）の仮名音注「クヱ」については、基本的に -we で対応する。当該字に声点はない。上述の分析を参照。

▶番号0517・1669b「花」（花・藤花）の仮名音注「クワ」については、基本的に -wa で対応する。両当該字には平声点を差す。番号0517「花」は右注「又ハナサク 紅葩 [平平] 梅口」中注「ハナ 木花」左注「本作華 俗今通用也」を付載する。当該字「花」は「華」と相互に異体字である。図書寮本類聚名義抄に「此間音」として去声点を付した同音字注「卦」（卦韻 ɣɐ³）を見出す。観智院本には注記「音同」を見つけるが、仮名音注はない。これは直前に配置する掲出字「華」の反切「呼瓜反」を指す。上述の分析を参照。

桃花石 此間音／道卦尺 [去去入]　　　　　　　　　　（図書寮本類聚名義抄／147-6）

花 音同 又俗／華字 ハナ [平平] … アサヤカナリ　　（観智院本類聚名義抄／僧上 005-1）

花 爾雅云木謂之華 戸花反 …　　　　　　　　　　　　（元和本倭名類聚抄／巻二十 33 オ 1）

▶番号2004b「花」（柳花苑）の仮名音注「クワ」については、基本的に -wa で対応する。当該字には上声点を差す。上述の分析を参照。

▶番号2888b「花」（香花）の仮名音注「クワ」については、基本的に -wa で対応する。当該字には上声濁点を差すので、日本語音韻史上の連濁による字音「グワ」を想定する。上述の分析を参照。

▶番号2509「樺」（樺）の仮名音注「クワ」については、基本的に -wa で対応する。当該字には平声点と去声点を差し、右注「カハ」左注「木皮也」を付載する。廣韻に拠れば、麻/禡韻（ɣua¹ʼ³）二音を有する。観智院本類聚名義抄に同音字注「音華」を見出すが、仮名音注はない。元和本倭名類聚抄には反切「戸花胡化二反」がある。

樺 今 音華／カハ 一云カニハ [上上平]　　　　　　　（観智院本類聚名義抄／佛下本 098-2）

樺 玉篇云樺 戸花胡化二反和名加波又云加仁波今櫻皮有之 …

392　3．仮名音注の韻母別考察　3-2　Ⅱ韻類

(元和本倭名類聚抄／巻二十 33 オ 1)

▶番号 2406a「窪」（窪隆）の仮名音注「ワ」については、基本的に -wa で対応する。当該字には平声点を差す。観智院本類聚名義抄に平声点を付した同音字注「音蛙」と去声点を付した「呉音イ+禾」〔*倭の誤認か〕を見出し、その直後に位置する「窊」（麻韻 'ua'）を正字と認識している。この呉音注は大般若経字抄による漢呉二音相同を目指した同音字注の引用である。日本漢音は平声、日本呉音は去声を認める。

　　　窪 音蛙［平］クホム［上上濁平］… 呉音イ+禾［去］　　　（観智院本類聚名義抄／法下 060-6）
　　　窊 正／クホム［上上濁口］　　　　　　　　　　　　　　　（観智院本類聚名義抄／法下 060-6）
　　　窊［音イ+禾：右傍］クホム　　　　　　　　（石山寺一切経蔵本大般若経字抄／15 オ 5）

▶番号 2552「蛙」（蛙）の仮名音注「ワ」については、基本的に -wa で対応する。当該字に声点はなく、右注「カヘル」を付載する。観智院本類聚名義抄に同音字注「音窊」を見出すが、仮名音注はない。

　　　蛙蟆 アヲカエル　蛙 音窊 同訓／黿 正　　　　　　　（観智院本類聚名義抄／僧下 019-8)

《下巻 麻韻合口諸例》

▶番号 4098b・6401b「瓜」（青瓜・木瓜）の仮名音注「クワ」については、基本的に -wa で対応する。両当該字には平声点を差す。熟字「青瓜」は右注「アヲウリ」を、熟字 6401「木瓜」は右注「モケ」中左注「其實／如小瓜者也」を付載する。観智院本類聚名義抄に反切「古華反」と同音字注「音孤」を見出すが、仮名音注はない。長承本蒙求には異体字「苽」の仮名音注「クワ」があり、その掲出字に東声点を加える。元和本倭名類聚抄には「木瓜」の注記「和名本草木瓜毛介」を見つける。これは早くに定着した字音「モクケ」（音変化し促音無表記「モケ」となる）とも考え得る。日本漢音「クワ」東声（四声体系では平声）を認める。

　　　瓜 古華反 苽［俗：右注］音孤 和ノ ウリ［平上］…　　　（観智院本類聚名義抄／僧中 005-1）
　　　苽 瓜 上俗下正／ウリ［平上］又古胡反／菰也　　　　（観智院本類聚名義抄／僧上 015-4）
　　　青瓜 アヲウリ［平平平上］一名龍蹄／一名青登　　　（観智院本類聚名義抄／僧中 005-1）
　　　苽［東］クワ　　　　　　　　　　　　　　　　　　　　（長承本蒙求／081）
　　　瓜 瓣附 唐韻云瓣 音辨和名宇利乃佐禰 瓜瓠瓣也　　（元和本倭名類聚抄／巻十七 12 ウ 5）
　　　青瓜 兼名苑云龍蹄一名青登 和名阿乎宇利 …　　　　（元和本倭名類聚抄／巻十七 12 ウ 6）
　　　木瓜 爾雅注云木瓜一名楙 音茂和名本草木瓜毛介 其實如子瓜也

(元和本倭名類聚抄／巻二十 26 ウ 1)

▶番号 4846b・6001b「華」（凝華舎・榮華）の仮名音注「クワ」については、基本的に -wa で対応する。両当該字には平声点を差す。熟字 4846「凝華舎」は右注「ウメツホ」左注「禁中屋度

舎名」を付載する。上巻の麻韻合口当該諸例で分析したように、日本漢音「クワ」東/去声（四声体系では平/去声）を認める。

▶番号 3946b「花」（摘花）の仮名音注「クワ」については、基本的に -wa で対応する。当該字には平声点を差す。上述の分析を参照。

▶番号 3330c「花」（金銭花）の仮名音注「クヱ」については、基本的に -we で対応する。当該字に声点はない。熟字「金銭花」に左右注「コムセン［平上上上］／クヱ［上上］俗」を付載する。定着久しい字音「クヱ」上声との認識か。この「俗」表記の内容や範疇は必ずしも明確ではなく、観智院本類聚名義抄における「和音・呉音」との関係も明瞭ではない。上巻麻韻合口例の 1167b「華」で既述したように、相互に異体字とする「花・華」は字音「クヱ」の可能性を指摘できる。

▶番号 4669b「花」（散華）の仮名音注「ケ」については、異例 -e を示す。当該字には上声濁点を差すので、字音「ゲ」を想定する。熟字 4669「散華」の左注「サンケ」仮名音注は摺消し跡がある。日本語音韻史上における音変化 -we > -e により、中古音が示す合口介音 -u- を反映しない字音把握である。

《上巻 馬韻合口諸例》

▶番号 2768「瓦」（瓦）の仮名音注「クワ」については、基本的に -wa で対応する。当該字には去声濁点を差すので、字音「グワ」を想定する。廣韻に拠れば、馬/禡韻 (ŋua[2/3]) 二音を有する。その中古音が示す頭子音 ŋ-（等韻学の術語で言う疑母）は軟口蓋鼻音であり、日本語のガ行音をもって受容する。観智院本類聚名義抄に反切「五寡反」および低平調と推測する和音「クワ」（その右傍に朱筆で濁音「✓」表記）を見出す。長承本蒙求には仮名音注「クワ」があり、その掲出字に上声点と去声濁点を加える。元和本倭名類聚抄には反切「五寡反」を見つける。日本漢音「グワ」上/去声、日本呉音「グワ」平声を認める。

　　　瓦 … 五寡〔＊寡←寞〕反 カハラ［平平平］… 和クワ［□平／✓□：朱右傍］

（観智院本類聚名義抄／僧中 017-2）

　　瓦［上／去濁：墨圏点］クワ　　　　　　　　　　　　　　（長承本蒙求／109）

　　瓦　蔣鮎切韻云瓦甊 五寡反和名加波良 …　　　　　　（元和本倭名類聚抄／巻十 08 ウ 8）

《下巻 馬韻合口諸例》

▶番号 6879「寡」（寡）の仮名音注「クワ」については、基本的に -wa で対応する。当該字には上声点を差し、右注「寡聞 古瓦反」左注「已上少也」を付載する。また和訓「スクナシ」の同訓異字として位置する。前田本の当該字は本来「宀+真」であるが、これを「寡」と修正した。観智院

394　3．仮名音注の韻母別考察　3-2　Ⅱ韻類

本類聚名義抄も同様の字形を示す。同書に「和クワ 或濁」と反切「孤瓦反」を見出す。その中古音が示す頭子音 k-（等韻学の術語で言う見母）は無声無気軟口蓋閉鎖音であり、日本語のカ行音をもって受容するので、注記「或濁」の内容に疑義が残る。日本呉音「クワ」を認める。

　　宀+真 スコシ … 和クワ 或濁　　　　　　　　　　（観智院本類聚名義抄／法下 045-6）
　　寡 孤瓦反 トモシ［平平□］　　　　　　　　　　（観智院本類聚名義抄／法下 045-6）

《上巻 禡韻合口諸例》

　▶番号 1641b・2642b「化」（德化・感化門）の仮名音注「クワ」については、基本的に -wa で対応する。両当該字には去声点を差す。観智院本類聚名義抄に反切「呼瓜」と和音「クエ」を見出す。廣韻「化：呼覇切六」を参照すれば、観智院本類聚名義抄の反切注記が混乱をしていると判明する。反切「呼瓜」の直後にある注記「呼西 翔文」（反切下字「覇」を部首と諧声符に分けるとの意味か）は、その右傍に付載する「覇本」により本来「呼覇」とあるべきことを示す。日本呉音「クエ」を認める。

　　化 呼瓜［□平］呼西 翔文［覇本：墨右傍］ヲシウ … 和クエ　　（観智院本類聚名義抄／佛上 032-5）

《下巻 禡韻合口諸例》

　▶番号 4750b「化」（造化）の仮名音注「クワ」については、基本的に -wa で対応する。当該字には去声点を差す。上巻の馬韻当該諸例で分析したように、日本呉音「クエ」を認める。
　▶番号 5905c「化」（自行化他）の仮名音注「クエ」については、基本的に -we で対応する。当該字に声点はない。熟字 5905「自行化他」について、広辞苑第七版では「自ら修行し、さらに他人を教化して、悟りに入らしめること」と解説する。上述の分析を参照。

　3-2-1-3　-ai（夬韻）

資料篇【表B-03】には夬韻（去声）開口所属の例が含まれる。前田本の示す仮名音注は、-ai で基本的に対応する。

《上巻 夬韻開口諸例》

　▶番号 0555「蠆」（蠆）の仮名音注「タイ」については、基本的に -ai で対応する。当該字に声点はなく、右注「同（ハチ）」を付載する。観智院本類聚名義抄に反切「勅介反」と同音字注「帶」

および呉音「泰」を見出す。この呉音注は大般若経字抄による漢呉二音相同の同音字注を出典とする。傍証ではあるが、その「帶」について、長承本蒙求には仮名音注「タイ」二例があり、両掲出字に去声点を加える。同書で「泰」も検索すると、仮名音注「タイ」があり、やはり掲出字に去声点を加える。日本漢音「タイ」去声の可能性を指摘しておく。

　　蠆 勅介反／毒虫　　　　　　　　　　　　　　　（観智院本類聚名義抄／僧上 049-5）

　　蜂蠆 峯帶二音 ハチ［上上］下／呉音 泰 ハチ 上ハチ　　（観智院本類聚名義抄／僧下 026-5）

　　蠆 ［音泰：右傍］毒也　　　　　　　　　　　（石山寺一切経蔵本大般若経字抄／21 オ 6）

　　帶 ［去］タイ　　　　　　　　　　　　　　　　　（長承本蒙求／061・115）

　　泰 ［去］タイ　　　　　　　　　　　　　　　　　　（長承本蒙求／147）

《下巻 夬韻開口諸例》

該当例なし。

　3-2-1-4　-uai（夬韻）

　資料篇【表B-03】には夬韻（去声）合口所属の諸例が含まれる。前田本の示す仮名音注は、-wai で基本的に対応すると想定するが、該当例がない。p- 系頭子音（等韻学の術語で言う唇音）の場合は、-ai で対応する。

《上巻 夬韻合口諸例》

該当例なし。

《下巻 夬韻合口諸例》

　▶番号6744b「敗」（成敗）の仮名音注「ハイ」については、基本的に -ai で対応する。当該字には去声点を差す。その中古音が示す p- 系の頭子音（等韻学の術語で言う唇音）は同じ円唇性を特徴とする合口介音 -u- を吸収する。よって、日本漢音音においては基本的に -ai で対応する。観智院本類聚名義抄に反切「薄邁反」を見出すが、仮名音注はない。

　　敗 薄邁反 ヤフル／ソコナフ ヒサク　　　　　　（観智院本類聚名義抄／佛下本 020-7）

　▶番号3681b「敗」（興敗）の仮名音注「ハイ」については、基本的に -ai で対応する。当該字には平声点を差す。熟字3681「興敗」は右傍「イウス」左注「コウヘン」を付載する。それぞれ「オ

396　3．仮名音注の韻母別考察　3-2　Ⅱ韻類

コス」と「コウハイ」の誤認と推測する。上述の分析を参照。

　▶番号5044b・6906b「邁」（朽邁・衰邁）の仮名音注「マイ」については、基本的に -ai で対応する。両当該字には去声点を差す。観智院本類聚名義抄に反切「莫拜反」（その反切下字に去声点）および上昇調を示す和音「マイ」を見出す。長承本蒙求には同音字注「毎反」（平安時代中期と推定する古い朱筆／両音形ある場合は左側）と仮名音注「マイ」（平安時代院政初期である長承三年に加点された墨筆／例示で両音形ある場合は右側）があり、その掲出字に去声点を加える。日本漢音・日本呉音ともに「マイ」去声を認める。

　　　邁 莫拜［□去］反 ユク［上平］… 和マイ［平上］　　　（観智院本類聚名義抄／佛上 054-1）

　　　邁［去］毎反／マイ　　　　　　　　　　　　　　　　　　（長承本蒙求／067）

　3-2-1-5　-au〔肴/巧/効韻〕

　次の【表4-05】には肴韻（平声）巧韻（上声）効韻（去声）所属の諸例が含まれる。前田本の示す仮名音注は、-au, -eu で基本的に対応する。異例として、-a, -an, -ap, -em, -i, -ok がある。

《上巻 肴韻諸例》

　▶番号0309b・2979a・2982a「交」（友交・交分・交水）の仮名音注「カウ」については、基本的に -au で対応する。当該諸字三例には平声点を差す。観智院本類聚名義抄に上昇調と推測する和音「ケウ」を見出す。長承本蒙求には仮名音注「カウ」三例があり、それらの掲出諸字に東声点を加える。日本漢音「カウ」東声（四声体系では平声）日本呉音「ケウ」去声を認める。

　　　　交 マシハル［平平濁上平］… 和ケウ［□上］　　　（観智院本類聚名義抄／僧中 053-8）

　　　　交［東］カウ／カウ　　　　　　　　　　　　　　　　　（長承本蒙求／043）

　　　　交［東］カウ　　　　　　　　　　　　　　　　　　　　（長承本蒙求／084・135）

　▶番号2849a・2849b「咬」（咬ミ・咬ミ）の仮名音注「カウ」については、基本的に -au で対応する。両当該字に声点はない。廣韻は注記「咬：鳥聲」を付載する。観智院本類聚名義抄に同音字注「交」と反切「五巧反」を見出すが、仮名音注はない。同書では「咬」を俗字とし、正字として異体字「噭・哮」を掲げ、同音字注「下又音孝」と反切「又鳥教反」がある。

　　　　噭哮 二正 タケル サケフ ホユ／下又音孝 又鳥教反　　　（観智院本類聚名義抄／佛中 034-1）

　　　　咬〔＊←吷〕俗 交音 クフ … ナク［上平／鳥：右注］五巧反　　（観智院本類聚名義抄／佛中 034-1）

　▶番号0072a「鵁」（鵁鶄）の仮名音注「カウ」については、基本的に -au で対応する。当該字には平声点を差す。観智院本類聚名義抄に同音字注「音交」と平声点・去声点を付した同音字注「交」（その右傍に朱筆で仮名音注「カウ」）および仮名音注「ケウ」（和音表記はない）を見出す。日

本漢音「カウ」平/去声、字音「ケウ」を認める。

　　鵁 音交　　　　　　　　　　　　　　　（観智院本類聚名義抄／僧中 115-4）

　　鵁鶄 交［平・去／カウ：朱右傍］青［平・上／セイ：朱右傍］／二音

　　　／イヒ［上平濁］ケウ シヤウ［平平平］　　　（観智院本類聚名義抄／僧中 115-4）

　　鶄 精青二音 鵁鶄鳥／ヲシ ヒエトシ　　　　（観智院本類聚名義抄／僧中 115-5）

　　鵁鶄　唐韻云鵁鶄 交青二音 鳥名也辨色立成云鵁 伊微 …

　　　　　　　　　　　　　　　　　　　　　　（元和本倭名類聚抄／巻十八07 ウ7）

　▶番号0510b「芇」（秦芇）の仮名音注「カウ」については、基本的に -au で対応する。当該字
には平声点を差す。熟字0510「秦芇」は右注「ハカリ［平上平］」左注「又ツカリクサ」を付載す
る。観智院本類聚名義抄に同音字注「音膠・音交」を見出すが、仮名音注はない。元和本倭名類聚
抄には同音字注「音交」がある。

　　芇 音膠　　　　　　　　　　　　　　　（観智院本類聚名義抄／僧上 021-3）

　　秦芇 音交 ツカリクサ［上上上上濁平］一云ハカリ 居幽反　（観智院本類聚名義抄／僧上 042-6）

　　秦芇　本草云秦芇 音交和名都加里久佐一云波加里久散　　（元和本倭名類聚抄／巻二十07 ウ3）

　▶番号0967・2974a・2980a・2981a「膠」（膠・膠言・膠漆・膠柱）の仮名音注「カウ」につ
いては、基本的に -au で対応する。当該諸字四例には平声点を差す。番号0967「膠」は右注「ニ
カハ」左注「𧖟牛皮作之」を付載する。観智院本類聚名義抄に平声点を付した同音字注「音交」（そ
の右傍に墨筆で仮名音注「ケフ」）を見出す。長承本蒙求には仮名音注「カウ」があり、その掲出
字に東声点を加える。承暦本金光明最勝王経音義には同音字注「交音」があり、その掲出字に去声
点を加える。元和本倭名類聚抄には同音字注「交」を見つける。日本漢音「カウ」東声（四声体系
では平声）日本呉音は去声を認める。また日本呉音「ケウ」の蓋然性が高い。

　　膠 音交［平／ケフ：墨右傍］ニカハ［上上上］… ツクヤニ　　（観智院本類聚名義抄／佛中 119-5）

　　膠［東］カウ　　　　　　　　　　　　　　　　　　　（長承本蒙求／027）

　　膠［去］交ミ／尓加波［上上上］　　　　　（承暦本金光明最勝王経音義／08 オ4）

　　膠　野王案膠 音交和名尓加波 … 本草云𧖟牛皮作之 …　（元和本倭名類聚抄／巻十五14 オ6）

　▶番号3014b「教」（髙教）の仮名音注「カウ」については、基本的に -au で対応する。当該字
には平声点を差す。廣韻に拠れば、肴/効韻（kau¹ᐟ³）の二音を有する。観智院本類聚名義抄に反切
「古孝反」および和音「ケウ」を見出す。長承本蒙求には仮名音注「カウ」があり、その掲出字に
平声点を加える。日本漢音「カウ」平声、日本呉音「ケウ」を認める。

　　教敎 今正 ノリ［上平］古孝反 和ケウ　　　　　（観智院本類聚名義抄／僧中 054-4）

　　教［平］カウ／カウ　　　　　　　　　　　　　　　　（長承本蒙求／047）

　▶番号2459a「教」（教業坊）の仮名音注「カウ」については、基本的に -au で対応する。当該
字には去声点を差す。熟字2459「教業坊」は左右注「三条／東也」を付載する。上述の分析を参照。

398 　3．仮名音注の韻母別考察　3-2 　Ⅱ韻類

▶番号 0750b「教」（八教）の仮名音注「ケウ」については、基本的に -eu で対応する。当該字
には平声点を差す。上述の分析を参照。

▶番号 0677a・2697a「鉸」（鉸刀・鉸具）の仮名音注「カウ」については、基本的に -au で対
応する。両当該字には去声点を差す。廣韻に拠れば、看/巧/効韻（kau$^{1/2/3}$）の三音を有する。番号
0677「鉸刀」は右注「ハサミ」を、熟字 2697「鉸具」は右注「カコ［平上］」を付載する。後者
は革帯などを掛け留める鉤を指す。観智院本類聚名義抄に同音字注「音交・一音教」を見出すが、
仮名音注はない。元和本倭名類聚抄には反切「古教反・古巧反」同音字注「一音教」がある。

　　　鉸 音交 一音教/ハサミ …　　鉸具 此間云/カコ［平上］　　　（観智院本類聚名義抄/僧上 124-3）

　　　鉸刀 楊氏漢語抄云鉸刀 波佐美上音巧反一云教　　　（元和本倭名類聚抄/巻十四 05 ウ 9）

　　　鉸刀 漢語抄云鉸刀 波佐美上古教反 …　　　（元和本倭名類聚抄/巻十五 16 オ 9）

　　　鉸具 揚氏漢語抄云鉸具 上音古巧反一音教鉸具此間云賀古 …

　　　　　　　　　　　　　　　　　　　　　　　　　　（元和本倭名類聚抄/巻十二 25 オ 6）

▶番号 2433「郊」（郊）の仮名音注「カウ［上平］」については、基本的に -au で対応する。
当該字に声点はなく、その仮名音注に東声相当である下降調の差声を施す。また左右注「四郊/云
近野也」を付載する。図書寮本類聚名義抄に平声点を付した同音字注「广云音交」を見出す。観智
院本には同音字注「音交」を見つけるが、仮名音注はない。日本漢音は平声を認める。

　　　郊野 广云音交［平］… 弘云野也　　　　　　　　　（図書寮本類聚名義抄/181-2）

　　　郊 音交 マシフ … アラハス 野也　　　　　　　　（観智院本類聚名義抄/法中 037-3）

▶番号 0581「跤」（跤）の仮名音注「カウ」については、基本的に -au で対応する。当該字に
は平声点を差し、右注「同（ハキ）」を付載する。図書寮本類聚名義抄に同音字注「季云音骹」（東
声点位置に仮名音注「カウ」）がある。この仮名音注は上平調の調値である上声を示すので、下降
調の東声点と異なる。東声は上声の一変異態である $_{(36)}$ と見るべきか。観智院本には東声点を付した
「音骹」を見出す。同書では異体字「骹」に対して反切「苦交反」を見つけるが、仮名音注はない。
日本漢音「カウ」東声（四声体系では平声）を認める。

　　　跤趺 … 上 季云音骹［カウ［上上］：東声点位置］波支［去平濁］（図書寮本類聚名義抄/105-5）

　　　跤 シリソク 或骹 音/骹［東］ハキ［入平濁］…　　　（観智院本類聚名義抄/法上 083-5）

　　　骹 跤二正 苦交反/ハキ［平平濁］ムカハキ　　　（観智院本類聚名義抄/佛下本 006-5）

▶番号 0984「淆」（淆）の仮名音注「カウ」については、基本的に -au で対応する。当該字に
は平声点を差し、和訓「ニコル」の同訓異字として位置する。図書寮本類聚名義抄に平声点を付し
た同音字注「音肴」を見出す。観智院本には平声点を付した同音字注「音肴」を見つけるが、仮名
音注はない。日本漢音は平声を認める。

　　　淆 季云音肴［平］尔/古流［平平濁上］　　　　　　　（図書寮本類聚名義抄/060-4）

　　　淆 音肴［平］ニコリ水/アハス ニコル［平平濁上］　　（観智院本類聚名義抄/法上 042-7）

3-2-1　-a 系の字音的特徴　399

▶番号 2164「抄」（抄）の仮名音注「セウ」については、基本的に -eu で対応する。当該字には平声点を差し、和訓「ヌク」の同訓異字として位置する。観智院本類聚名義抄に反切「初教反」および和音「セウ」を見出す。同書では異体字「鈔」に反切「叉交反・楚教反」を見つける。日本呉音「セウ」を認める。

　　　抄 正 鈔或 初教反 彊 トル［平上］… 和セウ 撩彊也　　　（観智院本類聚名義抄／佛下本 070-7）

　　　鈔 抄一正 叉交反 アツム … 楚教反 強取物也 或抄　　　（観智院本類聚名義抄／僧上 121-1）

　　　剿 叉交反 取也／鈔［或：右注］　　　（観智院本類聚名義抄／僧上 087-8）

▶番号 2584「髻」（髻）の仮名音注「セム」については、異例 -em を示すが、筆致を見ると「セウ」の誤認と推測できるので、基本的に -eu で対応する。当該字には平声点を差し、右注「同（カミ）」左注「髪垂也」を付載する。観智院本類聚名義抄に平声点を付した同音字注「音梢」を見出すが、仮名音注はない。日本漢音は平声を認める。

　　　髻 音梢［平］髻也 垂也／カミ［平平］カミノスエ　　　（観智院本類聚名義抄／佛下本 037-6）

▶番号 0841a・1719「茅」（茅屋・茅）の仮名音注「ハウ」については、基本的に -au で対応する。両当該字には平声濁点を差すので、字音「バウ」を想定する。その中古音が示す頭子音 m-（等韻学の術語で言う明母）は両唇鼻音であり、日本語のマ行音をもって受容する。ただし、中国語音韻史上における鼻音声母の非鼻音化（denasalization）現象により、m->mb->b- の音変化をする。これを反映する場合はバ行音で対応する。番号 1719「茅」は右注「チ」を付載する。観智院本類聚名義抄に反切「莫交反」および「呉音ハウ」さらに「又猫」を見出す。この呉音は大般若経字抄「音猫」加えて低平調と推測する「麻宇［平濁□］」による引用である。前者の同音字注は日本呉音を、後者は日本漢音を示すか。長承本蒙求には去声点を差した当該字「茅」を見つける。呉音声調の混入か。承暦本金光明最勝王経音義には借字による「波宇反」があり、その掲出字に去声点を加える。これは日本呉音において早く鼻音声母の非鼻音化現象が生じていた結果である。現行の漢和辞典によっては呉音「メウ」を認定するが、再考の余地がある。元和本倭名類聚抄には反切「莫交反」がある。日本漢音「バウ」平声、日本呉音「バウ」去声を認める。

　　　茅 莫交反 与藐同 チイ 呉音ハウ／又猫　　　（観智院本類聚名義抄／僧上 037-5）

　　　猫 俗通 貓正 莫交／ネコ カラネコ　　　（観智院本類聚名義抄／佛下本 133-4）

　　　貓 正 猫俗 莫交反／ネコ 音苗　　　（観智院本類聚名義抄／佛下末 009-3）

　　　茅［音猫：右注／麻宇［平濁□：圏点］：左注］チイ　　　（石山寺一切経蔵本大般若経字抄／08 オ 6）

　　　茅［去］　　　（長承本蒙求／146）

　　　茅［去］波宇反　　　（承暦本金光明最勝王経音義／09 オ 4）

　　　茅　大清經云茅一名白羽草 茅音莫交反和名智　　　（元和本倭名類聚抄／巻二十 14 ウ 1）

▶番号 0885a「茅」（茅山）の仮名音注「ハウ」については、基本的に -au で対応する。当該字には平声点を差す。上述の分析を参照。

400　3．仮名音注の韻母別考察　3-2　Ⅱ韻類

▶番号0842a「庖」（庖丁）の仮名音注「ハウ」については、基本的に -au で対応する。当該字には去声点を差す。観智院本類聚名義抄に同音字注「音包」を見出すが、仮名音注はない。

　　　庖 … 音包／厨屋　　　　　　　　　　　　　　　　（観智院本類聚名義抄／法下 099-5）

▶番号1140「咆」（咆）の仮名音注「ハウ」については、基本的に -au で対応する。当該字には平声点を差し、和訓「ホユ」の同訓異字として位置する。観智院本類聚名義抄に同音字注「音庖」を見出すが、仮名音注はない。

　　　咆 音庖 ホユ［平上］… タケシ　　　　　　　　　　（観智院本類聚名義抄／佛中 035-8）

▶番号2423「颭」（颭）の仮名音注「ハウ」については、基本的に -au で対応する。当該字には平声点を差し、右注「同（カセ）」を付載する。観智院本類聚名義抄に同音字注「音罷」と平声点を付した同音字注「音猋」（その右傍に朱筆で仮名音注「ヘウ」）を見出す。異体字「飆」には元和本倭名類聚抄字音で同音字注「猋」がある。字音「ヘウ」平声を認める。

　　　颭飆 … 音罷 紛也 ニハカ … 音猋［平／ヘウ：朱右傍］　（観智院本類聚名義抄／僧下 052-1）

　　　飆 … 兼名苑注飆暴風從下而上也音猋 和名豆無之加世　（元和本倭名類聚抄／巻一 05 オ 3）

▶番号0091「脝」（脝）の仮名音注「ハウ」については、基本的に -au で対応する。当該字には去声点を差し、右注「イホノヘ」を付載する。観智院本類聚名義抄に平声点を付した同音字注「音胞」を見出すが、仮名音注はない。元和本倭名類聚抄には反切「匹交反」と同音字注「胞反」がある。日本漢音は平声を認める。

　　　脝 音胞［平］イヲノフエ［上上上□□］… ユハリフク六　（観智院本類聚名義抄／佛中 129-3）

　　　脝　考聲切韻云脝 匹交反漢語抄云伊乎能布江 …　　　（元和本倭名類聚抄／巻十九 10 オ 1）

　　　膀胱 … 唐韻云脝 胞反 腹中水府也　　　　　　　　（元和本倭名類聚抄／巻三 12 ウ 6）

▶番号2814「包」（包）の仮名音注「ハウ」については、基本的に -au で対応する。当該字には平声点を差し、和訓「カヌ」の同訓異字として位置する。観智院本類聚名義抄に同音字注「音苞」と反切「補郊反」を見出すが、仮名音注はない。

　　　勹 音苞 裏／補郊反　包 或 ツ丶モノ［平平平平］　（観智院本類聚名義抄／法下 057-1）

　　　包 カヌ［平上］ツ丶ム／ツ卜 ナシウラム　　　　（観智院本類聚名義抄／法下 056-2）

▶番号0718a・0718b「苞」（苞ミ・苞ミ）の仮名音注「ハウ」については、基本的に -au で対応する。両当該字に声点はなく、左注「草木茂也」を付載する。観智院本類聚名義抄に平声点を付した同音字注「音包」を見出すが、仮名音注はない。元和本倭名類聚抄には同音字注「包」がある。日本漢音は平声を認める。

　　　苞 … 音包［平］カヌ［平上］ツ丶ム … ツ丶オ［平平□］　（観智院本類聚名義抄／僧上 018-4）

▶番号0792a「苞」（苞苴）の仮名音注「ハウ」については、基本的に -au で対応する。当該字には平声点を差す。熟字0792「苞苴」には右傍「アラマキ」を付載する。つつみ草と敷き草の意味で、藁などを束ねて包んだものを言う。上述の分析を参照。

苣苣 包書二音 オホニヘ［平平平上］… 苣 正歆　　　　　　（観智院本類聚名義抄／僧上009-4）

苣苣　唐韻云苣苣 包書二音 裏魚肉也日本紀私記云 於保迩倍 俗云 阿良萬岐

（元和本倭名類聚抄／巻十四08ウ6）

《下巻 肴韻諸例》

▶番号6737b「交」（絶交）の仮名音注「カウ」については、基本的に -au で対応する。当該字には上声点を差す。上巻の肴韻当該諸例で分析したように、日本漢音「カウ」東声（四声体系では平声）日本呉音「ケウ」去声を認める。

▶番号3321a「茭」（茭蒪）の仮名音注「カウ」については、基本的に -au で対応する。当該字には東声点を差し、右注「コモ」を付載する。観智院本類聚名義抄に音注はない。元和本倭名類聚抄には反切「穀肴反」を見出す。

茭 コモ　　　　　　　　　　　　　　　　　（観智院本類聚名義抄／僧上060-7）

菰 菰首附 … 辨色立成茭草 茭音穀肴反一云菰蔣草 …　（元和本倭名類聚抄／巻二十16オ2）

▶番号4494「鮫」（鮫）の仮名音注「カウ」については、基本的に -au で対応する。当該字には平声点を差し、右注「サメ」中左注「魚名皮有文／可以飾刀釼也」を付載する。観智院本類聚名義抄に東声点を付した同音字注「音交」（やや縦長の字形であるため平声点とも考え得る）を見出すが、仮名音注はない。元和本倭名類聚抄には同音字注「音交」がある。日本漢音は東声（四声体系では平声）を認める。

鮫 音交［東］サメ［上上］　　　　　　　　（観智院本類聚名義抄／僧下003-3）

鮫　陸詞切韻云鮫 音交和名佐米 魚皮有文可以飾刀釼者也 …

（元和本倭名類聚抄／巻十九03オ5）

▶番号5230b「蛟」（壊蛟）の仮名音注「カウ」については、基本的に -au で対応する。当該字には去声点を差す。観智院本類聚名義抄に同音字注「音交」を見出すが、仮名音注はない。元和本倭名類聚抄には同音字注「音交」がある。

蛟 音交 ミッチ［上上平］　　　　　　　　　（観智院本類聚名義抄／僧下022-5）

蛟　説文云蛟 音交和名美豆知日本紀用大虯二字 …　（元和本倭名類聚抄／巻十九01ウ6）

▶番号5569b「教」（聖教）の仮名音注「カウ」については、基本的に -au で対応する。当該字には平声濁点を差すので、日本語音韻史上の連濁による字音「ガウ」を想定する。上巻の肴韻当該諸例で分析したように、日本漢音「カウ」平声、日本呉音「ケウ」を認める。

▶番号5940b「教」（助教）の仮名音注「カウ」については、基本的に -au で対応する。当該字に声点はない。上述の分析を参照。

▶番号6749b「皎」（青皎）の仮名音注「カウ」については、基本的に -au で対応する。当該字

402　3．仮名音注の韻母別考察　3-2　Ⅱ韻類

には平声点を差す。熟字6749「青骹」は右注「セイカウ［□□ヤ□：右傍］」左注には「鷹名」を付載する。前田本の掲げる「骹」は字形の類似する「骹」（和訓「ムカハキ」は脛骨下部の細い部分「向こう脛」の意味）と誤認している。観智院本類聚名義抄に反切「苦交反」を見出すが、仮名音注はない。異体字「骹」に対しては東声点を付した同音字注「音骹」を見つける。また同書が掲げる熟字「青骹」〔＊「骹」は左右反転した字形〕に「タカ　鳥类」を見出す。日本漢音は東声を認める。

　　骹 擊頭也　口交切十一　骹 脛骨近足細處　骹 上同 …　　　　（宋本廣韻／溪母肴韻 kʻauˈ）

　　骹 骹二正　苦交反／ハキ［平平濁］ムカハキ　　　　（観智院本類聚名義抄／佛本 006-5）

　　骹 シリソク 或骹 音／骹［東］ハキ［入平濁］…　　　（観智院本類聚名義抄／法上 083-5）

　　青骹 〔＊「骹」は左右反転した字形〕タカ 鳥类　　　（観智院本類聚名義抄／佛下本 009-2）

　▶番号6750b「骹」（青骹）の仮名音注「ヤウ」については、基本的に -au で対応する。当該字には平声点を差す。熟字6750「青骹」は上記の右注「セイカウ［□□ヤ□：右傍］」から「セイヤウ」を導く。おそらくは左注「鷹名」に牽引され、熟字「青鷹」を念頭に置いた類推による字音把握か。上述の分析も参照。

　　鷹 ［キョウ：朱右傍］音鷹［平／オウ：墨左注／ヨウ：朱右傍］／タカ［上上］…

　　　　　　　　　　　　　　　　　　　　　　　　　（観智院本類聚名義抄／佛下本 006-6）

　▶番号4554「肴」（肴）の仮名音注「カウ」については、基本的に -au で対応する。当該字には平声点を差し、右注「サカナ」左注「又乍餚」を付載する。観智院本類聚名義抄に反切「又胡刀反」と平声点を付した同音字注「音爻」（その右傍に墨筆で仮名音注「カフ」）を見出す。また異体字「餚」には同音字注「音爻」と上昇調と推測する（［去上］●●）和音「ケウ」を見つける。後者は母音の連続を回避する日本語の音変化 keu → kjoo が起きて拗音化していたか。元和本倭名類聚抄には反切「胡交反」と注記「又乍餚」がある。日本漢音「カウ」平声、日本呉音「ケウ」去声を認める。

　　肴 又胡刀反 サカナ［上上上］／音爻［平：墨点／カフ：墨右傍］クタ物 …

　　　　　　　　　　　　　　　　　　　　　　　　　　（観智院本類聚名義抄／佛中 119-2）

　　餚 通肴字 音／爻 サカナ［上上□］和ケウ［去上：墨点］　　（観智院本類聚名義抄／僧上 105-4）

　　肴　野王案凡非穀而食謂之肴 胡交反字亦作餚和名佐加奈 …

　　　　　　　　　　　　　　　　　　　　　　　　　　（元和本倭名類聚抄／巻十六 11 ウ 1）

　▶番号4968b「骹」の仮名音注「カウ」については、基本的に -au で対応する。当該字には平声点を差す。観智院本類聚名義抄に反切「胡茅反」を見出すが、仮名音注はない。

　　骹 胡茅反 雜／ミタル　　　　　　　　　　　　　（観智院本類聚名義抄／僧中 066-2）

　▶番号4573a「鈔」（鈔鑼）の仮名音注「サ」については、異例 -a を示す。当該字には平声点を差す。熟字「鈔鑼」は右傍4573「サラ」右注5422「サフラ」左注「銅器也」を付載する。観智院本類聚名義抄に反切「叉交反・楚教反」を見出すが、仮名音注はない。続けて同書は熟字「鈔鑼」

を掲げ、同音字注「沙羅二音」と仮名音注「サフラ［平濁□□］」を付載する。元和本倭名類聚抄には注記「二音與沙羅同」と「俗云沙布羅」がある。さらに注記「後人謂之雑羅者新之訛也正説未詳」とあり、新たに「雑羅」という熟字も生じたが、正説は未詳である。

鈔 杪一正 叉交反 アツム … 楚教反 強取牛也 或抄　　　　（観智院本類聚名義抄／僧上 121-1）

鈔鑼 沙羅二音／サフラ［平濁□□］　　　　　　　　　　（観智院本類聚名義抄／僧上 121-1）

鈔鑼　唐韻云鈔鑼 二音與沙羅同俗云沙布羅新羅金椀出新羅國

　　　後人謂之雑羅者新之訛也正説未詳 銅器也　　　　　　（元和本倭名類聚抄／巻十六 02 ウ 8）

▶番号5422a「鈔」（鈔鑼）の仮名音注「サフ」については、異例 -ap を示す。当該字には平声点を差す。上記の「俗云沙布羅」による字音把握か。この仮名音注「サフ」は「サウ」との混同を反映した例と言える。日本語音韻史上の音変化 -ap > -au > -oo とは逆であるが、その影響が背後に認識されていたためであろう。上述の分析を参照。

▶番号6775「巣」（巣）の仮名音注「サウ」については、基本的に -au で対応する。当該字には平声点を差し、右注「鉏交反」中注「鳥［ス：右傍］巣也」左注「在木曰鳥／又スクフ」を付載する。観智院本類聚名義抄に反切「士交反」および和音「サウ」を見出す。元和本倭名類聚抄には同音字注「曹」がある。日本呉音「サウ」を認める。

巣 士交反 ス／和サウ／スクフ［去平上］…　　　　　（観智院本類聚名義抄／佛下本 120-8）

巣　孫愐切韻云鳥巣 … 在樹曰巣 音曹訓須一云須久不 …

　　　　　　　　　　　　　　　　　　　　　　　　　　（元和本倭名類聚抄／巻十八 15 オ 3）

▶番号4270「翼」（翼）の仮名音注「サウ」については、基本的に -au で対応する。当該字には平声点を差し、右注「同（アミ）」を付載する。観智院本類聚名義抄に反切「側交反」を見出すが、仮名音注はない。

翼 側交反／アミモテトル／アミ［平平］　　　　　　　（観智院本類聚名義抄／僧中 009-1）

▶番号4157b「蛸」（蠨蛸）の仮名音注「サウ」については、基本的に -au で対応する。当該字には平声点を差す。熟字4157「蠨蛸」は左右注「アシタカクモ」を付載する。観智院本類聚名義抄に同音字注「梢」を見出すが、仮名音注はない。元和本倭名類聚抄には同音字注「梢」がある。

蠨蛸 蕭梢二音 アシタカノクモ［平平平平平上］　　　（観智院本類聚名義抄／僧下 019-3）

蠨蛸　爾雅注云蠨蛸 蕭梢二音 一名蟢子 上音喜和名阿之太加乃久毛 …

　　　　　　　　　　　　　　　　　　　　　　　　　　（元和本倭名類聚抄／巻十九 25 オ 4）

▶番号4520「呶」（呶）の仮名音注「サン」については、異例 -an を示す。当該字には平声点を差し、和訓「サケフ」の同訓異字として位置する。仮名音注の字形「七ン」から見て、類似する「セウ」の誤認か。その中古音が示す頭子音 ṇ-（等韻学の術語では娘母／反り舌鼻音）は中国語音韻史上における鼻音声母の非鼻音化（denasalization）現象によって、ṇ- > ṇḍ- > ḍ- の音変化をする。これを反映した日本漢音は一般的にダ行音で対応する。当該字は字音「ダウ」あるいは拗音化

404　3．仮名音注の韻母別考察　3-2　Ⅱ韻類

した字音「デウ」を期待する。観智院本類聚名義抄に平声濁点を付した同音字注「音饒」（宵/笑韻 ńiau¹/³）〔＊音鐃（肴韻 ŋau¹）の誤認か〕を見出すが、仮名音注はない。日本漢音は平声を認める。

　　　呶　音饒［平濁］サケフ［□□平濁］　　　　　　　　（観智院本類聚名義抄／佛中060-8）

　　　詉　女如反 呶［或：右注］ナマシヒ …　　　　　　（観智院本類聚名義抄／法上065-4）

▶番号3345「梢」（梢）の仮名音注「セウ」については、基本的に -eu で対応する。当該字には平声点を差し、右注「コスヱ」左注「所交反」を付載する。観智院本類聚名義抄に反切「所交反」（その反切下字に平声点）を見出すが、仮名音注はない。元和本倭名類聚抄には反切「所交反」がある。日本漢音は平声を認める。

　　　梢　所交［□平］反 コスヱ［平平濁平］又音朔 雄柄　　（観智院本類聚名義抄／佛下本105-4）

　　　樹梢　唐韻云梢 所交反和名古須惠 枝梢也　　　　　（元和本倭名類聚抄／巻二十32 ウ2）

▶番号3830a「茅」（茅山）の仮名音注「ハウ」については、基本的に -au で対応する。当該字には平声濁点を差すので、字音「バウ」を想定する。上巻の肴韻当該諸例で分析したように、日本漢音「バウ」平声、日本呉音「バウ」去声を認める。

▶番号4266「罞」（罞）の仮名音注「ハウ」については、基本的に -au で対応する。当該字には平声点を差し、右注「同（アミ）」左注「兔網」を付載する。廣韻を検索すると、明母肴韻所属字「罞：麋罟也」とある。泥母齊韻所属字には「罞：兔網」を見つける。当該字「罞」は「罞」と混同した可能性がある。その中古音が示す頭子音 m-（等韻学の術語で言う明母）は両唇鼻音であり、日本語のマ行音をもって受容する。ただし、中国語音韻史上における鼻音声母の非鼻音化（denasalization）現象により、m->mb->b- の音変化をする。これを反映する場合はバ行音で対応する。観智院本類聚名義抄に当該字「罞」を見出せない。

　　　罞 … 徒号反 兔網　　　　　　　　　　　　　　　（観智院本類聚名義抄／僧中007-4）

　　　罞 アミ　　　　　　　　　　　　　　　　　　　　（観智院本類聚名義抄／僧中007-5）

　　　罞　音浮 獸／网 アミ［平平］フシ　　　　　　　（観智院本類聚名義抄／僧中009-4）

　　　罞網　紃附 纂要云獸網曰罞 音浮 … 兔網曰罝 子耶反已上訓皆阿美

　　　　　　　　　　　　　　　　　　　　　　　　　（元和本倭名類聚抄／巻十五0 オ8）

▶番号4293a・6454「苞」（苞苴・苞）の仮名音注「ハウ」については、基本的に -au で対応する。両当該字には平声点を差す。熟字4293「苞苴」には右注「アラマキ」左注「裹魚也」右傍「ハウシヨ俗」を付載する。番号6454「苞」は和訓「モト」の同訓異字として位置する。上巻の肴韻当該諸例で分析したように、日本漢音は平声を認める。

《上巻 巧韻諸例》

▶番号1683b「狡」（僄狡）の仮名音注「カウ」については、基本的に -au で対応する。当該字

には上声点を差す。熟字1683「儦狡」は右注「トキモノ」を付載する。観智院本類聚名義抄に上声点を付した同音字注「音鉸」（その右傍に朱筆で仮名音注「カウ」）を見出す。日本漢音「カウ」上声を認める。

　　狡 … 音鉸［上／カウ：朱右傍］モトル［平平濁□］　　　　　（観智院本類聚名義抄／佛下本129-6）

▶番号2973a「巧」（巧言）の仮名音注「カウ」については、基本的に -au で対応する。当該字には上声点を差す。廣韻に拠れば、巧/効韻 (k'au²³) 二音を有する。観智院本類聚名義抄に反切「口夘反」（その反切下字に上声濁点）と「又苦教反」および低平調を示すと推測する和音「下ウ」を見出す。同書では掲出字「驗」に「和下ム」（その右傍に朱筆で濁音「✓」表記）があり、和音「ゲム」を示すことがわかる。長承本蒙求には仮名音注「カウ」があり、その掲出字に上声点を加える。承暦本金光明最勝王経音義には仮名音注「ケウ」を見つける。日本漢音「カウ」上声、日本呉音「ゲウ」平声を認める。

　　巧 … 口夘［□上濁］反／タクミニス［平平平□□］又苦教反 … 和下ウ［□平：墨点］

　　　　　　　　　　　　　　　　　　　　　　　　（観智院本類聚名義抄／僧下102-4）

　　驗 臭欠反／シルシ［上上上］… 和下ム［平平／✓□：朱右傍］　（観智院本類聚名義抄／僧中110-1）

　　巧［上］カウ　　　　　　　　　　　　　　　　　　　　　　（長承本蒙求／048）

　　巧 ケウ［：右傍］〔＊後筆墨書〕　　　　　　　　（承暦本金光明最勝王経音義／10オ6）

▶番号0843a「飽」（飽満）の仮名音注「ハウ」については、基本的に -au で対応する。当該字には去声濁点を差すので、字音「バウ」を想定する。廣韻に拠れば、その中古音は巧韻上声 (pau²) である。頭子音 p-（等韻学の術語で言う唇音清幫母）は無声無気両唇閉鎖音であり、日本語のハ行音をもって受容する。バ行音による対応は許容しがたい。あるいは熟字「膨満」（膨：並母庚韻 baŋ¹）との混同による字音把握か。観智院本類聚名義抄に反切「補狡反」と上昇調を示す和音「ハウ」を見出す。和音「ハウ」を二回繰り返すが、これらは濁音を含む「バウ」と濁音を含まない「ハウ」を示す。承暦本金光明最勝王経音義には仮名音注「ハウ」がある。日本呉音「ハウ」去声を認める。日本呉音「バウ」去声は保留する。

　　飽 補狡反 アク［平上］… 和ハウ［平濁上］ハウ［平上］　　（観智院本類聚名義抄／僧上112-8）

　　飽 補狡反 アク［平上］… 和ハウ［□平］ハウ　（鎮国守国神社本三寶類聚名義抄／下一35オ7）

　　飽 補狡反／アク … 和ハウ［平濁去］　（天理大学本最勝王経音義本類聚名義抄／14オ1）

　　飽 ハウ［：右傍］〔＊後筆墨書〕　　　　　　　（承暦本金光明最勝王経音義／10オ1）

▶番号0910a「飽」（飽満）の仮名音注「ハウ」については、基本的に -au で対応する。当該字に声点はない。当該の熟字0910「飽満」は別筆補入の可能性がある。上述の分析を参照。

《下巻 巧韻諸例》

406   3．仮名音注の韻母別考察 3-2 Ⅱ韻類

▶番号5031b「巧」（乞巧）の仮名音注「カウ」については、基本的に *-au* で対応する。当該字には上声点を差す。上巻の巧韻当該例で分析したように、日本漢音「カウ」上声、日本呉音「ケウ」平声を認める。

▶番号4713a「爪」（爪牙）の仮名音注「サウ」については、基本的に *-au* で対応する。当該字に声点はない。観智院本類聚名義抄に上声点を付した同音字注「音早」と低平調を示す和音「サウ」を見出す。日本漢音は上声、日本呉音「サウ」平声を認める。

　　爪 音早［上］ツメ［上上］／和サウ［平平］　　　　　（観智院本類聚名義抄／僧中006-4）

▶番号6142a「炒」（炒爆魚）の仮名音注「サウ」については、基本的に *-au* で対応する。当該字には上声点を差す。熟字6142「炒爆魚」は右注「炒或乍焊」中左注「ヒホシ／ノイヲ」を付載する。観智院本類聚名義抄に反切「楚巧反・楚何反」と低平調を示す和音「サウ」を見出す。元和本倭名類聚抄には同音字注「早」がある。日本呉音「サウ」平声を認める。

　　炒 … 楚巧反 イル 楚何反／和サウ［平平］　　　　　（観智院本類聚名義抄／佛下末039-6）
　　炒爆　唐韻云炒爆 早備二音漢語抄云炒爆魚比保之乃以乎俗云火早　火乾也

　　　　　　　　　　　　　　　　　　　　　　　　　　（元和本倭名類聚抄／巻十六19 ウ3）

▶番号4349「鮑」（鮑）の仮名音注「ハウ」については、基本的に *-au* で対応する。当該字に声点はなく、右注「アハヒ」を付載する。その中古音が示す頭子音 b-（等韻学の術語で言う唇音濁並母）は有声両唇閉鎖音であり、日本語のバ行音をもって受容するが、中国語音韻史上における濁音声母の無声化を反映する場合はハ行音で対応する。観智院本類聚名義抄に上声点を付した同音字注「音抱」を見出す。長承本蒙求には仮名音注「ハウ」三例があり、それらの掲出字に去声加濁点を加えた一例と去声点を加えた二例がある。元和本倭名類聚抄には同音字注「音抱」を見つける。切韻を撰述して以降の中国語において、上声濁が次第に去声化を起こした状態を、日本漢音では反映する。これは上声を構成する上声軽と上声重とが allotone であり、後者の調値が去声と区別できないことを示すとも言える。日本漢音「バウ・ハウ」上/去声を認める。

　　鮑 … 音抱［上］アハヒ［上平平濁］ナマツ／マス　　　（観智院本類聚名義抄／僧下005-5）
　　鮑［去］ハウ　　　　　　　　　　　　　　　　　　　（長承本蒙求／014・148）
　　鮑［去／去：加濁］ハウ　　　　　　　　　　　　　　（長承本蒙求／048）
　　鰒 … 本草云鮑一名鰒 鮑音抱和名阿波比 …　　　　　（元和本倭名類聚抄／巻十九14 オ2）

▶番号4319「飽」（飽）の仮名音注「ハウ」については、基本的に *-au* で対応する。当該字には去声点を差し、右注「アク［平上］」中注「博巧反」左注「食多也」を付載する。上巻の巧韻当該諸例で分析したように、日本呉音「ハウ」去声を認める。日本呉音「バウ」は保留する。

▶番号4346「飽」（飽）の仮名音注「ハウ」については、基本的に *-au* で対応する。当該字には平声点と去声点を差し、右注「アクマテ」を付載する。上述の分析を参照。

▶番号6769a「昴」（昴星）の仮名音注「ハウ」については、基本的に *-au* で対応する。当該字

には上声濁点を差すので、字音「バウ」を想定する。熟字6769「昴星」は右注「スハル」を付載する。その中古音が示す頭子音 m-（等韻学の術語で言う明母）は両唇鼻音であり、日本語のマ行音をもって受容する。ただし、中国語音韻史上における鼻音声母の非鼻音化 (denasalization) 現象により、m- > mb- > b- の音変化をする。これを反映する場合はバ行音で対応する。観智院本類聚名義抄に同音字注「音夘」を見出すが、仮名音注はない。元和本倭名類聚抄には同音字注「卯」がある。

　　　昴 音夘 スハル［上上濁□］／アキラカ　　　　　（観智院本類聚名義抄／佛中 088-4）

　　　昴星　　　　　　　　　　　　　　　　　　　　　　（観智院本類聚名義抄／佛中 088-5）

　　　昴星　宿耀經云昴星六星火神也音與卯同 和名須八流　　（元和本倭名類聚抄／巻一 03 オ 1）

《上巻 効韻諸例》

▶番号2149「艄」（艄）の仮名音注「セウ」については、基本的に -eu で対応する。当該字に声点はないが、右注「ヌタハタ」左注「角上浪也」を付載する。廣韻には注記「艄：角匕也」を見出す。王仁昫刊謬補缺切韻など切韻系韻書を参照すると、注記「角上」が正しい。観智院本類聚名義抄に反切「叉教反」（その反切下字に去声点）を見出すが、仮名音注はない。元和本倭名類聚抄には反切「初教反上声之輕」がある。日本漢音は去声を認める。

　　　抄 初教反掠或作鈔亦作劋 艄 角上　　　　　　　　（王仁昫刊謬補缺切韻／去声第卅四効韻）

　　　艄 叉教［□去］反 角／匕也 ヌタハタ［平平平上］　（観智院本類聚名義抄／佛下本 013-1）

　　　角 絔艄咐 … 艄 初教反上声之輕和名沼太波太 … 角上浪也

　　　　　　　　　　　　　　　　　　　　　　　　　　　（元和本倭名類聚抄／巻十八 22 オ 1）

　　　艄 叉挍反〔＊叉←又〕角上也　　　　　　　　　　（天治本新撰字鏡／巻五 06 ウ 6）

　　　艄 叉挍反角上　　　　　　　　　　　　　　　　　（高山寺本篆隷萬象名義／第六帖 117 ウ 5）

▶番号2837「艄」（艄）の仮名音注「セウ」については、基本的に -eu で対応する。当該字には去声点を差し、右注「カヒロク」左注「舟不安也」を付載する。靡き揺れ動く様子を言う。観智院本類聚名義抄に音注はない。元和本倭名類聚抄には反切「初教反」を見出す。

　　　艄 カヒロク　　　　　　　　　　　　　　　　　　（観智院本類聚名義抄／佛下本 004-3）

　　　舟事類説文云 … 艄 初教反訓此路久 舟不安也　　　（元和本倭名類聚抄／巻十一 02 ウ 9）

▶番号2764「棹」（棹）の仮名音注「タウ」については、基本的に -au で対応する。当該字には去声点を差し、右注「カイ」を付載する。観智院本類聚名義抄は「櫂・棹」を相互に異体字とし、反切「直狡反」を見出すが、仮名音注はない。元和本倭名類聚抄には反切「直教反」がある。

　　　櫂 正 直狡反 ヲサ サラキ／棹 通 サヲ カイ　　　（観智院本類聚名義抄／佛下本 098-1）

　　　棹　釋名云在旁撥水曰櫂 直教反字亦作棹漢語抄云加伊 …（元和本倭名類聚抄／巻十一 04 オ 7）

▶番号0117a「皰」（皰瘡）の仮名音注「ハウ」については、基本的に -au で対応する。当該字

408 3．仮名音注の韻母別考察 3-2 Ⅱ韻類

には去声点を差す。熟字0117「皰瘡」は右注「イモカヒ」を付載する。観智院本類聚名義抄に反切「歩教反」を見出すが、仮名音注はない。元和本倭名類聚抄には反切「防教反」がある。

 皰 歩教反／モカサ   （観智院本類聚名義抄／僧中069-2）

 皰瘡 唐韻云皰 防教反 面瘡也 … 疱瘡此間云裳瘡   （元和本倭名類聚抄／巻三25 ウ4）

▶番号0731a・2408b「豹」（豹隠・王豹）の仮名音注「ハウ」については、基本的に -au で対応する。両当該字には去声点を差す。観智院本類聚名義抄に反切「百孝反〔＊孝←弋子〕」および和音「ヘウ」を見出す。承暦本金光明最勝王経音義には同音字注「表音」があり、その掲出字に去声点を加える。元和本倭名類聚抄には反切「補教反」がある。日本呉音「ヘウ」去声を認める。

 豹 百弋子［□孝：墨右傍］反 … 或豹字 和ヘウ   （観智院本類聚名義抄／佛下末009-7）

 豹［去］表ミ   （承暦本金光明最勝王経音義／11 ウ4）

 豹 説文云豹 補教反日本紀私記云奈賀豆可美 …   （元和本倭名類聚抄／巻十八17 オ1）

▶番号1289「豹」（豹）の仮名音注「ヘウ［平去］俗」については、基本的に -eu で対応する。その仮名音注には声点［平去］を付す。調値は上昇調○●であり、当該字「豹」は去声に相当する。仮名音注に去声点を差すことは稀であるが、当該字音の母音連続が拗長音化する状況を示すか。加えて「俗」表記があり、定着久しい字音と推測する。また左注「一云ナカツカミ」を付載する。上述の分析を参照。

▶番号3242b「貌」（容貌）の仮名音注「メウ」については、基本的に -eu で対応する。当該字には去声点を差す。その中古音が示す頭子音 m-（等韻学の術語で言う脣音清濁明母）は両唇鼻音であり、日本語のマ行音をもって受容する。ただし、中国語音韻史上における鼻音声母の非鼻音化（denasalization）現象により、m->mb->b- の音変化をする。これを反映する場合はバ行音で対応する。観智院本類聚名義抄に和音「メウ」と反切「莫考反」を見出す。日本呉音「メウ」を認める。

 貌 … 皃正／カタチ 和メウ／莫考反 カホ   （観智院本類聚名義抄／佛下末009-3）

▶番号3244b「皃」（容皃）の仮名音注「ハウ」については、基本的に -au で対応する。当該字には去声点を差す。当該字「皃」は「貌」と相互に異体字である。上述の分析を参照。

 皃 カタチ   （観智院本類聚名義抄／佛下末025-5）

《下巻 効韻諸例》

▶番号5394「酵」（酵）の仮名音注「カウ」については、基本的に -au で対応する。当該字には去声点を差し、右注「シラカス」左注「白酒甘也」を付載する。観智院本類聚名義抄に同音字注「音教」二例を見出すが、仮名音注はない。元和本倭名類聚抄には同音字注「音教」がある。

 酵 音教 酛酵／シラカス［平平□□］   （観智院本類聚名義抄／僧下058-2）

酵 音教 シラカス/サケ［或本：墨右注］　　　　　　　（観智院本類聚名義抄／僧下 061-1）

酵　楊氏漢語抄云酵 音教和名之良加須 白酒甘也　　　（元和本倭名類聚抄／巻十六 11 オ 3）

▶番号 5710b「挍」（讎挍）の仮名音注「カウ」については、基本的に -au で対応する。当該字には去声点を差す。観智院本類聚名義抄に去声点を付した同音字注「音教」および上昇調を示すと推測する和音「ケウ」を見出す。日本漢音は去声、日本呉音「ケウ」去声を認める。

挍 音教［去］カムカフ［平平上濁□］… 和ケウ［□上］　　（観智院本類聚名義抄／佛下本 050-6）

▶番号 6292b「校」（比校）の仮名音注「ケウ」については、基本的に -eu で対応する。当該字には去声点を差す。現行多くの漢和辞典において、上記の番号 5710b「挍」と当該字「校」は相互に異体字とする。筆写において手偏と木偏を混同することは多い。上述の分析を考慮して、日本漢音は去声、日本呉音「ケウ」去声を認める。

校 シタチ　　　　　　　　　　　　　　　　　（観智院本類聚名義抄／佛下本 124-3）

▶番号 6419a「皰」（皰瘡）の仮名音注「ハウ」については、基本的に -au で対応する。当該字には去声点を差す。熟字 6419「皰瘡」は右注「防教反」中注「モカサ」左注「上又乍皰」を付載する。上巻の効韻当該例で分析した。

▶番号 4134b・4834a「豹」（水豹・豹隠）の仮名音注「ハウ」については、基本的に -au で対応する。両当該字には去声点を差す。熟字 4134「水豹」は右注「アサラシ」左注「胡獱老也」を付載する。上巻の効韻当該例で分析したように、日本呉音「ヘウ」去声を認める。

水豹　文選西京賦云撝水豹 和名阿左良之　　　　　（元和本倭名類聚抄／巻十八 17 ウ 8）

3-2-1-6　-am/-ap（銜/檻/鑑/狎韻）

資料篇【表B-03】には銜韻（平声）檻韻（上声）鑑韻（去声）狎韻（入声）所属の諸例が含まれる。前田本の示す仮名音注は、-am/-ap, -em で基本的に対応する。異例として、-ami, -an, -au, -wan, -en, -op, -ou がある。

《上巻 銜韻諸例》

▶番号 0920b「監」（将監）の仮名音注「クワン」については、異例 -wan を示す。当該字に声点はない。廣韻に拠れば、銜/鑑韻（kam^1/3）の二音を有する。熟字 0920「将監」は中左注「舞人随人等／居此官之時／所云也」を付載する。近衛府の第三等判官を指す。その右注「ハンクワン」仮名音注は「判官」の字音を転用付載したものである。観智院本類聚名義抄に去声点を付した同音字注「音鑑」と「又平」を見出すが、仮名音注はない。日本漢音は平/去声を認める。

監 音鑑［去］カ、ミル［平平平上］… 又平　　（観智院本類聚名義抄／僧中 014-5）

410　3．仮名音注の韻母別考察　3-2　Ⅱ韻類

▶番号 3013a・3086a「鑒」（鑒誡・鑒察）の仮名音注「カム」については、基本的に *-am* で対応する。両当該字には去声点を差す。当該字「鑒」と「鑑・鑑」は相互に異体字である。観智院本類聚名義抄に反切「古銜古陥二反」を見出す。長承本蒙求には仮名音注「カム」二例があり、それらの掲出字に去声点を差す。日本漢音「カム」去声を認める。

　　　鑑　古銜古陥二反 … キヨシ カ、ミ ［平平濁平］　　　　（観智院本類聚名義抄／僧上 121-5）

　　　鑑　或 カ、ミ … ツハヒラカ　鑒 俗　　　　　　　　　（観智院本類聚名義抄／僧上 121-6）

　　　鑒 ［去］ カム　　　　　　　　　　　　　　　　　　（長承本蒙求／019・146）

▶番号 3110a「鑒」（鑒誡）の仮名音注「カム」については、基本的に *-am* で対応する。当該字には平声点を差す。上述の分析を参照。

▶番号 0016「巖」（巖）の仮名音注「カム」については、基本的に *-am* で対応する。当該字には平声濁点を差すので、字音「ガム」を想定する。また右注「イハホ」左注「又作礛」を付載する。当該字の中古音が示す頭子音 ŋ- 疑母は軟口蓋鼻音であり、日本語のガ行音をもって受容する。図書寮本類聚名義抄に反切「川云五銜反」および低平調を示す「真云カム」を見出す。観智院本には反切「五銜反」（その反切下字に平声点を付載するが、やや離れた位置で疑義が残る）および低平調を示すと推測する和音「カム」を見つける。承暦本金光明最勝王経音義には同音字注「含」があり、その掲出字に去声点を加える。日本漢音は平声、日本呉音「ガム」平/去声を認める。

　　　巉巖 … 下 川云五銜反 … 和云伊波保 ［上上上］ … 真云カム ［平平］

　　　　　　　　　　　　　　　　　　　　　　　　　　（図書寮本類聚名義抄／139-2）

　　　巖礘 广云牛衫反 … 和云伊波保／真云カム　　　　　　　（図書寮本類聚名義抄／141-5）

　　　巖 五銜 ［□平］ 反 イハホ ［上上上］ … 和カム ［□平：墨点］　（観智院本類聚名義抄／法上 114-8）

　　　巖 ［去］ 含ゝ　　　　　　　　　　　　　　　　　　（承暦本金光明最勝王経音義／09 ウ 2）

▶番号 3124a「衔」（衔泥）の仮名音注「カム」については、基本的に *-am* で対応する。当該字には平声濁点を差すので、字音「ガム」を想定する。その中古音が示す頭子音 ɣ-（等韻学の術語で言う喉音濁匣母）は有声軟口蓋摩擦音であり、日本語のガ行音をもって受容するが、中国語音韻史上における濁音声母の無声化を反映する場合はカ行音で対応する。観智院本類聚名義抄に反切「下衫反」（その反切下字に平声点）を見出す。承暦本金光明最勝王経音義には同音字注「含音」があり、その掲出字に平声点を加える。さらに同書では「含」に対して借字による「我牟反」を見つける。日本漢音は平声、日本呉音「ガム」平声を認める。

　　　衔 下衫 ［□平］ 反 フ、ム ［平平上／□ク□：墨右傍］ …　（観智院本類聚名義抄／佛上 044-1）

　　　衔 ［平］ 含ゝ／布有牟 ［平平上］　　　　　　　　　（承暦本金光明最勝王経音義／04 オ 5）

　　　含 ［去］ 我牟反／布有牟 ［平平上］　　　　　　　　（承暦本金光明最勝王経音義／05 オ 3）

　　　　次可知濁音借字　　　　　　　　　　　　　　　　（承暦本金光明最勝王経音義／02 オ 1）

　　　我 ［平濁］ 何 義 ［平濁］ 疑 具 ［平濁］ 求 …　　　　（承暦本金光明最勝王経音義／02 オ 3）

＝＝＝＝＝＝＝＝＝＝＝＝＝＝＝＝＝＝＝＝＝＝ 3-2-1　-a 系の字音的特徴　411

　　　先可知所付借字　　　　　　　　　　　　　（承暦本金光明最勝王経音義／01 オ 7）

　　　良 ［平］ 羅 ［上］ 牟 ［平］ 无 ［上］ …　　　（承暦本金光明最勝王経音義／01 ウ 4）

▶番号 1991a・3125a「衒」（衒燭）の仮名音注「カム」については、基本的に -am で対応する。両当該字には平声点を差す。上記「衒」と相互に異体字である。上述の分析を参照。

　　　衒 ノム ［平上］ フクム／ヌル　　　　　　（観智院本類聚名義抄／佛上 044-1）

▶番号 0425b「衫」（緑衫）の仮名音注「サウ」については、異例 -au を示す。当該字に声点はない。熟字「緑衫」の右注「ロウサウ」は「ロクサム」が音変化した字音で、六位の官人が着た緑色の袍、あるいは表は紺で裏は紫または蘇芳による襲の色目を意味する。図書寮本類聚名義抄に反切「玉云所炎反・川云所含反」（それらの反切下字に平声点）および同音字注「真云叅音」を見出す。観智院本類聚名義抄に反切「所銜反・所炎反」および平声点を付した「和云叅」〔*←泰〕を見出すが、仮名音注はない。元和本倭名類聚抄には反切「所銜反」がある。日本漢音は平声、日本呉音は平声を認める。

　　　衫 玉云所炎 ［□平］ 反 … 川云所含 ［□平］ 反 真云叅音　　　（図書寮本類聚名義抄／339-1）

　　　衫 所銜反 ナホシノ衣 … 所炎反／和云泰 ［平］　　　（観智院本類聚名義抄／法中 145-6）

▶番号 2694b「衫」（汗衫）の仮名音注「サミ ［平平］」については、異例 -ami を示す。当該字に声点はないが、仮名音注に低平調を示す声点を付載する。熟字 2694「汗衫」の右注「カサミ ［上平平］」は「カンサム」が音変化した字音で、その中古音が示す末子音 -m を日本語の開音節 CV -mi で受容する。平安時代以降に貴族の童女などの上衣となる汗取りを機能とする単の短衣を指す。上述の分析を参照。

　　　汗衫　唐令云諸給時服夏則汗衫一領 衫音所銜反衣名也　（元和本倭名類聚抄／巻十二 19 ウ 7）

▶番号 2749「鑱」（鑱）の仮名音注「サム」については、基本的に -am で対応する。当該字には平声点を差し、右注「カナフクシ」左注「造作具又土具也」を付載する。観智院本類聚名義抄に平声点を付した同音字注「音鏨・一音鑱」を見出すが、仮名音注はない。元和本倭名類聚抄には同音字注「音鏨・一音鑱」がある。日本漢音は平声を認める。

　　　鑱 … 音鏨 ［平］ 一音鑱 鑿也 … カナフクシ ［上上上濁上平］　（観智院本類聚名義抄／僧上 128-3）

　　　鑱　唐韻云鑱 音鏨一音鑱漢語抄云加奈布久之 … 又土具也

　　　　　　　　　　　　　　　　　　　　　　（元和本倭名類聚抄／巻十五 11 オ 5）

▶番号 2807「芟」（芟）の仮名音注「サム」については、基本的に -am で対応する。当該字には平声点を差し、右注「芟権」左注「伐草木也」を付載する。和訓「カル」の同訓異字として位置する。前田本の当該字形は「刈」（疑母廢韻 ŋiɑi³）の異体字「苅」に近い。あるいは字音「サム」の把握に誤認があり、当該字を「苅」とすべき余地が残るか。観智院本類聚名義抄に平声点を付した同音字注「音衫」を見出す。長承本蒙求には仮名音注「サム」があり、その掲出字に去声点を加える。日本漢音「サム」平/去声を認める。

412　3．仮名音注の韻母別考察　3-2　Ⅱ韻類

斬 カル／伐也 苅 サム［∴右傍］芟権／伐草木也 艾 … 芟 刈 穫 已上同

(前田本色葉字類抄／上加・102 オ 2・辞字)

刈 音芟［去濁／カイ∴朱右傍］… カル［上平］　　　（観智院本類聚名義抄／僧上 086-3）

苅萱 カルカヤ／上音 カル［上平］　　　（観智院本類聚名義抄／僧上 008-6）

芟 … 音杉［平］カル［上平］クサカル［平平上□］…　（観智院本類聚名義抄／僧上 023-5）

芟［去］サム　　　　　　　　　　　　　　　　　（長承本蒙求／149）

《下巻 衛韻諸例》

▶番号 6766b「監」（将監）の仮名音注「ケム」については、基本的に -em で対応する。当該
字に声点はなく、右注「用近衛」を付載する。上巻の衛韻当該諸例で分析したように、日本漢音は
平/去声を認める。

▶番号 4601b「鑱」（未鑱）の仮名音注「サム」については、基本的に -am で対応する。当該
字には平声点を差す。熟字 4601「未鑱」は右注「サキ」左注「犂具」を付載する。上巻の衛韻当該
例で分析したように、日本漢音は平声を認める。

《上巻 檻韻諸例》

▶番号 2448a「檻」（檻欄）の仮名音注「カン」については、異例 -an を示す。当該字に声点は
ない。その中古音が示す脣内撥音韻尾 -m を「ン」で対応する。また頭子音 ɣ-（等韻学の術語で言
う喉音濁匣母）は有声軟口蓋摩擦音であり、日本語のガ行音をもって受容するが、中国語音韻史上
における濁音声母の無声化を反映する場合はカ行音で対応する。観智院本類聚名義抄に同音字注「音
監」と声調注記「又上」を見出す。長承本蒙求には仮名音注「カム」があり、その掲出字に去声点
を加える。切韻を撰述して以降の中国語において、上声濁が次第に去声化を起こした状態を、日本
漢音では反映する。これは上声を構成する上声軽と上声重とが allotone であり、後者の調値が去
声と区別できないことを示すとも言える。元和本倭名類聚抄には同音字注「音監」がある。日本漢
音「カム」上/去声を認める。

檻 音監 オハシマ［平平濁平□］… 又上　　　（観智院本類聚名義抄／佛下本 111-1）

檻［去］カム　　　　　　　　　　　　　　　　（長承本蒙求／103）

軒檻 漢書注云軒檻上板也檻 音監文選檻讀師説於波之萬 … （元和本倭名類聚抄／巻十 11 ウ 7）

《下巻 檻韻諸例》

該当例なし。

《上巻 鑑韻諸例》

▶番号0603「懺」（懴）の仮名音注「サム」については、基本的に -am で対応する。当該字に
は平声点を差し、その右注に「イ本懴」を付載する。当該字「懺」と「懴」は相互に異体字である。
図書寮本類聚名義抄に平声点を付した同音字注「季云音尖」を見出す。観智院本には平声点を付し
た同音字注「音尖」（精母鹽韻 tsiam¹）を見つけるが、仮名音注はない。これらの平声点は同音字
注「尖」自体の声調を示す。天治本新撰字鏡には反切「子廉反」がある。

懺悔 季云音尖 [平] …   （図書寮本類聚名義抄／252-3）

懺 音尖 [平] ハチ [平平濁] … クユ   （観智院本類聚名義抄／法中 101-4）

尖 子廉反 … トカル ヒトシ   （観智院本類聚名義抄／佛下末 034-5）

尖 鑯字 子廉反／銳也   （観智院本類聚名義抄／佛下末 035-8）

懺 子廉反 淨也捨也洗也拭也不成也阿万祢波須又支流   （天治本新撰字鏡／巻十 02 ウ 5）

《下巻 鑑韻諸例》

▶番号4675a「懺」（懺愧）の仮名音注「サム」については、基本的に -am で対応する。当該
字には去声濁点を差すので、字音「ザム」を想定する。その中古音が示す頭子音 tṣ‘-（等韻学の術
語で言う歯音次清初母）は無声有気音であり、日本語のサ行音をもって受容する。ザ行音で対応す
ることは許容しがたい。熟字 4675「懺愧」は右傍「ハチ ハツ」中注「上懺天下愧人」を付載する。
過去の誤りを悟り悔やむの意味である。また同義に「愧懺」とも言い、日本語音韻史上の連濁によ
る「キザン」と字音把握する。この「ザン」を当該字の字音としたか。現行多くの漢和辞典は慣用
音として「ザン」を掲げる。上巻の鑑韻当該例で分析した。

　▶番号4521「懺」（懺）の仮名音注「サム [去濁上]」については、基本的に -am で対応する。
当該字には去声濁点を差すので、字音「ザム」（上昇調の調値○●[平濁上]）を想定する。その
仮名音注は「サム [去濁上]」（調値◐●[平濁上]）を示す。仮名に去声点を付すことは極めて
稀であり、また右肩位置に濁点を配する先例と言えるか。上述の分析を参照。

　▶番号4674a「懺」（懺懅）の仮名音注「サン」については、異例 -an を示す。当該字には平声
点を差す。その中古音が示す唇内撥音韻尾 -m を「ン」で対応する。熟字 4674「懺懅」は左注「又
下字悔」を付載する。上述の分析を参照。

《上巻 狎韻諸例》

414　3．仮名音注の韻母別考察　3-2　Ⅱ韻類

▶番号2515「鴨」（鴨）の仮名音注「アフ」については、基本的に -ap で対応する。当該字には入声点を差し、右注「カモ」を付載する。観智院本類聚名義抄に同音字注「音狎」（その右傍に朱筆で仮名音注「カフ」）を見出す。当該字「鴨」の諧声符「甲」（見母狎韻 kap）による字音把握か。元和本倭名類聚抄には同音字注「音狎」（匣母狎韻 ɣap）がある。

　　　鴨 … カモ [平平] ／音狎 [カフ：朱右傍]　　　　　（観智院本類聚名義抄／僧中114-2）

　　　鴨　爾雅集注云鴨 音狎 … 楊氏漢語抄云鳧鷖 加毛 …　（元和本倭名類聚抄／巻十八09 ウ8）

▶番号2524a「鴨」（鴨通）の仮名音注「アフ」については、基本的に -ap で対応する。当該字に声点はない。熟字2524「鴨通」は右注「カモノクソ」左注「鴨屎名也」を付載する。上述の分析を参照。

　　　鴨通 カモノクソ [平平平平平]　　　　　　　　　（観智院本類聚名義抄／僧中114-3）

　　　鴨通　本草云鴨通 和名加毛乃久曾 鴨屎名也　　　（元和本倭名類聚抄／巻十八14 ウ5）

▶番号2453a「鴨」（鴨柄）の仮名音注「アウ」については、異例 -au を示す。当該字には入声点を差す。熟字2453「鴨柄」は右注「カモヘ」左注「屋具也」を付載する。日本語音韻史上の音変化 -ap > -au による字音の把握である。上述の分析を参照。

　　　鴨柄　功程式云鴨柄 賀毛江今案本文未詳　　　　（元和本倭名類聚抄／巻十11 ウ5）

▶番号2876a・3217「甲」（甲田・甲）の仮名音注「カフ」については、基本的に -ap で対応する。両当該字には入声点を差す。番号3217「甲」は右注「同（ヨロヒ）」を付載する。観智院本類聚名義抄に反切「古狎反」（その反切下字に入声点）および低平調と推測する和音「カフ」を見出す。元和本倭名類聚抄には反切「苦盖反」がある。日本漢音は入声、日本呉音「カフ」を認める。

　　　甲个 正古 古狎反 [□入] ツメ [上上] …　　　　（観智院本類聚名義抄／佛上082-2）

　　　甲 古狎反 和名 コフ キノエ … 和カフ [□平]　　（観智院本類聚名義抄佛中107-2）

　　　甲　唐韻云甲 苦盖反和名興礫比 甲也 …　　　　（元和本倭名類聚抄／巻十三12 ウ7）

▶番号2744a・3293a「甲」（甲香・甲可）の仮名音注「カフ」については、基本的に -ap で対応する。当該字に声点はない。熟字3293「甲可」は加篇姓氏部に属し、左注「已上無戸」を付載する。上述の分析を参照。

▶番号3027a・3028a「甲」（甲兵・甲冑）の仮名音注「カウ」については、異例 -au を示す。両当該字には入声点を差す。日本語音韻史上の音変化 -ap > -au による字音の把握である。上述の分析を参照。

▶番号3132a「甲」（甲乙）の仮名音注「カウ」については、異例 -au を示す。当該字に声点はない。同じく日本語音韻史上の音変化 -ap > -au による字音の把握である。上述の分析を参照。

▶番号2592「胛」（胛）の仮名音注「カフ」については、基本的に -ap で対応する。当該字には入声点を差し、右注「カイホネ」を付載する。観智院本類聚名義抄に同音字注「音鴨」（影母狎

韻 'ap）を見出すが、仮名音注はない。同音字注「鴨」の諧声符「甲」（見母狎韻 kap）による字
音把握か。元和本倭名類聚抄には同音字注「甲反」 ⑸ がある。

　　　胛 音鴨 カイカネ［平上上濁上］／カタ セナカ　　　　　　（観智院本類聚名義抄／佛中 120-8）
　　　胛　四聲字苑云胛 甲反和名加伊加禰 肩之下也　　　　　　（元和本倭名類聚抄／巻三 08 オ 4）

▶番号3000a「狎」（狎客）の仮名音注「カフ」については、基本的に -ap で対応する。当該字
には入声点を差す。熟字3000「狎客」は右傍「ナレタリ」を付載する。観智院本類聚名義抄に反切
「胡甲反」と同音字注「呉甲」を見出す。この呉甲注は大般若経字抄による漢呉二音相同の同音字
注「甲」（圏点による入声点を付載）を出典とする。日本呉音・日本漢音ともに入声を認める。

　　　狎 胡甲反 習也 … ヤスシ 呉甲　　　　　　　　　　　（観智院本類聚名義抄／佛下本 130-3）
　　　狎［甲 ［入：圏点］：右傍］ナレ／タリ　　　　　（石山寺一切経蔵本大般若経字抄／23 オ 5）

▶番号2523「翍」（翍）の仮名音注「カフ」については、基本的に -ap で対応する。当該字に
は入声点を差し、右注「カサキリ」左注「鳥羽也」を付載する。観智院本類聚名義抄に入声点を付
した同音字注「音匣」（その右傍に朱筆で仮名音注「カフ」を付載）を見出す。元和本倭名類聚抄
には反切「胡甲反」と同音字注「與匣同」がある。日本漢音「カフ」入声を認める。

　　　翍 音匣［入／カフ：朱右傍］／短毛 カサキリ［上上濁上上］　（観智院本類聚名義抄／僧上 098-6）
　　　翍　唐韻云翍 胡甲反與匣同和名加佐木里 翍上短羽也也　　　（元和本倭名類聚抄／巻十八 13 ウ 2）

《下巻 狎韻諸例》

▶番号3862a「壓」（壓状）の仮名音注「エン」については、異例 -en を示す。当該字には平声
点を差す。声調を含む字音把握から考えて、当該字「壓」を「厭」と誤認した可能性が高い。観智
院本類聚名義抄に入声点を付した同音字注「押」（その右傍に墨筆で仮名音注「アフ」）を、異体
字「猒+土」に和音「エフ」見出す。同書で「厭・猒」を再検索すると、反切「拵冄反」（その反切
下字に上声濁点）および和音「エム」を見出す。承暦本金光明最勝王経音義にも仮名音注「エム」
二例がある。本来は、日本漢音「アフ」入声、日本呉音「エフ」を認める。

　　　壓 音押［入／アフ：墨右傍］オス … 又伊輙［平入］… 鳥喋［□入］六反

　　　　　　　　　　　　　　　　　　　　　　　　　　　　（観智院本類聚名義抄／法中 053-8）

　　　猒+土〔＊上下配置〕或／和エフ　　　　　　　　　　　　（観智院本類聚名義抄／法中 053-8）

　　　壓 鳥甲反 … 又壓 音鴨鎮　　　　　　　　　　　　　　（観智院本類聚名義抄／法下 107-7）

　　　厭 … 拵冄［□上濁］反／鬼名 亦与猒同 …　　　　　　（観智院本類聚名義抄／法下 107-4）

　　　猒 … イトフ［平平上］厭離 … 和エム 又通用 又於甲反［去上入／三音：割注］

　　　　　　　　　　　　　　　　　　　　　　　　　　　（観智院本類聚名義抄／佛下本 137-3）

　　　厭 エム［：右傍］〔＊後筆墨書〕　　　　　（承暦本金光明最勝王経音義／09 オ 5）

416　3．仮名音注の韻母別考察　3-2　Ⅱ韻類

　　　　猒 エム［：右傍］〔＊後筆墨書〕　　　　　　　　（承暦本金光明最勝王経音義／09 オ 5）

　▶番号4385a・4388a「押」（押署・押書）の仮名音注「アフ」については、基本的に -ap で対応する。両当該字には入声点を差す。観智院本類聚名義抄に反切「烏甲反」（その反切下字に入声点）と同音字注「又甲音」を見出すが、仮名音注はない。日本漢音は入声を認める。

　　　　押 烏甲［□入］反 又甲音 オス［上平］…　　　　　　（観智院本類聚名義抄／佛下本074-2）

　▶番号4420a「押」（押領使）の仮名音注「アフ」については、基本的に -ap で対応する。当該字に声点はない。上述の分析を参照。

　▶番号6374a「甲」（甲奴）の仮名音注「カフ」については、基本的に -ap で対応する。当該字に声点はない。上巻の狎韻当該諸例で分析したように、日本漢音は入声、日本呉音「カフ」を認める。

　▶番号「甲」4403a・4803b（甲賀・愛甲）の仮名音注「カウ」については、異例 -au を示す。両当該字に声点はない。日本語音韻史上の音変化 -ap > -au による字音把握である。上記の分析を参照。

　▶番号3364「甲」（甲）の仮名音注「コフ」については、異例 -op を示す。当該字には入声点を差し、左右注「龜蚌之属甲／云介鱗甲」を付載する。上巻の狎韻当該諸例で掲げた観智院本類聚名義抄を再確認すれば、注目すべきは「和名」と特記しながら和訓「コフ」を見出すことである。仮名音注と誤認しないための注記と考えたいが、早くから音変化 -ap > -au > -ou が生じたため、定着久しい字音「コウ（コフ）」を和訓と認識した可能性もある。上記の分析を参照。

　　　　甲个 正古 古狎反［□入］ツメ［上上］…　　　　　　（観智院本類聚名義抄／佛上082-2）

　　　　甲 古狎反 和名 コフ キノエ … 和カフ［□平］　　　　（観智院本類聚名義抄／佛中107-2）

　▶番号3382「甲」（甲）の仮名音注「コウ」については、異例 -ou を示す。当該字に声点はない。上述の分析を参照。

　　3-2-1-7　-an/-at（刪／潸／諫／鎋韻）

　次の【表4-07】には刪韻（平声）諫韻（去声）鎋韻（入声）開口所属の諸例が含まれる。潸韻（上声）に該当する例はない。前田本の示す仮名音注は、-an, -et で基本的に対応する。異例として、-am がある。

《上巻 刪韻開口諸例》

　▶番号2631・3036a「姦」（姦・姦匿）の仮名音注「カン」については、基本的に -an で対応する。両当該字には平声点を差す。当該の「姦」と「奸・姧」は相互に異体字である。番号 2631

「姦」は左右注「又カシ／マシ」を、熟字3036「姦匿」は右傍「カタマシクカクル」を付載する。観智院本類聚名義抄に平声点を付した同音字注「音干」二例を見出す。承暦本金光明最勝王経音義には仮名音注「カ✓」がある。同書では原則として末子音の喉内撥音韻尾 -ŋ に「✓」表記を用いるが、ここでは舌内撥音韻尾 -n に適用する。本来は「カゝ」と表記したい。日本漢音は平声、日本呉音「カン」を認める。

　　　奸晏 音干［平］菅 ヨコサマ ヲカス … カホヨシ　　　　　　（観智院本類聚名義抄／佛中009-7）

　　　奸 音干［平］女名／ウルワシ 干䬡　　　　　　　　　　　（観智院本類聚名義抄／佛中009-7）

　　　姦 正 カシカマシ … カタマシ ヌスム ヒスカニ　　　　　　（観智院本類聚名義抄／佛中009-8）

　　　姦 俗　奸 ヲカス … カタマシ［□□ム□］… タ、フ　　　（観智院本類聚名義抄／佛中010-1）

　　　奸 カ✓［：右傍］〔＊後筆墨書〕　　　　　　　　　　　（承暦本金光明最勝王経音義／10 オ1）

▶番号 2623・2630・3033a「奸」（奸・奸・奸濫）の仮名音注「カン」については、基本的に -an で対応する。当該諸字三例には平声点を差す。当該の「奸」と「奸・姦」は相互に異体字である。番号 2623 は右注「カタム［平平濁上］」を、番号 2630「奸」は右注「カタマシ」左注「犯也」を付載する。上述「姦」の分析を参照。

▶番号 2386b・2954b「奸」（奸奸・強奸）の仮名音注「カン」については、基本的に -an で対応する。両当該字には上声点を差す。上述の分析を参照。

▶番号 3035a「奸」（奸心）の仮名音注「カム」については、異例 -am を示す。当該字には去声点を差す。舌内撥音韻尾 -n を「ム」で対応する。熟字 3035「奸心」は右傍「カタマシ」右注「カムシム」仮名音注を付載する。熟字後部「心」の仮名音注「シム」に牽制されて、熟字前部「奸」を「カム」と字音把握したか。上述の分析を参照。

▶番号 3037a「奸」（奸行）の仮名音注「カン」については、基本的に -an で対応する。当該字には去声点を差す。上述の分析を参照。

▶番号「顔」1074a・1192b・2390b（顔面・豊顔・和顔）の仮名音注「カン」については、基本的に -an で対応する。当該諸字三例には平声濁点を差すので、字音「ガン」を想定する。その中古音が示す頭子音 ŋ-（等韻学の術語で言う疑母）は軟口蓋鼻音であり、日本語のガ行音をもって受容する。観智院本類聚名義抄に反切「語斑反」および上昇調と推測する和音「下ン」を見出す。同書では掲出字「驗」に「和下ム」（その右傍に朱筆で濁音「✓」表記）があり、和音「ゲム」を示すことがわかる。長承本蒙求には仮名音注「カ✓」があり、その掲出字に平声加濁点を加える。また、仮名音注「カゝ」三例もあり、それらの掲出諸字に平声点を加える。日本漢音「ガン」平声、日本呉音「ゲン」去声を認める。

　　　顔［彡：朱右傍］語斑反 カホ［上上］… 和下ン［□上：朱圏点］

　　　　　　　　　　　　　　　　　　　　　　　　　　　（観智院本類聚名義抄／佛下本022-2）

　　　驗 臭欠反／シルシ［上上上］… 和下ム［平平／✓□：朱右傍］　（観智院本類聚名義抄／僧中110-1）

418　3．仮名音注の韻母別考察　3-2　Ⅱ韻類

顔［平／平：加濁］カ✓　　　　　　　　　　　　　　　　　　　（長承本蒙求／013）

顔［平］カヽ　　　　　　　　　　　　　　　　　　（長承本蒙求／058・071・109）

▶番号2950a「顔」（顔色）の仮名音注「カン」については、基本的に -an で対応する。当該字
には平声点を差す。上述の分析を参照。

▶番号3245b「顔」（容顔）の仮名音注「カム」については、異例 -am を示す。当該字には平
声濁点を差すので、字音「ガム」を想定する。その中古音が示す舌内撥音韻尾 -n を「ム」で対応
する。上述の分析を参照。

《下巻　刪韻開口諸例》

▶番号4006b「奸」（諂奸）の仮名音注「カン」については、基本的に -an で対応する。当該字
には平声点を差す。上巻の刪韻当該諸例で分析したように、日本漢音は平声、日本呉音「カン」を
認める。

▶番号6920b「顔」（酔顔）の仮名音注「カン」については、基本的に -an で対応する。当該字
に声点はない。上巻の刪韻当該諸例で分析したように、日本漢音「ガン」平声、日本呉音「ゲン」
去声を認める。

▶番号4735a「刪」（刪定）の仮名音注「サン」については、基本的に -an で対応する。当該字
には平声点を差す。廣韻に拠れば、刪/諫韻（ṣan$^{1/3}$）二音を有する。熟字4735「刪定」は右傍「ケ
ツリサタム」を付載する。観智院本類聚名義抄に同音字注「音訕」（その右注に朱筆で仮名音注「サ
ン」）を見出す。承暦本金光明最勝王経音義には同音字注「散音」があり、その掲出字には平声点
を加える。日本漢音「サン」日本呉音は平声を認める。

刪 音訕［サン：朱右注］刪定／ケツル［上上濁平］エラフ　　（観智院本類聚名義抄／僧上087-7）

刪［平］散ミ　　　　　　　　　　　　　（承暦本金光明最勝王経音義／08 ウ 4）

▶番号5252「潸」（潸）の仮名音注「ハン」については、基本的に -an で対応する。当該字に
は平声点を差し、右注「ユスル」を付載する。この仮名音注「ハン」は「サン」の誤認と推測する。
あるいは当該字を「澘」と認識したか。当該字「潸」と「澘」は相互に異体字である。観智院本類
聚名義抄に反切「數板反」と同音字注「山音」を見出すが、仮名音注はない。

澘 數板反 山音／ナミタ［平□入濁／□ム□：墨右傍］…　　（観智院本類聚名義抄／法上024-7）

潸 俗　　　　　　　　　　　　　　　（観智院本類聚名義抄／法上024-8）

潸 蒲〔＊←艹＋補〕勘反　　　　　　　　（観智院本類聚名義抄／法上041-6）

《上巻　諫韻開口諸例》

3-2-1　-a 系の字音的特徴　419

▶番号 2275「晏」（晏）の仮名音注「アン」については、基本的に -an で対応する。当該字に
声点はなく、和訓「ヲソシ」の同訓異字として位置する。観智院本類聚名義抄に反切「於諫反・烏
見反」を見出すが、仮名音注はない。字形が近似する「晏」とは別字である。

　　　晏 於諫反／クル［上平］蔵 オソシ［上平□］／烏見反 …　　　（観智院本類聚名義抄／佛中 100-6）

　　　晏 烏鴈反／安也 天晴也／鮮翠也　　　　　　　　　　　　　　（観智院本類聚名義抄／佛中 100-7）

▶番号 2518「鷃」（鷃）の仮名音注「アン」については、基本的に -an で対応する。当該字に
は去声点を差し、右注「カヤクキ」左注「又乍鴳」を付載する。観智院本類聚名義抄に去声点を付
した同音字注「音晏」を見出すが、仮名音注はない。元和本倭名類聚抄には同音字注「音晏」があ
る。日本漢音は去声を認める。

　　　鷃 音晏［去］安／カヤクキ［平平上濁平］小鳥　　　　　　　（観智院本類聚名義抄／僧中 117-2）

　　　鷃　唐韻云鷃 音晏和名加夜久木 雀鷃小鳥也　　　　　　　（元和本倭名類聚抄／巻十八 09 ウ 5）

▶番号 2454a・2894a・3006a「鴈」（鴈齒・鴈塔・鴈行・鴈帛）の仮名音注「カン」について
は、基本的に -an で対応する。当該字には去声濁点を差すので、字音「ガン」を想定する。その中
古音が示す頭子音 ŋ-（等韻学の術語で言う疑母）は軟口蓋鼻音であり、日本語のガ行音をもって受
容する。熟字 2454「鴈齒」は左注「槗具也」を付載する。観智院本類聚名義抄に反切「呉諫反」を
見出すが、仮名音注はない。

　　　鴈鴈 正或／呉諫反　　　　　　　　　　　　　　　　　　　　（観智院本類聚名義抄／法下 109-6）

《下巻 諫韻開口諸例》

▶番号 4387a「晏」（晏駕）の仮名音注「アン」については、基本的に -an で対応する。当該字
には平声点を差す。熟字 4387「晏駕」は左注「同（五帝死）也」を付載する。上巻の諫韻当該例で
分析した。

《上巻 鎋韻開口諸例》

該当例なし。

《下巻 鎋韻開口諸例》

▶番号 6586a「刹」（刹）の仮名音注「セツ」については、基本的に -et で対応する。当該字に
は入声点を付載する。観智院本類聚名義抄に反切「叉點反」および上昇調である和音「セチ」を見
出す。日本呉音「セチ」を認める。

420　3．仮名音注の韻母別考察　3-2　Ⅱ韻類

利　又黠反 クニ［上上］／又刾 和セチ［平上］　　　　　　（観智院本類聚名義抄／僧上 093-7）

3-2-1-8　-uan/-uat（刪/潸/諫/鎋韻）

　資料篇【表B-03】には刪韻（平声）潸韻（上声）諫韻（去声）合口所属の諸例が含まれる。鎋韻（入声）合口に該当する例はない。前田本の示す仮名音注は、-wan, -wen で基本的に対応する。ただし、p- 系頭子音（等韻学の術語で言う唇音）の場合は、合口介音 -u- を吸収した -an, -en で対応する。異例として、-am がある。

《上巻 刪韻合口諸例》

　▶番号 2638「頑」（頑）の仮名音注「クワン」については、基本的に -wan で対応する。当該字には平声点を差す。観智院本類聚名義抄に反切「誤鰥反」（その反切上字に去声濁点、反切下字に平声点）および呉音「元」を見出す。同書では反切に声点を付す場合、多くは反切下字に差声することで、当該掲出字の声調を示す。ここでは反切上字にも差声があり、去声濁点を付すので、字音「グワン」を想定する。また呉音注は大般若経字抄が掲げる同音字注「元」三例（いずれも去声圏点を差す）による引用であり、正音「侯鰥反」呉音「元」という字音把握の例をも含んでいる。日本漢音は平声、日本呉音は去声を認める。

　　　頑　誤鰥［去濁平］反 カタクナシ［平上上□□］… 呉元　　　（観智院本類聚名義抄／佛下本 025-4）
　　　正侯鰥反 頑［元［去：圏点］：右傍］囂［音銀：右傍］上カタクナ／下ヒスカシキ

　　　　　　　　　　　　　　　　　　　　　　　　　　　　（石山寺一切経蔵本大般若経字抄／09 ウ 2）

　　　頑［元［去：圏点］：右傍］囂［音銀：右傍］　　（石山寺一切経蔵本大般若経字抄／18 ウ 6）
　　　頑［元［去：圏点］：右傍］囂［音銀：右傍］　　（石山寺一切経蔵本大般若経字抄／21 オ 4）
　▶番号 1427a「鐶」（鐶劔）の仮名音注「クワン」については、基本的に -wan で対応する。当該字には平声点を差す。熟字 1427「鐶劔」は左右注「トノヒ／キテ」を付載する。観智院本類聚名義抄に同音字注「環」（その右傍に朱筆で仮名音注「火ン」）を見出す。同書では仮名音注とともに使う「火イ・火ウ・火ク・火チ・火ン」など頻用する。掲出字「火」に対して和音「クワ」があり、これは中古音の合口介音 -u- を反映する。日本漢音「クワン」を認める。

　　　鐶 音環［火ン：朱右傍］タマキ／ユヒマキ［平平濁平上］…　　（観智院本類聚名義抄／僧上 131-3）
　　　鐶劔 トノヒキテ［上上上上上］　　　　　　　　　（観智院本類聚名義抄／僧上 131-3）
　　　火 呼果反 ヒ［上］／和クワ　　　　　　　（観智院本類聚名義抄／佛下末 036-2）
　　　鐶劔　辨色立成云鐶劔 斗乃比岐天楊氏説同 門鈎也　　　　（元和本倭名類聚抄／巻十 15 ウ 9）
　▶番号 2401b「還」（往還）の仮名音注「クエン」については、基本的に -wen で対応する。当

該字には平声濁点を差すので、字音「グエン」を想定する。その中古音が示す頭子音 ɣ-（等韻学の術語で言う喉音濁匣母）は有声軟口蓋摩擦音であり、日本語のガ行音をもって受容するが、中国語音韻史上における濁音声母の無声化を反映する場合はカ行音で対応する。熟字「往還」は右注2401「ワウクエン」左注2402「ワウクワン」を付載し、仮名音注を二つ並列する。観智院本類聚名義抄に平声点を付した同音字注「音環」および和音「外ン」を見出す。この和音は字音「グエン」を示す。同書で「外」を再検索すると、和音「クエ」がある。日本漢音は平声、日本呉音「グエン」を認める。

迁還　音環 [平] カヘル［□□ス：墨右傍］… 又音旋 和外ン　　　（観智院本類聚名義抄／佛上 050-4）

外 … 五會反 ホカ [平上] … 和クヱ　　　　　　　　　　　　　（観智院本類聚名義抄／法下 134-3）

往還 サマヨフ　　　　　　　　　　　　　　　　　　　　　　（観智院本類聚名義抄／佛上 050-5）

▶番号2402b「還」（往還）の仮名音注「クワン」については、基本的に -wan で対応する。当該字には平声濁点を差すので、日本語音韻史上の連濁による字音「グワン」を想定する。上述の分析を参照。

▶番号0740a・1302b「蠻」（蠻夷・平蠻樂）の仮名音注「ハン」については、基本的に -an で対応する。両当該字には平声濁点を差すので、字音「バン」を想定する。その中古音が示す頭子音 m-（等韻学の術語で言う明母）は両唇鼻音であり、日本語のマ行音をもって受容する。ただし、中国語音韻史上における鼻音声母の非鼻音化（denasalization）現象により、m->mb->b- の音変化をする。これを反映する場合はバ行音で対応する。観智院本類聚名義抄に反切「莫姦反」を見出すが、仮名音注はない。

蠻 … 莫姦／反 南蠻　　　　　　　　　　　　　　　　　　　（観智院本類聚名義抄／僧下 022-2）

▶番号0643a「蠻」（蠻）の仮名音注「ハン」については、基本的に -an で対応する。当該字に声点はない。上述の分析を参照。

▶番号3229「攀」（攀）の仮名音注「ハン」については、基本的に -an で対応する。当該字には平声点を差し、右注「ヨツ［上平濁］」を付載する。観智院本類聚名義抄に反切「普還反」を見出す。長承本蒙求には同音字注「伴」と仮名音注「ハヽ」があり、その掲出字に平声点を加える。長承本蒙求の仮名音注は平安時代院政初期である長承三年（1134）に加点された墨筆（例示で両音形ある場合は右側）を中心とするが、平安時代中期と推定する古い朱筆（両音形ある場合は左側）の加点もある。日本漢音「ハン」平声を認める。

攀 … 普還反 作正 ヨツ［上上濁］ヒク［上平］…　　　　　（観智院本類聚名義抄／佛下本 059-7）

攀 [平] 伴／ハヽ　　　　　　　　　　　　　　　　　　　　　（長承本蒙求／059）

▶番号0797a「班」（班級）の仮名音注「ハン」については、基本的に -an で対応する。当該字には去声濁点を差すので、字音「バン」を想定する。その中古音が示す頭子音 p-（等韻学の術語で言う唇音清幇母）は無声無気両唇閉鎖音であり、日本語のハ行音をもって受容する。バ行音で対応

することは許容しがたい。熟字0797「班級」は右傍「イラス」を付載する。利息を取って貸すこと
を指す。図書寮本類聚名義抄に反切「弘云補姦反」（その反切下字に平声点）を見出す。観智院本
には反切「補姦反」を見つける。長承本蒙求には仮名音注「ハゝ」二例と同音字注「伴反」一例が
あり、それら掲出字に東声点を加える。日本漢音「ハン」東声（四声体系では平声）を認める。

　　　班宣 弘云補姦 [□平] 反 … アカツ [平平上／異：右注] …　　　　　（図書寮本類聚名義抄／169-3）

　　　班 補姦反 アカツ [平平平] … ツイツ [上平平濁]　　　　　（観智院本類聚名義抄／法中 014-5）

　　　班合 イラス　　　　　　　　　　　　　　　　　　　　　（観智院本類聚名義抄／法中 014-5）

　　　班 [東] 伴反／ハゝ　　　　　　　　　　　　　　　　　　　　　（長承本蒙求／064）

　　　班 [東] ハゝ　　　　　　　　　　　　　　　　　　　　　　　　（長承本蒙求／111）

　▶番号 0839a・0868a「斑」（斑犀・斑駮）の仮名音注「ハン」については、基本的に -an で対
応する。両当該字には平声点を差す。熟字0868「斑駮」は右傍「マタラカニフチナリ」を付載する。
観智院本類聚名義抄に同音字注「班」（その右傍に墨筆で仮名音注「ハン」）を見出す。日本漢音
「ハン」を認める。なお、字形が酷似しているため、当該字「斑」と「班」は混同を起こすことが
多い。

　　　斑 音班 [ハン：墨右傍] 文 正編 … マタラカ　　　　　（観智院本類聚名義抄／法中 014-3）

　▶番号 0642a「斑」（斑犀）の仮名音注「ハン」については、基本的に -an で対応する。当該字
に声点はない。熟字0642「斑犀」は斑の紋がある犀の角を指す。上述の分析を参照。

　▶番号 1287a「斑」（斑竹）の仮名音注「ヘン」については、基本的に -en で対応する。当該字
には平声点を差す。熟字1287「斑竹」は右注「ヘンチク俗」仮名音注を付載する。定着久しい字音
として「ヘン」を認識していたと推測する。上述の分析を参照。

　▶番号 1308a「斑」（斑幔）の仮名音注「ヘン [上上]」については、基本的に -en で対応する。
当該字に声点はないが、その仮名音注に高平調を示す差声を施す。定着久しい字音として「ヘン」
上声を認識していたと推測する。上述の分析を参照。

　　　斑幔 マタラマク　　　　　　　　　　　　　　　　　　（観智院本類聚名義抄／法中 105-7）

　　　幔　唐韻云幔 莫半反 … 但本朝式斑幔 讀萬多良萬久　　（元和本倭名類聚抄／巻十四 15 ウ 4）

《下巻 刪韻合口諸例》

　▶番号 6489・6557「關」（關）の仮名音注「クワン」については、基本的に -wan で対応する。
両当該字には平声点を差す。なお、両当該字の字形は「開」であるが、これを「關」に修正する。
番号6489「關」は右注「セキ」中注「古還反」左注「或乍關」を付載する。番号6557「關」は和
訓「セム」の同訓異字として位置する。観智院本類聚名義抄に同音字注「音攌」と和音「化ン」を
見出す。続けて掲げる「開」には俗表記があり、さらに「開木」には低平調を示す仮名音注「火ン」

がある。また同書の掲出字「化」に和音「クエ」を見つける。長承本蒙求には仮名音注「火ゝ・ク
ワゝ」があり、それらを含む掲出字三例に東声点を加える。承暦本金光明最勝王経音義には「化ゝ
反」を見つけ、その掲出字に去声点を加える。元和本倭名類聚抄には反切「古還反」がある。日本
漢音「クワン」東声（四声体系では平声）日本呉音「クエン」去声を認める。

関 ヲハル［上上平］ヤム［上平］／ツトム［平平□］	（観智院本類聚名義抄／法下 081-8）
關 音攌 アツカル［平平濁□□］…門／和化ン	（観智院本類聚名義抄／法下 074-8）
開 俗 又弁飯二音／門博櫨　開木 火ン［平平］ノキ	（観智院本類聚名義抄／法下 075-1）
開門 セキト［平平上濁］	（観智院本類聚名義抄／法下 075-2）
化 呼瓜［□平］呼西 翔文［覇本：墨右傍］ヲシウ … 和クエ	（観智院本類聚名義抄／佛上 032-5）
開［東］火ゝ	（長承本蒙求／037）
開［東］	（長承本蒙求／133）
開［東］クワゝ	（長承本蒙求／143）
關［去］又作開 化ゝ反／不佐久［上上平］	（承暦本金光明最勝王経音義／07 オ 3）
關　蔡邕月令章句云關 古還反字亦作関日本紀私記云闗門也世岐度 …	
	（元和本倭名類聚抄／巻十 18 オ 3）

▶番号 5129b「關」（機關）の仮名音注「クワン」については、基本的に -wan で対応する。当
該字には上声点を差す。字形は「開」であるが、これを「關」に修正する。上述の分析を参照。

▶番号 5255・6185a「鐶」（鐶・鐶劒）の仮名音注「クワン」については、基本的に -wan で
対応する。両当該字には平声点を差す。番号 5255「鐶」は右注「ユヒマキ」を、熟字 6185「鐶劒」
は左注「戸具」を付載する。上巻の刪韻当該例で分析したように、日本漢音「クワン」を認める。

▶番号 5849b「環」（雀環）の仮名音注「クワン」については、基本的に -wan で対応する。当
該字には平声点を差す。観智院本類聚名義抄に音注は見出せない。長承本蒙求には同音字注「観反」
と仮名音注「火ゝ・クワゝ」があり、両掲出字に平声点を加える。日本漢音「クワン」平声を認め
る。

環 タマキ トモキル／メクル［□上濁□］ユヒマキ	（観智院本類聚名義抄／法中 024-6）
環［平］火ゝ	（長承本蒙求／014）
環［平］観反／クワゝ	（長承本蒙求／034）

▶番号 3758「蠻」（蠻）の仮名音注「ハン」については、基本的に -an で対応する。当該字に
は平声濁点を差すので、字音「バン」を想定する。番号 3578「蠻」は右注「同（エヒス）」左注「南
蠻」を付載する。上巻の刪韻当該諸例で分析した。

▶番号 4680b「班」（散班）の仮名音注「ハン」については、基本的に -an で対応する。当該字
には平声点を差す。熟字 4680「散班」は左注「散位也」を付載する。上巻の刪韻当該諸例で分析し
たように、日本漢音「ハン」東声（四声体系では平声）を認める。

424　3．仮名音注の韻母別考察　3-2　Ⅱ韻類

▶番号4211「班」（班）の仮名音注「ハン」については、基本的に -an で対応する。当該字に声点はなく、右注「崇班」左注「布還反」を付載する。和訓「アカツ」の同訓異字として位置する。上述の分析を参照。

▶番号6488「灣」（灣）の仮名音注「ラン」については、基本的に -an で対応する。当該字には平声点を差し、右注「烏関反」左注「水曲也」を付載する。本来は仮名音注「ワン」を期待する。諧声符の一部分「縊」を字音「ラン」と誤認したか。あるいは「欒・攣・灤」（ラン）との混同か。観智院本類聚名義抄に音注を見出せないが、当該掲出字「灣」の直上に「欒」を配置し、同音字注「音欒」を見出す。

　　　灣 セヽラク … ミナアヒ［上上□□／□ツ□□］　　　　（観智院本類聚名義抄／法上 034-5）

　　　欒 音欒 ヒタス／コユ　　　　　　　　　　　　　　　（観智院本類聚名義抄／法上 034-5）

《上巻 清韻合口諸例》

▶番号0547a「鲅」（鲅魚）の仮名音注「ハン」については、基本的に -an で対応する。当該字には上声点を差す。熟字0547「鲅魚」は右注「ハリマチ」を付載する。その中古音が示す頭子音 b-（等韻学の術語で言う唇音濁並母）は有声両唇閉鎖音であり、日本語のバ行音をもって受容するが、中国語音韻史上における濁音声母の無声化を反映する場合にはハ行音で対応する。観智院本類聚名義抄に反切「扶板反」（その反切下字に上声点）を見出すが、仮名音注はない。元和本倭名類聚抄にも反切「扶板反」がある。続く注記「上声之重」は、切韻を撰述して以降の中国語において、上声濁が次第に去声化を起こした状態を指す。これは上声を構成する上声軽と上声重とが allotone であり、後者の調値が去声と区別できないことを示すとも言える。これを日本漢音は反映する。続く「又軽音」は中国語音韻史上の軽唇音を指す可能性がある。日本漢音は上声を認める。

　　　鲅 扶板［平上］反 又軽／音 ハリマチ［上上上上］　　（観智院本類聚名義抄／僧下 006-7）

　　　鲅魚 同〔＊鲅〕　　　　　　　　　　　　　　　　　（観智院本類聚名義抄／僧下 006-7）

　　　鲅魚　唐韻云鲅 扶板反上声之重又軽音漢語抄云波里萬知 魚名也

　　　　　　　　　　　　　　　　　　　　　　　　　　　　（元和本倭名類聚抄／巻十九06 オ5）

▶番号0174・2153a「板」（板・板歯）の仮名音注「ハン」については、基本的に -an で対応する。両当該字には上声点を差す。番号0174「板」は右注「イタ」左注「薄木也」を、熟字2153「板歯」は右注「ヌカハ」を付載する。観智院本類聚名義抄に反切「補欄反」（その反切下字に上声点を付載）および同音字注「呉半又去」を見出す。その呉音「半」は大般若経字抄による漢呉二音相同の同音字注を出典とする。長承本蒙求には仮名音注「ハゝ」があり、その掲出字に上声点を加える。元和本倭名類聚抄には反切「歩縮反」を見つける。日本漢音「ハン」上声、日本呉音は去声を認める。

板 補欄［□上］反版［或：右注］／イタ 呉半又去 （観智院本類聚名義抄／佛下本 092-1）

板［上］ハゝ （長承本蒙求／116）

板片［音半 音變：右傍］上イタ／下カタハシ （石山寺一切経蔵本大般若経字抄／12 ウ 6）

板 唐韻云板 歩縮反伊太 … 薄木也 （元和本倭名類聚抄／巻十五 12 オ 1）

板齒 辨色立成云板齒 和名奴加波楊氏説同之 （元和本倭名類聚抄／巻三 05 ウ 7）

▶番号 3289a「板」（板東）の仮名音注「ハン」については、基本的に -an で対応する。当該字に声点はない。熟字 3289「板東」は別筆補入である。上述の分析を参照。

▶番号 1307a「版」（版位）の仮名音注「ヘン」については、基本的に -en で対応する。当該字には去声点を差す。熟字 1307「版位」は右注「ヘンキ 標木也［シルシ：右傍］」左注「以木為書籍是也」を付載する。観智院本類聚名義抄に同音字注「音板」を見出すが、仮名音注はない。承暦本金光明最勝王経音義には同音字注「般」と仮名音注「ハゝ音」がある。元和本倭名類聚抄は熟字「版位」に対して「俗云變爲二音」を注記する。前田本が掲げる仮名音注の出自か。定着久しい字音「ヘン」の可能性を指摘しておく。日本呉音「ハン」を認める。

版 或板字／シルシ サク （観智院本類聚名義抄／佛下末 007-2）

版 … 音板／韵略作板 （観智院本類聚名義抄／僧下 076-1）

版 又作板 般／以多 （承暦本金光明最勝王経音義／09 オ 6）

版 ハゝ六［：右傍］〔＊後筆墨書〕 （承暦本金光明最勝王経音義／09 オ 6）

版位 唐儀制令云諸版位 俗云變爲二音 … 野王案以木爲書籍是也

（元和本倭名類聚抄／巻十三 11 オ 4）

▶番号 0754a「版」（版位）の仮名音注「ハム」については、異例 -am を示す。当該字には去声点を差す。その中古音が示す舌内撥音韻尾 -n を「ム」で対応する。上述の分析を参照。

《下巻 灊韻合口諸例》

該当例なし。

《上巻 諫韻合口諸例》

▶番号 2949b「慢」（我慢）の仮名音注「マン」については、基本的に -an で対応する。当該字には平声点を差す。図書寮本類聚名義抄に反切「下茲云莫晏反」（その反切下字に去声点）および低平調を示す仮名音注「真云マン」を見出す。後者は真興撰『大般若経音訓』による引用（いわゆる真興和音）である。観智院本には反切「莫諫反」と低平調を示す和音「マン」を見つける。日本漢音は去声、日本呉音「マン」平声を認める。

426　3．仮名音注の韻母別考察　3-2　Ⅱ韻類

憍慢 … 下茲云莫晏［□去］反 … 真云マン［平平］　　　　　　　（図書寮本類聚名義抄／248-5）

慢 莫諫反 オコタル … 和マン［平平：墨点］　　　　　　（観智院本類聚名義抄／法中 094-6）

《下巻 諫韻合口諸例》

▶番号6404b「樏」（木樏子）の仮名音注「クエン」については、基本的に -wen で対応する。当該字に声点はない。熟字6404「木樏子」には右注「モクミエンシ［平平去濁去平平濁］」仮名音注を付載するので、当該字音「グエン」を想定する。観智院本類聚名義抄に同音字注「音与官患同」を見出すが、仮名音注はない。その「官」右傍に朱筆で仮名音注「火ン（クワン）」を付載する。同書では仮名音注とともに使う「火イ・火ウ・火ク・火チ・火ン」など頻用する。また掲出字「火」に対して和音「クワ」があり、これは中古音が示す合口介音 -u- を反映する。さらに同書で「患」を再検索すると、反切「于慣反」および和音「外ン（グエン）」を見つける。この「外ン」については、同書の掲出字「外」に和音「クエ」があることを確認する。日本漢音「クワン」を認める。

樏 音与官［火ン：朱右傍］患同 …　　　　　　（観智院本類聚名義抄／佛下本 124-8）

火 呼果反 ヒ［上］／和クワ　　　　　　（観智院本類聚名義抄／佛下末 036-2）

患 于慣反 ウレフ／和外ン／ヤマヒ …　　　　　　（観智院本類聚名義抄／法中 072-1）

外 … 五會反 ホカ［平上］… 和クヱ　　　　　　（観智院本類聚名義抄／法下 134-3）

▶番号5057b「慢」（輕慢）の仮名音注「マン」については、基本的に -an で対応する。当該字には上声点を差す。上巻の諫韻当該例で分析したように、日本呉音「マン」平声を認める。

3-2-1-9　-aŋ/-ak（庚/梗/映/陌韻）

資料篇【表B-03】には庚韻（平声）梗韻（上声）陌韻（入声）開口所属の諸例が含まれる。映韻（去声）開口は該当例がない。前田本の示す仮名音注は、-aǔ/-ak, -jaǔ/-jak, -ei で基本的に対応する。異例 -apa, -at, -au, -jau, -ek がある。

《上巻 庚韻開口諸例》

▶番号2908a「更」（更衣）の仮名音注「カウ」については、基本的に -aǔ で対応する。当該字には上声点を差す。庚韻に拠れば、庚/映韻（kaŋ¹ᐟ³）二音を有する。観智院本類聚名義抄に反切「古行古孟二反」を見出すが、仮名音注はない。

更 古行古孟二反 タカヒニ［平上濁上上］… チナミ［上上上］　　（観智院本類聚名義抄／僧中 053-1）

▶番号「更」（更發）の仮名音注「カウ」については、基本的に -aǔ で対応する。当該字には去

声点を差す。上述の分析を参照。

▶番号2783「庚」（庚）の仮名音注「カウ」については、基本的に -aū で対応する。当該字には平声点を差し、右注「カノエ」を付載する。観智院本類聚名義抄に同音字注「音更」を見出すが、仮名音注はない。

　　　庚 音更 コハシ … イタツラ　　　　　　　　　　（観智院本類聚名義抄／法下 105-5）

▶番号3226「享」（享）の仮名音注「カウ」については、基本的に -aū で対応する。当該字に声点はなく、和訓「ヨシ」の同訓異字として配置する。廣韻では暁母庚韻に「亯：通也或作亯又匹庚許兩二切」とあるが、字形類似による「享」の誤認である。王仁昫刊謬補缺切韻により確認できる。観智院本類聚名義抄は両字「享」と「亯」とを区別している。同書に反切「詳雨反」（許兩反の誤認）と同音字注「音響」を見出すが、仮名音注はない。

　　　脝 膧膧脹也許庚切三 … 亯 通也或作亯又匹庚許兩二切 …　　　（宋本廣韻／暁母庚韻 xaŋ¹）

　　　響 聲也許兩切八 … 亯 獻也 … 亯 同上亦作亯 …　　　　　　（宋本廣韻／暁母養韻 xiɑŋ²）

　　　脝 許庚反膧脝ゝ四 亯 音響 通又普庚反 …　　　　　　（王仁昫刊謬補缺切韻／暁母庚韻 xaŋ¹）

　　　響 許兩反亦作嚮五 … 亯 福普耕反…　　　　　　　　（王仁昫刊謬補缺切韻／暁母養韻 xiɑŋ²）

　　　　　　　　　　　　　　　　　　〔＊「普庚反・普耕反」は別字「亯」の反切〕

　　　亯 音響 福也／又音彭　亯 正　　　　　　　　　（観智院本類聚名義抄／法下 139-5）

　　　享 今 詳雨反 祭　享 或　　　　　　　　　　　（観智院本類聚名義抄／僧下 120-6）

　　　亯 普義反 煮也／熟也 在享部　享 ヲハル トホル … 可在子部　（観智院本類聚名義抄／法下 042-3）

▶番号2510b・2766「衡」（李衡・衡）の仮名音注「カウ」については、基本的に -aū で対応する。両当該字には平声点を差す。その中古音が示す頭子音 ɣ-（等韻学の術語で言う喉音濁匣母）は有声軟口蓋摩擦音であり、日本語のガ行音をもって受容するが、中国語音韻史上における濁音声母の無声化を反映する場合はカ行音で対応する。熟字 2510「李衡」は左右注「カムシノ／サネ」を、番号2766「衡」は右注「カラハカリ」を付載する。観智院本類聚名義抄に平声点を付した同音字注「行音」を見出す。長承本蒙求には仮名音注「カウ」三例があり、それら掲出諸字に平声加濁点と平声点を加える。日本漢音「ガウ・カウ」平声を認める。

　　　衡 行［平］音 ヒラナリ … 今 ツク［：朱筆］衡 正　　（観智院本類聚名義抄／佛上 043-4）

　　　衡［平／平：加濁］カウ　　　　　　　　　　　　　　（長承本蒙求／003）

　　　衡［平］カウ　　　　　　　　　　　　　　　　　　（長承本蒙求／006・139）

　　　李衡　馬琬食經云李衡 和名加無之乃佐禰 …　　　（元和本倭名類聚抄／巻十七 11 ウ 6）

　　　衡 … 楊氏漢語抄云權衡 加良波可利　　　　　　（元和本倭名類聚抄／巻十四 03 ウ 6）

▶番号2991a「衡」（衡門）の仮名音注「カウ」については、基本的に -aū で対応する。当該字には平声濁点を差すので、字音「ガウ」を想定する。熟字2991「衡門」は右傍「イヤシキカト」を付載する。上述の分析を参照。

428　3．仮名音注の韻母別考察　3-2　Ⅱ韻類

▶番号0041「杭」（杭）の仮名音注「カウ」については、基本的に -aū で対応する。当該字には平声点を差す。異体字として「粳・稉」がある。観智院本類聚名義抄に同音字注「音庚」を見出すが、仮名音注はない。元和本倭名類聚抄には同音字注「音庚」を見つける。

　　　杭 音庚 稲／ウルシネ 今粳 ハル［上平］…　稉 同　　　　　　（観智院本類聚名義抄／法下 022-7）

　　　杭米　本草云粳米 … 粳音庚 … 和名宇流之禰　　　　　　　（元和本倭名類聚抄／巻十七 03 オ 2）

▶番号1250b・2101b・2616・2774a・2912b・3056a・3067a・3071a・3074a・3116a「行」（歩行・陸行・行・行障・鴈行・行酒・行旅・行李・行歩・行蔵）の仮名音注「カウ」については、基本的に -aū で対応する。当該諸字十例には平声点を差す。廣韻に拠れば、庚/映韻（ɣaŋ¹ᐟ³）二音と唐/宕韻（ɣɑŋ¹ᐟ³）二音を有する。その中古音が示す頭子音 ɣ-（等韻学の術語で言う喉音濁匣母）は有声軟口蓋摩擦音であり、日本語のガ行音をもって受容するが、中国語音韻史上における濁音声母の無声化を反映する場合はカ行音で対応する。観智院本類聚名義抄に「遐庚反・又胡浪反」および和音「キヤウ」（その右傍には濁音「✓」表記）を見出す。ただし、この濁音表記「✓」は明らかに「ヤ」の右傍位置（「キ」と「ウ」の中間）に付しており、期待する「キ」の右傍にはない。あるいは濁音とともに喉音撥音韻尾 -ŋ をも併せ指示する意図があるのか。長承本蒙求には仮名音注「カウ」がある。日本漢音「カウ」東声（四声体系では平声）日本呉音「ギヤウ」を認める。

　　　歩行 カチヨリ／ユク［平上平平上平／後：右注］　　　　　（図書寮本類聚名義抄／133-6）

　　　行 遐庚反 ユク［上平］…　又胡浪反 …　和キヤウ［□✓□：墨右傍］

　　　　　　　　　　　　　　　　　　　　　　　　　　　　　（観智院本類聚名義抄／佛上 042-8）

　　　行［東］カウ　　　　　　　　　　　　　　　　　　　　　　（長承本蒙求／100）

▶番号1818b「行」（長行）の仮名音注「カウ」については、基本的に -aū で対応する。当該字には上声濁点を差すので、日本語音韻史上の連濁による字音「ガウ」を想定する。上述の分析を参照。

▶番号1619b・3037b「行」（䝐行・奸行）の仮名音注「キヤウ」については、基本的に -jaū で対応する。両当該字には平声点を差す。上述の分析を参照。

▶番号 1173b・1628b・1680b「行」（梵行・同行・德行）の仮名音注「キヤウ」については、基本的に -jaū で対応する。当該諸字三例には平声濁点を差すので、字音「ギヤウ」を想定する。上述の分析を参照。

▶番号0443b・0463b「槍」（弄槍・欃槍）の仮名音注「サウ」については、基本的に -aū で対応する。両当該字には平声点を差す。廣韻に拠れば、庚韻（tsʻaŋ¹）陽韻（tsʻiɑŋ¹）二音を有する。熟字0463「欃槍」は右注「同（ハ、キホシ）」を付載する。観智院本類聚名義抄に反切「七良反」と同音字注「又音鏘叉」を見出すが、仮名音注はない。

　　　槍 七良反 距也 … ウツキ 又／音鏘叉　　　　　　　　　（観智院本類聚名義抄／佛下本 091-1）

▶番号0414b「槍」（哮槍）の仮名音注「サウ」については、基本的に -aū で対応する。当該字

3-2-1 -a 系の字音的特徴 429

には平声濁点を差すので、日本語音韻史上の連濁による「ザウ」を想定する。熟字0414「哻槍」は右注「壱越調」左注「无舞」を付載する。上述の分析を参照。

　▶番号3003b「生」（學生）の仮名音注「シヤウ」については、基本的に -jaū で対応する。当該字には上声点を差す。観智院本類聚名義抄に反切「所争反」および上昇調を示す和音「者ウ」（その右傍に墨筆で喉内撥音韻尾 -ŋ「✓」表記）を見出す。なお同書では和音「者ウ・者ク」を頻用する。長承本蒙求には仮名音注「セイ」三例があり、それらを含む掲出字四例に東声点を加える。日本漢音「セイ」東声（四声体系では平声）を認める。日本呉音「シヤウ」去声の蓋然性が高い。

　　生 所争反 イツ［平上濁］… 和者ウ［平上：墨点／□✓：墨右傍］

　　　　　　　　　　　　　　　　　　　　　（観智院本類聚名義抄／僧下 091-3）

　　者 諮野反 モノ／ヒト［上平］… 者［正：右注］　（観智院本類聚名義抄／佛ʰ中 100-3）

　　生［東］セイ　　　　　　　　　　　（長承本蒙求／010・023・065・083）

　　生［東］　　　　　　　　　　　　　　　　　　　（長承本蒙求／054）

　▶番号1725b「生」（畜生）の仮名音注「シヤウ」については、基本的に -jaū で対応する。当該字に声点はない。上述の分析を参照。

　▶番号1854b「生」（長生）の仮名音注「セイ」については、基本的に -ei で対応する。当該字には上声点を差す。上述の分析を参照。

　▶番号2234「甥」（甥）の仮名音注「セイ」については、基本的に -ei で対応する。当該字には平声点を差し、右注「ヲヒ／兄弟之子為甥」を付載する。観智院本類聚名義抄に同音字注「音生」二例（うち一例は東声点を加える）を見出すが、仮名音注はない。元和本倭名類聚抄には同音字注「生反」がある。日本漢音は東声（四声体系では平声）を認める。

　　甥 音生［東］外甥女子 ヲヒ［上上］／又メヒ［平平］　（観智院本類聚名義抄／僧下 068-1）

　　甥 … 音生　　　　　　　　　　　　　　（観智院本類聚名義抄／僧下 092-1）

　　甥 爾雅云兄弟之子爲甥 生反和名乎比　　　（元和本倭名類聚抄／巻二 16 ウ 1）

　▶番号1034「根」（根）の仮名音注「タウ」については、基本的に -aū で対応する。当該字には平声点を差し、右注「ホコタチ」左注「門両傍木也」を付載する。観智院本類聚名義抄に同音字注「音唐」を見出すが、仮名音注はない。元和本倭名類聚抄には同音字注「音唐」がある。

　　根 音唐 ホコ［平上］タチ［上濁平］　　　　（観智院本類聚名義抄／佛下本 107-5）

　　根 爾雅云根 音唐和名保古多知 … 門兩旁木也　　　（元和本倭名類聚抄／巻十 16 ウ 4）

　▶番号0976「亨」（亨）の仮名音注「ハウ」については、基本的に -aū で対応する。当該字には平声点を差し、右注「亨魚肉也」左注「亨鮮イ本烹」を付載する。観智院本類聚名義抄に反切「普美反〔＊普庚反の誤認か〕普耕反」を見出すが、仮名音注はない。なお、字形が近似している「享」は別字である。その混同は切韻系韻書の又反切「又許兩許庚二反」に顕著である。

　　磅 撫庚反五 … 亨〔＊←享〕煮又許兩許庚二反 …　（王仁昫刊謬補缺切韻／滂母庚韻 pʻaŋˈ）

430　3．仮名音注の韻母別考察　3-2　Ⅱ韻類

磅 小石落聲撫庚切四 … 亨 煮也俗作亪又許庚許兩二切 …　　　　　（宋本廣韻／滂母庚韻 p'aŋ'）

亨 普美反 煮也／熟也 在亨部　享 ヲハル トホル … 可在子部　（觀智院本類聚名義抄／法下 042-3）

烹 普耕反／ニル［上平／□ユ［平］：墨右傍］　　　　　（觀智院本類聚名義抄／佛下末 051-7）

《下巻 庚韻開口諸例》

▶番号5211b「庚」（長庚）の仮名音注「カウ」については、基本的に -aū で対応する。当該字
には平声点を差す。熟字5211「長庚」は右注「ユフツヽ」を付載する。宵の明星を指す。上巻の庚
韻当該例で分析した。

　　　長庚 兼名苑云太白星一名長庚 … 此間云 由不豆々　　　（元和本倭名類聚抄／巻一 02 オ 9）

▶番号5538b「更」（深更）の仮名音注「カウ」については、基本的に -aū で対応する。当該字
に声点はない。熟字5538「深更」は右注「同（天部晨夜分）」を付載する。熟字5537の左注「シ
ムカウ」は本来この「深更」に付載すべき仮名音注である。上巻の庚韻当該諸例で分析した。

▶番号4975a「坑」（坑坎）の仮名音注「キヤウ」については、基本的に -jaū で対応する。当
該字には去声点を差す。熟字4975「坑坎」は右傍「アナ」を付載する。觀智院本類聚名義抄に反切
「客行反」および上昇調と推測する和音「キヤウ」を見出す。長承本蒙求には仮名音注「カウ」二
例があり、その掲出字に平声点と東声点を加える。承暦本金光明最勝王経音義には「経✓」（その
掲出字に去声点）と仮名音注「キヤウ」を見つける。日本漢音「カウ」東声（四声体系では平声）
日本呉音「キヤウ」去声を認める。

　　　坑 客行反 アナ［平平］… 和キヤウ［□□上］　　　（觀智院本類聚名義抄／法中 049-6）

　　　坑［平］カウ　　　　　　　　　　　　　　　　　　　　　　　（長承本蒙求／068）

　　　坑［東］カウ　　　　　　　　　　　　　　　　　　　　　　　（長承本蒙求／134）

　　　坑［去］経✓／穴也　　　　　　　　　　　　（承暦本金光明最勝王経音義／09 ウ 5）

　　　坑 キヤウ〔＊後筆墨書〕　　　　　　　　　　（承暦本金光明最勝王経音義／09 ウ 6）

▶番号4469・6217「衡」（衡）の仮名音注「カウ」については、基本的に -aū で対応する。両
当該字には平声点を差す。番号4469「衡」は右注「同（サネ）」左注「李衡」を、番号6217「衡」
は和訓「ヒトシ」の同訓異字として位置し、右注「平也」を付載する。上巻の庚韻当該諸例で分析
したように、日本漢音「ガウ・カウ」平声を認める。

▶番号4702b「行」（操行）の仮名音注「カウ」については、基本的に -aū で対応する。当該字
には平声点を差す。上巻の庚韻開口当該諸例で分析したように、日本漢音「カウ」東声（四声体系
では平声）日本呉音「ギヤウ」を認める。

▶番号6310b「行」（微行）の仮名音注「カウ」については、基本的に -aū で対応する。当該字
には平声濁点を差すので、日本語音韻史上の連濁による字音「ガウ」を想定する。熟字6310「微

行」は右傍「ヒソカニユク」を付載する。いわゆる忍び歩きを指す。上述の分析を参照。

▶番号4998a・5003a「行」（行者・行幸）の仮名音注「キヤウ」については、基本的に -jaū で対応する。両当該字には平声点を差す。上述の分析を参照。

▶番号5597b・6938b「行」（施行・遵行）の仮名音注「キヤウ」については、基本的に -jaū で対応する。両当該字には平声濁点を差すので、字音「ギヤウ」を想定する。上述の分析を参照。

▶番号5604b「行」（時行）の仮名音注「キヤウ」については、基本的に -jaū で対応する。当該字には上声濁点を差すので、字音「ギヤウ」を想定する。熟字5604「時行［去濁上濁］」が示す差声は調値「○●」である。これは本来の調値「○●」が変化したと考える。上述の分析を参照。

▶番号4997a「行」（行道）の仮名音注「キヤウ」については、基本的に -jaū で対応する。当該字には去声点を差す。上述の分析を参照。

▶番号4902・5004a・5326b・5577b・5905b・5951b・5138a「行」（行・行啓・修行・修行・自行化他・執行・行事）の仮名音注「キヤウ」については、基本的に -jaū で対応する。当該諸字七例に声点はない。番号4902「行」は左注「文字之行也」を付載する。上述の分析を参照。

▶番号5411「笙」（笙）の仮名音注「シヤウ」については、基本的に -jaū で対応する。当該字には東声点を差す。番号5410・5411「笙」は右傍「セイ」右注「シヤウノフエ」中注「鶯音［平平］」左注「樂器也」を付載する。観智院本類聚名義抄に同音字注「音生」と仮名音注「シヤウ」を見出す。元和本倭名類聚抄には同音字注「音生俗云象乃布江」がある。定着久しい字音「シヤウ」を認める。

　　笙 音生 シヤウノフエ　　　　　　　　　　　　　　（観智院本類聚名義抄／僧上071-1）

　　笙 殿廣附 釋名云笙 音生俗云象乃布江 …　　　　　（元和本倭名類聚抄／巻四13 オ3）

▶番号5410「笙」（笙）の仮名音注「セイ」については、基本的に -ei で対応する。当該字には東声点を差す。上述の分析を参照。

▶番号5810a「生」（生）の仮名音注「シヤウ」については、基本的に -jaū で対応する。当該字には去声点を差す。上巻の庚韻当該諸例で分析したように、日本漢音「セイ」東声（四声体系では平声）日本呉音「シヤウ」去声を認める。

▶番号5460a・5516a・5516b・5900b・5908a「生」（生結香・生〻・生〻・死生不知・生天）の仮名音注「シヤウ」については、基本的に -jaū で対応する。当該諸字五例に声点はない。上述の分析を参照。

▶番号4100a・5863b「生」（生菜・常生）の仮名音注「セイ」については、基本的に -ei で対応する。両当該字には平声点を差す。上述の分析を参照。

▶番号3371「甥」（甥）の仮名音注「セイ」については、基本的に -ei で対応する。当該字には平声点を差し、右注「同（コシウト）」を付載する。上巻の庚韻当該例で分析したように、日本漢音は東声（四声体系では平声）を認める。

432　3．仮名音注の韻母別考察　3-2　Ⅱ韻類

▶番号5035b「甥」（舅甥）の仮名音注「セイ」については、基本的に -ei で対応する。当該字
には上声点を差す。上述の分析を参照。

▶番号4152a「蜡」（蛜蜡）の仮名音注「ハウ」については、基本的に -aǔ で対応する。当該字
には平声点を差す。熟字4152「蛜蜡」は左右注「アシハ／ラカニ」を付載する。観智院本類聚名義
抄に同音字注「彭」を見出すが、仮名音注はない。元和本倭名類聚抄には同音字注「彭」がある。

　　蛜蜡　彭越二音 アシハラカニ［上上上上平濁平］／下音滑　　　　　（観智院本類聚名義抄／僧下 023-3）

　　蛜蜡　兼名苑云蛜蜡 彭越二音楊氏漢語抄云葦原蟹 …　　　　（元和本倭名類聚抄／巻十九 15 ウ 4）

▶番号4154「蝱」（蝱）の仮名音注「ハウ」については、基本的に -aǔ で対応する。当該字に
は平声濁点を差すので、字音「バウ」を想定する。その中古音が示す頭子音 m-（等韻学の術語で言
う明母）は両唇鼻音であり、日本語のマ行音をもって受容する。ただし、中国語韻史上における
鼻音声母の非鼻音化（denasalization）現象により、m- > mb- > b- の音変化をする。これを反映す
る場合はバ行音で対応する。また、当該字には右注「アフ 武庚反」中注「又乍蝱」左注「齧人飛虫
也」を付載する。観智院本類聚名義抄に音注はない。承暦本金光明最勝王経音義には仮名音注「マ
ウ」がある。元和本倭名類聚抄には反切「莫衡反」と同音字注「與亡同」を見つける。日本呉音「マ
ウ」を認める。

　　盲　武庚反／無目六 蝱 虫 …　　　　　　　　　　　　　（王仁昫刊謬補缺切韻／庚韻 maŋ¹）

　　盲　目無童子／武庚切八 蝱 蟲也 …　　　　　　　　　　　　　　（廣韻／庚韻 maŋ¹）

　　虻蝱 … アフ［平平濁］／ハミ　　　　　　　　　　　（観智院本類聚名義抄／僧下 029-2）

　　蝱　マウ〔＊後筆墨書〕　　　　　　　　　　　（承暦本金光明最勝王経音義／09 オ 5）

　　蝱　說文云蝱 莫衡反與亡同字亦作蝱和名阿夫 齧人飛虫也（元和本倭名類聚抄／巻十九 26 オ 6）

《上巻 梗韻開口諸例》

▶番号3088a「捗」（捗槩）の仮名音注「カウ」については、基本的に -aǔ で対応する。当該字
には上声点を差す。熟字3088「捗槩」は左注「大略也」を付載する。観智院本類聚名義抄に上声点
を付した同音字注「音哽」を見出すが、仮名音注はない。日本漢音は上声を認める。

　　捗　音哽［上］カタシ … 捗槩 大略也　　　　　　　　（観智院本類聚名義抄／佛下本 077-1）

▶番号1635b「省」（登省）の仮名音注「シヤウ」については、基本的に -jaǔ で対応する。当
該字には上声濁点を差すので、日本語音韻史上の連濁による字音「ジヤウ」を想定する。その中古
音が示す頭子音 ṣ-（等韻学の術語で言う生母）は無声反り舌摩擦音であり、日本語のサ行をもって
受容する。観智院本類聚名義抄に反切「思井反」を見出すが、仮名音注はない。

　　省　思井反 カヘリミル［平平□□□］… ワカシ　　　　　（観智院本類聚名義抄／佛中 076-7）

▶番号1966c「省」（治部省）の仮名音注「シヤウ」については、基本的に -jaǔ で対応する。

当該字に声点はない。上述の分析を参照。

▶番号0098b「蛨」（蚱蛨）の仮名音注「マウ」については、基本的に -aū で対応する。当該字には上声点を差す。熟字0098「蚱蛨」は右注「イナコマロ」を付載する。観智院本類聚名義抄に同音字注「猛」を見出すが、仮名音注はない。元和本倭名類聚抄には同音字注「猛」がある。

蚱蛨 作猛二音 イナコマロ／上又 音祚　　　　　（観智院本類聚名義抄／僧下 024-3）

蚱蛨　本草云蚱蛨 作猛二音和名以奈古萬呂 …　　（元和本倭名類聚抄／巻十九 19 オ 9）

《下巻 梗韻開口諸例》

▶番号3621b「鯁」（骨鯁）の仮名音注「カウ」については、基本的に -aū で対応する。当該字には平声点を差す。観智院本類聚名義抄に同音字注「音耿」を見出す。承暦本金光明最勝王経音義には仮名音注「経音」と「キや✓」があり、それぞれの掲出字に去声点を加える。元和本倭名類聚抄には同音字注「音耿」を見つける。日本呉音「キヤウ」去声を認める。

鯁 音耿 ノキ［上上濁］…　　　　　　　（観智院本類聚名義抄／僧下 006-8）

鯁 ［去］経、　　　　　　　　　　　　（承暦本金光明最勝王経音義／12 オ 1）

経 ［去］キや✓〔＊字形の近似した「や」とする〕（承暦本金光明最勝王経音義／02 オ 5）

鯁　唐韻云鯁 音耿和名乃木 …　　　　　（元和本倭名類聚抄／巻十九 10 オ 8）

▶番号4104b・4852b「梗」（桔梗・桔梗）の仮名音注「キヤウ」については、基本的に -jaū で対応する。両当該字には上声点を差す。熟字4104「桔梗」は右注「アリノヒフキ」を付載する。観智院本類聚名義抄に同音字注「髙・鯁」を見出すが、仮名音注はない。

桔梗樺 結髙二音 カナツナキ［上上上濁上上］…　（観智院本類聚名義抄／佛下本 103-3）

桔梗 結鯁二音 アリノヒフキ［上上上平□平］…　（観智院本類聚名義抄／佛下本 104-2）

▶番号4121「苻」（苻）の仮名音注「カウ」については、基本的に -aū で対応する。当該字には上声点を差し、右注「アサゝ［上上上濁］」を付載する。観智院本類聚名義抄に同音字注「杏」を見出すが、仮名音注はない。元和本倭名類聚抄には同音字注「音杏」がある。

蘹苻 … 音杏 アサゝ［平上濁上］… アサツキ　苦 或苻字（観智院本類聚名義抄／僧上 031-6）

苻　爾雅注云苻菜 上音杏字亦作苦和名阿佐々 …　（元和本倭名類聚抄／巻十七 20 オ 3）

▶番号4927a「杏」（杏葉）の仮名音注「キヤウ」については、基本的に -jaū で対応する。当該字には去声濁点を差すので、字音「ギヤウ」を想定する。その中古音が示す頭子音 γ-（等韻学の術語で言う喉音濁匣母）は有声軟口蓋摩擦音であり、原則的に日本語のガ行音をもって受容する。ただし、中国語音韻史上における濁音声母の無声化を反映する場合はカ行音で対応する。熟字4927「杏葉」は左注「唐鞍具」を付載する。唐鞍の胸懸・尻懸などにかける金銅製の装飾で、形状が杏に似ている。観智院本類聚名義抄に同音字注「音符」を見出すが、仮名音注はない。元和本倭名類

434　3．仮名音注の韻母別考察　3-2　Ⅱ韻類

聚抄には同音字注「音苻」がある。

　　　　杏　音苻 カラモ、［平平平□］／アフ …　　　　　　（観智院本類聚名義抄／佛下本108-7）
　　　　杏　本草云杏子 上音苻和名加良毛々　　　　　　　　（元和本倭名類聚抄／巻十七09 オ5）
　　　　杏葉 辨色立成云杏葉 伊俾良俗云行衣布　　　　　　（元和本倭名類聚抄／巻十五02 オ8）

　▶番号5011b「省」（禁省）の仮名音注「シャウ」については、基本的に -jaŭ で対応する。当該字には上声点を差す。上巻の梗韻当該諸例で分析した。

　▶番号5201c・5936c「省」（刑部省・式部省）の仮名音注「シャウ」については、基本的に -jaŭ で対応する。両当該字に声点はない。上述の分析を参照。

　▶番号4653b「艋」（舳艋）の仮名音注「マウ」については、基本的に -aŭ で対応する。当該字には去声点を差す。熟字4653「舳艋」は右傍に「ウフネ」を付載する。観智院本類聚名義抄に同音字注「猛」を見出すが、仮名音注はない。元和本倭名類聚抄には同音字注「猛」がある。

　　　　舳艋 責猛二音 ツリフネ［上上上溷平］／下ツリフネ　（観智院本類聚名義抄／佛下本003-8）
　　　　舳艋 唐韻云舳艋 責猛二音和名豆利布禰 小漁舟也　（元和本倭名類聚抄／巻十一02 オ1）

《上巻 陌韻開口諸例》

　▶番号2328「啞」（啞）の仮名音注「アク」については、基本的に -ak で対応する。当該字に声点はなく、和訓「ワラフ」の同訓異字として位置する。廣韻に拠れば、陌韻（’ak）麥韻（’ɐk）馬/禡韻（’a²³）四音を有する。観智院本類聚名義抄に反切「乙白反・又烏雅反」および平声点を付した和音「ア」を見出す。日本呉音「ア」平声を認める。

　　　　啞 乙白反 关声 又烏雅反 失声／オフシ … 和ア［平］　（観智院本類聚名義抄／佛中041-7）

　▶番号2848a・2848b「啞」（啞〻・啞〻）の仮名音注「カウ」については、異例 -au を示す。両当該字に声点はない。仮名の字形相似による「アク」の誤認と推測する。熟字2848「啞〻」は、直前「嗷〻：カウ〻〻」直後「咬：カウ〻〻」の間に位置するため、それらの仮名音注に牽引され混同を起こす要因となったか。上述の分析を参照。

　▶番号2978b・3000b・3068a「客」（佳客・狎客・客遊）の仮名音注「カク」については、基本的に -ak で対応する。当該諸字三例には入声点を差す。熟字3000「狎客」は右傍「ナレタリ」を付載する。観智院本類聚名義抄に同音字注「各」と和音「キヤク」を見出す。長承本蒙求には仮名音注「カク」二例があり、それらの掲出字に徳声点を加える。日本漢音「カク」徳声（四声体系では入声）日本呉音「キヤク」を認める。

　　　　賓客 濱各二音 下 マラヒト［上上□□］… 和キヤク　（観智院本類聚名義抄／法下050-6）
　　　　客［徳］カク　　　　　　　　　　　　　　　　　　（長承本蒙求／031・043）

　▶番号0487b「額」（欄額）の仮名音注「カク」については、基本的に -ak で対応する。当該字

には入声点を差す。熟字 0487「欄額」は右注「ハシラヌキ」を付載する。観智院本類聚名義抄に反切「五百反」（その反切下字に入声点）と低平調を示す和音「カク」を見出す。日本漢音は入声、日本呉音「カク」入声を認める。

　　額　五百［□入］反 和カク［平平：圏点］… ヌカ［上上］　　　（観智院本類聚名義抄／佛下本 022-3）

　　額　或 ヒタヒ［上上□］／ウナシ カホ　　　　　　　　　　（観智院本類聚名義抄／佛下本 022-3）

　　欄額　辨色立成云欄額 波之良沼岐　　　　　　　　　　　（元和本倭名類聚抄／巻十 11 オ 5）

　▶番号 2770「額」（額）の仮名音注「カク［上上］」については、基本的に -ak で対応する。当該字に声点はないが、その仮名音注に高平調を示す声点を加える。日本漢音における六声体系の調類から考えれば、高平調は徳声（入声軽）の調値である。上述の分析を参照。

　▶番号 3291「額」（額）の仮名音注「カク」については、基本的に -ak で対応する。当該字に声点はなく、右注「ヌカ［上上］」を付載する。上述の分析を参照。

　▶番号 1978b「額」（定額）の仮名音注「キヤク」については、基本的に -jak で対応する。当該字に声点はない。上述の分析を参照。

　▶番号 2850a・2850b「赫」（赫ミ・赫ミ）の仮名音注「カク」については、基本的に -ak で対応する。両当該字に声点はない。観智院本類聚名義抄に反切「呼格反」を見出すが、仮名音注はない。なお、和訓「アラハス［平平濁□平］」は［平平上平］の誤記か。

　　赫 呼格反 アカシ［上上□］… アラハス［平平濁□平］　　　（観智院本類聚名義抄／僧下 085-5）

　▶番号 0098a「蚱」（蚱蜢）の仮名音注「サク」については、基本的に -ak で対応する。当該字には入声点を差す。熟字 0098「蚱蜢」は右注「イナコマロ」を付載する。観智院本類聚名義抄に同音字注「作・又音蚱」を見出すが、仮名音注はない。元和本倭名類聚抄には同音字注「作」がある。

　　蚱蜢　作猛二音 イナコマロ／上又 音蚱　　　　　　　　　（観智院本類聚名義抄／僧下 024-3）

　　蚱蜢　本草云蚱蜢 作猛二音和名以奈古萬呂 …　　　　　　（元和本倭名類聚抄／巻十九 19 オ 9）

　▶番号 1153b「澤」（夢澤）の仮名音注「タク」については、基本的に -ak で対応する。当該字には入声点を差す。その中古音が示す頭子音 ḑ-（等韻学の術語で言う澄母）は有声反り舌閉鎖音であり、日本語のダ行音をもって受容するが、中国語音韻史上における濁音声母の無声化を反映する場合はタ行音で対応する。図書寮本類聚名義抄に入声点を付した同音字注「川云音宅」（陌韻 ḑak）および「真云タク」を見出す。観智院本には同音字注「音宅」と「和同」を見つける。長承本蒙求には仮名音注「タク」二例があり、それらの掲出字に入声点を加える。元和本倭名類聚抄には同音字注「音宅」を見つける。日本漢音「タク」入声、日本呉音「タク」を認める。

　　陂澤　川云音宅［入］水草交曰澤 和云佐波［上上］… 真云タク　　（図書寮本類聚名義抄／048-1）

　　澤 音宅 ウルホシ アフラワタ［平去濁平上平］サハ［上上］… 和同

　　　　　　　　　　　　　　　　　　　　　　　　（観智院本類聚名義抄／法上 041-7）

　　澤［入］タク／タク／ハク イ本　　　　　　　　　　　　（長承本蒙求／057）

436　3．仮名音注の韻母別考察　3-2　Ⅱ韻類

　　　澤［入］タク　　　　　　　　　　　　　　　　　　　　　　　（長承本蒙求／078）
　　　澤　風土記云水草交曰澤音宅 和名左八　　　　　　　　（元和本倭名類聚抄／巻一 11 オ 4）
▶番号 2224a「鸅」（鸅鸆）の仮名音注「タク」については、基本的に -ak で対応する。当該字
には入声点を差す。その中古音が示す頭子音 ḏ-（等韻学の術語で言う澄母）は有声反り舌閉鎖音で
あり、日本語のダ行音をもって受容するが、中国語音韻史上における濁音声母の無声化を反映する
場合はタ行音で対応する。熟字 2224「鸅鸆」は右注「ヲスメトリ［上上上上平］」中左注「常在澤
中也」を付載する。観智院本類聚名義抄に入声点を付した同音字注「澤」を見出すが、仮名音注は
ない。元和本倭名類聚抄には同音字注「澤」がある。日本漢音は入声を認める。
　　　鸅鸆　澤虞［入平濁］二音 … ウスメ　　　　　　　　　（観智院本類聚名義抄／僧中 116-3）
　　　鸅鸆鳥　唐韻云鸅鸆 澤虞二音楊氏漢語抄云護田鳥於須賣止里 …

　　　　　　　　　　　　　　　　　　　　　　　　　　　（元和本倭名類聚抄／巻十八 08 オ 2）

▶番号 0025・1383b・2244・2989b「宅」（宅・弊宅・宅・下宅）の仮名音注「タク」につい
ては、基本的に -ak で対応する。当該諸字四例には入声点を差す。その中古音が示す頭子音 ḏ-（等
韻学の術語で言う澄母）は有声反り舌閉鎖音であり、日本語のダ行音をもって受容するが、中国語
音韻史上における濁音声母の無声化を反映する場合はタ行音で対応する。番号 0025「宅」は左右注
「四位已下云宅／三徒」を付載する。番号 2244「宅」は和訓「ヲリ」の同訓異字として位置する。
観智院本類聚名義抄に入声点を付した同音字注「澤」を見出すが、仮名音注はない。日本漢音は入
声を認める。
　　　宅 音澤［入］イヘ［平平］… ホシイマンマ［平平□□□］　　（観智院本類聚名義抄／法下 053-6）
▶番号 2222a「杝」（杝櫨）の仮名音注「タク」については、基本的に -ak で対応する。当該字
に声点はない。熟字 2222「杝櫨」は右注「同（ヌミクスリ）」を付載する。観智院本類聚名義抄に
入声点を付した同音字注「託」を見出すが、仮名音注はない。元和本倭名類聚抄には同音字注「託」
がある。日本漢音は入声を認める。
　　　杝櫨 二音託盧［入□］拘杷／一名下 ハ二シ［上上平濁］　　（観智院本類聚名義抄／佛下本 094-1）
　　　枸杞 … 抱朴子云一名杝櫨一名却老 杝櫨二音託盧　　（元和本倭名類聚抄／巻二十 24 ウ 5）
▶番号 1731a「嫡」（嫡子）の仮名音注「チヤク」については、基本的に -jak で対応する。当
該字には入声点を差す。観智院本類聚名義抄に反切「丁歴反」を見出すが、仮名音注はない。
　　　嫡 丁歴反 トツク／長子　　　　　　　　　　　　　　（観智院本類聚名義抄／佛中 008-1）
　　　嫡 俗 モトノメ［平平□□／□□ツロ：墨右傍］…　　　（観智院本類聚名義抄／佛中 008-1）
▶番号 1791a・1791b「嫡」（嫡ミ・嫡ミ）の仮名音注「チヤク」については、基本的に -jak で
対応する。両当該字に声点はない。上述の分析を参照。
▶番号 1851a「嫡」（嫡子）の仮名音注「チヤウ」については、異例 -jau を示す。当該字には
入声点を差しているにも関わらず、日本語音韻史上における音変化 -jaku > -jau を反映する字音把

3-2-1 -a系の字音的特徴　437

握である。掲出字の規範的な声調を示すという差声の方針が垣間見える。

　▶番号0633a・0689a・0724a・0726a・0730a・0742a・0751a・0770a・0779a・0796a・0817a・
0834a・0840a・0890a・0892a・0893a・0895a・0898a「白」（白柱・白芷・白日・白晝・白地・
白鹿・白馬・白鬚・白痴・白咲・白眠・白波・白玉・白珠・白麻・白毛・白精・白羽）の仮名音注
「ハク」については、基本的に -ak で対応する。当該諸字十八例には入声点を差す。その中古音が
示す頭子音 b-（等韻学の術語で言う脣音濁並母）は有声両脣閉鎖音であり、日本語のバ行音をもっ
て受容するが、中国語音韻史上における濁音声母の無声化を反映する場合はハ行音で対応する。観
智院本類聚名義抄に入声点を付した同音字注「音帛」を見出す。長承本蒙求には仮名音注「ハク」
二例があり、それらを含む掲出字六例に入声点を加える。日本漢音「ハク」入声を認める。

　　　白 音帛［入］シロシ キヨシ［平平上］… カナフ　　　　　（観智院本類聚名義抄／佛中103-5）

　　　白［入］　　　　　　　　　　　　　　　　　　　　（長承本蒙求／033・052・134・142）

　　　白［入］ハク　　　　　　　　　　　　　　　　　　　　　（長承本蒙求／066・143）

　　　白芷 一名 白芝／カサモチ ヨロヒ草　　　　　　　　　（観智院本類聚名義抄／僧上039-3）

　　　白地 アカラサマ［上上□□□］／イチシルシ　　　　　（観智院本類聚名義抄／佛中103-6）

　　　白地 アカラサマ［上上□□□］　　　　　　　　　　　（観智院本類聚名義抄／法中048-3）

　　　白玉 シラタマ［平平□□］　　　　　　　　　　　　　（観智院本類聚名義抄／法中013-4）

　　　白芷　雜要決云白芷一名白芝 和名加佐毛知一云與呂比久佐

　　　　　　　　　　　　　　　　　　　　　　　　　（元和本倭名類聚抄／巻二十09 オ5）

　▶番号0623a・0637a・0771a・1464b「白」（白癜・白米・白髪・周白）の仮名音注「ハク」
については、基本的に -ak で対応する。当該諸字四例に入声点はない。上述の分析を参照。

　▶番号0723a「白」（白駒）「ハツ」については、異例 -at を示す。当該字には入声点を差す。
熟字0723「白駒」は左注「ハツク」を付載する。日本語音韻史上において、促音は無表記を原則と
するゆえ字音表記「ハク」を想定するが、これでは弁別的な機能を果たせないと判断し、字音「ハ
クク」の音変化による促音「ツ」表記を施したか。

　▶番号1403b「白」（白漂）の仮名音注「ヒヤク」については、基本的に -jak で対応する。当
該字には入声点を差す。上述の分析を参照。

　▶番号0657・1896b・3006b「帛」（帛・竹帛・鴈帛）の仮名音注「ハク」については、基本的
に -ak で対応する。当該諸字三例には入声点を差す。番号0657「帛」は右注「ハクノキヌ」左注
「薄繒也」を、熟字1896「竹帛」は左注「无紙以性以竹帛書文也」を付載する。観智院本類聚名義
抄に入声点を付した同音字注「音白」と注記「ハクノキヌ」があり、低平調を示す仮名音注「ハク
［平平］」を抽出できる。元和本倭名類聚抄には反切「薄角反」と「俗云波久乃岐奴」を見つける。
日本漢音は入声、定着久しい字音「ハク」入声を認める。

　　　帛 音白［入］ハクノキ／ヌ［平平平□□］　　　　　（観智院本類聚名義抄／法中109-5）

438　3．仮名音注の韻母別考察　3-2　Ⅱ韻類

　　帛　説文云帛 薄角反俗云波久乃岐奴 薄繒也　　　　　　　（元和本倭名類聚抄／巻十二 16 オ 8）

　▶番号0901a・0902a・0903a・1042a「百」（百錬・百結・百枝・百部）の仮名音注「ハク」
については、基本的に -ak で対応する。当該諸字四例には入声点を差す。熟字1042「百部」は右
注「ホトツラ」左注「ホトカツラ」右傍「ハクフ俗」を付載する。観智院本類聚名義抄に同音字注
「音伯」二例（うち一例は入声点を加える）および和音「ヒヤク」を見出す。日本漢音は入声、日
本呉音「ヒヤク」を認める。

　　　　百部 川云保度都良［上上濁上上］… 葛类　　　　　　（図書寮本類聚名義抄／178-7）

　　　　百 音伯［入］モ丶 … 和ヒヤク　　　　　　　　　（観智院本類聚名義抄／佛上 076-8）

　　　　百 … 音伯／首額　　　　　　　　　　　　　　　（観智院本類聚名義抄／佛上 077-1）

　　　　百部 ホトツチ［上上濁上上］〔＊ホトツラの誤認〕　（観智院本類聚名義抄／法中 037-1）

　　　　百部　陶隠居本草注云百部 和名保止豆良　　　　　（元和本倭名類聚抄／巻二十 20 オ 3）

　▶番号2576b「伯」（河伯）の仮名音注「ハク」については、基本的に -ak で対応する。当該字
には入声点を差す。熟字2576「河伯」は右注「カハノカミ」左注「或加神字」を付載する。観智院
本類聚名義抄に音注を見出せない。長承本蒙求には仮名音注「ハク」八例があり、それらの掲出諸
字七例に徳声点を加えるが、一例は入声点と判断する。日本漢音「ハク」徳声（四声体系では入声）
を認める。

　　　　翁伯 アフラヒ／サキ　　　　　　　　　　　　　（観智院本類聚名義抄／僧上 099-7）

　　　　伯父 エイヲチ［平上上上］　　　　　　　　　　（観智院本類聚名義抄／僧中 051-3）

　　　　河伯神 カハノカミ［上平□□］　　　　　　　　（観智院本類聚名義抄／法下 001-6）

　　　　伯［徳］ハク　　　　　（長承本蒙求／030・051・070・080・112・137）

　　　　伯［入］ハ？ク　　　　　　　　　　　　　　　　　　（長承本蒙求／104）

　　　　伯［徳：圏点］ハク　　　　　　　　　　　　　　　　（長承本蒙求／126）

　　　　河伯　兼名苑云河伯一云水伯河之神也 和名加波乃加美　（元和本倭名類聚抄／巻二 02 ウ 4）

　▶番号0913・3165「伯」（伯）の仮名音注「ハク」については、基本的に -ak で対応する。両
当該字に入声点はない。番号3165「伯」は右注「カミ」左注「用神祇官」を付載する。上述の分析
を参照。

　　　　長官　本朝職員云 … 神祇官曰伯 … 已上皆加美　　　（元和本倭名類聚抄／巻五 03 オ 3）

　▶番号3277a「伯」（伯耆）の仮名音注「ハヽ」については、異例 -apa を示す。当該字に入声
点はない。熟字3277「伯耆」は波篇國郡部に属する地名である。元和本倭名類聚抄には借字「波々
岐」と注記する。先んじて地名が存在し、そこに文字表記を宛てたもので、やがてハ行転呼を含む
音変化 /ɸaɸaki/→/ɸawaki/→/ɸauki/→/ɸooki/ となる。

　　　　山陰國第五十六／丹波伯耆 太迩波 … 伯耆 波々岐　（元和本倭名類聚抄／巻五 09 ウ 1）

　▶番号0059b「栢」（巻栢）の仮名音注「ハク」については、基本的に -ak で対応する。当該字

には入声点を差す。熟字0059「巻栢」は右注「イハクミ」左注「イハコケ」を付載する。観智院本
類聚名義抄に入声点を付した掲出字「栢音」と入声点を付した同音字注「百」を見出すが、仮名音
注はない。日本漢音は入声を認める。

　　　栢［入］百音［入］カヘ［平平］一名梈／ウツ 俗歀　　　　　（観智院本類聚名義抄／佛下本112-6）

　　　巻栢 イハクミ［上上上平］／イハコケ［上上上濁平］　　　（観智院本類聚名義抄／佛下本112-7）

　　　巻柏　本草云巻柏 和名伊波久美一云伊波古介　　　　　（元和本倭名類聚抄／巻二十04 ウ8）

　▶番号2491「栢」（栢）の仮名音注「ハク」については、基本的に -ak で対応する。当該字に
声点はなく、右注「カヘノキ」左注「鸞栖［平平］」を付載する。当該字「栢」は「柏」と相互に
異体字である。上述の分析を参照。

　　　柏　兼名苑云柏一名梈 百菊二音和名加栢　　　　　　　（元和本倭名類聚抄／巻二十23 オ6）

　▶番号0725a「迫」（迫來）の仮名音注「ハク」については、基本的に -ak で対応する。当該字
には入声点を差す。観智院本類聚名義抄に同音字注「音百」および和音「ハク」を見出す。加えて
仮名音注「音ハク」も見つける。日本呉音「ハク」字音「ハク」を認める。

　　　迫 音百 セム［平上／□マル［平上］：墨右傍］… 和ハク　　（観智院本類聚名義抄／佛上049-5）

　　　迫 セマリ チカツケリ／音ハク　　　　　　　　　　　　（観智院本類聚名義抄／佛上060-6）

　▶番号2261a「拍」（拍浮）の仮名音注「ハク」については、基本的に -ak で対応する。当該字
には入声点を差す。熟字2261「拍浮」は右注「ヲフス」を付載する。前田本は「柏浮」を掲げるが、
熟字の用法から見て「拍浮」と訂正する。観智院本類聚名義抄に同音字注「音魄」と入声点を付し
た同音字注「百」を見出すが、仮名音注はない。傍証ながら、同書で「百」を再検索すると、和音
「ヒヤク」を見つける。日本漢音は入声を認める。

　　　拍 音魄 ウツ［平上］　拍子 百シ［入平］　　　　　　　（観智院本類聚名義抄／佛下本048-2）

　　　百 音伯［入］モ、 … 和ヒヤク　　　　　　　　　　　　（観智院本類聚名義抄／佛上076-8）

　　　拍浮 オフス［上平上］酢藝類　　　　　　　　　　　　　（観智院本類聚名義抄／佛下本048-2）

　　　拍浮　文選云拍浮 拍打也俗云於布須是也　　　　　　　（元和本倭名類聚抄／巻四07 オ8）

　▶番号1513b「拍」（頓拍子）の仮名音注「ヒヤウ」については、異例 -jau を示す。当該字に
入声点はない。日本語音韻史上における音変化 -jaku > -jau を反映する字音把握である。熟字1513
「頓拍子」は右注「同（トヒヤウシ）」仮名音注を付載する。なお、前田本は「頓柏子」を掲げる
が、熟字の用法から見て「頓拍子」と訂正する。元和本倭名類聚抄には反切「普伯反」がある。上
述の分析を参照。

　　　拍子　蔣魴切韻云拍 普伯反拍子俗云百師 打也 …　　　　（元和本倭名類聚抄／巻四10 オ7）

　《下巻 陌韻開口諸例》

440 3．仮名音注の韻母別考察 3-2 Ⅱ韻類

▶番号6111「額」（額）の仮名音注「カク」については、基本的に -ak で対応する。当該字には入声濁点を差すので、字音「ガク」を想定する。その右注「ヒタイ」中注「五陌反」左注「又乍額」を付載する。元和本倭名類聚抄には反切「五陌反」がある。上巻の陌韻当該諸例で分析したように、日本漢音は入声、日本呉音「ガク」入声を認める。

　　額　楊雄方言云額 五陌反和名比太比 …　　　　　　　　　（元和本倭名類聚抄／巻三 02 ウ 3）

▶番号6443b「額」（帽額）の仮名音注「カウ」については、異例 -au を示す。当該字に入声点はない。日本語音韻史上における音変化 -aku > -au を反映する字音把握である。熟字6443「帽額」は右注「モカウ」を付載する。広辞苑第七版には「御帳の上方の帷の掛け際や、上長押または御簾の上部の外側に、横に幕のように張る布帛。水引幕の類」と説明する。観智院本類聚名義抄が掲げる熟字「末額」に仮名音注を含む「此間音末カウ」を見出す。同書の編者から見た「此間音」は当時における最近の字音把握と解釈する。同書には促音無表記「マカウ」も見つける。

　　末額 此間音末［入］／カウ［平平］冠幞类　　　　　（観智院本類聚名義抄／佛下本 022-4）

　　額巾［イ无：朱左傍］マカウ　　　　　　　　　（観智院本類聚名義抄／佛下本 022-4）

▶番号4653a「舴」（舴艋）の仮名音注「サク」については、基本的に -ak で対応する。当該字には入声点を差す。観智院本類聚名義抄に同音字注「音責」二例を見出すが、仮名音注はない。傍証ながら、同書で「責」を再検索すると、反切「側革反」および和音「者ク」がある。元和本倭名類聚抄には同音字注「責」がある。

　　舴 音責 舴艋　　　　　　　　　　　　　　　（観智院本類聚名義抄／佛下本 003-8）

　　舴艋 責猛二音 ツリフネ［上上上濁平］…　　　　（観智院本類聚名義抄／佛下本 003-8）

　　責 側革反 ワサハヒ［上上□□］… 和者ク　　　　（観智院本類聚名義抄／佛下本 016-5）

　　舴艋 唐韻云舴艋 責猛二音和名豆利布禰 小漁舟也　　（元和本倭名類聚抄／巻十一 02 オ 1）

▶番号6137b「䊯」（䊯䉤）の仮名音注「サク」については、基本的に -ak で対応する。当該字には入声点を差す。熟字6137「䊯䉤」は左右中注「非米非粥之／義也蕡米夕／水者也」を付載する。観智院本類聚名義抄に入声点を付した同音字注「索」を見出すが、仮名音注はない。傍証ながら、同書で「索」を再検索すると、仮名音注「シヤク・サク」を見出す。同書の凡例部分「朱音者正音也墨声者和音也」（篇目 7-6）に従えば、朱墨で正音と和音を分別する傾向がある。これに従えば、両音形ともに墨筆であり日本呉音となるが、その「サク」には疑義が残る。元和本倭名類聚抄には同音字注「索」がある。日本漢音は入声を認める。

　　䊯䉤 䊯索［去入］二音／ヒメ［平平］　　　　　（観智院本類聚名義抄／佛下本 086-7）

　　索 音錯［入／シヤク：墨右注／サク：墨左注］…　　（観智院本類聚名義抄／法中 114-6）

　　䊯䉤 唐韻云䊯䉤 䊯索二音和名比女或説云非米非粥之義也 蕡米多水者也

　　　　　　　　　　　　　　　　　　　　　　　　（元和本倭名類聚抄／巻十六 12 オ 4）

▶番号5735b「栅」（城柵）の仮名音注「サク」については、基本的に -ak で対応する。当該字

には入声点を差す。観智院本類聚名義抄に反切「叉白反」を見出すが、仮名音注はない。元和本倭名類聚抄には同音字注「音素」がある。

　　　柵　叉白反 柵編 竪木／マセカキ［平平□□］　　　　　（観智院本類聚名義抄／法下 033-6）

　　　柵　説文云柵 音素 編竪木也　　　　　　　　　　　　　（元和本倭名類聚抄／巻十 13 オ 4）

　▶番号 4103a・4280・4435・4455a・4835b「澤」（澤蘭・澤・澤・澤蘭・夢澤）の仮名音注「タク」については、基本的に -ak で対応する。当該諸字五例には入声点を差す。熟字 4103「澤蘭」は右注「アカマクサ［上上上上平］」左注「又サワアラミキ［上上上上上平］」を、番号 4280「澤」は右注「アフラワタ」中左注「人髪恒枯悴以此／令濡澤也」を、番号 4435「澤」は右注「サハ」を、熟字 4455「澤蘭」は右中注「サハアラ／ラキ」左注「又アカマクサ」を付載する。上巻の陌韻当該例で分析したように、日本漢音「タク」入声、日本呉音「タク」入声を認める。

　　　澤蘭　陶隠居本草注云澤蘭 和名佐波阿良々木一云阿加末久佐 …
　　　　　　　　　　　　　　　　　　　　　　　　　　　　　（元和本倭名類聚抄／巻二十 06 ウ 5）

　　　澤　釋名云人髪恒枯悴以此令濡澤也 … 阿布良和太　（元和本倭名類聚抄／巻十四 05 ウ 4）

　▶番号 4682b・6636b「擇」（採擇・撰擇）の仮名音注「タク」については、基本的に -ak で対応する。両当該字には入声点を差す。観智院本類聚名義抄に同音字注「音宅」および和音「チヤク」を見出す。日本呉音「チヤク」を認める。

　　　擇　音宅 エラフ／ハナツ 和チヤク　　　　　　　　　　（観智院本類聚名義抄／佛下本 074-6）

　▶番号 6590b「陌」（阡陌）の仮名音注「ハク」については、基本的に -ak で対応する。当該字には入声点を差す。その中古音示す頭子音 m-（等韻学の術語で言う脣音清濁明母）は両唇鼻音であり、日本語のマ行音をもって受容する。ただし、中国語音韻史上における鼻音声母の非鼻音化（denasalization）現象により、m->mb->b- の音変化をする。これを反映する場合はバ行音で対応する。観智院本類聚名義抄に同音字注「音百」と反切「亡百反」および和音「ハク」を見出す。日本呉音「ハク」入声を認める。早くから鼻音声母の非鼻音化による字音認識をしていたか。

　　　陌 音百 亡百反 … ミチ［上上］… 和ハク　　　　　　　（観智院本類聚名義抄／法中 045-4）

　　　阡陌 トモカクモ …　　　　　　　　　　　　　　　　　（観智院本類聚名義抄／法中 045-4）

　▶番号 5851b「白」（周白）の仮名音注「ハク」については、基本的に -ak で対応する。当該字には徳声点を差す。差声の位置から見て徳声（入声軽）であるが、漢音声調においては、中古音が示す頭子音の清濁によって徳声と入声が識別される。徳声（入声軽）は「清・次清・清濁」に、入声（入声重）は「濁」に対応する。当該字「白」の中古音（陌韻 bak）は等韻学の術語で言う脣音濁並母陌韻二等であるから、徳声ではなく入声の誤認である。上巻の陌韻当該諸例で分析したように、日本漢音「ハク」入声を認める。

　▶番号 6758d「白」（清浄潔白）の仮名音注「ハク」については、基本的に -ak で対応する。当該字には入声点を差す。熟字 6758「清浄潔白」に右傍「セイミミケツハク」を付載する。上述の分

442　3．仮名音注の韻母別考察　3-2　Ⅱ韻類

析を参照。

　▶番号6821b「白」（寸白）の仮名音注「ハク」については、基本的に -ak で対応する。当該字に声点はない。上述の分析を参照。

　▶番号6062a・6201a・6241a「白」（白檀・白青・白毫）の仮名音注「ヒヤク」については、基本的に -jak で対応する。当該諸字三例には入声濁点を差すので、字音「ビヤク」を想定する。その中古音が示す頭子音 b-（等韻学の術語で言う唇音濁並母）は有声両唇閉鎖音であり、日本語のバ行音をもって受容する。熟字6062「白檀」は右注「ヒヤクタン俗」中左注「栴檀百者白檀」を、熟字6201「白青」は右傍「ヒヤクシヤウ俗」左注「繪具也」を付載する。注記「俗」は定着久しい字音と解釈しておく。上述の分析を参照。

　　　白檀　内典云栴檀白者謂之白檀　　　　　　（元和本倭名類聚抄／巻二十22ウ1）

　　　白青　蘇敬本草注云白青一名魚目青形魚目故以名也　（元和本倭名類聚抄／巻十三12オ5）

　▶番号6072a・6102a・6161a・6188a「白」（白附子・白丁・白盖・白鑞）の仮名音注「ヒヤク」については、基本的に -jak で対応する。当該諸字四例に声点はない。熟字6161「白盖」は中左注「髙座白／盖也」を、熟字6188「白鑞」は右注「鑞イ本」中左注「又シラナ／マリ」を付載する。上述の分析を参照。

　　　錫　…　兼名苑云一名白鑞 盧盍反和名之路奈麻利　（元和本倭名類聚抄／巻十一17オ6）

　▶番号5219a「百」（百合）の仮名音注「ヒヤク」については、基本的に -jak で対応する。当該字には入声点を差す。熟字5219「百合」は右注「ユリ［去上］」を付載する。上巻の陌韻当該諸例で分析したように、日本漢音は入声、日本呉音「ヒヤク」を認める。

　　　百合　本草云百合一名磨蘿 音罷和名由里　　　（元和本倭名類聚抄／巻二十14ウ6）

　▶番号6176a「百」（百和）の仮名音注「ヒヤク」については、基本的に -jak で対応する。当該字に声点はない。上述の分析を参照。上述の分析を参照。

　　　百和香　神仙傳云 … 百和之香燔燒也音繁　　　（元和本倭名類聚抄／巻十二03ウ9）

　▶番号4410b・4828b「伯」（佐伯・佐伯）の仮名音注「ヘキ」については、異例 -ek を示す。両当該字に声点はない。熟字4410「佐伯」は阿篇国郡部に属する地名である。熟字4828「佐伯」は佐篇姓氏部に属する。元和本倭名類聚抄に借字「佐倍木」を見出す。先んじて地名が存在し、そこに文字表記を宛てたと考える。上巻の陌韻当該諸例で分析したように、日本漢音「ハク」德声（四声体系では平声）を認める。

　　　安藝國　…　佐伯 佐倍木　　　　　　　　（元和本倭名類聚抄／巻五24オ3）

　▶番号4438b「洦」（泊洦）の仮名音注「ハク」については、基本的に -ak で対応する。当該字には入声点を差す。熟字4438「泊洦」は右注「サ𛀁ヲラミ」右傍「ハクハク」を付載する。前田本では「泊湘」を掲げるが、字形が近似した「泊洦」の誤認である。観智院本類聚名義抄は掲出字として熟字「泊洦」を掲げ、和訓「サ、ラナミ」を付載する。元和本倭名類聚抄は「泊洦」を掲げ、

同音字注「柏」がある。

伯 長也 … 博陌切八 … 湘 洦湘淺水 …　　　　　　　　　　　（宋本廣韻／幫母陌韻 pak）

泊 普博反 … 薄音 トマリ［上上上］… サ丶ラナミ …　　（観智院本類聚名義抄／法上 009-2）

湘 音相 ニル／サ丶ラナミ　　　　　　　　　　　　　　（観智院本類聚名義抄／法上 042-5）

泊湘 サ丶ラナミ　　　　　　　　　　　　　　　　　　（観智院本類聚名義抄／法上 042-6）

泊湘　唐韻云淺水貌也白柏二音文選師説 左々良奈三　　（元和本倭名類聚抄／巻一 14 オ 8）

　▶番号 6150a「拍」（拍子）の仮名音注「ハク」については、基本的に -ak で対応する。当該字には入声点を差す。熟字「拍子」は右傍 6150「ハク」右注 6149「ヒヤウシ」中左注「並〔*普の誤認〕伯反 拍板／樂器名」を付載する。なお、前田本は「柏子」を掲げるが、熟字の用法から見て「拍子」と修正する。上巻の陌韻当該諸例で分析したように、日本漢音は入声を認める。

　▶番号 6149a「拍」（拍子）の仮名音注「ヒヤウ」については、異例 -jau を示す。当該字には入声点を差す。日本語音韻史上における音変化 -jaku > -jau を反映する字音把握である。熟字「拍子」は右傍 6150「ハク」右注 6149「ヒヤウシ」中左注「並〔*普の誤認〕伯反 拍板／樂器名」を付載する。なお、前田本は「柏子」を掲げるが、熟字の用法から見て「拍子」と訂正する。上述の分析を参照。

3-2-1-10　-uaŋ/-uak（庚/梗/映/陌韻）

資料篇【表 B-03】には庚韻（平声）梗韻（上声）合口所属の諸例が含まれる。映韻（去声）陌韻（入声）合口の該当例はない。前田本の示す仮名音注は、-waū で基本的に対応する。

《上巻 庚韻合口諸例》

　▶番号 2351a・3222a「横」（横笛・横笛）の仮名音注「クワウ」については、基本的に -waū で対応する。当該諸字二例には平声点を差す。廣韻に拠れば、庚/映韻（ɣuaŋ¹/³）唐韻（kuɑŋ¹）三音を有する。その中古音が示す頭子音 ɣ-（等韻学の術語で言う喉音濁匣母）は有声軟口蓋摩擦音であり、日本語のガ行音をもって受容するが、中国語音韻史上における濁音声母の無声化を反映する場合はカ行音で対応する。一方で、摩擦が弱化して聞こえると有声軟口蓋接近音 ɰ-（有声両唇軟口蓋接近音 w-）のように把握する可能性がある。日本呉音の基層において、匣母が ɣ-・ɰ- に二分していたと推測する。熟字「横笛」は右傍 2351「クワウチク」右注 2805「ワウチヤク」左注「又ヨコフへ」を、熟字 3222「横笛」は右注「ヨコフへ」を付載する。観智院本には平声点を付した同音字注「音宏」と「又去」および和音「ワウ」（その右傍には喉内撥音韻尾 -ŋ「✓」表記）を見つける。長承本蒙求には仮名音注「ワウ」があり、その掲出字に平声点を加える。傍証ながら、同書

で「宏」に対しては同音字注「黄」と仮名音注「火ウ」があり、その掲出字に平声点を加える。承暦本金光明最勝王経音義には仮名音注「ワウ」があり、その掲出字に平声濁点を加える。圏点による濁点を差した理由は不明。日本漢音「ワウ」平/去声、日本呉音「ワウ」平声を認める。

横 音宏［平］ヨコサマ［上上去上／□□シ□：墨右傍］… キヌハリ 又去 ミツ 和ワウ［□✓：右傍］
(観智院本類聚名義抄／佛下本101-2)

横笛 ヨコヘ［上上平濁平］ (観智院本類聚名義抄／僧上080-2)

横［平］ワウ〔＊一部欠損〕 (長承本蒙求／005)

宏［平］黄／火ウ (長承本蒙求／028)

横［平濁：圏点］ワウ［：右傍］〔＊後筆墨書〕 (承暦本金光明最勝王経音義／07オ6)

横笛 律書樂圖云横笛 音敵和名與古布江 … (元和本倭名類聚抄／巻四13オ8)

▶番号2444a・2805a・2385a・2397a「横」（横被・横笛・横死・横笛）の仮名音注「ワウ」については、基本的に -waū で対応する。当該諸字四例には平声点を差す。熟字2444「横被」は左注に「帔同」右注「ワウヒ俗」仮名音注を付載する。僧が法衣に七条以上の袈裟を着るとき、右肩にかける長方形の布を「横被・横帔」と言う。図書寮本類聚名義抄は熟字「横被」に対して同音字注「川云俗云王微［平平濁］二音」を注記するが、元和本倭名類聚抄には当該注記を見出せない。定着久しい字音として「ワウ」を把握していたと推測する。上述の分析を参照。

横被 川云俗云／王微［平平濁］二音 (図書寮本類聚名義抄／335-1)

横被 内典云昔有婇女見阿難端正発想爾時阿難爲覆蔵其身始有横被又名覆肩衣
(元和本倭名類聚抄／巻十三06オ5)

《下巻 庚韻合口諸例》

▶番号4546・5873b「觥」（觥・觥兕）の仮名音注「クワウ」については、基本的に -waū で対応する。両当該字には平声点を差す。牛に似た一角獣である兕牛の角で作った盃を意味する。七升あるいは五升はいると言う。番号4546「觥」は右注「同（サカツキ）」を付載する。観智院本類聚名義抄に反切「古横反」を見出すが、仮名音注はない。

觥 古横反 角爵／五骰上 サカツキ (観智院本類聚名義抄／佛下本010-2)

▶番号4916「横」（横）の仮名音注「クワウ」については、基本的に -waū で対応する。当該字に声点はない。番号4916「横」は右注「キヌハリ」左注「張衣也」を付載する。上巻の庚韻合口当該諸例で分析したように、日本漢音「ワウ」平/去声、日本呉音「ワウ」平声を認める。

▶番号5874b「横」（横従）の仮名音注「ワウ」については、基本的に -waū で対応する。当該字には平声点を差す。上述の分析を参照。

3-2-1　-a 系の字音的特徴　445

《上巻 梗韻合口諸例》

該当例なし。

《下巻 梗韻合口諸例》

▶番号 4282「礦」（礦）の仮名音注「クワウ」については、基本的に -waū で対応する。当該
字には上声点を差し、右注「アラト」左注「麁礦石也」を付載する。観智院本類聚名義抄に同音字
注「音黄」二例と反切「古猛反」および上昇調と推測する和音「火ウ」また低平調と推測する和音
「火ウ」を見出す。日本呉音「クワウ」平/去声を認める。

　　礦礦 音黄 古猛反 アラト［上上上］… 和火ウ［□上］　　　　　（観智院本類聚名義抄／法中 002-8）
　　鉱鉮鑛 三俗 礦砿礦三正 古 … 和火ウ［□平］　　　　　　　（観智院本類聚名義抄／僧上 125-5）
　　礦 音黄／カナマリ　　　　　　　　　　　　　　　　　　　　（観智院本類聚名義抄／僧上 125-5）

3-2-1-11　–auŋ/-auk（江/講/絳/覺韻）

資料篇【表 B-03】には江韻（平声）講韻（上声）絳韻（去声）覺韻（入声）所属の諸例が含まれ
る。前田本の示す仮名音注は、-aū/-ak, -oū/-ok, jok ⑶⑻ で基本的に対応する。異例 -an, -uk があ
る。

《上巻 江韻諸例》

▶番号 0019「矼」（矼）の仮名音注「カウ」については、基本的に -aū で対応する。当該字に
は平声点を差し、右注「同（イシハシ）」を付載する。図書寮本類聚名義抄に同音字注「川云音江」
を見出す。観智院本には東声点を付した同音字注「江」を見つけるが、仮名音注はない。元和本倭
名類聚抄には同音字注「江」がある。日本漢音は東声（四声体系では平声）を認める。

　　矼 川云音江 和名／以之波之［上上上濁平］　　　　　　　　（図書寮本類聚名義抄／149-6）
　　矼 音江［東］／イシハシ［上上上濁□］　　　　　　　　　　（観智院本類聚名義抄／法中 012-2）
　　石橋 爾雅注云矼 音江和名以之波之 石橋也　　　　　　　　（元和本倭名類聚抄／巻十 19 オ 1）

▶番号 2882b「江」（江海）の仮名音注「カウ」については、基本的に -aū で対応する。当該字
には平声点を差す。図書寮本類聚名義抄に反切「中云古雙反」（その反切下字に平声点）を見出す。
観智院本には反切「古雙反」および濁音を含む低平調の和音「カアウ」（二音節三拍に相当する）
を見つける。長承本蒙求には仮名音注「カウ」七例があり、それらの掲出諸字に東声点を加える。

446　3．仮名音注の韻母別考察　3-2　Ⅱ韻類

承暦本金光明最勝王経音義には仮名音注「カウ」を見つける。日本漢音「カウ」東声（四声体系では平声）日本呉音「カウ」平声を認める。日本呉音「ガウ」は保留する。

　　　江河 上 中云古雙 ［□平］／反 小海也 … 川云和名衣 ［平］ …　　　（図書寮本類聚名義抄／006-2）

　　　江 古雙反 エ／和カアウ ［平濁平平：墨圏点］　　　　（観智院本類聚名義抄／法上 001-7）

　　　江 ［東］ カウ　　　　（長承本蒙求／015・036・041・053・078・091・133）

　　　江 カウ ［：右傍］ 〔＊後筆墨書〕　　　　（承暦本金光明最勝王経音義／10 ウ 1）

▶番号 1493「釭」（釭）の仮名音注「カウ」については、基本的に -aū で対応する。当該字には平声点を差し、右注「同（トモシヒ）」を付載する。廣韻に拠れば、江韻 (kauŋ¹) 東韻 (kʌuŋ¹) 冬韻 (kɑuŋ¹) 三音を有する。観智院本類聚名義抄に平声点を各々付した同音字注「工江二音」を見出すが、仮名音注はない。日本漢音は平声を認める。

　　　釭 工江 ［平平］ 二音 カモ ［平平］ … トモシヒ　　　　（観智院本類聚名義抄／僧上 122-6）

▶番号 2891a「降」（降伏）の仮名音注「カウ」については、基本的に -aū で対応する。当該字には去声濁点を差すので、字音「ガウ」を想定する。廣韻に拠れば、江韻 (ɣauŋ¹) 絳韻 (kauŋ³) 二音を有する。その中古音が示す頭子音 ɣ-（等韻学の術語で言う喉音濁匣母）は有声軟口蓋摩擦音であり、日本語のガ行音をもって受容するが、中国語音韻史上における濁音声母の無声化を反映する場合はカ行音で対応する。図書寮本類聚名義抄に同音字注「音絳」と反切「中云下江反・玉云又胡江反」を見出す。観智院本には同音字注「音絳」と和音「我ウ」を見つける。同書で「我」を再検索すると、濁音を含む和音「カア ［平濁平／✓□：朱右傍］」があり、一音節二拍「ガア」と字音把握している。同書では「告・豪・恒・降・剛」諸字の注記として和音「我ウ」を見つける。長承本蒙求には仮名音注「カウ」二例があり、その掲出字に平声点と去声点を加える。日本漢音「カウ」平/去声、日本呉音「ガウ」を認める。

　　　降伏 音絳 中云下江反 降伏也 玉云又胡江反 下也 …　　　　（図書寮本類聚名義抄／197-7）

　　　降 音絳 クタス ［□上濁平／□□ル：墨右傍］ … 和我ウ　　　　（観智院本類聚名義抄／法中 040-3）

　　　我 吾可反 ワレ ［平上］ … 和カア ［平濁平／✓□：朱右傍］　　　（観智院本類聚名義抄／僧中 042-1）

　　　降 ［去］ カウ 〔＊長承三年点と同時期の加筆〕　　　　（長承本蒙求／022）

　　　降 ［平］ カウ 〔＊一部欠損〕　　　　（長承本蒙求／134）

▶番号 0261b・3032a「降」（以降・降人）の仮名音注「カウ」については、基本的に -aū で対応する。両当該字には平声点を差す。上述の分析を参照。

　　　以降 コノカタ　　　　（観智院本類聚名義抄／法中 040-3）

▶番号 3141b「降」（請降）の仮名音注「コウ」については、基本的に -oū で対応する。当該字に声点はない。日本語音韻史上における音変化 -au > -ou を反映する字音把握である。上述の分析を参照。

▶番号 0654・0922b「幢」（幢・採幢）の仮名音注「トウ」については、基本的に -oū で対応

する。両当該字には平声点を差す。廣韻に拠れば、江/絳韻（ḍauŋ$^{1/3}$）二音を有する。その中古音が示す頭子音 ḍ-（等韻学の術語で言う澄母）は有声反り舌閉鎖音であるから、日本語のダ行音をもって受容するが、中国語音韻史上における濁音声母の無声化を反映する場合はタ行音で対応する。番号 0654 は右注「ハタホコ」を付載する。図書寮本類聚名義抄に反切「宅江反」（その反切下字に平声点を付載）を見出す。また注記「公云幢」（平声点・去声点を差す）があり、仮名音注「タウ・トウ」を掲げる。観智院本には反切「直江反」と平声点と去声墨濁点を付した同音字注「音同」を見つける。同書の凡例部分「朱音者正音也墨声者和音也」（篇目 7-6）に従えば、朱墨で正音と和音を分別する傾向があるので、去声墨濁点は和音声調を示すと見ておく。承暦本金光明最勝王経音義には仮名音注「トウ音」がある。日本漢音は平/去声「タウ・トウ」日本呉音「ドウ」去声を認める。

　　　幢幡 中云宅／江［□平］反 玉云 … 又直絳反 …

　　　　公云幢［平・去］タウ トウ ホハシラ［上上濁上平／白：右注］… 　　（図書寮本類聚名義抄／282-3）

　　　幢 直江反 ハタホコ［上上上］… 音同［平／去濁：墨点］… 　　（観智院本類聚名義抄／法中 105-3）

　　　同 音童［平］オナシ［平平平濁］… 　　　　　　　　　　　　　　（観智院本類聚名義抄／僧下 106-1）

　　　幢 トウ六［：右傍］〔＊後筆墨書〕 　　　　　　（承暦本金光明最勝王経音義／09 ウ 1）

▶番号 1275b「幢」（寶幢院）の仮名音注「タウ」については、基本的に *-aū* で対応する。当該字には去声濁点を差すので、字音「ダウ」を想定する。前田本が掲げる字形は「憧」のように見えるが、立心偏ではなく巾偏の「幢」である。以下の二例も同じ。上述の分析を参照。

▶番号 1168b「幢」（寶幢）の仮名音注「トウ」については、基本的に *-oū* で対応する。当該字には去声濁点を差すので、字音「ドウ」を想定する。上述の分析を参照。

　　　寶幢　華嚴經偈云寶幢諸幡盖 　　　　　　　　　　（元和本倭名類聚抄／巻十三 03 オ 5）

▶番号 1110b「幢」（寶幢）の仮名音注「トウ」については、基本的に *-oū* で対応する。当該字に声点はなく、右注の仮名音注「ホウトウ俗」を付載する。定着久しい字音把握と解釈しておく。上述の分析を参照。

▶番号 2624「哤」（哤）の仮名音注「マウ」については、基本的に *-aū* で対応する。当該字には平声点を差す。観智院本類聚名義抄に反切「莫江反」（その反切下字に平声点）を見出すが、仮名音注はない。日本漢音は平声を認める。

　　　哤 莫江［入平］反 ミタル［平平濁上］… 　　　　　　　（観智院本類聚名義抄／佛中 027-1）

▶番号 2126a・2127a「瀧」（瀧頭・瀧外）の仮名音注「リョウ」については、異例 *-joū* を示す。両当該字には上声点を差す。廣韻に拠れば、江韻（lauŋ^1・ṣauŋ^1）東韻（lʌuŋ^1）三音を有する。諸声符「龍」（来母鍾韻 liouŋ^1）からの類推による字音把握と推測する。熟字 2126「瀧頭」は右注「鼓名」を、熟字 2127「瀧外」は右注「笛名」を付載し、両者ともに楽器名を表す。図書寮本類聚名義抄に反切「玉云力弓反」（その反切下字に平声点）と同音字注「音籠」（その右傍に仮名音注「ロウ」）さらに反切「鮊又所江呂江反」（両反切下字に平声点）を見出す。観智院本には同音字

448　3．仮名音注の韻母別考察　3-2　Ⅱ韻類

注「音籠」と反切「呂江反・又力弓反」を見つける。傍証ながら、同書で「龍」を再検索すると、反切「力鍾反」および上昇調と推測する「和リウ」（その右傍に朱筆で喉内撥音韻尾 -ŋ「✓」表記）がある。元和本倭名類聚抄には反切「呂江反」がある。日本漢音「ロウ」平声を認める。

　　瀧　玉云力弓［□平］反／雨也　清也／音籠［ロウ：右傍］… 魴又所エ［□平］呂江［□平］反

　　　　　　　　　　　　　　　　　　　　　　　　　　　（図書寮本類聚名義抄／052-1）

　　瀧　音籠 沾漬 又所エ反 州名 呂江反／雨声 又力弓反　　（観智院本類聚名義抄／法上 035-3）

　　籠 … 慮江反／一音籠 又力孔反 …　　　　　　　　　　（観智院本類聚名義抄／僧上 074-1）

　　龍 … 力鍾反／タツ［上上］和リウ［□上／□✓：墨右傍］（観智院本類聚名義抄／僧下 074-2）

　　瀧　唐韻云南人名淵曰瀧呂江反 和名多木 …　　　　　　（元和本倭名類聚抄／巻一 15 オ 2）

《下巻 江韻諸例》

▶番号 3737・5865b「江」（江・蜀江）の仮名音注「カウ」については、基本的に -aū で対応する。両当該字には平声点を差す。番号 3737「江」は右注「エ」左注「古雙反」を付載する。上巻の江韻当該例で分析したように、日本漢音「カウ」東声（四声体系では平声）日本呉音「カウ」平声を認める。日本呉音「ガウ」は保留する。

▶番号 4316「扛」（扛）の仮名音注「カウ」については、基本的に -aū で対応する。当該字には平声点を差し、和訓「アク［上平濁］」の同訓異字として位置する。観智院本類聚名義抄に同音字注「江」を見出すが、仮名音注はない。

　　扛 … 音江／アク［上平濁］　　　　　　　　　　　　（観智院本類聚名義抄／佛下本 060-5）

▶番号 6434「缸」（缸）の仮名音注「カウ」については、基本的に -aū で対応する。当該字には平声点を差し、右注「同（モタヒ）」左注「長頚甖」を付載する。観智院本類聚名義抄に同音字注「降」を見出すが、仮名音注はない。

　　缸 … 音降／訓罐之類　　　　　　　　　　　　　　　（観智院本類聚名義抄／僧中 022-4）

　　甕　楊雄方言云自関而東甖謂之甕 … 和名毛太非　　　（元和本倭名類聚抄／巻十六 07 オ 5）

▶番号 5881b「降」（昇降）の仮名音注「カウ」については、基本的に -aū で対応する。当該字には平声点を差す。上巻の江韻当該諸例で分析したように、日本漢音「カウ」平/去声、日本呉音「ガウ」を認める。

▶番号 5736b「窓」（松窓）の仮名音注「サウ」については、基本的に -aū で対応する。当該字には平声点を差す。観智院本類聚名義抄に反切「楚江反」および上昇調と推測する和音「ソウ」（その右傍に朱筆で喉内撥音韻尾 -ŋ「✓」表記）を見出す。長承本蒙求には仮名音注「サウ」があり、その掲出字に東声点を加える。日本漢音「サウ」東声（四声体系では平声）日本呉音「ソウ」去声を認める。

3-2-1 -a系の字音的特徴 449

　　窓 楚江反 マト［平上濁］… 和ソウ［□上／□√：朱右傍］　　　（観智院本類聚名義抄／法下 060-3）
　　窓 ［東］サウ　　　　　　　　　　　　　　　　　　　　　　　　（長承本蒙求／134）

▶番号 6827a「雙」（雙六）の仮名音注「サウ」については、基本的に -au で対応する。当該字には平声点を差す。当該の熟字「雙六」は右傍 6827「サウリク」右注 6828「スクロク」を付載する。観智院本類聚名義抄に反切「所江反」二例を見出す。長承本蒙求には仮名音注「サウ」二例があり、それらの掲出字に東声点を加える。日本漢音「サウ」東声（四声体系では平声）を認める。

　　雙 所江反 偶／ナラフ［上上平濁］フタリ［上上平］　　　（観智院本類聚名義抄／僧中 054-1）
　　雙 所江反／フタツ … ヲトロフ　雙 正　　　　　　　　　（観智院本類聚名義抄／僧中 136-7）
　　雙 ［東］相／サウ〔＊長承三年点と同時期の加筆〕　　　　（長承本蒙求／062）
　　雙 ［東］サウ　　　　　　　　　　　　　　　　　　　　　　　（長承本蒙求／133）

▶番号 6828a「雙」（雙六）の仮名音注「スク」については、異例 -uk を示す。当該字には平声点を差す。熟字 6828「雙六」は、エジプトまたはインドに起こり、中国を経て奈良時代以前に伝わった室内遊戯を指す。元和本倭名類聚抄に借字「俗云須久呂久」を見つける。早くから定着していたためか、字音の意識が希薄であったと推測する。

　　雙六　兼名苑云雙六子一名六采 今案簿亦是也簿音博俗云須久呂久

　　　　　　　　　　　　　　　　　　　　　　　　　（元和本倭名類聚抄／巻四 05 ウ 9）

▶番号 6862a「雙」（雙六采）の仮名音注「スク」については、異例 -uk を示す。当該字に声点はない。熟字 6862「雙六采」は左右注「スクロク／サイ」仮名音注を付載する。上述の分析を参照。

▶番号 4777b「幢」（採幢）の仮名音注「トウ」については、基本的に -ou で対応する。当該字には平声点を差す。上巻の江韻当該諸例で分析したように、日本漢音は平/去声「タウ・トウ」日本呉音「ドウ」去声を認める。

▶番号 4323「瘃」（瘃）の仮名音注「ハウ」については、基本的に -au で対応する。当該字には平声点を差し、和訓「アユ」（似るの意味）の同訓異字として位置するが、本来は「むくみ」を意味する。その中古音が示す頭子音 m-（等韻学の術語で言う明母）は両唇鼻音であり、日本語のマ行音をもって受容する。ただし、中国語音韻史上における鼻音声母の非鼻音化（denasalization）現象により、m- > mb- > b- の音変化をする。これを反映する場合はバ行音で対応する。観智院本類聚名義抄に反切「莫江反」を見出すが、仮名音注はない。同書は「瘃」と字形の類似する「尨・尨」を混同している。高山寺本篆隷萬象名義に「瘃」は掲出しない。

　　瘃 オホキナリ［平平□□□］　　　　　　　　　　　　　　（観智院本類聚名義抄／法下 127-5）
　　尨 莫江原〔＊反の誤認か〕或瘃　　　　　　　　　　　　　（観智院本類聚名義抄／法下 108-5）
　　尨 莫江反 厚也豊也　　　　　　（高山寺本篆隷萬象名義／第六帖 012 ウ 1）
　　尨 亡江反 厚也籠也大也有也　　　（高山寺本篆隷萬象名義／第六帖 009 オ 1）

▶番号 6510a「尨」（尨蹄子）の仮名音注「マウ」については、基本的に -au で対応する。当該

450　3．仮名音注の韻母別考察　3-2　Ⅱ韻類

字に声点はない。熟字6510「尨蹄子」は右注「セ［去］」左注「セイ」を付載する。去声点を差す右注「セ」は上昇調であり、一音節二拍相当を示すとすれば、当該熟字の調価は「◑→○●」という認識か。前田本においては稀な例である。観智院本類聚名義抄が掲げる熟字「尨蹄子」に和訓「セイ［平上］」を見出す。まさに上昇調「○●」を示す。元和本倭名類聚抄には「和名勢」がある。

　　　尨蹄子 セイ［平上］　　　　　　　　　　　　　　（観智院本類聚名義抄／法下137-7）

　　　尨蹄子　崔禹錫食經云尨蹄子 和名勢 貌似犬蹄而附石生者也 …

　　　　　　　　　　　　　　　　　　　　　　　　（元和本倭名類聚抄／巻十九11 ウ3）

《上巻 講韻諸例》

▶番号0749b・2437a・2893a・2896a・2897a・2898a・2899a・2900a「講」（八講・講堂・講堂・講説・講莚・講經・講演・講師）の仮名音注「カウ」については、基本的に -au で対応する。当該諸字八例には平声点を差す。熟字2437「講堂」は右注「カウタウ俗」を付載する。図書寮本類聚名義抄に反切「古項反」（その反切下字に上声点）を、観智院本類聚名義抄に反切「古項反」および和音「カウ」を見出す。日本漢音は上声、日本呉音「カウ」を認める。

　　　講 弘云古項［上上］反 … カムカフ［賢：右注］　　　（図書寮本類聚名義抄／法上092-5）

　　　講 古項反 カムカフ［平平平□］ … 和カウ　　　　（観智院本類聚名義抄／法上056-8）

　　　講 弘云古項［□上］反 カムカフ［平平上濁□］ … 和カウ［□✓：墨右傍］

　　　　　　　　　　　　　　　　　　　　（鎮国守国神社本三寳類聚名義抄／中一30 ウ1）

　　　講堂　金光明經云大講堂衆會之中　　　　（元和本倭名類聚抄／巻十二02 ウ3）

▶番号1814b「講」（長講）の仮名音注「カウ」については、基本的に -au で対応する。当該字には平声濁点を差すので、日本語音韻史上の連濁による字音「ガウ」を想定する。上述の分析を参照。

▶番号0389b・1971b「講」（已講・直講）の仮名音注「カウ」については、基本的に -au で対応する。両当該字に声点はない。熟字1971「直講」は左注「在大学」を付載する。上述の分析を参照。

▶番号2860a「項」（項年）の仮名音注「カウ」については、基本的に -au で対応する。当該字には去声点を差す。観智院本類聚名義抄に反切「胡講反」および呉音「幸」と「又況」さらに仮名音注「カウ」を見出す。傍証ながら、同書で「幸」を再検索すると、低平調を示すと推測する和音「カウ」（その右傍に墨筆で喉内撥音韻尾 -ŋ「✓」表記）を見つける。その呉音「幸」と「又況」は大般若経字抄による同音字注を出典とする。字音「カウ」を認める。

　　　項 胡講反 ウナシ［平平平］ … 呉音幸 又況 上［下：右注］　（観智院本類聚名義抄／佛下本024-5）

　　　項 カウ　　　　　　　　　　　　　　　　（観智院本類聚名義抄／佛下本024-6）

幸 乎耿反 … 和カウ［□平：圏点／□✓：墨右傍］　　　（観智院本類聚名義抄／佛上 084-2）

兇〔＊況か〕項［音幸：右傍］ウナシ　　　　　（石山寺一切経蔵本大般若経字抄／01 オ 6）

　▶番号 0687「棒」（棒）の仮名音注「ハウ」については、基本的に -aū で対応する。当該字には上声濁点を差すので、字音「バウ」を想定する。また右注「同（ハサミキ）又ハウ 枝也」左注「又作杵」を付載する。その中古音が示す頭子音 b-（等韻学の術語で言う脣音濁並母）は有声両脣閉鎖音であり、日本語のバ行音をもって受容する。ただし、中国語音韻史上における濁音声母の無声化を反映する場合はハ行音で対応する。観智院本類聚名義抄に上声点を付した同音字注「音蚌」と濁音を含む上平調の「俗音ハウ」を見出す。元和本倭名類聚抄には同音字注「音蚌」がある。日本漢音は上声、定着久しい字音「バウ」上声を認める。

　　棒 音蚌［上］又包 … シモト［平平平］俗音ハウ［上濁上］　　（観智院本類聚名義抄／佛下本 084-5）

　　棒 蔣魴切韻云棒 音蚌 杖名也字亦作桙 俗音方　　（元和本倭名類聚抄／巻十三 17 オ 2）

　▶番号 0552「蚌」（蚌）の仮名音注「ハン」については、異例 -an を示す。当該字には去声点を差し、右注「同（ハマクリ）」左注「或作蟒」を付載する。前田本は当該字の諧声符を「半」（換韻 pan³）と誤写しており、いわゆる諧声符読みによる字音「ハン」を導き出した。本来は仮名音注「ハウ」を期待する。観智院本類聚名義抄に同音字注「放」を見出すが、仮名音注はない。元和本倭名類聚抄には同音字注「放」がある。

　　蚌蛤 放甲二音 ハマクリ［平平平濁上］… 上下俱ハマクリ　　（観智院本類聚名義抄／僧下 027-7）

　　蚌蛤 兼名苑云蚌蛤 放甲二音蚌或作蟒和名波萬久理 …　　（元和本倭名類聚抄／巻十九 12 ウ 8）

《下巻 講韻諸例》

該当例なし。

《上巻 絳韻諸例》

　▶番号 1716a・3121a「絳」（絳沙・絳沙）の仮名音注「カウ」については、基本的に -aū で対応する。両当該字には去声点を差す。図書寮本類聚名義抄に去声点を付した同音字注「音降」と反切「玉云古贛反」を見出す。観智院本には同音字注「音降」を見つけるが、仮名音注はない。日本漢音は去声を認める。

　　絳 音降［去］玉云古贛反／赤繪也　　　　　（図書寮本類聚名義抄／292-4）

　　絳 音降 アカイロ［ヌフ□□：墨右傍］… アケ［上上］　　（観智院本類聚名義抄／法中 130-3）

　▶番号 1711・2038b「巷」（巷・閭巷）の仮名音注「カウ」については、基本的に -aū で対応する。両当該字には去声点を差す。番号 1711「巷」は右注「同（チマタ）」を付載する。その中古

452　3．仮名音注の韻母別考察　3-2　Ⅱ韻類

音が示す頭子音 ɣ-（等韻学の術語で言う喉音濁匣母）は有声軟口蓋摩擦音であり、日本語のガ行音をもって受容するが、中国語音韻史上における濁音声母の無声化を反映する場合はカ行音で対応する。観智院本類聚名義抄に反切「胡絳反」二例および「和音向」二例（「カウ・キヤウ」両音形を想定できる）を見出す。仮名音注と同質的な扱いはできない。傍証ながら、同書で「向」を再検索すると、低平調と推測する和音「カウ」（その右傍に朱筆で喉内撥音韻尾 -ŋ「✓」表記）を見つける。元和本倭名類聚抄には反切「胡絳反」がある。

　　　巷 胡絳反 チマタ／サト 和音向　　　　　　　　　（観智院本類聚名義抄／僧上 040-7）

　　　巷 胡絳反 チマタ［上上上］／和音向 サト［上上］　　（観智院本類聚名義抄／僧上 059-6）

　　　向 許亮反 … 和カウ［□平／□✓：朱右傍］　　　　（観智院本類聚名義抄／法下 040-4）

　　　巷　唐韻云巷 胡絳反和名知末太　　　　　　　　（元和本倭名類聚抄／巻十 17 ウ 6）

　▶番号 2432a「巷」（巷所）の仮名音注「カウ」については、基本的に -aŭ で対応する。当該字には平声濁点を差すので、字音「ガウ」を想定する。熟字 2432「巷所」は左右注「耕作／西京路邊名也」を付載する。上述の分析を参照。

《下巻 絳韻諸例》

該当例なし。

《上巻 覺韻諸例》

　▶番号 2959a「角」（角立）の仮名音注「カク」については、基本的に -ak で対応する。当該字には入声点を差す。観智院本類聚名義抄に入声点を付した同音字注「音覺」を見出す。なお、注記「倭言 ハラ［去上］クタ」は元和本倭名類聚抄による引用で、それぞれ「波良能布江・久太能布江」を参照したと推測する。長承本蒙求には仮名音注「カク」があり、その掲出字に徳声点（右下不鮮明で確実性に不安を残す）を加える。元和本倭名類聚抄には反切「古岳反」を見つける。日本漢音「カク」徳声（四声体系では入声）を認める。

　　　角 音覺［入］和名 ツノ［平平］… 倭言 ハラ［去上］クタ …

　　　　　　　　　　　　　　　　　　　　　（観智院本類聚名義抄／佛下本 009-3）

　　　角［徳?］カク　　　　　　　　　　　　　　　（長承本蒙求／071）

　　　角 … 漢語鈔云大角 波良能布江 小角 久太能布江　　（元和本倭名類聚抄／巻十三 15 ウ 5）

　　　角 觡䚡附 野王云角 古岳反豆乃　　　　　　　（元和本倭名類聚抄／巻十八 21 ウ 8）

　▶番号 2653a「角」（角調）の仮名音注「カク」については、基本的に -ak で対応する。当該字に声点はない。上述の分析を参照。

角調曲　曹娘褌脱　白柱　遊宇女　　　　　　　　　（元和本倭名類聚抄／巻四 17 オ 8）

▶番号 1235b・2934a・2958a・2977a「覺」（發覺・覺悟・覺誉・覺擧）の仮名音注「カク」については、基本的に -ak で対応する。当該諸字四例には入声点を差す。廣韻に拠れば、覺韻(kauk)効韻（kau°）二音を有する。観智院本類聚名義抄に入声点を付した同音字注「音角」と「又音教」および去声点を付した「又呉音挍」を見出すが、仮名音注はない。その呉音注は大般若経字抄による漢呉二音相同の同音字注「音挍」を出典とする。元和本倭名類聚抄に古語として「覺賀鳥三字云加久加乃土利」を見つける。定着久しい字音「カク」を認める。また日本漢音は入声、日本呉音は去声を認める。

覺　音角［入］サトル … 又音教 … 又呉音挍［去］シル　　　（観智院本類聚名義抄／佛中 081-1）

睡覺［音挍：右傍］或用悟字但覺悟之處悟字非也　　　（石山寺一切経蔵本大般若経字抄／09 オ 1）

鵋鳩　爾雅集云鵋鳩 … 今案古語用覺賀鳥三字云加久加乃土利 …

（元和本倭名類聚抄／巻十八 04 オ 9）

▶番号 2566「殼」（殻）の仮名音注「カク」については、基本的に -ak で対応する。当該字には入声点を差し、右注「カヒ」左注「虫之皮甲也」を付載する。観智院本類聚名義抄に入声点を付した同音字注「音角」を見出すが、仮名音注はない。元和本倭名類聚抄には同音字注「音角」がある。日本漢音は入声を認める。

殼　音角［入］カヒ［平平］　　　　　　　　（観智院本類聚名義抄／僧中 066-8）

殼　唐韻云殼 音角和名與貝同〔＊加比〕虫之皮甲也 …　（元和本倭名類聚抄／巻十九 16 オ 5）

▶番号 2942a・3034a・3111a「確」（確執・確論・確乎）の仮名音注「カク」については、基本的に -ak で対応する。当該諸字三例には入声点を差す。熟字 2942「確執」は中注「僻也」を、熟字 3034「確論」は右傍「アサカヘシ　アラソフ」を付載する。観智院本類聚名義抄に反切「口角反」を見出すが、仮名音注はない。高山寺本篆隷萬象名義にも反切「口角反」がある。

確　口角反　　　　　　　　　　　　　　　（観智院本類聚名義抄／法中 006-4）

確　口角反 堅　　　　　　　　　（高山寺本篆隷萬象名義／第六帖 018 オ 6）

▶番号 2197「岳」（岳）の仮名音注「カク」については、基本的に -ak で対応する。当該諸字に声点はなく、右注「ヲカ」左注「又作嶽」を付載する。その中古音が示す頭子音 ŋ-（等韻学の術語で言う疑母）は軟口蓋鼻音であり、日本語のガ行音をもって受容する。また当該字「岳」は「嶽」と相互に異体字である。観智院本類聚名義抄に入声点を付した同音字注「音樂」を見出す。長承本蒙求には仮名音注「カク」三例があり、掲出字「岳」に入声点と徳声点、掲出字「嶽」に徳声点（平安時代中期の朱点と長承三年の墨点による加濁点）を加える。承暦本金光明最勝王経音義には同音字注「各音」があり、その掲出字に入声点を施す。元和本倭名類聚抄には反切「五角反」を見つける。日本漢音「ガク」徳声（四声体系では入声）日本呉音は入声を認める。

嶽〔＊部首と諧声符が上下反転の字形〕ヤマ … 音樂［入］…　（観智院本類聚名義抄／法上 120-1）

454　3．仮名音注の韻母別考察　3-2　Ⅱ韻類

　　　岳 古 ヲカ … 　嶽 俗　　　　　　　　　　　　　　　（観智院本類聚名義抄／法上 120-1）

　　　岳［入］カク　　　　　　　　　　　　　　　　　　　　　（長承本蒙求／011）

　　　岳［徳］カク　　　　　　　　　　　　　　　　　　　　　（長承本蒙求／078）

　　　嶽［徳／徳：加濁］カク ゝ［徳］　　　　　　　　　　　　（長承本蒙求／072）

　　　岳［入］各ゝ／乎加　　　　　　　　（承暦本金光明最勝王経音義／05 オ 5）

　　　嶽　蔣鳰切韻曰嶽山高名五角反又作岳 …　　　　　（元和本倭名類聚抄／巻一 06 ウ 7）

　▶番号 2769「樂」（樂）の仮名音注「カク［平濁平］」については、基本的に *-ak* で対応する。その仮名音注に濁音を含む低平調の差声を施すので、字音「ガク」を想定する。その中古音が示す頭子音 ŋ-（等韻学の術語で言う疑母）は軟口蓋鼻音であり、日本語のガ行音をもって受容する。番号 2769「樂」は左注「音樂」を付載する。観智院本類聚名義抄に反切「盧各反・又五覺反・又五孝反」および和音「ラク・又ケウ」を見出す。日本呉音「ラク・ケウ」を認める。

　　　樂 盧各反 タノシヒ［平平上濁平］又五覺反 五声八音惣名 又五孝反 … 和ラク 又ケウ

　　　　　　　　　　　　　　　　　　　　　　（観智院本類聚名義抄／佛下本 105-1）

　▶番号 3062a・3063a「樂」（樂器・雅樂）の仮名音注「カク」については、基本的に *-ak* で対応する。両当該字には入声濁点を差すので、字音「ガク」を想定する。熟字 3063「雅樂」は右注「歌音也」左注「九奏 釣天」を付載する。上述の分析を参照。

　▶番号 1009b・3003a・3008a「學」（入學・學生・學門）の仮名音注「カク」については、基本的に *-ak* で対応する。当該諸字三例には入声濁点を差すので、字音「ガク」を想定する。その中古音が示す頭子音 ɣ-（等韻学の術語で言う喉音濁匣母）は有声軟口蓋摩擦音であり、日本語のガ行音をもって受容するが、中国語音韻史上における濁音声母の無声化を反映する場合はカ行音で対応する。観智院本類聚名義抄に反切「戸角反」および和音「我ク」を見出す。同書の仮名音注において「我」を用いる「我イ・我ウ・我ク・我チ・我フ・我ム・我ン」は濁音表記を示す意図がある。長承本蒙求には徳声点を付した掲出字「學」があるが、これは入声点の誤認と推測する。当該字「學」は等韻学の術語で言う匣母濁江韻二等であり、徳声は声母が清・次清・清濁の場合に顕れ、濁声母は入声である。日本漢音は入声、日本呉音「ガク」を認める。

　　　學 戸角反 マナフ［上上平濁］… 和我ク　　　　　　（観智院本類聚名義抄／法下 139-7）

　　　我 吾可反 ワレ［平濁平／√□：朱右傍］　（観智院本類聚名義抄／僧中 042-1）

　　　學［徳］　　　　　　　　　　　　　　　　　　　　　（長承本蒙求／072）

　▶番号 0821b「学」（博学）の仮名音注「カク」については、基本的に *-ak* で対応する。当該字には入声点を差す。当該字「学」と「學」は相互に異体字である。上述の分析を参照。

　▶番号 3004a・3005a「學」（學館・學堂）の仮名音注「カク」については、基本的に *-ak* で対応する。両当該字には入声点を差す。上述の分析を参照。

　▶番号 2734「鋜」（鋜）の仮名音注「サク」については、基本的に *-ak* で対応する。当該字に

3-2-1 -a 系の字音的特徴 455

は入声点を差し、左右注「カナホ／タシ」を付載する。観智院本類聚名義抄に反切「士角反」を見
出すが、仮名音注はない。元和本倭名類聚抄には反切「士角反」がある。

鋜 士角反／カナホタシ［上上上上濁平］　　　　　　　（観智院本類聚名義抄／僧上 132-3）

鋜　蒋鲂切韻云鋜 士角反和名加奈保太之 鎌足具也　　　（元和本倭名類聚抄／巻十三 17 ウ 5）

▶番号 1914a・1948a「濁」（濁酒・濁世）の仮名音注「チョク」については、基本的に -jok で
対応する。両当該字には入声濁点を差すので、字音「ヂョク」を想定する。その中古音が示す頭子
音 ḍ-（等韻学の術語で言う舌音濁澄母）は有声反り舌閉鎖音であるため、中心母音 -a- に加えて介
音 -i- があるように聴き取る結果が生じた。図書寮本類聚名義抄に同音字注「音㩵」と真興撰『大
般若経音訓』による真興和音「音チョク」（その右傍に濁音「✓」表記）を見出す。これは観智院
本に引き継がれ、同音字注「音㩵」と濁音を含む低平調の和音「チョク」を見つける。承暦本金光
明最勝王経音義には仮名音注「チョク」がある。日本呉音「ヂョク」を認める。

清濁 音㩵 … 和［真：右傍］音チョク［✓□□：右傍］　　（図書寮本類聚名義抄／11-7）

濁 音㩵 ニコル［平平濁□］／和チョク［平濁平平］　　（観智院本類聚名義抄／法上 041-7）

濁 チョク［：右傍］〔＊後筆墨書〕　　　（承暦本金光明最勝王経音義／10 ウ 1）

▶番号 0982「濁」（濁）の仮名音注「タク」については、基本的に -ak で対応する。当該字に
声点はなく、日本語の清濁を判別できない。なお、中国語音韻史上に現れる濁音声母の無声化を反
映すれば、その中古音が示す頭子音 ḍ-（等韻学の術語で言う舌音濁澄母）はタ行音で対応する。上
述の分析を参照。

▶番号 1331b「邈」（眇邈）の仮名音注「ハク」については、基本的に -ak で対応する。当該字
には入声濁点を差すので、字音「バク」を想定する。その中古音が示す頭子音 m-（等韻学の術語で
言う明母）は両唇鼻音であり、日本語のマ行音をもって受容する。ただし、中国語音韻史上におけ
る鼻音声母の非鼻音化（denasalization）現象により、m- > mb- > b- の音変化をする。これを反映
する場合はバ行音で対応する。熟字 1331「眇邈」は右傍「カスカナリ ハルカナリ」を付載する。
観智院本類聚名義抄に反切「莫角反」（その反切下字に入声点）を見出す。長承本蒙求には仮名音
注「ハク」があり、その掲出字に徳声点を加える。さらに平安時代中期の朱筆加点として「白反」
も見つかる。日本漢音「ハク」徳声（四声体系では入声）を認める。

邈 莫角［□入］反 … トホシ［上上□］ハルカナリ …　　（観智院本類聚名義抄／佛上 047-4）

邈 ［徳］白反／ハク　　　　　　　　　　　　　　　　（長承本蒙求／063）

▶番号 0868b「駮」（斑駮）の仮名音注「ハク」については、基本的に -ak で対応する。当該字
には入声点を差す。熟字 0868「斑駮」は右傍「マタラカニフチナリ」を付載する。観智院本類聚名
義抄に反切「布角反」（その反切下字に入声点）を見出す。長承本蒙求には仮名音注「ハク」があ
り、その掲出字に徳声点を加える。日本漢音「ハク」徳声（四声体系では入声）を認める。

駮 布角［□入］反 六駮獣似鳥 フチムマ［上濁上上上］…　　（観智院本類聚名義抄／僧中 099-6）

456　3．仮名音注の韻母別考察　3-2　Ⅱ韻類

駁 [徳] カク／ハク　　　　　　　　　　　　　　　　　　　　（長承本蒙求／038）

▶番号1043「朴」（朴）の仮名音注「ハク」については、基本的に -ak で対応する。当該字には入声点を差し、右注「ホヲ」を付載する。観智院本類聚名義抄に反切「普剥反」（その反切下字に入声点）と入声点を付した同音字注「又撲」（屋韻 p'ʌuk／その右傍に朱筆で仮名音注「ホク」）を見出す。日本漢音は去/入声、字音「ホク」入声を認める。

　　朴 普剥 [□入] 反 ホ,ノキ … 又赴 [去] 音 又撲 [入／ホク：朱右傍] …

　　　　　　　　　　　　　　　　　　　　（観智院本類聚名義抄／佛下本099-3）

　　厚朴 重皮附 本草云厚朴一名厚皮 楊氏漢語抄云厚木保々加之波乃木 …

　　　　　　　　　　　　　　　　　　　　（元和本倭名類聚抄／巻二十／25 ウ 5）

《下巻 覺韻諸例》

▶番号4076「幄」（幄）の仮名音注「アク」については、基本的に -ak で対応する。当該字には入声点を差し、右注「アケハリ」左注「於角反大帳也」を付載する。観智院本類聚名義抄に同音字注「音握」を見出すが、仮名音注はない。同書で「音握」を再検索すると、同音字注「音幄」を見出し、結果的に字音把握が循環してしまう。元和本倭名類聚抄には反切「於角反」がある。

　　幄 音握／アケハリ　　　　　　　　　　　（観智院本類聚名義抄／法中107-6）

　　幄〔＊部首⬆の字形〕俗幄字 烏角反／大幄 從巾　　　（観智院本類聚名義抄／法中095-8）

　　握 音幄 [徳] ニキル [上上濁□] … 具也　　（観智院本類聚名義抄／佛下本067-6）

　　幄 四聲字苑云幄 於角反和名阿訃波利 大帳也　　　（元和本倭名類聚抄／巻十四15 ウ 1）

▶番号6693b「角」（折角）の仮名音注「カク」については、基本的に -ak で対応する。当該字には入声点を差す。熟字6693「折角」は右傍「ヲルツノヲ」左注「切イ本」を付載する。上巻の覺韻当該諸例で分析したように、日本漢音「カク」徳声（四声体系では入声）を認める。

▶番号4169b「角」（総角）の仮名音注「カク」については、基本的に -ak で対応する。当該字に声点はない。熟字4169「総角」は右注「アケマキ」左注「童名也」を付載する。上述の分析を参照。

　　総角 アケマキ [平平濁上上] ／老 [者イ：朱左傍] 幻類　　（観智院本類聚名義抄／佛下本009-5）

　　總角 毛詩注云總角 和名阿介萬岐 結髪也　　　　（元和本倭名類聚抄／巻二 08 オ 3）

▶番号6779「桷」（桷）の仮名音注「カク」については、基本的に -ak で対応する。当該字には入声点を差し、右注「スミキ」左注「椽也」を付載する。観智院本類聚名義抄に入声点を付した同音字注「音角」を見出すが、仮名音注はない。元和本倭名類聚抄には同音字注「音角」がある。日本漢音は入声を認める。

　　桷 音角 [入] スミキ [平上平濁]　　　　　（観智院本類聚名義抄／佛下本009-3）

　　桷 爾雅注云桷 音角和名須美木 屋四阿大穰也　　　（元和本倭名類聚抄／巻十10 ウ 4）

▶番号 4531b「樂」（散樂）の仮名音注「カク［平濁平］」については、基本的に *-ak* で対応する。当該字の仮名音注には濁音を含む低平調の声点を付載するので、字音「ガク」を想定する。上巻の覺韻当該諸例で分析したように、日本呉音「ラク・ケウ」を認める。

▶番号 3899b「樂」（田樂）の仮名音注「カク」については、基本的に *-ak* で対応する。当該字に声点はない。上述の分析を参照。

▶番号 4450a「朔」（朔平門）の仮名音注「サク」については、基本的に *-ak* で対応する。当該字には入声点を差す。觀智院本類聚名義抄に反切「所角反」を見出すが、仮名音注はない。

朔 … ツイタチ … 所角反 ネサク カスカナリ　（觀智院本類聚名義抄／佛中 137-4）

▶番号 5576b「學」（修學）の仮名音注「カク」については、基本的に *-ak* で対応する。当該字に声点はない。上巻の覺韻当該諸例で分析したように、日本漢音は入声、日本呉音「ガク」を認める。

▶番号 3889a「斲」（斲木）の仮名音注「タク」ついては、基本的に *-ak* で対応する。当該字には入声点を差す。前田本が掲げる当該字「斲」は「斵・斷・斸」と相互に異体字である。熟字は右注「同（テラツヽキ）」を付載する。觀智院本類聚名義抄に反切「竹角反」および和音「タク」を見出す。日本呉音「タク」を認める。

斲 削也 竹角切十九 … 啄 鳥啄也 又丁木切 …　（宋本廣韻／端母覺韻 tauk）

斵〔＊斤←刂〕木 テラツヽキ　（觀智院本類聚名義抄／僧上 091-2）

斲斵斷斸 古正或今 竹角反 … ケツル［上上濁平］… 和タク　（觀智院本類聚名義抄／僧中 034-6）

斲斵斷斸 … 竹角反 … ケツル 和タク　（鎮国守国神社本三寶類聚名義抄／下二 49 ウ 7）

斵木　爾雅集注云斵木一名鴷 音列和名天良豆々木 …　（元和本倭名類聚抄／巻十八 07 オ 8）

▶番号 4288a「椓」（椓撃）の仮名音注「タク」については、基本的に *-ak* で対応する。当該字には入声点を差す。熟字 4288「椓撃」は右注「アヒ」左注「大槌」を付載する。觀智院本類聚名義抄に同音字注「卓音」を見出すが、仮名音注はない。傍証ながら、同書で「卓」を再検索すると、同音字注「音啄」（その右傍に朱筆で仮名音注「タク」を付載する一例と徳声点を付載する一例）を見つける。

椓 … 卓音 ウツ［平上］… クヒル［上上濁□］椓欬　（觀智院本類聚名義抄／佛下本 060-3）

卓 音啄［タク：朱右傍］髙 スクル… 和乇　（觀智院本類聚名義抄／佛上 084-1）

卓 音啄［徳］タカシ［平平□］　（觀智院本類聚名義抄／法上 096-4）

椓撃　纂文云齊人以大槌爲椓撃 漢語抄云阿比　（元和本倭名類聚抄／巻十五 11 オ 9）

▶番号 4473a「鸀」（鸀鳿）の仮名音注「タク」については、基本的に *-ak* で対応する。当該字には入声点を差し、右注「サカツキトリ」を付載する。廣韻に拠れば、覺韻（dauk）燭韻（tśiɑuk）二音を有する。觀智院本類聚名義抄に反切「徒角反」と同音字注「獨」を見出すが、仮名音注はない。元和本倭名類聚抄には同音字注「獨」がある。

鸀鳿 … 上徒角反　（觀智院本類聚名義抄／僧中 131-3）

458　3．仮名音注の韻母別考察　3-2　Ⅱ韻類

鸀鷜　獨舂二音 獨舂鳥／サカツキトリ［平平平平上濁平］　　　（観智院本類聚名義抄／僧中 131-3）

鸀鷜　四聲字苑云鸀鷜 獨舂二音漢語抄云獨舂鳥佐夜豆木土里 …

（元和本倭名類聚抄／巻十八 07 オ 1）

▶番号 4684b「擢」（採擢）の仮名音注「タク」については、基本的に -ak で対応する。当該字には入声点を差す。その中古音が示す頭子音 ḍ-（等韻学の術語で言う澄母）は有声反り舌閉鎖音であり、日本語のダ行音をもって受容するが、中国語音韻史上における濁音声母の無声化を反映する場合はタ行音で対応する。観智院本類聚名義抄に入声点を付した同音字注「音濁」を見出すが、仮名音注はない。日本漢音は入声を認める。

擢 音濁［入］サヲ［平平／木钬：墨右注］ … 馳挍反 …　　　（観智院本類聚名義抄／佛下本 054-3）

▶番号 5120b「濁」（凝濁）の仮名音注「タク」については、基本的に -ak で対応する。当該字には入声点を差す。上巻の覚韻当該諸例で分析したように、日本呉音「ヂヨク」を認める。

▶番号 6745b「濁」（清濁）の仮名音注「タク」については、基本的に -ak で対応する。当該字に声点はない。上述の分析を参照。

▶番号 6699b「濯」（洗濯）の仮名音注「タク」については、基本的に -ak で対応する。当該字には入声点を差す。観智院本類聚名義抄に同音字注「音濁」と「又音掉」（その右傍に朱筆で仮名音注「タウ」）を見出すが、仮名音注はない。承暦本金光明最勝王経音義には同音字注「宅音」があり、その掲出字「濯」に入声点を付載する。日本漢音「タウ」日本呉音は入声を認める。

濯 音濁 アラフ［上上口］ … 又音掉［タウ：朱右傍］　　　（観智院本類聚名義抄／法上 022-3）

濯［入］宅钬／洗也　　　（承暦本金光明最勝王経音義／05 オ 4）

▶番号 4243「璞」（璞）の仮名音注「ハク」については、基本的に -ak で対応する。当該字には入声点を差し、右注「アラタマ」左注「匹角反」を付載する。観智院本類聚名義抄に反切「普角反」（その反切下字に入声点）と呉音「博」を見出すが、仮名音注はない。この呉音注は大般若経字抄による漢呉二音相同の同音字注「博」を出典とする。元和本倭名類聚抄には反切「並角反」〔*普角反の誤認か〕を付載する。日本漢音は入声を認める。

璞 普角［口入］反 アラタマ／呉音博　　　（観智院本類聚名義抄／法中 019-3）

璞［博：右傍］アラタマ　　　（石山寺一切経蔵本大般若経字抄／24 ウ 6）

璞　野王案璞 並角反和名阿良太萬 玉未理也　　　（元和本倭名類聚抄／巻十一 18 オ 6）

▶番号 6908b「朴」（淳朴）の仮名音注「ホク」については、基本的に -ok で対応する。当該字には入声濁点を差すので、字音「ボク」を想定する。その中古音が示す頭子音 pʻ-（等韻学の術語で言う脣音次清滂母）は無声有気両脣閉鎖音であり、日本語のハ行音をもって受容する。バ行音による字音把握は期待できない。現行多くの漢和辞典は慣用音「ボク」を掲げるが、出自は不明。諧声符「卜」（屋韻 pʌuk）による字音把握も想定できない。上巻の覚韻当該諸例で分析したように、日本漢音は去/入声、字音「ホク」入声を認める。

▶番号5634b「朴」（質朴）の仮名音注「ハク」については、基本的に *-ak* で対応する。当該字に声点はない。熟字5634「質朴」は右傍「スナヲナリ」を付載する。上述の分析を参照。

▶番号4051「雹」（雹）の仮名音注「ハク」については、基本的に *-ak* で対応する。当該字には入声点を差し、右注「アラレ」左注「蒲角反」を付載する。その中古音が示す頭子音 b-（等韻学の術語で言う唇音濁並母）は有声両唇閉鎖音であり、日本語のバ行音をもって受容するが、中国語音韻史上における濁音声母の無声化を反映する場合はハ行音で対応する。観智院本類聚名義抄に反切「歩角反」と和音「和ハク ハウ」を見出す。和音の後者は諧声符読みか。元和本倭名類聚抄には反切「歩角反」がある。日本呉音「ハク・ハウ」を認める。

雹 歩角反 アラレ〔上上上〕／和ハク ハウ　　　　　　（観智院本類聚名義抄／法下068-5）

雹　陸詞云雹雨氷也歩角反 和名安良禮　　　　　　　　（元和本倭名類聚抄／巻一06オ2）

3-2-1-12　-a系の基本的な表記

以下に資料篇【表B-03】を分析した結果をまとめる。なお、日本語音韻史における音変化などを反映する場合には () で囲む処理をする。それ以外の異例（例えば、諧声符読みや誤認など）については [] を用いて表示する。

-a	〔麻/馬/禡韻〕	*-a, -e, -ja*	-ua	〔麻/馬/禡韻〕	*-wa, -we*
		[-au] [-ak] [-i]			(-e)
-ai	〔夬韻〕	*-ai*	-uai	〔夬韻〕	*-ai* 〈p-系〉
-au	〔肴/巧/效韻〕	*-au, -eu*			
		[-a] [-an] [-ap] [-em] [-i] [-ok]			
-am	〔銜/檻/鑑韻〕	*-am, -em*			
		(-an)			
		[-ami] [-au] [-wan]			
-ap	〔狎韻〕	*-ap*			
		(-au)			
		[-en] [-op] [-ou]			
-an	〔刪/潸/諫韻〕	*-an*	-uan	〔刪/潸/諫韻〕	*-wan, -wen*
					-an, -en 〈p-系〉
		(-am)			(-am)
-at	〔鎋韻〕	*-et*	-uat	〔鎋韻〕	＊例なし
-aŋ	〔庚/梗/映韻〕	*-aŭ, -jaŭ, -ei*	-uaŋ	〔庚/梗/映韻〕	*-waŭ*

460　3．仮名音注の韻母別考察　3-2　Ⅱ韻類

-ak　　〔陌韻〕　　　　-ak, -jak　　　-uak　〔陌韻〕　　　　＊例なし
　　　　　　　　　　　　(-au) (-jau)
　　　　　　　　　　　　[-apa] [-at] [-ek]
-auŋ　〔江/講/絳韻〕　-aŭ -oŭ, -joŭ
　　　　　　　　　　　　[-an] [-uk]
-auk　〔覺韻〕　　　　-ak, -ok, -jok

　ここで、-a-系における前田本の仮名音注が示す基本的対応を【表05】にまとめておくと、-a-系は *a*（日本語のア列音）で対応し、日本漢字音として把握する。一部 *-e*（エ列音）で対応する場合など個々の問題は当該箇所で述べた。
　やはり、呉音的特徴であるか、漢音的特徴であるか、その判別をし得ない場合が多い。先んじて定着した字音が日本語に馴化して定着しており、すでに重層的な様相を呈していたと想像する。その後導入した異なる基層を持つ中国語音の特徴が混淆した状態を現出している。日本呉音や日本漢音のような体系的な字音把握とともに、定着久しい字音として継承してきた経緯を示す場合がある。それは仮名音注に付載する「俗」表記に垣間見える。

【表05】

	-ø	-i	-u	-m	-p	-n	-t	-ŋ	-k	-uŋ	-uk
-a-	*-a* *(-ja)* *-e*	*-ai*	*-au* *-eu*	*-am* *(-an)* *-em*	*-ap* *(-au)*	*-an* *(-am)*		*-aŭ* *-jaŭ* *-ei*	*-ak* *-jak* *(-au)* *(-jau)*	*-aŭ* *-oŭ* *-joŭ*	*-ak* *-ok* *-jok*
-ua-	*-wa* *we*	*-wai*				*-wan* *-an* *(-am)* *-wen* *-en*	*-et*	*-waŭ*			

3-2-2　-ɐ系の字音的特徴　461

3-2-2　-ɐ系の字音的特徴

韻母 -ɐ系グループとは、主母音 -ɐ- を有する諸韻目、佳/蟹/卦韻・皆/駭/怪韻・咸/豏/陷/洽韻・山/産/襇/黠韻・耕/耿/諍/麥韻を指す。なお、記号「/」による区別は四声（平/上/去/入声）を示している。該当する前田本の諸例を 3-2-2-1 から 3-2-2-9 に集約した。

3-2-2-1　-ɐ（佳/蟹/卦韻）

資料篇【表B-04】には佳韻（平声）蟹韻（上声）卦韻（去声）所属の諸例が含まれる。熟字の場合は資料篇【表A-01】【表A-02】をも参照しながら、それを当該字の直後に括弧内で示す。以下同様。単字も同様の表示を行う。前田本の示す仮名音注は、-a, -ai, -e, -ei で基本的に対応する。異例として、-au, -an, -i がある。

《上巻 佳韻諸例》

▶番号 2859a・2926a・2978a・3119a「佳」（佳辰・佳人・佳客・佳賓）の仮名音注「カ」については、基本的に -a で対応する。当該諸字四例には平声点を差す。観智院本類聚名義抄に平声点を付した同音字注「音家」と上昇調を示す和音「クエ・ケイ」を見出す。この和音「クエ」は上昇調である去声を一音節二拍相当として認識したか。ただし、当該字の中古音（佳韻 kɐ'）に円唇性を示す合口介音 -u- はないので、疑義が残る。日本漢音は平声、日本呉音「ケイ」去声を認める。
　　　佳 音家［平］ヨシ … 和クエ［平上］ケイ［平上］　　　　　（観智院本類聚名義抄／佛上 003-1）
▶番号 2928a「佳」（佳妖）の仮名音注「カイ」については、基本的に -ai で対応する。当該字には平声点を差す。上述の分析を参照。
▶番号 2869a「街」（街衢）の仮名音注「カイ」については、基本的に -ai で対応する。当該字には平声点を差す。観智院本類聚名義抄に同音字注「音皆・又音佳」を見出すが、仮名音注はない。
　　　街 音皆 又音佳／チマタ／ミチハシ メクム　街衢 ノチマタ　　（観智院本類聚名義抄／佛上 043-2）
▶番号 2880a「涯」（涯岸）の仮名音注「カイ」については、基本的に -ai で対応する。当該字には平声濁点を差すので、字音「ガイ」を想定する。中国語音韻史上の中古音が示す ŋ-（等韻学の術語で言う疑母）は軟口蓋鼻音であり、日本語のガ行音をもって受容する。図書寮本類聚名義抄に反切「厓云五佳反」と同音字注「季云音牙［平濁］又宜［平濁］又与崖［平］同」を見出す。観智院本には平声濁点を付した同音字注「音崖・又牙音・又宜音」を見出す。呉音による経本文の読誦音を掲げる承暦本金光明最勝王経音義には仮名音注「カ□」（□はイであろう）があり、その掲出字に平声圏点と去声圏点を加える。元和本倭名類聚抄には反切「五佳反」を見つける。日本漢音は

平声、日本呉音「ガイ」平/去声を認める。

涯岸 广云五／佳反 … 川云和云跂之［平平］／季云音牙［平濁］又宜［平濁］又与崖［平］同

(図書寮本類聚名義抄／055-6)

涯 崖音［平濁］又牙音［平濁］／又宜音［平濁］　(観智院本類聚名義抄／法上 011-7)

涯［平・去：圏点］カ□［：右傍］〔＊後筆墨書〕　(承暦本金光明最勝王経音義／08 ウ 1)

涯岸　集注云水辺曰涯五佳反涯陗而高曰岸 和名岐之　(元和本倭名類聚抄／巻一 17 ウ 3)

▶番号 3082a「涯」（涯分）の仮名音注「カイ」については、基本的に *-ai* で対応する。当該字には平声点を差す。上述の分析を参照。

▶番号 3100a「涯」（涯際）の仮名音注「カイ」については、基本的に *-ai* で対応する。当該字には去声濁点を差すので、字音「ガイ」を想定する。上述の分析を参照。

▶番号 2946a「睚」（睚眦）の仮名音注「カイ」については、基本的に *-ai* で対応する。当該字には去声濁点を差すので、字音「ガイ」を想定する。熟字 2946「睚眦」は右傍「ニラム」を付載する。観智院本類聚名義抄に同音字注「音崖」を見出すが、仮名音注はない。

睚 音崖／ニラム［平平□］…　睚眦 ニラム［平平□］…　(観智院本類聚名義抄／佛中 069-8)

▶番号 1092「膎」（膎）の仮名音注「ケイ」については、基本的に *-ei* で対応する。当該字には平声点を差し、右注「ホシヾシ」を付載する。また「徯」とは相互に異体字である。観智院本類聚名義抄に同音字注「音奚」と反切「胡帝反」を見出すが、仮名音注はない。

膎 音奚 ホシヽ／フクヽシ　(観智院本類聚名義抄／佛中 122-1)

徯 膎俗 奵々／胡帝反 嫉　(観智院本類聚名義抄／法中 085-1)

《下巻 佳韻諸例》

▶番号 6803a「佳」（佳賓）の仮名音注「カ」については、基本的に *-a* で対応する。当該字には平声点を差す。上巻の佳韻当該諸例で分析したように、日本漢音は平声、日本呉音「ケイ」去声を認める。

▶番号 4840・5810b「涯」（涯・生涯）の仮名音注「カイ」については、基本的に *-ai* で対応する。両当該字には平声濁点を差すので、字音「ガイ」を想定する。上巻の佳韻当該諸例で分析したように、日本漢音は平声、日本呉音「ガイ」平/去声を認める。

▶番号 4841「崖」（崖）の仮名音注「カイ」については、基本的に *-ai* で対応する。当該字には平声濁点を差すので、字音「ガイ」を想定する。観智院本類聚名義抄に平声濁点を付した同音字注「音涯」と反切「五佳反」および和音「我イ」を見出す。なお、同書において「我」を含む和音注「我イ・我ウ・我ク・我チ・我フ・我ム・我ン」は字音「ガ」を示す意図がある。承暦本金光明最勝王経音義には同音字注「亥」があり、その掲出字に去声点を加える。日本漢音は平声、日本呉音

「ガイ」去声を認める。

崖 音涯［平濁］五佳反 キシ … 和我イ　　　　　　　　　　（観智院本類聚名義抄／法上111-7）

崖 ［去］亥ゝ　　　　　　　　　　　　　　　　　　　　（承暦本金光明最勝王経音義／11 オ 4）

　▶番号4578b・4579b「鞋」（靴鞋・挿鞋）の仮名音注「カ［平］」については、基本的に -a で対応する。両当該字に声点はなく、それらの仮名音注に平声点を差す。熟字4578「靴鞋」と熟字4579「挿鞋」は連続して掲出しており、後者には左注「俗用之」を付載する。観智院本類聚名義抄に反切「胡皆戸佳反」を見出すが、仮名音注はない。

　　　鞜鞋 二正 胡皆戸佳反 クツ［平平］… カハ　　　（観智院本類聚名義抄／僧中077-2）

　▶番号5293「柴」（柴）の仮名音注「サイ」については、基本的に -ai で対応する。当該字には平声点を差し、右注「シハ［平上濁］」を付載する。観智院本類聚名義抄に平声点を付した同音字注「音材」を見出すが、仮名音注はない。日本漢音は平声を認める。

　　　柴 音材［平］シハ［平平濁］シハヤ［平上濁上］…　（観智院本類聚名義抄／佛下本100-5）

　▶番号5515「紫」（紫）の仮名音注「シ」については、異例 -i を示す。当該字には平声点を差し、右注「シハヤク［上上濁上平］左注「祭天燔柴也」を付載する。廣韻は注記「紫：祭天燔柴」を掲げる。同音の小韻代表字は「柴」である。上述の分析を参照。諧声符「此」（紙韻 ts'ie²）による字音把握か。観智院本類聚名義抄に同音字注「音柴」を見出すが、仮名音注はない。字音「シ」は想定できない。

　　　柴 薪也 … 士佳切八 紫 祭天燔柴 …　　　　　　　（宋本廣韻／佳韻 dʐɐ¹）

　　　紫 音柴 祭　　　　　　　　　　　　　　　　　　（観智院本類聚名義抄／法下006-1）

　▶番号6174「梛」（梛）の仮名音注「ヒ」については、異例 -i を示す。当該字に声点はなく、左注「田具也」を付載する。諧声符「非」（幫母微韻 piʌi¹）による字音把握か。字形の近似する「棐」（幫母尾韻 piʌi²）は字音「ヒ」であろう。観智院本類聚名義抄に反切「薄葷反」を見出すが、仮名音注はない。

　　　梛 薄葷反／舩頭 梛頭 ツラナル［上上上平］　　　（観智院本類聚名義抄／佛下本087-3）

　　　棐 甫尾反／タスク［平平上］タカフ　　　　　　　（観智院本類聚名義抄／佛下本087-4）

《上巻 蟹韻諸例》

　▶番号2884a・3113a・3126a「解」（解纜・解脱・解谷）の仮名音注「カイ」については、基本的に -ai で対応する。当該諸字三例には上声点を差す。廣韻に拠れば、見母蟹/卦韻（kɐ²³）匣母蟹/卦韻（ɣɐ²³）四音を有する。観智院本類聚名義抄に反切「鞋買佳賈佳賣三反」と平声点を付した和音「ケ」（その右傍に朱筆で濁音「✓」表記）を見出す。長承本蒙求には仮名音注「カイ」四例があり、それらの掲出諸字に上声点を加える。日本漢音「カイ」上声、日本呉音「ゲ」平声を認め

464   ３．仮名音注の韻母別考察　3-2　Ⅱ韻類

る。

　　解解 … 鞂買佳買佳賣三反 トク［上上］… 和ケ［平／✓：朱右傍］

　　　　　　　　　　　　　　　　　　　　　（観智院本類聚名義抄／佛下本009-6）

　　解［上］カイ〔＊長承三年点とは別筆ながら同時期の墨点〕　　　（長承本蒙求／034）

　　解［上］カイ　　　　　　　　　　　　　　　　　　（長承本蒙求／043・084・094）

　▶番号3164b「解」（勘解由使）の仮名音注「ケ」については、基本的に -e で対応する。当該
字に声点はない。上述の分析を参照。

　▶番号1685a「解」（解纜）の仮名音注「カン」については、異例 -an を示す。当該字に声点は
ない。右傍の仮名音注「カン」は「カイ」の誤認と推測する。熟字1685「解纜」は右注「トモツナ
ヲトク」を付載する。上述の分析を参照。

　▶番号2493「檞」（檞）の仮名音注「カイ」については、基本的に -ai で対応する。当該字には
上声点を差し、右注「同（カシハキ）」を付載する。本来は松楠（松やに）の意味であるが、字形
の近似する「槲」（匣母屋韻 ɣiuʌk）との混同を起こし、新たに和訓「カシハ」を加えた。観智院
本類聚名義抄に反切「胡買反」〔＊佳買反の誤認か〕を見出すが、仮名音注はない。

　　解 構也說也脫也散也佳買切三 … 檞 松楠　　　　　　　（宋本廣韻／見母蟹韻 kɐ²）

　　蟹 … 胡買切七 … 解 曉也 … 又佳買切古賣二切　　　　（宋本廣韻／見母蟹韻 ɣɐ²）

　　槲 音斛［入］カシハ［上上平］／カシハキ［上上□□］…　（観智院本類聚名義抄／佛下本112-2）

　　檞 胡買反 松／木 カシハ［上上平］　　　　　　　　（観智院本類聚名義抄／佛下本112-2）

　　槲　本草云槲 音斗斛之斛和名加之波 唐韻云柏 音帛和名上同 木名也

　　　　　　　　　　　　　　　　　　　　　（元和本倭名類聚抄／巻二十31 オ3）

　▶番号1433「薢」（薢）の仮名音注「カイ」については、基本的に -ai で対応する。当該字には
上声点を差し、右注「トコロ」を付載する。廣韻に拠れば、見母蟹/卦韻（kɐ²³）皆韻（kɐi¹）三音を
有する。観智院本類聚名義抄に同音字注「皆・音解」を見出すが、仮名音注はない。元和本倭名類
聚抄には同音字注「音解」〔＊解の異体字〕がある。

　　薢茩 皆后二音／ヒシ［上上］／上音解／トコロ［平平□］　（観智院本類聚名義抄／僧上044-1）

　　薢　崔禹錫食經云薢 音解和名土古呂 …　　　　　　　（元和本倭名類聚抄／巻十七15 オ3）

　▶番号2544「蟹」（蟹）の仮名音注「カイ」については、基本的に -ai で対応する。当該字には
上声点を差す。観智院本類聚名義抄に同音字注「解」を見出すが、仮名音注はない。

　　蟹 音解 カニ　　　　　　　　　　　　　　　　（観智院本類聚名義抄／僧下025-8）

　▶番号0859b「買」（賣買）の仮名音注「ハイ」については、基本的に -ai で対応する。当該字
には上声濁点を差すので、字音「バイ」を想定する。中国語音韻史上における鼻音声母の非鼻音化
（denasalization）現象により、中古音が示す頭子音 m-（等韻学の術語で言う明母）は m->mb-
->b- と音変化をする。これを反映する場合は日本語のバ行音で対応する。観智院本類聚名義抄に反

切「莫解反」および上昇調と推測する和音「マイ」を見出す。長承本蒙求には仮名音注「ハイ」があり、その掲出字に上声点を加える。日本漢音「バイ」上声、日本呉音「マイ」去声を認める。

　　買 莫解反 カフ／ウル 和マイ［□上］　　　　　　　　（観智院本類聚名義抄／佛下本 016-7）

　　買［上］ハイ／ハイ　　　　　　　　　　　　　　　　　　　　　（長承本蒙求／057）

　　《下巻 蟹韻諸例》

　▶番号4595「灑」（灑）の仮名音注「サイ」については、基本的に -ai で対応する。当該字には上声点を差し、右注「サテ［上上濁］所買反」左注「取魚具」を付載する。廣韻に拠れば、蟹韻 (ṣɐ²)紙/寘韻 (ṣie²³) 馬韻 (ṣa²) 四音を有する。観智院本類聚名義抄に反切「所蟹反」と上昇調を示す和音「シヤ」を見出す。承暦本金光明最勝王経音義には同音字注「沙音」があり、その掲出字に去声点を加える。同書には仮名音注「シヤ」二例も見つける。元和本倭名類聚抄には反切「所買反」がある。日本呉音「シヤ」去声を認める。

　　灑 所蟹反 ソ丶ク［上上□］サテ … 和シヤ［平上：墨点］　　（観智院本類聚名義抄／法上 035-5）

　　灑［去］沙ミ／曽ミ久　　　　　　　　　　　　　　（承暦本金光明最勝王経音義／06 オ 5）

　　灑 シヤ［：右傍］〔＊後筆墨書〕　　　　　　　　　（承暦本金光明最勝王経音義／09 オ 6）

　　灑 シヤ［：右傍］〔＊後筆墨書〕　　　　　　　　　（承暦本金光明最勝王経音義／10 オ 6）

　　纚　文選注云纚 所買反師説佐天 網如箕形 …　　　　（元和本倭名類聚抄／巻十五 07 ウ 5）

　　淋灑 上古林反下七移七柯二反 … 曽ミ久又志太留又毛留　　（天治本新撰字鏡／巻十二 22 オ 3）

　　《上巻 卦韻諸例》

　▶番号3039a「邂」（邂逅）の仮名音注「カイ」については、基本的に -ai で対応する。当該字には上声点を差す。観智院本類聚名義抄に反切「胡解反」および和音「皆」を見出す。傍証ではあるが、同書で「皆」を再検索すると、反切「柯諧反」および低平調である和音「カイ」を見つける。

　　邂 胡解反／タマサカ 和皆　　　　　　　　　　　　（観智院本類聚名義抄／佛上 049-3）

　　皆 柯諧反 ミナ［上平］ … 和カイ［平平］　　　　　（観智院本類聚名義抄／佛中 100-2）

　▶番号0859a「賣」（賣買）の仮名音注「ハイ」については、基本的に -ai で対応する。当該字には去声濁点を差すので、字音「バイ」を想定する。中国語音韻史上における鼻音声母の非鼻音化 (denasalization) 現象[22]により、中古音が示す頭子音 m-（等韻学の術語で言う明母）は m->mb->b- と音変化をする。日本語のバ行音で対応する。観智院本類聚名義抄に反切「莫解反」と上昇調を示す和音「マイ」を見出す。長承本蒙求には仮名音注「ハイ」三例があり、それらの掲出字に去声点を加える。日本漢音「バイ」去声、日本呉音「マイ」去声を認める。

466　3．仮名音注の韻母別考察　3-2　Ⅱ韻類

賣 莫解反 ウル／イソク 和マイ［平上］　　　　　　　　　（観智院本類聚名義抄／佛下本 016-7）

賣［去］ハイ／ハイ　　　　　　　　　　　　　　　　　　　　　（長承本蒙求／068）

賣［去］ハイ　　　　　　　　　　　　　　　　　　　　　　（長承本蒙求／092・098）

▶番号 0881a「賣」（賣藥）の仮名音注「ハイ」については、基本的に -ai で対応する。当該字には去声点を差す。上述の分析を参照。

▶番号 2490a「賣」（賣子木）の仮名音注「ハイ」については、基本的に -ai で対応する。当該字には平声点を差し、右注「カハチサノキ［上上上上平平］」右傍「ハイ俗」仮名音注を付載する。定着久しい字音「ハイ」という意識か。元和本倭名類聚抄に和名「賀波知佐乃木」を見出す。天治本新撰字鏡にも本草木名として「河知佐」がある。下記の分析を参照。

賣子木 本草云賣子木 和名賀波知佐乃木　　　　（元和本倭名類聚抄／巻二十 28 ウ 8）

賣子木 阿〔＊河：享和本〕知佐　　　　　　　　　（天治本新撰字鏡／巻七 16 オ 6）

《下巻 掛韻諸例》

▶番号 5396a「粺」（粺米）の仮名音注「ハイ」については、基本的に -ai で対応する。当該字には去声点を差し、右注「シラケヨネ」中注「傍掛反」左注「精米」を付載する。観智院本類聚名義抄に反切「蒲拜反」（その反切下字に去声点）を見出すが、仮名音注はない。元和本倭名類聚抄には反切「傍掛反去声之輕與把同」を付載する。なお「把」は幫母馬韻（pa²）である。当該字の中古音が示す頭子音 b-（等韻学の術語で言う脣音濁並母）は有声両脣閉鎖音であり、日本語のバ行音をもって受容するが、中国語音韻史上における濁音声母の無声化(22)（当該字では b->p- の音変化）を反映する場合にはハ行音で対応する。日本漢音は去声を認める。

粺 蒲拜［□去］反／シラケヨネ［□□平濁上平］　　　　（観智院本類聚名義抄／法下 035-2）

粺米 楊氏漢語抄云粺米 粺音傍掛反去声之輕與把同和名之良介與䄅 精米也

　　　　　　　　　　　　　　　　　　　　　　　　　　（元和本倭名類聚抄／巻十三 03 オ 8）

▶番号 6056「䅆」（䅆）の仮名音注「ヒ」については、異例 -i を示す。当該字に声点はなく、右注「ヒユ」中左注「草之似穀／者也」を付載する。当該字「䅆」は「稗」と相互に異体字である。諸声符「卑」（支韻 pjie¹）による字音把握か。観智院本類聚名義抄に同音字注「音俾」（紙韻 pjie²）を見出すが、仮名音注はない。異体字「稗」に対しては反切「蒲拜反」（その反切下字に去声点）および平声点を付した「呉音拜」を見つける。この呉音は大般若経字抄による漢呉二音相同の同音字注「拜」を出典とする。元和本倭名類聚抄には同音字注「音俾」がある。日本漢音は去声、日本呉音は平声を認める。

䅆 音俾 ヒエ［上上］　　　　　　　　　　　　　　（観智院本類聚名義抄／僧上 031-4）

稗 蒲拜［□去］反 ヒエ［上上］シラケヨネ／呉音拜［平］　　　（観智院本類聚名義抄／法下 014-2）

稗 ［拜：右傍］ (石山寺一切経蔵本大般若経字抄／23 オ 7)

粺 精米 傍卦切四 稗 稻也又稗草似穀 … (宋本廣韻／卦韻 bɐ³)

蓈 左傳注云蓈 音俾和名比衣 草之似穀者也 (元和本倭名類聚抄／巻十七 07 オ 4)

3-2-2-2　-uɐ（佳/蟹/卦韻）

資料篇【表 B-04】には卦韻（去声）合口所属の例が含まれる。佳韻（平声）蟹韻（上声）の該当
例はない。前田本の示す仮名音注は、-wa で基本的に対応する。想定する仮名音注 -we はない。

《上巻 卦韻合口諸例》

▶番号 1681b・2799「畫」（圖畫・畫）の仮名音注「クワ」については、基本的に -wa で対応
する。両当該字〔＊畫←盡に修正〕には去声濁点を差すので、字音「グワ」を想定する。廣韻に拠れば、
卦韻（ɣuɐ³）麥韻（ɣuɐk）二音を有する。番号 2799「畫」は右注「カク」和訓を付載する。観智
院本類聚名義抄に同音字注「卦」と「呉音化・會又郭」を見出す。傍証ながら、同書で「化」を再
検索すると、呼瓜（その反切下字「瓜」に平声点）呼覇反および和音「クヱ」を見つける。その「呉
音化」は大般若経字抄による漢呉二音相同の同音字注「音化」を出典とする。

畫 … 音卦 訓ヱ アヤ 呉音化／會又郭 … (観智院本類聚名義抄／佛上 077-7)

化 呼瓜 ［□平］ 呼西 翔文 ［覇本：墨右傍］ ヲシウ … 和クヱ (観智院本類聚名義抄／佛上 032-5)

〔＊呼覇反 ← 呼西 翔文〕

畫 ［音化：右傍］又音郭正／獲 カク 點畫也 (石山寺一切経蔵本大般若経字抄／15 オ 3)

《下巻 卦韻合口諸例》

▶番号 5977a「畫」（畫師）の仮名音注「クワ」については、基本的に -wa で対応する。当該
字に声点はない。上巻の卦韻当該諸例で分析した。

3-2-2-3　-ɐi（皆/駭/怪韻）

資料篇【表 B-04】には皆韻（平声）怪韻（去声）所属の諸例が含まれる。駭韻（上声）所属の例
はない。前田本の示す仮名音注は、-ai, -e で基本的に対応する。

《上巻 皆韻諸例》

468　3．仮名音注の韻母別考察　3-2　Ⅱ韻類

▶番号0480「階」（階）の仮名音注「カイ」については、基本的に *-ai* で対応する。当該字には平声点を差し、右注「同（ハシ）階級也」左注「宅級也」を付載する。当該字「階」は「堦」と相互に異体字である。図書寮本類聚名義抄に平声点を付した同音字注「类云皆音」および上昇調を示す「真云カイ」を見出す。後者は真興撰『大般若経音訓』による引用（いわゆる真興和音）である。観智院本には平声点を付した同音字注「音皆」を見つける。日本漢音は平声、日本呉音「カイ」去声を認める。

　　　階陛 类云皆 [平] 音 … 真云カイ [平上] ヘイ [平平]　　　　　　（図書寮本類聚名義抄／201-1）

　　　階 音皆 [平] 今堦 ハシ [上平] … ホトリ　　　　　　　（観智院本類聚名義抄／法中040-7）

▶番号2910b「階」（加階）の仮名音注「カイ」については、基本的に *-ai* で対応する。当該字には去声点を差す。上述の分析を参照。

▶番号0481「堦」（堦）の仮名音注「カイ」については、基本的に *-ai* で対応する。当該字に声点はなく、右注「同（ハシ）」左注「堦砌也」を付載する。当該字「堦」は「階」と相互に異体字である。観智院本類聚名義抄に同音字注「音皆」を見出すが、仮名音注はない。

　　　堦 或階字 音皆 マス ミチ … 俗階字　　　　　　　　　（観智院本類聚名義抄／法中059-4）

　　　堦　考聲切韻云堦 音皆俗爲階字波之一訓之奈 …　　　　（元和本倭名類聚抄／巻十12 オ7）

▶番号2957a「偕」（偕老）の仮名音注「カイ」については、基本的に *-ai* で対応する。当該字には平声点を差す。熟字2957「偕老」は中注「夫妻契也」を付載する。観智院本類聚名義抄に平声点を付した同音字注「音皆」を見出すが、仮名音注はない。日本漢音は平声を認める。

　　　偕 音皆 [平] トモニ トモカラ … ナラ　　　　　　　　　（観智院本類聚名義抄／佛上024-1）

▶番号3094a「揩」（揩摸）の仮名音注「カイ」については、基本的に *-ai* で対応する。当該字には平声点を差す。廣韻に拠れば、皆/怪韻（kʻei¹ᐟ³）二音を有する。観智院本類聚名義抄に同音字注「音皆」と「又去」を見出すが、仮名音注はない。末尾の注記「皷名」は奈良時代に唐楽とともに伝来した答臘鼓の和名「揩皷（すりつづみ）」を指す。日本漢音は去声を認める。

　　　揩 音皆 改也 ノリ [上平] … 又去 皷名　　　　　　　（観智院本類聚名義抄／佛下本061-4）

　　　揩皷　律書樂圖云揩皷 揩摩也俗云須利都々美　　　　（元和本倭名類聚抄／巻四09 ウ7）

▶番号2598「骸」（骸）の仮名音注「カイ」については、基本的に *-ai* で対応する。当該字には平声点を差し、右注「カハネ」左注「骸骨」を付載する。その中古音が示す頭子音 ɣ-（等韻学の術語で言う喉音濁匣母）は有声軟口蓋摩擦音であり、日本語のガ行音をもって受容するが、中国語音韻史上における濁音声母の無声化を反映する場合はカ行音で対応する。観智院本類聚名義抄に去声点〔＊呉音声調か〕を付した同音字注「音皆」（見母皆韻 kei¹）を見出すが、仮名音注はない。

　　　骸 音皆 [去] カハネ [上上濁上]　　　　　　　　　　（観智院本類聚名義抄／佛下本006-7）

▶番号2953a「骸」（骸心）の仮名音注「カイ」については、基本的に *-ai* で対応する。当該字

には平声濁点を差すので、字音「ガイ」を想定する。上述の分析を参照。

　▶番号0142「齋」（齋）の仮名音注「サイ［朱筆］」については、基本的に -ai で対応する。当該字には平声点を差し、右注「イツク 繋也敬也」左注「イモヰ 令精進也」を付載する。観智院本類聚名義抄に反切「側階反」を見出すが、仮名音注はない。

　　　齋 側階反 イモヒ … ツヽシム［上上□□］　　　　（観智院本類聚名義抄／法下 039-6）

　▶番号0150b「齋」（致齋）の仮名音注「サイ」については、基本的に -ai で対応する。当該字には平声点を差す。熟字0150「致齋」は右注「イミサス」を付載する。上述の分析を参照。

　▶番号1811b「齋」（致齋）の仮名音注「サイ」については、基本的に -ai で対応する。当該字には平声濁点を差すので、日本語音韻史上の連濁による字音「ザイ」を想定する。熟字 1811「致齋」は右傍「イタス モノイミヲ」左注「イミサスヲ云也」を付載する。上述の分析を参照。

　▶番号0777a・2278・2284a「排」（排却・排・排却）の仮名音注「ハイ」については、基本的に -ai で対応する。当該字には平声点を差す。番号2278「排」は右注「ヲシヒラク」を、熟字2284「排却」は左注「ヲヒヤカス」を付載する。観智院本類聚名義抄に平声点を付した同音字注「音俳」を見出す。長承本蒙求には仮名音注「ハイ」があり、その掲出字に平声点を付載する。日本漢音「ハイ」平声を認める。

　　　排 音俳［平］… ヒラク［平平上］ヤフル［平平濁□］…　　　（観智院本類聚名義抄／佛下本 070-1）

　　　排［平］ハイ　　　　　　　　　　　　　　　　　　　（長承本蒙求／018）

　▶番号0855a「俳」（俳優）の仮名音注「ハイ」については、基本的に -ai で対応する。当該字には平声点を差す。観智院本類聚名義抄に同音字注「音俳」を見出すが、仮名音注はない。

　　　俳佪 音俳回ト タチモトホル［平上□□□□］…　　　（観智院本類聚名義抄／佛上 023-7）

　▶番号1500「緋」（緋）の仮名音注「ハイ」については、基本的に -ai で対応する。当該字に声点はなく、左注「トコ」を付載する。観智院本類聚名義抄に平声点を付した同音字注「音裴」（その右傍に朱筆で仮名音注「ハイ」）を見出す。元和本倭名類聚抄には同音字注「音俳」がある。日本漢音「ハイ」平声を認める。

　　　緋 音裴［平／ハイ：朱右傍］トコ／クルマノトコ［上上上上上上］

　　　　　　　　　　　　　　　　　　　　　　　　　　（観智院本類聚名義抄／僧中 091-3）

　　　緋　唐韻云緋 音俳 車箱也漢語抄云車箱 車乃度古一云車輿

　　　　　　　　　　　　　　　　　　　　　　　　　　（元和本倭名類聚抄／巻十一 07 オ 4）

《下巻 皆韻諸例》

　▶番号6047a「薢」（薢茩）の仮名音注「カイ」については、基本的に -ai で対応する。当該字に声点はない。廣韻に拠れば、皆韻（kɐi¹）蟹/卦韻（kɐ²³）三音を有する。熟字6047「薢茩」は右

470　3．仮名音注の韻母別考察　3-2　Ⅱ韻類

注「ヒシ」を付載する。観智院本類聚名義抄に同音字注「皆・音解」を見出すが、仮名音注はない。元和本倭名類聚抄には同音字注「皆」がある。

　　　蘺苫 皆后二音／ヒシ［上上］／上音解／トコロ［平平□］　　（観智院本類聚名義抄／僧上 044-1）

　　　菱子 … 蘺苫 皆后二音 …　　　　　　　　　　　　　（元和本倭名類聚抄／巻十七 14 オ 7）

　▶番号6859a「揩」（揩鼓）の仮名音注「カイ」については、基本的に -ai で対応する。当該字には去声点を差す。熟字6859「揩鼓」は右注「スリッ、ミ」を付載する。上巻の当該例で分析したように、日本漢音は去声を認める。

　▶番号5432b「鞋」（絲鞋）の仮名音注「カイ［上平］」については、基本的に -ai で対応する。当該字に声点はなく、その仮名音注には下降調（東声に相当するが存疑）の差声を施す。その中古音が示す頭子音 ɣ- は等韻学の術語で言う喉音濁匣母であり、東声を想定できない。熟字5432「絲鞋」は中左注「又イトノ／クツ」を付載する。観智院本類聚名義抄に反切「胡皆戸佳反」を見出すが、仮名音注はない。元和本倭名類聚抄には熟字「絲鞋」があり、借字「俗云之賀伊」を見つける。定着久しい字音「カイ」の可能性を指摘しておく。

　　　鞵鞋 二正 胡皆戸佳反 クツ［平平］ … カハ　　　　（観智院本類聚名義抄／僧中 077-2）

　　　絲鞋　辨色立成云絲鞋 伊止乃久都今案俗云之賀伊　　　（元和本倭名類聚抄／巻十二 26 ウ 9）

　▶番号4932b・6546b「鞋」（綿鞋・線鞋）の仮名音注「カイ」については、基本的に -ai で対応する。両当該字に声点はない。熟字6546「線鞋」は左右注「センカイノ／クツ」を付載する。元元和本倭名類聚抄には熟字「線鞋」があり、反切「下戸佳反又戸皆反」と注記「線鞋千開乃久都」を見つける。上述の分析の参照。

　　　線鞋　辨色立成云線鞋 … 下戸佳反又戸皆反楊氏漢語抄云線鞋千開乃久都 …

　　　　　　　　　　　　　　　　　　　　　　　　　　　（元和本倭名類聚抄／巻十二 26 ウ 6）

《上巻 怪韻諸例》

　▶番号0784b・3107b「介」（媒介・耿介）の仮名音注「カイ」については、基本的に -ai で対応する。両当該字には去声点を差す。観智院本類聚名義抄に同音字注「音界」を見出すが、仮名音注はない。

　　　介 音界 … タスク［平平□］ … ヨロシ　　　　　（観智院本類聚名義抄／僧中 002-7）

　▶番号0593a「疥」（疥癩）の仮名音注「カイ」については、基本的に -ai で対応する。当該字には去声点を差す。熟字0593「疥癩」は右注「ハタケ」を付載する。観智院本類聚名義抄に同音字注「音界」を見出すが、仮名音注はない。元和本倭名類聚抄には同音字注「介」がある。

　　　疥 … 音界 ハタケ　　　　　　　　　　　　　　　（観智院本類聚名義抄／法下 117-2）

　　　疥癩　内典云疥癩 介頼二音和名波太介 …　　　　（元和本倭名類聚抄／巻三 26 オ 9）

3-2-2　-e 系の字音的特徴　471

▶番号 3297a・2930a「芥」（芥子・芥鶏）の仮名音注「カイ」については、基本的に -ai で対応する。両当該字には去声点を差す。観智院本類聚名義抄に同音字注「音介」を見出す。元和本倭名類聚抄には同音字注「音介」を見つける。長承本蒙求に仮名音注「カイ」があり、その掲出字に去声点を加える。日本漢音「カイ」去声を認める。

　　　芥 … 音介 カラシ［平上囗］アクタ［上上上／囗囗ハ：墨右傍］／チリ

　　　　　　　　　　　　　　　　　　　　　　　　　　（観智院本類聚名義抄／僧上 035-8）

　　　芥子 カラシ　　　　　　　　　　　　　　　（観智院本類聚名義抄／僧上 036-1）

　　　芥　本草云芥 音介和名加良之 味辛歸鼻者也　　　　（元和本倭名類聚抄／巻三 26 オ 9）

　　　芥［去］カイ　　　　　　　　　　　　　　　　　　　　（長承本蒙求／067）

▶番号 2046b「界」（兩界）の仮名音注「カイ」については、基本的に -ai で対応する。当該字には平声濁点を差すので、日本語音韻史上の連濁による字音「ガイ」を想定する。観智院本類聚名義抄に去声点を付した同音字注「音介」および低平調と推測する和音「カイ」を見出す。日本漢音は去声、日本呉音「カイ」平声を認める。

　　　界 音介［去］サカヒ［囗囗フ：墨右傍］／和カイ［囗平］　（観智院本類聚名義抄／佛中 107-5）

▶番号 2904a「戒」（戒牒）の仮名音注「カイ」については、基本的に -ai で対応する。当該字には平声点を差す。熟字 2904「戒牒」は僧尼が戒律を受けた証としての書き付けを指す。観智院本類聚名義抄に平声点を付した同音字注「音誡」を見出すが、仮名音注はない。日本漢音は平声を認める。

　　　戒 音誡［平］… イマシム［平平上平］… イタル　　（観智院本類聚名義抄／僧中 042-6）

▶番号 2620「戒」（戒）の仮名音注「カイ」については、基本的に -ai で対応する。当該字に声点はなく、右注「受戒」左注「持戒・佛戒」を付載する。上述の分析を参照。

▶番号 0216・3013b・3110b「誡」（誡・鑑誡・鑒誡）の仮名音注「カイ」については、基本的に -ai で対応する。当該諸字三例には去声点を差す。番号 0216 は和訓「イマシム」の同訓異字として位置する。熟字 3013「鑒誡」は右傍「カ、ミ イマシム」を付載する。図書寮本類聚名義抄に去声点を付した同音字注「音戒」および「眞云カイ」を見出す。観智院本には同音字注「音戒」を見つけるが、仮名音注はない。日本漢音は去声、日本呉音「カイ」を認める。

　　　誡勖 音戒［去］… イマシメ［平平平平／詩：右注］眞云カイ　（図書寮本類聚名義抄／077-3）

　　　誡 音戒 … イマシム［平平上平］…　　　　　（観智院本類聚名義抄／法上 058-5）

▶番号 0930「薤」（薤）の仮名音注「カイ」については、基本的に -ai で対応する。当該字には去声点を差し、右注「ニラ俗訓也」左注「又オホニラ」を付載する。観智院本類聚名義抄に去声点を付した同音字注「音械」を見出すが、仮名音注はない。元和本倭名類聚抄には同音字注「與械同」があり、さらに反切「胡介反」も加える。日本漢音は去声を認める。

　　　薤 … 音械［去］オホミラ［平平囗囗］… ヒル　　（観智院本類聚名義抄／僧上 038-5）

472　3．仮名音注の韻母別考察　3-2　Ⅱ韻類

薤　唐韻云薤 胡介反與械同 … 本草云薤味辛苦無毒 和名於保美良 …

(元和本倭名類聚抄／巻十七 13 ウ 8)

▶番号 1497b「械」（燈械）の仮名音注「カイ」については、基本的に -ai で対応する。当該字には平声濁点を差すので、字音「ガイ」を想定する。その中古音が示す頭子音 γ-（等韻学の術語で言う喉音濁匣母）は有声軟口蓋摩擦音であり、日本語のガ行音をもって受容するが、中国語音韻史上における濁音声母の無声化を反映する場合はカ行音で対応する。観智院本類聚名義抄に去声点を付した同音字注「音薤」と和音「カイ」を見出す。元和本倭名類聚抄には反切「胡界反」がある。日本漢音は去声、日本呉音「カイ」を認める。

　　　械 音薤［去］アシカシ［平平上平］／和カイ　　　　（観智院本類聚名義抄／佛下本 094-7）

　　　械 四聲字苑云械 胡界反阿之加之 …　　　　　　　（元和本倭名類聚抄／巻十三 17 ウ 3）

▶番号 0590a「齘」（齘齒）の仮名音注「カイ」については、基本的に -ai で対応する。当該字には去声点を差す。熟字 0590「齘齒」は右注「ハカミ」を付載する。観智院本類聚名義抄に反切「胡介反・又五八五結反」を見出すが、仮名音注はない。元和本倭名類聚抄には反切「胡介反」がある。

　　　齘 胡介反 又五八五／結反 ハカミ …　　　　　　　（観智院本類聚名義抄／法上 104-1）

　　　齘齒 錄驗方云齘齒 上胡介反波賀美 …　　　　　　　（元和本倭名類聚抄／巻三 20 オ 7）

▶番号 0753a・0804a・0805a・0884a「拜」（拜除・拜謝・拜謁・拜迎）の仮名音注「ハイ」については、基本的に -ai で対応する。当該諸字四例には去声点を差す。観智院本類聚名義抄に反切「保界反」（その反切下字に去声点）および低平調と推測する和音「ハイ」を見出す。長承本蒙求には仮名音注「ハイ」三例があり、それらを含む掲出諸字五例に去声点を加える。日本漢音「ハイ」去声、日本呉音「ハイ」平声を認める。

　　　拜 保界［□去］反 和ハイ［□平：圏点］／ヲカム［平上濁平］…

(観智院本類聚名義抄／佛下本 043-7)

　　　拜［去］ハイ　　　　　　　　　　　　　　　　（長承本蒙求／068・083・088）

　　　拜［去］　　　　　　　　　　　　　　　　　　（長承本蒙求／097・128）

▶番号 0755a「拜」（拜礼）の仮名音注「ハイ」については、基本的に -ai で対応する。当該字には平声点を差す。上述の分析を参照。

▶番号 0605「拜」（拜）の仮名音注「ハイ［平上］」については、基本的に -ai で対応する。当該字に声点はなく、その仮名音注に去声相当である上昇調の差声を施す。上述の分析を参照。

▶番号 0360b「拜」（阿拜）の仮名音注「ヘ［平濁］」については、基本的に -e で対応する。当該字に声点はなく、その仮名音注に平声濁点を差すので、日本語音韻史上の連濁による字音「べ」を想定する。熟字 0360「阿拜」は右傍に「アヘ［上平濁］」を付載する。元和本倭名類聚抄には借字による「安倍」がある。借字「倍」（ヘ乙類・べ乙類・ホ／海韻 bʌiʳ）は単母音化した字音を基盤

3-2-2 -ɐ 系の字音的特徴 473

とする。上述の分析を参照。先んじて地名があり、後に漢字表記を宛てたと考える。

伊賀國 國府在阿拜郡 … 阿拜 安倍國府 … 名張 奈波利　　　（元和本倭名類聚抄／巻五12 オ3）

《下巻 怪韻諸例》

▶番号6667b「介」（紹介）の仮名音注「カイ」については、基本的に -ai で対応する。当該字には去声点を差す。熟字6667「紹介」は右傍「ナカタチ」を付載する。上巻の怪韻当該諸例で分析した。

▶番号6716b「芥」（繊芥）の仮名音注「カイ」については、基本的に -ai で対応する。当該字には去声点を差す。上巻の怪韻当該諸例で分析したように、日本漢音「カイ」去声を認める。

▶番号4069「芥」（芥）の仮名音注「カイ」については、基本的に -ai で対応する。当該字に声点はなく、右注「同（アクタ）」を付載する。上述の分析を参照。

▶番号4673b「戒」（齊戒）の仮名音注「カイ」については、基本的に -ai で対応する。当該字には去声点を差す。上巻の怪韻当該諸例で分析したように、日本漢音は平声を認める。

▶番号5578b「戒」（受戒）の仮名音注「カイ」については、基本的に -ai で対応する。当該字に声点はない。上述の分析を参照。

▶番号4770b「拜」（參拜）の仮名音注「ハイ」については、基本的に -ai で対応する。当該字に声点はない。上巻の皆韻当該諸例で分析したように、日本漢音「ハイ」去声、日本呉音「ハイ」平声を認める。

3-2-2-4　-uɐi（皆/駭/怪韻）

資料篇【表B-04】には皆韻（平声）怪韻（去声）合口所属の諸例が含まれる。駭韻（上声）合口所属の例はない。前田本の示す仮名音注は、-wai, -we で基本的に対応する。特に異例はない。

《上巻 皆韻合口諸例》

▶番号1944b「懷」（蓄懷）の仮名音注「クワイ」については、基本的に -wai で対応する。当該字には平声点を差す。その中古音が示す頭子音 ɣ-（等韻学の術語で言う喉音濁匣母）は有声軟口蓋摩擦音であり、日本語のガ行音をもって受容するが、中国語音韻史上における濁音声母の無声化を反映する場合はカ行音で対応する。図書寮本類聚名義抄に平声点を付した同音字注「音槐」を見出す。観智院本も同様。長承本蒙求には仮名音注「クワイ」があり、その掲出字に平声点を加える。日本漢音「クワイ」平声を認める。

474　3．仮名音注の韻母別考察　3-2　Ⅱ韻類

懐 音槐［平］… フトコロニス［上上上上上平／集：右注］　　　　（図書寮本類聚名義抄／244-6）

懐懐 音槐［平］上通下正 古孃 コ、ロ …　　　　　　　　　　　（観智院本類聚名義抄／法中086-3）

懐［平］クワイ　　　　　　　　　　　　　　　　　　　　　　（長承本求／035）

▶番号1359b「懐」（平懐）の仮名音注「クワイ」については、基本的に -wai で対応する。当該字には平声濁点を差すので、字音「グワイ」を想定する。熟字1359「平懐」は右傍「ナメシ」を付載する。観智院本類聚名義抄に熟字「平壊」を掲げるが、これを「平懐」に訂正する。上述の分析を参照。

平懐 ナメシ［平平□］〔＊懐←壊〕　　　　　　　　　　　　　（観智院本類聚名義抄／法中086-4）

▶番号3153b「淮」（周淮）の仮名音注「ヱ」については、基本的に -we で対応する。当該字に声点はない。前田本が掲げる字形「唯」（脂/至韻 jiuei^{1/3}）を「淮」に修正する。その中古音が示す頭子音 ɣ-（等韻学の術語で言う喉音濁匣母二等）は有声軟口蓋摩擦音であり、日本語のガ行音をもって受容するが、中国語音韻史上における濁音声母の無声化を反映する場合はカ行音で対応する。一方で、摩擦が弱化して聞こえると有声軟口蓋接近音 ɰ-（有声両唇軟口蓋接近音 w-）のように把握する可能性がある。日本呉音の基層において、匣母が ɣ-・ɰ- に二分していたと推測する。図書寮本類聚名義抄に平声点を付した同音字注「季云音懐」を見出す。観智院本には同音字注「音懐」を見つける。長承本蒙求には仮名音注「火イ」があり、その掲出字に平声点を加える。仮名音注とともに使う「火」は合口介音 -u- を表記するための工夫である。同書では掲出字「火」に対して仮名音注「クワ」を見つける。日本漢音「クワイ」平声を認める。

淮 季云音／懐［平］東云水名也 …　　　　　　　　　　　　　（図書寮本類聚名義抄／009-3）

淮 音懐 トマリ／ヒロシ　　　　　　　　　　　　　　　　　　（観智院本類聚名義抄／法上022-4）

淮［平］火イ　　　　　　　　　　　　　　　　　　　　　　　（長承本蒙求／112）

火 クワ　　　　　　　　　　　　　　　　　　　　　　　　　（長承本蒙求／119）

上総國 國府在市原郡 … 周淮 季 …　　　　　　　　　　　　（元和本倭名類聚抄／巻五15 オ7）

《下巻 皆韻合口諸例》

▶番号5973「槐」（槐）の仮名音注「クワイ」については、基本的に -wai で対応する。当該字には平声点を差し、右注「エンス」左注「芳枝［平平／ハウシ：右傍］」を付載する。中国原産マメ科の落葉高木を槐樹（えんじゅ）と言う。その中古音が示す頭子音 ɣ-（等韻学の術語で言う喉音濁匣母二等）は有声軟口蓋摩擦音であり、日本語のガ行音をもって受容するが、中国語音韻史上における濁音声母の無声化を反映する場合はカ行音で対応する。一方で、摩擦が弱化して聞こえると有声軟口蓋接近音 ɰ-（有声両唇軟口蓋接近音 w-）のように把握する可能性がある。日本呉音の基層において、匣母が ɣ-・ɰ- に二分していたと推測する。観智院本類聚名義抄に平声点を付した同

音字注「音迴」を見出す。また「エニスノキ」を見つける。おそらくは「エンス」の撥音部分を「ニ」と表記したのであろう。字音「ヱ」を想定する。長承本蒙求には仮名音注「クワイ」二例があり、その掲出字一例に平声点を加える。元和本倭名類聚抄には同音字注「音迴」と和名「惠邇須」を見つける。日本漢音「クワイ」平声を認める。

　　　槐　音迴［平］エニスノキ［上上平□□］／カラタチ　　　　（観智院本類聚名義抄／佛下本100-6）

　　　槐　爾雅集注云葉小而青白曰槐 音迴和名惠邇須 …　　　（元和本倭名類聚抄／巻二十27オ2）

　　　槐〔＊左下隅欠〕迴反／クワイ　　　　　　　　　　　　　　　　　（長承本蒙求／030）

　　　槐［平］クワイ　　　　　　　　　　　　　　　　　　　　　　　　　（長承本蒙求／085）

▶番号5975「懷」（懷）の仮名音注「クワイ」については、基本的に -wai で対応する。当該字には平声点を差し、右注「同（エンス）戸乖反」左注「槐別名」を付載する。観智院本類聚名義抄に同音字注「音壞一音瓌」を見出すが、仮名音注はない。元和本倭名類聚抄には同音字注「音懷一音瓌」がある。上述の分析を参照。

　　　懷　音壞 一音瓌／エムス［平平平濁］　　　　　　　　　　　（観智院本類聚名義抄／佛下本100-7）

　　　槐　爾雅集注云 … 葉大而黒曰懷 音懷一音瓌 …　　　　　（元和本倭名類聚抄／巻二十27オ3）

《上巻 怪韻合口諸例》

▶番号3190a「恠」（恠鴉）の仮名音注「クワイ」については、基本的に -wai で対応する。当該字には去声点を差す。熟字3190「恠鴉」は左右注「ヨタカ 晝伏／夜行鳴以爲恠者也」を付載する。図書寮本類聚名義抄に反切「慈云古懷反」を見出す。観智院本には反切「古快反」と仮名音注「音ケ」および和音「クヱ」を見つける。日本漢音字音史上の音変化 kwe>ke も看て取れる。長承本蒙求には仮名音注「クワイ」があり、その掲出字に去声点を加える。日本漢音「クワイ」去声、日本呉音「クヱ」、字音「ケ」を認める。

　　　恠之 慈云古懷反 … アヤシフ［平平上平濁／集：右注］　　（図書寮本類聚名義抄／246-7）

　　　恠怪 古快反 音ケ／異也 アヤシ　　　　　　　　　　　　　（観智院本類聚名義抄／法中074-6）

　　　恠 … クユ サトル／アヤシフ イタハル 和クヱ　　　　　　（観智院本類聚名義抄／法中074-8）

　　　恠［去］クワイ　　　　　　　　　　　　　　　　　　　　　　　　　（長承本蒙求／120）

　　　恠鴉　爾雅注云恠鴉 漢語抄云與多加 晝伏夜行鳴以爲恠者也

　　　　　　　　　　　　　　　　　　　　　　　　　　　　　　　　　　（元和本倭名類聚抄／巻十八05オ5）

▶番号0846b「壞」（破壞）の仮名音注「ヱ」については、基本的に -we で対応する。当該字には平声点を差す。その中古音が示す頭子音 ɣ-（等韻学の術語で言う喉音濁匣母）は有声軟口蓋摩擦音であり、日本語のガ行音をもって受容するが、中国語音韻史上における濁音声母の無声化を反映する場合はカ行音で対応する。一方で、摩擦が弱化して聞こえると有声軟口蓋接近音 щ-（有声

476　3．仮名音注の韻母別考察　3-2　Ⅱ韻類

両唇軟口蓋接近音 w-）のように把握する可能性がある。日本呉音の基層において、匣母が ɣ-・ɥ-
に二分していたと推測する。図書寮本類聚名義抄に同音字注「音恢」と反切「真云或作數古恠反」
を見出す。観智院本には同音字注「懷」と和音「ヱ」を見出す。日本呉音「ヱ」を認める。

　　壞 音恢 … 真云或作數古恠反 … コホツ［平平濁上／書：右注］…　　（図書寮本類聚名義抄／223-4）

　　壞 音懷 ヤフル／コホル［平平濁平］カクル 和ヱ　　　　　（観智院本類聚名義抄／法中 065-8）

《下巻 怪韻合口諸例》

▶番号 5105b「恠」（奇恠）の仮名音注「クワイ」については、基本的に -wai で対応する。当
該字には去声点を差す。上巻の怪韻合口当該例で分析したように、日本漢音「クワイ」去声、日本
呉音「クヱ」、字音「ケ」を認める。

▶番号 5230a「壞」（壞蛟）の仮名音注「クワイ」については、基本的に -wai で対応する。当
該字には平声点を差す。上巻の怪韻合口当該例で分析したように、日本呉音「ヱ」を認める。

3-2-2-5　-ɐm/-ɐp（咸/豏/洽韻）

資料篇【表 B-04】には咸韻（平声）豏韻（上声）洽韻（入声）所属の諸例が含まれる。陷韻（去
声）所属の該当例はない。前田本の示す仮名音注は、-am/-ap で基本的に対応する。異例 -an, -au,
-om がある。

《上巻 咸韻諸例》

▶番号 1230b「緘」（報緘）の仮名音注「カム」については、基本的に -am で対応する。当該
字には平声点を差し、右傍「ツ ム」を付載する。熟字 1230「報緘」には左注「返事文章也」を付
載する。図書寮本類聚名義抄に反切「广云古咸反」を見出す。観智院本類聚名義抄に反切「古咸反」
を見出すが、仮名音注はない。

　　封緘 广云古咸反 束索也／篋也 亦閞　　　　　　　　　　　（図書寮本類聚名義抄／305-2）

　　緘 古咸反 ツ ム トツ … ツカヌ　　　　　　　　　　　（観智院本類聚名義抄／法中 121-6）

▶番号 2407b「儳」（和儳）の仮名音注「サム」については、基本的に -am で対応する。当該
字には平声濁点を差すので、字音「ザム」を想定する。観智院本類聚名義抄に同音字注「音峻」を
見出すが、仮名音注はない。

　　儳 音峻 兔 ヨシ … ウコナラハス　　　　　　　　　　　（観智院本類聚名義抄／佛上 010-7）

　　儳和 サカシラ　　　　　　　　　　　　　　　　　　　（観智院本類聚名義抄／佛上 010-8）

3-2-2　-ɐ 系の字音的特徴　477

▶番号 0463a「櫼」（櫼槍）の仮名音注「ロム」については、異例 -om を示す。この仮名音注は「サム」の誤認と推測する。当該字には平声点を差す。廣韻に拠れば、咸韻 (dʒem¹) 鑑韻 (dʒam³) 二音を有する。熟字 0463「櫼槍」は右注「同（ハ、キホシ）」を付載する。観智院本類聚名義抄に同音字注「音讒」と「又去声」を見出すが、仮名音注はない。日本漢音は去声を認める。

　　櫼 音讒 檀木／又去声 水門　　　　　　　　　（観智院本類聚名義抄／佛下本 099-7）

《下巻 咸韻諸例》

▶番号 5192a「嵒」（嵒礹）の仮名音注「カム」については、基本的に -am で対応する。当該字には平声点を差す。その中古音が示す頭子音 ŋ-（等韻学の術語で言う牙音疑母）は軟口蓋鼻音であり、日本語のガ行音をもって受容する。当該字「嵒」と「碞・岩」は相互に異体字である。熟字 5192「嵒礹」は右注「キカフ〔＊「タカフ」の誤認か〕」を付載する。観智院本類聚名義抄に反切「牛咸反」を見出すが、仮名音注はない。

　　嵒 牛咸反 山巖　　　　　　　　　　　　　　（観智院本類聚名義抄／法上 114-8）

　　碞 牛飲反 又嵒／音潛 タカフ［平平濁□］　　（観智院本類聚名義抄／法中 008-6）

▶番号 5401「醶」（醶）の仮名音注「カム」〔＊抹消らしき跡あり〕については、基本的に -am で対応する。当該字に声点はなく、右注「同（シハ、ユシ）」を付載する。塩辛いの意味である。番号 5401「醶」と次項の番号 5402「鹹」とは相互に異体字である。観智院本類聚名義抄に平声点を付した同音字注「音咸」および和音「欠」を見出すが、仮名音注はない。両者は大般若経字抄による引用で、漢呉二音相同の同音字注を選択できない場合の処置として、正音「咸」呉音「欠」がある。傍証ながら、観智院本類聚名義抄で「欠」を再検索すると、低平調を示す和音「カム」がある。日本漢音は平声を認める。

　　醶 俗醶字 音咸［平］カラシ／シハ、ユシ［平平平上］和音欠　（観智院本類聚名義抄／僧下 057-7）

　　欠 丘劍反 タラス［上上平濁］… 和音カム［平平］　　　（観智院本類聚名義抄／僧中 044-8）

　　正咸 鹹［欠：右傍］鹵［魯：右傍］上字塩地又苦味也醶字古文也 …

　　　　　　　　　　　　　　　　　　　　　　（石山寺一切経蔵本大般若経字抄／22 オ 6）

▶番号 5402「鹹」（鹹）の仮名音注「カム」については、基本的に -am で対応する。当該字には平声点を差し、左注「同（シハ、ユシ）」を付載する。番号 5402「鹹」と前項の番号 5401「醶」とは相互に異体字である。観智院本類聚名義抄に同音字注「音咸」三例および呉音「欠」を見出すが、仮名音注はない。両者は大般若経字抄による引用である。上述の分析を参照。

　　鹹 古醶字／音咸 苦　　　　　　　　　　　　（観智院本類聚名義抄／法上 099-8）

　　鹹 音咸 シハ、ユシ［平平平平平］古醶字／呉音欠 シホカラシ　（観智院本類聚名義抄／僧中 042-2）

　　鹹 シハ、ユシ［平平□□□］　　　　　　　　（観智院本類聚名義抄／僧下 112-8）

478　3．仮名音注の韻母別考察　3-2　Ⅱ韻類

　　　鹹 俗鹹字 音咸／苦　　　　　　　　　　　　　　　　　　（観智院本類聚名義抄／僧下 113-1）

　▶番号4612「㰔」（㰔）の仮名音注「カン」については、異例 -an を示す。当該字には平声点
を差し、和訓「サス」の同訓異字として位置する。その中古音が示す末子音の脣内撥音韻尾 -m を
「ン」で対応する。この仮名音注は仮名字形の相似による「サン」の誤認と推測する。上巻の咸韻
当該例で分析したように、日本漢音は去声を認める。

　▶番号4522「讒」（讒）の仮名音注「サム［平濁平］」については、基本的に -am で対応する。
当該字には平声濁点を差し、右注として付載する仮名音注は濁音を含む低平調を示す（実際にはサ
変動詞「サムス［平濁平平濁］」）ので、字音「ザム」平声を想定する。加えて左注「士咸反」を
付載する。観智院本類聚名義抄に反切「仕咸反」を見出すが、仮名音注はない。

　　　讒 仕咸反 ソシル ヤフル …　　　　　　　　　　　　　　（観智院本類聚名義抄／法上 052-4）

　▶番号4710a「讒」（讒邪）の仮名音注「サム」については、基本的に -am で対応する。当該
字には平声点を差す。その中古音が示す頭子音 ʣ-（等韻学の術語で言う崇母）は有声反り舌破擦
音であり、日本語のザ行音をもって受容するが、中国語音韻史上に現れる濁音声母の無声化を反映
する場合は日本語のサ行音で受容する。上述の分析を参照。

　▶番号4712a（讒言）の仮名音注「サン」については、異例 -an で対応する。当該字には平声点
を差す。その中古音が示す末子音の脣内撥音韻尾 -m を「ン」と表記する。上述の分析を参照。

　▶番号6793「杦」（杦）の仮名音注「サム」〔＊「ム」不鮮明〕については、基本的に -am で対応
する。当該字に声点はなく、右注「スキ」を付載する。観智院本類聚名義抄に平声点を付した同音
字注「音衫・一音纖」を見出すが、仮名音注はない。元和本倭名類聚抄には同音字注「音衫一音纖」
がある。日本漢音は平声を認める。

　　　杦 音衫［平］一音纖［平］／スキ［上上濁］椚非也　　　（観智院本類聚名義抄／佛下本 088-7）

　　　杦　爾雅音義云杦 音衫一音纖和名須木見日本紀私記 …　　（元和本倭名類聚抄／巻二十 25 オ 3）

《上巻　鹽韻諸例》

該当例なし。

《下巻　鹽韻諸例》

　▶番号4943「斬」（斬）の仮名音注「サム」については、基本的に -am で対応する。当該字に
は上声点を差し、右注「斬頸」左注「斬人」を付載する。観智院本類聚名義抄に反切「即咸反」と
低平調を示す和音「サム」を見出す。日本呉音「サム」平声を認める。

　　　斬 即咸反 キル［平上］… 和サム［平平］　　　　　　　（観智院本類聚名義抄／僧中 035-5）

《上巻 洽韻諸例》

▶番号0894b「峽」（巴峽）の仮名音注「カフ」については、基本的に -ap で対応する。当該字には徳声点を差す。廣韻に拠れば、その中古音は喉音濁匣母洽韻二等（ɣɐp）であるから、当該字は入声と認める。その最終第九画の右下払いが長いため、入声点の位置に制限があり、徳声点の位置に差さざるを得なかったか。熟字0894「巴峽」は右注「ハカフ」左注「猿名」を付載する。中国湖西省巴東県の西にある峽谷名で、長江に臨む急流の難所として有名であるが、ここでは巴峽の両岸に棲息する「巴猿」を指す。図書寮本類聚名義抄に入声点を付した同音字注「音洽」（洽韻ɣɐp）を見出す。観智院本には同音字注「音狹」を見つけるが、仮名音注はない。元和本倭名類聚抄に反切「咸夾反」がある。日本漢音は入声を認める。

　　峽 音洽 [入] … 川云俗云山乃賀比 [上上]　　　　　　　　（図書寮本類聚名義抄／139-7）
　　峽 音狹 キル 巫峽 山名／セハシ 山ノカヒ [上上] ホラ　　（観智院本類聚名義抄／法上109-5）
　　峽 　考聲切韻云峽山間陜處也咸夾反俗云 山乃加比　　　（元和本倭名類聚抄／巻一・07 オ4）

▶番号2429「峽」（峽）の仮名音注「カフ」については、基本的に -ap で対応する。当該字には入声点を差し、右注「カヒ 山間狹處也」左注「名月狹 貞女狹」を付載する。上述の分析を参照。

▶番号3011a「洽」（洽聞）の仮名音注「カフ」については、基本的に -ap で対応する。当該字には入声点を差す。熟字3011「洽聞」は右傍「アマネク」を付載する。図書寮本類聚名義抄に入声点を付した同音字注「音大宋摺本法花經奧云狹」および濁音を含む低平調の真興和音「真云カフ」を見出す。観智院本には去声点を付した同音字注「狹」および濁音を含む低平調の和音「カフ」を見つける。前者の去声点には疑義が残る。あるいは日本語音韻史上の音変化 -ap > -au を反映する字音把握が念頭にあるか。日本呉音「ガフ」入声を認める。

　　普洽 音大宋摺本法花經奧云狹 [入] … 真云カフ [平濁平]　　（図書寮本類聚名義抄／012-3）
　　洽 音狹 [去] アマネシ [平平平□] … 和カフ [平濁平：墨点]　（観智院本類聚名義抄／法上010-1）

▶番号2689a「揷」（揷頭花）の仮名音注「サフ」については、基本的に -ap で対応する。当該字には入声点を差す。熟字2689「揷頭花」は右注「カサシ」を付載する。観智院本類聚名義抄に反切「初洽反」を見出すが、仮名音注はない。

　　揷 サシハサム [平上平□□] ／今 初洽反　　　　　　　（観智院本類聚名義抄／佛下本058-5）
　　揷頭花 　楊氏漢語抄云鈔頭花 賀佐之俗用揷頭花　　　　（元和本倭名類聚抄／巻四08 ウ7）

《下巻 洽韻諸例》

▶番号4483「峽」（峽）の仮名音注「カウ」については、異例 -au を示す。当該字には入声点

480　3．仮名音注の韻母別考察　3-2　Ⅱ韻類

を差す。日本語音韻史上の音変化 -ap > -au を反映し、字音「カウ」で対応する。上巻の洽韻当該諸例で分析したように、日本漢音は入声を認める。

　▶番号4760a「挿」（挿着）の仮名音注「サフ」については、基本的に -ap で対応する。当該字には入声点を差す。熟字4760「挿着」は左注「老腰也」を付載する。上巻の洽韻当該例で分析した。

　▶番号4579a「挿」（挿鞋）の仮名音注「サウ［上上］」については、異例 -au を示す。当該字に声点なく、その仮名音注には上昇調の差声を施す。日本語音韻史上の音変化 -ap > -au を反映し、字音「サウ」で対応する。両観点から見て、字音「サウ」去声という認識を示すか。熟字4579「挿鞋」は左注「俗用之」を付載する。これは直上の熟字4578「靸鞋」を指している。上述の分析を参照。

3-2-2-6　-en/-et（山/産/襇/黠韻）

　資料篇【表B-04】には山韻（平声）産韻（上声）襇韻（去声）黠韻（入声）所属の諸例が含まれる。前田本の示す仮名音注は、-an/-at, -en/-et で基本的に対応する。異例 -am, -wan がある。

《上巻 山韻諸例》

　▶番号3069a「艱」（艱難）の仮名音注「カン」については、基本的に -an で対応する。当該字には去声点を差す。観智院本類聚名義抄に平声点を付した同音字注「音間」（その右傍に朱筆で仮名音注「カン」）および上昇調を示す和音「カム」（末子音の舌内撥音韻尾 -n を「ム」で対応）を見出す。日本漢音「カン」平声、日本呉音「カン」去声を認める。

　　　艱 音間［平/カン：朱右傍］カタシ［上上□］… 和カム［平上］

　　　　　　　　　　　　　　　　　　　　　　　　（観智院本類聚名義抄／僧下106-4）

　▶番号1006b・1800b「間」（人間・中間）の仮名音注「ケン」については、基本的に -en で対応する。両当該字には上声濁点を差すので、字音「ゲン」を想定する。その頭子音 ɣ-（等韻学の術語で言う喉音濁匣母）は有声軟口蓋摩擦音であり、日本語のガ行音をもって受容するが、中国語音韻史上における濁音声母の無声化を反映する場合はカ行音で対応する。図書寮本類聚名義抄に反切「真云古閑反」を見出す。観智院本には反切「革閑反」と同音字注「又音諌」および低平調を示す和音「ケン」を見つける。日本呉音「ケン」平声を認める。

　　　等無間 真云古閑反 隟也 …　　　　　　　　　　（図書寮本類聚名義抄／290-2）

　　　間 革閑反 又音諌 ハシタ［平平□］… 和ケン［平平］　　間 俗（観智院本類聚名義抄／法下076-8）

　▶番号0236b・0324b・1603b・2862a・2863a・2909a・2927a・2969a・2970a・2992a・2993a・3046a・3047a・3048a・3049a・3050a・3051a「閑」（蹢閑・幽閑・等閑・閑夜・閑夕・

閑官・閑治・閑語・閑談・閑散・閑素・閑居・閑素・閑寂・閑暇・閑所・閑吟）の仮名音注「カン」
については、基本的に -an で対応する。当該諸字十七例には平声点を差す。その頭子音 ɣ-（等韻
学の術語で言う喉音濁匣母）は有声軟口蓋摩擦音であり、日本語のガ行音をもって受容するが、中
国語音韻史上における濁音声母の無声化を反映する場合はカ行音で対応する。熟字0324「幽閑」は
右傍「カスカナリ」を、熟字2862「閑夜」は右傍「シツカナルヨ」を、熟字2927「閑冶」は右傍
「ミヤヒカナリ」を付載する。観智院本類聚名義抄に反切「下間反」および上昇調を示す和音「ケ
ン」を見出す。承暦本金光明最勝王経音義には仮名音注「ケ✓」がある。日本呉音「ケン」去声を
認める。

> 閑 下間反 シツカナリ［□上濁□□□／□□□ニ：墨右傍］… 和ケン［平上］
>
> （観智院本類聚名義抄／法下075-6）
>
> 閑 ケ✓［：右傍］〔＊後筆墨書〕　　　　　　　　（承暦本金光明最勝王経音義／10 ウ1）

▶番号 0885b・1157b・2130b・2291a「山」（茅山・暮山・梁山・山葵）の仮名音注「サン」
については、基本的に -an で対応する。当該諸字四例には平声点を差す。図書寮本類聚名義抄に反
切「茲云所間反」を見出す。観智院本には反切「所姦反」と同音字注「又音諌」および上昇調を示
す和音「セン」を見つける。長承本蒙求には仮名音注「サ✓」二例「サゝ」一例があり、それらを
含む掲出諸字六例に東声点を加える。日本漢音「サン」東声（四声体系では平声）日本呉音「セン」
去声を認める。

> 山 茲云所間反 艮為山 …　　　　　　　　　　　（図書寮本類聚名義抄／135-6）
>
> 山 所姦反 又音諌 ヤマ［平平］… 和セン［平上：墨点］　　（観智院本類聚名義抄／法上106-7）
>
> 山 ［東］サ✓　　　　　　　　　　　　　　　　（長承本蒙求／014・028）
>
> 山 ［東］サゝ　　　　　　　　　　　　　　　　（長承本蒙求／021）
>
> 山 ［東］　　　　　　　　　　　　　　　　　（長承本蒙求／027・043・059）
>
> 山葵 養生祕要云山葵 和名和佐比漢語抄用山薑二字 …　（元和本倭名類聚抄／巻十六23 オ1）

▶番号 1632b「山」（銅山）の仮名音注「サン」については、基本的に -an で対応する。当該字
には平声濁点を差すので、日本語音韻史上の連濁による字音「ザン」を想定する。上述の分析を参
照。

▶番号 1463b「山」（銅山）の仮名音注「サム」については、異例 -am を示す。当該字に声点
はない。末子音の舌内撥音韻尾 -n を「ム」で対応する。上述の分析を参照。

《下巻 山韻諸例》

▶番号 3830b・4114a・4481b・4649a「山」（茅山・山榴・梁山・山嶺）の仮名音注「サン」
については、基本的に -an で対応する。当該諸字四例には平声点を差す。熟字4114「山榴」は右

482　3．仮名音注の韻母別考察　3-2　Ⅱ韻類

注「アイツヽシ」左注「岩榴」を付載する。上巻の山韻当該諸例で分析したように、日本漢音「サン」東声（四声体系では平声）日本呉音「セン」去声を認める。

　　山榴　兼名苑云山榴 和名阿伊豆々之 即山石榴也 …　　　（元和本倭名類聚抄／巻二十 26 ウ 9）

　▶番号 4752a「山」（山郵）の仮名音注「サン」については、基本的に -an で対応する。当該字には東声点を差す。当該字「山」の中古音は等韻学の術語で言う歯音清生母山韻二等であり、日本漢音の六声調体系では頭子音（声母）が清・次清の場合に東声を期待する。熟字 4752「山郵」は右注「マヤ」を付載する。山中の宿駅を指すか。上述の分析を参照。

　▶番号 4753a・6355c・6945b「山」（山驛・比叡山・綴山）の仮名音注「サン」については、基本的に -an で対応する。当該諸字三例に声点はない。熟字 4753「山驛」は右注「同（マヤ）」を付載する。上述の分析を参照。

　▶番号 4199・5344「疝」（疝）の仮名音注「サン」については、基本的に -an で対応する。両当該字には平声点を差す。番号 4199「疝」は右注「アタハラ」中注「腹忽瘤也」左注「又シラタミ」を付載する。観智院本類聚名義抄に同音字注「音山」を見出すが、仮名音注はない。元和本倭名類聚抄には同音字注「音山」がある。

　　疝　音山 疝渡腸病／アタハラ …　　　　　（観智院本類聚名義抄／法下 115-6）
　　疝　釋名云疝 音山阿太波良 一云之良太美 腹急痛也　　　（元和本倭名類聚抄／巻三 21 ウ 5）

《上巻 産韻諸例》

　▶番号 1638b・2906a・3025a・3097a「簡」（蠹簡・簡略・簡定・簡要）の仮名音注「カン」については、基本的に -an で対応する。当該諸字四例には上声点を差す。熟字 2906「簡略」は左注「イサ、カナリ」を付載する。観智院本類聚名義抄に反切「居限反」を見出す。長承本蒙求には舌内撥音韻尾 -n 表記を含む仮名音注「カゝ」四例があり、それらすべてに上声点を加える。元和本倭名類聚抄には反切「古限反」を見つける。日本漢音「カン」上声を認める。

　　簡　居限反 フタ［上上濁／□□ミ［上］・□□ム：墨右傍］…　（観智院本類聚名義抄／僧上 078-4）
　　萠［上］カゝ　　　　　　　　　　　　　　　　　　（長承本蒙求／043）
　　簡［上］カゝ　　　　　　　　　　　　　（長承本蒙求／067・105・144）
　　簡　野王案簡 古限反和名不美太 所以写書記事者也 …　（元和本倭名類聚抄／巻十三 10 ウ 3）

　▶番号 1934b「簡」（竹簡）の仮名音注「カン」については、基本的に -an で対応する。当該字には平声点を差す。上述の分析を参照。

　▶番号 2948b・3122b「眼」（合眼・鵝眼）の仮名音注「カン」については、基本的に -an で対応する。両当該字には上声濁点を差すので、字音「ガン」を想定する。中古音が示す頭子音 ŋ-（等韻学の術語で言う牙音疑母）は軟口蓋鼻音であり、日本語のガ行音をもって受容する。観智院本類

聚名義抄に反切「五簡反」および和音「ケム」（末子音の舌内撥音韻尾 -n を「ム」で対応）を見出す。長承本蒙求には仮名音注「カゝ」があり、その掲出字に上声点を差す。日本漢音「ガン」上声、日本呉音「ゲン」を認める。

　　　眼 五簡反／マナコ 和ケム　　　　　　　　　　（観智院本類聚名義抄／佛中 063-7）

　　　眼［上］カゝ　　　　　　　　　　　　　　　　　　（長承本蒙求／143）

▶番号 3193b「眼」（夜眼）の仮名音注「カン」については、基本的に -an で対応する。当該字には上声点を差す。熟字 3193「夜眼」は右注「ヨメ」左注「馬眼」を付載する。上述の分析を参照。

　　　夜眼 辨色立成云夜眼 與米漢語抄説同　　　　　（元和本倭名類聚抄／巻十一 14 ウ 3）

▶番号 2943a「眼」（眼下）の仮名音注「カン」については、基本的に -an で対応する。当該字には平声濁点を差すので、字音「ガン」を想定する。上述の分析を参照。

▶番号 1280b「眼」（法眼）の仮名音注「ケン」については、基本的に -en で対応する。当該字に声点はない。上述の分析を参照。

▶番号 1008b「限」（任限）の仮名音注「ケン」については、基本的に -en で対応する。当該字には平声濁点を差すので、字音「ゲン」を想定する。その中古音が示す頭子音 ɣ-（等韻学の術語で言う喉音濁匣母）は有声軟口蓋摩擦音であり、日本語のガ行音をもって受容するが、中国語音韻史上における濁音声母の無声化を反映する場合はカ行音で対応する。熟字 1008「任限」は左注「四年之終也」を付載する。観智院本類聚名義抄に反切「胡簡反」および低平調と推測する和音「下ム」を見出す。同書で仮名音注とともに使う「下」は濁音の字音「ゲ」に相当し、和音「下ウ・下ム・下ン」を見つける。長承本蒙求には仮名音注「ケゝ・カ✓」（「ケゝ」は呉音形が混入したか）があり、その掲出字には上声点を加える。日本漢音「カン」上声、日本呉音「ゲン」平声を認める。

　　　限 胡簡反 カキル［平平濁□／□□リ ［平］：墨右傍］… 和下ム［□平：墨点］

　　　　　　　　　　　　　　　　　　　　　　　　　　（観智院本類聚名義抄／法中 046-7）

　　　限［上］ケゝ・カ✓　　　　　　　　　　　　　　（長承本蒙求／144）

▶番号 2457「棧」（棧）の仮名音注「サン」については、基本的に -an で対応する。当該字には上声点を差し、右注「カハラノエツリ」左注「屋具也」を付載する。廣韻に拠れば、産／諫韻(dẓen²³)獮韻(dẓian²)三音を有する。その中古音が示す頭子音 dẓ-（等韻学の術語で言う崇母）は、中国語音韻史上に現れる濁音声母の無声化を反映した場合、日本語のサ行音で受容する。観智院本類聚名義抄に反切「士産反」と同音字注「音竿・一音賤・又音箋」を見出す。長承本蒙求には仮名音注「セゝ・サ✓」があり、その掲出字に上声点を加える。左側「セゝ」は平安時代院政初期である長承三年(1134)に加点された墨筆、右側「サ✓」は左側に準ずる同時期の別筆墨書か。元和本倭名類聚抄には反切「初限反」と同音字注「音箕一音賤」を見つける。日本漢音「サン・セン」上声を認める。

　　　棧 士産反 … カケハシ［平平平上］／音竿 一音賤 … 又音箋 棧香木

　　　　　　　　　　　　　　　　　　　　　　　　（観智院本類聚名義抄／佛下本 094-7）

484　3．仮名音注の韻母別考察　3-2　Ⅱ韻類

　　　　棧［上］セヽ／サ✓〔＊長承三年点と同時期の別筆か〕　　　　　　　（長承本蒙求／143）

　　　　棧 … 楊氏漢語抄云棧 瓦乃衣都利初限反 …　　　　　　（元和本倭名類聚抄／巻十 09 オ 8）

　　　　梯　郭知玄云梯 音低和名加介波之 … 唐韻云棧 音箋一音賤訓同上 …

　　　　　　　　　　　　　　　　　　　　　　　　　　　　（元和本倭名類聚抄／巻十 19 オ 6）

　▶番号 0330b・0848b「盞」（一盞・放盞）の仮名音注「サン」については、基本的に -an で対
応する。両当該字には上声点を差す。観智院本類聚名義抄に同音字注「音産」を見出すが、仮名音
注はない。元和本倭名類聚抄には同音字注「音與産同」がある。

　　　　盞 今 … サカツキ［上上上濁平］音産　　　　　　　　（観智院本類聚名義抄／僧中 014-4）

　　　　盃盞 … 方言注云盞 音與産同和名同上〔＊佐賀都木〕　　（元和本倭名類聚抄／巻十六 08 オ 8）

　▶番号 1573b「産」（土産）の仮名音注「サン」については、基本的に -an で対応する。当該字
には上声点を差す。図書寮本類聚名義抄に反切「中云所菅反・真云山菅反」および平声点を付した
同音字注「真云仙」を見出す。観智院本類聚名義抄に和音「セム」を見出す。承暦本金光明最勝王
経音義には仮名音注「サ✓」がある。ただし、先に「セ」と書いて摺り消した跡がある。同書は呉
音読誦音を基本とするが、漢音系字音「サン」を付載したか。日本呉音「セン」平声を認める。

　　　　産生 … 中云所菅反 … コウム［上上平／聿：右注］真云仙［平］　　（図書寮本類聚名義抄／124-5）

　　　　財産 真云山菅反 中云材貨也 …　　　　　　　　　　　　（図書寮本類聚名義抄／124-6）

　　　　産 コウム … ウマル［上上平］和セム　　　　　　　（観智院本類聚名義抄／法上 092-2）

　　　　産 サ✓［：右注／セ：摺り消し跡あり］〔＊後筆墨書〕　（承暦本金光明最勝王経音義／07 ウ 4）

《下巻 産韻諸例》

　▶番号 5708b「簡」（竹簡）の仮名音注「カン」については、基本的に -an で対応する。当該字
には平声点を差す。上巻の産韻当該諸例で分析したように、日本漢音「カン」上声を認める。

　▶番号 5458b「眼」（象眼）の仮名音注「カン［上濁上］」については、基本的に -an で対応す
る。当該字に声点はないが、その仮名音注に濁音を含む上平調の差声を施すので、字音「ガン」上
声を想定できる。上巻の産韻当該諸例で分析したように、日本漢音「ガン」上声、日本呉音「ゲン」
を認める。

　▶番号 3740「棧」（棧）の仮名音注「サン」については、基本的に -an で対応する。当該字に
は上声点を差し、右注「エツリ 初限反」左注「瓦具」を付載する。上巻の産韻当該諸例で分析したよ
うに日本漢音「サン・セン」上声を認める。

　▶番号 4446「棧」（棧）の仮名音注「サン」については、基本的に -an で対応する。当該字に
声点はない。上述の分析を参照。

　▶番号 4559「盞」（盞）の仮名音注「サン」については、基本的に -an で対応する。当該字に

3-2-2　-ɐ系の字音的特徴　485

は上声点を差し、右注「同（サカツキ）」左注「湿限反」を付載する。上巻の産韻当該諸例で分析
した。

▶番号4279b「盞」（燈盞）の仮名音注「セン」については、基本的に -en で対応する。当該字
には上声点を差す。熟字4279「燈盞」は右注「アフラツキ」を付載する。上述の分析を参照。

▶番号6540「鑯」（鑯）の仮名音注「セン」については、基本的に -en で対応する。当該字に
は平声点を差し、左注「細工具」を付載する。観智院本類聚名義抄に反切「叉諫反・又叉簡反」を
見出すが、仮名音注はない。元和本倭名類聚抄には反切「初限反」がある。

　　　鑯　叉諫反 又叉簡反 タヒラク … ヤスリ　　　　　　　（観智院本類聚名義抄／僧上117-8）

　　　鑯釗　唐韻云鑯釗 並初限反辨色立成云鑯奈良之 …　　　（元和本倭名類聚抄／巻十五16 ウ2）

▶番号4757a・5355a「産」（産業・産後腹）の仮名音注「サン」については、基本的に -an で
対応する。両当該字には上声点を差す。熟字5355「産後腹」は右注「シリハラ」を付載する。上巻
の産韻当該例で分析したように、日本呉音「セン」平声を認める。

▶番号4517「産」（産）の仮名音注「サン［平上］」については、基本的に -an で対応する。
当該字に声点はなく、その仮名音注に去声に相当する上昇調の差声を施す。ただし、その仮名音注
は字形上「サ〻［平上］」のように筆記する。相対的に「〻」部分が小さいため、平声相当の低平
調［平平］を示すようにも見える。上述の分析を参照。

《上巻 襇韻諸例》

該当例なし。

《下巻 襇韻諸例》

▶番号4309b「莧」（赤莧）の仮名音注「ケン」については、基本的に -en で対応する。当該字
には去声点を差す。熟字4309「赤莧」は右注「アカヒユ」を付載する。観智院本類聚名義抄に「莧
之去声」と同音字注「丸」を見出すが、仮名音注はない。元和本倭名類聚抄には同音字注「音現去
声」と「和名比由」を見つける。日本漢音は去声を認める。

　　　莧　莧之去声／ヒユ［平上］ハシメ 音丸 山羊細角者　　　（観智院本類聚名義抄／僧上044-7）

　　　莧　本草云莧 音現去声和名比由 味甘寒無毒者也　　　　（元和本倭名類聚抄／巻十七23 オ8）

▶番号6044「莧」（莧）の仮名音注「クワン」については、異例 -wan を示す。当該字には去
声点を差し、右注「ヒユ」を付載する。観智院本類聚名義抄に「莧之去声」と同音字注「丸」を見
出すように、字形の近似した「寬」溪母桓韻（k'uɑn¹）による字音把握とも考え得る。このような
類例の少ない音注表記は、襇韻所属字が非常に少なく、同音の注字選択に制限がかかる状況を反映

486　3．仮名音注の韻母別考察　3-2　Ⅱ韻類

しているのであろう。参考までに、観智院本類聚名義抄で「寛」を再検索すると、反切「古官反」
を見つける。さらに長承本蒙求には仮名音注「クワゝ」があり、その掲出字に東声点と去声点を加
える。本来は当該字「覓」を字音「ケン」と把握すべきである。

　　　　寛 古官反 ヒロシ［平平□］… アイス　　　　　　　　（観智院本類聚名義抄／法下 054-1）

　　　　寛［東・去］クワゝ　　　　　　　　　　　　　　　　　　　　　　（長承本蒙求／125）

《上巻 點韻諸例》

　▶番号 0824b「札」（芳札）の仮名音注「サツ」については、基本的に -at で対応する。当該字
には入声点を差す。観智院本類聚名義抄に同音字注「音察」を見出す。長承本蒙求には仮名音注「サ
ツ」二例があり、両掲出字に德声点を加える。元和本倭名類聚抄には同音字注「音察」を見つける。
日本漢音「サツ」德声（四声体系では入声）を認める。

　　　　札 音察 … フムタ［上上上］　　　　　　　　　　　（観智院本類聚名義抄／佛下本 098-8）

　　　　簡 野王云簡 古限反和名不美太 … 一名札 音察 簡也　　（元和本倭名類聚抄／巻十三 10 ウ 3）

　　　　札［德］サツ　　　　　　　　　　　　　　　　　　　（長承本蒙求／050・102）

　▶番号 2901b「煞」（合煞）の仮名音注「サツ」については、基本的に -at で対応する。当該字
には入声点を差す。当該字「煞」と「殺」とは相互に異体字である。観智院本類聚名義抄に反切「所
八反」および低平調と推測する和音「セチ」を見出す。承暦本金光明最勝王経音義には仮名音注「セ
ツ」二例がある。日本呉音「セチ・セツ」入声を認める。

　　　　煞 煞〔*小 ← 灬〕殺 俗通正　　　　　　　　　　（観智院本類聚名義抄／佛下末 052-4）

　　　　殺 タケシ キル … コロス［上上平］和セチ　　　　（観智院本類聚名義抄／僧中 059-7）

　　　　殺 … 所八反 … コロス［上上□］式吏反 … 和セチ［□平］又シ ［去］

　　　　　　　　　　　　　　　　　　　　　　　　　　（観智院本類聚名義抄／僧中 066-4）

　　　　殺 セツ［：右傍］〔*後筆墨書〕　　　　　（承暦本金光明最勝王経音義／08 ウ 1）

　　　　殺 セツ［：右注］〔*後筆墨書〕　　　　　（承暦本金光明最勝王経音義／09 ウ 6）

　▶番号 3086b「察」（鑒察）の仮名音注「サツ」については、基本的に -at で対応する。当該字
には入声点を差す。観智院本類聚名義抄に反切「楚黠反」および和音「作チ」を見出す。同書にお
いて漢字表記を含む和音「作チ」は孤例である。傍証ながら、同書で「作」を再検索すると、平声
点を付載する和音「サ」と「サク」がある。日本呉音「サチ」を認める。

　　　　察 楚黠反 ミル［平上］… 和作チ　　　　　　　　（観智院本類聚名義抄／法下 050-7）

　　　　作 慈賀［□去］子合反 去声者為入者 … 和サ［平］サク　（観智院本類聚名義抄／佛上 020 オ 2）

　▶番号 0836a「八」（八虐）の仮名音注「ハチ」については、基本的に -at で対応する。当該字
には入声点を差す。観智院本類聚名義抄に反切「博拔反」および和音「ハチ」を見出す。長承本蒙

求には仮名音注「ハチ」があり、それを含む掲出字三例に徳声点を加える。日本漢音「ハチ」徳声
（四声体系では入声）日本呉音「ハチ」を認める。

八　博抜反 ヤツ［上上］／和ハチ　　　　　　　　（観智院本類聚名義抄／佛下末 026-7）

八　［徳］　　　　　　　　　　　　　　　　　　　　　（長承本蒙求／053・139）

八　［徳］ ハチ　　　　　　　　　　　　　　　　　　　　（長承本蒙求／096）

▶番号 0749a・0750a・0849a・0887a・0896a「八」（八講・八教・八木・八佾・八重）の仮
名音注「ハツ」については、基本的に -at で対応する。当該字には入声点を差す。上述の分析を参
照。

▶番号 0911a「八」（八幡）の仮名音注「ハツ」については、基本的に -at で対応する。当該字
に声点はない。上述の分析を参照。

《下巻 點韻諸例》

▶番号 5801b・6929b「察」（仁察・推察）の仮名音注「サツ」については、基本的に -at で対
応する。当該字には入声点を差す。上巻の點韻当該例で分析したように、日本呉音「サチ」入声を
認める。

▶番号 4624「察」（察）の仮名音注「サツ［平平］」については、基本的に -at で対応する。当
該字に声点はなく、右注「サツス［平平□］」サ変動詞に入声相当である低平調の差声を施す。ま
た中注「初八反」右注「推察鑒察也」を付載する。上述の分析を参照。

▶番号 4636a・4636b・4419b「察」（察ゞ・察ゞ・按察使府）の仮名音注「サツ」については、
基本的に -at で対応する。当該字に声点はない。熟字 4636「察ゞ」は左注「明ゞ察ゞ」を付載す
る。上述の分析を参照。

▶番号 4792a・6696a「煞」（煞竹・煞害）の仮名音注「セツ」については、基本的に -et で対
応する。当該字には入声点を差す。上巻の點韻当該例で分析したように、日本呉音「セチ・セツ」
入声を認める。

▶番号 5424b「八」（尺八）の仮名音注「ハチ」については、基本的に -at で対応する。当該字
には入声点を差す。熟字 5424「尺八」は右注「シヤクハチ俗」左注「短笛也」を付載する。俗表記
から見て、定着久しい字音という認識をしていたと推測する。上巻の點韻当該諸例で分析したよう
に、日本漢音「ハチ」徳声（四声体系では入声）日本呉音「ハチ」を認める。

▶番号 3782「枛」（枛）の仮名音注「ハツ」については、基本的に -at で対応する。当該字には
徳声点を差し、右注「エフリ 音八」左注「又音拜」を付載する。横木に鋸状の歯のない土をならす
農具を指す。観智院本類聚名義抄に同音字注「八拜二音」と去声点を付した同音字注「拜」さらに
反切「又方滅反」を見出すが、仮名音注はない。元和本倭名類聚抄には同音字注「拜」がある。

488　3．仮名音注の韻母別考察　3-2　Ⅱ韻類

机 八拜二音 又方減反／髀　　　　　　　　　　　　　　（観智院本類聚名義抄／佛下本 066-3）

机 音拜［去］エフリ［上上濁囗］　　　　　　　　　　　（観智院本類聚名義抄／佛下本 106-1）

机　郭璞方言云江東杷之無齒者爲机 音拜漢語抄云江布利

　　　　　　　　　　　　　　　　　　　　　　　　　　（元和本倭名類聚抄／巻十五 09 ウ 7）

3-2-2-7　-uɐn/-uet（山/産/襇/黠韻）

　資料篇【表 B-04】には黠韻合口（入声）所属の諸例が含まれる。山韻（平声）産韻（上声）襇韻
（去声）合口所属の例はない。前田本の示す仮名音注は、-wat で基本的に対応する。異例 -wak が
ある。

《上巻 黠韻合口諸例》

該当例なし。

《下巻 黠韻合口諸例》

▶番号 4118a「滑」（滑海藻）の仮名音注「クワツ」については、基本的に -wat で対応する。
当該字には入声点を差す。廣韻に拠れば、匣母黠韻（ɣuet）見母没韻（kuʌt）匣母没韻（ɣuʌt）三
音を有する。観智院本類聚名義抄に反切「戸八反」と和音「活」を見出す。長承本蒙求には仮名音
注「クワツ・コツ」があり、その掲出字に入声点を加える。日本漢音「クワツ・コツ」入声を認め
る。後者「コツ」は没韻に対応する字音である。

　　　滑 戸八反 ナメラカナリ［平平囗囗］… 和活　　　　（観智院本類聚名義抄／法上 029-5）

　　　滑［入］クワツ・コツ　　　　　　　　　　　　　　　　　　（長承本蒙求／090）

▶番号 5107b「猾」（巨猾）の仮名音注「クワク」については、異例 -wak を示す。当該字には
入声点を差し、右傍「ミタリナリ」を付載する。その仮名音注は「クワツ」の誤認と推測する。観
智院本類聚名義抄に同音字注「音滑」を見出すが、仮名音注はない。

　　　猾 音滑 ミタル［平平濁上］／アレタリ カムカフ　（観智院本類聚名義抄／佛下本 129-7）

▶番号 4152b「蝳」（䗥蝳）の仮名音注「クワツ」については、基本的に -wat で対応する。当
該字には入声点を差す。熟字 4152「䗥蝳」は左右注「アシハ／ラカニ」を付載する。観智院本類聚
名義抄に同音字注「越・音滑」を見出すが、仮名音注はない。元和本倭名類聚抄には同音字注「越」
を見つけ、箋注本倭名類聚抄（巻八 52 オ 6）では続けて「爾雅釋文云蝳音滑」とする。廣韻に拠れ
ば、当該字「蝳」は匣母黠韻（ɣuet）一音であり、同音字注「越」が示す匣母月韻（ɣiuɑt）は注文

の酷似する「蛒」の中古音である。

蝤蛑　彭越二音 アシハラカニ［上上上上平濁平］／下音滑　　　（観智院本類聚名義抄／僧下 023-3）

蝤蛑　兼名苑云蝤蛑 彭越二音楊氏漢語抄云葦原蟹 形似蟹而小也

（元和本倭名類聚抄／巻十九 15 ウ 6）

滑 … 戸八切八 … 蛑 蝤蛑似蟹而小　　　　　　　　　（宋本廣韻／于母黠韻 ɣiuæt）

越 … 王伐切十六 … 蛒 蝤蛒似蟹而小　　　　　　　　　（宋本廣韻／于母月韻 ɣiuɑt）

3-2-2-8　-eŋ/-ek（耕/耿/諍/麥韻）

資料篇【表 B-04】には耕韻（平声）耿韻（上声）諍韻（去声）麥韻（入声）所属の諸例が含まれる。前田本の示す仮名音注は、-aŭ/-ak, -jaŭ/-jak, -ek で基本的に対応する。異例 -au, -in がある。

《上巻 耕韻諸例》

▶番号 2871a・2872a・2874a「耕」（耕作・耕種・耕秪）の仮名音注「カウ」については、基本的に -aŭ で対応する。当該諸字三例には平声点を差す。長承本蒙求に仮名音注「カウ」があり、その掲出字には東声点を加える。日本漢音「カウ」東声（四声体系では平声）を認める。

耕 タカヘス／又禾+丼　　　　　　　　　　　　（観智院本類聚名義抄／法下 025-8）

耕［東］カウ　　　　　　　　　　　　　　　　　　（長承本蒙求／137）

▶番号 3066a「鏗」（鏗鏘）の仮名音注「カウ」については、基本的に -aŭ で対応する。当該字には平声点を差す。熟字 3066「鏗鏘」は左注「鐘声名也」を付載する。金石あるいは楽器の音を指す。観智院本類聚名義抄に反切「告庚反」を見出すが、仮名音注はない。

鏗鎗 正或 告庚反 マタシ … ツク［上平］鐘〔＊←鍾〕…　（観智院本類聚名義抄／僧上 133-5）

鏗鏘 ユラメク／ツク［上平］　　　　　　　　　（観智院本類聚名義抄／僧上 127-4）

▶番号 0583b「莖」（玉莖）の仮名音注「カウ」については、基本的に -aŭ で対応する。当該字には平声濁点を差すので、字音「ガウ」を想定する。その中古音が示す頭子音 ɣ-（等韻学の術語で言う喉音濁匣母）は有声軟口蓋摩擦音であり、日本語のガ行音をもって受容するが、中国語音韻史上における濁声音母の無声化を反映する場合はカ行音で対応する。熟字 0583「玉莖」は右注「同（ハセ）」を付載する。観智院本類聚名義抄に反切「胡耕反」および上昇調を示す和音「キヤウ」（その右傍に墨筆で喉内撥音韻尾 -ŋ「✓」表記）を見出す。日本呉音「キヤウ」去声を認める。

莖 胡耕反／クキ［平平］和キヤウ［平平上／□□✓:墨右傍］　（観智院本類聚名義抄／僧上 019-8）

▶番号 0030「甍」（甍）の仮名音注「マウ」については、基本的に -aŭ で対応する。当該字に声点はなく、右注「イラカ」を付載する。観智院本類聚名義抄に平声点を付した同音字注「音盲」

を見出す。元和本倭名類聚抄には同音字注「萌反」がある。日本漢音は平声を認める。

　　　甍 … 音甿［平］棟 イラカ［平平上］　　　　　　　　（観智院本類聚名義抄／僧中 018-7）

　　　甍　釋名云屋脊曰甍 萌反和名伊良賀 言在上覆家屋也　　　（元和本倭名類聚抄／巻十 08 ウ 4）

　▶番号 0073a「鸚」（鸚䳑）の仮名音注「イン」については、異例 -in を示す。当該字に声点はない。当該の熟字「鸚䳑」は右傍 0073a「イン」左傍 0074a「ワウ」ともに別筆補入と推測する。仮名音注「イン」は日本唐音であろう。観智院本類聚名義抄に同音字注「櫻」と反切「烏耕反」を見出すが、仮名音注はない。

　　　鸚䳑　櫻母二音 今之鸚鵡／コトマナヒ　　　　　　　　（観智院本類聚名義抄／僧中 112-7）

　　　鶯鸚鸎 烏耕反 鳥鳴／ウクヒス［平平濁上平］　鸎 俗欵　（観智院本類聚名義抄／僧中 112-7）

　▶番号 0074a「鸚」（鸚䳑）の仮名音注「ワウ」については、基本的に -aü で対応する。当該字に声点はない。上述の分析を参照。

《下巻 耕韻諸例》

　▶番号 4116a「鸎」（鸎實）の仮名音注「アウ」については、基本的に -aü で対応する。当該字に声点はない。当該字「鸎」は「鶯・鸚・鸎」と相互に異体字である。観智院本類聚名義抄に反切「烏耕反」と低平調を示す仮名音注「俗云アウ［平平］」を見出す。元和本倭名類聚抄には反切「烏莖反」がある。定着久しい字音「アウ」平声を認める。

　　　鶯鸚鸎 烏耕反 鳥鳴／ウクヒス［平平濁上平］　鸎 俗欵　（観智院本類聚名義抄／僧中 112-7）

　　　鸎實　俗云アウシチ［平平平濁平］…　　　　　　　　　（観智院本類聚名義抄／法下 053-7）

　　　鸎　陸詞切韻云鸎 鳥莖反楊氏漢語抄云春鳥子宇久比須 …　（元和本倭名類聚抄／巻十八 07 ウ 9）

　▶番号 5379b「鸎」（春鸎囀）の仮名音注「ナウ」については、基本的に -aü で対応する。当該字には平声点を差す。日本語音韻史上の連声を反映した字音把握である。熟字 5379「春鸎囀」は右注「同（壱越調）」右傍「シユナウテン」仮名音注（撥音無表記）を付載する。上述の分析を参照。

　　　壹越調　皇帝破陣樂 大曲 … 春鸎囀 大曲 …　　　　　　（元和本倭名類聚抄／巻四 14 オ 4）

　▶番号 4128a「鸚」（鸚䳑）の仮名音注「アウ」については、基本的に -aü で対応する。当該字には去声点を差す。当該字「鸚」は「鶯・鸎・鸎」と相互に異体字である。元和本倭名類聚抄に同音字注「櫻」を見出す。上巻の耕韻当該例で分析した。上述の分析も参照。

　　　鸚䳑　山海經云青羽赤喙能言名曰鸚䳑 櫻母二音 …　　　（元和本倭名類聚抄／巻十八 02 ウ 9）

　▶番号 4354a「嚶」（嚶〻）の仮名音注「アウ」については、基本的に -aü で対応する。当該字に声点はない。熟字 4354「嚶〻」は右注「アウ」（踊り字「〻」に仮名音注はない）左注「鳥音也」を付載する。観智院本類聚名義抄に反切「烏耕反」を見出すが、仮名音注はない。

　　　嚶 烏耕反 多鳥鳴也 ヤハラキナク［上上□□□□］… ナク　（観智院本類聚名義抄／佛中 045-5）

3-2-2　-ɐ 系の字音的特徴　491

▶番号4459「櫻」（櫻）の仮名音注「アウ」については、基本的に -aü で対応する。当該字には平声点を差し、右注「サクラ」左注「朱実」を付載する。観智院本類聚名義抄に平声点を付した同音字注「鸎」を見出す。また掲出字「罌」の同音字注として平声点を付した「音櫻」（その右傍に朱筆で「アウ」）を見つける。元和本倭名類聚抄には反切「烏莖反」がある。日本漢音「アウ」平声を認める。

　　　櫻 音鸎［平］サクラ［上上平］　　　　　　　　　（観智院本類聚名義抄／佛下本084-2）

　　　罌 カメ … 音櫻［平／アウ：朱右傍］… ツホ　　　（観智院本類聚名義抄／僧中017-6）

　　　櫻　文字集略云櫻 烏莖反和名佐久良 …　　　　（元和本倭名類聚抄／巻二十23 ウ9）

▶番号5415・5416「箏」（箏）の仮名音注「シヤウ」については、基本的に -jaü で対応する。当該字には去声点を差し、右注5415「シヤウ俗 六律」中注5416「シヤウノコト」左注「爼〔＊←畑〕耕反 樂器也」を付載する。廣韻に拠れば、その中古音は耕韻平声（tʂɐŋ¹）である。観智院本類聚名義抄に平声点を付した同音字注「争」（耕韻 tʂɐŋ¹）と仮名音注「シヤウ［平平平］」を見出す。単字「箏」の日本呉音は去声相当の上昇調「シヤウ［平平上］○○●」と推測するが、助詞「ノ」が介在することで低平調「シヤウノコト［平平平上平上］○○○●●●」と変化した可能性を指摘できる。元和本倭名類聚抄には反切「爼耕反」と「俗云象乃古止」（象：養韻 ziɑŋ²）がある。日本漢音は平声を認める。また定着久しい字音「シヤウ」の蓋然性が高い。

　　　箏 音争［平］シヤウ／ノコト［平平平上平上］タカムナ　　　（観智院本類聚名義抄／僧上079-1）

　　　箏 柱附 風俗通云神農造箏 爼耕反俗云象乃古止 …　　　（元和本倭名類聚抄／巻四11 オ1）

▶番号4112「橙」（橙）の仮名音注「タウ」については、基本的に -aü で対応する。当該字には平声点を差し、右注「アヘタチハナ」中注「宅耕反」左注「又タチハナ」を付載する。観智院本類聚名義抄に反切「大盲反」および「呉音登」を見出すが、仮名音注はない。この呉音注は大般若経字抄を出典とする漢呉二音相同の同音字注「登」である。元和本倭名類聚抄には反切「宅耕反」がある。

　　　橙 大盲反 ハナタチハナ … 柱陵反 又都劉反 … 呉音登　　　（観智院本類聚名義抄／佛下本094-6）

　　　梯橙 ［提登：右傍］カケハシ／下正可作隥　　　（石山寺一切経蔵本大般若経字抄／26 ウ3）

　　　橙　七巻食經云橙 宅耕反和名安倍太知波奈 …　　　（元和本倭名類聚抄／巻十七10 ウ2）

《上巻 耿韻諸例》

▶番号3107a「耿」（耿介）の仮名音注「カウ」については、基本的に -aü で対応する。当該字には平声点を差す。観智院本類聚名義抄に反切「古幸反」（その反切下字に上声点）を見出す。長承本蒙求には仮名音注「カウ」があり、その掲出字に上声点を加える。日本漢音「カウ」上声を認める。

492　3．仮名音注の韻母別考察　3-2　Ⅱ韻類

　　　耿 古幸［□上］反 … ヒノヒカリ　　　　　　　　　　　　（観智院本類聚名義抄／佛中003-8）
　　　耿［上］カウ　　　　　　　　　　　　　　　　　　　　　（長承本蒙求／128）

　▶番号2051b「幸」（臨幸）の仮名音注「カウ」については、基本的に -aŭ で対応する。当該字
には去声点を差す。廣韻に拠れば、その中古音は喉音濁匣母耿韻上声（ɣeŋ˧）である。その頭子音
ɣ- は有声軟口蓋摩擦音であり、日本語のガ行音をもって受容するが、中国語音韻史上における濁音
声母の無声化を反映する場合にはカ行音で対応する。また、切韻を撰述して以降の中国語において、
上声濁が次第に去声化を起こした状態を、日本漢音では反映する。これは上声を構成する上声軽と
上声重とが allotone であり、後者の調値が去声と区別できないことを示すとも言える。観智院本
類聚名義抄に反切「乎耿反」（その反切下字に上声点）および低平調と推測する和音「カウ」（そ
の右傍に墨筆で喉内撥音韻尾「□✓」表記）を見出す。同書諸本である高山寺本三寶類字集には和
音「カウ」（その右傍に濁音「✓□」表記）を見つける。日本漢音は上声、日本呉音「カウ」平声
あるいは「ガウ」を認める。

　　　幸峯 … 音高 盍歪／与禾羊相似　　　　　　　　　　　　（観智院本類聚名義抄／佛上081-6）
　　　峯 乎耿［□上］反 姓／サイハヒ［上上上上］和カウ［□平：圈点／□✓：墨右傍］
　　　　　　　　　　　　　　　　　　　　　　　　　　　　　（観智院本類聚名義抄／佛上084-2）
　　　幸 同 サイハヒ［上上□□］／タカシ［平□□］ノソム　（観智院本類聚名義抄／佛上084-2）
　　　峯 乎耿反 姓／サイハヒ 和カウ　　　　　　　　　　　（鎮国守神社蔵本三寶類聚名義抄／20 ウ 4）
　　　峯 乎耿反［□上］和カウ［✓□］　　　　　　　　　　　（高山寺本三寶類字集／45 オ）

《下巻 耿韻諸例》

　▶番号5003b「幸」（行幸）の仮名音注「カウ」については、基本的に -aŭ で対応する。当該字
には上声点を差す。上巻の耿韻当該例で分析したように、日本漢音は上声、日本呉音「カウ」平声
あるいは「ガウ」を認める。

　▶番号4505a・6621b「幸」（幸魂・遷幸）の仮名音注「カウ」については、基本的に -aŭ で対
応する。両当該字に声点はない。熟字4505「幸魂」は右注「サキタマ」左注「サキミタマ」を、熟
字「遷幸」は中左注「内裏移也」を付載する。上述の分析を参照。

《上巻 静韻諸例》

　▶番号1644b「静」（闘静）の仮名音注「シヤウ」については、基本的に -jaŭ で対応する。当
該字には平声濁点を差すので、日本語音韻史上の連濁による字音「ジヤウ」を想定する。その中古
音が示す頭子音 tʂ-（等韻学の術語で言う荘母）は無声無気反り舌破擦音であるから、日本語のサ行

音をもって受容する。図書寮本類聚名義抄に反切「弘云側逆反」（反切下字の去声点位置に仮名音注「ヘ」）と反切「广云又側耕反」を見出す。観智院本には反切「側逆反・又側耕反」および低平調と推測する和音「謝ウ」（「ウ」右傍に墨筆で喉内撥音韻尾「✓」表記）を見出す。同書が掲げる和音においては「謝ウ」六例を見つける。それらの中で掲出字「状状」には和音「謝ウ」（その右傍に濁音「✓」表記）があり、積極的に字音「ジヤウ」を示す。これを有標と考えれば、他の五例は無標「シヤウ」となる。同書で「謝」を再検索すると、同音字注「舎」がある。さらには長承本蒙に仮名音注「シヤ」がある。承暦本金光明最勝王経音義には仮名音注「シヤウ音・シヤウ」がある。当該字「静」は日本漢音が去声、日本呉音「シヤウ」平声を認める。

    静訟 弘云側逆 ［ヘ：去声点位置］反 … 广云又側耕反

    　… ウタフル¹ ［入平上平／「ウ」右傍に下／記：右注］　　　　（図書寮本類聚名義抄／092-4）

    静 側逆反 アラソフ ［平上□□］ … 又側耕反 和謝ウ ［□平：墨点／□✓：墨右傍］

    　　　　　　　　　　　　　　　　　　　　　　　　　　　（観智院本類聚名義抄／法上057-3）

    譲 如尚反 ユツル ［上上濁平］ … 又人／様反 和謝ウ ［□上：墨点］

    　　　　　　　　　　　　　　　　　　　　　　　　　　　（観智院本類聚名義抄／法上057-4）

    状状 … 鋤亮反 カタトル … 和謝ウ ［✓□：墨右傍］　　（観智院本類聚名義抄／佛下本129-4）

    情 音清 コヽロ ［平平上］ … 和謝ウ　　　　　　　　　　（観智院本類聚名義抄／法中096-3）

    常 音裳 ［平］ ツネニ ［上上□］ … 和謝ウ ［□上：墨点］　（観智院本類聚名義抄／法中102-5）

    静静 正俗 音靖 ［上］ … 和謝ウ ［□平：墨点］　　　　（観智院本類聚名義抄／僧下099-3）

    謝 … 舎 カシコマル …　　　　　　　　　　　　　　　　（観智院本類聚名義抄／法上054-5）

    謝 ［去］ シヤ　　　　　　　　　　　　　　　　　　（長承本蒙求／024・094・136）

    謝 ［＊右上隅欠］ シヤ　　　　　　　　　　　　　　　　（長承本蒙求／034・050）

    静 シヤウ六 ［＊後筆墨書］　　　　　　（承暦本金光明最勝王経音義／08 ウ2）

    静─訟 ［受六：右傍／アラソヒ：左傍］ シヤウ ［＊後筆朱書］

    　　　　　　　　　　　　　　　　　　（承暦本金光明最勝王経音義／06 ウ2）

《下巻 静韻諸例》

該当例なし。

《上巻 麥韻諸例》

▶番号2696a「革」（革帶）の仮名音注「カク」については、基本的に -ak で対応する。当該字には入声点を差す。熟字2696「革帶」は「カハノヲヒ」を付載する。観智院本類聚名義抄に同音字

494　3．仮名音注の韻母別考察　3-2　Ⅱ韻類

注「音隔」を見出す。長承本蒙求には仮名音注「カク」があり、その掲出字に徳声点を加える。元和本倭名類聚抄には反切「古核反」がある。日本漢音「カク」徳声（四声体系では平声）を認める。

革 … 音隔 ツクリカハ［平平平平上］ …　　　　　　　（観智院本類聚名義抄／僧中 072-2）

革［徳］カク／カク　　　　　　　　　　　　　　　　　　（長承本蒙求／015）

革　說文云革 古核反和名都久利加波 … 獣皮去毛也　　（元和本倭名類聚抄／巻十五 15 オ 8）

▶番号 2745「革」の仮名音注「カク」については、基本的に -ak で対応する。当該字に声点はなく、右注「カハ」左注「作革」を付載する。上述の分析を参照。

▶番号 2450a「鬲」（鬲子）の仮名音注「カク」については、基本的に -ak で対応する。当該字に声点はない。熟字「鬲子」は右傍 2450「カクシ」右注 2451「カウシ」左注「又乍篛〔＊←竹＋搐〕」を付載する。観智院本類聚名義抄に同音字注「音隔」と仮名音注「カウ」を見出す。後者は日本語音韻史上の音変化 -ak > -au を反映する。元和本倭名類聚抄には同音字注「音隔」がある。

鬲子 音隔／カウシ 篛〔＊←竹＋搐〕或　　　　　　　（観智院本類聚名義抄／僧上 073-3）

鬲子　通俗文云鬲子 鬲音隔字亦作篛俗用格子二字 竹障名也

　　　　　　　　　　　　　　　　　　　　　　　　　（元和本倭名類聚抄／巻十 10 ウ 8）

▶番号 2451a「鬲」（鬲子）の仮名音注「カウ」については、異例 -au を示す。当該字に声点はない。上述の分析を参照。

▶番号 2868a・2936a「隔」（隔壁・隔心）の仮名音注「カク」については、基本的に -ak で対応する。両当該字には入声点を差す。図書寮本類聚名義抄に反切「公厄反」および入声点を付した「真云革音客音」を見出す。観智院本には反切「古化反」および入声点を付した和音「革」と墨圏点による入声を付した和音「又客」を見つけるが、仮名音注はない。日本呉音は入声を認める。

隔障 鷺云塞 公厄反／真云革［入］音 客［入］音　　　（図書寮本類聚名義抄／202-3）

隔 古化反 ヘタツ［平平濁□］… 和音革［入］又客［入：墨圏点］

　　　　　　　　　　　　　　　　　　　　　　　　　（観智院本類聚名義抄／法中 042-4）

▶番号 0539「翮」（翮）の仮名音注「カク」については、基本的に -ak で対応する。当該字には入声点を差し、右注「同（ハネ）」左注「又翮」を付載する。観智院本類聚名義抄に反切「戸革反」を見出すが、仮名音注はない。元和本倭名類聚抄には反切「下革反」がある。

翮 … 戸革反 ツハサ ハネ［上上］／或翮　　　　　　（観智院本類聚名義抄／僧上 096-2）

翮　爾雅集注云羽本曰翮 下革反字亦作翮和名八禰 …　　（元和本倭名類聚抄／巻十八 13 オ 9）

▶番号 1293b「核」（陰核）の仮名音注「カク」については、基本的に -ak で対応する。当該字には入声点を差す。熟字 1293「陰核」は右注「ヘノコ」を付載する。観智院本類聚名義抄に反切「胡革反」（その反切下字に入声点）を見出すが、仮名音注はない。元和本倭名類聚抄には反切「偽革反」がある。日本漢音は入声を認める。

核 胡革［□入］反 サネ［平平］…　　　　　　　　　（観智院本類聚名義抄／佛下本 105-3）

核　爾雅云桃李之類皆有核 偽革反和名佐禰 …　　　　　　（元和本倭名類聚抄／巻十七 11 ウ 3）

　　　陰核　食療經云 … 或令陰核疼 陰核俗云篇乃古 …　　　　（元和本倭名類聚抄／巻三 16 オ 2）

▶番号0660「擝」（擝）の仮名音注「サク」については、基本的に -ak で対応する。当該字に
は入声点を差し、右注「ハカ」左注「捕鳥擝也」を付載する。観智院本類聚名義抄に反切「所責反」
を見出すが、仮名音注はない。元和本倭名類聚抄には反切「所責反」がある。

　　　擝〔＊←木+筴〕所責反 ハカ［上平濁］　　　　　　　（観智院本類聚名義抄／佛下本 114-8）

　　　鷄 擝附 唐韻云 … 擝 所責反漢語抄云波加 所以捕鳥也　（元和本倭名類聚抄／巻十五 17 オ 7）

▶番号1937b「策」（籌策）の仮名音注「シヤク」については、基本的に -jak で対応する。当
該字には入声点を差す。熟字1937「籌策」は右傍「ハカリコト」を付載する。観智院本類聚名義抄
に反切「叉白反」（その反切下字に入声点）と入声点を付した呉音「冊」（その右傍に失筆で仮名
音注「シヤク」）を見出す。後者は大般若経字抄による漢呉二音相同の音注を引用する。また同書
の注記「正可作策」により、当該字「策」と「策」は相互に異体字であることがわかる。承暦本金
光明最勝王経音義には仮名音注「サク」〔＊漢音形の混入〕と同音字注「尺音」がある。日本漢音「サ
ク」入声、日本呉音「シヤク」入声を認める。

　　　策 叉白［平入］反 … ハカリフ［上平平平］呉音冊［入／シヤク：朱右傍］

　　　　　　　　　　　　　　　　　　　　　　　　　　　　（観智院本類聚名義抄／僧上 067-7）

　　　策籤 … 上ハケマス … ムチウツ［平平□□］… ツク　　（観智院本類聚名義抄／僧上 068-1）

　　　正可作策 策［音冊：右傍］　　　　（石山寺一切経蔵本大般若経字抄／05 オ 3）

　　　正鯨 徐［音序：右傍］策［冊：右傍］上ヤウヤク／下在上

　　　　　　　　　　　　　　　　　　　（石山寺一切経蔵本大般若経字抄／12 ウ 6）

　　　徐［音序：右傍］策［冊：右傍］　　　（石山寺一切経蔵本大般若経字抄／22 オ 1）

　　　策 ナヒク サク［：右傍］尺六［：左傍］〔＊後筆朱書〕　（承暦本金光明最勝王経音義／06 オ 2）

▶番号2944b・2945b「責」（呵責・勘責）の仮名音注「セキ」については、基本的に -ek で対
応する。両当該字には入声点を差す。熟字2944「呵責」は右傍「イカリ セム」を付載する。観智
院本類聚名義抄に反切「側革反」および和音「者ク」を見出す。同書では掲出諸字「借・赤・嚼・
責・砕・綽・席・藉・籍・錯・鑿」に対して和音「者ク」を付載する。日本呉音「シヤク」の蓋然
性が高い。

　　　責 側革反 ワサハヒ［上上□□］セム［平□］／コフ 和者ク　（観智院本類聚名義抄／佛下本 016-5）

　　　者 諸耶反 モノ／ヒト［上平］…　　　　　　　　　　（観智院本類聚名義抄／佛中 100-3）

▶番号1369b「讁」（貶讁）の仮名音注「チヤク」については、基本的に -jak で対応する。当
該字には入声点を差す。熟字1369「貶讁」は右注「ソシルナリ」を付載する。図書寮本類聚名義抄
に反切「弘云知革反」を見出す。観智院本には反切「竹格反」を見つける。長承本蒙求に仮名音注
「タク〔＊←大ク〕」がある。日本漢音「タク」入声を認める。

496　3．仮名音注の韻母別考察　3-2　Ⅱ韻類

　　謫 弘云知革反 責也 … セム［平上／詩：右注］　　　　　　　　（図書寮本類聚名義抄／086-6）

　　謫詭 广云又／嫡［去］公穴反 … セム［平上／列：右注］　　　（図書寮本類聚名義抄／100-3）

　　謫 … ツミ セラル セメ［□ム］過也／竹格反 …　　　　　（観智院本類聚名義抄／法上054-1）

　　謫［入］タク　　　　　　　　　　　　　　　　　　　　　　　　（長承本蒙求／082）

▶番号0732a・1432b・2484a「麦」（麦秋・瞿麦・大麦）の仮名音注「ハク」については、基
本的に -ak で対応する。両当該字には入声濁点を差すので、字音「バク」を想定する。その中古音
が示す頭子音 m-（等韻学の術語で言う脣音明母）は両唇鼻音であり、日本語のマ行をもって受容
する。ただし、中国語音韻史上における鼻音声母の非鼻音化 (denasalization) 現象により m->mb-
->b- と音変化をする。これを反映する場合は日本語のバ行音で対応する。熟字1432「瞿麦」は右
注「トコナツ俗」左注「又ナテシコ」を、熟字2484「大麦」は右注「カチカタ」を付載する。観智
院本類聚名義抄に同音字注「音脈」（その右傍に朱筆で仮名音注「ハク・ミヤク」〔＊ミヤクは呉音形
の混入〕）を見出す。長承本蒙求には仮名音注「ハク」があり、その掲出字に徳声加濁点を加える。
元和本倭名類聚抄には反切「莫革反」を見つける。日本漢音「バク」徳声（四声体系では入声）日
本呉音「ミヤク」を認める。

　　麦 音脈［ハク・ミヤク：朱右傍］禾也／ムキ［平上濁］　　　（観智院本類聚名義抄／佛上070-7）

　　麥［徳・徳：加濁］ハク　　　　　　　　　　　　　　　　　　　　（長承本蒙求／115）

　　麥 … 陶隠居本草注云麥 莫革反和名牟岐 …　　（元和本倭名類聚抄／巻十七03 ウ 8）

　　瞿麥 本草云瞿麥一名大蘭 和名奈天之古一云止古奈豆　（元和本倭名類聚抄／巻二十02 オ 6）

　　大麥 蘇敬本草注云大麥一名青科麥 和名布土無岐一云加知加太

　　　　　　　　　　　　　　　　　　　　　　　　　　　（元和本倭名類聚抄／巻十七04 オ 2）

▶番号1738b「脉」（血脉）の仮名音注「ミヤク」については、基本的に -jak で対応する。当
該字には入声点を差す。観智院本類聚名義抄に入声濁点を付した同音字注「音麦」を見出す。元和
本倭名類聚抄には同音字注「麦反」がある。日本漢音は入声を認める。

　　脉 音麦［入濁］チノミチ／スチ サヤ　　　　　　　　（観智院本類聚名義抄／佛中134-2）

　　脈 蝋二或 … チノミチ　　　　　　　　　　　　　　　（観智院本類聚名義抄／佛中134-3）

　　血脉 野王云 … 脉 麦反和名知乃美知 肉中血理也　　（元和本倭名類聚抄／巻三11 オ 6）

《下巻 麥韻諸例》

▶番号4467「核」（核）の仮名音注「カク」については、基本的に -ak で対応する。当該字に
は入声点を差し、右注「サネ」中左注「子中之骨也桃木子皆有核」を付載する。上巻の麥韻当該例
で分析したように、日本漢音は入声を認める。

▶番号4102b「蒿」（蘭蒿）の仮名音注「カク」については、基本的に -ak で対応する。当該字

には入声点を差す。熟字4102「蘭蒿」は右注「アラヽキ」左傍「アラヽキ」を付載する。観智院本類聚名義抄に同音字注「音隔」を見出すが、仮名音注はない。元和本倭名類聚抄には同音字注「音隔」がある。

　　蘭蒿 アラヽキ 下音隔 フノリ／又音歴 …　　　　　　（観智院本類聚名義抄／僧上016-5）

　　蘭蒿 養生祕要云蘭蒿 音隔和名阿良々木　　　　　（元和本倭名類聚抄／巻十六23オ3）

　▶番号6780a「簀」（簀子）の仮名音注「サク」については、基本的に -ak で対応する。当該字には入声点を差す。熟字6780「簀子」は右注「スノコ」を付載する。観智院本類聚名義抄に同音字注「音責」を見出すが、仮名音注はない。元和本倭名類聚抄には同音字注「音責」がある。

　　簀 音責 牀芉 ツチクル／ス［去］　　　　　　　　（観智院本類聚名義抄／僧上071-4）

　　簀子 スノコ［去平上］　　　　　　　　　　　　　（観智院本類聚名義抄／僧上071-5）

　　簀 板敷附 蒋魴切韻云簀 音責功程式板敷簀子須乃古 …　　（元和本倭名類聚抄／巻十12オ1）

　▶番号5113b「簎」（警簎）の仮名音注「シヤク」については、基本的に -jak で対応する。当該字には入声点を差す。上巻の麥韻当該例で分析したように、日本漢音「サク」入声、日本呉音「シヤク」入声を認める。

　▶番号5494「簎」（簎）の仮名音注「シヤク」については、基本的に -jak で対応する。当該字に声点はなく、和訓「シルス」の同訓異字として位置する。上述の分析を参照。

　▶番号5763b「䟦」（宿䟦）の仮名音注「セキ」については、基本的に -ek で対応する。当該字に声点はない。廣韻に拠れば、麥韻（tʂɐk）卦韻（tʂɛ³）二音を有する。観智院本類聚名義抄に同音字注「音宬」を見出すが、仮名音注はない。

　　債 音宬 ヲトス セム …　　　　　　　　　　　　（観智院本類聚名義抄／佛上020-4）

　▶番号6686b「謫」（遷謫）の仮名音注「タク」については、基本的に -ak で対応する。当該字には入声点を差す。上巻の麥韻当該例で分析したように、日本漢音「タク」入声を認める。

　▶番号3946a「摘」（摘花）の仮名音注「テキ」については、基本的に -ek で対応する。当該字には入声点を差す。観智院本類聚名義抄に反切「他歴竹革二反」を見出すが、仮名音注はない。

　　摘 他歴竹革二反 トル［平□］ツム［上平］… 摘花 …　　（観智院本類聚名義抄／佛下本058-3）

　▶番号3300a「霢」（霢霂）の仮名音注「ハク」については、基本的に -ak で対応する。当該字には入声濁点を差すので、字音「バク」を想定する。その中古音が示す頭子音 m-（等韻学の術語で言う唇音明母）は両唇鼻音であり、日本語のマ行をもって受容する。ただし、中国語音韻史上における鼻音声母の非鼻音化（denasalization）現象により m- > mb- > b- と音変化をする。これを反映する場合は日本語のバ行音で対応する。熟字3300「霢霂」は右注「コサメ」を付載する。観智院本類聚名義抄に入声点を付した同音字注「音脉」（その右傍に朱筆で「ハク」）を見出す。元和本倭名類聚抄には同音字注「麥」がある。日本漢音「ハク」入声を認める。

　　霢 音脉［入／ハク：朱右傍］コサメ　　　　　　　（観智院本類聚名義抄／法下068-2）

498　3．仮名音注の韻母別考察　3-2　Ⅱ韻類

　　　霡霂 コサメ 脉木 [入濁／ホク：朱右傍] 二／音　　　　　（観智院本類聚名義抄／法下068-2）
　　　霡霂　兼名苑云細雨一名霡霂小雨也麥木二音 和名古佐女

　　　　　　　　　　　　　　　　　　　　　　　　　　　　　　（元和本倭名類聚抄／巻一04 オ3）

　▶番号3328b・4464a「麦」（小麦・麦李）の仮名音注「ハク」については、基本的に -ak で対応する。当該字には入声濁点を差すので、字音「バク」を想定する。熟字3328「小麦」は右注「コムキ」中注「九穀之一也」左注「又ニムキ」を、熟字4464「麦李」は右注「サモ丶」中左注「麦秀時熟故以名也」を付載する。上巻の麥韻当該諸例で分析したように、日本漢音「バク」徳声（四声体系では入声）日本呉音「ミヤク」を認める。

　▶番号4937b「蘗」（黄蘗）の仮名音注「ハク」については、基本的に -ak で対応する。当該字には入声点を差し、左傍「キハタ」を付載する。熟字4937「黄蘗」は右注「キハタ」を付載する。観智院本類聚名義抄に入声点を付した同音字注「音百」および和音「白」を見出すが、仮名音注はない。元和本倭名類聚抄には反切「補麥反」がある。日本漢音は入声を認める。

　　　蘗 音百 [入] キハタ [上上上濁]／和白 ハタ　蘗 俗通　　（観智院本類聚名義抄／佛下本112-5）
　　　黄蘗 キハタ [上上上濁] 又山梨　　　　　　　（観智院本類聚名義抄／佛下本112-6）
　　　蘗　兼名苑云黄蘗 補麥反 一名黄木 和名岐波太　　　（元和本倭名類聚抄／巻十四10 オ7）

　▶番号5603b「脉」（診脉）の仮名音注「ミヤク」については、基本的に -jak で対応する。当該字には入声点を差す。熟字5603「診脉」は右傍「チノミチ」を付載する。上巻の麥韻当該例で分析したように、日本漢音は入声を認める。

3-2-2-9　-uɐŋ/-uɐk（耕/耿/諍/麥韻）

　資料篇【表B-04】には耕韻（平声）麥韻（入声）合口所属の諸例が含まれる。耿韻（上声）諍韻（去声）の例はない。前田本の示す仮名音注は、-waū/-wak で基本的に対応する。

《上巻　耕韻合口諸例》

　▶番号2682「紘」（紘）の仮名音注「クワウ」については、基本的に -waū で対応する。当該字には平声点を差し、右注「カブリノカサリ」右注「冠巻也」を付載する。図書寮本類聚名義抄に反切「玉云為崩反」と同音字注「季云音宏」（その平声点位置に「火ウ［□✓］」）を見出す。後者は仮名音注「クワウ」（「ウ」に喉内撥音韻尾「✓」表記）を想定する。観智院本に同音字注「音宏」を見つける。日本漢音「クワウ」平声を認める。

　　　紘 玉云為崩反 … 季云音宏 [火ウ [□✓] 平声点位置] ツナ [平平／異：右注]

　　　　　　　　　　　　　　　　　　　　　　　　　　（図書寮本類聚名義抄／311-2）

3-2-2 -ɐ系の字音的特徴　499

紘 音宏 冠巻 ツナ［平平］ヲ … ヒモサス［上上□□］　　　（観智院本類聚名義抄／法中129-5）

紭 或 ヲツナ［平平］　　　　　　　　　　　　　　　　　（観智院本類聚名義抄／法中129-6）

《下巻 耕韻合口諸例》

該当例なし。

《上巻 麥韻合口諸例》

▶番号3200「膕」（膕）の仮名音注「クワク」については、基本的に -wak で対応する。当該
字に声点はなく、右注「ヨホロ」を付載する。観智院本類聚名義抄に反切「古麦反」（その反切下
字に入声濁点）を見出すが、仮名音注はない。元和本倭名類聚抄には反切「弌麥反」がある。高山
寺本篆隷萬象名義には反切「過麦反」を、天治本新撰字鏡には同音字注「國音反」を見つける。日
本漢音は入声を認める。

膕 古麦反［□入濁］ヨホロ［平平上］　　　　　　　（観智院本類聚名義抄／佛中131-6）

膕 大素経云弌麥反 和名與保呂 曲脚中也　　　　　　（元和本倭名類聚抄／巻三14 オ7）

膕 過麦反 曲脚中　　　　　　　　　　　　　（高山寺本篆隷萬象名義／第二帖073 ウ5）

膕 國音反 曲脚中也宇豆阿之　　　　　　　　　　　（天治本新撰字鏡／巻一15 オ8）

▶番号1762「幗」（幗）の仮名音注「クワク」については、基本的に -wak で対応する。当該
字には入声点を差し、右注「チキリカウフリ」中注「覆髪上者也」左注「又婦人喪冠也」を付載す
る。廣韻に拠れば、麥韻（kuɐk）隊韻（kuʌi³）二音を有する。観智院本類聚名義抄に同音字注「音
膾・音迴之去声」反切「又古獲反」を見出す。長承本蒙求には仮名音注「クワク・コク」があり、
その掲出字に入声点を加える。仮名音注「コク」は諧声符「國」による字音把握である。元和本倭
名類聚抄には反切「古誨反去声・又古獲反」を見つける。日本漢音「クワク」入声を認める。

幗 音膾 … 音迴之去声／又古獲反 チキリ カウフリ［上上平濁平］

　　　　　　　　　　　　　　　　　　　　　　　　　（観智院本類聚名義抄／法中107-8）

幗 ［入］クワク・コク　　　　　　　　　　　　　　　　　　　（長承本蒙求／122）

幗 釋名云幗 古誨反去声又古獲反和名知岐利加宇不利 … 唐韻云婦人喪冠也

　　　　　　　　　　　　　　　　　　　　　　　　（元和本倭名類聚抄／巻十二18 オ7）

《下巻 麥韻合口諸例》

該当例なし。

500　3．仮名音注の韻母別考察　3-2　Ⅱ韻類

3-2-2-10　-ɐ 系の基本的な表記

以下に資料篇【表B-04】を分析した結果をまとめる。なお、日本語音韻史における音変化を反映する場合には ⟨⟩ で囲む処理をする。それ以外の異例（例えば、諧声符読みや誤認など）については ⟦⟧ を用いて表示する。

-ɐ	〔佳/蟹/卦韻〕	-a, -ai, -e, -ei ⟦-au, -an, -i⟧	-uɐ	〔佳/蟹/卦韻〕	-wa
-ɐi	〔皆/駭/怪韻〕	-ai, -e	-uɐi	〔皆/駭/怪韻〕	-wai, -we
-ɐm	〔咸/鹹/陷韻〕	-am ⟨-an⟩ ⟦-om⟧			
-ɐp	〔洽韻〕	-ap ⟨-au⟩			
-ɐn	〔山/産/襉韻〕	-an, -en ⟨-am⟩ ⟦-wan⟧	-uɐn	〔山/襉韻〕	＊例なし
-ɐt	〔黠韻〕	-at, -et	-uɐt	〔黠韻〕	-wat ⟦-wak⟧
-ɐŋ	〔耕/耿/諍韻〕	-aũ, -jaũ ⟦-in⟧	-uɐŋ	〔耕/諍韻〕	-waũ
-ɐk	〔麥韻〕	-ak, -jak, -ek ⟨-au⟩	-uɐk	〔麥韻〕	-wak

　ここで、-ɐ 系における前田本の仮名音注が示す基本的対応を【表06】にまとめておくと、-ɐ 系は a（日本語のア列音）で対応し、日本漢音として把握する。一部 e（エ列音）で対応する場合など個々の問題は当該箇所で述べたが、これらは呉音系字音が反映した結果であろう。

3-2-2 -ɐ系の字音的特徴 501

【表06】

	-ø	-i	-u	-m	-p	-n	-t	-ŋ	-k	-uŋ	-uk
-ɐ-	*-ai* *-a* *-e* *-ei*	*-ai* *-e*		*-am* *(-an)*	*-ap*	*-an* *(-am)* *-en*	*-at* *-et*	*-aũ* *-jaũ*	*-ak* *(-au)* *-jak* *-ek*		
-uɐ-	*-wa*	*-wai* *-we*					*-wat*	*waũ*	*-wak*		

502　3．仮名音注の韻母別考察

3-3　Ⅳ韻類

　Ⅳ韻類には直音韻類 -e 系が含まれる。それぞれ -e を主母音としたグループで、等韻図の四等欄に配置されるため、いわゆる四等専属韻とも呼ぶ。以下、Ⅳ韻類について、切韻系韻書が示す二百六韻を用い、三根谷説によって分類した結果を掲げた上で、仮名音注が示す字音の特徴を分析をする。

	-ø	-i	-u	-m(p)	-n(t)	-ŋ(k)	-uŋ(uk)
-e-		齊薺霽	蕭篠嘯	添忝㮇帖	先銑霰屑	青迥徑錫	
-ue-		齊　霽			先銑霰屑	青迥徑錫	

3-3-1　-e 系の字音的特徴

　韻母 -e 系グループとは、主母音 -e を有する諸韻目、齊/薺/霽韻・蕭/篠/嘯韻・添/忝/㮇/帖韻・先/銑/霰/屑韻・青/迥/徑/錫韻を指す。なお、記号「/」による区別は四声（平/上/去/入声）を示している。該当する前田本の諸例を 3-3-1-1 から 3-3-1-8 に集約した。

3-3-1-1　-ei（齊/薺/霽韻）

　資料篇【表 B-05】には齊韻（平声）薺韻（上声）霽韻（去声）所属の諸例が含まれる。熟字の場合は資料篇【表 A-01】【表 A-02】をも参照しながら、それを当該字の直後に括弧内で示す。単字も同様の表示を行う。以下の諸韻も同様。前田本の示す仮名音注は、-ei, -ai で基本的に対応する。主母音 -e を享受した日本漢字音では -ei となるのは当然であるが、-ai も反映している。異例として、-e, -i, -ui がある。

《上巻　齊韻諸例》

　▶番号0644「翳」（翳）の仮名音注「エイ」については、基本的に -ei で対応する。当該字には去声点を差し、右注「ハ　大翳小翳」左注「服玩具」を付載する。廣韻に拠れば、齊/霽韻（'ei$^{1/3}$）二音を有する。観智院本類聚名義抄に反切「烏計反」（その反切下字に去声点）と呉音「翳」〔＊「叡」と相互に異体字〕を見出す。後者は石山寺一切経蔵本大般若経字抄による引用で、漢呉二音相同を標榜する同音字注「音翳」である。呉音による経本文の読誦音を掲げる承暦本金光明最勝王経音義には

3-3-1 -e 系の字音的特徴 503

借字による「衣伊反」があり、その掲出字に去声点を加える。元和本倭名類聚抄には反切「於計反」がある。日本漢音は去声、日本呉音「エイ」去声を認める。

　　　翳　鳥計［□去］反 … ハ［上］服玩具 … 呉瑿　　　　　（観智院本類聚名義抄／僧上 096-1）

　　　翳　［音瑿：右傍］隠也　　　　　　　　　　（石山寺一切経蔵本大般若経字抄／04 オ 5）

　　　翳　［去］衣伊反／可九留［平上平／クラシ：朱右傍］　　（承暦本金光明最勝王経音義／06 オ 4）

　　　翳　本朝式云斎王行具十二枚 翳音於計反和名波　　　（元和本倭名類聚抄／巻十四 02 ウ 8）

▶番号 2685「笄」（筓）の仮名音注「ケイ」については、基本的に -ei で対応する。当該字には平声点を差し、右注「同（カムサシ）」を付載する。観智院本類聚名義抄に同音字注「音鷄」を見出すが、仮名音注はない。元和本倭名類聚抄には同音字注「音雞」がある。

　　　笄 音鷄／カムサシ［平平平濁平／□□□ス：墨右傍］　　（観智院本類聚名義抄／僧上 066-3）

　　　簪 … 釋名云笄 音鷄此間云笄子上音如才 係也 …　　　（元和本倭名類聚抄／巻十二 18 ウ 3）

▶番号 0882b「溪」（礏溪）の仮名音注「ケイ」については、基本的に -ei で対応する。当該字には平声点を差す。図書寮本類聚名義抄に反切「广云苦奚反」と上昇調と推測する仮名音注「真ケイ」を見出す。後者は真興撰『大般若経音訓』による引用（いわゆる真興和音）である。観智院本には注記「苦／ハナノメ」とあるが、これは「苦奚反」の誤認と推測する。異体字「礏」には反切「苦奚反」と同音字注「又溪」および上昇調を示す和音「ケイ」を見出す。元和本倭名類聚抄には反切「古奚反」がある。日本呉音「ケイ」去声を認める。

　　　溪礏 … 广云苦奚反 水／注爪曰礏 真ケイ［□上］　　　（図書寮本類聚名義抄／058-6）

　　　溪 俗通 礏字 苦／ハナノメ タニ サヘ［□ハ：墨右傍］　（観智院本類聚名義抄／法上 019-6）

　　　礏 タニ 和ケイ　　　　　　　　　　　　　　（観智院本類聚名義抄／佛下末 031-2）

　　　礏 苦奚反 タニ／カハ 又溪 和ケイ［平上］　　　　（観智院本類聚名義抄／僧下 100-2）

　　　礏　爾雅云水出山入川曰礏古奚反又作溪 和名太爾 …　　（元和本倭名類聚抄／巻一 08 オ 3）

▶番号 0941・1426a・1441a・1475b・2507a・2930b「鷄」（鷄・鷄栖・鷄冠菜・闘鷄・鷄冠木・芥鷄）の仮名音注「ケイ」については、基本的に -ei で対応する。当該字には平声点を差す。番号 0941「鷄」は右注「ニハトリ」中注「燭夜［シヨクヤ：右傍］」左注「正乍鷄」を、熟字 1426「鷄栖」は右注「同（トリキ）」を、熟字 1441「鷄冠菜」は右注「トサカノリ」を、熟字 1475「闘鷄」は右注「トリアハセ」を、熟字 2507「鷄冠木」は右注「カヘテノキ」を付載する。観智院本類聚名義抄に反切「古兮反」（その反切下字に平声点）「結奚反」および去声相当の上昇調と推測する和音「ケイ」を見出す。漢音資料を代表する長承本蒙求には仮名音注「ケイ」三例があり、それら掲出諸字に東声点を加える。承暦本金光明最勝王経音義には仮名音注「ケイ」を見つける。日本漢音「ケイ」東声（四声体系では平声）日本呉音「ケイ」去声を認める。

　　　鷄 … 雞正／古兮［□平］反 ニハトリ …　　　　（観智院本類聚名義抄／僧中 127-3）

　　　雞 … 鷄 並正 ニハトリ［上上上上］… 結奚反 和ケイ［□上］　（観智院本類聚名義抄／僧中 136-8）

504　3．仮名音注の韻母別考察　3-3　Ⅳ韻類

鶏 [東] ケイ　　　　　　　　　　　　　　　　　　　　（長承本蒙求／027・134）

鶏 [東] ケイ 雞 〔*欄外〕ハイ・イ本　　　　　　　　　　（長承本蒙求／041）

雞 ケイ〔：右傍〕〔*後筆墨書〕　　　　　（承暦本金光明最勝王経音義／09 ウ 1）

▶番号0923「霓」（霓）の仮名音注「ケイ」については、基本的に -ei で対応する。当該字には平声点を差し、右注「同（ニシ）」左注「雌霓也」を付載する。観智院本類聚名義抄に反切「五号反」〔*五兮反の誤認か〕と同音字注「又音翳」を見出すが、仮名音注はない。

霓 五号反 雌虹霓／キヨシ／又音翳 ウルフ　　　　（観智院本類聚名義抄／法下 068-2）

▶番号0559a「螇」（螇蚸）の仮名音注「ケイ」については、基本的に -ei で対応する。当該字には平声点を差す。熟字0559「螇蚸」は右注「ハタ〻〻」を付載する。観智院本類聚名義抄に同音字注「奚」を見出すが、仮名音注はない。元和本倭名類聚抄には同音字注「奚」がある。

螇螻 奚禄／二音／已上 五蟬類　　　　　　　（観智院本類聚名義抄／僧下 040-5）

螇蚸 本草云螇蚸 奚赤二音和名波太波太 …　　　（元和本倭名類聚抄／巻十九19 ウ 2）

▶番号1484b「䨒」（調䨒）の仮名音注「ヒ」については、異例 -i を示す。当該字に声点はない。諧声符「韭」（非と誤認）による字音把握か。熟字1484「調䨒」は右注「ト．ノヘアフ」を付載する。観智院本類聚名義抄に反切「子奚反」と「祖兮反」（反切下字の右傍に朱筆で仮名音注「ケイ」）を見出す。元和本倭名類聚抄には反切「即䜁反」がある。

䨒 音同〔*子奚反〕アフ [平上] ／一云 アヘモノ [平平平平] ／或䪝

（観智院本類聚名義抄／法下 039-4）

䪝 或䨒 祖兮 [ケイ：朱右傍] 反 … アヘ牛 [平□□]　（観智院本類聚名義抄／佛上 077-4）

䪝 アヘ物 [平平□] ／䨒 同　　　　　　　　（観智院本類聚名義抄／僧下 126-1）

䨒 四聲字苑云䨒 即䜁反訓安不一云阿倍毛乃 …　（元和本倭名類聚抄／巻十六22 オ 8）

▶番号1825b「齊」（持齊）の仮名音注「サイ」については、基本的に -ai で対応する。当該字には平声点を差す。廣韻に拠れば、齊/齎韻（dzei$^{1/3}$）二音を有する。熟字1825「持齊」は戒律を守り身心を清浄に保つという仏教用語であるゆえ、本来は字音「ヂザイ」を期待する。長承本蒙求には仮名音注「セイ」と「サイ」〔*長承三年点と同時期の墨書による別加点〕があり、両掲出字に東声点と平声点を加える。その中古音が示す頭子音 dz- は等韻学の術語で言う歯音濁従母であるから、東声点には疑義が残る。日本漢音「セイ・サイ」平声を認める。

齊 ホソ [上上]　　　　　　　　　　　　　（観智院本類聚名義抄／佛中 129-1）

齊 [東] セイ／サイ〔*左：長承三年点／右：同時期の墨書別加点〕　（長承本蒙求／057）

齊 [平] セイ　　　　　　　　　　　　　　　　（長承本蒙求／129）

▶番号1072「臍」（臍）の仮名音注「サイ」については、基本的に -ai で対応する。当該字には平声点を差し、右注「ホソ」左注「又ヘソ」を付載する。観智院本類聚名義抄に同音字注「音斉」二例を見出すが、仮名音注はない。石山寺一切経蔵本大般若経字抄には漢呉二音相同の同音字注「音

3-3-1 　-e 系の字音的特徴　505

斉」がある。

　　　臍　音斉 ホソ［上上］／ヘソ［上上］　　　　　　　　　（観智院本類聚名義抄／佛中 128-8）

　　　膍臍　敱 卑斉二音 ホソ［上上］俗云ヘソ［上上］　　（観智院本類聚名義抄／佛中 129-1）

　　　臍［音斉：右傍］又作齊／ホソ　　　　　　（石山寺一切経蔵本大般若経字抄／01 オ 5）

　▶番号 1291「臍」（膍）の仮名音注「セイ」については、基本的に -ei で対応する。当該字には
平声点を差し、右注「ヘソ」左注「又ホソ」を付載する。上述の分析を参照。

　▶番号 0839b「犀」（斑犀）の仮名音注「サイ」については、基本的に -ai で対応する。当該字
には平声濁点を差すので、日本語音韻史上の連濁による字音「ザイ」を想定する。観智院本類聚名
義抄に平声点を付した同音字注「音西」（その右傍に朱筆で仮名音注「セイ」）および低平調と推
測する「此間音サイ」を見出す。後者は近時現用する字音という判断か。元和本倭名類聚抄には同
音字注「音西」と注記「此間音在」がある。日本漢音「セイ」平声、字音「サイ」平声を認める。

　　　犀 音西 此間音サイ　　　　　　　　　　　　　　（観智院本類聚名義抄／佛下末 001-8）

　　　瓢犀 犀 ヒサコノサネ　　　　　　　　　　　　　（観智院本類聚名義抄／佛下末 001-8）

　　　犀 … 音西［平／セイ：朱右傍］此／間音サイ［平□］　（観智院本類聚名義抄／法下 087-2）

　　　犀 雌犀 爾雅集注云犀 音西此間音在 …　　　　（元和本倭名類聚抄／巻十八 16 ウ 1）

　▶番号 0642b「犀」（斑犀）の仮名音注「サイ」については、基本的に -ai で対応する。当該字
に声点はない。上述の分析を参照。

　▶番号 1654b「西」（東西）の仮名音注「サイ」については、基本的に -ai で対応する。当該字
には上声濁点を差すので、日本語音韻史上の連濁による字音「ザイ」を想定する。観智院本類聚名
義抄に反切「蘓齋反」および同音字注「音西」と平声点・去声点を付した同音字注「音犀」（その
右注に朱筆で仮名音注「セイ」左注に墨筆で仮名音注「サイ」）を見出す。同書の凡例部分「朱音
者正音也墨声者和音也」（篇目 7-6) に従えば、朱墨で正音と和音を分別する傾向がある。長承本
蒙求には仮名音注「セイ」があり、その掲出字を含む三例に東声点を加える。日本漢音「セイ」東
声（四声体系では平声）日本呉音「サイ」去声を認める。

　　　西 ニシ［上上］　西〔＊西か〕蘓齋反 鳥宿　　　　（観智院本類聚名義抄／法下 072-8）

　　　西 音犀［平・去／セイ：朱右注・サイ：墨左注］／ニシ　（観智院本類聚名義抄／法下 073-6）

　　　西［東］　　　　　　　　　　　　　　　　　　　　（長承本蒙求／002・038）

　　　西［東］セイ　　　　　　　　　　　　　　　　　　　　　（長承本蒙求／118）

　▶番号 2063b「西」（霖西）の仮名音注「サイ」については、基本的に -ai で対応する。当該字
には上声点を差す。上述の分析を参照。

　▶番号 1962b「西」（鎮西）の仮名音注「セイ」については、基本的に -ei で対応する。当該字
に声点はない。上述の分析を参照。

　▶番号 1426b「栖」（鶏栖）の仮名音注「セイ」については、基本的に -ei で対応する。当該字

506　3．仮名音注の韻母別考察　3-3　Ⅳ韻類

には平声点を差し、右注「同（トリキ）」を付載する。廣韻に拠れば、齊/霽韻（sei¹⁽³⁾）二音を有す
る。観智院本類聚名義抄に平声点を付した同音字注「音西」と声調注記「又去」を見出す。長承本
蒙求には仮名音注「セイ」があり、その掲出字に東声点を加える。日本漢音「セイ」東/去声（四声
体系では平/去声）を認める。

　　　栖棲 二正 音西 ［平］ スミカ ［平平平］ 俗西字 又去　　　（観智院本類聚名義抄／佛下本 086-1）
　　　栖 ［東］ セイ　　　　　　　　　　　　　　　　　　　　　　　（長承本蒙求／073）

　▶番号 0082「嘶」（嘶）の仮名音注「セイ」については、基本的に -ei で対応する。当該字には
平声点を差し、右注「同（イハユ）」を付載する。観智院本類聚名義抄に同音字注「斯西二音・音
西」を見出すが、仮名音注はない。元和本倭名類聚抄には同音字注「音西」がある。

　　　嘶 斯西二音／イハユ ［□平濁□］ …　　　　　　　　　　（観智院本類聚名義抄／佛中 051-8）
　　　嘶 嘶 三正／音西 悲声　　　　　　　　　　　　　　　　（観智院本類聚名義抄／法上 069-3）
　　　嘶 … 玉篇云嘶 音西訓以波由俗云以奈々久 馬鳴也 …　　（元和本倭名類聚抄／巻十一 14 ウ 9）

　▶番号 0130「棲」（棲）の仮名音注「セイ」については、基本的に -ei で対応する。当該字には
平声点を差し、和訓「イタム」の同訓異字として位置する。観智院本類聚名義抄に平声点を付した
同音字注「音西」と「又去」を見出すが、仮名音注はない。日本漢音は平/去声を認める。

　　　栖棲 二正 音西 ［平］ スミカ ［平平平］ 俗西字 又去　　　（観智院本類聚名義抄／佛下本 086-1）

　▶番号 0467「嚠」（嚠）の仮名音注「セイ」については、基本的に -ei で対応する。当該字には
平声点を差し、右注「同（ハレ又ハル）」を付載する。観智院本類聚名義抄に同音字注「音妻」を
見出すが、仮名音注はない。

　　　嚠 淒二正 音妻／タナヒク ハル ［平上］　　　　　　　　　（観智院本類聚名義抄／法下 069-1）

　▶番号 0820b「題」（破題）の仮名音注「タイ」については、基本的に -ai で対応する。当該字
には上声濁点を差すので、字音「ダイ」を想定する。廣韻に拠れば、齊/霽韻（dei¹⁽³⁾）二音を有する。
観智院本類聚名義抄に去声濁点を付した同音字注「音提」を見出す。長承本蒙求には仮名音注「テ
イ」二例があり、それらの掲出字に平声点を加える。日本漢音「テイ」平/去声を認める。

　　　題 音提 署　　　　　　　　　　　　　　　　　　　　　　（観智院本類聚名義抄／佛中 106-5）
　　　題 音提 ［去濁］ ヒタヒ ［上上上］／ハシ ［上上］ ヌカ　（観智院本類聚名義抄／佛下本 031-3）
　　　題 ［平］ テイ　　　　　　　　　　　　　　　　　　　　　（長承本蒙求／044・101）

　▶番号 0184b「題」（平題箭）の仮名音注「テイ」については、基本的に -ei で対応する。当該
字には平声点を差す。熟字 0184「平題箭」は右注「イタツキ」を付載する。上述の分析を参照。

　　　平題箭　楊雄方言云鏃不鋭者謂之平題 和名以太都岐 …

　　　　　　　　　　　　　　　　　　　　　　　　　　　　　　（元和本倭名類聚抄／巻十三 14 オ 9）

　▶番号 1174b「提」（菩提）の仮名音注「タイ」については、基本的に -ai で対応する。当該字
には上声濁点を差すので、字音「ダイ」を想定する。その中古音が示す頭子音 d-（等韻学の術語で

3-3-1 -e 系の字音的特徴　507

言う舌音濁定母）は日本語のダ行音をもって受容するが、中国語音韻史上における濁音声母の無声
化 ₍₂₂₎ を反映する場合はタ行音で対応する。観智院本類聚名義抄に同音字注「音蹄・又音斯」および
和音「太イ」を見出す。廣韻に拠れば、この「太」は透母泰韻（t'ɑi³）であり、借字における略音仮
名「タ」を示す。一方で「大」（定母泰韻 dɑi³）との字形相似による類推誤用が起き、日本語の濁
音「ダ」を許容する用法が生じた。観智院本類聚名義抄には掲出字「啖・噉」（定母敢韻 dɑm²）
に対して平声濁点を含む上昇調の和音「太ム［平濁上］」（「日本呉音「ダム」去声）という興味
深い同音字注を指摘できる。日本呉音「ダイ」を認める。

　　　提 音蹄 … 又音斯 鳥飛皃 ヒサク［上上平濁］和太イ　　　　　（観智院本類聚名義抄／佛下本 078-6）

　　　啖噉 大敢［口上］反 上又淡音 … 和太ム［平濁上］　　　　　　（観智院本類聚名義抄／佛中 052-5）

▶番号 2107b「蹄」（龍蹄）の仮名音注「テイ」については、基本的に -ei で対応する。当該字
には平声点と去声点を差す。図書寮本類聚名義抄に平声点を付した同音字注「音提・音啼」を見出
す。観智院本類聚名義抄に同音字注「音提」を見つけるが、仮名音注はない。元和本倭名類聚抄に
は反切「徒奚反・杜奚反」がある。日本漢音は平声を認める。

　　　蹄 音提［平］訓比豆米［平平上］…　　　　　　　　　　　　（図書寮本類聚名義抄／112-6）

　　　蹄 音啼［平］東云獸足殻也 …　　　　　　　　　　　　　　　（図書寮本類聚名義抄／120-6）

　　　蹄蹴 音提 ヒツメ［上上上］… アシスル　　　　　　　　　　（観智院本類聚名義抄／法上 082-1）

　　　蹄 護杵附 玉篇云蹄 徒奚反訓比豆米 …　　　　　　　　　　　（元和本倭名類聚抄／巻十一 14 ウ 4）

　　　蹄 … 孫愐切韻云畜足圓曰蹄 杜奚反和名比豆米 …　　　　　（元和本倭名類聚抄／巻十八 22 ウ 9）

▶番号 2354「蹄」（蹄）の仮名音注「テイ」については、基本的に -ei で対応する。当該字には
平声点を差し、右注「ワナ」左注「罠蹄」を付載する。上述の分析を参照。

▶番号 0945b「鵜」（鸊鵜）の仮名音注「テイ」については、基本的に -ei で対応する。当該字
には平声点を差す。熟字 0945「鸊鵜」は右注「ニホ」を付載する。観智院本類聚名義抄に同音字注
「音提・帝」と反切「又徒帝反」を見出すが、仮名音注はない。元和本倭名類聚抄には同音字注「帝」
がある。

　　　鵜鸊 音提 鸊肩鵜 又／徒帝反　　　　　　　　　　　　　　（観智院本類聚名義抄／僧中 117-6）

　　　鵜鸊 帝肩二音 和名 ノセ　　　　　　　　　　　　　　　　（観智院本類聚名義抄／僧中 117-7）

　　　鸊鵜 郭璞方言注云鸊鵜 辟低二音和名迩保 …　　　　　　　（元和本倭名類聚抄／巻十八 11 ウ 6）

　　　鵜鸊 廣雅云鵜鸊 帝肩二音漢語抄云乃世 鵜屬也　　　　　　（元和本倭名類聚抄／巻十八 04 オ 1）

▶番号 2431「梯」（梯）の仮名音注「テイ」については、基本的に -ei で対応する。当該字には
平声点を差し、右注「カケハシ」左注「木階也」を付載する。図書寮本類聚名義抄に反切「湯米反」
を見出す。観智院本類聚名義抄には平声点を付した同音字注「音佋」と和音「又去」を見つける。
長承本蒙求には仮名音注「テイ」があり、その掲出字に東声点を加える。石山寺一切経蔵本大般若
経字抄には漢呉二音相同の同音字注「提」を見つける。元和本倭名類聚抄には同音字注「音低」が

508　3．仮名音注の韻母別考察　3-3　Ⅳ韻類

ある。日本漢音「テイ」東声（四声体系では平声）日本呉音は去声を認める。

　　　梯鐙 … 寘勝抄云湯米反 長二尺有十二尅也 倭言波之竪／波之 …

（図書寮本類聚名義抄／佛下本 117-2）

　　　梯 音伍［平］カケハシ［平平平上］／ハシ［上平］和又去　　（観智院本類聚名義抄／佛下本 106-4）

　　　梯［東］テイ　　　　　　　　　　　　　　　　　　　　　　（長承本蒙求／041）

　　　梯橙［提登：右傍］カケハシ／下正可作鐙　　　　　（石山寺一切経蔵本大般若経字抄／26 ウ 3）

　　　梯　郭知玄云梯 音低和名加介波之 木皆所以登高也 …　　　（元和本倭名類聚抄／巻十 19 オ 6）

▶番号 2866b「伍」（髙伍）の仮名音注「テイ」については、基本的に -ei で対応する。当該字には去声点を差す。廣韻に拠れば、その中古音は舌音清端母齊韻（tei'）である。観智院本類聚名義抄に平声濁点を付した同音字注「音提」と和音「テイ」を見出す。前者の濁音表示は同音字注「提」（齊韻 dei'）自身に対するものと考える。日本漢音は平声、日本呉音「テイ」を認める。

　　　伍 音提［平濁］カタフク［平平上濁平］… 和テイ　　　　（観智院本類聚名義抄／佛上 012-5）

▶番号 3214b「泥」（衙泥）の仮名音注「テイ」については、基本的に -ei で対応する。当該字には平濁声点を差すので、字音「デイ」を想定する。当該字「泥」は「埿」と相互に異体字である。図書寮本類聚名義抄に中算撰『法華経釈文』による反切「奴伍反」を見出す。図書寮本で「埿」を再検索すると、平声濁点を付した同音字注「音泥」および上昇調を示す仮名音注「真云ナイ［平上］」さらに熟字「埿塗」に対して「テイツ［平濁平去濁］」を見出す。観智院本には反切「奴伍反」を見つける。続けて注記「和又ナク」があるが、これは「和又ナイ」の誤認と推測する。元和本倭名類聚抄には反切「奴伍反」がある。日本呉音「ナイ」去声、字音「デイ」平声〔＊日本漢音の蓋然性が高い〕を認める。

　　　埿泥 … 中云 奴伍反 和云比知利古［平平平平］一云古比千［平平平濁］…

（図書寮本類聚名義抄／039-3）

　　　埿泥 千云／上俗　　　　　　　　　　　　　　　　　　　　（図書寮本類聚名義抄／226-7）

　　　埿塗 音泥［平濁］中云又奴計［□去］反 … 真云ナイ［平上］テイツ［平濁平去濁］

（図書寮本類聚名義抄／227-1）

　　　泥 奴伍反 水名 和又ナク … ヒチリコ … コヒチ …　　　（観智院本類聚名義抄／法上 038-3）

　　　埿 音泥［平濁］俗泥字 … 又蒲鑑反 吳蒲對反／又ツイ 和音ナイ［平上］テイ［平濁平］

（観智院本類聚名義抄／法中 052-8）

　　　泥　孫恤云士和水也奴伍反 和名比知利古一云古比千　　（元和本倭名類聚抄／巻一 13 ウ 8）

▶番号 0178「箄」（箄）の仮名音注「ヘイ」については、基本的に -ei で対応する。当該字には去声濁点を差すので、字音「ベイ」を想定する。その中古音が示す頭子音 p-（等韻学の術語で言う脣音清幫母）は無声無気両脣閉鎖音であり、日本語のハ行音をもって受容する。バ行音で対応することは許容しがたい。また右注「イヒシタミ」中注「飯箄」左注「イヒカキ」を付載する。乾飯な

どを入れる小さな籠を指すか。観智院本類聚名義抄に同音字注「音篦」（その右傍に朱筆で仮名音注「ヘイ」）を見出す。元和本倭名類聚抄には反切「博継反」がある。日本漢音「ヘイ」を認める。

　　　算　蔽胃二音／覆蔽　　　　　　　　　　　　　　　　（観智院本類聚名義抄／僧上066-1）

　　　算　界女+畀［平去／ヒヒ：朱右傍］二音 … イヒシタミ　（観智院本類聚名義抄／僧上066-1）

　　　篦　同　音篦［ヘイ：朱右傍］冠飾　又蔽 … カウカイ　（観智院本類聚名義抄／僧上066-2）

　　　飯算　イヒシタミ［平平平上平］　　　　　　　　　　（観智院本類聚名義抄／僧上066-2）

　　　算　四聲字苑云算 博継反漢語抄云飯算以比之太美 …　（元和本倭名類聚抄／巻十七12 オ2）

▶番号1405a「迷」（迷惑）の仮名音注「メイ」については、基本的に -ei で対応する。当該字には平声濁点を差すので、字音「ベイ」を想定する。その中古音が示す頭子音 m-（等韻学の術語で言う唇音清濁明母）は両唇鼻音であり、日本語のマ行音をもって受容するが、中国語音韻史上における鼻音声母の非鼻音化（denasalization）[22]によって m->mb->b- の音変化を反映する場合はバ行音で対応する。よって、仮名音注による字音把握と当該字に加えた濁音表示には乖離がある。観智院本類聚名義抄に反切「莫雞反」および和音「メイ」を見出す。日本呉音「メイ」を認める。

　　　迷　莫雞反 マトフ［平平濁上］… 和メイ　　　　　　（観智院本類聚名義抄／佛上045-6）

▶番号2526「麛」（麛）の仮名音注「スイ」については、異例 -ui を示す。当該字には平声点を差し、右注「同（カコ［平平濁］）」を付載する。その「スイ」は仮名の字形相似による「メイ」の誤認と推測する。観智院本類聚名義抄に平声点を付した同音字注「音迷」と反切「五号反」〔*五号反の誤認か〕を見出すが、仮名音注はない。当該字「麛」と「麑」は相互に異体字で、和訓「カゴ」という認識である。元和本倭名類聚抄には同音字注「音迷」がある。日本漢音は平声を認める。

　　　麑　音迷［平］五号反／カコ［平上濁］麛 亦　　　　（観智院本類聚名義抄／法下110-7）

　　　鹿　… 牝鹿曰麛 音優和名米加 其子曰麑 音迷字亦作麛和名加呉

　　　　　　　　　　　　　　　　　　　　　　　　　　　（元和本倭名類聚抄／巻十八18 オ7）

▶番号2760「犂」（犂）の仮名音注「レイ」については、基本的に -ei で対応する。当該字には平声点を差し、右注「カラスキ」を付載する。観智院本類聚名義抄に同音字注「音黎」および和音「レイ」を見出す。元和本倭名類聚抄には同音字注「音黎」がある。日本呉音「レイ」を認める。

　　　犂　音黎 カラスキ［平平□□］… 和レイ　　　　　　（観智院本類聚名義抄／佛下末001-6）

　　　犁　俗通　　　　　　　　　　　　　　　　　　　　（観智院本類聚名義抄／佛下末001-7）

　　　犂　唐韻云犂 音黎和名加良須岐 墾田器也 …　　　　（元和本倭名類聚抄／巻十五08 ウ5）

《下巻 齊韻諸例》

▶番号6128b「瞖」（目瞖）の仮名音注「エイ」については、基本的に -ei で対応する。当該字には去声点を差す。熟字6128「目瞖」は右注「ヒ」を付載する。上巻の齊韻当該例で分析したよう

510　3．仮名音注の韻母別考察　3-3　Ⅳ韻類

に、日本漢音は去声、日本呉音「エイ」去声を認める。

　　　目瞖　病源論云目瞖 於麗反和名比 …　　　　　　　　　（元和本倭名類聚抄／巻三 17 ウ 6）

　▶番号4136a「鼷」（鼷鼠）の仮名音注「ケイ」については、基本的に -ei で対応する。当該字には平声点を差す。熟字4136「鼷鼠」は左右注「アマクチ／ネスミ」を付載する。観智院本類聚名義抄に同音字注「音奚」および和音「ケイ」を見出す。元和本倭名類聚抄には同音字注「音奚」がある。日本呉音「ケイ」を認める。

　　　鼷　音奚 アマクチネスミ［上上上上上上濁平］… 和ケイ　　　（観智院本類聚名義抄／僧下 042-8）

　　　鼷鼠　說文云鼷鼠 上音奚和名阿末久知鼺須美 小鼠也 …　（元和本倭名類聚抄／巻十八 20 オ 6）

　▶番号6756b・6797b「蹊」（成蹊・盛蹊）の仮名音注「ケイ」については、基本的に -ei で対応する。両当該字に声点はない。観智院本類聚名義抄に反切「胡雞反」（その反切下字に平声点）および去声点を付した「呉音奚」を見出す。後者は大般若経字抄を出典とする漢呉二音相同の同音字注「音奚」である。長承本蒙求に仮名音注「ケイ」があり、その掲出字に東声点を加える。日本漢音「ケイ」東声（四声体系では平声）日本呉音は去声を認める。

　　　蹊　胡雞［□平］反 ミチ［上上］… 呉音奚［去］　　　（観智院本類聚名義抄／法上 081-8）

　　　蹊　［東］ケイ　　　　　　　　　　　　　　　　　　（長承本蒙求／042）

　　　蹊　［音奚：右傍］路也　　　　（石山寺一切経蔵本大般若経字抄／22 オ 1）

　▶番号4581a「笄」（笄子）の仮名音注「ケイ」右傍については、基本的に -ei で対応する。当該字には平声点を差す。熟字4581「笄子」は右注6976「サイシ［平平上］」中注「婦人所戴／俗謂笄子」左注「又カンサシ」を付載する。上巻の齊韻当該例で分析した。

　▶番号6976a「笄」（笄子）の仮名音注「サイ［平平］」については、基本的に -ai で対応する。当該字には平声点を差し、その仮名音注に低平調の差声を施す。熟字4581「笄子」は右注6976「サイシ［平平上］」中注「婦人所戴／俗謂笄子」左注「又カンサシ」を付載する。元和本倭名類聚抄に「音雞此間云笄子上音如才」を見出す。熟字「笄子」の場合に限り、近時の字音「サイ」と認識する。これは諸声符「幵」を「材」（咍韻 dzʌiˊ）と誤認する字音把握か。上述の分析を参照。

　　　簪　…　釋名云笄 音雞此間云笄子上音如才 係也 …　　　（元和本倭名類聚抄／巻十二 18 ウ 3）

　▶番号6041「枅」（枅）の仮名音注「ケイ」については、基本的に -ei で対応する。当該字には平声点を差し、右注「ヒチキ」を付載する。観智院本類聚名義抄に同音字注「音鶏・又堅音」を見出すが、仮名音注はない。元和本倭名類聚抄には同音字注「音雞」がある。

　　　枅　音鶏 柱上方木／又堅音 ヒチキ　　　　　　（観智院本類聚名義抄／佛下本 088-4）

　　　枅　唐韻云枅 音雞漢語抄云比知岐功程式云肱木 承衡木也　（元和本倭名類聚抄／巻十 11 オ 7）

　▶番号4672a・4673a「齊」（齊食・齊戒）の仮名音注「サイ」については、基本的に -ai で対応する。両当該字には平声点を差す。上巻の齊韻当該例で分析したように、日本漢音「セイ・サイ」東声（四声体系では平声）を認める。

3-3-1 -e 系の字音的特徴 511

▶番号4816a・4817a「齊」（齊宮寮・齊院司）の仮名音注「サイ」については、基本的に -ai で対応する。両当該字に声点はない。上述の分析を参照。

▶番号4655b「齊」（散齊）の仮名音注「セイ」については、基本的に -ei で対応する。当該字には平声点を差す。上述の分析を参照。

▶番号6216「齊」（齊）の仮名音注「セイ」については、基本的に -ei で対応する。当該字に声点はなく、左右注「徂奚反」〔＊←但奚反〕を付載する。和訓「ヒトシ」の同訓異字として位置する。上述の分析を参照。

▶番号6493a「栖」（栖鳳樓）の仮名音注「サイ」については、基本的に -ai で対応する。当該字には平声点を差す。熟字6493「栖鳳樓」は左右注「在應天／門東」を付載する。上巻の齊韻当該例で分析したように、日本漢音「セイ」東/去声（四声体系では平/去声）を認める。

▶番号4697a「妻」（妻孥）の仮名音注「サイ」については、基本的に -ai で対応する。当該字には平声点を差す。廣韻に拠れば、齊/霽韻 (ts'ei^{1/3}) 二音を有する。観智院本類聚名義抄に同音字注「音西」と「又去」および和音「サイ」を見出す。長承本蒙求には仮名音注「セイ」があり、その掲出字に東声点を加える。日本漢音「セイ」東/去声（四声体系では平/去声）日本呉音「サイ」を認める。

　　妻 音西 メ ツ マ … 又去／メアハス 和サイ　　　　　　（観智院本類聚名義抄／佛中007-2）

　　妻 ［東］ セイ　　　　　　　　　　　　　　　　　　　　（長承本蒙求／057）

▶番号3372b「妻」（前妻）の仮名音注「セイ」については、基本的に -ei で対応する。当該字には平声点を差す。熟字3372「前妻」は右注「コナミ」左注「又ウハナリ」〔＊後妻の意味が混入〕を付載する。上述の分析を参照。

　　前妻 モトツメ／コナミ　後妻 ウハナリ　　　　　　　（観智院本類聚名義抄／佛中007-3）

　　前妻　顔氏云前妻 和名毛止豆女 一云 古奈美　　　（元和本倭名類聚抄／巻二21 オ5）

　　後妻　顔氏云後妻必悪前妻之子 和名宇波奈利　　　（元和本倭名類聚抄／巻二21 オ3）

▶番号4477「犀」（犀）の仮名音注「サイ［平上］」については、基本的に -ai で対応する。当該字には平声点と去声点を差し、右注「音西 サイ［平上？］俗 通天［平□］」中左注「雌一名／光犀」を付載する。その仮名音注「サイ」に差声を施した上声点は左側の中間位置とも見え、あるいは低平調「平平」を示す可能性がある。上巻の齊韻当該諸例で分析したように、日本漢音「セイ」平声、字音「サイ」平声を認める。

▶番号6550a「犀」（犀帯）の仮名音注「セイ」については、基本的に -ei で対応する。当該字には平声点を差す。上述の分析を参照。

▶番号4458「犀」（犀）の仮名音注「サイ」については、基本的に -ai で対応する。当該字には平声点を差し、右注「サネ」左注「瓠犀」を付載する。観智院本類聚名義抄に同音字注「音西」を見出すが、仮名音注はない。

512　3．仮名音注の韻母別考察　3-3　Ⅳ韻類

　　　犀 音西 瓤犀瓜中／サネ［平平］　　　　　　　　　　（観智院本類聚名義抄／法下 087-3）

　　　瓢犀 犀 ヒサコノサネ　　　　　　　　　　　　　　（観智院本類聚名義抄／佛下末 001-8）

▶番号 3905b「臍」（黏臍）の仮名音注「セイ」については、基本的に -ei で対応する。当該字
には去声点を差す。熟字「黏臍」は左注「添齊二音」を付載する。上巻の齊韻当該諸例で分析した。

▶番号 6810a「蠐」（蠐螬）の仮名音注「セイ」については、基本的に -ei で対応する。当該字
には平声点を差す。熟字 6810「蠐螬」は右注「スクモムシ」を付載する。観智院本類聚名義抄に同
音字注「斉」を見出すが、仮名音注はない。元和本倭名類聚抄には同音字注「齊」がある。

　　　蠐螬 斉曹二音 スクモムシ［上上上平］／上 トモムシ　　（観智院本類聚名義抄／僧下 022-6）

　　　蠐螬　本草云蠐螬 齊曹二音 … 和名須久毛無之 …　　　（元和本倭名類聚抄／巻十九 21 オ 2）

▶番号 3998b「撕」（提撕）の仮名音注「セイ」については、基本的に -ei で対応する。当該字
に声点はなく、右注「提耳」左注「教子［ヲシフ ヲ：右傍］」を付載する。観智院本類聚名義抄に
同音字注「音西」を見出すが、仮名音注はない。

　　　撕 音西 提 ヲシフ／ナク ヒサシ ツム 撕耳　　　　　　（観智院本類聚名義抄／佛下本 052-6）

▶番号 6105a・6591a・6646a「西」（西施・西蔵・西施）の仮名音注「セイ」については、基
本的に -ei で対応する。当該諸字三例には平声点を差す。上巻の齊韻当該諸例で分析したように、
日本漢音「セイ」東声（四声体系では平声）日本呉音「サイ」去声を認める。

▶番号 4416b「西」（名西）の仮名音注「セイ」については、基本的に -ei で対応する。当該字
に声点はない。上述の分析を参照。

▶番号 6773・6822「棲」（棲・棲）の仮名音注「セイ」については、基本的に -ei で対応する。
当該字には平声点を差す。番号 6773「棲」は左右注「或乍栖／鳥棲也」を付載する。番号 6822「棲」
は和訓「スム」の同訓異字として位置する。上巻の齊韻当該例で分析したように、日本漢音は平/去
声を認める。

▶番号 6570a・6570b「凄」（凄ミ・凄ミ）の仮名音注「セイ」については、基本的に -ei で対
応する。両当該字には平声点を差し、左注「雲行皃」を付載する。観智院本類聚名義抄に反切「且
奚反」を見出すが、仮名音注はない。同書では当該字「凄」と「霋」を相互に異体字と扱うが、意
味が異なり別字である。高山寺本篆隷萬象名義には反切「且奚反」を見つける。

　　　妻 齊也 七稽切又七計切十 … 凄 雲行皃 又千弟切 凄 寒也 … 霋 說文云霽謂之霋 …

　　　　　　　　　　　　　　　　　　　　　　　　　　　　（宋本廣韻／清母齊韻 ts‘ei¹）

　　　霋 凄二正 音妻／タナヒク ハル［平上］　　　　　　　（観智院本類聚名義抄／法上 069-1）

　　　凄 且奚反 寒風　　　　　　　　　　　　　　　　　　（観智院本類聚名義抄／法上 043-6）

　　　凄 且奚反 寒也風也　　　　　　　　　　　　　　　　（高山寺本篆隷萬象名義／第五帖 094 オ 1）

▶番号 4237「虀」（虀）の仮名音注「セイ」については、基本的に -ei で対応する。当該字には
平声点を差し、右注「祖稽反」〔＊←祖秩百反〕中注「又即介反」左注「アヘモノ」を付載する。上巻

の齊韻当該例で分析した。

▶番号4238「齎」（齎）の仮名音注「セイ」については、基本的に -ei で対応する。当該字には平声点を差し、右注「同（アヘモノ）」左注「醬屬也」を付載する。当該字「齎」と「韲」は相互に異体字である。上述の分析を参照。

▶番号3407b「摕」（樂摕）の仮名音注「タイ」については、基本的に -ai で対応する。当該字には平声点を差す。廣韻に拠れば、齊韻（tei¹）霽韻（t'ei³）祭韻（t'iai³）三音を有する。熟字3407「樂摕」は右注「コフシアハセ」左注「コフシウチ」を付載する。観智院本類聚名義抄には同音字注「替帝二音」および「呉音佁」を見出すが、仮名音注はない。後者は大般若経字抄による漢呉二音相同の同音字注「音佁」を引用したものである。元和本倭名類聚抄には反切「敕皆反」がある。

　　　摕 替帝二音 損／イタル トル［平平］　　　　　　（観智院本類聚名義抄／佛下本045-6）

　　　摕 呉音佁／コフシウチ　　　　　　　　　　　　　（観智院本類聚名義抄／佛下本045-6）

　　　相摕 コフシウチ［平平濁平□□］　　　　　　　　（観智院本類聚名義抄／佛下本045-6）

　　　摘摕 … 摕 帝替二音　　　　　　　　　　　　　　（観智院本類聚名義抄／佛下本058-3）

　　　扇摕［音佁：右傍］半鬻迦顙也　　　　　　　（石山寺一切経蔵本大般若経字抄／13 オ 7）

　　　相摠　唐韻云摕 敕皆反内典云相摕和音古布之字知 以拳加物也

　　　　　　　　　　　　　　　　　　　　　　　　　　（元和本倭名類聚抄／巻四06 ウ 6）

▶番号5274b・6510b「蹄」（羊蹄菜・尨蹄子）の仮名音注「テイ」については、基本的に -ei で対応する。両当該字には平声点を差す。熟字5274「羊蹄菜」は右注「シフクサ［平平上平］」を、熟字6510「尨蹄子」は右注「セ［去］」左注「セイ」を付載する。上巻の齊韻当該諸例で分析したように、日本漢音は平声を認める。

　　　羊蹄菜 シ／シフクサ　　　　　　　　　　　　　　（観智院本類聚名義抄／僧上025-4）

　　　尨蹄子 セイ［平上］　　　　　　　　　　　　　　（観智院本類聚名義抄／法下137-7）

　　　羊蹄菜　唐韻云董 丑六反字亦作蓬和名之布久佐一云之 羊蹄菜也

　　　　　　　　　　　　　　　　　　　　　　　　　　（元和本倭名類聚抄／巻十七25 オ 2）

　　　尨蹄子　崔禹錫食經云尨蹄子 和名勢 貌似犬蹄而附石生者也 …

　　　　　　　　　　　　　　　　　　　　　　　　　　（元和本倭名類聚抄／巻十九11 ウ 3）

▶番号6087「蹄」（蹄）の仮名音注「テイ」については、基本的に -ei で対応する。当該字に声点はなく、右注「ヒツメ」左注「杜奚反」を付載する。上述の分析を参照。

▶番号4544「醍」（醍）の仮名音注「テイ」については、基本的に -ei で対応する。当該字には平声点を差し、和訓「サケ」の同訓異字として位置する。廣韻に拠れば、その中古音は齊韻（dei¹）である。観智院本類聚名義抄に平声点を付した同音字注「音啼」（齊韻 dei¹）と上声点を付した「又音體」（薺韻 t'ei²）を見出す。また熟字「醍醐」には仮名音注「此間音タイコ［平濁上上濁］」があり、近時の字音「ダイ」去声を示す。元和本倭名類聚抄には熟字「醍醐」に対して同音字注「啼

514　3．仮名音注の韻母別考察　3-3　Ⅳ韻類

胡二音」および「此間音内五」がある。日本漢音は平/上声、字音「ダイ」去声を認める。

　　　醍　音啼［平］酒—宿者也 醍醐也 又音／體［上］… サケ エフ　　（観智院本類聚名義抄／僧下 058-3）

　　　醍醐　啼胡［平平］二音 此間音 タイコ［平濁上上濁］　　　　　（観智院本類聚名義抄／僧下 058-4）

　　　醍醐　本草注蘇敬日 啼胡二音此間音内五醍醐 …　　　　　　（元和本倭名類聚抄／巻十六 16 ウ 9）

　▶番号4299「緹」（緹）の仮名音注「テイ」については、基本的に -ei で対応する。当該字に声点はなく、右注「同（アカシ）」左注「舟色也」を付載する。廣韻に拠れば、齊韻（dei¹）薺韻（tʻei²）二音を有する。観智院本類聚名義抄に平声点を付した「音提」（齊韻 dei¹）と平声点を付した「又音體」（薺韻 tʻei²）を見出す。後者の平声点は上声点の誤認か。日本漢音は平声を認める。

　　　緹　音提［平］帛赤黄也／又音體［平］アカシ［上上囗］アケ　　（観智院本類聚名義抄／法中 121-3）

　▶番号3994a・3995a・3997a「提」（提弊・提携・提耳）の仮名音注「テイ」については、基本的に -ei で対応する。当該諸字三例には平声点を差す。上巻の齊韻当該例で分析したように、日本呉音「ダイ」を認める

　▶番号3998a「提」（提撕）の仮名音注「テイ」については、基本的に -ei で対応する。当該字に声点はない。上述の分析を参照。

　▶番号6113「題」（題）の仮名音注「テイ」については、基本的に -ei で対応する。当該字には平声点を差し、右注「同（ヒタイ）」左注「杜奚反」を付載する。上巻の齊韻当該諸例で分析したように、日本漢音「テイ」平/去声を認める。

　▶番号4140「鯷」（鯷）の仮名音注「テイ」については、基本的に -ei で対応する。当該字には平声点を差し、右注「同（アユ）」を付載する。廣韻に拠れば、齊/薺韻（dei^{1/3}）支/紙/寘韻（ƶie^{1/2/3}）五音を有する。観智院本類聚名義抄に平声点を付した同音字注「音題」（dei^{1/3}）と「音跂」（寘韻 ƶie³）を見出すが、仮名音注はない。元和本倭名類聚抄には同音字注「音題」がある。日本漢音は平声を認める。

　　　鯷　音題［平］ヒシコイハシ［平上上上平］… 音跂　　（観智院本類聚名義抄／僧下 003-2）

　　　鯷魚　… 四聲字苑云鯷 音題蔑語抄云比師古以和之 小鮎魚黒而少味也

　　　　　　　　　　　　　　　　　　　　　　　　　　　（元和本倭名類聚抄／巻十九 08 ウ 7）

　▶番号6088a「鯷」（鯷魚）の仮名音注「テイ」については、基本的に -ei で対応する。当該字に声点はない。熟字6088「鯷魚」は右注「ヒシコイハシ」中左注「小鮎黒而小味也」を付載する。上述の分析を参照。

　▶番号3309・3877・4026a・4255b「泥」（泥・泥・泥塗・障泥）の仮名音注「テイ」については、基本的に -ei で対応する。当該諸字四例には平声濁点を差すので、字音「デイ」を想定する。番号3309「泥」は右注「コヒチ」を、番号3877「泥」は右注「テイ」左注「奴佰反」を、熟字4255「障泥」は右注「アフリ」中左注「上或乍／或泥障」を付載する。上巻の齊韻当該例で分析したように、日本呉音「ナイ」去声、字音「デイ」平声〔＊日本漢音の蓋然性が高い〕を認める。

▶番号 3878「埿」（埿）の仮名音注「テイ」については、基本的に *-ei* で対応する。当該字に声点はなく、右注「同（テイ）」を付載する。当該字「埿」と「泥」は相互に異体字である。上述の分析を参照。

▶番号 6083「羝」（羝）の仮名音注「テイ」については、基本的に *-ei* で対応する。当該字には平声点を差す。観智院本類聚名義抄に平声点を付した同音字注「音低」を見出す。承暦本金光明最勝王経音義には借字による「天伊反」と仮名音注「テイ」がある。前者の掲出字に去声点を加える。日本漢音は平声、日本呉音「テイ」去声を認める。

羝 … 音低［平］一名／羊+歴三歳　　（観智院本類聚名義抄／僧中 094–7）

羝［去］天伊反　　（承暦本金光明最勝王経音義／08 ウ 4）

設 セッ 羝 テイ 著〔*後筆墨書〕　　（承暦本金光明最勝王経音義／08 ウ 4）

▶番号 3970a「隄」（隄防）の仮名音注「テイ」については、基本的に *-ei* で対応する。当該字には平声点を差す。熟字 3970「隄防」は右傍「ツヽミ」を付載する。観智院本類聚名義抄に反切「徒奚都奚二反」と同音字注「又音啼」を見出すが、仮名音注はない。

隄 ツヽミ［平平□］… 徒奚／都奚二反 又音啼　　（観智院本類聚名義抄／法中 038-4）

陂隄　禮記云蓄水曰陂音碑 和名豆豆三 隄又昨堤　　（元和本倭名類聚抄／巻一 16 オ 9）

▶番号 3442b「鎞」（金鎞）の仮名音注「ヘイ［平平］」については、基本的に *-ei* で対応する。当該字の仮名音注に低平調を示す差声を施す。仮名音注観智院本類聚名義抄に平声点を付した同音字注「音篦」（その右傍に朱筆で仮名音注「ヘイ」）および連濁による俗云「ヘイ［平濁平］」を見出す。元和本倭名類聚抄には反切「邊奚反」がある。日本漢音「ヘイ」平声、定着久しい字音「ヘイ」平声を認める。

鎞鈚 俗正 音篦［平／ヘイ：朱右傍］　　（観智院本類聚名義抄／僧上 116-1）

金鎞 俗云 コムヘイ［平上平濁平］　　（観智院本類聚名義抄／僧上 116-1）

金鎞　大日經疏云金鎞 邊奚反　　（元和本倭名類聚抄／巻十三 04 ウ 8）

▶番号 3447「榽」（榽）の仮名音注「ヘイ」については、基本的に *-ei* で対応する。当該字には平声点を差し、右注「コムカ」左注「同上（酒器）欤」を付載する。廣韻に拠れば、齊韻（pei[1]）脂韻（bjiei[1]）二音を有する。観智院本類聚名義抄に同音字注「音琵・音篦」および仮名音注「ヘ」を見出す。後者は「ヘイ」の誤認か。元和本倭名類聚抄には同音字注「音琵一音篦」がある。

榽 音琵 ヘ音 篦／ノキ［上上］スケ［上上］／ノキスケ［上上上濁平］スキノキ

（観智院本類聚名義抄／佛下本 092–6）

棉梠　文選云鏤檻文榽 音琵一音篦師説文榽賀佐禮留乃岐乃須介 …

（元和本倭名類聚抄／巻十 09 ウ 5）

▶番号 6180a「砒」（砒青）の仮名音注「ヒ」については、異例 *-i* を示す。当該字には上声点を差す。当該字「砒」は「磇」と相互に異体字である。その中古音は幫母齊韻（p'ei[1]）であり、仮名

516　3．仮名音注の韻母別考察　3-3　Ⅳ韻類

音注「ヘ」を期待するが、諧声符「比」による字音把握「ヒ」を示す。観智院本類聚名義抄に当該字を見出せない。

　　　硾　硾霜石藥出道書 匹迷切七 …　　　　　　　　　　　（宋本廣韻／幫母齊韻 p'ei¹）

▶番号4083「藜」（藜）の仮名音注「レイ」については、基本的に -ei で対応する。当該字には平声点を差す。観智院本類聚名義抄に同音字注「音黎」を見出すが、仮名音注はない。元和本倭名類聚抄に同音字注「音黎」がある。

　　　藜　音黎 アカサ　藜灰 アカサノハヒ　　　　　　（観智院本類聚名義抄／僧上 036-7）

　　　藜　野王案云藜 音黎和名阿加佐　　　　　　（元和本倭名類聚抄／巻十七 25 オ 4）

《上巻　薺韻諸例》

▶番号0703「洒」（洒）の仮名音注「サイ」については、基本的に -ai で対応する。当該字に声点はなく、右注「ハナル」を付載する。廣韻に拠れば、薺韻 (sei²) 卦韻 (ʂe³) 二音を有する。図書寮本類聚名義抄に反切「東云蘇頭反」を見出す。観智院本には反切「蘓礼反」（その反切下字に平声点を差すが存疑）と同音字注「又音銑」さらに「音シ」を見つける。また「灑」の俗字で同義語と認識するが、異体字ではない。字音「シ」を認める。

　　　洒　洗浴又姓 先禮切又音銑二　洒 上同　又所賣切　　　（宋本廣韻／心母薺韻 sei²）

　　　洗洒 … 下玉云滌也盡也薺也 東云蘇頭反 … ソ丶ク［上上□／詩：右注］…

　　　　　　　　　　　　　　　　　　　　　　　　　　　　（図書寮本類聚名義抄／016-6）

　　　洒　蘓礼［平平］反 又音銑／ソ丶ク［上□□］…　　　（観智院本類聚名義抄／法上 003-3）

　　　灑　所蟹反 ソ丶ク［上上□］… 和シヤ［平上：墨点］　（観智院本類聚名義抄／法上 035-5）

　　　洒　俗 音シ　　　　　　　　　　　　　　　　　（観智院本類聚名義抄／法上 035-6）

▶番号1413b「濟」（弁濟使）の仮名音注「サイ」については、基本的に -ai で対応する。当該字に声点はない。図書寮本類聚名義抄に同音字注「音霽」と平声点を差した「真云細」を見出す。観智院本には同音字注「音霽」および低平調を示す和音「サイ」を見つける。長承本蒙求には仮名音注「セイ」があり、その掲出字に上声点を加える。元和本倭名類聚抄には反切「子禮反」を見つける。日本漢音「セイ」上声、日本呉音「サイ」平声を認める。

　　　澄　音霽 … ワタス［上上平／□□ル／記：右注］真云細［平］　（図書寮本類聚名義抄／009-3）

　　　澄 … 音霽 スヽク ワタル［上上□／□□ス］和サイ［平平：墨圏点］

　　　　　　　　　　　　　　　　　　　　　　　　　　　（観智院本類聚名義抄／法上 005-1）

　　　濟　正 ワタル［上上□／□□ス］…　　　　　　　（観智院本類聚名義抄／法上 005-1）

　　　濟［上］セイ　　　　　　　　　　　　　　　　　　　　（長承本蒙求／098）

　　　濟　爾雅注云濟 子禮反和名太利 渡處也　　　　　（元和本倭名類聚抄／巻十 18 オ 7）

▶番号2286「濟」（濟）の仮名音注「セイ」については、基本的に -ei で対応する。当該字には上声点を差し、右注「ワタリ」左注「ワタス」を付載する。上述の分析を参照。

▶番号1343b・2976b「濟」（辨濟・勘濟）の仮名音注「セイ」については、基本的に -ei で対応する。両当該字には上声濁点を差すので、日本語音韻史上の連濁による字音「ゼイ」を想定する。上述の分析を参照。

▶番号2114b「躰」（略躰）の仮名音注「タイ」については、基本的に -ai で対応する。当該字には平声点を差す。当該字「躰」は「體・軆」と相互に異体字である。観智院本類聚名義抄に上声点を付した同音字注「音渧」と反切「他礼反」（その反切下字に上声点）および和音「タイ」二例を見出す。長承本蒙求には仮名音注「テイ」があり、それを含む掲出字二例に上声点を加える。元和本倭名類聚抄には反切「他禮反」がある。日本漢音「テイ」上声、日本呉音「タイ」を認める。

　　體 音渧［上］スカタ［平平濁□］… 軆 俗通 亦躰 ワタ［平平］／和タイ

（観智院本類聚名義抄／佛下本005-5）

　　軆 他礼反［上］ミ［上］… 體 ［正：右注］和タイ　　　（観智院本類聚名義抄／佛上086-2）

　　體［上］テイ　　　　　　　　　　　　　　　　　　　　　（長承本蒙求／093）

　　體〔＊左上隅欠〕　　　　　　　　　　　　　　　　　　（長承本蒙求／123）

　　體［上］　　　　　　　　　　　　　　　　　　　　　　（長承本蒙求／127）

　　肢體　野王案 … 體 他禮反字亦作躰 …　　　　　　（元和本倭名類聚抄／巻三07ウ7）

▶番号1004b・1259b「體」（人體・本體）の仮名音注「タイ」については、基本的に -ai で対応する。両当該字には平声濁点を差すので、日本語音韻史上の連濁による字音「ダイ」を想定する。当該字「體」は「軆・躰」と相互に異体字である。上述の分析を参照。

▶番号0291b「軆」（異軆）の仮名音注「テイ」については、基本的に -ei で対応する。当該字には上声点を差す。上述の分析を参照。

▶番号2068b・2069b「渧」（流渧・泣渧）の仮名音注「テイ」については、基本的に -ei で対応する。両当該字には去声点を差す。廣韻に拠れば、薺/霽韻 (t'ei²³) 二音を有する。図書寮本類聚名義抄に同音字注「順云體」（倭名類聚抄の引用）および去声相当の上昇調と推測する仮名音注「真云テイ［□上］」（いわゆる真興音義の和音）を見出す。観智院本には上声点を付した同音字注「體音」と同音字注「體」および上昇調を示すと推測する和音「真云テイ」を見つける。承暦本金光明最勝王経音義には仮名音注「テイ」借字による「天伊反」がある。同書では「洟」の異体字として「渧」を認識するが、両者は別字である。熟字「渧洟」は涙と鼻汁を意味する。元和本倭名類聚抄に同音字注「體」がある。日本漢音は上声、日本呉音「テイ」去声を認める。

　　渧涙 順云體類二音 奈美太 上玉云他訊礼反自目出 … 真云テイルイ［□上□平］

（図書寮本類聚名義抄／037-5）

　　洟唾 … 順云音夷 須ミ波奈［平上平濁平］公任卿云音佤［平］正弟［去］…

518　3．仮名音注の韻母別考察　3-3　Ⅳ韻類

（図書寮本類聚名義抄／037-3）

涕 體［上］音 ナミタ［□上□／□ム□：右傍］… 和テイ［平上：墨点］

（観智院本類聚名義抄／法上007-4）

涕涙 體類二音／ナミタ［平□□／□ム□：右傍］　　　（観智院本類聚名義抄／法上007-4）

涕 テイ［：右傍］〔＊後筆墨書〕　　　　（承暦本金光明最勝王経音義／08 オ5）

洟 ［平／コハナ・ハナ：朱右傍］又作涕 天伊反　　（承暦本金光明最勝王経音義／11 ウ4）

涕涙 承泣附 説文云涕涙 體類二反和名奈美太 目汁也 …　　（元和本倭名類聚抄／巻三04 オ8）

▶番号1699b「祢」（刀祢）の仮名音注「ネ」については、異例 -e を示す。当該字に声点はない。日本語の音変化 -ei > -ee > -e を想定する。早くは万葉集における借字として頻用する。熟字1699「刀祢」は度篇官職部に属す。律令制における主典以上の官人の総称、あるいは伊勢神宮や賀茂神社などの神官を指す。観智院本類聚名義抄に反切「奴礼反」を見出すが、仮名音注はない。

禰 奴礼反　　　　　　　　　　　　　　　　　　（観智院本類聚名義抄／法下003-1）

祢 通 ホ、／アマネシ　　　　　　　　　　　　　（観智院本類聚名義抄／法下003-2）

▶番号1340a「陛」（陛下）の仮名音注「ヘイ」については、基本的に -ei で対応する。当該字には去声点を差す。その中古音が示す頭子音 b-（等韻学の術語で言う唇音濁並母）は有声両唇閉鎖音であり、日本語のバ行音をもって受容するが、中国語音韻史上における濁音声母の無声化を反映する場合はハ行音で対応する。図書寮本類聚名義抄に同音字注「髀」および低平調を示す「真云ヘイ［平平］」を見出す。観智院本には上声濁点を付した同音字注「髀」（その右注に朱筆で「ヘイ」右傍に墨筆で「ハイ」）および和音「ヘイ」を見つける。同書の凡例部分「朱音者正音也墨声者和音也」（篇目 7-6）に従えば、朱墨で正音と和音を分別する傾向がある。同音字注の右注と右傍に付載する仮名音注は日本呉音「ベイ・バイ」とすべきか。日本漢音は上声、日本呉音「ヘイ」平声を認める。

階陛 类云皆［平］音 … 真云カイヘイ［平上平平］　　（図書寮本類聚名義抄／201-1）

牀陛 音髀 广云蒲米反 … 真云ヘイ　　　　　　　（図書寮本類聚名義抄／201-3）

陛 ハシ … 音髀［上濁／ヘイ：墨右注・ハイ：墨右傍］和ヘイ　（観智院本類聚名義抄／法中040-7）

▶番号3213「米」（米）の仮名音注「ヘイ」については、基本的に -ei で対応する。当該字には上濁声点を差すので、字音「ベイ」を想定する。また右注「ヨネ」を付載する。その中古音が示す頭子音 m-（等韻学の術語で言う明母）は両唇鼻音であり、日本語のマ行音をもって受容するが、中国語音韻史上における鼻音声母の非鼻音化（denasalization）現象によって m- > mb- > b- の音変化を反映する場合はバ行音で対応する。観智院本類聚名義抄に反切「莫礼反」および上昇調と推測する和音「マイ」を見出す。長承本蒙求には仮名音注「ヘ」（平安時代中期と推定する古い朱筆加点：左側／平安時代院政初期である長承三年の墨筆加点：右側）があり、その掲出字に上声点と上声加濁点を加える。元和本倭名類聚抄には反切「莫禮反」がある。日本漢音「ベイ」上声、日本呉

音「マイ」去声を認める。

米 … 莫礼反／和マイ［□上］ヨネ［上上］　　　　　　（観智院本類聚名義抄／法下 029-6）

米［上／上：加濁］ヘイ／ヘイ　　　　　　　　　　　（長承本蒙求／015）

米　陸詞切韻云米 莫礼反和名與禰 穀實也 …　　　　（元和本倭名類聚抄／巻十七 02 ウ 7）

▶番号 2671b「米」（粺米）の仮名音注「ヘイ」については、基本的に -ei で対応する。当該字には上声点を差す。熟字 2671「粺米」は右注「カシヨネ」を付載する。上述の分析を参照。

▶番号 0637b「米」（白米）の仮名音注「マイ」については、基本的に -ai で対応する。当該字に声点はない。熟字 0637「白米」は右注「釁牙」を付載する。上述の分析を参照。

▶番号 0383b・3278b「米」（久米・久米）の仮名音注「メ」については、異例 -e を示す。両当該字に声点はない。すでに存在する地名に漢字表記を適用したか。日本呉音「マイ」は -ai＞-ee＞-e の音変化を生じて短母音「メ」となるが、二拍相当の長音で字音把握していた可能性もある。

▶番号 0755b・0992b「礼」（拝礼・入礼）の仮名音注「ライ」については、基本的に -ai で対応する。両当該字には平声点を差す。観智院本類聚名義抄に上声点を付した同音字注「音蠡」および和音「ライ」を見出す。長承本蒙求には仮名音注「レイ」二例があり、それらの掲出字に上声点を加える。日本漢音「レイ」上声、日本呉音「ライ」を認める。

礼 音蠡［上］ウヤマフ／イノル 和ライ　　　　　　（観智院本類聚名義抄／法下 008-8）

禮 並正 ヲカム［上上濁平］／ウヤマフ タフ　　　　（観智院本類聚名義抄／法下 008-8）

礼［上］レイ　　　　　　　　　　　　　　　　　　（長承本蒙求／016・032）

▶番号 0747b「礼」（望礼）の仮名音注「レイ」については、基本的に -ei で対応する。当該字には上声点を差す。上述の分析を参照。

▶番号 2983b「醴」（甘醴）の仮名音注「レイ」については、基本的に -ei で対応する。当該字には上声点を差す。観智院本類聚名義抄に上声点を付した同音字注「音礼」を見出す。長承本蒙求には仮名音注「レイ」がある。元和本倭名類聚抄には同音字注「音禮」がある。日本漢音「レイ」上声を認める。

醴 音礼［上］コサケ［平平濁上］　　　　　　　　　（観智院本類聚名義抄／僧下 056-5）

醴〔＊欄外〕レイ イ 本　　　　　　　　　　　　　（長承本蒙求／123）

醴　四聲字苑云醴 音禮和名古佐介 一日一宿酒也　　（元和本倭名類聚抄／巻十六 10 オ 5）

▶番号 0545a「鱧」（鱧魚）の仮名音注「レイ」については、基本的に -ei で対応する。当該字に声点はない。熟字 0545「鱧魚」は右注「ハム」左注「又作鱺」を付載する。観智院本類聚名義抄に同音字注「音礼」を見出すが、仮名音注はない。元和本倭名類聚抄には同音字注「音禮」がある。

鱧 音礼 ハム／ナヨシ 鱧魚 ハム　　　　　　　　　（観智院本類聚名義抄／僧下 006-3）

鱧魚　本草云鱷魚 上音禮和名波無 … 陶隱居注云鱷今作鱧字也

　　　　　　　　　　　　　　　　　　　　　　　　（元和本倭名類聚抄／巻十九 05 ウ 9）

520　3．仮名音注の韻母別考察　3-3　Ⅳ韻類

▶番号 0548b「鱺」（鰻鱺魚）の仮名音注「レイ」については、基本的に -ei で対応する。当該字には平声点を差す。熟字 0548「鰻鱺魚」は右注「ハシカミイヲ」を付載する。観智院本類聚名義抄に同音字注「音犁」を見出すが、仮名音注はない。元和本倭名類聚抄には同音字注「緣」がある。

　　鱺 … 音犁 魚似虵／マミサコ　　　　　　　　　　　　（観智院本類聚名義抄／僧下 010-6）

　　鰻鱺魚 本草云鰻鱺 蠻緣二音和名波之加美伊乎　　　（元和本倭名類聚抄／巻十九 06 ウ 1）

▶番号 2733「蠡」（蠡）の仮名音注「レイ」については、基本的に -ei で対応する。当該字には平声点を差し、右注「同（カフラヤ）」左注「器也」を付載する。長承本蒙求には同音字注「礼反」と仮名音注「レイ」があり、その掲出字に上声点を加える。日本漢音「レイ」上声を認める。

　　蠡 ハム　　　　　　　　　　　　　　　　　　　　　（観智院本類聚名義抄／僧下 002-2）

　　蠡 [上] 礼反／レイ　　　　　　　　　　　　　　　　（長承本蒙求／069）

▶番号 0546a「蠡」（蠡魚）の仮名音注「レイ」については、基本的に -ei で対応する。当該字に声点はない。熟字 0546「蠡魚」は右注「同（ハム）」左注「今作鱧」を付載する。上述の分析を参照。

《下巻 薺韻諸例》

▶番号 3845b・5805b「啓」（浅啓・執啓）の仮名音注「ケイ」については、基本的に -ei で対応する。両当該字には上声点を差す。当該字「啓」は「啓」と相互に異体字である。観智院本類聚名義抄に反切「康礼反」と上昇調を示す和音「ケイ」を見出す。日本呉音「ケイ」去声を認める。

　　啓 今 康礼反 マウス … 和ケイ [平上]　啓啓 下俗　　（観智院本類聚名義抄／佛中 040-7）

▶番号 5004b・5803b「啓」（行啓・上啓）の仮名音注「ケイ」については、基本的に -ei で対応する。両当該字に声点はない。上述の分析を参照。

▶番号 6566a・6566b「濟」（濟ミ・濟ミ）の仮名音注「セイ」については、基本的に -ei で対応する。両当該字に声点はない。熟字 6566「濟ミ」は右注「セイヽヽ」〔＊「く」字形の踊り字〕中左注「多威儀貟／多也集也」を付載する。上巻の薺韻当該諸例で分析したように、日本漢音「セイ」上声、日本呉音「サイ」平声を認める。

▶番号 4884b「躰」（氣躰）の仮名音注「タイ」については、基本的に -ai で対応する。当該字に声点はない。上巻の薺韻当該諸例で分析したように、日本漢音「テイ」上声、日本呉音「タイ」を認める。

▶番号 4040b「躰」（為躰）の仮名音注「テイ」については、基本的に -ei で対応する。当該字に声点はない。熟字 4040「為躰」は右注「テイタラク」を付載する。ク語法（tei+taru+aku → teitaraku）による漢語熟字の受容である。上述の分析を参照。

▶番号 3895「體」（軆）の仮名音注「テイ［上上］」については、基本的に -ei で対応する。当

3-3-1 -e系の字音的特徴 521

該字には上声濁点を差し、左注「又乍躰」を付載する。その仮名音注には上声相当である高平調の差声を施す。中古音が示す頭子音 tʻ-（等韻学の術語で言う舌音次清透母）は無声有気歯茎閉鎖音であり、日本語のタ行音をもって受容する。ダ行音で対応することは許容しがたい。当該字に上声濁点を付載した理由は不明。仮名音注が示す上声とも矛盾する。上述の分析を参照。

　▶番号4688b「弟」（寂弟）の仮名音注「テイ」については、基本的に -ei で対応する。当該字には上声点を差す。その中古音が示す頭子音 d-（等韻学の術語で言う舌音濁定母）は有声歯茎閉鎖音であり、日本語のダ行音をもって受容するが、中国語音韻史上における濁音声母の無声化を反映する場合はタ行音で対応する。観智院本類聚名義抄に反切「徒礼反」および平声相当の低平調を示す和音「テイ」と「テエ」を見出す。後者の和音「テエ」は -ei > -ee (> -e) の音変化を示し、二音節の仮名音注「テイ」を二拍相当の長音で字音把握する現実と考える。さらに一音節「テ」を生じたと推測する。日本呉音「テイ」平声を認める。

　　弟 徒礼反 オトウト［平平平平］… 和テイ［平平］テエ　　　（観智院本類聚名義抄／佛下末028-5）

　　弟 爾雅云男子後生爲弟 和名於止宇止　　　　　　　　　　（元和本倭名類聚抄／巻二 15 才 3）

　▶番号3892a「弟」（弟子）の仮名音注「テ［平濁］」については、異例 -e を示す。当該字に声点はなく、その仮名音注に平声濁点を差すので、字音「デ」を想定する。上述の分析を参照。

　▶番号4453b「苨」（薺苨）の仮名音注「テイ」については、基本的に -ei で対応する。当該字には上声濁点を差すので、字音「デイ」を想定する。その中古音が示す頭子音 n-（等韻学の術語で言う舌音泥母）は日本語のナ行音をもって受容するが、中国語音韻史上における鼻音声母の非鼻音化（denasalization）を反映する場合はダ行音で対応する。熟字4453「薺苨」は右注「サキクサ［上上上平］」左注「又ミノハ」を付載する。観智院本類聚名義抄に同音字注「祢」を見出すが、仮名音注はない。元和本倭名類聚抄には同音字注「禰」がある。

　　薺苨 濟祢二音 サキクサナ／一云 ミノハ 上ナツナ　　　　　（観智院本類聚名義抄／僧上025-6）

　　薺苨 本草云薺苨 臍禰二音和名佐木久佐奈一云美乃波　　　　（元和本倭名類聚抄／巻二十 10 才 7）

　▶番号5194c「祢」（貴布祢）の仮名音注「ネ」については、異例 -e を示す。当該字に声点はない。熟字5194「貴布祢」は木篇諸社部に属し、貴船神社を指す。上巻の薺韻当該例で分析した。

　▶番号4218「佳」（佳）の仮名音注「ヘイ」については、基本的に -ei で対応する。当該字には平声点を差し、和訓「アヤマツ」の同訓異字として位置する。観智院本類聚名義抄に反切「布迷反」を見出すが、仮名音注はない。

　　佳 布迷反／アヤマチ［平平上平／□□□ッ 㔾：墨右傍］　（観智院本類聚名義抄／佛上024-1）

　▶番号3414「米」（米）の仮名音注「ヘイ」については、基本的に -ei で対応する。当該字には上声濁点を差すので、字音「ベイ」を想定する。また右注「コメ」左注「莫礼反」を付載する。上巻の薺韻当該諸例で分析したように、日本漢音「ベイ」上声、日本呉音「マイ」去声を認める。

　▶番号5557b「米」（精米）の仮名音注「ヘイ」については、基本的に -ei で対応する。当該字

に声点はない。熟字5557「糒米」は右傍「クマシネ」を付載する。上述の分析を参照。

　　　糒米　離騒經注云糒 和呂反和名久萬之禰 精米所以亨神也

　　　　　　　　　　　　　　　　　　　　　　　（元和本倭名類聚抄／巻十三08ウ1）

　▶番号5591b・5662b「礼」（習礼・失礼）の仮名音注「ライ」については、基本的に -ai で対応する。両当該字には平声点を差す。上巻の薺韻当該諸例で分析したように、日本漢音「レイ」上声、日本呉音「ライ」を認める。

　▶番号3416「醴」（醴）の仮名音注「レイ」については、基本的に -ei で対応する。当該字には上声点を差し、右注「コサケ　音礼」左注「一宿酒也醴酒」を付載する。上巻の薺韻当該例で分析したように、日本漢音「レイ」上声を認める。

《上巻　薺韻諸例》

　▶番号1253b・3078b「計」（謀計・家計）の仮名音注「ケイ」については、基本的に -ei で対応する。両当該字には去声点を差す。図書寮本類聚名義抄に同音字注「音係」（その去声点位置に仮名音注「ケイ」）を見出す。観智院本には去声点を付した同音字注「音係」（その右注に墨書で仮名音注「ケ」）を見つける。これは音変化 -ei > -ee > -e を想定する。同書の凡例部分「朱音者正音也墨音者和音也」（篇目 7-6）に従えば、朱墨で正音と和音を分別する傾向がある。この墨書による仮名音注「ケ」は和音を示すと考えたいが、早くは万葉集においてケ甲類の借字用法として頻用する。長承本蒙求には仮名音注「ケイ」があり、その掲出字に去声点を加える。日本漢音「ケイ」去声、定着久しい字音「ケ」を認める。

　　　不計 音係 [ケイ：去声点位置] ハカル [平平上／月：右注] …　　　（図書寮本類聚名義抄／074-3）

　　　計 音係 [去／ケ：墨右注] ハカル [平平□] …　　　　　　（観智院本類聚名義抄／法上060-8）

　　　計 [去] ケイ　　　　　　　　　　　　　　　　　　　　　　　　　（長承本蒙求／097）

　▶番号0801b「契」（芳契）の仮名音注「ケイ」については、基本的に -ei で対応する。当該字には上声濁点を差すので、日本語音韻史上の連濁による字音「ゲイ」を想定する。観智院本類聚名義抄に反切「苦計反」を見出す。承暦本金光明最勝王経音義には仮名音注「カイ」がある。日本呉音「カイ」を認める。

　　　契 苦計反 カナフ チキリ … 在大部　　　　　　　（観智院本類聚名義抄／佛下末024-1）

　　　契 カイ [：右傍] [＊後筆墨書]　　　　　　（承暦本金光明最勝王経音義／10ウ2）

　▶番号0748b「禊」（祓禊）の仮名音注「ケイ」については、基本的に -ei で対応する。当該字には上声濁点を差すので、字音「ゲイ」を想定する。その中古音が示す頭子音 ɣ- （等韻学の術語で言う喉音濁匣母）は有声軟口蓋摩擦音であり、日本語のガ行音をもって受容するが、中国語音韻史上における濁音声母の無声化を反映する場合はカ行音で対応する。観智院本類聚名義抄に去声点を

付した同音字注「音系」および「禾ラ」〔＊和音「ケ」の誤認か〕を見出すが、仮名音注はない。日本漢音は去声を認める。日本呉音「ゲ」の可能性を指摘しておく。

　　　禊 音系 [去] 俗禊／キヨム [□平上] ハラヘ [平平□] … 　　　（観智院本類聚名義抄／法下 006-6）

　　　禊 俗禊字 ハラヘ ネ欤 禾ラ 　　　　　　　　　　　　　　（観智院本類聚名義抄／法下 023-1）

　▶番号 0608「禊」（禊）の仮名音注「ケイ」については、基本的に -ei で対応する。当該字に声点はなく、右注「ハラヘ」左注「又ハラフ」を付載する。上述の分析を参照。

　▶番号 1234b「系」（本系）の仮名音注「ケイ」については、基本的に -ei で対応する。当該字には上声濁点を差すので、字音「ゲイ」を想定する。その中古音が示す頭子音 γ-（等韻学の術語で言う喉音濁匣母）は有声軟口蓋摩擦音であり、日本語のガ行音をもって受容するが、中国語音韻史上における濁音声母の無声化を反映する場合はカ行音で対応する。熟字 1234「本系」は右傍「モトヲツク」を付載する。図書寮本類聚名義抄に同音字注「音繋」を見出す。観智院本には同音字注「音繋」を見つけるが、仮名音注はない。元和本倭名類聚抄には反切「胡計反」がある。

　　　系 音繋 广云継也 … ツク [上平濁／後：右注] 　　　　　　（図書寮本類聚名義抄／287-2）

　　　糸 音覓 細絲／ツク [付：右注] ツラヌ 系 正 　　　　　　（観智院本類聚名義抄／法中 110-8）

　　　系 音繋 ツク 　　　　　　　　　　　　　　　　　　　　（観智院本類聚名義抄／法中 110-8）

　　　屧系 鼻細附 風俗通云延喜年中京師長者皆著屧婦人始嫁至漆画五綵爲系

　　　今案唐韻胡計反緒也然則屧系和名阿之太乎 　　　　　　　（元和本倭名類聚抄／巻十二 28 オ 8）

　▶番号 2946b「眦」（瞋眦）の仮名音注「サイ」については、基本的に -ai で対応する。当該字には平声を差す。熟字 2946「瞋眦」は右傍「ニラム」を付載する。観智院本類聚名義抄に反切「在計反」と同音字注「又自音」を見出すが、仮名音注はない。

　　　皆眦 在計反 又自音 マナシリ／ニラム [平平上] マナサキ 　（観智院本類聚名義抄／佛中 067-3）

　▶番号 2955b「胥」（合胥）の仮名音注「セイ」については、基本的に -ei で対応する。当該字には去声点を差す。観智院本類聚名義抄に同音字注「音細」を見出すが、仮名音注はない。

　　　胥 … 音細／ムコ [平上] トック [上上平濁] ヲヒト 　　　（観智院本類聚名義抄／佛中 001-7）

　▶番号 0336b「渧」（一渧）の仮名音注「テイ」については、基本的に -ei で対応する。当該字には去声点を差す。図書寮本類聚名義抄に去声点を付した同音字注「音帝」と反切「都歴反・广日都麗反」さらに「真云都計反」（その反切下字に去声点）および上昇調を示す「真云テイ」を見出す。観智院本には同音字注「音帝」と上昇調を示す仮名音注「テイ」を見つける。日本漢音は去声、日本呉音「テイ」去声を認める。

　　　一渧 音帝 [去] 广云案此猶滴字 都歴反 … 真云テイ [平上] 　　（図書寮本類聚名義抄／050-2）

　　　渧塦+又 真云都計 [□去] 反 … 又渧都歴反 水垂也 … 　　　（図書寮本類聚名義抄／050-3）

　　　密渧 广日都麗反 　　　　　　　　　　　　　　　　　　　（図書寮本類聚名義抄／050-4）

　　　渧 音帝 音テイ [平上] シタヽル [平平上濁平] … 又都歴反 [俗：右注] 滴字

524 3．仮名音注の韻母別考察 3-3 Ⅳ韻類

（観智院本類聚名義抄／法上 023-7）

渧 音帝 シタヽル … 又都歴反 （天理大学本最勝王経音義／08 ウ 6）

▶番号 0924a「螮」（螮蝀）の仮名音注「テイ」については、基本的に -ei で対応する。当該字に声点はない。熟字 0924「螮蝀」は右注「同（ニシ）」を付載する。観智院本類聚名義抄に同音字注「帝」を見出すが、仮名音注はない。元和本倭名類聚抄には同音字注「帝」がある。

螮蝀 帝董／二音 ニシ［上平濁］蝃 与螮字同 （観智院本類聚名義抄／僧下 019-2）

虹 毛詩註云螮蝀虹也帝董二音螮又作蝃 和名爾之 … （元和本倭名類聚抄／巻一 03 ウ 6）

▶番号 1041「蝃」（蝃）の仮名音注「テイ」については、基本的に -ei で対応する。当該字には去声点を差し、右注「ホソ」を付載する。前田本は当該字に続けて「蔕」を掲げ、右注「同（ホソ）」を付載する。観智院本類聚名義抄に同音字注「音致」と去声点を付した同音字注「音帝」を見出すが、仮名音注はない。元和本倭名類聚抄には反切「都計反」があり、注記「今案蝃蔕相通」を加える。日本漢音は去声を認める。

蝃 ［可在十部：右傍］… 音致 礙不正 （観智院本類聚名義抄／僧下 077-3）

蝃 音帝［去］／正䖂欤 （観智院本類聚名義抄／佛上 085-8）

蔕 都計反 ホソ［上上］… （観智院本類聚名義抄／僧下 077-3）

蝃 爾雅云蝃之類皆有蝃 都計反和名保曾今案蝃蔕相通 （元和本倭名類聚抄／巻十七 12 オ 2）

▶番号 1621b「替」（得替）の仮名音注「タイ」については、基本的に -ai で対応する。当該字には去声点を差す。観智院本類聚名義抄に同音字注「音涕」を見出すが、仮名音注はない。

替 音涕／カハリ［上上□／□□ル：墨右傍］… （観智院本類聚名義抄／佛中 098-3）

▶番号 0024「苐」（苐）の仮名音注「キ」については、異例 -i を示す。当該字に声点はなく、右注「同（イヘ）」を付載する。前田本の当該字形「苐」は「第」と同じ扱いであろう。草冠と竹冠は相互に紛れやすい。直上に番号 0023「家」を配置しており、その右注「イヘ」に対する同訓異字である点からも修正は首肯できる。右傍の仮名音注「キ」は単なる縦棒にも見える筆致である。あるいは当該字「第」を「笫」（旨韻 tsiei²・止韻 tṣ‘iei²）と誤認した可能性がある。その場合は仮名音注「シ」であろう。観智院本類聚名義抄に反切「持計反」（その反切下字に去声点）および低平調を示す和音「タイ［平濁平］」を見出す。日本漢音は去声、日本呉音「ダイ」平声を認める。

第 持計［□去］反 去 ツイツ 弟［俗：右注］和タイ［平濁平］ （観智院本類聚名義抄／僧上 075-8）

▶番号 1346b「閉」（返閉）の仮名音注「ハイ」については、基本的に -ai で対応する。当該字には平声点を差す。当該字「閉」は「閉」と相互に異体字である。廣韻に拠れば、霽韻（pei³）屑韻（pet）二音を有する。観智院本類聚名義抄に同音字注「音箅」と反切「又補結反」および和音「ヘイヘチ［平平平平］」を見出す。長承本蒙求には仮名音注「ヘイ」があり、その掲出字に去声点を加える。承暦本金光明最勝王経音義には「へ以反」があり、その掲出字に平声点を加える。日本漢音「ヘイ」去声、日本呉音「ヘイ」平声を認める。

閇 音筭 又補結反／トツ［平上濁］… 和ヘイヘチ［平平平平］　　　（観智院本類聚名義抄／法下 075-2）

閇 通 トツ コム／フサク ホノカナリ　　　　　　　　　（観智院本類聚名義抄／法下 075-3）

閇［去］ヘイ　　　　　　　　　　　　　　　　　　　　　　（長承本蒙求／003）

閇［平］又作閇 ヘ以反／止ツ〔＊字形「とツ」に近似〕　（承暦本金光明最勝王経音義／07 オ 4）

▶番号 1367a「閇」（閇口）の仮名音注「ヘイ」については、基本的に -ei で対応する。当該字には去声点を差し、右注「トツ」左注「閇［同：右注］」を付載する。上述の分析を参照。

▶番号 1532「閇」（閇）の仮名音注「ヘイ」については、基本的に -ei で対応する。当該字に声点はない。上述の分析を参照。

▶番号 1299「嬖」（嬖）の仮名音注「ヘイ」については、基本的に -ei で対応する。当該字には去声点を差し、右注「ヘイス」サ変動詞（身近に置いてかわいがる）左注「云向女也」を付載する。観智院本類聚名義抄に去声点を付した同音字注「音閇」を見出すが、仮名音注はない。日本漢音は去声を認める。

嬖 音閇［去］ウツクシ［□□□フ：右注］…　　　（観智院本類聚名義抄／佛中 008-3）

▶番号 2703b「麗」（高麗）の仮名音注「ライ」については、基本的に -ai で対応する。当該字に声点はない。加篇雑物部に属するので、高麗錦を指す。図書寮本類聚名義抄に反切「犁帝」および去声点を付した「真云 麗」（その右傍に仮名音注「レイ」）を見出す。観智院本に去声点を付した同音字注「隷」〔＊←㣇＋余〕と「又平」さらに平声点を付した同音字注「又音犁」を見出す。日本漢音は平／去声、日本呉音「レイ」去声を認める。

麗 犁帝 … 真云 褐麗伐多［入去入□／カチレイ□□□：右傍］…　　（図書寮本類聚名義抄／343-6）

麗 … 音隷［去］又平 カホヨシ［上上□□］… 又音犁［平］又羅［平］ツク［平上］

　　　　　　　　　　　　　　　　　　　　　　　（観智院本類聚名義抄／法下 111-8）

錦　釋名云錦 居飲反和名邇之岐本朝式有㲀綱錦高麗錦軟錦両面錦等之名綱字所出未詳 …

　　　　　　　　　　　　　　　　　　　　　　　（元和本倭名類聚抄／巻十二 14 ウ 2）

▶番号 2956b「儷」（伉儷）の仮名音注「レイ」については、基本的に -ei で対応する。当該字には去声点を差す。観智院本類聚名義抄に同音字注「音麗」を見出すが、仮名音注はない。

沆儷 … 下音麗 ナラフ［□□平濁］…　　　　　（観智院本類聚名義抄／佛上 009-7）

▶番号 1627b「隷」（同隷）の仮名音注「レイ」については、基本的に -ei で対応する。当該字には上声点を差す。また前田本の字形「㣇＋余」を「隷」に修正する。その「隷」は「隷」と相互に異体字である。観智院本類聚名義抄に去声点を付した同音字注「音麗」と注記「和ノ同」〔＊和音同か〕を見出す。長承本蒙求には仮名音注「レイ」があり、その掲出字に去声点を加える。承暦本金光明最勝王経音義には同音字注「例音」があり、その掲出字に去声点を加える。日本漢音「レイ」去声、日本呉音は去声を認める。

隷 音麗［去］附差／ツク［平上］和ノ同　　　　（観智院本類聚名義抄／僧下 076-6）

526　3．仮名音注の韻母別考察　3-3　Ⅳ韻類

　　　隷［去］レイ　　　　　　　　　　　　　　　　　　　　（長承本蒙求／063）

　　　隷［去］例〻　　　　　　　　　　　　　　　（承暦本金光明最勝王経音義／09 ウ 2）

《下巻 霽韻諸例》

　▶番号6334b「計」（秘計）の仮名音注「ケイ」については、基本的に -ei で対応する。当該字
には平声点と去声点を差す。上巻の霽韻当該諸例で分析したように、日本漢音「ケイ」去声、定着
久しい字音「ケ」を認める。

　▶番号4754b「計」（竿計）の仮名音注「ケ」については、異例 -e を示す。当該字に声点はな
い。上述の分析を参照。

　▶番号6415「髻」（髻）の仮名音注「ケイ」については、基本的に -ei で対応する。当該字には
平声点と去声点を差し、右傍6415「ケイ」右注「モト〻リ」左注6416「ケ平声俗」を付載する。
観智院本類聚名義抄に墨筆圏点による平声点を付した同音字注「音計」および「和又ケイ」を見出
す。同書の凡例部分「朱音者正音也墨声者和音也」（篇目7-6）に従えば、朱墨で正音と和音を分別
する傾向がある。前者の平声点は和音の声調を示すと考える。承暦本金光明最勝王経音義には同音
字注「計音」二例があり、それらの掲出字に平声点を加える。同書には仮名音注「ケ」も見つける。
日本語の音変化 -ei > -ee > -e を想定する。元和本倭名類聚抄には同音字注「計反」を見つける。日
本呉音「ケイ」平声と日本呉音「ケ」を認める。

　　　髻　音計［平：墨圏点］モト〻リ／和又ケイ　　　　（観智院本類聚名義抄／佛下本 037-3）

　　　髻　［平］計音／毛止〻利　　　　　　　　　　　（承暦本金光明最勝王経音義／03 オ 6）

　　　髻　［平］計〻／又有第一巻〔毛止〻利〕〔＊消し線〕（承暦本金光明最勝王経音義／06 ウ 4）

　　　髻　ケ［：右傍］〔＊後筆墨書〕　　　　　　　　　（承暦本金光明最勝王経音義／10 オ 4）

　　　髻　鬠附 唐韻云髻 計反和名毛止々利 鬈也 …　　　（元和本倭名類聚抄／巻三 07 オ 3）

　▶番号6416「髻」（髻）の仮名音注「ケ」については、異例 -e を示す。当該字には平声点と去
声点を差し、右傍6415「ケイ」右注「モト〻リ」左注6416「ケ平声俗」を付載する。日本語の音
変化 -ei > -ee > -e を想定する。定着久しい字音「ケ」平声という認識があったか。上述の分析を
参照。

　▶番号6851b「髻」（假髻）の仮名音注「ケイ」については、基本的に -ei で対応する。当該字
には上声点を差す。熟字6851「假髻」は右注「假覆髪上者也」左注「スヱ 客飾具」を付載する。
上述の分析を参照。

　　　假髪　釋名云假髪 和名須惠 以此假覆髪上也　　　　（元和本倭名類聚抄／巻十四 05 オ 1）

　▶番号4101「薊」（薊）の仮名音注「ケイ」については、基本的に -ei で対応する。当該字には
去声点を差し、右注「アサミ」を付載する。観智院本類聚名義抄に去声点を付した同音字注「音計」

を見出す。日本漢音は去声を認める。

薊 音計［去］アサミ［上上濁□］　　　　　　　（観智院本類聚名義抄／僧上 044-2）

▶番号6475b「契」（文契）の仮名音注「ケイ」については、基本的に *-ei* で対応する。当該字には上声濁点を差すので、日本語音韻史上の連濁による字音「ゲイ」を想定する。上巻の霽韻当該例で分析したように、日本呉音「カイ」を認める。

▶番号3611b「禊」（御禊）の仮名音注「ケイ」については、基本的に *-ei* で対応する。当該字には去声点を差す。上巻の霽韻当該例で分析したように、日本漢音は去声を認める。

▶番号4524a・4632a・4632b・4745a・5767b「細」（細工・細ゝ・細ゝ・細着・子細）の仮名音注「サイ」については、基本的に *-ai* で対応する。当該諸字五例に声点はない。観智院本類聚名義抄に同音字注「音壻」（その右傍に墨筆で「サイ」）および低平調を示す和音「サイ」を見出す。前者の墨筆による仮名音注「サイ」は和音を示す。日本呉音「サイ」平声を認める。

細 音壻［サイ：墨右傍］ホソシ［平平□］… 和サイ［平平]　　（観智院本類聚名義抄／法中 123-5）

▶番号4439a・6055a・6717a「細」（細石・細辛・細砕）の仮名音注「セイ」については、基本的に *-ei* で対応する。当該諸字三例には去声点を差す。熟字4439「細石」は右注「サゝレイシ」を、熟字6055「細辛」は右注「ヒキノヒタヒクサ」左注「又ミラノネクサ」を、熟字6717「細砕」は右注「クハシ」を付載する。上述の分析を参照。

細石 説文云礫也 … 和名佐佐禮以之　　　　　（元和本倭名類聚抄／巻一 10 オ 6）
細辛 釋藥性云細辛一名小辛 和名美良乃禰久佐一云比木乃比太比久佐

（元和本倭名類聚抄／巻二十 04 ウ 9）

▶番号5658b「鷙」（執鷙）の仮名音注「セイ」については、基本的に *-ei* で対応する。当該字には去声濁点を差すので、日本語音韻史上の連濁による字音「ゼイ」を想定する。上巻の霽韻当該例で分析した。

▶番号6573a「霽」（霽晴）の仮名音注「セイ」については、基本的に *-ei* で対応する。当該字には去声点を差す。観智院本類聚名義抄に反切「子計反」を見出すが、仮名音注はない。

霽 子計反 暗也 … ハレ［平平］ハル［平上］　　　（観智院本類聚名義抄／法下 067-2）

▶番号4525「絺」（絺）の仮名音注「シ」については、異例 *-i* を示す。当該字には平声点を差し、和訓「サイハヒ」の同訓異字として位置する。その下方に配置する「褆」に対する仮名音注か。廣韻に拠れば、当該字「絺」の中古音は定母霽韻（dei³）である。観智院本類聚名義抄に反切「徒計反」および和音「チ」〔＊テの誤認か〕を見出す。

絺 徒計反 マツル／アキラカ　　　　　　　　　（観智院本類聚名義抄／法下 004-1）
絺 サイハヒ … サイハヒ［上上□□］和チ〔＊テの誤認か〕（観智院本類聚名義抄／法下 004-2）
褆 支提二音／サイハヒ ヤスシ［平平□］　　　　（観智院本類聚名義抄／法下 004-5）

▶番号5615b「第」（次第）の仮名音注「タイ」については、基本的に *-ai* で対応する。当該字

528   3．仮名音注の韻母別考察 3-3 Ⅳ韻類

には平声濁点を差すので、字音「ダイ」を想定する。観智院本類聚名義抄に反切「持計反」（その反切下字に去声点）および低平調を示す和音「タイ［平濁平］」を見出す。日本漢音は去声、日本呉音「ダイ」平声を認める。

　　　第 持計［□去］反 去 ツイツ 弟［俗：右注］和タイ［平濁平］　（観智院本類聚名義抄／僧上 075-8）

▶番号5902b「第」（次第不同）の仮名音注「タイ」については、基本的に -ai で対応する。当該字に声点はない。上述の分析を参照。

▶番号3884「第」（第）の仮名音注「テイ［平上］」については、基本的に -ei で対応する。当該字に声点はなく、その仮名音注に去声相当である上昇調の差声を施す。上述の分析を参照。

▶番号5136b「睇」（凝睇）の仮名音注「テイ」については、基本的に -ei で対応する。当該字には去声点を差す。熟字5136「凝睇」は右傍「ナカシメミル」を付載する。観智院本類聚名義抄には去声点を付した同音字注「音弟」を見出す。同書では異体字「睼」に対して反切「弋脂反」と同音字注「又蹄音」を見つける。承暦本金光明最勝王経音義には借字による「太伊反」があり、その掲出字に平声点を加える。日本漢音は去声、日本呉音「タイ」平声を認める。

　　　睇 或睼 音弟［去］邪視／ミル［平上］ヲカス ナカシメ　　　　（観智院本類聚名義抄／佛中 072-6）

　　　睼 弋脂反 直視 又蹄音 溢視 アカラメ　昵 古 睇 在下　　　（観智院本類聚名義抄／佛中 067-7）

　　　睇［平］太伊反　　　　　　　　　　　　　　　　　（承暦本金光明最勝王経音義／11 オ 4）

▶番号6677b「替」（遷替）の仮名音注「タイ」については、基本的に -ai で対応する。当該字には去声点を差す。上巻の霽韻当該例で分析した。

▶番号4427b・4428b・5960c「閇」（阿閇・阿閇・志我閇）の仮名音注「ヘ」については、異例 -e を示す。当該諸字三例に声点はなく、姓氏部に属す。日本語の音変化 -ei > -ee > -e を想定する。早くは万葉集において「ヘ乙類」の借字として使用する。上巻の霽韻当該諸例で分析したように、日本漢音「ヘイ」去声、日本呉音「ヘイ」平声を認める。

▶番号6022a「麗」（麗天）の仮名音注「レイ」については、基本的に -ei で対応する。当該字には去声点を差す。観智院本類聚名義抄に去声点を付した同音字注「音隷」と「又平」および平声点を付した同音字注「又音犁」を見出すが、仮名音注はない。上巻の薺韻当該例で分析したように、日本漢音は平/去声、日本呉音「レイ」去声を認める。

▶番号6249b「麗」（美麗）の仮名音注「レイ」については、基本的に -ei で対応する。当該字には平声点を差す。熟字6249「美麗」は右傍「ヨハウ」を付載する。上述の分析を参照。

3-3-1-2 -uei（齊/霽韻）

資料篇【表B-05】には齊韻（平声）霽韻（去声）合口所属の諸例が含まれる。前田本の示す仮名音注は、-we, -ei で基本的に対応する。異例として、-ai, -ui, -en がある。

3-3-1 -e 系の字音的特徴　529

《上巻　齊韻合口諸例》

▶番号 2477a「瓝」（瓝瓝）の仮名音注「ケイ」については、基本的に *-ei* で対応する。当該字に声点はない。熟字 2477「瓝瓝」は右注「カラスウリ」を付載する。観智院本類聚名義抄に同音字注「音圭」を見出すが、仮名音注はない。元和本倭名類聚抄には同音字注「圭」がある。

　　瓝瓝　圭姑二音 カラスウリ［平上上平］　　　　　（観智院本類聚名義抄／僧中 005-6）
　　瓝　音弧 或菇　　　　　　　　　　　　　　　（観智院本類聚名義抄／僧中 006-2）
　　栝樓　兼名苑栝樓一名瓝瓝 圭姑二音和名加良須宇里　（元和本倭名類聚抄／巻二十 12 ウ 1）
▶番号 2802「繲」（繲）の仮名音注「ケイ」については、基本的に *-ei* で対応する。当該字には平声点を差し、左右注「縄懸也」を付載する。また和訓「カク」の同訓異字として位置する。廣韻に拠れば、齊韻（yuei¹）支韻（tsie¹）卦韻（yue³）實韻（jiue³）四音を有する。観智院本類聚名義抄に反切「胡卦反・又尤恚孒䂓二反」を見出すが、仮名音注はない。

　　繲 胡卦反 維持 縄／綱 又尤恚孒䂓二反　　　　　（観智院本類聚名義抄／法中 114-3）
▶番号 2543「蟕」（蟕）の仮名音注「スイ」については、異例 *-ui* を示す。当該字には平声点を差し、右注「同（カメ）」左注「大龜也」を付載する。仮名字形の相似による仮名音注「ケイ」の誤認か。廣韻に拠れば、齊韻（yuei¹）支韻（jiue¹）二音を有する。観智院本類聚名義抄に同音字注「維」（支韻 jiue¹）「下又音樵」（齊韻 yuei¹）を見出すが、仮名音注はない。元和本倭名類聚抄には同音字注「維」がある。

　　蟕蠵　衰維／二音／イシカメ［上上平濁平］下又音樵 …　（観智院本類聚名義抄／僧下 027-2）
　　秦龜　本草云秦龜一名蟕蠵 衰維二音和名伊之加米 …　（元和本倭名類聚抄／巻十九 11 オ 1）

《下巻　齊韻合口諸例》

▶番号 4493「鮭」（鮭）の仮名音注「ケイ」については、基本的に *-ei* で対応する。当該字に声点はなく、右注「同（サヲケ）」左注「俗用之訛也」。観智院本類聚名義抄に同音字注「音圭」を見出すが、仮名音注はない。元和本倭名類聚抄には同音字注「音圭」がある。

　　鮭 音圭 … サケ［平平］ホシイヲ［平平平平］／カセ サハ　（観智院本類聚名義抄／僧下 003-8）
　　鮭　崔禹錫經云鮭 折青反和名佐介今案俗用鮭字非也鮭音圭 …

　　　　　　　　　　　　　　　　　　　　　　（元和本倭名類聚抄／巻十九 06 ウ 4）
▶番号 3995b「携」（提携）の仮名音注「タイ」については、異例 *-ai* を示す。当該字には平声点を差す。仮名字形の相似による「ケイ」の誤認か。その中古音が示す頭子音 ɣ-（等韻学の術語で言う喉音濁匣母）は有声軟口蓋摩擦音であり、日本語のガ行音をもって受容するが、中国語音韻史

530　3．仮名音注の韻母別考察　3-3　Ⅳ韻類

上における濁音声母の無声化を反映する場合はカ行音で対応する。熟字3995「提携」は右傍「ナツサハル〔＊タッサハルの誤認〕」左注「テイタイ」仮名音注を付載する。観智院本類聚名義抄に反切「胡珪反・戸圭反」を見出すが、仮名音注はない。

　　　攜　胡珪反 ハナル／タツサフ　　　　　　　（観智院本類聚名義抄／佛下本 070-4）

　　　携 俗 ヒサク … ハナル［平平上］ヒク［上平］　（観智院本類聚名義抄／佛下本 070-4）

　　　攜携攜 二俗正 戸圭反　　　　　　　　　　（観智院本類聚名義抄／僧下 117-8）

《上巻 霽韻合口諸例》

▶番号 1893b「慧」（智慧）の仮名音注「ヱ」については、基本的に -we で対応する。当該字には平声点を差す。その中古音が示す頭子音 ɣ-（等韻学の術語で言う喉音濁匣母）は有声軟口蓋摩擦音であり、日本語のガ行音をもって受容するが、中国語音韻史上における濁音声母の無声化を反映する場合はカ行音で対応する。一方で、摩擦が弱化して聞こえると有声軟口蓋接近音 ɰ-（有声両唇軟口蓋接近音 w-）のように把握する可能性がある。日本呉音の基層において、匣母が ɣ-・ɰ- に二分していたと推測する。図書寮本類聚名義抄に同音字注「类云音恵」と反切「弘云胡桂反」（その反切下字に去声点）を見出す。観智院本には墨筆で平声点を付した同音字注「音恵」と仮名音注「ヱ」を見つける。同書の凡例部分「朱音者正音也墨声者和音也」（篇目 7-6）に従えば、朱墨で正音と和音を分別する傾向がある。この平声墨点は和音を示す蓋然性が高い。日本漢音は去声、日本呉音は平声、字音「ヱ」を認める。

　　　智慧 类云音恵 弘云胡桂［平去］反 … 真云サトリ［上上上］…　　（図書寮本類聚名義抄／236-4）

　　　慧 音恵［平：墨点］ヱ サトリ［上上上／□□ル］…　　（観智院本類聚名義抄／法中 069-1）

《下巻 霽韻合口諸例》

▶番号 3876「昚」（昚）の仮名音注「テン」については、異例 -en を示す。当該字に声点はなく、右注「同（テン）」仮名音注を付載する。諧声符「天」（先韻 tʻenᴵ）による字音の把握か。観智院本類聚名義抄に反切「古恵反・古頂反」と同音字注「音桂」を見出すが、仮名音注はない。

　　　昦昚 古恵反 姓又 古頂反／ヒカリ［平平□］　　（観智院本類聚名義抄／佛中 097-1）

　　　昦 昚 二正 音桂／士向反　　　　　　　　　　（観智院本類聚名義抄／佛下末 044-1）

▶番号 6375a「恵」（恵薗）の仮名音注「ヱ」については、基本的に -we で対応する。当該字に声点はなく、備後の地名として掲げる。観智院本類聚名義抄に反切「下桂反」および和音「ヱ」を見出す。長承本蒙求には仮名音注「クヱイ」二例があり、両掲出字に去声点を加える。日本漢音「クヱイ」去声、日本呉音「ヱ」を認める。

3-3-1 -e系の字音的特徴　531

　　所恵 音同上 … 方云同上俗反 … タノム［平平上／後：右注］　　　（図書寮本類聚名義抄／236-5）

　　恵 俗 下桂反 メクム［平上濁平］… 和ヱ　　　（観智院本類聚名義抄／法中 069-2）

　　恵［去］クエイ　　　　　　　　　　　　　　　　　　　（長承本蒙求／082・098）

　　備後國 國府在葦田郡 … 三上 美加三 恵蘇 御調 三豆木 …　　（元和本倭名類聚抄／巻五 23 ウ 7）

▶番号 6512a「蠴」（蠴蛄）の仮名音注「ヱ」については、基本的に -we で対応する。当該字
に声点はない。熟字 6512「蠴蛄」は右注「同（セミ）」を付載する。観智院本類聚名義抄に同音字
注「恵・音恵」を見出すが、仮名音注はない。元和本倭名類聚抄に同音字注「恵」がある。

　　蠴蛄 恵姑二音　　　　　　　　　　　　　　　　　　（観智院本類聚名義抄／僧下 038-7）

　　蠴 音恵 蠴蛄／蟬　　　　　　　　　　　　　　　　（観智院本類聚名義抄／僧下 038-8）

　　蟬 爾雅集注云蜻蜩 徒貂反 蝘蟬 偃唐二音 蠴蛄 恵姑二音 … 此蟬類也 …

　　　　　　　　　　　　　　　　　　　　　　　　　　（元和本倭名類聚抄／巻十九 22 オ 1）

3-3-1-3　-eu（蕭／篠／嘯韻）

　資料篇【表 B-05】には蕭韻（平声）篠韻（上声）嘯韻（去声）所属の諸例が含まれる。前田本の
示す仮名音注は、-eu で基本的に対応する。日本語音韻史上においては -eu>-joo と音変化を起こ
す。これは母音の連続を回避するという日本語における音節結合上の特徴である。異例 -ep, -iu が
ある。

《上巻　蕭韻諸例》

▶番号 0140「驍」（驍）の仮名音注「ケウ」については、基本的に -eu で対応する。当該字に
は平声点を差し、右注「武也」左注「健也」を付載する。和訓「イサム［上上上平］」の同訓異字と
して位置する。廣韻に拠れば、見母蕭韻（keu¹）を示す。現行多くの漢和辞典は慣用音「ゲウ」を
掲げるが、これは諧声符「堯」（蕭韻 ŋeu¹）による字音把握である。観智院本類聚名義抄に反切「古
尭反」（その反切下字に平声濁点）を見出すが、仮名音注はない。日本漢音は平声を認める。

　　驍 古尭［平濁］反 イサム［上上□］健也騎也／駿馬也　　　（観智院本類聚名義抄／僧中 101-8）

▶番号 0491・3188「蕭」（蕭）の仮名音注「セウ」については、基本的に -eu で対応する。両
当該字には平声点を差す。番号 0491「蕭」は右注「同（ハキ）」を、番号 3188「蕭」は右注「同
（ヨモキ）」を付載する。観智院本類聚名義抄に反切「訴條反」（その反切下字に平声点）を見出
す。長承本蒙求には仮名音注「セウ」四例があり、それらの掲出諸字に東声点を加える。元和本倭
名類聚抄には同音字注「音宵」を見つける。日本漢音「セウ」東声（四声体系では平声）を認める。

　　蕭蕭 訴條［平平］反／ヨモキ［平上上］… ハキ　　　　　　（観智院本類聚名義抄／僧上 043-3）

532　3．仮名音注の韻母別考察　3-3　Ⅳ韻類

蕭 [東] セウ　　　　　　　　　　　　　　　　（長承本蒙求／009・016・073・134）

鹿鳴草　爾雅集注云萩一名蕭 萩音秋一音焦蕭音宵和名波木 …

　　　　　　　　　　　　　　　　　　　　　　（元和本倭名類聚抄／巻二十02ウ9）

▶番号3137a「蕭」（蕭條）の仮名音注「セウ」については、基本的に -eu で対応する。当該字には東声点を差す。熟字3137「蕭條」は右注「同（カスカ）」左注「又下字索［入／サク：右傍］」を付載する。上述の分析を参照。

　　蕭條 トカスカニシテ［□平上平□□□］　蕭索 同　　　　（観智院本類聚名義抄／僧上043-4）

▶番号1085「跳」（跳）の仮名音注「セウ」については、基本的に -eu で対応する。当該字に声点はなく、和訓「ホトハシル」の同訓異字として位置する。右注「セウ」仮名音注は「テウ」の誤認か。その中古音が示す頭子音 d-（等韻学の術語で言う舌音濁定母）は有声歯茎閉鎖音であり、日本語のダ行音をもって受容するが、中国語音韻史上における濁音声母の無声化を反映する場合にはタ行音で対応する。図書寮本類聚名義抄に同音字注「音條」（その平声点位置に仮名音注「テウ」）と平声点を付した同音字注「音迢」さらに平声濁点を付した同音字注「公云条」および上昇調を示す「真云テウ」を見出す。観智院本には上声点を付した同音字注「音迢」（蕭韻 deuˊ）および去声濁点を付した「呉条」（蕭韻 deuˊ）を見つけるが、仮名音注はない。前者の上声点は疑義を残す。後者は大般若経字抄による引用で、漢呉二音相同の同音字注「条」である。また観智院本では掲出字「條」に対して平声点を付した同音字注「條」（その右傍に朱筆で仮名音注「テウ」）がある。日本漢音「テウ」平声、日本呉音「デウ」去声を認める。

　　跳 音條［テウ：平声点位置］東云躍也 …

　　　ホトハシル［上上上上平／集：右注］ヲトル［上上濁平］　　　（図書寮本類聚名義抄／111-1）

　　跳躍 音迢［平］弘云躍也 … 公云音条［平濁］…

　　　真云テウ［平上］チヤク［□□平］…　　　　　　　　　　　（図書寮本類聚名義抄／110-7）

　　跳 音迢［上］ヲトル［上上濁□］ホトハシル［上上上□□］… 呉条［去濁］

　　　　　　　　　　　　　　　　　　　　　　　　　　　（観智院本類聚名義抄／法上079-2）

　　條 音條［平／テウ：朱右傍］欙／クサリ［上上上］　　　（観智院本類聚名義抄／僧中079-5）

　　跳躍 ［条的：右傍］　　　　　　　　　　　（石山寺一切経蔵本大般若経字抄／25 オ7）

▶番号0706「迢」（迢）の仮名音注「テウ」については、基本的に -eu で対応する。当該字には平声点を差し、和訓「ハルカ」の同訓異字として位置する。観智院本類聚名義抄に平声点を付した同音字注「音苕」（その右傍に朱筆で仮名音注「テウ」）を見出す。日本漢音「テウ」平声を認める。

　　迢 音苕［平／テウ：朱右傍］トヲシ［上上□］／ハルカナリ …（観智院本類聚名義抄／佛上059-4）

▶番号2563b「蜩」（寒蜩）の仮名音注「テウ」については、基本的に -eu で対応する。当該字には平声点を差す。熟字2563「寒蜩」は右注「カムセミ」左注「似蟬小青也」を付載する。観

3-3-1　-e 系の字音的特徴　533

智院本類聚名義抄に平声点を付した同音字注「音迢」を見出すが、仮名音注はない。日本漢音は平声を認める。

蜩　音迢［平］　　　　　　　　　　　　　　　　　　（観智院本類聚名義抄／僧下 028-1）

寒蜩　カムセミ［平平上平］　　　　　　　　　　　　（観智院本類聚名義抄／僧下 028-2）

寒蜩　兼名苑云寒蜩 … 一名蠷 音鷹俗云加無世美 似蟬而小青 …

（元和本倭名類聚抄／巻十九 22 オ 8）

▶番号 1232b・2090b「條」（法條・令條）の仮名音注「テウ」については、基本的に -eu で対応する。両当該字には平声濁点を差すので、字音「デウ」を想定する。観智院本類聚名義抄に音注はないが、平声点を付した同音字注「條」に対して仮名音注「テウ」二例（墨右注と朱右傍）を見出す。元和本倭名類聚抄には同音字注「音迢」がある。日本漢音「テウ」平声、日本呉音「テウ」である蓋然性が高い。

條　ヱタ［上上濁］ナカシ［平平濁□］　　　　　　（観智院本類聚名義抄／佛上 006-6）

調　音條［平／テウ：墨右注］トヽノフ［平平上上］ …　（観智院本類聚名義抄／法上 055-6）

篠　音條［平／テウ：朱右傍］轡／クサリ［上上上］　（観智院本類聚名義抄／僧中 079-5）

枝條　玉篇云枝柯 支哥二音和名衣太 … 纂要云 … 細枝曰條 音迢訓與枝同 …

（元和本倭名類聚抄／巻二十 32 オ 6）

▶番号 0152c・1484a・2653b「調」（壹越調・調鞏・角調）の仮名音注「テウ」については、基本的に -eu で対応する。当該諸字三例に声点はない。廣韻に拠れば、その中古音は蕭/嘯韻(deu$^{1/3}$)である。熟字 1484「調鞏」は右注「トヽノヘアフ」を付載する。図書寮本類聚名義抄に反切「真云徒弔反・广云徒弔反」（嘯韻 deu³）と声調注記「平声他用」を見出す。観智院本には平声点を付した同音字注「音條」（その右注に墨筆で「テウ」）と「又音誅」を見つける。同書の凡例部分「朱音者正音也墨声者和音也」（篇目 7-6）に従えば、朱墨で正音と和音を分別する傾向がある。仮名音注「テウ」は和音を示すか。承暦本金光明最勝王経音義には仮名音注「テウ」がある。日本漢音は平声、日本呉音「テウ」を認める。

輕調　真云徒弔／反 欺弄也／平声他用　　　　　　（図書寮本類聚名義抄／083-6）

調諧　广云徒弔反 調欺也 … タハフレ［上上上濁上／遊：右注］　（図書寮本類聚名義抄／083-7）

調　音條［平／テウ：墨右注］トヽノフ［平平上上］ … 又音誅 アシタ

（観智院本類聚名義抄／法上 055-6）

調　テウ〔＊後筆墨書〕　　　　　　　　　　　　　（承暦本金光明最勝王経音義／07 ウ 5）

▶番号 0631c「調」（盤渉調）の仮名音注「テフ」については、異例 -ep を示す。当該字に声点はない。中古音が示す末子音 -u 韻尾を「フ」で対応する。日本語の音変化 -ep > -eu を意識に置いた字音把握である。上述の分析を参照。

▶番号 0126「佻」（佻）の仮名音注「テウ」については、基本的に -eu で対応する。当該字に

534 3．仮名音注の韻母別考察 3-3 Ⅳ韻類

は平声点を差し、右注「已上賤也」を付載する。和訓「イヤシ」の同訓異字として位置する。観智院本類聚名義抄に反切「敕聊反」を見出すが、仮名音注はない。

　　　佻 … 敕聊反 イヤシ［平上平］カロシ …　　　　　　（観智院本類聚名義抄／佛上 023-8）

▶番号2296「鵰」（鵰）の仮名音注「テウ」については、基本的に -eu で対応する。当該字に声点はなく、右注「ワシ」左注「大鵰」を付載する。異体字として「雕」がある。観智院本類聚名義抄に同音字注「音凋」と反切「丁公反」および上昇調と推測する和音「テウ」を見出す。元和本倭名類聚抄には同音字注「音凋」がある。日本呉音「テウ」去声を認める。

　　　鵰 音凋 ワシ オホワシ［平平平上］／クマタカ　　　（観智院本類聚名義抄／僧中 120-5）

　　　雕 鵰並正 丁公反 ヱル［上平］キサム［上上濁平］／クマタカ［平平平平］和テウ［□上］

　　　　　　　　　　　　　　　　　　　　　　　　　　　　（観智院本類聚名義抄／僧中 133-7）

　　　鵰鷲　唐韻云鶚 音尊 大鵰也鵰 音凋和名於保和之 …　　（元和本倭名類聚抄／巻十八 03 オ 6）

▶番号1225b・1927b「斳」（俸斳・儲斳）の仮名音注「レウ」については、基本的に -eu で対応する。両当該字には平声点を差す。廣韻に拠れば、蕭／嘯韻（leu¹/³）二音を有する。当該字「斳」は「料」と相互に異体字である。観智院本類聚名義抄に反切「落刀反」と平声点・去声点を付した同音字注「音撩」（その右注に朱筆で仮名音注「レウ」）を、また平声点を付した同音字注「音僚」と反切「盧弔反」を見出す。日本漢音は「レウ」平/去声を認める。

　　　料 落刀反 フハル ハカル［平平上］… 音撩［平・去／レウ：朱右注］

　　　　　　　　　　　　　　　　　　　　　　　　　　　　（観智院本類聚名義抄／法下 033-7）

　　　斳 俗／ハカル［平平上］サタム クタク　　　　　　　（観智院本類聚名義抄／法下 033-7）

　　　料 … 音僚［平］盧弔反 ハカル［平平上］　　　　　　（観智院本類聚名義抄／法下 141-1）

▶番号1553・1624b「僚」（僚・同僚）の仮名音注「レウ」については、基本的に -eu で対応する。両当該字には平声点を差す。番号1553「僚」は和訓「トモ」の同訓異字として位置する。熟字1624「同僚」は右傍「オナシツカサ」を付載する。観智院本類聚名義抄に平声点を付した同音字注「音聊」を見出すが、仮名音注はない。日本漢音は平声を認める。

　　　僚 … 音聊［平］トモ トモカラ／又作寮 …　　　　　（観智院本類聚名義抄／佛上 019-3）

▶番号1694c・1967c・2172c「寮」（主殿寮・主税寮・縫殿寮）の仮名音注「レウ」については、基本的に -eu で対応する。当該諸字三例に声点はない。いずれの熟字も左右注「頭助允属」を付載する。観智院本類聚名義抄に平声点を付した同音字注「音聊」を見出すが、仮名音注はない。日本漢音は平声を認める。

　　　寮 音聊［平］ツカサ［上上□］／マト　　　　　　　　（観智院本類聚名義抄／法下 047-2）

　　　寮 音聊 孔　　　　　　　　　　　　　　　　　　　　（観智院本類聚名義抄／法下 059-1）

　　　寮　職員令云 … 主殿寮 止乃毛里乃豆加佐 …　　　　（元和本倭名類聚抄／巻五 06 ウ 6）

　　　寮　職員令云 … 主税寮 知加良乃豆加佐 …　　　　　（元和本倭名類聚抄／巻五 06 ウ 4）

寮　職貟令云 … 縫殿寮 奴比止乃々豆加佐 …　　　　　　　（元和本倭名類聚抄／巻五06 オ 9）

▶番号0705「遼」（遼）の仮名音注「レウ」については、基本的に -eu で対応する。当該字に
声点はなく、和訓「ハルカ・ハルカナリ」の同訓異字として位置する。観智院本類聚名義抄に平声
点を付した同音字注「音聊」を見出す。長承本蒙求には仮名音注「レウ」があり、その掲出字に平
声点を加える。なお、同書は平安時代院政初期である長承三年（1134）に加点された墨筆（例示で
両音形ある場合は右側）を中心とするが、平安時代中期と推定する古い朱筆（両音形ある場合は左
側）の加点もある。日本漢音「レウ」平声を認める。

遼 音聊 ［平］トホシ［上上□］／ハルカニ　　　　　　　（観智院本類聚名義抄／佛上 046-3）

遼 ［平］レウ／レウ　　　　　　　　　　　　　　　　　　　　（長承本蒙求／042）

▶番号1268a「寥」（寥廓）の仮名音注「レウ」については、基本的に -eu で対応する。当該字
に声点はなく、右注「ホカラカ」を付載する。観智院本類聚名義抄に平声点を付した同音字注「音
聊」を見出すが、仮名音注はない。日本漢音は平声を認める。

寥 音聊 ［平］シツカ ムナシ ヒロシ …　　　　　　　　　（観智院本類聚名義抄／法下 047-2）

《下巻 蕭韻諸例》

▶番号6878「幺」（幺）の仮名音注「エウ」については、基本的に -eu で対応する。当該字に
は平声点を差し、右注「小也」を付載する。観智院本類聚名義抄に反切「一尭反・杳聊反」を見出
すが、仮名音注はない。

幺 一尭反 小　　　　　　　　　　　　　　　　　　　　（観智院本類聚名義抄／法中 110-8）

厶幺 俗正 杳聊反／小　　　　　　　　　　　　　　　　（観智院本類聚名義抄／法中 135-8）

▶番号4471「梟」（梟）の仮名音注「ケウ」については、基本的に -eu で対応する。当該字に
は平声点を差し、右注「サケ」左注「又フクロフ」を付載する。観智院本類聚名義抄に上昇調と推
測する和音「ケウ」を見出す。元和本倭名類聚抄には反切「古尭反」がある。日本呉音「ケウ」去
声を認める。

梟 … フクロフ［平平平平］／サケ［平平］和ケウ［□上］　（観智院本類聚名義抄／僧中 124-8）

梟 説文云梟 古尭反和名布久呂不辨色立成云佐介 …　（元和本倭名類聚抄／巻十八05 オ 2）

▶番号3310a「徼」（徼道）の仮名音注「ケウ」については、基本的に -eu で対応する。当該字
には去声点を差す。廣韻に拠れば、蕭/嘯韻 (keu$^{1/3}$) 二音を有する。熟字3310「徼道」は右注「コ
ミチ」左注「小道也」を付載する。観智院本類聚名義抄に去声点を付した同音字注「音叫」を見出
すが、仮名音注はない。元和本倭名類聚抄には同音字注「音叫」〔＊叫の異体字〕がある。日本漢音は
去声を認める。

徼〔＊方→勹〕音叫 ［去］モトム［平平上］…　　　　　　（観智院本類聚名義抄／佛上 039-4）

536　3．仮名音注の韻母別考察　3-3　Ⅳ韻類

徴 同〔＊音叫［去］〕／チマタ［上上上］　　　　　　（観智院本類聚名義抄／佛上 039-4）

徴道 唐韻云徴道 音叫古多宇 小道也　　　　　　　　　（元和本倭名類聚抄／巻十 17 オ 6）

▶番号4234「膮」（膮）の仮名音注「ケウ」については、基本的に *-eu* で対応する。当該字には平声点を差し、右注「同（アツモノ）」を付載する。廣韻に拠れば、蕭/篠韻（xeu$^{1/2}$）二音を有する。観智院本類聚名義抄に注記「俗曉字」を見出す。それに従えば、反切「呼鳥反」および「和平又去」を見つける。日本呉音は平/去声を認める。

膮 俗曉字　　　　　　　　　　　　　　　　　　　　（観智院本類聚名義抄／佛中 133-3）

曉 呼鳥反 アカツキ … 和平 又去　　　　　　　　　　（観智院本類聚名義抄／佛中 101-3）

▶番号6816「髫」（髫）の仮名音注「セウ」については、基本的に *-eu* で対応する。当該字には平声点を差し、右注「同（スゞシロ）」左注「小児髪也」を付載する。廣韻に拠れば、当該字の中古音は定母蕭韻（deu^1）であり、字音「デウ・テウ」を期待する。観智院本類聚名義抄に反切「徒彫反」を見出すが、仮名音注はない。元和本倭名類聚抄には同音字注「召反」がある。これは諧声符「召」（笑韻 diau^3・ʑiau^3）による字音把握であり、仮名音注「テウ・セウ」を想定できる。

髫 徒彫反 髱／モトヽリ メサシ　　　　　　　　　　（観智院本類聚名義抄／佛下本 037-4）

髫髪　後漢書注云髫髪 召反和名宇奈爲 俗用垂髪二字謂之童子垂髪也 髱同

　　　　　　　　　　　　　　　　　　　　　　　　　（元和本倭名類聚抄／巻二 08 オ 1）

髫　文字集略云髫 丁果反和名須々之呂 小兒剪髪所餘也　　（元和本倭名類聚抄／巻三 07 オ 5）

▶番号6542「簫」（簫）の仮名音注「セウ」右傍については、基本的に *-eu* で対応する。当該字には東声点と去声点を差し、右注「樂器也」左注6543「セウノフヘ」右傍6542「セウ」仮名音注を付載する。観智院本類聚名義抄に同音字注「音蕭」および「和去」を見出すが、仮名音注はない。元和本倭名類聚抄には反切「先尭反」と和名「世宇乃布江」がある。早くから字音「世宇（セウ）」が定着していたと考える。日本呉音は去声、定着久しい字音「セウ」を認める。

簫 … 音蕭 … セウノフエ［平上上上上］和去　　　　（観智院本類聚名義抄／僧上 069-5）

簫　風俗通云舜作簫 先尭反和名世宇乃布江 …　　　　（元和本倭名類聚抄／巻四 12 ウ 7）

▶番号6543「簫」（簫）の仮名音注「セウ」左注については、基本的に *-eu* で対応する。当該字には東声点と去声点を差し、右注「樂器也」左注6543「セウノヘ」右傍6542「セウ」仮名音注を付載する。上述の分析を参照。

▶番号6739a「蕭」（蕭索）の仮名音注「セウ」については、基本的に *-eu* で対応する。当該字には平声点を差す。上巻の蕭韻当該諸例で分析したように、日本漢音「セウ」東声（四声体系では平声）を認める。

▶番号6572a・6572b「蕭」（蕭ゝ・蕭ゝ）の仮名音注「セウ」については、基本的に *-eu* で対応する。両当該字に声点はない。熟字6572「蕭ゝ」は左注「ヒユ」を付載する。上述の分析を参照。

▶番号4157a「蟭」（蟭蝎）の仮名音注「セウ」については、基本的に *-eu* で対応する。当該字

には平声点を差す。熟字4175「蟣蛸」は左右注「アミタカクモ」を付載する。観智院本類聚名義抄に同音字注「蕭」および「和去」を見出すが、仮名音注はない。元和本倭名類聚抄には同音字注「蕭」がある。日本呉音は去声を認める。

　　　蟣蛸 蕭梢二音 アシタカノクモ［平平平平平平上］和去　　　　（観智院本類聚名義抄／僧下019-3）
　　　蟣蛸 爾雅注云蟣蛸 蕭梢二音 … 和名阿之太加乃久毛　　　（元和本倭名類聚抄／巻十九25 オ4）

　▶番号3749「條」（條）の仮名音注「テウ」については、基本的に -eu で対応する。当該字には平声点を差し、右注「同（エタ）徒聊反」中左注「細枝曰條／大枝曰幹也」を付載する。上巻の蕭韻当該諸例で分析したように、日本漢音「テウ」平声、日本呉音「テウ」である蓋然性が高い。

　▶番号3879「條」（條）の仮名音注「テウ［平濁平］」については、基本的に -eu で対応する。当該字に声点はないが、その仮名音注は濁音を含む低平調を示すので、字音「デウ」平声を想定する。上述の分析を参照。

　▶番号3935a・3935b「條」（條ミ・條ミ）の仮名音注「テウ」については、基本的に -eu で対応する。当該字には去声濁点を差すので、字音「デウ」を想定する。上述の分析を参照。

　▶番号6513「蜩」（蜩）の仮名音注「テウ」については、基本的に -eu で対応する。当該字には平声点を差し、右注「同（セミ）」左注「大蟬也」を付載する。上巻の蕭韻当該諸例で分析したように、日本漢音は平声を認める。

　▶番号3919a「調」（調度）の仮名音注「テウ」については、基本的に -eu で対応する。当該字には去声濁点を差すので、字音「デウ」を想定する。熟字3919「調度」は中注「云胡竹錄」左注「又調度文書」を付載する。上巻の蕭韻当該諸例で分析したように、日本漢音は平声、日本呉音「テウ」を認める。

　▶番号4008a・4019a・4061・5512「調」（調備・調度・調・調）の仮名音注「テウ」については、基本的に -eu で対応する。当該諸字四例には平声点を差す。番号4061「調」は右注「同（アシタ）」を、番号5512「調」は右注「シタミム」を付載する。上述の分析を参照。

　▶番号4035a・4036a「調」（調庸・調物）の仮名音注「テウ」については、基本的に -eu で対応する。両当該字には去声点を差す。上述の分析を参照。

　▶番号3907a・4009a・4536c「調」（調布・調味・沙陀調）の仮名音注「テウ」については、基本的に -eu で対応する。当該諸字三例に声点はない。上述の分析を参照。

　　　調布　唐式云揚州庸調布 … 調布讀豆岐乃沼能 …　　　（元和本倭名類聚抄／巻十二16 ウ8）

　▶番号3890「貂」（貂）の仮名音注「テウ」については、基本的に -eu で対応する。当該字には平声点を差し、右注「テ［上］」［＊撥音無表記「テン」］左注「都聊反」右傍「テウ」仮名音注を付載する。観智院本類聚名義抄に同音字注「音凋」を見出すが、仮名音注はない。元和本倭名類聚抄には同音字注「音凋」と和名「天」がある。

　　　貂 音凋 テ 俗用猰／字 未詳　　　　　　　（観智院本類聚名義抄／佛下末010-8）

538　3．仮名音注の韻母別考察　3-3　Ⅳ韻類

貂　四聲字苑云貂 音凋和名天 似鼠黄色皮堪作裘　　　（元和本倭名類聚抄／巻十八 19 ウ 7）

▶番号 3944a・5501「凋」（凋弊・凋）の仮名音注「テウ」については、基本的に -eu で対応する。両当該字には平声点を差す。番号 5501「凋」は和訓「シホム」の同訓異字として位置する。観智院本類聚名義抄に平声点を付した同音字注「音凋」（その右傍に墨筆で仮名音注「テウ」）を見出す。同書の凡例部分「朱音者正音也墨声者和音也」（篇目 7-6）に従えば、朱墨で正音と和音を分別する傾向がある。これに従って、日本漢音は平声、日本呉音「テウ」を認める。

凋 音凋［平／テウ：墨右傍］シホム カル［上平］…　　　（観智院本類聚名義抄／法上 044-8）

▶番号 5986「髟」（髟）の仮名音注「テウ」については、基本的に -eu で対応する。当該字には平声点を差し、右注「エル」中注「都聊反」左注「又乍雕」を付載する。観智院本類聚名義抄に平声点を付した同音字注「音貂」および低平調と推測する和音「テウ［平□］或濁」を見出す。ただし、その中古音（端母蕭韻 teu¹）から見て、日本語の濁音で受容することは想定できない。石山寺一切経蔵本には漢呉二音相同の同音字注「音超」を見つける。日本漢音は平声、日本呉音「テウ」平声（「デウ」は留保）を認める。

髟 音貂［平］エル［平上］雕俗 … 和テウ［平□］或濁　　　（観智院本類聚名義抄／佛下本 032-1）

髟［音超：右傍］エル　　　　　　（石山寺一切経蔵本大般若経字抄／19 ウ 7）

▶番号 3921a「刁」（刁斗）の仮名音注「テウ［上平］」については、基本的に -eu で対応する。当該字には東声点を差す。その仮名音注にも東声相当である下降調の差声を施す。熟字 3921「刁斗」は右注「上都聊反」中注「軍器」左注「テウトウ［上平上上］足鍋歟」を付載する。観智院本類聚名義抄に音注を見出せない。ただし、同書で「刀」を再検索すると、同音字注「又音凋」（蕭韻 teu¹）を見つけるが、当該字「刁」と字形が相似することによる誤認した字音把握であろう。

刁［＊注記なし］　　　　　　　（観智院本類聚名義抄／僧上 086-1）

刀 都高反 兵器 小舩也 カタナ／又凋音 … フネ［平上］和タウ［平上：墨点］

（観智院本類聚名義抄／僧上 085-6）

▶番号 4571「刁」（刁）の仮名音注「テウ」については、基本的に -eu で対応する。当該字には東声点を差し、右注「同（サスナヘ／サシナヘ）」を付載する。上述の分析を参照。

▶番号 4087「芀」（芀）の仮名音注「テウ」については、基本的に -eu で対応する。当該字には平声点を差し、右注「同（アシノハナ）」左注「テウ 葦花也」を付載する。観智院本類聚名義抄に平声点を付した同音字注「凋音」を見出すが、仮名音注はない。日本漢音は平声を認める。

芀 凋音［平］華秀　　　　　　　（観智院本類聚名義抄／僧上 010-2）

▶番号 3916a「銚」（銚子）の仮名音注「テウ［平平］」については、基本的に -eu で対応する。当該字には平声点を差し、その仮名音注に低平調の差声を加える。廣韻に拠れば、透母蕭韻（t'eu¹）定母嘯韻（deu³）羊母宵韻（jiau¹）三音を有する。観智院本類聚名義抄に平声点を付した同音字注「音姚」（その右傍に墨筆「エウ」さらに朱筆で「エウ」重ね書き）と反切「徒弔反」を見出す。

元和本倭名類聚抄には反切「徒弔反」がある。日本漢音「エウ」平声を認める。

銚 音姚［平／エウ：朱右傍］温器 又徒弔反 ヌシ［平平］…　（観智院本類聚名義抄／僧上 125-6）

銚子　四聲字苑云 徒弔反辨色立成云銚子佐之奈閇俗云佐須奈倍 …

（元和本倭名類聚抄／巻十六 02 オ 3）

▶番号 4043c・4816c・6480b「寮」（典藥寮・齊宮寮・木工寮）の仮名音注「レウ」については、基本的に *-eu* で対応する。当該諸字三例に声点はない。上巻の蕭韻当該諸例で分析したように、日本漢音は平声を認める。

寮　職員令云 … 典藥寮 久須里乃豆加佐 …　（元和本倭名類聚抄／巻五 06 ウ 7）

寮　職員令云 … 齋宮寮 以豆岐乃美夜乃豆加佐 …　（元和本倭名類聚抄／巻五 06 オ 7）

寮　職員令云 … 木工寮 古多久美乃豆加佐 …　（元和本倭名類聚抄／巻五 06 ウ 5）

▶番号 4394a「嶚」（嶚峣）の仮名音注「レウ」については、基本的に *-eu* で対応する。当該字には上声点を差す。熟字 4394「嶚峣」は左右注「アヒモト／ホル」を付載する。観智院本類聚名義抄に異体字「尞」があり、上声点を付した同音字注「音遼」を見出す。日本漢音は上声を認める。

尞 音遼［上］… 髙良 タカシ サカシ　（観智院本類聚名義抄／法上 114-4）

嶚 タカシ［平平□］　（観智院本類聚名義抄／法上 114-5）

▶番号 6698b「寥」（寂寥）の仮名音注「レウ」については、基本的に *-eu* で対応する。当該字には平声点を差す。上巻の蕭韻当該例で分析したように、日本漢音は平声を認める。

▶番号 4472b「鷯」（鷦鷯）の仮名音注「レウ」については、基本的に *-eu* で対応する。当該字には上声点を差す。熟字 4472「鷦鷯」は右注「サミキ」を付載する。観智院本類聚名義抄に平声点を付した同音字注「遼」（その右傍に朱筆で仮名音注「レウ」）と反切「力鵰反」を見出す。承暦本金光明最勝王経音義には同音字注「了音」があり、その掲出字に上声点を加える。元和本倭名類聚抄には同音字注「遼」を見つける。日本漢音「レウ」平声、日本呉音は上声を認める。

鷦鷯 焦遼［平平／セウレウ：朱右傍］二音 サヽキ［上平平濁］

（観智院本類聚名義抄／僧中 111-5）

鷯 … 力鵰反／鷦鷯 小鳥 カヤクキ … サヽキ　（観智院本類聚名義抄／僧中 111-5）

鷦［去］照ミ 鷯［上］了ミ　（承暦本金光明最勝王経音義／04 オ 4）

鷦鷯　文選鷦鷯賦云鷦鷯 焦遼二音和名佐々木 …　（元和本倭名類聚抄／巻十八 09 ウ 2）

▶番号 3404「憭」（憭）の仮名音注「レウ」については、基本的に *-eu* で対応する。当該字に声点はなく、和訓「コヽロヨシ」の同訓異字として位置する。観智院本類聚名義抄に同音字注「音了」を見出すが、仮名音注はない。

憭 音了 コヽロヨシ／サトル ヲノヽク ヤフル　（観智院本類聚名義抄／法中 087-4）

▶番号 5205b・5827b「料」（給料・精料）の仮名音注「レウ」については、基本的に *-eu* で対応する。両当該字に声点はない。当該字「料」は「料」と相互に異体字である。上巻の蕭韻当該諸

540　3．仮名音注の韻母別考察　3-3　Ⅳ韻類

例で分析したように、日本漢音は「レウ」平/去声を認める。

《上巻 篠韻諸例》

▶番号0441b・1442・1663b「鳥」（籠鳥・鳥・呑鳥）の仮名音注「テウ」については、基本的に -eu で対応する。当該諸字三例には上声点を差す。番号1442「鳥」は右注「トリ」左注「飛曰鳥」を付載する。観智院本類聚名義抄に上声点を付した同音字注「音𠃊」（その右傍に朱筆で「テウ」）および「和去」を見出す。長承本蒙求には仮名音注「テウ」があり、その掲出字に上声点を加える。元和本倭名類聚抄には反切「都丁反」を見つける。日本漢音「テウ」上声、日本呉音は去声を認める。

　　　鳥 … 音𠃊［上／テウ：朱右傍］／トリ［上上］… 和去　　　　　（観智院本類聚名義抄／僧中110-7）
　　　鳥［上］テウ　　　　　　　　　　　　　　　　　　　　　　（長承本蒙求／036）
　　　鳥　文選注云羽族謂鳥也 … 一説飛曰鳥 都丁反 …　　　（元和本倭名類聚抄／巻十六01 ウ 2）

▶番号2295c「蓼」（木天蓼）の仮名音注「レウ」については、基本的に -eu で対応する。当該字には上声点を差す。熟字2295「木天蓼」は右注「ワタミヒ」を付載する。観智院本類聚名義抄に同音字注「音了」を見出すが、仮名音注はない。元和本倭名類聚抄には反切「力鳥反」がある。

　　　藋 徒弔反／藜也 蓼 俗　　　　　　　　　　　　　　（観智院本類聚名義抄／僧上010-3）
　　　蓼 … 音了／タテ［上上濁］　　　　　　　　　　　　　（観智院本類聚名義抄／僧上010-3）
　　　蓼　崔禹錫食經云青蓼 力鳥反和名多天 …　　　　（元和本倭名類聚抄／巻十六23 ウ 2）

▶番号2939b「了」（了）の仮名音注「レウ」については、基本的に -eu で対応する。当該字には上声点を差す。観智院本類聚名義抄に反切「盧臂反」および和音「レウ」を見出す。日本呉音「レウ」を認める。

　　　了 盧〔＊←虚〕臂反 … ヤム［上平］ヲハル［上上平］和レウ　（観智院本類聚名義抄／法下140-4）

《下巻 篠韻諸例》

▶番号3810a・3812a「窈」（窈窕・窈娘）の仮名音注「エウ」については、基本的に -eu で対応する。両当該字に上声点を差す。熟字3810「窈」は左注「云美女也」を付載する。観智院本類聚名義抄に同音字注「音杳」を見出すが、仮名音注はない。傍証ながら、同書で「杳」を再検索すると、上声点を付した同音字注「音窈」を見つける。日本漢音は上声の可能性を指摘しておく。

　　　窈 トホシ サヒシ／ヨシ カスカナリ／音杳　　　　（観智院本類聚名義抄／法下 059-5）
　　　窈窕 タヲヤカナリ［平平上平□□］　　　　　　　（観智院本類聚名義抄／法下 059-6）
　　　杳 音窈［上］フカシ［平平□］… 白杳　　　　　　（観智院本類聚名義抄／法下 059-5）

3-3-1　-e 系の字音的特徴　541

▶番号 3810b「窕」（窈窕）の仮名音注「テウ」については、基本的に -eu で対応する。当該字には平声点を差す。その中古音が示す頭子音 d-（等韻学の術語で言う定母）は有声歯茎閉鎖音であり、日本語のダ行音をもって受容するが、中国語音韻史上における濁音声母の無声化を反映する場合にはタ行音で対応する。観智院本類聚名義抄に反切「徒了反」（その反切下字に上声点）と「敕尭反」（その反切下字に平声濁点）を見出すが、仮名音注はない。日本漢音は平/上声を認める。

　　　窕 徒了［□上］反 フカシ … 敕尭［□平濁］反 …　　　　　　　（観智院本類聚名義抄／法下 059-6）

《上巻 嘯韻諸例》

　　該当例なし。

《下巻 嘯韻諸例》

▶番号 4236「膲」（膲）の仮名音注「セウ」については、基本的に -eu で対応する。当該字には去声点を差し、右注「蕉弔反」中注「アヘツクリ」左注「月+簫イ本」を付載する。廣韻に拠れば、嘯韻（seuˀ）尤韻（ṣiʌuⁱ）二音を有する。観智院本類聚名義抄に同音字注「音周」と去声点を付した同音字注「音嘯」（その右傍に朱筆で仮名音注「セウ」）を見出す。元和本倭名類聚抄は「膲」に対して反切「蕉弔反」と同音字注「與嘯同」がある。日本漢音「セウ」去声を認める。

　　　膲 音周 ホシイヲ　　　　　　　　　　　　　　　　　　　　（観智院本類聚名義抄／佛中 135-4）

　　　月+簫 音嘯［去／セウ：朱右傍］アヘ物／ナマス アヘツクリ　　（観智院本類聚名義抄／佛中 135-4）

　　　鹿月+簫 アヘツクリ［平上上濁□□］　　　　　　　　　　　　（観智院本類聚名義抄／佛中 135-5）

　　　膲 唐韻云膲 蕉弔反與嘯同今案鹿膲俗云阿閇豆久利是也 …　（元和本倭名類聚抄／巻十六 20 ウ 9）

▶番号 4191「窔」（窔）の仮名音注「チウ」については、異例 -iu を示す。当該字には去声点を差し、右注「苦弔反」中注「アナ／穴也」左注「九窔是也」を付載する。仮名音注「チウ」は字形相似による「ケウ」の誤認か。観智院本類聚名義抄に反切「苦弔反」および去声点を付した「呉音叫」を見出すが、仮名音注はない。後者は大般若経字抄による漢呉二音相同の同音字注「音叫」を出典とする。元和本倭名類聚抄には反切「苦弔反」がある。日本呉音は去声を認める。

　　　窔 苦弔反 アナ［平平］… 呉音叫［去］　　　　　　　　　　（観智院本類聚名義抄／法下 059-4）

　　　窔［音叫：右傍］アナ　　　　　　　　　　　　　　（石山寺一切経蔵本大般若経字抄／15 ウ 2）

　　　孔窔 唐韻云窔 苦弔反孔窔並和名阿奈 穴也　　　　　　（元和本倭名類聚抄／巻三 10 オ 1）

▶番号 3980a「眺」（眺望）の仮名音注「テウ」については、基本的に -eu で対応する。当該字には去声点を差す。観智院本類聚名義抄に反切「他弔反」を見出すが、仮名音注はない。

　　　眺 他弔反 ミル［平上］… スカヽメ　　　　　　　　　　　　（観智院本類聚名義抄／佛中 073-2）

542　3．仮名音注の韻母別考察　3-3　Ⅳ韻類

▶番号4020b「糶」（糶糶［去入］）の仮名音注「テウ」については、基本的に *-eu* で対応する。当該字には入声点を差すが、近似した両熟字形であるがゆえ、熟字前部後部それぞれの声点を誤って逆に差す。当該字は去声点を期待する。熟字4020「糶糶」は中注「入出穀也」を付載する。観智院本類聚名義抄に反切「他召反」二例を見出すが、仮名音注はない。

　　　　糶 他召反 糶 正／俗　　　　　　　　　　　　（観智院本類聚名義抄／法下 033-1）

　　　　糶糶 … 他召反 糶米　　　　　　　　　　　（観智院本類聚名義抄／僧下 083-4）

　　　　糶糶 笛／カフ　　　　　　　　　　　　　　（観智院本類聚名義抄／僧下 109-7）

▶番号5227「尿」（尿）の仮名音注「ネウ」については、基本的に *-eu* で対応する。当該字には去声点を差し、右注「ユハリ」左注「奴弔反小便也」を付載する。観智院本類聚名義抄に反切「奴弔反」と平声点を付した同音字注「又音雖」（その右傍に朱筆で仮名音注「スキ」）および上昇調と推測する和音「ネウ」去声を見出す。元和本倭名類聚抄には反切「奴弔反」がある。日本呉音「ネウ」去声を認める。

　　　　尿 奴弔反 ユハリ［平上濁上］／又音雖［平／スキ：朱右傍］和ネウ［□上］

　　　　　　　　　　　　　　　　　　　　　　　　（観智院本類聚名義抄／法下 089-8）

　　　　尿　説文云尿 奴弔反和名由波利 小便也　　　（元和本倭名類聚抄／巻三 16 ウ 2）

3-3-1-4　-em/-ep（添/忝/掭/帖韻）

資料篇【表B-05】には添韻（平声）忝韻（上声）掭韻（去声）帖韻（入声）所属の諸例が含まれる。前田本の示す仮名音注は、*-em/-ep* で基本的に対応する。異例 *-en, -et, -eu* がある。

《上巻　添韻諸例》

▶番号1297「謙」の仮名音注「ケム」については、基本的に *-em* で対応する。当該字には平声点を差し、右注「ヘル［上平］」中注「自謙」左注「ヘス［上平］」を付載する。図書寮本類聚名義抄に反切「弘云去嫌反」および低平調を示す「真云ケム」を見出す。観智院本類聚名義抄に反切「去嫌反」および和音「ケム」を見つける。長承本蒙求には仮名音注「ケム」があり、その掲出字に東声点を加える。承暦本金光明最勝王経音義には同音字注「撿音」があり、その掲出字に平声点を加える。日本漢音「ケム」東声（四声体系では平声）日本呉音「ケム」平声を認める。

　　　　謙下 弘云去／嫌反 … 真云ケム［平平］　　　（図書寮本類聚名義抄／092-1）

　　　　謙 去嫌反 ヘル ユツル … 虚也 和ケム　　　（観智院本類聚名義抄／法上 057-2）

　　　　謙［東］ケム　　　　　　　　　　　　　　　（長承本蒙求／118）

　　　　謙［平］撿ゝ　　　　　　　　　（承暦本金光明最勝王経音義／07 ウ 3）

3-3-1 -e系の字音的特徴 543

　▶番号2702「縑」の仮名音注「ケム」については、基本的に -em で対応する。当該字には平声
点を差し、右注「カトリ」を付載する。図書寮本類聚名義抄に同音字注「川云音兼」を見出す。観
智院本類聚名義抄に同音字注「音兼」を見つける。長承本蒙求には平安時代院政初期である長承三
年（1134）に加点された墨筆の仮名音注「ケム」（両音形ある場合は右側）があり、その掲出字に
東声点を加える。また、平安時代中期と推定する古い朱筆の仮名音注「ケ」（両音形ある場合は左
側）を見つけるが、不鮮明である。元和本倭名類聚抄には同音字注「音兼」がある。日本漢音「ケ
ム」東声（四声体系では平声）を認める。

　　　縑糸+相 川云音兼 和云賀度利 [上上上] …　　　　　　（図書寮本類聚名義抄／294-2）

　　　縑 音兼 絹／カトリ [上上上]　　　　　　　　　　　（観智院本類聚名義抄／法中119-7）

　　　縑 [東] ケ?／ケム　　　　　　　　　　　　　　　　　（長承本蒙求／035）

　　　縑 … 釋名云縑 音兼 其絲細緻數兼於絹也 …　　（元和本倭名類聚抄／巻十二 15ウ6）

　▶番号2781「羬」の仮名音注「ケム」については、基本的に -em で対応する。当該字には平声
点を差し、和訓「カウハシ」の同訓異字として位置する。観智院本類聚名義抄に反切「呼兼反」を
見出すが、仮名音注はない。

　　　羬 呼兼反／香　　　　　　　　　　　　　　　　　　（観智院本類聚名義抄／法下027-4）

《下巻 添韻諸例》

　▶番号5608b「謙」（自謙）の仮名音注「ケム」については、基本的に -em で対応する。当該
字には平声点を差す。熟字5608「自謙」は左注「ヒケノコトハナリ」を付載する。上巻の添韻当該
例で分析したように、日本漢音「ケム」東声（四声体系では平声）日本呉音「ケム」平声を認める。

　▶番号6079「鶼」（鶼）の仮名音注「ケム」については、基本的に -em で対応する。当該字に
は平声点を差し、右中左注「比翼鳥／似鳥青黒／色也」を付載する。観智院本類聚名義抄に同音字
注「音兼」を見出すが、仮名音注はない。

　　　鶼 音／兼 比翼／鳥　　　　　　　　　　　　　　　（観智院本類聚名義抄／僧中128-6）

　▶番号4241「甜」（甜）の仮名音注「テム」については、基本的に -em で対応する。当該字に
は平声点を差し、左右注「又乍／恬」を付載する。観智院本類聚名義抄に平声点を付した同音字注
「音恬」（その右傍に朱筆で仮名音注「テム」）を見出す。また異体字「甛」に対しては反切「徒
兼反」を見つける。日本漢音「テム」平声を認める。

　　　甜恬 … アマシ … 音恬 [平／テム：朱右傍] アチマム　（観智院本類聚名義抄／佛中025-2）

　　　甛 … 徒兼反 甘 今甜　　　　　　　　　　　　　　（観智院本類聚名義抄／僧下082-4）

　▶番号5505「恬」（恬）の仮名音注「テム」については、基本的に -em で対応する。当該字に
は平声点を差し、右注「徒兼反」を付載する。和訓「シツカニ」の同訓異字として位置する。観智

544　3．仮名音注の韻母別考察　3-3　Ⅳ韻類

院本類聚名義抄に反切「徒兼反」および「和平」を見出す。長承本蒙求には仮名音注「テム」があり、その掲出字に平声点を加える。日本漢音「テム」平声、日本呉音は平声を認める。

　　　　恬 … 徒兼反 … ヤスシ［平□上］… 和平　　　　　　　　　　（観智院本類聚名義抄／法中 078-6）

　　　　恬［平］テム／テム　　　　　　　　　　　　　　　　　　　　（長承本蒙求／075）

　▶番号 4139「鮎」（鮎）の仮名音注「テム」については、基本的に -em で対応する。当該字には平声点を差し、右注「アユ」左注「奴兼反」を付載する。その中古音が示す頭子音 n-（等韻学の術語で言う泥母）は歯茎鼻音であり、日本語のナ行音をもって受容するが、中国語音韻史上における濁音声母の無声化を反映する場合はダ行音で対応する。観智院本類聚名義抄に反切「奴兼反」を見出すが、仮名音注はない。元和本倭名類聚抄には反切「奴兼反」がある。

　　　　鮎 奴兼反／アユ［平上］　　　　　　　　　　　　　　　　　（観智院本類聚名義抄／僧下 003-1）

　　　　鮎 … 蘇敬注云一名鮎魚 上音奴兼反和名安由 …　　　　　　（元和本倭名類聚抄／巻十九 08 ウ 3）

《上巻 忝韻諸例》

　該当例なし。

《下巻 忝韻諸例》

　▶番号 4489b「嗛」（猿嗛）の仮名音注「ケム」については、基本的に -em で対応する。当該字には上声点を差す。熟字 4489「猿嗛」は右注「サルホゞ」左注「苦簟反」を付載する。観智院本類聚名義抄が掲げる「嗛」に平声点を差すが、疑義が残る。同書で掲出字自体に差声することは稀である。また反切「戸占反」を見出すが、仮名音注はない。元和本倭名類聚抄には反切「苦簟反」がある。

　　　　嗛［平］戸占反 猿藏食處 … サルホゝ　［平平平濁□］　　　（観智院本類聚名義抄／佛中 042-6）

　　　　猿嗛 爾雅注云猿嗛 苦簟反和名佐留保々 猿頬内藏食處也

　　　　　　　　　　　　　　　　　　　　　　　　　　　　　　　　（元和本倭名類聚抄／巻十八 22 ウ 3）

　▶番号 3833b・4002a「點」（遥點・點定）の仮名音注「テム」中注については、基本的に -em で対応する。両当該字には平声点を差す。熟字「遥點」は中注 3833「テム」右傍 3834「ハルカニテムス」を付載する。観智院本類聚名義抄に同音字注「音玷」を見出すが、仮名音注はない。

　　　　點 音玷 シル 畫也 シリソク …　　　　　　　　　　　　　　（観智院本類聚名義抄／佛下末 057-1）

　　　　點 オモテアラフ　　　　　　　　　　　　　　　　　　　　　（観智院本類聚名義抄／佛下本 027-3）

　　　　遥點 トホヨソ［上上□□］　　　　　　　　　　　　　　　　（観智院本類聚名義抄／佛上 048-1）

　▶番号 3834b「點」（遥點）の仮名音注「テム」右傍については、基本的に -em で対応する。

当該字に声点はない。熟字「遥點」は中注 3833「テム」右傍 3834「ハルカニ テムス」を付載する。上述の分析を参照。

　▶番号 3929「點」（點）の仮名音注「テム［平平］」については、基本的に -em で対応する。当該字に声点はなく、右注の仮名音注「テムス［平平平］」サ変動詞に平声相当である低平調の差声を施す。また中注「多忝反」左注「移也」を付載する。上述の分析を参照。

　▶番号 3908「簟」（簟）の仮名音注「テム［平上］」については、基本的に -em で対応する。当該字には上声濁点を差すので、字音「デム」を想定する。その中古音が示す頭子音 d-（等韻学の術語で言う舌음濁定母）は有声歯茎閉鎖音であり、日本語のダ行音をもって受容するが、中国語音韻史上における濁音声母の無声化を反映する場合にはタ行音で対応する。中注の仮名音注「テム［平上］」には去声に相当する上昇調の差声を施す。右注「唐人但莚夏」中注下「敷也 蕲竹［キチク：右傍］」左注「坐臥具」を付載する。観智院本類聚名義抄に反切「徒玷反」（その反切下字に上声点）を見出すが、仮名音注はない。元和本倭名類聚抄には反切「徒玷反上声之重」がある。切韻を撰述して以降の中国語において、上声濁が次第に去声化を起こした状態を、日本漢音では反映する。これは上声を構成する上声軽と上声重とが　allotones であり、後者の調値が去声と区別できないことを示すとも言える。日本漢音は上声を認める。

　　簟 … 徒玷［平上］反 席／コ アムシロ 此弓音如字　　　　（観智院本類聚名義抄／僧上 072-5）

　　簟　蒋莇切韻云簟 徒玷反上声之重此間名如字 織篾爲席暑月鋪之

　　　　　　　　　　　　　　　　　　　　　　　　（元和本倭名類聚抄／巻十四 17 ウ 5）

《上巻 添韻諸例》

　▶番号 0465「霑」（霑）の仮名音注「テン」については、異例 -en を示す。その中古音が示す末子音 -m 韻尾を「ン」で対応する。当該字には去声点を差し、右注「ハツシモ」を付載する。廣韻に拠れば、添韻 (tem³) 緝韻 (ţiep) 二音を有する。観智院本類聚名義抄に同音字注「音店」と反切「又下唊反」を見出すが、仮名音注はない。元和本倭名類聚抄には反切「丁念反」がある。

　　霑 音店 又下唊反 ハツシモ［上上平平］サムシ／又繁　　　（観智院本類聚名義抄／法下 067-4）

　　霑　説文云霑早霜也丁念反 和名八豆之毛　　　　　　　（元和本倭名類聚抄／巻一 06 オ 1）

《下巻 添韻諸例》

　▶番号 3943a「店」（店家）の仮名音注「テム」については、基本的に -em で対応する。当該字には平声点を差す。観智院本類聚名義抄に反切「丁念反」を見出すが、仮名音注はない。元和本倭名類聚抄には反切「都念反」がある。

546　3．仮名音注の韻母別考察　3-3　Ⅳ韻類

　　　店 丁念反 タナ　店家 俗云町　　　　　　　　　　　（観智院本類聚名義抄／法下100-4）

　　　店家 四聲字苑云店都念反俗云東西町是也 …　　　　（元和本倭名類聚抄／巻十08 オ1）

▶番号4992b「念」（祈念）の仮名音注「ネム」については、基本的に -em で対応する。当該
字には平声点を差す。観智院本類聚名義抄に反切「奴店反」および和音「ネム」を見出す。日本呉
音「ネム」を認める。

　　　念 奴店反 オモフ［平平上／□□ヒ：右傍］… 和ネム　　（観智院本類聚名義抄／法中088-2）

　　　念 オモフ シルス　　　　　　　　　　　　　　　（観智院本類聚名義抄／僧中004-5）

《上巻 帖韻諸例》

▶番号0676「篋」（篋）の仮名音注「ケウ」については、異例 -eu を示す。その中古音が示す
末子音 -p 韻尾を日本語 -u で対応する。これは日本語音韻史における -ep > -eu という音変化を
反映している。当該字に声点はなく、右注「同（ハコ）」を付載する。観智院本類聚名義抄に反切
「苦夾反」および低平調と推測する和音「ケフ」を見出す。長承本蒙求には仮名音注「ケフ」があ
り、その掲出字に徳声点を加える。承暦本金光明最勝王経音義には同音字注「脇音」があり、その
掲出字に入声点を加える。日本漢音「ケフ」徳声（四声体系では入声）日本呉音「ケフ」入声を認
める。

　　　篋 … 苦夾反 筒 ハコ［上上］… 和ケフ［□平］…　　（観智院本類聚名義抄／僧上068-3）

　　　篋［徳］ケフ　　　　　　　　　　　　　　　　　　　　　（長承本蒙求／100）

　　　篋［入］脇ぅ／波古［上上］　　　　　（承暦本金光明最勝王経音義／07 オ2）

▶番号0665・2488b「筴」（筴・皂筴）の仮名音注「ケフ」については、基本的に -ep で対応
する。両当該字に声点はない。廣韻に拠れば、帖韻（yep）洽韻（kɐp）二音を有する。番号0665
「筴」は右注「同（ハシ）」を、熟字2488「皂筴」は右注「カハラフチ」を付載する。観智院本類
聚名義抄に同音字注「音夾又頬又音筴」を見出すが、仮名音注はない。元和本倭名類聚抄は熟字「草
莢」に対して同音字注「造夾二音」と「此俗云蛇結」がある。

　　　筴 … 音夾又頬又音筴［入］筒 ハシ［平上］…　　　（観智院本類聚名義抄／僧上068-2）

　　　草〔＊←艹+皂〕莢 本草云草莢 造夾二音和名加波良布知此俗云蛇結

　　　　　　　　　　　　　　　　　　　　　　　（元和本倭名類聚抄／巻二十19 オ1）

▶番号1069「頬」（頬）の仮名音注「ケフ」については、基本的に -ep で対応する。当該字に
声点はなく、右注「ホゝ」左注「又ツラ」を付載する。観智院本類聚名義抄に同音字注「音狹」を
見出すが、仮名音注はない。石山寺一切経蔵本大般若経字抄には漢呉二音相同の同音字注「音夾」
がある。元和本倭名類聚抄には同音字注「音挾」がある。

　　　頬 音狹 ツラ ホ、　頬 古　　　　　　　　（観智院本類聚名義抄／佛下本027-4）

頰［音炎：右傍］ツラ　　　　　　　　　　　　　　　（石山寺一切経蔵本大般若経字抄／01 オ 7）

頰　頰骨附　野王案云頰　音挾和名豆良一云保々 …　　　　　（元和本倭名類聚抄／巻三 02 ウ 5）

▶番号1059b「蝶」（鳳蝶）の仮名音注「テウ［上平］」については、異例 -eu を示す。当該字に声点はなく、その仮名音注に下降調の差声を施す。その中古音が示す末子音 -p 韻尾を日本語 -u で対応する。熟字1059「鳳蝶」は右注「ホミテウ［上上上平］」仮名音注を付載する。観智院本類聚名義抄に同音字注「音諜」を見出すが、仮名音注はない。元和本倭名類聚抄には同音字注「諜」がある。また同書が掲げる「鳳蝶」には注記「今案和名保々天布是鳳蝶二音之轉乎」を見つける。字音が轉じて和名「保々天布（ホミテフ）」となったと説く。

蝶 … 音諜唊／蝶蛾類 アハヒラコ　　　　　　　　　　（観智院本類聚名義抄／僧下 030-3）

蝶　兼名苑云蚨蝶 頰諜二音 …　　　　　　　　　　（元和本倭名類聚抄／巻十九 22 ウ 7）

鳳蝶 或説作車 … 今案和名保々天布是鳳蝶二音之轉乎　　（元和本倭名類聚抄／巻十九 23 オ 3）

▶番号1929b「疊」（重疊）の仮名音注「テウ」については、異例 -eu を示す。当該字には入声濁点を差すので、字音「デウ」を想定する。その中古音が示す末子音 -p 韻尾を日本語 -u で対応する。日本語音韻史における -ep > -eu という音変化を反映する。観智院本類聚名義抄に入声点を付した同音字注「音諜」を見出す。承暦本金光明最勝王経音義には仮名音注「テウ」があり、その掲出字に平声濁点を加え、すでに入声の認識がない。日本漢音は入声、日本呉音「デウ」を認める。

疊　音諜［入］タ丶ミ［上上□］…　　　　　　　　　（観智院本類聚名義抄／佛中 111-5）

疊　［平濁：圏点］テウ〔後筆墨書〕　　　　　（承暦本金光明最勝王経音義／07 ウ 1）

▶番号2904b「牒」（戒牒）の仮名音注「テウ」については、異例 -eu を示す。当該字には平声点を差す。その中古音が示す末子音 -p 韻尾を日本語 -u で対応する。観智院本類聚名義抄に同音字注「音疊」を見出すが、仮名音注はない。元和本倭名類聚抄には反切「徒協反」がある。

牒 音疊 爵牒／牀板　　　　　　　　　　　（観智院本類聚名義抄／佛下末 008-3）

牒　帖附　説文云牒　徒協反　札長一尺二寸也 …　　　　（元和本倭名類聚抄／巻十三 10 ウ 6）

《下巻 帖韻諸例》

▶番号5277b「笑」（皂笑）の仮名音注「ケフ」については、基本的に -ep で対応する。当該字には入声点を差し、右注「シヤケチ」を付載する。上巻の帖韻当該諸例で分析した。

▶番号6628a「燮」（燮理）の仮名音注「セフ」については、基本的に -ep で対応する。当該字には入声点を差す。熟字6628「燮理」は右注「ヤハラケ ヲサム」を付載する。観智院本類聚名義抄に反切「先俠反・先叶反」を見出すが、仮名音注はない。

燮+火燮 燮俗二正 先俠反　　　　　　　　　（観智院本類聚名義抄／佛下末 053-3）

燮 俗燮 先叶反／和也　　　　　　　　　　（観智院本類聚名義抄／僧中 053-3）

548　3．仮名音注の韻母別考察　3-3　Ⅳ韻類

▶番号3925「帖」（帖）の仮名音注「テウ［平濁平］」については、異例 *-eu* を示す。その中古音が示す末子音 -p 韻尾を日本語 *-u* で受容する。日本語音韻史における *-ep* > *-eu* という音変化を反映する。当該字には平声濁点を差すので、字音「デウ」を想定する。また右注の仮名音注は濁音を含む低平調を示す。その中古音が示す頭子音 tʰ-（等韻学の術語で言う舌音次清透母）は無声有気歯茎閉鎖音であり、日本語のタ行音をもって受容する。ダ行音で対応することは許容できない。左注「紙疊貞也」を付載する。紙を数える単位として使うため、多くは複合語の後半に位置し、日本語の連濁となる字音環境に牽引されたか。現行多くの漢和辞典は慣用音「デフ」とする。観智院本類聚名義抄に入声点を付した同音字注「音諜」を見出す。日本漢音は入声を認める。

　　　帖 音諜［入］タ、ム／カサヌ　　　　　　　　　　（観智院本類聚名義抄／法中103-5）

▶番号3927a「帖」（帖丁）の仮名音注「テツ」については、異例 *-et* を示す。当該字に声点はない。熟字3927「帖丁」は右注「紙付也」右傍「テツ」仮名音注を付載する。ただし、墨付きが薄く、筆跡から見て後筆補入の可能性がある。上述の分析を参照。

▶番号3930「帖」（帖）の仮名音注「テツ［平濁平／□フ：右傍］」については、異例 *-et* を示すが、その右傍から「テフ」と修正できるので、基本的に *-ep* で対応する。当該字に声点はなく、右注「テツス［平濁平平／□フ□：右傍］」左注「折重也」を付載する。漢語「デフ」をサ変動詞化して複合語「デフス」となり、さらに促音化し字音「デツス」となったか。上述の分析を参照。

▶番号3891「蝶」（蝶）の仮名音注「テフ」については、基本的に *-ep* で対応する。当該字には入声点を差し、左注「入夢」左注下「庄用夢／為胡蝶」を付載する。上巻の帖韻当該例で分析した。

▶番号3412b「蝶」（胡蝶樂）の仮名音注「テフ」については、基本的に *-ep* で対応する。当該字に声点はなく、右注「同（髙麗樂）」を付載する。上述の分析を参照。

　　　髙麗樂曲　新鳥蘇 … 胡蝶樂 延喜八年亭子院童相撲之時山城守藤原忠房朝臣取作也 …

　　　　　　　　　　　　　　　　　　　　　　　　　　（元和本倭名類聚抄／巻四17ウ8）

▶番号3910「牒」（牒）の仮名音注「テウ［平平］」については、異例 *-eu* を示す。当該字には入声点を差し、その仮名音注に低平調の差声を施す。また中注「徒協反」左注「札長一尺二寸也」を付載する。その中古音が示す末子音 -p 韻尾を日本語 *-u* で対応する。これは日本語音韻史における *-ep* > *-eu* という音変化を反映する。上巻の帖韻当該例で分析した。

▶番号3920a「疊」（疊笠）の仮名音注「テウ」については、異例 *-eu* を示す。当該字に声点はない。その中古音が示す末子音 -p 韻尾を日本語 *-u* で対応する。熟字3920「疊笠」は右注「テウカサ」を付載する。上巻の帖韻当該例で分析したように、日本呉音「デウ」を認める。

3-3-1-5　-en/-et（先/銑/霰/屑韻）

資料篇【表B-05】には先韻（平声）銑韻（上声）霰韻（去声）屑韻（入声）開口所属の諸例が含まれる。前田本の示す仮名音注は、-en/-et で基本的に対応する。異例 -an, -ei, -em, -in, -wen, -it がある。

《上巻 先韻開口諸例》

▶番号2588「肩」（肩）の仮名音注「ケン」については、基本的に -en で対応する。当該字には平声点を差し、右注「カタ」を付載する。観智院本類聚名義抄に平声点を付した同音字注「音竪」と反切「柯妍反」を見出すが、仮名音注はない。元和本倭名類聚抄には同音字注「竪反」がある。日本漢音は平声を認める。

　　　肩 音竪［平］カタ［平上］　　　　　　　　　　（観智院本類聚名義抄／佛中 125-6）
　　　肩 柯妍反 マトフ／ソムク ハム　　　　　　　（観智院本類聚名義抄／法下 093-5）
　　　肩 陸詞云肩 竪反和名加太 髆也 …　　　　　（元和本倭名類聚抄／巻三 08 オ 2）

▶番号0007a「牽」（牽牛）の仮名音注「ケン」については、基本的に -en で対応する。当該字には平声点を差す。廣韻に拠れば、先/霰韻（k'en$^{1/3}$）二音を有する。熟字「牽牛」は右注「イヌカヒホシ」左注「又ヒコホシ」を付載する。観智院本類聚名義抄に反切「苦田苦見二反」および和音「ケン」を見出す。日本呉音「ケン」を認める。

　　　牽 … 苦田苦／和ケン ヒク／見二反〔＊三行割注〕　（観智院本類聚名義抄／佛下末 001-4）
　　　牽牛 ヒコホシ［上上上濁□］　　　　　　　　（観智院本類聚名義抄／佛下末 001-4）
　　　牽牛 爾雅註云牽牛一名何皷 和名比古保之又以奴加比保之 （元和本倭名類聚抄／巻一 02 ウ 2）

▶番号1063「蚈」（蚈）の仮名音注「ケン」については、基本的に -en で対応する。当該字には平声点を差し、右注「同（ホタル）」を付載する。観智院本類聚名義抄に同音字注「音瓶」を見出すが、仮名音注はない。

　　　蚈虫+幵 音瓶 甲虫 ミノムシ　　　　　　　（観智院本類聚名義抄／僧下 032-5）

▶番号3225「姸」（姸）の仮名音注「ケン」については、基本的に -en で対応する。当該字に声点はなく、和訓「ヨシ」の同訓異字として位置する。廣韻に拠れば、その中古音は疑母先韻（ŋen^1）である。観智院本類聚名義抄に平声濁点を付した同音字注「音研」を見出すが、仮名音注はない。日本漢音は平声を認める。

　　　姸 音研［平濁］ヨシ／ヤスシ ウルハシ 姸 正 …　（観智院本類聚名義抄／佛中 009-6）

▶番号2624「賢」（賢）の仮名音注「ケン」については、基本的に -en で対応する。当該字には平声点を差し、右注「カシコシ」を付載する。その中古音が示す頭子音 ɣ-（等韻学の術語で言う

550　3．仮名音注の韻母別考察　3-3　Ⅳ韻類

喉音濁匣母）は有声軟口蓋摩擦音であり、日本語のガ行音をもって受容するが、中国語音韻史上における濁音声母の無声化を反映する場合はカ行音で対応する。観智院本類聚名義抄に同音字注「音与絃同」と反切「胡田反」および和音「下ン」を見出す。同書の和音に用いる「下」は字音「ゲ」濁音を示す。和音「下ン・下ウ・下ム」を見つけるが、掲出字「驗」に対する和音は「下」の右傍に濁音「✓」表記を加えており、字音「ゲム」を想定する。長承本蒙求には仮名音注「ケ〻」があり、その掲出字に平声点を加える。日本漢音「ケン」平声、日本呉音「ゲン」を認める。

　　　賢 音与絃同 胡田反 カシコシ サカシ … 和下ン　　　　　（観智院本類聚名義抄／佛下本014-1）
　　　顔 語斑反 … 和下ン［囗上：朱圏点］　　　　　　　　　（観智院本類聚名義抄／佛下本022-2）
　　　限 胡眼反 … 和下ン［囗平：墨点］　　　　　　　　　　（観智院本類聚名義抄／法中046-7）
　　　巧 … 口／卬［囗上濁］反 … 和下ウ［囗平：墨点］　　　（観智院本類聚名義抄／佛下本022-2）
　　　咸 音函 … 和下ム［囗上］　　　　　　　　　　　　　　（観智院本類聚名義抄／僧中040-2）
　　　驗 魚欠反 … 和下ム［平平／✓囗：朱右傍］　　　　　　（観智院本類聚名義抄／僧中110-1）
　　　賢［平］ケ〻　　　　　　　　　　　　　　　　　　　　　（長承本蒙求／067）

▶番号1957b「前」（筑前）の仮名音注「セン」については、基本的に -en で対応する。当該字に声点はない。観智院本類聚名義抄に和音「是ン」を見出す。同書の和音に用いる「是」は字音「ゼ」濁音を示す。日本呉音「ゼン」を認める。

　　　前 マヘ［平上］サキ［上上］… 和是ン　　　　　　　　（観智院本類聚名義抄／佛下末029-3）
　　　是 コレ／和セ［平濁］　　　　　　　　　　　　　　　　（観智院本類聚名義抄／佛中106-1）

▶番号3192「騸」（騸）の仮名音注「セン」については、基本的に -en で対応する。当該字に声点はなく、右注「ヨツシロノムマ」中注「四踊皆白曰騸」左注「俗呼為踏雪馬」を付載する。観智院本類聚名義抄に同音字注「音前」を見出すが、仮名音注はない。

　　　騸 … 音／前 ヨツシロ［上上上平］　　　　　　　　　　（観智院本類聚名義抄／僧中106-8）

▶番号1807b・2876b「田」（治田・甲田）の仮名音注「テン」については、基本的に -en で対応する。両当該字には上声濁点を差すので、字音「デン」を想定する。その中古音が示す頭子音 d-（等韻学の術語で言う舌音濁定母）は有声歯茎閉鎖音であり、日本語のダ行音をもって受容するが、中国語音韻史上に現れる濁音声母の無声化を反映した場合はタ行音で対応する。熟字1807「治田」は右傍「ハル タヲ」を付載する。観智院本類聚名義抄に平声点を付した同音字注「音填」および上昇調を示す和音「テム」を見出す。長承本蒙求には仮名音注「テ〻」四例「テ✓」一例があり、それらを含む六例の掲出字に平声点を加える。元和本倭名類聚抄には反切「従年反」がある。日本漢音「テン」平声、日本呉音「テン」去声を認める。

　　　田 音填［平］和名タ［平］… 和テム［平上］　　　　　（観智院本類聚名義抄／佛中106-7）
　　　田［平］テ〻　　　　　　　　　　　　　　　　　　　　　（長承本蒙求／005・095・105・130）
　　　田［平］テ✓　　　　　　　　　　　　　　　　　　　　　（長承本蒙求／041）

田 ［平］　　　　　　　　　　　　　　　　　　　　　（長承本蒙求／108）

田　釋名云土已耕者爲田從年反 和名太 …　　　　（元和本倭名類聚抄／巻一 11 オ 8）

▶番号2686「鈿」（鈿）の仮名音注「テン」については、基本的に -en で対応する。当該字には平声点を差し、右注「同（カムサシ）」左右注「婦人／首銙也」を付載する。廣韻に拠れば、先/霰韻（den$^{1/3}$）二音を有する。観智院本類聚名義抄に去声点を付した同音字注「音甸」（その右傍に墨筆で仮名音注「テン」さらに朱筆で仮名音注「テン」重ね書き）と平声点を付した同音字注「又田」を見出す。日本漢音「テン」平/去声を認める。

　鏥鈿 俗正 … カムサシ ［平平平濁平／□□□ス］ 音甸 ［去／テン：朱墨右傍］ 又田 ［平］
　　　　　　　　　　　　　　　　　　　　　（観智院本類聚名義抄／僧上 126-4）

▶番号2618「敁」（敁）の仮名音注「テン」については、基本的に -en で対応する。当該字には平声点を差し、和訓「カル」の同訓異字として位置する。廣韻に拠れば、先/霰韻（den$^{1/3}$）二音を有する。その中古音が示す頭子音 d-（等韻学の術語で言う舌音濁定母）は有声歯茎閉鎖音であり、日本語のダ行音をもって受容するが、中国語音韻史上における濁音声母の無声化を反映する場合はタ行で対応する。観智院本類聚名義抄に同音字注「音田」（先韻 den^1）と「又殿田平」〔＊又殿は同音字注か〕（殿：霰韻 ten^3・den^3）を見出すが、仮名音注はない。

　敁 … 音田／又殿田平　　　　　　　　　　　　（観智院本類聚名義抄／僧中 058-5）

▶番号0112「顚」（顚）の仮名音注「テン」については、基本的に -en で対応する。当該字には平声点を差し、右注「同（イタヽキ）」左注「又作顛」を付載する。観智院本類聚名義抄に墨筆圈点による去声点を付した同音字注「音天」を見出すが、仮名音注はない。同書の凡例部分「朱音者正音也墨声者和音也」（篇目 7-6）に従えば、朱墨で正音と和音を分別する傾向がある。日本呉音は去声を認める。

　顚顛 音天 ［去：墨圈点］ … イタヽキ オツ ［平上］ …　　（観智院本類聚名義抄／佛下本 026-5）

▶番号0017・0190「巓」（巓）の仮名音注「テン」については、基本的に -en で対応する。両当該字には平声点を差す。番号0017「巓」は右注「イタヽキ」左注「山上也」を、番号0190「巓」は右注「イタヽキ」左注「山頂也」を付載する。図書寮本類聚名義抄に反切「都年反」（その反切下字に平声点）を見出す。観智院本類聚名義抄には反切「都年反」を見つけるが、仮名音注はない。元和本倭名類聚抄には反切「都年反」がある。日本漢音は平声を認める。

　巓 川云都年 ［□平］ 反 和云伊多ヽ跂 ［上上上濁上］　　　（図書寮本類聚名義抄／144-7）
　巓 都年反 イタヽキ ［上上上濁上］／オツ タフル クツカヘル　（観智院本類聚名義抄／法上 121-5）
　巓 孫愐曰巓山頂也都年反 和名以太々木　　　　　　（元和本倭名類聚抄／巻一 07 オ 3）

▶番号 0233b・0722b・1151b・1158b「天」（幽天・梅天・普天・補天）の仮名音注「テン」については、基本的に -en で対応する。当該諸字四例には平声点を差す。観智院本類聚名義抄に反切「他前反・泰竪反」を見出す。長承本蒙求には仮名音注「テ丶」があり、それを含む掲出字五例

552　3．仮名音注の韻母別考察　3-3　Ⅳ韻類

に東声点を加える。承暦本金光明最勝王経音義には「テゝ」があり、その掲出字に去声点を加える。
日本漢音「テン」東声（四声体系では平声）日本呉音「テン」去声を認める。

　　　天 他前反 ヒタヒキラル［上上上平平上］　　　　　　　（観智院本類聚名義抄／佛上 075-4）

　　　天 泰竪反 アメ／ハルカナリ … ヒタヒキラル　　　　　（観智院本類聚名義抄／佛下末 031-4）

　　　天［東］　　　　　　　　　　　　　　　　　　　　（長承本蒙求／029・082・113・138）

　　　天［東］テゝ　　　　　　　　　　　　　　　　　　　　　　　（長承本蒙求／086）

　　　天［＊左上下隅欠］　　　　　　　　　　　　　　　　　　　　（長承本蒙求／095）

　　　天［去］テゝ　　　　　　　　　　　　（承暦本金光明最勝王経音義／02 ウ 2）

▶番号1639b・1648b「天」（登天・通天）の仮名音注「テン」については、基本的に *-en* で対
応する。両当該字には平声濁点を付載するので、日本語音韻史上の連濁による字音「デン」を想定
する。上述の分析を参照。

▶番号0244b・1414・2861b「年」（有年・年・改年）の仮名音注「ネン」については、基本的
に *-en* で対応する。当該諸字三例には平声点を差す。熟字0244「有年」は左注「有年穀也」を、
番号1414「年」は右注「トシ」左注「又作秊」付載する。観智院本類聚名義抄に反切「寧顚反」お
よび和音「ネン」を見出す。日本呉音「ネン」を認める。

　　　年秊 上通下正／トシ　　　　　　　　　　　　　　（観智院本類聚名義抄／佛上 080-4）

　　　秊 年字 寧顚反 トシ［平平］… 和ネン　　　　　　（観智院本類聚名義抄／法下 017-7）

▶番号1156b・2366b・2931b「年」（豊年・往年・髙年）の仮名音注「ネム」については、異
例 *-em* を示す。末子音である舌内撥音韻尾 -n を「ム」で対応する。当該諸字三例には平声点を差
す。熟字2366「往年」は右傍「サキノトシ」を付載する。上述の分析を参照。

▶番2860b「年」（頃年）の仮名音注「ネン」については、基本的に *-en* で対応する。当該字に
は上声点を差す。上述の分析を参照。

▶番号1124・1333a・1335a「邊」（邊・邊鄙・邊畔）の仮名音注「ヘン」については、基本的
に *-en* で対応する。当該諸字三例には平声点を差す。番号1124「邊」は右注「ホトリ」を、熟字
1333「邊鄙」は右傍「アツマヒト」を付載する。観智院本類聚名義抄に反切「補田反」（その反切
下字に平声点）および和音「ヘン」を見出す。長承本蒙求には仮名音注「ヘゝ」があり、その掲出
字に東声点を加える。日本漢音「ヘン」東声（四声体系では平声）日本呉音「ヘン」を認める。

　　　邊邊 補田［□平］反 サカヒ … ホトリ 和ヘン　　　（観智院本類聚名義抄／佛上 045-7）

　　　邊［東］ヘゝ　　　　　　　　　　　　　　　　　　　　　　　（長承本蒙求／056）

　　　邊鄙　文選西京賦云嘈眩邊鄙訓 阿豆萬豆 …　　　（元和本倭名類聚抄／巻二 10 ウ 6）

▶番号1336a・1337a・1392a・1408a「邊」（邊土・邊地・邊際・邊塞）の仮名音注「ヘン」
については、基本的に *-en* で対応する。当該諸字四例には去声点を差す。上述の分析を参照。

▶番号1286a「邊」（邊付）の仮名音注「ヘン」については、基本的に *-en* で対応する。当該字

3-3-1　-e系の字音的特徴　553

に声点はない。上述の分析を参照。

▶番号2560a「蝙」（蝙蝠）の仮名音注「ヘン」については、基本的に *-en* で対応する。当該字には平声点を差す。熟字2560「蝙蝠」は右注「カハホリ」を付載する。観智院本類聚名義抄に同音字注「邊・又音鼈」を見出すが、仮名音注はない。元和本倭名類聚抄には同音字注「邊」がある。

　　蝙蝠 邊福二音 カハホリ［平□上濁平］… 上又音鼈　　（観智院本類聚名義抄／僧下 028-8）

　　蝙蝠 … 本草云蝙蝠 邊福二音 一名伏翼 和名加波保里 …（元和本倭名類聚抄／巻十九 18 オ 4）

▶番号0817b「眠」（白眠）の仮名音注「メン」については、基本的に *-en* で対応する。当該字には去声点を差す。観智院本類聚名義抄に反切「莫賢」〔＊「反」表記なし〕および下降調〔＊差声に誤認があるか〕と推測する和音「メン」を見出す。日本呉音「メン」を認める。

　　眠 莫賢 ネフル［□□リ：墨右傍］… 和メン［上□］　　（観智院本類聚名義抄／佛中 064-2）

▶番号2067a「憐」（憐愍）の仮名音注「リン」については、異例 *-in* を示す。当該字には去声点を差す。諧声符「粦」（眞/震韻 lien$^{1/3}$）による字音把握か。図書寮本類聚名義抄に平声点を付した同音字注「季云音連」および「真云リン［平平］レン」を見出す。後者は真興撰『大般若経音訓』による引用（いわゆる真興和音）である。観智院本には平声点と去声点〔＊存疑〕を付した同音字注「音連」および平声相当である低平調を示す和音「又リン」を見つける。長承本蒙求には同音字注「戀反」と仮名音注「リゝ」があり、その掲出字に平声点を加える。同書は平安時代院政初期である長承三年（1134）に加点された墨筆（例示で両音形ある場合は右側）を中心とするが、平安時代中期と推定する古い朱筆（両音形ある場合は左側）の加点もある。日本漢音「リン」平声、日本呉音「リン」平声と「レン」を認める。日本漢音「レン」平声の可能性も指摘しておく。

　　憐愍 季云音連［平］… アハレフ［上上平平濁／切：右注］真云リン［平平］レン …

　　　　　　　　　　　　　　　　　　　　　　　　　　　　　　（図書寮本類聚名義抄／255-2）

　　憐 音連［平・去］アハレフ［上上□□］… 和又リン［平平：墨点］

　　　　　　　　　　　　　　　　　　　　　　　　　　　（観智院本類聚名義抄／法中 093-6）

　　憐［平］戀反／リゝ　　　　　　　　　　　　　　　　　　　（長承本蒙求／030）

　　連［平］レ✓　　　　　　　　　　　　　　　　　　　（長承本蒙求／011・069）

▶番号0525「蓮」（蓮）の仮名音注「レン」については、基本的に *-en* で対応する。当該字には平声点を差し、右注「同（ハチス）千葉」左注「紅艶」を付載する。廣韻に拠れば、先韻（len^1）獮韻（lian^2）二音を有する。観智院本類聚名義抄に同音字注「音連」と声調表記「又去声」を見出すが、仮名音注はない。元和本倭名類聚抄に同音字注「音連」がある。

　　蓮華 上音連 ハチス［上上□］ノミ ハチス［上上上］… 又去声

　　　　　　　　　　　　　　　　　　　　　　　　　　　（観智院本類聚名義抄／僧上 004-7）

　　蓮 ハチスノミ　　　　　　　　　　　　　　　　　（観智院本類聚名義抄／佛上 061-5）

　　蓮 爾雅云其子蓮 音連 …　　　　　　　　　　　　（元和本倭名類聚抄／巻二十 18 オ 8）

554 3．仮名音注の韻母別考察 3-3 Ⅳ韻類

《下巻 先韻開口諸例》

▶番号3786a「燕」（燕脂）の仮名音注「エン［平平］」については、基本的に *-en* で対応する。当該字には平声点を差し、その仮名音注は平声相当である低平調の差声を施す。廣韻に拠れば、先/霰韻（'en$^{1/3}$）二音を有する。熟字3786「燕脂」は中注「又乍支［平］」左注「舟具」を付載する。観智院本類聚名義抄に同音字注「音宴・又音烟」を見出す。長承本蒙求には仮名音注「エ丶」があり、その掲出字に去声点を加える。日本漢音「エン」去声を認める。

　　　燕 音宴 … ツハクラメ［平平濁□□□］ツ丶ム／又音烟 國名　　（観智院本類聚名義抄／僧上048-3）
　　　燕［去］エ丶　　　　　　　　　　　　　　　　　　　　　　　　（長承本蒙求／011）

▶番号3848a「燕」（燕夢）の仮名音注「エム」については、異例 *-em* を示す。当該字には平声点を差す。舌内撥音韻尾 -n を「ム」で対応する。上述の分析を参照。

▶番号3842a・6683b「煙」（煙郵・絶煙）の仮名音注「エン」については、基本的に *-en* で対応する。両当該字には平声点を差す。当該字「煙」と「烟」は相互に異体字である。熟字3842「煙郵」は左注「郵野也」を付載する。観智院本類聚名義抄に東声点を付した同音字注「音燕」と平声点を付した「又因」〔＊諧声符「因」による字音把握か〕および去声相当の上昇調を示す和音「エン」を見出す。日本漢音は東声（四声体系では平声）日本呉音「エン」去声を認める。

　　　烟熅 无氣也 上音燕［東］又因［平］カマト … 和エン［平上］　煙 二正
　　　　　　　　　　　　　　　　　　　　　　　　（観智院本類聚名義抄／佛下末039-1）
　　　煙 ケフリ［上上濁□］　　　　　　　　　　（観智院本類聚名義抄／佛下末053-6）

▶番号5858b「煙」（松煙）の仮名音注「エム」については、基本的に *-en* で対応する。当該字に声点はない。舌内撥音韻尾 -n を「ム」で対応する。上述の分析を参照。

▶番号5210a「弦」（弦月）の仮名音注「クエン」については、異例 *-wen* を示す。当該字に声点はない。廣韻に拠れば、その中古音は先韻（ɣen^1）であるから、諧声符「玄」（先韻 ɣuen^1）による字音把握と推測する。熟字5210「弦月」は右注「ユミハリ」を付載する。観智院本類聚名義抄に同音字注「音絃」（先韻 ɣen^1）を見出すが、仮名音注はない。傍証ながら、長承本蒙求は掲出字「絃」に仮名音注「クエン」を付載し平声点を加える。日本漢音は平声を認める。

　　　弦 … ユミツル［平平上濁平］ハル 音絃 ツル［上平］ …　　（観智院本類聚名義抄／僧中025-3）
　　　絃［平］クエ丶　　　　　　　　　　　　　　　　　　　　　　（長承本蒙求／030）

▶番号5190b「肩」（及肩）の仮名音注「ケム」については、異例 *-em* を示す。当該字には上声点を差す。舌内撥音韻尾 -n を「ム」で対応する。上巻の先韻当該例で分析した。

▶番号4084a・6029a「牽」（牽牛子・牽牛）の仮名音注「ケン」については、基本的に *-en* で対応する。両当該字には平声点を差す。熟字4084「牽牛子」は右注「アサカホ」を付載する。上巻

の先韻当該例で分析したように、日本呉音「ケン」を認める。

　　　牽牛子　陶隱居本草注云牽牛子 和名阿佐加保 …　　　　（元和本倭名類聚抄／巻二十 05 ウ 4）

　▶番号 6545a「淺」（浅香）の仮名音注「セン」については、基本的に -en で対応する。当該字には平声点を差す。廣韻に拠れば、先韻 (tsenˈ) 獮韻 (tsʻianˤ) 二音を有する。熟字 6545「浅香」は右注「センカウ 薬名」左注「栴檀之枯也」を付載する。観智院本類聚名義抄に反切「千善反」（その反切下字に上声点）と「又平声」および和音「セム」を見出す。日本漢音は平／上声、日本呉音「セン」を認める。

　　　淺　千善 [□上] 反 アサシ [上上□] ／又平声 和セム　　　（観智院本類聚名義抄／法上 007-2）

　▶番号 5443「韀」の仮名音注「セン」については、基本的に -en で対応する。当該字には平声点を差し、右注「シタクラ」左注「鞍下藉也韀イ本」を付載する。観智院本類聚名義抄に反切「祖賢反・則前反」を見出すが、仮名音注はない。元和本倭名類聚抄には反切「則前反」がある。

　　　韀 … 祖賢／反 シタクラ　　　　　　　　　　　　　　　（観智院本類聚名義抄／僧中 077-6）

　　　韀　則前反／シタクラ [上上上濁上]　　　　　　　　　　（観智院本類聚名義抄／僧中 077-6）

　　　韀 … 唐韻云韀 則前反和名之大久良 鞍韀也　　　　　　　（元和本倭名類聚抄／巻十五 01 禹 9）

　▶番号 6552「千」（千）の仮名音注「セン」については、基本的に -en で対応する。当該字に声点はない。観智院本類聚名義抄に反切「倉先反」を見出す。長承本蒙求には仮名音注「セ〻」二例があり、それらを含む三例に東声点を加える。日本漢音「セン」東声（四声体系では平声）を認める。

　　　千　倉先反／チ〻　　　　　　　　　　　　　　　　　　（観智院本類聚名義抄／佛上 082-8）

　　　千 [東] セ〻　　　　　　　　　　　　　　　　　　　　（長承本蒙求／ 081・129）

　　　千 [東]　　　　　　　　　　　　　　　　　　　　　　（長承本蒙求／ 127）

　▶番号 6974「阡」（阡）の仮名音注「セン」については、基本的に -en で対応する。当該字に声点はなく、右注「同（セン）」仮名音注を付載する。観智院本類聚名義抄に平声点と墨筆圏点による去声点を付した同音字注「音千」（その右傍に墨筆で仮名音注「セン」）および去声点を付した和音「チ」（あるいは「千」か）を見出す。特に断らない限り、同書の声点は朱筆である。また、その凡例部分「朱音者正音也墨声者和音也」（篇目 7-6）に従えば、朱墨で正音と和音を分別する傾向がある。日本漢音は平声、日本呉音「セン」去声を認める。

　　　阡　音千 [平・去：墨圏点／セン：墨右傍] ミチ … 和チ [去]　（観智院本類聚名義抄／法中 045-5）

　▶番号 6590a「阡」（阡陌）の仮名音注「セン」については、基本的に -en で対応する。当該字には去声点を差す。上述の分析を参照。

　▶番号 3372a・4607・6682a・6707a「前」（前妻・前・前駈・前途）の仮名音注「セン」については、基本的に -en で対応する。当該諸字四例には平声点を差す。熟字 3372「前妻」は右注「コナミ」左注「又ウハナリ」を、番号 4607「前」は右注「サキ」を付載する。上巻の先韻当該例で分

556　3．仮名音注の韻母別考察　3-3　Ⅳ韻類

析したように、日本呉音「ゼン」を認める。

　▶番号6729b「前」（關前）の仮名音注「セン」については、基本的に *-en* で対応する。当該字には平声濁点を差すので、字音「ゼン」を想定する。上述の分析を参照。

　▶番号4685b「前」（㕙前）の仮名音注「セン」については、基本的に *-en* で対応する。当該字には上声点を差す。上述の分析を参照。

　▶番号6507a「前」（前栽）の仮名音注「セン［平上］」については、基本的に *-en* で対応する。当該字に声点はなく、その仮名音注には去声相当である上昇調の差声を施す。上述の分析を参照。

　▶番号6014b・6362b・6377b「前」（越前・備前・肥前）の仮名音注「セン」については、基本的に *-en* で対応する。当該諸字三例に声点はない。上述の分析を参照。

　▶番号6585a・6638a「先」（先日・先兆）の仮名音注「セン」については、基本的に *-en* で対応する。両当該字には去声点を差す。廣韻に拠れば、先/霰韻 (sen$^{1/3}$) 二音を有する。熟字6585「先日」は右傍「サキノヒ」を、熟字6638「先兆」は右傍「サキノキサシ」を付載する。観智院本類聚名義抄に反切「蘓見反・蘓前反」および和音「是ン」を見出す。同書の和音に掲げる「是」は字音「ゼ」濁音を示す。長承本蒙求には仮名音注「セ丶」があり、その掲出字に東声点を加える。日本漢音「セン」東声（四声体系では平声）日本呉音「ゼン」を認める。

　　　先 蘓見反 蘓前反／サキ［上上］… 和是ン　　　　　（観智院本類聚名義抄／佛下末018-2）

　　　是 コレ／和セ［平濁］　　　　　　　　　　　　（観智院本類聚名義抄／佛中106-1）

　　　先［東］セ丶　　　　　　　　　　　　　　　　　　　　（長承本蒙求／026）

　▶番号6640a「先」（先標）の仮名音注「セン」については、基本的に *-en* で対応する。当該字には去声濁点を差すので、字音「ゼン」を想定する。その中古音が示す頭子音 s-（等韻学の術語で言う歯音清心母）は無声無気歯茎摩擦音であり、日本語のサ行音をもって受容する。当該字「先」は熟字前部に位置し、ザ行音での対応は許容しがたいが、前項のように日本呉音は「ゼン」を認める。観智院本類聚名義抄には和音「是ン」六例を見出す。その中で「先」と「箭」（線韻 tsian^3）以外「善・前・禪・全」四例は濁声母の頭子音である。現行多くの漢和辞典は呉音「ゼン」を掲げない。上述の分析を参照。

　　　箭 … 子賤反 ヤ［平］／和是ン　　　　　　（観智院本類聚名義抄／佛下末018-2）

　　　善 是嬾反 ヨシ … 和是ン［□平］　　　　　（観智院本類聚名義抄／佛中056-4）

　　　前 マヘ［平上］ サキ［上上］… 和是ン　　　（観智院本類聚名義抄／佛下末029-3）

　　　禪 時戰反 ユツル［上上濁平］… 和是ン［□上］　（観智院本類聚名義抄／法下008-5）

　　　全 … 音泉［平］… ヨシ 和是ン［□上］　　　（観智院本類聚名義抄／僧中001-6）

　▶番号6519a「先」（先達）の仮名音注「セン」については、基本的に *-en* で対応する。当該字に声点はない。上述の分析を参照。

　▶番号3347「槙」（槙）の仮名音注「テン」については、基本的に *-en* で対応する。当該字に

声点はなく、右注「同（コスヱ）音顛」左注「木上也」を付載する。先韻（ten¹）軫韻（tśien²）二音を有する。観智院本類聚名義抄に同音字注「音顛・音軫俗」を見出すが、仮名音注はない。

　　　槙　音顛 朴木 コスヱ／音軫俗　　　　　　　　（観智院本類聚名義抄／佛下本106-7）

　▶番号4027a・4794a「顛」（顛倒・造次顛沛）の仮名音注「テン」については、基本的に *-en* で対応する。両当該字には平声点を差す。上巻の先韻当該例で分析したように、日本呉音は去声を認める。

　▶番号4034a「顚」（顚沛）の仮名音注「テン」については、基本的に *-en* で対応する。当該字に声点はない。熟字4034「顚沛」は左注「イ沛」を付載する。上述の分析を参照。

　▶番号3965a・6418a「癲」（癲狂・癲狂）の仮名音注「テン」については、基本的に *-en* で対応する。当該字には平声点を差す。熟字6418「癲狂」は右注「モノクルヒ」を付載する。観智院本類聚名義抄に平声点と去声点を付した同音字注「音天」を見出すが、仮名音注はない。その去声点は平声点に比べ相対的に小さいため、疑義を残す。元和本倭名類聚抄には同音字注「音天」がある。日本漢音は平声を認める。

　　　癇癲　音天［平・去］クルフ … 又音瞋［平／シン：朱右傍］　　（観智院本類聚名義抄／法下118-8）

　　　癲狂　物クルヒ［平平濁上平］　　　　　　　　　（観智院本類聚名義抄／法下119-1）

　　　癲狂　唐令云癲狂 … 癲音天狂訓太布流俗云毛乃久流比 …　（元和本倭名類聚抄／巻三23ウ1）

　▶番号3872・3973a・6231b「天」（天・天性・旻天）の仮名音注「テン」については、基本的に *-en* で対応する。当該諸字三例には平声点を差す。番号3872「天」は左注「他前反」を、熟字6231「旻天」は左注「秋天也」を付載する。上巻の先韻当該諸例で分析したように、日本漢音「テン」東声（四声体系では平声）日本呉音「テン」去声を認める。

　▶番号3885a・6789a「天」（天井・天門冬）の仮名音注「テン」については、基本的に *-en* で対応する。両当該字には去声点を差す。熟字3885「天井」は左注「テンシヤウ俗」を、熟字6789「天門冬」は左注「スマロクサ」右傍「テンモントウ俗」を付載する。上述の分析を参照。

　　　天井　風俗通云殿舎作天井 俗云殿掌 …　　　　　（元和本倭名類聚抄／巻十10ウ6）

　　　天門冬　本草云天門冬 和名須末呂久佐 …　　　　（元和本倭名類聚抄／巻二十04オ3）

　▶番号3893a・3894a・3901a・3906a・4042a・5908b「天」（天狐・天魔・天骨・天冠・天文博士・生天得果）の仮名音注「テン」については、基本的に *-en* で対応する。当該諸字六例に声点はない。熟字3893「天狐」は左注「狗イ木」を付載する。上述の分析を参照。

　▶番号5348b「涎」（㳷涎）の仮名音注「テン」については、基本的に *-en* で対応する。当該字に声点はない。熟字5348「㳷涎」は右注「シタツキ」左注「語不正也」を付載する。観智院本類聚名義抄に平声点を付した同音字注「音天」を見出すが、仮名音注はない。元和本倭名類聚抄には同音字注「天」がある。日本漢音は平声を認める。

　　　㳷　音田 又音灘［平］シタツキ［平平□□］／㳷涎 シタツキ　（観智院本類聚名義抄／佛中025-5）

558　3．仮名音注の韻母別考察　3-3　Ⅳ韻類

　　　　碿 音天［平］シタツキ　　　　　　　　　　　　　（観智院本類聚名義抄／佛中 025-5）
　　　　磹碿 張揖云磹碿 灘天二音之多都岐 舌不正也　　（元和本倭名類聚抄／巻三 20 オ 1）

　▶番号 3899a「田」（田樂）の仮名音注「テン」については、基本的に -en で対応する。当該字
に声点はない。上巻の先韻当該諸例で分析したように、日本漢音「テン」平声、日本呉音「テン」
去声を認める。

　▶番号 4021a・5496「塡」（塡納・塡）の仮名音注「テン」については、基本的に -en で対応
する。両当該字には平声点を差す。熟字 4021「塡納」は右傍「ミチ ヲサム」を付載する。番号 5496
「塡」は和訓「シツム」の同訓異字として位置する。観智院本類聚名義抄に平声点を付した同音字
注「音田・又珎」および和音「傳」（その左注に墨筆で仮名音注「テム」）を見出す。日本漢音は
平声、日本呉音「テン」を認める。

　　　　塡 音田［平］又珎［平］ミツ［平上］… 和云傳［テム：墨左注］… 或眞 陟刃反 星名

　　　　　　　　　　　　　　　　　　　　　　　　　　（観智院本類聚名義抄／法中 048-8）

　▶番号 4971b「年」（舊年）の仮名音注「ネン」については、基本的に -en で対応する。当該字
には平声点を差す。上巻の先韻当該諸例で分析したように、日本呉音「ネン」を認める。

　▶番号 3868b・4939a「邊」（緣邊・邊塞）の仮名音注「ヘン」については、基本的に -en で対
応する。両当該字には平声点を差す。上巻の先韻当該諸例で分析したように、日本漢音「ヘン」東
声（四声体系では平声）日本呉音「ヘン」を認める。

　▶番号 4314「編」（編）の仮名音注「ヘン」については、基本的に -en で対応する。当該字に
は平声点を差す。観智院本類聚名義抄に同音字注「音邊」を見出すが、仮名音注はない。

　　　　編 音邊 アム［平上］／ツラヌ … 又上編　　　（観智院本類聚名義抄／法中 124-7）

　▶番号 4216・4539c「憐」（憐・相夫憐）の仮名音注「レン」については、基本的に -en で対
応する。両当該字には平声点を差す。番号 4216「憐」は和訓「アハレフ」の同訓異字として位置す
る。熟字 4539「相夫憐」は右注「平調」を付載する。上巻の先韻当該例で分析したように、日本漢
音「リン」平声、日本呉音「リン」平声と「レン」を認める。日本漢音「レン」平声の可能性も指
摘しておく。

　　　　平調曲　相夫憐 萬歳樂 … 夜半樂　　　　　　（元和本倭名類聚抄／巻四 15 オ 9）

　▶番号 4372b「憐」（哀憐）の仮名音注「レム」については、異例 -em を示す。その中古音が
示す末子音の舌内撥音韻尾 -n を「ム」で対応する。当該字には平声点を差す。上述の分析を参照。

《上巻 銑韻開口諸例》

　▶番号 0278b・3238b「宴」（遊宴・飮宴）の仮名音注「エン」については、基本的に -en で対
応する。当該字には去声点を差す。廣韻に拠れば、銑/霰韻（’en²/³）二音を有する。観智院本類聚名

義抄に同音字注「音鷰」および和音「或去」を見出すが、仮名音注はない。日本呉音は去声を認める。

  宴 音鷰 アム［平上］シヅカニ … 和或去 （観智院本類聚名義抄／法下 045-7）

  宴 正 （観智院本類聚名義抄／法下 045-8）

▶番号 1453a「蝘」（蝘蜓）の仮名音注「エン」については、基本的に *-en* で対応する。当該字には上声点を差す。熟字 1453「蝘蜓」は右注「トカケ」を付載する。観智院本類聚名義抄に同音字注「偃」を見出すが、仮名音注はない。元和本倭名類聚抄には同音字注「偃」がある。

  蝘蜓 偃珍二音 同訓〔＊トカケ［上上平濁］〕上キモリ （観智院本類聚名義抄／僧下 017-1）

  蝘蜓 兼名苑云蝘蜓 偃殄二音 蜥蜴 析易二音 … （元和本倭名類聚抄／巻十九 17 ウ 9）

▶番号 0436b「蜆」（露蜆）の仮名音注「ケン」については、基本的に *-en* で対応する。当該字には上声点を差す。観智院本類聚名義抄に反切「呼孫反」および低平調と推測する和音「ケム」を見出す。日本呉音「ケン」平声を認める。

  蜆 呼孫反 アラハス［平平上平／□□□ナリ：墨左傍］… 和ケム［□平］

               （観智院本類聚名義抄／佛下本 030-3）

▶番号 1609b「跣」（徒跣）の仮名音注「セン」については、基本的に *-en* で対応する。当該字には上声点を差す。熟字 1609「徒跣」は右傍「スアシ」を付載する。図書寮本類聚名義抄に上声点を付した同音字注「音銑」を見出す。観智院本類聚名義抄に同音字注「音銑」を見つけるが、仮名音注はない。日本漢音は上声を認める。

  跿跣 … 下类云銑［上］音 （図書寮本類聚名義抄／117-1）

  跣 音銑 同訓 ハタシ［上上濁上］／ユク スアシ［平平□］ （観智院本類聚名義抄／法上 076-4）

  徒跣 アシノクヒ フム／ハタシ［上上濁上］ （観智院本類聚名義抄／法上 076-4）

▶番号 0908b「跣」（徒跣）の仮名音注「セン」については、基本的に *-en* で対応する。当該字には平声点を差す。熟字 0908「徒跣」は右注「ハタシ」を付載する。上述の分析を参照。

▶番号 1350a「扁」（扁鵲）の仮名音注「ヘン」については、基本的に *-en* で対応する。当該字には去声点を差す。廣韻に拠れば、銑韻（ben²・pen²）仙韻（p'jian¹）獮韻（bjian²）四音を有する。切韻を撰述して以降の中国語において、上声濁が次第に去声化を起こした状態を、日本漢音では反映する。これは上声を構成する上声軽と上声重とが allotone であり、後者の調値が去声と区別できないことを示すとも言える。観智院本類聚名義抄に同音字注「音編」を見出す。長承本蒙求に仮名音注はないが、その掲出字に東声点と去声点を加える。日本漢音は東/去声（四声体系では平/去声）を認める。

  扁 音編 署扁鵲［或：墨右注］ （観智院本類聚名義抄／法下 093-6）

  扁［東・去］ （長承本蒙求／116）

▶番号 2110b「睌」（流睌）の仮名音注「メン」については、基本的に *-en* で対応する。当該字

560　3．仮名音注の韻母別考察　3-3　Ⅳ韻類

に声点はない。熟字「流眄」は右傍「ナカシメ」を付載する。観智院本類聚名義抄に反切「莫見反」を見出すが、仮名音注はない。

　　　眄 莫見反 カヘリミル … ヨコメ　　　　　　　　　　　（観智院本類聚名義抄／佛中 064-7）

　　　流眄 ナカシメ　　　　　　　　　　　　　　　　　　　（観智院本類聚名義抄／佛中 064-8）

　《下巻 銑韻開口諸例》

　▶番号 3859a「宴」（宴遊）の仮名音注「エン」については、基本的に -en で対応する。当該字には去声点を差す。上巻の銑韻当該例で分析したように、日本呉音は去声を認める。

　▶番号 3770「宴」（宴）の仮名音注「エン［平平］」については、基本的に -en で対応する。当該字には平声点を差し、その仮名音注は平声相当である低平調の差声を示す。また左注「扵甸反」を付載する。上述の分析を参照。

　▶番号 3674b「宴」（後宴）の仮名音注「エン」については、基本的に -en で対応する。当該字に声点はない。上述の分析を参照。

　▶番号 4193a「齗」（齗脣）の仮名音注「ケン」については、基本的に -en で対応する。当該字には上声点を差す。熟字 4193「齗脣」は右注「アイクチ」左注「生善反」〔＊反切上字は「牛」の誤認か〕を付載する。観智院本類聚名義抄に反切「言偃反」を見出すが、仮名音注はない。元和本倭名類聚抄には反切「牛善反」がある。

　　　齗 言偃反 見齒　　　　　　　　　　　　　　　　　　（観智院本類聚名義抄／法上 105-5）

　　　齗脣 説文云齗 牛善反文選云齗脣師説阿比久知 口張齒見也　（元和本倭名類聚抄／巻三 19 ウ 6）

　▶番号 5315a「蜆」（蜆貝）の仮名音注「ケン」については、基本的に -en で対応する。当該字には上声点を差す。廣韻に拠れば、銑韻（xen²・yen²）二音を有する。熟字 5315「蜆貝」は右注「シタミカヒ」左注「又作蠕」を付載する。観智院本類聚名義抄に同音字注「音顕」を見出すが、仮名音注はない。元和本倭名類聚抄には同音字注「音顕」がある。

　　　蜆蠕 音顕／シ、ミカヒ［上上濁上上濁平］タカ　　　　（観智院本類聚名義抄／僧下 026-3）

　　　蜆貝　文字集略云蜆貝 音顕亦作蠕和名之々美加比 似蛤而小黒者也

　　　　　　　　　　　　　　　　　　　　　　　　　　　　（元和本倭名類聚抄／巻十九 13 オ 7）

　▶3597b「洗」（沽洗）の仮名音注「セン」については、基本的に -en で対応する。当該字には去声点を差す。廣韻に拠れば、銑韻（sen²）薺韻（sei²）二音を有する。熟字 3597「沽洗」は右注「三月名」を付載する。観智院本類聚名義抄に和音「セイ・セン」を見出す。日本呉音「セイ・セン」を認める。

　　　洒 蘇礼［平平］反 又音銑／ソク［上□□］…　　　　（観智院本類聚名義抄／法上 003-3）

　　　洗 並正 アラフ スマス［上上上］／和セイ セン …　　（観智院本類聚名義抄／法上 003-4）

3-3-1 -e系の字音的特徴　561

▶番号5594b「典」（常典）の仮名音注「テン」については、基本的に -en で対応する。当該字には上声点を差す。観智院本類聚名義抄に反切「丁殄反」および和音「テン」を見出す。長承本蒙求には同音字注「天」があり、その掲出字に上声点を加える。日本漢音は上声、日本呉音「テン」を認める。また日本漢音「テン」の蓋然性が高い。

　　　典 丁殄反 主也 ノリ／ツカサ … 和テン　　　　　　（観智院本類聚名義抄／佛下末025-1）

　　　典［上］天　　　　　　　　　　　　　　　　　　　　（長承本蒙求／121）

　　　天［東］テゝ　　　　　　　　　　　　　　　　　　　（長承本蒙求／086）

▶番号4041a・4043a・6959b・6965b「典」（典膳・典薬寮・主典・主典代）の仮名音注「テン」については、基本的に -en で対応する。当該諸字四例に声点はない。熟字4041「典膳」は左注「在内膳司」を、熟字6965「主典代」は左注「在院宮」を付載する。上述の分析を参照。

　　　　判官　本朝職員令二方品貟等載 … 内膳曰典膳　　　（元和本倭名類聚抄／巻五04オ4）

　　　　寮　 … 典薬寮 久須里乃豆加佐 …　　　　　　　　（元和本倭名類聚抄／巻五06ウ7）

▶番号4038a「殄」（殄滅）の仮名音注「テン」については、基本的に -en で対応する。当該字には去声濁点を差すので、字音「デン」を想定する。熟字4038「殄滅」は左注「ツキホロフ［上平上上平］」を付載する。観智院本類聚名義抄に上声点を付した同音字注「音蜓」〔＊蜒の誤認か〕（その右傍に朱筆で仮名音注「テン」）および去声濁点を付した「呉音田」と去声点を付した「正殿音」を見出す。後者の呉音注と正音注は大般若経字抄による引用である。承暦本金光明最勝王経音義には仮名音注「テン」三例と平声点を付した同音字注「轉音」（獮／線韻 tiuan[23]）がある。日本漢音「テン」上声、日本呉音「デン」去声「テン」平声を認める。

　　　殄殄 音蜓［上／テン：朱右傍］ホロフ［上上□］… 呉音田［去濁］／正殿、［去］…

　　　　　　　　　　　　　　　　　　　　　　　　　　　（観智院本類聚名義抄／法下132-8）

　　　殄 ホロフ／テン［：右傍］〔＊後筆朱書〕　　　　（承暦本金光明最勝王経音義／07ウ3）

　　　殄 テン［：右傍］〔＊後筆墨書〕　　　　　　　　（承暦本金光明最勝王経音義／09オ3）

　　　殄 テム［：右傍／「ム」消し跡「ン」］〔＊後筆墨書〕（承暦本金光明最勝王経音義／07オ6）

　　　殄［平］轉ゝ　　　　　　　　　　　　　　　　　（承暦本金光明最勝王経音義／05ウ6）

　　　正殿 殄［音田：右傍］没也　　　　　　　　　　　（石山寺一切経蔵本大般若経字抄／07ウ7）

▶番号6137a「牖」（牖襟）の仮名音注「ヘン」については、基本的に -en で対応する。当該字には上声点を差す。熟字6137「牖襟」は左中右注「非米非粥之／義也賣米夕／水者也」を付載する。観智院本類聚名義抄に平声点を付した同音字注「音篇」と上声点を付した同音字注「牖」を見出すが、仮名音注はない。元和本倭名類聚抄に同音字注「牖・音篇・音與篇同」と反切「方典反」がある。日本漢音は平/上声を認める。

　　　牖 音篇［平］ヤイコメ［上□上濁上／□キ［上］□□］／ヒメ　（観智院本類聚名義抄／法下033-6）

　　　牖襟 牖索［上入］二音／ヒメ［平平］　　　　　　（観智院本類聚名義抄／法下033-6）

562　3．仮名音注の韻母別考察　3-3　Ⅳ韻類

糒米　唐韻云糒 糒索二音和名比女或說云非米非粥之義也 賣米多水者也

（元和本倭名類聚抄／巻十六 12 オ 4）

糒米　唐韻云糒 音篇和名夜木古女糒糜之處上声 焼稲爲米也

（元和本倭名類聚抄／巻十六 16 ウ 2）

糒米　唐韻云糒 音與篇同今案俗云焼米夜木古女可用糒米 焼稲爲米也孫愐云糒 方典反 …

（元和本倭名類聚抄／巻十七 03 ウ 1）

▶番号3689b「眄」（顧眄）の仮名音注「メン」については、基本的に -en で対応する。当該字には去声点を差す。熟字3689「顧眄」は右傍「カヘリミル」を付載する。上巻の当該例で分析した。

《上巻 霰韻開口諸例》

▶番号0256b・2123b「見」（意見・利見）の仮名音注「ケン」については、基本的に -en で対応する。両当該字には平声点を差す。観智院本類聚名義抄に反切「居薦反」（その反切下字に去声点）と「戸練反」および低平調と推測する和音「ケム」を見出す。承暦本金光明最勝王経音義には「介丶」があり、その掲出字に平声点を加える。日本漢音は去声、日本呉音「ケン」平声を認める。

見 居薦反［□去］ミル［平上］ミユ［平平］ … 戸練反 アラハル 和ケム［□平］

（観智院本類聚名義抄／佛中 081-1）

見［平］介丶　　　　　　　　　　　　（承暦本金光明最勝王経音義／02 ウ 1）

▶番号1799b「電」（逐電）の仮名音注「テン」については、基本的に -en で対応する。当該字には去声点を差す。観智院本類聚名義抄に去声点を付した同音字注「音甸」（霰韻 den³）および和音「テム」（その右傍に朱筆で濁音「✓」表記）を見出す。元和本倭名類聚抄に反切「堂練反」がある。日本漢音は去声、日本呉音「デン」を認める。

電 音甸［去］イナヒカリ［平平平濁上平］ … 和テム［✓□：朱右傍］

（観智院本類聚名義抄／法下 066-5）

雷公 電等附 兼名苑云 … 電堂練反 和名伊奈比加利 …　　（元和本倭名類聚抄／巻二 02 オ 4）

▶番号0006「電」（電）の仮名音注「テン」については、基本的に -en で対応する。当該字には平声点を差し、右注「イナツルヒ」中注「イナツマ」左注「イナヒカリ」を付載する。上述の分析を参照。

▶番号1419・1717c・1982c「殿」（殿・貞観殿・綾綺殿）の仮名音注「テン」については、基本的に -en で対応する。当該諸字三例に声点はない。番号1419「殿」は右注「トノ」を、熟字「貞観殿」は右傍「ミクシケトノ」を、熟字「綾綺殿」は左注「禁中殿名」を付載する。観智院本類聚名義抄に同音字注「音電」と反切「又丁見反・田見反」および低平調と推測する和音「テム」（その

右傍に朱筆で濁音「✓」表記）を見出す。元和本倭名類聚抄に同音字注「電反」がある。日本呉音「デン」平声を認める。

殿 … 音電／撃也 又丁見反／ホトノ … 和テム［□平／✓□：朱右傍］
(観智院本類聚名義抄／僧中 065-1)

殿 … 田見反 (観智院本類聚名義抄／僧下 112-2)

殿 唐令云殿電反 和名止乃 … (元和本倭名類聚抄／巻十 02 オ 3)

▶番号 1325a・1361a「片」（片雲・片言）の仮名音注「ヘン」については、基本的に -en で対応する。両当該字には去声点を差す。観智院本類聚名義抄に反切「普遍反」および和音「ヘン」を見出す。石山寺一切経蔵本大般若経字抄には漢呉二音相同の同音字注「音變」二例がある。日本呉音「ヘン」を認める。

片 普遍反 刺也 カタハシ … 和ヘン (観智院本類聚名義抄／佛下末 006-8)

板片［音半音變：右傍］上イタ下カタハシ (石山寺一切経蔵本大般若経字抄／12 ウ 6)

片［音變：右傍］ (石山寺一切経蔵本大般若経字抄／22 オ 1)

▶番号 1323a・1323b「片」（片彡・片彡）の仮名音注「ヘン」については、基本的に -en で対応する。両当該字に声点はない。上述の分析を参照。

▶番号 0901b「錬」（百錬）の仮名音注「レン」については、基本的に -en で対応する。当該字には去声点を差す。観智院本類聚名義抄に同音字注「音練」を見出すが、仮名音注はない。承暦本金光明最勝王経音義には同音字注「連音」があり、その掲出字に去声点を加える。日本呉音は去声を認める。

錬 煉二正 音練／ネル［平平］… 刀ノサキ (観智院本類聚名義抄／僧上 132-3)

錬 音練 ネル［平上］… 刀ノサキ (天理大学本最勝王経音義／08 オ 3)

錬 煉二正 音練 カネヽル … (鎮国守国神社本三寶類聚名義抄／下一 43 オ 7)

錬［去］連彡／祢也須 (承暦本金光明最勝王経音義／04 ウ 5)

《下巻 霰韻開口諸例》

▶番号 3779a「鷰」（鷰尾）の仮名音注「エン［平平］」については、基本的に -en で対応する。当該字に声点はなく、その仮名音注は低平調の差声を示す。当該字「鷰」は「燕」と相互に異体字である。熟字 3779「鷰尾」は右注「エンヒ［平平平濁］」仮名音注を付載する。観智院本類聚名義抄に同音字注「音豪・又音烟」と反切「烏見反」を見出す。長承本蒙求には仮名音注「エヽ」二例があり、それらの掲出字に去声点を加える。日本漢音「エン」去声を認める。

燕 音豪 … ツハクラメ［平平濁□□□］… 又音烟 國名 (観智院本類聚名義抄／僧上 048-4)

鷰 ツハクラメ［平平濁□□□］／与上通用 (観智院本類聚名義抄／僧上 048-5)

564　3．仮名音注の韻母別考察　3-3　Ⅳ韻類

　　鷰 烏見反／ツハクラメ［平平濁上上平］　　　　　　　　（観智院本類聚名義抄／僧中130-5）

　　燕 ［去］エ〻　　　　　　　　　　　　　　　　　　　　　（長承本蒙求／011）

　　鷰 ［去］エ〻　　　　　　　　　　　　　　　　　　　　　（長承本蒙求／093）

▶番号 3771「讌」（讌）の仮名音注「エン［平平］」については、基本的に -en で対応する。
当該字に声点はなく、その仮名音注は低平調の差声を示す。当該字は右注「同云―（エン［平平］）
會也」左注「同（抮甸反）」を付載する。図書寮本類聚名義抄に反切「抮薦反」を見出す。観智院本
には反切「抮見反」を見つけるが、仮名音注はない。

　　讌會 广云又／作宴／燕同 抮薦反 讌飲也 …　　　　　　　（図書寮本類聚名義抄／082-3）

　　讌 醼 抮見反 樂也 ウタ サケノミス …　　　　　　　　　（観智院本類聚名義抄／法上056-1）

▶番号 3772「醼」（醼）の仮名音注「エン［平平］」については、基本的に -en で対応する。
当該字に声点はなく、その仮名音注は低平調の差声を示す。当該字は右注「云同上―（エン［平平］）
飲」左注「同（抮甸反）」を付載する。上述の分析を参照。

▶番号 5624b「見」（邪見）の仮名音注「ケン」については、基本的に -en で対応する。当該字
には平声点を差す。上巻の霰韻当該諸例で分析したように、日本漢音は去声、日本呉音「ケン」平
声を認める。

▶番号 4780b・5893c「見」（相見・時〻見）の仮名音注「ケン」については、基本的に -en で
対応する。両当該字に声点はない。上述の分析を参照。

▶番号 3566・6735a「薦」（薦・薦擧）の仮名音注「セン」については、基本的に -en で対応
する。両当該字には去声点を差す。番号 3566「薦」は右注「コモ」左注「作甸反」を付載する。観
智院本類聚名義抄に反切「子電反」および墨点による低平調を示す和音「セン［平平］」を見出す。
元和本倭名類聚抄には反切「作甸反」がある。日本呉音「セン」平声を認める。

　　薦 子電反 コモ［上上］… 和セン［平平：墨点］　　　　　（観智院本類聚名義抄／僧上040-2）

　　薦 唐韻云薦 作甸反和名古毛 席也　　　　　　　　　　　（元和本倭名類聚抄／巻十四18 オ 5）

▶番号 4305「茜」（茜）の仮名音注「サン」については、異例 -an を示す。当該字には去声点
を差し、右注「アカネ」を付載する。仮名の字形相似〔＊七に近似した字形〕による「セン」の誤認で
あろう。観智院本類聚名義抄に音注表記はない。元和本倭名類聚抄に反切「蒨見反」がある。

　　茜 … アカネ［上上□］アケ［上上］　　　　　　　　　　（観智院本類聚名義抄／僧上013-7）

　　茜 兼名苑注云茜 蒨見反和名阿加禰 可以染緋者也　　　　（元和本倭名類聚抄／巻十四10 ウ 5）

▶番号 3880「殿」（殿）の仮名音注「テン」については、基本的に -en で対応する。当該字に
は去声点を差す。上巻の霰韻当該諸例で分析したように、日本呉音「デン」平声を認める。

▶番号 3316c・3317c・3888a「殿」（後凉殿・弘徽殿・殿上）の仮名音注「テン」については、
基本的に -en で対応する。当該諸字三例に声点はない。上述の分析を参照。

▶番号 4111「棟」（棟）の仮名音注「レン」については、基本的に -en で対応する。当該字に

は去声点を差し、右注「アフチ」を付載する。観智院本類聚名義抄に同音字注「音練」を見出すが、仮名音注はない。元和本倭名類聚抄には同音字注「音練」がある。

　　棟 音練 アフチ［上上□］　　　　　　　　　　　（観智院本類聚名義抄／佛下本 085-7）

　　棟　玉篇云棟 音練本草云阿布智 …　　　　　　　（元和本倭名類聚抄／巻二十 30 ウ 1）

《上巻 屑韻開口諸例》

▶番号 2699b「纈」（纈纈）の仮名音注「ケチ」については、基本的に -et で対応する。当該字には入声点を差す。熟字「纈纈」は中注「又乍交纈」左注「結帛為父糸也」を付載する。図書寮本類聚名義抄に同音字注「音頡」（その入声点位置に仮名音注「ケチ」）を見出す。観智院本には反切「古結反」と同音字注「音頡」（その右傍に墨筆で仮名音注「ケチ」）を見つける。同書の凡例部分「朱音者正音也墨声者和音也」（篇目 7-6）に従えば、朱墨で正音と和音を分別する傾向があるので、この墨筆「ケチ」仮名音注は和音と考えたい。日本呉音「ケチ」入声を認める。

　　衆纈 音頡［ケチ：入声点位置］… 川云／讀由波太　　　（図書寮本類聚名義抄／319-1）

　　纈 古結反 錦纈／俗頡　　　　　　　　　　　　　（観智院本類聚名義抄／佛下本 031-6）

　　纈 音頡［ケチ：墨右傍］ユハタ［平□□］　　　　　（観智院本類聚名義抄／法中 121-2）

　　革　說文云革 … 纈読由波太即是夾纈之纈字也 …　　　（元和本倭名類聚抄／巻十五 15 オ 8）

▶番号 0902b「結」（百結）の仮名音注「ケツ」については、基本的に -et で対応する。当該字には入声点を差す。図書寮本類聚名義抄に入声点を付した同音字注「絜音」を見出す。観智院本には入声点を付した同音字注「絜音」を見つける。長承本蒙求には仮名音注「ケツ」二例があり、その掲出字を含む二例に徳声点を加える。承暦本金光明最勝王経音義には仮名音注「ケツ」を見つける。日本漢音「ケツ」徳声（四声体系では入声）日本呉音「ケツ」を認める。

　　結 音絜［入］… ムスホヽル［上上上濁上平／詩：右注］…　（図書寮本類聚名義抄／301-7）

　　結 絜［入］音 ムスフ［上上□／□□ホシ：墨右傍］…　（観智院本類聚名義抄／法中 121-1）

　　結［徳］　　　　　　　　　　　　　　　　　　　　（長承本蒙求／039）

　　結［徳］ケツ　　　　　　　　　　　　　　　　　　（長承本蒙求／073）

　　結 ケツ〔＊後筆墨書〕　　　　　　（承暦本金光明最勝王経音義／10 ウ 2）

▶番号 2675a「結」（結果）の仮名音注「ケツ」については、基本的に -et で対応する。当該字に声点はない。熟字 2675「結果」は右注「カクナハ」を付載する。広辞苑第七版は「ひもを結んだような曲がりくねった形にした、昔の揚げ菓子。材料不明。」と説明する。上述の分析を参照。

　　結果　楊氏漢語抄云結果 形如結緒此間亦有之今案和名加久乃阿和

　　　　　　　　　　　　　　　　　　　　　　　（元和本倭名類聚抄／巻十六 14 ウ 1）

▶番号 2455a「桔」（桔槹）の仮名音注「ケツ」については、基本的に -et で対応する。当該字

566　3．仮名音注の韻母別考察　3-3　Ⅳ韻類

に声点はない。熟字2455「桔橰」は右注「カマツナキ」〔＊カナツマキの誤認〕中注「ハネツルヘ」左注「搆機汲水具」を付載する。観智院本類聚名義抄に同音字注「結」二例と「又音吉」を見出すが、仮名音注はない。元和本倭名類聚抄に同音字注「結」がある。

　　桔梗橰　結高二音／カナツマキ［上上上濁上上］　　　（観智院本類聚名義抄／佛下本103-3）

　　楔橰　音訓同　　　　　　　　　　　　　　　　　　　（観智院本類聚名義抄／佛下本103-4）

　　桔梗　結鯁二音　アリノヒフキ［上上平□平］上又音吉下 …　（観智院本類聚名義抄／佛下本104-2）

　　桔橰　辨色立成云桔橰鐵〔＊←金+截〕索井也結高二音 和加奈豆奈爲

　　　　　　　　　　　　　　　　　　　　　　　　　　（元和本倭名類聚抄／巻一15ウ1）

▶番号2722「鍥」（鍥）の仮名音注「ケツ」については、基本的に -et で対応する。当該字に声点はなく、右注「同（カマ［平上］）」を付載する。観智院本類聚名義抄に同音字注「音結」を見出すが、仮名音注はない。元和本倭名類聚抄には同音字注「音結」がある。

　　鍥 … カマ［平上］／音結　　　　　　　　　　　　　（観智院本類聚名義抄／僧上128-7）

　　鎌　兼名苑云鎌 音廉 一名鍥 音結和名加末 …　　　　（元和本倭名類聚抄／巻十五09ウ9）

▶番号2565a「䗃」（䗃髪虫）の仮名音注「ケツ」については、基本的に -et で対応する。当該字には入声点を差す。熟字2565「䗃髪虫」は右注「同（カミキリムシ）」を付載する。観智院本類聚名義抄に反切「五結反」および和音「ケチ」を見出す。日本呉音「ケチ」を認める。

　　䗃 五結反 クフ カム［平上］／クラフ 和ケチ　　　　（観智院本類聚名義抄／法上104-2）

　　䗃髪虫　玉篇云蠪 相亮反漢語抄云加美木里無之 䗃髪虫也（元和本倭名類聚抄／巻十九20オ2）

▶番号0311b「截」（有截）の仮名音注「セチ」については、基本的に -et で対応する。当該字には入声点を差す。廣韻に拠れば、その中古音は歯音濁従母屑韻（dzet）である。観智院本類聚名義抄に反切「前結反」および「呉音説」を見出す。長承本蒙求に仮名音注「テツ／サツ」があり、その掲出字に徳声点〔＊存疑／濁声母は入声〕を加える。その仮名音注は平安時代院政初期である長承三年（1134）に加点された墨筆（例示で両音形ある場合は右側）を中心とするが、平安時代中期と推定する古い朱筆（両音形ある場合は左側）の加点もある。同書が掲げる仮名音注「テツ」は「或」（定母屑韻 det）との混同による字音把握か。承暦本金光明最勝王経音義には同音字注「説音」があり、その掲出字に入声点を加える。日本呉音は入声を認める。

　　截 昨結反 斷四　　　　　　　（王仁昫刊謬補缺切韻／入声第十四従母屑韻 dzet）

　　䟾 廣雅云盛也斷也或作截餘㑃此 昨結切七　　　　　　（宋本廣韻／従母屑韻 dzet）

　　截 … 前結反／ワタル［上上平］… 呉音説 ワタル　　（観智院本類聚名義抄／僧中041-7）

　　截［徳］テツ／サツ〔＊存疑〕　　　　　　　　　　　（長承本蒙求／069）

　　截［入］説ミ／伎流［平上］　　　　（承暦本金光明最勝王経音義／05オ2）

▶番号1862b「節」（忠節）の仮名音注「セチ」については、基本的に -et で対応する。当該字には入声点を差す。観智院本類聚名義抄に入声点を付した同音字注「音切」を見出すが、仮名音注

はない。長承本蒙求が掲げる掲出字「節」には徳声点を加える。元和本倭名類聚抄には同音字注「音切」がある。日本漢音は徳声（四声体系では入声）を認める。

　　　節 俗莭 音切［入］／フシ［平平］カキル　　　　　　　（観智院本類聚名義抄／僧上 077-6）

　　　節［徳］　　　　　　　　　　　　　　　　　　　　　　　（長承本蒙求／068）

　　　節 野王案節 音切和名布之 竹中隔而不通者也　　　　　（元和本倭名類聚抄／巻二十 21 ウ 9）

　▶番号 2607「𥶡」（𥶡）の仮名音注「セツ」については、基本的に -et で対応する。当該字には入声点を差し、右注「同（カタネ）」を付載する。観智院本類聚名義抄に同音字注「音節」を見出すが、仮名音注はない。元和本倭名類聚抄には反切「音子結反」がある。

　　　𥶡 音節 カタネ［上上上］　　　　　　　　　　　　　　（観智院本類聚名義抄／法下 120-6）

　　　𥶡　病源論云㿃𥶡 音子結反字亦作癋和名賀太禰 血結聚所生也

　　　　　　　　　　　　　　　　　　　　　　　　　　　　　（元和本倭名類聚抄／巻三 25 オ 9）

　▶番号 1113「爇」（爇）の仮名音注「セツ」については、基本的に -et で対応する。当該字には入声点を差し、右注「ホソクツ［平平平上］」左注「燭余灰也」を付載する。観智院本類聚名義抄に反切「即栗反」と同音字注「又即音」を見出すが、仮名音注はない。元和本倭名類聚抄には反切「子結反」がある。

　　　爇 即栗反 又即／音 ホソクツ　　　　　　　　　　　　（観智院本類聚名義抄／佛下末 048-8）

　　　爇 四聲字苑云爇 子結反和名保曾久豆 燭餘炭也　　　　（元和本倭名類聚抄／巻十二 13 オ 9）

　▶番号 0335b「切」（一切）の仮名音注「セツ」については、基本的に -et で対応する。当該字には入声点を差す。観智院本類聚名義抄に同音字注「音竊・又音砌」を見出すが、仮名音注はない。

　　　切 … 音竊 ニハカニ … 又音砌 キル［平上］…　　　　（観智院本類聚名義抄／僧上 093-4）

　▶番号 3042b「竊」（強竊）の仮名音注「セツ」については、基本的に -et で対応する。当該字には入声点を差す。観智院本類聚名義抄に同音字注「音切」を見出す。長承本蒙求には仮名音注「セツ」があり、その掲出字に徳声点を加える。日本漢音「セツ」徳声（四声体系では入声）を認める。

　　　竊 音切 … ヒソカニ ヌスミ　　　　　　　　　　　　　（観智院本類聚名義抄／法下 063-4）

　　　竊［徳］セツ　　　　　　　　　　　　　　　　　　　　（長承本蒙求／106）

　▶番号 2235a「姪」（姪男）の仮名音注「テツ」については、基本的に -et で対応する。当該字には入声点を差す。熟字 2235「姪男」は右注「同（ヲヒ）」を付載する。観智院本類聚名義抄に反切「徒結反」（その反切下字に入声）を見出すが、仮名音注はない。承暦本金光明最勝王経音義には同音字注「鐵音」があり、その掲出字に入声点を付載する。元和本倭名類聚抄には反切「徒結反」を見つける。日本漢音は入声、日本呉音は入声を認める。

　　　姪 徒結［□入］反 メヒ／ヲヒ カホヨシ　　　　　　　（観智院本類聚名義抄／佛中 012-8）

　　　姪男 ヲヒ 姪女 メヒ　　　　　　　　　　　　　　　　（観智院本類聚名義抄／佛中 012-8）

　　　姪［入］鐵〔＊←金＋截〕ゞ　　　　　　　　　　　　　（承暦本金光明最勝王経音義／09 ウ 1）

568　3．仮名音注の韻母別考察　3-3　Ⅳ韻類

　　　姪　釋名云兄弟之女爲姪徒結反 … 和名米比　　　　　　　（元和本倭名類聚抄／巻二 16 ウ 2）

　▶番号2564b「蛭」（草蛭）の仮名音注「テツ」については、基本的に -et で対応する。当該字
には入声点を差す。廣韻に拠れば、屑韻 (tet) 質韻 (tiet・tśiet) 三音を有する。熟字2564「草蛭」
は右注「カサヒル」左注「在草上者也」を付載する。観智院本類聚名義抄に同音字注「音質」を見
出すが、仮名音注はない。元和本倭名類聚抄には同音字注「音質」がある。

　　　蛭 音質 ヒル　　　　　　　　　　　　　　　　　　（観智院本類聚名義抄／僧下 028-3）

　　　草蛭 カサヒル［平上平濁平］　　　　　　　　　　　（観智院本類聚名義抄／僧下 028-4）

　　　水蛭　本草云水蛭 音質和名比流　　　　　　　　　（元和本倭名類聚抄／巻十九 23 ウ 4）

　　　草蛭　本草云草蛭 和名加佐比流 蛭之在草上也　　（元和本倭名類聚抄／巻十九 23 ウ 7）

　▶番号2709a「鐵」（鐵落）の仮名音注「テツ」については、基本的に -et で対応する。当該字
には入声点を差す。前田本の当該字形「金+截」を「鐵」に修正する。熟字2709「鐵落」は右注「カ
ナクソ」中注「下字又乍液」左注「カナハタ」を付載する。観智院本類聚名義抄に反切「他結反」
および和音「テチ」を見出す。元和本倭名類聚抄に反切「他結反」がある。日本呉音「テチ」を認
める。

　　　金+截鐵 今正 他結反／クロカネ［平平平濁平］ … 和テチ　（観智院本類聚名義抄／僧上 113-8）

　　　鐵落 クロカネノハタ［平平平濁平平平上濁］一云カナクソ［上上上上］

　　　　　　　　　　　　　　　　　　　　　　　　　　　（観智院本類聚名義抄／僧上 138-6）

　　　鐵液 同訓　　　　　　　　　　　　　　　　　　（観智院本類聚名義抄／僧上 138-7）

　　　銕 … 說文云銕 他結反和名久路加禰此間一訓扁利 …　（元和本倭名類聚抄／巻十一 16 ウ 6）

　　　銕落　本草云銕落一名銕液 和名鐵乃波太一云加奈久曾 …（元和本倭名類聚抄／巻十一 16 ウ 8）

　▶番号1357a・1358a・1360a「蔑」（蔑尒・蔑如・蔑賤）の仮名音注「ヘツ」については、基
本的に -et で対応する。当該諸字三例には入声濁点を差すので、字音「ベツ」を想定する。観智院
本類聚名義抄に反切「莫結反」および和音「メチ」と「ヘチ」（その右傍に朱筆で濁音「✓」表記）
を見出す。同書の凡例部分「朱音者正音也墨声者和音也」（篇目 7-6）に従えば、朱墨で正音と和音
を分別する傾向がある。この「ヘチ」も和音と見做すと、当該字「蔑」については中国語音韻史上
における鼻音声母の非鼻音化（denasalization）が早くから生じ、それを反映した字音ということ
になる。この非鼻音化を反映した字音把握が必ずしも漢音的特徴の保証にはならないことになる。
日本呉音「メチ・ベチ」を認める。

　　　蔑 莫結反 アツマル … 和メチ ヘチ［✓□：朱右傍］　　（観智院本類聚名義抄／僧上 058-8）

　▶番号2562a「蠛」（蠛蠓）の仮名音注「ヘツ」については、基本的に -et で対応する。当該字
には入声濁点を差すので、字音「ベツ」を想定する。熟字2562「蠛蠓」は右注「カツヲムシ」左注
「小虫乱飛也」を付載する。観智院本類聚名義抄に同音字注「音蔑」を見出すが、仮名音注はない。
元和本倭名類聚抄には反切「亡結反」がある。

3-3-1 -e 系の字音的特徴 569

蠛蠓 上音蔑 … 下亡孔［□去］反／蠛蠓 カツラムシ［上上上上平／□□ヲ□□］

（観智院本類聚名義抄／僧下 022-3）

蠛蠓 爾雅集注云蠛蠓 上亡結反下亡孔反漢語抄云加豆乎無之 …

（元和本倭名類聚抄／巻十九 28 ウ 1）

▶番号 1313a「丿」（丿乀）の仮名音注「ヘツ」については、基本的に -et で対応する。当該字に声点はない。熟字 1313「丿乀」は左注「舟二艘皃」を付載する。観智院本類聚名義抄に入声点を付した同音字注「音瞥」を見出すが、仮名音注はない。日本漢音は入声を認める。

丿 音瞥［入］引也 （観智院本類聚名義抄／佛上 082-4）

乀 音拂［入］右戾也／俗又練結也 （観智院本類聚名義抄／佛上 082-4）

《下巻 屑韻開口諸例》

▶番号 4499a「蠍」（蠍蝤）の仮名音注「エツ」については、基本的に -et で対応する。当該字には入声点を差す。熟字 4499「蠍蝤」は右注「サソリ」左注「似蜂細腰也」を付載する。観智院本類聚名義抄に同音字注「悦」を見出すが、仮名音注はない。元和本倭名類聚抄には同音字注「悦」がある。

蠍蝤 悦翁［□平］二音 サワリ［平上上］〔＊サソリの誤認〕 （観智院本類聚名義抄／僧下 016-7）

蠍蝤 爾雅注云蠍蝤 悦翁二音和名佐曾里 似蜂而細腰者也 …

（元和本倭名類聚抄／巻十九 26 オ 1）

▶番号 4509b「噦」（欬噦）の仮名音注「エツ」については、基本的に -et で対応する。当該字には入声点を差す。仮名音注「エツ」は重複して二度記載している。熟語 4509「欬噦」は右注「サクリ」を付載する。観智院本類聚名義抄に反切「燕結反」を見出すが、仮名音注はない。承暦本金光明最勝王経音義には同音字注「悦音」があり、その掲出字に入声点を加える。元和本倭名類聚抄には反切「於越反」がある。日本呉音は入声を認める。

饐 … 噦／今 燕結反 （観智院本類聚名義抄／僧上 107-2）

欬噦 サクリ［平平平］ （観智院本類聚名義抄／佛中 060-1）

噦［入］悦〻 （承暦本金光明最勝王経音義／12 オ 1）

欬噦 唐韻云欬噦 上於越反下乙劣反楊氏漢語抄云欬噦佐久利 …

（元和本倭名類聚抄／巻三 18 ウ 8）

▶番号 4104a・4852a「桔」（桔梗・桔梗）の仮名音注「キツ」については、異例 -it を示す。両当該字には入声点を差す。熟字 4104「桔梗」は右注「アリノヒフキ」を付載する。観智院本類聚名義抄に同音字注「又音吉」を見出すが、これは諧声符「吉」（質韻 kjiet）による字音把握と推測する。上巻の屑韻当該例で分析した。

570　3．仮名音注の韻母別考察　3-3　Ⅳ韻類

桔梗 結鯁二音 アリノヒフキ［上上平□平］上又音吉下 …　　（観智院本類聚名義抄／佛下本104-2）

▶番号5938b「結」（蚰結）の仮名音注「ケチ」については、基本的に -et で対応する。当該字に声点はない。熟字6972「蚰結」は右注「同（シヤケチ）」仮名音注を付載する。上巻の屑韻当該諸例で分析したように、日本漢音「ケツ」徳声（四声体系では入声）を認める。

▶番号5460b「結」（生結香）の仮名音注「ケツ」については、基本的に -et で対応する。当該字に声点はない。生木で香となるものを指す。上述の分析を参照。

▶番号6758c「潔」（清浄潔白）の仮名音注「ケツ」については、基本的に -et で対応する。当該字には入声点を差す。図書寮類聚名義抄に反切「中云古屑反・茲云古屑反」と入声点を付した反切「真云古屑反」を見出す。観智院本には反切「古屑反」と同音字注「音結」を見つける。承暦本金光明最勝王経音義には仮名音注「ケツ」二例と同音字注「音結」があり、後者の掲出字には入声点を加える。日本漢音は入声、日本呉音「ケツ」入声を認める。

充潔 中云古屑反 浄也 …　　　　　　　　　　　　（図書寮類本聚名義抄／060-2）

清潔 茲云古屑／反 赤清也　　　　　　　　　　　（図書寮本類聚名義抄／060-4）

潔 … 真云古屑［□入］反 … イサキヨシ［上上上濁上平／異：右注］

　　　　　　　　　　　　　　　　　　　　　　　（図書寮本類聚名義抄／067-6）

潔 古屑反 清潔／イサキヨシ …　　　　　　　　（観智院本類聚名義抄／法上044-1）

潔 音結 サカル／イサキヨシ［上上□□□］　　　（観智院本類聚名義抄／法中131-5）

潔［入］結〻　　　　　　　　　　　　　　　　（承暦本金光明最勝王経音義／03 ウ 1）

潔 ケツ〔＊後筆墨書〕　　　　　　　　　　　　（承暦本金光明最勝王経音義／08 オ 4）

鮮 セン 潔 ケツ〔＊後筆朱書〕　　　　　　　　（承暦本金光明最勝王経音義／07 オ 2）

▶番号6728b「潔」（清潔）の仮名音注「ケツ」については、基本的に -et で対応する。当該字に声点はない。上述の分析を参照。

▶番号5170b「節」（勤節）の仮名音注「セツ」については、基本的に -et で対応する。当該字には入声点を差す。上巻の屑韻当該例で分析したように、日本漢音は徳声（四声体系では入声）を認める。

▶番号6527「節」（節）の仮名音注「セツ［上上］」については、基本的に -et で対応する。当該字に声点はないが、その仮名音注は徳声相当である上平調を示す。また左注には「子結反」を付載する。上述の分析を参照。

▶番号6484「節」（節）の仮名音注「セチ」については、基本的に -et で対応する。当該字に声点はない。上述の分析を参照。

▶番号3694b「切」（懇切）の仮名音注「セチ」については、基本的に -et で対応する。当該字には入声点を差す。上巻の屑韻当該例で分析した。

▶番号5030b「切」（急切）の仮名音注「セチ」については、基本的に -et で対応する。当該字

に声点はない。上述の分析を参照。

　▶番号6587a・6734a「切」（切髪・切磋）の仮名音注「セツ」については、基本的に *-et* で対応する。両当該字には入声点を差す。熟字6587「切髪」は右傍「キル　カミヲ」を、熟字6734「切磋」は左注「瑩也」付載する。上述の分析を参照。

　▶番号6564「切」（切）の仮名音注「セツ」については、基本的に *-et* で対応する。当該字に声点はなく、右注「セツナリ」仮名音注に断定の助動詞を加えて付載する。上述の分析を参照。

　▶番号3446b・5914b「屑」（金屑・蝼屑）の仮名音注「セツ」については、基本的に *-et* で対応する。両当該字には入声点を差す。熟字3446「金屑」は左右注「コカネノス／リクツ」を、熟字5914「蝼屑」は右注「シタラカ」を付載する。観智院本類聚名義抄に同音字注「音薩」および「呉節」を見出す。後者は大般若経字抄による漢呉二音相同の同音字注「音節」を出典とする。長承本蒙求には仮名音注「セ・セツ」があり、その掲出字に徳声点を加える。日本漢音「セツ」徳声（四声体系では入声）を認める。

　　屑［玉云先結切：墨右傍］音薩　クタク［平平濁□／□□ケ［平］：墨右傍］… 呉節
　　　　　　　　　　　　　　　　　　　　　　　　　　（観智院本類聚名義抄／法下087-7）
　　屑［徳］セ／セツ　　　　　　　　　　　　　　　　（長承本蒙求／060）
　　屑［音節：右傍］クタケ　　　　　　　（石山寺一切経蔵本大般若経字抄／17オ5）

　▶番号6225「埑」（埑）の仮名音注「テチ」については、基本的に *-et* で対応する。当該字には入声点を差し、和訓「ヒハル［上上濁平］」の同訓異字として位置する。観智院本類聚名義抄に反切「徒結反」を見出すが、仮名音注はない。

　　埑　徒結反　塚前闕也／アリツカ［上上□□］　　　（観智院本類聚名義抄／法中067-7）

　▶番号6092b「蛭」（水蛭）の仮名音注「テツ」については、基本的に *-et* で対応する。当該字には入声点を差す。熟字6092「水蛭」は右注「ヒル」を付載する。上巻の屑韻当該例で分析した。

　▶番号3917a「鐵」（鐵精）の仮名音注「テツ［平上］」については、基本的に *-et* で対応する。当該字に声点はなく、その仮名音注に上昇調を示す差声がある。二字複合語による促音化を起こしていたか。前田本の当該字形「金+截」を「鐵」に修正する。熟字3917「鐵精」は右注「テツシヤウ［平上上上上］」仮名音注を付載する。上巻の屑韻当該例で分析したように、日本呉音「テチ」を認める。

　▶5914a「蝼」（蝼屑）の仮名音注「ヘツ」については、基本的に *-et* で対応する。熟字5914「蝼屑」は右注「シタラカ」を付載する。観智院本類聚名義抄に反切「普結反・偏結反」を見出すが、仮名音注はない。

　　蝼　普結反　偏結反／怒　　　　　　　　　　　　（観智院本類聚名義抄／佛中018-4）

572　3．仮名音注の韻母別考察　3-3　Ⅳ韻類

3-3-1-6　-uen/-uet（先/銑/霰/屑韻）

資料篇【表B-05】には先韻（平声）銑韻（上声）屑韻（入声）合口所属の諸例が含まれる。霰韻
（去声）合口には該当例がない。前田本の示す仮名音注は、-wen/-wet で基本的に対応する。異例
-en, -we がある。

《上巻　先韻合口諸例》

▶番号0239b「玄」（幽玄）の仮名音注「クエン」については、基本的に -wen で対応する。当
該字には平声点を差す。観智院本類聚名義抄に同音字注「音懸」を見出す。長承本蒙求には仮名音
注「クエゝ」三例があり、それらの掲出字に平声点を加える。日本漢音「クエン」平声を認める。
　　　玄　音懸 クロシ ハルカナリ ［□□□ニ：墨右傍］ア木ラカニ　　　（観智院本類聚名義抄／法下 042-8）
　　　玄 ［平］ クエゝ　　　　　　　　　　　　　　　　　　　　　　　（長承本蒙求／029・082・094）

《下巻　先韻合口諸例》

▶番号3838a「渕」（渕酔）の仮名音注「エン」については、異例 -en を示す。当該字には平声
点を差す。観智院本類聚名義抄に反切「烏玄反」を見出す。長承本蒙求には仮名音注「エゝ」三例
があり、それらの掲出字に東声点を加える。日本語音韻史上におけるエ列音の音変化により、「ヱ
（we）」と「エ（je）」の混同が起きたことを反映する字音把握か。日本漢音「エン」東声（四声
体系では平声）を認める。
　　　渕　俗欵 フチ／フカシ ［平平上］ ハラ ［平平］　　　　　　　　（観智院本類聚名義抄／法上 013-3）
　　　淵　烏玄反 フチ／フカシ　　　　　　　　　　　　　　　　　　　（観智院本類聚名義抄／法上 013-3）
　　　渕 ［東］ エゝ　　　　　　　　　　　　　　　　　　　　　　　　（長承本蒙求／043・087・127）
▶番号3673b「懸」（後懸）の仮名音注「クエン」については、基本的に -wen で対応する。当
該字には平声点を差す。その中古音が示す頭子音 ɣ-（等韻学の術語で言う喉音濁匣母）は有声軟口
蓋摩擦音であり、日本語のガ行音をもって受容するが、中国語音韻史上における濁音声母の無声化
を反映する場合にはカ行音で対応する。観智院本類聚名義抄に平声朱点と墨筆圏点による去声濁点
を付した同音字注「音玄」を見出す。同書の凡例部分「朱音者正音也墨声者和音也」（篇目 7-6）に
従えば、朱墨で正音と和音を分別する傾向があるので、前者の平声は正音の声調、後者の去声は和
音の声調を示す。長承本蒙求には仮名音注「化ゝ・クエゝ」があり、両掲出字に平声点を加える。
日本漢音「クエン」平声、日本呉音は去声を認める。
　　　懸　音玄 ［平・去濁：墨圏点］ カ丶ル ［平平上］ … カク ［平上］　（観智院本類聚名義抄／法中 099-5）

3-3-1　-e 系の字音的特徴　573

　　懸［平］化〻　　　　　　　　　　　　　　　　　　　　（長承本蒙求／027）

　　懸［平］クエ〻　　　　　　　　　　　　　　　　　　　（長承本蒙求／054）

▶番号 4511a「懸」（懸疣）の仮名音注「クエ」については、異例 -we を示す。当該字には平
声点を差す。熟字 4511「懸疣」は右注「サカリフスヘ」右傍「クエイウ」仮名音注を付載する。撥
音無表記による字音把握か。

　　懸疣　釋名云疣 音尤又音有懸疣佐賀利布須倍　　　　（元和本倭名類聚抄／巻三 26 オ 5）

▶番号 4030b「縣」（酈縣）の仮名音注「クエン」については、基本的に -wen で対応する。当
該字には去声点を差す。廣韻に拠れば、先/霰韻（ɣuen¹³）二音を有する。観智院本類聚名義抄に反
切「黄練反・胡遍反」と去声濁点を付した同音字注「音玄」を見出すが、仮名音注はない。日本漢
音は去声を認める。

　　縣 俗㳄 黄練反／アカタ［平平平］ハルカナリ　　　　（観智院本類聚名義抄／佛下本 021-6）

　　縣 胡遍反／アカタ［平平濁平］音玄［去濁］　　　　　（観智院本類聚名義抄／法中 135-6）

《上巻 銑韻合口諸例》

▶番号 2772a「胃」（胃索）の仮名音注「クエン」については、基本的に -wen で対応する。当
該字には去声点を差す。当該字「胃」と「羂」は相互に異体字である。熟字 2772「胃索」は右注「カ
ケナハ」左注「取馬縄也」を付載する。観智院本類聚名義抄では、同音字注「詃」を見出すが、仮
名音注はない。また異体字「羂」に対して、反切「工縣反」および平声点を付した「呉音券」を見
つける。後者は大般若経字抄による漢呉二音相同の同音字注「音券」を出典とする。傍証ながら、
長承本蒙求は掲出字「券」に対して去声点と仮名音注「クエ〻」付載する。元和本倭名類聚抄には
反切「古縣反」を見つける。

　　胃 俗 音詃 胃罘 カ〻ル［平□□］胃索 カケナハ［平平上平］　　（観智院本類聚名義抄／僧中 010-2）

　　羂 同上 工縣反 カ〻ル［平□□／右傍：□ク□］ナハ サヤ 呉音券［平］…

　　　　　　　　　　　　　　　　　　　　　　　　　　　（観智院本類聚名義抄／僧中 010-3）

　　羂［音券：右傍］カク　　　　　　　　　　　　　　　（石山寺一切経蔵本大般若経字抄／02 オ 1）

　　羂 音券　　　　　　　　　　　　　　　　　　　　　（石山寺一切経蔵本大般若経字抄／02 オ 1）

　　羂［平］奈八／券〻　　　　　　　　　　　　　　　　（承暦本金光明最勝王経音義／05 ウ 2）

　　羂［平］券〻 索［入］尺〻 二字合縄也　　　　　　　（承暦本金光明最勝王経音義／09 ウ 6）

　　券［去］クエ〻　　　　　　　　　　　　　　　　　　（長承本蒙求／129）

　　胃索　辨色立成云胃索 和名加介奈波上音古縣反 取馬縄也

　　　　　　　　　　　　　　　　　　　　　　　　　　　（元和本倭名類聚抄／巻十五 05 オ 5）

574 3．仮名音注の韻母別考察 3-3 Ⅳ韻類

《下巻 銑韻合口諸例》

該当例なし。

《上巻 屑韻合口諸例》

▶番号1049b・1611b「穴」（丹穴・同穴）の仮名音注「クヱツ」については、基本的に -wet で
対応する。両当該字には入声点を差す。観智院本類聚名義抄に和音「化チ」を見出す。なお、同書
で「化」を再検索すると、和音「クヱ」を見つける。長承本蒙求には同音字注「闕反」と仮名音注
「クヱツ」があり、その掲載字に徳声点を加える。日本漢音「クヱツ」徳声（四声体系では入声）
日本呉音「クヱチ」を認める。

　　穴 … アナ［平平］カケタリ … 和化チ　　　　　　　　　　　　（観智院本類聚名義抄／僧中 016-2）
　　化 呼瓜［□平］呼西 翔文［覇本：墨右傍］ヲシウ … 和クヱ　　（観智院本類聚名義抄／佛上 032-5）
　　穴［徳］闕反／クヱツ　　　　　　　　　　　　　　　　　　　　　　　　（長承本蒙求／059）

▶番号1737「血」（血）の仮名音注「クヱツ」については、基本的に -wet で対応する。当該字
には入声点を差し、右注「チ［上］」を付載する。観智院本類聚名義抄に反切「虎穴反」と同音字
注「音決」を見出すが、仮名音注はない。元和本倭名類聚抄には同音字注「決反」がある。

　　血 虎穴反 音決／チ［上］　　　　　　　　　　　　　　　　　（観智院本類聚名義抄／法下 058-5）
　　血脉 野王云血 決反和名知 肉中赤汁也 …　　　　　　　　　（元和本倭名類聚抄／巻三 11 オ 6）

▶番号1377b「決」（弁決）の仮名音注「クヱツ」については、基本的に -wet で対応する。当
該字には入声点を差す。当該字「決」は「决」と相互に異体字である。図書寮本類聚名義抄に同音
字注「广云音穴」と反切「說文胡夬反・又古穴反」を見出す。観智院本には同音字注「音穴」と反
切「古穴反」を見つけるが、仮名音注はない。

　　穿决 广云音穴 說文胡夬反／下流也 又古穴反 …　　　　　　　（図書寮本類聚名義抄／065-2）
　　决 音穴 サクル［平平上］サタム［平平濁□］… 通决字　　　　（観智院本類聚名義抄／法上 045-7）
　　决 古穴反 サクル［平平上］ヤフル サタム［平平濁□］…　　　（観智院本類聚名義抄／法上 020-3）

▶番号0115b・2343a・2590a「缺」（兔缺・缺袴・缺盆骨）の仮名音注「クヱツ」については、
基本的に -wet で対応する。当該諸字三例には入声点を差す。熟字0115「兔缺」は右注「イクチ」
を、熟字2343「缺袴」は左右注「ワキアケノ／ウヱノキヌ」を、熟字2590「缺盆骨」は右注「同
（カタノホネ）」を付載する。観智院本類聚名義抄に反切「苦穴反」と注記「歁声類（歁正類）」
を見出す。同書が掲げる「歁」に和音「化チ［□入］」を見つける。日本呉音「クヱチ」入声の蓋
然性が高い。

　　缺 … 苦穴反／歁声類［左傍：□正□］／カク ワル［上平］　　（観智院本類聚名義抄／僧中 022-7）

缺 苦穴反／ツクス［上上□］カク／ワル　　　　　　　　（天理大学本最勝王経音義／24 ウ 7）

　　蚗 … 苦決反／カク／和化チ［□入：墨点］　　　　　　（観智院本類聚名義抄／僧下 098-4）

　　化 呼瓜 ［□平］呼西 翔文 ［覇本：墨右傍］ヲシウ … 和クヱ　　（観智院本類聚名義抄／佛上 032-5）

《下巻 屑韻合口諸例》

該当例なし。

3-3-1-7　-eŋ/-ek（青/迥/徑/錫韻）

　資料篇【表B-05】には青韻（平声）迥韻（上声）徑韻（去声）錫韻（入声）所属の諸例が含まれる。前田本の示す仮名音注は、-ei/-ek, -jaŭ/-jak で基本的に対応する。異例として、-ik がある。

《上巻 青韻諸例》

　▶番号 2898b「經」（講經）の仮名音注「キヤウ」については、基本的に -jaŭ で対応する。当該字には去声濁点を差すので、日本語音韻史上の連濁による字音「ギヤウ」を想定する。図書寮本類聚名義抄に反切「中云古霊反」（その反切下字に平声点）を見出す。観智院本には反切「古霊反」および和音「キヤウ」を見つける。長承本蒙求には仮名音注「ケイ」があり、それを含む三例の掲出字に東声点を加える。承暦本金光明最勝王経音義には仮名音注「キや✓」があり、その掲出字に去声点を加える。同書における「✓」表記は末子音の喉内撥音韻尾 -ŋ を示す。日本漢音「ケイ」東声（四声体系では平声）日本呉音「キヤウ」去声を認める。

　　經緯 中云古霊 ［□平］反 … ヘタリ［切：右注］…　　　　（図書寮本類聚名義抄／287-4）

　　經 古霊反 ツネニ［平上平］／ノリ［上平］… 和キヤウ　　（観智院本類聚名義抄／法中 111-2）

　　経 ［東］　　　　　　　　　　　　　　　　　　　　　　（長承本蒙求／049・056）

　　経 ［東］ケイ　　　　　　　　　　　　　　　　　　　　（長承本蒙求／115）

　　経 ［去］キや✓　　　　　　　　　　　　　　　（承暦本金光明最勝王経音義／02 オ 5）

　▶番号 1581b「経」（讀経）の仮名音注「キヤウ」については、基本的に -jaŭ で対応する。当該字には上声点を差す。上述の分析を参照。

　▶番号 1802b「形」（地形）の仮名音注「キヤウ」については、基本的に -jaŭ で対応する。当該字には上声濁点を差すので、字音「ギヤウ」を想定する。その中古音が示す頭子音 ɣ-（等韻学の術語で言う喉音濁匣母）は有声軟口蓋摩擦音であり、日本語のガ行音をもって受容するが、中国語音韻史上における濁音声母の無声化を反映する場合にはカ行音で対応する。観智院本類聚名義抄に

576　3．仮名音注の韻母別考察　3-3　Ⅳ韻類

平声点を付した同音字注「音刑」および和音「キヤウ」（その右傍に墨筆による濁音「✓」表記と
喉内撥音韻尾「✓」表記）を見出す。その和音「キヤウ」の「ウ」には墨圏点による上声点を差す。
承暦本金光明最勝王経音義には仮名音注「義や✓」（義は濁音を示す／眞韻 ŋie³）があり、その掲
出字に去声濁点を加える。日本漢音は平声、日本呉音「ギヤウ」去声を認める。

　　　形　音刑［平］カタチ［上上□］… 掌也 體也　　　　　　（観智院本類聚名義抄／佛下本031-8）
　　　形　カタチ［上上上］… 和キヤウ［□□上：墨圏点／✓□✓：墨右傍］
　　　　　　　　　　　　　　　　　　　　　　　　　　　　　　（観智院本類聚名義抄／佛下本031-8）
　　　形　［去濁］義や✓　　　　　　　　　　　　　　　　　（承暦本金光明最勝王経音義／02 オ5）
　　　　　次可知濁音借字　　　　　　　　　　　　　　　　　（承暦本金光明最勝王経音義／02 オ1）
　　　我　［平濁］何 義［平濁］疑 具［平濁］求 …　　　　　（承暦本金光明最勝王経音義／02 オ3）

　▶番号0953b「形」（人形）の仮名音注「キヤウ」については、基本的に -jaŭ で対応する。当
該字に声点はない。上述の分析を参照。

　▶番号1516「硎」（硎）の仮名音注「ケン」については、異例 -en を示す。これは「研」と誤
認した字音把握か。廣韻に拠れば、青韻（ɣeŋ'）庚韻（k‘aŋ'）二音を有する。当該字には平声点を
差し、右注「同（ト）又トメ」左注「砥石也」を付載する。観智院本類聚名義抄に平声点を付した
同音字注「音刑」を見出す。異体字「坑」に対しては反切「客行反」および上昇調と推測する和音
「キヤウ」を見つける。日本漢音は平声、日本呉音「キヤウ」去声を認める。

　　　硎　或坑字 音刑［平］／又音鏗［カウ：墨右注］トメ［平平］　（観智院本類聚名義抄／法中004-3）
　　　坑　客行反 … 或硎 アナホル［平平平上］／和キヤウ［□□上］　（観智院本類聚名義抄／法中049-6）
　　　砥　兼名苑云砥 音旨 … 細礪石也　　　　　　　　　（元和本倭名類聚抄／巻十五16 ウ8）

　▶番号1022・3180b「星」（星・流星）の仮名音注「シヤウ」については、基本的に -jaŭ で対
応する。両当該字には上声点を差す。番号1022は右傍1022「シヤウ上声俗」中注「ホシ」左注
1023「セイ」を、熟字3180「流星」は左注「ヨハヒホシ」を付載する。観智院本類聚名義抄に反
切「桑経反」および和音「者ウ」を見出す。また同書「醒」には東声点を付した同音字注「星」に
対する左注「シヤウ」を見つける。長承本蒙求には仮名音注「セイ」があり、掲出字に東声点を加
えた二例もある。日本漢音「セイ」東声（四声体系では平声）日本呉音「シヤウ」を認める。

　　　星　桑経反 ホシ／ハル 和者ウ　　　　　　　　　　　（観智院本類聚名義抄／佛中086-3）
　　　醒　桼経反 音／星［東／シヤウ：墨左注］サトル … 和音又平　（観智院本類聚名義抄／僧下058-2）
　　　流星　ヨハヒホシ［平平濁□□□］　　　　　　　　　（観智院本類聚名義抄／佛中086-4）
　　　星　〔＊左上隅欠〕セイ　　　　　　　　　　　　　　（長承本蒙求／025）
　　　星　［東］　　　　　　　　　　　　　　　　　　　　（長承本蒙求／050・061）
　　　流星　兼名苑云流星一名奔星 和名與八比保之　　　　（元和本倭名類聚抄／巻一02 ウ6）

　▶番号0462b・1023「星」（彗星・星）の仮名音注「セイ」については、基本的に -ei で対応す

3-3-1　-e 系の字音的特徴　577

る。両当該字には平声点を差す。熟字 0462「彗星」は右注「ハ丶キホシ」左注「示歳妖星也」を、番号 1023「星」は右傍「シヤウ上声俗」中注「ホシ」左注「セイ」を付載する。上述の分析を参照。

　　彗星　ハ丶キホシ　　　　　　　　　　　　　　（観智院本類聚名義抄／佛中 086-5）

　　彗星　兼名苑云彗星其形如箒篲也音遂又音歳 和名八々木保之

　　　　　　　　　　　　　　　　　　　　　　　（元和本倭名類聚抄／巻一・02 ウ 8）

▶番号 0424b「青」（緑青）の仮名音注「シヤウ」については、基本的に -jaŭ で対応する。当該字に声点はない。観智院本類聚名義抄に反切「且経反」および上昇調と推測する和音「者ウ」（その右傍に墨筆で喉内撥音韻尾「✓」表記）を見出す。長承本蒙求には仮名音注「セイ」と東声点を加えた三例がある。元和本倭名類聚抄には「緑青」に対して「俗云禄省」を見つける。日本漢音「セイ」東声（四声体系では平声）を認める。日本呉音「シヤウ」去声の蓋然性が高い。

　　青　且経反 アヲシ［平平上］／和者ウ［□上／□✓：墨右傍］　（観智院本類聚名義抄／佛中 138-5）

　　緑〔＊下字に青を遺漏か〕俗云禄省　　　　　　（観智院本類聚名義抄／佛中 138-6）

　　青［東］　　　　　　　　　　　　　　　　　（長承本蒙求／014・052・097）

　　青［東］セイ　　　　　　　　　　　　　　　　　　　（長承本蒙求／143）

　　緑青　本草云緑青一名碧青 緑青俗云禄省　　　（元和本倭名類聚抄／巻十三 12 オ 7）

▶番号 2561a「蜻」（蜻蛉）の仮名音注「セイ」については、基本的に -eī で対応する。当該字には平声点を差す。熟字 2561「蜻蛉」は右注「カケロフ」左注「又乍上字蜩」を付載する。観智院本類聚名義抄に同音字注「精」二例と「上又浄清二音」を見出すが、仮名音注はない。元和本倭名類聚抄には同音字注「精」がある。

　　蜻蛉　精霊二音 上又浄清二音／下カケロフ ハヘ 蛾也　　　（観智院本類聚名義抄／僧下 020-2）

　　蜻蜊　精列二音／コホロキ［平平上上濁］　　　（観智院本類聚名義抄／僧下 020-3）

　　蝍蛉　上音即 子結反／カケロフ　　　　　　　　（観智院本類聚名義抄／僧下 027-7）

　　蜻蛉　本草云蜻蛉 精霊二音 … 和名加介呂布 …　（元和本倭名類聚抄／巻十九 18 ウ 3）

▶番号 0505a「亭」（亭歴子）の仮名音注「チヤウ」については、基本的に -jaŭ で対応する。当該字には去声濁点を差すので、字音「ヂヤウ」を想定する。その中古音が示す頭子音 d-（等韻学の術語で言う舌音澄定母）は有声歯茎閉鎖音であり、日本語のダ行音をもって受容するが、中国語音韻史上における濁音声母の無声化を反映する場合はタ行音で対応する。熟字「亭歴子」は右注「ハマタカナ」中注「ハマセリ」左注「又アシナツチ」を付載する。観智院本類聚名義抄に平声点を付した同音字注「音停」を見出すが、仮名音注はない。日本漢音は平声を認める。

　　亭亭　音停［平］タカシ［平平上］… アハラヤ［上上濁上上］　（観智院本類聚名義抄／法下 041-4）

　　亭子　　　　　　　　　　　　　　　　　　　（観智院本類聚名義抄／法下 041-5）

　　亭歴子　本草云亭歴子 和名波末太加奈一云阿之奈豆奈又云波末世里

　　　　　　　　　　　　　　　　　　　　　　　（観智院本類聚名義抄／法下 041-5）

578　3．仮名音注の韻母別考察　3-3　Ⅳ韻類

▶番号 1905a・1906a「停」（停止・停癈）の仮名音注「チヤウ」については、基本的に -jaǔ で対応する。両当該字には上声点を差す。観智院本類聚名義抄に同音字注「音庭」を見出すが、仮名音注はない。

　　　停僮 … 上音庭 トヽマル［上上濁□□／□□ム□］…　　　　　（観智院本類聚名義抄／佛上 003-7）

▶番号 1821a・1822a「聴」（聴衆・聴聞）の仮名音注「チヤウ」については、基本的に -jaǔ で対応する。両当該字には平声点を差す。廣韻に拠れば、青/徑韻（t'eŋ¹ᐟ³）二音を有する。観智院本類聚名義抄に反切「他定反」（その反切下字に去声点）と平声点を付した同音字注「又音丁」および低平調と推測する和音「チヤウ」（その右傍に墨筆で喉内撥音韻尾「✓」表記）を見出す。日本漢音は平/去声、日本呉音「チヤウ」平声を認める。

　　　聴 他定［□去］反 キク … 又音丁［平］和チヤウ［□□平：墨圏点／□□✓：墨右傍］

　　　　　　　　　　　　　　　　　　　　　　　　（観智院本類聚名義抄／佛中 003-1）

▶番号 1713「廳」（廳）の仮名音注「テイ」については、基本的に -eī で対応する。当該字には平声点を差し、右傍 1713「テイ」右注 1714「チヤウ俗」左注「屋也」を付載する。観智院本類聚名義抄に東声点（平声点か）を付した同音字注「音丁」と平声点を付した「俗音長」を見出すが、仮名音注はない。元和本倭名類聚抄に同音字注「汀反」がある。日本漢音は東声（四声体系では平声）定着久しい字音として平声を認める。

　　　廳 音丁［東］俗音長［平］／マツリフ［上上上上濁］…　　　（観智院本類聚名義抄／法下 105-4）

　　　廳 四聲字苑云廳汀反 萬豆利古止止乃 延廈屋也人衙也　　　（元和本倭名類聚抄／巻十 06 オ 4）

▶番号 1714・1839a「廳」（廳・廳例）の仮名音注「チヤウ」については、基本的に -jaǔ で対応する。両当該字には平声点を差す。単字「廳」は右傍 1713「テイ」右注 1714「チヤウ俗」左注「屋也」を付載する。上述の分析を参照。

▶番号 1973a「廳」（廳官）の仮名音注「チヤウ」については、基本的に -jaǔ で対応する。当該字に声点はなく、左注「在院」を付載する。上述の分析を参照。

▶番号 1974a「庁」（庁守）の仮名音注「チヤウ」については、基本的に -jaǔ で対応する。当該字に声点はない。上述の分析を参照。

▶番号 1778「町」（町）の仮名音注「チヤウ」については、基本的に -jaǔ で対応する。当該字には去声点を差す。観智院本類聚名義抄に反切「他頂反」と同音字注「音鼎」を見出すが、仮名音注はない。元和本倭名類聚抄には反切「他丁反」がある。

　　　町 他頂反 和名マチ 音鼎／ナハテ ナハ ミナハ　　　　（観智院本類聚名義抄／佛中 108-3）

　　　町 蒼頡篇云町他丁反 和名未知 田區也　　　　　　　（元和本倭名類聚抄／巻一 11 ウ 9）

▶番号 1779「挺」（挺）の仮名音注「チヤウ」については、基本的に -jaǔ で対応する。当該字には平声点を差し、右注「チヤウ 俗用延字」左注「墨貟也」を付載する。廣韻に拠れば、舌音濁定母青/迥韻（deŋ¹ᐟ²）二音を有する。切韻を撰述して以降の中国語において、上声濁が次第に去声化

3-3-1 -e 系の字音的特徴　579

を起こした状態を、日本漢音では反映する。これは上声を構成する上声軽と上声重とが allotones
であり、後者の調値が去声と区別できないことを示すとも言える。観智院本類聚名義抄に反切「徒
鼎反」を見出すが、仮名音注はない。俗用「廷」に対しては去声点を付した同音字注「定」（teŋ³・
deŋ³）と同音字注「庭」（deŋ¹）を見つける。日本漢音は去声を認める。

　　挺 徒鼎反 ヌク［上平］…　　　　　　　　　　　（観智院本類聚名義抄／佛下本 059-2）

　　廷 定［去］音 甲也 胡廷也／音庭　　　　　　　（観智院本類聚名義抄／佛上 061-8）

　　荔挺 ムマヒユ　　　　　　　　　　　　　　　　（観智院本類聚名義抄／僧上 010-1）

　▶番号3072b「丁」（綱丁）の仮名音注「チヤウ」については、基本的に -jaū で対応する。当
該字には平声点を差す。観智院本類聚名義抄に反切「當経反」（その反切下字に平声点）を見出す。
長承本蒙求には仮名音注「テイ」があり、それを含む掲出字二例に東声点を加える。日本漢音「テ
イ」東声（四声体系では平声）を認める。

　　丁 當経［□平］反 ヒノト［平平上］…　　　　　（観智院本類聚名義抄／佛上 076-3）

　　丁［東］テイ　　　　　　　　　　　　　　　　　（長承本蒙求／026）

　　丁［東］　　　　　　　　　　　　　　　　　　　（長承本蒙求／054・104）

　▶番号3199「丁」（丁）の仮名音注「テイ」については、基本的に -eī で対応する。当該字には
平声点を差し、右注「ヨホロ 夫也」左注「仕丁 庖丁等也」を付載する。上述の分析を参照。

　▶番号0842b「丁」（庖丁）の仮名音注「チヤウ」については、基本的に -jaū で対応する。当
該字には上声点を差す。上述の分析を参照。

　▶番号1773a「丁」（丁子）の仮名音注「チヤウ」については、基本的に -jaū で対応する。当
該字には去声点を差す。熟字1773「丁子」は右注「出天竺也」左注「栴檀之實也」を付載する。

　　　丁子香 内典云丁子鬱金婆律膏 七言偈也鬱金見下文　（元和本倭名類聚抄／巻十二 02 オ 4）

　▶番号1743a・3171c「丁」（丁瘡・駕輿丁）の仮名音注「チヤウ」については、基本的に -jaū
で対応する。両当該字に声点はない。熟字1743「丁瘡」は右注「チヤウサウ俗」左注「或本疔疔」
を、熟字3171「駕輿丁」は左注「在近衛」を付載する。上述の分析を参照。

　　疔 女化反 音丁　　　　　　　　　　　　　　　（観智院本類聚名義抄／法下 127-4）

　　疔瘡 丁瘡　　　　　　　　　　　　　　　　　　（観智院本類聚名義抄／法下 128-6）

　　丁瘡 千金方云治丁瘡方云丁 或本丁作疔未詳　　　（元和本倭名類聚抄／巻三 24 ウ 6）

　▶番号0004「霆」（霆）の仮名音注「テイ」については、基本的に -eī で対応する。当該字には
平声点を差し、右注「同（イカツチ）」を付載する。廣韻に拠れば、青/迴韻（deŋ^{1/2}）二音を有す
る。観智院本類聚名義抄に同音字注「定亭挺［去平上］三音」を見出すが、仮名音注はない。日本
漢音は平/上/去声を認める。

　　霆 定亭挺［去平上］三音 霹靂 … イカツチ［上□上濁□］　（観智院本類聚名義抄／法下 067-3）

　　霆 俗 大マ〔＊丁か?〕反 イカツチ …　霆 正　　　（観智院本類聚名義抄／佛上 046-3）

580 3．仮名音注の韻母別考察 3-3 Ⅳ韻類

▶番号 0482・0925・0968a・1087b・1578b「庭」（庭・庭・庭燎・北庭樂・洞庭）の仮名音注「テイ」については、基本的に *-ei* で対応する。当該諸字五例には平声点を差す。番号 0482 は右注「ハ［平濁］」左注「大庭」を、番号 0925「庭」は右注「ニハ」を、熟字 0968「庭燎」は右注「ニハヒ」左注「庭火也」を、熟字 1087「北庭樂」は右注「同（壹越調）」左注「无舞」を付載する。観智院本類聚名義抄に音注を見出せない。元和本倭名類聚抄には反切「定丁反」がある。

　　　庭 ニハ［上上］ナヲシ［平上平］… ハ　　　　　　　（観智院本類聚名義抄／佛上 060-5）

　　　庭燎 ニハヒ［平平□］　　　　　　　　　　　　　　（観智院本類聚名義抄／佛下末 040-8）

　　　庭 考聲切韻云庭 定丁反和名迩波 屋前也　　　　　（元和本倭名類聚抄／巻十 12 ウ 1）

　　　壹越調曲 皇帝破陣樂 大曲 … 北庭樂 …　　　　　（元和本倭名類聚抄／巻四 14 オ 8）

▶番号 1453b「蜓」（蠑蜓）の仮名音注「テイ」については、基本的に *-ei* で対応する。当該字には去声点を差す。廣韻に拠れば、青/迥韻（den$^{1/2}$）銑韻（den^2）三音を有する。熟字 1453「蠑蜓」は右注「トカケ」を付載する。観智院本類聚名義抄に同音字注「殄」（銑韻 den^2）を見出すが、仮名音注はない。元和本倭名類聚抄には同音字注「殄」（銑韻 den^2）がある。

　　　蠑螈 榮原［平平平濁］トカケ［上上平濁］／龍子一名守宮　　（観智院本類聚名義抄／僧下 016-8）

　　　蠑蜓 偃殄二音 同訓〔＊トカケ］上キモリ　　　　　（観智院本類聚名義抄／僧下 017-1）

　　　蠑蜓　兼名苑云蠑蜓 偃殄二音 … 本草云龍子一名守宮 和名止加介 …

　　　　　　　　　　　　　　　　　　　　　　　　　　　（元和本倭名類聚抄／巻十九 17 ウ 9）

▶番号 1305a・2726「瓶」（瓶子・瓶）の仮名音注「ヘイ」については、基本的に *-ei* で対応する。両当該字には平声点を差す。番号 2726 は右注「カメ」左注「又ツルヘ」を付載する。観智院本類聚名義抄に同音字注「音萍」および上昇調と推測する和音「ヒヤウ」（その右傍に朱筆で濁音「✓」表記と喉内撥音韻尾「✓」表記）を見出す。承暦本金光明最勝王経音義には仮名音注「ヒヤウ」がある。元和本倭名類聚抄には反切「薄經反」を見つける。日本呉音「ビヤウ」去声を認める。

　　　瓶 赤跡字 音／萍 カメ［平平］／ツルヘ［上上平濁］／和ヒヤウ［□□上／朱右傍：✓□✓]

　　　　　　　　　　　　　　　　　　　　　　　　　　　（観智院本類聚名義抄／僧中 017-3）

　　　瓶 ヒヤウ〔＊後筆墨書]　　　　　（承暦本金光明最勝王経音義／10 ウ 2）

　　　瓶子 楊氏漢語抄云瓶子 上音薄經反和名加米　　　（元和本倭名類聚抄／巻十六 07 ウ 2）

▶番号 1985a「零」（零陵香）の仮名音注「リヤウ」については、基本的に *-jaü* で対応する。当該字に声点はない。廣韻に拠れば、青/徑韻（len$^{1/3}$）二音を有する。観智院本類聚名義抄に平声点を付した同音字注「音霊」と「又去」および去声点を付した同音字注「呉令」を見出すが、仮名音注はない。この呉音注は大般若経字抄を出典とする漢呉二音相同の同音字注「音令」である。日本漢音は平/去声、日本呉音は去声を認める。

　　　靁零 音霊［平］オツ［平上］又去 ハル［平上］呉令［去］…　（観智院本類聚名義抄／法下 069-8）

　　　零［音令：右傍］ヲツ　　　　　　（石山寺一切経蔵本大般若経字抄／05 オ 1）

3-3-1 -e 系の字音的特徴　581

　　　零陵香　南州異物志云零陵香土人謂爲燕草　　　　　　（元和本倭名類聚抄／巻十二 02 ウ 9）

　▶番号 2143a「零」（零餘子）の仮名音注「レイ」については、基本的に -ei で対応する。当該字には平声点を差す。熟字 2143「零餘子」は右注「陵イ本」中注「ヌカコ」左注「暑預子也」を付載する。上述の分析を参照。

　　　零餘子　拾遺本草云零餘子 和名沼加古 署預子也　　　　　（元和本倭名類聚抄／巻十七 15 オ 1）

　▶番号 2047a「霊」（霊験）の仮名音注「リヤウ」については、基本的に -jaū で対応する。当該字には去声点を差す。観智院本類聚名義抄に上昇調と推測する和音「リヤウ」（その右傍に朱筆で喉内撥音韻尾「✓」表記）を見出す。長承本蒙求には仮名音注「レイ」五例があり、それらの掲出字四例に平声点を加える。同書の仮名音注は平安時代院政初期である長承三年（1134）に加点された墨筆（例示で両音形ある場合は右側）を中心とするが、平安時代中期と推定する古い朱筆（両音形ある場合は左側）の加点もある。元和本倭名類聚抄には反切「郎丁反」を見つける。日本漢音「レイ」平声、日本呉音「リヤウ」去声を認める。

　　　霊霊 … ミタマ［上上上］… 和リヤウ［□□上／□□✓：朱右傍］
　　　　　　　　　　　　　　　　　　　　　　　　　　　（観智院本類聚名義抄／法下 066-2）

　　　霊〔左下隅欠〕レイ／レイ　　　　　　　　　　　　　　　　　　（長承本蒙求／010）

　　　霊［平］レイ　　　　　　　　　　　　　　　（長承本蒙求／039・046・077・094）

　　　靈　四聲字苑云郎丁反日本紀云 美大萬 …　　　　　　（元和本倭名類聚抄／巻二 04 オ 2）

　▶番号 2887b「霊」（含霊）の仮名音注「レイ」については、基本的に -ei で対応する。当該字には去声点を差す。上述の分析を参照。

　▶番号 2561b「蛉」（蜻蛉）の仮名音注「レイ」については、基本的に -ei で対応する。当該字には平声点を差す。熟字 2561「蜻蛉」は右注「カケロフ」左注「又乍上字蜻」を付載する。観智院本類聚名義抄に同音字注「霊」を見出すが、仮名音注はない。元和本倭名類聚抄には同音字注「霊」がある。

　　　蜻蛉 精霊二音 上又浄清二音／下カケロフ ハヘ 蛾也　　　（観智院本類聚名義抄／僧下 020-2）
　　　青蛉 ヒル　　　　　　　　　　　　　　　　　　　　　（観智院本類聚名義抄／僧下 020-3）
　　　蜻蛉　本草云蜻蛉 精霊二音 … 和名加介呂布 …　　　（元和本倭名類聚抄／巻十九 18 ウ 3）

　▶番号 2750a「笭」（笭）の仮名音注「レイ」については、基本的に -ei で対応する。当該字には平声点を差す。熟字 2750「笭箵」は右注「カタミ」を付載する。観智院本類聚名義抄に反切「郎頂反」と同音字注「音霊」二例を見出すが、仮名音注はない。元和本倭名類聚抄には同音字注「音霊」がある。

　　　笭 郎頂反 篝／笭籠 音霊　　　　　　　　　　　　　（観智院本類聚名義抄／僧上 063-2）
　　　笭箵 零青二音／カタミ［上上上］　　　　　　　　　　（観智院本類聚名義抄／僧上 071-7）
　　　笭箵　四聲字苑云笭箵 二音與零青同漢語抄云賀太美 小籠也

582   3．仮名音注の韻母別考察　3-3　Ⅳ韻類

（元和本倭名類聚抄／巻十六09オ7）

▶番号2527a「麢」（麢羊）の仮名音注「レイ」については、基本的に -ei で対応する。当該字には平声点を差す。熟字2527「麢羊」は右注「カマシヽ」を付載する。観智院本類聚名義抄に同音字注「音霊」を見出すが、仮名音注はない。元和本倭名類聚抄に反切「力丁反」がある。

　　　麢 … 音霊／似羊　鹿靈 カマシヽ［平平平平］　　　　（観智院本類聚名義抄／法下111-5）

　　　麢羊 爾雅注云麢羊 力丁反或作羷和名加萬之々 …　　　（元和本倭名類聚抄／巻十八18ウ2）

▶番号2528「羷」（羷）の仮名音注「レイ」については、基本的に -ei で対応する。当該字には平声点を差し、右注「同（カマシヽ）」左注「野羊也」を付載する。当該字「羷」は「麢」と相互に異体字である。上述の分析を参照。

▶番号0944b・1446b「鶺」（鶺鴒・鶺鴒）の仮名音注「レイ」については、基本的に -ei で対応する。両当該字には平声点を差す。熟字0944「鶺鴒」は右注「ニハクナフリ」中注「又トツキヲシヘタ［ト：右傍］リ」左注「又作鷁鶺〔＊部首と諧声符を上下配置〕［セキレイ：右傍］白／似鶯而髙飛／作聲者也」右傍「セキレイ」仮名音注を、熟字1446「鶺鴒」は右注「トツキヲシヘトリ」左注「鴗鶺〔＊部首と諧声符を上下配置〕イ本」右傍「セキレイ」仮名音注を付載する。観智院本類聚名義抄に同音字注「零」を見出すが、仮名音注はない。元和本倭名類聚抄には同音字注「靈」がある。

　　　鶺鴞 或正　鶺鴒鳥名 下トツキヲシヘタリ／ニハクナフリ　　（観智院本類聚名義抄／僧中122-7）

　　　鴞鶺 積零二音 ニハクナフリ［上上上上平濁平］／トツキ［上上上濁］ヲシヘタリ［上上上平濁平］

　　　　　　　　　　　　　　　　　　　　　　　　　　　　　（観智院本類聚名義抄／僧中122-7）

　　　鴞鶺　崔禹錫食經云鴞鶺 積零二音字或作鶺鴒和名爾波久奈布里日本紀私記曰止豆木乎之閇止里 …

　　　　　　〔＊本文「鶺」は部首と諧声符を上下配置〕（元和本倭名類聚抄／巻十八09オ6）

▶番号2727「瓴」（瓴）の仮名音注「レイ」については、基本的に -ei で対応する。当該字には平声点を差し、右注「カメ」左注「又コホス」を付載する。観智院本類聚名義抄に平声点を付した同音字注「音霊」を見出すが、仮名音注はない。日本漢音は平声を認める。

　　　瓴 音霊［平］カメ［平平］／チヽ　　　　　　　　　（観智院本類聚名義抄／僧中017-7）

▶番号3206「齡」（齡）の仮名音注「レイ」については、基本的に -ei で対応する。当該字には平声点を差し、右注「同（ヨハヒ［平平平］）」を付載する。観智院本類聚名義抄に平声点を付した同音字注「音零」を見出すが、仮名音注はない。日本漢音は平声を認める。

　　　齡 音零［平］ヨハヒ［□平平］イフ／或秂　　　　（観智院本類聚名義抄／法上103-7）

《下巻 青韻諸例》

▶番号3718b「形」（虹形）の仮名音注「ケイ」については、基本的に -ei で対応する。当該字には平声点を差す。上巻の青韻当該諸例で分析したように、日本漢音は平声、日本呉音「ギヤウ」

去声を認める。

▶番号5790b「形」（勝形）の仮名音注「ケイ」については、基本的に *-ei* で対応する。当該字に声点はない。上述の分析を参照。

▶番号5070a「形」（形貌）の仮名音注「キヤウ」については、基本的に *-jaū* で対応する。当該字に声点はない。上述の分析を参照。

▶番号5201a「刑」（刑部省）の仮名音注「キヤウ」については、基本的に *-jaū* で対応する。当該字に声点はない。熟字5201「刑部省」は中左注「卿輔丞録大小判事属／省掌史生」を付載する。観智院本類聚名義抄に平声点と去声墨濁点を付した同音字注「形」（その左注に墨筆で仮名音注「キヤウ」）を見出す。同書の凡例部分「朱音者正音也墨声者和音也」（篇目7-6）に従えば、朱墨で正音と和音を分別する傾向がある。承暦本金光明最勝王経音義には同音字注「形音」があり、その掲出字に去声点を加える。日本漢音は平声、日本呉音「ギヤウ」去声を認める。

　　　刑　音形［平／去濁：墨点／キヤウ：墨左注］ノリ …　　　　（観智院本類聚名義抄／僧上092-4）

　　　刑［去］形ミ／打也　　　　　　　　　　　　　　（承暦本金光明最勝王経音義／05 オ5）

▶番号5174a「經」（經暦）の仮名音注「キヤウ」については、基本的に *-jaū* で対応する。当該字には去声点を差す。上巻の青韻当該諸例で分析したように、日本漢音「ケイ」東声（四声体系では平声）日本呉音「キヤウ」去声を認める。

▶番号6602b「經」（説經）の仮名音注「キヤウ」については、基本的に *-jaū* で対応する。当該字には上声点を差す。上述の分析を参照。

▶番号4882a・4926「經」（經師・經）の仮名音注「キヤウ」については、基本的に *-jaū* で対応する。両当該字に声点はない。番号4926「經」は中左注「五經七經十三經／佛經」を付載する。上述の分析を参照。

▶番号4098a・6532a・6551a・6694a・6748a・6749a・6753a・6755a・6757a「青」（青瓜・青海波・青黛・青憤・青洲・青骹・青袍・青蘋・青女）の仮名音注「セイ」については、基本的に *-ei* で対応する。当該諸字九例には平声点を差す。熟字4098「青瓜」は右注「アヲウリ」を、熟字6532「青海波」は右注「盤渉調」を付載する。上巻の青韻当該例で分析したように、日本漢音「セイ」東声（四声体系では平声）を認める。日本呉音「シヤウ」去声の蓋然性が高い。

　　　青瓜　兼名苑云龍蹄一名青登 和名阿乎宇利 …　　　（元和本倭名類聚抄／巻十七12ウ6）

　　　盤渉調曲　蘇合香 大曲俗只云蘇合 青海波 有詠 …　　　（元和本倭名類聚抄／巻四17オ4）

　　　青黛　漢語鈔云青黛　　　　　　　　　　　　（元和本倭名類聚抄／巻十三12オ1）

▶番号6703a「青」（青雲）の仮名音注「セイ」については、基本的に *-ei* で対応する。当該字に声点はない。上述の分析を参照。

▶番号6180b「青」（砒青）の仮名音注「サイ」については、異例 *-ai* を示す。当該字には平声点（縦長に書写する字形ゆえ東声点とも見える位置）を差す。仮名字形の混同による「セイ」の誤

584　3．仮名音注の韻母別考察　3-3　Ⅳ韻類

認か。上述の分析を参照。

　▶番号6201b「青」（白青）の仮名音注「シヤウ」については、基本的に -jaŭ で対応する。当該字には上声点を差す。熟字6201「白青」は左注「繪具也」右傍「ヒヤクシヤウ俗」仮名音注を付載する。上述の分析を参照。

　　　白青　蘇敬本草注云白青一名魚目青形魚目故以名之　（元和本倭名類聚抄／巻十三12 オ5）

　▶番号3572b「青」（金青）の仮名音注「シヤウ」については、基本的に -jaŭ で対応する。当該字には上声濁点を差すので、日本語音韻史上の連濁による字音「ジヤウ」を想定する。熟字3572「金青」は右注「コムシヤウ俗」仮名音注を付載する。定着久しい字音の把握については「俗」表記を加える。上述の分析を参照。

　▶番号3573b・5278a「青」（紺青・青木香）の仮名音注「シヤウ」については、基本的に -jaŭ で対応する。両当該字に声点はない。熟字3573「紺青」は右注「同（コムシヤウ俗）」仮名音注を、熟字5278「青木香」は左注「出天竺也」を付載する。上述の分析を参照。

　　　青木香　南州異物志云青木 俗云象目 出天竺是草根状似甘草

　　　　　　　　　　　　　　　　　　　　（元和本倭名類聚抄／巻十二02 ウ7）

　▶番号4142・4497「鯖」（鯖・鯖）の仮名音注「セイ」については、基本的に -eĭ で対応する。両当該字には平声点を差す。廣韻に拠れば、青韻 (ts‘eŋ¹) 清韻 (tṣieŋ¹) 二音を有する。番号4142「鯖」は右注「アヲサハ」を、番号4497「鯖」は右注「サハ」を付載する。観智院本類聚名義抄に同音字注「音青・又征音・嬰音」を見出すが、仮名音注はない。元和本倭名類聚抄には同音字注「音青」がある。

　　　鯖 音青 アヲサハ［上上上平濁］／サハ［上上濁］… 又征音／嬰音

　　　　　　　　　　　　　　　　　　　　（観智院本類聚名義抄／僧下003-6）

　　　鯖　崔禹錫食經云鯖 音青和名阿乎佐波 …　　　（元和本倭名類聚抄／巻十九05 オ5）

　▶番号3356b・5185b「星」（戴星馬・疑星）の仮名音注「セイ」については、基本的に -eĭ で対応する。両当該字には平声点を差す。熟字3356「戴星馬」は左右注「コヒタヒ／ノウマ」を付載する。上巻の青韻当該諸例で分析したように、日本漢音「セイ」東声（四声体系では平声）日本呉音「シヤウ」を認める。

　　　戴星馬　爾雅注云白顛一名的顙俗呼爲戴星馬 和名宇比太非能無麻

　　　　　　　　　　　　　　　　　　　　（元和本倭名類聚抄／巻十一12 ウ7）

　▶番号4046b「星」（明星）の仮名音注「シヤウ」については、基本的に -jaŭ で対応する。当該字には上声点を差す。熟字4046「明星」は右注「アカホシ」を付載する。上述の分析を参照。

　▶番号4496「鮏」（鮏）の仮名音注「セイ」については、基本的に -eĭ で対応する。当該字に声点はなく、右注「サケ」を付載する。観智院本類聚名義抄に同音字注「音同（星）」を見出すが、仮名音注はない。元和本倭名類聚抄には反切「折青反」がある。

3-3-1　-e 系の字音的特徴　585

　　鮏 音同〔＊星〕サケ 俗用鮏非 又／与上同〔＊鯹〕　　　　（観智院本類聚名義抄／僧下 003-8）

　　鮏 崔禹錫食經云鮏 折青反和名佐介今案俗用鮏字非也 …　（元和本倭名類聚抄／巻十九 06 ウ 4）

　▶番号 5309「猩」（猩）の仮名音注「セイ」については、基本的に -eī で対応する。当該字には平声点を差し、中注「音生又犹能言獣也」左注「好飲酒者也」右傍「セイ」仮名音注を付載する。観智院本類聚名義抄に同音字注「音生」と「又音星」を見出すが、仮名音注はない。元和本倭名類聚抄には同音字注「音星」がある。

　　猩ゝ 音生 獣／能言 又音星　狌 或　　　　　　　　　（観智院本類聚名義抄／佛下本 127-6）

　　猩猩 爾雅云猩猩 音星此間云象掌 能言獣也 …　　　　（元和本倭名類聚抄／巻十八 16 ウ 7）

　▶番号 3972a・4336・5689b「丁」（丁寧・丁・廝丁）の仮名音注「テイ」については、基本的に -eī で対応する。当該諸字三例には平声点を差す。番号 4336「丁」は和訓「アタル」の同訓異字として位置し、右注「丁夏」を付載する。熟字 5689「廝丁」は右傍「トネヲイフナリ」を付載する。上巻の青韻当該諸例で分析したように、日本漢音「テイ」東声（四声体系では平声）を認める。

　▶番号 3858b「丁」（篠丁）の仮名音注「チヤウ」〔＊←チヤク〕については、基本的に -jaū で対応する。当該字には平声点を差す。上述の分析を参照。

　▶番号 6102b「丁」（白丁）の仮名音注「チヤウ」については、基本的に -jaū で対応する。当該字に声点はない。上述の分析を参照。

　▶番号 4800b「仃」（伶仃）の仮名音注「テイ」については、基本的に -eī で対応する。当該字に声点はない。熟字 4800「伶仃」は熟字「伶傳」の左注「仃［テイ：右傍］イ本」として掲げる。観智院本類聚名義抄に音注を見出せない。

　　伶仃 サスラフ［上上上平］　　　　　　　　　　　　　（観智院本類聚名義抄／佛上 015-7）

　　伶傳 … 上音零［レイ：朱右傍］下普丁反／サスラフ［上上□□］和リヤフ［□✓□：墨右傍］

　　　　　　　　　　　　　　　　　　　　　　　　　　　（観智院本類聚名義抄／佛上 015-7）

　▶番号 3939a「亭」（亭午）の仮名音注「テイ」については、基本的に -eī で対応する。当該字には平声点を差す。熟字 3939「亭午」は右傍「ウマニトヽマル」を付載する。上巻の青韻当該例で分析したように、日本漢音は平声を認める。

　▶番号 3883「亭」（亭）の仮名音注「テイ［平平］」については、基本的に -eī で対応する。当該字には東声点を差すが、当該字形は縦長に筆写しているため、実際には平声点と認めるべきであろう。その中古音は等韻学の術語で言う定母濁青韻四等 (deŋ') であり、六声体系の声調における「濁」は平声に相当する。しかも、当該字には低平調を示す平仮名音注「テイ［平平］」を付載するので、東声ではなく平声に相違ない。上述の分析を参照。

　▶番号 4074「亭」（亭）の仮名音注「テイ」については、基本的に -eī で対応する。当該字に声点はなく、右注「アハラヤ」を付載する。上述の分析を参照。

　▶番号 4023a「停」（停滞）の仮名音注「テイ」については、基本的に -eī で対応する。当該字

586　3．仮名音注の韻母別考察　3-3　Ⅳ韻類

には平声点を差す。上巻の青韻当該諸例で分析した。

　▶番号6010b「挺」（越挺）の仮名音注「テイ」については、基本的に *-eī* で対応する。当該字に声点はない。熟字6010「越挺」は右傍「ヌキテタリ」を付載する。上巻の青韻当該例で分析したように、日本漢音は去声を認める。

　▶番号3955b「廷」（朝廷）の仮名音注「テイ」については、基本的に *-eī* で対応する。当該字には去声点を差す。廣韻に拠れば、青/徑韻（deŋ^{1/3}）二音を有する。観智院本類聚名義抄に去声点を付した同音字注「定音」徑韻（teŋ³・deŋ³）と同音字注「音庭」青韻（deŋ¹）を見出すが、仮名音注はない。日本漢音は去声を認める。

　　　廷 定 [去] 音 甲也 胡庭／音庭　　　　　　　　　（観智院本類聚名義抄／佛上 061-8）

　▶番号4898「聴」（聴）の仮名音注「テイ」については、基本的に *-eī* で対応する。当該字には平声点を差し、和訓「キク」の同訓異字として位置する。上巻の青韻当該諸例で分析したように、日本漢音は平/去声、日本呉音「チヤウ」平声を認める。

　▶番号5880b「聴」（視聴）の仮名音注「テイ」については、基本的に *-eī* で対応する。当該字には去声点を差す。上述の分析を参照。

　▶番号4822b「聴」（在聴）の仮名音注「チヤウ」については、基本的に *-jaū* で対応する。当該字に声点はない。上巻の青韻当該諸例で分析したように、日本漢音は東声（四声体系では平声）定着久しい字音として平声を認める。

　▶番号3972b・5964b「寧」（丁寧・永寧坊）の仮名音注「ネイ」については、基本的に *-eī* で対応する。両当該字には平声点を差す。熟字5964「永寧坊」は左右注「四条西／已上坊名」を付載する。観智院本類聚名義抄に反切「奴丁反」（その反切下字に平声点）を見出す。承暦本金光明最勝王経音義には仮名音注「ネイ・ネイ音」がある。日本漢音は平声、日本呉音「ネイ」を認める。

　　　寧 奴丁 [□平] 反 ムシロ ヤスシ [平平□] … カツテ　　（観智院本類聚名義抄／法下 048-4）

　　　丁寧 ネムコロ　　　　　　　　　　　　　　　　　　（観智院本類聚名義抄／法下 048-4）

　　　寧 ネイ [：右傍]〔＊後筆墨書〕　　　　　　　（承暦本金光明最勝王経音義／08 オ 2）

　　　寧 ネイ六 [：右傍]〔＊後筆墨書〕　　　　　　（承暦本金光明最勝王経音義／10 ウ 2）

　▶番号4278b「瓶」（油瓶）の仮名音注「ヒヤウ」については、基本的に *-jaū* で対応する。当該字には上濁声点を差すので、字音「ビヤウ」を想定する。熟字4278「油瓶」は右注「アフラカメ」右傍「ユヒヤウ俗」仮名音注を付載する。上巻の青韻当該諸例で分析したように、日本呉音「ビヤウ」去声を認める。

　　　油　内典云爾時復有諸沙門等手自作食執持油瓶 和名阿不良加米

　　　　　　　　　　　　　　　　　　　　　　　　　（元和本倭名類聚抄／巻十二／14 オ 2）

　▶番号5581b「瓶」（瀉瓶）の仮名音注「ヒヤウ」については、基本的に *-jaū* で対応する。当該字には上声点を差す。上述の分析を参照。

3-3-1 -e系の字音的特徴 587

▶番号4159a「螟」（螟蛉）の仮名音注「メイ」については、基本的に -ei で対応する。当該字に声点はない。熟字4159「螟蛉」は右注「アヲムシ」を付載する。観智院本類聚名義抄に同音字注「音冥・冥」を見出すが、仮名音注はない。元和本倭名類聚抄には同音字注「冥」がある。

 螟 食苗四螟 音冥 苗中子食   （観智院本類聚名義抄／僧下 024-1）

 螟蛉 冥霊二音 アヲムシ［上上上平］／上 ナヘヽムシ   （観智院本類聚名義抄／僧下 023-7）

 螟蛉 毛詩注云螟蛉 冥霊二音和名阿乎無之 蒼虫也   （元和本倭名類聚抄／巻十九／21 ウ 1）

▶番号4159b「蛉」（螟蛉）の仮名音注「レイ」については、基本的に -ei で対応する。当該字に声点はない。熟字4159「螟蛉」は右注「アヲムシ」を付載する。上巻の青韻当該例で分析した。

▶番号4627「伶」（伶）の仮名音注「レイ」については、基本的に -ei で対応する。当該字には平声点を差し、右注「サスラフ」を付載する。観智院本類聚名義抄に同音字注「レイ」（その右傍に朱筆で仮名音注「レイ」）および和音「リヤフ」（その右傍に墨筆で喉内撥音韻尾「✓」表記）を見出す。後者「✓」は「ヤ」の右傍に付載され、疑義を残す。また、喉内撥音韻尾 -ŋ を「フ」で対応することも指摘しておく。日本漢音「レイ」日本呉音「リヤウ」を認める。

 伶俜 … 上音零［レイ：朱右傍］下普丁反／サスラフ［上上□□］和リヤフ［□✓□：墨右傍］

                   （観智院本類聚名義抄／佛上 015-7）

▶番号4897「聆」（聆）の仮名音注「レイ」については、基本的に -ei で対応する。当該字には平声点を差し、和訓「キク」の同訓異字として位置する。観智院本類聚名義抄に反切「力丁反」（その反切下字に平声点）を見出すが、仮名音注はない。日本漢音は平声を認める。

 聆 力丁［入平］反 キク［上平］／トミ、ミ、トシ   （観智院本類聚名義抄／佛中 002-6）

▶番号6036a「囹」（囹圄）の仮名音注「レイ」については、基本的に -ei で対応する。当該字には平声点を差す。熟字6036「囹圄」は右注「同（ヒトヤ）」左傍「ヒトヤ」を付載する。観智院本類聚名義抄に同音字注「音零」と平声点を付した同音字注「霊」および去声点を付した呉音「令」を見出すが、仮名音注はない。その呉音注は大般若経字抄を出典とする漢呉二音相同の同音字注である。日本漢音は平声、日本呉音は去声を認める。

 囹 音零 ヒトシ   （観智院本類聚名義抄／法下 085-4）

 囹圄 霊語［平上濁］二音／人ヤ 呉音令語［去平濁］   （観智院本類聚名義抄／法下 085-4）

 囹圄［令語：右傍 獄也   （石山寺一切経蔵本大般若経字抄／25 オ 7）

▶番号6061・6202a「柃・柃灰」（柃）の仮名音注「レイ」については、基本的に -ei で対応する。両当該字には平声点を差す。番号6061 は右注「ヒサカキ」を、熟字6202「柃灰」は右注「ヒサカキノハヒ」を付載する。観智院本類聚名義抄に平声点を付した同音字注「零」を見出すが、仮名音注はない。元和本倭名類聚抄に同音字注「音零・一音令」がある。日本漢音は平声を認める。

 柃 零領［平上］二音／ヒサカキ   （観智院本類聚名義抄／佛下本 091-2）

 柃 玉篇云柃 音零一音令漢語抄比佐加木 似荊可作染灰者也

588　3．仮名音注の韻母別考察　3-3　Ⅳ韻類

（元和本倭名類聚抄／巻二十30 オ2）

▶番号6855「鈴」（鈴）の仮名音注「レイ」については、基本的に -eī で対応する。当該字には平声点を差し、右注「ス彡」中注「郎丁反」左注「鈴子」を付載する。観智院本類聚名義抄に平声点を付した同音字注「音霊」（その左注に墨筆で仮名音注「リヤウ」）および上平調を示す仮名音注「俗云レイ」を見出す。同書の凡例部分「朱音者正音也墨声者和音也」（篇目7-6）に従えば、朱墨で正音と和音を分別する傾向があるので、仮名音注「リヤウ」は和音と推測する。承暦本金光明最勝王経音義には同音字注「令音」（その掲出字に去声点）と仮名音注「レイ」がある。日本漢音は平声、日本呉音「リヤウ・レイ」去声、定着久しい字音「レイ［上上］」上声を認める。

　　　鈴 音霊［平／リヤウ：墨左注］ス彡、［上上濁］… 俗云レイ［上上］

（観智院本類聚名義抄／僧上118-3）

　　　鈴［去］令彡　　　　　　　　　　　（承暦本金光明最勝王経音義／09 ウ4）

　　　鈴 レイ〔＊後筆墨書〕　　　　　　　（承暦本金光明最勝王経音義／09 ウ1）

《上巻 迴韻諸例》

▶番号1921a「打」（打球）の仮名音注「チヤウ」については、基本的に -jaū で対応する。当該字には上声点を差す。観智院本類聚名義抄に平声点と上声点を付した同音字注「頂」と仮名音注「チヤウ」（その右傍に墨筆で喉内撥音韻尾 -ŋ「✓」表記）を見出す。同音字注の直後に仮名音注を続けて注記することは稀な措置であり、和音・俗音の表記はない。日本漢音は平/上声、字音「チヤウ」を認める。

　　　打 徳冷反又／都行反／擊一　　　　　（王仁昫刊謬補缺切韻／端母梗韻 taŋ²）

　　　打 擊也 徳冷切／又都挺切一　　　　　（廣韻／端母梗韻 taŋ²）

　　　打 音頂［平・上］チヤウ［□□✓：墨右傍］ウツ［平上］　（観智院本類聚名義抄／佛下本077-4）

▶番号0390c「頂」（己灌頂）の仮名音注「チヤウ」については、基本的に -jaū で対応する。当該字には上声濁点を差すので、日本語音韻史上の連濁による字音「ヂヤウ」を想定する。観智院本類聚名義抄に同音字注「丁寧之上声」および低平調と推測する和音「キヤウ」（その右傍に墨書で喉内撥音韻尾「✓」表記）を見出す。この和音は仮名の字形相似による「チヤウ」の誤認であろう。日本漢音は上声、日本呉音「チヤウ」平声を認める。

　　　頂顙 丁寧之上声 … イタヽキ［上上□□］… 和キヤウ［□□平／□□✓：墨右傍］

（観智院本類聚名義抄／佛下本022-5）

▶番号1817a「頂」（頂戴）の仮名音注「チヤウ」については、基本的に -jaū で対応する。当該字には平声点を差す。上述の分析を参照。

▶番号0110「頂」（頂）の仮名音注「テイ」については、基本的に -eī で対応する。当該字には

上声点を差し、右注「イタヽキ」を付載する。上述の分析を参照。

▶番号0111「顙」（顙）の仮名音注「ネイ」については、基本的に -eĭ で対応する。当該字に声点はなく、右注「同（イタヽキ）」を付載する。観智院本類聚名義抄に同音字注「丁寧之上声」を見出すが、仮名音注はない。元和本倭名類聚抄には同音字注「音寧」がある。

　　頂顙　丁寧之上声 … イタヽキ［上上□□］… 和キヤウ［□□平／□□✓：墨右傍］

（観智院本類聚名義抄／佛下本022-5）

　　頂顙　陸詞曰顙 天反訓伊太々岐 頂也顙 音寧 頭上也　　（元和本倭名類聚抄／巻二.03 オ 1）

《下巻 迴韻諸例》

▶番号4244「鼎」（鼎）の仮名音注「テイ」については、基本的に -eĭ で対応する。当該字には上声点を差し、右注「アシカナヘ」を付載する。観智院本類聚名義抄に同音字注「音頂」を見出す。長承本蒙求には仮名音注「テイ」二例があり、それらの掲出字に上声点を加える。元和本倭名類聚抄には反切「都梃反」と注記「與頂同」を見つける。日本漢音「テイ」上声を認める。

　　鼎 音頂 正斯字 アシカナヘ［平平平濁上平］　　　（観智院本類聚名義抄／佛中078-7）

　　鼎［上］テイ／テイ　　　　　　　　　　　　　　（長承本蒙求／038・071）

　　鼎　説文云鼎 都梃反與頂同和名阿之賀奈倍 三足兩耳和五味之寶器也

（元和本倭名類聚抄／巻十六01 ウ 5）

《上巻 徑韻諸例》

▶番号1109b「磬」（方磬）の仮名音注「キヤウ」については、基本的に -jaŭ で対応する。当該字には平声濁点を差すので、日本語音韻史上の連濁による字音「ギヤウ」を想定する。熟字1109「方磬」は左注「樂器也」右注「ホウキヤウ俗」を付載する。図書寮本類聚名義抄に反切「玉云口定反」を見出す。観智院本には反切「空定反」と俗音として低平調を示す仮名音注「キヤウ」を見つける。元和本倭名類聚抄には反切「苦定反」がある。定着久しい字音「キヤウ」平声を認める。

　　磬 玉云口定反 以石為楽器 和云宇知奈之［平上上上］…　　　（図書寮本類聚名義抄／157-6）

　　磬 空定反 樂器／ツキヌ …　　　　　　　　　　（観智院本類聚名義抄／法中007-7）

　　方磬 俗音 ホウキヤウ［平上平濁平平］　　　　（観智院本類聚名義抄／法中007-7）

　　磬　僧清閑題寺詩云五色雲中鳴玉磬千花臺上禮金佛磬苦定反 和名宇知奈良之 …

（元和本倭名類聚抄／巻十三03 ウ 7）

▶番号0991b・1376b・1823a・2103b・2907b・3026b「定」（人定・弁定・定者・量定・考定・改定）の仮名音注「チヤウ」については、基本的に -jaŭ で対応する。当該諸字六例には平声濁

590　3．仮名音注の韻母別考察　3-3　Ⅳ韻類

点を差すので、字音「ヂヤウ」を想定する。廣韻に拠れば、徑韻（teŋ³・deŋ³）二音を有する。熟字0991「人定」は左注「死時也」を付載する。観智院本類聚名義抄に低平調と推測する和音「チヤウ」を見出す。長承本蒙求には仮名音注「テイ」があり、その掲出字に去声点を加える。日本漢音「テイ」去声、日本呉音「チヤウ」平声を認める。

　　　定 サタム［□平濁上／左傍：□□シ［上］］… 和チヤウ［□□平］

（観智院本類聚名義抄／法下 052-2）

　　　定［去］テイ　　　　　　　　　　　　　　　　　（長承本蒙求／016）

　▶番号3025b「定」（簡定）の仮名音注「チヤウ」については、基本的に -jaū で対応する。当該字には平声点を差す。上述の分析を参照。

　▶番号1978a「定」（定額）の仮名音注「チヤウ」については、基本的に -jaū で対応する。当該字に声点はない。上述の分析を参照。

《下巻 徑韻諸例》

　▶番号5547b「徑」（斜徑）の仮名音注「ケイ」については、基本的に -eī で対応する。当該字には去声点を差す。観智院本類聚名義抄に反切「牛耕牛燕二反」（反切下字「耕」に平声点）および和音「キヤウ」（その「ヤ」右傍に朱筆で「✓」表記があり、濁音と喉内撥音韻尾の両者を示す）を見出す。また、去声点を付した同音字注「正徑」に対して、その右傍に朱筆で仮名音注「ケイ」を見つける。日本漢音「ケイ」去声、日本呉音「ギヤウ」を認める。

　　　徑 牛耕［□平］牛燕二反 スミヤカニ … 和キヤウ［□✓□：朱右傍］

（観智院本類聚名義抄／佛上 023-5）

　　　脛 呉音経［去］正徑［去／ケイ：朱右傍］… ハキ［去平濁］　（観智院本類聚名義抄／佛中 113-5）

　▶番号6317b「定」（必定）の仮名音注「チヤウ」については、基本的に -jaū で対応する。当該字には平声濁点を差すので、字音「ヂヤウ」を想定する。上巻の徑韻当該諸例で分析したように、日本漢音「テイ」去声、日本呉音「チヤウ」平声を認める。

　▶番号 4002b・5101b・6296b「定」（點定・議定・評定）の仮名音注「チヤウ」については、基本的に -jaū で対応する。当該諸字三例には平声点を差す。熟字5101「議定」は右傍「ハカリ サタム」を、熟字6296「評定」は右傍「ハカリ サタム」を付載する。上述の分析を参照。

　▶番号4735b「定」（刪定）の仮名音注「テイ」については、基本的に -eī で対応する。当該字には去声点を差す。熟字 4735「評定」は右傍「ケツリ サタム」を付載する。上述の分析を参照。

　▶番号4024a「定」（定獵）の仮名音注「テイ」については、基本的に -eī で対応する。当該字には平声点を差す。上述の分析を参照。

　▶番号4033b「佞」（諂佞）の仮名音注「ネイ」については、基本的に -eī で対応する。当該字

に声点はない。観智院本類聚名義抄に去声点を付した同音字注「音濘」を見出す。承暦本金光明最勝王経音義には仮名音注「ネイ」二例がある。日本漢音は去声、日本呉音「ネイ」を認める。

　　　佞　音濘 [去] ヘツラフ … イツハル　　　　　　　　　　（観智院本類聚名義抄／佛上 003-5）

　　　佞　ネイ〔＊後筆朱書・墨書を重ね書き〕　　　　　　（承暦本金光明最勝王経音義／05 ウ 3）

　　　佞　ネイ [：右傍]〔＊後筆墨書〕　　　　　　　　　（承暦本金光明最勝王経音義／10 オ 1）

　▶番号 5896b「佞」（指佞草）の仮名音注「ネイ」については、基本的に -ei で対応する。当該字に声点はない。上述の分析を参照。

　《上巻 錫韻諸例》

　▶番号 2568「覡」（覡）の仮名音注「ケキ」については、基本的に -ek で対応する。当該字に入声濁点を差すので、字音「ゲキ」を想定する。また、右注「同（カムナキ）」左注「男覡」を付載する。観智院本類聚名義抄に反切「胡激反」（その反切下字に入声点）と「胡狄切」を見出すが仮名音注はない。日本漢音は入声を認める。

　　　覡　胡激 [□入] 反 カムナキ　　　　　　　　　　　　（観智院本類聚名義抄／佛中 082-4）

　　　覡　正 巫覡男曰巫／胡狄切 女曰覡　　　　　　　　　（観智院本類聚名義抄／佛中 082-4）

　　　巫覡　説文云巫 舞反和名加牟奈岐 祝女也文字集略云覡 乎乃古加牟奈岐 男女也

　　　　　　　　　　　　　　　　　　　　　　　　　　　　（元和本倭名類聚抄／巻二 11 ウ 8）

　▶番号 2237「覡」（覡）の仮名音注「ケキ」については、基本的に -ek で対応する。当該字に入声点を差し、左注「ヲノコカムナキ」を付載する。上述の分析を参照。

　▶番号 2632b・3138b「褐」（襢褐・襢褐）の仮名音注「セキ」については、基本的に -ek で対応する。両当該字に入声点を差す。熟字 2632「襢褐」は右注「已上同（カタヌク）」を、熟字 3138「襢褐」は右注「カタヌク」を付載する。図書寮本類聚名義抄に入声点を付した同音字注「音錫」を見出す。観智院本類聚名義抄に入声点を付した同音字注「音錫」を見出すが、仮名音注はない。日本漢音は入声を認める。

　　　褐　类云錫 [入] 音 … カサヌ [上上平／詩：右注]　　　（図書寮本類聚名義抄／333-6）

　　　褐　音錫 [入] ハタカ [平上濁□]／カタヌク [平平□□] …　（観智院本類聚名義抄／法中 143-1）

　▶番号 3048b「寂」（閑寂）の仮名音注「セキ」については、基本的に -ek で対応する。当該字に入声点を差す。観智院本類聚名義抄に反切「徐的反」および和音「シヤク」を見出す。日本呉音「シヤク」を認める。

　　　寂　徐的反 シツカナリ [□上濁□□□] … 和シヤク　寂　（観智院本類聚名義抄／法下 045-1）

　▶番号 2397b・3222b「笛」（横笛・横笛）の仮名音注「テキ」については、基本的に -ek で対応する。当該字には入声点を差す。熟字 3222「横笛」は右注「ヨコフヘ」を付載する。観智院本類

592　3．仮名音注の韻母別考察　3-3　Ⅳ韻類

聚名義抄に入声点を付した同音字注「音敵」（その右傍に朱筆で仮名音注「テキ」）と仮名音注「チヤク」を見出す。長承本蒙求には仮名音注「テキ」があり、その掲出字に入声点を加える。元和本倭名類聚抄には同音字注「音敵」を見つける。日本漢音「テキ」入声、字音「チヤク」を認める。

　　　笛　音敵［入／テキ：朱右傍］チヤク／フヘ　　　　　　　（観智院本類聚名義抄／僧上080-1）
　　　横笛　ヨコフヘ［上上平濁平］　　　　　　　　　　　　　（観智院本類聚名義抄／僧上080-2）
　　　笛［入］テキ／テキ　　　　　　　　　　　　　　　　　　　　　（長承本蒙求／030）
　　　横笛　律書樂圖云横笛　音敵和名與古布江 …　　　　　（元和本倭名類聚抄／巻四13オ8）

　▶番号2805b「笛」（横笛）の仮名音注「チヤク」については、基本的に -jak で対応する。当該字に入声点を差す。熟字「横笛」は左注「又ヨコフヘ」右注2805「ワウチヤク」右傍2351「クワウチク」を付載する。上述の分析を参照。

　▶番号2351b「笛」（横笛）の仮名音注「チク」については、異例 -ik を示す。当該字に入声点を差す。熟字「横笛」は左注「又ヨコフヘ」右注2805「ワウチヤク」右傍2351「クワウチク」を付載する。右傍の仮名音注は日本漢音による字音把握を示すので、本来は「クワウテキ」を期待する。上述の分析を参照。

　▶番号2569「敵」（敵）の仮名音注「テキ」については、基本的に -ek で対応する。当該字に声点はなく、右注「カタキ」を付載する。観智院本類聚名義抄に同音字注「音狄」および和音「チヤク」を見出す。長承本蒙求には仮名音注「テキ」があり、その掲出字に入声点を加える。承暦本金光明最勝王経音義には仮名音注「チヤク」を見つける。別には同音字注「著音」（その掲出字に入声点）がある。日本漢音「テキ」入声、日本呉音「チヤク」入声を認める。

　　　敵 … アタル カタキ［平平平］… 音狄 和チヤク　　　　　（観智院本類聚名義抄／僧中055-2）
　　　敵［入］テキ／テキ　　　　　　　　　　　　　　　　　　　　　（長承本蒙求／007）
　　　敵 チヤク［：右傍］〔＊後筆墨書〕　　　　　　（承暦本金光明最勝王経音義／07オ6）
　　　敵［入］著彡／可太伎　　　　　　　　　　　　（承暦本金光明最勝王経音義／01ウ2）

　▶番号2827「適」（適）の仮名音注「テキ」については、基本的に -ek で対応する。当該字に声点はなく、和訓「カナフ」の同訓異字として位置する。廣韻に拠れば、錫韻（tek）昔韻（tśiek/śiek）三音を有する。観智院本類聚名義抄に入声点を付した同音字注「音釋」（書母昔韻 śiek）と「又敵音」（端母錫韻 tek）を見出す。長承本蒙求には仮名音注「テキ」があり、その掲出字に德声点を加える。石山寺一切経蔵本大般若経字抄には漢呉二音相同の同音字注「音敵」と「又音尺」を見つける。日本漢音「テキ」德声（四声体系では入声）を認める。

　　　適 音釋［入］ユク［上平］… カナフ … 又敵音 …　　　　（観智院本類聚名義抄／佛上050-5）
　　　適［德］テキ　　　　　　　　　　　　　　　　　　　　　　　　（長承本蒙求／122）
　　　安適［音敵：右傍］定也悦也 又タマヽヽ カナフ 又音尺 …
　　　　　　　　　　　　　　　　　　　　　　　（石山寺一切経蔵本大般若経字抄／01ウ2）

3-3-1　-e 系の字音的特徴　593

▶番号 2812「籊」（籊）の仮名音注「テキ」については、基本的に *-ek* で対応する。当該字に声点はなく、和訓「カフ」の同訓異字として位置する。観智院本類聚名義抄に反切「徒歴反」と同音字注「笛」を見出すが、仮名音注はない。

　　粂 徒歴反 買米／フカシ［平平□］正籊 ヒサク［上上平濁］　　　（観智院本類聚名義抄／法下 033-1）

　　籊糴 笛／カフ　　　　　　　　　　　　　　　　　　　　　　（観智院本類聚名義抄／僧下 109-7）

▶番号 0242b「狄」（夷狄）の仮名音注「テキ」については、基本的に *-ek* で対応する。当該字には入声点を差す。観智院本類聚名義抄に入声点を付した同音字注「音笛」を見出すが、仮名音注はない。日本漢音は入声を認める。

　　狄狄 音笛［入］上俗／下正　狄 音銀 兩犬爭　　　（観智院本類聚名義抄／佛下本 130-8）

▶番号 1251b「狄」（北狄）の仮名音注「テキ」については、基本的に *-ek* で対応する。当該字に声点はない。上述の分析を参照。

▶番号 2440・2868b「壁」（壁・隔壁）の仮名音注「ヘキ」については、基本的に *-ek* で対応する。両当該字には入声点を差す。番号 2440「壁」は右注「カヘ」を付載する。図書寮本類聚名義抄に倭名類聚抄を出典とする同音字注「川云音辟」（徳声点位置に仮名音注「ヘキ」）を見出す。観智院本類聚名義抄には墨圏点による入声濁点を付した同音字注「音辟」（その右注に墨筆で仮名音注「ヘキ」）を見つける。長承本蒙求には仮名音注「ヘキ」があり、その掲出字に徳声点を加える。元和本倭名類聚抄には同音字注「音辟」（昔韻 piek／諧声符「辟」による字音把握）を見つける。日本漢音「ヘキ」徳声（四声体系では入声）を認める。

　　壁 川云音辟［ヘキ：徳声点位置］和云加閇［上上濁］…　　（図書寮本類聚名義抄／法中 218-1）

　　壁 音辟［入濁：墨圏点／ヘキ：墨右注］カヘ［上上濁］…　（観智院本類聚名義抄／法中 049-8）

　　壁［徳］ヘキ　　　　　　　　　　　　　　　　　　　　　（長承本蒙求／003・011・147）

　　壁 隔附 野王案 音辟和加閇 室之屏蔽也 …　　　（元和本倭名類聚抄／巻十 13 才 8）

▶番号 0005a・1324a「霹」（霹靂・霹靂）の仮名音注「ヘキ」については、基本的に *-ek* で対応する。両当該字には入声点を差す。熟字 0005「霹靂」は右注「同（イカツチ）」を付載する。観智院本類聚名義抄に反切「怖狄反」と同音字注「辟」を見出すが、仮名音注はない。承暦本金光明最勝王経音義に同音字注「白音」（陌韻 bak）があり、その掲出字に入声点を加える。元和本倭名類聚抄には同音字注「辟」を見つける。日本呉音は入声を認める。

　　霹 怖狄反 イカツチ／ツクス ヒサク［上平上］　　（観智院本類聚名義抄／法下 066-6）

　　霹靂 辟歴二音／カミオツ［平平平上］…　　　　（観智院本類聚名義抄／法下 066-6）

　　霹［入］白ミ　　　　　　　　　　　　　　　　　（承暦本金光明最勝王経音義／08 ウ 5）

　　雷公 電等附 兼名苑云 … 一云霹靂辟歴二反 …　　（元和本倭名類聚抄／巻二 02 才 6）

▶番号 0945a「鷿」（鷿鵜）の仮名音注「ヘキ」については、基本的に *-ek* で対応する。当該字には入声点を差す。その中古音が示す頭子音 b-（等韻学の術語で言う唇音濁並母）は有声両唇閉鎖

594　3．仮名音注の韻母別考察　3-3　Ⅳ韻類

音であり、日本語のバ行音をもって受容するが、中国語音韻史上における濁音声母の無声化を反映する場合はハ行音で対応する。熟字 0945「鸊鷉」は右注「ニホ」を付載する。観智院本類聚名義抄に同音字注「音辟・僻」（昔韻 piek）を見出すが、仮名音注はない。元和本倭名類聚抄には同音字注「僻」がある。

　　　　鸊 … 音辟　鸊鷉 辟低二／音 ニホ [上平]　　　　　　（観智院本類聚名義抄／僧中 121-6）

　　　　鸊鷉　郭璞方言注云鸊鷉 辟低二音和名迩保 …　　　　（元和本倭名類聚抄／巻十八 11 ウ 6）

　▶番号 0505b「歴」（亭歴子）の仮名音注「リヤク」については、基本的に -jak で対応する。当該字に声点はない。熟字 0505「亭歴子」は右注「ハマタカナ」中注「ハマセリ」左注「又アシナツチ」を付載する。観智院本類聚名義抄に入声点を付した同音字注「音歴」（その右傍に朱筆で仮名音注「レキ」）と反切「郎撃反」および和音「リヤク」を見出す。長承本蒙求には仮名音注「レキ」二例があり、それぞれの掲出字に入声点と徳声点を加える。日本漢音「レキ」徳声（四声体系では入声）日本呉音「リヤク」を認める。

　　　　歴 … 音歴 [入／レキ：朱右傍]／エラフ　　　　　　　（観智院本類聚名義抄／法下 104-2）

　　　　歴歴 郎撃反 アマネシ [平平□□] … 和リヤク　　　　（観智院本類聚名義抄／法下 109-4）

　　　　歴 [入] レキ　　　　　　　　　　　　　　　　　　　（長承本蒙求／016）

　　　　歴 [徳] レキ　　　　　　　　　　　　　　　　　　　（長承本蒙求／082・090）

　　　　亭歴子　本草云亭歴子 和名波末太加奈一云阿之奈豆奈又云波末世利

　　　　　　　　　　　　　　　　　　　　　　　　　　　　　（元和本倭名類聚抄／巻二十 11 オ 2）

　▶番号 0588a「歴」（歴齒）の仮名音注「レキ」については、基本的に -ek で対応する。当該字に声点はない。熟字 0588「歴齒」は右注「ハワカレ」を付載する。上述の分析を参照。

　　　　歴齒　文選好色賦云歴齒 師説波和賀禮　　　　　　　（元和本倭名類聚抄／巻三 20 オ 5）

　▶番号 0005b・1324b「靂」（霹靂・霹靂）の仮名音注「レキ」については、基本的に -ek で対応する。両当該字には入声点を差す。熟字 0005「霹靂」は右注「同（イカツチ）」を付載する。観智院本類聚名義抄に同音字注「歴」を見出すが、仮名音注はない。承暦本金光明最勝王経音義には同音字注「略音」があり、その掲出字に入声点を加える。元和本倭名類聚抄には同音字注「歴」を見つける。日本呉音は入声を認める。

　　　　霹靂 辟歴二音／カミオツ [平平平上] …　　　　　　（観智院本類聚名義抄／法下 066-6）

　　　　靂 [入] 略 ?　　　　　　　　　　　　　　　　　　（承暦本金光明最勝王経音義／08 ウ 5）

　　　　雷公 電等附 兼名苑云 … 一云霹靂辟歴二反 …　　　（元和本倭名類聚抄／巻二 02 オ 6）

　▶番号 1175b「暦」（鳳暦）の仮名音注「レキ」については、基本的に -ek で対応する。当該字には入声点を差す。観智院本類聚名義抄は当該字「暦」自体に入声点を差し、その右傍に朱筆で仮名音注「レキ」を付載する。同書では稀な処置である。また同音字注「歴」（その右注に墨筆で仮名音注「リヤク」）を見出す。同書の凡例部分「朱音者正音也墨声者和音也」（篇目 7-6）に従え

ば、朱墨で正音と和音を分別する傾向がある。元和本倭名類聚抄には同音字注「音歴」を見つける。
日本漢音「レキ」入声、日本呉音「リヤク」を認める。

　　　暦［入／レキ：朱右傍］音歴［リヤク：墨右注］コヨミ［平平平］…

　　　　　　　　　　　　　　　　　　　　　　　　（観智院本類聚名義抄／法下 109-1）

　　　暦　漢書律暦志黄帝造暦 音歴和名古與美　　　　（元和本倭名類聚抄／巻十三 11 ウ 1）

　▶番号 0061・0065a・2687a「櫟」（櫟・櫟梂・櫟鬐胁）の仮名音注「レキ」については、基本
的に -ek で対応する。当該諸字三例には入声点を差す。廣韻に拠れば、錫韻（lek）藥韻（jiɑk）二
音を有する。番号 0061「櫟」は右注「イチキ［平平平］」左右注「似椎而／大也 櫟子／用菓之／
時皆加子」を、熟字 0065「櫟梂」は右注「イチヒノカサ」中左注「和名云／イチヒノサネ」を、熟
字 2687「櫟鬐胁」は左右注「カミ／カキ」を付載する。観智院本類聚名義抄に同音字注「音歴・又
音藥」を見出すが、仮名音注はない。元和本倭名類聚抄には同音字注「音歴」がある。

　　　櫟 音歴 イチヒ［平平平］／シイ欸 又音藥　　　（観智院本類聚名義抄／佛下本 104-8）

　　　櫟梂 イチヒノカサ［平□□□平□］… 音求 カサ 又藁竹反　（観智院本類聚名義抄／佛下本 104-8）

　　　櫟子　崔禹錫食經云櫟子 上音歴和名以知此 相似而大於椎子者也

　　　　　　　　　　　　　　　　　　　　　　　　（元和本倭名類聚抄／巻十七 07 ウ 3）

　　　櫟梂　爾雅云櫟其實梂 音求和名以知此乃加佐 孫炎曰菓之自裹者也

　　　　　　　　　　　　　　　　　　　　　　　　（元和本倭名類聚抄／巻十七 11 オ 4）

《下巻 錫韻諸例》

　▶番号 4288b「擊」（桛擊）の仮名音注「ケキ」については、基本的に -ek で対応する。当該字
に声点はない。熟字 4288「桛擊」は右注「アヒ」左注「大槌」を付載する。観智院本類聚名義抄に
入声点を付した同音字注「音激」（その右注に墨筆で仮名音注「キヤク」）および入声点を付した
和音「客」を見出す。同書の凡例部分「朱音者正音也墨声者和音也」（篇目 7-6）に従えば、朱墨で
正音と和音を分別する傾向があるので、仮名音注「キヤク」は和音と推測する。承暦本金光明最勝
王経音義には同音字注「客音」があり、その掲出字に入声点を加える。日本漢音は入声、日本呉音
「キヤク」入声を認める。

　　　擊擊 音激［入／キヤク：墨右注］ウツ［平上］… 和客［入］

　　　　　　　　　　　　　　　　　　　　　　　　（観智院本類聚名義抄／佛下本 043-7）

　　　擊［入］客ミ／打也　　　　　　　　　　（承暦本金光明最勝王経音義／05 オ 3）

　　　桛擊　纂文云齊人以大槌爲桛擊 漢語抄云阿比　　　（元和本倭名類聚抄／巻十五 11 オ 9）

　▶番号 4290「篊」（篊）の仮名音注「ケキ」については、基本的に -ek で対応する。当該字に
は入声点を差し、右注「アシカ」を付載する。広辞苑第七版は「あじか【簣】」を「土・草・野菜

596 3. 仮名音注の韻母別考察 3-3 Ⅳ韻類

などを運ぶのに用いる具。竹・葦または藁などで造り、形は「ざる」に似る」とする。観智院本類聚名義抄に反切「許狄胡狄二反」を見出すが、仮名音注はない。元和本倭名類聚抄に反切「呼撃反」がある。

 篩 … 許狄胡狄二反 … アシカ［上上濁□］シタミ   （観智院本類聚名義抄／僧上 073-2）

 篩 方言注云形籬小而高者江東呼爲篩 呼撃反漢語抄云阿自賀 今案又用簣字見史記

                 （元和本倭名類聚抄／巻十六 09 オ 4）

▶番号 5408・5455a「錫」（錫・錫杖）の仮名音注「シヤク」については、基本的に -jak で対応する。両当該字には入声点を差す。単字「錫」は左注「同（シロナマリ）」右注 5408「シヤク俗」右傍 5407「セキ」を付載する。観智院本類聚名義抄に入声点を付した同音字注「音析」（その右傍に朱筆で仮名音注「セキ」左傍に墨筆で「者ク」）を見出す。同書では掲出字「借・赤・嚼・責・斫・綽・席・藉・籍・錯」等に和音「者ク」を見つける。長承本蒙求には仮名音注「セキ」があり、その掲出字に入声点を加える。元和本倭名類聚抄には反切「先撃反」を見つける。日本漢音「セキ」入声を認める。日本呉音「シヤク」入声の蓋然性が高い。

 錫 音析［入／セキ：朱右傍／者ク：墨左傍］ナマリ［上上平］… シロナマリ

                 （観智院本類聚名義抄／僧上 114-3）

 者 諸野反 モノ／ヒト［上平］…   （観智院本類聚名義抄／佛中 100-3）

 錫［入］セキ   （長承本蒙求／130）

 錫 唐韻云錫 先撃反 … 和名之路奈麻利 （元和本倭名類聚抄／巻十一 17 オ 5）

 錫杖 小品經云錫杖亦名智杖彰顯聖智也 … （元和本倭名類聚抄／巻十三 04 ウ 2）

▶番号 5407「錫」（錫）の仮名音注「セキ」については、基本的に -ek で対応する。当該字には入声点を差す。当該字には入声点を差し、単字「錫」は左注「同（シロナマリ）」右注 5408「シヤク俗」右傍 5407「セキ」を付載する。上述の分析を参照。

▶番号 6571a・6571b・6697a・6698a「寂」（寂〻・寂〻・寂寞・寂蓼）の仮名音注「セキ」については、基本的に -ek で対応する。当該諸字四例には入声点を差す。熟字 6571「寂〻」は左注「シツカナリ」を、熟字 6697「寂寞」は右傍「サウサシ」を付載する。上巻の錫韻当該例で分析したように、日本呉音「シヤク」を認める。

▶番号 5370・6520・6610a「戚」（戚・戚・戚里）の仮名音注「セキ」については、基本的に -ek で対応する。当該諸字三例に声点はない。番号 5370「戚」は和訓「シタシ」の同訓異字として位置する。番号 6520「戚」は右注「倉歴反 親戚外戚」を付載する。観智院本類聚名義抄に同音字注「音慼」を見出す。長承本蒙求には仮名音注「セキ」があり、その掲出字に徳声点を加える。日本漢音「セキ」徳声（四声体系では入声）を認める。

 戚 音慼 シタシ … 又慼   （観智院本類聚名義抄／僧中 040-1）

 戚［徳］セキ   （長承本蒙求／071）

3-3-1 -e系の字音的特徴 597

▶番号3760「狄」（狄）の仮名音注「テキ」については、基本的に -ek で対応する。当該字に声点はなく、右注「同（エヒス）」左注「北狄」を付載する。上巻の錫韻当該諸例で分析した。

▶番号4616「逖」（逖）の仮名音注「テキ」については、基本的に -ek で対応する。当該字に声点はなく、和訓「サク［平上］」の同訓異字として位置する。廣韻に拠れば、異体字として「剔」を掲げる。観智院本類聚名義抄は「剔」に対して同音字注「音逖」を見出すが、仮名音注はない。

　　逖 遠也他歴切二十 … 剔 解骨 逖 上同 …　　　　　　　　（宋本廣韻／入声透母錫韻 tʻek）

　　剔 音逖 キル［平上］ … サス［平上］　　　　　　（観智院本類聚名義抄／法上 023-6）

▶番号4213「瞲」（瞲）の仮名音注「テキ」については、基本的に -ek で対応する。当該字に声点はなく、和訓「アハツ［上上平］」の同訓異字として位置する。廣韻に拠れば、錫韻 (tʻek) 尤韻 (tʻɪʌuˈ) 二音を有する。観智院本類聚名義抄に反切「他寂反」と同音字注「商抽二音」を見出すが、仮名音注はない。

　　逖 遠也他歴切二十 … 瞲 失意視兒 目+修 上同　　　　　　（宋本廣韻／入声透母錫韻 tʻek）

　　瞲 他寂反 失意視也 商抽／二音 … アハツ［上上平］　　（観智院本類聚名義抄／佛中 072-1）

▶番号4003a・5727b「敵」（敵對・讎敵）の仮名音注「テキ」については、基本的に -ek で対応する。両当該字には入声点を差す。熟字5727「讎敵」は右傍「アタカタキ」を付載する。上巻の錫韻当該例で分析したように、日本漢音「テキ」入声、日本呉音「チャク」入声を認める。

▶番号4011a「滴」（滴歷）の仮名音注「テキ」については、基本的に -ek で対応する。当該字には入声点を差す。熟字 4011「滴歷」は左注「酒乱也」を付載する。観智院本類聚名義抄に反切「丁狄反」と同音字注「音的」を見出すが、仮名音注はない。

　　滴 … 丁狄反／シタ、ル［平平□□］音的／アマツヒ　　　（観智院本類聚名義抄／法上 023-6）

▶番号6833b「滴」（水滴器）の仮名音注「テキ」については、基本的に -ek で対応する。当該字に声点はない。熟字6833「水滴器」は右注「スミリカメ」を付載する。上述の分析を参照。

　　水滴器　御覧寺目録云水滴器 今案和名須美数理賀米　　　（元和本倭名類聚抄／巻十三09 オ 6）

▶番号6086「蹢」（蹢）の仮名音注「テキ」については、基本的に -ek で対応する。当該字に声点はなく、右注「同（ヒネスミ）」を付載する。この和訓は直前の熟字「火鼠」の右注「ヒネスミ」を形式上承けるものであるが、疑義を残す。当該字の直後には掲出字「護杵・蹢」があり、その和訓「ヒツメ」とすべきであろう。当該和訓について前後の錯綜がある。観智院本類聚名義抄に音注は見出せないが、和訓「ヒツメ」と「クエル」を確認する。後者はワ行下二段動詞「クウ」の連体形、あるいはワ行下一段動詞の終止形を示し興味深い。元和本倭名類聚抄には同音字注「音滴」がある。

　　火鼠 ヒネスミ … 蹢 同 護杵 同 蹢 ヒツメ 杜奚反　　　（前田本色葉字類抄／下飛・092 オ 2）

　　蹢 正 ヒツメ［上上□］／クエル　　　　　　（観智院本類聚名義抄／法上 075-1）

　　蹢 護杵附 玉篇云蹢 徒奚反訓此豆米辨色立成云護杵和音上同 牛馬蹢

598　3．仮名音注の韻母別考察　3-3　Ⅳ韻類

（元和本倭名類聚抄／巻十一 14 ウ 4）

蹢　毛詩云蹢 音滴 蹢也孫愐切韻云畜足圓曰蹢 杜奚反和名比豆米 …

（元和本倭名類聚抄／巻十八 23 オ 1）

▶番号 4020a「糴」（糶糴［去入］）の仮名音注「テキ」については、基本的に -ek で対応する。当該字には去声点を差すが、近似した両熟字形であるがゆえ、熟字前後部それぞれの声点を誤って逆に差す。当該字は入声を期待する。熟字 4020「糶糴」は中注「入出穀也」を付載する。上巻の錫韻当該例で分析した。

▶番号 5806b「的」（准的）の仮名音注「テキ」については、基本的に -ek で対応する。当該字には入声点を差す。熟字 5806「准的」は左注「不定事也」を付載する。観智院本類聚名義抄に反切「都歴反」を見出すが、仮名音注はない。元和本倭名類聚抄には反切「都歴反」がある。

　　的 … 都歴反 マト［上上］… ハタ、カナリ　　　　　（観智院本類聚名義抄／佛中 103-7）

　　的　説文云臬 魚列反和名萬斗俗用的字音都歴反 射的也 …　（元和本倭名類聚抄／巻四 03 ウ 3）

▶番号 6948b「的」（准的）の仮名音注「テキ」については、基本的に -ek で対応する。当該字に声点はない。熟字 6948「准的」は左注「不定之事也」を付載する。上述の分析を参照。

▶番号 4030a「酈」（酈縣）の仮名音注「テキ」については、基本的に -ek で対応する。当該字には入声点を差す。熟字 4030「酈縣」右注「菊名」左注「テキクエン」〔*レキクエンの誤認か〕仮名音注を付載する。観智院本類聚名義抄に同音字注「音歴」と反切「又呂移反」を見出す。長承本蒙求には仮名音注「レキ」があり、その掲出字に徳声点を加える。日本漢音「レキ」徳声（四声体系では入声）を認める。

　　酈　音歴 魯地也／又呂移反 コホリ　　　　　　　　（観智院本類聚名義抄／法中 027-5）

　　酈［徳］レキ　　　　　　　　　　　　　　　　　　（長承本蒙求／083・098）

▶番号 3721b・5474b「壁」（居壁・粉壁）の仮名音注「ヘキ」については、基本的に -ek で対応する。両当該字には徳声点を差す。上巻の錫韻当該諸例で分析したように、日本漢音「ヘキ」徳声（四声体系では入声）を認める。

▶番号 4875b・5184b「壁」（居壁・居壁）の仮名音注「ヘキ」については、基本的に -ek で対応する。両当該字に声点はない。上述の分析を参照。

▶番号 3444・5174b「暦」（暦・經暦）の仮名音注「リヤク」については、基本的に -jak で対応する。両当該字には入声点を差す。番号 3444「暦」は右注「コヨミ」左注「郎撃反」を付載する。上巻の錫韻当該例で分析したように、日本漢音「レキ」入声、日本呉音「リヤク」を認める。

▶番号 4011b・5346b「瀝」（滴瀝・臨瀝）の仮名音注「レキ」については、基本的に -ek で対応する。両当該字には入声点を差す。熟字 4011「滴瀝」は左注「酒乱也」を、熟字 5346「臨瀝」は右注「シタテユハリ」左注「小便滴也」を付載する。観智院本類聚名義抄に同音字注「音歴」を見出すが、仮名音注はない。元和本倭名類聚抄には同音字注「音歴」がある。

瀝 音歴 シタヽル［平平□□］／ソ、ク タヽフ 　　　　（観智院本類聚名義抄／法上017-2)

臨瀝 シタテユハリ 　　　　　　　　　　　　　　　　（観智院本類聚名義抄／法上017-2)

臨瀝 病源論云臨瀝 音歴之太天由波利 小便滴瀝也 　　　（元和本倭名類聚抄／巻三22ウ7)

▶番号4440「礫」（礫）の仮名音注「レキ」については、基本的に -ek で対応する。当該字に声点はなく、右注「同（イシ）」を付載する。観智院本類聚名義抄に同音字注「音歴」を見出すが、仮名音注はない。元和本倭名類聚抄に同音字注「音暦」がある。

礦 砂礫 音歴 　礫 正 タフテ … イシ カハラ … 　　（観智院本類聚名義抄／法中001-8)

細石 　説文云礫也水中細石也音暦 和名佐佐禮以之 　　　（元和本倭名類聚抄／巻一10オ6)

3-3-1-8 　-ueŋ/-uek（青/迥/徑/錫韻）

資料篇【表B-05】には青韻（平声）合口所属の諸例が含まれる。迥韻（上声）徑韻（去声）錫韻（入声）合口所属字は該当例がない。前田本の示す仮名音注は、-ei で基本的に対応する。合口介音を反映しない字音把握で、より日本語に馴化した実態を示す。

《上巻 青韻合口諸例》

▶番号1060「螢」（螢）の仮名音注「ケイ」については、基本的に -ei で対応する。当該字には平声点を差し、右注「ホタル」を付載する。観智院本類聚名義抄に同音字注「音熒」を見出す。長承本蒙求には仮名音注「ケイ」があり、その掲出字に平声点を加える。同書は平安時代院政初期である長承三年（1134）に加点された墨筆（例示で両音形ある場合は右側）を中心とするが、平安時代中期と推定する古い朱筆（両音形ある場合は左側）の加点もある。合口介音 -u- を反映しない字音把握を示す。元和本倭名類聚抄には反切「胡丁反」がある。日本漢音「ケイ」平声を認める。

螢 音熒／ホタル 　　　　　　　　　　　　　　　　（観智院本類聚名義抄／僧下022-1)

螢 音同〔＊音熒／掲出字の配置に錯綜あり〕 　　　　（観智院本類聚名義抄／佛下末037-6)

螢 　兼名苑云螢 胡丁反 一名熠燿 上一入反和名保太流 　（元和本倭名類聚抄／巻十九19ウ7)

▶番号1423「扃」（扃）の仮名音注「ケイ」については、基本的に -ei で対応する。当該字には平声点を差し、右注「トサシ」を付載する。観智院本類聚名義抄に平声点を付した同音字注「音経」（青/徑韻 keŋ$^{1/3}$）を見出すが、仮名音注はない。合口介音 -u- を反映しない字音把握を示す。元和本倭名類聚抄には同音字注「音經」がある。日本漢音は平声を認める。

扃 音経［平］トサシ［上上平］／トヒラ トホソ［上上濁平］ 　（観智院本類聚名義抄／法下092-6)

扃 　野王案扃 音經和名度佐之 … 　　　　　　　　（元和本倭名類聚抄／巻十15ウ6)

600　3．仮名音注の韻母別考察　3-3　Ⅳ韻類

《下巻 青韻合口諸例》

▶番号3794a・3794b「營」（營〻・營〻）の仮名音注「エイ」については、基本的に *-ei* で対応する。両当該字に声点はない。観智院本類聚名義抄に平声点を付した同音字注「音瑩」（その右傍に墨筆で仮名音注「ヰヤフ」）を見出す。同書の凡例部分「朱音者正音也墨声者和音也」（篇目7-6）に従えば、朱墨で正音と和音を分別する傾向があるので、その仮名音注「ヰヤフ」は和音と推測する。日本漢音は平声、日本呉音「ヰヤウ」を認める。

　　營 音瑩［平／ヰヤフ：墨右傍］イトナム［平平平平］…　　（観智院本類聚名義抄／佛下末050-8）

▶番号5703b「螢」（拾螢）の仮名音注「ケイ」については、基本的に *-ei* で対応する。当該字に声点はない。上巻の青韻合口当該例で分析したように、日本漢音「ケイ」平声を認める。

▶番号6198「熒」の仮名音注「ケイ」については、基本的に *-ei* で対応する。当該字には平声点を差し、右注「同（ヒカリ）」左注「火熒也」を付載する。観智院本類聚名義抄に同音字注「螢音」を見出すが、仮名音注はない。

　　熒 螢音 ヒカリ／メクルヘク［上上平上濁平］　　　　　（観智院本類聚名義抄／佛下末037-3）

3-3-1-9　-e系の基本的な表記

以下に資料篇【表B-05】を分析した結果をまとめる。なお、日本語音韻史における音変化などを反映する場合には 〈〉 で囲む処理をする。それ以外の異例（例えば、諧声符読みや誤認など）については 〔〕 を用いて表示する。

-ei	〔齊/薺/霽韻〕	*-ei, -ai*	-uei	〔齊/霽韻〕	*-we, -ei*
		〈-e〉			
		〔-i〕〔-ui〕			〔-ai〕〔-ui〕〔-en〕
-eu	〔蕭/篠/嘯韻〕	*-eu*			
		〔-ep〕〔-iu〕			
-em	〔添/忝/掭韻〕	*-em*			
		〈-en〉			
-ep	〔帖韻〕	*-ep*			
		〈-eu〉			
		〔-et〕			
-en	〔先/銑/霰韻〕	*-en*	-uen	〔先/銑/霰韻〕	*-wen*

		(-em)			(-en)	
		[-an] [-ei] [-in] [-wen] [-it]				*[-we]*
-et	〔屑韻〕	*-et*	-uet	〔屑韻〕	-wet	
		[-it]				
-eŋ	〔青/迴/徑韻〕	*-eĭ, -jaŭ*	-ueŋ	〔青/迴/徑韻〕	*-eĭ*	
-ek	〔錫韻〕	*-ek, -jak*	-uek	〔錫韻〕	＊例なし	

　ここで、-e 系における前田本の仮名音注が示す基本的対応を【表 07】にまとめておくと、-e 系は *e*（日本語のエ列音）で対応し、日本漢字音として把握する。一部 *-a*（ア列音）で対応する場合など個々の問題は当該箇所で述べた。

【表07】

	-ø	-i	-u	-m	-p	-n	-t	-ŋ	-k	-uŋ	-uk
-e-		*-ei*	*-eu*	*-em*	*-ep*	*-en*	*-et*	*-eĭ*	*-ek*		
				(-en)	*(-eu)*	*(-em)*					
		-ai						*-jaŭ*	*-jak*		
-ue-						*-wen*	*-wet*				
						(-en)					

602　3．仮名音注の韻母別考察

3-4　ⅢB 韻類

ⅢB 韻類には拗音韻類 -iɑ 系 -iʌ 系 が含まれる。それぞれ -ɑ-, -ʌ- を主母音（V）としたグループで、等韻図の三等欄に配置されるため、いわゆる三等専属韻とも呼ぶ。以下、ⅢB 韻類について、切韻系韻書が示す二百六韻を用い三根谷説によって分類した結果を掲げた上で、仮名音注が示す字音の特徴を分析する。

	-ø	-i	-u	-m(p)	-n(t)	-ŋ(k)	-uŋ(uk)
-iɑ-	(歌)	廢		嚴儼釅業	元阮願月	陽養漾藥	鍾腫用燭
-iuɑ-	(戈)	廢			元阮願月	陽養漾藥	
-iʌ-	魚語御	微尾未	尤有宥	凡范梵乏	欣隱焮迄		東　　送屋
-iuʌ-	虞麌遇	微尾未			文吻問物		

3-4-1　-iɑ 系の字音的特徴

韻母 -iɑ 系グループとは、主母音 -ɑ- を有する諸韻目、廢韻・嚴/儼/釅/業韻・元/阮/願/月韻・陽/養/漾/藥韻・鍾/腫/用/燭韻を指す。なお、記号「/」による区別は四声（平/上/去/入声）を示している。該当する前田本の諸例を 3-4-1-1 から 3-4-1-10 に集約した。

3-4-1-1　-iɑ（歌韻）

資料篇【表 B-06】には歌韻（平声）所属の諸例が含まれる。熟字の場合は資料篇【表 A-01】【表 A-02】をも参照しながら、それを当該字の直後に括弧内で示す。単字も同様の表示を行う。以下の諸韻も同様。前田本の示す仮名音注は -a で対応する。なお、当該の歌韻（平声）は外国語音を写すためのものとして別扱いを必要とする。三根谷徹（1953a, 1972）に指摘がある。前田本の示す仮名音注は -a で基本的に対応する。

《上巻　歌韻諸例》

▶番号 2438a・2895a「伽」（伽藍・伽藍）の仮名音注「カ」については、基本的に -a で対応する。両当該字には去声濁点を差すので、字音「ガ」を想定する。廣韻に拠れば、当該字「伽」は

「茄・枷」と同音であるが、群母歌韻 (giɑˊ) の所属は以上三字に過ぎない。そのため同音字注の選択に制限がある。広辞苑第七版には「梵語 saṃghārāma 僧伽藍の略。衆園・僧園と訳す」と解説がある。図書寮本類聚名義抄に反切「广云之氏反」を見出す。観智院本類聚名義抄に同音字注「音迦」(歌韻 kiɑˊ) および和音「カ」(その右傍に朱筆で濁音「✓」表記) を見つける。日本呉音は「ガ」を認める。

　　　伽 广云之氏反　　　　　　　　　　　　　　　　　(図書寮本類聚名義抄／036-3)

　　　伽 音迦 ヨル／ユタカニ 和カ［✓：朱右傍］　　　(観智院本類聚名義抄／佛上007-1)

《下巻 歌韻諸例》

▶番号4281b「伽」(閼伽) の仮名音注「カ」については、基本的に -a で対応する。熟字4281「閼伽」は梵語 argha, arghya の音訳で、原義は価値あるものを言う。貴賓または仏前に供えるもの、特に功徳水を指す。それを入れる容器の意味もある。元和本倭名類聚抄は梵語に由来する旨を述べる。上巻の歌韻当該諸例で分析したように、日本呉音は「ガ」を認める。

　　　閼伽 内典云閼伽 上音遏 梵語也　　　　　　　　(元和本倭名類聚抄／巻十三04オ3)

3-4-1-2　-iuɑ (戈韻)

資料篇【表B-06】には戈韻 (平声) 所属の諸例が含まれる。前田本の示す仮名音注は -wa で対応する。当該の戈韻 (平声) は外国語音を写すためのものとして別扱いを必要とする。三根谷徹 (1953a, 1972) に指摘がある。

《上巻 戈韻諸例》

▶番号0647b「靴」(半靴) の仮名音注「クワ」については、基本的に -wa で対応する。当該字に声点はない。当該字「靴」は「鞾・䟆・𩍋」と同音であるが、暁母清戈韻三等 (xiuɑˊ) の所属は以上四字に過ぎない。そのため同音字注の選択に制限がある。観智院本類聚名義抄に平声点を付した同音字注「音戈」(戈韻 kuɑˊ) と去声相当の上昇調を示す仮名音注「クワ」を見出す。後者は定着久しい字音か。傍証ながら、同書で「戈」を再検索すると、同音字注「音過平声」と「呉音過［平］」がある。ただし、大般若経字抄による引用ではない。承暦本金光明最勝王経音義には「戈」三例を見つける。そのうち一例には同音字注「火音」(その掲出字に平声点を差す) を付載する。また一例には後筆の墨書入で仮名音注「クワ」(その掲出字に圏点による平声濁点あり) を付載する。別の一例には同音字注「火音」を確認する。元和本倭名類聚抄には同音字注「音戈」を見つけ

604　3．仮名音注の韻母別考察　3-4　ⅢB韻類

る。日本漢音は平声、定着久しい字音「クワ」去声を認める。

　　　靴　音戈［平］クワ［平上］／ノクツ［上平平］　　　　　　（観智院本類聚名義抄／僧中080-3）
　　　戈　音過之平声 ホコカマ … 呉、〔＊呉音か〕過［平］　　　　（観智院本類聚名義抄／僧中038-6）
　　　戈　［平］火ゝ／保己［平平］　　　　　　　　　　　　　　（承暦本金光明最勝王経音義／07 ウ3）
　　　戈　［平濁：墨筆圏点］クワ［：右傍］〔＊後筆墨書入〕　　　（承暦本金光明最勝王経音義／07 ウ3）
　　　戈　火六［：右傍］〔＊後筆墨書入〕　　　　　　　　　　　（承暦本金光明最勝王経音義10 オ1）
　　　靴　唐令云烏皮靴赤皮靴 音戈字亦作鞾和名化乃久都　　　　（元和本倭名類聚抄／巻十二26 オ5）

《下巻 戈韻諸例》

該当例なし。

　3-4-1-3　-iɑi（廢韻）

　資料篇【表B-06】には廢韻（去声）所属の例が含まれる。もともと廢韻は所属字が少ない。前田
本の示す仮名音注は、-ai で基本的に対応する。異例として、-ei, -eu がある。

《上巻 廢韻諸例》

　▶番号0794a・0873a・1906b「癈」（癈忘・癈置・停癈）の仮名音注「ハイ」については、基
本的に -ai で対応する。当該諸字三例には平声点を差す。観智院本類聚名義抄に同音字注「廢音」
を見出すが、仮名音注はない。

　　　癈　廢音 ヤム スツ ヤマヒ …　　　　　　　　　　　　　（観智院本類聚名義抄／法下123-5）

　▶番号1311「艬」（艬）の仮名音注「ヘウ」については、異例 -eu を示す。当該字には去声点
を差し、右注「同具」〔＊艬具〕左注「ヘマキ」右傍「ヘウ」仮名音注を付載する。廣韻に拠れば、
廢韻（piɑi⁵）末韻（bat）二音を有する。観智院本類聚名義抄に同音字注「音撥・又伐」と平声墨点
を付した同音字注「又癈」を見出す。同書における差声は丸形朱点を原則とし、稀に墨点あるいは
墨圏点を用いる。後者の平声点は小さな丸形墨点であり、疑義が残る。元和本倭名類聚抄には同音
字注「音癈」がある。

　　　纅　へ［平］／鷹纅 足沮 ヘヲ 艬 同具／ヘマキ［ヘウ：右傍］

　　　　　　　　　　　　　　　　　　　　　　　　　　　　　（前田本色葉字類抄／上邊・051 ウ4）
　　　艬　音撥 又伐 又癈［平：墨点］ヘマキ［平平上］／鷹犬具　（観智院本類聚名義抄／佛下本009-8）
　　　艬　唐韻云艬 音癈漢語抄云翔麻岐 弋射収纅具也　　　　　　（元和本倭名類聚抄／巻十五05 ウ9）

3-4-1　-ia 系の字音的特徴　605

《下巻 廢韻諸例》

▶番号4257b「籭」（籧篨）の仮名音注「ハイ」については、基本的に -ai で対応する。当該字に声点はない。熟字4257「籧篨」は右注「同（アムシロ）」を付載する。観智院本類聚名義抄に同音字注「音廢」を見出すが、仮名音注はない。元和本倭名類聚抄には同音字注「音廢」がある。

　　籭 音廢 籧／篨 席　　　　　　　　　　（観智院本類聚名義抄／僧上073-5）

　　籧篨　說文云籧篨 蘆廢二音 麁竹席也 … 籧篨 棄徐二音和名阿無師路

　　　　　　　　　　　　　　　　　　（元和本倭名類聚抄／卷十四10オ9）

▶番号5222a「橝」（橝椵）の仮名音注「ヘイ」〔＊ハイの誤認か〕については、異例 -ei を示す。当該字には去声点を差す。廣韻に拠れば、廢韻（piɑi³）月韻（biɑt）二音を有する。熟字5222「橝椵」は右注「ユカウ」〔＊ユカムの誤認〕を付載する。観智院本類聚名義抄に同音字注「音伐」と反切「又芳吠反」を見出すが、仮名音注はない。元和本倭名類聚抄に同音字注「廢」がある。

　　橝椵 ユカウ［ヘカ：右傍］柚柑 同　　　（前田本色葉字類抄／下由・066オ6）

　　橝 音伐 筏 正 ハチ［平平］… 又芳吠反　　（観智院本類聚名義抄／佛下本094-5）

　　橝椵　爾雅注云橝椵 廢加二音漢語抄云柚柑 柚屬也　　（元和本倭名類聚抄／卷十七10ウ7）

3-4-1-4　-iuɑi（廢韻）

資料篇【表B-06】には廢韻（去声）合口所属の例が含まれる。前田本の示す仮名音注は、-we で基本的に対応する。これは日本呉音の特徴と推測する。もともと廢韻合口は所属字が少ない。

《上巻 廢韻合口諸例》

該当例なし。

《下巻 廢韻合口諸例》

▶番号5981「穢」（穢）の仮名音注「ヱ［平］」については、基本的に -we で対応する。当該字に声点はなく、その仮名音注に平声点を施す。また左注「於廢反」右注「ヱス［平□］」サ変動詞を付載する。観智院本類聚名義抄に反切「英吠反」および和音「ワイ」と平声点を付した和音「ヱ」を見出す。日本呉音「ワイ」と「ヱ」平声を認める。

　　穢 英吠反 … ケキタナシ／禾- ワイ ヱ［平］　　（観智院本類聚名義抄／法下015-6）

606　3．仮名音注の韻母別考察　3-4　ⅢB韻類

▶番号5987「穢」（穢）の仮名音注「ヱ」については、基本的に -we で対応する。当該字に声点はなく、右注「ヱス」サ変動詞の仮名音注を付載する。上述の分析を参照。

3-4-1-5　-iɑm/-iɑp（嚴/儼/釅/業韻）

《上巻　嚴韻諸例》

資料篇【表B-06】には嚴韻（平声）業韻（入声）所属の諸例が含まれる。儼韻（上声）釅韻（去声）の該当例はない。前田本の示す仮名音注は、-em/-ep, -om で基本的に対応する。異例として、-am, -eu がある。

▶番号2877a「嚴」（嚴石）の仮名音注「カム」については、異例 -am を示す。当該字には平声濁点を差すので、字音「ガム」を想定する。廣韻に拠れば、当該字「嚴」は「籤」と同音であるが、疑母嚴韻（ŋiɑm¹）の所属は二字に過ぎないため、同音の注字選択に制約がある。熟字2877「嚴石」は右傍「イハヲ」を付載するので、本来は熟字「巖石」であるべきか。元和本倭名類聚抄には「巖」に対して「和名以八保」がある。観智院本類聚名義抄に反切「語韋+釤反」（その反切上字に上声濁点・その反切下字に平声点／その右傍に朱筆で「ケム」）および和音「吾ム」を見出す。同書では掲出字「吾」に対して平声濁点を付した同音字注「吳」および「和同」を見つける。長承本蒙求には仮名音注「ケム・ケゝ」があり、両掲出字に平声点を加える。日本漢音「ゲム」平声を認める。日本呉音「ゴム」の蓋然性が高い。

嚴　嚴毅也 … 語韋+釤切二　籤　射䴉　　　　　　　　　（宋本廣韻／疑母嚴韻平声 ŋiɑm¹）
巖　峯也 … 五銜切三　礒　同上 …　　　　　　　　　　（宋本廣韻／疑母銜韻平声 ŋɑm¹）
嚴　語韋+釤［上濁平／ケム：朱右傍］反　カサル［上上濁□］… 和吾ム
　　　　　　　　　　　　　　　　　　　　　　　　　（観智院本類聚名義抄／佛中 038-8）
吾　音吳［平濁］和［同：墨右注］ワレ［平上］又牙［平濁］…　（観智院本類聚名義抄／佛中 060-8）
嚴［平］ケム　　　　　　　　　　　　　　　　　　　　（長承本蒙求／137）
嚴［平］ケゝ　　　　　　　　　　　　　　　　　　　　（長承本蒙求／146）
巖　唐韻云巖五銜反又作礒 和名以八保　　　　　　　　　（元和本倭名類聚抄／巻一 08 オ 9）

▶番号1931b・2755a「嚴」（馳嚴・嚴器）の仮名音注「ケム」については、基本的に -em で対応する。両当該字には平声濁点を差すので、字音「ゲム」を想定する。熟字2755「嚴器」は右注「カラクシケ」を付載する。上述の分析を参照。

嚴器　魏武䟽云漆畫嚴器俗用唐唐櫛匣三字 賀良玖師介
　　　　　　　　　　　　　　　　　　　　　　　　　（元和本倭名類聚抄／巻十四 06 オ 6）

《下巻 嚴韻諸例》

▶番号5955「枚」（枚）の仮名音注「ケム」については、基本的に -em で対応する。当該字に声点はなく、右注「コスキ」左注「虚嚴反」を付載する。木製の鍬を指すか。観智院本類聚名義抄に反切「許嚴反」を見出すが、仮名音注はない。元和本倭名類聚抄には反切「虚嚴反」がある。

　　枚 許嚴反／コスキ［平平平］　　　　　　　　　　　（観智院本類聚名義抄／佛下本112-1）

　　枚 唐韻云枚 虚嚴反漢語抄云古須岐 鍬屬也　　　　　（元和本倭名類聚抄／巻十五09ウ8）

▶番号5566b「嚴」（壯嚴）の仮名音注「コム」については、基本的に -om で対応する。当該字には上声濁点を差すので、字音「ゴム」を想定する。上巻の嚴韻当該諸例で分析したように、日本漢音「ゲム」平声を認める。日本呉音「ゴム」の蓋然性が高い。

《上巻 業韻諸例》

▶番号1332b「業」（別業）の仮名音注「ケフ」については、基本的に -ep で対応する。当該字には入声濁点を差すので、字音「ゲフ」を想定する。観智院本類聚名義抄に反切「魚劫反」および和音「後フ」を見出す。同書で「後」を再検索すると、右傍に濁音表記を付した和音「コオ」見つける。日本呉音「ゴフ」を認める。

　　業 魚劫反 ナリハヒ［平平□□］… 和後フ　　　　　（観智院本類聚名義抄／僧上046-3）

　　後 音后［上］ノチ ウシロ … 和［✓：右傍］コオ［□平］…　（観智院本類聚名義抄／僧上038-3）

▶番号2459b「業」（教業坊）の仮名音注「ケフ」については、基本的に -ep で対応する。当該字には入声点を差す。熟字2459「教業坊」は左右注「三条／東也」を付載する。上述の分析を参照。

▶番号2593「脅」（脅）の仮名音注「ケフ」については、基本的に -ep で対応する。当該字には入声点を差し、右注「カタハラホネ」を付載する。観智院本類聚名義抄に反切「虚劫反」を見出すが、仮名音注はない。

　　脅 虚劫反 カタハラホネ［平平□平濁□］…　　　　　（観智院本類聚名義抄／佛中119-1）

　　脅肋 四聲字苑云脅肋 和名加太波良保禰 身傍之間也 …　（元和本倭名類聚抄／巻三09オ1）

《下巻 業韻諸例》

▶番号5368「業」（業）の仮名音注「ケウ」については、異例 -eu を示す。当該字には入声濁点を差すので、字音「ゲウ」を想定する。中古音が示す末子音 -p を「ウ」で対応する。日本語音韻史上 -ep > -eu の音変化を反映する。上巻の業韻当該諸例で分析したように、日本呉音「ゴフ」

608　3．仮名音注の韻母別考察　3-4　ⅢB韻類

を認める。

　▶番号4757b「業」（産業）の仮名音注「ケフ」については、基本的に -ep で対応する。当該字には入声点を差し、右注「シワサ」を付載する。上述の分析を参照。

　3-4-1-6　-ian/-iat（元/阮/願/月韻）

　資料篇【表B-06】には元韻（平声）阮韻（上声）願韻（去声）月韻（入声）所属の諸例が含まれる。前田本の示す仮名音注は、-an/-at, -en/-et, -on/-ot で基本的に対応する。異例として、-a, -em, -iu, -o がある。

《上巻　元韻諸例》

　▶番号0439b・1361b・2308「言」（喭言・片言・言）の仮名音注「ケン」については、基本的に -en で対応する。当該諸字三例には平声濁点を差すので、字音「ゲン」を想定する。その中古音が示す頭子音 ŋ-（等韻学の術語で言う疑母）は軟口蓋鼻音であり、日本語のガ行音をもって受容する。番号2308「言」は和訓「ワレ」の同訓異字として位置する。図書寮本類聚名義抄に反切「魚䖇反」を見出す。観智院本類聚名義抄に反切「魚䖇反」および上昇調と推測する和音「後ン」を見つける。長承本蒙求には仮名音注「ケヽ」があり、その掲出字に平声点を加える。承暦本金光明最勝王経音義には「五✓」があり、その掲出字に去声点を加える。日本漢音「ゲン」平声、日本呉音「ゴン」去声を認める。

言 弘云魚䖇反 … コトハ ［平平平濁／詩：右注］ …				（図書寮本類聚名義抄／070-1）
言 魚䖇反 … イフ ［上平］ … 和後ン ［□上：墨点］				（観智院本類聚名義抄／法上047-4）
後 音后 ［上］ ノチ ウシロ … 和 ［✓：右傍］ コオ ［□平］ …				（観智院本類聚名義抄／佛上038-3）
言 ［平］ ケヽ				（長承本蒙求／045）
言 ［去］ 五✓				（承暦本金光明最勝王経音義／02ウ2）
次可知濁音借字				（承暦本金光明最勝王経音義／02オ1）
我 ［平濁］ 何 … 吾 ［去濁］ 五				（承暦本金光明最勝王経音義／02オ3）

　▶番号2052b・2075b・2973b・2974b「言」（綸言・兩言・巧言・膠言）の仮名音注「ケム」については、異例 -em を示す。当該諸字三例には平声濁点を差すので、字音「ゲム」を想定する。舌内撥音韻尾 -n を「ム」で対応する。上述の分析を参照。

　▶番号3030b「言」（敢言）の仮名音注「ケム」については、異例 -em を示す。当該字には平声点を差す。舌内撥音韻尾 -n を「ム」で対応する。上述の分析を参照。

　▶番号0776b「言」（放言）の仮名音注「コン」については、基本的に -on で対応する。当該字

には平声濁点を差すので、字音「ゴン」を想定する。上述の分析を参照。

　▶番号1968c「言」（中納言）の仮名音注「コン」については、基本的に -on で対応する。当該字に声点はない。上述の分析を参照。

　▶番号1548「鳶」（鳶）の仮名音注「ケン」については、基本的に -en で対応する。当該字には平声点を差し、和訓「トフ」の同訓異字として位置する。観智院本類聚名義抄に平声点を付した同音字注「音軒」を見出すが、仮名音注はない。日本漢音は平声を認める。

　　　鳶 トフ　　　　　　　　　　　　　　　　　（観智院本類聚名義抄／法下 047-5）

　　　鳶 音軒［平］飛／貟　　　　　　　　　　　（観智院本類聚名義抄／僧中 128-4）

　▶番号0851a「番」（番匠）の仮名音注「ハン」については、基本的に -an で対応する。当該字には去声濁点を差すので、字音「バン」を想定する。廣韻に拠れば、元韻 (bian¹・p'ian¹) 桓韻 (ban¹・p'an¹) 戈／過韻 (pɑ¹ᐟ³) 六音を有する。観智院本類聚名義抄に同音字注「音煩・音翻」を見出すが、仮名音注はない。さらに同書は同音字注「又翻潘婆波四音」を示す。

　　　番 … 音煩 獸足 又翻潘婆波四音／可在田　　（観智院本類聚名義抄／僧下 080-3）

　　　番 音翻／ミケ［上上］　　　　　　　　　　（観智院本類聚名義抄／佛中 112-2）

　▶番号0696・0721a・0721b・0919a「番」（番・番ゝ・番ゝ・番長）の仮名音注「ハン」については、基本的に -an で対応する。当該諸字四例に声点はない。熟字0919「番長」は左注「在六衛府」を付載する。上述の分析を参照。

　▶番号1165a「翻」（翻譯）の仮名音注「ホン」については、基本的に -on で対応する。当該字には去声点を差す。観智院本類聚名義抄に平声点を付した同音字注「音番」（その右傍に朱筆で仮名音注「ハン」）および上昇調を示す和音「ホン」を見出す。日本漢音「ハン」平声、日本呉音「ホン」去声を認める。

　　　翻 音番［平／ハン：朱右傍］カヘス［□□ル：右傍］… 又䬧 和ホン［平上］

　　　　　　　　　　　　　　　　　　　　　　　　（観智院本類聚名義抄／僧上 099-3）

　▶番号0652「幡」（幡）の仮名音注「ハン」については、基本的に -an で対応する。当該字には平声点を差し、右注「同（ハタ）」左注「佛具也」を付載する。図書寮本類聚名義抄に同音字注「川云音䬧」（その平声点位置に仮名音注「ハン」）を見出す。観智院本には反切「孚袁反」および上昇調と推測する和音「ハン」を見つける。元和本倭名類聚抄に同音字注「音翻」がある。日本漢音「ハン」平声、日本呉音「ハン」去声を認める。

　　　幢幡 … 下川云音䬧［ハン：平声点位置］和云／波太［上平］…　（図書寮本類聚名義抄／282-3）

　　　幡 孚袁反／ハタ［上平］… 和ハン［□上］　（観智院本類聚名義抄／法中 103-2）

　　　幡 涅槃經云諸香木上懸五色幡 和名波太 …　（元和本倭名類聚抄／巻十三 03 オ 6）

　　　幡 旇附 考工記云幡 音翻和名波太 …　　　（元和本倭名類聚抄／巻十三 12 ウ 4）

　▶番号「幡」0364b・1692a（因幡・幡多）の仮名音注「ハ」については、異例 -a を示す。両当

610　3．仮名音注の韻母別考察　3-4　ⅢB韻類

該字に声点はない。先じて存在する地名を表記するため、借字の略音用法を使う。元和本倭名類聚抄には「以奈八・波太」がある。上述の分析を参照。

　　　丹波 太迩波 … 因幡 以奈八 …　　　　　　　　　　　　（元和本倭名類聚抄／巻五 09 ウ 1）

　　　土佐國 … 幡多 波太　　　　　　　　　　　　　　　　（元和本倭名類聚抄／巻五 26 オ 6）

　▶番号0911b「幡」（八幡）の仮名音注「マン」については、基本的に -an で対応する。当該字に声点はない。その中古音が示す頭子音 p'-（等韻学の術語で言う脣音次清滂母）は無声有気両脣閉鎖音であり、日本語のハ行音をもって受容する。マ行音に対応することは許容しがたい。諧声符「番」（元韻 bianˡ）による字音把握としても、合理的な説明は不可能である。あるいは意味（まく・とばり・たれぎぬ・のぼり等）が類似する「幔」（換韻 man³）との混同による字音の類推が生じたか。上述の分析を参照。

　▶番号2445「藩」（藩）の仮名音注「ハン」については、基本的に -an で対応する。当該字には平声点を差し、左右注「籬也」を付載する。和訓「カキ」の同訓異字として位置する。観智院本類聚名義抄に異体字「蕃」を掲げ、平声点を付した同音字注「音煩」と同音字注「又音藩」を見出すが、仮名音注はない。日本漢音は平声を認める。

　　　蕃 音煩 ［平］ シケシ ［平平濁平］ カクフ ［上上□］ 又音藩 … カキ オホカリ

　　　　　　　　　　　　　　　　　　　　　　　　　　　（観智院本類聚名義抄／僧上 012-5）

　　　藩 正 カキ マセ／カクフ ［上上□］ ヘタツ　　　　　（観智院本類聚名義抄／僧上 012-6）

　▶番号2533a「鱕」（鱕魚）の仮名音注「ハン」については、基本的に -an で対応する。当該字には平声点を差す。熟字2533「鱕魚」は右注「カセサハ」を付載する。観智院本類聚名義抄に平声点を付した同音字注「音番」を見出すが、仮名音注はない。元和本倭名類聚抄には同音字注「音番」がある。日本漢音は平声を認める。

　　　鱕 音番 ［平］ カセサハ ［平上平平濁］ ／カセ サハ　（観智院本類聚名義抄／僧下 003-7）

　　　鱕魚 唐韻云鱕 音番漢語抄云加世佐波 …　　　　　　　（元和本倭名類聚抄／巻十九 05 オ 7）

　▶番号1031a「礬」（礬石）の仮名音注「ホン」については、基本的に -on で対応する。当該字には平声点と去声濁点を差すので、字音「ボン」を想定する。廣韻に拠れば、当該字の中古音は元韻（bianˡ）である。その頭子音 b-（等韻学の術語で言う脣音濁並母）は有声両脣閉鎖音であり、日本語のバ行音をもって受容するが、中国語音韻史上における濁音声母の無声化[22]を反映する場合にはハ行音で対応する。熟字「礬石」は右注1031「ホンシヤク」右傍1032「ハン」を付載する。図書寮本類聚名義抄に平声点を付した同音字注「川云音繁」を見出す。また熟字「礬石」に対しては注記「此間云悶石 ［去濁入］」があり、字音「ボン」を想定できる。観智院本には反切「房元反」を見つけるが、仮名音注はない。元和本倭名類聚抄には同音字注「音繁」がある。近時の字音は去声を認める。

　　　礬石 川云音繁 ［平］ 此間云悶石 ［去濁入］ …　　　　　（図書寮本類聚名義抄 147-7）

3-4-1　-iɑ系の字音的特徴　611

　礬　房元反　　　　　　　　　　　　　　　　（観智院本類聚名義抄／佛下本 126-5）

　礬　蘇敬曰礬石有青白黒緑黄五種矣音繁此間云悶石　　（元和本倭名類聚抄／巻一 09 オ 5）

▶番号1032a「礬」（礬石）の仮名音注「ハン」については、基本的に -an で対応する。当該字には平声点と去声濁点を差す。熟字「礬石」は右注1031「ホンシヤク」右傍1032「ハン」を付載する。上述の分析を参照。

▶番号0472a「礬」（礬石）の仮名音注「ハン」については、基本的に -an で対応する。当該字に声点はない。上述の分析を参照。

▶番号2840「礬」（礬）の仮名音注「シウ」については、異例 -iu を示す。この字音把握は出自不明。あるいは当該字を「衆・眾」（東/送韻 tśiʌuŋ¹ᐟ³）と誤認したか。当該字に声点はなく、右注「同（カウサマ）」を付載する。上述の分析を参照。

▶番号2329「煩」（煩）の仮名音注「ハン」については、基本的に -an で対応する。当該字には平声点を差し、右注「ワツラヒ」左注「ワツラハシ」を付載する。観智院本類聚名義抄に同音字注「音繁」と反切「附爰反」および濁音を含む低平調と推測する和音「ホン」を見出す。日本呉音「ボン」平声を認める。

　　煩　音繁 ワツラハシ［上上濁□□□／□□□フ］…　　　（観智院本類聚名義抄／佛下本 031-4）

　　煩　附爰反 … ワツラハシ … 和ホン［平濁□：墨点］　　（観智院本類聚名義抄／佛下末 043-4）

▶番号1189a「煩」（煩悩）の仮名音注「ホン」については、基本的に -on で対応する。当該字には去声濁点を差すので、字音「ボン」を想定する。日本呉音「ボン」去声を認めるべきか。上述の分析を参照。

▶番号0831a・0871a「繁」（繁昌・繁費）の仮名音注「ハン」については、基本的に -an で対応する。両当該字には平声点を差す。図書寮本類聚名義抄に平声点を付した同音字注「音煩」と反切「广云輔袁反・玉云扶元反・又扶藩反」を見出す。観智院本には平声点を付した同音字注「音煩」を見つけるが、仮名音注はない。承暦本金光明最勝王経音義には同音字注「番音」があり、その掲出字に去声点を加える。日本漢音は平声、日本呉音は去声を認める。

　　繁　宋云音煩［平］广云輔袁反／玉云扶元反 … 又扶藩/反 …　　（図書寮本類聚名義抄／304-5）

　　繁　音煩［平］シケシ［平平濁上］… ワツラハシ　　（観智院本類聚名義抄／法中 122-1）

　　繁　［去］番ゞ　　　　　　　　　　（承暦本金光明最勝王経音義／10 ウ 6）

▶番号0495a「緐」（繁蔞）の仮名音注「ハン」については、基本的に -an で対応する。当該字には平声点を差す。熟字0495「繁蔞」は右注「ハクヘラ」を付載する。観智院本類聚名義抄に同音字注「繁」を見出すが、仮名音注はない。元和本倭名類聚抄に同音字注「繁」がある。

　　繁蔞　繁蔞/二音 ハコヘラ 上カラヨモキ/下ハクヘラ 又音赵　　（観智院本類聚名義抄／僧上 026-5）

　　繁蔞　本草云繁蔞 繁蔞二音和名八久倍良 …　　　　（元和本倭名類聚抄／巻十七 24 ウ 8）

612　3．仮名音注の韻母別考察　3-4　ⅢB韻類

《下巻 元韻諸例》

▶番号4712b「言」（讒言）の仮名音注「ケム」については、異例 -em を示す。当該字には平声濁点を差すので。字音「ゲム」を想定する。舌内撥音韻尾 -n を「ム」で対応する。上巻の元韻当該諸例で分析したように、日本漢音「ゲン」平声、日本呉音「ゴン」去声を認める。

▶番号5053b「言」（讒言）の仮名音注「ケン」については、基本的に -en で対応する。当該字には平声点を差す。上述の分析を参照。

▶番号6274b「言」（謬言）の仮名音注「ケン」については、基本的に -en で対応する。当該字に声点はない。熟字6274「謬言」は右注「繆イ本」右傍「アヤマリコト」を付載する。上述の分析を参照。

▶番号6732b「言」（誓言）の仮名音注「コム」については、異例 -om を示す。当該字には上声濁点を差すので。字音「ゴム」を想定する。舌内撥音韻尾 -n を「ム」で対応する。上述の分析を参照。

▶番号3712a・5325b・5570b・6763c「言」（言失・眞言師・眞言・少納言）の仮名音注「コン」については、基本的に -on で対応する。当該諸字四例に声点はない。熟字6763「少納言」は右注「在太政官」を付載する。上述の分析を参照。

　　少納言　職貟令云少納言 須奈伊毛乃萬宇之 （元和本倭名類聚抄／巻五02 オ4）

▶番号5866b「軒」（乗軒）の仮名音注「ケム」については、異例 -em を示す。当該字には平声点を差す。舌内撥音韻尾 -n を「ム」で対応する。観智院本類聚名義抄に反切「許言反」および上昇調と推測する和音「コン・ケン」さらに上昇調と推測する「或カン」を見出す。日本呉音「コン・ケン」去声、字音「カン」去声を認める。

　　軒 許言反 … アカル［上上平］ノキ［上上］… 和コン［□上］ケン［□上］或カン［□上］

（観智院本類聚名義抄／僧中086-1）

▶番号4328「軒」（軒）の仮名音注「ケン」については、基本的に -en で対応する。当該字には平声点を差し、右注「アカル［上上濁平］」左注「軽也」を付載する。上述の分析を参照。

▶番号6868「鶩」（鶩）の仮名音注「シウ」については、異例 -iu を示す。当該字に声点はなく、右注「同（スミケタリ）」を付載する。当該字を「眾・衆」と誤認か。上巻の元韻当該諸例で分析したように、近時の字音は去声を認める。

▶番号4231「燔」（燔）の仮名音注「ハン」については、基本的に -an で対応する。当該字には平声点を差し、右注「同（アフリモノ）」を付載する。観智院本類聚名義抄に平声点を付した同音字注「音煩」を見出すが、仮名音注はない。日本漢音は平声を認める。

　　燔 音煩［平］ヤク［上平］… アフリ［平平濁□］物 … 炙+番反

（観智院本類聚名義抄／佛下末045-5）

3-4-1 -ia 系の字音的特徴　613

▶番号6409「鶕」（鶕）の仮名音注「ハン」については、基本的に -an で対応する。当該字に声点はなく、右注「同（モス）」を付載する。観智院本類聚名義抄に同音字注「音煩」を見出すが、仮名音注はない。元和本倭名類聚抄には同音字注「音煩」がある。

　鶕 音煩／モス　　　　　　　　　　　　　　　　　（観智院本類聚名義抄／僧中127-4）

　鶎　兼名苑云鵾一名鶕 上音寬下音煩楊氏漢語抄云伯勞毛受一云鵾 …

　　　　　　　　　　　　　　　　　　　　　　　　（元和本倭名類聚抄／卷十八07 オ 5）

▶番号5492「蕃」（蕃）の仮名音注「ハン」については、基本的に -an で対応する。当該字には平声点を差し、和訓「シケシ」の同訓異字として位置する。観智院本類聚名義抄に平声点を付した同音字注「音煩」と「又音藩」を見出すが、仮名音注はない。日本漢音は平声を認める。

　蕃 音煩［平］シケシ［平平濁平］カクフ［上上□］又音藩 …　（観智院本類聚名義抄／僧上012-5）

　蕃 音煩 シケシ カクフ／又音藩 …　　　　　　　（観智院本類聚名義抄／僧上026-5）

▶番号4666b「幡」（彩幡）の仮名音注「ハン」については、基本的に -an で対応する。当該字には去声点を差す。上巻の元韻当該諸例で分析したように、日本漢音「ハン」平声、日本呉音「ハン」去声を認める。

▶番号5923b「幡」（印幡）の仮名音注「ハン」については、基本的に -an で対応する。当該字に声点はない。上述の分析を参照。

▶番号6221「緐」（緐）の仮名音注「ハン」については、基本的に -an で対応する。当該字に声点はなく、右注「ヒロク」左注「取乱也」を付載する。廣韻に拠れば、その中古音は脣音次清滂母元韻（p'iɑn¹）である。観智院本類聚名義抄に平声点と去声濁点を付した同音字注「音繁」を見出すが、仮名音注はない。日本漢音は平/去声を認める。

　緐 音繁［平・去濁］觡乱／ヒロク［上上平濁］　　　　（観智院本類聚名義抄／法中118-5）

▶番号6227「飜」（飜）の仮名音注「ハン」については、基本的に -an で対応する。当該字には平声点を差し、右注「ヒルカヘス」中注「或乍飜」左注「孚袁反」を付載する。観智院本類聚名義抄に去声点を付した「呉音奔」（その右傍に朱筆で仮名音注「トン」）および平声点を付した「正音番」（その右傍に朱筆で仮名音注「ハン」）を見出す。前者「トン」は「ホン」の誤認か。日本漢音「ハン」平声を認める。また日本呉音「ホン」去声の可能性を指摘しておく。

　飜 呉音奔［去／トン：朱右傍］ヒルカヘル［平平平濁平平］正音番［平／ハン：朱右傍］…

　　　　　　　　　　　　　　　　　　　　　　　　（観智院本類聚名義抄／僧下108-1）

▶番号5491「繁」（繁）の仮名音注「ハン」については、基本的に -an で対応する。当該字には平声点を差し、右注「シケシ」を付載する。上巻の元韻当該諸例で分析したように、日本漢音は平声、日本呉音は去声を認める。

▶番号5282a「蘩」（蘩蘠）の仮名音注「ハン」については、基本的に -an で対応する。当該字に声点はない。熟字5282「蘩蘠」は右注「同（シロヨモキ）」を付載する。上巻の元韻当該例で分

614　3．仮名音注の韻母別考察　3-4　ⅢB韻類

析した。

　　　煩　勢也 … 附袁切三十八 … 繁 蕃蒿 …　　　　　　　　　（宋本廣韻／並母濁元韻平声 biɐn¹）

　　　繁蕃蒿 同中音／マカキ　白蒿 シロヨモキ／一云カハラヨモキ （観智院本類聚名義抄／僧上 025-8）

　　　白蒿　本草云白蒿一名繁蕃蒿 蕃蒿二音繁波和名之路與毛木一云加波良與毛岐 …

　　　　　　　　　　　　　　　　　　　　　　　　　　　　　（元和本倭名類聚抄／巻二十 13 オ 7）

《上巻 阮韻諸例》

▶番号2274「晚」（晚）の仮名音注「ハン」については、基本的に -an で対応する。当該字には上声点を差し、和訓「ヲソシ」の同訓異字として位置する。その中古音が示す頭子音 m-（等韻学の術語で言う明母）は両唇鼻音であり、日本語のマ行音をもって受容するが、中国語音韻史上における鼻音声母の非鼻音化（denasalization）₍₂₂₎を反映する場合はバ行音で対応する。観智院本類聚名義抄に反切「无遠反」および和音「免」を見出すが、仮名音注はない。傍証ながら、同書で「免」を再検索すると、反切「靡甕反」および低平調と推測する和音「メン」を見つける。日本呉音「メン」平声の蓋然性が高い。

　　　早晚 … 下无遠反 オソシ［上上□］… 和免　　　　　（観智院本類聚名義抄／佛中 100-8）

　　　免 靡甕反 マヌカル［平平平平］… 和メン［平□］ノカル　　（観智院本類聚名義抄／佛下末 016-3）

▶番号0728a・0729a・0733a・0734a・0735a「晚」（晚景・晚頭・晚夏・晚秋・晚冬）の仮名音注「ハム」については、異例 -am を示す。その中古音が示す舌内撥音韻尾 -n を「ム」で対応する。当該諸字五例には上声濁点を差すので、字音「バム」を想定する。熟字0728「晚景」は右傍「ユウカケ」を、熟字0729「晚頭」は右傍「カケ」を付載する。上述の分析を参照。

▶番号0833a・0906a「反」（反畔・反魂香）の仮名音注「ハン」については、基本的に -an で対応する。両当該字には上声点を差す。熟字0833「反畔」は右傍「ソムク」を付載する。観智院本類聚名義抄に反切「非遠反」および低平調と推測する和音「ヘン」上昇調と推測する和音「ホン」を見出す。長承本蒙求には仮名音注「ハゝ」があり、その掲出字に上声点を加える。日本漢音「ハン」上声、日本呉音「ヘン」平声と「ホン」去声を認める。

　　　反 非遠反 カヘル［平平□］… 和ヘン［□平］ホン［□上］　　（観智院本類聚名義抄／僧中 051-7）

　　　反［上］ハゝ　　　　　　　　　　　　　　　　　　（長承本蒙求／119）

▶番号2403b「反」（往反）の仮名音注「ハン」については、基本的に -an で対応する。当該字には上声濁点を差すので、日本語音韻史上の連濁による字音「バン」を想定する。上述の分析を参照。

▶番号1379a・1398a「反」（反難・反損）の仮名音注「ヘン」については、基本的に -en で対応する。両当該字には平声点を差す。上述の分析を参照。

▶番号1106a「反」（反故）の仮名音注「ホン」については、基本的に -on で対応する。当該字に声点はない。熟字「反故」は左注1106「ホンコ」右注「ホク俗」を付載する。上述の分析を参照。

▶番号1107a「反」（反故）の仮名音注「ホ」については、異例 -o を示す。当該字に声点はない。熟字「反故」は左注1106「ホンコ」右注1107「ホク俗」を付載する。後者の俗表記は定着久しい字音「ホンク」の撥音無表記であろう。観智院本類聚名義抄は熟字「反故」に仮名音注「ホク〔平平〕」を注記する。上述の分析を参照。

　　反古 ホク〔平平〕　反故 同　　　　　　　　　　（観智院本類聚名義抄／僧中051-8）

▶番号1346a「返」（返問）の仮名音注「ヘン」については、基本的に -en で対応する。当該字には平声点を差す。観智院本類聚名義抄に反切「甫晩反」（その反切下字に去声点）と反切「又府元反」（その反切下字に平声濁点）を見出す。承暦本金光明最勝王経音義に仮名音注「ヘヽ」があり、その掲出字に平声点を加える。日本漢音は平/上声、日本呉音「ヘン」平声を認める。

　　返 甫晩〔□上〕反 カヘル〔平平□／□□ス〕… 又府元〔□平濁〕反 …
　　　　　　　　　　　　　　　　　　　　　（観智院本類聚名義抄／佛上058-3）

　　返〔平〕ヘヽ　　　　　　　　　　　（承暦本金光明最勝王経音義／02 ウ 1）

▶番号1393a「返」（返奉）の仮名音注「ヘム」については、異例 -em を示す。当該字には平声点を差す。その中古音が示す舌内撥音韻尾 -n を「ム」で対応する。上述の分析を参照。

▶番号2913b「返」（勘返）の仮名音注「ヘム」については、異例 -em を示す。当該字には平声濁点を差すので、日本語音韻史上の連濁による字音「ベム」を想定する。その中古音が示す舌内撥音韻尾 -n を「ム」で対応する。上述の分析を参照。

▶番号0158「飯」（飯）の仮名音注「ハン」については、基本的に -an で対応する。当該字には去声点を差し、右注「イヒ」左注「又作飰餅」〔*飰は飯の異体字〕を付載する。その中古音が示す頭子音 b-（等韻学の術語で言う脣音濁並母）は有声両唇閉鎖音であり、日本語のバ行音をもって受容するが、中国語音韻史上における濁音声母の無声化を反映する場合はハ行音で対応する。観智院本類聚名義抄に反切「扶万反」を見出す。長承本蒙求には仮名音注「ハヽ」があり、その掲出字に去声点を加える。日本漢音「ハン」去声を認める。

　　飰餅飯〔カシクウマス：墨右傍〕扶万反／イヒ …　　（観智院本類聚名義抄／僧上105-5）

　　飯〔去〕ハヽ　　　　　　　　　　　　　　　　（長承本蒙求／130・144）

▶番号2339b・2396b「飯」（埦飯・埦飯）の仮名音注「ハン」については、基本的に -an で対応する。両当該字には平声濁点を差すので、字音「バン」を想定する。上述の分析を参照。

《下巻 阮韻諸例》

▶番号4642b「晩」（早晩）の仮名音注「ハン」については、基本的に -an で対応する。当該字

616　3．仮名音注の韻母別考察　3-4　ⅢB韻類

には上声点を差す。上巻の阮韻当該諸例で分析したように、日本呉音「メン」平声の蓋然性が高い。

　　▶番号3417b「飯」（強飯）の仮名音注「ハン」については、基本的に -an で対応する。当該字
には去声点を差す。熟字3417「強飯」は右注「コハイヒ」左注「飯字亦作餅」を付載する。上巻の
阮韻当該諸例で分析したように、日本漢音「ハン」去声を認める。

　　　　強飯 コハイヒ　　　　　　　　　　　　　　　　　　（観智院本類聚名義抄／僧上105-6）

　　　　強飯　史記云廉頗強飯斗酒食肉十斤 飯音符萬反亦作餅維㤄強飯和名古八伊比

　　　　　　　　　　　　　　　　　　　　　　　　　（元和本倭名類聚抄／巻十六 13 オ 1）

　　▶番号4557b「飯」（散飯）の仮名音注「ハ［上濁］」については、異例 -a を示す。当該字に
声点はないが、その仮名音注に上声濁点を差す。熟字4557「散飯」は右注「サンハ［平平上濁］」
仮名音注を付載する。上述の分析を参照。

　　▶番号4433「坂」（坂）の仮名音注「ハン」については、基本的に -an で対応する。当該字に
は上声点を差し、右注「サカ」中注「府遠反」左注「又乍陂」を付載する。図書寮本類聚名義抄に
上声点を付した同音字注「川云音反」を見出す。観智院本には同音字注「音反」を見つけるが、仮
名音注はない。日本漢音は上声を認める。

　　　　坂 川云音反［上］和云佐賀［平平］…　　　　　　（図書寮本類聚名義抄／230-5）

　　　　坂 音反 正阪 サカ［平平］　　　　　　　　　　（観智院本類聚名義抄／法中066-4）

　　　　坂嶝　唐韻云坂地險也 和名左加 小坂也都嶝也　　　（元和本倭名類聚抄／巻一07 オ 9）

　　▶番号4977b「坂」（九坂）の仮名音注「ハム」については、異例 -am を示す。当該字には上
声濁点を差すので、日本語音韻史上の連濁による字音「バム」を想定する。その中古音が示す舌内
撥音韻尾 -n を「ム」で対応する。上述の分析を参照。

　　▶番号3800a・3823a「偃」（偃溝・偃息）の仮名音注「エン」については、基本的に -en で対
応する。両当該字には上声点を差す。観智院本類聚名義抄に同音字注「音堰」および呉音「演」を
見出す。この呉音注は石山寺一切経蔵本大般若経字抄による引用ではない。同書には漢呉二音相同
の同音字注「音縁・縁」を見つける。長承本蒙求には仮名音注「エ〻」があり、その掲出字に上声
点を加える。日本漢音「エン」上声を認める。

　　　　偃 … 音堰 呉音演 フス［平上］タフル ノイフス ノク …　　（観智院本類聚名義抄／佛上022-3）

　　　　偃［音縁：右傍］フス　　　　　　　　　（石山寺一切経蔵本大般若経字抄／18 オ 3）

　　　　偃［縁：右傍］　　　　　　　　　　　　（石山寺一切経蔵本大般若経字抄／26 ウ 5）

　　　　偃［上］エ〻　　　　　　　　　　　　　　　　　　　　　（長承本蒙求／092）

　　▶番号3824a「偃」（偃臥）の仮名音注「エン」については、基本的に -en で対応する。当該字
には平声点と上声点を差す。熟字3824「偃臥」は右傍「ノイフシヤスム」を付載する。

　　　　偃臥 フス［平上］／ノイフセリ　　　　　　　　（観智院本類聚名義抄／佛上022-5）

《上巻 願韻諸例》

▶番号2460b「建」（開建坊）の仮名音注「ケン」については、基本的に -en で対応する。当該字には去声点を差す。熟字2460「開建坊」は左右注「九条／東也」を付載する。観智院本類聚名義抄に反切「居彦反」（その反切下字に去声濁点）および和音「コン」を見出す。長承本蒙求には仮名音注「ケゝ」があり、その掲出字に去声点を加える。承暦本金光明最勝王経音義には仮名音注「ケン」を見つけるが、これは漢音系字音の混入か。日本漢音「ケン」去声、日本呉音「コン」を認める。

    建 居彦 [□去濁] 反 タツ [平上] … 和コン　　　　（観智院本類聚名義抄／佛上 062-1）

    建 [去] ケゝ　　　　　　　　　　　　　　　　　（長承本蒙求／037・096）

    建 ケン [：右傍]〔＊後筆墨書]　　　　　　　（承暦本金光明最勝王経音義／10 オ 6）

▶番号0737a・0752a・0757a・0888a「万」（萬）の仮名音注「ハン」については、基本的に -an で対応する。当該諸字四例には去声濁点を差すので、字音「バン」を想定する。その中古音が示す頭子音 m-（等韻学の術語で言う明母）は両唇鼻音であり、日本語のマ行音をもって受容するが、中国語音韻史上における鼻音声母の非鼻音化（denasalization）を反映する場合はバ行音で対応する。観智院本類聚名義抄に反切「武願反」と同音字注「又音墨」二例（うち一例の右傍に朱筆で仮名音注「ホク」）および和音「マム」を見出す。長承本蒙求には仮名音注「ハゝ」二例があり、それらを含む三例に去声点（うち一例は去声加濁点）を加える。日本漢音「バン」去声と「ボク」日本呉音「マン」を認める。

    万 ヨロツ アマタ、ヒ 又音墨 [ホク：朱右傍] … 和マム　（観智院本類聚名義抄／佛上 078-4）

    万 武願反 又／音墨　　　　　　　　　　　　　（観智院本類聚名義抄／僧上 085-2）

    万 [去]　　　　　　　　　　　　　　　　　　　（長承本蒙求／127）

    万 [去] ハゝ　　　　　　　　　　　　　　　　　（長承本蒙求／129）

    万 [去／去：加濁] ハゝ　　　　　　　　　　　　（長承本蒙求／149）

《下巻 願韻諸例》

▶番号3732a「建」（建兒）の仮名音注「コ」については、異例 -o を示す。当該字に声点はない。熟字「建兒」は右注「諸國建兒」左注「コニ」を付載する。撥音無表記による字音把握である。上巻の願韻当該例で分析したように、日本漢音「ケン」去声、日本呉音「コン」を認める。

▶番号6099b「販」（褌販）の仮名音注「ハン」については、基本的に -an で対応する。当該字には平声点を差す。熟字6099「褌販」は右注「ヒサキヒト」左注「賣男也」を付載する。観智院本類聚名義抄に反切「方願反」および上昇調と推測する和音「ホン・ヘン」を見出す。長承本蒙求に

618　3．仮名音注の韻母別考察　3-4　ⅢB韻類

は仮名音注「ハ丶」があり、その掲出字に上声点を加える。日本漢音「ハン」上声、日本呉音「ホン・ヘン」去声を認める。

販 方願反 ヒサク［上上平］ ウル … 和ホン［□上］ ヘン［□上］

（観智院本類聚名義抄／佛下本020-4）

販［上］ハ丶　　　　　　　　　　　　　　　　　　　　　　（長承本蒙求／142）

襷販　文選西京賦云襷販夫婦 和名比佐岐比止 …　　　　（元和本倭名類聚抄／巻二09ウ6）

《上巻 月韻諸例》

▶番号0805b「謁」（拜謁）の仮名音注「エツ」については、基本的に -et で対応する。当該字には入声点を差す。図書寮本類聚名義抄に反切「抍歇反」（反切下字の徳声点位置に仮名音注「ケチ」）を見出す。観智院本には入声点を付した同音字注「音閼」を見つける。長承本蒙求には仮名音注「エツ」があり、その掲出字に徳声点を加える。日本漢音「エツ」徳声（四声体系では入声）を認める。

謁 弘云抍歇［ケチ：徳声点位置］反 … マウス［平平上／記：右注］　（図書寮本類聚名義抄／099-4）

謁 音閼［入］アフ マウス［平平上］ … エラフ　　　（観智院本類聚名義抄／法上052-1）

謁［徳］エツ　　　　　　　　　　　　　　　　　　　　　（長承本蒙求／131）

▶番号2905a「羯」（羯磨）の仮名音注「カツ」については、基本的に -at で対応する。当該字には入声点を差す。図書寮本類聚名義抄に反切「居謁」を見出す。観智院本には反切「擧謁反」を見つけるが、仮名音注はない。承暦本金光明最勝王経音義には同音字注「渇音」があり、その掲出字に入声点を加える。日本呉音は入声を認める。

陝末 借音／莫可 羯 居／謁 洛 …　　　　　　　　　　（図書寮本類聚名義抄／199-4）

羯 … 擧謁反／羖羊 ヒツシ ツミ　　　　　　　（観智院本類聚名義抄／僧中096-3）

羯［入］渇𛀆　　　　　　　　　（承暦本金光明最勝王経音義／09オ1）

▶番号0786a・0875a・0876a・0878a・0879a「發」（發語・發起・發越・發語・發遣）の仮名音注「ハツ」については、基本的に -at で対応する。当該諸字五例には入声点を差す。観智院本類聚名義抄に音注表記はない。高山寺本篆隷萬象名義には「甫越反」を見つける。

發 オコル／ヱメリ［上平□］　　　　　　　　　　（観智院本類聚名義抄／僧下125-6）

發 甫越反 行也 乱也 …　　　　　（高山寺本篆隷萬象名義／第五帖036ウ3）

▶番号1172a・1188a・1213a・1228a・1235a・2873b・2922b「發」（發露・發動・發起・發句・發覺・開發・更發）の仮名音注「ホツ」については、基本的に -ot で対応する。当該諸字七例には入声点を差す。上述の分析を参照。

▶番号2914b「發」（勘發）の仮名音注「ホツ」については、基本的に -ot で対応する。当該字

3-4-1 -iɑ 系の字音的特徴 619

には入声濁点を差すので、日本語音韻史上の連濁による字音「ボツ」を想定する。上述の分析を参照。

▶番号0782a・1855b・2098b・2565b・2582・2932b・2933b「髮」（髮腐・長髮・理髮・鬣髮虫・髮・艾髮・鶴髮）の仮名音注「ハツ」については、基本的に -at で対応する。当該諸字七例には入声点を差す。熟字2565「鬣髮虫」は右注「同（カミキリムシ）」を、番号2582「髮」は右注「カミ」左注「頭毛也」を、熟字2932「艾髮」は右注「ヨモギカミ」付載する。観智院本類聚名義抄に同音字注「音發」（その右注に墨筆で仮名音注「ハチ」同左注に墨筆で仮名音注「ホチ」）を見出す。同書の凡例部分「朱音者正音也墨声者和音也」（篇目7-6）に従えば、朱墨で正音と和音を分別する傾向がある。長承本蒙求には仮名音注「ハツ」があり、その掲出字に德声点を加える。承暦本金光明最勝王経音義には同音字注「發音」があり、その掲出字に入声点を加える。日本漢音「ハツ」德声（四声体系では入声）日本呉音「ハチ・ホチ」入声を認める。

　　髮 音發［ハチ：墨右注／ホチ：墨左注］／和名カミ［平平］　（観智院本類聚名義抄／佛下本035-8）

　　髮［德］ハツ　　　　　　　　　　　　　　　　　　　　　　（長承本蒙求／076・093・131）

　　髮［入］發音／可美　　　　　　　　　　　　　（承暦本金光明最勝王経音義／06 ウ4）

▶番号0771b「髮」（白髮）の仮名音注「ハツ」については、基本的に -at で対応する。当該字に声点はない。上述の分析を参照。

▶番号0175「筏」（筏）の仮名音注「ハツ」については、基本的に -at で対応する。当該字には入声点を差し、右注「又作橃」中注「イカタ［上上上濁］」左注「大曰筏」を付載する。観智院本類聚名義抄に入声点を付した「筏」（その右傍に墨筆で仮名音注「ハチ」）と同音字注「音伐」を見出す。異体字「橃」には同音字注「音伐」と反切「又芳吷反」および低平調を示す仮名音注「ハチ」を見つける。同書の凡例部分「朱音者正音也墨声者和音也」（篇目7-6）に従えば、朱墨で正音と和音を分別する傾向がある。承暦本金光明最勝王経音義には同音字注「拔音」があり、その掲出字に入声点を加える。元和本倭名類聚抄には同音字注「音伐」がある。日本呉音「ハチ」入声の蓋然性が高い。

　　橃 音伐 筏 正 ハチ［平平］／琵也 又芳吷反　　　　（観智院本類聚名義抄／佛下本094-5）

　　筏［入／ハチ：墨右傍］音伐 俗栰／イカタ［上上上濁］…　　（観智院本類聚名義抄／僧上063-6）

　　栰［入］拔ゝ　　　　　　　　　　　　　　　（承暦本金光明最勝王経音義／09 ウ4）

　　桴筏　論語注云桴編竹木大曰筏 音伐字亦作橃 …　　　（元和本倭名類聚抄／巻十一02 ウ3）

▶番号0604「罰」（罸）の仮名音注「ハツ［平濁平］」については、基本的に -at で対応する。当該字に声点はないが、その仮名音注に濁音を含む低平調の差声を施すので、字音「バツ」入声を想定する。観智院本類聚名義抄に平声濁点を付した同音字注「音伐」および和音「八」を見出すが、仮名音注はない。承暦本金光明最勝王経音義には同音字注「音拔」があり、その掲出字に入声点を加える。日本漢音・日本呉音ともに入声を認める。

620　3．仮名音注の韻母別考察　3-4　ⅢB韻類

罸 音伐［入濁］ウツ コロス ツミ／和八　　　　　　　（観智院本類聚名義抄／僧中 011-1）

罸［入］拔彡／切也　　　　　　　　　　　　　　　（承暦本金光明最勝王経音義／07 ウ 3）

罸［入］拔六〔＊後筆墨書／消し跡あり〕　　　　　（承暦本金光明最勝王経音義／07 ウ 3）

▶番号0621「罸」（罸）の仮名音注「ハツ」については、基本的に -at で対応する。当該字には入声濁点を差すので、字音「バツ」を想定する。番号0621「罸」は右注「ハッス」サ変動詞の仮名音注を付載する。上述の分析を参照。

▶番号2099b「韤」（履韤）の仮名音注「ヘツ」については、基本的に -et で対応する。当該字には入声濁点を差すので、字音「ベツ」を想定する。当該字「韤」は「袜・韤・韈」と相互に異体字である。その中古音が示す頭子音 m-（等韻学の術語で言う唇音清濁明母）は両唇鼻音であり、日本語のマ行音をもって受容するが、中国語音韻史上における鼻音声母の非鼻音化（denaslization）を反映する場合はバ行音で対応する。熟字2099「履韤」は右傍「クツ シタウツ」を付載する。観智院本類聚名義抄に反切「亡代反」二例と同音字注「音末」を見出すが、仮名音注はない。長承本蒙求には仮名音注「ヘツ」があり、その掲出字に徳声点を加える。日本漢音は「ヘツ」徳声（四声体系では入声）を認める。

袜 … 韤韤二正 マヘタレ［平平濁平上］／音末 シタウツ 或韈　（観智院本類聚名義抄／法中 138-2）

韤韈 … 亡代反 … シタウツ シタクラ　　　　　　　（観智院本類聚名義抄／僧中 074-7）

韤 韤二正 或／袜 亡代反／脚衣／シタウツ　　　　　（観智院本類聚名義抄／僧中 082-1）

韤［徳］セツ・ヘツ　　　　　　　　　　　　　　　　　　　　　（長承本蒙求／132）

《下巻 月韻諸例》

▶番号3773「謁」（謁）の仮名音注「エツ［上上］」については、基本的に -et で対応する。当該字に声点はないが、その仮名音注に徳声相当である高平調の差声を施す。番号3773「謁」は左注「面謁拾謁」右注「エツ［上上］ス」仮名音注を付載する。上巻の月韻当該例で分析したように、日本漢音「エツ」徳声（四声体系では入声）を認める。

▶番号5680b「謁」（拾謁）の仮名音注「エツ」については、基本的に -et で対応する。当該字に入声点を差す。上述の分析を参照。

▶番号5166b「謁」（覲謁）の仮名音注「エツ」については、基本的に -et で対応する。当該字に声点はない。上述の分析を参照。

▶番号6160b「髪」（蔽髪）の仮名音注「ハチ」については、基本的に -at で対応する。当該字に入声点を差す。熟字6160「蔽髪」は右注「ヒタヒ」中左注「髪形為／餙也容飾具」を付載する。上巻の月韻当該諸例で分析したように、日本漢音「ハツ」徳声（四声体系では入声）日本呉音「ハチ・ホチ」入声を認める。

3-4-1 -iɑ 系の字音的特徴　621

▶番号6587b・6754b「髪」（切髪・石髪）の仮名音注「ハツ」については、基本的に -at で対応する。両当該字に入声点を差す。熟字6587「切髪」は右傍「キル　カミヲ」を付載する。上述の分析を参照。

▶番号5753b「發」（進發）の仮名音注「ハツ」については、基本的に -at で対応する。当該字に入声点を差す。上巻の月韻当該諸例で分析した。

▶番号5431「襪」（襪）の仮名音注「ヘツ」については、基本的に -et で対応する。当該字に入声濁点を差すので、字音「ベツ」を想定する。番号5431「襪」は「袜・韈・韈・韈」と相互に異体字であり、右注「シタクツ」左注「又作韈足衣」を付載する。図書寮本類聚名義抄に徳声点を付した同音字注「音末」を見出す。観智院本には同音字注「音末」および反切「亡伐反」を見つける。長承本蒙求には仮名音注「ヘツ」があり、その掲出字に徳声点を加える。元和本倭名類聚抄には同音字注「音末」がある。日本漢音「ヘツ」徳声（四声体系では入声）を認める。

　　履襪 川云音／末 [徳] 字／亦作韈 和云之太久豆 [上上平平濁] 广云古韈 …
　　　　　　　　　　　　　　　　　　　（図書寮本類聚名義抄／337-2）
　　　袜 蘇二俗 韈韈二正 … 音末 シタウツ 或韈　　　（観智院本類聚名義抄／法中138-2）
　　　襪 俗㫐／シタウツ [上上□平濁／□□□ク]　　　（観智院本類聚名義抄／法中138-3）
　　　韈 韈二正 或袜／亡伐反／脚衣／シタウツ　　　（観智院本類聚名義抄／僧中082-1）
　　　韈 [徳] セツ・ヘツ　　　　　　　　　　　　　　（長承本蒙求／132）
　　　襪　説文云襪 音末字亦作韈和名之太久頭 足衣也　（元和本倭名類聚抄／巻十二 26 オ 4）

3-4-1-7　-iuɑn/-iuɑt（元/阮/願/月韻）

　資料篇【表B-06】には元韻（平声）阮韻（上声）願韻（去声）月韻（入声）合口所属の諸例が含まれる。前田本の示す仮名音注は、-wan/-wat, -wen/-wet, -on/-ot で基本的に対応する。異例として、-o がある。

《上巻 元韻合口諸例》

▶番号0475「原」（原）の仮名音注「クエン」については、基本的に -wen で対応する。当該字には平声濁点を差すので、字音「グエン」を想定する。また右注「ハラ」を付載する。観智院本類聚名義抄に平声濁点を付した同音字注「音元」（その右傍に朱筆で仮名音注「クエン」）および和音「外ン」を見出す。この和音は字音「グエン」を示す。同書で「外」を再検索すると、和音「クエ」がある。長承本蒙求には仮名音注「クエン」があり、その掲出字に平声点を加える。日本漢音「グエン」平声、日本呉音「グエン」を認める。

原 音元［平濁／クヱン：朱右傍］ハラ［平平］… 和外ン　（観智院本類聚名義抄／法下109-5）

外 … 五會反 ホカ［平上］… 和クヱ　（観智院本類聚名義抄／法下134-3）

原［平］クヱ ン　（長承本蒙求／078・101）

原　毛詩云高平日原音源 和名八良　（元和本倭名類聚抄／巻一10ウ5）

▶番号2539「黿」（黿）の仮名音注「クヱン」については、基本的に *-wen* で対応する。当該字には平声濁点を差すので、字音「グヱン」を想定する。また右注「同（カメ）」を付載する。観智院本類聚名義抄に同音字注「音元」と反切「又五官反」を見出すが、仮名音注はない。元和本倭名類聚抄には同音字注「元」がある。

黿 音元 又五官反　（観智院本類聚名義抄／佛下末020-4）

黿鼉　玉篇云黿鼉 元陀二音和名於保賀米 大龜也　（元和本倭名類聚抄／巻十九10ウ7）

▶番号2559a「蚖」（蚖虵）の仮名音注「クヱン」については、基本的に *-wen* で対応する。当該字には平声点を差す。熟字2559「蚖虵」は右注「カラスヘミ［平平平平平］」を付載する。観智院本類聚名義抄に平声濁点を付した同音字注「音元」と差声のない同音字注「音元」を見出すが、仮名音注はない。元和本倭名類聚抄には同音字注「音元」がある。日本漢音は平声を認める。

蚖 音元［平濁］互訓／カラスヘミ［平平平平平］…　（観智院本類聚名義抄／僧下016-1）

蚖 音元　（観智院本類聚名義抄／僧下016-3）

蚖蛇　崔豹古今注云蚖緑蛇 音元字亦作螈内典云蚖蛇加良須倍三 …

（元和本倭名類聚抄／巻十九17オ9）

▶番号2221a「鴛」（鴛鴦）の仮名音注「ヱン」については、基本的に *-wen* で対応する。当該字には平声点を差す。熟字2221「鴛鴦」は右注「ヲシ」左傍「ヲシ」を付載する。観智院本類聚名義抄に同音字注「宛」を見出すが、仮名音注はない。元和本倭名類聚抄には同音字注「寃」がある。

鴛鴦 宛鴦二音 ヲシ［上上］… 上ヲヲシ 下メヲシ　（観智院本類聚名義抄／僧中116-6）

鴛鴦　崔豹古今注云鴛鴦 寃鴦二音和名乎之 …　（元和本倭名類聚抄／巻十八10オ2）

▶番号2288a「萱」（萱草）の仮名音注「クワン」については、基本的に *-wan* で対応する。当該字には平声点を差す。熟字2288「萱草」は右注「ワスレクサ」左注「一名忘草憂」右傍「クワン俗」仮名音注を付載する。観智院本類聚名義抄に同音字注「暄音」と「俗云火ン」を見出す。元和本倭名類聚抄には同音字注「萱音」と「俗云如環」がある。定着久しい字音「クワン」を認める。現行多くの漢和辞典は慣用音「クワン」を掲げる。

萱 暄音／ワスレクサ　萱草 俗云火ンサウ　（観智院本類聚名義抄／僧上017-7）

萱草　兼名苑萱草一名忘憂 萱音喧漢語抄云和名和須禮久佐俗云如環漢二音

（元和本倭名類聚抄／巻二十02ウ3）

▶番号2325「諼」（諼）の仮名音注「クヱン」については、基本的に *-wen* で対応する。当該字には平声濁点を差すので、字音「グヱン」を想定する。右注「已上同（ワスル）」を付載し、和

訓「ワスル」の同訓異字として位置する。その中古音が示す頭子音 x-（等韻学の術語で言う喉音清暁母）は無声軟口蓋摩擦音であり、日本語のカ行音をもって受容する。ガ行音による対応は許容しがたい。部首「言」による類推が働いたか。図書寮本類聚名義抄に同音字注「成文集義云音暄」と反切「弘云許園反」を見出す。観智院本類聚名義抄に反切「許元反」（その反切下字に平声濁点）と平声点を付した同音字注「音暄」を見つけるが、仮名音注はない。日本漢音は平声を認める。

　　　諼 成文集／義云音暄／弘云許園反 … ワスル［上上平／白：右注］　　（図書寮本類聚名義抄／097-1）

　　　諼 許元［口平濁］反 詫詐／ワスル［上上平］音暄［平］　　（観智院本類聚名義抄／法上 059-8）

▶番号 2640「喧」（喧）の仮名音注「クエン」については、基本的に -wen で対応する。当該字には平声点を差し、右注「カマヒツシ」左注「又乍諠」を付載する。当該字「喧」は「諠」と相互に異体字である。図書寮本類聚名義抄に去声点を付した同音字注「公云音官」と正音である同音字注「正暄」見出す。これらは大般若経字抄による引用である。観智院本には反切「許元反・沉遠反」と平声点を付した同音字注「音暄」および「化ン」を見つける。同書の掲出字「攌・寛」は「化ン」を注記する。そこで「化」を再検索すると、和音「クヱ」があり、掲出諸字「衒・眷・摜・倦・緩・關・券・羂・蠲」に対して、和音「化ン」〔＊クヱン〕を見つける。字音「クエン」を認める。

　　　諠譟 弘云虚園反 譁也 忘也 驚呼也 …　　　　　　　　　　　　（図書寮本類聚名義抄／082-1）

　　　諠譁 … 公云音官 ［去］ 正暄 カマヒスシ ［平平平平濁上］ …　　　（図書寮本類聚名義抄／082-1）

　　　正暄 諠譁 ［音官：右傍］ カマヒスシ　　　　（石山寺一切経蔵本大般若経字抄／01 ウ 3）

　　　喧 ［音官 ［去：圏点］ ：右傍］ 同諠　　　　（石山寺一切経蔵本大般若経字抄／04 オ 6）

　　　喧 今 諠正 許元反 カマヒスシ ［平平平平上］ … 沉遠反 音暄 ［平］ 化ン

　　　　　　　　　　　　　　　　　　　　　　　　　（観智院本類聚名義抄／佛中 046-7）

　　　諠 或 喧今 叩古 虚園反 カマヒスシ …　　　　（観智院本類聚名義抄／法上 050-8）

　　　攌 音慣 ［去］ ツラヌク ［上上上平］ … 呉貫 ［平］ 又去 化ン　（観智院本類聚名義抄／佛下本 071-3）

　　　寛 化ン／ヒク　　　　　　　　　　　　　　　（観智院本類聚名義抄／僧中 027-1）

　　　化 呼瓜 ［口平］ 呼西 翔文 ［覇本：墨右傍］ ヲシウ … 和クヱ　（観智院本類聚名義抄／佛上 032-5）

▶番号 1667b「園」（東園）の仮名音注「エン」については、基本的に -wen で対応する。当該字には平声点を差す。その中古音が示す頭子音 ɣ-（等韻学の術語で言う于母あるいは喩母三等）は有声軟口蓋接近音 ɰ-（有声両唇軟口蓋接近音 w-）であり、原則的にア行音・ワ行音で対応する。観智院本類聚名義抄に同音字注「猿」と平声点を付した同音字注「音暄」を見出すが、仮名音注はない。元和本倭名類聚抄には同音字注「猨」がある。日本漢音は平声を認める。

　　　園圃 音上猿下浦 ソノ ［平上］ 音暄 ［平］ …　　　（観智院本類聚名義抄／法下 086-4）

　　　園圃 四聲字苑云園圃 … 猨浦二音 和名曾乃一云曾乃布　（元和本倭名類聚抄／巻一 13 オ 1）

▶2442「垣」（垣）の仮名音注「エン」については、基本的に -wen で対応する。当該字には平声点を差し、和訓「カキ」の同訓異字として位置する。その中古音が示す頭子音 ɣ-（等韻学の術語

624　3. 仮名音注の韻母別考察　3-4　ⅢB韻類

で言う于母あるいは喩母三等）は有声軟口蓋接近音 ɰ-（有声両唇軟口蓋接近音 w-）であり、原則的にア行音・ワ行音で対応する。図書寮本類聚名義抄に平声点を付した同音字注「順云音園」と反切「广云宇煩反」および平声点を付した「真云円」を見出す。観智院本には平声点を付した同音字注「音園」を見つけるが、仮名音注はない。いわゆる真興和音「円」は引き継がれていない。元和本倭名類聚抄には同音字注「音園」がある。日本漢音は平声、日本呉音は平声を認める。

　　　垣墻 川云音園 [平] 和云加跋 [上平] … 广云宇煩反 … 真云円 [平] …

（図書寮本類聚名義抄／217-6）

　　　垣 音園 [平] カキ [上平] ／カタム ソコ [上上]　　　（観智院本類聚名義抄／法中 055-1）

　　　垣墻　爾雅云墻 音常 … 李巡曰謂垣 音園和賀岐　　　（元和本倭名類聚抄／巻十 12 ウ 3）

《下巻 元韻合口諸例》

▶番号 3684b「源」（根源）の仮名音注「クエン」については、基本的に -wen で対応する。当該字には上声点を差す。観智院本類聚名義抄に同音字注「音元」および和音「外ン」を見出す。同書で「外」を再検索すると、和音「クエ」がある。長承本蒙求には仮名音注「クエン」があり、その掲出字に平声点を加える。日本漢音「グエン」平声、日本呉音「グエン」を認める。

　　　源 音元 [平濁] 玉云水之本也 ミナモト [上上上上／選：右注] …　　（図書寮本類聚名義抄／005-3）

　　　源 音元 ミナモト アツシ／タツヌ 和音外ン　　　（観智院本類聚名義抄／法上 001-6）

　　　外 … 五會反 ホカ [平上] … ト [上] 和クエ　　　（観智院本類聚名義抄／法下 134-3）

　　　源 [平] クエ丶　　　（長承本蒙求／086）

▶番号 4462a「杬」（杬子）の仮名音注「クエン」については、基本的に -wen で対応する。当該字には平声点を差す。熟字 4462「杬子」は右注「サゝクリ」左注「似栗而小也」を付載する。観智院本類聚名義抄に同音字注「音元」を見出すが、仮名音注はない。元和本倭名類聚抄には同音字注「音元」がある。

　　　杬 音元 サゝクリ [上上上濁□] … 又牛吷音　　　（観智院本類聚名義抄／佛下本 098-4）

　　　杬子 サゝクリ [上上上濁□]　　　（観智院本類聚名義抄／佛下本 098-4）

　　　杬子　崔禹錫食經云杬子 上音元 一名鴬栗 和名佐々久利 栗相似而細小者也

（元和本倭名類聚抄／巻十七 08 オ 9）

▶番号 5366・5374・5996a・6005a「冤」（冤・冤・冤鬼・冤枉）の仮名音注「ヱン」については、基本的に -wen で対応する。当該諸字四例には平声点を差す。番号 5366「冤」は右注「已上同（シコツ）」を付載し、和訓「シコツ」の同訓異字として位置する。番号 5374「冤」は右注「シハタク」左注「恨也」を付載する。観智院本類聚名義抄に音注表記はない。石山寺一切経蔵本大般若経字抄には漢呉二音相同の同音字注「音宛」がある。

3-4-1　-ia 系の字音的特徴　625

冤 俗兔字／カ、ム［上上濁□］シヘタリ［上平□□］　　　（観智院本類聚名義抄／法下 061-7）

冤 ［音宛：右傍］枉屈也　　　　　　　　　　　　（石山寺一切経蔵本大般若経字抄／19 ウ 5）

▶番号 4352「暄」（暄）の仮名音注「クヱン」については、基本的に -wen で対応する。当該字には平声点を差し、和訓「アタ、カニ」の同訓異字として位置する。観智院本類聚名義抄に同音字注「音萱」を見出すが、仮名音注はない。

暄 音萱 暖［同：右注］アタ、カ［平上□□／□□□ケシ］　　（観智院本類聚名義抄／佛中 091-1）

▶番号 5236「讙」（讙）の仮名音注「クヱン」については、基本的に -wen で対応する。当該字には去声点を差し、和訓「ユツル」の同訓異字として位置する。廣韻に拠れば、元韻（xiuɑn¹）桓韻（xuɑn¹）二音を有する。図書寮本類聚名義抄に反切「弘云呼丸反」を見出す。観智院本には同音字注「音暄・又勸喚二音」および去声点を付した呉音「官」を見つける。傍証ながら、同書で「官」を再検索すると、和音「火ン」を見つける。日本呉音は去声を認める。また日本呉音「クワン」の可能性を指摘しておく。

讙 弘云／呼丸反 … カマミスシ［平平平平平／列：右注］　　　　（図書寮本類聚名義抄／081-6）

讙 音暄 又勸喚二音／カマヒツシ［平平□□□］… 和官［去］　（観智院本類聚名義抄／法上 050-7）

官 古亂反 ツカサ［上上上］… 和火ン　　　　　　　（観智院本類聚名義抄／法下 054-2）

▶番号 3582「爰」（爰）の仮名音注「ヱン」については、基本的に -wen で対応する。当該字には平声点を差し、右注「コ、ニ」左注「音袁」を付載する。観智院本類聚名義抄に音注表記はない。高山寺本篆隷萬象名義に反切「禹宛反」を見出す。

爰 コ、ニ［平上□］　　　　　　　　　　　　　　（観智院本類聚名義抄／僧中 054-3）

爰 禹宛反 為也 易也 …　　　　　　　　（高山寺本篆隷萬象名義／第六帖 165-2）

▶番号 5188b「園」（淇園）の仮名音注「ヱン」については、基本的に -wen で対応する。当該字には東声点を差すが、当該字から少し離れた位置に差声するので、疑義が残る。また、同声母は喉音清濁であるから、東声ではなく平声でなければならない。上巻の元韻合口当該例で分析した。

▶番号 5971a「園」（園豆）の仮名音注「ヱン」については、基本的に -wen で対応する。当該字に声点はない。上述の分析を参照。

▶番号 5193b「園」（祇園）の仮名音注「ヲン」については、基本的に -on で対応する。当該字に声点はない。上述の分析を参照。

▶番号 5276a・6006a「垣」（垣衣・垣下）の仮名音注「ヱン」については、基本的に -wen で対応する。両当該字には平声点を差す。熟字 5276「垣衣」は右注「シノフクサ」を付載する。上巻の元韻合口当該例で分析したように、日本漢音は平声、日本呉音は平声を認める。

垣衣 本草云垣衣一名烏韮 和名之乃布久佐　　（元和本倭名類聚抄／巻二十 17 オ 9）

▶番号 4482・4484・4489a「猿」（猨）の仮名音注「ヱン」については、基本的に -wen で対応する。当該諸字三例には平声点を差す。当該字「猿」は「猨」と相互に異体字である。観智院本

626　3．仮名音注の韻母別考察　3-4　ⅢB韻類

類聚名義抄に同音字注「音園」を見出す。長承本蒙求には同音字注「園反」と仮名音注「ヱ〉」が
あり、その掲出字に平声点を加える。同書は平安時代院政初期である長承三年（1134）に加点され
た墨筆（例示で両音形ある場合は右側）を中心とするが、平安時代中期と推定する古い朱筆（両音
形ある場合は左側）の加点もある。元和本倭名類聚抄には同音字注「音園」を見つける。日本漢音
「ヱン」平声を認める。

　　　　獲猴 音園 サル［平上］／下ヱムコ［平平平］　　　　　　（観智院本類聚名義抄／佛下本127-8）

　　　　猿 俗 蝯或 ワカサル　　　　　　　　　　　　　　　　　（観智院本類聚名義抄／佛下本127-8）

　　　　猨［平］園反／ヱ〉　　　　　　　　　　　　　　　　　　　　（長承本蒙求／045）

　　　　猨　風土記云猨 音園字亦作猿和名佐流 …　　　　　　（元和本倭名類聚抄／巻十八18 ウ8）

《上巻 阮韻合口諸例》

▶番号2627「婉」（婉）の仮名音注「ヱン」については、基本的に -wen で対応する。当該字
には上声点を差し、和訓「カホヨシ」の同訓異字として位置する。観智院本類聚名義抄に反切「扵
遠反」を見出すが、仮名音注はない。

　　　　嬿婉 タヲヤカナリ 下扵遠反 … マケテ［上平濁囗］　　　（観智院本類聚名義抄／佛中014-1）

　　　　婉轉 メクリメクル［上上濁平上上濁平］…　　　　　　　（観智院本類聚名義抄／僧中093-3）

▶番号2004c「苑」（柳花苑）の仮名音注「ヱン」については、基本的に -wen で対応する。当
該字には平声点を差す。廣韻に拠れば、その中古音は阮韻上声（ʼiuɑnᵃ）である。熟字2004「柳花
苑」は左注「雙詞」を付載する。双調による雅楽の曲を指す。観智院本類聚名義抄に同音字注「音
遠」を見出すが、仮名音注はない。元和本倭名類聚抄には同音字注「遠」がある。

　　　　苑 音遠 ソノ［平上］　　　　　　　　　　　　　　　　　（観智院本類聚名義抄／僧上043-6）

　　　　苑囿　周禮注云囿今之苑宥二音囿又音育 和名同上〔＊曾乃〕

　　　　　　　　　　　　　　　　　　　　　　　　　　　　　（元和本倭名類聚抄／巻一13 オ3）

　　　　雙調曲　柳花苑 或譜云延暦寺遺唐舞生久禮真茂傳之 …　　（元和本倭名類聚抄／巻四15 オ4）

▶番号1330b・1474a「遠」（僻遠・遠射）の仮名音注「ヱン」については、基本的に -wen で
対応する。両当該字には上声点を差す。その中古音が示す頭子音 ɣ-（等韻学の術語で言う于母ある
いは喩母三等）は有声軟口蓋接近音 ɰ-（有声両唇軟口蓋接近音 w-）であり、原則的にア行音・ワ
行音で対応する。熟字1330「僻遠」は右傍「サカリ トヲシ」を、熟字1474「遠射」は右注「トホ
ナケ」を付載する。観智院本類聚名義抄に反切「胡阮反」（その反切下字に上声点）と声調表記「又
去」および和音「ヲン」を見出す。日本漢音は上/去声、日本呉音「ヲン」を認める。

　　　　遠 胡阮［囗上］反 トホシ［上上上］… 又去 サカル［囗ク囗］和ヲン

　　　　　　　　　　　　　　　　　　　　　　　　　　　　　（観智院本類聚名義抄／佛上058-4）

▶番号2210a「遠」（遠志）の仮名音注「ヲ［上］」については、異例 -o を示す。当該字に声点はないが、その仮名音注「ヲ」に上声点を差す。熟字2210「遠志」は右注「ヲシ［上平］」仮名音注を付載する。撥音の無表記による字音把握である。熟字自体が借字による表記とも考えられる。広辞苑第七版は「中国原産のヒメハギ科多年草イトヒメハギ（漢名、遠志）の根を乾してつくった生薬。鎮静・抗健忘作用がある。浸剤として去痰薬に用いる」と説明する。上述の分析を参照。

　　　丸薬　諸家方云七気丸 … 遠志丸 …　　　　　　　　（元和本倭名類聚抄／巻十二 08 オ 5）

▶番号0059a「卷」（卷栢）の仮名音注「クワン」については、基本的に -wan で対応する。当該字には去声点を差す。廣韻に拠れば、阮韻（giuɑn²）仙／線韻（giuan¹ᐟ³）獮韻（kiuan²）四音を有する。熟字0059「卷栢」は右注「イハクミ」左注「イハコケ」を付載する。観智院本類聚名義抄に反切「居遠反・又去遠去貟・居戀反」と平声点を付した同音字注「音拳」および低平調と推測する和音「火ン」を見出す。同書で仮名音注とともに使う「火」は中古音の合口介音 -u- を反映する字音「クワ」に相当する。同書を検索すると「火イ・火ウ・火ク・火チ・火ン」など頻用する。日本漢音は平声、日本呉音「クワン」平声を認める。

　　　卷 居遠反 又去遠／去貟 居轉也／巨貟也 居戀反　　　（観智院本類聚名義抄／佛下末 028-7）

　　　卷 マク シ丶ム ミツラ　　　　　　　　　　　　　　（観智院本類聚名義抄／僧下 079-1）

　　　卷 音拳［平］曲也／マキ［上平／口ク［平］］… 和火ン［口平：墨点］

　　　　　　　　　　　　　　　　　　　　　　　　　　　　（観智院本類聚名義抄／僧下 107-2）

　　　卷栢 イハクミ［上上上平］イハコケ［上上上濁平］　（観智院本類聚名義抄／佛下本 112-7）

《下巻 阮韻合口諸例》

▶番号5275b「菀」（紫菀）の仮名音注「ヲン」については、基本的に -on で対応する。当該字には上声点を差す。熟字5275「紫菀」は左注「又ノシ」を付載する。観智院本類聚名義抄に同音字注「音遠・又音桓」および反切「工端反」を見出すが、仮名音注はない。

　　　紫菀 音同〔＊音遠〕紫菀／ノシ［平上］… 工端反 又音桓 …　（観智院本類聚名義抄／僧上 043-6）

▶番号6007a・6012a「遠」（遠驛・遠岸）の仮名音注「エン」については、基本的に -wen で対応する。両当該字には上声点を差す。上巻の阮韻当該諸例で分析したように、日本漢音は上／去声、日本呉音「ヲン」を認める。

▶番号5989a・5989b「遠」（遠ミ・遠ミ）の仮名音注「エン」については、基本的に -wen で対応する。両当該字に声点はない。上述の分析を参照。

《上巻 願韻合口諸例》

628　3．仮名音注の韻母別考察　3-4　ⅢB韻類

該当例なし。

《下巻 願韻合口諸例》

▶番号4993b「願」（祈願）の仮名音注「クワン」については、基本的に -wan で対応する。当該字には平声点を差す。観智院本類聚名義抄に反切「娯万反」および低平調と推測する和音「訛ム」を見出す。この和音は孤例である。日本呉音は平声を認める。また日本呉音「グワン」の可能性を指摘しておく。

　　　願 同上 娯万反 ネカフ［平上濁□］… 和訛ム［□平：墨囲点］

　　　　　　　　　　　　　　　　　　　　　　　（観智院本類聚名義抄／佛下本027-2）

　　　訛 五化反 タカフ［平平濁上］… 五戈反　　　（観智院本類聚名義抄／法上053-2）

▶番号5821b「券」（質券）の仮名音注「クエン」については、基本的に -wen で対応する。当該字に声点はない。観智院本類聚名義抄に同音字注「音勸」二例および低平調と推測する和音「化ン」を見出す。長承本蒙求には仮名音注「クヱ丶」があり、その掲出字に去声点を加える。日本漢音「クエン」去声、日本呉音は平声を認める。また日本呉音「クヱン」の蓋然性が高い。

　　　券 音勸 契也／和化ン［□平：墨囲点］　　　　（観智院本類聚名義抄／僧上082-1）

　　　券 音勸 契也／チキル 券通　　　　　　　　　（観智院本類聚名義抄／僧上094-2）

　　　化 呼瓜［□平］呼西 翔文［覇本：墨右傍］ヲシウ … 和クエ（観智院本類聚名義抄／佛上032-5）

　　　券［去］クヱ丶　　　　　　　　　　　　　　　　　　　　　　（長承本蒙求／129）

《上巻 月韻合口諸例》

▶番号0891b「月」（半月）の仮名音注「クワツ」については、基本的に -wat で対応する。当該字には入声濁点を差すので、字音「グワツ」を想定する。観智院本類聚名義抄に反切「魚厥反」を見出す。長承本蒙求には仮名音注「化ツ」（その右傍に仮名音注「クエ」）と仮名音注「クエツ」があり、それらを含む三例に徳声点（うち一例は徳声加濁点）を加える。日本漢音「グエツ」徳声（四声体系では入声）を認める。

　　　月 魚厥反 ツキ ヨル カクル …　　　　　　　（観智院本類聚名義抄／佛中137-2）

　　　月［徳］化［クエ：右傍］ツ　　　　　　　　　　　　　　　（長承本蒙求／019）

　　　月［徳／徳：加濁］クエツ　　　　　　　　　　　　　　　　（長承本蒙求／132）

　　　月［徳］　　　　　　　　　　　　　　　　　　　　　　　　（長承本蒙求／025）

▶番号2290「蕨」（蕨）の仮名音注「クエツ」については、基本的に -wet で対応する。当該字には入声点を差し、右注「同（ワラヒ）」を付載する。観智院本類聚名義抄に入声点を付した同音

字注「厥」を見出すが、仮名音注はない。元和本倭名類聚抄には同音字注「厥」がある。日本漢音は入声を認める。

薇蕨 微厥 [平濁入] ／二音／ワラヒ [平平平濁] 下チラヒ 　　（観智院本類聚名義抄／僧上021-8）

薇蕨　爾雅注云薇蕨 微厥二音和名和良比 … 　　（元和本倭名類聚抄／巻十七23得）

▶番号0876b「越」（發越）の仮名音注「エツ」については、基本的に -wet で対応する。当該字には入声点を差す。観智院本類聚名義抄に反切「王月反」（その反切下字に入声濁点）および和音「ヲツ」を見出す。日本漢音は入声、日本呉音「ヲツ」を認める。

越 王月 [□入濁] 反 コユ コ、ニ [平上平] … 和ヲツ 　　（観智院本類聚名義抄／佛上066-3）

發越 カホル 　　（観智院本類聚名義抄／佛上066-4）

▶番号0152b「越」（壹越調）の仮名音注「ヲツ」については、基本的に -ot で対応する。当該字に声点はない。上述の分析を参照。

壹越調曲　皇帝破陣樂 大曲 … 　　（元和本倭名類聚抄／巻四14オ3）

▶番号0382a・2285a「越」（越知府・越智）の仮名音注「ヲ」については、異例 -o を示す。熟字2285「越智」は左注「直」を付載し、遠篇姓氏部に属する。元和本倭名類聚抄は郡名「越智」に対して借字「乎知」を注記する。上述の分析を参照。

伊豫國 國府在越智郡 … 越智 乎知 　　（元和本倭名類聚抄／巻五25ウ8）

《下巻 月韻合口諸例》

▶番号4508a「月」（月水）の仮名音注「クワツ」については、基本的に -wat で対応する。当該字には入声点を差す。熟字4508「月水」右注「サハリ」右傍「クワツ俗」仮名音注を付載する。上巻の月韻合口当該例で分析したように、日本漢音「グエツ」徳声（四声体系では入声）を認める。

月水　針灸經云月水不通則灸氣穴 月水俗云佐波利 　　（元和本倭名類聚抄／巻三16オ8）

▶番号5770b「闕」（剌闕）の仮名音注「クエツ」については、基本的に -wet で対応する。当該字には入声点を差す。観智院本類聚名義抄に反切「去月反」を見出す。長承本蒙求に仮名音注「クエツ」と「化ツ」（その右傍に仮名音注「クエ」）があり、それらの掲出字に徳声点を加える。日本漢音「クエツ」徳声（四声体系では入声）を認める。

闕 去月反 カク [□ケタリ:墨右傍] … スクナシ 　　（観智院本類聚名義抄／法下081-2）

闕 [徳] クエツ 　　（長承本蒙求／008）

闕 [徳] 化 [クエ:右傍] ツ 　　（長承本蒙求／019）

▶番号3314「橜」（橜）の仮名音注「クエツ」については、基本的に -wet で対応する。当該字には入声点を差し、右注「音厥 コシカタ」中左注「俗云巾子形門／戸具也」を付載する。観智院本類聚名義抄に同音字注「音厥」を見出すが、仮名音注はない。元和本倭名類聚抄には同音字注「音

630　3．仮名音注の韻母別考察　3-4　ⅢB韻類

厥」がある。

　　　　橛　音厥 ホソシ［平上□］コシカタ［平平濁平上］焼火类巾子形門戸具 …

　　　　　　　　　　　　　　　　　　　　　　　　　　（観智院本類聚名義抄／佛下本113-3）

　　　　橛　唐韻云橛 音厥俗云巾子形 所以止扇也 …　　　　　　（元和本倭名類聚抄／巻十16ウ6）

　▶番号4145「鱖」（鱖）の仮名音注「クヱツ」については、基本的に -wet で対応する。当該字
には入声点を差し、右注「アサチ」右傍「クエイ　クヱツ」仮名音注を付載する。廣韻に拠れば、月
韻（kiuɑt）祭韻（kiuɑi³）二音を有する。観智院本類聚名義抄に反切「居衛反」と同音字注「又音
厥」を見出すが、仮名音注はない。元和本倭名類聚抄には反切「居衛反」がある。

　　　　鱖 居衛反／アサシ［平上上濁］又音厥　　　　　　　（観智院本類聚名義抄／僧下008-6）

　　　　鱖　唐韻云鱖 居衛反漢語抄云阿散知 …　　　　　　　（元和本倭名類聚抄／巻十九08オ9）

　▶番号6010a・6014a・6016a・6017a「越」（越挺・越前・越中・越後）の仮名音注「ヱツ」
については、基本的に -wet で対応する。当該諸字四例に声点はない。熟字6010「越挺」は右傍
「スキテタリ」を付載する。上巻の月韻当該諸例で分析したように、日本漢音は入声、日本呉音「ヲ
ツ」を認める。。

　　　　越前 古之乃三知乃久知 … 越中 古之乃三知乃奈加 越後 古之乃三知乃之利 佐度

　　　　　　　　　　　　　　　　　　　　　　　　　　　（元和本倭名類聚抄／巻四09オ5）

　▶番号3963b「越」（超越）の仮名音注「ヲツ」については、基本的に -ot で対応する。当該字
には入声点を差す。上述の分析を参照。

　　3-4-1-8　 -iɑŋ/-iɑk （陽/養/漾/薬韻）

　資料篇【表B-06】には陽韻（平声）養韻（上声）漾韻（去声）薬韻（入声）所属の諸例が含まれ
る。前田本の示す仮名音注は、-aũ/-ak, -jaũ/-jak で基本的に対応する。異例として、-a, -aga, -ako,
-am, -an, -at, -ei, -eu, -ja, -jau, -oũ, -waũ がある。

　《上巻　陽韻諸例》

　▶番号2940a・2951a・3001a・3061a・3114a「強」（強力・強弱・強縁・強力・強盛）の仮
名音注「カウ」については、基本的に -aũ で対応する。当該字五例には平声濁点を差すので、字
音「ガウ」を想定する。廣韻に拠れば、その中古音は群母濁陽韻（giɑŋ¹）である。観智院本類聚名
義抄に平声点を付した同音字注「音僵」と反切「又渠仰反」（その反切下字に上声濁点）および低
平調を示す和音「カウ」（その右傍に朱筆で濁音「✓」表記と喉内撥音韻尾「✓」表記）を見出す。
別途に反切「巨良反」を見つける。長承本蒙求には同音字注「經反」があり、その掲出字に東声点

〔＊当該字は濁声母ゆえ平声点の誤認か〕を加える。日本漢音は平/上声、日本呉音「ガウ」平声を認める。

　　強 音僵［平］又渠仰［□上濁］反 … ツヨシ［平平上］… 和音カウ［平平／✓✓：朱右傍］

　　　　　　　　　　　　　　　　　　　　　　　　　（観智院本類聚名義抄／僧中 024-2）

　　彊強 … 巨良反　　　　　　　　　　　　　　　　（観智院本類聚名義抄／僧中 028-1）

　　強［東］〔＊平声点の誤認か〕經反　　　　　　　　　　　　（長承本蒙求／045）

▶番号 2954a「強」（強紆）の仮名音注「カウ」については、基本的に -aū で対応する。当該字
には去声点を差す。上述の分析を参照。

▶番号 3010a・3042a「強」（強記・強竊）の仮名音注「カウ」については、基本的に -aū で対
応する。両当該字には去声濁点を差すので、字音「ガウ」を想定する。上述の分析を参照。

▶番号 3044a「強」（強盗）の仮名音注「カム」については、異例 -am を示す。当該字には去
声濁点を差すので、字音「ガウ」を想定する。仮名の字形相似による「カウ」の誤認である。上述
の分析を参照。

▶番号 1262b「強」（木強）の仮名音注「キヤウ」〔＊←キヤク／字形相似による誤認〕については、
基本的に -jaū で対応する。当該字には平声点を差す。熟字 1262「木強」は右傍「キ スク」を付
載する。上述の分析を参照。

　　木強 キコハシ［上上濁上上］　　　　　　　　　（観智院本類聚名義抄／僧中 024-4）

▶番号 0498「薑」（薑）の仮名音注「キヤウ」については、基本的に -jaū で対応する。当該字
には平声点を差し、右注「ハシカミ」中注「又作白+薑」左注「俗云アナハシカミ」を付載する。観
智院本類聚名義抄に平声点を付した同音字注「音姜」（その右傍に朱筆で仮名音注「キヤウ」）を
見出す。元和本倭名類聚抄に反切「居良反」がある。日本漢音「キヤウ」平声を認める。

　　薑 音姜［平／キヤウ：朱右傍］クレノハシカミ［上□…□］俗云アナハシカミ［平平平上濁平平］…

　　　　　　　　　　　　　　　　　　　　　　　　　（観智院本類聚名義抄／僧上 036-6）

　　生薑　膳夫經云空腹勿食生薑 居良反和名久禮乃波之加三俗云阿奈波之加美

　　　　　　　　　　　　　　　　　　　　　　　　（元和本倭名類聚抄／巻十六22 ウ2）

▶番号 2501「橿」（橿）の仮名音注「キヤウ」については、基本的に -jaū で対応する。当該字
には平声点を差し、右注「カシノキ」を付載する。観智院本類聚名義抄に同音字注「音姜」（その
右傍に朱筆で仮名音注「キヤウ」）と平声点を付した同音字注「音薑」を見出す。日本漢音「キヤ
ウ」平声を認める。

　　橿 音姜［キヤウ：朱右傍］カシノキ … 音薑［平］カシ［平平］

　　　　　　　　　　　　　　　　　　　　　　　　（観智院本類聚名義抄／佛下本 094-4）

▶番号 0906c・2888a・2919a「香」（反魂香・香花・香藥）の仮名音注「カウ」については、
基本的に -aū で対応する。当該諸字三例には去声点を差す。観智院本類聚名義抄に同音字注「音卿」
および和音「カウ」を見出す。長承本蒙求には仮名音注「キヤウ」二例があり、その掲出字一例に

632 3．仮名音注の韻母別考察 3-4 ⅢB韻類

東声点を加える。承暦本金光明最勝王経音義には喉内撥音韻尾の表記を含む仮名音注「カ✓」があり、その掲出字に去声点を加える。日本漢音「キヤウ」東声（四声体系では平声）日本呉音「カウ」去声を認める。

香 音卿 カウハシ［上上□□］／カ 在下　　　　　　　（観智院本類聚名義抄／法下 015-2）

香 カウハシ［□□上濁□］／和カウ　　　　　　　　　（観智院本類聚名義抄／法下 027-3）

香［東］キヤウ　　　　　　　　　　　　　　　　　　　　　（長承本蒙求／106）

香［平］〔＊他に入声点あり、存疑〕キヤウ　　　　　　　　（長承本蒙求／111）

香［去］カ✓　　　　　　　　　　（承暦本金光明最勝王経音義／02 オ 7）

　▶番号 0532「香」（香）の仮名音注「カウ」については、基本的に -aū で対応する。当該字には平声点を差し、右注 0532「カウ 芳也」左注「凡誰香有卌三種」右傍 2771「キヤウ」仮名音注を付載する。上述の分析を参照。

　▶番号 1772b「香」（沈香）の仮名音注「カウ」については、基本的に - aū で対応する。当該字には上声点を差す。熟字 1772「沈香」は左右注「出天／竺也栴檀之沈也」を付載する。上述の分析を参照。

　▶番号 1985c・2744b・2756a・2757a・2773a・3128a「香」（零陵香・甲香・香爐・香嚢・香興・香峯）の仮名音注「カウ」については、基本的に -aū で対応する。当該諸字六例に声点はない。熟字 2756「香爐」は右注「カウロ俗」仮名音注を、熟字 2773「香興」は右注「カウノコシ」左注「葬具」を付載する。上述の分析を参照。

香興　喪禮圖云香興 俗云香乃古之　　　　　　　　（元和本倭名類聚抄／巻十四 21 オ 3）

　▶番号 2771・2777「香」（香・香）の仮名音注「キヤウ」については、基本的に -jaū で対応する。両当該字には平声点を差す。番号 2771「香」は右注 0532「カウ 芳也」左注「凡誰香有卌三種」を、番号 2777「香」は右注「カウハシ」左注「又カ」を付載する。上述の分析を参照。

　▶番号 3173a「郷」（郷司）の仮名音注「カウ」については、基本的に -aū で対応する。当該字に声点はない。図書寮本・観智院本類聚名義抄に同音字注「音香」を見出すが、仮名音注はない。

郷 音香 東云所也 … ムカフ［上上平／後：右注］サト［上上／切：右注］

　　　　　　　　　　　　　　　　　　　　　　　（図書寮本類聚名義抄／184-7）

郷 音香 … サト ムカフ　　　　　　　　（観智院本類聚名義抄／法中 029-3）

　▶番号 1205b「郷」（蓬郷）の仮名音注「キヤウ」については、基本的に -jaū で対応する。当該字には平声点を差す。上述の分析を参照。

　▶番号 3166「郷」（郷）の仮名音注「キヤウ」については、基本的に -jaū で対応する。当該字に声点はなく、右注「同（カミ）」左注「用八省」を付載する。上述の分析を参照。

　▶番号 1856b・2823・3207「粧」（濃粧・粧・粧）の仮名音注「サウ」については、基本的に -aū で対応する。当該諸字三例には平声点を差す。熟字 1856「濃粧」は右傍「ミヤヒカナルヨソヲ

ヒ」を、番号3207「粧」は右注「ヨソオヒ」左注「ヨソフ」を付載する。番号2823「粧」は和訓「カサル」の同訓異字として位置する。観智院本類聚名義抄に平声点を付した同音字注「音荘」（その右傍に朱筆で仮名音注「サウ」）を見出す。日本漢音「サウ」平声を認める。

　　荘 嚴也 … 側羊節五 荘 俗 … 裝 裝束又側亮切 粧 粉飾也　　　　　（宋本廣韻／陽韻 tsiɑŋ¹）

　　糚粧 音荘［平／サウ：朱右傍］ヨソホヒ［平平平平］…　　　　（観智院本類聚名義抄／法下 036-6）

▶番号0117b「瘡」（皰瘡）の仮名音注「サウ」については、基本的に -aŭ で対応する。当該字には平声点を差す。熟字0117「皰瘡」は右注「イモカヒ」を付載する。観智院本類聚名義抄に同音字注「音倉」および和音「サウ」二例（うち一例は上昇調と推測）を見出す。元和本倭名類聚抄には同音字注「音倉」唐韻（tsʻɑŋ¹）があるが、諧声符による字音把握と考える。日本呉音「サウ」去声を認める。

　　瘡 … 音倉 カサ［上上］… 和サウ　　　　　　　　　　（観智院本類聚名義抄／法下 120-5）

　　瘡 カサ［上上］キス［上上濁］／キスツク［上上濁□□］和サウ［□上］

　　　　　　　　　　　　　　　　　　　　　　　　　　（観智院本類聚名義抄／法下 128-6）

　　瘡　唐韻云瘡 音倉和名加佐 痍也 …　　　　　　　　（元和本倭名類聚抄／巻三 24 ウ 2）

　　皰瘡　唐韻云皰 防教反 面瘡也 … 皰瘡此間云裳瘡　　（元和本倭名類聚抄／巻三 25 ウ 4）

▶番号1743b「瘡」（丁瘡）の仮名音注「サウ」については、基本的に -aŭ で対応する。当該字には上声点を差す。熟字1743「丁瘡」は左注「或本作疔」右注「チヤウサウ俗」仮名音注を付載する。俗表記は定着久しい字音という認識か。上述の分析を参照。

　　丁瘡　千金方云治丁瘡方云 或本丁作疔未詳　　　　　（元和本倭名類聚抄／巻三 24 ウ 6）

▶番号2600「瘡」（瘡）の仮名音注「サウ」については、基本的に -aŭ で対応する。当該字には平声点と上声点を差し、右注「カサ」を付載する。上述の分析を参照。

▶番号1135「將」（將）の仮名音注「シヤウ」については、基本的に -jaŭ で対応する。当該字には平声点を差し、右注「側也」を付載する。廣韻に拠れば、陽/漾韻（tsiɑŋ¹/³）二音を有する。図書寮本類聚名義抄に反切「广云紫羊反・中云即良反」（それぞれの反切下字に平声点）と反切「中云即亮反・真云即亮反」（それぞれの反切下字に去声点）を見出す。観智院本には反切「即良反」と「又去」および和音「者ウ」（その右傍に墨筆で喉内撥音韻尾「✓」表記）を見つける。同書では以下の掲出諸字「正・聲・聖・唱・星・青・賞・將・牆・詳・請・章・鄣・裝・精・床・荘・政・生・尚」に和音「者ウ」を見つける。長承本蒙求には仮名音注「シヤウ」があり、その掲出字に東声点を加える。日本漢音「シヤウ」東/去声（四声体系では平/去声）を認める。日本呉音「シヤウ」の蓋然性が高い。

　　諸將 中云即亮［□去］反 … 武臣也　　　　　　　　（図書寮本類聚名義抄／068-3）

　　将大 广云紫羊［□平］反 辟支佛名 …　　　　　　　（図書寮本類聚名義抄／068-4）

　　將將 … 中云即良［□平］反 欲也 … モテ［平上／集：右注］（図書寮本類聚名義抄／068-4）

634　3．仮名音注の韻母別考察　3-4　ⅢB韻類

将帥 … 真云即亮 [□去] 反 … ヒキキル [上平上平]　　　　　　　（図書寮本類聚名義抄／284-5）

将 即良反 又去 スト [□上濁] … 和者ウ [□✓：墨右傍]　　（観智院本類聚名義抄／佛下末008-4）

将 通 將 正欵　　　　　　　　　　　　　　　　　（観智院本類聚名義抄／佛下末008-5）

将 [東] シヤウ　　　　　　　　　　　　　　　　　　　（長承本蒙求／068・138）

▶番号1531・1969b「将」（将・中将）の仮名音注「シヤウ」については、基本的に -jaū で対応する。両当該字に声点はない。番号1531「将」は和訓「同（ト）」の同訓異字として把握する。上述の分析を参照。

次官 本朝職員令二方品貟等所載 … 近衛府曰中少将監 …

　　　　　　　　　　　　　　　　　　　　　　　（元和本倭名類聚抄／巻五03 ウ 6）

▶番号0920a「将」（将監）の仮名音注「ハン」については、異例 -an を示す。当該字に声点はない。熟字「将監」は中左注「舞人随人等／居此官之時／所云也」を付載する。近接する熟字「判官」に付載する右注「ハンクワン」仮名音注を牽引した字音把握であろう。

判官 本朝職員令二方品貟等所載 … 近衛曰将監 …　（元和本倭名類聚抄／巻五04 オ 4）

▶番号0962・1039b「漿」（漿・酸漿）の仮名音注「シヤウ」については、基本的に -jaū で対応する。両当該字に声点はない。番号0962「漿」は右注「ニオモヒ」を、熟字1039「酸漿」は右注「ホミツキ」を付載する。図書寮本類聚名義抄に同音字注「音将」を見出す。観智院本には同音字注「音将」を見出すが、仮名音注はない。元和本倭名類聚抄には反切「即良反」がある。

漿 季云音将 … コムツ [平平平濁／集：右注]　　　　　　　（図書寮本類聚名義抄／053-4）

漿 音将 コムツ [平平上] … ニオモヒユ　　　　　（観智院本類聚名義抄／法上043-7）

酸漿 ホ、ツキ [平平上濁□]　　　　　　　　　　（観智院本類聚名義抄／法上043-7）

漿 四時食制經云春宜食漿甘水 漿音即良反和名久利美豆俗云迩於毛比 …

　　　　　　　　　　　　　　　　　　　　　　（元和本倭名類聚抄／巻十六11 ウ 4）

酸漿　兼名苑云酸漿一名洛神珠 和名保ミ豆木　　（元和本倭名類聚抄／巻二十13 オ 2）

▶番号2334b「麞」（皇麞）の仮名音注「シヤウ」については、基本的に -jaū で対応する。当該字には平声濁点を差すので、日本語音韻史上の連濁による字音「ジヤウ」を想定する。また左注「平詞」を付載する。観智院本類聚名義抄に同音字注「音章」と反切「又之高反」を見出すが、仮名音注はない。元和本倭名類聚抄には同音字注「音章」がある。

麞 音章 … ヲシカ [上平濁平] シカ／又之高反　　　（観智院本類聚名義抄／法下110-5）

麞 … 本草音義云麞 音章 一名麕 和名久之加　　（元和本倭名類聚抄／巻十八18 オ 9）

平調曲　相夫憐 … 皇麞 皇如王 …　　　　　　　（元和本倭名類聚抄／巻四15 ウ 2）

▶番号1086b「槍」（弄槍）の仮名音注「サウ」については、基本的に -aū で対応する。当該字には平声点を差す。熟字1086「弄槍」は右注「壹越調」中注「无舞」左注「ホコトリ」を付載する。観智院本類聚名義抄に反切「七良反」と同音字注「又音鏘又」を見出すが、仮名音注はない。元和

本倭名類聚抄には同音字注「音倉」唐韻 (ts'ɑŋ^1) があるが、諧声符による字音把握と考える。

　　　槍 七良反 距也 … ウツキ 又／音鎗又　　　　　　　　　　　（観智院本類聚名義抄／佛下本 091-1）

　　　弄槍 楊氏漢語抄云弄槍 和名保古斗利槍音倉　　　　　　　　（元和本倭名類聚抄／巻四 06 オ 6）

　▶番号 2252「蹌」（蹌）の仮名音注「シヤウ」については、基本的に *-jaū* で対応する。当該字には平声点を差し、右注「ヲトル」左注「又ヲヲツク」を付載する。図書寮本類聚名義抄に同音字注「音鎗」（その東声点位置に仮名音注「サウ」）と反切「广云七羊反」を見出す。観智院本には同音字注「音鎗」（その右注に墨筆で仮名音注「サウ」）を見つける。日本漢音「サウ」東声（四声体系では平声）を認める。

　　　蹌蹌 季云音鎗［サウ：東声点位置］… 广云七羊反 …　　　（図書寮本類聚名義抄／111-3）

　　　蹌 … 音鎗［サウ：墨右注］ヲツリ［上上濁□］ヲトル［上上濁□］

　　　　　　　　　　　　　　　　　　　　　　　　　　　　　　（観智院本類聚名義抄／法上 077-5）

　▶番号 2331「倡」（倡）の仮名音注「シヤウ」については、基本的に *-jaū* で対応する。当該字には平声点を差し、右注「ワサウタ」左注「歌也」を付載する。廣韻に拠れば、陽／漾韻 (ts'iɑŋ$^{1/3}$) 二音を有する。観智院本類聚名義抄に上声点を付した同音字注「音昌」(tś'iɑŋ^1) を見出すが、仮名音注はない。この上声点は左肩より下がった位置に差すので、疑義を残す。

　　　倡 音昌［上］… ワサウタ［上上濁□□］　　　　　　　　　（観智院本類聚名義抄／佛上 002-2）

　▶番号 3066b「鏘」（鎗鏘）の仮名音注「シヤウ」については、基本的に *-jaū* で対応する。当該字には平声濁点を差すので、日本語音韻史上の連濁による字音「ジヤウ」を想定する。熟字 3066「鎗鏘」は左注「鐘声名也」を付載する。観智院本類聚名義抄に同音字注「音槍」を見出すが、仮名音注はない。

　　　鏘 … 音槍 ユラメク … ナラス［上上平］　　　　　　　　　（観智院本類聚名義抄／僧上 127-4）

　　　鎗鏘 ユラメク／ツク［上平］　　　　　　　　　　　　　　（観智院本類聚名義抄／僧上 127-4）

　▶番号 1193b「嬙」（毛嬙）の仮名音注「シヤウ」については、基本的に *-jaū* で対応する。当該字には平声点を差す。前田本の字形「廧 (=牆)」を「嬙」に修正する。両字は意味を異にするが、同音（陽韻 dziɑŋ^1）であるゆえの混同を起こしている。熟字 1193「毛嬙」は左注「又美女名也」を付載する。観智院本類聚名義抄に反切「千羊反」を見出すが、仮名音注はない。

　　　牆 垣牆 … 在良切十 廧 同上 … 嬙 嫱嬙婦人官名　　　　　（宋本廣韻／陽韻 dziɑŋ^1）

　　　嬙 千羊反 婦／官　　　　　　　　　　　　　　　　　　　（観智院本類聚名義抄／佛中 020-2）

　　　牆 疾良反 俗廧／牆 カキ 和者ウ　　　　　　　　　　　　（観智院本類聚名義抄／佛下末 008-7）

　▶番号 2774b「障」（行障）の仮名音注「シヤウ」については、基本的に *-jaū* で対応する。当該字には平声点を差す。廣韻に拠れば、陽／漾韻 (tśiɑŋ$^{1/3}$) 二音を有する。熟字 2774「行障」は左注「葬具以絹用之」を付載する。図書寮本類聚名義抄に反切「茲云之尚反」（その反切下字に去声点）を見出す。観智院本類聚名義抄に反切「之讓之楊二反」および和音「者ウ」を見つける。長承

636　3．仮名音注の韻母別考察　3-4　ⅢB韻類

本蒙求には去声点を加えた掲出字「障」がある。日本漢音は去声を認める。日本呉音「シヤウ」の蓋然性が高い。

　　　障 茲云之尚［□去］反 … サハル［上上平／書：右注］　　　　　　　（図書寮本類聚名義抄／198-4）

　　　障 之讓之楊二反 サフ … 和者ウ　　　　　　　　　　　　　　（観智院本類聚名義抄／法中 047-1）

　　　障［去］　　　　　　　　　　　　　　　　　　　　　　　　　　　　　（長承本蒙求／087）

　▶番号 0831b「昌」（繁昌）の仮名音注「シヤウ」については、基本的に -jaŭ で対応する。当該字には平声濁点を差すので、日本語音史上の連濁による字音「ジヤウ」を想定する。観智院本類聚名義抄に同音字注「音倡」を見出すが、仮名音注はない。承暦本金光明最勝王経音義には同音字注「正音」（清／勁韻 tśieŋ¹ᐟ³）があり、その掲出字に去声点を加える。この字音把握は当該字「昌」（陽韻 tśʻiaŋ¹）と同音ではないが、字音「シヤウ」を示すか。日本呉音は去声を認める。

　　　昌 音倡 サカリナリ［上上□□□／□□二］　　　　　　　　（観智院本類聚名義抄／佛中 086-2）

　　　昌［去］正ミ／佐加由　　　　　　　　　　　（承暦本金光明最勝王経音義／07 ウ 5）

　▶番号 1166b・1345b「相」（法相・表相）の仮名音注「サウ」については、基本的に -aŭ で対応する。両当該字には平声点を差す。陽／漾韻（siaŋ¹ᐟ³）二音を有する。観智院本類聚名義抄に反切「先髙反」と「又平」および上昇調と推測する和音「サウ」（その右傍に墨筆で喉内撥音韻尾「✓」表記）を見出す。別途に仮名音注「音サウ」（その右傍に朱筆で仮名音注「サウ」）も見つけるが、朱筆ゆえ正音と扱うべきか。判断を保留する。長承本蒙求には仮名音注「シヤウ」があり、掲出字に東声点を加える。また同音字注「生」二例もあり、各掲出字に東声点と圏点による去声点を加える。日本漢音「シヤウ」東／去声（四声体系では平／去声）日本呉音「サウ」去声を認める。

　　　相 先髙反 タスク … 音サウ［サウ：朱右傍］… 又平 和サウ［□上／□✓：墨右傍］

　　　　　　　　　　　　　　　　　　　　　　　　　　（観智院本類聚名義抄／佛中 076-4）

　　　相［東］シヤウ　　　　　　　　　　　　　　　　　　　　　　　　　　（長承本蒙求／101）

　　　相［東］生　　　　　　　　　　　　　　　　　　　　　　　　　　　　（長承本蒙求／120）

　　　相［去：圏点］生　　　　　　　　　　　　　　　　　　　　　　　　　（長承本蒙求／126）

　▶番号 0977「湘」（湘）の仮名音注「シヤウ」については、基本的に -jaŭ で対応する。当該字には平声点を差し、和訓「ニル」の同訓異字として位置する。図書寮本類聚名義抄に去声点を付した同音字注「川云相」を見出す。観智院本には同音字注「音相」を見つけるが、仮名音注はない。日本漢音は去声を認める。

　　　泊湘 川云白相［入去］二音 … 下玉云享也 季云尓留［上平］　　　（図書寮本類聚名義抄／025-3）

　　　湘 音相 ニル／サ、ラナミ　　　　　　　　　　　　　（観智院本類聚名義抄／法上 042-5）

　　　泊湘 唐韻云淺水貌也白柏二音文選師說 左々良奈三　　（元和本倭名類聚抄／巻一 14 オ 8）

　▶番号 0667「纕」（纕）の仮名音注「シヤウ」については、基本的に -jaŭ で対応する。当該字には平声点を差し、右注「ハラオヒ 佩帯也」左注「馬纕也」を付載する。図書寮本類聚名義抄に同

3-4-1 -iɑ 系の字音的特徴 637

音字注「季云音襄」（その東声点位置に仮名音注「シヤウ」）を見出す。観智院本には平声点を付した同音字注「音襄」（その右傍に墨筆で仮名音注「シヤウ」）を見つける。元和本倭名類聚抄には反切「甚良反」がある。日本漢音「シヤウ」東声（四声体系では平声）を認める。

　　襄　季云音襄 [シヤウ：東声点位置] … 和云波良扲比 [平平平上濁]　　（図書寮本類聚名義抄／294-3）
　　襄　馬帶也 佩帶／音襄 [平／シヤウ：墨右傍] ハラオヒ [平平平上濁]

（観智院本類聚名義抄／法中125-6）

　　腹帶　唐韻云纕 甚良反和名波良於比 馬腹帶也　　　（元和本倭名類聚抄／巻十五02ウ4）

▶番号0675「箱」（箱）の仮名音注「シヤウ」については、基本的に -jaŭ で対応する。当該字には平声点を差し、右注「同（ハコ）或作筜」左注「竹苫受一外也」を付載する。観智院本類聚名義抄に平声点を付した同音字注「音相」を見出すが、仮名音注はない。元和本倭名類聚抄には同音字注「音相」がある。日本漢音は平声を認める。

　　箱　音相 [平] ハコ [上上] ／トコ クルマノトコ　　　（観智院本類聚名義抄／僧上078-5）

　　箱　楊氏漢語抄云箱 音相 …　　　（元和本倭名類聚抄／巻十六08ウ8）

▶番号0057a「商」（商陸）の仮名音注「シヤウ」については、基本的に -jaŭ で対応する。当該字には平声点を差す。熟字0057「商陸」は右注「イヲノキ」を付載する。図書寮本類聚名義抄に東声点を付した同音字注「音傷」と反切「始羊反」（その反切下字に平声点）および上昇調を示す「真云シヤウ」（「ウ」右傍に喉内撥音韻尾「✓」表記）を見出す。観智院本には平声点を付した同音字注「音傷」を見つける。長承本蒙求には仮名音注「シヤウ」二例があり、その掲出字一例に東声点を加える。日本漢音「シヤウ」東声（四声体系では平声）日本呉音「シヤウ」去声を認める。

　　商　音傷 [東] 弘云度也 … アキヒト [異：右注]　　　（図書寮本類聚名義抄／123-2）

　　商賈 广云 … 始羊 [□平] 反 … 真云シヤウ [平平上／□□✓]　　（図書寮本類聚名義抄／123-3）

　　商　音傷 [去：墨点] … アキヒト [平平□□] …　　（観智院本類聚名義抄／法上092-5）

　　商 [東] シヤウ　　　（長承本蒙求／006）

　　商 〔*左下隅欠〕シヤウ　　　（長承本蒙求／099）

　　商陸　本草云商陸 和名伊乎須木　　（元和本倭名類聚抄／巻二十12オ1）

▶番号0615「商」（商）の仮名音注「シヤウ」については、基本的に -jaŭ で対応する。当該字に声点はなく、右注「商量」を付載する。また和訓「ハカル」の同訓異字として位置する。上述の分析を参照。

▶番号0128「傷」（傷）の仮名音注「シヤウ」については、基本的に -jaŭ で対応する。当該字には平声点を差し、和訓「イタム」の同訓異字として位置する。陽/漾韻（śiɑŋ$^{1/3}$）二音を有する。観智院本類聚名義抄に平声点と去声点を付した同音字注「音商」を見出す。長承本蒙求には仮名音注「シヤウ」があり、その掲出字に東声点を加える。承暦本金光明最勝王経音義には仮名音注「シヤウ音」朱書「シヤウ」墨書があり、それらの掲出字に去声点を加える。日本漢音「シヤウ」東/去

638 　3．仮名音注の韻母別考察　3-4　ⅢB韻類

声（四声体系では平/去声）日本呉音「シヤウ」去声を認める。

　　　傷 音商 [平・去] イタム [平平上] …　　　　　　　　　（観智院本類聚名義抄／佛上 024-5）

　　　傷 [東] シヤウ　　　　　　　　　　　　　　　　　　　　（長承本蒙求／088）

　　　傷 [去] シヤウ六／イタタ／ナヤマス〔*後筆朱書〕　　（承暦本金光明最勝王経音義／05 ウ 3）

　　　傷 [去] シヤウ〔*後筆墨書〕　　　　　　　　　　　　（承暦本金光明最勝王経音義／05 ウ 3）

　▶番号 1011b「傷」（刃傷）の仮名音注「シヤウ」については、基本的に *jaŭ* で対応する。当該字には上声濁点を差すので、日本語音韻史上の連濁による字音「ジヤウ」を想定する。上述の分析を参照。

　▶番号 2915b「祥」（嘉祥）の仮名音注「シヤウ」については、基本的に *jaŭ* で対応する。当該字には平声点を差す。その中古音が示す頭子音 z-（等韻学の術語で言う歯音濁邪母）は日本語のザ行音をもって受容するが、中国語音韻史上における濁音声母の無声化を反映する場合はサ行音で対応する。観智院本類聚名義抄に平声点を付した同音字注「音詳」を見出す。長承本蒙求には仮名音注「シヤウ」があり、その掲出字に平声点を加える。承暦本金光明最勝王経音義には同音字注「常音」があり、その掲出字に去声点を加える。日本漢音「シヤウ」平声、日本呉音は去声を認める。

　　　祥 音詳 [平] 善也 … 吉告也　　　　　　　　　　　（観智院本類聚名義抄／法下 009-4）

　　　祥 音詳　　　　　　　　　　　　　　　　　　　　　（観智院本類聚名義抄／僧中 095-1）

　　　祥 [平] シヤウ　　　　　　　　　　　　　　　　　　　（長承本蒙求／111）

　　　祥 [去] 常ミ／伎良ミミ之　　　　　　　　　　　　　（承暦本金光明最勝王経音義／06 オ 1）

　▶番号 0325b「裳」（衣裳）の仮名音注「シヤウ」については、基本的に *jaŭ* で対応する。当該字には平声点を差す。図書寮本類聚名義抄に平声点を付した同音字注「音常」を見出す。観智院本には平声点を付した同音字注「音常」を見つけるが、仮名音注はない。元和本倭名類聚抄には同音字注「音常」がある。日本漢音は平声を認める。

　　　衣裳 川云音常 [平] … 真云裙也 衣下日ト　　　　　（図書寮本類聚名義抄／337-4）

　　　裳 音常 [平] モ　　　　　　　　　　　　　　　　　（観智院本類聚名義抄／法中 151-3）

　　　裙裳 褌幭附 釋名云 … 下曰裳 音常和名毛 …　　　（元和本倭名類聚抄／巻十二 20 ウ 4）

　▶番号 1858b「裳」（着裳）の仮名音注「シヤウ」については、基本的に *jaŭ* で対応する。当該字には去声点を差す。上述の分析を参照。

　▶番号 0576「腸」（腸）の仮名音注「チヤウ」については、基本的に *jaŭ* で対応する。当該字には平声点を差し、右注「ハラワタ」を付載する。観智院本類聚名義抄に同音字注「音長」を見出すが、仮名音注はない。元和本倭名類聚抄には同音字注「長反」がある。

　　　腸 音長 ハラ ハラワタ [平平平平] …　　　　　　　（観智院本類聚名義抄／佛中 118-7）

　　　大腸　中黄子云大腸 長反和名波良和太 爲傳送之府　　（元和本倭名類聚抄／巻三 12 オ 5）

　▶番号 0928「塲」（塲）の仮名音注「チヤウ」については、基本的に *jaŭ* で対応する。当該字

には平声点を差し、右注「同（ニハ）」を付載する。当該字「塲」は「場」と相互に異体字である。図書寮本類聚名義抄に反切「广云始羊反」（その反切下字に平声点）を見出す。観智院本には平声点を付した同音字注「音傷」と平声朱点・去声墨濁点を付した同音字注「音長」を見出つけるが、仮名音注はない。同書の凡例部分「朱音者正音也墨声者和音也」（篇目7-6）に従えば、朱墨で正音と和音を分別する傾向がある。日本漢音は平声、日本呉音は去声を認める。

　　　塲瓏 广云始羊 ［□平］反 …　　　　　　　　　　　　（図書寮本類聚名義抄／225-2）

　　　場 音傷 ［平］耕處／ニハ ［上上］ミチ ツチクレ ［上平□□］　（観智院本類聚名義抄／法中 052-3）

　　　場 音長 ［平／去：墨濁点］團 サカヒ／ニハ ［上上］　　（観智院本類聚名義抄／法中 052-2）

▶番号1780・1933a「張」（張・張芝）の仮名音注「チヤウ」については、基本的に *-jaū* で対応する。当該字には平声点を差す。廣韻に拠れば、陽/漾韻（ɖiɑŋ¹ᐟ³）二音を有する。番号1780は左注「唇貪也」を付載する。観智院本類聚名義抄に反切「陟良反・又竹亮反」および低平調と推測する和音「チヤウ」（その右傍に朱筆で喉内撥音韻尾「√」表記）を見出す。長承本蒙求には仮名音注「チヤウ」二例があり、それらを含む掲出諸字十四例に東声点を加える。当該字「張」の頭子音は澄母濁ゆえ、平声の誤認と推測する。承暦本金光明最勝王経音義には仮名音注「チヤウ」がある。日本漢音「チヤウ」平声、日本呉音「チヤウ」平声を認める。

　　　張 陟良反 ハル ［上平］… 又竹亮反／和チヤウ ［□□平／□□√：朱右傍］

　　　　　　　　　　　　　　　　　　　　　（観智院本類聚名義抄／僧中 026-7）

　　　張 ［東］〔＊平声の誤認か〕

　　（長承本蒙求／026・027・042・046・052・077・107・116・122・125・136・143）

　　　張 ［東］チヤウ　　　　　　　　　　　　　　（長承本蒙求／048・096）

　　　張 チヤウ ［：右傍］〔＊後筆墨書〕　　（承暦本金光明最勝王経音義／08 オ 1）

▶番号1840a「張」（張本）の仮名音注「チヤウ」については、基本的に *-jaū* で対応する。当該字には上声点を差す。上述の分析を参照。

▶番号0699「張」（張）の仮名音注「チヤウ」については、基本的に *-jaū* で対応する。当該字に声点はなく、右注「ハル ［上平］弓張也」左注「張施也」を付載する。上述の分析を参照。

▶番号1756a・1814a・1834a・1854a・1855a・1936a・1952a「長」（長慶子・長講・長秋宮・長生・長髪・長樂・長短）の仮名音注「チヤウ」については、基本的に *-jaū* で対応する。当該諸字七例には平声点を差す。廣韻に拠れば、陽/漾韻（ɖiɑŋ¹ᐟ³）養韻（ţiɑŋ²）三音を有する。観智院本類聚名義抄に反切「直良反」と「又去」および上昇調と推測する仮名音注「チヤウ」（その右傍に墨筆で喉内撥音韻尾「√」表記）さらに上昇調と推測する和音「チヤウ」（その右傍に墨筆で喉内撥音韻尾「√」表記）を見出す。長承本蒙求には平声点を加えた掲出諸字「長」四例がある。日本漢音は平声と「チヤウ」去声、日本呉音「チヤウ」去声を認める。

　　　長 直良反 ナカシ ［平平濁□］… 又去 又チヤウ ［□□上／□□√：墨右傍］

640　3．仮名音注の韻母別考察　3-4　ⅢB韻類

　　　　和チヤウ［□□上：墨圏点／□□✓：墨右傍］　　　　（観智院本類聚名義抄／佛下本033-1）

　　　長生 ヒト、ナリ　　　　（観智院本類聚名義抄／佛下本033-2）

　　　長［平］　　　　（長承本蒙求／012・083・113・132）

　▶番号1818a「長」（長行）の仮名音注「チヤウ」については、基本的に *-jaŭ* で対応する。当
該字には去声濁点を差すので、字音「ヂヤウ」を想定する。その中古音が示す頭子音 ḍ-（等韻学の
術語で言う舌音濁澄母）は日本語のダ行音をもって受容するが、中国語音韻史上における濁音声母
の無声化を反映する場合はタ行音で対応する。上述の分析を参照。

　▶番号1897a「長」（長案）の仮名音注「チヤウ」については、基本的に *-jaŭ* で対応する。当
該字には去声点を差す。上述の分析を参照。

　▶番号0919b・1852a・1975a「長」（番長・長者・長吏）の仮名音注「チヤウ」については、
基本的に *-jaŭ* で対応する。当該諸字三例に声点はない。熟字0919「番長」は左注「在六衛府」を
付載する。上述の分析を参照。

　▶番号2667「粮」（粮）の仮名音注「チヤウ」については、基本的に *-jaŭ* で対応する。当該字
には平声点を差し、右注「同（カテ）」を付載する。観智院本類聚名義抄に同音字注「音張」を見
出すが、仮名音注はない。

　　　粮 音張 カテ／カレイヒ　　　　（観智院本類聚名義抄／法下034-5）

　▶番号0828a「防」（防援）の仮名音注「ハウ」については、基本的に *-aŭ* で対応する。当該字
には去声点を差す。廣韻に拠れば、陽／漾韻（biaŋ¹ᐟ³）二音を有する。熟字0828「防援」は右注「タ
ゝス」右傍「フセキ マホル」を付載する。図書寮本類聚名義抄に平声点を付した同音字注「季云音
房」および上昇調を示す「真云ハウ」（「ウ」に喉内撥音韻尾「✓」表記）を見出す。観智院本に
は同音字注「音房」および和音「去平」を見つけるが、仮名音注はない。日本漢音は平声、日本呉
音「ハウ」平／去声を認める。

　　　防 季云音／房［平］… 真云ハウ［平上／□✓］　　　　（図書寮本類聚名義抄／207-4）

　　　防 音房 フセク［平平上］… 和去平　　　　（観智院本類聚名義抄／法中046-6）

　▶番号0787a・0788a「房」（房室・房内）の仮名音注「ハウ」については、基本的に *-aŭ* で対
応する。両当該字には去声濁点を差すので、字音「バウ」を想定する。熟字0788「房内」は右注「云
開中也」を付載する。観智院本類聚名義抄に平声点を付した同音字注「音防」と上昇調を示す俗音
「ハウ」および和音「ハウ」を見出す。長承本蒙求には仮名音注「ハウ」二例があり、それらの両
掲出字に平声点を加える。承暦本金光明最勝王経音義には喉内撥音韻尾の表記を含む「婆✓」があ
り、その掲出字に去声濁点を加える。元和本倭名類聚抄には同音字注「防反」を見つける。日本漢
音「ハウ」平声、日本呉音「バウ」去声を認める。また定着久しい字音「ハウ」去声も認める。

　　　房 音防［平］俗音ハウ［平上］ネヤ［上上］… 和ハウ　　　　（観智院本類聚名義抄／法下093-8）

　　　房［平］ハウ　　　　（長承本蒙求／079）

房 ［平］ハウ〔＊「ウ」不見〕　　　　　　　　　　　　　　　（長承本蒙求／132）

房 ［去濁］婆✓　　　　　　　　　　　　　　　　（承暦本金光明最勝王経音義／02 オ 5）

房 名附出 釋名云房防反在室之両方也 …　　　　　　　（元和本倭名類聚抄／巻十 04 ウ 7）

▶番号 0483「房」（房）の仮名音注「ハウ［平濁上］」については、基本的に -aü で対応する。当該字には平声点と去声点を差し、その仮名音注は濁音を含む上昇調を示すので、字音「バウ」去声を想定する。また左注「僧房女房」を付載する。上述の分析を参照。

▶番号 0485a「坊」（坊門）の仮名音注「ハウ」については、基本的に -aü で対応する。当該字には平声点と去声濁点を差すので、字音「ハウ・バウ」を想定する。廣韻に拠れば、陽韻（biɑŋ・piɑŋ¹）二音を有する。熟字 0485「坊門」は右注「ハウモン俗」仮名音注を付載する。図書寮本類聚名義抄に東声点を付した同音字注「川云音方」と平声点を付した「宋云又音房」を見出す。観智院本には平声点を付した同音字注「音方」および平声点と去声濁点を付した同音字注「又房」を見つけるが、仮名音注はない。元和本倭名類聚抄には同音字注「房反」がある。日本漢音は東/去声（四声体系では平/去声）を認める。

坊 川云音方 ［東］ 和云未智 ［上平］ … 宋云又音房 ［平］ …　　　（図書寮本類聚名義抄／228-5）

坊 音方 ［平］ 又房 ［平・去濁］／マチ サフ　　　　（観智院本類聚名義抄／法中 066-6）

坊 名附出 聲類云房反 和名萬知 別屋也又村坊也 …　　　（元和本倭名類聚抄／巻十 05 オ 2）

▶番号 0484「坊」（坊）の仮名音注「ハウ［平濁上］」については、基本的に -aü で対応する。当該字に声点はないが、その仮名音注は濁音を含む上昇調を示すので、字音「バウ」去声を想定する。また左注「春宮坊」を付載する。上述の分析を参照。

坊 職貞令云春宮坊 美古乃美夜乃豆加佐　　　　　（元和本倭名類聚抄／巻五 06 オ 6）

▶番号 0914・1035c「坊」（坊・豊財坊）の仮名音注「ハウ」については、基本的に -aü で対応する。両当該字に声点はない。番号 0914「坊」は左注「春宮坊」を、熟字 1035「豊財坊」は「三条西」を付載する。上述の分析を参照。

坊 名附出 … 豊財坊 三條西右京職殺倉院等是也　　　（元和本倭名類聚抄／巻十 05 オ 6）

▶番号 2786「方」（方）の仮名音注「ハウ」については、基本的に -aü で対応する。当該字には平声点を差し、右注「カタ」を付載する。観智院本類聚名義抄に反切「甫亡反」（その反切下字に平声濁点）および上昇調と推測する和音「ハウ」（その右傍に朱筆で喉内撥音韻尾「✓」表記）と上昇調と推測する和音「ホウ」（その右傍に朱筆で喉内撥音韻尾「✓」表記）を見出す。和音「ホウ」は日本語の音変化 -aü > -oü > -oo を反映する字音把握である。また反切「府良反」も見つける。長承本蒙求には仮名音注「ハウ」二例があり、その両掲出字に東声点を加える。承暦本金光明最勝王経音義には喉内撥音韻尾の表記を含む仮名音注「ハ✓」があり、その掲出字に去声点を加える。日本漢音「ハウ」東声（四声体系では平声）日本呉音「ハウ・ホウ」去声を認める。

方 府良反　　　　　　　　　　　　　　　　　　（観智院本類聚名義抄／僧上 085-2）

642 3．仮名音注の韻母別考察 3-4 ⅢB韻類

方 甫亡 [□平濁] 反 ヒラ [上平] … 和ハウ [□上／□✓：朱右傍] ホウ [□上／□✓：朱右傍]

(観智院本類聚名義抄／僧中 030-7)

方 [東] ハウ 〔＊加点存疑〕　　　　　　　　　　　　　　　　(長承本蒙求／021)

方 [東] ハウ　　　　　　　　　　　　　　　　　　　　　　(長承本蒙求／105・106)

方 [去] ハ✓　　　　　　　　　　　　(承暦本金光明最勝王経音義／02 オ 5)

▶番号 0264b「方」（醫方）の仮名音注「ハウ」については、基本的に -aū で対応する。当該字には上声点を差す。上述の分析を参照。

▶番号 1942b「方」（治方）の仮名音注「ホウ」については、異例 -oū を示す。当該字には上声点を差す。日本呉音における仮名音注「ホウ」については、四角あるいは医方の意味において頻用する傾向が指摘 (39) されている。上述の分析を参照。

▶番号 0760a「方」（方來）の仮名音注「ハウ」については、基本的に -aū で対応する。当該字には去声点を差す。上述の分析を参照。

▶番号 1108a・1109a・1187a・1229a・1248a「方」（方錢・方磬・方藥・方略・方錢）の仮名音注「ホウ」については、異例 -oū を示す。当該諸字五例には去声点を差す。熟字 1108「方錢」は左注「帶方錢也」を、熟字 1109「方磬」は左注「樂器也」左注「ホウキヤウ俗」を付載する。元和本倭名類聚抄には「方磬」に対して「俗云奉強」がある。上述の分析を参照。

方磬　律書樂圖云磬 苦定反方磬俗云奉強 …　　　　(元和本倭名類聚抄／巻四 09 オ 3)

▶番号 1137・1267a「方」（方・方圓）の仮名音注「ホウ」については、異例 -oū を示す。両当該字に声点はない。番号 1137「方」は左注「葉方」を付載する。上述の分析を参照。

▶番号 0769a・0799a・0810a・0824a・0872a・0897a「芳」（芳艶・芳心・芳談・芳札・芳菲・芳枝）の仮名音注「ハウ」については、基本的に -aū で対応する。当該諸字六例には平声点を差す。熟字 0829「芳菲」は左注「芳也」右傍「カウハシ」を付載する。観智院本類聚名義抄に同音字注「音妨」を見出すが、仮名音注はない。

芳 音妨 カウハシ [上上上濁上]／ニホフ カタチ　　　(観智院本類聚名義抄／僧上 038-2)

▶番号 0801a「芳」（芳契）の仮名音注「ハウ」については、基本的に -aū で対応する。当該字には去声点を差す。上述の分析を参照。

▶番号 0739a・0793a「亡」（亡弊・亡命）の仮名音注「ハウ」については、基本的に -aū で対応する。両当該字には平声濁点を差すので、中国語音韻史上における鼻音声母の非鼻音化を反映する字音「バウ」を想定する。観智院本類聚名義抄に同音字注「音望」を見出すが、仮名音注はない。

亡 音望 ナシ ホロフ [上上平濁] … 脣　　　　　　　(観智院本類聚名義抄／法下 041-3)

▶番号 0816a「亡」（亡却）の仮名音注「ハウ」については、基本的に -aū で対応する。当該字には去声濁点を差すので、中国語音韻史上における鼻音声母の非鼻音化を反映する字音「バウ」を想定する。上述の分析を参照。

3-4-1　-iɑ 系の字音的特徴　643

▶番号 0337b・1630b・1877b・1887b・1898b・3084b「望」（伊望・德望・悵望・地望・馳望・鸖望）の仮名音注「ハウ」については、基本的に -aū で対応する。当該諸字六例には平声濁点を差すので、中国語音韻史上における鼻音声母の非鼻音化を反映する字音「バウ」を想定する。廣韻に拠れば、陽/漾韻（miɑŋ¹ᐟ³）二音を有する。熟字 0337「伊望」は右傍「ヲクリ ツ𛂦シム」を付載する。図書寮本類聚名義抄に同音字注「音亡・又妄」と反切「真云武訪反」さらに反切「又武法反」（その反切下字に平声点）を見出す。観智院本には平声濁点を付した同音字注「音亡」と去声濁点を付した同音字注「又妄」および上昇調を示す和音「マウ」を見つける。長承本蒙求には仮名音注「ハウ」二例があり、それらの掲出字に去声点と去声加濁点を加える。日本漢音「バウ」平/去声、日本呉音「マウ」去声を認める。

　　希望 音亡/又妄 … 真云武訪反 希望也 又武法 [□平] 反 …　　　　　　　　（図書寮本類聚名義抄/168-6）
　　望 音亡 [平濁] 又妄 [去濁] ネカフ … 和マウ [平上] …　　　　　（観智院本類聚名義抄/法中 024-7）
　　望 [去] ハウ　　　　　　　　　　　　　　　　　　　　　　　　　　　　　（長承本蒙求/127）
　　望 [去/去：加濁] ハウ　　　　　　　　　　　　　　　　　　　　　　　　　（長承本蒙求/132）

▶番号 0403a・0743a・0747a・0899a・1865b「望」（望海・望夫・望礼・望陁・悵望）の仮名音注「ハウ」については、基本的に -aū で対応する。当該諸字五例には去声濁点を差すので、中国語音韻史上における鼻音声母の非鼻音化を反映する字音「バウ」を想定する。上述の分析を参照。

▶番号 3152a「望」（望陁）の仮名音注「マウ」については、基本的に -aū で対応する。当該字に声点はない。元和本倭名類聚抄に借字による「末宇」がある。上述の分析を参照。

　　上総國 … 望陁 末宇太 …　　　　　　　　　　　　　　（元和本倭名類聚抄/巻四 15 オ 7）

▶番号 2320「忘」（忘）の仮名音注「ハウ」については、基本的に -aū で対応する。当該字には平声濁点を差すので、中国語音韻史上における鼻音声母の非鼻音化を反映する字音「バウ」を想定する。また右注「ワスル」を付載する。廣韻に拠れば、陽/漾韻（miɑŋ¹ᐟ³）二音を有する。図書寮本類聚名義抄に平声濁点を付した同音字注「季云音亡」および低平調と推測する「真云マウ」（「ウ」に喉内撥音韻尾「✓」表記）を見出す。観智院本には平声点を付した同音字注「音忘」〔＊音亡の誤認か〕（その右傍に墨筆で仮名音注「マフ」）と「マウ」および「又去」を見つける。同書の凡例部分「朱音者正音也墨声者和音也」（篇目 7-6）に従えば、朱墨で正音と和音を分別する傾向がある。日本漢音は平/去声、日本呉音「マウ」平声を認める。

　　忘 季云音亡 [平濁] … ワスル [論：右注] 真云マウ [□平/□✓]　　（図書寮本類聚名義抄/249-7）
　　忘 音忘 [平/マフ：墨右傍] ワスル [上上□] … マウ/又去 乱也 ノソム [上上濁□]
　　　　　　　　　　　　　　　　　　　　　　　　　　　　　　（観智院本類聚名義抄/法中 070-2）

▶番号 0756a・0883a「忘」（忘家・忘筌）の仮名音注「ハウ」については、基本的に -aū で対応する。両当該字には去声濁点を差すので、中国語音韻史上における鼻音声母の非鼻音化を反映する字音「バウ」を想定する。上述の分析を参照。

644　3．仮名音注の韻母別考察　3-4　ⅢB韻類

▶番号1748a「忘」（忘家）の仮名音注「ハウ」については、基本的に *-aū* で対応する。当該字に声点はない。上述の分析を参照。

▶番号0794b「忘」（癈忘）の仮名音注「マウ」については、基本的に *-aū* で対応する。当該字には去声点を差す。上述の分析を参照。

▶番号1806b「央」（中央）の仮名音注「ヤウ」については、基本的に *-jaū* で対応する。当該字には平声点を差す。熟字1806「中央」は左注「チウヤウ」を付載する。母音連続を回避するため *tiū-aū → tiūjaū* という音変化をしたか。観智院本類聚名義抄に平声点を付した同音字注「音殃」を見出すが、仮名音注はない。日本漢音は平声を認める。

　　央 音殃［平］已也 久也 ツク［上平］ナカハ …　　　　　　　（観智院本類聚名義抄／佛下末 034-8）

▶番号1469・2332「殃」（殃・殃）の仮名音注「アウ」については、基本的に *-aū* で対応する。両当該字には平声点を差す。番号1469「殃」は和訓「トカ」の同訓異字、番号2332 和訓「ワサハヒ」の同訓異字として位置する。観智院本類聚名義抄に平声点を付した同音字注「音央」（その右注に墨筆で「アウ」朱筆で「ワウ」）を見出す。同書の凡例部分「朱音者正音也墨声者和音也」（篇目 7-6）に従えば、朱墨で正音と和音を分別する傾向がある。日本漢音「ワウ」平声、日本呉音「アウ」を認める。

　　殃 音央［平／アウ：墨右注・ワウ：朱右注］ツミ［平上］／ワサハヒ［上上上上］

　　　　　　　　　　　　　　　　　　　　　　　　　　　　　　　（観智院本類聚名義抄／法下 133-5）

▶番号0470b・1430b・1792b「陽」（艶陽・通陽門・重陽）の仮名音注「ヤウ」については、基本的に *-jaū* で対応する。当該諸字三例には平声点を差す。熟字1792「重陽」は左注「九月九日也」を付載する。図書寮本類聚名義抄に平声点を付した同音字注「音楊」と反切「广云養良反」を見出す。観智院本には同音字注「音楊」を見つける。長承本蒙求には仮名音注「ヤウ」五例があり、それらを含む掲出諸字七例に平声点を加える。日本漢音「ヤウ」平声を認める。

　　陰陽 … 下音楊［平］… アキラカナリ［平平上平□□／異：右注］…（図書寮本類聚名義抄／209-2）

　　陽病 广云養良反 …　　　　　　　　　　　　　　　　　　　（図書寮本類聚名義抄／209-6）

　　陽 音楊 … ヒカリ アタヽカナリ ヒ …　　　　　　　（観智院本類聚名義抄／法中 038-4）

　　陽［平］ヤウ　　　　　　　　　　　　　　（長承本蒙求／012・108・109・135）

　　陽［平］ヤウ／ヤウ　　　　　　　　　　　　　　　　（長承本蒙求／072）

　　陽［平］　　　　　　　　　　　　　　　　　　（長承本蒙求／025・072）

▶番号0973b「陽」（夕陽）の仮名音注「ヤウ」については、基本的に *-jaū* で対応する。当該字に声点はない。上述の分析を参照。

▶番号3176b「陽」（加陽）の仮名音注「ヤ」については、異例 *-a* を示す。当該字に声点はない。先んじて存在する姓氏に漢字表記を宛てたと推測する。略音仮名の用法である。上述の分析を参照。

3-4-1 -iα系の字音的特徴 645

▶番号0047a・0064a「羊」（羊桃・羊躑躅）の仮名音注「ヤウ」については、基本的に *jaŭ* で対応する。両当該字には平声点を差す。熟字0047「羊桃」は右注「イラクサ」左注「イラミクサ」を、熟字0064「羊躑躅」は右注「イハツ丶シ」中左注「羊設食之／躑躅而死／故以名也」を付載する。観智院本類聚名義抄に同音字注「音陽」を見出す。長承本蒙求には仮名音注「ヤウ」二例があり、それらを含む掲出諸字四例に平声点を加える。日本漢音「ヤウ」平声を認める。

　　　羊𦍌 今正 音陽 ヒツシ［上上上濁］／養也　　　　　（観智院本類聚名義抄／僧中094-6）

　　　羊［平］　　　　　　　　　　　　　　　　　　　　（長承本蒙求／014・017）

　　　羊［平］ヤウ　　　　　　　　　　　　　　　　　　（長承本蒙求／097・103）

　　　羊桃　唐韻云 … 和名本草云伊良々久佐 似桃花而白今之羊桃也

　　　　　　　　　　　　　　　　　　　　　　　　　　（元和本倭名類聚抄／巻二十06 オ9）

　　　羊躑躅　陶隠居本草云羊躑躅 攎直二音和名以波豆々之 … 羊誤食之躑躅而死故以名之

　　　　　　　　　　　　　　　　　　　　　　　　　　（元和本倭名類聚抄／巻二十26 ウ4）

▶番号0149「佯」（佯）の仮名音注「ヤウ」については、基本的に *jaŭ* で対応する。当該字に声点はなく、和訓「イツハル」の同訓異字として位置する。観智院本類聚名義抄に平声点を付した同音字注「羊音」を見出すが、仮名音注はない。日本漢音は平声を認める。

　　　佯 羊［平］音 ヨシ［平上］／イツハリ□［平平□□□／□□□ル］

　　　　　　　　　　　　　　　　　　　　　　　　　　（観智院本類聚名義抄／佛上034-4）

▶番号2605「瘍」（瘍）の仮名音注「ヤウ」については、基本的に *jaŭ* で対応する。当該字には平声点を差し、右注「カシラカサ」を付載する。観智院本類聚名義抄に平声点を付した同音字注「音羊」を見出すが、仮名音注はない。同書では異体字として「瘍」（昔韻 jiek）を掲げるが、諸声符を異にする別字である。日本漢音は平声を認める。

　　　瘍 音亦 病　　　　　　　　　　　　　　　　　　（観智院本類聚名義抄／法下114-8）

　　　瘍瘍 今正／音羊［平］／カシラカサ［平平平上濁平］傷也　（観智院本類聚名義抄／法下114-8）

▶番号0479・1589b・2043a・2106b・2130a「梁」（梁・棟梁・梁塵・陸梁・梁山）の仮名音注「リヤウ」については、基本的に *jaŭ* で対応する。当該諸字五例には平声点を差す。番号0479「梁」は右注「同（ハシ）」左注「水橋也」を付載する。観智院本類聚名義抄に平声点を付した同音字注「音良」および和音「去」を見出す。長承本蒙求には仮名音注「リヤウ」があり、その掲出字に平声点を加える。日本漢音「リヤウ」平声、日本呉音は去声を認める。

　　　梁 音良［平］ウツハリ［上上上上］ハシ［上上］… 和去　（観智院本類聚名義抄／佛下本095-6）

　　　梁［平］リヤウ　　　　　　　　　　（長承本蒙求／004・008・033・117・120）

　　　梁　唐韻云梁 音良和名宇都波利 棟梁也 …　　　　（元和本倭名類聚抄／巻十10 オ4）

▶番号1996a・2026a・2027a・2064a・2074a・2079a・2115a・3224「良」（良朱・良辰・良久・良朱・良媒・良吏・良藥・良）の仮名音注「リヤウ」については、基本的に *jaŭ* で対応する。

646 3．仮名音注の韻母別考察 3-4 ⅢB韻類

当該諸字八例には平声点を差す。熟字 2026「良辰」は右傍「ヨキ トキ」を付載する。番号 3224「良」は和訓「ヨシ」の同訓異字として位置する。観智院本類聚名義抄に平声点を付した同音字注「音梁」および上昇調を示す和音「ラウ」を見出す。長承本蒙求には仮名音注「リヤウ」があり、それを含む掲出字二例に平声点を加える。日本漢音「リヤウ」平声、日本呉音「ラウ」去声を認める。

良 音梁 [平] ヨシ [平上] … 和ラウ [平上]　　　　　（観智院本類聚名義抄／法下 040-2）

良久 ヤ、ヒサシ [上上□□□]　　　　　　　　　　（観智院本類聚名義抄／法下 040-3）

良 [平] リヤウ　　　　　　　　　　　　　　　　　　　　（長承本蒙求／143）

良 [平]　　　　　　　　　　　　　　　　　　　　　　　（長承本蒙求／143）

▶番号 1995a「良」（良家子）の仮名音注「リヤウ」については、基本的に *jaū* で対応する。両当該字に声点はない。上述の分析を参照。

▶番号 1960b「良」（早良）の仮名音注「ラ」については、異例 *-a* を示す。当該字に声点はなく、右注「サワラ」を付載する。先んじて存在する地名に対して、漢字表記を宛てたと推測する。日本呉音「ラウ」の略音仮名である。元和本倭名類聚抄には「佐波良」がある。上述の分析を参照。

筑前國 … 早良 佐波良 …　　　　　　　　　　　（元和本倭名類聚抄／巻四 26 ウ 1）

▶番号 2666「粮」（粮）の仮名音注「リヤウ」については、基本的に *jaū* で対応する。当該字には平声点を差し、右注「カテ」左注「或作糧」を付載する。当該字「粮」は「糧」と相互に異体字である。観智院本類聚名義抄に平声点を付した同音字注「音良」と平声点を付した同音字注「音張」〔＊←方+長〕を見出すが、仮名音注はない。元和本倭名類聚抄には同音字注「音涼」がある。日本漢音は平声を認める。

糧 音良 [平] カテ／音張 [平]　粮 通 カテ ヨハシ　　（観智院本類聚名義抄／法下 032-2）

粮 考聲切韻云糧 音凉字亦作粮和名加天 …　　　（元和本倭名類聚抄／巻十六 16 ウ 6）

▶番号 2096b「椋」（虜椋）の仮名音注「リヤウ」については、基本的に *jaū* で対応する。当該字には去声点を差す。熟字 2096「虜椋」は右傍「トリコニシ カスム」を付載する。観智院本類聚名義抄に同音字注「音良」を見出すが、仮名音注はない。元和本倭名類聚抄に同音字注「音良」がある。

椋 音良 … カスム シトミ　　　　　　　　　　　（観智院本類聚名義抄／佛下本 088-1）

椋 爾雅云椋一名即棶 椋音良棶音來和名牟久　　（元和本倭名類聚抄／巻二十 26 オ 8）

▶番号 2024a・2025a「涼」（涼暖・涼燠）の仮名音注「リヤウ」については、基本的に *jaū* で対応する。両当該字には平声点を差す。廣韻に拠れば、陽/漾韻 (liɑŋ$^{1/3}$) 二音を有する。熟字 2025「涼燠」は右傍「ス、シク アツシ」を付載する。図書寮本類聚名義抄に反切「真云呂長反」および「和リヤウ」（「ウ」に喉内撥音韻尾「✓」表記）を見出す。観智院本類聚名義抄に反切「呂長反」および和音「リヤウ」を見つける。日本呉音「リヤウ」を認める。

能涼　真云呂長反 スヽシ［平上濁□］… 和リヤウ［□□✓］　　　（図書寮本類聚名義抄／066-7）

　　涼　呂長反 スヽシ［平上濁□］… 和リヤウ　　　　　　　　（観智院本類聚名義抄／法上046-3）

▶番号0614「量」（量）の仮名音注「リヤウ」については、基本的に -jaü で対応する。当該字には平声点と去声点を差し、右注「ハカル」左注「知多少」を付載する。廣韻に拠れば、陽/漾韻（liɑŋ¹ʲ³）二音を有する。観智院本類聚名義抄に反切「力向反」と「又平」および和音「リヤウ」（その右傍に墨筆で喉内撥音韻尾「✓」表記）を見出す。長承本蒙求には仮名音注「リヤウ」があり、その掲出字に去声点を加える。日本漢音「リヤウ」平/去声、日本呉音「リヤウ」を認める。

　　量　力向反 ハルカ［平上平］… 又平 和リヤウ［□□✓：墨右傍］

　　　　　　　　　　　　　　　　　　　　　　　　　（観智院本類聚名義抄／佛中088-8）

　　量 ［去］リヤウ　　　　　　　　　　　　　　　　　　　（長承本蒙求／021）

▶番号1926b・2103a・2104a「量」（筭量・量定・量欠）の仮名音注「リヤウ」については、基本的に -jaü で対応する。当該諸字三例には平声点を差す。上述の分析を参照。

▶番号0694「量」（量）の仮名音注「リヤウ」については、基本的に -jaü で対応する。当該字に声点はなく、右注「ハカル 知多少也」左注「知斗外也」を付載する。上述の分析を参照。

《下巻 陽韻諸例》

▶番号3417a・3578「強」（強飯・強）の仮名音注「キヤウ」については、基本的に -jaü で対応する。両当該字には平声点を差す。熟字3417「強飯」は右注「コハイヒ」左注「飯字或作餅」を、番号3578「強」は右注「コハシ」左注「巨良反」を付載する。上巻の陽韻当該諸例で分析したように、日本漢音は平/上声、日本呉音「ガウ」平声を認める。

　　強飯 コハイヒ　　　　　　　　　　　　　　　　（観智院本類聚名義抄／僧上105-6）

　　強飯　史記云廉頗強飯斗酒食肉十斤 飯音符萬反亦作餅怖強飯和名古八伊比

　　　　　　　　　　　　　　　　　　　　　　　　（元和本倭名類聚抄／巻十六13オ1）

▶番号3580「彊」（彊）の仮名音注「キヤウ」については、基本的に -jaü で対応する。当該字には平声点を差し、和訓「コハシ」の同訓異字として位置する。観智院本類聚名義抄に反切「巨良反」を見出すが、仮名音注はない。また当該字「彊」は「強」と相互に異体字とする。字形の近似する「彊」は別字である。

　　強彊 通正／キハマル［平平□□］　　　　　　　　（観智院本類聚名義抄／僧中024-4）

　　彊強 … 中下正 巨良反　　　　　　　　　　　　　（観智院本類聚名義抄／僧中028-1）

▶番号6545b「香」（浅香）の仮名音注「カウ」については、基本的に -aü で対応する。当該字には上声点を差す。熟字6545「浅香」は右注「藥名」左注「栴檀之枯也」を付載する。上巻の陽韻当該諸例で分析したように、日本漢音「キヤウ」東声（四声体系では平声）日本呉音「カウ」去声

648　３．仮名音注の韻母別考察　3-4　ⅢB韻類

を認める。

　▶番号 3784c・5278c・5464b・6176c「香」（衣比香・青木香・麝香・百和香）の仮名音注「カ
ウ」については、基本的に -au で対応する。当該諸字五例に声点はない。上述の分析を参照。熟字
5278「青木香」は左注「出天竺也」を、熟字 5464「麝香」は右注「出中天竺也」付載する。上述
の分析を参照。

　▶番号 4406b「香」（伊香）の仮名音注「カコ」については、異例 -ako を示す。熟字 4406「伊
香」は右傍「イカコ」を付載する。先んじて存在する地名に対して、漢字表記を宛てたと推測する。
日本語音韻史上の音変化 au > oo > o を前提とする。上述の分析を参照。

　　　近江國 … 伊香 伊㐀古 髙島 太加之萬　　　　　　　　　（元和本倭名類聚抄／巻四 16 オ 8）

　▶番号 3881b・6043b・6342b「香」（披香・飛香舎・披香）の仮名音注「キヤウ」については、
基本的に -jau で対応する。当該諸字三例には平声点を差す。熟字 6043「飛香舎」は右注「フチツ
ホ」左注「禁中舎也」を付載する。上述の分析を参照。

　▶番号 4443・4980a・6919b「郷」（郷・郷里・酔郷）の仮名音注「キヤウ」については、基本
的に -jau で対応する。当該諸字三例には平声点を差す。番号 4443「郷」は右注「サト」左注「故
郷」を付載する。上巻の陽韻当該諸例で分析した。

　▶番号 5280a「薔」（薔薇）の仮名音注「シヤウ」については、基本的に -jau で対応する。当
該字には平声点を差す。観智院本類聚名義抄に反切「在羊反」を見出すが、仮名音注はない。

　　　薔 在羊反 アラキハナ／薔薇　　　　　　　　　　　　　（観智院本類聚名義抄／僧上 021-7）

　　　薔薇 營實附 本草云薔薇一名薔蘪 音微今案薔薇蘪通 …　　（元和本倭名類聚抄／巻二十 03 ウ 5）

　▶番号 6054b「床」（蚍床子）の仮名音注「サウ」については、基本的に -au で対応する。当該
字には平声点を差す。熟字 6054「蚍床子」は右注「ヒルムシロ」を付載する。観智院本類聚名義抄
に上昇調と推測する和音「者ウ」を見出す。長承本蒙求には同音字注「相」（平安中期の朱加点）
と仮名音注「サウ」（長承三年の墨加点）があり、その掲出字に平声点を加える。また掲出字「相」
に対しては仮名音注「シヤウ」を見つける。日本漢音「サウ」平声を認める。日本呉音「シヤウ」
去声の蓋然性が高い。

　　　床 … ユカ［上上・上平］和者ウ［□上］　　　　　　　（観智院本類聚名義抄／法下 106-6）

　　　床［平］相／サウ　　　　　　　　　　　　　　　　　　　　　　（長承本蒙求／021）

　▶番号 4254b・5217・5465a「床」（胡床・床・床子）の仮名音注「シヤウ」については、基本
的に -jau で対応する。当該諸字三例には平声点を差す。熟字 4254「胡床」は右注「アクラ」を、
熟字 5465「床子」は右傍「シヤウシ俗」仮名音注を付載する。上述の分析を参照。

　　　胡床 アクラ［平平濁上］　　　　　　　　　　　　　　（観智院本類聚名義抄／法下 106-6）

　▶番号 4716a・4767a・4774a・6932b「相」（相承・相折・相博・衰相）の仮名音注「サウ」
については、基本的に -au で対応する。当該諸字四例には平声点を差す。熟字 6932「衰相」は左

注「亡相也」を付載する。上巻の陽韻当該諸例で分析したように、日本漢音「シヤウ」東/去声（四声体系では平/去声）日本呉音「サウ」去声を認める。

▶番号4539a・4740a「相」（相憐・相違）の仮名音注「サウ」については、基本的に *-aŭ* で対応する。両当該字には上声点を差す。熟字4539「相夫憐」は右注「平調」を付載する。上述の分析を参照。

　　　平調曲　相夫憐　萬歲樂 …　　　　　　　　（元和本倭名類聚抄／卷四15 オ9）

▶番号4662a「相」（相應）の仮名音注「サウ」については、基本的に *-aŭ* で対応する。当該字には去声点を差す。上述の分析を参照。

▶番号4502a・4513・4780a・5903c・5906c・5925a「相」（相工・相・相見・支度相違・師資相承・相馬）の仮名音注「サウ」については、基本的に *-aŭ* で対応する。当該諸字六例に声点はない。熟字4502「相工」は左注「相人也」右傍「シヤウ」仮名音注を、番号4513「相」は右注「相人相者」中注「息良反」左注「文字之相也」を付載する。上述の分析を参照。

　　　下總　國府在葛餝郡 … 相馬 佐宇萬 …　　（元和本倭名類聚抄／卷四15 オ9）

▶番号5861a「相」（相如）の仮名音注「シヤウ」については、基本的に *-jaŭ* で対応する。当該字には平声点を差す。上述の分析を参照。

▶番号4501a・4821b「相」（相工・宰相）の仮名音注「シヤウ」については、基本的に *-jaŭ* で対応する。両当該字に声点はない。熟字4501「相工」は左注「相人也」右注「サウ」仮名音注を、熟字4821「宰相」は左注「曰參議」を付載する。上述の分析を参照。

▶番号4715a「相」（相傳）の仮名音注「サム」については、異例 *-am* を示す。当該字には平声点を差す。熟字4715「相傳」は中注「サムテン」仮名音注を付載するが、仮名の字形相似による「サウテン」の誤認であろう。前田本では仮名「ウ」を「ム」と見誤る場合を散見する。上述の分析を参照。

▶番号4802a「相」（相模）の仮名音注「サカ」については、異例 *-aga* を示す。当該字に声点はなく、右注「サカミ」を付載する。先んじて存在する地名に対して漢字表記を宛てたと推測する。上述の分析を参照。

　　　相模國 國府在葛大住郡 …　　　　　　　　（元和本倭名類聚抄／卷四15 オ9）

▶番号5872a「湘」（湘水）の仮名音注「シヤウ」については、基本的に *-jaŭ* で対応する。当該字には平声点を差す。上巻の陽韻当該例で分析した。

▶番号4787a「霜」（霜毛）の仮名音注「サウ」については、基本的に *-aŭ* で対応する。当該字には平声点を差す。観智院本類聚名義抄に同音字注「音蒼」を見出す。長承本蒙求に仮名音注「サウ」があり、その掲出字に東声点を加える。元和本倭名類聚抄には同音字注「音蒼」がある。日本漢音「サウ」東声（四声体系では平声）を認める。

　　　霜 音蒼 シモ　　　　　　　　　　　　　　（観智院本類聚名義抄／法下 067-4）

650　3．仮名音注の韻母別考察　3-4　ⅢB韻類

霜 [東] サウ　　　　　　　　　　　　　　　　　　　　（長承本蒙求／022）

霜 陸詞切韻云霜疑露也音蒼 和名之毛　　　　　　　（元和本倭名類聚抄／巻一05 ウ9）

▶番号4783a「霜」（霜下）の仮名音注「サウ」については、基本的に *-aü* で対応する。当該字に声点はない。上述の分析を参照。

▶番号4047a・4397a・6639a「商」（商羊・商賈・商羊）の仮名音注「シヤウ」については、基本的に *-jaü* で対応する。当該諸字三例には平声点を差す。熟字4397「商賈」は右注「アキナヒ」を付載する。上巻の陽韻当該諸例で分析したように、日本漢音「シヤウ」東声（四声体系では平声）日本呉音「シヤウ」去声を認める。

▶番号4059・4167a・5788a「商」（商・商賈・商量）の仮名音注「シヤウ」については、基本的に *-jaü* で対応する。当該諸字三例には東声点を差す。番号4059「商」は右注「同（アキ）」左注「式羊反」を、熟字4167「商賈」は右注「アキヒト」を付載する。上述の分析を参照。

　　　商人　穀梁傳云商人 和名阿岐比止 一云商賈 …　　　（元和本倭名類聚抄／巻二09 ウ4）

▶番号4562・5659a「觴」（觴・觴詠）の仮名音注「シヤウ」については、基本的に *-jaü* で対応する。両当該字には平声点を差す。番号4562「觴」は右注「同（サカツキ）」左注「俗乍觴」を付載する。観智院本類聚名義抄に同音字注「音傷」を見出すが、仮名音注はない。

　　　觴 觴二正 音傷／サカツキ [上上上濁平]　　　　　（観智院本類聚名義抄／佛下本009-8）

▶番号4375b「傷」（哀傷）の仮名音注「シヤウ」については、基本的に *-jaü* で対応する。当該字には平声点を差す。熟字4375「哀傷」は「カナシヒ イタム」を付載する。上巻の陽韻当該諸例で分析したように、日本漢音「シヤウ」東/去声（四声体系では平/去声）日本呉音「シヤウ」去声を認める。

▶番号5521a・5521b「湯」（湯ミ・湯ミ）の仮名音注「シヤウ」については、基本的に *-jaü* で対応する。両当該字には東声点を差し、左注「流也」を付載する。廣韻に拠れば、書母陽韻 (śiɑŋ¹)透母陽/漾韻 (t'ɑŋ^{1/3}) 三音を有する。図書寮本類聚名義抄に反切「广云託唐反」（その反切下字に平声点）と「玉云他郎反・又託浪反・又始楊反」（いずれも反切下字に平声点）を見出す。観智院本には反切「他郎反・又託浪反・始楊反」を見つける。長承本蒙求には仮名音注「タウ」二例があり、それぞれの掲出字に東声点と平声点を加える。日本漢音「タウ」東声（四声体系では平声）を認める。

　　　排湯 广云託唐 [□平] 反 … 玉云他浪 [□平] 反 …

　　　　又託浪 [□去] 反 蕩也 又始楊 [□平] 反 湯ミ流/貝 …　　　（図書寮本類聚名義抄／052-6）

　　　湯 他郎反 ユ … 又託浪反 蕩也 和去　　　　　　　（観智院本類聚名義抄／法上033-2）

　　　湯ミ トナカル／始楊 [□平] 反　　　　　　　　　（観智院本類聚名義抄／法上033-2）

　　　湯 [平] タウ／タウ　　　　　　　　　　　　　　　　　　　（長承本蒙求／048）

　　　湯 [東] タウ　　　　　　　　　　　　　　　　　　　　　　（長承本蒙求／089）

湯〔＊右傍不鮮明〕 　　　　　　　　　　　　　　　（承暦本金光明最勝王経音義／09 オ 6）

▶番号4749b「刱」（草刱）の仮名音注「サウ」については、基本的に -aǔ で対応する。当該字には去声点を差す。廣韻に拠れば、陽／漾韻（ts'iɑŋ¹ᐟ³）二音を有する。熟字4749「草刱」は中注「始也」を付載する。観智院本類聚名義抄に同音字注「音状」と反切「初亮反」（その反切下字に去声点）反切「楚良反」（その反切下字に平声点）および平声点を付した「呉音倉」を見出すが、仮名音注はない。傍証ながら、同書で「倉」を再検索すると、低平調と推測する和音「サウ」を見つける。その正音と和音は石山寺一切経蔵本大般若経字抄による引用である。同書では漢呉二音相同の同音字注を選択できないため、正音「状」呉音「倉」を掲げる。日本漢音は平／去声、日本呉音は平声を認める。なお、日本呉音「サウ」平声の可能性を指摘しておく。

刱 音状 初亮 ［□去］ 反 ハシム ［上上濁□］ … 又楚良 ［□平］ 反 … 呉音倉 ［平］

　　　　　　　　　　　　　　　　　　　　　　　　（観智院本類聚名義抄／僧上 090-6）

草刱 クサニハシム 　　　　　　　　　　　　　　　（観智院本類聚名義抄／僧上 090-7）

倉 且郎反 クラ … 和サウ ［□平］ 或坐ウ ［□平］ 　　（観智院本類聚名義抄／僧中 002-2）

正状 刱 ［倉：右傍］ 始也 　　　　　　　　（石山寺一切経蔵本大般若経字抄／24 ウ 6）

▶番号5517a・5517b「鏘」（鏘ミ・鏘ミ）の仮名音注「シヤウ」については、基本的に -jaǔ で対応する。両当該字に声点はない。熟字5517「鏘ミ」は左注「タカシ」を付載する。上巻の陽韻当該例で分析した。

▶番号6419b「瘡」（皰瘡）の仮名音注「サウ」については、基本的に -aǔ で対応する。当該字には平声点を差す。熟字6419「皰瘡」は右注「モカサ」左注「上又乍皰」を付載する。上巻の陽韻当該諸例で分析したように、日本呉音「サウ」去声を認める。

▶番号5354c「瘡」（浸淫瘡）の仮名音注「サウ ［上上］」については、基本的に -aǔ で対応する。当該字に声点はないが、その仮名音注に高平調を示す差声がある。熟字5354「浸淫瘡」は左右注「心ミサ／ウ ［平去上上］ 俗」を付載する。字音「シムインサウ」を連声と撥音の無表記により「シムミサウ」と把握した結果か。上述の分析を参照。

▶番号5963b「昌」（永昌坊）の仮名音注「シヤ」については、異例 -ja を示す。当該字には上声点を差す。熟字「永昌坊」は右注「四条東」右傍「エイシヤハウ」仮名音注を付載する。上巻の陽韻当該諸例で分析したように、日本呉音は去声を認める。

▶番号4105a・5279a「昌」（昌蒲・昌蒲）の仮名音注「シヤウ」については、基本的に -jaǔ で対応する。両当該字には去声点を差す。熟字4105「昌蒲」は右注「アヤメクサ」右傍「シヤウフ俗」を、熟字5279「昌蒲」は左注「又アヤメクサ」付載する。上述の分析を参照。

▶番号5750a「倡」（倡子）の仮名音注「シヤウ」については、基本的に -jaǔ で対応する。当該字に声点はない。熟字5750「倡子」は右傍「ウタメ」を付載する。上巻の陽韻当該例で分析した。

▶番号5520a・5520b「蔣」（蔣ミ・蔣ミ）の仮名音注「シヤウ」については、基本的に -jaǔ で

対応する。両当該字には平声点を差す。熟字5520「嶈ミ」は左注「高也」を付載する。図書寮本類聚名義抄に反切と思しき注記「七良」を見出す。観智院本類聚名義抄に音注表記はない。

嶈ミ 七良／トタカシ［平平上／異：右注］　（図書寮本類聚名義抄／144-3）

嶈 サカシ タカシ　嶈ミ トサカシ　（観智院本類聚名義抄／法上122-2）

▶番号6136b「漿」（氷漿）の仮名音注「シヤウ」については、基本的に *-jaũ* で対応する。当該字には平声点を差す。熟字6136「氷漿」は右注「ヒ」を付載する。上巻の陽韻当該諸例で分析した。

▶番号4984b「漿」（乞漿）の仮名音注「シヤウ」については、基本的に *-jaũ* で対応する。当該字に声点はない。熟字4984「乞漿」は右傍「コウ コムツヲ」左注「キツシヤウ」仮名音注を付載する。この左注は次に掲げる熟字「漁釣」に誤配置している。上述の分析を参照。

▶番号6514「螿」（螿）の仮名音注「シヤウ」については、基本的に *-jaũ* で対応する。当該字には平声点を差し、右注「同（セミ）」左注「蜩也」を付載する。観智院本類聚名義抄に同音字注「音将」を見出すが、仮名音注はない。元和本倭名類聚抄に同音字注「音漿」がある。

螿 音将 寒螿蟬 … キリ丶丶ス　（観智院本類聚名義抄／僧下023-1）

寒蜩　兼名苑云寒蜩一名寒螿 音漿 …　（元和本倭名類聚抄／巻十九22オ8）

▶番号5599a「将」（将来）の仮名音注「シヤウ」については、基本的に *-jaũ* で対応する。当該字には去声点を差す。熟字5599「将来」は右傍「ユクスヘ」を付載する。上巻の陽韻当該諸例で分析したように、日本漢音「シヤウ」東声（四声体系では平声）日本呉音「シヤウ」去声を認める。

▶番号 4819a・6762b・6766a「将」（将曹・少将・将監）の仮名音注「シヤウ」については、基本的に *-jaũ* で対応する。当該諸字三例に声点はない。熟字4819「将曹」は右注「同（サクワン）」左注「用近衛」を、熟字6762「少将」は右注「在左右近衛府」を、熟字6766「将監」は右注「用近衛」を付載する。上述の分析を参照。

▶番号5771a「装」（装潢）の仮名音注「シヤウ」については、基本的に *-jaũ* で対応する。当該字には平声点を差す。観智院本類聚名義抄に平声点を付した同音字注「音荘」および和音「者ウ」を見出す。日本漢音は平声を認める。また日本呉音「シヤウ」の蓋然性が高い。

装装 正々 音荘［平］ヨソホヒ … 和者ウ　（観智院本類聚名義抄／法中151-3）

▶番号 3951b・4392b・5784b「章」（朝章・周章・周章）の仮名音注「シヤウ」については、基本的に *-jaũ* で対応する。当該諸字三例に平声点を差す。熟字4392「周章」は右注「アハツ［上上平］」左注「又サハク」を、熟字5784「周章」は右傍「アハツ」を付載する。観智院本類聚名義抄に反切「諸良反」および和音「者ウ」を見出す。長承本蒙求には仮名音注「シヤウ」二例があり、その両掲出字に東声点を加える。日本漢音「シヤウ」東声（四声体系では平声）を認める。また日本呉音「シヤウ」の蓋然性が高い。

章 アキラカナリ［□□□□ニ：墨右傍］ … 和者ウ　（観智院本類聚名義抄／法上091-8）

3-4-1 -iɑ 系の字音的特徴 653

章 諸良反 （観智院本類聚名義抄／僧下 120-8）

周章 アハツ［上上平濁］ （観智院本類聚名義抄／佛上 084-2）

周章 アハツ［上平平］ サハク［平平上濁］ （観智院本類聚名義抄／僧下 105-8）

章［東］シヤウ （長承本蒙求／099・100）

▶番号 6481b「章」（文章博士）の仮名音注「シヤウ」については、基本的に -jaŭ で対応する。当該字に声点はない。上述の分析を参照。

▶番号 3649b・4255a・4621・4705b・5580a・5602a「障」（故障・障泥・障・罪障・障礙・障難）の仮名音注「シヤウ」については、基本的に -jaŭ で対応する。当該諸字六例に平声点を差す。熟字 4255「障泥」は右注「アフリ」中左注「上或乍／或泥障」を、番号 4621「障」は右注「サハル」中注「之髙反」左注「サフ」を付載する。上巻の陽韻当該例で分析したように、日本漢音は去声、日本呉音「シヤウ」を認める。

障周 アハツ［上平平］ サハク［平平上濁］ （観智院本類聚名義抄／法中 047-1）

障泥 唐韻云 … 障泥 和名阿不利 鞍飾也 … （元和本倭名類聚抄／巻十五03 オ 4）

▶番号 6547b「障」（軟障）の仮名音注「シヤウ［平平平］」については、基本的に jaŭ で対応する。当該字に声点はないが、その仮名音注に低平調を示す差声を施す。上述の分析を参照。

▶番号 5601a・6931b「祥」（祥瑞・瑞祥）の仮名音注「シヤウ」については、基本的に -jaŭ で対応する。両当該字に平声点を差す。熟字 6931「瑞祥」は左注「古相也」を付載する。上巻の陽韻当該例で分析したように、日本漢音「シヤウ」平声、日本呉音「ジヤウ」去声を認める。

▶番号 5032b「祥」（吉祥）の仮名音注「シヤウ」については、基本的に -jaŭ で対応する。当該字に声点はない。上述の分析を参照。

▶番号 5594a・5863a・6305b「常」（常典・常生・非常）の仮名音注「シヤウ」については、基本的に -jaŭ で対応する。当該諸字三例に平声点を差す。その中古音が示す頭子音 ź-（等韻学の術語で言う歯音濁常母）は有声後部歯茎摩擦音であり、日本語のザ行音をもって受容するが、中国語音韻史上における濁音声母の無声化を反映する場合はサ行音で対応する。観智院本類聚名義抄に平声点を付した同音字注「音裳」および上昇調と推測する和音「謝ウ」を見出す。同書では掲出字「状・靜・讓・常・靜」に対して和音「謝ウ」（謝：邪母禑韻 zia³）を掲げる。特に掲出字「状状」は右傍に濁音「✓」表記を付載する和音「謝ウ」を注記する。これらは仮名音注「ジヤウ」に相当する。長承本蒙求には仮名音注「シヤウ」二例があり、その両掲出字に平声点を加える。日本漢音「シヤウ」平声、日本呉音「ジヤウ」去声を認める。

常 音裳［平］ツネニ［上上□］… 和謝ウ［□上：墨圏点］ （観智院本類聚名義抄／法中 102-5）

非常 メツラシ［平平濁平□］… （観智院本類聚名義抄／法中 102-5）

状状 上通下正 鋤亮反 … 又側耕反 和謝ウ［✓□：墨右傍］ （観智院本類聚名義抄／法上 057-3）

靜 側逆反 … 又側耕反 和謝ウ［□平：墨点／□✓：墨右傍］ （観智院本類聚名義抄／法上 057-3）

654　3．仮名音注の韻母別考察　3-4　ⅢB韻類

讓 如尚反 … 和謝ウ［□上：墨点］　　　　　　　　　（観智院本類聚名義抄／法上 057-4）

情 音清［東］… 和謝ウ　　　　　　　　　　　　　　（観智院本類聚名義抄／法上 057-4）

靜靜 正俗 音靖［上］… 和謝ウ［□平：墨点］　　　　　（観智院本類聚名義抄／法上 057-4）

常［平］シヤウ　　　　　　　　　　　　　　　　　　（長承本蒙求／087・115）

▶番号5310b「常」（象常）の仮名音注「シヤウ［上上上］」については、基本的に -jaǔ で対応する。当該字に上声点を差し、その仮名音注には上平調の差声を施す。上述の分析を参照。

▶番号5777b「常」（尋常）の仮名音注「シヤウ」については、基本的に -jaǔ で対応する。当該字に上声濁点を差すので、字音「ジヤウ」を想定する。熟字5777「尋常」は右傍「ヨノツネ」を付載する。上述の分析を参照。

▶番号6436「裳」（裳）の仮名音注「シヤウ」については、基本的に -jaǔ で対応する。当該字に平声点を差し、右注「モ」を付載する。上巻の陽韻当該諸例で分析したように、日本漢音は平声を認める。

▶番号5562a「尚」（尚饗）の仮名音注「シヤウ」については、基本的に -jaǔ で対応する。当該字に声点はない。廣韻に拠れば、陽/漾韻（ʑiɑŋ¹ᐟ³）二音を有する。熟字5562「尚饗」は右傍「コヒネカハクハ ウケタマヘ」を付載する。観智院本類聚名義抄に去声点を付した同韻字注「音上」と「又上声・又平」と同音字注「音常」および低平調と推測する和音「者ウ」（その右傍に墨筆で喉内撥音韻尾「√」表記）を見出す。切韻を撰述して以降の中国語において、上声濁が次第に去声化を起こした状態を、日本漢音では反映するので、同書では去声と上声を掲げるか。長承本蒙求には仮名音注「シヤウ」があり、その掲出字に去声点を加える。日本漢音「シヤウ」平/上/去声を認める。日本呉音「シヤウ」平声の蓋然性が高い。

尚 音上［去］又上声 又平 音常 … コヒネカフ［平上平□□］… 和者ウ［□平：墨点／□√：墨右傍］

　　　　　　　　　　　　　　　　　　　　　　　　（観智院本類聚名義抄／僧下 099-2）

尚［去］シヤウ　　　　　　　　　　　　　　　　　　（長承本蒙求／024）

▶番号5211a「長」（長庚）の仮名音注「チヤウ」については、基本的に -jaǔ で対応する。当該字には平声点を差す。熟字5211「長庚」は右注「ユフツヽ」を付載する。上巻の陽韻当該諸例で分析したように、日本漢音は平声と「チヤウ」去声、日本呉音「チヤウ」去声を認める。

長庚　兼名苑云太白星一名長庚 … 此間云 由不豆々　（元和本倭名類聚抄／巻一 02 オ 9）

▶番号5841b「張」（弛張）の仮名音注「チヤウ」については、基本的に -jaǔ で対応する。当該字には上声点を差す。熟字5841「弛張」は右傍「ユルヒ ハル」を付載する。上巻の陽韻当該諸例で分析したように、日本漢音「チヤウ」平声、日本呉音「チヤウ」平声を認める。

▶番号3713b「張」（骨張）の仮名音注「チヤウ」については、基本的に -jaǔ で対応する。当該字に声点はない。上述の分析を参照。

▶番号3812b「娘」（窈娘）の仮名音注「ラウ」については、基本的に -aǔ で対応する。当該字

には平声点を差す。仮名音注「ラウ」は諧声符「良」（陽韻 liaŋ'）による字音把握か。本来は仮名音注「チャウ（ヂヤウ）」を期待する。また「娘」は「孃」（本来は母の意味）と混同する場合がある。図書寮本類聚名義抄に反切「广云下而羊反」（その反切下字に平声濁点）を見出す。観智院本には反切「女良反」（その反切下字に平声点）と反切「如章反・如宰［平濁平］反」を見つけるが、仮名音注はない。日本漢音は平声を認める。

　　　恠孃 … 广云下而羊 ［□平濁］反 …　　　　　　　　　　　（図書寮本類聚名義抄／257-6）

　　　孃 女良 ［□平］反 ヲウナメ … 如章／如宰 ［平濁平］二反 …　（観智院本類聚名義抄／佛中 011-8）

　　　娘 今 ムスメ／ヨキヲウナ　　　　　　　　　　　　　　　（観智院本類聚名義抄／佛中 011-8）

▶番号 3936a・3936b「糞」（糞ミ・糞ミ）の仮名音注「テウ」については、異例 -eū を示す。当該字には上声濁点を差すので、字音「デウ」を想定する。これは母音連続を避けるため、日本語の音変化 -eū > -joū > -joo を推測するが、背景として -jaū > -joo を視野に入れる必要がある。その中古音が示す頭子音 ń-（等韻学の術語で言う日母）は硬口蓋鼻音であり、日本語のナ行音をもって受容するが、中国語音韻史上における鼻音声母の非鼻音化（denasalization）を反映する場合はザ行音で対応する。熟字 3936「糞ミ」は左注「タヲヤカナリ」を付載する。観智院本類聚名義抄に平声濁点を付した同音字注「穰音」（その右傍に朱筆で仮名音注「シヤウ」）を見出す。日本漢音「ジヤウ」平声を認める。

　　　糞荷 穰 ［平濁／シヤウ：朱右傍］音／ヌカ　　　　　　　（観智院本類聚名義抄／僧上 024-7）

▶番号 4399b・4401b「房」（安房・安房）の仮名音注「ハ」については、異例 -a を示す。両当該字に声点はない。先んじて存在する地名に漢字表記を宛てたと推測する。略音仮名の用法である。上巻の陽韻当該諸例で分析したように、日本漢音「ハウ」平声、日本呉音「バウ」去声を認める。また定着久しい字音「ハウ」去声も認める。

　　　安房國 … 平群 倍久利國府 安房 如國 …　　　　　　　（元和本倭名類聚抄／巻五 14 ウ 9）

▶番号 3361「魴」（魴）の仮名音注「ハウ」については、基本的に -aū で対応する。当該字に声点はなく、右注「同（コヒ）」を付載する。観智院本類聚名義抄に平声点を付した同音字注「方」と同音字注「音房」を見出すが、仮名音注はない。日本漢音は平声を認める。

　　　魴 音方 ［平］タヒ／音房 ナヨシ　　　　　　　　　　　（観智院本類聚名義抄／僧下 005-4）

▶番号 4189「肪」（肪）の仮名音注「ハウ」については、基本的に -aū で対応する。当該字には平声点を差し、右注「同（アフラ）」を付載する。観智院本類聚名義抄に同音字注「音房・一音方」を見出すが、仮名音注はない。石山寺一切経蔵本大般若経字抄には漢呉二音相同の同音字注「音方」がある。元和本倭名類聚抄には同音字注「方反」を見つける。

　　　肪 音房 一音方 肬／アフラ ナラフ　　　　　　　　　　（観智院本類聚名義抄／佛中 135-1）

　　　肪册アフラ ［平平濁上］　　　　　　　　　　　　　　　（観智院本類聚名義抄／佛中 135-1）

　　　肪 ［音方：右傍］册 ［音册：右傍］アフラ　　　　　　（石山寺一切経蔵本大般若経字抄／04 ウ 5）

656　3．仮名音注の韻母別考察　3-4　ⅢB韻類

脂膏　唐韻云膏 高反　肪 方反 脂 旨夷反和名阿布良 …　　　（元和本倭名類聚抄／巻三 11 オ 8）

▶番号5963c「坊」（永昌坊）の仮名音注「ハウ」については、基本的に -aū で対応する。当該字に声点はない。熟字5963「永昌坊」は右注「四条西」左注「已上坊名」を付載する。上巻の陽韻当該諸例で分析したように、日本漢音は東/去声（四声体系では平/去声）を認める。

坊 名附出 … 永昌坊 四條西　　　　　　　　　　　　（元和本倭名類聚抄／巻十 05 オ 7）

▶番号3970b「防」（隄防）の仮名音注「ハウ」については、基本的に -aū で対応する。当該字には平声点を差す。熟字3970「隄防」は右傍「ツ丶ミ」を付載する。上巻の陽韻当該例で分析したように、日本漢音は平声、日本呉音「ハウ」平/去声を認める。

▶番号6955b「防」（周防）の仮名音注「ハウ」については、基本的に -aū で対応する。当該字に声点はない。上述の分析を参照。

周防國 國府在佐波郡 … 佐波 波音馬 …　　　　　　　（元和本倭名類聚抄／巻五 24 オ 5）

▶番号3982b「亡」（逃亡）の仮名音注「ホウ」については、異例 -oū を示す。当該字には平声点を差す。熟字3982「逃亡」は左注「逃ハ逃也」を付載する。上巻の陽韻当該諸例で分析した。

▶番号3699b「忘」（忘）の仮名音注「ハウ」については、基本的に -aū で対応する。当該字には去声濁点を差すので、中国語音韻史上における鼻音声母の非鼻音化による字音「バウ」を想定する。上巻の陽韻当該例で分析したように、日本漢音は平/去声、日本呉音「マウ」平声を認める。

▶番号3980b・5815b「望」（眺望・悚望）の仮名音注「ハウ」については、基本的に -aū で対応する。両当該字には平声濁点を差すので、中国語音韻史上における鼻音声母の非鼻音化による字音「バウ」を想定する。上巻の陽韻当該諸例で分析したように、日本漢音「バウ」平/去声、日本呉音「マウ」去声を認める。

▶番号3622b・5139b「望」（懇望・仰望）の仮名音注「ハウ」については、基本的に -aū で対応する。両当該字には去声点を差す。上述の分析を参照。

▶番号5610b・6392a「望」（人望・望月）の仮名音注「ハウ」については、基本的に -aū で対応する。両当該字に声点はない。熟字6392「望月」は右傍「モチツキ」を付載する。上述の分析を参照。

望月　釋名云望月 和名毛知都岐 …　　　　　　　　（元和本倭名類聚抄／巻一 01 ウ 6）

▶番号6865b・6866b「枋」（蘵枋・蘵枋）の仮名音注「ハウ」については、基本的に -aū で対応する。両当該字には平声点を差す。熟字「蘵枋」は右注 6865「スハウ俗」左注「芳イ本」右傍6866「ソハウ」を付載する。観智院本類聚名義抄に同音字注「方音」を見出す。同書では熟字「蘵枋」に対して「俗云スハウ［平平上］」を見つける。元和本倭名類聚抄には同音字注「音方」二例と「俗音須方・俗云須房」がある。定着久しい字音「ハウ」去声を認める。

枋 方音／木也　　　　　　　　　　　　　　　　（観智院本類聚名義抄／佛下本 096-8）

蘵枋 俗云スハウ［平平上］　　　　　　　　　　　（観智院本類聚名義抄／佛下本 096-8）

3-4-1 -iɑ 系の字音的特徴 657

蘇枋　蘇敬本草注云蘇枋 音方俗音須方 人用染色也　　　（元和本倭名類聚抄／巻十四 10 オ 3）

蘇枋　蘇敬本草注云蘇枋 唐韻作放音與方同俗云須房 人用染色也

（元和本倭名類聚抄／巻二十 22 ウ 2）

▶番号 6798b「枋」（蘇枋）の仮名音注「ハウ」については、基本的に -aū で対応する。当該字
には上声点を差す。熟字 6798「蘇枋」は左注「芳イ本」を付載する。上述の分析を参照。

▶番号 6324b「方」（比方）の仮名音注「ホウ」については、異例 -oū を示す。当該字には平声
点を差す。日本語の音変化 -aū > -oū > -oo を反映する字音把握である。上巻の陽韻当該例で分
析したように、日本漢音「ハウ」東声（四声体系では平声）日本呉音「ハウ・ホウ」去声を認める。

▶番号 6713b「方」（為方）の仮名音注「ハウ」については、基本的に -aū で対応する。当該字
に声点はない。熟字 6713「為方」は左注「セムハウ」を付載する。和訓と字音が混在する。上述の
分析を参照。

▶番号 5928b「方」（諏方）の仮名音注「ハ」については、異例 -a を示す。当該字に声点はな
い。先んじて存在する地名に漢字表記を宛てたと推測する。いわゆる略音仮名である。元和本倭名
類聚抄に借字表記「須波」を見出す。上述の分析を参照。

信濃國 國府在筑摩郡 … 伊那 諏方 須波 …　　　　（元和本倭名類聚抄／巻五 17 オ 4）

▶番号 5974a「芳」（芳枝）の仮名音注「ハウ」については、基本的に -aū で対応する。当該字
には平声点を差す。上巻の陽韻当該諸例で分析した。

▶番号 5934a「芳」（芳賀）の仮名音注「ハ」については、異例 -a を示す。当該字に声点はな
い。先んじて存在する地名に漢字表記を宛てたと推測する。いわゆる略音仮名である。元和本倭名
類聚抄に借字表記「波加」を見出す。上述の分析を参照。

下野國 國府在都賀郡 … 芳賀 波加 …　　　　　　（元和本倭名類聚抄／巻五 24 オ 5）

▶番号 6340b「央」（未央）の仮名音注「ヤウ」については、基本的に -jaū で対応する。当該
字には平声点を差す。熟字 6340「未央」は中注「未央宮」左注「ヒヤウ」を付載する。母音連続を
回避するため bi-aū → bijaū という音変化をしたか。上巻の陽韻当該例で分析したように、日本
漢音は平声を認める。

▶番号 3799b・3849b・4058b・4109b・4847b・4859b・6490b「陽」（艶陽・曙陽・重陽・
紫陽花・冝陽殿・署陽・昭陽舎）の仮名音注「ヤウ」については、基本的に -jaū で対応する。当該
諸字七例には平声点を差す。熟字 4109「紫陽花」は注「アツサキ」を、熟字 6490「昭陽舎」は
右注「禁中舎名」左注「ナシツホ」を付載する。上巻の陽韻当該諸例で分析したように、日本漢音
「ヤウ」平声を認める。

紫陽花　白氏文集律詩云紫陽花 和名安豆佐爲　　　（元和本倭名類聚抄／巻二十 03 オ 7）

殿 名附出 … 宣陽殿 在春興殿北　　　　　　　　（元和本倭名類聚抄／巻十 02 オ 8）

屋舎 名附出 … 昭陽舎 在溫明殿北 奈之豆保　　　（元和本倭名類聚抄／巻十 01 ウ 2）

658　3．仮名音注の韻母別考察　3-4　ⅢB韻類

▶番号4887「瘍」（瘍）の仮名音注「ヤウ」については、基本的に *jaü* で対応する。当該字には平声点を差し、和訓「キス」の同訓異字として位置する。上巻の陽韻当該例で分析した。

▶番号4047b「羊」（商羊）の仮名音注「シヤ」については、異例 *ja* を示す。熟字4047「商羊」は掲出字「雨」の右注にあり、右傍「シヤウシヤ」〔*シヤウシヤウの誤認か〕仮名音注を加える。当該字「羊」は「祥」と同義の用法があり、字音「シヤウ」を想定する。上巻の陽韻当該諸例で分析したように、日本漢音「ヤウ」平声を認める。

▶番号5274a・5539b・6081・6402a「羊」（羊蹄菜・商羊・羊・羊躑躅）の仮名音注「ヤウ」については、基本的に *jaü* で対応する。当該諸字四例には平声点を差す。熟字5274「羊蹄菜」は右注「シフクサ［平平上平］」を、番号6081「羊」は右注「ヒツシ」を、熟字6402「羊躑躅」は右注「モチツヽシ」を付載する。上述の分析を参照。

　　羊蹄菜　唐韻云董 … 和名之布久佐一云之 羊蹄菜也　　　（元和本倭名類聚抄／巻十七25オ2）
　　羊躑躅　陶隱居本草云羊躑躅 擶直二音和名以波豆々之一云毛知豆々之 …
　　　　　　　　　　　　　　　　　　　　　　　　　　　（元和本倭名類聚抄／巻二十26ウ4）

▶番号6026「暘」（暘）の仮名音注「ヤウ」については、基本的に *jaü* で対応する。当該字には平声点を差し、右注「同（ヒ）」を付載する。観智院本類聚名義抄では当該字「暘」とは別字である「暘」昔韻 (jiek) との取り違えをしている。その上で、観智院本類聚名義抄に同音字注「音羊」を見出すが、仮名音注はない。

　　暘〔*暘の誤認〕音羊 アキラカナリ［平平上□□□］ …　　（観智院本類聚名義抄／佛中090-4）
　　暘〔*暘の誤認〕音亦 覆雲／暫見　　　　　　　　　　　（観智院本類聚名義抄／佛中090-4）

▶番号4315「揚」（揚）の仮名音注「ヤウ」については、基本的に *jaü* で対応する。当該字には平声点を差し、右注「時掌反」中注「アク［上平濁］」左注「揚名」を付載する。観智院本類聚名義抄に同音字注「音陽」を見出すが、仮名音注はない。

　　揚 音陽 … カキアク …　　　　　　　　　　　　　　　（観智院本類聚名義抄／佛下本055-3）
　　稱揚 ホム　　　　　　　　　　　　　　　　　　　　　（観智院本類聚名義抄／佛下本055-4）

▶番号4831b・4831c・6387b「良」（佐良ミ・佐良ミ・比良山）の仮名音注「ラ」については、異例 *-a* を示す。当該諸字三例に声点はない。廣韻に拠れば、来母陽韻 (liaŋ¹) であり、字音「ラウ」で把握する。それを借字の略音仮名「ラ」として使う。熟字6387「比良山」は左右注「ヒラノ／ヤマ」を付載する。上巻の陽韻当該諸例で分析したように、日本漢音「リヤウ」平声、日本呉音「ラウ」去声を認める。

▶番号4091a・4239「粱」（粱米・粱）の仮名音注「リヤウ」については、基本的に *jaü* で対応する。両当該字には平声点を差す。熟字4091「粱米」は左右注「アハノウル／シネ」を、番号4239「粱」は右注「アハ」左注「米也」を付載する。観智院本類聚名義抄に平声点を付した同音字注「音梁」と反切「力羊切」を見出すが、仮名音注はない。元和本倭名類聚抄には同音字注「音梁」

がある。

　　　粱　音粱［平］ウルシネ　　　　　　　　　　　　　（観智院本類聚名義抄／法下 037-1）

　　　粱米［力羊切米名：墨右傍］アハノウルシネ［平上平平平平上］

　　　　　　　　　　　　　　　　　　　　　　　　　　　（観智院本類聚名義抄／法下 037-6）

　　　粱米　崔禹錫食經云粱米 … 粱音粱 … 和名阿波乃宇留之禰 …

　　　　　　　　　　　　　　　　　　　　　　　　　　（元和本倭名類聚抄／巻十七 05 オ 6）

　▶番号 4481a・6034b「粱」（粱山・獨粱）の仮名音注「リヤウ」については、基本的に -jaŭ で対応する。両当該字には平声点を差す。熟字 6034「獨粱」右注「ヒトツハシ」を付載する。上巻の陽韻当該諸例で分析したように、日本漢音「リヤウ」平声、日本呉音は去声を認める。

　　　獨粱　淮南子云獨粱 和名比度豆波之 …　　　　　（元和本倭名類聚抄／巻十 19 オ 4）

　▶番号 3316b・4537b「凉」（後凉殿・最凉州）の仮名音注「リヤウ」については、基本的に -jaŭ で対応する。両当該字には平声点を差す。熟字 4537「最凉州」は右注「沙陀調」を付載する。上巻の陽韻当該諸例で分析したように、日本呉音「リヤウ」を認める。

　　　殿 名附出 … 後凉殿 在清凉殿西　　　　　　　　（元和本倭名類聚抄／巻十 02 ウ 3）

　　　沙陀調　案摩 有囀 … 最凉州 …　　　　　　　　（元和本倭名類聚抄／巻四 15 オ 1）

　▶番号 6770「凉」（凉）の仮名音注「リヤウ」については、基本的に -jaŭ で対応する。当該字に声点はなく、和訓「スミシ」の同訓異字として位置する。上述の分析を参照。

　▶番号 6492b「涼」（清涼殿）の仮名音注「リヤウ」については、基本的に -jaŭ で対応する。当該字には平声点を差す。当該字「涼」は「凉」と相互に異体字である。熟字 6492「清涼殿」は左右注「已上禁／中殿名」を付載する。上述の分析を参照。

　▶番号 5788b「量」（商量）の仮名音注「リヤウ」については、基本的に -jaŭ で対応する。当該字には平声点を差す。上巻の陽韻当該諸例で分析したように、日本漢音「リヤウ」平/去声、日本呉音「リヤウ」を認める。

　▶番号 5037b「量」（器量）の仮名音注「リヤウ」については、基本的に -jaŭ で対応する。当該字には上声点を差す。上述の分析を参照。

　▶番号 6907b「量」（推量）の仮名音注「リヤウ」については、基本的に -jaŭ で対応する。当該字には去声点を差す。上述の分析を参照。

《上巻 養韻諸例》

　▶番号 2892b「仰」（渇仰）の仮名音注「カウ」については、基本的に -aŭ で対応する。当該字には平声濁点を差すので、字音「ガウ」を想定する。その中古音が示す頭子音 ŋ-（等韻学の術語で言う疑母）は軟口蓋鼻音であり、日本語のガ行音で対応する。観智院本類聚名義抄に反切「魚掌反」

660　3．仮名音注の韻母別考察　3-4　ⅢB韻類

および和音「カウ」を見出す。長承本蒙求には仮名音注「カウ」があり、その掲出字に上声点を加える。日本漢音「カウ」上声、日本呉音「カウ」を認める。

　　　俯仰 … 下魚掌反 アフク［上上平濁］… 和カウ　　　　（観智院本類聚名義抄／佛上 010-6）

　　　仰［上］カウ　　　　　　　　　　　　　　　　　　　　（長承本蒙求／138）

▶番号1222b「賞」（褒賞）の仮名音注「シヤウ」については、基本的に -jaŭ で対応する。当該字には平声点と上声点を差す。観智院本類聚名義抄に反切「書兩反」および和音「者ウ」を見出す。承暦本金光明最勝王経音義には同音字注「生音」があり、その掲出字に上声点を加える。観智院本で「生」を再検索すると、上昇調を示す和音「者ウ」を見つける。日本呉音は上声を認める。また日本呉音「シヤウ」の蓋然性が高い。

　　　賞 書兩反 モテアソフ … 和者ウ　　　　　　　　　（観智院本類聚名義抄／佛下本 019-8）

　　　生 所争反 … 和者ウ［平上：墨点／□✓：墨右傍］　（観智院本類聚名義抄／僧下 091-3）

　　　賞［上］生ミ　　　　　　　　　　　　　　　　　（承暦本金光明最勝王経音義／11 ウ 3）

▶番号1842b「賞」（抽賞）の仮名音注「シヤウ」については、基本的に -jaŭ で対応する。当該字には上声点を差す。上述の分析を参照。

▶番号0279b「賞」（優賞）の仮名音注「シヤウ」については、基本的に -jaŭ で対応する。当該字に声点はない。上述の分析を参照。

▶番号0447b・0889b「上」（路上・馬上）の仮名音注「シヤウ」については、基本的に -jaŭ で対応する。両当該字には去声点を差す。廣韻に拠れば、養/漾韻（ʑiɑŋ²³）二音を有する。観智院本類聚名義抄に反切「時讓反」と去声点を付した同音字注「音尚」および上昇調と推測する和音「シヤウ」（その右傍に墨筆で濁音「✓」表記と朱筆で喉内撥音韻尾「✓」表記）を見出す。日本漢音は去声、日本呉音「ジヤウ」去声を認める。

　　　上 時讓反 音尚［去］又去声 カミ［平上］… 和シヤウ［□□上／✓□✓：墨・朱右傍］

　　　　　　　　　　　　　　　　　　　　　　　　　　（観智院本類聚名義抄／佛上 074-3）

▶番号3234b「上」（餘上）の仮名音注「シヤウ」については、基本的に -jaŭ で対応する。当該字には平声点を差す。上述の分析を参照。

▶番号2475b「漿」（酢漿）の仮名音注「シヤウ」については、基本的に -jaŭ で対応する。当該字に声点はない。熟字2475「酢漿」は右注「カタハミ」左注「又酢草」を付載する。観智院本類聚名義抄に同音字注「音蒋」を見出すが、仮名音注はない。元和本倭名類聚抄に反切「即良反」がある。

　　　漿 音蒋 … 小掀　　　　　　　　　　　　　　　（観智院本類聚名義抄／佛下本 122-2）

　　　漿 四時食制經云春宜食漿甘水 漿音即良反和名豆久利美豆俗云㳦於毛比 …

　　　　　　　　　　　　　　　　　　　　　　　（元和本倭名類聚抄／巻十六 11 ウ 4）

　　　酢漿 本草云酢漿草 和名加太波美　　　　　　　（元和本倭名類聚抄／巻二十 13 オ 1）

3-4-1　-iɑ 系の字音的特徴　661

▶番号 2036b・3175b「掌」（領掌・綱掌）の仮名音注「シヤウ」については、基本的に -jaū で
対応する。両当該字に声点はない。観智院本類聚名義抄に平声点を付した同音字注「音賞」を見出
すが、仮名音注はない。元和本倭名類聚抄に同音字注「賞反」がある。日本漢音は平声を認める。

　　掌 音賞［平］タナコ、ロ［平平□□□］…　　　　　（観智院本類聚名義抄／佛下本 038-7)

　　掌　四聲字苑云掌 賞反和名加太奈古々呂一云太奈曾古 手心也

　　　　　　　　　　　　　　　　　　　　　　　　　（元和本倭名類聚抄／巻三 12 ウ 9)

▶番号 0305b・3168a「長」（優長・長官）の仮名音注「チヤウ」については、基本的に -jaū で
対応する。両当該字には上声点を差す。熟字 0305「優長」は左注「才才優長」を、熟字 3168「長
官」は右注「同（カミ）」中左注「用勘解／由使」を付載する。廣韻に拠れば、陽/漾韻（ȡiɑŋ¹ᐟ³）
養韻（ȶiɑŋ²）三音を有する。上巻の陽韻当該諸例で分析したように、日本漢音は平声と「チヤウ」
去声、日本呉音「チヤウ」去声を認める。

　　長官　…　勘解由使曰長官 …　　　　　　　　　（元和本倭名類聚抄／巻五 03 オ 4)

▶番号 1777「丈」（丈）の仮名音注「チヤウ」については、基本的に -jaū で対応する。当該字
には去声濁点を差すので、字音「ヂヤウ」を想定する。また左注「十尺為丈」を付載する。観智院
本類聚名義抄に同音字注「音扙」および和音「チヤウ」（その「ヤ」右傍に朱筆で「✓」）を見出
す。後者は濁音「✓」表記と喉内撥音韻尾「✓」表記を兼用する意図と推察する。同書の掲出字「行・
俓」に同様の表記を見つける。日本呉音「ヂヤウ」を認める。

　　丈 音扙　　　　　　　　　　　　　　　　　　　（観智院本類聚名義抄／佛下末 035-8)

　　丈 和チヤウ［□✓□：朱右傍］　　　　　　　　（観智院本類聚名義抄／僧中 053-8)

　　行 遐庚反 … 又胡浪反 … 和キヤウ［□✓□：墨右傍]　（観智院本類聚名義抄／佛上 042-8)

　　俓 牛耕［□平］牛燕二反 … 和キヤウ［□✓□：朱右傍]　（観智院本類聚名義抄／佛上 023-5)

▶番号 1903b「杖」（笞杖）の仮名音注「チヤウ」については、基本的に -jaū で対応する。当
該字には去声濁点を差すので、字音「ヂヤウ」を想定する。廣韻に拠れば、その中古音は澄母養韻
（ȡiɑŋ²）である。熟字 1903「笞杖」は右傍「シモト ツエ」を付載する。観智院本類聚名義抄に上
声点を付した同音字注「音扙」を見出すが、仮名音注はない。長承本蒙求には同音字注「丈」があ
り、その掲出字に去声点を加える。元和本倭名類聚抄には同音字注「音扙」と反切「直兩反上声之
重」を見つける。当該字の頭子音 ȡ-（等韻学の術語で言う澄母）が濁声母であり、上声之重に相当
することを言う。切韻を撰述して以降の中国語において、上声濁が次第に去声化を起こした状態を、
日本漢音では反映する。これは上声を構成する上声軽と上声重とが allotone であり、後者の調値
が去声と区別できないことを示すとも言える。日本漢音は上/去声を認める。

　　杖 音扙［上］ツエ［上上］… モツ　　　　　　（観智院本類聚名義抄／佛下本 105-5)

　　杖［去］丈　　　　　　　　　　　　　　　　　　　（長承本蒙求／051)

　　杖　唐令云諸杖 音仗和名都惠 皆削去節目木爲與也　　（元和本倭名類聚抄／巻十三 16 ウ 9)

662　3．仮名音注の韻母別考察　3-4　ⅢB韻類

　　　杖　四聲字苑云杖 直兩反上聲之重和名都惠 …　　　　　　　（元和本倭名類聚抄／巻十四20 オ1）

　▶番号0053b・1665b・1853a・1992b・2719b「杖」（扂杖・投杖・杖者・扠杖・鹿杖）の仮
名音注「チヤウ」については、基本的に *jaǔ* で対応する。当該諸字五例には去声点を差す。上声濁
声母（上声之重）の去声化による声調把握である。熟字0053「扂杖」は右注「イタトリ」を、熟字
1853「杖者」は左注「老人」を、熟字2719「鹿杖」は右注「カセツヱ」左注「上字又乍鳩」を付
載する。上述の分析を参照。

　▶番号2225「鳲」（鳲）の仮名音注「ハウ」については、基本的に *-aǔ* で対応する。当該字に
声点はなく、右注「同（ヲスメトリ［上上上平］）」を付載する。観智院本類聚名義抄に同音字
注「音方」と「又紡」を見出すが、仮名音注はない。元和本倭名類聚抄に同音字注「音紡」がある。

　　　鳲　音方 又紡／オスメトリ　　　　　　　　　　　　　（観智院本類聚名義抄／僧中124-6）

　　　鶷鸇鳥　… 楊氏漢語抄云護田鳥也於須賣止里 … 爾雅集注云鳲 音紡 …

　　　　　　　　　　　　　　　　　　　　　　　　　　（元和本倭名類聚抄／巻十八08 ウ3）

　▶番号0869a・1269a「髣」（髣髴・髣髴）の仮名音注「ハウ」については、基本的に *-aǔ* で対
応する。両当該字には上声点を差す。熟字0869「髣髴」は右傍「ホノカナリ」を、熟字1269「髣
髴」は右注「ホノカナリ」左注「又作彷彿」を付載する。観智院本類聚名義抄に反切「芳兩反」を
見出すが、仮名音注はない。

　　　髣　芳兩反 髣髴 ホノメク［平平□□］…　　　　　　（観智院本類聚名義抄／佛下本037-1）

　▶番号0301b・0634a・0773a・0774a・0776a・0791a・0815a・0818a・0829a・0835a・0865a
「放」（遊放・放鷹樂・放縱・放儻・放言・放将・放逐・放坐・放免・放火・放牧）の仮名音注「ハ
ウ」については、基本的に *-aǔ* で対応する。当該諸字十一例に上声点を差す。廣韻に拠れば、養/
漾韻（piɑŋ）[23] 二音を有する。熟字0634「放鷹樂」は左右注「乞食／調」を、熟字0773「放縱」
は右傍「ホシ マゞ」を、熟字0773「放儻」は右傍「ハナル トモヲ」を、熟字0829「放免」は左
注「俗云ハウメン」を付載する。観智院本類聚名義抄に反切「府浪反・甫亡反」および上昇調と推
測する和音「ハウ」（その右傍に朱筆で喉内撥音韻尾「✓」表記）を見出す。長承本蒙求には仮名
音注「ハウ」二例があり、その両掲出字に去声点を加える。日本漢音「ハウ」去声、日本呉音「ハ
ウ」去声を認める。

　　　放　府浪反 ハナツ［平平上］… 和ハウ［□上／□✓：朱右傍］　（観智院本類聚名義抄／僧中031-1）

　　　放　甫亡反 ハナツ［平平上］… 又上也 比也　　　　　（観智院本類聚名義抄／僧中060-7）

　　　放［去］ハウ　　　　　　　　　　　　　　　　　　　（長承本蒙求／053・107）

　▶番号0772a・0848a・0866a・0867a「放」（放逸・放盞・放散・放食）の仮名音注「ハウ」
については、基本的に *-aǔ* で対応する。当該諸字四例に平声点を差す。熟字0772「放逸」は右傍
「ホシ マゞ」を付載する。上述の分析を参照。

　▶番号0795a「惘」（惘然）の仮名音注「ハウ」については、基本的に *-aǔ* で対応する。当該字

3-4-1 -iɑ 系の字音的特徴　663

には上声濁点を差すので、中国語音韻史上における鼻音声母の非鼻音化を反映する字音「バウ」を想定する。熟字0795「惘然」は右傍「ホル」を付載する。観智院本類聚名義抄に同音字注「音网」を見出すが、仮名音注はない。

　　　惘 音网 二失恚 ウレフ … ホレタリ［上平□□］　　　　（観智院本類聚名義抄／法中 074-4）
　▶番号 0493「茆」（茆）の仮名音注「マウ」については、基本的に -aū で対応する。当該字には平声点を差し、右注「同（ハ丶クリ［上上上平］）」を付載する。観智院本類聚名義抄に同音字注「音盲・音頃」を見出すが、仮名音注はない。

　　　茆 音盲 ハ丶クリ／イチヒ 音頃　　　　　　　　　　　（観智院本類聚名義抄／僧上 011-8）
　　　行纆 艹+臿附 … 新抄本草云艹+臿 領井反和名以知此 …　（元和本倭名類聚抄／巻十四 19 ウ 6）
　▶番号 2075a・2116a「兩」（兩言・兩馬）の仮名音注「リヤウ」については、基本的に -jaū で対応する。両当該字には上声点を差す。観智院本類聚名義抄に反切「力夅反」および低平調と推測する和音「リヤウ」（その右傍に朱筆で喉内撥音韻尾「✓」表記）を見出す。日本呉音「リヤウ」平声を認める。

　　　兩 力夅反 フタツ［上平平濁］… 和リヤウ［□□平／□□✓：朱右傍］
　　　　　　　　　　　　　　　　　　　　　　　　　　（観智院本類聚名義抄／法下 072-3）
　▶番号 2046a「兩」（兩界）の仮名音注「リヤウ」については、基本的に -jaū で対応する。当該字には平声点を差す。上述の分析を参照。
　▶番号 2017「兩」（兩）の仮名音注「リヤウ」については、基本的に -jaū で対応する。当該字に声点はなく、左注「四分為兩」を付載する。上述の分析を参照。
　▶番号 2049b「養」（利養）の仮名音注「ヤウ」については、基本的に -jaū で対応する。当該字には平声点を差す。廣韻に拠れば、養／漾韻（jiɑŋ²⁾³⁾）二音を有する。観智院本類聚名義抄に反切「餘掌反」と「又去」および低平調と推測する和音「ヤウ」（その右傍に喉内撥音韻尾「✓」表記）を見出す。長承本蒙求には上声点を加える掲出字「養」がある。日本漢音は上/去声、日本呉音「ヤウ」平声を認める。

　　　養 餘掌反 … 又去／ヤシナフ［上上□□］… 和ヤウ［□平：墨圏点／□✓：墨右傍］
　　　　　　　　　　　　　　　　　　　　　　　　　（観智院本類聚名義抄／僧上 112-1）
　　　養［上］　　　　　　　　　　　　　　　　　　　　（長承本蒙求／029・045）
　▶番号 2608「癢」（癢）の仮名音注「ヤウ」については、基本的に -jaū で対応する。当該字には上声点を差し、右注「カユシ」中注「カユカル」左注「又乍痒」を付載する。観智院本類聚名義抄に同音字注「音養・又翔・或蛘」を見出すが、仮名音注はない。元和本倭名類聚抄には反切「餘兩反」がある。

　　　癢痒 或正 音養 又翔 或蛘／カユシ［平平上］下音陽 …　（観智院本類聚名義抄／法下 115-1）
　　　癢　釋名云癢 餘兩反和名加由之 揚也 …　　　　　　　（元和本倭名類聚抄／巻三 29 オ 3）

664　3．仮名音注の韻母別考察　3-4　ⅢB韻類

《下巻　養韻諸例》

▶番号5780b「仰」（信仰）の仮名音注「カウ」については、基本的に -aū で対応する。当該字には平声濁点を差すので、字音「ガウ」を想定する。上巻の養韻当該例で分析したように、日本漢音「カウ」上声、日本呉音「カウ」を認める。

▶番号4732b「仰」（鑽仰）の仮名音注「キヤウ」については、基本的に -jaū で対応する。当該字には上声濁点を差すので、字音「ギヤウ」を想定する。熟字4732「鑽仰」は右傍「ホメ　アフク」を付載する。上述の分析を参照。

▶番号5139a「仰」（仰望）の仮名音注「キヤウ」については、基本的に -jaū で対応する。当該字には上声点を差す。上述の分析を参照。

▶番号5038a「襁」（襁緥）の仮名音注「キヤウ」については、基本的に -jaū で対応する。当該字には平声点を差す。観智院本類聚名義抄に同音字注「響」を見出すが、仮名音注はない。元和本倭名類聚抄には同音字注「響」がある。

　　　襁　ヒムツキ／チコノキヌ　　　　　　　　　　　　　　（観智院本類聚名義抄／法中142-5）

　　　襁緥　響保二音　ムツキ　タスキ／下　ムツキ　チコノキヌ　　　（観智院本類聚名義抄／法中142-5）

　　　襁緥　孫愐云襁緥　響保二音和名無豆岐　　　　　　　（元和本倭名類聚抄／巻十二22オ7）

▶番号6537「鏹」（鏹）の仮名音注「キヤウ」については、基本的に -jaū で対応する。当該字に声点はなく、右注「セニツラ」中注「居兩反」左注「錢貫也」を付載する。観智院本類聚名義抄に反切「房兩反」〔＊反切上字は「居」の誤認〕を見出すが、仮名音注はない。元和本倭名類聚抄には反切「居兩反」がある。

　　　鏹　房兩反　セニツラ［平平平濁平］／通緥字　　　　（観智院本類聚名義抄／僧上120-5）

　　　錢　…　漢書志云鏹　居兩反訓世尓都良　錢貫也　…　（元和本倭名類聚抄／巻十一12ウ7）

▶番号5058a・5117a「饗」（饗應・饗撰）の仮名音注「キヤウ」については、基本的に -jaū で対応する。両当該字には上声点を差す。観智院本類聚名義抄に上声点を付した同音字注「音響」を見出すが、仮名音注はない。日本漢音は上声を認める。

　　　饗　ミツキ物［上上□□］…　音響［上］／或享　…　　（観智院本類聚名義抄／僧上107-8）

▶番号5562b「饗」（尚饗）の仮名音注「キヤウ」については、基本的に -jaū で対応する。当該字に声点はない。熟字5562「尚饗」は右傍「コヒネカハクハ　ウケタマヘ」を付載する。上述の分析を参照。

　　　尚饗　コヒネカハクハ［平上□□□□］／ウケタマヘ　　（観智院本類聚名義抄／僧上107-8）

▶番号4500a「饗」（饗子）の仮名音注「キヤウ」については、基本的に -jaū で対応する。当該字には上声点を差す。熟字4500「饗子」は右注「サシ［平上］」中左注「酒醋上小飛／虫也」を

3-4-1 -iɑ 系の字音的特徴 665

付載する。観智院本類聚名義抄に同音字注「音響」を見出すが、仮名音注はない。元和本倭名類聚抄に同音字注「音響」がある。

　　蠁 音響　蠁子 サシ［上上］　　　　　　　　　　　　（観智院本類聚名義抄／僧下 026-4）

　　蠁子　蒋魴切韻云蠁子 上音饗和名佐之 酒醋上小飛虫也

　　　　　　　　　　　　　　　　　　　　　　　　　　　　　（元和本倭名類聚抄／巻十九 28 オ 6）

▶番号 4694a「爽」（爽地）の仮名音注「サウ」については、基本的に -aǔ で対応する。当該字には上声点を差す。観智院本類聚名義抄に反切「所兩反」を見出す。長承本蒙求には仮名音注「サウ」があり、その掲出字に上声点を加える。日本漢音「サウ」上声を認める。

　　爽 … 所兩反 タカフ［平平濁□］… コ、タシ［平上□□］　　　（観智院本類聚名義抄／佛下末 035-5）

　　爽［上］ サウ　　　　　　　　　　　　　　　　　　　　　　　（長承本蒙求／105）

▶番号 5364「賞」（賞）の仮名音注「シヤウ」については、基本的に -jaǔ で対応する。当該字に声点はなく、右注「書兩反」左注「勧賞柚賞」を付載する。上巻の養韻当該諸例で分析したように、日本呉音は上声を認める。また日本呉音「シヤウ」の蓋然性が高い。

▶番号「弊」3994b（提弊）の仮名音注「シヤウ」については、基本的に -jaǔ で対応する。当該字には平声点を差す。熟字 3994「提弊」は右傍「ヒサケ スミム」を付載する。観智院本類聚名義抄に反切「子養反」を見出すが、仮名音注はない。

　　弊 子養反 スミム ミチヒク …　　　　　　　　　　　　（観智院本類聚名義抄／佛下末 023-5）

▶番号 5566a「荘」（荘嚴）の仮名音注「シヤウ」については、基本的に -jaǔ で対応する。当該字には去声点を差す。観智院本類聚名義抄に上昇調と推測する和音「者ウ」を見出す。日本呉音「シヤウ」去声の蓋然性が高い。

　　荘 カサル［上上濁□］… 和者ウ［□上］　　　　　　　（観智院本類聚名義抄／法下 127-5）

▶番号 5782b「掌」（職掌）の仮名音注「シヤウ」については、基本的に -jaǔ で対応する。当該字には平声点を差す。上巻の漾韻当該諸例で分析したように、日本漢音は平声を認める。

▶番号 5773a「掌」（掌燈）の仮名音注「シヤウ」については、基本的に -jaǔ で対応する。当該字に声点はない。上述の分析を参照。

▶番号 6767a「掌」（掌侍）の仮名音注「セウ」については、異例 -eu を示す。当該字に声点はなく、右傍「荘」〔＊同音字注か〕を付載する。母音連続を避けるため、日本語の音変化 -eǔ > -joǔ > -joo を推測するが、背景として -jaǔ > -joo を視野に入れる必要がある。熟字 6767「掌侍」は右傍「シセウ」仮名音注を付載するが、上下反転する「セウシ」の誤読であろう。上述の分析を参照。

▶番号 4480・4869「象」（象・象）の仮名音注「サウ」については、基本的に -aǔ で対応する。当該字には平声点と去声点を差す。番号 4480「象」は左注「平声俗」を、番号 4869「象」は右注「平声俗 キサ［上平］」中注「徐兩反」中左注「又乍寫似／水牛耳長／鼻眼細牙長者也」を付載する。観智院本類聚名義抄に上声点を付した同音字注「音像」および和音「サウ」（その右傍に墨筆

666　3．仮名音注の韻母別考察　3-4　ⅢB韻類

で喉内撥音韻尾「✓」表記）を見出す。長承本蒙求には仮名音注「シヤウ」があり、その掲出字に
上声点を加える。元和本倭名類聚抄には反切「祥兩反上声之重」がある。当該字の頭子音 z-（等韻
学の術語で言う邪母）が歯音濁声母であり、上声之重に相当することを言う。切韻を撰述して以降
の中国語において、上声濁が次第に去声化を起こした状態を、日本漢音では反映する。これは上声
を構成する上声軽と上声重とが allotone であり、後者の調値が去声と区別できないことを示すと
も言える。日本漢音「シヤウ」上声、日本呉音「サウ」を認める。

象 キサ［入上］カタチ … 和サウ［□✓：墨右傍］　　　（観智院本類聚名義抄／佛下末 029-7）

象 音像［上］キサ［去上濁］／… カタチ　　　　　　　（観智院本類聚名義抄／僧下 108-6）

象［上］シヤウ　　　　　　　　　　　　　　　　　　　　　　（長承本蒙求／104）

象 四聲字苑云象 祥兩反上声之重字亦作象和名岐佐 …　　（元和本倭名類聚抄／巻十八 16 オ 7）

▶番号 3303a・5847a「象」（象玉・象玉）の仮名音注「シヤウ」については、基本的に *jaū* で
対応する。両当該字には去声点を差す。上述の分析を参照。

▶番号 5310a「象」（象常）の仮名音注「シヤウ［平平上］」については、基本的に *jaū* で対
応する。当該字には去声点を差し、その仮名音注には去声相当の上昇調を示す差声がある。上述の
分析を参照。

▶番号 5458a「象」（象眼）の仮名音注「シヤウ［平平上］」については、基本的に -*jaū* で対
応する。当該字に声点はないが、その仮名音注には去声相当の上昇調を示す差声がある。上述の分
析を参照。

▶番号 5859a・6147b「上」（上黨・馬上）の仮名音注「シヤウ」については、基本的に *jaū* で
対応する。両当該字には去声点を差す。上巻の養韻当該諸例で分析したように、日本漢音は去声、
日本呉音「ジヤウ」去声を認める。

▶番号 3888b・5206b・5803a・5888a・5953a「上」（殿上・吉上・上啓・上下・上座）の仮
名音注「シヤウ」については、基本的に *jaū* で対応する。当該字に声点はない。熟字 5206「吉上」
は左注「在六衛府」を付載する。上述の分析を参照。

▶番号 6651b「長」（成長）の仮名音注「チヤウ」については、基本的に *jaū* で対応する。当
該字には上声点を差す。熟字 6651「成長」は右傍「ヒト　ナル」を付載する。上巻の養韻当該諸
例で分析したように、日本漢音は平声と「チヤウ」去声、日本呉音「チヤウ」去声を認める。

▶番号 4930b「杖」（毬杖）の仮名音注「チヤウ」については、基本的に *jaū* で対応する。当
該字には去声点を差す。熟字 4930「毬杖」は左注「毛毬打者也」を付載する。上巻の養韻当該諸例
で分析したように、日本漢音は上/去声を認める。

打毬 唐韻云毬 音求打毬… 毛丸打者也 …　　　　　　（元和本倭名類聚抄／巻四 04 ウ 5）

毬杖 辨色立成云骨擿 角花反打也 打毬曲杖也　　　　　（元和本倭名類聚抄／巻四 08 オ 1）

▶番号 5124b・5455b「杖」（玖杖・錫杖）の仮名音注「チヤウ」については、基本的に *jaū* で

対応する。両当該字には平声点を差す。上述の分析を参照。

▶番号4258「網」（網）の仮名音注「ハウ」については、基本的に -aū で対応する。当該字には上声濁点を差すので、中国語音韻史上における鼻音声母の非鼻音化による字音「バウ」を想定する。また中注「文兩反」左注「魚網」を付載する。観智院本類聚名義抄に反切「文兩反」（その右傍に墨筆で「无性」反切か）および和音「マウ」を見出す。承暦本金光明最勝王経音義には同音字注「亡音」があり、その掲出字に去声点を加える。また同書には仮名音注「マウ」もある。日本呉音「マウ」去声を認める。

　　　網 文兩反［无性：墨右傍］アミ［平平］／和マウ イクモイ［去□□□］
　　　　　　　　　　　　　　　　　　　　　　（観智院本類聚名義抄／法中 121-5）
　　　網［去］阿美／亡彡　　　　　　　　　（承暦本金光明最勝王経音義／05 ウ 2）
　　　網 マウ［：右傍］〔＊後筆墨書〕　　　（承暦本金光明最勝王経音義／07 ウ 3）

▶番号5092b「網」（魚網）の仮名音注「ハウ」については、基本的に -aū で対応する。当該字には上声点を差す。上述の分析を参照。

▶番号6380a「養」（養父）の仮名音注「ヤ」については、異例 -a を示す。当該字に声点はない。先んじて存在する地名に漢字表記を宛てたと推測する。略音仮名の用法である。上巻の養韻当該例で分析したように、日本漢音は上声、日本呉音「ヤウ」平声を認める。

　　　　肥前國 … 養父 夜不 …　　　　　　（元和本倭名類聚抄／巻五 27 オ 3）

《上巻 漾韻諸例》

▶番号3057a「向」（向酒）の仮名音注「カウ」については、基本的に -aū で対応する。当該字には平声点を差す。漾韻二音（xiaŋ³・śiaŋ³）を有する。観智院本類聚名義抄に反切「許亮反・舒尚反」および低平調と推測する和音「カウ」（その右傍に朱筆で喉内撥音韻尾「✓」表記）を見出す。長承本蒙求には同音字注「経反」と仮名音注「キヤウ」二例があり、その両掲出字に去声点を加える。同書の仮名音注は平安時代院政初期である長承三年（1134）に加点された墨筆（例示で両音形ある場合は右側）を中心とするが、平安時代中期と推定する古い朱筆（両音形ある場合は左側）の加点もある。日本漢音「キヤウ」去声、日本呉音「カウ」平声を認める。

　　　向 許亮反 ムカフ［上上□］… 舒尚反 … 和カウ［□平／□✓：朱右傍］
　　　　　　　　　　　　　　　　　　　　　　（観智院本類聚名義抄／法下 040-4）
　　　向 許亮反／丶部　　　　　　　　　　　（観智院本類聚名義抄／僧下 109-5）
　　　向［去］経反／キヤウ　　　　　　　　　（長承本蒙求／030）
　　　向［去］キヤウ　　　　　　　　　　　　（長承本蒙求／105）

▶番号0434b「匠」（論匠）の仮名音注「シヤウ」については、基本的に -jaū で対応する。当

668　3．仮名音注の韻母別考察　3-4　ⅢB韻類

該字には去声濁点を差すので、字音「ジヤウ」を想定する。その中古音が示す頭子音 dz-（等韻学の術語で言う歯音濁従母）は有声破擦音であり、日本語のザ行音をもって受容するが、中国語音韻史上における濁音声母の無声化を反映する場合はサ行音で対応する。観智院本類聚名義抄に同音字注「音上」および去声点を付した「呉音昌」を見出す。この呉音注は「音唱」（漾韻 tś'iaŋ³）の誤認である。鎮国守国神社本三寶類聚名義抄を始め、西念寺本・高山寺本においても「音唱」である。その引用元である石山寺一切経蔵本大般若経字抄には漢呉二音相同の同音字注「音唱」二例がある。日本呉音は去声を認める。また日本呉音「シヤウ」の可能性を指摘しておく。

　　　匠　音上　呉音昌［去］匠／俗ツヒニ［是欤：墨右注］タクミ［平平平］

　　　　　　　　　　　　　　　　　　　　　　（観智院本類聚名義抄／佛上 062-5）

　　　唱　齒讓［□去濁］反 … 和者ウ［平上／□ ✓：墨右傍］　　（観智院本類聚名義抄／佛中 044-1）

　　　匠　音上　呉音唱［去］…　　　　　　　（鎮国守国神社本三寶類聚名義抄／上一 12 オ 1）

　　　匠　音上［入］〔＊去の誤認〕呉音唱 … タクミ［平平平］　　（西念寺本類聚名義抄／34 ウ 6）

　　　匠　音上［去］呉音昌［去］… タクミ［平平平］…　　（高山寺本三寶類聚字集／上 33 ウ 4）

　　　匠　［音唱：右傍］タクミ　　　　　　（石山寺一切経蔵本大般若経字抄／09 オ 7）

　　　匠　［音唱：右傍］　　　　　　　　　（石山寺一切経蔵本大般若経字抄／21 オ 4）

　▶番号 0851b「匠」（番匠）の仮名音注「シヤウ」については、基本的に *-jaũ* で対応する。当該字には平声濁点を差すので、字音「ジヤウ」を想定する。熟字 0851「番匠」は左注「又作板」を付載する。上述の分析を参照。

　▶番号 2122b「状」（領状）の仮名音注「シヤウ」については、基本的に *-jaũ* で対応する。当該字には上声濁点を差すので、字音「ジヤウ」を想定する。観智院本類聚名義抄に反切「鋤亮反」および和音「謝ウ」（その右傍に墨筆で濁音「✓」表記）を見出す。日本呉音「ジヤウ」を認める。

　　　状状　上通下正　鋤亮反 … カタチ［上上上］和謝ウ［✓□：墨右傍］

　　　　　　　　　　　　　　　　　　　　（観智院本類聚名義抄／佛下本 129-4）

　▶番号 0257b「譲」（揖譲）の仮名音注「シヤウ」については、基本的に *-jaũ* で対応する。当該字には上声濁点を差すので、字音「ジヤウ」を想定する。その熟字後部「譲」が示す上昇調の去声が高平調の上声に変化したと推測する。廣韻に拠れば、その中古音は日母漾韻去声（ńiaŋ³）である。観智院本類聚名義抄に反切「如向反・又人様反」および上昇調と推測する和音「謝ウ」（ジヤウ／謝：禡韻 zia³）を見出す。日母については「すでに隋末唐初の洛陽地方で非鼻音化が生じていた」 ₍₂₂₎ ため、和音においても「ニヤウ」ではなく「ジヤウ」で享受していた。長承本蒙求には仮名音注「シヤウ」と同音字注「生」があり、両掲出字に去声点を加える。承暦本金光明最勝王経音義には仮名音注「シヤウ」があり、その掲出字に去声点を加える。日本漢音「シヤウ」去声、日本呉音「ジヤウ」去声を認める。

　　　譲　如向反　ユツル［上上濁平］… 又人／様反　和謝ウ［□上］　　（観智院本類聚名義抄／法上 057-4）

3-4-1 -iɑ 系の字音的特徴　669

愧謝 音舍 [去] … ユルス [平平上／礼：右注] …　　　　　（図書寮本類聚名義抄／098-3）

謝 … 舍 カシコマル …　　　　　　　　　　　　　　　　（観智院本類聚名義抄／法上054-5）

讓 [去] シヤウ　　　　　　　　　　　　　　　　　　　　（長承本蒙求／085）

讓 [去] 生　　　　　　　　　　　　　　　　　　　　　　（長承本蒙求／119）

讓 [去／シヤウ：右傍] 由ツ留 [上上平]〔＊後筆墨書〕　（承暦本金光明最勝王経音義／07 ウ 3）

▶番号2668「餉」（餉）の仮名音注「シヤウ」については、基本的に -jaü で対応する。当該字には去声点を差し、右注「カレイヒ」左注「カレイヒヲクル」を付載する。観智院本類聚名義抄に同音字注「音向」（その右傍に朱筆で仮名音注「シヤウ」）を見出す。元和本倭名類聚抄に反切「式亮反」がある。日本漢音「シヤウ」を認める。

饟餉 … 音向 [シヤウ：朱右傍] カレヒヲクル [平平平上上平] 一云カレヒ [平平平]

　　　　　　　　　　　　　　　　　　　　　　　　　　　（観智院本類聚名義抄／僧上106-1）

餉　四聲字苑云餉 式亮反訓加禮比於久留俗云加禮比 …　（元和本倭名類聚抄／巻十六13 オ 8）

▶番号2293b「醬」（菹醬）の仮名音注「シヤウ」については、基本的に -jaü で対応する。当該字には去声点を差す。熟字2293「菹醬」は左注「ワタヽヒ」を付載する。観智院本類聚名義抄に反切「子匠反」を見出すが、仮名音注はない。

醬 子匠反／ヒシホ [上上上]　　　　　　　　　　　　　（観智院本類聚名義抄／僧下060-2）

菹醬 ワタヽヒ　　　　　　　　　　　　　　　　　　　　（観智院本類聚名義抄／僧上041-7）

菹醬　本草云菹醬一名蓽茇 必𢢽二音和名和太々非　　（元和本倭名類聚抄／巻二十10 ウ 2）

▶番号0221「唱」（唱）の仮名音注「シヤウ」については、基本的に -jaü で対応する。当該字には去声点を差し、和訓「イサナフ [平平濁上平]」の同訓異字として位置する。観智院本類聚名義抄に反切「齒讓反」（その反切下字に去声濁点）および上昇調を示す和音「者ウ」（その右傍に墨筆で喉内撥音韻尾「√」表記）を見出す。日本漢音・日本呉音ともに去声を認める。また日本呉音「シヤウ」の蓋然性が高い。

唱 齒讓 [□去濁] 反 … イサナフ [平平濁上平] 和者ウ [平上／□√：墨右傍]

　　　　　　　　　　　　　　　　　　　　　　　　　　　（観智院本類聚名義抄／佛中044-1）

▶番号0592「痕」（痕）の仮名音注「チヤウ」については、基本的に -jaü で対応する。当該字には去声点を差し、右注「ハラフクル」左注「或作脹」を付載する。観智院本類聚名義抄に反切「知亮反」を見出すが、仮名音注はない。元和本倭名類聚抄には同音字注「音帳」がある。

痕 俗脹字 知亮反 ハラフクル [平平上上平]　　　　　　（観智院本類聚名義抄／法下118-6）

痕　字書云痕 音帳字亦作脹波良不久流 腹満也　　　　（元和本倭名類聚抄／巻三22 オ 1）

▶番号1381b「帳」（扚帳）の仮名音注「チヤウ」については、基本的に -jaü で対応する。当該字には平声点を差す。観智院本類聚名義抄に反切「知亮反」（その反切下字に去声点）と平声点を付した「俗云長」および和音「チヤウ」を見出す。元和本倭名類聚抄には反切「猪髙反」〔＊猪亮

670　3．仮名音注の韻母別考察　3-4　ⅢB韻類

反の誤認か〕と「此間音長」がある。日本漢音は去声、日本呉音「チヤウ」を認める。また定着久し
い声調、近時に現用する声調は平声であることも判明する。

　　　　帳 知亮［□去］反 帷帳 カタヒラ … 俗云長［平］和音チヤウ　　（観智院本類聚名義抄／法中 105-1）

　　　　帳 几帳附 釋名云帳 猪高反此間音長 張也 …　　　　　　　　（元和本倭名類聚抄／巻十四 15 ウ 6）

▶番号 1764「帳」（帳）の仮名音注「チヤウ」については、基本的に *-jaū* で対応する。当該字
には去声点と平声点を差し、左注「平声俗」を付載する。上述の分析を参照。

▶番号 1824b「帳」（除帳）の仮名音注「チヤウ」については、基本的に *-jaū* で対応する。当
該字には平声濁点を差すので、日本語音韻史上の連濁による字音「ヂヤウ」を想定する。上述の分
析を参照。

▶番号 1715「帳」（帳）の仮名音注「チヤウ」については、基本的に *-jaū* で対応する。当該字
に声点はなく、左注「甲乙」を付載する。上述の分析を参照。

▶番号 1864b・1865a・1877a「悵」（惆悵・悵望・悵望）の仮名音注「チヤウ」については、
基本的に *-jaū* で対応する。当該諸字三例には去声点を差す。観智院本類聚名義抄に反切「丑亮反」
（その反切下字に去声点）および低平調を示す和音「チヤウ」を見出す。日本漢音は去声、日本呉
音「チヤウ」平声を認める。

　　　　悵 丑亮［□去］反 ウラム［平平上］ウレフ …　　　　　　　　（観智院本類聚名義抄／法中 093-8）

　　　　惆悵 失志也／和チウ［平平：墨点］チヤウ［平平平：朱点］　　（観智院本類聚名義抄／法中 093-8）

▶番号 3120b「暢」（酣暢）の仮名音注「チヤウ」については、基本的に *-jaū* で対応する。当
該字には去声点を差す。観智院本類聚名義抄に同音字注「音悵」を見出すが、仮名音注はない。

　　　　暢 音悵 … ノフ［平上潤］カヨフ［上上□］カヨヒアリク　　（観智院本類聚名義抄／僧下 105-2）

▶番号 1260b「様」（本様）の仮名音注「ヤウ」については、基本的に *-jaū* で対応する。当該
字には平声点を差す。前田本の字形は「㨾」にも見える。観智院本類聚名義抄に同音字注「又羊亮
反・羊尙反」を見出すが、仮名音注はない。

　　　　様 正 又羊亮反／㮋　　　　　　　　　　　　　　　（観智院本類聚名義抄／佛下本 096-5）

　　　　様 俗 樣字 羊尙反 ヨソフ … タメシ［平平平］　　　　　（観智院本類聚名義抄／佛下本 031-2）

▶番号 0290b「様」（異様）の仮名音注「ヤウ」については、基本的に *-jaū* で対応する。当該
字に声点はない。前田本の字形は「㨾」にも見える。上述の分析を参照。

▶番号 0452b・3020b「掠」（虜掠・拷掠）の仮名音注「リヤウ」については、基本的に *-jaū* で
対応する。両当該字には平声点を差す。熟字 0452「虜掠」は右傍「トリコニシ カスム」を付載す
る。観智院本類聚名義抄に去声点と入声点を付した同音字注「亮略二音」を見出すが、仮名音注は
ない。承暦本金光明最勝王経音義には同音字注「両音」があり、その掲出字に平声点を加える。日
本漢音は去声、日本呉音は平声を認める。

　　　　掠 … 亮略［去入］二音 … カスム［上上平］…　　　　　　（観智院本類聚名義抄／佛下本 065-3）

3-4-1 -iɑ 系の字音的特徴　671

掠 ［平］ 兩∛／牟婆不 ［平平上］　　　　　　　　　　（承暦本金光明最勝王経音義／08 オ 2）

▶番号 2050a「諒」（諒闇）の仮名音注「リヤウ」については、基本的に -jaū で対応する。当該字には去声点を差す。熟字 2050「諒闇」は右傍「マコトニ クラシ」を付載する。観智院本類聚名義抄に去声点を付した同音字注「音亮」を見出すが、仮名音注はない。石山寺一切経蔵本大般若経字抄には漢呉二音相同の同音字注「音量」がある。日本漢音は去声を認める。

諒 音亮 ［去］ マ７ ［平上］ アキラカニ …　　　（観智院本類聚名義抄／法上 058-3）
諒 ［音量：右傍］ 誠也　　　　　　　　　　（石山寺一切経蔵本大般若経字抄／19 ウ 5）

《下巻 漾韻諸例》

▶番号 5997b「向」（廻向）の仮名音注「カウ」については、基本的に -aū で対応する。当該字には平声点を差す。上巻の漾韻当該例で分析したように、日本漢音「キヤウ」去声、日本呉音「カウ」平声を認める。

▶番号 5028a・5049a「向」（向後・向背）の仮名音注「キヤウ」については、基本的に -jaū で対応する。両当該字には去声点を差す。上述の分析を参照。

▶番号 3094b「向」（鳥向樂）の仮名音注「クワウ」については、異例 -waū を示す。当該字には平声点を差す。熟字 3094「鳥向樂」は右注「盤渉調」を付載する。上述の分析を参照。

盤渉調 … 青海波 有詠 鳥向樂 …　　　　　　（元和本倭名類聚抄／巻四 17 オ 4）

▶番号 5579b「匠」（師匠）の仮名音注「シヤウ」については、基本的に -jaū で対応する。当該字に声点はない。上巻の漾韻当該諸例で分析したように、日本呉音は去声を認める。また日本呉音「シヤウ」の可能性を指摘しておく。

▶番号 3862b「状」（壓状）の仮名音注「シヤウ」については、基本的に -jaū で対応する。当該字には上声濁点を差すので、字音「ジヤウ」を想定する。上巻の漾韻当該例で分析したように、日本呉音「ジヤウ」を認める。

▶番号 5157b「状」（擧状）の仮名音注「シヤウ」については、基本的に -jaū で対応する。当該字に声点はない。上述の分析を参照。

▶番号 6135「醬」（醬）の仮名音注「シヤウ」については、基本的に -jaū で対応する。当該字には平声点と去声点を差し、右注「ヒシヲ」中注「子亮反」〔＊子亮反の誤認か〕中左注「豆醢也／唐醬」を付載する。上巻の漾韻当該例で分析した。

醬 四聲字苑云醬 即亮反和名比之保別有唐醬 豆醢也　　（元和本倭名類聚抄／巻四 17 オ 4）

▶番号 4610「壯」（壯）の仮名音注「サウ」については、基本的に -aū で対応する。当該字に声点はなく、左注「灸治之貟也」を付載する。観智院本類聚名義抄に反切「側亮反」（その反切下字に去声点）および和音「者ウ」（その右傍に朱筆で仮名音注「サウ」）を見出す。同書の凡例部

672　3．仮名音注の韻母別考察　3-4　ⅢB韻類

分「朱音者正音也墨声者和音也」（篇目 7-6）に従えば、朱墨で正音と和音を分別する傾向があるので、仮名音注「サウ」は正音と考える。承暦本金光明最勝王経音義には同音字注「正音」があり、その掲出字に去声点を加える。日本漢音「サウ」去声、日本呉音は去声を認める。また日本呉音「シヤウ」の蓋然性が高い。

　　　壮 サカリニ ヲホキナリ　　　　　　　　　　　　（観智院本類聚名義抄／佛下末 008-8）
　　　壮 サカリナリ カタチ …　　　　　　　　　　　　　（観智院本類聚名義抄／法上 047-2）
　　　壮 側完 [□去] 反 大カ、… 和者ウ [サウ：朱右傍]　　（観智院本類聚名義抄／法中 068-5）
　　　壮 [去] 正彡／佐加利奈リ [上上上：□□]　　　（承暦本金光明最勝王経音義／06 オ 4）

　▶番号 4919b「帳」（几帳）の仮名音注「チヤウ」については、基本的に -jaū で対応する。当該字に声点はない。上巻の漾韻当該例で分析したように、日本漢音は去声、日本呉音「チヤウ」を認める。また定着久しい声調、近時に現用する声調は平声であることも判明する。

　▶番号 6597b「舫」（舩舫）の仮名音注「ハウ」については、基本的に -aū で対応する。当該字には平声点を差す。熟字 6597「舩舫」は右傍「フネ フネ」を付載する。観智院本類聚名義抄に同音字注「音放・又音房」と反切「又薄浪反」および「和去」を見出すが、仮名音注はない。日本呉音は去声を認める。

　　　舫 音放 又薄浪反 フネ [平上] … 又音房 … 和去　　　（観智院本類聚名義抄／佛下本 002-3）
　▶番号 3644b「妄」（虚妄）の仮名音注「マウ」については、基本的に -aū で対応する。当該字には平声点を差す。観智院本類聚名義抄に去声点を付した同音字注「音忘」を見出すが、仮名音注はない。日本漢音は去声を認める。

　　　妄 音忘 [去] イツハル … ミタリ [平上濁平]　　　（観智院本類聚名義抄／佛中 013-5）

《上巻 薬韻諸例》

　▶番号 2613a・2921a・3070a「脚」（脚病・脚病・脚力）の仮名音注「カク」については、基本的に -ak で対応する。当該諸字三例には入声点を差す。観智院本類聚名義抄に反切「居略反」および「和カク」と「或キヤク」を見出す。日本呉音「カク」字音「キヤク」を認める。後者は日本漢音と見るべきか。

　　　脚 居略反 アシ [平上] … 和カク 或キヤク　　　　（観智院本類聚名義抄／佛中 132-8）
　　　脚病 伯楽日脚病 俗云知阿奈岐 …　　　　　（元和本倭名類聚抄／巻十一 15 ウ 4）
　▶番号 2353a「屩」（屩耳）の仮名音注「キヤク」については、基本的に -jak で対応する。当該字には入声点を差す。熟字 2353「屩耳」は右注「ワラクツノチ」を付載する。観智院本類聚名義抄に同音字注「音脚」を見出すが、仮名音注はない。元和本倭名類聚抄には反切「居灼反」と同音字注「脚」〔＊「與脚同」あるいは義注か〕がある。

　　　　　3-4-1　-iɑ 系の字音的特徴　673

　履　音脚 ワラクツ［平平平濁平／□□ウ［平］□］…　　　　　（観智院本類聚名義抄／法下 088-8）

　屬　史記注云屬 居灼反與腳同字亦作屬和名和良久豆 草扉也

　　　　　　　　　　　　　　　　　　　　　　　　　　　（元和本倭名類聚抄／巻十二 27 ウ 4）

　屬耳　唐令云青耳屬 今案屬耳者俗人云屬之乳乎　　　　（元和本倭名類聚抄／巻十二 28 ウ 3）

▶番号 2352「屬」（屬）の仮名音注「キヤク」については、基本的に -jak で対応する。当該字
に声点はなく、右注「ワラクツ 草履也」左注「又作屬」を付載する。上述の分析を参照。

▶番号 0777b・2284b「却」（排却・排却）の仮名音注「キヤク」については、基本的に -jak で
対応する。両当該字には入声点を差す。熟字 2284「排却」は左注「ヲヒヤカス」を付載する。観智
院本類聚名義抄に反切「去虐反・去略反」および和音「キヤク」を見出す。長承本蒙求には仮名音
注「キヤク」があり、その掲出字に徳声点を加える。日本漢音「キヤク」徳声（四声体系では入声）
日本呉音「キヤク」を認める。

　　却〔＊部首字形は阝〕去虐反 退也／… 今却　　　　　（観智院本類聚名義抄／法中 029-5）

　　却 去略反 スツ … 和キヤク　　　　　　　　　　　　（観智院本類聚名義抄／僧下 110-3）

　　却［徳］キヤク　　　　　　　　　　　　　　　　　　　　　　（長承本蒙求／021）

▶番号 0816b「却」（亡却）の仮名音注「キヤク」については、基本的に -jak で対応する。当
該字に声点はない。上述の分析を参照。

▶番号 2304a「瘧」（瘧病）の仮名音注「キヤク」については、基本的に -jak で対応する。当
該字に声点はない。熟字 2304「瘧病」は右注「ワラハヤミ」左注「又エヤミ」を付載する。観智院
本類聚名義抄に同音字注「音虐」を見出すが、仮名音注はない。元和本倭名類聚抄に同音字注「音
虐」がある。

　　瘧〔＊瘧に又を加えた字形〕音虐　　　　　　　　　（観智院本類聚名義抄／法下 119-7）

　　瘧 … エヤミ［去平平］一云ワラハヤミ［平平□平平］　（観智院本類聚名義抄／法下 119-7）

　　瘧病　說文云瘧 音虐俗云衣夜美一云和良波夜美 …　　（元和本倭名類聚抄／巻三 24 オ 5）

▶番号 0836b・1207b「虐」（八虐・暴虐）の仮名音注「キヤク」については、基本的に -jak で
対応する。両当該字には入声濁点を差すので、字音「ギヤク」を想定する。観智院本類聚名義抄に
入声濁点を付した同音字注「音瘧」を見出す。長承本蒙求に仮名音注「キヤク」があり、その掲出
字に徳声加濁点を加える。日本漢音「ギヤク」徳声（四声体系では入声）を認める。

　　虐 音瘧［入濁］コロス … シヘタク　　　　　　　　（観智院本類聚名義抄／法下 094-8）

　　虐 同 オヒヤカス［上上濁□□□］　　　　　　　　　（観智院本類聚名義抄／法下 094-8）

　　虐［徳／徳：加濁］キヤク　　　　　　　　　　　　　　　　（長承本蒙求／108）

▶番号 1005b・2384b「弱」（柔弱・尪弱）の仮名音注「シヤク」については、基本的に -jak で
対応する。両当該字には入声濁点を差すので、字音「ジヤク」を想定する。熟字 1005「柔弱」は右
傍「ヤハラカナリ」を、熟字 2384「尪弱」は右傍「チカラナシ」を付載する。観智院本類聚名義抄

674　3. 仮名音注の韻母別考察　3-4　ⅢB韻類

に低平調と推測する和音「ニヤク」を見出す。日本呉音「ニヤク」入声を認める。

　　　弱 ヨハシ マサル／ハカリ［上濁上平］和ニヤク［□□平］　　　（観智院本類聚名義抄／僧中 024-2）

　▶番号 2951b「弱」（強弱）の仮名音注「ニヤク」については、基本的に -jak で対応する。当該字には入声点を差す。上述の分析を参照。

　▶番号 0780b「惹」（伴惹）の仮名音注「シヤク」については、基本的に -jak で対応する。当該字には入声濁点を差すので、字音「ジヤク」を想定する。観智院本類聚名義抄に反切「如灼如耶二反・又人者反」を見出すが、仮名音注はない。

　　　惹 如灼如耶二反 又人／者反 … ミタル ナヤマス　　　（観智院本類聚名義抄／法中 079-3）

　▶番号 3140b「嚼」（咀嚼）の仮名音注「シヤク」については、基本的に -jak で対応する。当該字には徳声点を差す。その中古音は従母薬韻 (dziɑk) であり、濁声母の場合には徳声ではなく入声を期待する。諧声符「爵」の字形がやや縦長となり、入声点の差声位置が相対的に右下隅より上方になったか。熟字 3140「咀嚼」は右注「カミハム［平上平上］」中注「カミクラフ［平上上上平］」左注「下字嚼 同」を付載する。当該字「嚼」は「嚼」と相互に異体字である。観智院本類聚名義抄に反切「在爵反」および和音「者ク」を見出す。日本呉音「シヤク」の蓋然性が高い。

　　　嚼 嚼二今 在爵反 カム … 和者ク　　　（観智院本類聚名義抄／佛中 055-3）

　▶番号 1350b・2519「鵲」（扁鵲・鵲）の仮名音注「シヤク」については、基本的に -jak で対応する。両当該字には入声点を差す。番号 2519「鵲」は右注「カサヽキ」左注「成橋」を付載する。観智院本類聚名義抄に反切「七爵反」および和音「昔」を見出す。長承本蒙求には仮名音注「セキ」と「シヤク」二例があり、その両掲出字に徳声点を加える。日本漢音「シヤク」徳声（四声体系では入声）を認める。ただし「セキ」は諧声符「昔」による字音把握、あるいは日本呉音混入の可能性を残す。

　　　鵲 … 七爵反 カサヽキ／カラス 和昔　　　（観智院本類聚名義抄／僧中 118-7）

　　　鵲［徳］セキ・シヤク　　　（長承本蒙求／107）

　　　鵲［徳］シヤク　　　（長承本蒙求／116）

　▶番号 1460a「雀」（雀盲）の仮名音注「シヤク」については、基本的に -jak で対応する。当該字には徳声点を差す。熟字 1460「雀盲」は右注「トリメ」を付載する。観智院本類聚名義抄に同音字注「音爵」を見出す。長承本蒙求には仮名音注「シヤク」があり、その掲出字に徳声点を加える。元和本倭名類聚抄に反切「且畧反」と注記「古字與爵通」がある。なお、現行多くの漢和辞典は慣用音「ジヤク」を掲げるが、これは「嚼・嚼」従母薬韻 (dziɑk) との混同あるいは類推か。日本漢音「シヤク」徳声（四声体系では入声）を認める。

　　　雀 音爵 スヽメ［平上上／□□ミ［上］］　　　（観智院本類聚名義抄／僧中 136-5）

　　　雀目［＊両字は上下に接着し一字か］トリメ　　　（観智院本類聚名義抄／佛中 077-2）

　　　雀［徳］シヤク　　　（長承本蒙求／066）

雀 漢書陳勝傳云鷰雀安知鴻鵠之志哉 雀音且畧反古字與爵通和名須々米

（元和本倭名類聚抄／巻十八08 ウ9）

▶番号 1873a「著」（著姓）の仮名音注「チヤク」については、基本的に -jak で対応する。当
該字には入声点を差す。藥韻（ɖiɑk・ȶiɑk）魚韻（ɖiʌ¹）語/御韻（ȶiʌ²³）五音を有する。観智院本類
聚名義抄に反切「又竹略反」（その反切下字に入声点）反切「又直略反」（その反切下字に入声点）
および濁音を含む低平調の差声がある和音「チヤク」（その右傍に墨筆で濁音「✓」表記）と和音
「チヨ」を見出す。日本漢音は入声、日本呉音「ヂヤク・チヨ」を認める。

　　著着 下俗 音除 … 又音貯 … 又張盧 ［□去］反 … 又竹略 ［入入］反 … 又直略 ［入入］反

　　 … 又中怒反 … 和チヤク［平濁平平／朱右傍：✓□□］チヨ 　（観智院本類聚名義抄／僧上037-7）

▶番号 1810a・1857a・1882a・1901a・1902a「着」（着岸・着袴・着任・着鈌・着鈌）の仮
名音注「チヤク」については、基本的に -jak で対応する。当該諸字五例には入声点を差す。藥韻
（ɖiɑk・ȶiɑk）二音を有する。当該字「着」と「著」は相互に異体字である。熟字1901は字形「着
隹+求（着鍒）」であるが、これを「着鈌」に訂正する。後続する熟字1902「着鈌」は左注「俗用
之」を付載する。上述の分析を参照。

▶番号 1858a「着」（着裳）の仮名音注「チヤウ」については、異例 -jau で対応する。当該字
には入声点を差す。仮名字形の相似による「チヤク」の誤認か。上述の分析を参照。

▶番号 1366b・1668b「躍」（抃躍・騰躍）の仮名音注「ヤク」については、基本的に -jak で
対応する。両当該字には入声点を差す。熟字1366「抃躍」は左注「抃同作」を、熟字1668「騰躍」
は右傍「アカリ ヲトル」を付載する。観智院本類聚名義抄に入声点を付した同音字注「音藥」と反
切「又失物反」を見出す。長承本蒙求には仮名音注「ヤク」があり、その掲出字に入声点を加える。
日本漢音「ヤク」入声を認める。

　　躍 音藥 ［入］ヲトル ［上上濁平］／又失物反 　　　（観智院本類聚名義抄／法上078-2）

　　躍 ヲトル ［上上濁□］ホトハシル ［上上濁□□□］… アラハス （観智院本類聚名義抄／法上088-7）

　　躍 ［入］ヤク 　　　　　　　　　　　　　　　　（長承本蒙求／136）

▶番号 2715「鑰」（鑰）の仮名音注「ヤク」については、基本的に -jak で対応する。当該字に
は入声点を差し、右注「カキ」を付載する。観智院本類聚名義抄に和音「ヤク」を見出す。元和本
倭名類聚抄には同音字注「音藥」がある。日本呉音「ヤク」を認める。

　　鑰 ヤトノカキ／カキ 　　　　　　　　　　　（観智院本類聚名義抄／僧上118-4）

　　鑰 和ヤク 　　　　　　　　　　　　　　　　（観智院本類聚名義抄／僧上139-1）

　　鑰 四聲字苑云鑰 音藥 … 關具也楊氏漢語抄云鑰匙 門乃加岐

（元和本倭名類聚抄／巻十16 オ6）

▶番号 0881b・1187b・2115b・2262b・2918b・2919b「藥」（賣藥・方藥・良藥・烏藥・合
藥・香藥）の仮名音注「ヤク」については、基本的に -jak で対応する。当該諸字六例には入声点を

676 3．仮名音注の韻母別考察 3-4 ⅢB韻類

差す。観智院本類聚名義抄に同音字注「音躍」を見出す。長承本蒙求には仮名音注「ヤク」があり、
その掲出字に徳声を加える。箋注倭名類聚抄に反切「以灼反」がある。日本漢音「ヤク」徳声（四
声体系では入声）を認める。

　　　藥 音躍 クスリ［上上平］ 　　　　　　　　　　　　　　（観智院本類聚名義抄／僧上006-6）

　　　藥［徳］ヤク 　　　　　　　　　　　　　　　　　　　　　　　　　　（長承本蒙求／107）

　　　藥　食寮經云充飢則謂之食寮疾則謂之藥 以灼反久須利 … 　（箋注倭名類聚抄／巻三32 ウ6）

　▶番号0294b・1229・1254b・1388b・1883b・2114a・2906b「略」（意略・方略・謀略・
廟略・知略・略体・簡略）の仮名音注「リヤク」については、基本的に -jak で対応する。当該諸字
七例には入声点を差す。熟字1883「知略」は右傍「ハカリ コチサタメム」を、熟字2906「簡略」
は左注「イサ、カナリ」を付載する。観智院本類聚名義抄に反切「呂灼反」（その反切下字に入声
点）および和音「リヤク」を見出す。日本漢音は入声、日本呉音「リヤク」を認める。

　　　略 呂灼［□入］反 ホ、［去平濁］… 和リヤク 　　　　　（観智院本類聚名義抄／佛中107-8）

　▶番号2001・2021・2022a・2022b「略」（略・略・略ミ・略ミ）の仮名音注「リヤク」につ
いては、基本的に -jak で対応する。当該諸字四例に声点はない。番号2001「略」は左注「謀略 簡
略」を、番号2021「略」は右注「リヤクス」サ変動詞を付載する。上述の分析を参照。

《下巻 藥韻諸例》

　▶番号3827b・5186a「却」（猒却・却老）の仮名音注「キヤク」については、基本的に -jak で
対応する。両当該字には入声点を差す。上巻の藥韻当該諸例で分析したように、日本漢音「キヤク」
徳声（四声体系では入声）日本呉音「キヤク」を認める。

　▶番号5272a「却」（却老）の仮名音注「キヤク」については、基本的に -jak で対応する。当
該字に声点はない。上述の分析を参照。

　▶番号4176「脚」（脚）の仮名音注「カク」については、基本的に -ak で対応する。当該字に
は入声点を差し、右注4177「俗キヤク」中注「同（アシ）」左注「居灼反」右傍4176「カク」を
付載する。上巻の藥韻当該諸例で分析したように、日本呉音「カク」字音「キヤク」を認めるが、
後者は日本漢音と見るべきか。

　▶番号4048b・4177・5540b「脚」（斜脚・脚・斜脚）の仮名音注「キヤク」については、基本
的に -jak で対応する。当該諸字三例には入声点を差す。上述の分析を参照。

　▶番号4204a「脚」（脚氣）の仮名音注「キヤク」については、基本的に -jak で対応する。当
該字には入声濁点を差すので、字音「ギヤク」を想定する。その中古音が示す頭子音 k-（等韻学の
術語で言う牙音清見母）は無声無気軟口蓋閉鎖音であり、日本語のカ行音をもって受容する。ガ行
音で対応することは許容できない。熟字4204「脚氣」は左右注「アシノ／ケ」を付載する。上述の

3-4-1　-iɑ 系の字音的特徴　677

分析を参照。

　　　脚氣　醫家書有脚氣論 脚氣一云脚病俗云阿之乃介　　　　（元和本倭名類聚抄／巻三 20 ウ 7）

　▶番号4899「虐」（虐）の仮名音注「キヤク」については、基本的に -jak で対応する。当該字
には入声濁点を差すので、字音「ギヤク」を想定する。番号4899「虐」は左注「八虐」を付載する。
上巻の藥韻当該諸例で分析したように、日本漢音「ギヤク」徳声（四声体系では入声）を認める。

　▶番号4115b「楉」（安楉榴）の仮名音注「サク」については、基本的に -ak で対応する。当該
字には入声点を差す。観智院本類聚名義抄に同音字注「音若」を見出すが、仮名音注はない。

　　　楉 音若 石榴也 安石／榴也 シモト スハヘ［平平平］　　　（観智院本類聚名義抄／佛下本 104-4）

　▶番号3324b「蒻」（蒟蒻）の仮名音注「シヤク」については、基本的に -jak で対応する。当
該字には入声濁点を差すので、字音「ジヤク」を想定する。熟字「蒟蒻」は右傍3324「クシヤク」
右注3325「コニヤク」を付載する。観智院本類聚名義抄に同音字注「音弱」二例と入声濁点を付し
た同音字注「弱」を見出す。また、熟字「蒟蒻」に後続する「彡頭」は「頭蒻」の誤認と推測する
ので、仮名音注「ニヤク」も見つける。元和本倭名類聚抄には同音字注「弱」と和名「古迩夜久」
がある。後者は字音の認識がないほど馴化定着していたか。日本漢音は入声、定着久しい字音「ニ
ヤク」を認める。

　　　蒻 音弱／ハチスノハヒ［上□□□□□］　　　　　　　　（観智院本類聚名義抄／僧上 006-4）

　　　蒻 音弱／ハチスノハヒ　　　　　　　　　　　　　　　　（観智院本類聚名義抄／僧上 041-5）

　　　蒟蒻 拘弱［上入濁／ク□：朱右傍］二音　彡頭 コニヤク　（観智院本類聚名義抄／僧上 041-6）

　　　蒟蒻　文選蜀賦注云蒟蒻 拘弱二音和名古迩夜久 …　　　（元和本倭名類聚抄／巻十七 22 オ 4）

　　　蒻　… 郭璞注云莖下白蒻 音弱 在泥中者也　　　　　　　（元和本倭名類聚抄／巻十七 17 ウ 1）

　▶番号3325b「蒻」（蒟蒻）の仮名音注「ニヤク」については、基本的に -jak で対応する。当
該字には入声濁点を差す。熟字「蒟蒻」は右傍3324「クシヤク」右注3325「コニヤク」を付載す
る。上述の分析を参照。

　▶番号3326b「若」（芍若）の仮名音注「ニヤク」については、基本的に -jak で対応する。当
該字に声点はない。廣韻に拠れば、藥韻（ńiɑk）麻/馬韻（ńia¹ᐟ²）三音を有する。熟字「芍若」は右
注「同（コニヤク）」を付載する。観智院本類聚名義抄に入声濁点を付した同音字注「音弱」（そ
の右傍に朱筆で仮名音注「シヤク」）と「又音惹」および低平調を示す和音「又ニヤ」を見出す。
日本漢音「ジヤク」入声、日本呉音「ニヤ」平声を認める。

　　　若 音弱［入濁／シヤク：朱右傍］モシ［去平］… 又音惹 和又ニヤ［平平］

　　　　　　　　　　　　　　　　　　　　　　　　　　　　　（観智院本類聚名義抄／僧上 047-4）

　▶番号6290b「削」（筆削）の仮名音注「サク」については、基本的に -ak で対応する。当該字
には入声点を差す。廣韻に拠れば、当該字は心母藥韻（siɑk）一字のみであり、同音字注の選択は
できない。観智院本類聚名義抄に反切「又私妙反・正先藥反」と同音字注「又鞘」看韻（sau¹）を

678　3．仮名音注の韻母別考察　3-4　ⅢB韻類

見出すが、仮名音注はない。高山寺本篆隷萬象名義に反切「思略反」がある。天治本新撰字鏡には
反切「正思略反」を見つける。

削 … キユ［上平］サヤ［平上］又私妙反／又鞘 正先藥反 ケツル

(観智院本類聚名義抄／僧上088-7)

削 思略反 尅治也減也煞也　　　　　　　　　　　(高山寺本篆隷萬象名義／第五帖043オ1)

削 正思略反入減也 …　　　　　　　　　　　　　(天治本新撰字鏡／巻十一17オ7)

▶番号6165「杓」（杓）の仮名音注「シヤク」については、基本的に -jak で対応する。当該字
には入声点を差し、右注「ヒサコ」左注「斟水器也」を付載する。当該字「杓」は「杓」と相互に
異体字である。観智院本類聚名義抄に同音字注「的漂三音」と「音酌」および反切「又常夕反」を
見出すが、仮名音注はない。元和本倭名類聚抄に「音與酌同」がある。

杓 的漂三音 北斗／⊠星 又常夕反　　　　　　　(観智院本類聚名義抄／佛下本106-8)

杓 音酌 ヒサコ［上上上］　　　　　　　　　　(観智院本類聚名義抄／佛下本106-8)

杓 瓠附 唐韻云杓 音與酌同和名比佐古 斟水器也 …　(元和本倭名類聚抄／巻十六06オ8)

▶番号3829b「爵」（羽爵）の仮名音注「シヤク」については、基本的に -jak で対応する。当
該字には入声点を差す。観智院本類聚名義抄に同音字注「音雀」を見出すが、仮名音注はない。

爵 音雀 ツカサ［上□□］… サカツキ［上上上濁□］ス、ミ［鳥：墨右注］

(観智院本類聚名義抄／僧中006-3)

▶番号5373「爵」（爵）の仮名音注「シヤク」については、基本的に -jak で対応する。当該字
に声点はなく、左注「即略反」を付載する。上述の分析を参照。

▶番号5741a・5849a「雀」（雀羅・雀瑈）の仮名音注「シヤク」については、基本的に -jak で
対応する。両当該字には徳声点を差す。上巻の薬韻当該例で分析したように、日本漢音「シヤク」
徳声（四声体系では入声）を認める。

▶番号5842a「雀」（雀頭）の仮名音注「シヤク」については、基本的に -jak で対応する。当
該字には入声点を差す。上述の分析を参照。

▶番号6802「雀」（雀）の仮名音注「シヤク」については、基本的に -jak で対応する。当該字
に声点はなく、右注「ス、メ」左注「ス、ミ」を付載する。上述の分析を参照。

▶番号5627b「酌」（斟酌）の仮名音注「シヤク」については、基本的に -jak で対応する。当
該字には入声点を差す。熟字5627「斟酌」は右傍「クミ クム」中左注「斟酌／同作」を付載する。
観智院本類聚名義抄に入声点を付した同音字注「音斫」（その右傍に朱筆で仮名音注「シヤク」）
を見出す。日本漢音「シヤク」入声を認める。

酌 音斫［入／シヤク：朱右傍］クム［上平］…　(観智院本類聚名義抄／僧下057-1)

▶番号5452a「酌」（酌子）の仮名音注「シヤク」については、基本的に -jak で対応する。当
該字に声点はない。上述の分析を参照。

3-4-1　-iɑ 系の字音的特徴　679

▶番号5485「勺」（勺）の仮名音注「シヤク」については、基本的に -jak で対応する。当該字に声点はなく、右注「シヤク 市各反」左注「十撮為勺 勺イ本」。観智院本類聚名義抄に同音字注「音灼」を見出すが、仮名音注はない。承暦本金光明最勝王経音義には同音字注「尺音」があり、その掲出字に入声点を加える。日本呉音は入声を認める。また日本呉音「シヤク」の蓋然性が高い。

　　　勺 音灼 カサル … 十、為合　　　　　　　　　　　　（観智院本類聚名義抄／法下 058-1）

　　　尺 音赤 者ク／十寸 サタム［平平濁上］　　　　　　　（観智院本類聚名義抄／僧下 0104-3）

　　　勺［入］尺、　　　　　　　　　　　　　　　（承暦本金光明最勝王経音義／06 オ 5）

▶番号4347「擽」（擽）の仮名音注「タツ」については、異例 -at を示す。あるいは和訓「ウツ」の誤認か。当該字には入声点を差し、和訓「アヤツル」の同訓異字として位置する。観智院本類聚名義抄に同音字注「音歴」と反切「力狄反」を見出すが、仮名音注はない。

　　　擽 音歴 ウツ［平上］コソクル／カキナラス　　　　　（観智院本類聚名義抄／佛下本 066-4）

　　　擽 力狄反／コソクル　擽 正 コソクル ウツ／カキナラス　（観智院本類聚名義抄／佛下本 074-7）

▶番号4760b「着」（挿着）の仮名音注「チヤク」については、基本的に -jak で対応する。当該字には入声点を差す。熟字4760「挿着」は左注「差腰也」を付載する。上巻の藥韻当該諸例で分析したように、日本漢音は入声、日本呉音「ヂヤク」を認める。

▶番号5778b「着」（執着）の仮名音注「チヤク」については、基本的に -jak で対応する。当該字には入声濁点を差すので、字音「ヂヤク」を想定する。日本語音韻史上の連濁による字音把握か、日本呉音か判然としない。上述の分析を参照。

▶番号4369b・4745b「着」（愛着・細着）の仮名音注「チヤク」については、基本的に -jak で対応する。両当該字に声点はない。上述の分析を参照。

▶番号3745a「芍」（芍藥）の仮名音注「チヤク」については、基本的に -jak で対応する。当該字には入声点を差す。熟字3745「芍藥」は右注「エヒスクスリ［上上上上上平］」中注「香草可和食也」左注「ヌミクスリ」を付載する。観智院本類聚名義抄に音注表記はない。元和本倭名類聚抄には反切「張約反」がある。

　　　杓藥〔＊芍と混同〕エヒスクスリ 上音鵲 又的／又ヌミクスリ　（観智院本類聚名義抄／僧上 006-6）

　　　芍芍 正欵／ハスノミ　　　　　　　　　　　　（観智院本類聚名義抄／僧上 006-6）

　　　芍藥　唐韻云芍藥 芍音張約反新抄本草云和名衣比須久須里又沼美久須里 …

　　　　　　　　　　　　　　　　　　　　　　（元和本倭名類聚抄／巻二十 03 ウ 8）

▶番号5153b・6675b「約」（期約・誓約）の仮名音注「ヤク」については、基本的に -jak で対応する。両当該字には入声点を差す。廣韻に拠れば、藥韻（'iɑk）笑韻（'iɑu³）二音を有する。熟字6675「誓約」は左注「セイセイ［ヤク：右傍別筆か］」を付載する。仮名の字形相似による「セイヤク」の誤認である。図書寮本類聚名義抄に反切「真云央略反」（その反切下字に入声点）を見出す。観智院本には反切「扐略反」および「又呉音券」を見つける。後者は大般若経字抄による漢

呉二音相同の同音字注を出典とする。長承本蒙求には仮名音注「ヤク」三例があり、それら掲出諸字に徳声点を加える。日本漢音「ヤク」徳声（四声体系では入声）を認める。

　　　婉約 真云央略 ［口入］ 反 … 東云 … 又才妙反 …　　　　　　　　　　　　（図書寮本類聚名義抄／192-4）
　　　約 抾略反 ツラヌ … 又呉音券 文貞可作絢 又抾妙反 束也　　　（観智院本類聚名義抄／法中 124-1）
　　　指約 ［呉音券：右傍］ 又貞正可作絢／或常音屈節也　　　　（石山寺一切経蔵本大般若経字抄／15 ウ 2）
　　　約 ［徳］ ヤク　　　　　　　　　　　　　　　　　　　　　　（長承本蒙求／085・108・133）

　▶番号 3427「篛」（篛）の仮名音注「ヤク」については、基本的に *-jak* で対応する。当該字には入声点を差し、右注「同」〔＊相当する和訓を前出しないが「コマフエ」か〕を付載する。観智院本類聚名義抄に同音字注「音薬」を見出すが、仮名音注はない。元和本倭名類聚抄には反切「以灼反」がある。

　　　篛 音薬 コマフエ ［平平平濁平］　　　　　　　　　　　　　（観智院本類聚名義抄／僧上 070-7）
　　　篛　兼名苑注云篛 以灼反今案所謂髙麗笛用此字歟和名古萬布江 …
　　　　　　　　　　　　　　　　　　　　　　　　　　　　　　　（元和本倭名類聚抄／巻四 13 ウ 3）

　▶番号 4043b・6447b・6764b「薬」（典薬寮・没薬・施薬院）の仮名音注「ヤク」については、基本的に *-jak* で対応する。当該諸字三例に声点はない。上巻の薬韻当該諸例で分析したように、日本漢音「ヤク」徳声（四声体系では入声）を認める。

　　3-4-1-9　-iuaŋ/-iuɑk（陽/養/漾/薬韻）

　資料篇【表 B-06】には陽韻（平声）養韻（上声）漾韻（去声）薬韻（入声）合口所属の諸例が含まれる。前田本の示す仮名音注は、*-waŭ/-wak, -wjaŭ/-wjak* で基本的に対応する。異例として、*-wjok* がある。当該の合口諸例は等韻学の術語で言う牙喉音である k- 系声母のみという制限のため、字音把握が困難な状況を知る。

　《上巻 陽韻合口諸例》

　▶番号 3029b「匡」（髙匡）の仮名音注「クキヤウ」については、基本的に *-wjaŭ* で対応する。当該字には平声点を差す。熟字 3029「髙匡」は右傍「マカフラタカ」を付載する。眼球の周囲のくぼみ、あるいは瞼を指して「まかぶら」と言う。観智院本類聚名義抄に反切「去王反」（その反切下字に平声点）および「呉音況」を見出す。後者は石山寺一切経蔵本大般若経字抄による引用である。去声圏点を付した漢呉二音相同の同音字注「況」を見つける。長承本蒙求には仮名音注「クキヤウ」があり、その掲出字に東声点を加える。日本漢音「クキヤウ」東声（四声体系では平声）日本呉音は去声を認める。

3-4-1 -iɑ 系の字音的特徵 681

匡 去王［□平］反 タ丶ス［平上濁上／□□シ］… 呉音况 　　　（観智院本類聚名義抄／佛上 062-7）

髙匡 マカフラ［平上上濁上］／タカ［上上］ 　　　　　（観智院本類聚名義抄／佛上 062-7）

匡［況［去：圏点］：右傍］タ丶ス 　　　　　　　（石山寺一切経蔵本大般若経字抄／25 オ 2）

匡［東］クキヤウ 　　　　　　　　　　　　　　　　　　　　　　（長承本蒙求／003）

眶 唐韻云 匡反和名萬奈加布良 目眶也 　　　　　（元和本倭名類聚抄／巻三 04 オ 5）

▶番号 2369a・2373a・2389a・2408a・2409a・2410a・2649b「王」（王者・王侯・王孫・王豹・王母・王粲）の仮名音注「ワウ」については、基本的に -waʊ で対応する。当該諸字七例には平声点を差す。その中古音が示す頭子音 ɣ-（等韻学の術語で言う于母あるいは喩母三等）は有声軟口蓋接近音 ɰ-（有声両唇軟口蓋接近音 w-）であり、原則的にア行音・ワ行音で対応する。熟字 2373「王侯」は左注「諸侯也」を付載する。観智院本類聚名義抄に反切「禹方反」を見出す。長承本蒙求には仮名音注「ワウ」があり、その掲出字に平声点を加える。同書では他の掲出字三十例に平声点〔＊用例省略〕を加える。日本漢音「ワウ」平/去声を認めるが、上声は保留する。

王 禹方反 キミ［上上］ユク［上平］… 　　　　　（観智院本類聚名義抄／法中 013-5）

王［平］ワウ 　　　　　　　　　　　　　　　　　　　　　　（長承本蒙求／010）

王［平／去：圏点］ 　　　　　　　　　　　　　　　　　　　（長承本蒙求／023）

王［平／上：圏点］ 　　　　　　　　　　　　　　　　　　　（長承本蒙求／026）

王孫 本草云王孫 … 和名沼波利久佐此間云豆知波利 　　（元和本倭名類聚抄／巻二十 14 オ 4）

▶番号 2003b・2298・2370a・2411a・2414a「王」（陵王・王・王孫・王喬鳥・王事靡盬）の仮名音注「ワウ」については、基本的に -waʊ で対応する。当該字に声点はない。番号 2298「王」は中注「宗拔」左注「戚里」を、熟字 2003「陵王」は左注「同（沙陀調）」を、熟字 2414「王事靡盬」は右傍「ワウシモロイコトナシ」を付載する。上述の分析を参照。

《下巻 陽韻合口諸例》

▶番号 3965b・6418b「狂」（癲狂・癲狂）の仮名音注「クキヤウ」については、基本的に -wjaʊ で対応する。両当該字には平声点を差す。熟字 6418「癲狂」は右注「モノクルヒ」を付載する。観智院本類聚名義抄に和音「ワウ」（その右傍に墨筆で喉内撥音韻尾「✓」表記）を見出すが、和音「クワウ」の誤認か。あるいは諧声符「王」（陽／漾韻 ɣiuɑŋ¹/³）による類推か。承暦本金光明最勝王経音義には同音字注「况音」がある。日本呉音は平声を認める。日本呉音「ワウ」は保留する。

狂 クルフ … 和ワウ［□✓：墨右傍］〔＊クワウの誤認か〕 　（観智院本類聚名義抄／佛下本 137-4）

狂［平］况シ／久留保之 　　　　　　　　　（承暦本金光明最勝王経音義／05 オ 4）

▶番号 4291b「筐」（籮筐）の仮名音注「クキヤウ」については、基本的に -wjaʊ で対応する。当該字には平声点を差す。熟字 4291「籮筐」は右注「同（アシカ）」を付載する。観智院本類聚名

682　3．仮名音注の韻母別考察　3-4　ⅢB韻類

義抄に平声点を付した同音字注「音匡」を見出すが、仮名音注はない。日本漢音は平声を認める。

　　　　筐　音匡［平］アシカ［上上濁上］… ハコ［上上］　　　　　　（観智院本類聚名義抄／僧上 078-6）

　　　　竹籭　アシカ［上上濁□］　　　　　　　　　　　　　　　　　（観智院本類聚名義抄／僧上 080-6）

　▶番号5384b「王」（秦王破陳樂）の仮名音注「ワウ」については、基本的に -waŭ で対応する。当該字には平声点を差す。熟字5384「秦王破陳樂」は「乞食調」を付載する。上巻の陽韻合口当該諸例で分析したように、日本漢音「ワウ」平/去声を認めるが、上声は保留する。

　　　　乞食調曲　秦王破陳樂 …　　　　　　　　　　　　　　　（元和本倭名類聚抄／巻四 16 オ 7）

《上巻　養韻合口諸例》

　▶番号2391a・2392a「枉」（枉法・枉惑）の仮名音注「ワウ」については、基本的に -waŭ で対応する。両当該字には上声点を差す。熟字2391「枉法」に仮名音注はないが、次の熟字2392「枉惑」に仮名音注「ワウホウ」を見つける。注記の錯綜による誤配置があったと推測する。観智院本類聚名義抄に反切「汙往反」を見出す。承暦本金光明最勝王経音義には同音字注「往音」（その掲出字「枉」に平声点）と仮名音注「ワウ」がある。日本呉音「ワウ」平声を認める。

　　　　枉　汙往反 マカレリ［上上濁□□］…　　　　　　　　　（観智院本類聚名義抄／佛下本 109-3）

　　　　枉　［平］往ゝ 末何留／与己佐末［上上上上］　　　　（承暦本金光明最勝王経音義／04 ウ 2）

　　　　枉　ワウ〔＊後筆墨書〕　　　　　　　　　　　　　　　（承暦本金光明最勝王経音義／07 オ 6）

　▶番号 0259b・1252b・2366a・2367a・2368a・2374a・2376a・2377a・2383a・2400a・2401a・2402a・2403a・2404a「往」（以往・暮往・往年・往日・往時・往古・往事・往昔・往哲・往來・往還・往還・往反・往複）の仮名音注「ワウ」については、基本的に -waŭ で対応する。当該諸字十四例には上声点を差す。その中古音が示す頭子音 ɣ-（等韻学の術語で言う于母あるいは喩母三等）は摩擦が弱化して聞こえると有声軟口蓋接近音 ɰ-（有声両唇軟口蓋接近音 w-）のように把握する可能性がある。日本呉音の基層において、匣母が ɣ-・ɰ- に二分していたと推測する。熟字0259「以往」は右傍「サキツカタ」を、熟字2366「往年」は「サキノトシ」を付載する。観智院本類聚名義抄に反切「羽罔反」（その反切下字に上声濁点）および和音「ワウ」（その右傍に墨筆で喉内撥音韻尾「✓」表記）を見出す。日本漢音は上声、日本呉音「ワウ」を認める。

　　　　往　羽罔［□上濁］反 ユク［上平］… 和音 ワウ［□✓：墨右傍］

　　　　　　　　　　　　　　　　　　　　　　　　　　　　　　（観智院本類聚名義抄／佛上 037-6）

　　　　以往 ヲツカタ アナタ／イニシヘ　　已往 サキ　　　　（観智院本類聚名義抄／佛上 037-7）

　　　　往昔 ムカシ　往者 同　往日 同　往古 同　　　　　　（観智院本類聚名義抄／佛上 037-8）

　▶番号2365a・2365b・2375a「往」（往ゝ・往ゝ・往代）の仮名音注「ワウ」については、基本的に -waŭ で対応する。当該諸字三例に声点はない。上述の分析を参照。

3-4-1 -ia 系の字音的特徴　683

往ゞ トコロ、、、〔＊「く」字形による踊り字〕タヒ／ムカシ　（観智院本類聚名義抄／佛上 038-1）

《下巻 養韻合口諸例》

▶番号 5785b「悗」（惝悗）の仮名音注「クヰヤウ」については、基本的に -wjaū で対応する。当該字には上声点を差す。観智院本類聚名義抄に反切「虚往反」（その反切下字に上声点）を見出すが、仮名音注はない。日本漢音は上声を認める。

　　悗 … 虚往［□上］反 クルフ［平平上］／オソル …　　　　（観智院本類聚名義抄／法中 080-4）
▶番号 6005b「尫」（冤尫）の仮名音注「ワウ」については、基本的に -aū で対応する。当該字には上声点を差す。上巻の養韻合口当該例で分析したように、日本呉音「ワウ」平声を認める。
▶番号 5025b「往」（既往）の仮名音注「ワウ」については、基本的に -aū で対応する。当該字には平声点を差す。熟字 5025「既往」は右傍「スキシカタ」を付載する。上巻の養韻合口当該諸例で分析したように、日本漢音は上声、日本呉音「ワウ」を認める。

《上巻 漾韻合口諸例》

▶番号 2380b「誑」（猥誑）の仮名音注「ワウ」については、基本的に -aū で対応する。当該字には平声点を差す。廣韻に拠れば、その中古音は見母漾韻（kiuɑŋ³）である。熟字 2380「猥誑」は右傍「ミタリニ イツハル」を付載する。観智院本類聚名義抄に反切「倶況反」および低平調と推測する和音「ワウ」（その右傍に墨筆で喉内撥音韻尾「✓」表記）を見出す。この和音は「王」（陽／漾韻 ɣiuɑŋ^{1/3}）による類推の可能性がある。同書は「狂」（陽／漾韻 giuɑŋ^{1/3}）に対しても「和ワウ」（その右傍に墨筆で喉内撥音韻尾「✓」表記）を掲げる。なお「狂・誑」の字音については高松（1976／1982a 再録）を参照。特殊形ながら、現状では日本呉音「ワウ」平声を認める。

　　誑 欺也 居況切四 惑 惑惑也 …　　　　　　　　　　　　（宋本廣韻／見母漾韻 kiuɑŋ³）
　　誑 倶況反 … イツハル［平平上平］… 惑［マトフ：右注］惑字
　　　和音ワウ［□平：墨点／□✓：墨右傍］　　　　（観智院本類聚名義抄／法上 060-1）
　　狂 クルフ … イツハル ヨキル 和音ワウ［□✓：墨右傍］　（観智院本類聚名義抄／佛下本 137-4）
▶番号 0318b「況」（意況）の仮名音注「クヰヤウ」については、基本的に -wjaū で対応する。当該字には平声点を差す。観智院本類聚名義抄に上昇調と推測する和音「クヰヤウ」（その右傍に墨筆で喉内撥音韻尾「✓」表記）を見出す。日本呉音「クヰヤウ」去声を認める。

　　況 俗況字 イハンヤ［上上上上］… 和クヰヤウ［□□□上：墨点／□□□□✓：墨右傍］

　　　　　　　　　　　　　　　　　　　　　　　　　（観智院本類聚名義抄／法上 046-6）

684　3．仮名音注の韻母別考察　3-4　ⅢB韻類

《下巻 漾韻合口諸例》

該当例なし。

《上巻 薬韻合口諸例》

▶番号 2345「钁」（钁）の仮名音注「ワク」については、基本的に -wak で対応する。当該字
には入声点を差し、右注2345「ワク」左注「又乍觸」右傍2346「クワク」を付載する。その中古
音が示す頭子音 ɣ-（等韻学の術語で言う于母あるいは喩母三等）は有声軟口蓋接近音 ɰ-（有声両
唇軟口蓋接近音 w-）であり、原則的にア行音・ワ行音で対応する。観智院本類聚名義抄に「俗云 本
音之重 ワク」（仮名音注「ワク」は低平調）を見出す。定着久しい字音「ワク」平声を認める。

　　　钁 俗云 本音/之重 ワク［平平］　　　　　　　　　　（観智院本類聚名義抄／僧上 072-1）
▶番号 2346「钁」（钁）の仮名音注「クワク」については、基本的に -wak で対応する。当該
字には入声点を差し、右注2345「ワク」左注「又乍觸」右傍2346「クワク」を付載する。諧声符
「矍」見母薬韻（kiuɑk）による字音把握である。上述の分析を参照。

《下巻 薬韻合口諸例》

▶番号 6351b「攫」（拏攫）の仮名音注「クキヨク」については、異例 -wjok を示す。当該字に
は入声点を差す。前田本の当該字は「擢」であるが、付載する和訓から判断し、これを「攫」に訂
正する。また異体字として「𤲄」を確認する。熟字6351「拏攫」は右注「ヒコツラフ」左注「トリ
クム事也」を付載する。観智院本類聚名義抄には反切「居縛反」および「呉音郭」を見出すが、仮
名音注はない。後者は石山寺一切経蔵本大般若経字抄による引用である。当該字と字形の近似する
「擢」澄母覺韻（ɖauk）は別字である。日本漢音「クワク」の蓋然性が高い。

　　　攫 居縛反 ウツ ツク／ツム カク ツカム ヌク　　　（観智院本類聚名義抄／佛下本 054- 4）
　　　攫 正 ヒコツラフ［平上上濁上□］／ツカム［上上上］𤲄［或：墨右注］

　　　　　　　　　　　　　　　　　　　　　　　　　　（観智院本類聚名義抄／佛下本 054- 4）
　　𤲄 … 攫字 呉音／郭 ツカム［平平上］　　　　　　　（観智院本類聚名義抄／僧中 006-4）
　　　擢 音濁［入］ヌク［上平］… 馳狡反 …　　　　　　（観智院本類聚名義抄／佛下本 054-3）
　　　擢〔＊攫との混同か〕［入］火ク　　　　　　　　　　　（長承本蒙求／131）
　　𤲄［音郭：右傍］ツカム　　　　　（石山寺一切経蔵本大般若経字抄／04 ウ 6）

3-4-1　-iɑ 系の字音的特徴　685

3-4-1-10　-iɑuŋ/-iɑuk（鍾/腫/用/燭韻）

　資料篇【表B-06】には鍾韻（平声）腫韻（上声）用韻（去声）燭韻（入声）所属の諸例が含まれる。当該諸韻は円唇性韻尾 -uŋ の影響があり、主母音を音声的には［ɔ］と聴いていた可能性がある。前田本の示す仮名音注は -ū, -uū/-uk, -juū/-juk, -iū(-jū)/-ik, -oū/-ok, -joū/-jok, -wjoū で基本的に対応する。異例として、-eū, -in, -o がある。

《上巻 鍾韻諸例》

　▶番号 1551・1555「共」（共・共）の仮名音注「クヰヨウ」については、基本的に -wjoū で対応する。両当該字には平声点を差す。廣韻に拠れば、鍾韻（kiɑuŋ¹）用韻（giɑuŋ³）二音を有する。番号 1551「共」は和訓「トモ」の同訓異字として位置する。番号 1555「共」は右注「トモニ」を付載する。観智院本類聚名義抄に反切「渠用反」と同音字注「又音恭」および和音「具ウ」を見出す。同書で「具」を再検索すると、和音「ク」（その右傍に墨筆で濁音「√」表記）を見つける。また他に和音「具ウ」三例を見つける。日本呉音「グウ」を認める。

　　共 トモニ／和具ウ　　　　　　　　　　　　　　　（観智院本類聚名義抄／佛下末 026-5）

　　共 渠用反 トモ［上上／ニ：右注］… 又音恭 …　　　（観智院本類聚名義抄／僧上 048-5）

　　具 ソナハル［平平上平］／和ク［平／√：墨右傍］　（観智院本類聚名義抄／佛中 078-3）

　　紅 音洪 … 和具ウ［□上］　　　　　　　　　　　（観智院本類聚名義抄／法中 115-8）

　　窮 渠弓反 … 和具ウ［□上／□√：朱右傍］　　　　（観智院本類聚名義抄／法下 115-5）

　　弘 … 胡肱反 … 和具ウ［□上／□√：朱右傍］　　　（観智院本類聚名義抄／僧中 027-2）

　▶番号 0813b「從」（陪従）の仮名音注「ショウ」については、基本的に -joū で対応する。当該字には去声点を差す。観智院本類聚名義抄に去声濁点を付した同音字注「音縦」（その右注に墨筆で仮名音注「シユウ」）を見出す。また、反切「七恭反」および和音「主ウ」（その右傍に墨筆で濁音「√」表記と喉内撥音韻尾「√」表記）を見つける。長承本蒙求には仮名音注「ショウ」があり、その掲出字に平声点を加える。日本漢音「ショウ」平声、日本呉音「ジユウ（ジウ）」去声を認める。

　　從從 … 音縦［去濁／シユウ：墨右注］シタカフ［平□□□］…

　　　　　　　　　　　　　　　　　　　　　　　　（観智院本類聚名義抄／佛上 040-1）

　　從 七恭反 從容／和音 主ウ［√√：墨右傍］　　　（観智院本類聚名義抄／佛上 040-3）

　　從［平］ショウ　　　　　　　　　　　　　　　　　　　（長承本蒙求／100）

　▶番号 1401b「從」（従陪）の仮名音注「シウ」については、基本的に -iū で対応する。当該字

には上声濁点を差すので、字音「ジウ」を想定する。上述の分析を参照。

▶番号1219b「従」（儳従）の仮名音注「シユ」については、基本的に *jū* で対応する。当該字には去声濁点を差すので、字音「ジユ」を想定する。上述の分析を参照。

▶番号0773b「縦」（放縦）の仮名音注「シヨウ」については、基本的に *joŭ* で対応する。当該字には去声点を差す。廣韻に拠れば、鍾/用韻 (tsiɑuŋ$^{1/3}$) 二音を有する。熟字0773「放縦」は右傍「ホシ マ丶」を付載する。観智院本類聚名義抄に反切「子用反」と平声点と去声濁点を付した同音字注「又音従」（その右傍に墨筆で仮名音注「シヨウ」左傍に墨筆で仮名音注「シユウ」）を見出す。これらは図書寮本が引用する慈恩撰述書を引き継いだ音注群である。ただし、仮名音注は別途後から加えられた。天理大学本最勝王経音義（「金光明最勝王経」中の注を要すると思われる漢字を、部首別分類を施して出現順に並べ、改編本類聚名義抄の一本に依って、注した書$_{(40)}$）には「和従」とある。長承本蒙求には仮名音注「シヨウ」二例があり、うち一例に去声点を加える。日本漢音「シヨウ」平/去声、字音「シユウ」を認める。後者は日本呉音の蓋然性が高い。

縦 慈云即容子用反 … 又音従［平］…　　　　　　　　　　　　　　（図書寮本類聚名義抄／303-6）

縦 子用反 ホシイマ丶ニ … 又音従［平・去濁／シヨウ：墨右傍・シユウ：墨左傍］…

　　　　　　　　　　　　　　　　　　　　　　　　（観智院本類聚名義抄／法中134-3）

縦 子用反 … 和従　　　　　　　　　　　　　　（天理大学本最勝王経音義／11 オ4）

縦［去］シヨウ　　　　　　　　　　　　　　　　　　　　（長承本蒙求／041）

縦〔＊左下隅欠〕シヨウ　　　　　　　　　　　　　　　　（長承本蒙求／108）

▶番号2743b「松」（甘松）の仮名音注「シヨウ」については、基本的に *joŭ* で対応する。当該字には平声点を差す。熟字2743「甘松」は右注「薬名」左注「香名出中天竺也」を付載する。観智院本類聚名義抄に反切「聚恭反」を見出す。長承本蒙求には仮名音注「シヨウ」があり、その掲出字に平声点を加える。元和本倭名類聚抄には反切「祥容反」がある。日本漢音「シヨウ」平声を認める。

松 聚恭反 マツ［平上］　　　　　　　　　　　（観智院本類聚名義抄／佛下本086-7）

松［平］シヨウ　　　　　　　　　　　　　　　　　　　　（長承本蒙求／054）

松 漢書云樹以青松 祥容反字亦作榕見唐韻和名萬豆　　　（元和本倭名類聚抄／巻二十23 オ4）

▶番号2028b「鍾」（林鍾）の仮名音注「シヨウ」については、基本的に *joŭ* で対応する。当該字には平声点を差す。観智院本類聚名義抄に反切「至容反」および和音「種」を見出す。長承本蒙求には仮名音注「シヨウ」があり、その掲出字に東声点を加える。日本漢音「シヨウ」東声（四声体系では平声）を認める。

鍾鐘［一愛：右傍］今正 至容反 上アタル［上上平］… カネ［上上］… 和種

　　　　　　　　　　　　　　　　　　　　　　　　（観智院本類聚名義抄／僧上126-6）

鍾［東］シヨウ　　　　　　　　　　　　　（長承本蒙求／054・081・102）

3-4-1　-iɑ 系の字音的特徴　687

▶番号2113b「鐘」（籠鐘）の仮名音注「シヨウ」については、基本的に *-joũ* で対応する。当
該字には平声点を差す。熟字2113「籠鐘」は右傍「オソロシ」を付載する。観智院本類聚名義抄は
当該字「鐘」と上記「鍾」は相互に異体字とするが、同音別字である。上述の分析を参照。

　　鐘　虞世南禪林寺鐘銘序云 … 洪鐘 俗云於保加禰　　　（元和本倭名類聚抄／巻十三 03 ウ 2）

▶番号2710「鐘」（鐘）の仮名音注「スウ」については、基本的に *-uũ* で対応する。当該字に
は平声点を差し、右注「カネ 寺塔鐘也」中左注「長樂 霜下／九乳 已上鍾別也」を付載する。やは
り「鍾」は別字という認識を持つ。上述した番号2028b「鍾」において観智院本類聚名義抄の和音
「種」を確認したが、同書で掲出字「種」を再検索すれば、和音「主ウ」を見つける。これは日本
呉音「シユウ・シウ・スウ」に相当する。

　　種　音踵［上］タネ［上上］… 又去 ウフ［上平］ 在下 和主ウ　　（観智院本類聚名義抄／法下 019-3）

▶番号0181b「艟」（艨艟）の仮名音注「シヨウ」については、基本的に *-joũ* で対応する。当
該字には平声点を差す。廣韻に拠れば、鍾韻（tɕ'iɑuŋ¹）絳韻（ḍɑuŋ³）二音を有する。熟字0181「艨
艟」は右注「イクサフネ」右注「戰舩也」を付載する。観智院本類聚名義抄に同音字注「衝」と「又
並去声」を見出すが、仮名音注はない。元和本倭名類聚抄には同音字注「衝」と「又並去声」があ
る。日本漢音は去声を認める。

　　艨艟 蒙衝二音 又並去声／イクサフネ［平平平上濁上］　　（観智院本類聚名義抄／佛下本 003-6）

　　艨艟　四聲字苑云艨艟 蒙衝二音又並去声漢語抄云以久佐乃不禰 戰船也

　　　　　　　　　　　　　　　　　　　　　　　　　　（元和本倭名類聚抄／巻十一 02 オ 9）

▶番号2250「惷」（惷）の仮名音注「シヨウ」については、基本的に *-joũ* で対応する。当該字
には平声点を差し、和訓「ヲロカ」の同訓異字として位置する。廣韻に拠れば、鍾韻（śiɑuŋ¹）江韻
（ʈ'ɑuŋ³）用韻（ʈ'iɑuŋ³）三音を有する。観智院本類聚名義抄に反切「竹絳又刃鋒反・又敕容反」と
同音字注「又音棟」を見出すが、仮名音注はない。

　　戇惷 竹絳又刃鋒反 オロカナリ［上上□□□／□□□ニ：墨右傍］… 又敕容反 又音／棟

　　　　　　　　　　　　　　　　　　　　　　　　　　（観智院本類聚名義抄／法中 092-7）

▶番号1643b「訟」（鬭訟）の仮名音注「ソウ」については、基本的に *-oũ* で対応する。当該字
には上声点を差す。熟字1643「鬭訟」は右傍「イサカヒウタフ」を付載する。図書寮本類聚名義抄
に平声点を付した同音字注「松」と去声点を付した同音字注「頌」を見出す。観智院本には平声点
を付した同音字注「音松」と去声点を付した同音字注「又頌」（併せて墨筆による平声濁点）およ
び低平調と推測する和音「受ウ」を見つける。同書では掲出字「頌・誦」に対して「受ウ」二例を
見つける。承暦本金光明最勝王経音義には仮名音注「スウ」と同音字注「頌」があり、その掲出字
に平声濁点を加える。また同書の掲げる「靜−訟」には同音字注「シヤウ 受音」がある。日本漢音
は平/去声、日本呉音「ズウ」平声を認める。

　　訟 下音松［平］又頌［去］　　　　　　　　　　　　（図書寮本類聚名義抄／092-4）

688 3．仮名音注の韻母別考察 3-4 ⅢB韻類

訟 音松［平］又頌［去・平濁：墨点］… ウツタフ［平平平平／□□□ヘ［平］］… 和受ウ［□平：墨点］

(観智院本類聚名義抄／法上 057-7)

訟 音松［シヨウ：右傍］又頌 … 和受ウ　　　　　　　(天理大学本最勝王経音義／03 オ 4)

頌 与恭反 客也 ホム 夕也 歌也 又音誦／受ウ　　　　(観智院本類聚名義抄／佛下本 031-2)

誦 音頌［去］ヨム［平上］… 受ウ［平□］　　　　　　(観智院本類聚名義抄／法上 072-2)

訟［平濁：圏点］スウ／頌［：右傍］〔＊後筆墨書〕　　(承暦本金光明最勝王経音義／08 ウ 2)

靜─訟 シヤウ 受六［：右傍］アラソヒ［：左傍］〔＊後筆朱書〕

(承暦本金光明最勝王経音義／06 オ 2)

▶番号 2531b「茸」（鹿茸）の仮名音注「シヨウ」については、基本的に -jou で対応する。当該字には平声濁点を差すので、字音「ジヨウ」を想定する。熟字「鹿茸」は右注「カノワカツノ」を付載する。観智院本類聚名義抄に反切「而庸反」を見出すが、仮名音注はない。

茸 而庸反 鹿 角 初生 … ワカツノ　　　　　　　　(観智院本類聚名義抄／僧上 011-7)

鹿茸 カノワカツノ／海菜／ツノマカ　　　　　　　(観智院本類聚名義抄／僧上 011-8)

鹿茸　雜要決云鹿茸 和名鹿乃和咖豆乃 鹿角初生也　(元和本倭名類聚抄／卷十八 22 オ 7)

▶番号 0896b・1792a・1929a・2828「重」（八重・重陽・重疊・重）の仮名音注「チヨウ」については、基本的に -jou で対応する。当該諸字四例には平声点を差す。廣韻に拠れば、鍾/腫/用韻 (diɑuŋ)^{1/23} 三音を有する。熟字 1792「重陽」は左注「九月九日也」を、番号 2828「重」は右注「カサヌ」を付載する。観智院本類聚名義抄に反切「直冢反」（その反切下字に上声点）と「又平・又去」および低平調・上昇調と推測する和音「地ウ」（その右傍に朱筆で喉内撥音韻尾「√」表記）を見出す。同書では掲出字「住・除」に対して和音「地ウ・地ヨ」を見つける。字音「ヂウ・ヂヨ」を想定する。特に「地ヨ」には平声濁墨点を差す。長承本蒙求には仮名音注「チヨウ」があり、その掲出字に平声点（別の掲出字には上声点）を加える。承暦本金光明最勝王経音義には「地√」があり、その掲出字に上声濁点を加える。日本漢音「チヨウ」平/上/去声、日本呉音「ヂウ」平/上/去声を認める。

重 直冢［□上］反 … 又平 カサヌ［上上平／□□ナル］又去 … 和地ウ［□平・□上／□√：朱右傍］

(観智院本類聚名義抄／法下 042-5)

住 雉俁［□上］反 スム［平上］… 和地音［□平］〔＊地ユ／高山寺本三寶類字集〕

(観智院本類聚名義抄／佛上 003-1)

除 ノソク［平平濁上］… 音儲［平］和地ヨ［平濁上：墨点］　(観智院本類聚名義抄／法中 024-3)

重［平］チヨウ　　　　　　　　　　　　　　　　　　(長承本蒙求／012)

重［上］　　　　　　　　　　　　　　　　　　　　　(長承本蒙求／061)

重［上濁］地√　　　　　　　　　　　　　　　(承暦本金光明最勝王経音義／02 オ 7)

　　次可知濁音借字　　　　　　　　　　　　　(承暦本金光明最勝王経音義／02 オ 1)

婆［平濁・去濁］… 駄［去濁］墮 地［平濁］持 …　　　　（承暦本金光明最勝王経音義／02 オ 2）

　▶番号 1837a・1878b「重」（重職・珍重）の仮名音注「チョウ」については、基本的に -joū で対応する。両当該字には去声点を差す。上述の分析を参照。

　▶番号 1874a「重」（重代）の仮名音注「テウ」については、異例 -eū を示す。当該字には平声濁点を差すので、字音「デウ」を想定する。日本語の音変化 -eū > -joū > -joo の音変化を背景とする。上述の分析を参照。

　▶番号 1946a「重」（重服）の仮名音注「チウ」については、基本的に -iū で対応する。当該字には平声濁点を差すので、字音「ヂウ」を想定する。上述の分析を参照。

　▶番号 1879a「重」（重怠）の仮名音注「チウ」については、基本的に -iū で対応する。当該字には平声点を差す。熟字 1879「重怠」は右傍「ヲモキ ヲコタリ」を付載する。上述の分析を参照。

　▶番号 1790a・1790b「重」（重〻・重〻）の仮名音注「チウ」については、基本的に -iū で対応する。当該字に声点はない。上述の分析を参照。

　▶番号 1856a「濃」（濃粧）の仮名音注「チョウ」については、基本的に -joū で対応する。当該字には平声濁点を差すので、字音「ヂョウ」を想定する。熟字 1856「濃粧」は右傍「ミヤヒカナルヨソヲヒ」を付載する。観智院本類聚名義抄に平声点を付した同音字注「音醲」と仮名音注「地与ウ」（その右注に墨筆で仮名音注「ノウ欤」）を見出す。天理大学本最勝王経音義には和音「ノウ」を見つける。承暦本金光明最勝王経音義には仮名音注「ノウ音」がある。日本漢音「ヂョウ」平声、日本呉音「ノウ」を認める。

　　濃 多 コマヤカナリ … 音醲［平］地与ウ［本マ、ノウ欤：墨右注］

　　　　　　　　　　　　　　　　　　　　　　　（観智院本類聚名義抄／法上 036-3）
　　濃 コシ［平上］… 和ノウ　　　　　　　　　　（天理大学本最勝王経音義／09 オ 5）
　　濃 ノウ六／ユタカナリ［：右傍］〔＊後筆墨書〕　（承暦本金光明最勝王経音義／10 ウ 1）

　▶番号 0356b・0365b・0374b・0378b「濃」（安濃・巨濃・安濃・美濃）の仮名音注「ノ」については、異例 -o を示す。伊勢國・因幡國・石見國二件の地名であり、いわゆる略音仮名として用いる。上述の分析を参照。

　　伊勢 國府在鈴鹿郡 … 安濃 安乃 …　　　　（元和本倭名類聚抄／巻五 12 オ 9）
　　因幡國 國府在法美郡 … 古濃 古乃 …　　　　（元和本倭名類聚抄／巻五 21 ウ 1）
　　石見國 國府在那賀郡 … 安濃 … 美濃　　　　（元和本倭名類聚抄／巻五 22 オ 5）

　▶番号 0986「穠」（穠）の仮名音注「ノウ」については、基本的に -oū で対応する。当該字に声点はなく、和訓「ニキハシ」の同訓異字として位置する。廣韻に拠れば、鍾韻 (ņiɑuŋ¹・ńiɑuŋ¹) 二音を有する。観智院本類聚名義抄に音注表記はない。

　　醲 厚酒女容切八 … 穠 花木厚又而容切 …　　（宋本廣韻／娘母鍾韻 ņiɑuŋ¹）
　　茸 草生皃而容切十 … 穠 花木厚也又女容切　　（宋本廣韻／日母鍾韻 ńiɑuŋ¹）

690 3. 仮名音注の韻母別考察 3-4 ⅢB韻類

　　　禮 俗禮〔＊←禮〕字／コマヤカニ［平平□□□］キヒシ　　　（観智院本類聚名義抄／法下 023-7）

　　　禮 アツシ フトシ［平平］　　　　　　　　　　　　　　　　（観智院本類聚名義抄／法下 008-8）

　▶番号 1144「封」（封）の仮名音注「ホウ［上平］」については、基本的に -oū で対応する。当該字には平声点を差し、その仮名音注に下降調を示す差声がある。また右注「ホウス［上平平濁］」サ変動詞として付載する。観智院本類聚名義抄に反切「甫龍反」を見出す。長承本蒙求には仮名音注「ホウ」があり、その掲出字に東声点を加える。日本漢音「ホウ」東声（四声体系では平声）を認める。

　　　封 甫龍反 長也 國也 ツカ オホキナリ …　　　　　　　　（観智院本類聚名義抄／法下 144-1）

　　　封［東］ホウ　　　　　　　　　　　　　　　　　　　　　　（長承本蒙求／128）

　▶番号 1508a「烽」（烽燧）の仮名音注「ホウ」については、基本的に -oū で対応する。当該字には平声点を差す。熟字 1508「烽燧」は右注「トフヒ」左注「又作夆火」左傍「トフヒ トフヒ」を付載する。観智院本類聚名義抄に同音字注「音夆」を見出すが、仮名音注はない。異体字として「烽」があり、反切「薄功反」を見つける。

　　　夆火 音夆 烽火／トフヒ　　　　　　　　　　　　　　　　（観智院本類聚名義抄／佛下末 037-4）

　　　烽 薄功反 トフヒ ヒキル ヒウチ／俗蓬字　　　　　　　　（観智院本類聚名義抄／佛下末 037-5）

　　　烽燧 火撆附 説文云烽燧 夆遂二音度布比 …　　　　　　　（元和本倭名類聚抄／巻十二 11 オ 7）

　▶番号 3128b「峯」（香峯）の仮名音注「フ」については、基本的に -ū で対応する。当該字に声点はない。その中古音が示す頭子音 pʻ-（等韻学の術語で言う唇音次清滂母）は無声有気両唇閉鎖音であり、日本語のハ行音をもって受容する。観智院本類聚名義抄に平声濁点を付した同音字注「音蜂」（その右注に墨筆で仮名音注「フウ」〔＊和音か〕）と仮名音注「ホウ」および和音「又去」を見出す。平声濁点の差声は諧声符「夆」鍾韻（biɑuŋ¹）による字音把握か。現行多くの漢和辞典は慣用音「ブ」を掲げる。元和本倭名類聚抄には反切「敷容反」がある。日本漢音は平声（字音「ホウ」か）日本呉音は去声を認める。日本呉音「フウ」の可能性を指摘しておく。

　　　峯 音蜂［平濁：墨圏点／フウ：墨右注］ミネ［上上］タケ ホウ／和又去

　　　　　　　　　　　　　　　　　　　　　　　　　　　　　　（観智院本類聚名義抄／法上 109-4）

　　　峯　祝尚丘曰峯敷容反 和名三禰 …　　　　　　　　　　　（元和本倭名類聚抄／巻一 07 オ 1）

　▶番号 2166「縫」（縫）の仮名音注「ホウ」については、基本的に -oū で対応する。当該字に声点はなく、右注「ヌフ」を付載する。廣韻に拠れば、鍾／用韻（biɑuŋ¹ᐟ³）二音を有する。観智院本類聚名義抄に反切「房用反」（その反切下字に去声点）と同音字注「又音逢」を見出す。長承本蒙求には仮名音注「ホウ」があり、その掲出字に平声点を加える。同書の仮名音注は平安時代院政初期である長承三年（1134）に加点された墨筆（例示で両音形ある場合は右側）を中心とするが、平安時代中期と推定する古い朱筆（両音形ある場合は左側）の加点もある。日本漢音「ホウ」平/去声を認める。

3-4-1　-iɑ 系の字音的特徴　691

縫　屓用［□去］反 又音逢／ヌフ［平上］…　　　　　　（観智院本類聚名義抄／法中 130-3）

縫　［平］ホウ／ホウ　　　　　　　　　　　　　　　　　　　（長承本蒙求／012）

▶番号 3264a「雍」（雍容）の仮名音注「ヨウ」については、基本的に -joŭ で対応する。当該字には平声点を差す。廣韻に拠れば、鍾/用韻（'iɑuŋ¹ᐟ³）二音を有する。観智院本類聚名義抄に音注表記はない。長承本蒙求に同音字注「應反」と仮名音注「キヨウ」があり、それらの掲出字に東声点を加える。日本漢音「キヨウ」東声（四声体系では平声）を認める。

雍　ヤハラク［上上□□］　　　　　　　　　　　　　　（観智院本類聚名義抄／法下 043-8）

雍　［東］應反／キヨウ／クキヨウ〔＊長承三年と同時期の加点／存疑〕　　（長承本蒙求／026）

雍　［東：圏点］キヨウ　　　　　　　　　　　　　　　　　　（長承本蒙求／126）

應　［去］キヨウ　　　　　　　　　　　　　　（長承本蒙求／050・083・100）

▶番号 2606「癰」（癰）の仮名音注「ヲウ」については、基本的に -oŭ で対応する。当該字に声点はなく、右注「カタネ」を付載する。当該字「癰」と「癰・臃」は相互に異体字である。観智院本類聚名義抄に反切「一恭反」と「俗云去声」および上昇調と推測する和音「オウ・キヨウ」を見出す。元和本倭名類聚抄には反切「於容反」がある。定着久しい字音は去声、日本呉音「オウ・キヨウ」去声を認める。

癰臃 … 一恭反 或臃／キス 俗云去声／和云オウ［□上］キヨウ［□□上］

　　　　　　　　　　　　　　　　　　　　　　　（観智院本類聚名義抄／法下 113-5）

癰　釋名云癰 於容反 氣壅結而不潰也　　　　　（元和本倭名類聚抄／巻三 25 オ 2）

癤　病源論云癰癤癤 音子結反字亦作癤和名賀太禰 …　　（元和本倭名類聚抄／巻三 25 オ 9）

▶番号 2659「饔」（饔）の仮名音注「キヨウ」については、基本的に -wjoŭ で対応する。当該字には平声点を差し、右注「同（カユ）」を付載する。観智院本類聚名義抄に反切「於凶反」を見出すが、仮名音注はない。

饔 … 於凶反 熟食　　　　　　　　　　　　　　（観智院本類聚名義抄／僧上 110-7）

▶番号 2622・3236a・3237a・3242a・3243a・3244a・3245a「容」（容・容華・容艶・容貌・容儀・容皃・容顔）の仮名音注「ヨウ」については、基本的に -joŭ で対応する。当該諸字七例には平声点を差す。番号 2622「容」は和訓「カタチ」の同訓異字として位置する。熟字 3236「容華」は右傍「カタチヨシ」を付載する。観智院本類聚名義抄に同音字注「音庸」および低平調を示す和音「ヨウ・ユウ」を見出す。長承本蒙求には仮名音注「ヨウ」三例があり、それらの掲出字に平声点を加える。承暦本金光明最勝王経音義には仮名音注「ユウ」を見つける。日本漢音「ヨウ」平声、日本呉音「ヨウ・ユウ」平声を認める。

容　音庸 カホカタチ［上上上上□］… 和ヨウ［平平］ユウ［平平］

　　　　　　　　　　　　　　　　　　　　　　　（観智院本類聚名義抄／法下 050-3）

容皃　オヘラセ［平上濁□□］　　　　　　　　　　　（観智院本類聚名義抄／法下 050-5）

692　3．仮名音注の韻母別考察　3-4　ⅢB韻類

　　　容［平］ヨウ　　　　　　　　　　　　　　　　　　（長承本蒙求／014・053・090）

　　　容 ユウ〔＊後筆墨書〕　　　　　　　　　　　（承暦本金光明最勝王経音義／04 ウ 6）

　▶番号3264b「容」（雍容）の仮名音注「ヨ」については、異例 -o を示す。当該字には平声点
を差す。熟字3264「雍容」は右注「ヨウヨ」仮名音注を付載する。反復する字音「ヨウヨウ」を避
けるためか。上述の分析を参照。

　▶番号0182「鎔」（鎔）の仮名音注「ヨウ」については、基本的に -jouū で対応する。当該字に
は平声点を差し、右注「イカタ」左注「金鑄形也」を付載する。観智院本類聚名義抄に平声点を付
した同音字注「音容」（その右傍に朱筆で仮名音注「与ウ」）および平声点を付した「呉音容」」（そ
の右傍に朱筆で仮名音注「ユウ」）を見出す。後者は大般若経字抄による漢呉二音相同の同音字注「容」
を出典とする。承暦本金光明最勝王経音義には仮名音注「ユウ」二例があり、それらの掲出字に去
声点と去声濁点〔＊濁点は存疑〕を加える。元和本倭名類聚抄には同音字注「音容」を見つける。日本
漢音「ヨウ」平声、日本呉音「ユウ」去声を認める。

　　　鎔 音容［平／与ウ：朱右傍］イカタ［上上濁上］… イル … 呉音容［平／ユウ：朱右傍］

　　　　　　　　　　　　　　　　　　　　　　　　（観智院本類聚名義抄／僧上 124-6）

　　　鎔［容：右傍］トロモス　　　　　　（石山寺一切経蔵本大般若経字抄／25 オ 2）

　　　鎔［去］容［ユウ：右傍］　　　　　　（承暦本金光明最勝王経音義／04 ウ 6）

　　　鎔［去濁／圏点／ユウ：右傍］〔＊後筆朱書〕　（承暦本金光明最勝王経音義／06 ウ 4）

　　　鎔 漢書注云鎔 音容和名伊加太 鑄鐵形也　　（元和本倭名類聚抄／巻十五 16 オ 2）

　▶番号0195「鎔」（鎔）の仮名音注「ヨウ」については、基本的に -oū で対応する。当該字に
声点はなく、和訓「イル［上平］」の同訓異字として位置する。上述の分析を参照。

　▶番号1867b・3239a・3266a「庸」（中庸・庸夫・庸才）の仮名音注「ヨウ」については、基
本的に -jouū で対応する。当該諸字三例には平声点を差す。熟字3266「庸才」は左注「无才意也」
を付載する。観智院本類聚名義抄に反切「以鍾反」を見出すが、仮名音注はない。

　　　庸 以鍾反　　　　　　　　　　　　（観智院本類聚名義抄／法下 106-7）

　▶番号3246a「庸」（庸受）の仮名音注「ヨウ」については、基本的に -jouū で対応する。当該
字には去声点を差す。上述の分析を参照。

　▶番号3219a「庸」（庸布）の仮名音注「ヨウ」については、基本的に -jouū で対応する。当該
字に声点はない。上述の分析を参照。

　▶番号2443「墉」（墉）の仮名音注「ヨウ」については、基本的に -jouū で対応する。当該字に
は平声点を差す。番号2443「墉」は和訓「カキ」の同訓異字として位置する。観智院本類聚名義抄
に平声点を付した同音字注「音庸」を見出すが、仮名音注はない。元和本倭名類聚抄には同音字注
「音庸」がある。日本漢音は平声を認める。

　　　墉 … 音庸［平］／カキ［上平］ヒラク　　　（観智院本類聚名義抄／法中 055-2）

垣墻 爾雅云墻 音常 謂之墉 音庸 李巡曰謂垣 音園和名賀岐

（元和本倭名類聚抄／巻十 12 ウ 3）

▶番号 3263a「傭」（傭賃）の仮名音注「ヨウ」については、基本的に -joū で対応する。当該字には平声点を差す。廣韻に拠れば、鍾韻（jiɑuŋ¹・ʈ'iɑuŋ¹）二音を有する。観智院本類聚名義抄に反切「刃凶反」および去声点を付した「呉徵」と「又去」を見出す。この呉音注は大般若経字抄による漢呉二音相同の同音字注を出典とする。長承本蒙求に仮名音注「ヨウ」があり、その掲出字に平声点を加える。日本漢音「ヨウ」平声、日本呉音は平/去声を認める。

　　　腸 傭二正 刃凶反 マリ、カナリ／呉徵 [去] 又平 …　　（観智院本類聚名義抄／佛中 114-1）

　　　腸 [音徵：右傍] 末リ、カナリ　　（石山寺一切経蔵本大般若経字抄／15 オ 4）

　　　傭 [平] ヨウ　　　　　　　　　　　（長承本蒙求／092）

▶番号 1726「鱅」（鱅）の仮名音注「ヨウ」については、基本的に -joū で対応する。当該字には平声点を差し、右注「チ ミ カフリ」を付載する。廣韻に拠れば、鍾韻（jiɑuŋ¹・dʑiɑuŋ¹）二音を有する。観智院本類聚名義抄に平声点を付した同音字注「音容」と反切「又常容反」を見出すが、仮名音注はない。元和本倭名類聚抄に同音字注「音容」がある。

　　　鱅 音容 [平] チ、カフリ [平平平平濁平] 又常容反　　（観智院本類聚名義抄／僧下 003-2）

　　　鱅 崔禹錫食經云鱅 音容和名知々加布里 …　　（元和本倭名類聚抄／巻十九 08 オ 5）

▶番号 1989「龍」（龍）の仮名音注「リョウ」については、基本的に -joū で対応する。当該字には平声点と去声点を差し、右注 1989「リウ」中注 1990「リョウ」を付載する。観智院本類聚名義抄に反切「力鍾反」および上昇調と推測する和音「リウ」（その右傍に墨筆で喉内撥音韻尾「√」表記）を見出す。長承本蒙求には平声点を加えた掲出字四例がある。元和本倭名類聚抄には反切「力鍾反」がある。日本漢音は平声、日本呉音「リウ」去声を認める。

　　　龍 … 力鍾反／タツ [上上] 和リウ [□上：墨点／□√：墨右傍]

（観智院本類聚名義抄／僧下 074-2）

　　　龍 [平]　　　　　　　　（長承本蒙求／013・013・116・139）

　　　龍 文字集略云龍 力鍾反和名太都 …　　（元和本倭名類聚抄／巻十九 01 オ 8）

▶番号 1990「龍」（龍）の仮名音注「リウ」については、基本的に -iū で対応する。当該字には平声点と去声点を差し、右注 1989「リウ」中注 1990「リョウ」を付載する。上述の分析を参照。

▶番号 2008a「龍」（龍鬢）の仮名音注「リウ」については、基本的に -iū で対応する。当該字には平声点を差す。上述の分析を参照。

▶番号 2010a「龍」（龍脳）の仮名音注「リウ」については、基本的に -iū で対応する。当該字には去声点を差す。熟字 2010「龍脳」は中注「藥名香名」左注「樹根中乾脂也」を付載する。上述の分析を参照。

　　　龍脳香 蘇敬本草注云龍脳香者樹根中乾脂也　　（元和本倭名類聚抄／巻十二 02 ウ 5）

694　3．仮名音注の韻母別考察　3-4　ⅢB韻類

▶番号1983a・1984a「龍」（龍膽・龍膽）の仮名音注「リウ」については、基本的に *-iu* で対応する。当該字に声点はない。熟字「龍膽」は右注1983「リウタウ俗」左注1984「リウタム」を付載する。上述の分析を参照。

▶番号0933a「龍」（龍膽）の仮名音注「リン」については、異例 *-in* を示す。当該字には平声点を差す。熟字0933「龍膽」は右注「ニカナ」右傍「リンタウ俗」を付載する。本来は字音「リウタム」を期待するが、熟字の上下で末子音の把握が逆転している。俗表記から考えて、定着久しい字音把握であったと推測する。

　　　　膽 エヤミクサ［平平平上濁平］／一云ニカナ［平上濁上］　　　（観智院本類聚名義抄／佛中126-1）

　　　　龍膽　陶隱居本草注云龍膽 和名衣夜美久佐一云迩加奈 味甚苦故以膽爲名也

　　　　　　　　　　　　　　　　　　　　　　　　　　　　　（元和本倭名類聚抄／巻二十02 オ2）

▶番号2013a・2057a・2058a・2060a・2107a「龍」（龍頭・龍首・龍樓・龍尾・龍蹄）の仮名音注「リョウ」については、基本的に *-jou* で対応する。当該諸字五例には平声点を差す。熟字2013「龍頭」は左注「舟名」を、熟字2060「龍尾」は中左注「大極殿／前道也」を付載する。上述の分析を参照。

▶番号0629b「龍」（汎龍舟）の仮名音注「リョウ」については、基本的に *-jou* で対応する。当該字に声点はない。熟字0629「汎龍舟」は右注「水調」を付載する。上述の分析を参照。

　　　　水調曲　…　汎龍舟　　　　　　　　　　　　　　　　（元和本倭名類聚抄／巻四16 ウ9）

▶番号2113a「籠」（籠鐘）の仮名音注「リョウ」については、基本的に *-jou* で対応する。当該字には平声点を差す。廣韻に拠れば、鍾韻（liɑuŋ¹）東/董韻（lʌuŋ¹/²）三音を有する。熟字2113「籠鐘」は右傍「オソロシ」〔＊オクラシの誤認か〕を付載する。観智院本類聚名義抄に反切「慮紅反・又力孔反」と同音字注「一音龍」を見出すが、仮名音注はない。元和本倭名類聚抄には反切「慮紅反・又力董反」と同音字注「一音龍」がある。

　　　　籠　…　慮紅反／一音龍 又力孔反 コ［平］…　オクラシ［上上濁□□］

　　　　　　　　　　　　　　　　　　　　　　　　　　　　（観智院本類聚名義抄／僧上074-1）

　　　　籠　唐韻云籠 慮紅反一音龍又力董反和名古 …　　　（元和本倭名類聚抄／巻十六08 ウ6）

《下巻 鍾韻諸例》

▶番号5909d「胷」（酒不乱胷）の仮名音注「クヰヨウ」については、基本的に *-wjou* で対応する。当該字に声点はない。観智院本類聚名義抄に同音字注「凶」二例および低平調を示す和音「クウ」（その右傍に墨筆で喉内撥音韻尾「✓」表記）を見出す。同書では掲出字「逈・況・况・頃」に対して和音「クヰヤウ」を見つける。元和本倭名類聚抄には反切「許容反」がある。日本呉音「クウ」平声を認める。

3-4-1 -iɑ 系の字音的特徴 695

胷 今匈［正：墨右注］音凶／和クウ［平平／□✓：墨右傍］ムネ［上平］

(観智院本類聚名義抄／佛中 126-4)

胸胷 俗 ムネ／マヘ (観智院本類聚名義抄／佛中 126-4)

鞠 胷匈正 … 音凶 (観智院本類聚名義抄／僧 072-8)

迴 トヲシ［上上□］… 和クキヤウ［□□□✓：墨右傍］又向 (観智院本類聚名義抄／佛上 051-6)

況 許訪反 況［俗：墨右注］イフ … 和クキヤウ (観智院本類聚名義抄／法上 043-5)

況 … 和クキヤウ［□□□上：墨点／□□□✓：墨右傍］ (観智院本類聚名義抄／法上 046-6)

頃 丘頴反 … 和クキヤウ［□□□平／□□□✓：朱右傍］ (観智院本類聚名義抄／佛下本 024-6)

詠 為命反 ウタフ［上上□］… 和同／和クキヤウ (観智院本類聚名義抄／法上 072-4)

胷臆 唐韻云胷 許容反 臆 於陵反 臆 於力反和名無繭 也 (元和本倭名類聚抄／巻三 08 オ 9)

▶番号 6912b「拱」（垂拱）の仮名音注「クキヨウ」については、基本的に -wjoū で対応する。当該字には上声点を差す。袂を垂らし両腕を組みながらの挨拶を意味する。観智院本類聚名義抄に反切「記象反」および平声点を付した「呉音恐」を見出すが、仮名音注はない。傍証ながら、同書で「恐」を再検索すると、低平調と推測する和音「クウ」を見つける。この呉音注は大般若経字抄による漢呉二音相同の同音字注を出典とする。日本呉音は平声を認める。

拱 記象反 コマヌク［平平上平］… 呉／音恐［平］ (観智院本類聚名義抄／佛下本 057-3)

恐 駆勇駆用［□去］反 オツ … 和クウ［□平］ (観智院本類聚名義抄／法中 087-2)

垂拱 タムタク［平平□□］ (観智院本類聚名義抄／佛下本 057-4)

拱［音恐：右傍］舒手也 舊説／テウ タムタク (石山寺一切経蔵本大般若経字抄／12 オ 1)

拱 音恐 (石山寺一切経蔵本大般若経字抄／21 オ 7)

▶番号 6930b「従」（随従）の仮名音注「シュ」については、基本的に -jū で対応する。当該字には平声点を差す。上巻の鍾韻当該諸例で分析したように、日本漢音「ショウ」平声、日本呉音「ジユウ（ジウ）」去声を認める。

▶番号 5874a「従」（従横）の仮名音注「シユ」については、基本的に -jū で対応する。当該字には去声濁点を差すので、字音「ジユ」を想定する。上述の分析を参照。

▶番号 5329a・5882b・5939b・5954a「従」（従僧・主従・侍従・従威儀師）の仮名音注「シユ」については、基本的に -jū で対応する。当該諸字四例に声点はない。上述の分析を参照。

▶番号 5696a「縦」（縦容）の仮名音注「ショウ」については、基本的に -joū で対応する。当該字には平声点を差す。上巻の鍾韻当該例で分析したように、日本漢音「ショウ」平/去声、字音「シユウ」を認める。後者は日本呉音の蓋然性が高い。

▶番号 5343a「縦」（縦理）の仮名音注「ショウ［平上上］」については、基本的に -joū で対応する。当該字に声点はないが、その仮名音注に上昇調を示す差声がある。熟字 5343「縦理」は左注「縦理入口餓死之相也」を付載する。上述の分析を参照。

696 3．仮名音注の韻母別考察 3-4 ⅢB韻類

▶番号6395「樅」（樅）の仮名音注「ショウ」については、基本的に -jou で対応する。当該字に声点はなく、右注「モミ［平平］」を付載する。観智院本類聚名義抄に平声点を付した同音字注「音従」を見出すが、仮名音注はない。元和本倭名類聚抄には反切「七容反」がある。日本漢音は平声を認める。

　　　樅 音従［平］モミ［上平］／モノキ　樅 正／或樅　　　（観智院本類聚名義抄／佛下本091-7）

　　　樅　爾雅云樅松葉柏身 七容反和名毛美　　　（元和本倭名類聚抄／巻二十25オ8）

▶番号5697a・5736a・6517b・6747b「松」（松容・松窓・赤松・赤松）の仮名音注「ショウ」については、基本的に -jou で対応する。当該諸字四例には平声点を差す。上巻の鍾韻当該例で分析したように、日本漢音「ショウ」平声を認める。

▶番号5858a「松」（松煙）の仮名音注「ショウ」については、基本的に -jou で対応する。当該字に声点はない。上述の分析を参照。

▶番号4473b「鰖」（鯛鰖）の仮名音注「ショウ」については、基本的に -jou で対応する。当該字には平声点を差す。熟字4473「鯛鰖」は右注「サヤツキトリ」を付載する。観智院本類聚名義抄に同音字注「春」を見出すが、仮名音注はない。元和本倭名類聚抄には同音字注「春」がある。

　　　鯛鰖 獨春二音 獨春鳥／サカツキトリ［平平平平上濁平］　　　（観智院本類聚名義抄／僧中131-3）

　　　鯛鰖　四聲字苑云鯛鰖 獨春二音漢語抄云獨春鳥佐夜豆木土里 …

　　　　　　　　　　　　　　　　　　　　　　　　（元和本倭名類聚抄／巻十07オ1）

▶番号4563「鍾」（鍾）の仮名音注「ショウ」については、基本的に -jou で対応する。当該字には平声点を差し、右注「同（サカツキ）」を付載する。上巻の鍾韻当該例で分析したように、日本漢音「ショウ」東声（四声体系では平声）を認める。

▶番号6776a「鍾」（鍾樓）の仮名音注「スウ」については、基本的に -uu で対応する。当該字には平声点を差す。上述の分析を参照。

▶番号5638a「鐘」（鐘愛）の仮名音注「ショウ」については、基本的に -jou で対応する。当該字に声点はない。観智院本類聚名義抄には掲出字「鍾鐘」の右傍に熟字「一愛」を見出す。同書は「鐘」と上記「鍾」は相互に異体字とするが、同音別字である。上述の分析を参照。

　　　鍾鐘［一愛：右傍］今正 至容反 上アタル［上上平］ … カネ［上上］ … 和種

　　　　　　　　　　　　　　　　　　　　　　　　（観智院本類聚名義抄／僧上126-6）

▶番号6423「慵」（慵）の仮名音注「ヨウ」については、基本的に -jou で対応する。当該字には平声点を差し、右注「モノウシ」左注「蜀用反」を付載する。その仮名音注「ヨウ」は諸声符「庸」（鍾韻 jiɑuŋ¹）による字音把握であり、本来は字音「シヤウ」を期待する。観智院本類聚名義抄に反切「蜀容反」を見出すが、仮名音注はない。

　　　慵 蜀容反／物ウシ 物クサシ［平平□□］　　　（観智院本類聚名義抄／法中084-4）

▶番号6071b「茸」（菌茸）の仮名音注「ショウ」については、基本的に -jou で対応する。当

3-4-1　-iɑ 系の字音的特徴　697

該字には平声濁点を差すので、字音「ジヤウ」を想定する。熟字6071「菌茸」は右注「ヒラタケ」
を付載する。上巻の鍾韻当該例で分析した。

　▶番号5311b「茸」（鹿茸）の仮名音注「シヨウ」については、基本的に -joū で対応する。当
該字に声点はない。熟字5311「鹿茸」は右注「シミノワカツノ」を付載する。上述の分析を参照。

　▶番号3971b「重」（鄭重）の仮名音注「チウ」については、基本的に -iū で対応する。当該字
には平声点を差す。上巻の鍾韻当該諸例で分析したように、日本漢音「チョウ」平/上/去声、日本呉
音「ヂウ」平/上/去声を認める。

　▶番号4058a・6327b「重」（重陽・秘重）の仮名音注「チヨウ」については、基本的に -joū で
対応する。両当該字には平声点を差す。熟字4058「重陽」は左右注「九月／名」を付載する。上述
の分析を参照。

　▶番号5926b・6957b「濃」（信濃・都濃）の仮名音注「ノ」については、異例 -o を示す。両
当該字に声点はない。先んじて存在する地名に略音仮名による漢字表記を宛てたと推測する。上巻
の鍾韻当該諸例で分析したように、日本漢音「ヂョウ」平声、日本呉音「ノウ」を認める。

　　東山國第五十四／近江 知加津阿不三 … 信濃 之奈乃 …　　　（元和本倭名類聚抄／巻五09オ1）

　　信濃國 國府在筑摩郡 …　　　　　　　　　　　　　　　　　（元和本倭名類聚抄／巻五17オ2）

　　周防國 國府在佐波郡 … 都濃 …　　　　　　　　　　　　　（元和本倭名類聚抄／巻五17オ2）

　▶番号4492b「封」（三封）の仮名音注「ホウ」については、基本的に -oū で対応する。当該字
には平声点を差す。熟字4492「三封」は右注「サムツ」を付載する。上巻の鍾韻当該例で分析した
ように、日本漢音「ホウ」東声（四声体系では平声）を認める。

　▶番号3322「葑」の仮名音注「ホウ」については、基本的に -oū で対応する。当該字には平声
点を差し、右注「コモノネ」左注「又云ナ」を付載する。観智院本類聚名義抄に同音字注「峯音」
を見出すが、仮名音注はない。

　　葑 峯音／アヲナ　　　　　　　　　　　　　　　　　　　　（観智院本類聚名義抄／僧上021-6）

　▶番号4602「鋒」（鋒）の仮名音注「ホウ」については、基本的に -oū で対応する。当該字に
は平声点を差し、右注「同（サキ）」中注「釼刃鋒也」左注「筆鋒」を付載する。観智院本類聚名
義抄に平声点を付した同音字注「音峯」（その右注に朱筆で仮名音注「ホウ」左注に墨筆で仮名音
注「フフ」〔＊「フ・フウ」か〕）を見出す。同書の凡例部分「朱音者正音也墨声者和音也」（篇目7-
6）に従えば、朱墨で正音と和音を分別する傾向がある。長承本蒙求には仮名音注「ホウ」があり、
その掲出字に平声点を加える。承暦本金光明最勝王経音義には同音字注「豊音」があり、その掲出
字に平声点を加える。日本漢音「ホウ」平声、日本呉音は平声を認める。また日本呉音「フ・フウ」
の蓋然性が高い。

　　鋒鏠 音峯 [平／ホウ：朱右注・フフ：墨左注] … サキ [上上] …

　　　　　　　　　　　　　　　　　　　　　　　　　　　　（観智院本類聚名義抄／僧上116-3）

698　3．仮名音注の韻母別考察　3-4　ⅢB韻類

　　豊 敷燈反 満 … 和復ウ〔＊フウに相当〕　　　　　　　（観智院本類聚名義抄／法上 095-4）

　　復 房富［□去／□フ：朱右傍］反 … 和［✓：墨右傍］フ［平］フク

　　　　　　　　　　　　　　　　　　　　　　　　　　　　（観智院本類聚名義抄／法上 095-4）

　　鋒［平］ホウ　　　　　　　　　　　　　　　　　　　　　（長承本蒙求／127）

　　鋒［平］又作 鑓 豊ミ／保己乃佐伎［□□□上上］　　（承暦本金光明最勝王経音義／04 オ 1）

　▶番号5429b「峯」（文峯）の仮名音注「ホウ」については、基本的に -oū で対応する。当該字に声点はない。上巻の鍾韻当該例で分析したように、日本漢音「ホウ」平声、日本呉音は去声を認める。日本呉音「フウ」の可能性を指摘しておく。

　▶番号4744b「縫」（裁縫）の仮名音注「ホウ」については、基本的に -oū で対応する。当該字には去声点を差す。上巻の鍾韻当該例で分析したように、日本漢音「ホウ」平/去声を認める。

　▶番号5980「癰」（癰）の仮名音注「キヨウ」については、基本的に -wjoū で対応する。当該字には去声点を差し、右注「エウ」を付載する。当該字「癰」と「癰」は相互に異体字である。上巻の鍾韻当該例で分析したように、日本呉音「オウ・キヨウ」去声を認める。

　▶番号4365b・5074b・5696b・5697b・6909b「容」（阿容・許容・縦容・松容・衰容）の仮名音注「ヨウ」については、基本的に -joū で対応する。当該諸字五例には平声点を差す。熟字4365「阿容」は左注「ヲモネリイル」を付載する。上巻の鍾韻当該諸例で分析したように、日本漢音「ヨウ」平声、日本呉音「ヨウ・ユウ」平声を認める。

　▶番号4035b「庸」（調庸）の仮名音注「ヨウ」については、基本的に -joū で対応する。当該字には上声点を差す。上巻の鍾韻当該例で分析した。

　▶番号3744a「龍」（龍膽）の仮名音注「リウ」については、基本的に -iū で対応する。当該字には去声点を差す。熟字3744「龍膽」は右注「エミクサ」左注「又ニカナ」右傍「リウタウ俗」を付載する。上巻の鍾韻当該諸例で分析したように、日本漢音は平声、日本呉音「リウ」去声を認める。

《上巻 腫韻諸例》

　▶番号2872b・2988b「種」（耕種・下種）の仮名音注「シウ」については、基本的に -iū で対応する。両当該字には平声点を差す。観智院本類聚名義抄に上声点を付した同音字注「音踵」と「又去」および和音「主ウ」を見出す。長承本蒙求には仮名音注「シヨウ」があり、その掲出字に去声点を加える。和音「主ウ」は番号0813b「従」や番号2710「鐘」で分析した。また掲出字「宗」にも和音「主ウ」がある。日本漢音「シヨウ」上/去声、日本呉音「シユウ」を認める。

　　種 音踵［上］タネ［平上］… 又去 ウフ［上平］在下 和主ウ　　（観智院本類聚名義抄／法下 019-3）

　　従従 … 音縦［去濁／シユウ：墨右注］シタカフ［平□□□］…

　　　　　　　　　　　　　　　　　　　　　（観智院本類聚名義抄／佛上 040-1）

　　從 七恭反 從容／和音 主ウ［✓✓：墨右傍］　　　（観智院本類聚名義抄／佛上 040-3）

　　宗 子舩反 ムネ … 和主ウ［□上］　　　　　　　　（観智院本類聚名義抄／佛下 053-3）

　　種［去：圏点］ショウ　　　　　　　　　　　　　　　　　（長承本蒙求／126）

▶番号 0594「腫」（腫）の仮名音注「ショウ」については、基本的に -joū で対応する。当該字
には上声点と去声点を差し、右注「ハル」左注 0595「スウ俗」右傍 0594「ショウ」を付載する。
観智院本類聚名義抄に上声点を付した同音字注「音種」を見出すが、仮名音注はない。日本漢音は
上声を認める。

　　腫 音種［上］ニエウ … ハル［上平］瘡也／和カサ〔＊和訓〕　（観智院本類聚名義抄／佛中 130-3）

　　腫 … 野王案瘇 毛勇反字亦作腫浮留 …　　　　　　（元和本倭名類聚抄／巻三 28 ウ 3）

▶番号 0595「腫」（腫）の仮名音注「スウ」については、基本的に -uū で対応する。当該字に
は上声点と去声点を差し、右注「ハル」左注 0595「スウ俗」右傍 0594「ショウ」を付載する。俗
注記は定着久しい字音か。上述の分析を参照。

▶番号 2085b「宂」（流宂）の仮名音注「ショウ」については、基本的に -joū で対応する。当
該字には上声濁点を差すので、字音「ジョウ」を想定する。熟字 2085「流宂」は左注「流散也」を
付載する。観智院本類聚名義抄には反切「人勇反・又与衆反」を見出すが、仮名音注はない。

　　宂 人勇反 無田事／又与衆反 チル　　　　　　　　（観智院本類聚名義抄／法下 051-3）

▶番号 1932a・1951a「寵」（寵愛・寵辱）の仮名音注「チョウ」については、基本的に -joū で
対応する。両当該字には上声点を差す。熟字 1951「寵辱」は右傍「メクマレ ニクマル」を付載す
る。観智院本類聚名義抄に反切「刃蘴反」を見出す。長承本蒙求には仮名音注「チョウ」があり、
その掲出字に上声点を加える。承暦本金光明最勝王経音義には同音字注「重音」があり、その掲出
字に平声点を加える。また同書には仮名音注「チョウ」〔＊日本漢音の混入か〕もあり、その掲出字に
去声点を加える。日本漢音「チョウ」上声、日本呉音は平声を認める。

　　寵 刃蘴反 ウツクシブ … サカユ　　　　　　　　　（観智院本類聚名義抄／法下 051-6）

　　寵［上］チョウ　　　　　　　　　　　　　　　　　　　（長承本蒙求／145）

　　寵［平］重ミ／宇ツク之クテ　　　　　　（承暦本金光明最勝王経音義／08 オ 5）

　　寵［去：圏点］セラレウ／チョウ［：右傍］〔＊後筆墨書〕　（承暦本金光明最勝王経音義／07 ウ 2）

▶番号 1752「寵」（寵）の仮名音注「チョウ」については、基本的に -joū で対応する。当該字
に声点はない。前田本は当該字を「寵」としたが、これを「寵」と訂正する右傍の注記がある。上
述の分析を参照。

▶番号 1191a「甍」（甍駕）の仮名音注「ホウ」については、基本的に -oū で対応する。当該字
には上声点を差す。熟字 1191「甍駕」は右傍「ハヤリ スキタリ」を付載する。観智院本類聚名義
抄に反切「封奉反」を見出すが、仮名音注はない。

700　3．仮名音注の韻母別考察　3-4　ⅢB韻類

　　　覂 封奉反 或㲯 ハヤル／オホフ　　　　　　　　　　　　（観智院本類聚名義抄／法下 073-2）
　▶番号 1178a・1184a・1224a・1393b「奉」（奉勅・奉公・奉仕・返奉）の仮名音注「ホウ」
については、基本的に -oū で対応する。当該諸字四例には去声点を差す。観智院本類聚名義抄に反
切「扶拱反・又扶用也」および和音「復ウ」〔＊フウに相当〕を見出す。長承本蒙求には仮名音注「ホ
ウ」があり、その掲出字に上声点を加える。日本漢音「ホウ」上声、日本呉音「フウ」を認める。
　　　奉 ツカマツル［上平□□□］… 和復ウ …　　　　（観智院本類聚名義抄／佛下末 024-2）
　　　奉 扶拱反 ウク［平上］… 又扶用也 … ツカムマツル［上上上□□□］…
　　　　　　　　　　　　　　　　　　　　　　　　　（観智院本類聚名義抄／佛下末 024-7）
　　　復 房富［□去／□フ：朱右傍］反 … 和［✓：墨右傍］フ［平］フク
　　　　　　　　　　　　　　　　　　　　　　　　　（観智院本類聚名義抄／法上 095-4）
　　　豊 敷隆反 滿 … 和復ウ〔＊フウに相当〕　　　　　　（観智院本類聚名義抄／法上 095-4）
　　　奉［上］ホウ　　　　　　　　　　　　　　　　　　（長承本蒙求／079・100・116）
　▶番号奉「3170a「奉」（奉膳）の仮名音注「フ」については、基本的に -ū で対応する。当該字
には平声濁点を差すので、字音「ブ」を想定する。熟字3170「奉膳」は左右注「同（カミ）用内／
膳司」を付載する。上述の分析を参照。
　▶番号 3230「攤」（攤）の仮名音注「ヨウ」については、基本的に -joū で対応する。当該字に
は上声点を差し、右注「ヨウス」サ変動詞を付載する。また右傍「キヨウ欤」を加えるが、極めて
稀な朱筆による仮名音注である。これは -wjoū＞-joū＞-joo という音変化を経て「ヨウ」が定着し
たことを示す。観智院本類聚名義抄に同音字注「音甕」と反切「又扵龍反」および上昇調と推測す
る和音「オウ」（その右傍に墨筆で喉内撥音韻尾「✓」表記）を見出す。承暦本金光明最勝王経音
義には同音字注「應音」があり、その掲出字に去声点を加える。日本呉音「オウ」去声を認める。
　　　攤 音甕 又扵龍反 フサク［上上□］… 和オウ［□✓：墨右傍］
　　　　　　　　　　　　　　　　　　　　　　　　　（観智院本類聚名義抄／佛下本 073-1）
　　　攤［去］應音／加古牟　　　　　　　　　　　（承暦本金光明最勝王経音義／03 オ 6）
　▶番号 1684a・2545a・3231「攤」（攤滞・攤劔・攤）の仮名音注「キヨウ」については、基本
的に -wjoū で対応する。当該諸字三例には上声点を差す。熟字1684「攤滞」は右注「ト、コホル」
を、熟字2545「攤劔」は右注「カサメ」を、番号3231「攤」は右注「ヨウス」右傍「キヨウ欤」
朱筆を付載する。上述の分析を参照。
　　　攤劔 本草云攤劔 和名加散女 …　　　　　　　（元和本倭名類聚抄／巻十九 14 ウ 4）
　▶番号 2279a・2280a・2281a・2282a「攤」（攤政・攤怠・攤滞・攤積）の仮名音注「ヲウ」
については、基本的に -oū で対応する。当該諸字四例には上声点を差す。熟字2279「攤政」熟字
2280「攤怠」熟字2281「攤滞」いずれにも右傍「ト、コホル」を付載する。また熟字2282「攤積」
は「ト、マリ ツモル」を付載する。上述の分析を参照。

3-4-1 -iɑ 系の字音的特徴 701

▶番号 3248a・3249a・3250a・3251a・3252a「勇」（勇敢・勇者・勇路・勇士・勇毅）の仮名音注「ヨウ」については、基本的に -joŭ で対応する。当該諸字五例には上声点を差す。観智院本類聚名義抄に去声墨点を付した同音字注「音涌」（その左注に墨筆で喉内撥音韻尾「✓」表記を付した仮名音注「ユウ」）を見出す。同書の凡例部分「朱音者正音也墨声者和音也」（篇目7-6）に従えば、朱墨で正音と和音を分別する傾向があるので、仮名音注「ユウ」は和音か。承暦本金光明最勝王経音義には「由✓反」があり、その掲出字に去声点を加える。日本呉音「ユウ」去声を認める。

　　勇 音涌 [去：墨点／ユウ［□✓：墨右傍］：墨左注] イサム［上上平］

　　　　　　　　　　　　　　　　　　　　（観智院本類聚名義抄／僧上 085-1）

　　勇［去］由✓反／太計之　　　　　　　（承暦本金光明最勝王経音義／06 オ 4）

▶番号 2042a「隴」（隴畝）の仮名音注「リョウ」については、基本的に -joŭ で対応する。当該字には上声点を差す。熟字2042「隴畝」は右傍「ウネ ウネ」を付載する。観智院本類聚名義抄に同音字注「音壠字」を見出すが、仮名音注はない。

　　隴 音壠字 ウネ／ソコ オホサカ　　　　（観智院本類聚名義抄／法中 038-8）

　　壠 力湅反 ツカ ウネ［平平］／クロ 丘也 襲也　（観智院本類聚名義抄／法中 062-5）

《下巻 腫韻諸例》

▶番号 5518a・5518b「種」（種ゝ・種ゝ）の仮名音注「シウ」については、基本的に -jū で対応する。両当該字に声点はない。上巻の腫韻当該諸例で分析したように、日本漢音「ショウ」上/去声、日本呉音「シユウ」を認める。

▶番号 5815a・5816a「悚」（悚望・悚慄）の仮名音注「ショウ」については、基本的に -joŭ で対応する。両当該字には上声点を差す。熟字5816「悚慄」は右傍「ヲソル」を付載する。観智院本類聚名義抄に同音字注「音聳」および上昇調と推測する和音「所ウ」を見出す。傍証ながら、同書で「所」を再検索すると、低平調を示す和音「シヨ」を見つける。また掲出字「舁・證・陞・秤・稱・外」に対して和音「所ウ」がある。日本呉音「ショウ」去声を認める。

　　悚 音聳 オツ［□平濁］オソル［平平上］… 和所ウ［□上：墨点］

　　　　　　　　　　　　　　　　　　　　（観智院本類聚名義抄／法中 092-6）

　　所 トコロ［上上上］和シヨ［平平］　　　（観智院本類聚名義抄／法下 093-7）

　　舁 式承反 スエ … 和所ウ［平平］　　　　（観智院本類聚名義抄／佛中 088-2）

　　證 諸孕反 カナフ［平平上］… 和所ウ［□平／□✓：墨右傍］　（観智院本類聚名義抄／法上 057-3）

　　陞 音外 カナフ 陞踏也 オホ … 和所ウ　　（観智院本類聚名義抄／法中 041-6）

　　秤 ハカリ … 和所ウ［□上／□✓：墨右傍］　（観智院本類聚名義抄／法下 008-2）

　　稱 處陵反 又去 カナウ［平平上］… 和所ウ　（観智院本類聚名義抄／法下 018-6）

702 3．仮名音注の韻母別考察　3-4　ⅢB韻類

　　外 和所ウ　　　　　　　　　　　　　　　　　　　（観智院本類聚名義抄／法下134-8）

　▶番号5812a「悚」（悚息）の仮名音注「シヨウ」については、基本的に *-joū* で対応する。当該字に声点はない。上述の分析を参照。

　▶番号3391「尰」（尰）の仮名音注「シヨウ」については、基本的に *-joū* で対応する。当該字には上声点を差し、右注「時冗反」中注「又而隴反」左注「コヒ［平上］足尰也」を付載する。観智院本類聚名義抄に音注表記はない。元和本倭名類聚抄には反切「時種反」がある。

　　尰 オメアシ［平平上平］／此間云コヒ　　　　　　（観智院本類聚名義抄／佛下末018-5）

　　尰　毛詩注云腫足曰尰 唐韻時種反足病也辨色立成云於賣阿志此間云古比 …

　　　　　　　　　　　　　　　　　　　　　　　　　（元和本倭名類聚抄／巻三21 オ3）

　▶番号4037a「寵」（寵辱）の仮名音注「テウ」については、異例 *-eu* を示す。当該字には上声点を差す。熟字4037「寵辱」は左注「メクマレニクマル」〔＊←メクコレニクマル〕を付載する。仮名音注「テウ」は *-eū > -joū > -joo* の音変化を反映する。上巻の尰韻当該諸例で分析したように、日本漢音「チヨウ」上声、日本呉音「ヂウ」平声を認める。

　▶番号3960a「冢」（冢宰）の仮名音注「テウ」については、異例 *-eu* を示す。当該字には上声点を差す。本来は日本漢音「チヨウ」を期待するが、仮名音注「テウ」は *-eū > -joū > -joo* の音変化を反映する。なお、前田本の字形「宀+豕」を「冢」に修正する。熟字3960「冢宰」は「中国の官名。周代、天子を補佐し百官を統率した。天官の長。宰相」と広辞苑第七版に説明がある。観智院本類聚名義抄に反切「知隴反」を見出すが、仮名音注はない。

　　冢 大也 … 釋名曰冢腫也象山頂之高腫起 知隴切二 塚 俗　　（宋本廣韻／知母腫韻 tiɑuŋ²）

　　冢〔＊←宀+豕〕冢 下或　　　　　　　　　　　　（観智院本類聚名義抄／法下055-2）

　　冢 知隴反 冢 或／冢 正欤　　　　　　　　　　　（観智院本類聚名義抄／法下057-5）

　▶番号5375a「冢」（冢戯）の仮名音注「シヤウ」については、異例 *-jaū* を示す。当該字を字形の近似する「象」（邪母養韻 ziɑŋ²）と混同したか。なお、前田本の字形「宀+豕」を「冢」に修正する。熟字5375「象戯」は中国式の将棋を指す。上述の分析を参照。

　▶番号6966a「擁」（擁力）の仮名音注「ヨウ」については、基本的に *-joū* で対応する。当該字には上声点を差す。上巻の尰韻当該諸例で分析したように、日本呉音「オウ」去声を認める。

《上巻 用韻諸例》

　▶番号1225a・1226a「俸」（俸料・俸禄）の仮名音注「ホウ」については、基本的に *-oū* で対応する。両当該字には去声点を差す。観智院本類聚名義抄に反切「補孔反」（その反切下字に上声点）と同音字注「又音鳳・又諷」を見出すが、仮名音注はない。日本漢音は上声を認める。

　　俸 補孔［□上］反 禄 オキナ／又音鳳 又諷　　　（観智院本類聚名義抄／佛上030-7）

3-4-1 -iɑ 系の字音的特徴 703

▶番号 1081「俸」（俸）の仮名音注「ホウ［平上］」については、基本的に -oũ で対応する。当該字に声点はないが、その仮名音注に去声相当である上昇調を示す差声を施す。また右注「俸禄」左注「月俸」を付載する。上述の分析を参照。

▶番号 1590b・3240a・3269a「用」（登用・用意・用捨）の仮名音注「ヨウ」については、基本的に -joũ で対応する。当該諸字三例には去声点を差す。熟字 1590「登用」は中注「トウリヨウ」を付載するが、これを「トウヨウ」と訂正する。観智院本類聚名義抄に反切「余頌反」と声調表記「又平」および低平調と推測する和音「ユウ・又ヨウ」を見出す。日本漢音は平声、日本呉音「ユウ・ヨウ」平声を認める。

　　　用 余頌反 又平 モチキル … 和ユウ［□平］又ヨウ［□平］　　　（観智院本類聚名義抄／佛中 136-4）

▶番号 1171b・1239b・2119b・3241a・3255a・3256a・3257a・3258a「用」（法用・犯用・立用・用心・用途・用度・用残・用盡）の仮名音注「ヨウ」については、基本的に -joũ で対応する。当該諸字八例には平声点を差す。熟字 3256「用度」は右傍「モチキ ハカリコトヲ」を付載する。上述の分析を参照。

▶番号 3284b「用」（佐用）の仮名音注「ヨウ」については、異例 -o を示す。当該字に声点はない。先んじて存在する地名に略音仮名による漢字表記を用いる。上述の分析を参照。

　　　播磨國 國府在餝磨郡 … 佐用 佐與 …　　　　　　　　　（元和本倭名類聚抄／巻五 17 オ 2）

《下巻 用韻諸例》

▶番号 4378b「誦」（暗誦）の仮名音注「シウ」については、基本的に -iũ で対応する。当該字には平声点を差す。観智院本類聚名義抄に去声点を付した同音字注「音頌」と低平調と推測する「受ウ」を見出す。同書における「受ウ」は日本呉音「ズウ」であること、番号 1643b「訟」で分析した。日本漢音は去声、日本呉音「ズウ」を認める。

　　　誦 音頌［去］ヨム［平上］ウタフ … 受ウ［平□］…　　　　　（観智院本類聚名義抄／法上 072-2）

▶番号 3710b・4683b・5131b・5160b・5775b・6320b「用」（己用・採用・騎用・器用・至用・費用）の仮名音注「ヨウ」については、基本的に -joũ で対応する。当該諸字六例には平声点を差す。上巻の用韻当該諸例で分析したように、日本漢音は平声、日本呉音「ユウ・ヨウ」平声を認める。

▶番号 3853b・4763b・5158b「用」（要用・散用・擧用）の仮名音注「ヨウ」については、基本的に -joũ で対応する。当該諸字三例に声点はない。熟字 5158「擧用」は左注「キヨウ」仮名音注を付載するが、踊り字を含む「キヨ𛀁ウ」とすべきか。上述の分析を参照。

《上巻 燭韻諸例》

704 3．仮名音注の韻母別考察 3-4 ⅢB韻類

▶番号0471a「曲」（曲水）の仮名音注「コク」については、基本的に -ok で対応する。当該字
には入声点を差す。熟字0471「曲水」は左注「三月三日名」を付載する。観智院本類聚名義抄に同
音字注「音曲」と反切「丘玉反」および低平調と推測する和音「コク」を見出す。長承本蒙求には
仮名音注「クキヨク」があり、その掲出字に入声点を加える。日本漢音「クキヨク」入声、日本呉
音「コク」入声を認める。

　　　曲 … 音曲 丘玉反 ツフサニ［平平濁上平］… 和コク［□平：墨点］

　　　　　　　　　　　　　　　　　　　　　　（観智院本類聚名義抄／僧下090-7）

　　　曲［入］クキヨク　　　　　　　　　　　　　　　（長承本蒙求／077）

▶番号0663「局」（局）の仮名音注「ハン」については、異例 -an を示す。当該字に声点はな
く、右注「碁局雙」左注「六局類也」を付載する。当該字「局」の直前に掲げる「盤・枰・槃」は
右注「ハン」がある。また下巻の熟字3559「某局」は右傍「キ キヨク」右注「コハン」左注「渠
玉也」を付載する。いわゆる「棋盤・碁盤」のことである。これらの環境において字音「ハン」と
いう類推による誤認が働いたか。観智院本類聚名義抄に音注表記を見出せない。天治本新撰字鏡に
は反切「渠玉反」がある。高山寺本篆隷萬象名義には反切「懼録反」を見つける。

　　　盤 ハン／食具　枰［平濁］同　槃 同　局 ハン 碁－雙／六－類也

　　　　　　　　　　　　　　　　　（前田本色葉字類抄／巻上波・026ウ6・雑物）

　　　局 カキル ツホネ …　　　　　　　　　　　（観智院本類聚名義抄／法下091-3）

　　　局 渠玉反 …　　　　　　　　　　　　　　　（天治本新撰字鏡／巻三17オ2）

　　　局 懼録反 曲也巻也俛也從也分也近也姦也　　（高山寺本篆隷萬象名義／第二帖016オ3）

▶番号0840b「玉」（白玉）の仮名音注「キヨク」については、基本的に -jok で対応する。当
該字には入声濁点を差すので、字音「ギヨク」を想定する。観智院本類聚名義抄に入声濁点を付し
た同音字注「音獄」と「又音宿」を見出す。長承本蒙求には徳声点と徳声加濁点さらに徳声圏点を
加えた掲出諸字がある。元和本倭名類聚抄には反切「語欲反」がある。日本漢音は徳声（四声体系
では入声）を認める。

　　　玉 音獄［入濁］石之美也／タマ 又音宿　　　（観智院本類聚名義抄／法中013-3）

　　　玉［徳］　　　　　　　　　　　　　　　　　　（長承本蒙求／014）

　　　玉［徳／徳：加濁］　　　　　　　　　　　　（長承本蒙求／024・060・093）

　　　玉［徳濁：圏点］　　　　　　　　　　　　　（長承本蒙求／126）

　　　玉 四聲字苑云玉 語欲反白玉和名上同 寶石也　（元和本倭名類聚抄／巻十一18オ3）

▶番号0561a「促」（促織）の仮名音注「ソク」については、基本的に -ok で対応する。当該字
には入声点を差す。熟字0561「促織」は右注「ハタヲリメ」中左注「聲似息機／故以名之」を付載
する。観智院本類聚名義抄に反切「且足反・千欲反」を見出すが、仮名音注はない。承暦本金光明

最勝王経音義には同音字注「足音」があり、その掲出字に入声点を加える。石山寺一切経蔵本大般若経字抄には漢呉二音相同の同音字注「音足」がある。日本呉音は入声を認める。

　　促 且足反 モヨヲス …　　　　　　　　　　　　　　　（観智院本類聚名義抄／佛上 029-6）

　　促 千欲反／ワツカニ モヨホル　　　　　　　　　　　（観智院本類聚名義抄／法上 084-7）

　　促 [入] 足ミ／ツミ末留 [平□上平]　　　　　　　　（承暦本金光明最勝王経音義／03 ウ 3）

　　促 [音足：右傍] ウナカス　　　　　　　　（石山寺一切経蔵本大般若経字抄／13 オ 6）

▶番号 1991b・3125b「燭」（街燭・街燭）の仮名音注「ショク」については、基本的に -jok で対応する。両当該字には入声点を差す。観智院本類聚名義抄に同音字注「音属」および和音「ソク」を見出す。長承本蒙求には仮名音注「ショク」があり、その掲出字に徳声点を加える。承暦本金光明最勝王経音義には同音字注「束竹」と仮名音注「ソク」があり、前者の掲出字に入声点を加える。元和本倭名類聚抄には同音字注「音屬」がある。日本漢音「ショク」徳声（四声体系では入声）日本呉音「ソク」入声を認める。

　　燭 音属 トモシヒ／テラス [平平平] … 和ソク　　　　（観智院本類聚名義抄／佛下末 042-6）

　　燭 [徳] ショク／　　　　　　　　　　　　　　　　　　（長承本蒙求／058）

　　燭 [入] 束ミ／照也　　　　　　　　　　　（承暦本金光明最勝王経音義／08 オ 6）

　　燭 ソク [：右傍] 〔＊後筆墨書〕　　　　　（承暦本金光明最勝王経音義／07 ウ 4）

　　燈燭 四聲字苑云 … 堅燒曰燭 音屬和名度毛師比 …　（元和本倭名類聚抄／巻十二 10 ウ 6）

▶番号 1329b・1492・1659b「燭」（乗燭・燭・燈燭）の仮名音注「ソク」については、基本的に -ok で対応する。当該諸字三例には入声点を差す。熟字 1329「乗燭」は右傍「トモシヒヲトル」を、番号 1492「燭」は中注「トモシヒ」を付載する。上述の分析を参照。

▶番号 0509a「續」（續断）の仮名音注「ショク」については、基本的に -jok で対応する。当該字に声点はない。熟字 0509「續断」は右注「ハミ [平平]」左注「又オニノヤカラ」を付載する。観智院本類聚名義抄に同音字注「音俗」（その右傍・左傍に墨筆で仮名音注「ショク・ソク」）を見出す。墨筆ながら正音「ショク」和音「ソク」か。長承本蒙求には仮名音注「ショク」があり、その掲出字に入声点を加える。日本漢音「ショク」入声、日本呉音「ソク」を認める。

　　續 音俗 [ショク：墨右傍／ソク：墨左傍] ツク ツラヌ …　（観智院本類聚名義抄／法中 117-1）

　　續 [入] ショク　　　　　　　　　　　　　　　　　　　（長承本蒙求／017）

　　續断 拾遺本草云續断 去声和名波美一云於仁乃夜加良 …　（元和本倭名類聚抄／巻二十 06 ウ 7）

▶番号 2041b「俗」（流俗）の仮名音注「ショク」については、基本的に -jok で対応する。当該字には入声点を差す。観智院本類聚名義抄に同音字注「音續」（その右傍に朱筆で仮名音注「ソク」）を見出す。朱筆は原則的に正音を示すが、上述の分析から見て、日本呉音「ソク」を認める。

　　俗 音續 [ソク：朱右傍] ヨヲトコ … トコロ　　　　　（観智院本類聚名義抄／佛上 021-7）

▶番号 1951b「辱」（寵辱）の仮名音注「ショク」については、基本的に -jok で対応する。当

該字には入声濁点を差すので、字音「ジョク」を想定する。熟字1951「寵辱」は右傍「メクマレ ニクマル」を付載する。観智院本類聚名義抄に同音字注「音蓐」および低平調と推測する和音「ニク」を見出す。日本呉音「ニク」入声を認める。

　　　辱 ハツ［平上濁］ ハチ［平平濁］ … 和ニク［□平］　　　（観智院本類聚名義抄／法下109-3）

　　　辱 音蓐 ハツカシム［平上濁平上平］ … ケカス［平上濁□］　　（観智院本類聚名義抄／法下144-3）

　▶番号1907b「辱」（恥辱）の仮名音注「ショク」については、基本的に -jok で対応する。当該字には入声点を差す。上述の分析を参照。

　▶番号0993b「辱」（忍辱）の仮名音注「ニク」については、基本的に -ik で対応する。当該字には入声点を差す。熟字0993「忍辱」は右傍「シノヒ ハツ」を付載する。上述の分析を参照。

　▶番号0064c「躅」（羊躑躅）の仮名音注「チヨク」については、基本的に -jok で対応する。当該字には入声点を差す。熟字0064「羊躑躅」は右注「イハツヽシ」中左注「羊設食之／躑躅而死／故以名也」を付載する。観智院本類聚名義抄に反切「又徒玉反」と同音字注「直」および「呉音的」と仮名音注「チヤク」〔＊チヨクの誤認か〕を見出す。この呉音注は「躅」に対する同音字注である。石山寺一切経蔵本大般若経字抄における漢呉二音相同の同音字注「的」からも首肯できる。元和本倭名類聚抄には同音字注「直」がある。日本呉音「チヨク」の蓋然性が高い。

　　　躅 アト［平上］ 又徒玉反 … 呉音的 チヤク　　　（観智院本類聚名義抄／法上074-8）

　　　羊躑躅 イハツヽシ［上上□□□］ … 攎直二音　　（観智院本類聚名義抄／法上075-2）

　　　跼躅 ［条的：右傍］ 踊也　　　　　　　（石山寺一切経蔵本大般若経字抄／25 オ7）

　　　羊躑躅　陶隠居本草云羊躑躅 攎直二音和名以波豆々之一云毛知豆々之 …

　　　　　　　　　　　　　　　　　　　　　　　　　（元和本倭名類聚抄／巻二十26 ウ4）

　▶番号2680a「幞」（幞頭）の仮名音注「ホク」については、基本的に -ok で対応する。当該字には入声濁点を差すので、字音「ボク」を想定する。熟字2680「幞頭」は右注「同（カウフリ）」を付載する。観智院本類聚名義抄に同音字注「音僕」を見出すが、仮名音注はない。元和本倭名類聚抄には同音字注「音僕」がある。

　　　幞 音僕 ツム［平平上／□□ミ［平］］／衣 ツヽミ　（観智院本類聚名義抄／法中103-6）

　　　幞頭 カウフリ［平平平濁平］　　　　　　　　　　（観智院本類聚名義抄／法中103-6）

　　　冠 幞頭附 … 辨色立成云幞頭 加宇布利幞音僕 …　　（元和本倭名類聚抄／巻十二17 ウ1）

　▶番号0274b・1602b・3260a・3261a「欲」（婬欲・貪欲・欲然・欲益）の仮名音注「ヨク」については、基本的に -jok で対応する。当該諸字四例には入声点を差す。観智院本類聚名義抄に反切「余蜀反」および和音「ヨク」を見出す。日本呉音「ヨク」を認める。

　　　欲 余蜀反 オモフ［平平上］ … 和ヨク　　　　　（観智院本類聚名義抄／僧中049-8）

　▶番号3295「欲」（ヨク）の仮名音注「ヨク［平平］」については、基本的に -jok で対応する。当該字に声点はないが、その仮名音注に低平調の差声を施す。当該字は番号3205「慾」の直下に後

続し、右注「同（ヨク［平平］）」を付載する。上述の分析を参照。

　▶番号3205「慾」（慾）の仮名音注「ヨク［平平］」については、基本的に -jok で対応する。当該字に声点はないが、その仮名音注に低平調の差声を施す。観智院本類聚名義抄に同音字注「音欲」および和音「ヨク」を見出す。日本呉音「ヨク」を認める。

　　慾 音欲 貧慾／ネカフ　　　　　　　　　　　　（観智院本類聚名義抄／法中 090-4）

　　慾 和ヨク　　　　　　　　　　　　　　　　　（観智院本類聚名義抄／法中 101-8）

　▶番号3270a「慾」（慾心）の仮名音注「ヨク」については、基本的に -jok で対応する。当該字には入声点を差す。熟字3270「慾心」は左注「オゝホル欤」〔＊オホゝルの誤認か〕を付載する。観智院本類聚名義抄に和訓「オホヽル」三例を見出す。上述の分析を参照。

　　妷 俗欤 ネタム／フケル オホヽル　　　　　　　（観智院本類聚名義抄／佛中 010-8）

　　漂 音飄 ウカフ［上平□］タヽヨフ［上平濁□□］オホヽル …　（観智院本類聚名義抄／法上 004-1）

　　溺 然音 水流也 又弱尿二音 オホヽル … タヽヨフ　　（観智院本類聚名義抄／法上 011-1）

　▶番号2066a・2097a「緑」（緑珠・緑林）の仮名音注「リヨク」については、基本的に -jok で対応する。両当該字には入声点を差す。観智院本類聚名義抄に反切「良玉反」および和音「ロク」を見出す。長承本蒙求に仮名音注「リヨク」があり、その掲出字に徳声点を加える。日本漢音「リヨク」徳声（四声体系では入声）日本呉音「ロク」を認める。

　　緑 良玉反 青黄／ミトリ［上上濁□］和ロク　　（観智院本類聚名義抄／法中 135-5）

　　緑［徳］リヨク　　　　　　　　　　　　　　　（長承本蒙求／070）

　▶番号0424a「緑」（緑青）の仮名音注「ロク」については、基本的に -ok で対応する。当該字に声点はない。上述の分析を参照。

　　緑青 本草云緑青一名碧青 緑青俗音祿省　　（元和本倭名類聚抄／巻十三12 オ7）

　▶番号0425a「緑」（緑衫）の仮名音注「ロウ」については、基本的に -oū で対応する。当該字に声点はない。熟字0425「緑衫」は右注「ロウサウ」を付載する。仮名の字形相似による「ロクサム」の誤認か。表は紺、裏は紫または蘇芳による襲の色目を指す。上述の分析を参照。

　▶番号0442a・1371b「録」（録事・偏録）の仮名音注「ロク」については、基本的に -ok で対応する。両当該字には入声点を差す。観智院本類聚名義抄に反切「力玉反」（その反切下字に入声濁点）を見出すが、仮名音注はない。日本漢音は入声を認める。

　　録 力玉［□入濁］反 圖録／シルシ［上上□／□□ス［平］］…（観智院本類聚名義抄／僧上 137-1）

　▶番号0428・0429a・0429b・0461「録」（録・録ゝ・録ゝ・録）の仮名音注「ロク」については、基本的に -ok で対応する。当該諸字四例に声点はない。番号0428「録」は右注「ロクス」サ変動詞を、熟字0429「録ゝ」は左注「ウナツキアハス」を、番号0461「録」は左注「在八省」を付載する。上述の分析を参照。

708　3．仮名音注の韻母別考察　3-4　ⅢB韻類

《下巻 燭韻諸例》

▶番号3847b「曲」（郢曲）の仮名音注「クヰヨク」については、基本的に -wjok で対応する。当該字には入声点を差す。上巻の燭韻当該例で分析したように、日本漢音「クヰヨク」入声、日本呉音「コク」入声を認める。

▶番号3598a・4005b「曲」（曲水・諸曲）の仮名音注「コク」については、基本的に -ok で対応する。両当該字には入声点を差す。上述の分析を参照。

▶番号3716a「曲」（曲肱）の仮名音注「コク」については、基本的に -ok で対応する。当該字に声点はない。熟字3716「曲肱」は右傍「マク ヒチヲ」を付載する。上述の分析を参照。

▶番号3559b「局」（棊局）の仮名音注「キヨク」については、基本的に -jok で対応する。当該字には入声点を差す。熟字「棊局」は右傍3559「キ キヨク」右注6978「コハン」左注「渠玉也」を付載する。いわゆる「棋盤・碁盤」のことである。上巻の燭韻当該例で分析した。

▶番号6978b「局」（局）の仮名音注「ハン」については、異例 -an を示す。当該字には入声点を差す。熟字「棊局」は右傍3559「キ キヨク」右注6978「コハン」左注「渠玉也」を付載する。いわゆる「棋盤・碁盤」のことである。上巻の燭韻当該例で分析した。

▶番号5048a「跼」（跼蹐）の仮名音注「キヨク」については、基本的に -jok で対応する。当該字には入声点を差す。観智院本類聚名義抄に同音字注「音局」（その右傍に墨筆で仮名音注「クヰヨウ」〔＊クキヨクの誤認か〕）を見出す。日本漢音「クヰヨク」の蓋然性が高い。

　　　跼 音局 [クヰヨウ：墨右傍] … セクヽマル [上上□□□]　　　（観智院本類聚名義抄／法上 077-1)

▶番号5847b「玉」（象玉）の仮名音注「キヨク」については、基本的に -jok で対応する。当該字に声点はない。上巻の燭韻当該例で分析したように、日本漢音は徳声（四声体系では入声）を認める。

▶番号6035「獄」（獄）の仮名音注「コク」については、基本的に -ok で対応する。当該字には入声濁点を差すので、字音「ゴク」を想定する。また、右注「ヒトヤ」左注「魚欲反」右傍「コク俗」仮名音注を付載する。観智院本類聚名義抄に同音字注「玉」（その右注・左注に墨筆で仮名音注「ハ・コク」）を見出す。右注「ハ」は仮名音注でなく、右下隅に差声すべき入声濁点の誤認と推測する。また同書の凡例部分「朱音者正音也墨声者和音也」（篇目7-6）に従えば、朱墨で正音と和音を分別する傾向があるので、観智院本の当該左注は和音を示すと考える。元和本倭名類聚抄には反切「語欲反」がある。日本呉音「ゴク」入声を認める。

　　　獄 音玉 [ハ：墨右注・コク：墨左注] ヒトヤ [上上上] …　　　（観智院本類聚名義抄／佛下本 131-2)
　　　獄 四聲字苑云獄 語欲反和名比度夜 牢罪人所也 …　　　（元和本倭名類聚抄／巻十三 18 オ 2)

▶番号3703a「獄」（獄囚）の仮名音注「コク」については、基本的に -ok で対応する。当該字に声点はない。上述の分析を参照。

3-4-1　-iɑ 系の字音的特徴　709

▶番号5473b「足」（承足）の仮名音注「ソク」については、基本的に -ok で対応する。当該字に声点はない。廣韻に拠れば、燭韻（tsiɑuk）遇韻（tsiuʌ³）二音を有する。熟字5473「承足」は中左注「御椅子／前置／承足是也」を付載する。広辞苑第七版は「幼帝が椅子にかける時に足をうけてのせる台」と説明する。観智院本類聚名義抄に反切「子欲反・又将喩反」と「本音入声」および平声点を付した「呉音趣」を見出す。元和本倭名類聚抄には反切「即玉反」がある。日本漢音は入声を認める。

　　　足 … 子欲反 アシ［平平］… 本音入声 又将喩反 呉音趣［平］…

　　　　　　　　　　　　　　　　　　　　　　（観智院本類聚名義抄／法上 073-1）

　　　脚足　釋名云 … 足 即玉反 言踵續也趾 音止和名並阿之 …

　　　　　　　　　　　　　　　　　　　　　　（元和本倭名類聚抄／巻三 14 ウ 4）

▶番号4772b「促」（催促）の仮名音注「ソク」については、基本的に -ok で対応する。当該字には入声点を差す。上巻の燭韻当該例で分析した。

▶番号4088「粟」（粟）の仮名音注「シヨク」については、基本的に -jok で対応する。当該字に声点はなく、右注「アハ」左注「相玉反」を付載する。観智院本類聚名義抄に反切「相足反・思録反」および和音「ソク」を見出す。長承本蒙求に仮名音注「ソク」〔*呉音系字音か〕と「シヨク」があり、その掲出字に德声点を差す。同書は平安時代院政初期である長承三年（1134）に加点された墨筆（例示で両音形ある場合は右側）を中心とするが、平安時代中期と推定する古い朱筆（両音形ある場合は左側）の加点もある。元和本倭名類聚抄には反切「相玉反」を見つける。日本漢音「シヨク」德声（四声体系では入声）日本呉音「ソク」を認める。

　　　粟 相足反／今粟　　　　　　　　　　　（観智院本類聚名義抄／法上 100-6）

　　　粟 思録反 アハ［平上］… 和ソク　　　　（観智院本類聚名義抄／法下 037-3）

　　　粟 ［德］ソク／シヨク　　　　　　　　　　　（長承本蒙求／023）

　　　粟 唐韻云粟 相玉反字亦作粟和名阿波 禾子也 …　　（元和本倭名類聚抄／巻十七 04 ウ 5）

▶番号6730b「俗」（世俗）の仮名音注「ソク」については、基本的に -ok で対応する。当該字には入声濁点を差すので、字音「ゾク」を想定する。上巻の燭韻当該例で分析したように、日本呉音「ソク」を認める。

▶番号5867a「燭」（燭夜）の仮名音注「シヨク」については、基本的に -jok で対応する。当該字には入声点を差す。上巻の燭韻当該諸例で分析したように、日本漢音「シヨク」德声（四声体系では入声）日本呉音「ソク」入声を認める。

▶番号5449b「燭」（紙燭）の仮名音注「ソク」については、基本的に -ok で対応する。当該字に声点はない。元和本倭名類聚抄には「紙燭俗音之曾玖」がある。上述の分析を参照。

　　　紙燭　雜題有紙燭詩 紙燭俗音之曾玖　　　（元和本倭名類聚抄／巻十二 11 オ 1）

▶番号5865a「蜀」（蜀江）の仮名音注「シヨク」については、基本的に -jok で対応する。当

710　3．仮名音注の韻母別考察　3-4　ⅢB韻類

該字には入声点を差す。観智院本類聚名義抄に反切「時爥反」を見出す。長承本蒙求には仮名音注「シヨク」があり、その掲出字に入声点を加える。日本漢音「シヨク」入声を認める。

　　　蜀 時爥反 枣虫／ヨル 虫部　　　　　　　　　　　　　（観智院本類聚名義抄／僧中011-2）

　　　蜀 ［入］シヨク　　　　　　　　　　　　　　　　　　　　　（長承本蒙求／023）

　▶番号4037b・5732a「辱」（寵辱・辱合）の仮名音注「シヨク」については、基本的に -jok で対応する。両当該字には入声点を差す。熟字4037「寵辱」は左注「メクマレニクマル」〔＊←メクロレニクマル〕を付載する。上巻の爥韻当該諸例で分析したように、日本呉音「ニク」入声を認める。

　▶番号6402c「躅」（羊蹢躅）の仮名音注「チヨク」については、基本的に -jok で対応する。当該字には入声点を差す。上巻の爥韻当該例で分析したように、日本呉音「チヨク」の蓋然性が高い。

　▶番号5347・6129「瘃」（瘃・瘃）の仮名音注「キク」については、基本的に -ik で対応する。両当該字には入声点を差す。本来は仮名音注「チヨク」を期待する。仮名字形の相似する「チク」の誤認か。番号5347「瘃」は右注「シモクチ」左注「又ヒミ 竹足反」を、番号6129「瘃」は右注「ヒミ［平平］左注「ヒミ［平平濁］」を付載する。観智院本類聚名義抄に反切「竹足反」を見出すが、仮名音注はない。元和本倭名類聚抄に反切「陟玉反」がある。

　　　瘃 竹足反 ヒミ［平平／□ヒ［平］］／シモクチ［平平平濁平］　（観智院本類聚名義抄／法下128-4）

　　　瘃　漢書音義云瘃 陟玉反和名比美辨色立成云之毛久知 …　　（元和本倭名類聚抄／巻三27ウ9）

　▶番号3431b「幞」（帊幞）の仮名音注「ホク」については、基本的に -ok で対応する。当該字には入声点を差す。熟字3431「帊幞」は右注「コロモツヽミ」を付載する。上巻の爥韻当該例で分析した。

　　　帊幞 … 帊衣曰幞 音僕 楊氏漢語抄云衣幞 古路毛都々美

　　　　　　　　　　　　　　　　　　　　　　　　　　（元和本倭名類聚抄／巻十四20オ7）

　▶番号5216a・5249「浴」（浴室・浴）の仮名音注「ヨク」については、基本的に -jok で対応する。両当該字には入声点を差す。熟字5216「浴室」は右注「ユヤ」を付載する。観智院本類聚名義抄に同音字注「欲」を見出すが、仮名音注はない。

　　　沐浴 木欲二音 … 下ユアム … アムス　　　　　　　（観智院本類聚名義抄／法上007-7）

　　　浴室 ユヤ［平平］　　　　　　　　　　　　　　　（観智院本類聚名義抄／法下052-4）

　　　浴室　内典夕溫室經今案溫室即浴室也 俗云由夜　　（元和本倭名類聚抄／巻十三03オ3）

　▶番号5235「浴」（浴）の仮名音注「ヨク」については、基本的に -jok で対応する。当該字に声点はなく、右注「ユアム」を付載する。上述の分析を参照。

　▶番号6106a「緑」（緑珠）の仮名音注「リヨク」については、基本的に -jok で対応する。当該字には入声点を差す。上巻の爥韻当該諸例で分析したように、日本漢音「リヨク」徳声（四声体系では入声）日本呉音「ロク」を認める。

▶番号5091b「録」（記録）の仮名音注「ロク」については、基本的に *-ok* で対応する。当該字には入声点を差す。上巻の燭韻当該諸例で分析したように、日本漢音は入声を認める。

▶番号6469b「録」（目録）の仮名音注「ロク」については、基本的に *-ok* で対応する。当該字に声点はない。上述の分析を参照。

3-4-1-11　-iɑ系の基本的な表記

以下に【表6-01】〜【表6-06】を分析した結果をまとめる。なお、日本語音韻史における音変化などを反映する場合には *()* で囲む処理をする。それ以外の異例（例えば、諸声符読みや誤認など）については *[]* を用いて表示する。

-iɑi	〔廢韻〕	*-ai* *[-ei] [-eu]*	- iuɑi	〔廢韻〕	*-we*
-iɑm	〔嚴/儼/釅韻〕	*-em, -om* *[-am]*			
-iɑp	〔業韻〕	*-ep* *(-eu)* *[-iu]*			
-iɑn	〔元/阮/願韻〕	*-an, -en, -on* *(-em)* *[-a] [-iu] [-o]*	-iuɑn	〔元/阮/願韻〕	*-wan, -wen, -on*
-iɑt	〔月韻〕	*-at, -et, --ot*	-iuɑt	〔月韻〕	*--wat, -wet, -ot*
-iɑŋ	〔陽/養/漾韻〕	*-aŭ, -jaŭ* *(-oŭ)* *[-a] [-aga] [-ako] [-am] [-an] [-ei] [-eu] [-ja] [-waŭ]*	-iuɑŋ	〔陽/養/漾韻〕	*-waŭ*
-iɑk	〔藥韻〕	*-ak, -jak* *[-at] [-jau]*	-iuɑk	〔藥韻〕	*-wak, -wjak*
-iɑuŋ	〔鍾/腫/用韻〕	*-ŭ, -uŭ, -juŭ, -iŭ(-jŭ), -oŭ, -joŭ, -wjoŭ* *[-eu] [-in] [-o]*			
-iɑuk	〔燭韻〕	*-uk, -juk, -ik, -ok, -jok*			

ここで、-iɑ系における前田本の仮名音注が示す基本的対応を【表08】にまとめておくと、-iɑ系は *a, ja*（日本語のア列音）で対応し、日本漢字音として把握する。一部 *-o*（オ列音）で対応する

場合など個々の問題は当該箇所で述べた。また、中国語音を忠実に把握しようとする工夫があり、複雑な仮名音注を示す場合がある。

　番号3230「擁」の仮名音注は「ヨウ」を付載するが、承暦本金光明最勝王経音義の同音字注「應」は -joŭ であるかどうか判然とはしない。観智院本類聚名義抄の和音「オウ」（その右傍に墨筆で喉内撥音韻尾「✓」表記）は -oŭ を示している。番号1684a・2545a・3231「擁」では仮名音注「ヰヨウ」を掲げる。対応としては -wjoŭ と考える。この字音表記も中国語音を可能な限り取り入れ反映しようとする工夫である。頭子音 ’-（いわゆる影母）から主母音 -ɑ- に渡る間に挟まれた拗介音 -i- を、いかに日本語の音節構造に反映させるかという問題である。仮名音注「ヨウ」と「ヰヨウ」とは日本漢字音を定着させていく馴化の一過程を物語る。

【表08】

	-ø	-i	-u	-m	-p	-n	-t	-ŋ	-k	-uŋ	-uk
		-ai		-am		-an	-at	-aŭ	-ak		
								-jaŭ	-jak		
				-om		-on	-ot	(-oŭ)		-oŭ	-ok
										-joŭ	-jok
-iɑ-										-wjoŭ	
					-ep	-en	-et			-ŭ	-uk
					(-eu)	(-em)				-uŭ	
										-juŭ	-juk
										-iŭ(-jŭ)	-ik
						-wan	-wat	-waŭ	-wak		
-iuɑ-									-wjak		
						-on	-ot				
		-we				-wen	-wet				

3-4-2　-iʌ 系の字音的特徴

3-4-2　-iʌ 系の字音的特徴

韻母 -iʌ 系グループとは、主母音 -ʌ- を有する諸韻目、魚/語/御韻・虞/麌/遇韻・微/尾/未韻・尤/有/宥韻・凡/范/梵・乏韻・欣(殷)/隠/㤁・迄韻・文/吻/問/物韻・東/送/屋韻を指す。なお、記号「/」による区別は四声（平/上/去/入声）を示している。該当する前田本の諸例を以下の 3-4-2-1 から 3-4-2-9 に集約した。

3-4-2-1　-iʌ（魚/語/御韻）

資料篇【表B-07】には魚韻（平声）語韻（上声）御韻（去声）所属の諸例が含まれる。熟字の場合は資料篇【表A-01】【表A-02】をも参照しながら、それを当該字の直後に括弧内で示す。単字も同様の表示を行う。以下の諸韻も同様。前田本の示す仮名音注は、-o, -jo で基本的に対応する。これらは中国語音における主母音 -ʌ- の音声的特徴を反映した字音把握と認められる。また、円唇性を特徴とする p- 系字音が存在しないのも主母音の音声的特徴ゆえと考える。異例として、-an, -eu, -i, -iu, -jou, -u がある。

《上巻　魚韻諸例》

▶番号 0321b・0322b・0329b・0435b・1378b・1382b・1945b・3046b「居」（幽居・邑居・隠居・籠居・辟居・弊居・蟄居・閑居）の仮名音注「キヨ」については、基本的に -jo で対応する。当該諸字八例には平声点を差す。熟字1378「辟居」は右傍「メシ スウ」を、熟字1382「弊居」は右傍「ヤフレ キル」を、熟字1945「蟄居」は右傍「ヒシケ キル」を付載する。観智院本類聚名義抄に反切「擧魚反」と同音字注「又音基」および和音「コ」を見出す。日本呉音「コ」を認める。

　　　居　擧魚反 キル … 又音基／語助／和コ　　　　　（観智院本類聚名義抄／法下089-4）
▶番号 1288「椐」（椐）の仮名音注「キヨ」については、基本的に -jo で対応する。当該字には平声点を差し、右注「ヘミノキ」を付載する。観智院本類聚名義抄に東声点を付した同音字注「音居」と去声点を付した同音字注「一音路」〔＊踞の誤認〕さらに「又音祛」を見出すが、仮名音注はない。同書において、東声を弁別的に認識していたか判然としない。元和本倭名類聚抄には同音字注「音居・一音踞」がある。日本漢音は東/去声（四声体系では平/去声）を認める。

　　　椐　音居［東］一音路［去］ヘミ［平平］ … 又音祛　　（観智院本類聚名義抄／佛下本089-7）
　　　椐　玉篇云椐 音居一音踞漢語抄云閇美　　　　（元和本倭名類聚抄／巻二十24 オ6）
▶番号 1090「胠」（胠）の仮名音注「コ」については、基本的に -o で対応する。当該字には平声点を差し、右注「ホシ𠮷シ」左注「鳥臘也」を付載する。観智院本類聚名義抄に反切「渠居反」

714　3．仮名音注の韻母別考察　3-4　ⅢB韻類

を見出すが、仮名音注はない。元和本倭名類聚抄に同音字注「居」がある。

　　　腒　漿居反 鳥腊／キタヒ物［上上□□］　　　　　　（観智院本類聚名義抄／佛中120-8）

　　　腊　唐韻云腒腊 居借二音和名木多比 乾肉也 …　　（元和本倭名類聚抄／巻十六20 ウ2）

　　　鹿脯　說文云脯 音甫和名保之々 乾肉也 …　　　　（元和本倭名類聚抄／巻十六20 ウ4）

▶番号2201「墟」（墟）の仮名音注「キウ」については、異例 -iu を示す。当該字には平声点を差し、右注「同（ヲカ）」左注「大丘也」を付載する。観智院本類聚名義抄に反切「去魚反」を見出すが、仮名音注はない。

　　　墟　去魚反 ツチカマ … ツイヒチ 邑也 店也　　　　（観智院本類聚名義抄／法中057-4）

▶番号0526b「蕖」（芙蕖）の仮名音注「キヨ」については、基本的に -jo で対応する。当該字には平声点を差す。熟字0526「芙蕖」は右注「同（ハチス）蓮花已開日芙蕖」を付載する。観智院本類聚名義抄に平声点を付した同音字注「音渠」を見出すが、仮名音注はない。元和本倭名類聚抄には同音字注「音渠」がある。日本漢音は平声を認める。

　　　芙蕖　音渠［平］ハチス／芙蕖 … ハチス　　　　　（観智院本類聚名義抄／僧上005-5）

　　　芙蕖　爾雅云荷芙蕖 符芙音同蕖音渠 …　　　　　　（元和本倭名類聚抄／巻二十17 ウ6）

▶番号0084・1353b「魚」（魚・氷魚）の仮名音注「キヨ」については、基本的に -jo で対応する。両当該字には平声点を差す。番号0084は右注「イヲ」を付載する。観智院本類聚名義抄に反切「語居反」および和音「キヨ・又コウ」を見出す。和音「コウ」は長音 -ou > -oo による字音把握か。一音節二拍「コ」と考え得る。長承本蒙求には仮名音注「キヨ」があり、それを含む掲出字二例に平声点を加える。元和本倭名類聚抄には反切「語居反」がある。日本漢音「キヨ」平声、日本呉音「キヨ・コ」を認める。

　　　隻魚 … 語居反 ウヲ［上上］俗云イヲ［上上］／和キヨ 又コウ

　　　　　　　　　　　　　　　　　　　　　　　　　　　（観智院本類聚名義抄／僧下001-2）

　　　魚［平］キヨ　　　　　　　　　　　　　　　　　　（長承本蒙求／017・128）

　　　魚［平］　　　　　　　　　　　　　　　　　　　　（長承本蒙求／063）

　　　魚　文字集略云魚 語居反和名字乎俗云伊遠 …　　　（元和本倭名類聚抄／巻十九01 ウ9）

▶番号0950b「魚」（人魚）の仮名音注「キヨ」については、基本的に -jo で対応する。当該字には上声濁点を差すので、字音「ギヨ」を想定する。熟字0950「人魚」は左注「魚身人面也」を付載する。上述の分析を参照。

▶番号0105a「漁」（漁子）の仮名音注「キヨ」については、基本的に -jo で対応する。当該字には平声点を差す。熟字0105「漁子」は右注「イヲトリ」を付載する。図書寮本類聚名義抄に平声濁点を付した同音字注「音魚✓」および低平調と推測する「真云木与」（借字「木」の去声点位置に濁音「✓」表記）を見出す。観智院本類聚名義抄に平声濁点を付した同音字注「音魚」および「和同・又去」を見つける。長承本蒙求には仮名音注「キヨ」があり、その掲出字に平声点を加える。

元和本倭名類聚抄には同音字注「音魚」がある。日本漢音「ギヨ」平声、日本呉音「ギヨ」平/去声を認める。

漁 川云音魚✓ [平濁□] 須奈度利 [平平平濁平] ／真云木与 [□平／✓□：去声点位置]
　　　　　　　　　　　　　　　　　　　　　　　　　　　（図書寮本類聚名義抄／060-5）

漁 音魚／スナトリ　　　　　　　　　　　　　　　　　（観智院本類聚名義抄／法上 038-6）

漁 … 音魚 [平濁] 和同／又去 スナトリ [平平平濁平]　　（観智院本類聚名義抄／僧下 005-8）

漁 [平] キヨ　　　　　　　　　　　　　　　　　　　　　　　　（長承本蒙求／078）

漁釣具第百九十四 漁音魚說文云捕魚也謂須奈度利　　（元和本倭名類聚抄／巻十五07ウ3）

漁子　文選江賦云蘆人漁子 和名伊乎止利 …　　　　（元和本倭名類聚抄／巻二09ウ9）

▶番号2532「瞁」（瞁）の仮名音注「キヨ」については、基本的に -jo で対応する。当該字に声点はなく、右注「カシメ」左注「馬二目白也」を付載する。この左注は廣韻など切韻系韻書の注記を出典とする。観智院本類聚名義抄に音注表記はない。高山寺本篆隷萬象名義には反切「語居反」がある。天治本新撰字鏡には反切「言居反」がある。

瞁 爾雅云馬二目白魚字也或從目　　　　　　　　　　　　　（宋本廣韻／疑母魚韻）

瞁 カシメ 鳥目也／白　　　　　　　　　　　　　（観智院本類聚名義抄／佛中 078-8）

瞁 語居反 兩目白似魚目　　　　　　　　（高山寺本篆隷萬象名義／第一帖099オ3）

瞁 言居反 馬之目病又馬兩目白也　　　　　　　（天治本新撰字鏡／巻二07オ7）

▶番号1356b「虚」（憑虚）の仮名音注「キヨ」については、基本的に -jo で対応する。当該字には平声点を差す。観智院本類聚名義抄に上昇調を示す和音「コオ」を見出す。これは長音 -oo による一音節二拍の字音把握である。日本呉音「コ」去声を認める。

虚虚虚 上通中下正 ムナシ [上上□] … 和コオ [平上]　　（観智院本類聚名義抄／法下 094-2）

▶番号3134b「且」（只且）の仮名音注「シヨ」については、基本的に -jo で対応する。当該字に声点はない。廣韻に拠れば、魚韻 (tsiʌ¹) 馬韻 (ts'ia²) 二音を有する。熟字3134「只且」は右注「カクハカリ」を付載する。観智院本類聚名義抄に反切「子餘反」および去声点を付した和音「書」さらに呉音「者」仮名音注「シヤ」を見出す。同書で「書」を再検索すると、上昇調と推測する和音「シヨ」を見つける。これら和音と呉音は大般若経字抄による引用である。日本呉音「シヤ」去声を認める。また日本呉音「シヨ」去声の蓋然性が高い。

且 子餘反 和音書 [去] カクハカリ [上上濁上濁□□] …　（観智院本類聚名義抄／佛中 076-8）

且 呉音者 今也 シヤ [平上] シハラク [平平濁□□] …　（観智院本類聚名義抄／佛上 078-2）

書 傷餘反 カク シルス フミ [上平] ／ノフ 和シヨ [□上]　（観智院本類聚名義抄／佛中 099-8）

只且 カクハカリ [上上上濁上平] …　　　　　　　　（観智院本類聚名義抄／佛上 078-3）

只千 [シヤ：朱右傍] トチヽハカリナリ　　　　　　　（観智院本類聚名義抄／佛上 078-3）

只且 カクハカリ [上平平濁上上]　　　　　　　　　（観智院本類聚名義抄／佛中 050-1）

716　3．仮名音注の韻母別考察　3-4　ⅢB韻類

　　只且 カクハカリ　　　　　　　　　　　　　　　（観智院本類聚名義抄／佛中 097-5）

　　且［音者：右傍］… 従目一字音書詞也 …　　　　（石山寺一切経蔵本大般若経字抄／14 ウ 4）

　▶番号0792b「苴」（苞苴）の仮名音注「シヨ」については、基本的に -jo で対応する。当該字
には平声点を差す。廣韻に拠れば、魚／麌韻（tsiʌ¹ᐟ²）御韻（tsʻiʌ¹）麻韻（dʑaʌ¹）四音を有する。熟字
「苞苴」は右傍「アラマキ」を付載する。観智院本類聚名義抄に同音字注「音同」〔＊疽［平／シヨ：
朱右傍］〕と「又音嗟・又音且」を見出す。また同音字注「書」も見つける。元和本倭名類聚抄には
同音字注「書」がある。日本漢音「シヨ」平声を認める。

　　艹+狙 音疽［平／シヨ：朱右傍］苞艹+狙　　　　　　（観智院本類聚名義抄／僧上 009-2）

　　苴 音同 … ツ ハ ム アラマキ／又音嗟 又音且 アサ［平平］…　（観智院本類聚名義抄／僧上 009-2）

　　苞苴 包書二音 オホニヘ［平平平平］俗云アラマキ［上上□□］…

　　　　　　　　　　　　　　　　　　　　　　　　（観智院本類聚名義抄／僧上 009-3）

　　苞苴　唐韻云苞苴 包書二音 裏魚肉也 … 俗云 阿良萬岐

　　　　　　　　　　　　　　　　　　　　　　　　（元和本倭名類聚抄／巻十五 07 ウ 3）

　▶番号1295b「疽」（癰疽）の仮名音注「ソ」については、基本的に -o で対応する。当該字に
は上声点を差す。観智院本類聚名義抄に反切「七余反」と「俗云去声」および去声点を付した和音
「ソ」と低平調を示す「シヨ」〔＊正音か〕を見出す。元和本倭名類聚抄に反切「七余反」がある。
日本呉音「ソ」去声と字音「シヨ」平声、また定着久しい字音は去声を認める。

　　疽 … 七余反 俗云去声 一名發／背 和音ソ［去］シヨ［平平］　（観智院本類聚名義抄／法下 114-1）

　　疽　説文云疽 七余反俗云發背 久癰也　　　　（元和本倭名類聚抄／巻三 25 オ 1）

　▶番号0960「菹」の仮名音注「ソ」については、基本的に -o で対応する。当該字には平声点を
差し、右注「ニラキ」左注「酢菜也」右傍「ソ」仮名音注〔＊綴じ目で不鮮明〕を付載する。当該字は
「菹」（魚韻 tsiʌ¹）と相互に異体字である。観智院本類聚名義抄に平声点を付した同音字注「徂」
（模韻 dzuʌ¹／その右傍に墨筆で仮名音注「ソ」）と反切「又仄臾反」を見出す。同書の凡例部分
「朱音者正音也墨声者和音也」（篇目 7-6）に従えば、朱墨で正音と和音を分別する傾向がある。
元和本倭名類聚抄には反切「側魚反」がある。日本漢音は平声、日本呉音「ソ」を認める。

　　菹 説文曰酢菜也亦作葅 側魚切四 …　　　　　　　　　　　（宋本廣韻／魚韻 tsiʌ¹）

　　菹 音徂［平／ソ：墨右傍］ニラキ／又仄臾反　　（観智院本類聚名義抄／僧上 009-1）

　　葅 通菹字 音同 … 又音同 ニラキ［平平□／□□ク［上］］　（観智院本類聚名義抄／僧上 009-1）

　　菹 説文云菹 側魚反和名邇良木楊氏漢語抄云榆末菜也 菜鮓也

　　　　　　　　　　　　　　　　　　　　　　　　（元和本倭名類聚抄／巻十六 18 オ 6）

　▶番号0692「初」（初）の仮名音注「シヨ」については、基本的に -jo で対応する。当該字には
平声点を差し、右注「ハシメ」を付載する。観智院本類聚名義抄に反切「楚魚反」を見出すが、仮
名音注はない。

3-4-2　-iʌ 系の字音的特徴　717

初 楚魚反 裁之之始 ハシメ［上上濁□／□□ム：墨右傍］　　　　（観智院本類聚名義抄／法中 146-8）

▶番号2157「誚」（譙）の仮名音注「シヨ」については、基本的に -jo で対応する。当該字に声点はなく、和訓「ヌスム」の同訓異字として位置する。観智院本類聚名義抄に反切「先呂反」を見出すが、仮名音注はない。

巿+胥 誚正 先呂反／智 從心　　　　　　　　　　　　　　（観智院本類聚名義抄／法中 106-1）

▶番号1557「疏」（疎）の仮名音注「ソ」については、基本的に -o で対応する。当該字には平声点を差し、左右注「已上／トホル」を付載する。和訓「トホル」の同訓異字として位置する。観智院本類聚名義抄に同音字注「音疎」および低平調と推測する和音「シヨ」を見出す。日本呉音「シヨ」平声を認める。

疏 音疎 ヒラク … ホル 和シヨ［□平：墨点］ツク　　　　　（観智院本類聚名義抄／法上 088-8）

▶番号2637a「撈」（撈蒲）の仮名音注「チヨ」については、基本的に -jo で対応する。当該字には平声点を差す。熟字2637「撈蒲」は右注「カリウチ」左注「又カリ」右傍「チヨホ」を付載する。観智院本類聚名義抄に反切「勅扵他奴反」を見出すが、仮名音注はない。元和本倭名類聚抄は木偏「樗」を掲げる。

撈 シラカリ 撈蒲 勅扵他奴反 擲也 … カリウチ …　　　　（観智院本類聚名義抄／佛下本 080-5）

樗蒲 兼名苑云樗蒲一名九采 内典云樗蒲和名加利宇知　　　（元和本倭名類聚抄／巻四 05 ウ 4）

▶番号0478・0753b・1892a「除」（除・拜除・除名）の仮名音注「チヨ」については、基本的に -jo で対応する。当該諸字三例には平声点を差す。番号0478「除」は右注「ハシ」左注「玉階也」を、熟字1892「除名」は左注「除罪也」を付載する。図書寮本類聚名義抄に同音字注「音儲」と反切「广云地与反」を見出す。観智院本類聚名義抄には平声点を付した同音字注「音儲」および濁声点を含む上昇調の和音「地ヨ」を見つける。日本漢音は平声、日本呉音「ヂヨ」去声を認める。

除去 音儲 广云地与／反 … 季云波之［上平］…　　　　　　（図書寮本類聚名義抄／196-3）

除 … ハシ［上平］… 音儲［平］和地ヨ［平濁上：墨点］　　（観智院本類聚名義抄／法中 044-3）

地 … トコロ［上上□］… 和チ［平］…　　　　　　　　　　（観智院本類聚名義抄／法中 048-2）

▶番号1824a「除」（除帳）の仮名音注「チヨ」については、基本的に -jo で対応する。当該字には去声濁点を差すので、字音「ヂヨ」を想定する。上述の分析を参照。

▶番号1827a「除」（除目）の仮名音注「チ」については、異例 -i を示す。当該字には去声濁点を差すので、字音「ヂ」を想定する。現行多くの漢和辞典は慣用音「ヂ」を掲げる。上述の分析を参照。

▶番号1826a・1927a「儲」（儲君・儲料）の仮名音注「チヨ」については、基本的に -jo で対応する。両当該字には平声点を差す。その中古音が示す頭子音 ḍ-（等韻学の術語で言う舌音濁澄母）は有声反り舌閉鎖音であり、日本語のダ行音をもって受容するが、中国語音韻史上における濁音声母の無声化(22)を反映する場合はタ行音で対応する。観智院本類聚名義抄に同音字注「音除」を見出

718　3．仮名音注の韻母別考察　3-4　ⅢB韻類

す。長承本蒙求には仮名音注「チヨ」があり、その掲出字に平声点を加える。日本漢音「チヨ」平声を認める。

儲 音除 マウリ［□平□／□□ケ：墨右傍］… ソナフ　　　　　（観智院本類聚名義抄／佛上027-6）

儲［平］チヨ　　　　　　　　　　　　　　　　　　　　　　　　（長承本蒙求／123）

▶番号1358b「如」（蒬如）の仮名音注「シヨ」については、基本的に -jo で対応する。当該字には平声濁点を差すので、字音「ジヨ」を想定する。その中古音が示す頭子音 ń-（等韻学の術語で言う日母）は硬口蓋鼻音であり、日本語のナ行音をもって受容するが、中国語音韻史上における鼻音声母の非鼻音化（denasalization）⒇の影響を反映する場合はザ行音で対応する。観智院本類聚名義抄に反切「仁餘反」（その反切下字に平声点）および上昇調を示す和音「ニヨ」を見出す。長承本蒙求には仮名音注「シヨ」三例があり、それらの掲出字に平声点を加える。日本漢音「ジヨ」平声、日本呉音「ニヨ」去声を認める。

如 仁餘［□平］反 コトシ … 和ニヨ［平上］　　　　　（観智院本類聚名義抄／佛中006-4）

如［平］シヨ　　　　　　　　　　　　　　　　　　（長承本蒙求／101・109・141）

▶番号0969a・0970a・1003a・1012a「如」（如意・如紫覇・如意・如法）の仮名音注「ニヨ」については、基本的に -jo で対応する。当該諸字四例には去声点を差す。熟字0969「如意」は右注「ニヨイ俗」仮名音注を付載する。上述の分析を参照。

▶番号0936b「茹」（蔄茹）の仮名音注「シヨ」については、基本的に -jo で対応する。当該字には平声点を差す。熟字0936「蔄茹」は右注「ニヒマクサ［上上上平］」を付載する。観智院本類聚名義抄には平声濁点を付した同音字注「如」と「又汝音」を見出すが、仮名音注はない。元和本倭名類聚抄には同音字注「如」がある。日本漢音は平声を認める。

蔄茹 閭如［平平濁］二音 ネアサミ［□□上濁□］一云ニマヒクサ［上上上上濁□］… 又汝音 … ユルフ

　　　　　　　　　　　　　　　　　　　　　　　（観智院本類聚名義抄／僧上016-6）

蔄茹　本草云蔄茹 閭如二音和名禰阿佐美一云仁比萬久佐　（元和本倭名類聚抄／巻二十06 オ7）

▶番号2312「余」（余）の仮名音注「ヨ」については、基本的に -jo で対応する。当該字には平声点を差し、和訓「ワレ」の同訓異字として位置する。観智院本類聚名義抄に平声点を付した同音字注「音餘」を見出すが、仮名音注はない。日本漢音は平声を認める。

余 音餘［平］ワレ［平上］… タツ［平上］　　　　（観智院本類聚名義抄／僧中003-4）

▶番号2143b・3235a・3265a「餘」（零餘子・餘塵・餘慶）の仮名音注「ヨ」については、基本的に -jo で対応する。当該諸字三例には平声点を差す。熟字2143「零餘子」は右注「陵イ本」中注「ヌカコ」左注「署預子也」を付載する。観智院本類聚名義抄に平声点を付した同音字注「音余」および「和去」を見出す。長承本蒙求には仮名音注「ヨウ・ヨ」があり、その掲出字に平声点を加える。その仮名音注「ヨウ」は長音 -ou > -oo による一音節二拍の字音把握である。日本漢音「ヨ」平声、日本呉音は去声を認める。

3-4-2　-iʌ系の字音的特徴　719

餘 … 音余［平］アマル［平平上］… 和去　　　　　　（観智院本類聚名義抄／僧上109-2）

餘 ヌカコ［平上上濁］　　　　　　　　　　　　　（観智院本類聚名義抄／法下137-4）

餘［平］ヨウ・ヨ　　　　　　　　　　　　　　　　　　（長承本蒙求／138）

零餘子　拾遺本草云零餘子 和名沼加古 署預子也　　（元和本倭名類聚抄／巻十七15オ1）

▶番号3234a「餘」（餘上）の仮名音注「ヨ」については、基本的に -jo で対応する。当該字に
は去声点を差す。上述の分析を参照。

▶番号2977b「舉」（覺舉）の仮名音注「ヨ」については、基本的に -jo で対応する。当該字に
は平声点を差す。熟字2977「覺舉」は左注「カクヨ」仮名音注を付載する。廣韻に拠れば、見母魚
韻（kiʌ²）羊母魚韻（jiʌ¹）二音を有する。観智院本類聚名義抄に反切「后与反」を見出す。長承本
蒙求には仮名音注「キヨ」があり、その掲出字に上声点を加える。日本漢音「キヨ」を認める。

舉 擎也又立也言說文本作舉 … 居許切十 …　　　　　（宋本廣韻／見母魚韻 kiʌ²）

余 我也 … 以諸切十三 舁 對擧 舉 上同　　　　　（宋本廣韻／羊母魚韻 jiʌ¹）

舉 后与反 アク … 擧字 タカシ コソル　　　　（観智院本類聚名義抄／佛下末024-6）

舉［上］キヨ　　　　　　　　　　　　　　（長承本蒙求／016・027・124）

▶番号1210b「譽」（襃譽）の仮名音注「ヨ」については、基本的に -jo で対応する。当該字に
は平声点を差す。図書寮本類聚名義抄に去声点を付した同音字注「音預」と「又平」および「真云
余」を見出す。観智院本には去声点を付した同音字注「音預」と「又平」および和音「余」を見つ
けるが、仮名音注はない。日本漢音は平/去声を認める。

譽 宋云音預［去］又平声 朱云保麻礼［平平平］… 真云余　　（図書寮本類聚名義抄／099-2）

譽 音預［去］ホマレ［平平平］… 又平 … 和余　　　（観智院本類聚名義抄／法上070-1）

▶番号2958b「譽」（覺譽）の仮名音注「ヨ」については、基本的に -jo で対応する。当該字に
は平声点を差す。上述の分析を参照。

▶番号2796「歟」（歟）の仮名音注「ヨ」については、基本的に -jo で対応する。当該字に声点
はなく、右注「カ［上］」を付載する。廣韻に拠れば、魚/語/御韻（jiʌ¹/²/³）三音を有する。観智院
本類聚名義抄に平声点を付した同音字注「音余」と「又去上」を見出すが、仮名音注はない。日本
漢音は平/上/去声を認める。

歟 音余［平］語助也 … カ 欲氣也 … 又去上 欤 同　　（観智院本類聚名義抄／僧中044-8）

▶番号2311「予」（予）の仮名音注「ヨ」については、基本的に -jo で対応する。当該字には平
声点を差し、和訓「ワレ」の同訓異字として位置する。廣韻に拠れば、魚/語韻（jiʌ¹/²）二音を有す
る。観智院本類聚名義抄に平声点を付した同音字注「音余」と「又音与」を見出すが、仮名音注は
ない。日本漢音は平声を認める。

予 音余［平］… ワレ/又音与 … イタル　　　　　（観智院本類聚名義抄／僧中037-6）

▶番号3204「予」（予）の仮名音注「ヨ」については、基本的に -jo で対応する。当該字に声点

720　3．仮名音注の韻母別考察　3-4　ⅢB韻類

はない。上述の分析を参照。

　▶番号3259a「輿」（輿車）の仮名音注「ヨ」については、基本的に -jo で対応する。当該字には平声点を差す。観智院本類聚名義抄に同音字注「音預」を見出すが、仮名音注はない。元和本倭名類聚抄には同音字注「音餘」がある。

　　　興轝 … 音預 コシ［上平］… コシクルマ［上上上平］　　　（観智院本類聚名義抄／僧中084-3）
　　　轝　四聲字苑云轝 音餘字或作輿和名古之 …　　　　　　　（元和本倭名類聚抄／巻十一05 ウ7）

　▶番号1501・3171b「輿」（輿・駕輿）の仮名音注「ヨ」については、基本的に -jo で対応する。両当該字に声点はない。番号1501「輿」は左注「同（トコ）」を、熟字3171「駕輿」は左注「在近衛」を付載する。上述の分析を参照。

　▶番号1132・2037a・2038a・2039a「閭」（閭・閭里・閭巷・閭閻）の仮名音注「リヨ」については、基本的に -jo で対応する。当該諸字四例には平声点を差す。番号1132「閭」は右注「道閭」を、熟字2039「閭閻」は右傍「サト」を付載する。観智院本類聚名義抄に同音字注「音驢」と「廬」を見出す。長承本蒙求には仮名音注「リヨ」があり、その掲出字に上声点を加える。元和本倭名類聚抄には同音字注「廬」がある。日本漢音「リヨ」上声を認める。

　　　閭 音驢 里也 カト／トモカラ　　　　　　　　　　　　　（観智院本類聚名義抄／法下079-3）
　　　閭閻 廬塩二音 閭閻ノサト［□上上］／サトノカト　　　（観智院本類聚名義抄／法下079-4）
　　　閭［上］リヨ　　　　　　　　　　　　　　　　　　　　　（長承本蒙求／138）
　　　閭閻　說文云閭閻 廬鹽二音又選師說佐度乃加止 里中門也　（元和本倭名類聚抄／巻十14 ウ1）

　▶番号0936a「藘」（藘茹）の仮名音注「リヨ」については、基本的に -jo で対応する。当該字には平声点を差す。熟字0936「藘茹」は右注「ニヒマクサ［上上上上平］」を付載する。観智院本類聚名義抄に平声点を付した同音字注「閭」を見出すが、仮名音注はない。元和本倭名類聚抄には同音字注「閭」がある。日本漢音は平声を認める。

　　　藘茹 閭如［平平濁］二音 ネアサミ［□□上濁□］一云ニマヒクサ［上上上上濁□］…
　　　　　　　　　　　　　　　　　　　　　　　　　　　　　（観智院本類聚名義抄／僧上016-6）
　　　藘茹　本草云藘茹 閭如二音和名禰阿佐美一云仁比萬久佐　（元和本倭名類聚抄／巻二十06 オ7）

　▶番号0026「廬」（廬）の仮名音注「リヨ」については、基本的に -jo で対応する。当該字には平声点を差し、右注「イホ 舎也」左注「イホリ」を付載する。観智院本類聚名義抄に反切「力魚反」と同音字注「音驢」来母魚韻（liʌˊ）を見出す。長承本蒙求には仮名音注「ロ」があり、その掲出字に平声点を加える。これは諧声符「盧」（模韻 luʌˊ）による字音把握か。元和本倭名類聚抄に反切「力魚反」がある。日本漢音「ロ」平声は保留する。

　　　廬 力魚反 音驢 イホ［平平］イホリ／和云 篷庫 同　　（観智院本類聚名義抄／法下099-5）
　　　廬［平］ロ　　　　　　　　　　　　　　　　　　　　　　（長承本蒙求／074）
　　　廬　毛詩云農人作廬以便田事 力魚反和名伊保　　　　　　（元和本倭名類聚抄／巻十08 オ7）

▶番号0627b「廬」（陪廬）の仮名音注「ロ」については、基本的に *-o* で対応する。当該字には平声点を差す。熟字0627「陪廬」は右注「平調」を付載する。上述の分析を参照。

▶番号2395b「廬」（蝸廬）の仮名音注「ロ」については、基本的に *-o* で対応する。当該字には上声点を差す。上述の分析を参照。

▶番号0496b「蘆」（菴蘆）の仮名音注「リヨ」については、基本的に *-jo* で対応する。当該字に声点はない。熟字0496「菴蘆」は右注「ハミコ」を付載する。観智院本類聚名義抄に同音字注「音盧」を見出すが、仮名音注はない。元和本倭名類聚抄に同音字注「音盧」がある。

　　蘆 音盧 アシ アシハラ … ウルホヒ 　　　　　　　　　　　（観智院本類聚名義抄／僧上012-2）

　　蘆葦 葵等附 … 爾雅注云一名蘆 音盧 … 　　　　　　　　（元和本倭名類聚抄／巻二十03 オ 9）

《下巻 魚韻諸例》

▶番号4972a・5073b「居」（居諸・起居）の仮名音注「キヨ」については、基本的に *-jo* で対応する。両当該字には平声点を差す。熟字4972「居諸」は左注「日月也」を付載する。上巻の魚韻当該諸例で分析したように、日本呉音「コ」を認める。

▶番号5184a「居」（居壁）の仮名音注「キヨ」については、基本的に *-jo* で対応する。当該字に声点はない。上述の分析を参照。

▶番号4359b「居」（安居）の仮名音注「コ」については、基本的に *-o* で対応する。当該字には上声点を差す。上述の分析を参照。

▶番号3721a「居」（居壁）の仮名音注「コ」については、基本的に *-o* で対応する。当該字に声点はない。上述の分析を参照。

▶番号「車」3453「車」（車）の仮名音注「キヨ」については、基本的に *-jo* で対応する。当該字には平声点を差し、右注「同（コ）」を付載する。廣韻に拠れば、魚韻 (kiʌ˩) 麻韻 (tśʻiaˡ) 二音を有する。観智院本類聚名義抄に反切「歯邪反」と平声点を付した同音字注「古音居」（別に同音字注「居音」）および上昇調と推測する和音「シヤ」を見出す。長承本蒙求には仮名音注「キヨ」二例があり、それらの掲出字に東声点を加える。また同書には仮名音注「シヤ」二例があり、それぞれの掲出字に平声点あるいは東声点を加える。元和本倭名類聚抄には反切「尺遮反」と同音字注「一音居」を見つける。日本漢音「キヨ・シヤ」東声（四声体系では平声）日本呉音「シヤ」去声を認める。

　　車 歯邪反 古音居 [平] クルマ [上上平] コシ／居音 カハチ 人躰 和シヤ [□上]

　　　　　　　　　　　　　　　　　　　　　　　　　　　　（観智院本類聚名義抄／僧中083-7）

　　車 [東] キヨ 　　　　　　　　　　　　　　　　　　　　　（長承本蒙求／017・059）

　　車 [平] シヤ〔＊東声の誤認か〕 　　　　　　　　　　　　　（長承本蒙求／049）

車 ［東］ シヤ　　　　　　　　　　　　　　　　　　（長承本蒙求／140）

　　　車 ［東］　　　　　　　　　　　　　　　　（長承本蒙求／081・087・103）

　　　車駕　古史考云黄帝作車 尺遮反一音居和名久留萬 …　　（元和本倭名類聚抄／巻十一・05 ウ 4）

▶番号 4907・6840「裾」（裾・裾）の仮名音注「キヨ」については、基本的に -jo で対応する。両当該字には平声点を差す。番号 4907「裾」は右注「キヌノシリ」中注「衣下也」左注「又コロモノスソ」を、番号 6840「裾」は右注「スソ」を付載する。図書寮本類聚名義抄に東声点を付した同音字注「音居」を見出す。観智院本には東声点を付した同音字注「音同（音居）」を見つける。番号 1288（上巻の魚韻掲出字）でも分析したように、同書では東声を弁別的に認識していたか判然とはしない。ただし、差声位置は明らかに東声点である。長承本蒙求には仮名音注「キヨ」があり、その掲出字に東声点を加える。日本漢音「キヨ」東声（四声体系では平声）を認める。

　　　裾 川云音居 ［東］ … コロモ ［上上上／集：右注］　　　　（図書寮本類聚名義抄／331-7）

　　　祛 音居 ［東］ … 玉云／子去反 袂口也 攣也 …　　　　　（図書寮本類聚名義抄／332-1）

　　　祛 音居 ［東］ ソテ ［上上濁］ … 子去反　　　　（観智院本類聚名義抄／法中 138-5）

　　　裾 音同 衣ノスソ ［□□上上］ 一云キヌノシリ … スソ　　（観智院本類聚名義抄／法中 138-5）

　　　裾 ［東］ キヨ　　　　　　　　　　　　　　　（長承本蒙求／012・018）

▶番号 3432「裾」（裾）の仮名音注「キ」については、異例 -i を示す。当該字に声点はなく、右注「コロモノスソ」左注「キヌノスソ」を付載する。上述の分析を参照。

▶番号 4905「腒」（腒）の仮名音注「キヨ」については、基本的に -jo で対応する。当該字に声点はなく、右注「キタヒモノ」中注「鳥臘也乾肉也」左注「キタヒ」を付載する。上巻の魚韻当該例で分析した。

▶番号 4976b「墟」（丘墟）の仮名音注「キヨ」については、基本的に -jo で対応する。当該字には平声点を差す。熟字 4976「丘墟」は右傍「ヲカ」を付載する。上巻の魚韻当該例で分析した。

▶番号 6914b「嘘」（吹嘘）の仮名音注「キヨ」については、基本的に -jo で対応する。当該字には上声点を差す。熟字「吹嘘」は左注「引及也」を付載する。観智院本類聚名義抄に東声点を付した同音字注「音虚」を見出すが、仮名音注はない。日本漢音は東声（四声体系では平声）を認める。

　　　嘘 音虚 ［東］ スフ ［上平］ ハク ［平上］ … シハフキ　　（観智院本類聚名義抄／佛中 053-1）

▶番号 4256a「簟」（簟蒢）の仮名音注「キヨ」については、基本的に -jo で対応する。当該字には平声点を差す。熟字 4256「簟蒢」は右注「アムシロ」を付載する。観智院本類聚名義抄に平声点を付した同音字注「渠」を見出す。元和本倭名類聚抄には同音字注「渠」がある。日本漢音は平声を認める。

　　　簟 竹席也　　　　　　　　　　　　　　　　（観智院本類聚名義抄／僧上 070-6）

　　　簟蒢 瑑除 ［平平］ 二音／アムシロ ［上平上上］ …　　（観智院本類聚名義抄／僧上 070-6）

3-4-2　-iʌ系の字音的特徴　723

　　　　籧篨 … 方言曰江東謂之籧篨 渠除二音和名阿無䋄路　　　（元和本倭名類聚抄／巻十四 16 ウ 1)

　▶番号5409b「碝」（碝碡）の仮名音注「コ」については、基本的に -o で対応する。当該字には平声点を差す。熟字5409「碝碡」は右傍「シヤコ俗」仮名音注を付載する。観智院本類聚名義抄に反切「巨魚反」および「俗シヤコ［平上平］」を見出す。同書では単字として「碝・碡」を掲げるが、俗音は熟字「碝碡」に対する対応である。定着久しい字音「コ」平声を認める。

　　　碝 正 車俗／昌奢反［シヤ：墨右傍］　　　　　　　　（観智院本類聚名義抄／法中 005-1)

　　　碡 巨魚反／俗 シヤコ［平上平］　　　　　　　　　（観智院本類聚名義抄／法中 005-2)

　▶番号4871a・4917a・4966a「魚」（魚頭・魚袋・魚鱗）の仮名音注「キヨ」については、基本的に -jo で対応する。当該諸字三例には平声濁点を差すので、字音「ギヨ」を想定する。上巻の魚韻当該諸例で分析した。熟字4871「魚頭」は左注「鯉」を、熟字4917「魚袋」は中左注「金魚袋／銀魚袋」を付載する。上巻の魚韻当該諸例で分析したように、日本漢音「キヨ」平声、日本呉音「キヨ・コ」を認める。

　▶番号5092a「魚」（魚網）の仮名音注「キヨ」については、基本的に -jo で対応する。当該字には平声点を差す。上述の分析を参照。

　▶番号4986a・6825「漁」（漁父・漁）の仮名音注「キヨ」については、基本的に -jo で対応する。両当該字には平声点を差す。番号6825「漁」は右注「スナトリ」左注「スナトル」を付載する。上巻の魚韻当該例で分析したように、日本漢音「ギヨ」平声、日本呉音「ギヨ」平/去声を認める。

　▶番号6826「䑘」（䑘）の仮名音注「キヨ」については、基本的に -jo で対応する。当該字には平声点を差す。前田本の当該字形「魚+支」を異体字「䑘」に修正する。番号6826「䑘」は右注「同（スナトリ）」を付載する。観智院本類聚名義抄に平声濁点を付した同音字注「音魚」および「和同」と「又去」を見出すが、仮名音注はない。和音も同じ字音把握ながら去声もあるという認識か。元和本倭名類聚抄には同音字注「音魚」がある。日本漢音は平声、日本呉音は去声を認める。

　　　䑘漁 … 音魚［平濁］和同／又去 スナトリ［平平平濁平］　　　（観智院本類聚名義抄／僧下 005-8)

　　　漁釣具第百九十四 漁音魚說文云捕魚也訓須奈度利　　　（元和本倭名類聚抄／巻十五／07 ウ 3)

　▶番号5053a「虚」（虚言）の仮名音注「キヨ」については、基本的に -jo で対応する。当該字には平声点を差す。上巻の魚韻当該例で分析したように、日本呉音「コ」去声を認める。

　▶番号5056a「虚」（虚誕）の仮名音注「キヨ」については、基本的に -jo で対応する。当該字には平声点と上声点を差すが、平声点は斜線に近い形状であり、疑義を残す。上述の分析を参照。

　▶番号5179a「虚」（虚無）の仮名音注「キヨ」については、基本的に -jo で対応する。当該字には上声点を差す。上述の分析を参照。

　▶番号5119a「虚」（虚入）の仮名音注「キヨ」については、基本的に -jo で対応する。当該字に声点はない。上述の分析を参照。

　▶番号3644a「虚」（虚妄）の仮名音注「コ」については、基本的に -o で対応する。当該字に

724　3．仮名音注の韻母別考察　3-4　ⅢB韻類

は去声点を差す。上述の分析を参照。

　▶番号4722b「除」（掃除）の仮名音注「チ」については、異例 *-i* を示す。当該字には平声濁点を差すので、字音「ヂ」を想定する。上巻の魚韻当該諸例で分析したように、日本漢音は平声、日本呉音「ヂヨ」去声を認める。

　▶番号4256b「篨」（籧篨）の仮名音注「チヨ」については、基本的に *-jo* で対応する。当該字には平声点を差す。熟字4256「籧篨」は右注「アムシロ」を付載する。観智院本類聚名義抄に平声点を付した同音字注「除」を見出すが、仮名音注はない。元和本倭名類聚抄には同音字注「除」がある。日本漢音は平声を認める。

　　　籧篨 籧除 ［平平］二音／アムシロ［上平上上］…　　　　　　　（観智院本類聚名義抄／僧上070-6）

　　　籧篨 … 方言曰江東謂之籧篨 籧除二音和名阿無師路　　　（元和本倭名類聚抄／巻十四16 ウ1）

　▶番号4586「檘」（檘）の仮名音注「ト」については、基本的に *-o* で対応する。当該字には平声点を差し、右注「同（サヲ）」を付載する。観智院本類聚名義抄に反切「女余反」（その反切下字に平声点）を見出すが、仮名音注はない。日本漢音は平声を認める。

　　　檘 女余 ［□平］反／サヲ［平平］　　　　　　　　　　　（観智院本類聚名義抄／佛下本106-2）

　▶番号4293b「苴」（苞苴）の仮名音注「シヨ」については、基本的に *-jo* で対応する。当該字には平声点を差す。熟字4293「苞苴」は右注「アラマキ」左注「果右魚也」〔＊果右は裹か〕右傍「カウシヨ俗」仮名音注を付載する。上巻の魚韻当該例で分析したように、日本漢音「シヨ」平声を認める。

　▶番号5794b「趄」（趑趄）の仮名音注「シヨ」については、基本的に *-jo* で対応する。当該字には平声点を差す。観智院本類聚名義抄に反切「女徐反」（その反切下字に平声点）を見出すが、仮名音注はない。日本漢音は平声を認める。

　　　趄 七徐 ［□平］反 起／シサル　　　　　　　　　　　　（観智院本類聚名義抄／佛上070-5）

　▶番号5536a「初」（初夜）の仮名音注「シヨ」については、基本的に *-jo* で対応する。当該字には去声点を差す。上巻の魚韻当該例で分析した。

　▶番号4686b「初」（最初）の仮名音注「ソ」については、基本的に *-o* で対応する。当該字には上声点を差す。上述の分析を参照。

　▶番号6860「鋤」（鋤）の仮名音注「ソ」については、基本的に *-o* で対応する。当該字に声点はなく、右注「スキ」中注「刃魚床攊二反」左注「或乍鉏田器也」を付載する。観智院本類聚名義抄に反切「士魚反」（その反切下字に平声濁点）を見出す。長承本蒙求には仮名音注「ソ・シヨ」があり、その掲出字に去声点を加える。元和本倭名類聚抄に反切「士魚反」〔＊←士魚反〕がある。日本漢音「ソ・シヨ」平/去声を認める。

　　　鋤鉏 今正 士魚 ［□平濁］反／クハ スキ［上上］…　　　（観智院本類聚名義抄／僧上118-1）

　　　鋤 ［去］ソ・シヨ　　　　　　　　　　　　　　　　　　　　　（長承本蒙求／085）

3-4-2 -iʌ 系の字音的特徴　725

　　鋤　… 釋名云鋤 土魚反和名須岐 去穢助苗也 …　　　　　（元和本倭名類聚抄／巻十五09 オ1）

　▶番号6450「諸」（諸）の仮名音注「ソ」については、基本的に -o で対応する。当該字には平声点を差し、右注「モロ丶丶」中注「章魚反」左注「非一也」を付載する。図書寮本類聚名義抄に反切「至餘反」を見出す。観智院本類聚名義抄には反切「至餘反」および和音「シヨ」を見つける。日本漢音は平声、日本呉音「シヨ」を認める。

　　　諸 弘云至餘 [□平] 反 … オホヨソ [平平□平]　　　　　　（図書寮本類聚名義抄／101-1）

　　　諸 至餘反 モロ [上上] 丶丶 … 和シヨ　　　　　　　　　（観智院本類聚名義抄／法上065-5）

　▶番号4972b「諸」（居諸）の仮名音注「ソ」については、基本的に -o で対応する。当該字には上声点を差す。熟字4972「居諸」は左注「日月也」を付載する。上述の分析を参照。

　▶番号6090b「蜍」（蟾蜍）の仮名音注「シヨ」については、基本的に -jo で対応する。当該字には平声点を差す。廣韻に拠れば、魚韻（dźiʌ¹・jiʌ¹）二音を有する。熟字6090「蟾蜍」は右注「ヒキ」左注「ヒキカヘル」を付載する。観智院本類聚名義抄に平声点を付した同音字注「徐」と同音字注「一音余」を見出すが、仮名音注はない。元和本倭名類聚抄に同音字注「徐・一音余」がある。日本漢音は平声を認める。

　　　蟾蜍 占徐 [平平] 二音 ヒキ [平平] ／上ヒキ 下一音余　　　（観智院本類聚名義抄／僧下020-5）

　　　蟾蜍　兼名苑注云蟾蜍 占徐二音蜍或作蟵一音余和名比木 …

　　　　　　　　　　　　　　　　　　　　　　　　　（元和本倭名類聚抄／巻十九24 ウ8）

　▶番号6053a「徐」（徐長卿）の仮名音注「シヨ」については、基本的に -jo で対応する。当該字には平声点を差す。熟字「徐長卿」は右注「ヒメカ丶ミ [平上平上平]」を付載する。観智院本類聚名義抄に平声点を付した同音字注「音蜍」および平声濁音を付した「呉音序」を見出すが、仮名音注はない。同書で「序」を再検索すると、和音「シヨ [平濁平]」を見つける。なお、両音注は大般若経字抄による引用である。平声点を付した正音「蜍」と平声濁点を付した呉音「序」に分ける。原則とする漢呉二音相同の同音字注を適用できない場合の方策である。日本漢音は平声、日本呉音は平声を認める。また日本呉音「ジヨ」の蓋然性が高い。

　　　徐 音蜍 [平] ヤウヤク … 呉音序 [平濁]　　　　　　（観智院本類聚名義抄／佛上040-4）

　　　序 徐呂反 ノフ [上上] … 和シヨ [平濁平]　　　　　　（観智院本類聚名義抄／法下104-3）

　　　正蜍 徐築 [音序冊：右傍] 上ヤウヤク／下在上　　　（石山寺一切経蔵本大般若経字抄／12 ウ6）

　　　徐 [音序：右傍] 築 [冊：右傍]　　　　　　　　　　（石山寺一切経蔵本大般若経字抄／22 オ1）

　　　徐長卿　本草云徐長卿 和名比女加々美　　　　　　　（元和本倭名類聚抄／巻二十13 ウ2）

　▶番号5883b「疎」（親疎）の仮名音注「ソ」については、基本的に -o で対応する。当該字には上声点を差す。図書寮本類聚名義抄に同音字注「音疏」（その平声点位置に仮名音注「ソ」）を見出す。同音字注の声点位置に仮名音注を配して、その声調を示すという注音方式 ₍₂₄₎ である。観智院本類聚名義抄には反切「色魚反」と同音字注「音疏」を見つける。日本漢音「ソ」平声を認める。

726　3．仮名音注の韻母別考察　3-4　ⅢB韻類

　　　疎缺 音疏 ［ソ：平声点位置］… ウトシ ［上上平／記：右注］　　　（図書寮本類聚名義抄／113-7）
　　　疎 色魚反 ウトシ ［上上□］ ウツホナリ 音疏 …　　　（観智院本類聚名義抄／法上081-5）
　▶番号3825b「書」（艶書）の仮名音注「シヨ」については、基本的に -jo で対応する。当該字
には平声点を差す。観智院本類聚名義抄に反切「傷魚反」および上昇調と推測する和音「シヨ」を
見出す。長承本蒙求には仮名音注「シヨ」があり、それを含む掲出字二例に東声点を加える。日本
漢音「シヨ」東声（四声体系では平声）日本呉音「シヨ」去声を認める。
　　　書 傷魚反 カク シルス フミ ［上平］／ノフ 和シヨ ［□上］　　（観智院本類聚名義抄／佛中099-8）
　　　書 ［東］ シヨ　　　　　　　　　　　　　　　　　　　　　　（長承本蒙求／018・131）
　　　書 ［東］　　　　　　　　　　　　　　　　　　　　　（長承本蒙求／063・092・148）
　▶番号4388b・5868b「書」（押書・秋書）の仮名音注「シヨ」については、基本的に -jo で対
応する。両当該字には上声点を差す。上述の分析を参照。
　▶番号5918a・5944a「書」（書寫山・書博士）の仮名音注「シヨ」については、基本的に -jo
で対応する。両当該字に声点はない。熟字5944「書博士」は左注「在大学」を付載する。上述の分
析を参照。
　▶番号5846a「舒」（舒姑）の仮名音注「シヨ」については、基本的に -jo で対応する。当該字
には平声点を差す。観智院本類聚名義抄に反切「尸諸反」および低平調と推測する和音「シオ」を
見出す。この和音は長音 -joo による一音節二拍の字音把握である。長承本蒙求には仮名音注「シ
ヨ」二例があり、それらの掲出字に東声点を加える。承暦本金光明最勝王経音義には同音字注「序
音」（字音「ジヨ」に相当）があり、その掲出字に平声点を加える。当該字の中古音が示す頭子音
ś-（等韻学の術語で言う書母）は無声後部歯茎摩擦音であり、日本語のサ行音をもって受容する。
ザ行音による字音「ジヨ」の把握は詳細不明。あるいは同じ諧声符を有する「序」との混同による
字音把握か。日本漢音「シヨ」東声（四声体系では平声）日本呉音「シヨ」平声を認める。
　　　舒 尸諸反 ノフ ［平上濁］… 和シオ ［□平］　　　　　（観智院本類聚名義抄／僧下102-3）
　　　金+予 ［上］ 書反／シヨ　　　　　　　　　　　　　　　　　　（長承本蒙求／069）
　　　舒 ［東］ シヨ　　　　　　　　　　　　　　　　　　　　　（長承本蒙求／104・140）
　　　舒 ［平］ 序ミ／乃夫 ［平上］　　　　　　（承暦本金光明最勝王経音義／05 オ4）
　　　序 徐呂反 ノフ ［平上］… 和シヨ ［平濁平］　　　　　（観智院本類聚名義抄／法下104-3）
　▶番号5848a・5861b「如」（如愚・相如）の仮名音注「シヨ」については、基本的に -jo で対
応する。両当該字には平声濁点を差すので、字音「ジヨ」を想定する。上巻の魚韻当該諸例で分析
したように、日本漢音「ジヨ」平声、日本呉音「ニヨ」去声を認める。
　▶番号5238「茹」（茹）の仮名音注「シヨ」については、基本的に -jo で対応する。当該字には
去声濁点を差すので、字音「ジヨ」を想定する。また右注「人恕反」中注「ユテモノ」左注「又ニ
ラキ」を付載する。元和本倭名類聚抄には反切「人恕反」がある。上巻の魚韻当該例で分析したよ

うに、日本漢音は平声を認める。

茹　文選傅玄詩云厨人進葍有酒不盈杯 茹音人恕反由天毛乃 …

(元和本倭名類聚抄／巻十六 18 オ 4)

▶番号 6806「鴛」（鴛）の仮名音注「ソ」については、基本的に -o で対応する。当該字には平声点を差し、右注「スカトリ」中注「音如又乍／篧」を付載する。観智院本類聚名義抄に同音字注「音如（日母魚韻 ńiʌˊ）音鋤（崇母魚韻 dẓiʌˊ）」を見出すが、仮名音注はない。

鴛 或篧 音如 音鋤 … スカトリ［平平濁上濁平］… 　　　　　(観智院本類聚名義抄／僧中 128-4)

▶番号 4313「餘」（餘）の仮名音注「ヨ」については、基本的に -jo で対応する。当該字には平声点を差し、右注「アマル［□□リ：右傍］」を付載する。上巻の魚韻当該諸例で分析したように、日本漢音「ヨ」平声、日本呉音は去声を認める。

▶番号 3450「轝」（轝）の仮名音注「ヨ」については、基本的に -jo で対応する。当該字には平声点を差し、右注「余豫」左注「又作輿［平］言」を付載する。上巻の魚韻当該諸例（異体字「輿」）で分析した。

▶番号 4444・4448a「閭」（閭・閭閻）の仮名音注「リヨ」については、基本的に -jo で対応する。当該字には平声点を差す。番号 4444「閭」は右注「同（サト）」を、熟字 4448「閭閻」は右注「サトノカト」中注「上力居反」左注「下余廉反」を付載する。上巻の魚韻当該諸例で分析したように、日本漢音「リヨ」上声を認める。

▶番号 5290b・6971b・6972b「櫚」（檧櫚・檧櫚・檧櫚）の仮名音注「ロ」については、基本的に -o で対応する。当該諸字三例に声点はない。熟字「檧櫚」は右傍 5290「ソウロ」右注 6971「同（シヤクキ）シウロ」左注 6972「又スロ」を付載する。観智院本類聚名義抄に音注表記はない。元和本倭名類聚抄に「二音忽閭俗云種魯」がある。

栟櫚 上音并 ヒチキ スミナハ … 　　　　(観智院本類聚名義抄／佛下本 088-2)

檧櫚　唐韻云櫸櫚一名蒲葵 櫸櫚二音忽閭俗云種魯 … 　　(元和本倭名類聚抄／巻二十 25 ウ 8)

▶番号 6792b「櫚」（檧櫚）の仮名音注「ロ」については、基本的に -o で対応する。当該字に声点はない。熟字 6792「檧櫚」は右注「スロ［去上］俗」仮名音注を付載する。定着久しい字音「スロ」と解しておく。上述の分析を参照。

《上巻 語韻諸例》

▶番号 0345b「舉」（一舉）の仮名音注「キヨ」については、基本的に -jo で対応する。当該字には上声点を差す。熟字 0345「一舉」は左注「霝一挙￤千里ﾉ以」を付載する。観智院本類聚名義抄に反切「后与反」を見出す。長承本蒙求には仮名音注「キヨ」があり、その掲出字に上声点を加える。日本漢音「キヨ」上声を認める。

728　3．仮名音注の韻母別考察　3-4　ⅢB韻類

擧 擎也又立也言也說文本作擧 … 居許切十 …　　　　　　　　　　（宋本廣韻／見母魚韻 kiʌ²⁾）

余 我也 … 以諸切十三 舁 對擧 擧 上同　　　　　　　　　　　　（宋本廣韻／羊母魚韻 jiʌ¹⁾）

舉 后与反 アク … 擧字 タカシ コソル　　　　　　　（観智院本類聚名義抄／佛下末 024-6）

擧［上］キヨ　　　　　　　　　　　　　　　　　（長承本蒙求／016・027・124）

▶番号1216b「挙」（毛挙）の仮名音注「キヨ」については、基本的に -jo で対応する。当該字には平声点を差す。上述の分析を参照。

▶番号1720「苣」（苣）の仮名音注「キヨ」については、基本的に -jo で対応する。当該字には上声点を差し、右注「チサ［去上］」を付載する。観智院本類聚名義抄に同音字注「音巨上声之重」を見出すが、仮名音注はない。元和本倭名類聚抄には反切「其呂反」がある。

苣 俗／チシヤ　　　　　　　　　　　　　（観智院本類聚名義抄／僧上 007-4）

苣藤 音巨勝 里胡麻／上チサ［去上］　　　　（観智院本類聚名義抄／僧上 007-5）

苣 孟詵食經云白苣 其呂反上声之重和名知散 …　　（元和本倭名類聚抄／巻十七 22 オ 7）

▶番号0365a・3150a「巨」（巨濃・巨麻）の仮名音注「コ」については、基本的に -o で対応する。両当該字に声点はない。観智院本類聚名義抄に同音字注「音距」を見出す。長承本蒙求には仮名音注「キヨ」があり、その掲出字に去声点を加える。日本漢音「キヨ」去声を認める。

巨 又鉅 音距 … オホシ［平平□］　　　　　　（観智院本類聚名義抄／僧下 075-7）

巨〔＊←臣〕［去］キヨ　　　　　　　　　　　　　（長承本蒙求／068）

因幡國 國府在法美郡 … 巨濃 古乃 …　　　　（元和本倭名類聚抄／巻五 21 ウ 1）

甲斐國 國府在八代郡 … 巨麻　都留 豆留　　（元和本倭名類聚抄／巻五 14 オ 3）

▶番号0786b・0878b「語」（發語・發語）の仮名音注「キヨ」については、基本的に -jo で対応する。両当該字は上声濁点を差すので、字音「ギヨ」を想定する。廣韻に拠れば、語/御韻 (ŋiʌ²³⁾) 二音を有する。図書寮本類聚名義抄に反切「弘云臾擧反」を見出す。観智院本類聚名義抄に反切「莫擧反」〔＊臾擧反の誤認〕と「又去」および和音「コ」を見出す。長承本蒙求には仮名音注「キヨ」があり、その掲出字に上声加濁点を加える。日本漢音「ギヨ」上/去声、日本呉音「ゴ」を認める。

語 弘云臾擧［平濁□］反 說也 言也 㖤也 中云／又牛據［□上］反去声 …

　　　　　　　　　　　　　　　　　　　　　　（図書寮本類聚名義抄／090-3）

語 莫擧反 コト［平平］コトハ［平平平濁］… 又去 和コ　（観智院本類聚名義抄／法上 057-5）

語［上／上：加濁］キヨ　　　　　　　　　　　　　　（長承本蒙求／028）

▶番号2969b「語」（閑語）の仮名音注「コ」については、基本的に -o で対応する。当該字は上声濁点を差すので、字音「ゴ」を想定する。上述の分析を参照。

▶番号1164b「語」（梵語）の仮名音注「コ」については、基本的に -o で対応する。当該字は平声濁点を差すので、字音「ゴ」を想定する。上述の分析を参照。

▶番号0186「籞」（籞）の仮名音注「キヨ」については、基本的に -jo で対応する。当該字は上

声濁点を差すので、字音「ギョ」を想定する。また右注「イケス」左中右注「池水中／編竹籬益／魚也」を付載する。観智院本類聚名義抄に同音字注「音語」を見出すが、仮名音注はない。元和本倭名類聚抄に同音字注「音語」がある。

　　　籞 … 音語 イケス［平平平濁］… 蔽也　　　　　　　　　（観智院本類聚名義抄／僧上 072-7）

　　　籞　唐韻云籞 音語和名以介須 池水中編竹籬養魚也　　　（元和本倭名類聚抄／巻十五 08 オ 2）

　▶番号3140a「咀」（咀嚼）の仮名音注「シヨ」については、基本的に -jo で対応する。当該字には去声点を差す。廣韻に拠れば、語韻（dziʌ²・tsiʌ²）二音を有する。熟字 3140「咀嚼」は右注「カミハム［平上平上］」中注「カミクラフ［平上上上平］」左注「下字嚼 同」を付載する。観智院本類聚名義抄に平声点を付した同音字注「音詛」と反切「子与反」を見出すが、仮名音注はない。日本漢音は平声を認める。

　　　咀 音詛［平］子与反 クフ カム ナム クラフ［上上平］…　　　（観智院本類聚名義抄／佛中 032-4）

　　　咀嚼 カミハム［平上平上］　　　　　　　　　　　　　　　（観智院本類聚名義抄／佛中 032-5）

　▶番号1437「杼」（杼）の仮名音注「シヨ」については、基本的に -jo で対応する。当該字には上声点を差し、右注「トチ」左注「狙公賦杼」を付載する。廣韻に拠れば、語韻（dʑiʌ²・ɖiʌ²）二音を有する。観智院本類聚名義抄に上声点を付した同音字注「音杵・又芧」を見出すが、仮名音注はない。元和本倭名類聚抄に同音字注「音杵」と反切「又當旅反與芧同」がある。日本漢音は上声を認める。

　　　杼 音杵［上］又芧［上］／トチ … ヒ［去］／長也　　　（観智院本類聚名義抄／佛下本 106-2）

　　　竹+予〔＊上下配置〕大与反 … 杼 或　　　　　　　　　（観智院本類聚名義抄／僧上 072-1）

　　　杼　爾雅集注云 … 一名杼 音杵又當旅反與芧同和名止知 …

　　　　　　　　　　　　　　　　　　　　　　　　　　　　（元和本倭名類聚抄／巻十七 11 オ 5）

　▶番号1920b「礎」（柱礎）の仮名音注「ソ」については、基本的に -o で対応する。当該字には上声点を差す。図書寮本類聚名義抄に同音字注「川云音楚」を見出す。観智院本には同音字注「音楚」を見つけるが、仮名音注はない。元和本倭名類聚抄には同音字注「音楚」がある。

　　　柱礎 川云音楚 …　　　　　　　　　　　　　　　　　　（図書寮本類聚名義抄／152-7）

　　　礎 音楚 ツミイシ［平平平上］／ツメイシ イシスヘ　　　（観智院本類聚名義抄／法中 003-3）

　　　柱礎　唐韻云礩 徒年反和名都美以之一云以之須惠 柱礎也礎 音楚 柱下石也

　　　　　　　　　　　　　　　　　　　　　　　　　　　　（元和本倭名類聚抄／巻十 12 オ 4）

　▶番号2881b「渚」（海渚）の仮名音注「ソ」については、基本的に -o で対応する。当該字には上声点を差す。図書寮本類聚名義抄に上声点を付した同音字注「类云賨音」および上昇調と推測する「真云シヨ」を見出す。観智院本類聚名義抄に同音字注「音賨」および和音「シヨ」を見つける。長承本蒙求には同音字注「所反」仮名音注「シヨ」があり、その掲出字に上声点を加える。同書の仮名音注は平安時代院政初期である長承三年（1134）に加点された墨筆（例示で両音形ある場

730　3．仮名音注の韻母別考察　3-4　ⅢB韻類

合は右側）を中心とするが、平安時代中期と推定する古い朱筆（両音形ある場合は左側）の加点も
ある。承暦本金光明最勝王経音義には同音字注「所音」があり、その掲出字に去声点を加える。ま
た仮名音注「シヨ」も見つかる。日本漢音「シヨ」上声、日本呉音「シヨ」去声を認める。

　　　寳渚 类云賨［上］音 … 和云奈跂散［平平濁平］真云シヨ［□上］　　　（図書寮本類聚名義抄／041-1）

　　　渚 音賨 … ナキサ スハマ／シマクニ 和シヨ　　　　　　　　　　（観智院本類聚名義抄／法上 026-4）

　　　渚［上］所反／シヨ　　　　　　　　　　　　　　　　　　　　　　　　（長承本蒙求／028）

　　　渚［去］所彡　　　　　　　　　　　　　　　　　　　　　（承暦本金光明最勝王経音義／09 ウ 4）

　　　渚 シヨ［：右傍］〔＊後筆墨書〕　　　　　　　　　　　　　（承暦本金光明最勝王経音義／09 ウ 5）

　▶番号0262b「緒」（由緒）の仮名音注「シヨ」については、基本的に -jo で対応する。当該字
には上声点を差す。図書寮本類聚名義抄に反切「辞呂反」を見出す。観智院本類聚名義抄には反切
「广云辞呂反」を見つけるが、仮名音注はない。

　　　習緒 广云辞／呂反 業也事也餘也 …　　　　　　　　　　　　　（図書寮本類聚名義抄／293-1）

　　　緒 辞呂反 ヲ … モト［平平］從　　　　　　　　　　　　（観智院本類聚名義抄／法中 133-8）

　▶番号2968b「緒」（感緒）の仮名音注「ソ」については、基本的に -o で対応する。当該字に
は上声点を差す。上述の分析を参照。

　▶番号3050b「所」（閑所）の仮名音注「シヨ」については、基本的に -jo で対応する。当該字
には平声濁点を差すので、日本語音韻史上の連濁による字音「ジヨ」を想定する。観智院本類聚名
義抄に反切「色呂反」および低平調を示す和音「シヨ」を見出す。日本呉音「シヨ」平声を認める。

　　　昕 正所 トコロ … 色呂反／ミチ［上上］　　　　　　　　　　（観智院本類聚名義抄／佛上 075-2）

　　　所 トコロ［上上上］和シヨ［平平］　　　　　　　　　　　　（観智院本類聚名義抄／法下 093-7）

　▶番号3174b「所」（網所）の仮名音注「シヨ」については、基本的に -jo で対応する。当該字
に声点はない。上述の分析を参照。

　▶番号2432b「所」（巷所）の仮名音注「ソ」については、基本的に -o で対応する。当該字に
は平声濁点を差すので、日本語音韻史上の連濁による字音「ゾ」を想定する。また左右注「耕作／
西京路邊名也」を付載する。上述の分析を参照。

　▶番号0037c「所」（悠記所）の仮名音注「ソ」については、基本的に -o で対応する。当該字
に声点はない。熟字0037「悠記所」は左注「大嘗會時云左也」を付載する。上述の分析を参照。

　▶番号0589「齘」（齘）の仮名音注「ソ」については、基本的に -o で対応する。当該字に声点
はなく、左注「ハキル」を付載する。観智院本類聚名義抄に同音字注「音楚」を見出すが、仮名音
注はない。元和本倭名類聚抄には同音字注「音所」がある。

　　　齘 音楚／ハキル　齵 俗通　　　　　　　　　　　　　　　　（観智院本類聚名義抄／法上 105-3）

　　　齘 說文云齘 音所此間云波井留 齒傷酢也　　　　　　　　（元和本倭名類聚抄／巻三 20 ウ 2）

　▶番号2258a「鼠」（鼠弩）の仮名音注「シヨ」については、基本的に -jo で対応する。当該字

には上声点を差す。熟字2258「鼠笯」は右注「ヲシ」左注「イ本弓」を付載する。観智院本類聚名義抄に同音字注「音暑」および和音「ショ」と「或ソ」を見出す。和音に後続する「或ソ」を同じく和音とするべきか、判然としない。元和本倭名類聚抄には反切「昌與反」がある。日本呉音「ショ」と字音「ソ」を認める。

鼠 … 音暑 ネスミ［平上濁上］… 和ショ 或ソ　　　　　（観智院本類聚名義抄／僧下 042-4）

鼠 四聲字苑云鼠 昌與反和名禰須美 …　　　　　　　　（元和本倭名類聚抄／巻十八20 オ 2）

▶番号2858b「暑」（寒暑）の仮名音注「ショ」については、基本的に -jo で対応する。当該字には上声点を差す。観智院本類聚名義抄に反切「書召反」（その反切下字に上声点）および低平調と推測する和音「ショ」を見出す。承暦本金光明最勝王経音義には同音字注「諸音」があり、その掲出字に去声点を加える。また仮名音注「ショ」も見つける。日本漢音は上声、日本呉音「ショ」平/去声を認める。

暑 書召［□上］反 アツシ［平平上］… 和ショ［□平］　　（観智院本類聚名義抄／佛中 088-8）

暑［去］諸ミ/阿太、可奈リ　　　　　　　　　（承暦本金光明最勝王経音義／07 ウ 4）

暑 ショ［＊後筆墨書］　　　　　　　　　　　（承暦本金光明最勝王経音義／07 ウ 4）

▶番号1924a「佇」（佇留）の仮名音注「チヨ」については、基本的に -jo で対応する。当該字には平声点を差す。熟字1924「佇留」は中注「久逗也」を付載する。観智院本類聚名義抄に上声点を付した「貯」（その右傍に朱筆で仮名音注「チヨ」）および呉音「儲也」を見出す。これらは大般若経字抄による引用である。同書は原則として漢呉二音相同の同音字注を付載するが、これに適合する候補が得られない場合は正音と呉音を分けて示す。日本漢音「チヨ」上声を認める。

佇 正作貯［上/チヨ：朱右傍］タヽスム … 呉音 儲也　（観智院本類聚名義抄／佛上 022-6）

正貯 佇［音儲：右傍］久立也　　　　　（石山寺一切経蔵本大般若経字抄／17 オ 2）

▶番号2206・2474「苧」（苧・苧）の仮名音注「チヨ」については、基本的に -jo で対応する。両当該字には上声点を差す。番号 2206「苧」は右注「同（ヲ）麻属」左注「白細者也」を、番号2274「苧」は右注「カラウシ」〔＊カラムシの誤認〕を付載する。観智院本類聚名義抄に上声点を付した同音字注「音苧」を見出すが、仮名音注はない。元和本倭名類聚抄には反切「直呂反上声之重」がある。当該字の頭子音 ḍ-（等韻学の術語で言う舌音濁澄母）が濁声母であり、上声之重に相当することを言う。切韻を撰述して以降の中国語において、上声濁が次第に去声化を起こした状態を、日本漢音では反映する。これは上声を構成する上声軽と上声重とが allotone であり、後者の調値が去声と区別できないことを示すとも言える。当該字の日本漢音は上声を認める。

苧 音佇［上］カラムシ［平平平平濁］/カラムシノヲ　（観智院本類聚名義抄／僧上 036-4）

麻苧 … 周禮注云苧 直呂反上声之重和名加良無之 …　（元和本倭名類聚抄／巻十四13 オ 7）

▶番号0248b・1922a・1950a「女」（遊女・女車・女几）の仮名音注「チヨ」については、基本的に -jo で対応する。当該諸字三例には上声濁点を差すので、字音「ヂヨ」を想定する。廣韻に

拠れば、語/御韻（niʌ²³⁾）二音を有する。観智院本類聚名義抄に反切「挐擧反」（その反切下字に上声点）と「又去」および和音「ニヨ」を見出す。長承本蒙求には仮名音注「チヨ」があり、それを含む掲出字四例に上声点を加える。他に上声加濁点も見つける。日本漢音「ヂヨ」上/去声、日本呉音「ニヨ」を認める。

女 挐擧［□上］反 ヲムナ［上上□］… 又去 … 和ニヨ　　　（観智院本類聚名義抄／佛中006-1）

女［上］チヨ　　　　　　　　　　　　　　　　　　　（長承本蒙求／034）

女［上］　　　　　　　　　　　　　　　　　　　　　（長承本蒙求／022・064・113）

女［上／上：加濁］　　　　　　　　　　　　　　　　（長承本蒙求／148）

▶番号1000a「女」（女御）の仮名音注「ニヨ」については、基本的に -jo で対応する。当該字には平声点を差す。上述の分析を参照。

▶番号1019a「女」（女孺）の仮名音注「ニヨ」については、基本的に -jo で対応する。当該字に声点はない。熟字1019「女孺」は左注「女官也」を付載する。上述の分析を参照。

▶番号3247a・3267a「与」（与不・与奪）の仮名音注「ヨ」については、基本的に -jo で対応する。両当該字には平声点を差す。異体字「與」に対して、観智院本類聚名義抄は反切「餘據反」と「平声」〔＊呉音声調か〕および和音「与」を見出す。日本呉音「ヨ」の蓋然性が高い。

与 アタフ［上上□］クミス／トモニ ナラフ　　　　（観智院本類聚名義抄／法上096-4）

與 餘據反 アタフ［上平平］… 平声 … 和与　　　　（観智院本類聚名義抄／佛下末025-6）

　先可知所付借字　　　　　　　　　　　　　　　　（承暦本金光明最勝王経音義／01 オ 7）

餘［上］与［平］多［上］太［平］連［平］礼［上］曽［上］祖［上］

　　　　　　　　　　　　　　　　　　　　　　　　（承暦本金光明最勝王経音義／01 ウ 3）

▶番号3276a「与」（与渡）の仮名音注「ヨ」については、基本的に -jo で対応する。当該字に声点はない。熟字3276「与渡」は左注「俗用淀字」を付載する。上述の分析を参照。

　山城國第六十八／宇治郡／宇治 … 餘戸 …　　　　（元和本倭名類聚抄／巻六06 ウ 2）

▶番号3271a「与」（与同罪）の仮名音注「ヨウ」については、異例 -jou を示す。当該字に声点はない。音声上は長音 -jou＞-joo で字音把握していたか。熟字2271「与同罪」は左右注「ヨウトウ／サイ」仮名音注を付載する。上述の分析を参照。

▶番号2100b「呂」（律呂）の仮名音注「リヨ」については、基本的に -jo で対応する。当該字には上声点を差す。観智院本類聚名義抄には上声点を付した同音字注「音挘」を見出す。長承本蒙求には仮名音注「リヨ」があり、その掲出字に上声点を加える。日本漢音「リヨ」上声を認める。

呂 音挘［上］タヒ ツキ … サト　　　　　　　　　　（観智院本類聚名義抄／佛中026-3）

呂［上］リヨ　　　　　　　　　　　　　　　　　　　（長承本蒙求／044）

▶番号2102a・3067b「旅」（旅宿・行旅）の仮名音注「リヨ」については、基本的に -jo で対応する。両当該字には上声点を差す。観智院本類聚名義抄に上声点を付した同音字注「音呂」（そ

の右傍に朱筆で仮名音注「リヨ」）および和音「同」を見出す。日本漢音「リヨ」上声、日本呉音「リヨ」を認める。

　　　旅 音呂［上／リヨ：朱右傍］… タヒ … 和同 …　　　　　（観智院本類聚名義抄／僧中 030-5）

　▶番号 2204「稆」（穭）の仮名音注「リヨ」については、基本的に -jo で対応する。当該字には上声点を差し、右注「ヲロカヲヒ」中注「又ヒツチ」左注「自生稲也」を付載する。観智院本類聚名義抄に同音字注「音呂」を見出すが、仮名音注はない。元和本倭名類聚抄に同音字注「音呂」がある。

　　　穭 音呂 ヲロカヲヒ［上上□上上］俗云ヒツチ［上上上］…　　　（観智院本類聚名義抄／法下 022-3）

　　　穭　唐韻云穭 音呂後漢書穭讀於路賀於比俗云比豆知 自生稻也

　　　　　　　　　　　　　　　　　　　　　　　　　（元和本倭名類聚抄／巻十七 02 オ 4）

　▶番号 3268a「膂」（膂力）の仮名音注「ヨウ」については、異例 -jou を示す。当該字には上声点を差す。熟字 3268「膂力」は右注「ヨウリヨク」左注「云力強者也」を付載する。当該字を「膺」（影母蒸韻 'ieŋ'）と誤認した可能性がある。本来は右注「リヨリヨク」である。観智院本類聚名義抄に同音字注「音呂」を見出すが、仮名音注はない。

　　　膂 音呂／セナカノホネ［□上平□□□］　　　　　（観智院本類聚名義抄／佛中 115-8）

《下巻 語韻諸例》

　▶番号 6735b「舉」（薦舉）の仮名音注「キヨ」については、基本的に -jo で対応する。当該字には上声点を差す。上巻の語韻当該諸例で分析したように、日本漢音「キヨ」上声を認める。

　▶番号 5157a・5158a「舉」（舉状・舉用）の仮名音注「キヨ」については、基本的に -jo で対応する。両当該字に声点はない。上述の分析を参照。

　▶番号 5676b「舉」（出舉）の仮名音注「コ」については、基本的に -o で対応する。当該字に声点はなく、右傍「イラス」を付載する。上述の分析を参照。

　▶番号 3984b「去」（逃去）の仮名音注「キヨ」については、基本的に -jo で対応する。当該字には去声点を差す。観智院本類聚名義抄に反切「丘據反」（その反切下字に去声点）および平声点を付した和音「コ」（その右傍に墨筆で濁音「√」表記〔＊頭子音 kʰ- 溪母から見て存疑〕）を見出す。長承本蒙求には仮名音注「キヨ」五例があり、それらを含む掲出諸字に上声点と去声点を加える。日本漢音「キヨ」上／去声、日本呉音「コ」平声を認める。

　　　去 … 丘據［□去］反 又上 サル［上平］… 和コ［平／√：墨右傍］

　　　　　　　　　　　　　　　　　　　　　　　（観智院本類聚名義抄／佛上 084-3）

　　　去［上］キヨ　　　　　　　　　　　　　　　　　　　（長承本蒙求／031）

　　　去［去］キヨ　　　　　　　　　　　（長承本蒙求／047・097・122・137）

734 3．仮名音注の韻母別考察 3-4 ⅢB韻類

　　去［去］　　　　　　　　　　　　　　　　　　　（長承本蒙求／117）

　▶番号4129「距」（距）の仮名音注「キヨ」については、基本的に -jo で対応する。当該字には上声点を差し、右注「アコエ 其呂反」左注「雞距也又乍鉅」を付載する。観智院本類聚名義抄に上声点を付した同音字注「音巨」と反切「又后呂反」を見出すが、仮名音注はない。元和本倭名類聚抄に同音字注「音巨」がある。日本漢音は上声を認める。

　　　距 … 音巨［上］又后呂反 … アコエ［平平平］… コユ　　（観智院本類聚名義抄／法上081-7）

　　　距　蔣魴切韻云距　音巨訓阿古江　雞雄脛有岐也　　　　（元和本倭名類聚抄／巻十八15オ1）

　▶番号5107a・5177a「巨」（巨猾・巨害）の仮名音注「キヨ」については、基本的に -jo で対応する。両当該字には去声点を差す。熟字5107「巨猾」は右傍「ミタリナリ」を、熟字5177「巨害」は左注「大害」を付載する。上巻の語韻当該諸例で分析したように、日本漢音「キヨ」去声を認める。

　▶番号3679a「巨」（巨多）の仮名音注「コ」については、基本的に -o で対応する。当該字には去声点を差す。上述の分析を参照。

　▶番号3735a「巨」（巨勢）の仮名音注「コ」については、基本的に -o で対応する。当該字に声点はない。上述の分析を参照。

　▶番号3639a「拒」（拒捍）の仮名音注「コ」については、基本的に -o で対応する。当該字には去声点を差す。その中古音が示す頭子音 g-（等韻学の術語で言う牙音濁群母）は有声軟口蓋閉鎖音であり、日本語のガ行音をもって受容するが、中国語音韻史上における濁音声母の無声化を反映する場合はカ行音で対応する。観智院本類聚名義抄に平声点〔＊正音としては存疑〕を付した同音字注「音巨」を見出す。長承本蒙求には仮名音注「キヨ」があり、その掲出字に去声加濁点を加える。日本漢音「ギヨ」去声を認める。

　　　拒 … 音巨［平］フセク［平平上］… 隔也　　　　（観智院本類聚名義抄／佛下本065-8）

　　　拒［去／去：加濁］キヨ　　　　　　　　　　　　　　（長承本蒙求／100）

　▶番号3652b・5664b「語」（偶語・耳語）の仮名音注「キヨ」については、基本的に -jo で対応する。両当該字には上声濁点を差すので、字音「ギヨ」を想定する。上巻の語韻当該諸例で分析したように、日本漢音「ギヨ」上/去声、日本呉音「ゴ」を認める。

　▶番号6273b「語」（蜜語）の仮名音注「コ」については、基本的に -o で対応する。当該字には上声点を差す。上述の分析を参照。

　▶番号3696a「語」（語逃）の仮名音注「コ」については、基本的に -o で対応する。当該字には去声濁点を差すので、字音「ゴ」を想定する。熟字3696「語逃」は左注「雙六語逃」を付載する。上述の分析を参照。

　▶番号6036b「圄」（囹圄）の仮名音注「コ」については、基本的に -o で対応する。当該字には上声濁点を差すので、字音「ゴ」を想定する。熟字6036「囹圄」は右注「同（ヒトヤ）」左傍「ヒ

トヤ」を付載する。観智院本類聚名義抄に反切「半呂反」と上声濁点を付した同音字注「語」および平声濁点を付した呉音「語」を見出すが、仮名音注はない。この呉音は大般若経字抄による漢呉二音相同の同音字注を出典とする。日本漢音は上声、日本呉音は平声を認める。

　　　圄圄 二正 半呂反 … ヒトヤ サカヒ コメカフ ［平上□□］　　（観智院本類聚名義抄／法下 085-3）

　　　圄圄 霊語 ［平上濁］二音／ハヤ 呉音令語 ［去平濁］…　　（観智院本類聚名義抄／法下 085-4）

　　　圄圄 ［令語：右傍］獄也　　　　　　　　　　（石山寺一切経蔵本大般若経字抄／25 オ 7）

▶番号5074a「許」（許容）の仮名音注「キヨ」については、基本的に -jo で対応する。当該字には上声点を差す。図書寮本類聚名義抄に反切「弘云虚語反」を見出す。観智院本類聚名義抄には反切「虚語反」および和音「コ」を見つける。長承本蒙求に同音字注「舉反」と仮名音注「キヨ」五例があり、それらの掲出字に上声点を加える。日本漢音「キヨ」上声、日本呉音「コ」を認める。

　　　許 弘云虚語反 進也 … スヽム ［上上平］　　　　　（図書寮本類聚名義抄／074-7）

　　　許 虚語反 ユルス ［平平□］… 和コ　　　　　（観智院本類聚名義抄／法上 061-2）

　　　許 ［上］舉反／キヨ　　　　　　　　　　　　　　　（長承本蒙求／019）

　　　許 ［上］キヨ　　　　　　　　　　　　　（長承本蒙求／037・089・133）

　　　許 ［上：圏点］キヨ　　　　　　　　　　　　　　　（長承本蒙求／126）

▶番号5175a「許」（許諾）の仮名音注「キヨ」については、基本的に -jo で対応する。当該字には去声点を差す。上述の分析を参照。

▶番号3606a「許」（許可）の仮名音注「コ」については、基本的に -o で対応する。当該字には平声点を差す。上述の分析を参照。

▶番号3374「許」（許）の仮名音注「コ ［平濁］」については、基本的に -o で対応する。当該字に声点はなく、右注「コ」仮名音注に平声濁点を差すので、字音「ゴ」を想定する。また左注「コツキ」を付載する。その中古音が示す頭子音 x-（等韻学の術語で言う喉音清暁母）は無声軟口蓋摩擦音であり、日本語のカ行音をもって受容する。ガ行音での対応は許容しがたい。諧声符「午」（姥韻 ŋuʌ²）による字音把握か。上述の分析を参照。

▶番号3734a「許」（許曽倍）の仮名音注「コ」については、基本的に -o で対応する。当該字に声点はない。先んじて存する姓氏に漢字表記を宛てる。上述の分析を参照。

▶番号5898a「序」（序破急）の仮名音注「シヨ」については、基本的に -jo で対応する。当該字に声点はない。観智院本類聚名義抄に反切「徐呂反」および濁音を含む低平調の和音「シヨ」を見出す。日本呉音「ジヨ」平声を認める。

　　　序 徐呂反 ノフ ［平上］… 和シヨ ［平濁平］　　　　（観智院本類聚名義抄／法下 104-3）

▶番号6145b「楚」（檜楚）の仮名音注「ソ」については、基本的に -o で対応する。当該字に声点はない。熟字6145「檜楚」は右注「ヒソ」を付載する。観智院本類聚名義抄に和音「ソ」を見出す。長承本蒙求には仮名音注「ソ」があり、その掲出字に上声点を加える。金光明最勝王経音義

には同音字注「踈音」があり、その掲出字に去声点を加える。また仮名音注「ソウ」がある。これは一音節二拍相当の長音 *-ou>-oo* を示すか。日本漢音「ソ」上声、日本呉音「ソ」去声を認める。

楚 イタム タカシ … 和ソ		（観智院本類聚名義抄／佛下本126-8）
楚 ［上］ソ		（長承本蒙求／018・094・123・144）
楚 ［去］踈、		（承暦本金光明最勝王経音義／05 オ6）
楚 ソウ ［：右傍］〔＊後筆墨書〕		（承暦本金光明最勝王経音義／10 オ1）
檜楚 漢語抄云檜楚 比曾俗用檜曾二字今案楚字是也		（元和本倭名類聚抄／巻十五11 ウ7）

▶番号5737a・5762a・5809a・5825a・5832a・5833a・5834a「所」（所據・所負・所澀・所課・所依・所怙・所宣）の仮名音注「シヨ」については、基本的に *-jo* で対応する。当該諸字七例には平声点を差す。熟字5833「所怙」は左注「恃欤」右傍「タノム」を付載する。上巻の語韻当該諸例で分析したように、日本呉音「シヨ」平声を認める。

▶番号5269c・5807a・5824a・5826a・5897b・5957a「所」（主基所・所縁・所得・所知・无所詮・所司）の仮名音注「シヨ」については、基本的に *-jo* で対応する。当該諸字六例に声点はない。熟字5269「主基所」は中左注「大嘗會之時／云右也」を、熟字5897「无所詮」は「シヨセンナシ」を付載する。上述の分析を参照。

▶番号5557a「粯」（粯米）の仮名音注「シヨ」については、基本的に *-jo* で対応する。当該字に声点はない。熟字5557「粯米」は右傍「クマシネ」を付載する。観智院本類聚名義抄に同音字注「音所」と反切「相与反」を見出すが、仮名音注はない。

稻 音所 神米／粯 或		（観智院本類聚名義抄／法下007-2）
粯 相与反 又音所／クマシネ［平平平上］		（観智院本類聚名義抄／法下035-5）
粯米 離騒經注云粯 和名久萬之禰 精米所以亨神也		（元和本倭名類聚抄／巻十三08 ウ1）

▶番号5554b「渚」（洲渚）の仮名音注「ス」については、異例 *-u* を示す。当該字に声点はない。熟字5554「洲渚」は左注「シユス」を付載する。熟字上部「洲」の日本呉音「ス」に牽引された類推による誤認か、本来は字音「シユシヨ」を期待する。上巻の語韻当該例で分析したように、日本漢音「シヨ」上声、日本呉音「シヨ」去声を認める。

▶番号5797a「處」（處分）の仮名音注「シヨ」については、基本的に *-jo* で対応する。当該字に声点はない。廣韻に拠れば、語/御韻（tśʻiʌ²³）二音を有する。観智院本類聚名義抄に上声点を付した同音字注「音杵」と「又去」および和音「シヨ」を見出す。長承本蒙求には仮名音注「シヨ」があり、その掲出字に上声点を加える。日本漢音「シヨ」上/去声、日本呉音「シヨ」を認める。

處 … 音杵［上］又去 上 ヲリ［上平］… 去 … 和シヨ		（観智院本類聚名義抄／法下097-1）
處 ［上］シヨ		（長承本蒙求／007）

▶番号4090b「黍」（丹黍）の仮名音注「シヨ」については、基本的に *-jo* で対応する。当該字に声点はない。熟字4090「丹黍」は右注「アカキ〻ヒ」左注「赤丹黍」を付載する。観智院本類聚

名義抄に同音字注「音鼠」と反切「尸諸反」を見出す。長承本蒙求に同音字注「所」と仮名音注「ソ・シヨ」があり、その掲出字に上声点を加える。同書の仮名音注は平安時代院政初期である長承三年（1134）に加点された墨筆（例示で両音形ある場合は右側）を中心とするが、平安時代中期と推定する古い朱筆（両音形ある場合は左側）の加点もある。元和本倭名類聚抄には同音字注「音鼠」がある。日本漢音「ソ・シヨ」上声を認める。

黍 音鼠 尸諸反／キヒ　　　　　　　　　　　　　　　（観智院本類聚名義抄／法下 019-6）

丹黍 アカキヽヒ［上上上平平濁］　赤黍 同　　　　（観智院本類聚名義抄／法下 019-6）

黍［上］所反／ソ・シヨ　　　　　　　　　　　　　　　　　　（長承本蒙求／027）

丹黍　本草云丹黍一名赤黍一名黄黍 音鼠和名阿賀木々美

　　　　　　　　　　　　　　　　　　　　　　　（元和本倭名類聚抄／巻十七 04 ウ 8）

▶番号 6232b「暑」（避暑）の仮名音注「シヨ」については、基本的に *jo* で対応する。当該字に上声点を差す。熟字 6232「避暑」は右傍「ヒル アツキヲ」を付載する。上巻の語韻当該例で分析したように、日本漢音は上声、日本呉音「シヨ」平/去声を認める。

▶番号 5760b「貯」（資貯）の仮名音注「チヨ」については、基本的に *jo* で対応する。当該字に去声点を差す。観智院本類聚名義抄に呉音「儲」と正音「佇」を見出すが、仮名音注はない。これらは大般若経字抄による引用である。同書は原則として漢呉二音相同の同音字注を付載するが、これに適合する候補が得られない場合は正音と呉音を分けて示す。

　　貯 呉音儲 正佇 イク［□リ：墨右傍］… 知呂反〔＊別筆か〕

　　　　　　　　　　　　　　　　　　　　　　　（観智院本類聚名義抄／佛下本 014-5）

　　正佇 貯［儲也：右傍］　　　　（石山寺一切経蔵本大般若経字抄／08 オ 2）

▶番号 3839b「佇」（延佇）の仮名音注「チヨ」については、基本的に *jo* で対応する。当該字に去声点を差す。熟字 3839「延佇」は右傍「ノヒ トミマル」を付載する。上巻の語韻当該例で分析したように、日本漢音「チヨ」上声を認める。

▶番号 4252a「紵」（紵布）の仮名音注「チヨ」については、基本的に *jo* で対応する。当該字に上声点を差す。熟字 4252「紵布」は右注「アサヌノ」を付載する。図書寮本類聚名義抄に同音字注「音佇」と声調注記「川云上声之重」を見出す。当該字の頭子音 ḍ-（等韻学の術語で言う舌音濁澄母）が濁声母であり、上声之重に相当することを言う。切韻を撰述して以降の中国語において、上声濁が次第に去声化を起こした状態を、日本漢音では反映する。これは上声を構成する上声軽と上声重とが allotone であり、後者の調値が去声と区別できないことを示すとも言える。観智院本類聚名義抄には上声点を付した同音字注「音佇」を見つけるが、仮名音注はない。日本漢音は上声を認める。

　　為紵 音佇 … 川云上声之重 … アサヌク　　　　（図書寮本類聚名義抄／304-4）

　　紵 テツクリ［平平濁平□］ノヌノ　　　　　（観智院本類聚名義抄／法中 110-4）

738　3．仮名音注の韻母別考察　3-4　ⅢB韻類

紵　音佇［上］麻属 ヌノ［上上］／アサヌク［平平□□］…　　　（観智院本類聚名義抄／法中116-3）

紵布　唐式云紵布三端 今案紵者麻紵之紵俗用麻布二字云阿佐沼乃是乎

（元和本倭名類聚抄／巻十二 16 ウ 6）

▶番号6169「杼」（杼）の仮名音注「チヨ」については、基本的に -jo で対応する。当該字に上声点を差し、右注「ヒ」中注「或乍筡」左注「織具也」を付載する。廣韻に拠れば、語韻（ȡiʌ² · dʑiʌ²）二音を有する。上巻の語韻当該例で分析したように、日本漢音は上声を認める。

▶番号5606b・6757b「女」（醜女・青女）の仮名音注「チヨ」については、基本的に -jo で対応する。両当該字に上声点を差す。熟字5606「醜女」は右傍「ミニクキナリ」を付載する。上巻の語韻当該諸例で分析したように、日本漢音「ヂヨ」上/去声、日本呉音「ニヨ」を認める。

醜女　日本紀云醜女 和名志古女　　　　　　　（元和本倭名類聚抄／巻二 05 オ 6）

▶番号5970a「女」（女萎）の仮名音注「チヨ」については、基本的に -jo で対応する。当該字に去声点を差す。熟字5970「女萎」は右注「同（エミクサ）」左注「又アマヒ［上上□］／□□ニ［上］欤」を付載する。上述の分析を参照。

女葳蕤　拾遺本草云女葳蕤一名黄芝 … 和名惠美久佐一云安麻奈

（元和本倭名類聚抄／巻二十 04 オ 7）

▶番号5894b「女」（兒女子）の仮名音注「チヨ」については、基本的に -jo で対応する。当該字に声点はない。熟字5894「兒女子」は左注「又上字士」を付載する。上述の分析を参照。

▶番号4056b「呂」（南呂）の仮名音注「リヨ」については、基本的に -jo で対応する。当該字に上声点を差す。上巻の語韻当該例で分析したように、日本漢音「リヨ」上声を認める。

▶番号5127b「旅」（羈旅）の仮名音注「リヨ」については、基本的に -jo で対応する。当該字に上声点を差す。上巻の語韻当該諸例で分析したように、日本漢音「リヨ」上声、日本呉音「リヨ」を認める。

▶番号5126b「旅」（逆旅）の仮名音注「レウ」については、異例 -eu を示す。当該字に上声点を差す。音変化による長音 -eu > -jou > -joo を反映する字音把握か。上述の分析を参照。

▶番号6052「穭」（穭）の仮名音注「リヨ」については、基本的に -jo で対応する。当該字に上声点を差し、右注「ヒツチ」中注「自生稲也」左注「又ヲロカヲヒ」を付載する。上巻の語韻当該例で分析した。

《上巻 御韻諸例》

▶番号1000b「御」（女御）の仮名音注「コ」については、基本的に -o で対応する。当該字には平声濁点を差すので、字音「ゴ」を想定する。観智院本類聚名義抄に反切「魚據反」（その反切下字に去声点）および低平調と推測する和音「コオ」（その右傍に墨筆で濁音「✓」表記）を見出

す。後者の和音は一音節二拍相当の長音 -oo を示すか。長承本蒙求には仮名音注「キヨ」二例があり、それらの掲出字に去声点と去声加濁点を加える。日本漢音「ギヨ」去声、日本呉音「ゴ」平声を認める。

御 魚據 [□去] 反 ヲサム … 和コオ [□平／✓□：墨右傍]　　（観智院本類聚名義抄／佛上 039-5）

御 [去] キヨ　　　　　　　　　　　　　　　　　　　　　　　　（長承本蒙求／072）

御 [去／去：加濁] キヨ　　　　　　　　　　　　　　　　　　　　（長承本蒙求／121）

▶番号0297b「恕」（優恕）の仮名音注「シヨ」については、基本的に -jo で対応する。当該字には上声濁点を差すので、日本語音韻史の連濁による字音「ジヨ」を想定する。廣韻に拠れば、その中古音は書母御韻去声（śiʌ³）である。熟字0297「優恕 [平上濁]」の調値は「○●」であるが、これは本来の調値「[平去] ○◑」が連濁とともに変化したと考える。図書寮本類聚名義抄に反切「弘云尸預反」（その反切下字に去声点）を見出す。この反切は篆隷萬象名義を出典とする。観智院本類聚名義抄には平声点を付した同音字注「音庶」を見つけるが、仮名音注はない。この平声点は呉音声調を示すか。日本漢音は去声を認める。

恕己 弘云尸預 [平去] 反 仁也如也 … オモハカル [平去平平上／詩：右注] オモフ [平平上]
　　　　　　　　　　　　　　　　　　　　　　　　　　　（図書寮本類聚名義抄／242-5）

恕 音庶 [平] クム ハカル … オモハカル　　　　（観智院本類聚名義抄／法中 086-8）

恕 尸預反 仁也如也　　　　　　　　　　　　（高山寺本篆隷萬象名義／第二帖 082 オ 5）

▶番号0664「箸」（箸）の仮名音注「チヨ」については、基本的に -jo で対応する。当該字には去声点を差し、右注「ハシ」左注「又作筯」を付載する。観智院本類聚名義抄に反切「長盧反」と同音字注「音除」を見出す。長承本蒙求には仮名音注「チヨ」があり、その掲出字に去声点を加える。元和本倭名類聚抄には反切「遅倨反」がある。日本漢音「チヨ」去声を認める。

筯箸 或正 長盧反 筴 ハシ [平上]／上又助箸二音 下音除　（観智院本類聚名義抄／僧上 062-8）

箸 [去] チヨ　　　　　　　　　　　　　　　　　　　　　　　（長承本蒙求／122）

箸 唐韻云筯 遅倨反和名波之 匙也字亦作箸 …　　（元和本倭名類聚抄／巻十四 07 ウ 3）

▶番号2341「絮」（絮）の仮名音注「シヨ」については、基本的に -jo で対応する。当該字には上声濁点を差すので、字音「ジヨ」を想定する。また右注「同（ワタ）」左右注「似綿／麁悪也」を付載する。廣韻に拠れば、その中古音は御韻去声三音である。前田本と廣韻の注記から看て、当該例は心母御韻（siʌ³／シヨ）に相当する。上声濁点を差すのは娘母御韻（ɳiʌ³／ヂヨ）との混淆による字音把握か。図書寮本類聚名義抄に反切「思據反」（その反切下字に去声点）および平声濁点を付した「公云音序」を見出す。後者は大般若経字抄による漢呉二音相同の同音字注を出典とする。観智院本類聚名義抄には反切「思據」（「反」表記欠落／その反切下字に去声点）および「呉序」を見つけるが、仮名音注はない。日本漢音は去声、日本呉音は平声を認める。

絮 說文曰敝緜也 息據切又抽據尼恕二切一　　　　　（宋本廣韻／心母御韻 siʌ³）

740　3．仮名音注の韻母別考察　3-4　ⅢB韻類

女 以女妻人也 尼據切二 絮 姓也漢有絮舜　　　　　　　　　　（宋本廣韻／娘母御韻 niʌ³）

絮 和調食也 抽據切三 …　　　　　　　　　　　　　　　　　（宋本廣韻／徹母御韻 tʻiʌ³）

絮 玉云思／據 ［□去］ 反 幣帛也 … 公云音序 ［平濁］ …　　　（図書寮本類聚名義抄／315-5）

絮 真云自慮反 …　　　　　　　　　　　　　　　　　　　　（図書寮本類聚名義抄／315-6）

絮 思據 ［□去］ ツク … ワタ ［平平］ … 呉序　　　　（観智院本類聚名義抄／法中 131-1）

絮 ［音序：右傍］　　　　　　　　　（石山寺一切経蔵本大般若経字抄／09 オ 2・14 オ 6）

▶番号 0379b・0397b「豫」（伊豫・伊豫）の仮名音注「ヨ」については、基本的に -jo で対応する。両当該字に声点はない。先んじて存する國郡と姓氏に漢字表記を宛てる。観智院本類聚名義抄に反切「余據反」（その反切下字に去声点）および平声点を付した和音「ヨ」を見出す。長承本蒙求には仮名音注「ヨ」があり、その掲出字に去声点を加える。日本漢音「ヨ」去声、日本呉音「ヨ」平声を認める。

豫 余據 ［□去］ 反 アツカル ［平平濁□□］ … 和ヨ ［平］　　（観智院本類聚名義抄／僧中 037-8）

豫 ［去］ ヨ　　　　　　　　　　　　　　　　　　　　　　　（長承本蒙求／085・108）

伊豫國 國府在越智郡 … 伊豫 喜多 岐多 宇和　　　　（元和本倭名類聚抄／巻五 12 ウ 4）

▶番号 0296b「預」（猶預）の仮名音注「ヨ」については、基本的に -jo で対応する。当該字には平声点と去声点を差す。廣韻に拠れば、尤／有韻 (jiʌu¹³) 二音を有する。熟字 0296「猶預」は中注「不定也」を付載する。観智院本類聚名義抄に反切「弋庶反」および平声点を付した和音「ヨ」を見出す。長承本蒙求には仮名音注「ヨ」があり、その掲出字に去声点を加える。日本漢音「ヨ」去声、日本呉音「ヨ」平声を認める。

預 弋庶反 アツカル ［平平濁□□］ … 和ヨ ［平］ …　　（観智院本類聚名義抄／佛下本 026-4）

預 ［去］ ヨ　　　　　　　　　　　　　　　　　　　　　　　　（長承本蒙求／037）

▶番号 3238a・3262a「飫」（飫宴・飫飲）の仮名音注「ヨ」については、基本的に -jo で対応する。両当該字には去声点を差す。観智院本類聚名義抄に反切「央去反」を見出すが、仮名音注はない。

飫 央去反 アキタル ［平平□□］／キラフ ユタカナリ　　（観智院本類聚名義抄／僧上 106-3）

《下巻 御韻諸例》

▶番号 5737b・6333b「據」（所據・非據）の仮名音注「キヨ」については、基本的に -jo で対応する。両当該字には上声点を差す。観智院本類聚名義抄に反切「勅魚反」を見出すが、仮名音注はない。承暦本金光明最勝王経音義に借字による「古音」があり、その掲出字に去声点を加える。日本呉音は去声を認める。また日本呉音「コ」の蓋然性が高い。

據 勅魚反 ノフ ［平上濁］ オモヒハカル … 張擬　　　（観智院本類聚名義抄／佛下本 045-5）

据 [去] 古ミ （承暦本金光明最勝王経音義／11 オ 1）

　先可知所付借字 （承暦本金光明最勝王経音義／01 オ 7）

不 [上] 布 [平] 苻 己 [平] 古 [上] 衣 [上] 延 [平] 天 [上] 弖 [平]

（承暦本金光明最勝王経音義／01 ウ 5）

▶番号5796b「據」（准據）の仮名音注「キヨ」については、基本的に -jo で対応する。当該字に声点はない。上述の分析を参照。

▶番号5722b・5738b「據」（證據・所據）の仮名音注「コ」については、基本的に -o で対応する。両当該字には上声点を差す。上述の分析を参照。

▶番号5012a「御」（御溝）の仮名音注「キヨ」については、基本的に -jo で対応する。当該字には上声点を差す。熟字5012「御溝」は右傍「ミカハ ミツ」を付載する。上巻の御韻当該例で分析したように、日本漢音「ギヨ」去声、日本呉音「ゴ」平声を認める。

▶番号5169a「御」（御遊）の仮名音注「キヨ」については、基本的に -jo で対応する。当該字に声点はない。上述の分析を参照。

▶番号3611a・3612a「御」（御禊・御製）の仮名音注「キヨ」については、基本的に -jo で対応する。両当該字には平声点を差す。上述の分析を参照。

▶番号5600b「詛」（咒詛）の仮名音注「シヨ」については、基本的に -jo で対応する。当該字に声点はない。熟字5600「咒詛」は左注「咀イ本」を付載する。図書寮本類聚名義抄に反切「側據反」を見出す。観智院本には反切「側據反」および和音「シヨ」を見つける。日本呉音「シヨ」を認める。

　祝詛〔＊詛の誤認〕茲云側據反 … （図書寮本類聚名義抄／089-5）

　詛〔＊詛の誤認〕側據反 … トコフ [上上濁平] 和音シヨ （観智院本類聚名義抄／法上 064-7）

　詛 トコフ [上平濁□] （観智院本類聚名義抄／法上 072-8）

　咀 音詛 [平] 子与反 クフ カム ナム クラフ [上上平] … （観智院本類聚名義抄／佛中 032-4）

　呪咀 ノロヒトコフ [上上上上上濁□] （観智院本類聚名義抄／佛下末 018-1）

▶番号5940a「助」（助教）の仮名音注「シヨ」については、基本的に -jo で対応する。当該字に声点はない。観智院本類聚名義抄に反切「鉏據反」および低平調と推測する和音「自ヨ」を見出す。同書では和音「自フ・自ム・自ヤ・自ヤウ・自ヨ・自ン」があり、それぞれ濁音「ジ」相当を含む字音である。このうち特筆すべきは「甚」に対する同音字注「自ン [平濁上]」である。これは明らかに「ジン」を示す。日本呉音「ジヨ」平声を認める。

　助 鉏據反 タスク [平平□] … 和自ヨ [□平：墨点] （観智院本類聚名義抄／僧上 081-8）

　甚 常枕 [□上] 反 … 和自ン [平濁上：墨点] （観智院本類聚名義抄／僧下 082-6）

▶番号3312a・6038a「助」（助鋪・助鋪）の仮名音注「ソ」については、基本的に -o で対応する。両当該字には去声点を差す。熟字3312「助鋪」は右注「コヤ」左注「又ヒタキヤ」を、熟字

742　3．仮名音注の韻母別考察　3-4　ⅢB韻類

6038「助舗」は右注「ヒタキヤ」左注「コヤ」を付載する。上述の分析を参照。

　　　助舗　辨色立成云助舗 和名古夜 一云 比太岐夜 …　　　　（元和本倭名類聚抄／巻十 05 ウ 5）

　▶番号 4385b「署」（押署）の仮名音注「シヨ」については、基本的に *jo* で対応する。当該字には平声濁点を差すので、字音「ジヨ」を想定する。廣韻に拠れば、その中古音は御韻（źiʌ³）である。観智院本類聚名義抄に反切「是庶反」を見出すが、仮名音注はない。

　　　署 是庶反 書撿也 アタ、カナリ シルス［上上平］…　　　　（観智院本類聚名義抄／僧中 009-7）

　▶番号 5622a「庶」（庶幾）の仮名音注「シヨ」については、基本的に *jo* で対応する。当該字には去声点を差す。熟字 5622「庶幾」は右傍「コヒネカフ」を付載する。観智院本類聚名義抄に反切「尸預反」を見出すが、仮名音注はない。

　　　庶 … 尸預反 ネカフ［平上濁□］スフ サイハヒ …　　　　（観智院本類聚名義抄／法下 104-6）
　　　庶幾 コヒネカフ［平平□□□］　　　　　　　　　　　　　　（観智院本類聚名義抄／法下 104-6）

　▶番号 5383a「庶」（庶人三臺）の仮名音注「シヨ」については、基本的に *jo* で対応する。当該字に声点はない。熟字 5383「庶人三臺」は右注「大食調」左傍「シヨミサハタイ」を付載する。上述の分析を参照。

　　　道調曲　上元樂 … 庶人三臺 … 五坊樂後散　　　　（元和本倭名類聚抄／巻四 16 オ 1）

　▶番号 6155b「筯」（火筯）の仮名音注「チヨ」については、基本的に *jo* で対応する。当該字には去声点を差す。熟字 6155「火筯」は右注「ヒハシ」左注「治據反」を付載する。観智院本類聚名義抄に反切「長盧反」と同音字注「上又助箸二音」を見出すが、仮名音注はない。元和本倭名類聚抄には反切「治據反」がある。

　　　筯箸 或正 長盧反 筴 ハシ［平上］／上又助箸二音 下音除　　（観智院本類聚名義抄／僧上 062-8）
　　　火筯 ヒハシ［平平濁上］　　　　　　　　　　　　　　　　（観智院本類聚名義抄／僧上 063-1）
　　　火筯　辨色立成云火筯 比波之下治據反　　　　　　　（元和本倭名類聚抄／巻十二 14 オ 6）

　▶番号 6344b「絮」（飛絮）の仮名音注「シヨ」については、基本的に *jo* で対応する。当該字には上声濁点を差すので、字音「ジヨ」を想定する。上巻の御韻当該例で分析したように、日本漢音は去声を認める。

　▶番号 5617b「慮」（思慮）の仮名音注「リヨ」については、基本的に *jo* で対応する。当該字には平声点を差す。観智院本類聚名義抄に反切「力據反」および上昇調と推測する和音「リヨ」と「或平」を見出す。日本呉音「リヨ」平/去声を認める。

　　　慮 力據反 … オモハカル［平去上濁上上］… 和リヨ［□上］或平

　　　　　　　　　　　　　　　　　　　　　　（観智院本類聚名義抄／法下 094-8）

3-4-2-2 -iuʌ (虞/麌/遇韻)

　資料篇【表B-07】には虞韻（平声）麌韻（上声）遇韻（去声）所属の諸例が含まれる。前田本の示す仮名音注は、-u(-uu), -ju, -iu, -uju で基本的に対応する。これらは中国語音における主母音 -ʌ- が介音 -iu- に吸収されて、日本漢字音ではウ列音を含む字音把握がなされたと推測する。異例として、-ei, -i, -it, -o, -ou, -wa がある。

《上巻 虞韻諸例》

▶番号0723b「駒」（白駒）の仮名音注「ク」については、基本的に -u で対応する。当該字には平声点を差す。熟字0723「白駒」は左注「ハツク」を付載する。日本語音韻史上において、促音は無表記を原則とするが、字音表記「ハク」では弁別的な機能を果たせないと判断し、字音「ハク」の音変化による促音「ツ」表記を施す。観智院本類聚名義抄に平声点を付した同音字注「音倶」を見出すが、仮名音注はない。元和本倭名類聚抄には同音字注「音倶」がある。日本漢音は平声を認める。

　　駒 音倶［平］コマ［平平］　　　　　　　　　　　（観智院本類聚名義抄／僧中099-2）
　　馬 駒等附 … 王仁煦曰駒 音倶和名古萬 馬子也　　（元和本倭名類聚抄／巻十一10 オ3）
▶番号1552・1556「倶」（倶・倶）の仮名音注「ク」については、基本的に -u で対応する。両当該字には平声点を差す。番号1552「倶」は和訓「トモ」の同訓異字として位置する。番号1556「倶」は和訓「トモニ」の同訓異字として位置し、右注「又乍与」を付載する。観智院本類聚名義抄に反切「矩瑜反」（反切下字の右傍に朱筆で仮名音注「ユ」）および去声点を付した和音「ク」を見出す。日本呉音「ク」去声を認める。

　　倶 矩瑜［□ユ：朱右傍］反 トモ … 和ク［去］　　　（観智院本類聚名義抄／佛上031-6）
▶番号2821「拘」（拘）の仮名音注「コウ」については、異例 -ou を示す。当該字に声点はなく、右注「カ ヽ フ」を付載する。諧声符「勾」（見母候韻 kʌuˀ）による類推の字音把握であろう。観智院本類聚名義抄に同音字注「音倶」および平声点を付した和音「ク」を見出す。日本呉音「ク」平声を認める。

　　拘 音倶 カ、フ［平上平］… 和ク［平］　　　　　（観智院本類聚名義抄／佛下本064-5）
▶番号1228b「句」（發句）の仮名音注「ク」については、基本的に -u で対応する。当該字には平声点を差す。観智院本類聚名義抄に反切「九遇反」（その反切下字に去声濁点）および和音「ク」を見出す。日本漢音は去声、日本呉音「ク」を認める。

　　句 九遇［去濁］反 カ、マル［上上濁上平］… 和ク　　（観智院本類聚名義抄／法下057-8）
▶番号0146・0211「劬」（劬・劬）の仮名音注「ク」については、基本的に -u で対応する。

744　3．仮名音注の韻母別考察　3-4　ⅢB韻類

両当該字には平声点を差す。番号0146「劲」は和訓「イタハル」の同訓異字として、番号0211「劬」は和訓「イトナム」の同訓異字として位置する。観智院本類聚名義抄に同音字注「音衢」および呉音「區」を見出す。この呉音注は大般若経字抄による漢呉二音相同の同音字注を出典とする。

　　　劬 音衢 イタハル［平平平平／□□□シ［上］］… イトナム 呉音 區
　　　　　　　　　　　　　　　　　　　　　　（観智院本類聚名義抄／僧上083-5）
　　　劬［音區：右傍］勤也　　　　　　　　　（石山寺一切経蔵本大般若経字抄／11 オ5）
　　　劬［音區：右傍］　　　　　　　　　　　（石山寺一切経蔵本大般若経字抄／19 オ7）

▶番号2869b「衢」（街衢）の仮名音注「ク」については、基本的に -u で対応する。当該字には平声点を差す。観智院本類聚名義抄に平声点を付した同音字注「音劬」および和音「又去」を見出す。承暦本金光明最勝王経音義には仮名音注「ク」二例があり、それぞれの掲出字に去声点と平声点を加える。日本漢音は平声、日本呉音「ク」平/去声を認める。

　　　衢 音劬［平］チマタ／和又去　　　　　　（観智院本類聚名義抄／佛上043-2）
　　　衢［去：圈点］ク［：右傍］〔＊後筆墨書〕　（承暦本金光明最勝王経音義／07 オ6）
　　　衢［平：圈点］ク［：右傍］〔＊後筆墨書〕　（承暦本金光明最勝王経音義／08 オ4）

▶番号1432a「瞿」（瞿麦）の仮名音注「ク」については、基本的に -u で対応する。当該字には平声点を差す。廣韻に拠れば、虞韻（giuʌ¹）遇韻（kiuʌ³）二音を有する。熟字1432「瞿麦」は右注「トコナツ俗」左注「又ナテシコ」を付載する。図書寮本類聚名義抄に反切「具俱」を見出す。観智院本には反切「懼俱荊遇二反」と同音字注「音劬」また「又去」および和音「ク」を見つける。承暦本金光明最勝王経音義には仮名音注「ク」がある。日本漢音は去声、日本呉音「ク」を認める。

　　　諾 真云／奴各 瞿 具／俱 陁 …　　　　（図書寮本類聚名義抄／081-4）
　　　瞿 音劬 又去／オツ 和ク　　　　　　　（観智院本類聚名義抄／佛中068-2）
　　　瞿 懼俱荊／遇二反 ナヲシ　　　　　　　（観智院本類聚名義抄／僧中137-1）
　　　瞿 ク［：右傍］摩 コマヲイフ也〔＊後筆墨書〕（承暦本金光明最勝王経音義／08 ウ2）
　　　瞿麥　本草云瞿麥一名大蘭 和名奈天之古一云止古奈豆（元和本倭名類聚抄／巻二十02 オ6）

▶番号2224b「鸜」（鸜鵒）の仮名音注「ク」については、基本的に -u で対応する。当該字には平声濁点を差すので、字音「グ」を想定する。観智院本類聚名義抄に同音字注「音娯」と平声濁点を付した同音字注「音虞」を見出すが、仮名音注はない。元和本倭名類聚抄には同音字注「虞」がある。日本漢音は平声を認める。

　　　鸜 音娯 鸜鵒鵒　　　　　　　　　　　（観智院本類聚名義抄／僧中116-2）
　　　鸜鵒 澤虞［入平濁］二音 オスメトリ［上上上濁□］…（観智院本類聚名義抄／僧中116-2）
　　　鸜鵒鳥　唐韻云鸜鵒 澤虞二音楊氏漢語抄云護田鳥於須賣止里 …
　　　　　　　　　　　　　　　　　　　　　　（元和本倭名類聚抄／巻十八08 ウ2）

▶番号2591「軥」（軥）の仮名音注「ク」については、基本的に -u で対応する。当該字には平

3-4-2 -iʌ 系の字音的特徴 745

声点を差し、右注「カタサキ」を付載する。廣韻に拠れば、虞韻（ŋiuʌ¹）厚韻（ŋʌu²）二音を有する。観智院本類聚名義抄に上声濁点を付した同音字注「音偶」（その右傍に朱筆で仮名音注「コウ」）と平声濁点を付した同音字注「虞」（その右傍に朱筆で仮名音注「ク」）を見出す。日本漢音「グ」平声と「ゴウ」上声を認める。

　　髃 音偶［上濁／コウ：朱右傍］又虞［平濁／ク：朱右傍］… カタサキ［平平上平］…

　　　　　　　　　　　　　　　　　　　　　　　　（観智院本類聚名義抄／佛下本 007-6）

　▶番号0453b「愚」（魯愚）の仮名音注「ク」については、基本的に -u で対応する。当該字には平声点を差す。図書寮本類聚名義抄に平声濁点を付した同音字注「音虞」を見出す。観智院本類聚名義抄には平声濁点を付した「音虞」および去声濁点を付した和音「ク」を見つける。日本漢音は平声、日本呉音「グ」去声を認める。

　　愚癡 上音虞［平濁］弘云轟也 … オロカナリ［切：右注］　　　（図書寮本類聚名義抄／247-5）

　　愚 音虞［平濁］オロカナリ［上上□□□／□□□ニ：墨右傍］／和ク［去濁：墨点］

　　　　　　　　　　　　　　　　　　　　　　　　（観智院本類聚名義抄／法中 100-4）

　▶番号2249・2990b「愚」（愚・下愚）の仮名音注「ク」については、基本的に -u で対応する。両当該字には平声濁点を差すので、字音「グ」を想定する。番号2249「愚」は右注「ヲロカ」左注「ヲロカナリ」を付載する。上述の分析を参照。

　▶番号5921b「虞」（英虞）の仮名音注「コ」については、異例 -o を示す。当該字に声点はない。その中古音が示す頭子音 ŋ-（等韻学の術語で言う疑母）は軟口蓋鼻音であり、日本語のガ行音をもって受容する。固有名詞としての地名が先んじて存在し、後に漢字表記「英虞」を宛てたと推測する。観智院本類聚名義抄に平声濁点を付した同音字注「音愚」を見出すが、仮名音注はない。元和本倭名類聚抄には借字による「阿呉」がある。日本漢音は平声を認める。

　　虞 … 音愚［平濁］タスク ハヽカル …　　　　　（観智院本類聚名義抄／法下 096-8）

　　志摩國 國府在英虞郡 … 答志　英虞 阿呉　　　（元和本倭名類聚抄／巻五 12 ウ 4）

　▶番号0051・0939b・2216b「芋」（芋・茵芋・茵芋）の仮名音注「ウ」については、基本的に -u で対応する。当該諸字三例には去声点を差す。廣韻に拠れば、虞/遇韻（ɣiuʌ¹ᐟ³）二音を有する。番号0051「芋」は右注「イモ」左注「家芋」を、熟字0939「茵芋」は右注「ニハツヽシ」を、熟字2216「茵芋」は右注「ヲカツヽシ」左注「又ニハツヽシ」を付載する。観智院本類聚名義抄に平声点を付した同音字注「于」と「下又去」を見出す。石山寺一切経蔵本大般若経字抄には漢呉二音相同の同音字注「雨」がある。元和本倭名類聚抄には同音字注「于」がある。日本漢音は平/去声を認める。

　　茵芋 因于［□平］二音 ニツヽシ［平平平平濁］一云ヲカツヽシ［上上□□□］下又去 イモ［平□］…

　　　　　　　　　　　　　　　　　　　　　　　　（観智院本類聚名義抄／僧上 036-2）

　　芋［雨：右傍］イモ　　　　　　　　　　　　　（石山寺一切経蔵本大般若経字抄／23 オ 7）

746　3．仮名音注の韻母別考察　3-4　ⅢB韻類

　　茵芋　本草云茵芋 因于二音和名仁豆々之一云乎加豆々之　　（元和本倭名類聚抄／巻二十 26 于7）

　▶番号0613・0626「諏」（諏・諏）の仮名音注「シユ」については、基本的に -ju で対応する。両当該字には平声点を差す。番号 0613「諏」は和訓「ハカル」の同訓異字として位置する。番号 0626「諏」は和訓「ハカリコト」の同訓異字として位置する。観智院本類聚名義抄に反切「子于反」を見出すが、仮名音注はない。

　　　諏 子于反 ハカラフ［上平□□］ハカリ⌐ ハカル …　　　（観智院本類聚名義抄／法上 064-3）

　▶番号0292b・0449b「趣」（意趣・六趣）の仮名音注「シウ」については、基本的に -iu で対応する。観智院本類聚名義抄に反切「七句反」と「又七倶反」（その反切下字に平声点）および平声点を付した和音「主」を見出すが、仮名音注はない。日本漢音・日本呉音ともに平声を認める。

　　　趣 七句反 又七倶［□平］反 ヲモフク［平平□平／□□ム□：墨右傍］… 和主［平］…

　　　　　　　　　　　　　　　　　　　　　　　　　　　　（観智院本類聚名義抄／佛上 069-8）

　▶番号2925b「娶」（嫁娶）の仮名音注「ス」については、基本的に -u で対応する。当該字には平声点と入声濁点〔＊存疑〕を差す。廣韻に拠れば、虞韻（siuʌ˩）遇韻（tsʻiuʌ³）二音を有する。観智院本類聚名義抄に同音字注「音趣」を見出す。長承本蒙求には仮名音注「スウ・シウ」があり、その掲出字に去声点を加える。日本漢音「スウ・シウ」去声を認める。

　　　娶 音趣 ヨメトリ … メトル　　　　　　　　　　　　（観智院本類聚名義抄／佛中 020-5）

　　　娶［去］スウ・シウ　　　　　　　　　　　　　　　　　　（長承本蒙求／090）

　▶番号1465b「朱」（陶朱）の仮名音注「ス」については、基本的に -u で対応する。当該字には平声点を差す。熟字1465「陶朱」は掲出字「德」の右注に付載し、左注には「已上德別名也」とある。観智院本類聚名義抄に同音字注「音珠」二例を見出す。長承本蒙求には仮名音注「ス」と「シユ」二例があり、それらの掲出字に平声点と東声点を加える。また同音字注「主」があり、それらの掲出字に平声点と東声点を加える。なお、長承三年点とは別筆か紛らわしい仮名音注「シユウ」は保留する。日本漢音「ス・シユ」東声（四声体系では平声）を認める。

　　　朱 音珠 アカシ　　　　　　　　　　　　　　（観智院本類聚名義抄／佛下本 093-5）

　　　朱 音珠　　　　　　　　　　　　　　　　　（観智院本類聚名義抄／佛下本 125-3）

　　　朱［平］ス／シユウ〔＊長承三年点とは別筆か〕　　　（長承本蒙求／009）

　　　朱［平］シユ　　　　　　　　　　　　　　　　　　（長承本蒙求／009）

　　　朱［東］シユ　　　　　　　　　　　　　　　（長承本蒙求／073・084）

　　　朱［東］主　　　　　　　　　　　　　　　　　　（長承本蒙求／091）

　　　朱［平］主　　　　　　　　　　　　　　　　　　（長承本蒙求／103）

　▶番号1996b「朱」（良朱）の仮名音注「スウ」については、基本的に -uu で対応する。当該字には平声濁点を差すので、日本語音韻史上の連濁による字音「ズウ」を想定する。廣韻に拠れば、その中古音は虞韻（tśiuʌ˩）である。上述の分析を参照。

3-4-2 -iʌ 系の字音的特徴　747

▶番号2508b「朱」（呉朱萸）の仮名音注「スユ」については、基本的に -uju で対応する。この仮名音注は「スウ」あるいは「シユ」の誤認か。当該字には平声点を差す。熟字2508「呉朱萸」は左傍「カハシカミ」を付載する。上述の分析を参照。

▶番号2064b「朱」（良朱）の仮名音注「シユ」については、基本的に -ju で対応する。当該字には平声濁点を差すので、日本語音韻史上の連濁による字音「ジユ」を想定する。上述の分析を参照。

▶番号0890b「珠」（白珠）の仮名音注「シユ」については、基本的に -ju で対応する。当該字には平声点を差す。図書寮本類聚名義抄に同音字注「川云音朱」を見出す。観智院本類聚名義抄には去声墨点を付した同音字注「音朱」を見つける。同書の凡例部分「朱音者正音也墨声者和音也」（篇目7-6）に従えば、朱墨で正音と和音を分別する傾向があるので、この去声点は和音を示すか。長承本蒙求には仮名音注「ス・シユ」があり、それらの掲出字に東声点を加える。日本漢音「ス・シユ」東声（四声体系では平声）を認める。日本呉音は去声の可能性がある。

　　　珠 川云音朱 [平?] … 真云珠玉也 …　　　　　　（図書寮本類聚名義抄／165-5）

　　　珠 音朱 [去：墨点] タマ [平平] ／シラタマ　　　（観智院本類聚名義抄／法中 024-5）

　　　珠 [東] ス／シユ〔＊長承三年点とは別筆か〕　　　　（長承本蒙求／043）

　　　珠 [東] ス　　　　　　　　　　　　　　　　　　（長承本蒙求／070・102）

　　　珠 [東] シユ　　　　　　　　　　　　　　　　　（長承本蒙求／119）

　　　珠　白虎通云海出明珠 日本紀私記云真珠之良太麻　　（元和本倭名類聚抄／巻十一 18 オ 1）

▶番号2066b「珠」（緑珠）の仮名音注「シユ」については、基本的に -ju で対応する。当該字には上声点を差す。上述の分析を参照。

▶番号1904a「株」（株人）の仮名音注「チウ」については、基本的に -iu で対応する。当該字には平声点を差す。熟字1904「株人」は右傍「ナカント」を付載する。廣韻に拠れば、当該字「株」（虞韻 tɕiuʌ¹）には「又音注」（遇韻 tɕiuʌ³）を掲げるが、これは異体字「袾」の字音に相当する。当該字「株」は字音「シウ」を期待するが、その和訓「ナカ」から考えて、字形の近似する「种」（東韻 ɖiʌuŋ¹）との誤認か。観智院本類聚名義抄に音注表記はなく、和訓「マクサ」を付載するが、これは「秣」との字形近似による混同である。

　　　朱 赤也 … 章俱切十 … 株 誅也又音注 …　　　（宋本廣韻／章母虞韻 tɕiuʌ¹）

　　　注 灌注也又注記也 之戌切十六 … 袾 誅也祝也 …　（宋本廣韻／章母遇韻 tɕiuʌ³）

　　　䬴 馬食穀也 秣 上同　　　　　　　　　　　　　（宋本廣韻／明母末韻 muɑt）

　　　株 マクサ [上上□]　　　　　　　　　　　　　（観智院本類聚名義抄／法下 012-8）

　　　秣 … 音末 [入濁] クサ [平平] 秣馬／ナクサ [上上上] …　（観智院本類聚名義抄／法下 013-1）

　　　䬴 音末 [入濁] … 食馬／マクサトスルニカフ [上上上平上上上平上]

　　　　　　　　　　　　　　　　　　　　　　　　　（観智院本類聚名義抄／法下 013-1）

748　3．仮名音注の韻母別考察　3-4　ⅢB韻類

秣　漢書注云秣 音末和名萬久佐 謂以粟米飼之　　　　　　（元和本倭名類聚抄／巻十五04ウ9）

▶番号1422「樞」（樞）の仮名音注「シユ」については、基本的に -ju で対応する。当該字には平声点を差し、右注「トホソ」左注「トホソ俗」を付載する。穴にはめこむ扉の回転軸を指す。観智院本類聚名義抄に去声墨点〔＊和音か〕を付した同音字注「音朱」を見出す。長承本蒙求には仮名音注「スウ」があり、その掲出字に東声点を加える。元和本倭名類聚抄には同音字注「音朱」がある。日本漢音「スウ」東声（四声体系では平声）を認める。日本呉音は去声の可能性がある。

樞 音朱［去：墨点］トホソ［上上濁平］ホソ［平□］…　　（観智院本類聚名義抄／佛下本094-1）

樞［東］スウ　　　　　　　　　　　　　　　　　　　　　　（長承本蒙求／101）

樞 爾雅云樞 音朱 謂之根 音隈和名度保曾俗云度萬良 …　　（元和本倭名類聚抄／巻十15オ7）

▶番号2626「姝」（姝）の仮名音注「ユ」〔＊シユの誤認か〕については、基本的に -u で対応する。当該字に声点はなく、和訓「カホヨシ」の同訓異字として位置する。観智院本類聚名義抄に平声点を付した同音字注「音輸」（虞/遇韻 śiuʌ¹ᐟ³）を見出す。この同音字注を「ユ」と理解する場合があるが、それは諧声符「俞（俞）」（虞韻 jiuʌ¹）による字音把握である。現行多くの漢和辞典は慣用音「ユ」として扱う。日本漢音は平声を認める。

姝 音輸［平］ヨシ ウルハシ／カホヨシ［上上□□］アケ　　（観智院本類聚名義抄／佛中016-4）

姝 音輸 ヨシ ウルハシ／カホヨシ アケ　　　　　　　　　（天理大学本最勝王経音義／14オ4）

▶番号1209b「雛」（鳳雛）の仮名音注「ス」については、基本的に -u で対応する。当該字には平声点を差す。観智院本類聚名義抄に反切「仕于反」（その反切下字に平声点／同右傍に朱筆で仮名音注「ウ」）と同音字注「音蒭」を見出す。元和本倭名類聚抄には同音字注「音蒭」がある。日本漢音は平声を認める。

鶵 … 雛正 仕于［□平／□ウ：朱右傍］反／ヒナ　　（観智院本類聚名義抄／僧中113-5）

雛 … 音蒭 赤鶵／ヒナ［上上］　　　　　　　　　　（観智院本類聚名義抄／僧中133-7）

鶵 … 鳥子生能噣食謂之雛 音蒭字亦作鶵和名比奈 …　（元和本倭名類聚抄／巻十八02オ6）

▶番号0852b「輸」（般輸）の仮名音注「シウ」については、基本的に -iu で対応する。当該字には上声点を差す。廣韻に拠れば、虞/遇韻（śiuʌ¹ᐟ³）二音を有する。観智院本類聚名義抄に反切「尸朱反・又如朱反」と去声点を付した同音字注「音戌」（その右傍に朱筆で仮名音注「シユ」）および和音「同」を見出す。日本漢音・日本呉音ともに「シユ」去声を認める。

輸 尸朱反 音戌［去／シユ：朱右傍］／又如朱反／イタス［平平濁上］… 和同

（観智院本類聚名義抄／僧中088-6）

▶番号0639「襦」（襦）の仮名音注「シウ」については、基本的に -iu で対応する。当該字には平声濁点を差すので、字音「ジウ」を想定する。番号0639「襦」は右注「同（ハカマ）」左注「短衣也」を付載する。観智院本類聚名義抄に反切「而朱反」と同音字注「音儒」を見出すが、仮名音注はない。

襦 而朱反 音儒／コロモ［上上□］ハカマ　　　　　　　　　（観智院本類聚名義抄／法中146-2）

▶番号2089b「儒」（里儒）の仮名音注「シユ」については、基本的に -ju で対応する。当該字には平声濁点を差すので、字音「ジユ」を想定する。熟字2089「里儒」は右傍「サトハカセ」を付載する。観智院本類聚名義抄に同音字注「濡」を見出す。長承本蒙求に仮名音注「スウ・シウ」があり、その掲出字に平声加濁点を加える。日本漢音「ズウ・ジウ」平声を認める。

侏儒 音朱濡［平□］… 下 サカシ ハカセ［□□平］…　　　（観智院本類聚名義抄／佛上028-4）

儒［平／平：加濁］スウ・シウ　　　　　　　　　　　　　　　（長承本蒙求／020）

▶番号2811「濡」（濡）の仮名音注「シユ」については、基本的に -ju で対応する。当該字には平声点を差し、和訓「カス［上平］」の同訓異字として位置する。図書寮本類聚名義抄に平声濁点を付した同音字注「音儒」および平声点を付した同音字注「呉音公云儒」さらに去声点を付した同音字注「行円云儒」を見出す。この「呉音公云儒」は大般若経字抄による漢呉二音相同の同音字注「儒」を出典とする。観智院本には同音字注「儒音」と反切「又乃官切」および和音「又去」を見つけるが、仮名音注はない。日本漢音は平声、日本呉音は去声を認める。

儒 柔也人朱切十六 … 濡 水名出涿又需濡　　　　　　　（宋本廣韻／日母虞韻 ńiuʌ¹）

濡 水名出涿郡 乃官切一　　　　　　　　　　　　　　　　　（宋本廣韻／泥母寒韻 nuɑn¹）

濡 廣云音儒［平濁］… 宋云乃官［上濁東］切水名／呉音公云儒［平］… 行円云―［去］
　　　　　　　　　　　　　　　　　　　　　　　　　　　（図書寮本類聚名義抄／023）

濡 儒音 又乃官切／水名　　　　　　　　　　　　　（観智院本類聚名義抄／法上003-7）

濡 俗 ヒタス … カス［上平］… 和又去　　　　　　（観智院本類聚名義抄／法上003-7）

濡［儒：右傍］ウルフ　　　　　　　　　（石山寺一切経蔵本大般若経字抄／23 オ1）

▶番号1750「誅」（誅）の仮名音注「チウ［□平］」については、基本的に -iu で対応する。当該字に声点はなく、その仮名音注に低平調と推測する差声を施す。また左注「令罪也」を付載する。図書寮本類聚名義抄に平声点を付した同音字注「音株」を見出す。観智院本には平声点を付した同音字注「音株」を見つけるが、仮名音注はない。日本漢音は平声を認める。

誅 季云音株［平］… コロス［上上平］セメ［平平］　　　　（図書寮本類聚名義抄／096-5）

誅 音株［平］コロス［上上□］…　　　　　　　　　（観智院本類聚名義抄／法上062-2）

▶番号1923b「蹰」（踟蹰）の仮名音注「チウ」については、基本的に -iu で対応する。当該字には平声点を差す。熟字1923「踟蹰」は右傍「タチヤスラフ」右注「又タ、スム」を付載する。観智院本類聚名義抄に同音字注「音厨」を見出すが、仮名音注はない。

蹰 音厨 踟蹰 オソシ … タチヤスラフ　　　　　　　（観智院本類聚名義抄／法上076-2）

▶番号0578「膚」（膚）の仮名音注「フ」については、基本的に -u で対応する。当該字には平声点を差し、右注「ハタヘ」を付載する。廣韻に拠れば、その中古音は幫母虞韻（piuʌ¹）である。観智院本類聚名義抄に反切「方于反」および平声濁点〔＊濁点は存疑〕を付した和音「フ」を見出す。

750 　3．仮名音注の韻母別考察　3-4　ⅢB韻類

元和本倭名類聚抄には同音字注「音夫」がある。日本呉音「フ」平声を認める。

　　　膚　方于反 ハタヘ［平平濁上］… 和音フ［平濁］　　　　　　（観智院本類聚名義抄／佛中113-2）

　　　膚　陸詞云膚 音夫字作肤和名波太倍 體肌也　　　　　　　（元和本倭名類聚抄／巻三 10 ウ 7）

▶番号0743b・1220b・2239「夫」（望夫・儾夫・夫）の仮名音注「フ」については、基本的に -u で対応する。当該諸字三例には平声点を差す。廣韻に拠れば、虞韻（piuʌˡ・biuʌˡ）二音を有する。番号2239「夫」は右注「ヲアト」左注「又夫」を付載する。観智院本類聚名義抄に平声点を付した同音字注「音扶」を見出すが、仮名音注はない。日本漢音は平声を認める。

　　　夫 音扶［平］… ヲアト［上上上］一云ヲトコ［平平平］…　　（観智院本類聚名義抄／法下014-6）

　　　夫　白虎通云夫 … 和名乎字止 一云 乎止古　　　　　　　（元和本倭名類聚抄／巻二 20 オ 2）

▶番号3169b「夫」（大夫）の仮名音注「フ」については、基本的に -u で対応する。当該字には上声濁点を差すので、字音「ブ」を想定する。熟字3169「大夫」は右注「同（カミ）」左右注「用京職／幷東宮坊」を付載する。上述の分析を参照。

▶番号3239b「夫」（庸夫）の仮名音注「フ」については、基本的に -u で対応する。当該字には上声点を差す。上述の分析を参照。

▶番号0042「稃」（稃）の仮名音注「フ」については、基本的に -u で対応する。当該字には平声点を差し、右注「イネノカヒ」を付載する。観智院本類聚名義抄に平声点を付した同音字注「音稃」と「又音婆」を見出すが、仮名音注はない。日本漢音は平声を認める。

　　　稃 … 音稃［平］イネノカヒ［平上平平平］／又音婆 カヒ　　（観智院本類聚名義抄／佛下本089-2）

▶番号0381b・1686a「敷」（周敷・敷知）の仮名音注「フ」については、基本的に -u で対応する。当該字に声点はない。観智院本類聚名義抄に平声点を付した同音字注「音孚」および和音「同」を見出す。長承本蒙求には仮名音注「フ」があり、その掲出字に東声点を加える。日本漢音「フ」東声（四声体系では平声）日本呉音は平声を認める。

　　　敷 … シク［上平］… 音孚［平］和同　　　　　　　　　　（観智院本類聚名義抄／僧中055-5）

　　　敷［東］フ？／フ　　　　　　　　　　　　　　　　　　　　（長承本蒙求／050）

　　　伊豫國 國府在越智郡 … 周敷 主布 …　　　　　　　　　　（元和本倭名類聚抄／巻五 25 ウ 7）

　　　遠江國 國府在豊田郡 … 敷知 淵 豊田 止與太國府 …　　　（元和本倭名類聚抄／巻五 23 オ 6）

▶番号2522「孵」（孵）の仮名音注「フ」については、基本的に -u で対応する。当該字に声点はなく、右注「カヘル［平平上濁］卵化也」左注「卵孵也」を付載する。観智院本類聚名義抄に同音字注「音孚」を見出すが、仮名音注はない。元和本倭名類聚抄には同音字注「音孚」がある。

　　　孵 音孚 カヘル［平平上］　　　　　　　　　　　　　　　　（観智院本類聚名義抄／僧下074-1）

　　　卵 … 野王案孵 音孚俗云加倍流 卵化也　　　　　　　　　（元和本倭名類聚抄／巻十八02 オ 3）

▶番号0088a・0089b「鰐」（鰐魣・鮪鰐）の仮名音注「フ」については、基本的に -u で対応する。両当該字には平声点を差す。熟字0088「鰐魣」は右注「イルカ」を、熟字0089「鮪鰐」は

右注「同（イルカ）」を付載する。観智院本類聚名義抄に同音字注「音孚」を見出すが、仮名音注はない。

　　　鯎 音孚　　　　　　　　　　　　　　　　　　　　（観智院本類聚名義抄／僧下 014-2）

　　　鯎鰤　臨海異物志云鯎鰤 孚布二音和名伊流可 …　　　（元和本倭名類聚抄／巻十九02 オ 5）

▶番号0177「桴」（桴）の仮名音注「フ」については、基本的に -u で対応する。当該字には平声点を差し、右注「同（イカタ［上上上濁］）」中左注「又乍桴／小曰桴」を付載する。廣韻に拠れば、虞韻（p'iuʌˈ）尤韻（biʌuˈ）二音を有する。観智院本類聚名義抄に同音字注「浮敷」（敷：虞韻 p'iuʌˈ）と平声点を付した同音字注「一音浮」を見出すが、仮名音注はない。元和本倭名類聚抄には同音字注「音浮」（浮：尤韻 biʌuˈ）がある。日本漢音は平声を認める。

　　　桴 浮敷一音浮［平］… 字亦作桴 イカタ［上上上濁］小曰桴 …

　　　　　　　　　　　　　　　　　　　　　　　　（観智院本類聚名義抄／佛下本 089-2）

　　　桴筏　論語注云桴編竹木 … 小曰桴 音浮玉篇字亦作桴在舟部和名以加太

　　　　　　　　　　　　　　　　　　　　　　　　（元和本倭名類聚抄／巻十一02 ウ 3）

▶番号0176「浮」（浮）の仮名音注「フ」については、基本的に -u で対応する。当該字には平声点を差し、右注「同（イカタ［上上上濁］）」を付載する。当該字は「泭」と相互に異体字である。観智院本類聚名義抄に同音字注「浮」を見出すが、仮名音注はない。

　　　泭浮 浮 上筏　　　　　　　　　　　　　　　　（観智院本類聚名義抄／法上 034-8）

▶番号2209a「苻」（苻薁）の仮名音注「フ」については、基本的に -u で対応する。当該字には平声点を差す。熟字2209「苻薁」は右注「ヲカトヽキ」を付載する。観智院本類聚名義抄に同音字注「音扶」を見出すが、仮名音注はない。

　　　苻薁 音扶戸 ヲカトヽキ［上上上上平］…　　　（観智院本類聚名義抄／僧上 032-6）

　　　苻薁　釋藥性云苻薁 音戸和名乎加止々木　　　（元和本倭名類聚抄／巻十七24 オ 7）

▶番号2516「鳧」（鳧）の仮名音注「フ」については、基本的に -u で対応する。当該字には平声点を差し、右注「同（カモ）王喬鳥［カクツ：右傍］」左注「又カモメ」を付載する。観智院本類聚名義抄に平声点を付した同音字注「音浮」（その右傍に朱筆で仮名音注「フ」）を見出す。長承本蒙求には「不」(41)と仮名音注「フ」があり、その掲出字に平声点を加える。石山寺一切経蔵本大般若経字抄には漢呉二音相同の同音字注「音鋪」を見つける。元和本倭名類聚抄には同音字注「音扶」がある。日本漢音「フ」平声を認める。

　　　鳧 … 音浮［平／フ：朱右傍］鴨属 カモ［平平］／野名鳧 …　（観智院本類聚名義抄／僧中 125-5）

　　　鳧［平］不／フ〔＊長承三年点とは別筆か〕　　　　　　　（長承本蒙求／062）

　　　鳧［音鋪：右傍］　　　　　　　（石山寺一切経蔵本大般若経字抄／16 ウ 6）

　　　鴨　爾雅集注云鴨 音押 野名曰鳧 音扶 … 楊氏漢語抄云鳧鷖 加毛 …

　　　　　　　　　　　　　　　　　　　　　　　　（元和本倭名類聚抄／巻十八09 ウ 8）

752　3．仮名音注の韻母別考察　3-4　ⅢB韻類

▶番号0526a「芙」（芺）の仮名音注「フ」については、基本的に -u で対応する。当該字には平声点を差す。熟字0526「芙蕖」は右注「同（ハチス）蓮花已開曰芙蕖」を付載する。観智院本類聚名義抄に平声点を付した同音字注「音扶」を見出すが、仮名音注はない。元和本倭名類聚抄には同音字注「符芙音同」がある。日本漢音は平声を認める。

　　　芙蓉 上音扶［平］ハチス［平平］下容［平］…　　　　　（観智院本類聚名義抄／僧上005-5）

　　　芙蕖 音蕖［平］ハチス／芙蕖 ハチス　　　　　　　　　（観智院本類聚名義抄／僧上005-5）

　　　芙蕖　爾雅云荷芙蕖 符芙音同蕖音蕖 …　　　　　　（元和本倭名類聚抄／巻二十17 ウ6）

▶番号0681「枹」（枹）の仮名音注「フ」については、基本的に -u で対応する。当該字に声点はなく、右注「ハチ［平濁平］」左注「撃皷杖也」を付載する。観智院本類聚名義抄に同音字注「音浮」と「又包」を見出すが、仮名音注はない。

　　　枹 音浮 ハチ［平濁平］又包／ユエタ［□上上濁］一欵　　（観智院本類聚名義抄／佛下本100-4）

▶番号2215b「蕪」（蘼蕪）の仮名音注「フ」については、基本的に -u で対応する。当該字に声点はない。熟字2215「蘼蕪」は右注「ヲムナ［上上上］」を付載する。観智院本類聚名義抄に上声濁点を付した同音字注「武」と「又平」を見出すが、仮名音注はない。元和本倭名類聚抄には同音字注「武」がある。日本漢音は平／上声を認める。

　　　蕪菁 武青［上濁平］二音 アヲナ［□□平］上又平 …　　（観智院本類聚名義抄／僧上013-4）

　　　蔓菁　蘇敬本草云蕪菁 武青二音 …　　　　　　　　（元和本倭名類聚抄／巻十七20 ウ9）

▶番号2813「渝」（渝）の仮名音注「シユ」〔＊ユの誤認か〕については、基本的に -ju で対応する。当該字には平声点を差し、右注「又カヘル」を付載する。和訓「カフ」の同訓異字として位置する。二巻本色葉字類抄では左傍「ユ」仮名音注を付載する。図書寮本類聚名義抄に平声点を付した同音字注「音臾」と反切「广云以朱反」を見出す。観智院本には同音字注「音臾」を見つけるが、仮名音注はない。日本漢音は平声を認める。

　　　渝［カヘル：右傍／ユ：左傍］　　　　　　　（二巻本色葉字類抄／上下加・12 オ6・辞字）

　　　渝 音臾［平］… カハル［上上□／易：右注］カヘス［平□□］　（図書寮本類聚名義抄／023-1）

　　　摩渝 广云以／朱反／人名 …　　　　　　　　　　　　（図書寮本類聚名義抄／023-1）

　　　渝 音臾 … カヘル カハル …　　　　　　　　　　　（観智院本類聚名義抄／法上010-5）

▶番号1301「諛」（諛）の仮名音注「ユ」については、基本的に -u で対応する。当該字には平声点を差し、和訓「ヘツラフ」の同訓異字として位置する。図書寮本類聚名義抄に平声点を付した同音字注「音臾」と反切「弘云与珠反」（その反切下字に東声点か）を見出す。観智院本には平声点を付した同音字注「音臾」を見つけるが、仮名音注はない。日本漢音は平声を認める。

　　　諛諂 音臾［平］弘云与珠［□東］反 … ヘツラフ［平平上□／書：右注］

　　　　　　　　　　　　　　　　　　　　　　　　　　（図書寮本類聚名義抄／092-7）

　　　訷〔＊申の右下に、〕音臾［平］　　　　　　（観智院本類聚名義抄／法上065-2）

誠 俗欤 ヘツラフ [平上上□] …　　　　　　　　　　（観智院本類聚名義抄／法上 065-2）

　▶番号 2508c「萸」（呉朱萸）の仮名音注「ユ」については、基本的に -u で対応する。当該字に声点はない。熟字 2508「呉朱萸」は左傍「カハシカミ」を付載する。観智院本類聚名義抄に同音字注「音愈」を見出すが、仮名音注はない。元和本倭名類聚抄に同音字注「音臾」がある。

　　　萸 … 音愈〔＊←貪+灬〕　　　　　　　　　　（観智院本類聚名義抄／僧上 011-5）

　　　呉茱萸 カハ∕シカミ　　　　　　　　　　　（観智院本類聚名義抄／僧上 023-7）

　　　呉茱萸　本草云呉茱萸 朱臾二音和名加波々之加美　　（元和本倭名類聚抄／巻二十 25 オ 1）

　▶番号 1347b「癒」（平癒）の仮名音注「ユ」については、基本的に -u で対応する。当該字には平声点を差す。観智院本類聚名義抄に同音字注「音庾」を見出すが、仮名音注はない。

　　　癒 音庾 ヤム [平上] イユ [平上]　　　　　　（観智院本類聚名義抄／法下 122-2）

　▶番号 0937「楡」（楡）の仮名音注「ユ」については、基本的に -u で対応する。当該字には平声点を差し、右注「ニレノキ」を付載する。観智院本類聚名義抄に平声点を付した同音字注「音臾」を見出すが、仮名音注はない。日本漢音は平声を認める。

　　　楡 音臾 [平] 訓同上∕又音殊　　　　　　　　（観智院本類聚名義抄／佛下本 090-8）

　▶番号 2865b「腴」（膏腴）の仮名音注「ハシ」については、詳細不明。当該字には平声点を差す。熟字 2865「膏腴」は右傍「アフラツキコエタリ」左注「カウハシ」仮名音注（「膏腴之地」と関連があるか）を付載する。観智院本類聚名義抄に同音字注「音臾」（虞韻 jiuʌ¹）を見出すが、仮名音注はない。元和本倭名類聚抄に同音字注「音臾」がある。

　　　腴 同〔＊音臾〕ツチスリ [平平平平] アフラ コエタリ [平上□□] …

　　　　　　　　　　　　　　　　　　　　　　　（観智院本類聚名義抄／佛中 116-1）

　　　腴　野王案腴 音臾和名豆知頻里 魚腹下肥也　　（元和本倭名類聚抄／巻十九 10 オ 7）

《下巻 虞韻諸例》

　▶番号 3320「菰」（菰）の仮名音注「コ」については、異例 -o を示す。当該字には平声点を差し、右注「音孤」中注「コモ [上上]」左注「又乍菰」を付載する。諧声符「孤」（模韻 kuʌ¹）による類推の字音把握か。現行多くの漢和辞典は漢音「コ」を掲げる。観智院本類聚名義抄に音注表記はない。元和本倭名類聚抄には同音字注「音孤」がある。

　　　茨菰 烏芋∕一名、、　　　　　　　　　　　　（観智院本類聚名義抄／僧上 023-4）

　　　菰　本草云菰一名蔣 上音孤下音将和名古毛 …　　（元和本倭名類聚抄／巻二十 16 オ 1）

　▶番号 3677a「拘」（拘留）の仮名音注「コウ」については、異例 -ou を示す。当該字には平声点を差す。上巻の虞韻当該例で分析したように、日本呉音「ク」平声を認める。

　▶番号 3728a「拘」（拘惜）の仮名音注「コウ」については、異例 -ou を示す。当該字に声点は

754　3．仮名音注の韻母別考察　3-4　ⅢB韻類

ない。熟字 3728「拘惜」は別筆補入であり、左傍「カ、ヘモツ」を付載する。上述の分析を参照。

▶番号 6682b「駈」（前駈）の仮名音注「クウ」については、基本的に *-uu* で対応する。当該字には平声点を差す。観智院本類聚名義抄に平声点を付した同音字注「音區」（その右傍に朱筆で仮名音注「ク」）を見出す。日本漢音「ク」平声を認める。

　　　駈 音區［平／ク：朱右傍］…　駈 通 カル［平上］…　　　　　（観智院本類聚名義抄／僧中 101-2）

▶番号 4593「欋」（欋）の仮名音注「ク」については、基本的に *-u* で対応する。当該字には平声点を差し、右注「サラヒ」左注「四〔＊←日〕齒柜為欋」を付載する。観智院本類聚名義抄に平声点を付した同音字注「音衢」を見出すが、仮名音注はない。元和本倭名類聚抄には同音字注「音衢」がある。日本漢音は平声を認める。

　　　欋 音衢［平］サラヒ［上上上］　　　　　　　　（観智院本類聚名義抄／佛下本 098-1）

　　　欋　楊氏方言云齊魯謂四齒杷爲欋 音衢漢語抄云佐良比　（元和本倭名類聚抄／巻十五 09 ウ 4）

▶番号 5848b「愚」（如愚）の仮名音注「ク」については、基本的に *-u* で対応する。当該字には平声濁点を差すので、字音「グ」を想定する。上巻の虞韻当該諸例で分析したように、日本漢音は平声、日本呉音「グ」去声を認める。

▶番号 6869「隅」（隅）の仮名音注「ク」については、基本的に *-u* で対応する。当該字には平声濁点を差すので、字音「グ」を想定する。また右注「スミ」を付載する。図書寮本類聚名義抄に平声濁点を付した同音字注「音虞」を見出す。観智院本には墨圏点による平声濁点を付した同音字注「音虞」を見つけるが、仮名音注はない。日本漢音は平声を認める。

　　　隅 季云音虞［平濁］…　スミ［切：右注］　　　　　　　（図書寮本類聚名義抄／204-2）

　　　隅 スミ カト［上□］…　音虞［平濁：墨圏点］…　　　　（観智院本類聚名義抄／法中 042-5）

▶番号 4457「荂」（荂）の仮名音注「クワ」については、異例 *-wa* を示す。当該字には平声点を差し、右注「サカユ 又ハナ」左注「草榮皃」を付載する。諧声符「夸」（溪母麻韻 k'uaˡ）による字音把握と推測する。廣韻に拠れば、虞韻（xiuʌˡ・p'iuʌˡ）二音を有するので、当該字は字音「ク」を期待する。観智院本類聚名義抄に同音字注「音誇」と「吁敷二音」を見出すが、仮名音注はない。

　　　荂 音誇 サカユ［上上平］花サク［平上平］…　　　　（観智院本類聚名義抄／僧上 038-7）

　　　荂 或荂 吁敷二音 草木花／荂盛　　　　　　　　　　（観智院本類聚名義抄／僧下 074-8）

▶番号 4220「雩」（雩）の仮名音注「ウ」については、基本的に *-u* で対応する。当該字に声点はなく、右注「朔俱反」中注「アマフヒス」〔＊アマコヒスか〕左注「請雨祭也」を付載する。その中古音が示す頭子音 ɣ-（等韻学の術語で言う于母あるいは喩母三等）は有声軟口蓋接近音 ɯ-（有声両唇軟口蓋接近音 w-）であり、原則的にア行音・ワ行音で対応する。観智院本類聚名義抄に同音字注「音于」と反切「又云句反」を見出すが、仮名音注はない。

　　　雩 音于 アマコヒス［平平上濁平□］／又云句反 アマヒキ　　（観智院本類聚名義抄／法下 067-3）

▶番号 6435「盂」（盂）の仮名音注「ウ」については、基本的に *-u* で対応する。当該字には平

声点を差し、右注「同（モタヒ）」を付載する。上述の番号4220「雪」と同音であり、原則的にア行音・ワ行音で対応する。観智院本類聚名義抄に同音字注「音于」を見出すが、仮名音注はない。元和本倭名類聚抄には同音字注「音于」がある。

　　盂 … 音于 ホトキ ［□平上］ サラ／ツトム　　　　　（観智院本類聚名義抄／僧中013-1）

　　盆 … 兼名苑云盆一名盂 音于　　　　　　　　　　　（元和本倭名類聚抄／巻十六07ウ7）

▶番号5928a「諏」（諏方）の仮名音注「ス」については、基本的に -u で対応する。当該字には声点はない。先んじて存する地名に漢字表記を宛てる。熟字5928「諏方」に対して、元和本倭名類聚抄には借字表記「須波」がある。上巻の虞韻当該諸例で分析した。

　　信濃國 國府筑摩郡 … 諏方 須波 …　　　　　　　　（元和本倭名類聚抄／巻五17オ4）

▶番号6774「陬」（陬）の仮名音注「ス」については、基本的に -u で対応する。当該字には平声点を差し、右注「子于子侯二反」中左注「陬隅也居也／山名也」を付載する。観智院本類聚名義抄に反切「似矩反・又知矩反」を見出すが、仮名音注はない。

　　陬 … 似矩反 又知矩反 〔＊矩←短〕　　　　　　　（観智院本類聚名義抄／法中033-5）

▶番号5791b「趣」（勝趣）の仮名音注「シウ」については、基本的に -iu で対応する。当該字には去声点を差す。上巻の虞韻当該諸例で分析したように、日本漢音・日本呉音ともに平声を認める。

▶番号3843b「樞」（要樞）の仮名音注「ス」については、基本的に -u で対応する。当該字には平声点を差す。上巻の虞韻当該例で分析したように、日本漢音「スウ」東声（四声体系では平声）を認める。日本呉音は去声の可能性がある。

▶番号3844b「須」（要須）の仮名音注「ス」については、基本的に -u で対応する。当該字には平声点を差す。観智院本類聚名義抄に反切「胥瑜反」および低平調を示す和音「シユ」を見出す。長承本蒙求には仮名音注「スウ」があり、その掲出字に東声点を加える。日本漢音「スウ」東声（四声体系では平声）日本呉音「シユ」平声を認める。

　　須 胥瑜反 面毛也 カナラス … 和シユ ［平平］　　（観智院本類聚名義抄／佛下本030-7）

　　須 ［東］ スウ　　　　　　　　　　　　　　　　　（長承本蒙求／131）

▶番号5935b「須」（那須）の仮名音注「ス」については、基本的に -u で対応する。当該字に声点はない。先んじて存する地名に漢字表記を宛てる。上述の分析を参照。

　　下野國 國府在都賀郡 … 那須　　　　　　　　　　（元和本倭名類聚抄／巻五17ウ9）

▶番号5541a「須」（須申）の仮名音注「シユ」については、基本的に -ju で対応する。当該字には去声点を差す。熟字5541「須申」は右傍「シハラク」を付載する。上述の分析を参照。

▶番号6118「鬚」（鬚）の仮名音注「ス」については、基本的に -u で対応する。当該字には平声点を差し、右注「同（ヒケ）」左注「口下日鬚」を付載する。観智院本類聚名義抄に平声点を付した同音字注「音須」および和音「ミ」〔＊「シユ」の誤認か／存疑〕を見出す。長承本蒙求に仮名音注

756　3．仮名音注の韻母別考察　3-4　ⅢB韻類

「ヌ」〔＊「ス」の誤認と推測する〕があり、その掲出字に東声点を加える。元和本倭名類聚抄には同音字注「音須」がある。日本漢音「ス」東声（四声体系では平声）の蓋然性が高い。

　　鬚 音須 [平] ヒケ [上上濁] ／髭 或 和ミ〔＊存疑〕　　　　（観智院本類聚名義抄／佛下本 036-7）

　　鬚 [東] ヌ〔＊ス？〕　　　　　　　　　　　　　　　　　　（長承本蒙求／093）

　　髭鬚　説文云 … 鬚髯 上音須下音冉和名之毛豆比介 頤下毛也

　　　　　　　　　　　　　　　　　　　　　　　　　　　（元和本倭名類聚抄／巻三 07 オ 8）

　▶番号 5336a「鬚」（鬚髯）の仮名音注「スユ」については、基本的に -uju で対応する。当該字には平声点を差す。熟字 5336「鬚髯」は右注「シモツヒケ」を付載する。上述の分析を参照。

　▶番号 6077「鶵」（鶵）の仮名音注「スユ」については、基本的に -uju で対応する。当該字には平声点を差し、右注「ヒナ」中注「任于反」〔＊仕于反か〕左注「又乍鶵」を付載する。上巻の虞韻当該例（番号 1209b「雛」異体字）で分析したように、日本漢音は平声を認める。

　▶番号 4297「朱」（朱）の仮名音注「シュ」については、基本的に -ju で対応する。当該字には平声点を差し、右注「同（アカシ）」左注「章俱反」を付載する。上巻の虞韻当該諸例で分析したように、日本漢音「ス・シュ」東声（四声体系では平声）を認める。

　▶番号 5480a「朱」（朱漆）の仮名音注「シユ」については、基本的に -ju で対応する。当該字に声点はない。上述の分析を参照。

　▶番号 5850a「朱」（朱輪）の仮名音注「シウ」については、基本的に -iu で対応する。当該字には平声点を差す。上述の分析を参照。

　▶番号 5871a「朱」（朱實）の仮名音注「シウ」については、基本的に -iu で対応する。当該字には去声点を差す。上述の分析を参照。

　▶番号 5477a「朱」（朱紗）の仮名音注「シウ」については、基本的に -iu で対応する。当該字には去声点を差す。熟字「朱紗」は右注 5477「シウシヤ」右傍 5478「スウシヤ俗」を付載する。上述の分析を参照。

　▶番号 5478a「朱」（朱紗）の仮名音注「スウ」については、基本的に -uu で対応する。当該字には去声点を差す。熟字「朱紗」は右注 5477「シウシヤ」右傍 5478「スウシヤ俗」を付載する。上述の分析を参照。

　▶番号 5786a「珠」（珠履）の仮名音注「シウ」については、基本的に -iu で対応する。当該字には東声点を差す。部首「王」第三画の左側に差声しており、明らかに東声点である。上巻の虞韻当該諸例で分析したように、日本漢音「ス・シュ」東声（四声体系では平声）を認める。日本呉音は去声の可能性がある。

　▶番号 6106b「珠」（緑珠）の仮名音注「シユ」については、基本的に -ju で対応する。当該字には東声点を差す。部首「王」第三画の左側に差声しており、明らかに東声点である。上述の分析を参照。

3-4-2 -iʌ 系の字音的特徴　757

▶番号3304b・6339b「珠」（比珠・比珠）の仮名音注「ス」については、基本的に -u で対応する。両当該字には平声点を差す。両例は部首「王」第四画の左側に差声しており、明らかに平声点である。上述の分析を参照。

▶番号6852b「珠」（數珠）の仮名音注「ス［平］」については、基本的に -u で対応する。当該字に声点はなく、その仮名音注に平声点を施す。熟字6852「數珠」は右注「ス〻［平濁平］」を付載する。上述の分析を参照。

▶番号6910a「侏」（侏儒）の仮名音注「スウ」については、基本的に -uu で対応する。当該字には平声点を差す。熟字6910「侏儒」は右傍「ヒキ ヒト」を付載する。観智院本類聚名義抄に同音字注「音濡」を見出すが、仮名音注はない。

　　侏儒 音朱濡［平□］… 上 タケヒキ … ヒキウト　　　　　　（観智院本類聚名義抄／佛上 028-4）

▶番号5879b・6875「銖」（緇銖・銖）の仮名音注「シユ」については、基本的に -ju で対応する。当該字には平声点を差す。番号6875「銖」は左注「十分曰銖」を付載する。観智院本類聚名義抄に東声点を付した同音字注「音珠」を見出すが、仮名音注はない。日本漢音は東声（四声体系では平声）を認める。

　　殊 市朱反異八 銖 十分　　　　　　　　　　　（王仁昫刊謬補缺切韻／常母虞韻）
　　殊 異朱死也 市朱切十二 銖 緇銖八銖爲緇二十四銖爲兩　　（宋本廣韻／常母虞韻 źiuʌ'）
　　銖 音珠［東］純也 カ リ 十二粟重一分／十二分重一銖　　（観智院本類聚名義抄／僧上 134-8）

▶番号5482「銖」（銖）の仮名音注「シユ」については、基本的に -ju で対応する。当該字に声点はなく、左右注「音殊 十粲／為丁六銖為一分」を付載する。上述の分析を参照。

▶番号5682a「殊」（殊勝）の仮名音注「シユ」については、基本的に -ju で対応する。当該字には去声点を差す。観智院本類聚名義抄に平声点を付した同音字注「音銖」（その右傍に朱筆で仮名音注「シユ」）を見出す。長承本蒙求には仮名音注「シウ」（長承三年加点）と「スウ」（長承三年加点とは別筆か）があり、その掲出字に平声点を加える。日本漢音「シユ・シウ・スウ」平声を認める。

　　殊 音銖［平／シユ：朱右傍］コトニ［平濁上□／□□ナリ］…　（観智院本類聚名義抄／法下 133-2）
　　殊 ［平］シウ／スウ〔＊長承三年点とは別筆か〕　　　　　（長承本蒙求／008）

▶番号6910b「儒」（侏儒）の仮名音注「シユ」については、基本的に -ju で対応する。当該字には平声点を差す。熟字6910「侏儒」は右傍「ヒキ ヒト」を付載する。上巻の虞韻当該例で分析したように、日本漢音「ズウ・ジウ」平声を認める。

▶番号5699a・5700a・5701a・5702a「儒」（儒後・儒孫・儒者・儒林）の仮名音注「シユ」については、基本的に -ju で対応する。当該諸字四例に声点はない。上述の分析を参照。

▶番号5257「臑」（臑）の仮名音注「シユ」については、基本的に -ju で対応する。当該字には平声点を差し、右注「ユヒク［平平濁上］」左注「ユヒク［平上濁平］」を付載する。観智院本類聚

758　3．仮名音注の韻母別考察　3-4　ⅢB韻類

名義抄に反切「奴豆反・又人于奴倒二反」と同音字注「音儒」を見出すが、仮名音注はない。

　　　　膃 奴豆反 又人于奴倒二反 … 音儒 ユヒク［平上濁□］…　　　　（観智院本類聚名義抄／佛中114–7）

　▶番号3402「誅」（誅）の仮名音注「チウ」については、基本的に -iu で対応する。当該字には平声点を差し、和訓「コロス」の同訓異字として位置する。上巻の虞韻当該例で分析したように、日本漢音は平声を認める。

　▶番号3724b・6261b「膚」（紅膚・皮膚）の仮名音注「フ」については、基本的に -u で対応する。両当該字には平声点を差す。上巻の虞韻当該例で分析したように、日本呉音「フ」平声を認める。

　▶番号6262b「膚」（肥膚）の仮名音注「フ」については、基本的に -u で対応する。当該字に声点はない。熟字6262「肥膚」は右注「ヒフ イ本」左注「ヒフクト云是也」を付載する。上述の分析を参照。

　▶番号6515b「夫」（膳夫）の仮名音注「フ」については、基本的に -u で対応する。当該字には平声濁点を差すので、字音「ブ」を想定する。上巻の虞韻当該諸例で分析したように、日本漢音は平声を認める。

　▶番号6681b「夫」（樵夫）の仮名音注「フ」については、基本的に -u で対応する。当該字には平声点を差す。熟字6681「樵夫」は右傍「キコリ」を付載する。上述の分析を参照。

　▶番号6103b「夫」（疋夫）の仮名音注「フ［平］」については、基本的に -u で対応する。当該字に声点はなく、その仮名音注に平声点を差す。熟字6103「疋夫」は右注「ヒツフ［上上平］」仮名音注を付載する。上述の分析を参照。

　▶番号4539b「夫」（相夫憐）の仮名音注「フ」については、基本的に -u で対応する。当該字には上声濁点を差すので、字音「ブ」を想定する。熟字4539「相夫憐」は右注「平調」を付載する。上述の分析を参照。

　　　　平調曲　相夫憐　萬歳樂 …　　　　　　　　（元和本倭名類聚抄／巻四15 オ9）

　▶番号6277b「夫」（匹夫）の仮名音注「フ」については、基本的に -u で対応する。当該字には上声点と入声点〔＊熟字前部「匹」に差すべき誤認か〕を差す。熟字6277「匹夫」は右注「匹イ本」〔＊疋か〕中注「下人也」を付載する。上述の分析を参照。

　▶番号4179「跗」（跗）の仮名音注「フ」については、基本的に -u で対応する。当該字には平声点を差し、右注「アナヒラ」中注「又乍跌［平／同（跗）／フ：右傍］／足上也」左注「甫無反」を付載する。図書寮本類聚名義抄に同音字注「音膚」（平声点位置に仮名音注「フ」）と反切「弘云方俱反」を見出す。観智院本には平声点を付した同音字注「音夫」および和音「フ」を見つける。日本漢音「フ」平声、日本呉音「フ」を認める。

　　　　跗 音膚［フ：平声点位置］弘云方俱反 足上也／東云戎服也　　　（図書寮本類聚名義抄／105-4）

　　　　跗跌 音夫［平］アナウラ［平平□□／□□ヒ□］… 和フ　　　（観智院本類聚名義抄／法上076-1）

跗　儀禮注云跗 方俱反字亦作跗和名阿奈比良 足上也　　　　　（元和本倭名類聚抄／巻三15 オ1）

▶番号4180「跌」（趺）の仮名音注「フ」については、基本的に -u で対応する。当該字には平声点を差し、右注「同（跗）／フ:右傍」を付載する。当該字「跌」は「跗」と相互に異体字である。図書寮本類聚名義抄に東声点を付した同音字注「季云夫」および平声点と上声点を付した「真云フ」を見出す。日本漢音は東声（四声体系では平声）日本呉音「フ」平/上声を認める。

　　跀跌 … 下季云音夫［東］川云／字亦作跗 … 真云フ［平・上］　　（図書寮本類聚名義抄／105-3）

　　交跌 广云又跗足上也　　　　　　　　　　　　　　　（図書寮本類聚名義抄／105-5）

▶番号4714b「苻」（蔵苻）の仮名音注「フ」については、基本的に -u で対応する。当該字に声点はない。上巻の虞韻当該諸例で分析した。

▶番号5179b「無」（虚無）の仮名音注「フ」については、基本的に -u で対応する。当該字には平声濁点を差すので、字音「ブ」を想定する。観智院本類聚名義抄に反切「武于反」および去声点を付した和音「ム」を見出す。長承本蒙求には仮名音注「フ」五例があり、それらの掲出字に平声加濁点と平声点を加える。日本漢音「ブ」平声、日本呉音「ム」去声を認める。

　　無 武于［□平］反 ナシ［平上］… 或无 和ム［去］　　（観智院本類聚名義抄／佛下末051-4）

　　無［平／平:加濁］フ　　　　　　　　　　　　　　　　　（長承本蒙求／070・133）

　　無［平］フ　　　　　　　　　　　　　　　　　　　（長承本蒙求／098・114・141）

▶番号6790b「蕪」（蘘蕪）の仮名音注「フ」については、基本的に -u で対応する。当該字には平声濁点を差す。熟字6790「蘘蕪」は右注「スシ［平上濁］」を付載する。上巻の虞韻当該例で分析したように、日本漢音は平/上声を認める。

　　蘘蕪　爾雅注云蘘蕪 湌無二音和名須之 …　　　　　（元和本倭名類聚抄／巻二十15 ウ2）

▶番号5297「鵐」（鵐）の仮名音注「フ」については、基本的に -u で対応する。当該字には平声濁点を差すので、字音「ブ」を想定する。また右注「シト丶」左注「武失反」〔＊武夫反の誤認〕を付載する。観智院本類聚名義抄に同音字注「音巫」を見出すが、仮名音注はない。元和本倭名類聚抄には同音字注「音巫」がある。

　　鵐 音巫 雀中／央鳥 シト丶［平上上］　　　　　　（観智院本類聚名義抄／佛中128-1）

　　鵐鳥　唐韻云鵐 音巫漢語抄云巫鳥之止々 鳥名也　　（元和本倭名類聚抄／巻十八06 ウ3）

▶番号5360「誣」（誣）の仮名音注「フ」については、基本的に -u で対応する。当該字には平声点を差し、右注「誣告」を付載する。図書寮本類聚名義抄に反切「弘云武虞反」および同音字注「公云音武」を見出す。後者は大般若経字抄による漢呉二音相同の同音字注を引用する。観智院本には反切「武夫反」および呉音「武」を見つけるが、仮名音注はない。長承本蒙求には同音字注「无反」（平安時代中期点）と仮名音注「フ」（院政初期長承三年点）があり、その掲出字に平声点と入声圏点を加える。前者の借字による「无反」は字音「ム」に相当する。呉音系字音か。日本漢音「フ」平声を認める。

760　3．仮名音注の韻母別考察　3-4　ⅢB韻類

訞詷 上弘云武虞反 … 公云音武詷 欺也 上シフ［平上／書：右注］　　　（図書寮本類聚名義抄／087-3）

誣 武夫反 … シフル［平平濁□］… 呉音武　　　　　　　（観智院本類聚名義抄／法上063-2）

訞詷［音武詷：右傍］欺也　　　　　　　　　　（石山寺一切経蔵本大般若経字抄／20 オ1）

誣［平／入：圏点］无反／フ　　　　　　　　　　　　　　　　（長承本蒙求／024）

▶番号3821a「誶」（誶諂）の仮名音注「エイ」については、異例 -ei を示す。当該字には上声
点を差す。前田本の当該字「誶」は諧声符部分の字形を「曳」（羊母祭韻 jiai³）と誤認し筆写した
ため、仮名音注「エイ」という字音把握を示す。本来は字音「ユ」を期待する。上巻の虞韻当該例
で分析したように、日本漢音は平声を認める。

《上巻 麌韻諸例》

▶番号2293a「蒟」（蒟醤）の仮名音注「ク」については、基本的に -u で対応する。当該字に
は上声点を差す。廣韻に拠れば、麌/遇韻（kiuʌ²³）二音を有する。熟字 2293「蒟醤」は左傍「ワ
タ、ヒ」を付載する。観智院本類聚名義抄に上声点を付した同音字注「短」〔＊矩の誤認〕と又去を見
出すが、仮名音注はない。日本漢音は上/去声を認める。

枸椇 蒟三正 音短［上］／又去／カラタチ エタ　　　　（観智院本類聚名義抄／佛下本106-8）

蒟醤 本草云蒟醤一名蓽茇 必發二音和名和太々非　　　（元和本倭名類聚抄／巻二十10 ウ2）

▶番号2146a「枸」（枸杞）の仮名音注「ク［去］」については、基本的に -u で対応する。当
該字には上声点を差し、加えて仮名音注には去声点を施す。廣韻に拠れば、麌韻（kiuʌ²）侯/厚韻
（kʌu¹ᐟ²）三音を有する。熟字「枸杞」は右傍2145「コウキ」右注「ヌミクスリ」中注「一名却老」
左注2146「又クコ［去上］」を付載する。観智院本類聚名義抄に上声点を付した同音字注「矩」（麌
韻 kiuʌ²）と「又去」さらに反切「后离反」と同音字注「又狗音」（厚韻 kʌu²）を見出すが、仮名
音注はない。また観智院本の熟字「栒杞」には注記「又枸杞」を見つけるので、その上声点を付し
た同音字注「苟」（厚韻 kʌu²）と去声点を付した「俗云ク」も加える。天治本新撰字鏡には「久古」
があり、元和本倭名類聚抄には同音字注「苟」と「俗音久古」を見つける。日本漢音は上/去声、定
着久しい字音「ク」去声を認める。

栒 苟紀［上上］二音 ヌミクスリ［上平平濁上□］俗云クコ［去上］ … 又枸杞

　　　　　　　　　　　　　　　　　　　　　　（観智院本類聚名義抄／佛下本099-5）

枸椇 蒟三正 音短［上］／又去／カラタチ エタ　　　（観智院本類聚名義抄／佛下本106-8）

枸 后离反 又狗音　　　　　　　　　　　　　　　　（観智院本類聚名義抄／佛下本107-2）

枸杞 春夏採茎葉秋冬採實根陰干久古　　　　　　　　　（天治本新撰字鏡／巻七35 ウ2）

枸杞　本草云枸杞 苟起二音 根下潤黄泉其聖靈多爲犬子或小兒 和名沼久須利俗音久古 …

　　　　　　　　　　　　　　　　　　　　　　（元和本倭名類聚抄／巻二十24 ウ3）

3-4-2 -iʌ 系の字音的特徴 761

▶番号2506a「枸」（枸櫞）の仮名音注「ク」については、基本的に -u で対応する。当該字には上声点を差す。熟字2506「枸櫞」は右注「カフチ」左注「枳子也」を付載する。元和本倭名類聚抄には「枸即根字也」がある。上述の分析を参照。

　　　枸櫞 [□平] カフチ [平平濁平] ／下音緣　　　　　　（観智院本類聚名義抄／佛下本106-8）
　　　枳根 … 七巻食經云枸櫞 枸即根字也櫞音緣和名加布智　（元和本倭名類聚抄／巻二十31ウ1）

▶番号2505b「根」（枳根）の仮名音注「ク」については、基本的に -u で対応する。当該字には上声点を差す。熟字2505「枳根」は右注「カラタチ」を付載する。観智院本類聚名義抄に上声点を付した同音字注「矩」を見出すが、仮名音注はない。元和本倭名類聚抄に同音字注「矩」がある。日本漢音は上声を認める。

　　　枳根 只矩 [上上] 二音／カラタチ [平平平平]　　　（観智院本類聚名義抄／佛下本093-2）
　　　枳根　本草云枳根 只矩二音和名加良太知 …　　　　（元和本倭名類聚抄／巻二十31ウ1）

▶番号0222「煦」（煦）の仮名音注「ク」については、基本的に -u で対応する。当該字に声点はなく、和訓「イキツク」の同訓異字として位置する。観智院本類聚名義抄に反切「吁句反」を見出すが、仮名音注はない。

　　　煦 … 吁句反 アタヽカ [平平上平] ヤク／アキトフ　　（観智院本類聚名義抄／佛下末053-2）

▶番号0232b・2029b「雨」（淫雨・霖雨）の仮名音注「ウ」については、基本的に -u で対応する。両当該字には上声点を差す。廣韻に拠れば、麌/遇韻（ɣiuʌ²³）二音を有する。その中古音が示す頭子音 ɣ-（等韻学の術語で言う于母あるいは喩母三等）は有声軟口蓋接近音 ɰ-（有声両唇軟口蓋接近音 w-）であり、原則的にア行音・ワ行音で対応する。熟字0232「淫雨」は左注「五月已上雨也」を、熟字2029「霖雨」は右注「三日以上雨也」を付載する。図書寮本類聚名義抄に反切「广云思于反」（その反切下字に平声点）を見出す。観智院本には同音字注「音禹」および去声点を付した和音「ウ」を見つける。元和本倭名類聚抄には同音字注「音禹」がある。日本呉音「ウ」去声を認める。

　　　雨須 广云思于 [□平] 反 詣銷雨也 …　　　　　　（図書寮本類聚名義抄／061-6）
　　　雨 音禹 アメ [平上] フル [平上] ／アメフル 和ウ [去]　（観智院本類聚名義抄／法下065-8）
　　　雨　說文云水從雲中而下也音禹 和名阿女　　　　　（元和本倭名類聚抄／巻一04オ1）

▶番号0343b・0538・0898b「羽」（飲羽・羽・白羽）の仮名音注「ウ」については、基本的に -u で対応する。当該諸字三例には上声点を差す。廣韻に拠れば、麌/遇韻（ɣiuʌ²³）二音を有する。上述の番号0232b・2029b「雨」と同音であり、原則的にア行音・ワ行音で対応する。番号0538「羽」は右注「ハ」左注「鳥翅也」を付載する。観智院本類聚名義抄に上声点を付した同音字注「音禹」と「又去ノ」および和音「雨」を見出す。元和本倭名類聚抄には同音字注「音禹」がある。日本漢音は上/去声を認める。

　　　羽 … 音禹 [上] ハ [上] ハネ [上上] … 又去ノ 和雨　（観智院本類聚名義抄／僧上095-6）

762　3．仮名音注の韻母別考察　3-4　ⅢB韻類

羽 羴字附 唐韻云羽 音禹和名波 鳥翅也 …　　　　　　　　（元和本倭名類聚抄／巻十八 13 オ 4）

▶番号 0371b・0380a・0385a「宇」（意宇・宇麻・宇和）の仮名音注「ウ」については、基本的に -u で対応する。当該諸字三例に声点はない。その中古音が示す頭子音 ɣ-（等韻学の術語で言う于母あるいは喩母三等）は有声軟口蓋接近音 ɰ-（有声両唇軟口蓋接近音 w-）であり、原則的にア行音・ワ行音で対応する。先んじて存する地名に漢字表記を宛てる。観智院本類聚名義抄に上声点を付した同音字注「音羽」を見出すが、仮名音注はない。日本漢音は上声を認める。

　　宇 音羽［上］アメノシタ … スケ［上平］　　　　　　（観智院本類聚名義抄／法下 049-5）

　　出雲國 國府在意宇郡 … 意宇 於宇 … 大原 於保良　　　（元和本倭名類聚抄／巻五 21 オ 9）

　　伊豫國 國府在越智郡 … 宇麻 … 宇和　　　　　　　　（元和本倭名類聚抄／巻五 25 ウ 7）

　　伊豫國 國府在越智郡 … 宇麻 … 宇和　　　　　　　　（元和本倭名類聚抄／巻五 26 オ 1）

▶番号 2486「蒭」（蒭）の仮名音注「スユ」については、基本的に -uju で対応する。当該字には平声点を差し、右注「カラクサ［上上上上］」左注「飼馬草也乾」を付載する。観智院本類聚名義抄に同音字注「音鶵」を見出す。長承本蒙求には仮名音注「ス・シユ」と反切「測倶反」があり、その掲出字に東声点を加える。元和本倭名類聚抄には同音字注「音雛」がある。日本漢音「ス・シユ」東声（四声体系では平声）を認める。

　　苾蒭 … 下 音鶵 草之惣名 クサ カサクサ ワラ　　　（観智院本類聚名義抄／僧上 004-5）

　　蒭 正欤 クサ／カサクサ　　　　　　　　　　　　　（観智院本類聚名義抄／僧上 004-7）

　　蒭［東］ス・測倶反・シユ　　　　　　　　　　　　　　　　　（長承本蒙求／102）

　　蒭 說文云蒭 音雛字亦作芻和名加良久佐 乾草也　　　（元和本倭名類聚抄／巻十五 04 ウ 8）

▶番号 2048a「竪」（竪義）の仮名音注「リウ」については、基本的に -iu で対応する。当該字には平声点を差す。諧声符「立」（緝韻 liep）による類推の字音把握と推測する。本来は字音「シウ」を期待する。図書寮本類聚名義抄に反切「玉云殊庚反・广云殊庚反」と声調注記「川云上声之重」を見出す。当該字の頭子音 ź-（等韻学の術語で言う歯音濁常母）が濁声母であり、上声之重に相当することを言う。切韻を撰述して以降の中国語において、上声濁が次第に去声化を起こした状態を、日本漢音では反映する。これは上声を構成する上声軽と上声重とが allotone であり、後者の調値が去声と区別できないことを示すとも言える。観智院本類聚名義抄に反切「殊主反」および平声墨圏点を付した和音「主」を見つけるが、仮名音注はない。元和本倭名類聚抄に「臣庾反上聲之重」がある。日本呉音は平声を認める。

　　童竪戲 玉云殊庚反 茲云竪者小也 … 广云殊庚反 …川云上声之重 タテリ［平上平］…

　　　　　　　　　　　　　　　　　　　　　　　　　　　　（図書寮本類聚名義抄／123-1）

　　竪 殊主反 タツ［平上］… 或竪字 和主［平：墨圏点］　（観智院本類聚名義抄／法上 090-8）

　　厨子 辨色立成云竪櫃 竪立也臣庾反上聲之重 厨子別名也

　　　　　　　　　　　　　　　　　　　　　　　　　　　　（元和本倭名類聚抄／巻十六 04 ウ 6）

3-4-2 -iʌ 系の字音的特徴 763

▶番号2139a「豎」（豎者）の仮名音注「リツ」については、異例 -it を示す。当該字に声点はない。諸声符「立」（緝韻 liep）による類推の字音把握に加え、熟字2139「豎者」の促音による音変化と推測する。上述の分析を参照。

▶番号2300「豎」（豎）の仮名音注「リフ」については、異例 -ip を示す。当該字に声点はなく、右注「同（ワラハ）」左注「東豎」〔＊童豎の誤認か〕を付載する。諸声符「立」（緝韻 liep）による類推の字音把握と推測する。本来は字音「シウ」を期待する。当該字「豎」と「豎」は相互に異体字である。観智院本類聚名義抄に反切「常主反」（その反切下字に上声点）を見出すが、仮名音注はない。日本漢音は上声を認める。

　　　豎 常主 [□上] 反 豆也 立也　　　　　　　　　　　　　（観智院本類聚名義抄／法上095-1）

▶番号1736「乳」（乳）の仮名音注「ス」については、基本的に -u で対応する。当該字に声点はなく、右注「チ」を付載する。観智院本類聚名義抄に反切「而主反」と「俗又竹用反」を見出す。長承本蒙求には仮名音注「スウ」があり、その掲出字に去声加濁点を加える。同書の仮名音注は平安時代院政初期である長承三年（1134）に加点された墨筆（例示で両音形ある場合は右側）を中心とするが、平安時代中期と推定する古い朱筆（両音形ある場合は左側）の加点もある。承暦本金光明最勝王経音義には仮名音注「ニウ」二例がある。元和本倭名類聚抄には反切「而主反」がある。日本漢音「ズウ」去声、日本呉音「ニウ」を認める。

　　　乳 而主反 チ ヤシナフ チノマス 俗又竹用反 …　　　　（観智院本類聚名義抄／佛下末013-5）

　　　乳 [去／去：加濁] スウ／スウ　　　　　　　　　　　　　　　　　（長承本蒙求／003）

　　　乳 ニウ [：右傍]〔＊後筆墨書]　　　　（承暦本金光明最勝王経音義／07ウ2・09オ6）

　　　乳　考聲切韻云乳 而主反和名知 母所以飲子之汁也　　　（元和本倭名類聚抄／巻三08ウ2）

▶番号0486「柱」（柱）の仮名音注「チウ」については、基本的に -iu で対応する。当該字には上声点を差し、右注「ハシラ」を付載する。廣韻に拠れば、澄母虞韻（ɖiuʌ²）知母虞韻（ʈiuʌ²）二音を有する。その頭子音 ɖ-（等韻学の術語で言う舌音濁母澄母）が濁声母であり、上声之重に相当する。切韻を撰述して以降の中国語において、上声濁が次第に去声化を起こした状態を、日本漢音では反映する。これは上声を構成する上声軽と上声重とが allotone であり、後者の調値が去声と区別できないことを示すとも言える。観智院本類聚名義抄に平声濁点と去声点を付した同音字注「音注」（その右傍に朱筆で仮名音注「チウ」）と反切「直主反」を見出す。平声濁点は和音か。長承本蒙求には仮名音注「チウ」二例があり、それらの掲出字に上声点と平声点・去声点を加える。元和本倭名類聚抄には同音字注「音注」がある。日本漢音「チウ」上／去声を認める。なお平声は保留する。

　　　柱 音注 [平濁・去／チウ：朱右傍] ハシラ [平平上] … 直主反 …

　　　　　　　　　　　　　　　　　　　　　　　　　（観智院本類聚名義抄／佛下本109-2）

　　　柱 [上] チウ　　　　　　　　　　　　　　　　　　　　　　　　（長承本蒙求／005）

764　3．仮名音注の韻母別考察　3-4　ⅢB韻類

　　　柱［平・去］チウ　　　　　　　　　　　　　　　　　　　　　　（長承本蒙求／101）

　　　柱 東柱附 說文云柱 音注和名波之良 …　　　　　　（元和本倭名類聚抄／巻十 111 オ 3）

▶番号0633b・0853b「柱」（白柱・麻柱）の仮名音注「チウ」については、基本的に -iu で対
応する。当該字には去声点を差す。熟字0633「白柱」は右注「角調」を、熟字0853「麻柱」は右
傍「アナヽヒ」を付載する。上述の分析を参照。

　　　麻柱 アナヽヒ［平平上□］　　　　　　　　　　　　　（観智院本類聚名義抄／佛下本 109-3）

　　　角調曲　曹娘褌脫　白柱　遊宇女　　　　　　　　（元和本倭名類聚抄／巻四 17 ウ 8）

▶番号1835a・1920a・2981b「柱」（柱石・柱礎・膠柱）の仮名音注「チウ」については、基
本的に -iu で対応する。当該諸字三例には平声点を差す。上述の分析を参照。

▶番号0266b「父」（異父）の仮名音注「フ」については、基本的に -u で対応する。当該字に
は上声点を差す。廣韻に拠れば、虞韻（piuʌ²・biuʌ²）二音を有する。観智院本類聚名義抄に同音字
注「音腐」および平声点を付した和音「フ」（その右傍に朱筆で濁音「✓」表記）を見出す。長承
本蒙求には仮名音注「フ」があり、その掲出字に上声点を加える。日本漢音「フ」上声、日本呉音
「ブ」平声を認める。

　　　父 音腐 チヽ［平上］／和フ［平／✓：朱右傍］　　　（観智院本類聚名義抄／僧中 050-8）

　　　父［上］フ　　　　　　　　　　　　　　　　　　　　　（長承本蒙求／078）

▶番号0406b「府」（六府）の仮名音注「フ」については、基本的に -u で対応する。当該字に
は上声点を差す。熟字0406「六府」は左注「付作腑」を付載する。観智院本類聚名義抄に同音字注
「音斧」を見出すが、仮名音注はない。

　　　府 音斧 タツ［平上］クヽス／タツ　　　　　　　　（観智院本類聚名義抄／法下 105-5）

▶番号1964c「鎮守府」（府）の仮名音注「フ」については、基本的に -u で対応する。当該字
に声点はない。上述の分析を参照。

　　　府　職貟令云 … 大宰府 於保美古止毛知乃司 鎮守府　　　（元和本倭名類聚抄／巻五 07 ウ 4）

▶番号3220「斧」（斧）の仮名音注「フ」については、基本的に -u で対応する。当該字には上
声点を差し、右注「ヨキ」を付載する。観智院本類聚名義抄に上声点を付した同音字注「音府」を
見出す。長承本蒙求には仮名音注「フ」があり、その掲出字に上声点を加える。承暦本金光明最勝
王経音義には同音字注「父音」（虞韻 piuʌ²・biuʌ²）があり、その掲出字に去声点を加える。日本
漢音「フ」上声、日本呉音は去声を認める。

　　　斧 音府［上］破也／ヲノ［平平］一云ヨキ［上上］　　（観智院本類聚名義抄／僧中 035-4）

　　　斧［上］フ　　　　　　　　　　　　　　　　　　　　　（長承本蒙求／077）

　　　斧［去］父ゝ／乎乃［マサカリ：右傍］　　　　　（承暦本金光明最勝王経音義／09 ウ 5）

▶番号1095b「脯」（雉脯）の仮名音注「フ」については、基本的に -u で対応する。当該字に
は上声点を差す。熟字1095「雉脯」は右注「ホシトリ」を付載する。観智院本類聚名義抄に上声点

を付した同音字注「音甫」を見出すが、仮名音注はない。日本漢音は上声を認める。

　　　脯 音甫［上］ホシ、ホシ、シシ［平平濁平□］… ホシトリ　　　（観智院本類聚名義抄／佛中116-6）

　▶番号2711「釜」（釜）の仮名音注「フ」については、基本的に -u で対応する。当該字には上声点を差し、右注「カナヘ」左注「カマ」を付載する。観智院本類聚名義抄に上声点を付した同音字注「音又」〔＊音不の誤認か〕を見出すが、仮名音注はない。元和本倭名類聚抄には反切「扶雨反上声之重與輔同」〔＊輔は䰗か〕がある。当該字の頭子音 b-（等韻学の術語で言う脣音濁並母）が濁声母であり、上声之重に相当することを言う。切韻を撰述して以降の中国語において、上声濁が次第に去声化を起こした状態を、日本漢音では反映する。これは上声を構成する上声軽と上声重とが allotone であり、後者の調値が去声と区別できないことを示す。日本漢音は上声を認める。

　　　父 … 扶雨切十五 輔 䰗輔 … 䰗 說文云鍑 … 釜 上同古史考云黄帝始造釜

　　　　　　　　　　　　　　　　　　　　　　　（宋本廣韻／並母麌韻 biuʌ²）

　　　釜 音又［上］カナヘ［上上上］…　　　　　（観智院本類聚名義抄／僧上138-3）

　　　釜　古史考云釜 扶雨反上声之重與輔同和名賀奈羿一云末路賀奈倍 黄帝造也

　　　　　　　　　　　　　　　　　　　　　（元和本倭名類聚抄／巻十六01 ウ7）

　▶番号0591b「府」（齒府）の仮名音注「フ」については、基本的に -u で対応する。当該字に声点はない。熟字0591「齒府」は右注「ハフ」を付載する。和訓と字音との混用例（いわゆる湯桶読み）である。観智院本類聚名義抄に同音字注「音府」を見出すが、仮名音注はない。同書では熟字「齒府」を見つけるが、注記はない。元和本倭名類聚抄には同音字注「音符一音府」がある。

　　　府 音府 又附 俛病也 腫也　　　　　　　（観智院本類聚名義抄／法下115-7）

　　　齒府　　　　　　　　　　　　　　　　　（観智院本類聚名義抄／法下115-8）

　　　腫　山海經云府 音符一音府今案俗所謂乳腫齒腫宜用此字 腫也 …

　　　　　　　　　　　　　　　　　　　　　　　（元和本倭名類聚抄／巻三28 ウ2）

　▶番号1181a・1182a「輔」（輔翼・輔弼）の仮名音注「ホ」については、異例 -o を示す。両当該字には去声点を差す。その中古音は脣音濁麌韻上声（biuʌ²）であり、切韻を撰述して以降の中国語において、上声濁が次第に去声化を起こした状態を、日本漢音では反映する。現行多くの漢和辞典は慣用音「ホ」を掲げる。これは「蒲」模韻（puʌ³）「浦・補」姥韻（puʌ²）「哺」暮韻（puʌ³）などからの類推字音か。観智院本類聚名義抄に反切「扶禹反」と同音字注「音父」を見出す。長承本蒙求に仮名音注「フ」があり、その掲出字に去声点を加える。日本漢音「フ」去声を認める。

　　　輔 扶禹反 タスク［平平上］音父　　　　　（観智院本類聚名義抄／僧084-2）

　　　輔翼 タスケ［平平上］／タスク［平平上］　（観智院本類聚名義抄／僧中084-2）

　　　輔［去］フ　　　　　　　　　　　　　　　（長承本蒙求／093）

　▶番号0782b「腐」（髪腐）の仮名音注「フ」については、基本的に -u で対応する。当該字には平声点を差す。観智院本類聚名義抄に上声点を付した同音字注「音父」および平声点を付した和

音「フ」を見出す。日本漢音は上声、日本呉音「フ」平声を認める。

　　　腐 音父［上］和フ［平］／クツ　　　　　　　　　　　（観智院本類聚名義抄／佛中 132-6）

　　　腐 音父 タヽル クツ［平上］／クサシ　　　　　　　　（観智院本類聚名義抄／法下 105-5）

　▶番号 2960b「舞」（歌舞）の仮名音注「フ」については、基本的に -u で対応する。当該字には上声濁点を差すので、字音「ブ」を想定する。その中古音が示す頭子音 m-（等韻学の術語で言う明母）は両唇鼻音であり、日本語のマ行音をもって受容する。ただし、中国語音韻史上における鼻音声母の非鼻音化（denasalization）を反映する場合はバ行音で対応する。観智院本類聚名義抄に同音字注「音武」および平声点を付した和音「フ」を見出す。日本呉音「フ」平声を認める。

　　　舞 音武 … マフ［□ヒ：墨右傍］和フ［平］　　　　　（観智院本類聚名義抄／僧下 107-4）

　▶番号 0880b「撫」（撥撫）の仮名音注「フ」については、基本的に -u で対応する。当該字には上声濁点を差すので、字音「ブ」を想定する。熟字 0880「撥撫」は右傍「ハラヒ スツ」を付載する。観智院本類聚名義抄に反切「孚禹反」および呉音「舞」と平声濁点を付した和音「舞」を見出す。この呉音注は大般若経字抄による漢呉二音相同の同音字注を出典とする。長承本蒙求に仮名音注「フ」があり、その掲出字に上声加濁点を加える。日本漢音「ブ」上声、日本呉音は平声を認める。日本呉音「ブ」の可能性を指摘しておく。

　　　撫 孚禹反 ナツ … 呉音 … 和舞［平濁］　　　　　　（観智院本類聚名義抄／佛下本 077-7）

　　　撫［音舞：右傍］ナツ　　　　　　　　　　　（石山寺一切経蔵本大般若経字抄／02 オ 1）

　　　撫［上／上：加濁］フ　　　　　　　　　　　　　　　　　（長承本蒙求／021）

　▶番号 3155a「武」（武射）の仮名音注「ム」については、基本的に -u で対応する。当該字に声点はない。先んじて存する地名に漢字表記を宛てる。観智院本類聚名義抄に同音字注「音舞」を見出す。長承本蒙求には仮名音注「フ」六例があり、それらの掲出字に上声点を加える。日本漢音「フ」上声を認める。

　　　武 音舞 ツハ物［平上平］…　　　　　　　　　　　（観智院本類聚名義抄／僧中 041-2）

　　　武［上］フ　　　　　　（長承本蒙求／006・060・068・086・088・117）

　　　上総國 國府在市原郡 … 武射 埴生　　　　　　　（元和本倭名類聚抄／巻五 15 オ 8）

　▶番号 1051b「鵁」（鵁鶄）の仮名音注「ル」については、基本的に -u で対応する。当該字には上声点を差す。熟字 1051「鵁鶄」は右注「ホトヽキス」を付載する。観智院本類聚名義抄に同音字注「𪃿」を見出すが、仮名音注はない。元和本倭名類聚抄に同音字注「𪃿」がある。

　　　鵁鶄 藍𪃿二音 ホトヽキス　　　　　　　　　　　（観智院本類聚名義抄／僧中 131-2）

　　　鵁鶄鳥　唐韻云鵁鶄 藍𪃿二音和名保度々木須 今之郭公也

　　　　　　　　　　　　　　　　　　　　　　　　　（元和本倭名類聚抄／巻十八 08 オ 2）

《下巻 麌韻諸例》

▶番号 3324a「蒟」（蒟蒻）の仮名音注「ク」については、基本的に -u で対応する。当該字には平声点と上声点を差す。廣韻に拠れば、虞/遇韻（kiuʌ²³⁾）二音を有する。熟字「蒟蒻」は右傍 3324「クシヤク」右注 3325「コニヤク」を付載する。観智院本類聚名義抄に上声点を付した同音字注「𦽐」（その右傍に朱筆で仮名音注「ク」）を見出す。また同書では熟字「蒟頭」に対して「コニヤク［平平平平］」を見つける。元和本倭名類聚抄には同音字注「𦽐蒻二音」と「和名古迩夜久」がある。後者は定着久しいゆえか、字音ではなく和名と扱う。上巻の虞韻当該例の分析を踏まえて、日本漢音「ク」上/去声、定着久しい字音「コ」平声を認める。

    蒟蒻　𦽐蒻［上入濁／ク囗：朱右傍］二音　　　　　　　　（観智院本類聚名義抄／僧上 041-6）

    蒟頭　コニヤク［平平平平］　　　　　　　　　　　　　　　（観智院本類聚名義抄／僧上 041-6）

    蒟蒻　文選蜀都賦注云蒟蒻 𦽐蒻二音和名和占迩夜久 …　（元和本倭名類聚抄／巻十七 22 オ 4）

▶番号 3325a「蒻」（蒟蒻）の仮名音注「コ」については、異例 -o を示す。当該字には平声点と上声点を差す。熟字「蒟蒻」は右傍 3324「クシヤク」右注 3325「コニヤク」を付載する。上述の分析を参照。

▶番号 5154b「矩」（規矩）の仮名音注「ク」については、基本的に -u で対応する。当該字には平声点を差す。熟字 5154「規矩」は右傍「フサキ フセク」左注「作法㕝」を付載する。観智院本類聚名義抄に反切「倶羽反」および平声点を付した和音「古」を見出す。同書で「古」を再検索すると、和音「コ」を見つける。日本呉音は平声を認める。また日本呉音「コ」の蓋然性が高い。

    矩　倶羽反 ノリ［上平］スミ［平上］方／和音古［平］　（観智院本類聚名義抄／僧中 033-3）

    古　イニシヘ［上上上平］／和コー〔＊コ音またはコ也か〕（観智院本類聚名義抄／僧中 033-3）

    古　イニシヘ／和コ　　　　　　　　　　　（鎮国守国神社本三寶類聚名義抄／上一 20 ウ 7）

▶番号 5525b「雨」（驟雨）の仮名音注「ウ」については、基本的に -u で対応する。当該字には上声点を差す。熟字 5525「驟雨」は左注「コシアメナリ」を付載する。上巻の虞韻当該諸例で分析したように、日本漢音は平声、日本呉音「ウ」去声を認める。

▶番号 3829a・5471c・6341b・6943b「羽」（羽爵・肅慎羽・飛羽・翆羽）の仮名音注「ウ」については、基本的に -u で対応する。当該諸字四例には上声点を差す。熟字 5471「肅慎羽」は右注「シキリハ［上上濁上平］」を付載する。上巻の虞韻当該諸例で分析したように、日本漢音は上/去声を認める。日本呉音「ウ」の蓋然性が高い。

▶番号 6845b「羽」（翠羽）の仮名音注「ウ」については、基本的に -u で対応する。当該字に声点はない。上述の分析を参照。

▶番号 6366b・6384a「宇」（都宇・宇土）の仮名音注「ウ」については、基本的に -u で対応する。両当該字に声点はない。先んじて存する地名に漢字表記を宛てる。熟字 6366「都宇」は一音節二拍相当か。元和本倭名類聚抄には注記「津」がある。上巻の虞韻当該諸例で分析したように、

768　3．仮名音注の韻母別考察　3-4　ⅢB韻類

日本漢音は上声を認める。

　　　備中國 國府在賀夜郡 … 都宇 津 窪屋 久保也 賀夜 …　　　　　（元和本倭名類聚抄／巻五 23 オ 9）

　　　肥後國 … 益城 萬志岐國府 宇土 …　　　　　　　　　　　　　　（元和本倭名類聚抄／巻五 27 オ 1）

　▶番号 5789a「取」（取捨）の仮名音注「シユ」については、基本的に -ju で対応する。当該字には上声点を差す。観智院本類聚名義抄に上声点を付した同音字注「音趣」を見出す。長承本蒙求に仮名音注「シユ」があり、その掲出字に上声点を加える。日本漢音「シユ」上声を認める。

　　　取 … 音趣［上］／トル［平上］　　　　　　　　　　　　　　　（観智院本類聚名義抄／僧中 052-2）

　　　取［上］シユ　　　　　　　　　　　　　　　　　　　　　　　　（長承本蒙求／132）

　▶番号 5884a「取」（取拾）の仮名音注「シユ」については、基本的に -ju で対応する。当該字には平声点を差す。上述の分析を参照。

　▶番号 6939a「取」（取蚍尾）の仮名音注「ス」については、基本的に -u で対応する。当該字に声点はない。上述の分析を参照。

　▶番号 5550a「聚」（聚落）の仮名音注「シウ」については、基本的に -iu で対応する。当該字には平声点を差す。廣韻に拠れば、麞/遇韻（dziuʌ²³）二音を有する。観智院本類聚名義抄に反切「慈庾反」（その反切下字に上声点）と「疾句反」（その反切下字に去声点）および低平調を示す和音「シユ」（その右傍に朱筆で濁音「✓」表記）を見出す。日本漢音は上/去声、日本呉音「ジユ」平声を認める。

　　　聚 慈庾［□上］反 ムラカル［上上□□］… 疾句［去］反／和シユ［平平／✓□：朱右傍］

　　　　　　　　　　　　　　　　　　　　　　　　　　　　　　　　（観智院本類聚名義抄／僧中 006-7）

　▶番号 5704a「聚」（聚雪）の仮名音注「シウ」については、基本的に -iu で対応する。当該字には去声点を差す。上述の分析を参照。

　▶番号 5889a「聚」（聚散）の仮名音注「シユ」については、基本的に -ju で対応する。当該字には平声点を差す。熟字 5889「聚散」は右注「シユサン」を付載するが、摺り消し状態である。上述の分析を参照。

　▶番号 4756b「數」（筭數）の仮名音注「ス」については、基本的に -u で対応する。当該字には平声点を差す。廣韻に拠れば、麞/遇韻（siuʌ²³）屋韻（sʌuk）覺韻（ʂauk）四音を有する。観智院本類聚名義抄に反切「色矩色角二反」と同音字注「又音速」および和音「シユ・ヌソク」を見出す。所属字音が多いため、声調別に和訓を列挙する。長承本蒙求には仮名音注「スウ」があり、その掲出字に去声点を加える。日本漢音「スウ」上/去声、日本呉音「シユ・ソク」を認める。

　　　數 … 色矩色角二反 又音速 去声 カス［平上濁］… 上声 アマタ［平平上］… 和シユ 又ソク

　　　　　　　　　　　　　　　　　　　　　　　　　　　　　　　　（観智院本類聚名義抄／僧中 055-7）

　　　數［去］スウ　　　　　　　　　　　　　　　　　　　　　　　　（長承本蒙求／090）

　▶番号 6934a「數」（數奇）の仮名音注「ス」については、基本的に -u で対応する。当該字に

は上声点を差す。熟字 6934「數奇」は右傍「マサリカホナシ」を付載する。上述の分析を参照。

　▶番号 6852a「數」（數珠）の仮名音注「ス［平濁］」については、基本的に -u で対応する。当該字に声点はなく、その仮名音注に平声濁点を差すので、字音「ズ」を想定する。熟字 6852「數珠」は右注「スゝ［平濁平］」を付載する。その中古音が示す頭子音 ʂ-（等韻学の術語で言う歯音清生母）は無声反り舌摩擦音であり、日本語のサ行音をもって受容する。ザ行音で対応することは許容しがたい。上述の分析を参照。

　▶番号 5163b「主」（給主）の仮名音注「シユ」については、基本的に -ju で対応する。当該字には平声点を差す。観智院本類聚名義抄に反切「之庾反」（その反切下字に上声点）を見出す。長承本蒙求には仮名音注「シユ・シウ」があり、それらの掲出字に上声点を加える。日本漢音「シユ・シウ」上声を認める。

　　主 ツカサトル［上上□□□］　　　　　　　　（観智院本類聚名義抄／法中 025-3）

　　主 之庾［□上］反 … アルシ［□□上濁］ヌシ …　　（観智院本類聚名義抄／法下 038-7）

　　主［上］シユ　　　　　　　　　　　　　　　　（長承本蒙求／105）

　　主［上］シウ　　　　　　　　　　　　　　　　（長承本蒙求／137）

　▶番号 5269a「主」（主基所）の仮名音注「シユ」については、基本的に -ju で対応する。当該字には上声点を差す。熟字 5269「主基所」は中左注「大嘗會之時／云右也」を付載する。上述の分析を参照。

　▶番号 4044b・4421b・5882a「主」（寺主・安主・主従）の仮名音注「シユ」については、基本的に -ju で対応する。当該諸字三例に声点はない。上述の分析を参照。

　▶番号 4826b・6813a・6959a・6960a・6961a・6965a「主」（座主・主領・主典・主膳・主馬・主典代）の仮名音注「ス」については、基本的に -u で対応する。当該諸字六例に声点はない。熟字 6960「主膳」は左右注「正佐令史／在東宮坊」を、熟字 6961「主馬」は左右注「同／正佐令史」を、熟字 6965「主典代」は左注「在院宮」を付載する。上述の分析を参照。

　▶番号 6963a「主」（主舩）の仮名音注「スウ」については、基本的に -uu で対応する。当該字に声点はない。熟字 6963「主舩」は左注「在大宰府」を付載する。上述の分析を参照。

　▶番号 6445b「炷」（灸炷）の仮名音注「チウ」については、基本的に -iu で対応する。当該字には去声点を差す。廣韻に拠れば、麌/遇韻（t͡ɕiuʌ²³）二音を有する。仮名音注「チウ」は字形の近似する「柱」（澄母麌韻 ȡiuʌ²・知母麌韻 ṭiuʌ²）との混同によるか。本来は字音「シウ」を期待する。観智院本類聚名義抄に上声点を付した同音字注「音主」と「又去」および「呉趣」を見出すが、仮名音注はない。この呉音注は大般若経字抄による漢呉二音相同の同音字注を出典とする。元和本倭名類聚抄には同音字注「音主又去声」がある。日本漢音は上/去声を認める。

　　炷 音主［上］又去 俗訛云トウシミ［　平平濁平］ … トモシヒ［平平平□］呉趣

　　　　　　　　　　　　　　　　　　　　　　（観智院本類聚名義抄／佛下末 038-1）

770　3．仮名音注の韻母別考察　3-4　ⅢB韻類

燋炷［音消 音趣：右傍］上ヤク／下トウシミ　　　　　（石山寺一切経蔵本大般若経字抄／13 ウ 2）

燈心　考聲切韻云炷 音主又去声和名度字之美燈心音訛也 燈心也

（元和本倭名類聚抄／巻十二 12 ウ 4）

▶番号 5456a「麈」（麈尾）の仮名音注「シュ［平平］」については、基本的に -ju で対応する。当該字に声点はなく、仮名音注に平声相当である低平調の差声を施す。また右注「玉柄麈尾是也又法服具」中注「シユヒ［平平平濁］」左注「服玩具」を付載する。観智院本類聚名義抄に同音字注「音主」を見出す。同書では熟字「麈尾」に対して「俗云シユヒ［平平平濁］」を見つける。元和本倭名類聚抄には同音字注「音主」があり、熟字「麈尾」に対して「俗云朱美」を見出す。定着久しい字音「シュ」平声を認める。

麈 音主 似鹿大　麈尾 俗云シユヒ［平平平濁］　　　（観智院本類聚名義抄／法下 111-4）

麈尾　世說云王夷甫常杷玉柄麈尾 俗云朱美　　　（元和本倭名類聚抄／巻十四 03 オ 3）

▶番号 6841a「麈」（麈尾）の仮名音注「ス」については、基本的に -u で対応する。当該字に声点はない。上述の分析を参照。

▶番号 3375a「樹」（樹神）の仮名音注「スユ」については、基本的に -uju で対応する。熟字 3375「樹神」は右注「コタマ」を付載する。当該字「樹」には平声濁点を差すので、字音「ズユ」を想定する。その中古音が示す頭子音 ź-（等韻学の術語で言う歯音濁常母）は有声後部歯茎蓋摩擦音であり、日本語のザ行音をもって受容するが、中国語音韻史上における濁音声母の無声化を反映する場合にはサ行音で対応する。観智院本類聚名義抄に反切「時注反」および和音「シユ」（その右傍に朱筆で濁音「✓」表記）を見出す。長承本蒙求には仮名音注「シウ」があり、その掲出字に去声点を加える。日本漢音「シウ」去声、日本呉音「ジユ」を認める。

樹 時注反 キ［平］… 和シユ［✓□：朱右傍］　　　（観智院本類聚名義抄／佛下本 082-8）

樹 ［去］シウ　　　　　　　　　　　　　　　（長承本蒙求／081・089）

樹神 … 内典云樹神 和名古太萬　　　　　　　（元和本倭名類聚抄／巻二 03 ウ 7）

▶番号 5181b・5910a「乳」（九乳・乳猗莖甬）の仮名音注「シウ」については、基本的に -iu で対応する。両当該字には去声濁点を差すので、字音「ジウ」を想定する。熟字 5910「乳猗莖甬」は右傍「シウコハクフヲ」を付載する。上巻の虞韻当該例で分析したように、日本漢音「ズウ」去声、日本呉音「ニウ」を認める。

▶番号 5121b「柱」（楷柱）の仮名音注「チウ」については、基本的に -iu で対応する。当該字には去声点を差す。上巻の虞韻当該諸例で分析したように、日本漢音「チウ」上/去声を認める。

▶番号 4986b「父」（漁父）の仮名音注「フ」については、基本的に -u で対応する。当該字には上声点を差す。上巻の虞韻当該例で分析したように、日本漢音「フ」上声、日本呉音「ブ」平声を認める。

▶番号 6380b「父」（養父）の仮名音注「フ」については、基本的に -u で対応する。当該字に

声点はない。先んじて存する地名に漢字表記を宛てる。元和本倭名類聚抄に借字表記「夜不」を見出す。上述の分析を参照。

　　　肥前國 … 基肆 養父 夜不 …　　　　　　　　　　　（元和本倭名類聚抄／巻五27 オ1）

　▶番号3730c・4419d・4506b・6019c・6391c「府」（近衛府・按察使府・蔵府・衛門府・兵衛府）の仮名音注「フ」については、基本的に -u で対応する。当該諸字五例に声点はない。熟字3730「近衛府」は右注「大将中将少将将監将曹座主」左注「在左右」を、熟字4506「蔵府」は左注「五臓六府也」を、熟字6019「衛門府」は左注「左右衛門府」を付載する。上巻の麌韻当該諸例で分析した。

　▶番号5155b「甫」（吉甫）の仮名音注「フ」については、基本的に -u で対応する。当該字に声点はない。熟字5155「吉甫」は左注「賢人名也」を付載する。観智院本類聚名義抄に同音字注「音斧」を見出す。長承本蒙求には仮名音注「ホ」があり、その掲出字に上声点を加える。現行多くの漢和辞典は慣用音「ホ」を掲げる。日本漢音「ホ」上声を認める。

　　　甫 音斧 ハシム … オホシ　　　　　　　　　　　　（観智院本類聚名義抄／佛上080-6）

　　　甫 [上] ホ　　　　　　　　　　　　　　　　　　　　（長承本蒙求／043）

　▶番号4128b「鵡」（鸚鵡）の仮名音注「ム」については、基本的に -u で対応する。当該字には平声点を差す。熟字4128「鸚鵡」は右注「能言」左注「能言之鳥也」を付載する。当該字「鵡」は「鵡」と相互に異体字である。観智院本類聚名義抄に同音字注「音母」二例と「又武」を見出すが、仮名音注はない。元和本倭名類聚抄には同音字注「母・武」がある。

　　　鵡鵑 或正 音／母 又武　　　　　　　　　　　　（観智院本類聚名義抄／僧中112-6）

　　　鸚鵡 櫻母二音 今之鸚鵡／コトマナヒ　　　　　（観智院本類聚名義抄／僧中112-7）

　　　鸚鵡 山海經云青羽赤喙能言名曰鸚鵡 桜母二音 郭璞注云今之鸚鵡 音武 …

　　　　　　　　　　　　　　　　　　　　　　　　（元和本倭名類聚抄／巻十八02 ウ9）

《上巻 遇韻諸例》

　▶番号1930a・1938a「注」（注記・注人）の仮名音注「チウ」については、基本的に -iu で対応する。両当該字には平声点を差す。廣韻に拠れば、章母遇韻 (tśiuʌ³) であり、字音「シウ」を期待する。一方で「註」（章母遇韻 tśiuʌ³・知母遇韻 ţiuʌ³）との混同を内在していたと推測する。その場合は字音「シウ・チウ」を想定する。図書寮本類聚名義抄に去声点を付した同音字注「音鑄」と同音字注「公云趣・音主」さらに反切「慈恩云丁住反・切韻之戎反・廣云之喩反」を見出す。観智院本には同音字注「音鑄」および低平調を示す和音「シユ・チユ」を見つける。承暦本金光明最勝王経音義には同音字注「主音」がある、また同音字注「主」と「シウ」（その仮名音注は消し跡）があり、その掲出字に平声圏点を加える。石山寺一切経蔵本大般若経字抄には漢呉二音相同の同音

772　3．仮名音注の韻母別考察　3-4　ⅢB韻類

字注「音趣」三例を見つける。日本漢音は去声、日本呉音「シュ・チユ」平声を認める。

　　　灌注 音鑄 [去] … 公云趣 ソク …　　　　　　　　　　（図書寮本類聚名義抄／009-6）

　　　專注 有記云 音主 止也 牟 …　　　　　　　　　　　（図書寮本類聚名義抄／009-7）

　　　注記 慈恩云 丁住反 記也 切韻之戎反 … 廣疋之喩反 …　（図書寮本類聚名義抄／009-7）

　　　注 音鑄 ソ丶ク [上上平] … 和シユ [平平：墨点] チユ [平平：墨点]

　　　　　　　　　　　　　　　　　　　　　　　（観智院本類聚名義抄／法上 034-8）

　　　註 シルス [上上平] … 和チユ／音住 [去] 又作注　　（観智院本類聚名義抄／法上 059-8）

　　　注 主彡／留也／此字又有乇音 之流須 [上上平] 又訓曽彡久 [上：□□] 不叶此義也

　　　　　　　　　　　　　　　　　　　　（承暦本金光明最勝王経音義／03 ウ 2）

　　　注 [平：圏点／主：右傍] シウ〔＊後筆墨書／消し跡あり〕　（承暦本金光明最勝王経音義／09 ウ 6）

　　　注 [音趣：右傍] ソ丶ク　　　　　　　　　（石山寺一切経蔵本大般若経字抄／02 オ 7）

　　　注 [音趣：右傍]　　　　　（石山寺一切経蔵本大般若経字抄／09 オ 1・14 ウ 1）

　▶番号 1976a「注」（注記）の仮名音注「チウ」については、基本的に *-iu* で対応する。当該字に声点はない。上述の分析を参照。

　▶番号 1019b「孺」（女孺）の仮名音注「シウ」については、基本的に *-iu* で対応する。当該字に声点はない。熟字 1019「女孺」は左注「女官」を付載する。観智院本類聚名義抄に同音字注「音乳」を見出すが、仮名音注はない。

　　　孺 音乳 幼也／稚也　女孺　　　　　　　　（観智院本類聚名義抄／法下 138-7）

　▶番号 1820a「住」（住持）の仮名音注「チウ」については、基本的に *-iu* で対応する。当該字には平声濁点を差すので、字音「ヂウ」を想定する。図書寮本類聚名義抄に反切「直遇反」（その反切下字に平声点）を見出す。観智院本には反切「雉俱反」および低平調と推測する和音「地ユ」を見つける。この和音は「亠」（「音」の省略形）と仮名「ユ」を混同している。高山寺本三寶類字集には「又音地ユ」がある。観智院本では掲出字「重・除」に対して和音「地ウ・地ヨ」を見つける。字音「ヂウ・ヂヨ」を想定する。特に「地ヨ [平濁上]」には平声濁点を差す。日本漢音は平声、日本呉音「ヂユ」平声を認める。

　　　念住 … 下直遇 [□平] 反 正也 …　　　　　　　　　（図書寮本類聚名義抄／239-2）

　　　住 雉俱反 スム [平上] … 和地ユ [□平]〔＊← 亠 (音)〕　（観智院本類聚名義抄／佛上 003-1）

　　　住 雉俱反 トマル [上上濁上平] … 又音地ユ [□平]　　（高山寺本三寶類字集／03 ウ 6）

　　　重 直家 [□上] 反 … 又平 カサヌ [上上平／□□ナル] 又去 … 和地ウ [□平・□上／□✓：朱右傍]

　　　　　　　　　　　　　　　　　　　　　　（観智院本類聚名義抄／法下 042-5）

　　　除 ノソク [平平濁上] … 音儲 [平] 和地ヨ [平濁上：墨点]　（観智院本類聚名義抄／法中 024-3）

　▶番号 1734a「住」（住持）の仮名音注「チウ」については、基本的に *-iu* で対応する。当該字に声点はない。上述の分析を参照。

　　　　　　　　　　　　　　　　　　　　3-4-2　-iʌ 系の字音的特徴　773

　▶番号 2629「傅」（傅）の仮名音注「フ」については、基本的に -u で対応する。当該字には去声点を差し、和訓「カシツク」の同訓異字として位置する。観智院本類聚名義抄に同音字注「音附」を見出す。長承本蒙求に仮名音注「フ」があり、その掲出字を含む二例に去声点を加える。日本漢音「フ」去声を認める。

　　　傅 音附 ツク カシツク［□□□キ］… ミヤツカへ　　　　（観智院本類聚名義抄／佛上 025-2）

　　　傅［去］フ／フ　　　　　　　　　　　　　　　　　　　（長承本蒙求／065）

　　　傅［去］　　　　　　　　　　　　　　　　　　　　　　（長承本蒙求／080）

　▶番号 2053b「務」（釐務）の仮名音注「ム」については、基本的に -u で対応する。当該字には平声点を差す。観智院本類聚名義抄に去声点を付した同音字注「音霧」（その右傍に朱筆で仮名音注「フ」）を見出す。日本漢音「フ」去声を認める。

　　　務 音霧［去／フ：朱右傍］ツトム［平平上］…　　　　（観智院本類聚名義抄／僧上 083-4）

　▶番号 1278b「務」（法務）の仮名音注「ム」については、基本的に -u で対応する。当該字に声点はない。上述の分析を参照。

　▶番号 3179b「務」（各務）の仮名音注「ミ」については、異例 -i を示す。当該字に声点はない。熟字 3179「各務」は左注「イ本宿祢」を付載し、加篇姓氏部に属する。上述の分析を参照。

　　　美濃國 … 各務 各々美 …　　　　　　　　　　　　　（元和本倭名類聚抄／巻五 16 ウ 5）

《下巻 遇韻諸例》

　▶番号 4512a「酤」（酤酒）の仮名音注「ク」については、基本的に -u で対応する。当該字には去声点を差す。熟字 4512「酤酒」は右注「サカヽリ」を付載する。観智院本類聚名義抄に同音字注「音煦」を見出すが、仮名音注はない。元和本倭名類聚抄には反切「香句反」がある。

　　　酤酒 或一云酒狂／サカヤモヒ　酤 音煦／又作　　　　（観智院本類聚名義抄／僧下 057-5）

　　　酤酒　唐韻云酤 香句反一云酒狂俗云佐加々理 醉怒也　（元和本倭名類聚抄／巻三 23 ウ 6）

　▶番号 6962a「鑄」（鑄銭司）の仮名音注「スウ」については、基本的に -uu で対応する。当該字に声点はない。観智院本類聚名義抄に去声点を付した同音字注「音注」（その右傍に朱筆で仮名音注「シウ」）を見出す。元和本倭名類聚抄には熟字「鑄銭司」の注記「樹漸乃司」を見つけるが、同音字注か判然としない。日本漢音「シウ」去声を認める。

　　　鑄 音注［去／シウ：朱右傍］イモノ …　　　　　　　（観智院本類聚名義抄／僧上 121-7）

　　　司　職貟令云 … 鑄銭司 樹漸乃司　　　　　　　　　（元和本倭名類聚抄／巻五 07 オ 7）

　▶番号 6240b「喩」（譬喩）の仮名音注「ユ」については、基本的に -u で対応する。当該字には平声点を差す。観智院本類聚名義抄に反切「踰句反」（その反切下字に去声点）および平声点を付した和音「ユ」を見出す。日本漢音は去声、日本呉音「ユ」平声を認める。

774　3．仮名音注の韻母別考察　3-4　ⅢB韻類

喩 踰句［□去］反 タトヒ［□□フ：墨右傍］… 和ユ［平］　　　（観智院本類聚名義抄／佛中 027-4）

譬喩 同〔＊タトヒ［平平□］〕　　　　　　　　　　　　　　（観智院本類聚名義抄／僧下 066-6）

▶番号 4321「傴」（傴）の仮名音注「ヨ」については、異例 -o を示す。当該字には去声点を差し、和訓「アク」の同訓異字として位置する。番号 4321・4322「傴」は右傍「ヨ又ウ」を付載する。観智院本類聚名義抄に注音表記はない。

嫗 老嫗也衣遇切三 蓲 蓲也 傴 飽傴　　　　　　　　　　　（宋本廣韻／影母遇韻 'iuʌ³）

傴 アク［平上］　　　　　　　　　　　　　　　　　　　　（観智院本類聚名義抄／僧上 112-8）

▶番号 4322「傴」（傴）の仮名音注「ウ」については、基本的に -u で対応する。当該字には去声点を差し、和訓「アク」の同訓異字として位置する。番号 4321・4322「傴」は右傍「ヨ又ウ」を付載する。上述の分析を参照。

▶番号 4833「霧」（霧）の仮名音注「フ」については、基本的に -u で対応する。当該字には去声濁点を差すので、字音「ブ」を想定する。観智院本類聚名義抄に同音字注「音務」を見出すが、仮名音注はない。承暦本金光明最勝王経音義には同音字注「武音・牟音」がある。またイロハ順の借字として「牟［平］」を掲げる。元和本倭名類聚抄には反切「亡遇反與務同」を見つける。日本呉音「ム」平声を認める。

霧 音務 キリ［上上］…　　　　　　　　　　　　　　　　　（観智院本類聚名義抄／法下 068-3）

霧［平］武ミ／加須美　　　　　　　　　　　　　　　　　　（承暦本金光明最勝王経音義／05 オ 2）

霧［平］牟ミ　　　　　　　　　　　　　　　　　　　　　　（承暦本金光明最勝王経音義／10 ウ 6）

　　　先可知所付借字　　　　　　　　　　　　　　　　　　（承暦本金光明最勝王経音義／01 オ 7）

良［平］羅［上］牟［平］旡［上］…　　　　　　　　　　　（承暦本金光明最勝王経音義／01 ウ 4）

霧　爾雅云地氣上天曰霧亡遇反與務同 和名岐利 …　　　　　（元和本倭名類聚抄／巻一 03 ウ 1）

3-4-2-3　-iʌi（微/尾/未韻）

資料篇【表 B-07】には微韻（平声）尾韻（上声）未韻（去声）所属の諸例が含まれる。前田本の示す仮名音注は、-i, -e で基本的に対応する。主母音 -ʌ- が介音 -i- と韻尾である末子音 -i とに挟まれた結果、その介音あるいは末子音に吸収されて -i の字音把握がなされたと推測する。異例として、-ii, -wi, -ut がある。

《上巻　微韻諸例》

▶番号 1244b・1265b・2908b「衣」（布衣・毛衣・更衣）の仮名音注「イ」については、基本的に -i で対応する。当該諸字三例には平声点を差す。廣韻に拠れば、微/未韻（'iʌi¹ᐟ³）二音を有す

る。図書寮本類聚名義抄に同音字注「季云音依」（その東声点位置に仮名音注「イ」）を見出す。観智院本には平声点・去声点を付した同音字注「音依」（その右傍に墨筆で仮名音注「エ」）を見つける。同書の凡例部分「朱音者正音也墨声者和音也」（篇目 7-6）に従えば、朱墨で正音と和音を分別する傾向があるので、この仮名音注「エ」は和音を示すか。長承本蒙求には仮名音注「イ」三例があり、それらを含む掲出字四例に東声点を加える。日本漢音「イ」東/去声（四声体系では平/去声）日本呉音「エ」を認める。

衣 季云音依 ［イ：東声点位置］… コロモ ［上上上／記：右注］…　　（図書寮本類聚名義抄／327-1）

衣 … 音依 ［平・去／エ：墨右傍］ コロモ ［上上□］…　　（観智院本類聚名義抄／法中 136-5）

衣 ［東］ イ　　　　　　　　　　　　　　　　　　　（長承本蒙求／033・111・135）

衣 ［東］　　　　　　　　　　　　　　　　　　　　　　（長承本蒙求／074）

▶番号 0172a「衣」（衣架）の仮名音注「イ［上］」については、基本的に -i で対応する。当該字には上声点を差し、その仮名音注にも上声点を差す。熟字 0172「衣架」は右注「イカ［上平］俗」左注「又ミソカケ」を付載する。定着久しい字音「イ」上声として把握する。

衣架　爾雅注云籅 音移字亦作椸和名美曾加介 縣衣架也　　（元和本倭名類聚抄／巻十四 16 ウ 4）

▶番号 0325a・0326a「衣」（衣裳・衣冠）の仮名音注「イ」については、基本的に -i で対応する。両当該字には上声点を差す。

▶番号 0319a・3228「依」（依違・依）の仮名音注「イ」については、基本的に -i で対応する。両当該字には平声点を差す。番号 3228「依」は右注「ヨテ」を付載する。これは「ヨリテ」の促音化を示すが、その促音は無表記である。図書寮本類聚名義抄に同音字注「季云音衣」（その東声点位置に仮名音注「イ」）を見出す。上声点には疑義が残る。観智院本には上声点を付した同音字注「音衣」（その右傍に朱筆で仮名音注「イ」／平声点の位置に仮名音注「エ」）を見つける。日本漢音「イ」東声（四声体系では平声）字音「エ」平声を認める。

依 季云音衣 ［上?／イ：東声点位置］…　　　　　　　（図書寮本類聚名義抄／327-1）

依 音衣 ［上／エ：朱平声点位置／イ：朱右傍］ ヨル ［上平］…　（観智院本類聚名義抄／佛上 028-8）

▶番号 1670b「慇」（痛慇）の仮名音注「イ」については、基本的に -i で対応する。当該字には上声点を差す。熟字「痛慇」は右傍「イタミ イタム」を付載する。観智院本類聚名義抄に反切「扵豈反」を見出すが、仮名音注はない。

慇 偯二 扵豈反 イタム／アハレフ カナシム／ナケク　　（観智院本類聚名義抄／法中 096-3）

慇 扵蟻反 哀聲　　　　　　　　　　　　　（高山寺本篆隷萬象名義／第二帖 089 オウ 1）

慇 衣豈切 痛聲也　　　　　　　　　　　（小學彙函本大廣益會玉篇／巻上 61 ウ 3）

▶番号 0144「饑」（饑）の仮名音注「キ」については、基本的に -i で対応する。当該字に声点はなく、右注「イヒウエ」を付載する。観智院本類聚名義抄に平声点を付した同音字注「音肌」（その右傍に朱筆で仮名音注「キ」）および平声点を付した和音「ケ」を見出す。日本漢音「キ」平声、

776　3．仮名音注の韻母別考察　3-4　ⅢB韻類

日本呉音「ケ」去声を認める。

饑飢 或正 音肌［平／キ：朱右傍］… イヒウヘス［平平平平上］和ケ［去］

（観智院本類聚名義抄／僧上 110-3）

▶番号 0658・0757b「機」（機・万機）の仮名音注「キ」については、基本的に -i で対応する。両当該字には平声点を差す。番号 0658 は右注「ハタ」左注「織絹布器也」を付載する。観智院本類聚名義抄に反切「斤衣反」（その反切下字に平声点）を見出す。長承本蒙求には仮名音注「キ」があり、その掲出字に東声点を加える。元和本倭名類聚抄には反切「居衣反」がある。日本漢音「キ」東声（四声体系では平声）を認める。

機 斤衣［□平］反 … ハタ［上平］… オコツリ　　　（観智院本類聚名義抄／佛下本 095-5）

機［東］キ　　　　　　　　　　　　　　　　　　　　　　（長承本蒙求／034）

機 經緯附 國語注云織設經緯以機 居衣反 成繪布也 …　（元和本倭名類聚抄／巻十四 12 オ）

▶番号0012「磯」（磯）の仮名音注「キイ」については、異例 -ii を示す。当該字に声点はなく、右注「イソ」を付載する。一音節二拍相当の字音把握である。図書寮本類聚名義抄に反切「广云居依反」を見出す。観智院本には同音字注「音機」を見つけるが、仮名音注はない。

磯激 广云居依反 水中磧／石也 磯磧也　　　　　　　（図書寮本類聚名義抄／151-3）

磯 音機 磨　　　　　　　　　　　　　　　（観智院本類聚名義抄／法中 009-3）

▶番号1146「希」（希）の仮名音注「ケ」については、基本的に -e で対応する。当該字に声点はなく、和訓「ホトコス」の同訓異字として位置する。また前田本が示す当該字形「メ+希」〔＊上下配置〕を「希」に修正する。観智院本類聚名義抄に反切「虚機反」と同音字注「音稀」を見出すが、仮名音注はない。

希 虚機反 ネカフ スクナシ［平平□□］… ヲシム　　　（観智院本類聚名義抄／法中 109-8）

希 音稀 マレラナリ［上上平□□］… タマヽヽ［上上□□］　（観智院本類聚名義抄／僧中 052-4）

▶番号2091b「非」（理非）の仮名音注「ヒ」については、基本的に -i で対応する。当該字には上声点を差す。観智院本類聚名義抄に反切「甫肥反」（その反切下字に平声点）および去声墨点を付した和音「ヒ」を見出す。長承本蒙求には仮名音注「ヒ」があり、その掲出字に東声点を加える。日本漢音「ヒ」東声（四声体系では平声）日本呉音「ヒ」去声を認める。

非 甫肥［□平］反 ウラナフ … 和ヒ［去：墨点］　　　（観智院本類聚名義抄／僧下 086-5）

非［東］ヒ　　　　　　　　　　　　　　　　　　（長承本蒙求／006・114）

▶番号1421「扉」（扉）の仮名音注「ヒ」については、基本的に -i で対応する。当該字には平声点を差し、右注「トヒラ」を付載する。観智院本類聚名義抄に同音字注「音非」を見出すが、仮名音注はない。

扉 音非 トヒラ［上上平］／トホソ　　　　　　　　（観智院本類聚名義抄／法下 092-7）

▶番号0288b・1499a「飛」（雄飛・飛車）の仮名音注「ヒ」については、基本的に -i で対応す

3-4-2 -iʌ 系の字音的特徴 777

る。両当該字には平声点を差す。熟字 1499「飛車」は右注「トフクルマ」を付載する。観智院本類聚名義抄に同音字注「音非」および平声墨点・去声墨点を付した和音「ヒ」を見出す。長承本蒙求には仮名音注「ヒ」四例があり、それらの掲出字に平声点と東声点を加える。日本漢音「ヒ」東声（四声体系では平声）日本呉音「ヒ」平/去声を認める。

飛 音非 トフ［上平濁］／和ヒ［平・去：墨点］　　　（観智院本類聚名義抄／僧下 108-1）

飛［平］ヒ　　　　　　　　　　　　　　　　　　　　　（長承本蒙求／033）

飛［東］ヒ　　　　　　　　　　　　　　　　　　　　　（長承本蒙求／093）

飛［東／上？］ヒ〔＊上声点は長承三年点〕　　　　　　（長承本蒙求／095）

飛［東：圏点］ヒ〔＊圏点は長承三年点〕　　　　　　　（長承本蒙求／126）

飛 … 能作飛車從風飛行故曰飛車　　　（元和本倭名類聚抄／巻十一 06 ウ 6）

▶番号 0872b「菲」（芳菲）の仮名音注「ヒ」については、基本的に -i で対応する。当該字には平声点を差す。廣韻に拠れば、微/尾韻（pʰiʌi¹ʲ²）未韻（biʌi³）三音を有する。熟字 0872「芳菲」は右傍「カウハシ」左注「芳也」を付載する。観智院本類聚名義抄に反切「芳非反」と同音字注「又音匪」さらに「又去」を見出すが、仮名音注はない。日本漢音は去声を認める。

菲 芳非反 又音／匪 … 又去 … カウハシ［上上□□］　　（観智院本類聚名義抄／僧上 038-2）

▶番号 1547「霏」（霏）の仮名音注「ヒ」については、基本的に -i で対応する。当該字には平声点を差し、左右注「雪細下皃／霰也」を付載する。和訓「トフ」の同訓異字として位置する。観智院本類聚名義抄に同音字注「音妃」を見出すが、仮名音注はない。

霏 音妃 トフ … ユキ … ソンク　　　　　　　　　　　（観智院本類聚名義抄／法下 067-5）

▶番号 0125「微」（微）の仮名音注「ヒ」については、基本的に -i で対応する。当該字には平声点を差し、和訓「イヤシ」の同訓異字として位置する。その中古音が示す頭子音 m-（等韻学の術語で言う脣音清濁明母）は両唇鼻音であり、日本語のマ行音をもって受容するが、中国語音韻史上における鼻音声母の非鼻音化（denasalization）を反映する場合にはバ行音で対応する。観智院本類聚名義抄に反切「无歸反・莫飛反」および和音「ミ」を見出す。日本呉音「ミ」を認める。

微 无歸反 妙也 … 好也　　　　　　　　　　　　　　（観智院本類聚名義抄／佛上 014-6）

微 莫飛反 和音ミ ホノカニ … イヤシトモシ …　　　（観智院本類聚名義抄／佛上 038-7）

▶番号 2289「薇」（薇）の仮名音注「ヒ」については、基本的に -i で対応する。当該字には平声点を差し、右注「ワラヒ」を付載する。観智院本類聚名義抄に平声濁点を付した同音字注「音微」を見出すが、仮名音注はない。元和本倭名類聚抄に同音字注「微」がある。日本漢音は平声を認める。

薇 音微［平濁］／ワラヒ［平平平］　　　　　　　　　（観智院本類聚名義抄／僧上 021-8）

薇蕨 微蕨［平濁入］二音／ワラヒ［平平平濁］下ワラヒ　（観智院本類聚名義抄／僧上 021-8）

薇蕨　爾雅注云薇蕨 微蕨二音和名和良比 …　　　　　（元和本倭名類聚抄／巻十七 23 ウ 8）

778　3．仮名音注の韻母別考察　3-4　ⅢB韻類

《下巻　微韻諸例》

▶番号3429・3846b・4253b・5276b・6158b・6902b「衣」（衣・易衣・雨衣・垣衣・單衣・垂衣）の仮名音注「イ」については、基本的に *i* で対応する。当該諸字六例には平声点を差す。番号3429「衣」は右注「コロモ」中注「於希反」左注「又ソ」を、熟字4253「雨衣」は右注「アマキヌ」を、熟字5276「垣衣」は右注「シノフクサ」を、熟字6158「單衣」は右注「ヒトヘキヌ」左注「都寒反」を付載する。上巻の微韻当該諸例で分析したように、日本漢音「イ」東/去声（四声体系では平/去声）日本呉音「エ」を認める。

▶番号4588b「衣」（三衣匣）の仮名音注「エ」については、基本的に *e* で対応する。当該字に声点はなく、その仮名音注に上声点を差す。熟字4588「三衣匣」は右注「サムエハコ［平平上□□］」を付載する。元和本倭名類聚抄に「俗云佐无江乃波古」を見出す。上述の分析を参照。

　　三衣匣　金玉義林云僧六物其一曰三衣匣 俗云佐无江乃波古 …

（元和本倭名類聚抄／巻十三 05 ウ 3）

▶番号3784a「衣」（衣比香）の仮名音注「エ」については、基本的に *e* で対応する。当該字に声点はない。上述の分析を参照。

　　褒衣香　文字集略云褒衣香 褒於業反褒衣俗云衣比 　　（元和本倭名類聚抄／巻十二 02 オ 3）

▶番号3856a「依」（依怙）の仮名音注「エ」については、基本的に *e* で対応する。当該字には去声点を差す。上巻の微韻当該諸例で分析したように、日本漢音「イ」東声（四声体系では平声）字音「エ」平声を認める。

▶番号5832b「依」（所依）の仮名音注「エ」については、基本的に *e* で対応する。当該字には上声点を差す。上述の分析を参照。

▶番号5129a「機」（機關）の仮名音注「キ」については、基本的に *i* で対応する。当該字には平声点を差す。上巻の微韻当該諸例で分析したように、日本漢音「キ」東声（四声体系では平声）を認める。

▶番号5161a・5162a・5176a「機」（機縁・機感・機根）の仮名音注「キ」については、基本的に *i* で対応する。当該諸字三例には去声点を差す。上述の分析を参照。

▶番号5622b・6877「幾」（庶幾・幾）の仮名音注「キ」については、基本的に *i* で対応する。両当該字には平声点を差す。熟字5622「庶幾」は右傍「コヒネカフ」を、番号6877「幾」は左右注「不定／數也」を付載する。観智院本類聚名義抄に同音字注「音祈・又音機・又音蟻」を見出すが、仮名音注はない。

　　幾 … 音祈 … ネカフ … 又音機 又音蟻 イクハク　　　（観智院本類聚名義抄／僧下 101-1）

　　庶幾 コヒネカフ［平上□□□］　　　　　　　　　　　（観智院本類聚名義抄／僧下 101-2）

庶幾 コヒネカフ［平平□□□］　　　　　　　　　　（観智院本類聚名義抄／法下 104-6）

　▶番号 3909a・5182a「蘄」（蘄竹・蘄竹）の仮名音注「キ」については、基本的に -i で対応する。両当該字には平声点を差す。番号 5182a は前田本の字形「蘄」を「蘄」に修正する。観智院本類聚名義抄に東声点〔＊上声点か〕を付した同音字注「音祈」を見出すが、仮名音注はない。日本漢音の声調については保留する。

　　　蘄 音祈［東?］クツハミ［上上上濁上］… 芹也　　　（観智院本類聚名義抄／僧上 038-6）

　　　蘄 … 音漸 草相包裏／ホロフ　　　　　　　　　　　（観智院本類聚名義抄／僧上 038-6）

　▶番号 4941「畿」（畿）の仮名音注「キ」については、基本的に -i で対応する。当該字には平声点を差し、右注「同（キハ）」左注「限也」を付載する。観智院本類聚名義抄に平声点を付した同音字注「音祈」を見出すが、仮名音注はない。日本漢音は平声を認める。

　　　畿 音祈［平］カキル［平平濁上］或圻 チカシ［平平□］（観智院本類聚名義抄／僧下 101-1）

　▶番号 4988a・989a・4992a・4993a「祈」（祈禱・祈請・祈念・祈願）の仮名音注「キ」については、基本的に -i で対応する。当該諸字四例には去声点を差す。観智院本類聚名義抄に反切「巨衣反」を見出すが、仮名音注はない。

　　　祈 巨衣反 コフ イノリ［平平□］…　　　　　　　　（観智院本類聚名義抄／法下 002-8）

　▶番号 6422「祈」（祈）の仮名音注「キ」については、基本的に -i で対応する。当該字には平声点を差し、右注「モトム」を付載する。上述の分析を参照。

　▶番号 5106a「希」（希代）の仮名音注「キ」については、基本的に -i で対応する。当該字には去声点を差す。上巻の微韻当該例で分析した。

　▶番号 4304「緋」（緋）の仮名音注「ヒ」については、基本的に -i で対応する。当該字には平声点を差し、右注「アケ」左注「絳色也」を付載する。図書寮本類聚名義抄に東声点を付した同音字注「音飛」を見出す。観智院本類聚名義抄に平声点を付した同音字注「音非」を見出すが、仮名音注はない。日本漢音は東声（四声体系では平声）を認める。

　　　緋 季云音飛［東］玉云繡也 …　　　　　　　　　　（図書寮本類聚名義抄／318-2）

　　　緋 音非［平］アケ［上上］／アカシ ヌフ　　　　　（観智院本類聚名義抄／法中 128-8）

　▶番号 6040a・6043a・6239a・6300a・6341a・6344a「飛」（飛檐・飛香舎・飛帆・飛騰・飛羽・飛絮）の仮名音注「ヒ」については、基本的に -i で対応する。当該諸字六例には平声点を差す。熟字 6043「飛香舎」は右注「フチツホ」左注「禁中舎名」を、熟字 6341「飛騰」は右傍「トヒ アカル」を付載する。上巻の微韻当該諸例で分析したように、日本漢音「ヒ」東声（四声体系では平声）日本呉音「ヒ」平/去声を認める。

　▶番号 6309a・6338a・6361a「飛」（飛驛・飛蛾・飛驒）の仮名音注「ヒ」については、基本的に -i で対応する。当該諸字三例に声点はない。上述の分析を参照。

　　　東山國第五十四／近江 知加津阿不三 美濃 飛驒 比太 …　（元和本倭名類聚抄／巻五 09 オ 1）

780　3．仮名音注の韻母別考察　3-4　ⅢB韻類

▶番号6301a・6302a・6303a・6304a・6333a「非」（非道・非理・非法・非律・非據）の仮名音注「ヒ」については、基本的に -i で対応する。当該諸字五例には去声点を差す。上巻の微韻当該例で分析したように、日本漢音「ヒ」東声（四声体系では平声）日本呉音「ヒ」去声を認める。

▶番号6305a・6691b「非」（非常・是非）の仮名音注「ヒ」については、基本的に -i で対応する。両当該字には上声点を差す。上述の分析を参照。

▶番号6258a「誹」（誹謗）の仮名音注「ヒ」については、基本的に -i で対応する。当該字には平声点を差す。廣韻に拠れば、微/未韻（pɪʌi ⁱ³）二音を有する。観智院本類聚名義抄に同音字注「非匪沸三音」および和音「ヒ」を見出す。各同音字注は「非」幫母微韻「匪」幫母尾韻「沸」幫母未韻である。日本呉音「ヒ」を認める。

　　　誹 非匪沸三音／ソシル［上上□］和ヒ　　　　　　　　（観智院本類聚名義抄／法上071-5）

▶番号6098「妃」（妃）の仮名音注「ヒ」については、基本的に -i で対応する。当該字には平声点を差し、右注「同（ヒメ）匹也」左注「偶也」を付載する。観智院本類聚名義抄に平声点を付した同音字注「非反」および平声点を付した和音「ヒ」を見出す。日本漢音は平声、日本呉音「ヒ」平声を認める。

　　　妃 音非［平］反／キサキ 和ヒ［平］　　　　　　　　　（観智院本類聚名義抄／佛中007-6）

▶番号6262a・6377a「肥」（肥膚・肥前）の仮名音注「ヒ」については、基本的に -i で対応する。両当該字に声点はない。熟字6262「肥膚」は右注「ヒフ イ本」左注「ヒフクト云是也」を付載する。観智院本類聚名義抄に反切「扶非反」および朱筆で和音「ヒ」を見出す。和音の表記は墨筆を原則とする。当該の和音は左右注を割って挿入した中注の配置であり、左注「タノシヒ」の「ヒ」と隣接するため、混同を避けた結果と推測する。石山寺一切経蔵本大般若経字抄には仮名音注「ヒ・ヒ反・ヒ音」がある。日本呉音「ヒ」を認める。

　　　肥 扶非反 … 和ヒ［：朱］／コマカ タノシヒ［平平□□］　　（観智院本類聚名義抄／佛中135-6）
　　　肥［ヒ：右傍］〔＊後筆墨書〕　　　　　　　　　　（石山寺一切経蔵本大般若経字抄／10 オ1）
　　　肥 コエ／ヒ反〔＊後筆朱書〕　　　　　　　　　　（石山寺一切経蔵本大般若経字抄／10 オ5）
　　　肥［ヒ：右傍］〔後筆朱書］コエ　　　　　　　　　（石山寺一切経蔵本大般若経字抄／10 オ6）
　　　肥［コエ：右傍／ヒ六：左傍］〔＊後筆墨書］　　　（石山寺一切経蔵本大般若経字抄／10 ウ1）
　　　西海國第五十九／… 肥前 比乃三知乃久知 …　　　　　（元和本倭名類聚抄／巻五10 オ2）

▶番号3384「腓」（腓）の仮名音注「ヒ」については、基本的に -i で対応する。当該字には平声点を差し、右注「コムラ」を付載する。観智院本類聚名義抄に平声点を付した同音字注「音肥」を見出すが、仮名音注はない。同書では異体字「痱」に和音「非」を見つける。日本漢音は平声を認める。

　　　腓 音肥［平］サル［上平］コムラ … 痱字　　　　　　（観智院本類聚名義抄／佛中124-7）
　　　痱 … 音肥 又倍風病 ヤム［平上］… 和音非　　　　　（観智院本類聚名義抄／佛中124-7）

3-4-2　-iʌ 系の字音的特徴　781

▶番号3301a・3873b・5529b「微」（微風・紫微・紫微）の仮名音注「ヒ」については、基本的に -i で対応する。当該諸字三例には平声濁点を差すので、字音「ビ」を想定する。熟字3301「微風」は右注「コカセ」を付載する。上巻の微韻当該例で分析したように、日本呉音「ミ」を認める。

▶番号6310a「微」（微行）の仮名音注「ヒ」については、基本的に -i で対応する。当該字には平声点を差す。熟字6310「微行」は右傍「ヒソカニ ユク」を付載する。上述の分析を参照。

▶番号5280b「薇」（薔薇）の仮名音注「ヒ」については、基本的に -i で対応する。当該字には平声濁点を差すので、字音「ビ」を想定する。上巻の微韻当該例で分析したように、日本漢音は平声を認める。

　　　薔薇 營實附 本草云薔薇一名墻蘼 音微今案薇蘼 …　　　　（元和本倭名類聚抄／巻二十 03 ウ 5）

▶番号4782b「薇」（採薇）の仮名音注「ヒ」については、基本的に -i で対応する。当該字には平声点を差す。上述の分析を参照。

《上巻 尾韻諸例》

▶番号2492a「櫃」（櫃子）の仮名音注「ヒ」については、基本的に -i で対応する。当該字には上声点を差す。熟字2492「櫃子」は右注「カヘ」を付載する。観智院本類聚名義抄に同音字注「音匪」を見出すが、仮名音注はない。元和本倭名類聚抄には同音字注「音匪」がある。

　　　櫃子 カヘ［平平］音匪／塞也　　　　　　　（観智院本類聚名義抄／佛下本 110-5）

　　　櫃子　本草云柏實 柏音百 一名櫃子 櫃音匪和名加倍　　　（元和本倭名類聚抄／巻十七 08 ウ 2）

▶番号1935b・2060b「尾」（雉尾・龍尾）の仮名音注「ヒ」については、基本的に -i で対応する。両当該字には上声濁点を差すので、字音「ビ」を想定する。その中古音が示す頭子音 m-（等韻学の術語で言う唇音清濁明母）は両唇鼻音であり、日本語のマ行音をもって受容するが、中国語音韻史における鼻音声母の非鼻音化（denasalization）を反映する場合にはバ行音で対応する。熟字2060「龍尾」は中左注「大極殿／前道也」を付載する。観智院本類聚名義抄に反切「亡匪反」および平声点を付した和音「ヒ」（その右傍に朱筆で濁音「✓」表記）を見出す。日本呉音「ビ」平声を認める。

　　　尾 亡匪反 和名ヲ［平］… 和ヒ［平／✓：右傍］又在下　　　（観智院本類聚名義抄／法下 087-8）

《下巻 尾韻諸例》

▶番号6257a「匪」（匪石）の仮名音注「ヒ」については、基本的に -i で対応する。当該字には上声点を差す。観智院本類聚名義抄に反切「甫尾反」および和音「ヒ」と呉音「彼」を見出す。この呉音注は大般若経字抄による漢呉二音相同の同音字注を出典とする。日本呉音「ヒ」を認める。

782　3．仮名音注の韻母別考察　3-4　ⅢB韻類

　　匪　甫尾反 アラス … 和ヒ 呉彼　　　　　　　　　　　　（観智院本類聚名義抄／佛上 062-8）

　　匪 ［音彼：右傍］　　　　　　　　　　　　（石山寺一切経蔵本大般若経字抄／17 ウ 4）

　▶番号 4271b・5875b・5972b「尾」（雉尾・首尾・猗尾草）の仮名音注「ヒ」については、基本的に -i で対応する。当該諸字三例には上声濁点を差すので、字音「ビ」を想定する。熟字 5972「猗尾草」は右注「コ又コクサ」〔＊エヌコクサか〕を付載する。上巻の尾韻当該諸例で分析したように、日本呉音「ビ」平声を認める。

　　猗尾草　辨色立成云猗尾草 恵沼能古久佐　　　　　　（元和本倭名類聚抄／巻二十 08 オ 5）

　▶番号 3331b「尾」（鳶尾）の仮名音注「ヒ」については、基本的に -i で対応する。当該字には上声点を差す。熟字 3331「鳶尾」は右注「コヤスクサ」を付載する。上述の分析を参照。

　　鳶尾　本草云鳶尾一名烏園 和名古夜須久佐　　　　　（元和本倭名類聚抄／巻二十 11 オ 7）

　▶番号 3779b・5456b「尾」（鳶尾・麈尾）の仮名音注「ヒ［平濁］」については、基本的に -i で対応する。両当該字に声点はなく、その仮名音注に平声濁点を施すので、字音「ビ」を想定する。熟字 3779「鳶尾」は右注「エンヒ［平平平濁］」を、熟字 5456「麈尾」は右注「玉柄麈尾是也又法服具」中注「シユヒ［平平平濁］」左注「服玩具」を付載する。元和本倭名類聚抄は掲出字「麈尾」に対して「俗云朱美」がある。上述の分析を参照。

　　麈尾　世説云王夷甫常杷玉柄麈尾 俗云朱美　　　　　（元和本倭名類聚抄／巻十四 03 オ 3）

　▶番号 6841b・6939c「尾」（麈尾・取虵尾）の仮名音注「ヒ」については、基本的に -i で対応する。両当該字に声点はない。上述の分析を参照。

《上巻 未韻諸例》

　▶番号 0295b・1596b「氣」（意氣・同氣）の仮名音注「キ」については、基本的に -i で対応する。両当該字には去声点を差す。観智院本類聚名義抄に反切「去既反」および平声点を付した和音「ケ」を見出す。日本呉音「ケ」平声を認める。

　　氣 去既反 炁 ［同：墨右注］ イキ［平上］ケハヒ／和ケ［平］　　（観智院本類聚名義抄／僧下 111-8）

　▶番号 0358b・0370a・2416b「氣」（多氣・多氣・和氣）の仮名音注「ケ」については、基本的に -e で対応する。当該諸字三例に声点はない。熟字 2416「和氣」は左注「已上朝臣」を付載する。上述の分析を参照。

　　伊勢國 國府在鈴鹿郡 … 多氣 竹 … 度會 和多良比　　　（元和本倭名類聚抄／巻五 12 オ 9）

　　因幡國 國府在法美郡 … 法美 波不美國府 … 多氣　　　（元和本倭名類聚抄／巻五 21 ウ 2）

　▶番号 3252b「毅」（勇毅）の仮名音注「キ」については、基本的に -i で対応する。当該字には去声濁点を差すので、字音「ギ」を想定する。観智院本類聚名義抄に反切「牛既反」を見出すが、仮名音注はない。

毅 … 牛既反／有決　　　　　　　　　　　　　　　（観智院本類聚名義抄／僧中 066-7）

▶番号0869b・1269b「髣」（髣髴・髴髣）の仮名音注「ヒ」については、基本的に -i で対応する。両当該字には去声点を差す。熟字0869「髣髴」は右傍「ホノカナリ」を、熟字1269「髴髣」は右注「ホノカナリ」左注「又作彷彿」を付載する。観智院本類聚名義抄に同音字注「音沸」と反切「芳未反」を見出すが、仮名音注はない。

髣 音沸 芳未反／又佛字／ホノカニ　　　　　　　（観智院本類聚名義抄／佛下本 037-1）

▶番号0871b「費」（費）の仮名音注「キ」については、異例 -wi を示す。当該字には去声点を差す。熟字0871「繁費」は右注「ハンキ」仮名音注を付載する。これは「ハンヒ」が日本語音韻史上のハ行転呼による音変化を生じた結果である。観智院本類聚名義抄に同音字注「音髴」および和音「ヒ」を見出す。石山寺一切経蔵本大般若経字抄には漢呉二音相同の同音字注「秘」がある。日本呉音「ヒ」を認める。

費 音髴 ツヒヤス［□□ユ：墨右傍］… 和ヒ　　　（観智院本類聚名義抄／佛下本 020-5）
費 ［秘：右傍］ツヒユ　　　　　　　　　（石山寺一切経蔵本大般若経字抄／26 オ 5）

▶番号0205「未」（未）の仮名音注「ミ」については、基本的に -i で対応する。当該字に声点はなく、右注「イマタ」を付載する。観智院本類聚名義抄に反切「無沸反」および和音「ミ」を見出す。日本呉音「ミ」を認める。

未 無沸反 不也／イマタシ［平平平上］… 和ミ　　　（観智院本類聚名義抄／佛下本 113-6）

▶番号1918b「味」（地味）の仮名音注「ミ」については、基本的に -i で対応する。当該字には平声点を差す。観智院本類聚名義抄に同音字注「未」を見出すが、仮名音注はない。

味 音未／アチハヒ［□□上上／□□□フ］…　　　（観智院本類聚名義抄／佛中 034-3）

▶番号0328b「味」（異味）の仮名音注「ヒ」〔＊不鮮明〕については、基本的に -i で対応する。当該字には平声濁点を差すので、字音「ビ」を想定する。その中古音が示す頭子音 m-（等韻学の術語で言う脣音清濁明母）は両唇鼻音であり、日本語のマ行音をもって受容するが、中国語音韻史上における鼻音声母の非鼻音化（denasalization）を反映する場合にはバ行音で対応する。上述の分析を参照。

《下巻 未韻諸例》

▶番号5025a「既」（既往）の仮名音注「キ」については、基本的に -i で対応する。当該字には去声点を差す。熟字5025「既往」は右傍「スキシカタ」を付載する。観智院本類聚名義抄に反切「佑味反」および去声点を付した和音「キ」を見出す。日本呉音「キ」去声を認める。

既 佑味反／ステニ［平上濁平］… 和キ［去］　　　（観智院本類聚名義抄／佛下末 020-8）
既往 イニシヘ［平平□□］　　　　　　　　　　　（観智院本類聚名義抄／佛下末 020-8）

784　3．仮名音注の韻母別考察　3-4　ⅢB韻類

▶番号5066a・5114a・5147a・6895b「氣」（氣力・氣味・氣驗・水氣）の仮名音注「キ」については、基本的に -i で対応する。当該諸字四例には去声点を差す。上巻の未韻当該諸例で分析したように、日本呉音「ケ」平声を認める。

▶番号4204b・4884a・5063a・5065a「氣」（脚氣・氣躰・氣色・氣精）の仮名音注「キ」については、基本的に -i で対応する。当該諸字四例に声点はない。熟字4204「脚氣」は左右注「アシノ／ケ」を付載する。上述の分析を参照。

▶番号5563b・6363b「氣」（邪氣・和氣）の仮名音注「ケ」については、基本的に -e で対応する。両当該字に声点はない。上述の分析を参照。

　　　備前國 國府在御野郡 … 和氣 … 兒島 古之末　　　　　　　　（元和本倭名類聚抄／巻五23 オ4）

▶番号4205b「沸」（熱沸瘡）の仮名音注「フツ」については、異例 -ut を示す。当該字には入声点を差す。廣韻に拠れば、その中古音は未韻去声（pi∧i³）である。諧声符「弗」（物韻 piu∧t）による類推の字音把握である。熟字4205「熱沸瘡」は右注「アセモ」を付載する。図書寮本類聚名義抄に去声点を付した同音字注「音誹」（微／未韻 pi∧i¹³）と「又同弗」（その入声位置に仮名音注「フツ」）を見出す。観智院本には同音字注「又音弗」（その右注に墨筆で仮名音注「フツ」）を見つける。異体字と認識する「潰」には反切「方来反」と去声点を付した同音字注「音誹」がある。諧声符読みによる字音「フツ」が早くから定着していたか。日本漢音は去声を認める。

　　　沸 音誹 ［去］ … 又 音同／弗 ［フツ：入声位置］ …　　　　（図書寮本類聚名義抄／049-4）

　　　潰 方来反／音誹 ［去］　　　　　　　　　　　　　　　（観智院本類聚名義抄／法上 028-2）

　　　沸 今 … アハ 又音弗 ［フツ：墨右注］　　　　　　　　　（観智院本類聚名義抄／法上 028-3）

　　　熱沸瘡 … 新錄方云治夏月熱沸瘡 和名阿世毛今案沸字宜作狒乎

　　　　　　　　　　　　　　　　　　　　　　　　　　　　（元和本倭名類聚抄／巻三27 オ3）

▶番号6320a「費」（費用）の仮名音注「ヒ」については、基本的に -i で対応する。当該字には平声点を差す。上巻の未韻当該例で分析したように、日本呉音「ヒ」を認める。

▶番号6340a「未」（未央）の仮名音注「ヒ」については、基本的に -i で対応する。当該字には去声濁点を差すので、字音「ビ」を想定する。熟字6340「未央」は中注「未央宮」を付載する。上巻の未韻当該例で分析したように、日本呉音「ミ」を認める。

▶番号6234a「未」（未明）の仮名音注「ヒ」については、基本的に -i で対応する。当該字には上声点を差す。上述の分析を参照。

▶番号6881「未」（未）の仮名音注「ミ」については、基本的に -i で対応する。当該字に声点はなく、右注「ス」を付載する。上述の分析を参照。

▶番号5114b「味」（氣味）の仮名音注「ヒ」については、基本的に -i で対応する。当該字には平声濁点を差すので、字音「ビ」を想定する。上巻の未韻当該諸例で分析した。

▶番号4009b「味」（調味）の仮名音注「ヒ」については、基本的に -i で対応する。当該字に声

点はない。上述の分析を参照。

3-4-2-4 -iuʌi（微/尾/未韻）

　資料篇【表 B-07】には微韻（平声）尾韻（上声）未韻（去声）合口所属の例が含まれる。前田本の示す仮名音注は、-wi で基本的に対応する。主母音 -ʌ- が介音 -iu- と韻尾である末子音 -i とに挟まれた結果、その介音あるいは末子音に吸収されて -wi の字音把握がなされたと推測する。異例としては -i があるが、日本語音韻史上における wi > i の音変化を反映する。

《上巻 微韻合口諸例》

　▶番号 2824「歸」（歸）の仮名音注「クヰ」については、基本的に -wi で対応する。当該字には平声点を差し、和訓「カヘル」の同訓異字として位置する。観智院本類聚名義抄に反切「韋居反」を見出す。長承本蒙求には仮名音注「クヰ」があり、その掲出字に東声点を加える。日本漢音「クヰ」東声（四声体系では平声）を認める。

　　　歸 … 韋居反 … カヘル［平平上／□□ス：墨右傍］… 　　　　　（観智院本類聚名義抄／僧下 084-2）

　　　歸［東］クヰ 　　　　　　　　　　　　　　　　　　　　　（長承本蒙求／046・110・122）

　▶番号 0048b・2253「韋」（石韋・韋）の仮名音注「ヰ」については、基本的に -wi で対応する。両当該字には平声点を差す。熟字 0048「石韋」は右注「イハクサ」左注「イハノカハ」を、番号 2253「韋」は右注「ヲシカハ」左注「細工具柔皮也」を付載する。図書寮本類聚名義抄に反切「詣歸」を見出す。観智院本には平声点を付した同音字注「音圍」を見つける。長承本蒙求には仮名音注「ヰ」二例あり、それらの掲出字に平声点を加える。日本漢音「ヰ」平声を認める。

　　　韋 詣／歸 提希 … 　　　　　　　　　　　　　　　　　（図書寮本類聚名義抄／285-4）

　　　韋 音圍［平］ヲシカハ［上上上平］カハ ソムク 　　　　（観智院本類聚名義抄／僧中 081-2）

　　　石韋 イハノカハ［上平平平平］一云イハクミ［上上上濁平］（観智院本類聚名義抄／僧中 081-2）

　　　韋［平］ヰ 　　　　　　　　　　　　　　　　　　　　　（長承本蒙求／067）

　　　韋［平：圏点］ヰ 　　　　　　　　　　　　　　　　　　（長承本蒙求／126）

　▶番号 0319b「違」（依違）の仮名音注「ヰ」については、基本的に -wi で対応する。当該字には去声点を差す。観智院本類聚名義抄に平声点を付した同音字注「音韋」を見出すが、仮名音注はない。日本漢音は平声を認める。

　　　違 音韋［平］タカフ［平平濁上］… サル［上□］ 　　　（観智院本類聚名義抄／佛上 059-1）

　▶番号 1486「幃」（幃）の仮名音注「ヰ」については、基本的に -wi で対応する。当該字には平声点を差し、右注「同（トハリ）」を付載する。廣韻に拠れば、微韻（ɣiuʌi'・xiuʌi'）二音を有

する。図書寮本類聚名義抄に同音字注「广云音韋」および「公云音威」を見出す。観智院本には平声点を付した同音字注「音暉」と「又韋音」および呉音「威」を見つけるが、仮名音注はない。この呉音注は大般若経字抄による漢呉二音相同の同音字注を出典とする。元和本倭名類聚抄に同音字注と反切「音圍又許帰反」がある。

　　　　幃帶 广云音韋 … 公云音威 トハリ［上上濁平／集：右注］　　　　　（図書寮本類聚名義抄／282-7）

　　　　幃 音暉［平］香纓 又韋音 フクロ／カタヒラ 呉音威　　　　　（観智院本類聚名義抄／法中107-2）

　　　　幃［音威：右傍］帶 上香囊／下其帶欼　　　　（石山寺一切経蔵本大般若経字抄／16ウ6）

　　　　香囊　唐韻云幃 音圍又許帰反 香囊也　　　　　（元和本倭名類聚抄／巻十二04オ8）

　▶番号2815「圍」（圍）の仮名音注「ヰ」については、基本的に -wi で対応する。当該字には平声点を差し、右注「カコム」左注「カクム」を付載する。その中古音が示す頭子音 ɣ-（等韻学の術語で言う于母あるいは喩母三等）は有声軟口蓋接近音 ɰ-（有声両唇軟口蓋接近音 w-）であり、原則的にア行音・ワ行音で対応する。観智院本類聚名義抄に同音字注「音韋」および去声点を付した和音「ヰ」を見出す。長承本蒙求には仮名音注「ヰ」があり、その掲出字に平声点を加える。日本漢音「ヰ」平声、日本呉音「ヰ」去声を認める。

　　　　圍 音韋 … カクム フセク 和ヰ［去］　　　　　（観智院本類聚名義抄／法下086-4）

　　　　圍［平］ヰ　　　　　　　　　　　　　　　　　　　（長承本蒙求／034）

　▶番号0020「械」（械）の仮名音注「ヰ」については、基本的に -wi で対応する。当該字に声点はなく、右注「陂下」中注「イヰ」左注「伏竇也池械也」を付載する。広辞苑第七版は「池水の流出を調節するために地中に埋めた箱形の樋とい」と説明する。観智院本類聚名義抄に平声点を付した同音字注「音威」を見出すが、仮名音注はない。元和本倭名類聚抄には同音字注「音威」がある。日本漢音は平声を認める。

　　　　械 音威［平］ヒ 凹臥具／イヒ［上上］紅海類　　　　　（観智院本類聚名義抄／佛下本095-2）

　　　　械瘉　説文云械 音威和名比 瘉也 …　　　　　（元和本倭名類聚抄／巻十四18ウ2）

《下巻 微韻合口諸例》

　▶番号5774b「歸」（歸）の仮名音注「クヰ」については、基本的に -wi で対応する。当該字には上声点を差す。上巻の微韻合口当該例で分析したように、日本漢音「クヰ」東声（四声体系では平声）を認める。

　▶番号3317b「徽」（弘徽殿）の仮名音注「クヰ」については、基本的に -wi で対応する。当該字には平声濁点を差すので、日本語音韻史上の連濁による字音「グヰ」を想定する。熟字3317「弘徽殿」は左注「已上殿名」を付載する。観智院本類聚名義抄に平声点を付した同音字注「音輝」（その右傍に朱筆で仮名音注「クヰ」）を見出す。日本漢音「クヰ」平声を認める。

3-4-2 -iʌ系の字音的特徴 787

徽 音輝 ［平／クヰ：朱右傍］ヨクス … トゝム　　　　　（観智院本類聚名義抄／佛上 039-1）

　▶番号6193「輝」（煇）の仮名音注「クヰ」については、基本的に -wi で対応する。当該字には平声点を差し、右注「同（ヒカリ）」中注「許歸反」左注「又乍煇」を付載する。観智院本類聚名義抄に同音字注「音揮・音暉」を見出す。また異体字として平声点を付した「或煇」（その右傍に朱筆で仮名音注「クヰ」）を見出す。承暦本金光明最勝王経音義には同音字注「貴」があり、その掲出字に平声点を加える。日本漢音「クヰ」平声、日本呉音は平声を認める。

暉 正 煇煇二或 … ヒカリ ［□□ル］カ、ヤク 音揮　　　　（観智院本類聚名義抄／佛中 093-1）

輝 … ヒカリ ［平平平］… 或煇 ［平／クヰ：朱右傍］音暉　（観智院本類聚名義抄／佛下末 022-2）

輝 ［平］貴ゝ／光也　　　　　　　　　　　　　　　　　（承暦本金光明最勝王経音義／07 オ 1）

輝 光也／貴也 〔＊後筆墨書〕　　　　　　　　　　　　（承暦本金光明最勝王経音義／10 オ 5）

　▶番号6199「煇」（煇）の仮名音注「クヰ」については、基本的に -wi で対応する。当該字には平声点を差し、右注「同（ヒカリ）」中注「日煇也」左注「大色也」を付載する。当該字「煇」は「暉・輝」と相互に異体字である。上述の分析を参照。

　▶番号4740b「違」（相違）の仮名音注「ヰ」については、基本的に -wi で対応する。当該字には上声点を差す。上巻の微韻合口当該例で分析したように、日本漢音は平声を認める。

　▶番号5903d「違」（支度相違）の仮名音注「ヰ」については、基本的に -wi で対応する。当該字に声点はない。上述の分析を参照。

　▶番号3315「闈」（闈）の仮名音注「ヰ」については、基本的に -wi で対応する。当該字には平声点を差す。番号3315は右注「コミカト」左注「小門也」を付載する。その中古音が示す頭子音 ɣ-（等韻学の術語で言う于母あるいは喩母三等）は有声軟口蓋接近音 ɥ-（有声両唇軟口蓋接近音 w-）であり、原則的にア行音・ワ行音で対応する。観智院本類聚名義抄に同音字注「音韋」を見出すが、仮名音注はない。

闈 音韋 又暉／宮中巷門　　　　　　　　　　　　　　　（観智院本類聚名義抄／法下 075-5）

　▶番号3394a・5010b・6624b「圍」（圍碁・禁圍・桝圍）の仮名音注「ヰ」については、基本的に -wi で対応する。当該諸字三例には平声点を差す。熟字3394「圍碁」は右注「コ」を付載する。上巻の微韻合口当該例で分析したように、日本漢音「ヰ」平声、日本呉音「ヰ」去声を認める。

　▶番号5954b「威」（従威儀師）の仮名音注「ヰ」については、基本的に -wi で対応する。当該字に声点はない。観智院本類聚名義抄に同音字注「音韋」を見出す。長承本蒙求には東声点を加えた掲出字「威」がある。日本漢音は東声（四声体系では平声）を認める。

威 音韋 オトス ［上上濁平／□ッ］… カシコシ　　　　（観智院本類聚名義抄／僧中 042-7）

威 ［東］　　　　　　　　　　　　　　　　　　　　　　（長承本蒙求／035）

　▶番号6168a「槭」（槭斂）の仮名音注「ヰ」については、基本的に -wi で対応する。当該字には平声点を差す。熟字「槭斂」は右注「ヒ」左注「糞槭斂」を付載する。上巻の微韻合口当該例で

788　3．仮名音注の韻母別考察　3-4　ⅢB韻類

分析した。

　▶番号4093b・5969b「蔵」（女蔵蕤・女蔵蕤）の仮名音注「キ」については、基本的に -wi で
対応する。両当該字には平声点を差す。熟字4093「女蔵蕤」は右注「アマナ」左注「又ヱミクサ」
を、熟字5969「女蔵蕤」は右注「ヱミクサ」左注「又アマナ」を付載する。観智院本類聚名義抄に
同音字注「音威」を見出すが、仮名音注はない。元和本倭名類聚抄に同音字注「音威」がある。

　　　女蔵蕤 ヱミクサ［上上上濁平］一云アマナ［上上上］／中音威 ヱミクサ

（観智院本類聚名義抄／僧上 014-6）

　　　女蔵蕤　拾遺本草云女蔵蕤一名黄芝 蔵音威蕤音汝誰反和名惠美久佐一云安麻奈

（元和本倭名類聚抄／巻二十 04 オ 7）

《上巻 尾韻合口諸例》

　▶番号2577b「鬼」（餓鬼）の仮名音注「クヰ」については、基本的に -wi で対応する。当該字
には平声点を差す。観智院本類聚名義抄に反切「居委反」（その反切下字に上声点）および低平調
を示す和音「クヰ」を見出す。長承本蒙求には上声点を加えた掲出字「鬼」がある。元和本倭名類
聚抄には反切「居偉反」がある。日本漢音は上声、日本呉音「クヰ」平声を認める。

　　　鬼 … 居委［□上］反／オニ［平平］和クヰ［平平：墨点］　（観智院本類聚名義抄／僧下 047-7）
　　　鬼［上］　　　　　　　　　　　　　　　　　　　　　　　　　（長承本蒙求／046）
　　　鬼　四聲字苑云鬼居偉反 和名於爾 或説云隱字 音於介訛也 …

（元和本倭名類聚抄／巻二 04 オ 5）

《下巻 尾韻合口諸例》

　▶番号5996b「鬼」（冤鬼）の仮名音注「クヰ」については、基本的に -wi で対応する。当該字
には上声点を差す。上巻の尾韻合口当該例で分析したように、日本漢音は上声、日本呉音「クヰ」
平声を認める。

　▶番号4135a「葦」（葦鹿）の仮名音注「キ」については、基本的に -wi で対応する。当該字に
は上声点を差す。熟字4135「葦鹿」は右注「アシカ」を付載する。その中古音が示す頭子音 ɣ-（等
韻学の術語で言う于母あるいは喩母三等）は有声軟口蓋接近音 ɰ-（有声両唇軟口蓋接近音 w-）で
あり、原則的にア行音・ワ行音で対応する。観智院本類聚名義抄に同音字注「音煒」および和音「平
去」を見出す。承暦本金光明最勝王経音義に同音字注「為音」があり、その掲出字に去声点を加え
る。またイロハ順による借字「為［上］」を掲げる。日本呉音「キ」平/去声を認める。

　　　葦[艹+圍] 俗 于鬼反 アシ［上上］　　　　　　　　　　　（観智院本類聚名義抄／僧上 011-6）

葦 正 音瑋 アシ／和平去	（観智院本類聚名義抄／僧上 011-7）
葦 [去] 為ミ	（承暦本金光明最勝王経音義／09 オ 4）
先可知所付借字	（承暦本金光明最勝王経音義／01 オ 7）
… 有 [平] 字 [上] 為 [上] 謂 [平] …	（承暦本金光明最勝王経音義／01 ウ 4）
葦鹿 本朝式云葦鹿皮 和名阿之加 …	（元和本倭名類聚抄／巻十八 17 ウ 3）

《上巻 未韻合口諸例》

▶番号 2162「緯」（緯）の仮名音注「キ」については、基本的に -wi で対応する。当該字に声点はなく、右注「ヌキ」を付載する。その中古音が示す頭子音 ɣ-（等韻学の術語で言う于母あるいは喩母三等）は有声軟口蓋接近音 щ-（有声両唇軟口蓋接近音 w-）であり、原則的にア行音・ワ行音で対応する。図書寮本類聚名義抄に同音字注「音尉」を見出す。観智院本には同音字注「音尉」を見出つけるが、仮名音注はない。元和本倭名類聚抄に同音字注「音尉」がある。

經緯 … 下川云音尉 和云沼岐 [上上] …	（図書寮本類聚名義抄／法中 111-4）
機 經緯附 … 説文云緯 音尉和名沼岐 織横絲也 …	（元和本倭名類聚抄／巻十四 12 オ）

▶番号 2248「畏」（畏）の仮名音注「キ」については、基本的に -wi で対応する。当該字に声点はなく、和訓「ヲツ」の同訓異字として位置する。観智院本類聚名義抄に去声点を付した同音字注「音尉」を見出す。長承本蒙求には仮名音注「キ」があり、その掲出字に去声点を加える。日本漢音「キ」去声を認める。

畏 音尉 [去] カシコマル [平平□□□] … オツ [上平濁]	（観智院本類聚名義抄／佛中 111-3）
畏 [去] キ	（長承本蒙求／010・047）

《下巻 未韻合口諸例》

▶番号 5917b「貴」（信貴）の仮名音注「クキ」については、基本的に -wi で対応する。当該字に声点はない。観智院本類聚名義抄に反切「居胃反」（その右傍に朱筆で反切「后胃イ」）および低平調と推測する和音「クキ」を見出す。長承本蒙求には去声点を加えた掲出字「貴」がある。日本漢音は去声、日本呉音「クキ」平声を認める。

貴 居胃 [后胃イ：朱右傍] 反 タフトシ [上上上平／□□□フ [平濁]] … 和クキ [□平]	
	（観智院本類聚名義抄／佛下本 016-6）
貴 [去]	（長承本蒙求／079）

▶番号 4830c・5194a・5962b「貴」（佐ミ貴山・貴布祢・志貴）の仮名音注「キ」については、異例 -i を示す。当該字に声点はない。日本語音韻史上における wi>i の音変化を反映する。上述

790　3．仮名音注の韻母別考察　3-4　ⅢB韻類

の分析を参照。

　▶番号5135b「諱」（忌諱）の仮名音注「クキ」については、基本的に -wi で対応する。当該字には平声点を差す。熟字5135「忌諱」は左注「上下諱也」を付載する。図書寮本類聚名義抄に同音字注「音卉」を見出す。観智院本には同音字注「音卉」を見つけるが、仮名音注はない。

　　　諱 和卉 イミナ［平平平／白：右注］／ナイフ［平□□／彦：右注］　（図書寮本類聚名義抄／098-2）

　　　諱 和卉 イミナ イム … ナイフ　　　　　　　　　　（観智院本類聚名義抄／法上057-2）

　3-4-2-5　-iʌu（尤/有/宥韻）

　資料篇【表B-07】には尤韻（平声）有韻（上声）宥韻（去声）所属の諸例が含まれる。前田本の示す仮名音注は、-u, -ju, -iu, -o, -ou で基本的に対応する。前三者は主母音 -ʌ- が介音 -i- と韻尾である末子音 -u とに挟まれた結果、その末子音あるいは介音に吸収され、末子音や介音そのものが -u, -ju, -iu として字音の把握をしたと推測する。後者 -ou は円唇性を特徴とする頭子音 m-（いわゆる明母）の影響および末子音 -u とに挟まれた環境にあるため、主母音 -ʌ- を日本語のオ列音で捉えたのであろう。異例として、-au, -eu, -i, -ip がある。

　《上巻 尤韻諸例》

　▶番号1468「尤」（尤）の仮名音注「イウ」については、基本的に -iu で対応する。当該字には平声点を差し、和訓「トカ」の同訓異字として位置する。その中古音が示す頭子音 ɣ-（等韻学の術語で言う于母あるいは喩母三等）は有声軟口蓋接近音 ɰ-（有声両唇軟口蓋接近音 w-）であり、原則的にア行音・ワ行音で対応する。観智院本類聚名義抄に反切「有周反」を見出すが、仮名音注はない。

　　　尤［可在下部：墨右傍］有周反 … トカ［平上濁］ …　　（観智院本類聚名義抄／佛下末013-3）

　　　尤 在上部 … モトモ トカム タカフ／セム　　　　　（観智院本類聚名義抄／佛下末017-7）

　▶番号0116a「肬」（肬目）の仮名音注「イウ」については、基本的に -iu で対応する。当該字には平声点を差す。元和本倭名類聚抄に注記「今案肬即疣字也」があり、当該字「肬」は「疣」と相互に異体字である。上述の番号1468「尤」と同音であり、原則的にア行音・ワ行音で対応する。熟字0116「肬目」は右注「イホ又イヲメ」左注「肬即疣也」を付載する。観智院本類聚名義抄に反切「羽求反」を見出す。同書で異体字「疣」に平声点を付した同音字注「音尤」（その右傍に朱筆で仮名音注「イウ」／平声点の位置に墨筆で仮名音注「ウ」）と去声点を付した同音字注「又音宥」を見つける。また、同書の凡例部分「朱音者正音也墨声者和音也」（篇目7-6）に従えば、朱墨で正音と和音を分別する傾向がある。日本漢音「イウ」平/去声、日本呉音「ウ」平声を認める。

3-4-2　-iʌ系の字音的特徴　791

　　肬 疣 羽求反／フスヘ［平平上濁］シ、ノシリ　　　　　　（観智院本類聚名義抄／佛中116-4）

　　疣 音尤［平／イウ：朱右傍・ウ：墨平声点位置］フスヘキス … 又音宥［去］…

（観智院本類聚名義抄／法下115-4）

　　肬目 イヒホ［平平上］／又イホメ［上上上］　　　（観智院本類聚名義抄／佛中116-4）

　　肬目　病源論云肬目 今案肬即疣字也和名以比保又以乎女 …　（元和本倭名類聚抄／巻三26 オ7）

　▶番号0332a・0857b「郵」（郵舩・波郵）の仮名音注「イウ」については、基本的に -iu で対応する。当該字には平声点を差す。上述の番号1468「尤」と同音であり、原則的にア行音・ワ行音で対応する。熟字0332「郵舩」は右傍「ムマヤノフネ」を付載する。図書寮本類聚名義抄に同音字注「廣韻云音尤」を見出す。観智院本には同音字注「音尤」を見出すが、仮名音注はない。

　　郵 廣韻云音尤 弘云遇也繹也　　　　　　　　　　　（図書寮本類聚名義抄／183-3）

　　郵 工舍 音尤／スクフ［平上□］／驛也 ムマヤ　　（観智院本類聚名義抄／法中035-1）

　▶番号0234a・0248a・0255a・0300a・0301a・0302b・0316a・0333a・3068b「遊」（遊糸・遊女・遊観・遊覧・遊放・優遊・遊夏・遊馬・客遊）の仮名音注「イウ」については、基本的に -iu で対応する。当該諸字九例には平声点を差す。熟字0234は右注「春空也」を付載する。観智院本類聚名義抄に去声点を付した同音字注「音由」（尤韻 jiʌu¹）を見出すが、仮名音注はない。長承本蒙求には平声点を加えた掲出字「遊」がある。日本漢音は平声を認める。去声は保留するが、あるいは日本呉音を示すか。

　　遊 音由［去］アソフ［上上□］ウカル …　　　　　　（観智院本類聚名義抄／佛上053-1）

　　遊 ［平］　　　　　　　　　　　　　　　　　　　　　　（長承本蒙求／028）

　▶番号3101b「遊」（客遊）の仮名音注「イフ」については、異例 -ip を示す。当該字には平声点を差す。日本語音韻史上の音変化 -ip > -iu を背景とする。上述の分析を参照。

　▶番号0278a「遊」（遊宴）の仮名音注「イウ」については、基本的に -iu で対応する。当該字には上声点を差す。上述の分析を参照。

　▶番号2961b「遊」（遨遊）の仮名音注「イウ」については、基本的に -iu で対応する。当該字に声点はない。上述の分析を参照。

　▶番号0262a「由」（由緒）の仮名音注「イウ」については、基本的に -iu で対応する。当該字には平声点を差す。観智院本類聚名義抄に平声点を付した同音字注「音猷」および「和去」を見出す。長承本蒙求には仮名音注「イウ」があり、その掲字に平声点を加える。日本漢音「イウ」平声、日本呉音は去声を認める。

　　由 音猷［平］ヨル［上平］ヨシ［上上］ … 和去　　（観智院本類聚名義抄／佛中107-1）

　　由 ［平］イウ　　　　　　　　　　　　　　　　　　（長承本蒙求／037・045）

　▶番号3227「由」（由）の仮名音注「イウ」については、基本的に -iu で対応する。当該字に声点はなく、右注「ヨシ［上上］」を付載する。上述の分析を参照。

792 　3．仮名音注の韻母別考察　3-4　ⅢB韻類

▶番号3164c「由」（勘解由使）の仮名音注「ユ」については、基本的に *-ju* で対応する。当該字に声点はない。上述の分析を参照。

▶番号1558「攸」（攸）の仮名音注「イウ」については、基本的に *-iu* で対応する。当該字には平声点を差し、右注「トコロ」を付載する。観智院本類聚名義抄に同音字注「音由」を見出すが、仮名音注はない。なお反切「攸攱反」は疑義を残す。

　　　攸攱 今正 音由 攸攱反〔＊存疑〕トコロ［上上上］　　　　（観智院本類聚名義抄／僧中 057-3）

▶番号0037a ・2171b「悠」（悠記所・猶悠）の仮名音注「イウ」については、基本的に *-iu* で対応する。両当該字に声点はない。熟字0037「悠記所」は左注「大嘗會時云左也」を、熟字2171「猶悠」は右注「ヌルシ」を付載する。図書寮本類聚名義抄に平声点を付した同音字注「音由」を見出す。観智院本には同音字注「音由」を見つけるが、仮名音注はない。日本漢音は平声を認める。

　　　悠遠 类云由［平］音 ハルカニ［平上平平／異：右注］　　　　（図書寮本類聚名義抄／270-7）

　　　悠 音由 トホシ ハルカナリ［平上平□□］…　　　　（観智院本類聚名義抄／法中 090-2）

▶番号0296a「猶」（猶預）の仮名音注「イウ」については、基本的に *-iu* で対応する。当該字には去声点を差す。熟字0296「猶預」は中注「イウヨ 不定也」を付載する。観智院本類聚名義抄に平声点を付した同音字注「音猷」を見出す。長承本蒙求には仮名音注「イウ」二例があり、それらの掲出字に平声点を加える。日本漢音「イウ」平声を認める。

　　　猶 音猷［平］ナヲ コトク［上濁□□／□□シ：墨右傍］…　　（観智院本類聚名義抄／佛下本 128-1）

　　　猶［平］イウ　　　　（長承本蒙求／030・148）

▶番号2846「猶」（猶）の仮名音注「イウ」については、基本的に *-iu* で対応する。当該字に声点はなく、右注「カクノコトク」左注「猶若也」を付載する。上述の分析を参照。

▶番号2171a「猶」（猶悠）の仮名音注「ユ」については、基本的に *-ju* で対応する。当該字に声点はない。熟字2171「猶悠」は右注「ヌルシ」を付載する。上述の分析を参照。

▶番号2830・2842「輶」（輶・輶）の仮名音注「イウ」については、基本的に *-iu* で対応する。両当該字には平声点を差す。廣韻に拠れば、尤/有/宥韻（jiʌu$^{1/2/3}$）三音を有する。番号 2830「輶」は左右注「輶車／也」を付載し、和訓「カルシ」の同訓異字として位置する。番号2842「輶」は右注「カルミミシ」を付載する。観智院本類聚名義抄に平声点と上声点を各々付した同音字注「由誘二音」を見出すが、仮名音注はない。日本漢音は平/上声を認める。

　　　輶輶 俗正 由誘［平上］二音 カロシ［上上上］　　　　（観智院本類聚名義抄／僧中 086-8）

▶番号0276a・0277a・0297a・0298a・0302a・0303a・0304a・0305a・0346a・0855b「優」（優美・優艶・優恕・優免・優遊・優蕩・優會・優長・優劣・俳優）の仮名音注「イウ」については、基本的に *-iu* で対応する。当該諸字十例には平声点を差す。観智院本類聚名義抄に平声点を付した同音字注「音憂」（その右傍に朱筆で仮名音注「イウ」）を見出す。長承本蒙求には仮名音注「イウ」があり、その掲出字に東声点を加える。日本漢音「イウ」東声（四声体系では平声）を認

める。

　　優　音憂 [平／イウ：朱右傍] アツシ [上上□] … イウナリ　　　（観智院本類聚名義抄／佛上 032-7）

　　優　[東] イウ　　　　　　　　　　　　　　　　　　　　　　　（長承本蒙求／090）

▶番号 0279a「優」（優賞）の仮名音注「イウ」については、基本的に -iu で対応する。当該字に声点はない。上述の分析を参照。

▶番号 2198「丘」（丘）の仮名音注「キウ」については、基本的に -iu で対応する。当該字に声点はなく、右注「同（ヲカ）」を付載する。観智院本類聚名義抄に反切「去牛反」（その反切下字に平声点）および去声濁圏点を〔＊濁点は存疑〕付した和音「ク」を見出す。元和本倭名類聚抄には同音字注「音鳩」がある。日本漢音は平声、日本呉音「ク」去声を認める。

　　丘　去牛 [□平] 反 ヲカ … 和ク [去濁圏点]　　　　　　　（観智院本類聚名義抄／佛上 076-4）

　　丘　周禮註云土高曰丘音鳩 和名乎加　　　　　　　　　　　（元和本倭名類聚抄／巻一 06 ウ 8）

▶番号 0585「馗」（馗）の仮名音注「キウ」については、基本的に -iu で対応する。当該字には平声点を差し、右注「ハナフサカル」左注「又ハナヒル」を付載する。観智院本類聚名義抄に同音字注「音求」を見出すが、仮名音注はない。

　　馗　音求 鼻不利／ハナフサカル …　　　　　　　　　　　　（観智院本類聚名義抄／佛中 079-8）

▶番号 2692「裘」（裘）の仮名音注「キウ」については、基本的に -iu で対応する。当該字には平声点を差し、右注「カハコロモ」左注「俗云カハキヌ」を付載する。図書寮本類聚名義抄に平声点を付した同音字注「音求」を見出す。観智院本には平声点を付した同音字注「音求」を見つけるが、仮名音注はない。元和本倭名類聚抄には同音字注「音求」がある。日本漢音は平声を認める。

　　裘　川云音求 [平] 和云加波古路毛 [平平平濁上平] …　　　（図書寮本類聚名義抄／342-3）

　　裘　音求 [平] カハコロモ [平平平濁平平] ／俗云カハキヌ [平平平濁上]

　　　　　　　　　　　　　　　　　　　　　　　　　　　　　（観智院本類聚名義抄／法中 151-2）

　　裘　說文云裘 音求和名加波古路毛俗云加波岐沼 皮衣也　　（元和本倭名類聚抄／巻十二 21 オ 4）

▶番号 0065b「梂」（櫟梂）の仮名音注「キウ」については、基本的に -iu で対応する。当該字には平声点を差す。熟字 0065「櫟梂」は右注「イチヒノカサ」中左注「和名云〔＊ニハ？〕／イチヒノサネ」を付載する。観智院本類聚名義抄に同音字注「音求」と反切「又渠竹反」を見出すが、仮名音注はない。元和本倭名類聚抄には同音字注「音求」および「和名以知比乃加佐」がある。

　　櫟梂 イチヒノカサ [平□□□平□] … 音求 カサ 又渠竹反　（観智院本類聚名義抄／佛下本 104-8）

　　櫟梂　爾雅云櫟其實梂 音求和名以知比乃加佐 孫炎曰菓之自裏者也

　　　　　　　　　　　　　　　　　　　　　　　　　　　　　（元和本倭名類聚抄／巻十七 12 オ 4）

▶番号 1921b「球」（打球）の仮名音注「キウ」については、基本的に -iu で対応する。当該字には平声濁点を差すので、字音「ギウ」を想定する。その頭子音 g-（等韻学の術語で言う牙音濁群母）は有声軟口蓋閉鎖音であるから、日本語のガ行音をもって対応するが、中国語音韻史上におけ

794 　3．仮名音注の韻母別考察　3-4　ⅢB韻類

る濁音声母の無声化を反映する場合はカ行音で対応する。図書寮本類聚名義抄に同音字注「川云求」
を見出す。観智院本に同音字注「求」を見出すが、仮名音注はない。元和本倭名類聚抄に同音字注
「求」がある。

　　　球琳 川云求林二音 弘云上玉磬／下玉名　　　　　　　　　　　　　　（図書寮本類聚名義抄／160-7）

　　　球琳 求林二音 玉磬下／玉名　　　　　　　　　　　　　　　　　　　（観智院本類聚名義抄／法中020-2）

　　　玉　…　兼名苑云球琳 求林二音 …　　　　　　　　　　　　　　　　　（元和本倭名類聚抄／巻十一18 オ3）

　▶番号0007b「牛」（牽牛）の仮名音注「キウ」については、基本的に -iu で対応する。当該字
には平声点を差す。熟字0007「牽牛」は右注「イヌカヒホシ」左注「又ヒコホシ」を付載する。観
智院本類聚名義抄に反切「詰求反」および去声点を付した和音「コ」（その右傍に朱筆で濁音「✓」
表記）を見出す。長承本蒙求には仮名音注「キウ」四例があり、それらの掲出字に平声加濁点と平
声点を加える。元和本倭名類聚抄には反切「語丘反」がある。日本漢音「ギウ」平声、日本呉音「ゴ」
去声を認める。

　　　牛 詰求反 ウシ［上上］／和コ［去／✓：朱右傍］　　　　　　　　　（観智院本類聚名義抄／佛下末001-3）

　　　牽牛 ヒコホシ［上上上濁□］　　　　　　　　　　　　　　　　　　　（観智院本類聚名義抄／佛下末001-4）

　　　牛 ［平／平：加濁］キウ　　　　　　　　　　　　　　　　　　　　　　（長承本蒙求／031）

　　　牛 ［平］キウ　　　　　　　　　　　　　　　　　　　　　　　　　　（長承本蒙求／041・063・120）

　　　牛 犅附 四聲字苑云牛 語丘反和名宇之 土畜也 …　　　　　　　　（元和本倭名類聚抄／巻十一09 オ9）

　　　牽牛 爾雅註云牽牛一名何皷 和名比古保之又以奴加比保之　　（元和本倭名類聚抄／巻一02 ウ2）

　▶番号0071a「鵂」（鵂鶹）の仮名音注「キウ」については、基本的に -iu で対応する。当該字
には平声点を差す。観智院本類聚名義抄に平声点を付した同音字注「休音」と同音字注「音休・休」
を見出す。承暦本金光明最勝王経音義には同音字注「九音」（有韻 kiʌuʰ）があり、その掲出字に去
声点を加える。元和本倭名類聚抄には同音字注「休」がある。日本漢音は平声、日本呉音は去声を
認める。

　　　鵂 休［平］音 鳥部　　　　　　　　　　　　　　　　　　　　　　　（観智院本類聚名義抄／佛上008-1）

　　　鵂 … 音休／鵂鶹 フクロフ／イヒトヨ　　　　　　　　　　　　　　（観智院本類聚名義抄／僧中115-2）

　　　鵂鶹 休留二音／イヒトヨ［平平平濁平］　　　　　　　　　　　　　（観智院本類聚名義抄／僧中115-2）

　　　鵂 ［去］九彡 鶹 ［上］留彡 二字合訓布久呂布［平平上平］　　（承暦本金光明最勝王経音義／04 オ3）

　　　鵂鶹 張華博物志云鵂鶹鳥 休留二音漢語抄云以比止與 …　（元和本倭名類聚抄／巻十八07 ウ4）

　▶番号2266「遒」（逎）の仮名音注「イウ」については、基本的に -iu で対応する。当該字に声
点はなく、和訓「ヲハル」の同訓異字として位置する。廣韻に拠れば、尤韻（tsiʌuʰ・dziʌuʰ）二音
を有する。当該字を「猶」（羊母尤韻 jiʌuʰ）と誤認したか。本来は仮名音注「シウ」を期待する。
観智院本類聚名義抄に反切「自祐反」（その反切下字に去声点）「又即由反」（その反切下字に平
声点）を見出すが、仮名音注はない。日本漢音は平/去声を認める。

3-4-2 -iʌ 系の字音的特徴 795

遒 自祐［□去］反 … 又即由［□平］反 … ヲハル［上上平／□フ□：墨右傍］…

(観智院本類聚名義抄／佛上 055-2)

▶番号 0732b・0734b・1795b・1834b「秋」（麦秋・晩秋・仲秋・長秋宮）の仮名音注「シウ」
については、基本的に -iu で対応する。当該諸字四例には平声点を差す。観智院本類聚名義抄に反
切「七由反」（その反切下字に平声点）および上昇調を示す和音「シウ」を見出す。長承本蒙求に
は仮名音注「シウ」があり、その掲出字を含む二例に東声点を加える。日本漢音「シウ」東声（四
声体系では平声）日本呉音「シウ」去声を認める。

秋 七由［□平］反 アキ［平上］／トキ［平平］和シウ［平上］　（観智院本類聚名義抄／法下 013-7）
秋［東］シウ　　　　　　　　　　　　　　　　　　　　　　　　　　（長承本蒙求／025）
秋［東］　　　　　　　　　　　　　　　　　　　　　　　　　　　　（長承本蒙求／081）

▶番号 0489「萩」（萩）の仮名音注「シウ」については、基本的に -iu で対応する。当該字には
平声点を差し、右注「ハキ」を付載する。観智院本類聚名義抄に平声点を付した同音字注「音秋」
を見出すが、仮名音注はない。元和本倭名類聚抄には同音字注「音秋」がある。日本漢音は平声を
認める。

萩 音秋［平］ハキ［平平濁］　　　　　　　　　（観智院本類聚名義抄／僧上 024-1）
鹿鳴草　爾雅集注云萩一名蕭 萩音秋一音焦蕭音宵和名波木 …

(元和本倭名類聚抄／巻二十 02 ウ 9)

▶番号 0601「羞」（羞）の仮名音注「シウ」については、基本的に -iu で対応する。当該字には
平声点を差し、和訓「ハツ」の同訓異字として位置する。観智院本類聚名義抄に同音字注「音修」
を見出す。長承本蒙求には仮名音注「シウ」があり、その掲出字に東声点を加える。日本漢音「シ
ウ」東声（四声体系では平声）を認める。

羞 音修 ス、ム／ハチ ホシ、　　　　　　　　（観智院本類聚名義抄／佛下末 028-2）
羞［東］シウ／シウ　　　　　　　　　　　　　　　　　　　　　　　（長承本蒙求／051）

▶番号 1093「羞」（羞）の仮名音注「シユ」については、基本的に -ju で対応する。当該字には
平声点を差し、右注「同（ホシ〻シ）」を付載する。上述の分析を参照。

▶番号 1094「脩」（脩）の仮名音注「シウ」については、基本的に -iu で対応する。当該字には
平声点を差し、右注「同（ホシ〻シ）」を付載する。当該字「脩」と「修・修」は別字である。長
承本蒙求には仮名音注「シウ」二例があり、その掲出字に平声点と東声点を加える。日本漢音「シ
ウ」東声（四声体系では平声）を認める。

脩 可見イ部／ナカシ［平上濁□］ホシ、 …　　　（観智院本類聚名義抄／佛上 006-1）
修 音羞［去］／シウ：朱右傍］ヲサム … ナカシ …　（観智院本類聚名義抄／佛上 037-1）
脩〔*部首はイ〕音同上〔*羞〕ナカシ［□平濁□］ …　（観智院本類聚名義抄／佛上 037-3）
脩［平］シウ　　　　　　　　　　　　　　　　　　　　　　　　　　（長承本蒙求／020）

796　3．仮名音注の韻母別考察　3-4　ⅢB韻類

脩［東］シウ／シウ・シキ✓　　　　　　　　　　　　　　　（長承本蒙求／055）

▶番号2670a「饖」（饖饙）の仮名音注「シウ」については、基本的に -iu で対応する。当該字に声点はない。熟字2670「饖饙」は左右注「カタカシキ／ノイヒ」を付載する。強飯の半熟状態「片炊きの飯」を意味する。観智院本類聚名義抄に同音字注「終」を見出すが、仮名音注はない。元和本倭名類聚抄には同音字注「修」がある。

　　饖 … 音脩 饙 カタカシキノイヒ［平平平上平平平平］　　　　（観智院本類聚名義抄／僧上106-5）

　　饖饙 終紛二音 カタカシキノイヒ［平平平上平平平平］　　　（観智院本類聚名義抄／僧上106-6）

　　饖饙 四聲字苑云饖饙 修紛二音漢語抄云加太加之木乃以比 半熟飯也

　　　　　　　　　　　　　　　　　　　　　　　　　　（元和本倭名類聚抄／巻十六12ウ8）

▶番号2619「蒐」（蒐）の仮名音注「シウ」については、基本的に -iu で対応する。当該字には平声点を差し、右注「春獮曰蒐」を付載する。また和訓「カル」の同訓異字として位置する。観智院本類聚名義抄に同音字注「音搜」を見出すが、仮名音注はない。

　　蒐 音搜 鬼目草 カクル … カリ　　　　　　　　　　　　　（観智院本類聚名義抄／僧上050-1）

　　蒐 カル　　　　　　　　　　　　　　　　　　　　　　　（観智院本類聚名義抄／僧下050-5）

▶番号2654b「泔州」（州）の仮名音注「シウ」については、基本的に -iu で対応する。当該字には平声点を差す。熟字2654「泔州」は右注「平調」を付載する。観智院本類聚名義抄に東声点を付した同音字注「音周」および下降調を付した和音「シウ」を見出す。和音に加えた朱横線は下降調を示す朱声点［上平］を高平調に修正する意図であると推測する。日本漢音は東声（四声体系では平声）日本呉音「シウ」上声を認める。

　　州 音周［東］クニ［上上］／和シウ［上平／上上：朱横線］　　（観智院類聚名義抄／僧上094-5）

　　州 音周 クニ 和シウ　　　　　　　　　　　　（鎮国守国神社本三宝類聚名義抄／下一26ウ5）

　　平調曲 相夫憐 萬歳樂 泔州 有詠 …　　　　　　　　（元和本倭名類聚抄／巻五14オ3）

▶番号0457b「洲」（蘆洲）の仮名音注「シウ」については、基本的に -iu で対応する。当該字には平声点を差す。図書寮本類聚名義抄に同音字注「川云音州」と下降調を示す仮名音注「真云シウ」を見つける。真興撰『大般若経音訓』による引用と推測するが、和音として観智院本に継承されていない。その観智院本に平声点を付した同音字注「音州」を見出すが、仮名音注はない。元和本倭名類聚抄には同音字注「音州」がある。日本漢音は平声、日本呉音「シウ」を認める。

　　洲渚 川云音州 和云須 …　　　　　　　　　　　　　　　（図書寮本類聚名義抄／041-3）

　　瀛洲 … 下 广云水中可居曰洲 … 真云シウ［上平］　　　　　（図書寮本類聚名義抄／055-1）

　　洲 音州［平］ス［平］ハマ スケ／人名 シマ［平平］　　　（観智院本類聚名義抄／法上042-4）

　　洲 爾雅云水中可居者曰洲 … 音州 和名須　　　　　　　（元和本倭名類聚抄／巻一18オ1）

▶番号1128・1464a「周」（周・周白）の仮名音注「シウ」については、基本的に -iu で対応する。両当該字には平声点を差す。番号1128「周」は右注「曲也」を付載し、和訓「ホトリ」の同訓

3-4-2 -iʌ 系の字音的特徴 797

異字として位置する。観智院本類聚名義抄に平声点を付した同音字注「音州」および上昇調と推測する和音「シウ」を見出す。長承本蒙求には仮名音注「シウ・シュ」があり、それらの掲出字に東声点を加える。日本漢音「シウ・シュ」東声（四声体系では平声）日本呉音「シウ」去声を認める。

 周 音州［平］… ホトリ … 和シウ［□上：墨点］ （観智院本類聚名義抄／僧下 105-7）

 周 ［東］シウ （長承本蒙求／007・048・098・108・125・138・142）

 周 ［東］シュ・シウ〔＊長承三年点か存疑〕 （長承本蒙求／010）

 周 ［東］ （長承本蒙求／027・076）

 周 ［東］シユ （長承本蒙求／004・140）

▶番号 0381a「周」（周敷）の仮名音注「シウ」については、基本的に -iu で対応する。当該字に声点はない。熟字 0381「周敷」は右傍「シウフ」を付載する。伊篇国郡部に属する地名である。上述の分析を参照。

 伊豫國 國府在越智郡 … 周敷 主布 … （元和本倭名類聚抄／巻五 25 ウ 7）

▶番号 1688a・3153a「周」（周知・周唯）の仮名音注「ス」については、基本的に -u で対応する。両当該字に声点はない。熟字 1688「周知」は右傍「スチ」を、熟字 3153「周唯」は右傍「スヱ」を付載する。両例ともに國郡（国郡）部に属する地名である。上述の分析を参照。

 遠江國 國府在豊田郡 … 周知 山名 也末奈 … （元和本倭名類聚抄／巻五 13 オ 9）

 上総國 國府在市原郡 … 周淮 季 … （元和本倭名類聚抄／巻五 15 オ 7）

▶番号 0198「瘳」（瘳）の仮名音注「チウ」については、基本的に -iu で対応する。当該字には平声点を差し、和訓「イユ」の同訓異字として位置する。観智院本類聚名義抄に同音字注「音柚」と平声点を付した同音字注「音聊」を見出すが、仮名音注はない。

 瘳 音柚音聊［平］／イユ［平上］ （観智院本類聚名義抄／法下 126-2）

▶番号 1841a・1842a「抽」（抽任・抽賞）の仮名音注「チウ」については、基本的に -iu で対応する。両当該字には平声点を差す。観智院本類聚名義抄に同音字注「音惆・又音岫」を見出すが、仮名音注はない。

 抽 ヌク［上平］… 音惆 … 又音岫 牛黒皆也 （観智院本類聚名義抄／佛下本 075-8）

▶番号 1864a「惆」（惆悵）の仮名音注「チウ」については、基本的に -iu で対応する。当該字には平声点を差す。図書寮本類聚名義抄に平声点を付した同音字注「音柚」および「公云音籌」さらに「真云チウ［□平］」を見出す。この「公云」は大般若経字抄による漢呉二音相同の同音字注「音籌」を出典とする。観智院本には平声点を付した同音字注「音抽」および「呉音籌」と「又去」さらに「呼戒反」を見つける。また同書では図書寮本「真云」を継承した低平調を示す和音「チウ」がある。日本漢音は平声、日本呉音「チウ」平声を認める。

 惆悵 音柚［平］… 公云音籌 … 真云チウ［□平］チヤウ［□□平］ （図書寮本類聚名義抄／252-6）

 惆 音抽［平］呉音籌 又／去 呼戒反 ウレフ［平平□］… （観智院本類聚名義抄／法中 071-7）

798　3．仮名音注の韻母別考察　3-4　ⅢB韻類

惆悵 失志也／和 チウ［平平：墨点］チヤウ［平平平］　　　　（観智院本類聚名義抄／法中 093-8）

惆［音籌：右傍］悵 痛也　　　　　　　　　　　　　　　（石山寺一切経蔵本大般若経字抄／17 オ 1）

▶番号 1886a「稠」（稠人）の仮名音注「チウ」については、基本的に -iu で対応する。当該字には平声点を差す。観智院本類聚名義抄に平声点を付した同音字注「音紬」を見出すが、仮名音注はない。日本漢音は平声を認める。

稠 音紬〔＊←細〕［平］キヒシ［□平濁上］…　　　　　（観智院本類聚名義抄／法下 012-1）

▶番号 1844a「疇」（疇昔）の仮名音注「チウ」については、基本的に -iu で対応する。当該字には平声点を差す。熟字 1844「疇昔」は右傍「ムカシ」を付載する。観智院本類聚名義抄に平声点を付した同音字注「音儔」を見出すが、仮名音注はない。日本漢音は平声を認める。

疇 音儔［平］ウネ［平平］ムカシ［上上平］…　　　　　（観智院本類聚名義抄／佛中 108-2）

▶番号 1937a・2792「籌」（籌筴・籌）の仮名音注「チウ」については、基本的に -iu で対応する。両当該字には平声点を差す。熟字 1937「籌筴」は右傍「ハカリコト」を付載する。番号 2792 は和訓「カス」の同訓異字として位置する。観智院本類聚名義抄に平声点を付した同音字注「音紬」および「和去」を見出すが、仮名音注はない。日本漢音は平声、日本呉音は去声を認める。

籌 音紬［平］カス［平上濁］… 和去　　　　　　　　　（観智院本類聚名義抄／僧上 062-4）

▶番号 1566「儔」（儔）の仮名音注「チウ」については、基本的に -iu で対応する。当該字には平声点を差し、右注「叵也」を付載する。また和訓「トモカラ」〔＊←トカモラ〕の同訓異字として位置する。廣韻に拠れば、尤韻（ḍiʌuˈ）號韻（dɑuˀ）二音を有する。観智院本類聚名義抄に同音字注「音道」と平声点を付した同音字注「又陶・又疇」および去声点を付した和音「籌」を見出す。この和音に続き「ナラフ」（「ナ」右傍に「✓」表記／「ラフ」は墨付きが薄い）がある。これは仮名音注「チフ」の誤認と推測するが、確証はない。日本漢音は平声、日本呉音は去声を認める。

儔 … 音道 又陶［平］又疇［平］トモ［上上］トモカラ … 和籌［去］ナラフ［✓□□：朱右傍］

　　　　　　　　　　　　　　　　　　　　　　　　　　（観智院本類聚名義抄／佛上 025-3）

儔［籌：右傍］トモカラ　　　　　　　　（石山寺一切経蔵本大般若経字抄／24 ウ 4）

▶番号 2691「幬」（幬）の仮名音注「チウ」については、基本的に -iu で対応する。当該字には平声点を差し、左右注「單張也」を付載する。観智院本類聚名義抄に同音字注「音紬」を見出すが、仮名音注はない。

幬幗 音紬〔＊←細〕單帳 トハリ カタヒラ　　　　　　（観智院本類聚名義抄／法中 104-8）

▶番号 0045b「柔」（柔）の仮名音注「シウ」については、基本的に -iu で対応する。当該字には平声点を差す。その中古音が示す頭子音 ń-（等韻学の術語で言う日母）は硬口蓋鼻音であり、日本語のナ行音をもって受容するが、中国語音韻史上における鼻音声母の非鼻音化（denasalization）を反映する場合はザ行音で対応する。熟字 0045「香柔」は右注「同（イヌエ）」を付載する。観智院本類聚名義抄に反切「如周反」および上昇調を示す和音「ニウ」を見出す。日本呉音「ニウ」去

声を認める。

　　柔　如周反 ヤハラカナリ［上上上平上平／□□□□ニ］… 和ニウ［平上］

　　　　　　　　　　　　　　　　　　　　　　　（観智院本類聚名義抄／佛下本106-3）

　▶番号0996a・0997a・1002a・1005a「柔」（柔和・柔軟・柔専・柔弱）の仮名音注「ニウ」
については、基本的に -iu で対応する。当該諸字四例には去声点を差す。熟字1005「柔弱」は右
傍「ヤハラカナリ」を付載する。上述の分析を参照。

　▶番号2135b「不」（理不盡）の仮名音注「フ」については、基本的に -u で対応する。当該字
に声点はない。廣韻に拠れば、尤/有/宥韻（piʌu¹ᐟ²ᐟ³）物韻（piʌut）四音を有する。観智院本類聚名
義抄に反切「甫浮反・又方久反」および去声点を付した和音「フ」を見出す。長承本蒙求には仮名
音注「フ」六例があり、それらを含む掲出字八例に上声点を加える。日本漢音「フ」上声、日本呉
音「フ」去声を認める。

　　不 … 甫浮反 又方久反 … 和フ［去］… アラスヤ［平上□□］　（観智院本類聚名義抄／佛上077-2）

　　不 アラス［平上平］　　　　　　　　　　　　　　　　　（観智院本類聚名義抄／僧下069-7）

　　不 方久反 又平 イナヤ［平上上］アラス［平上平濁］…　　（観智院本類聚名義抄／僧下108-7）

　　不［上］フ　　　　　　　　　　　　（長承本蒙求／006・024・098・140・149）

　　不フ　　　　　　　　　　　　　　　　　　　　　　　　　　　（長承本蒙求／070）

　　不［上］　　　　　　　　　　　　　　　　　　　　（長承本蒙求／044・058・068）

　▶番号3247b「不」（与不）の仮名音注「フ」については、基本的に -u で対応する。当該字に
は上声点を差す。

　▶番号1285a「罘」（罘罳）の仮名音注「フ」については、基本的に -u で対応する。当該字に
声点はない。熟字1285「罘罳」は右注「同（ヘ）」を付載する。漢字源第五版は「宮門の外にある
塀」と説明する。図書寮本類聚名義抄では掲出字「罘」に対して仮名音注「フ」と平声点を付載す
る。観智院本には同音字注「音浮」を見出す。元和本倭名類聚抄には同音字注「浮」がある。日本
漢音「フ」平声を認める。

　　罘綱［平上濁／フ□：右傍］ノアミ［□平平／異：右注］　　（図書寮本類聚名義抄／297-7）

　　罘綱［平上濁／フ□：右傍］ノアミ［□平平］…　　　　　（観智院本類聚名義抄／僧中009-4）

　　罘 音浮 獸／网 アミ［平平］…　　　　　　　　　　　　　（観智院本類聚名義抄／僧中009-4）

　　罘罳 屏也　　　　　　　　　　　　　　　　　　　　　　（観智院本類聚名義抄／僧中009-5）

　　屏　唐韻云罘罳 浮思二音 屏也爾雅注云屏 音餅 小墻當門中也

　　　　　　　　　　　　　　　　　　　　　　　　（元和本倭名類聚抄／巻十13 オ2）

　▶番号2261b・2430a「浮」（拍浮・浮石）の仮名音注「フ」については、基本的に -u で対応
する。両当該字には平声点を差す。熟字2261「拍浮」は右注「ヲフス」を、熟字2430「浮石」は
右注「カルイシ」を付載する。図書寮本類聚名義抄に反切「真云薄謀反・中云縛謀反」を見出す。

観智院本には反切「房謀反」（その反切下字に平声濁点）および和音「フ」を見出す。承暦本金光明最勝王経音義には仮名音注「フ」がある。日本漢音は平声、日本呉音「フ」を認める。

浮沉 真云薄／謀反 … ウカフ［上上□／小切：右注］…　（図書寮本類聚名義抄／021-5）

浮樓 中云縛謀／反 …　（図書寮本類聚名義抄／021-7）

浮 房謀［□平濁］反 ウカフ 和音フ／下洲名 水名　（観智院本類聚名義抄／法上005-5）

浮［フ：右傍］〔＊後筆墨書〕　（承暦本金光明最勝王経音義／07オ5）

浮　文州記云體虛而輕 和名加留以之　（元和本倭名類聚抄／巻一10オ5）

▶番号0299b・0612・0625・1254a「謀」（陰謀・謀・謀・謀略）の仮名音注「ホウ」については、基本的に *-ou* で対応する。当該諸字四例には平声濁点を差すので、中国語音韻史上における鼻音声母の非鼻音化による字音「ボウ」を想定する。熟字0299「陰謀」は右傍「ハカリコト」を、番号0612「謀」は右注「ハカル」を、番号0625「謀」は右注「ハカリコト」を付載する。図書寮本類聚名義抄に平声濁点を付した同音字注「音牟」と反切「广云莫侯反・又莫浮反」を見出す。観智院本には同音字注「音牟」と反切「又莫浮反」を見出すが、仮名音注はない。日本漢音は平声を認める。

謀議 音牟［平濁］… 广云莫侯反 … 又莫浮反／ハカル［論：右注］　（図書寮本類聚名義抄／080-5）

謀 音牟 ハカリヿ［平平□□］ハカル［平平上］… 又莫浮反　（観智院本類聚名義抄／法上057-5）

▶番号1253a「謀」（謀計）の仮名音注「ホウ」については、基本的に *-ou* で対応する。当該字には去声濁点を差すので、字音「ボウ」を想定する。上述の分析を参照。

▶番号2489b「矛」（衛矛）の仮名音注「ホウ」については、基本的に *-ou* で対応する。当該字には平声濁点を差すので、中国語音韻史上における鼻音声母の非鼻音化による字音「ボウ」を想定する。熟字2489「衛矛」は右注「カハクマツツラ［上上上上上上平］」左注「又クソマユミ」を付載する。観智院本類聚名義抄に平声濁点を付した同音字注「音謀」（その右注に墨筆で仮名音注「ム」）と反切「又莫綒反」を見出す。同書の凡例部分「朱音者正音也墨声者和音也」（篇目7-6）に従えば、朱墨で正音と和音を分別する傾向があるので、この仮名音注「ム」は和音を示すか。日本漢音は平声、日本呉音「ム」を認める。

矛 音謀［平濁／ム：墨右注］テホコ［平平濁上］… 又莫綒反 …

（観智院本類聚名義抄／僧中036-4）

矛　釋名云手戟曰矛人所持也字亦作鉾 和名天保古　（元和本倭名類聚抄／巻十三15オ8）

▶番号2731b「鍪」（兜鍪）の仮名音注「ホウ」については、基本的に *-ou* で対応する。当該字に声点はない。熟字2731「兜鍪」は右注「同（カフト）」を付載する。観智院本類聚名義抄に同音字注「音矛」を見出すが、仮名音注はない。

鍪 音矛／カフト　（観智院本類聚名義抄／僧上125-4）

▶番号0653「旒」（旒）の仮名音注「サウ」については、異例 *-au* を示す。当該字には平声点

3-4-2 -iʌ 系の字音的特徴　801

を差し、右注「ハタアシ」を付載する。当該字と字形の近似する「旒」（生母肴韻 ṣauˊ）の誤認か。本来は字音「リウ」を期待する。観智院本類聚名義抄に同音字注「音留」を見出すが、仮名音注はない。元和本倭名類聚抄には同音字注「音流」がある。

　　旇 … 音留／ハタアシ［上上上上］／ハタ 又流王　　　　　（観智院本類聚名義抄／僧中 028-8）
　　幡 旇附 … 唐韻云旇 音流和名波太阿之 旌旗之末垂者也 （元和本倭名類聚抄／巻十三 12 ウ 5）

　▶番号 1341b「旒」（冕旒）の仮名音注「リウ」については、基本的に -iu で対応する。当該字には平声点を差す。前田本の字形は「琉」であるが、これを「旒」に修正した。熟字 1341「冕旒（＝冕旒）」は大辞林第七版「冕冠に垂らす、ひもで連ねた珠玉の飾り」を指す。観智院本類聚名義抄に注記「俗」とあるように、上述の番号 0653「旒」とは相互に異体字である。

　　璽瑠 音流／シリソク 瑠 正 琉 俗　聊 … 音留 石有光　　　（観智院本類聚名義抄／法中 015-3）
　　旒 俗　　　　　　　　　　　　　　　　　　　　　　　　（観智院本類聚名義抄／僧中 029-1）

　▶番号 2041a・2044a・2062a・2068a・2083a・2084a・2085a・2111a・2128a・3180a「流」（流俗・流水・流例・流涕・流亢・流亢・流宂・流離・流烏・流星）の仮名音注「リウ」については、基本的に -iu で対応する。当該諸字十例には平声点を差す。熟字 2083・2084「流亢」は右傍「ナカル アカル」を、熟字 2085「流宂」は左注「流散也」を付載する。図書寮本類聚名義抄に平声点を付した同音字注「季云音劉」を見出す。観智院本には平声点を付した同音字注「音留」（その平声点位置に墨筆で仮名音注「ル」〔＊墨筆ゆえ和音か〕）を見つける。同音字注の声点位置に仮名音注を配して、その声調を示すという珍しい注音方式 ₍₂₄₎ である。図書寮本に相当数を見つけるが、観智院本では極めて少ない。日本漢音は平声、日本呉音「ル」平声を認める。

　　派流 … 下 季云音劉［平］玉云水行也 …　　　　　　　（図書寮本類聚名義抄／017-5）
　　流 音留［平／ル：墨平声点位置］ナカル［平上濁上／□□レ］（観智院本類聚名義抄／法上 039-6）
　　流星　兼名苑云流星一名奔星 和名與八比保之　　　　　　（元和本倭名類聚抄／巻一 02 ウ 6）

　▶番号 2110a・2137a「流」（流眄・流沙）の仮名音注「リウ」については、基本的に -iu で対応する。両当該字に声点はない。熟字 2110「流眄」は右傍「ナカシメ」を、熟字 3180「流星」は左注「ヨハヒホシ」を付載する。上述の分析を参照。

　▶番号 0814b「流」（配流）の仮名音注「ル」については、基本的に -u で対応する。当該字には上声点を差す。上述の分析を参照。

　▶番号 2187a・2188a・2191a・2192a・2195a「流」（流轉・流浪・流罪・流通・流記）の仮名音注「ル」については、基本的に -u で対応する。当該諸字五例には去声点を差す。上述の分析を参照。

　▶番号 2177a「流」（流離）の仮名音注「ル」については、基本的に -u で対応する。当該字に声点はない。熟字 2177「流離」は右注「同（ルリ）」を付載する。上述の分析を参照。

　▶番号 2176a「瑠」（瑠璃）の仮名音注「リウ」については、基本的に -iu で対応する。当該字

802　3．仮名音注の韻母別考察　3-4　ⅢB韻類

には去声点を差す。熟字「瑠璃」は右傍2175「ルリ」左傍2176「リウリ」を付載する。図書寮本類聚名義抄では熟字「瑠璃」に対して「川云流離［平平］二音」と「俗云留利［去上］」を見出す。観智院本には同音字注「流離二音」（「瑠」の右傍に墨筆で仮名音注「リウ」）および「俗云ルリ」を見出す。元和本倭名類聚抄は熟字「瑠璃」に対して同音字注「流離二音俗云留利」がある。日本漢音「リウ」平声、定着久しい字音「ル」去声を認める。

　　　瑠璃 川云流離［平平］二音 俗云留利［去上］…　　　　　　　（図書寮本類聚名義抄／158-4）

　　　瑠璃 流［右傍：リウ］離二音／俗云ルリ　　　　　　　（観智院本類聚名義抄／法中015-3）

　　　瑠璃 野王案瑠璃 流離二音俗云留利 青色而如玉者也　（元和本倭名類聚抄／巻十一18ウ2）

　▶番号2175a・2194a「瑠」（瑠璃・瑠璃）の仮名音注「ル」については、基本的に -u で対応する。両当該字には去声点を差す。前者の熟字「瑠璃」は右傍2175「ルリ」左傍2176「リウリ」を付載する。上述の分析を参照。

　▶番号1655b「留」（逗留）の仮名音注「リウ」については、基本的に -iu で対応する。当該字には平声点を差す。廣韻に拠れば、尤/宥韻（liʌu¹ᐟ³）二音を有する。観智院本類聚名義抄に平声と去声の墨圏点を付した同音字注「音流」（その右傍に墨筆で仮名音注「リウ」）と「又去」を見出す。長承本蒙求に仮名音注「リウ」があり、その掲出字に平声点を加える。日本漢音「リウ」平/去声を認める。

　　　留 音流［平・去：墨圏点／リウ：墨右傍］トム［上上濁平／□□マル：墨右傍］… 又去

　　　　　　　　　　　　　　　　　　　　　　　　（観智院本類聚名義抄／佛中111-6）

　　　留［平］リウ　　　　　　　　　　　　　　　　（長承本蒙求／017・061・117）

　▶番号3254b「留」（抑留）の仮名音注「リウ」については、基本的に -iu で対応する。当該字には去声点を差す。上述の分析を参照。

　▶番号2189a「留」（留連）の仮名音注「ル」については、基本的に -u で対応する。当該字には平声点を差す。上述の分析を参照。

　▶番号1924b「留」（竹留）の仮名音注「ル」については、基本的に -u で対応する。当該字には上声点を差す。熟字1924「竹留」は中注「久逗也」を付載する。上述の分析を参照。

　▶番号2181a・2190a「留」（留難・留守）の仮名音注「ル」については、基本的に -u で対応する。両当該字には去声点を差す。上述の分析を参照。

　▶番号3151b「留」（都留）の仮名音注「ル」については、基本的に -u で対応する。当該字に声点はない。熟字3151「都留」は右傍「ツル」を付載する。上述の分析を参照。

　　　甲斐國 國府在八代郡 … 巨麻　都留 豆留　　　　　　（元和本倭名類聚抄／巻五14オ3）

　▶番号2364「摎」（摎）の仮名音注「リウ」については、基本的に -iu で対応する。当該字には平声点を差し、和訓「ワタカマル」の同訓異字として位置する。観智院本類聚名義抄に同音字注「留」と反切「絞縛又擧幽反」を見出すが、仮名音注はない。

3-4-2 -iʌ 系の字音的特徴　803

摓 留礼二音 絞縛／又欅幽反 モトム／タハム ［上上平］ ワタカマル …

(観智院本類聚名義抄／佛下本 054-1)

▶番号 2412a「憀」（憀慄）の仮名音注「リウ」については、基本的に -iu で対応する。当該字には平声点を差す。熟字 2412「憀慄」は右注「ワビシ」を付載する。図書寮本類聚名義抄に反切「力彫反」を見出す。観智院本に音注表記を見出せない。高山寺本篆隷萬象名義に反切「力周反」を見出す。

惆悵 … 广云 … 亟作憀 力彫反 …　　　　　　　　　　(図書寮本類聚名義抄／252-7)

憀 俗 イタム ウレフ／ワヒク〔*ワビシか〕　　(観智院本類聚名義抄／法中 071-8)

憀 力周反 頼也然也且也　　　　　　　(高山寺本篆隷萬象名義／第二帖 083 ウ 1)

▶番号 0071b「鶹」（鶹鶹）の仮名音注「リウ」については、基本的に -iu で対応する。当該字には平声点を差す。観智院本類聚名義抄に同音字注「音留」（尤／宥韻 liʌu$^{1/3}$）を見出すが、仮名音注はない。承暦本金光明最勝王経音義には同音字注「留音」があり、その掲出字に上声点を加える。同書「先可知所付借字」を参照すれば、借字として「流・留」を掲げる。日本呉音は上声を認める。また日本呉音「ル」の蓋然性が高い。

鶹 … 音留 ツク／フクロフ サケ イヒトヨ　　　(観智院本類聚名義抄／僧中 115-2)

鶹鶹 休留二音／イヒトヨ ［平平平濁平］　　(観智院本類聚名義抄／僧中 115-2)

鶹 ［去］ 九ゝ 鶹 ［上］ 留ゝ 二字合訓布久呂布 ［平平上平］ (承暦本金光明最勝王経音義／04 オ 3)

　　先可知所付借字　　　　　　　(承暦本金光明最勝王経音義／01 オ 7)

千 ［平］ 知 ［上］ 利 ［平］ 理 ［上］ 奴 ［平］ 沼 ［上］ 流 ［上］ 留 ［平］ …

(承暦本金光明最勝王経音義／01 ウ 2)

《下巻 尤韻諸例》

▶番号 3842b・4217・4752b・6922b「郵」（煙郵・郵・山郵・水郵）の仮名音注「イウ」については、基本的に -iu で対応する。当該諸字三例には平声点を差す。番号 4217「郵」は和訓「アヤマツ」の同訓異字として位置する。熟字 3842「煙郵」は左注「郵野也」を、熟字 4752「山郵」は右注「マヤ」を付載する。上巻の尤韻当該諸例で分析した。

▶番号 6459「尤」（尤）の仮名音注「イウ」については、基本的に -iu で対応する。当該字には平声点を差し、右注「モトモ」左注「羽求反」を付載する。上巻の尤韻当該例で分析した。

▶番号 4219「訧」（訧）の仮名音注「イウ」については、基本的に -iu で対応する。当該字には平声点を差す。その中古音が示す頭子音 ɣ-（等韻学の術語で言う于母あるいは喩母三等）は有声軟口蓋接近音 ɰ-（有声両唇軟口蓋接近音 w-）であり、原則的にア行音・ワ行音で対応する。番号 4219「訧」は右注「已上誤也」左注「過也罪也」を付載し、和訓「アヤマツ」の同訓異字として位置す

804 3．仮名音注の韻母別考察 3-4 ⅢB韻類

る。観智院本類聚名義抄に反切「羽求反」を見出すが、仮名音注はない。

　　　訧 羽求反　訧 俗通 アヤマツ　　　　　　　　　　（観智院本類聚名義抄／法上 053-4）

　▶番号 4511b「疣」（懸疣）の仮名音注「イウ」については、基本的に -iu で対応する。当該字
には平声点を差す。上述の番号 4219「訧」と同音であり、原則的にア行音・ワ行音で対応する。熟
字 4511「懸疣」は右注「サカリフスヘ」を付載する。観智院本類聚名義に平声点を付した同音字注
「音尤」（その右傍に朱筆で仮名音注「イウ」／平声点の位置に墨筆で仮名音注「ウ」）と去声点
を付した同音字注「又音宥」を見つける。同書の凡例部分「朱音者正音也墨声者和音也」（篇目 7-
6）に従えば、朱墨で正音と和音を分別する傾向があるので、仮名音注「ウ」は和音を示すか。なお
仮名音注を声点位置に差す方法は極めて稀である。図書寮本には相当数を見出すことの報告と分析
₍₂₄₎がある。日本漢音「イウ」平/去声、日本呉音「ウ」平声を認める。

　　　疣 音尤 ［平／イウ：朱右傍・ウ：墨平声点位置］ フスヘキス … 又音宥 ［去］ …

　　　　　　　　　　　　　　　　　　　　　　　　　　（観智院本類聚名義抄／法下 115-4）

　　　懸疣 サカリフスヘ ［平平濁平平上平濁］　　　　（観智院本類聚名義抄／法下 115-5）

　▶番号 3859b・4170a「遊」（宴遊・遊女）の仮名音注「イウ」については、基本的に -iu で対
応する。両当該字には平声点を差す。熟字 4170「遊女」は右注「アソヒ」を付載する。上巻の尤韻
当該諸例で分析したように、日本漢音は平声を認める。去声は保留するが、あるいは日本呉音か。

　▶番号 5169b・5224a「遊」（御遊・遊牝）の仮名音注「ユ」については、基本的に -ju で対応
する。両当該字に声点はない。熟字 5224「遊牝」は左注「又ツルヒ」を付載する。上述の分析を参
照。

　▶番号 6095b「蝣」（蜉蝣）の仮名音注「イフ」については、異例 -ip を示す。当該字に声点は
ない。日本語音韻史上における音変化 -ip > -iu を背景とする字音把握である。熟字 6095「蜉蝣」
は「同（ヒヲムシ）」を付載する。観智院本類聚名義抄に同音字注「遊」を見出すが、仮名音注は
ない。

　　　蜉蝣 浮遊二音　　　　　　　　　　　　　　　　（観智院本類聚名義抄／僧下 021-4）

　　　蜗 唐韻云蜗 音誘漢語抄云比乎無之 朝生暮死虫也　　（元和本倭名類聚抄／巻十九 28 ウ 4）

　▶番号 6209「揄」（揄）の仮名音注「イウ」については、基本的に -iu で対応する。当該字には
平声点を差し、和訓「ヒク」の同訓異字として位置する。廣韻に拠れば、尤韻 (jiʌu¹) 虞韻 (jiuʌ¹)
侯/厚韻 (dʌu¹ᐟ²) 四音を有する。観智院本類聚名義抄に平声点を付した同音字注「音臾・又音遙」
と「或音投」さらに反切「大侯反」を見出すが、仮名音注はない。日本漢音は平声を認める。

　　　揄 音臾 ［平］ 杼臼 ヒク ［上平］ … 或音／投 又音遙 ［平］ 美好也 大侯反 …

　　　　　　　　　　　　　　　　　　　　　　　　　　（観智院本類聚名義抄／佛下本 053-1）

　▶番号 6460「由」（由）の仮名音注「イウ」については、基本的に -iu で対応する。当該字には
平声点を差し、和訓「モチキル」の同訓異字として位置する。上巻の尤韻当該諸字で分析したよう

に、日本漢音「イウ」平声、日本呉音は去声を認める。

　▶番号4276「油」（油）の仮名音注「イウ」については、基本的に -iu で対応する。当該字には平声点・去声点を差し、右注「アフラ」左注4276「イウ」右傍4277「ユ俗」を付載する。廣韻に拠れば、尤/宥韻 (jiʌu$^{1/3}$) 二音を有する。図書寮本類聚名義抄に平声点を付した同音字注「音遊」と声調表記「又去」を見出す。観智院本には同音字注「音遊」を見出すが、仮名音注はない。元和本倭名類聚抄には反切「以周反」がある。日本漢音は平/去声を認める。

　　油 季云音遊［平］… 川云和云阿布良［平平濁上］又去 …　　　　（図書寮本類聚名義抄／036-5）

　　油 音遊 アフラ … 相花　　　　　　　　　　　　　　　（観智院本類聚名義抄／法上027-6）

　　油 擴押附 四聲字苑云油 以周反和名阿布良 …　　　　（元和本倭名類聚抄／巻十二 12 オ 9）

　▶番号4277「油」（油）の仮名音注「ユ」については、基本的に -ju で対応する。当該字には平声点・去声点を差し、右注「アフラ」左注4276「イウ」右傍4277「ユ俗」を付載する。定着久しい字音「ユ」という認識か。上述の分析を参照。

　▶番号5253a「油」（油單）の仮名音注「ユ」については、基本的に -ju で対応する。当該字には平声点を差す。熟字5253「油單」は右注「ユタン俗」を付載する。上述の分析を参照。

　▶番号4278a「油」（油瓶）の仮名音注「ユ」については、基本的に -ju で対応する。当該字には去声点を差す。熟字4278「油瓶」は右注「アフラカメ」右傍「ユヒヤウ俗」を付載する。上述の分析を参照。

　　油瓶 アフラカメ［平平濁平□□］　　　　　　　　　（観智院本類聚名義抄／僧中017-5）

　　油瓶　内典云爾時復有諸沙門等手自作食執持油瓶 和名阿不良加米

　　　　　　　　　　　　　　　　　　　　　　　　　（元和本倭名類聚抄／巻十二 14 オ 2）

　▶番号3835a「擾」（擾乱）の仮名音注「エウ」については、異例 -eu を示す。当該字には上声点を差す。仮名の字形相似による「ユウ」の誤認と推測する。観智院本類聚名義抄に同音字注「音憂」を見出すが、仮名音注はない。

　　擾 音憂 覆種也／ナヤマス … サハカシ　　　　　　（観智院本類聚名義抄／佛下本085-2）

　▶番号4976a「丘」（丘墟）の仮名音注「キウ」については、基本的に -iu で対応する。当該字には平声点を差す。熟字4976「丘墟」は右傍「ヲカ」を付載する。上巻の尤韻当該例で分析したように、日本漢音は平声、日本呉音「ク」去声を認める。

　▶番号6101b「丘」（比丘）の仮名音注「ク」については、基本的に -u で対応する。当該字には上声点を差す。上述の分析を参照。

　▶番号4172「仇」（仇）の仮名音注「キウ」については、基本的に -iu で対応する。当該字には平声点を差し、右注「同（アタ）」を付載する。観智院本類聚名義抄に平声点を付した同音字注「音裘」を見出す。長承本蒙求には仮名音注「キウ」があり、その掲出字に東声点を加える。日本漢音「キウ」東声（四声体系では平声）を認める。

806　3．仮名音注の韻母別考察　3-4　ⅢB韻類

仇 音表［平］タクヒ … アタ …　　　　　　　　　（観智院本類聚名義抄／佛上009-4）

仇［東］キウ／クワゝ・キウ〔＊長承三年点か存疑〕　　　　（長承本蒙求／073）

▶番号6861「錄」（錄）の仮名音注「キ」については、異例 -i を示す。当該字には平声点を差し、右注「同（スキ）」左注「鋤屬也」を付載する。仮名音注「キウ」の誤認か。観智院本類聚名義抄に同音字注「音求」を見出すが、仮名音注はない。

錄 音求 鏧／モチ　　　　　　　　　　　　　　　（観智院本類聚名義抄／僧上132-3）

▶番号4930a「毬」（毬杖）の仮名音注「キウ」については、基本的に -iu で対応する。当該字には平声点を差す。熟字4930「毬杖」は左注「毛毬杖打者也」を付載する。観智院本類聚名義抄に平声点を付した同音字注「音求」を見出すが、仮名音注はない。元和本倭名類聚抄に同音字注「音求」がある。

毬 音求［平］毛丸／打者 マリ　　　　　　　　　（観智院本類聚名義抄／僧上101-1）

毬杖 マリ［平平］　　　　　　　　　　　　　　（観智院本類聚名義抄／僧上101-2）

毬杖　辨色立成云骨搥 竹花反 打毬曲杖也　　　　（元和本倭名類聚抄／巻四08 オ1）

打毬　唐韻云毬 音求打毬内典或謂之拍毱師説云萬利宇知 毛丸打者也

　　　　　　　　　　　　　　　　　　　　　　　（元和本倭名類聚抄／巻四04 ウ5）

▶番号5069b「箕」（箕箕）の仮名音注「キウ」については、基本的に -iu で対応する。当該字には平声点を差す。上巻の尤韻当該例で分析したように、日本漢音は平声を認める。

▶番号4931a「裘」（裘代）の仮名音注「キウ」については、基本的に -iu で対応する。当該字に声点はない。熟字4931「裘代」は中左注「夏裏ナシ／冬有裏」を付載する。上述の分析を参照。

▶番号6385a「球」（球磨）の仮名音注「ク」については、基本的に -u で対応する。当該字に声点はない。熟字6385「球磨」は右傍「クマ」を付載する。上巻の尤韻当該例で分析した。

肥後國 … 玉名 多萬伊奈 … 球磨 久萬　　　　　（元和本倭名類聚抄／巻五27 ウ2）

▶番号6029b「牛」（牽牛）の仮名音注「キウ」については、基本的に -iu で対応する。当該字には平声濁点を差すので、字音「ギウ」を想定する。上巻の尤韻当該例で分析したように、日本漢音「ギウ」平声、日本呉音「ゴ」去声を認める。

▶番号5183a「牛」（牛哀）の仮名音注「キウ」については、基本的に -iu で対応する。当該字には平声点を差す。上述の分析を参照。

▶番号5133a・6808b「牛」（牛車・水牛）の仮名音注「キウ」については、基本的に -iu で対応する。両当該字に声点はない。熟字5133「牛車」は左注「キウシヤ」と推測するが、やや不鮮明である。熟字6808「水牛」は右注「能沉没於水中者也」左注「沉牛一名潛牛」を付載する。上述の分析を参照。

▶番号3336a「牛」（牛蒡）の仮名音注「コ［去］」については、基本的に -o で対応する。当該字には上声濁点を差すので、字音「ゴ」を想定する。熟字3336「牛蒡」は右注「北朗反」中注「キ

タキス」左注「又ウマフ彡キ」右傍「コハウ［去上濁上］」を付載する。仮名音注「コ」に上昇調である去声点〔＊去声濁点か〕を差すが、前田本においては稀な例である。日本語アクセントの相対的な高低を示すため、仮名音注には平声点と上声点を使うことが原則である。上昇調である去声が一音節二拍相当を示すとすれば、当該熟字の調値は「●●● → ○●●●」という認識か。上述の分析を参照。

　　　牛 詰求反 ウシ［上上］／和コ［去／✓：朱右傍］　　　（観智院本類聚名義抄／佛下末001-3）

▶番号3912b「牛」（綴牛皮）の仮名音注「コ［上濁］」については、基本的に -o で対応する。当該字に声点はないが、その仮名音注に上声濁点を差すので、字音「ゴ」を想定する。熟字3912「綴牛皮」は右注「テコヒ［平上濁平］」を付載する。上述の分析を参照。

▶番号3568a「牛」（牛頭）の仮名音注「コ」については、基本的に -o で対応する。当該字に声点はない。熟字3568「牛頭」は右注「コツ 香名」左注「出大秦国」を付載する。元和本倭名類聚抄に「俗音五豆」がある。上述の分析を参照。

　　　牛頭香 兼名苑云牛頭香 俗音五豆 出大秦國気似麝香　（元和本倭名類聚抄／巻十二02 オ 8）

▶番号5067a・5068a「休」（休息・休退）の仮名音注「キウ」については、基本的に -iu で対応する。両当該字には平声点を差す。観智院本類聚名義抄に反切「許尤反」（その反切下字に平声点）および低平調を示す和音「ク」を見出す。また別に反切「虚鳩反」を見つける。長承本蒙求には仮名音注「キウ」があり、その掲出字に東声点を加える。日本漢音「キウ」東声（四声体系では平声）日本呉音「ク」平声を認める。

　　　休 許尤［□平］反 … ヤム［上平］イコフ［平平□］ヨシ［平去］… 和ク［平］

　　　　　　　　　　　　　　　　　　　　　　（観智院本類聚名義抄／佛上007-7）

　　　休 虚鳩反 ヤム［上平］／ヨウス［去平平］　　　（観智院本類聚名義抄／佛下本100-3）

　　　休［東］キウ　　　　　　　　　　　　　　　　　　（長承本蒙求／006）

▶番号5828a「啁」（啁噍）の仮名音注「シウ」については、基本的に -iu で対応する。当該字には平声点を差す。廣韻に拠れば、尤韻（ʧﾞiʌuˈ）豪韻（ʈﾞauˈ）二音を有する。熟字5828「啁噍」は左注「小鳥音也」を付載する。観智院本類聚名義抄に同音字注「音調」と反切「又直留反・又朱育反・竹交反」を見出すが、仮名音注はない。

　　　嘲啁 二正 竹交反／アサケル［□上濁□□］… サヘツル　（観智院本類聚名義抄／佛中050-4）

　　　啁 音調 又直留反 又朱育反／竹交反 アサケル モテアフ　（観智院本類聚名義抄／佛中050-5）

▶番号4951「稠」（稠）の仮名音注「チウ」については、基本的に -iu で対応する。当該字には平声点を差し、右注「直由反」左注「多也」を付載する。また和訓「キヒシ」の同訓異字として位置する。上巻の尤韻当該例で分析したように、日本漢音は平声を認める。

▶番号4326「遒」（遒）の仮名音注「イウ」については、基本的に -iu で対応する。当該字には平声点を差し、和訓「アツム」の同訓異字として位置する。当該字を「猶」（羊母尤韻 jiʌuˈ）と誤

808 3．仮名音注の韻母別考察 3-4 ⅢB韻類

認したか。本来は仮名音注「シウ」を期待する。上巻の尤韻当該例で分析したように、日本漢音は平/去声を認める。

▶番号6556・6563「遒」（遒・遒）の仮名音注「イウ」については、基本的に -iu で対応する。当該字に声点はない。当該字を「猶」（羊母尤韻 jiʌuˡ）と誤認したか。本来は仮名音注「シウ」を期待する。番号6556「遒」は右注「盡也」左注「已上逼也」を付載する。また和訓「セム［平上］」の同訓異字として位置する。番号6563「遒」は右注「セメトル」を付載する。上述の分析を参照。

▶番号4053・4055b・5552a「秋」（秋・初秋・秋収）の仮名音注「シウ」については、基本的に -iu で対応する。当該諸字三例には平声点を差す。番号4053「秋」は右注「アキ」左注「七由反」を付載する。上巻の尤韻当該諸例で分析したように、日本漢音「シウ」東声（四声体系では平声）日本呉音「シウ」去声を認める。

▶番号5868a「秋書」（秋）の仮名音注「シウ」については、基本的に -iu で対応する。当該字には去声点を差す。上述の分析を参照。

▶番号6067b「楸」（楸）の仮名音注「シウ」については、基本的に -iu で対応する。当該字には平声点を差し、右注「ヒサキ」を付載する。観智院本類聚名義抄に同音字注「音秋」を見出すが、仮名音注はない。元和本倭名類聚抄に同音字注「音秋」がある。

　　　楸 音秋 ヒサキ　　　　　　　　　　　　　　　　　（観智院本類聚名義抄／佛下本085-4）

　　　楸　唐韻云楸 音秋漢語抄云比佐木 木名也　　　　　（元和本倭名類聚抄／巻二十30 オ6）

▶番号5523a・5523b「啾」（啾ゝ・啾ゝ）の仮名音注「シウ」については、基本的に -iu で対応する。両当該字に声点はない。熟字5523「啾ゝ」は左注「雀声」を付載する。観智院本類聚名義抄に反切「即由反」を見出すが、仮名音注はない。

　　　啾 即由反 ナク［上平／虫：墨右注］／ナケク カマヒスシ　　　　　（／佛中042-5）

　　　啾ゝ ワラハノナクコヱナリ／ウソフク　　　　（観智院本類聚名義抄／佛中042-5）

▶番号5300・5522a・5522b「噍」（噍・噍ゝ・噍ゝ）の仮名音注「シウ」については、基本的に -iu で対応する。当該諸字三例に声点はない。廣韻に拠れば、尤韻（dziʌuˡ）宵韻（tsiauˡ）笑韻（dziauˢ）三音を有する。番号5300「噍」は右注「シウヽヽ」左注「鳥鳴也」を付載するが、単字掲出である。熟字5522「噍ゝ」は右注「シウヽヽ」左注「鳥鳴也」を付載する。観智院本類聚名義抄に反切「徐笑反」を見出すが、仮名音注はない。

　　　噍 徐笑反 咀也／嚼也 ツ、ミル　　　　　　（観智院本類聚名義抄／佛中059-6）

▶番号6889「羞」（羞）の仮名音注「シウ」については、基本的に -iu で対応する。当該字には平声点を差し、右注「羞樂」左注「羞膳」を付載し、和訓「ス、ム」の同訓異字として位置する。上巻の尤韻当該諸例で分析したように、日本漢音「シウ」東声（四声体系では平声）を認める。

▶番号4556「羞」（羞）の仮名音注「シユ」については、基本的に -ju で対応する。当該字には平声点を差し、右注「同（サカナ）」左注「脯也」を付載する。上述の分析を参照。

3-4-2 -iʌ 系の字音的特徴　809

▶番号5326a・5565a・5575a・5576a・5577a・5937a「修」（修行者・修法・修験・修學・修行・修理職）の仮名音注「シュ」については、基本的に -ju で対応する。当該諸字六例に声点はない。上巻の尤韻当該例で分析したように、日本漢音「シウ」去声を認める。

▶番号5720a「囚」（囚人）の仮名音注「シウ」については、基本的に -iu で対応する。当該字には去声点を差す。観智院本類聚名義抄に反切「似由反」および低平調と推測する和音「シュ」を見出す。日本呉音「シュ」平声を認める。

　　囚 似由反 コモル トラフ［平上平］… 和シュ［□平］　　　（観智院本類聚名義抄／法下 086-1）

　　囚 トラヘヒト［平上上□□］　　　　　　　　　　　　　　（観智院本類聚名義抄／法下 086-1）

▶番号3703b「囚」（獄囚）の仮名音注「ス」については、基本的に -u で対応する。当該字に声点はない。上述の分析を参照。

▶番号3789「蒐」（蒐）の仮名音注「シウ」については、基本的に -iu で対応する。当該字には平声点を差し、和訓「エラフ」の同訓異字として位置する。上巻の尤韻当該例で分析した。

▶番号5228「溲」（溲）の仮名音注「シウ」については、基本的に -iu で対応する。当該字には平声点を差し、右注「同（ユハリ）搜」中注「小溲小便也」左注「浚イ本」を付載する。廣韻に拠れば、尤/有韻（ṣiʌu¹ᐟ²）二音を有する。図書寮本類聚名義抄に仮名音注「シウ」（掲出字「溲」の右傍）と同音字注「音搜」さらに反切「川云所流反」（その反切下字に平声点）を見出す。観智院本には同音字注「音搜」と反切「所留反・又色久反・疎有反」を見つけるが、仮名音注はない。元和本倭名類聚抄に反切「所流反」がある。日本漢音「シウ」平声を認める。

　　溲［シウ：右傍］蛻 本草補遺云音搜䟽［ソ：平声点位置］川云所流［□平］反 …

　　　　　　　　　　　　　　　　　　　　　　　　　　　　　（図書寮本類聚名義抄／034-2）

　　浚 音搜 所留反 小便也／又色久反 アムス　　　　　　　　（観智院本類聚名義抄／法上 030-5）

　　溲 俗通 ユハリ［平上濁□］疎有反／以水和粉麺　　　　　（観智院本類聚名義抄／法上 030-5）

　　溲䟽 本草云溲䟽一名楊櫨 溲音所流反和名宇豆木　　　　（元和本倭名類聚抄／巻二十30 ウ6）

▶番号4537c「州」（最凉州）の仮名音注「シウ」については、基本的に -iu で対応する。当該字には平声点を差す。熟字4537「最凉州」は右注「沙陀調」を付載する。上巻の尤韻当該例で分析したように、日本漢音は東声（四声体系では平声）日本呉音「シウ」上声を認める。

　　沙陀調曲　案摩 有詠 … 最凉州 …　　　　　　　　　　（元和本倭名類聚抄／巻四15 オ1）

▶番号6748b「青洲」（洲）の仮名音注「シウ」については、基本的に -iu で対応する。当該字には平声点を差す。上巻の尤韻当該諸例で分析したように、日本漢音は平声、日本呉音「シウ」を認める。

▶番号6771「洲」（洲）の仮名音注「シウ」については、基本的に -iu で対応する。当該字に声点はなく、右注「ス」〔＊和訓〕左注「長州一州等也」を付載する。上述の分析を参照。

▶番号5554a「洲」（洲渚）の仮名音注「シュ」については、基本的に -ju で対応する。当該字

810　3．仮名音注の韻母別考察　3-4　ⅢB韻類

に声点はない。上述の分析を参照。

　▶番号4404b「洲」（野洲）の仮名音注「ス」については、基本的に -u で対応する。当該字に声点はない。熟字4404「野洲」は右傍「ヤス」を付載する。上述の分析を参照。

　　　　近江國 國府在栗本郡 … 滋賀 志賀 … 野洲 …　　　　　　（元和本倭名類聚抄／巻五25 ウ7）

　▶番号4786b「舟」（造舟）の仮名音注「シウ」については、基本的に -iu で対応する。当該字には平声点を差す。観智院本類聚名義抄に同音字注「音周」を見出す。長承本蒙求には仮名音注「シウ」があり、その掲出字に東声点を加える。元和本倭名類聚抄には同音字注「音周」がある。日本漢音「シウ」東声（四声体系では平声）を認める。

　　　　舟 音周 フネ … オヒク［平上濁□］　　　　　　（観智院本類聚名義抄／佛下本001-3）

　　　　舟［東］収□反／シウ　　　　　　　　　　　　　　　　　　（長承本蒙求／025）

　　　　舟船 附艫 方言云關東謂之舟 音周 關西謂之船 音旋和名布禰 …

　　　　　　　　　　　　　　　　　　　　　　　　　　　（元和本倭名類聚抄／巻十一01 ウ3）

　▶番号5555a「舟」（舟檝）の仮名音注「シフ」については、異例 -ip を示す。当該字に声点はない。日本語音韻史上における音変化 -ip ＞ -iu を背景とする字音把握である。熟字5555「舟檝」は右傍「フネカチ」を付載する。上述の分析を参照。

　▶番号4392a・5851a「周」（周章・周白）の仮名音注「シウ」については、基本的に -iu で対応する。当該字には東声点を差す。熟字4392「周章」は右注「アハツ［上上平］」左注「又サハク」を付載する。上巻の尤韻当該例で分析したように、日本漢音「シウ・シユ」東声（四声体系では平声）日本呉音「シウ」去声を認める。

　▶番号5784a・5845a「周」（周章・周ト）の仮名音注「シウ」については、基本的に -iu で対応する。当該字には平声点を差す。熟字5784「周章」は右傍「アハツ」を付載する。上述の分析を参照。

　▶番号5829a「周」（周癸）の仮名音注「シウ」については、基本的に -iu で対応する。当該字には去声点を差す。熟字5829「周癸」は前田本「周関」を修正した。上述の分析を参照。

　▶番号5567a「周」（周迺）の仮名音注「シユ」については、基本的に -ju で対応する。当該字には去声点を差す。上述の分析を参照。

　▶番号6955a「周」（周防）の仮名音注「ス」については、基本的に -u で対応する。当該字に声点はない。熟字6955「周防」は右傍「スハウ」を付載する。元和本倭名類聚抄は掲出字「周防」に借字「須波宇」を注記する。上述の分析を参照。

　　　　山陽國第五十七／播磨 波里萬 … 周防 須波宇 …　　　　（元和本倭名類聚抄／巻五09 ウ6）

　▶番号5237a・5442・5751a「鞦」（鞦韆・鞦・鞦韆）の仮名音注「シウ」については、基本的に -iu で対応する。当該諸字三例には平声点を差す。熟字5237「鞦韆」は右注「ユフサリ」左注「ユサハリ［上上上上］」を、番号5442「鞦」は右注「シリカイ」左注「又作鞦鞖」を、熟字5751

「鞦韆」は「ユサフリ」を付載する。観智院本類聚名義抄に同音字注「音秋」を見出すが、仮名音注はない。元和本倭名類聚抄には同音字注「音秋」二例がある。

　　　鞦　音秋 シリカキ［平平平平］／オフサ［平平濁平］鳥舳　　　（観智院本類聚名義抄／僧中 072-7）

　　　鞦韆　秋遷二音 ユサハリ［平上平濁平］／技藝　　　（観智院本類聚名義抄／僧中 072-7）

　　　鞦　四聲字苑云鞦 音秋字亦作鞧和名之利加岐 …　　　（元和本倭名類聚抄／巻十一 08 ウ 7）

　　　鞦　唐式云諸番入朝調度帳幕鞍鞦鞦轡事供給 鞦音秋和名之利加岐

　　　　　　　　　　　　　　　　　　　　　　　　（元和本倭名類聚抄／巻十五 02 オ 4）

▶番号 5675a「収」（収納）の仮名音注「シフ」については、異例 -ip を示す。当該字には平声点を差す。日本語音韻史上における音変化 -ip > -iu を背景とする字音把握である。観智院本類聚名義抄に和音「平」を見出す。長承本蒙求には仮名音注「ス・シウ」があり、その掲出字に東声点を加える。なお「シウ」は長承三年点「ス」と同筆かどうか確証はないが、ほぼ同じ頃の加点と推測する。日本漢音「ス・シウ」東声（四声体系では平声）日本呉音は平声を認める。

　　　収　収適正 ヲサム［平平□］トラフ／和平　　　（観智院本類聚名義抄／僧中 052-8）

　　　収　［東］ス・シウ［*長承三年点か存疑］　　　（長承本蒙求／110）

▶番号 5552b「収」（秋収）の仮名音注「ス」については、基本的に -u で対応する。当該字には平声点を差す。上述の分析を参照。

▶番号 5710a「讎」（讎挍）の仮名音注「シウ」については、基本的に -iu で対応する。当該字には平声点を差す。図書寮本類聚名義抄に同音字注「音洲」および去声点を付した「公云音愁」（その右傍に「呉音」表記）を見つける。観智院本類聚名義抄に反切「上由反」および和音「趣」を見出すが、仮名音注はない。日本呉音は去声を認める。

　　　讎　音洲 アタ［上上／書：右注］公云［呉音：右傍］音愁［去］　　　（図書寮本類聚名義抄／100-7）

　　　讐讎　古正 上由反 カタキ … アタ［上上］… 和趣　　　（観智院本類聚名義抄／僧中 133-6）

▶番号 4171・5727a「讎」（讎・讎敵）の仮名音注「シユ」については、基本的に -ju で対応する。両当該字には平声点を差す。番号 4171「讎」は右注「アタ」左注「市流反」を、熟字 5727「讎敵は右傍「アタカタキ」を付載する。上述の分析を参照。

▶番号 5728a「蹂」（蹂躙）の仮名音注「シフ」については、異例 -ip を示す。当該字には入声点を差す。日本語音韻史上における音変化 -ip > -iu という背景があるため、入声の認識をしたか。廣韻に拠れば、尤/有/宥韻（níʌu¹/²/³）三音を有する。熟字 5728「蹂躙」は右傍「フミニシル」を付載する。図書寮本類聚名義抄に反切「广云仁求仁柳反」（反切下字「柳」に上声点）を見出す。観智院本には反切「汝洲反」（その反切下字に平声点）「仁柳反」（その反切下字に上声点）を見つけるが、仮名音注はない。日本漢音は平/上声を認める。

　　　蹂躙　广云仁求仁柳［□上］反 … フミニシテ［平上平平濁上／異：右注］

　　　　　　　　　　　　　　　　　　　　　　　　（図書寮本類聚名義抄／法上 114-4）

812　3．仮名音注の韻母別考察　3-4　ⅢB韻類

　　蹂　汝洲［□平］反　仁柳［□上］反／フム［上平］　　　　　（観智院本類聚名義抄／法上 073-5）

　▶番号 4215「俅」（俅）の仮名音注「ヒウ」については、基本的に *-iu* で対応する。仮名字形の相似による「シウ」の誤認か。当該字には平声点を差し、和訓「アサムク」の同訓異字として位置する。仮名音注「チウ」を期待するが、諸声符「舟」（章母尤韻 tśiʌuˡ）による字音把握と推測する。観智院本類聚名義抄に反切「張留反」（その反切下字に平声点）を見出すが、仮名音注はない。日本漢音は平声を認める。

　　俅　張留［□平］反／アサムル〔＊アサムクか〕　　　　（観智院本類聚名義抄／佛上 035-3）

　▶番号 5900c・5901c・5902c・5909b「不」（死生不知・衆議不同・次第不同・酒不乱胷）の仮名音注「フ」については、基本的に *-u* で対応する。当該諸字四例に声点はない。上巻の尤韻当該諸例で分析したように、日本漢音「フ」上声、日本呉音「フ」去声を認める。

　▶番号 4265「罘」（罘）の仮名音注「フ」については、基本的に *-u* で対応する。当該字には平声点を差し、右注「同（アミ）」左注「魚罘」を付載する。上巻の尤韻当該例で分析したように、日本漢音「フ」平声を認める。

　▶番号 4395a「浮」（浮宕）の仮名音注「フ」については、基本的に *-u* で対応する。当該字には平声点を差す。熟字 4395「浮宕」は右注「アクカル」左注「又ウカレタリ」を付載する。上巻の尤韻当該諸例で分析したように、日本漢音は平声、日本呉音「フ」を認める。

　▶番号 6095a「蜉」（蜉蝣）の仮名音注「フ」については、基本的に *-u* で対応する。当該字に声点はない。熟字 6095「蜉蝣」は右注「同（ヒヲムシ）」を付載する。観智院本類聚名義抄に同字注「浮」を見出すが、仮名音注はない。

　　蜉蝣　浮遊二音　　　　　　　　　　　　　　　　　　（観智院本類聚名義抄／僧下 021-4）

　▶番号 3914「矛」（矛）の仮名音注「ホウ」については、基本的に *-ou* で対応する。当該字には平声濁点を差すので、中国語音韻史上における鼻音声母の非鼻音化（denasalization）による字音「ボウ」を想定する。右注「テホコ」左注「又乍鉾」を付載する。上巻の尤韻当該例で分析したように、日本漢音は平声、日本呉音「ム」を認める。

　▶番号 6114「眸」（眸）の仮名音注「ホウ」については、基本的に *-ou* で対応する。当該字には平声濁点を差すので、中国語音韻史上における鼻音声母の非鼻音化（denasalization）による字音「ボウ」を想定する。右注「同（ヒトミ）」左注「莫浄反」を付載する。観智院本類聚名義抄に平声濁点を付した同音字注「音牟」を見出すが、仮名音注はない。元和本倭名類聚抄には反切「莫侯反」がある。日本漢音は平声を認める。

　　眸　音牟［平濁］…ヒトミ［上上上］マナシリ　　　　（観智院本類聚名義抄／佛中 071-3）

　　眸　廣雅云眸 莫侯反和名比止美一云訓瞍眼同 目珠子也　　　（元和本倭名類聚抄／巻三 04 オ 2）

　▶番号 5199a「牟」（牟婁）の仮名音注「ム」については、基本的に *-u* で対応する。当該字に声点はない。熟字 5199「牟婁」は右傍「ムロ」を付載する。観智院本類聚名義抄に平声点を付した

同音字注「音謀」および和音「ム」を見出す。日本漢音は平声、日本呉音「ム」を認める。

 牟 音謀［平］／和ム   （観智院本類聚名義抄／佛下末001-5）

 紀伊國 國府在名草郡 … 牟婁 牟呂   （元和本倭名類聚抄／巻五24 ウ8）

▶番号6152a・6456・6596b「流」（流鳥・流・積流）の仮名音注「リウ」については、基本的に -iu で対応する。当該諸字三例には平声点を差す。番号6456「流」は和訓「モトム」の同訓異字として位置する。上巻の尤韻当該諸例で分析したように、日本漢音は平声、日本呉音「ル」平声を認める。

▶番号3677b「留」（拘留）の仮名音注「リウ」については、基本的に -iu で対応する。当該字には平声点を差す。上巻の尤韻当該諸例で分析したように、日本漢音「リウ」平/去声を認める。

▶番号6245b「留」（弥留）の仮名音注「リウ」については、基本的に -iu で対応する。当該字に声点はない。熟字6245「弥留」は右傍「ヒサシク ト丶マル」を付載する、上述の分析を参照。

▶番号5352「瘤」（瘤）の仮名音注「リウ」については、基本的に -iu で対応する。当該字には平声点を差し、右注「シヒネ」左注「内起病也」を付載する。観智院本類聚名義抄に平声点を付した同音字注「音留」を見出す。長承本蒙求に仮名音注「リウ」二例があり、それら掲出字の一例に平声点を加える。元和本倭名類聚抄には同音字注「留反」がある。日本漢音「リウ」平声を認める。

 瘤 … 音留［平］シヒネ［上上平］   （観智院本類聚名義抄／法下120-7）

 瘤 リウ／リウ   （長承本蒙求／066）

 瘤［平］リウ   （長承本蒙求／120）

 瘤 病源論云瘤 留反和名之比瘤 …   （元和本倭名類聚抄／巻三25 ウ8）

▶番号4114b・4460b「榴」（山榴・楛榴）の仮名音注「リウ」については、基本的に -iu で対応する。両当該字には平声点を差す。熟字4114「山榴」は右注「アイツ丶シ」を、熟字4460「楛榴」は右注「サクロ」左注「又乍石榴」を付載する。観智院本類聚名義抄に平声点を付した同音字注「音留」と熟字「楛榴」に対して和名「サクロ［平濁平上］」を見出す。この和名は字音に由来する。元和本倭名類聚抄に同音字注「音留」がある。日本漢音は平声、定着久しい字音「ロ」上声を認める。

 楛榴 音留［平］… 和名サクロ［平濁平上］…   （観智院本類聚名義抄／佛下本104-4）

 山榴 アイツ丶シ［平平平上平濁］   （観智院本類聚名義抄／佛下本104-4）

 山榴 兼名苑云山榴 和名阿伊豆々之 …   （元和本倭名類聚抄／巻二十26 ウ9）

 石榴 兼名苑云若榴一名安若榴 音流和名佐久呂今案若正作楛見四声字苑 石榴也

              （元和本倭名類聚抄／巻十七07 ウ5）

▶番号4115c「榴」（安楛榴）の仮名音注「ロ」については、基本的に -o で対応する。当該字には去声点を差す。上述の分析を参照。

▶番号3403「劉」（劉）の仮名音注「リウ」については、基本的に -iu で対応する。当該字には

814　3．仮名音注の韻母別考察　3-4　ⅢB韻類

平声点を差し、和訓「コロス」の同訓異字として位置する。観智院本類聚名義抄に平声点を付した
同音字注「音流」を見出す。長承本蒙求には仮名音注「リウ」九例があり、それらの掲出字に平声
点を加える。日本漢音「リウ」平声を認める。

　　　劉 … 音流［平］… コロス［上平平］／キル［平上］…　　　　　（観智院本類聚名義抄／僧上 090-8）

　　　劉［平］リウ／リウ　　　　　　　　　　　　　　　　　　　　　　　（長承本蒙求／036）

　　　劉［平］リウ　　　　　　　（長承本蒙求／082・086・088・094・112・119・125・135）

　▶番号 4956「瀏」（瀏）の仮名音注「リウ」については、基本的に -iu で対応する。当該字には
平声点を差し、右注「キラゝカナリ」左注「風疾也」を付載する。観智院本類聚名義抄に同音字注
「音留」を見出すが、仮名音注はない。

　　　瀏 音留／キヨシ／フカシ　　　　　　　　　　　　　　（観智院本類聚名義抄／法上 029-7）

《上巻 有韻諸例》

　▶番号 1455・1550「友」（友・友）の仮名音注「イウ」については、基本的に -iu で対応する。
両当該字には上声点を差す。番号 1455「友」は右注「トモ」を付載する。番号 1550「友」は和訓
「トモ」の同訓異字として位置する。その中古音が示す頭子音 ɣ-（等韻学の術語で言う于母あるい
は喩母三等）は有声軟口蓋接近音 ɯ-（有声両唇軟口蓋接近音 w-）であり、原則的にア行音・ワ行
音で対応する。観智院本類聚名義抄に平声点と去声点を付した同音字注「音右」（その左注に墨筆
で仮名音注「ウ」）を見出す。同書の凡例部分「朱音者正音也墨声者和音也」（篇目 7-6）に従え
ば、朱墨で正音と和音を分別する傾向があるので、この仮名音注「ウ」は呉音系音と推測する。長
承本蒙求には仮名音注「イウ」二例があり、それらの掲出字に上声点を加える。日本漢音「イウ」
上声、日本呉音「ウ」平/去声を認める。

　　　友 音右［平・去／ウ：墨左注］… トモ［上上］　　　　（観智院本類聚名義抄／僧中 052-3）

　　　友［上］イウ／イウ　　　　　　　　　　　　　　　　　　　　　　（長承本蒙求／015）

　　　友［上］イウ　　　　　　　　　　　　　　　　　　　　　　　　　（長承本蒙求／055）

　▶番号 0309a・1217b「友」（友交・朋友）の仮名音注「イウ」については、基本的に -iu で対
応する。両当該字には平声点を差す。熟字 1217「朋友」は右注「同心」中注「知音」左注「断金 連
壁」を付載する。上述の分析を参照。

　▶番号 0244a・0284a・0311a・0313a・0314a・0315a「有」（有年・有職・有截・有隣・有
口・有目）の仮名音注「イウ」については、基本的に -iu で対応する。当該諸字六例には上声点を
差す。上述の番号 1455・1550「友」と同音であり、原則的にア行音・ワ行音で対応する。熟字 0244
「有年穀也」を付載する。観智院本類聚名義抄に同音字注「音右」および平声朱圏点を付した和音
「ウ」を見出す。後者の圏点は中央部分が脱色したもので、平声点か。日本呉音「ウ」平声を認め

る。

　　　有 アリ マシマス … 和ウ［平：朱圏点？］　　　　　（観智院本類聚名義抄／佛上 085-2）

　　　有 音右 アリ［平上］…　　　　　　　　　　　　　（観智院本類聚名義抄／佛中 138-3）

　▶番号 0240a「右」（右動）の仮名音注「イウ」については、基本的に -iu で対応する。当該字
には上声点を差す。その中古音が示す頭子音 ɣ-（等韻学の術語で言う于母あるいは喩母三等）は有
声軟口蓋接近音 ɰ-（有声両唇軟口蓋接近音 w-）であり、原則的にア行音・ワ行音で対応する。観
智院本類聚名義抄に平声朱圏点を付した和音「ウ」を見出す。この圏点は中央部分が脱色したもの
で、平声点か。日本呉音「ウ」平声を認める。

　　　右 ミキ［上上］… 和ウ［平：朱圏点？］　　　　　（観智院本類聚名義抄／佛上 084-8）

　▶番号 0310a「誘」（誘引）の仮名音注「イウ」については、基本的に -iu で対応する。当該字
には去声点を差す。図書寮本類聚名義抄に上声点を付した同音字注「音酉」および平声点を付した
同音字注「公云音酉」さらに去声点を付した同音字注「真云由音」（その右傍に仮名音注「イウ」）
を見出す。その「公云音酉」は大般若経字抄による漢呉二音相同の同音字注を出典とする。観智院
本には上声点を付した同音字注「音酉」と反切「餘糺反」を見出す。承暦本金光明最勝王経音義に
は同音字注「喩音」がある。日本漢音は上声、日本呉音「イウ」去声を認める。

　　　誘訹 音酉［上］… 公云音酉［平］… 真云由［去／イウ：右傍］音 …

　　　　　　　　　　　　　　　　　　　　　　　　　　　　（図書寮本類聚名義抄／094-6）

　　　誘 音酉［上］餘糺反 コシラフ［上上□□］…　　　（観智院本類聚名義抄／法上 052-6）

　　　誘 喩𠀤／古之良布［上上上平］　　　　　　（承暦本金光明最勝王経音義／04 ウ 1）

　　　誘［音酉：右傍］スヽム　　　　　　（石山寺一切経蔵本大般若経字抄／22 オ 2）

　▶番号 1523「酉」（酉）の仮名音注「イウ」については、基本的に -iu で対応する。当該字に声
点はなく、右注「トリ」を付載する。観智院本類聚名義抄に同音字注「音誘」を見出すが、仮名音
注はない。

　　　酉 音誘／ヲサム　　　　　　　　　　　　　　　　（観智院本類聚名義抄／僧下 056-1）

　▶番号 0931「韮」（韮）の仮名音注「キウ」については、基本的に -iu で対応する。当該字には
上声点を差し、右注「同（ニラ）」左注「秋韮 カミラ」を付載する。観智院本類聚名義抄に同音字
注「音久・音玖」を見出すが、仮名音注はない。元和本倭名類聚抄には反切「舉有反」と同音字注
「與玖同」がある。

　　　韮 韮俗㦤 音久／ニラ　　　　　　　　　　　　　　（観智院本類聚名義抄／僧上 020-2）

　　　韮 俗韭字 音／玖 コミラ［上□□］… ニラ／ウスシ　（観智院本類聚名義抄／僧上 038-3）

　　　韮 本草云韮 舉有反與玖同和名古美良又菜揔名也 …　（元和本倭名類聚抄／巻十七 17 オ 2）

　▶番号 1757b・1832b・2027b「久」（地久樂・地久・良久）の仮名音注「キウ」については、
基本的に -iu で対応する。当該諸字三例には上声点を差す。熟字 0383「地久樂」は右注「髙麗樂」

を付載する。観智院本類聚名義抄に反切「居栁反」および平声墨点を付した和音「ク」を見出す。日本呉音「ク」平声を認める。

　　　　久 居栁反／ヒサシ［平平□］和ク［平：墨点］　　　　（観智院本類聚名義抄／僧下108-6）

　　　　高麗樂曲 … 地久樂 即歌有櫻人曲是也 納蘇利　　　（元和本倭名類聚抄／巻四18オ1）

　▶番号0383a・3278a「久」（久米・久米）の仮名音注「ク」については、基本的に -u で対応する。両当該字に声点はない。熟字0383「久米」は右傍「クメ」を、熟字3278「久米」は右注「府」右傍「クメ」を付載する。上述の分析を参照。

　　　　伊豫國 國府越智米郡 … 温泉 湯 久米 …　　　　（元和本倭名類聚抄／巻五25ウ9）

　　　　伯耆國 國府在久米郡 … 久米 國府 …　　　　　　（元和本倭名類聚抄／巻五21ウ5）

　▶番号0565「舅」（舅）の仮名音注「キウ」については、基本的に -iu で対応する。当該字には去声点を差し、右注「ハ、カタノヲチ」左注「母之兄曰大舅弟曰小舅」を付載する。観智院本類聚名義抄に上声点を付した同音字注「音臼」を見出すが、仮名音注はない。元和本倭名類聚抄には反切「其九反」がある。日本漢音は上声を認める。

　　　　舅 音臼［上］シウト［上上上］／母方ノヲチ［平平平上上］　（観智院本類聚名義抄／僧下068-1）

　　　　舅 爾雅云母之昆弟爲舅 其九反母方乃乎知 一云大舅 母方兄 少舅 母方弟

　　　　　　　　　　　　　　　　　　　　　　　　　（元和本倭名類聚抄／巻二15宇3）

　▶番号1467「咎」（咎）の仮名音注「ク」については、基本的に -u で対応する。当該字に声点はなく、右注「トカ」左注「又トカム」を付載する。廣韻に拠れば、有韻（giʌu²）豪韻（kɑu¹）二音を有する。観智院本類聚名義抄に同音字注「音舅」と平声点を付した同音字注「又音髙」および平声点を付した和音「ク」を見出す。日本漢音は平声、日本呉音「ク」平声を認める。

　　　　咎 音舅 悪也 トカ［平上濁］… トカム［□平濁□］又音髙［平］和ク［平］

　　　　　　　　　　　　　　　　　　　　　　　　　（観智院本類聚名義抄／佛中058-2）

　▶番号0847b・1576b・3056b・3057b「酒」（盃酒・得酒・行酒・向酒）の仮名音注「シユ」については、基本的に -ju で対応する。当該諸字四例には上声点を差す。観智院本類聚名義抄に上声点を付した同音字注「音首」および低平調と推測する和音「シユ」を見出す。長承本蒙求には仮名音注「シユ・ス」があり、それらの掲出字に上声点を加える。日本漢音「シユ・ス」上声、日本呉音「シユ」平声を認める。

　　　　酒 音首［上］サケ［上上］メクム／和シユ［平□：墨点］　（観智院本類聚名義抄／僧下056-1）

　　　　酒［上］シユ　　　　　　　　　　　　　　　　　　　（長承本蒙求／056）

　　　　酒［上］ス　　　　　　　　　　　　　　　　　　　　（長承本蒙求／092）

　　　　酒 食療經云酒 和名佐介 五穀之華味之至也 …　　（元和本倭名類聚抄／巻十六10オ3）

　▶番号1914b「酒」（濁酒）の仮名音注「ス」については、基本的に -u で対応する。当該字には上声点を差す。上述の分析を参照。

3-4-2 -iʌ 系の字音的特徴 817

▶番号 0669「箒」（箒）の仮名音注「シウ」については、基本的に -iu で対応する。当該字には
上声点を差し、右注「ハ、キ」を付載する。観智院本類聚名義抄に上声点を付した同音字注「音酒」
を見出すが、仮名音注はない。元和本倭名類聚抄には同音字注「音酒」がある。日本漢音は上声を
認める。

　　　箒 俗帚字 ハ、キ［平平上］／音酒［上］一名篲　　　　　（観智院本類聚名義抄／僧上 062-1）

　　　箒　兼名苑云箒 音酒 一名篲 祥歳反和名波々木　　　　（元和本倭名類聚抄／巻十六 10 オ 1）

▶番号 1676b「首」（頓首）の仮名音注「シュ」については、基本的に -ju で対応する。当該字
には上声濁点を差すので、日本語音韻史上の連濁による字音「ジュ」を想定する。熟字 1676「頓
首」は右傍「ヌカ ツク」を付載する。観智院本類聚名義抄に上声点を付した同音字注「手」と反切
「書九反」および和音「シフ」を見出す。この和音は日本語音韻史上における音変化 -ip > -iu を背
景とする字音把握である。長承本蒙求には「ス・シユ」があり、それらの掲出字に上声点を加える。
日本漢音「ス・シユ」上声、日本呉音「シウ」を認める。

　　　首 書九反 和シフ … カウヘ［平平上濁］… フス　　　　（観智院本類聚名義抄／佛下末 028-3）

　　　首 … 音手［上］カウヘ［平上上濁］… ムカフ［上上平］　（観智院本類聚名義抄／僧下 065-1）

　　　首［上］ス・シユ　　　　　　　　　　　　　　　　　　　　　　　　（長承本蒙求／113）

　　　首 釋名曰首 音額和名加宇倍 始也 …　　　　　　　（元和本倭名類聚抄／巻三 01 ウ 1）

▶番号 2057b「首」（龍首）の仮名音注「シウ」については、基本的に -iu で対応する。当該字
には平声点を差す。熟字 2057「龍首」は中左注「大極殿／前道也」を付載する。上述の分析を参照。

▶番号 1813b「守」（鎮守）の仮名音注「シュ」については、基本的に -ju で対応する。当該字
には平声濁点を差すので、日本語音韻史上の連濁による字音「ジュ」を想定する。観智院本類聚名
義抄に同音字注「首首」を見出す。長承本蒙求には仮名音注「シュ・シウ」があり、それらの掲出
字に上声点を加える。日本漢音「シュ・シウ」上声を認める。

　　　守 音首 マモル … カミ［平上］ツカサトル　　　　　（観智院本類聚名義抄／法下 053-2）

　　　守［上］シユ　　　　　　　　　　　　　　　　　　　　　　　　　（長承本蒙求／111）

　　　守［上］シウ　　　　　　　　　　　　　　　　　　　　　　　　　（長承本蒙求／146）

▶番号 2190b「守」（留守）の仮名音注「ス」については、基本的に -u で対応する。当該字に
は平声点を差す。上述の分析を参照。

▶番号 1964b「守」（鎮守府）の仮名音注「ス」については、基本的に -u で対応する。当該字
に声点はない。上述の分析を参照。

　　　鎮守府　職員令云近衛府兵衛府衛門府 … 鎮守府　　　（元和本倭名類聚抄／巻五 07 オ 4）

▶番号 3246b「受」（庸受）の仮名音注「シュ」については、基本的に -ju で対応する。当該字
には上声濁点を差すので、字音「ジュ」を想定する。観智院本類聚名義抄に音注表記はない。傍証
ながら、同書では「壽」に対して上声点と平声濁墨点を付した同音字注「音受」を見出す。同書の

818 3．仮名音注の韻母別考察 3-4 ⅢB韻類

凡例部分「朱音者正音也墨声者和音也」（篇目 7-6）に従えば、朱墨で正音と和音を分別する傾向があるので、この平声濁墨点は和音を示すか。高山寺本篆隷萬象名義には反切「時酉反」がある。

　　　　受 ウク［平上］　　　　　　　　　　　　　　（観智院本類聚名義抄／僧中 054-3）

　　　　壽 … 音受［上／平濁：墨点］／イノチ［平平上］ …　（観智院本類聚名義抄／僧下 091-2）

　　　　受 時酉反 相承也得也迷也　　　　（高山寺本篆隷萬象名義／第六帖 165 オ 3）

　▶番号1102「缶」（缶）の仮名音注「フ」については、基本的に -u で対応する。当該字に声点はなく、右注「ホトキ［平平上］」を付載する。観智院本類聚名義抄に同音字注「音不」と反切「又甫之反」を見出すが、仮名音注はない。元和本倭名類聚抄に同音字注「音不」がある。

　　　　缶 音不 ホトキ／マタシ［平平□］又甫之反 …　　（観智院本類聚名義抄／僧中 022-2）

　　　　盆 … 爾雅云瓬謂之缶 音不 …　　　　　（元和本倭名類聚抄／巻十六 07 ウ 6）

　▶番号1410b「否」（平否）の仮名音注「フ」については、基本的に -u で対応する。当該字には上声点を差す。廣韻に拠れば、有韻（piʌu²）旨韻（biei²）二音を有する。観智院本類聚名義抄に同音字注「音妃又不」を見出すが、仮名音注はない。

　　　　否 音孚／アラス［平平□］ … イナ 又吹呼也 吹氣声也　（観智院本類聚名義抄／佛中 034-5）

　　　　否 音妃〔＊←地〕又不 スマシ／イナカ［□上□］フサクヤ［□□□上］

　　　　　　　　　　　　　　　　　　　　　（観智院本類聚名義抄／佛中 034-6）

　▶番号2202「阜」（阜）の仮名音注「フ」については、基本的に -u で対応する。当該字に声点はなく、右注「同（ヲカ）」を付載する。図書寮本類聚名義抄は掲出字「阜」自体に上声点を差し、上声点を付した同音字注「音婦」および「和音平」（行円による声調表記）を注記する。観智院本には上声点を付した同音字注「音婦」および和音「平」を見出すが、仮名音注はない。日本漢音は上声、日本呉音は平声を認める。

　　　　阜［上］東云婦［上］音 … 和音平［行円：右注］　　（図書寮本類聚名義抄／186-1）

　　　　阜 音婦［上］ヲカ［上上］… 和平　　　　（観智院本類聚名義抄／法中 037-7）

　▶番号0070b・1698「負」（稻負鳥・負）の仮名音注「フ」については、基本的に -u で対応する。両当該字には上声点を差す。熟字0070「稻負鳥」は左右注「イナオホ／セトリ」を、番号1698「負」は右注「トシ」中注「女官也」左注「刀自俗用二字者訛也」を付載する。観智院本類聚名義抄に同音字注「音婦」および和音「平」を見出すが、仮名音注はない。日本呉音は平声を認める。

　　　　負 音婦 荷負 オフ［平上］… 和平 … マク［上平］　（観智院本類聚名義抄／佛下本 017-3）

　　　　稻負鳥 イナオ／ホセトリ［平平平／平平上濁平］　（観智院本類聚名義抄／僧中 111-2）

　　　　稻負鳥 萬葉集云稻負鳥 其讀以奈於保世度里　　（元和本倭名類聚抄／巻十八 07 オ 3）

　▶番号0568b・3198「婦」（孕婦・婦）の仮名音注「フ」については、基本的に -u で対応する。両当該字には上声点を差す。熟字0568「孕婦」は右注「ハラメ」を、番号3198「婦」は右注「ヨメ 子妻也」左注「又弟妻也」を付載する。観智院本類聚名義抄に同音字注「音負」および和音「フ」

を見出す。日本呉音「フ」を認める。

　　　婦 音負 ヨメ メ／シタカフ 和フ　　　　　　　　　　（観智院本類聚名義抄／佛中 022-3）

　　　孕 ハラメ［平平平］　　　　　　　　　　　　　　　（観智院本類聚名義抄／佛中 022-4）

　　　孕婦　養性志云孕婦 和名宇不女 …　　　　　　　（元和本倭名類聚抄／巻一 06 ウ 4）

　▶番号1198b「栁」（蒲栁）の仮名音注「リウ」については、基本的に -iu で対応する。当該字
には上声点を差す。観智院本類聚名義抄に反切「同酒反」を見出す。反切上字に疑義が残る。長承
本蒙求には仮名音注「リウ」があり、その掲出字に上声点を加える。元和本倭名類聚抄には反切「力
久反」がある。日本漢音「リウ」上声を認める。

　　　栁 同酒反／シタリヤナキ［平平濁平平□□］　　　　（観智院本類聚名義抄／佛下本 083-6）

　　　栁［上］リウ　　　　　　　　　　　　　　　　　　（長承本蒙求／047・069）

　　　栁　兼名苑云栁一名小楊 栁音力久反和名之太里夜奈木 …　（元和本倭名類聚抄／巻二十 23 ウ 5）

　▶番号2004a・2065a「栁」（栁花苑・栁黛）の仮名音注「リウ」については、基本的に -iu で
対応する。両当該字には上声点を差す。熟字2004「栁花苑」は左注「雙調」〔＊←雙詞〕を付載する。
双調による雅楽の曲を指す。上述の分析を参照。

　　　雙調曲　栁花苑 或譜云延暦寺遺唐舞生久禮真久茂傳之 …　　（元和本倭名類聚抄／巻四 15 オ 4）

《下巻 有韻諸例》

　▶番号4781b「友」（三友）の仮名音注「イウ」については、基本的に -iu で対応する。当該字
には去声点を差す。上巻の有韻当該諸例で分析したように、日本漢音「イウ」上声、日本呉音「ウ」
平/去声を認める。

　▶番号6094「蟒」（蟒）の仮名音注「イウ」については、基本的に -iu で対応する。当該字には
上声点を差し、右注「ヒヲムシ」中左注「朝生夕死／虻也」を付載する。観智院本類聚名義抄に同
音字注「音誘・又音酉」を見出すが、仮名音注はない。元和本倭名類聚抄には同音字注「音誘」が
ある。

　　　蟒 音誘 ヒヲムシ［平平上平濁］／又音酉　　　　（観智院本類聚名義抄／僧下 026-1）

　　　蟒　唐韻云蟒 音誘漢語抄云比乎無之 朝生暮死虫也　　（元和本倭名類聚抄／巻十九 28 ウ 4）

　▶番号3335「韮」（韮）の仮名音注「キウ」については、基本的に -iu で対応する。当該字には
上声点を差し、右注「コミラ 擧有反」中注「或乍韭 菾類也」左注「又ニラ」を付載する。上巻の
有韻当該例で分析した。

　▶番号4977a・5125a・5187a・5808b「九」（九坂・九奏・九枝・出九）の仮名音注「キウ」
については、基本的に -iu で対応する。当該諸字四例には上声点を差す。観智院本類聚名義抄に同
音字注「音久」二例および和音「又去」を見出すが、仮名音注はない。日本呉音は去声を認める。

820　3．仮名音注の韻母別考察　3-4　ⅢB韻類

　　　九 音久 コ・ノツ［平上上□］… 和又去　　　　　（観智院本類聚名義抄／佛下末018-6）

　　　九 音久　　　　　　　　　　　　　　　　　　（観智院本類聚名義抄／佛下末021-2）

　▶番号5001a・5181a「九」（九徳・九乳）の仮名音注「キウ」については、基本的に -iu で対応する。両当該字に声点はない。上述の分析を参照。

　▶番号 4935b・5931b・6359a・6364b「久」（黄久里・佐久・久慈・邑久）の仮名音注「ク」については、基本的に -u で対応する。熟字4935「黄久里」は詳細不詳。上巻の有韻当該諸例で分析したように、日本呉音「ク」平声を認める。

　　　信濃國 國府在筑摩郡 … 伊奈 … 佐久　　　　（元和本倭名類聚抄／巻五17 オ6）

　　　常陸國 國府在茨城郡 … 那珂　久慈　多珂　　（元和本倭名類聚抄／巻五16 オ2）

　　　備前國 國府在御野郡 … 邑久 於保久 …　　　（元和本倭名類聚抄／巻五23 オ5）

　▶番号3729a「久」（久我）の仮名音注「コ」については、基本的に -o で対応する。熟字3729「久我」は右注「コカ」を付載する。古篇国郡部に所属するので、地名「クカ」の誤認とは考えにくい。上述の分析を参照。

　▶番号5124a「玖」（玖杖）の仮名音注「キウ」については、基本的に -iu で対応する。当該字には平声点を差す。図書寮本類聚名義抄同音字注「類云九音」を見出す。観智院本には同音字注「九音」を見つけるが、仮名音注はない。

　　　玖 類云九音 弘云／黒色石　　　　　　　　（図書寮本類聚名義抄／165-4）

　　　玖 九音 玉　　　　　　　　　　　　　　　（観智院本類聚名義抄／法中022-7）

　▶番号6956a「玖」（玖珂）の仮名音注「ク」については、基本的に -u で対応する。当該字に声点はない。上述の分析を参照。

　　　周防國 國府在佐波郡 … 玖珂 珂音如鵝 …　　（元和本倭名類聚抄／巻五24 オ7）

　▶番号6445a「灸」（灸炷）の仮名音注「キウ」については、基本的に -iu で対応する。当該字には去声点を差す。廣韻に拠れば、有/宥韻（kiʌu[23]）二音を有する。観智院本類聚名義抄に上声点を付した同音字注「音玖」と去声点を付した同音字注「又音救」を見出す。長承本蒙求には仮名音注「キウ」二例があり、それらの掲出字に去声点と入声点を加える。日本漢音「キウ」上/去声を認める。

　　　灸 音玖［上］又音救［去］／ヤク ヤイトフ［上平上上］（観智院本類聚名義抄／佛下末039-6）

　　　灸［去］者反／シヤ／キウ　　　　　　　　　（長承本蒙求／060）

　　　灸［入］キウ〔＊入声点は「キフ」と誤認した結果か〕（長承本蒙求／130）

　　　灸 唐韻云炙 之夜反又之石反和名阿布利毛乃（元和本倭名類聚抄／巻十六19 ウ5）

　▶番号5035a・5318「舅」（舅甥・舅）の仮名音注「キウ」については、基本的に -iu で対応する。両当該字には去声点を差す。番号5318「舅」は右注「同（シウト）其九反」左注「夫之父曰舅」を付載する。上巻の有韻当該例で分析したように、日本漢音は上声を認める。

3-4-2　-iʌ 系の字音的特徴　821

▶番号5168a「咎」（咎崇）の仮名音注「キウ」については、基本的に -iu で対応する。当該字には去声点を差す。熟字5168「咎崇」は左注「トカタシリ」を付載する。上巻の有韻当該例で分析したように、日本漢音は平声、日本呉音「ク」平声を認める。

▶番号5164a「咎」（咎徴）の仮名音注「キウ」については、基本的に -iu で対応する。当該字に声点はない。上述の分析を参照。

▶番号5044a「朽」（朽邁）の仮名音注「キウ」については、基本的に -iu で対応する。当該字には入声点を差す。日本語音韻史上における音変化 -ip > -iu という背景があるため、入声の認識をしたか。廣韻に拠れば、当該字の中古音は暁母有韻上声（xiʌu²）である。観智院本類聚名義抄に反切「虚柳反」および平声点を付した和音「ク」を見出す。日本呉音「ク」平声を認める。

　　朽 虚柳反 クチッタ … 和ク［平］　　　　　　　　　　　（観智院本類聚名義抄／佛下本109-5）

▶番号5909a「酒」（酒不乱胷）の仮名音注「シユ」については、基本的に -ju で対応する。当該字に声点はない。上巻の有韻当該諸例で分析したように、日本漢音「シユ・ス」上声、日本呉音「シユ」平声を認める。

▶番号3408c「酒」（胡飲酒）の仮名音注「ス」については、基本的に -u で対応する。当該字には上声点を差す。熟字3408「胡飲酒」は右注「壹越調」を付載する。上述の分析を参照。

　　壹越調曲　皇帝破陣樂 大曲 … 胡飲酒 …　　　　　　（元和本倭名類聚抄／巻四14 オ7）

▶番号6847a「酒」（酒海）の仮名音注「ス」については、基本的に -u で対応する。当該字に声点はない。上述の分析を参照。

　　酒海　蔣魴切韻云樽酒海也 今案俗所用罇與酒海各異故別舉之

　　　　　　　　　　　　　　　　　　　　　　　　　　（元和本倭名類聚抄／巻十六03 ウ2）

▶番号3376a・5334a・5606a「醜」（醜女・醜女・醜女）の仮名音注「シウ」については、基本的に -iu で対応する。当該諸字三例には上声点を差す。熟字3376「醜女」は右注「コヽメ」左注「又シコメ」右注下「恐小児之稱也」を、熟字5334「醜女」は右注「シコメ」中注「又コミメ」左注「恐小児也稱也」を、熟字5606「醜女」は右傍「ミニクキナリ」を付載する。観智院本類聚名義抄に反切「昌九反」および平声点を付した和音「主」を見出すが、仮名音注はない。日本呉音は平声を認める。

　　醜 充受 アシ［平平］カタクナシ［平上□□□］　　　（観智院本類聚名義抄／僧下 050-6）

　　醜 昌九反 カタナシ［上上上平］… 和ノ主［平］　　（観智院本類聚名義抄／僧下 060-6）

　　醜女 シコメ コヽメ　　　　　　　　　　　　　　　（観智院本類聚名義抄／佛中 006-3）

　　醜女　日本紀云醜女 和名志古女 … 世人爲恐小児稱許許女者此語之訛

　　　　　　　　　　　　　　　　　　　　　　　　　　（元和本倭名類聚抄／巻二 05 オ6）

▶番号5651a「醜」（醜悪）の仮名音注「シユ」については、基本的に -ju で対応する。当該字には去声点を差す。熟字5651「醜悪」は右傍「ミニクシ」を付載する。上述の分析を参照。

822　3．仮名音注の韻母別考察　3-4　ⅢB韻類

▶番号3685b・3896「手」（空手・手）の仮名音注「シウ」については、基本的に -iu で対応する。両当該字には上声点を差す。番号3896「手」は右注「テ 書九反」左注「手芸？」を付載する。観智院本類聚名義抄に同音字注「音守」を見出すが、仮名音注はない。

　　　手 音守 テ［平］／テツカラ［平上濁□□］　　　　　（観智院本類聚名義抄／佛下本038-6）

　　　手子 遊仙窟云手子 師説云太奈須恵　　　　　　　　（元和本倭名類聚抄／巻三12 ウ8）

▶番号4543b「手」（散手破陣樂）の仮名音注「シユ」〔*←ユシ〕については、基本的に -ju で対応する。当該字には上声濁点を差すので、日本語音韻史上の連濁による「ジユ」を想定する。熟字4543「散手破陣樂」は右注「大食調」を付載する。上述の分析を参照。

　　　道調曲 上元樂 五更囀 散手破陣樂 俗云散手 …　　（元和本倭名類聚抄／巻四15 ウ8）

▶番号5856a「手」（手談）の仮名音注「シユ」については、基本的に -ju で対応する。当該字には去声点を差す。上述の分析を参照。

▶番号5875a「首」（首尾）の仮名音注「シユ」については、基本的に -ju で対応する。当該字には上声点を差す。上巻の有韻当該諸例で分析したように、日本漢音「ス・シユ」上声、日本呉音「シウ」を認める。

▶番号5108b「首」（黔首）の仮名音注「ス」については、基本的に -u で対応する。当該字には上声点を差す。上述の分析を参照。

▶番号4449b「首」（権首）の仮名音注「ス」については、基本的に -u で対応する。当該字に声点はない。熟字4449「権首」は左注「初牙反」を付載する。上述の分析を参照。

　　　権首 楊氏漢語抄云権首 佐須攷音初牙反　　　　　　（元和本倭名類聚抄／巻十11 ウ6）

▶番号5268a・5852a「壽」（壽成門・壽域）の仮名音注「シウ」については、基本的に -iu で対応する。両当該字には去声点を差す。熟字5268「壽成門」は左右注「已上朝堂／院内名」を付載する。観智院本類聚名義抄に上声点と平声濁墨点を付した同音字注「音受」を見出す。同書の凡例部分「朱音者正音也墨声者和音也」（篇目 7-6）に従えば、朱墨で正音と和音を分別する傾向があるので、この平声濁墨点は和音を示すか。長承本蒙求には仮名音注「シウ」三例があり、それらの掲出字に上声点を加える。日本漢音「シウ」上声、日本呉音は平声を認める。

　　　壽 … 音受［上／平濁：墨点］／イノチ［平平上］…　　（観智院本類聚名義抄／僧下091-2）

　　　壽［上］シウ　　　　　　　　　　　　　　　　　　　（長承本蒙求／038・038・106）

▶番号3831a「壽」（壽域）の仮名音注「シユ」については、基本的に -ju で対応する。当該字には去声点を差す。上述の分析を参照。

▶番号5669b「受」（信受）の仮名音注「シユ」については、基本的に -ju で対応する。当該字には平声濁点を差すので、字音「ジユ」を想定する。上巻の有韻当該例で分析した。

▶番号5573a・5578a「受」（受持・受戒）の仮名音注「シユ」については、基本的に -ju で対応する。両当該字に声点はない。上述の分析を参照。

3-4-2 -iʌ 系の字音的特徴 823

▶番号3915「枏」（枏）の仮名音注「チウ」については、基本的に -iu で対応する。当該字には上声点を差し、右注「テカシ」中注「勅久反」左注「枏械」を付載する。観智院本類聚名義抄に同音字注「丑」と上声濁点を付した同音字注「紐」および上昇調と推測する和音「ケウ」〔＊チウの誤認〕を見出す。元和本倭名類聚抄には反切「勅久反」がある。日本漢音は上声、日本呉音「チウ」去声を認める。

　　　枏 音丑 テカシ［上濁平］又音紐［上濁］… 和ケウ［□上］　　（観智院本類聚名義抄／佛下本111-2）

　　　枏 … 漢語鈔云枏 天加之 今案枏又木名也以音可分枏械之枏 勅久反 …

（元和本倭名類聚抄／巻十三 17 オ 8）

▶番号5723b「否」（實否）の仮名音注「フ」については、基本的に -u で対応する。当該字には上声点を差す。上巻の有韻当該例で分析した。

▶番号5553b「婦」（織婦）の仮名音注「フ」については、基本的に -u で対応する。当該字に声点はない。上巻の有韻当該諸例で分析したように、日本呉音「フ」を認める。

▶番号5887b「負」（勝負）の仮名音注「フ」については、基本的に -u で対応する。当該字には上声濁点を差すので、字音「ブ」を想定する。上巻の有韻当該諸例で分析したように、日本呉音は平声を認める。

▶番号5762b「負」（所負）の仮名音注「フ」については、基本的に -u で対応する。当該字には平声点を差す。上述の分析を参照。

▶番号5286「柳」（柳）の仮名音注「リウ」については、基本的に -iu で対応する。当該字には上声点を差し、右注「シタリヤナキ」左注「力久反」を付載する。上巻の有韻当該諸例で分析したように、日本漢音「リウ」上声を認める。

《上巻 有韻諸例》

▶番号0080a「鼬」（鼬鼠）の仮名音注「イウ」については、基本的に -iu で対応する。当該字に声点はない。熟字0080「鼬鼠」は右注「イタチ」中左注「状似鼠／能食鼠」を付載する。観智院本類聚名義抄に上声点を付した同音字注「酉」と低平調と推測する仮名音注「音イウ」を見出す。後者は墨点を差しており、同書の類字表記例から見て、和音「イウ」であろう。元和本倭名類聚抄には同音字注「酉」がある。日本漢音は上声を認める。日本呉音「イウ」平声の蓋然性が高い。

　　　鼬 音酉［上］イタチ［平平平］／音イウ［□平：墨点］　　（観智院本類聚名義抄／僧下 043-2）

　　　鼬鼠 ウクロモチ［平平濁平平平］　　　　　　　　　（観智院本類聚名義抄／僧下 043-2）

　　　鼬鼠 爾雅集注云鼬鼠 上音酉 … 和名以太知 …　　（元和本倭名類聚抄／巻十八 20 ウ 9）

▶番号2303b「髟」（胡髟）の仮名音注「シウ」については、基本的に -iu で対応する。当該字に声点はない。相互に「臭」と異体字である。熟字2303「胡髟」は右注「ワキクソ」を付載する。

824　3．仮名音注の韻母別考察　3-4　ⅢB韻類

観智院本類聚名義抄に反切「昌究反・赤救反」および低平調と推測する和音「シフ」と平声点を付した和音「主」を見出す。和音「シフ」は日本語音韻史上における音変化 -ip > -iu を背景とする字音把握である。長承本蒙求には仮名音注「シウ」があり、その掲出字に去声点を加える。日本漢音「シウ」去声、日本呉音「シウ」平声を認める。

　　　　臰臭 … 昌究反 クサシ［平平上］／カク 和シフ［□平］　　　　　（観智院本類聚名義抄／佛中 079-1）

　　　　臭 赤救反 クサシ［平平□］／俗臰歟 和主［平］　　　　　（観智院本類聚名義抄／佛下本 129-8）

　　　　臭［去］シウ／シウ　　　　　　　　　　　　　　　　　　　　（長承本蒙求／032）

　　　　胡臰　病源論云胡臰 和岐久曽 …　　　　　　　　　（元和本倭名類聚抄／巻三 20 ウ 4）

　▶番号0200「祝」（祝）の仮名音注「シウ」については、基本的に -iu で対応する。当該字には去声点を差し、右注「イハフ」を付載する。宥韻（tśiʌuˢ）屋韻（tśiʌuk）二音を有する。観智院本類聚名義抄に入声点を付した同音字注「音粥」と反切「之授反」を見出すが、仮名音注はない。日本漢音は入声を認める。

　　　　祝 音粥［入］イハフ［□□上］… 之授反 又詶 今作咒　　　　（観智院本類聚名義抄／法下 005-4）

　▶番号2160「繡」（繡）の仮名音注「シウ」については、基本的に -iu で対応する。当該字には去声点を差し、右注「ヌヒモノ」を付載する。図書寮本類聚名義抄に同音字注「类云秀音」を見出す。観智院本には同音字注「音秀」を見つける。長承本蒙求には仮名音注「シウ」があり、その掲出字に去声点を加える。元和本倭名類聚抄には反切「息又反」がある。日本漢音「シウ」去声を認める。

　　　　繡 类云秀音 川云和云奴牟毛能［平平平平］… 俗語シト［平□］　　（図書寮本類聚名義抄／308-3）

　　　　繡 音〔＊十←十〕秀 ヌヒ物［平□□／□ム［平］］…　　　（観智院本類聚名義抄／法中 126-8）

　　　　繡［去］シウ／シウ　　　　　　　　　　　　　　　　　　　　（長承本蒙求／026）

　　　　繡　蔣魴切韻云繡 息又反訓沼無毛乃 以五色糸刺萬物形状也

　　　　　　　　　　　　　　　　　　　　　　　　　　（元和本倭名類聚抄／巻十二 15 オ 4）

　▶番号0726b「晝」（白晝）の仮名音注「チウ」については、基本的に -iu で対応する。当該字には上声点を差す。観智院本類聚名義抄に同音字注「音宙」（その右傍に朱筆で仮名音注「チウ」）および和音「チウ」を見出す。日本漢音「チウ」日本呉音「チウ」を認める。

　　　　晝 音宙［チウ：朱右傍］／ヒル 和チウ　　　　　　　　（観智院本類聚名義抄／佛上 078-1）

　▶番号1797a・1876a「晝」（晝夜・晝突）の仮名音注「チウ」については、基本的に -iu で対応する。両当該字には平声点を差す。上述の分析を参照。

　▶番号2730・3028b「胄」（胄・甲胄）の仮名音注「チウ」については、基本的に -iu で対応する。両当該字には去声点を差す。番号2730「胄」は右注「カフト」を付載する。観智院本類聚名義抄に反切「丈又反」と同音字注「音宙」および上昇調を示す和音「チウ」を見出す。承暦本金光明最勝王経音義には借字による「智宇反」があり、その掲出字に去声点を加える。元和本倭名類聚抄

には同音字注「音宙」がある。日本呉音「チウ」去声を認める。

| 冑 或羣 丈又反 | （観智院本類聚名義抄／佛中 112-3） |

| 冑 音宙 カフト［平上濁平］／タネ 和チウ［平上］ | （観智院本類聚名義抄／佛中 117-5） |

| 胄［去］智宇反 | （承暦本金光明最勝王経音義／12 オ 3） |

| 冑 說文云冑 音宙和名加布度 首鎧也 | （元和本倭名類聚抄／巻十三 12 ウ 9） |

▶番号 2669a「餁」（餁飯）の仮名音注「チウ」については、基本的に -iu で対応する。当該字には去声濁点を差すので、字音「ヂウ」を想定する。その中古音が示す頭子音 ṅ-（等韻学の術語で言う日母）は硬口蓋鼻音であり、日本語のナ行音をもって受容するが、中国語音韻史上における鼻音声母の非鼻音化（denasalization）を反映する場合はザ行音で対応する。本来は字音「ジウ」を期待する。熟字 2669「餁飯」は右注「カシキカテ」左注「又乍糅又糅」を付載する。観智院本類聚名義抄に去声濁点を付した同音字注「音糅」（その右傍に朱筆で仮名音注「チウ」）と反切「又女久反」を見出す。元和本倭名類聚抄に反切「女救反」がある。日本漢音「ヂウ」去声を認める。

| 餁 俗 音糅［去濁／チウ：朱右傍］又女久反 カシキカテ［平平上上濁平］糅［正：墨右注］… | |
| （観智院本類聚名義抄／僧上 106-7） | |

| 餁飯 カシキカテ［平平上上濁平］糅［正：墨右注］… | （観智院本類聚名義抄／僧上 106-8） |

| 餁飯 唐韻云餁 女救反字亦作糅和名加之木可天 雜飯也 | （元和本倭名類聚抄／巻十六 13 オ 3） |

▶番号 0035b「冨」（股冨門）の仮名音注「フ」については、基本的に -u で対応する。当該字には上声点を差す。熟字 0035「股冨門」は右注「西近衛門」左注「已上宮城門」を付載する。観智院本類聚名義抄に反切「甫廥反」（その反切下字に去声点）および平声点を付した和音「フ」を見出す。日本漢音は去声、日本呉音「フ」平声を認める。

| 富 甫廥［□去］反 トム … 和フ［平］　冨 俗 | （観智院本類聚名義抄／法下 054-5） |

| 冨 トム アツシ … ユタカナリ | （観智院本類聚名義抄／法下 056-2） |

《下巻 宥韻諸例》

▶番号 5220「柚」（柚）の仮名音注「イウ」については、基本的に -iu で対応する。当該字には平声点を差し、右注 5221「ユ［去］」右傍 5220「イウ」を付載する。観智院本類聚名義抄に反切「弋救反」と同音字注「音由ユ」を見出すが、仮名音注はない。元和本倭名類聚抄には同音字注「音由」と反切「又以㿱反」がある。なお、和名「由」を注記するが、これは定着久しい字音「ユ」に依拠するか。

| 柚 弋救反 音由ユ〔＊字形「𦍍由ユ」〕／一名櫾 | （観智院本類聚名義抄／佛下本 116-7） |

| 柚 爾雅集注云柚 音由又以㿱反 一名櫾 音條和名由 … | （元和本倭名類聚抄／巻十七 10 ウ 4） |

▶番号 5221「柚」（柚）の仮名音注「ユ［去］」については、基本的に -ju で対応する。当該字

826　3．仮名音注の韻母別考察　3-4　ⅢB韻類

には平声点を差し、右注5221「ユ［去］」右傍5220「イウ」を付載する。去声点を差す右注「ユ」は上昇調であり、一音節二拍相当を示すとすれば、当該字の調値は「●→○●」という認識か。前田本において仮名音注に去声点を差すことは稀な例である。上述の分析を参照。

▶番号5052a「救」（救急）の仮名音注「キウ」については、基本的に -iu で対応する。当該字には上声点を差す。観智院本類聚名義抄に上声点を付した同音字注「音灸」および和音「ク」を見出す。日本漢音は上声、日本呉音「ク」を認める。

　　　救 音灸［上］スクフ［上上平］… 和ク　　　　　　　　（観智院本類聚名義抄／僧中059-7）

▶番号3658b・4971a・5173a「舊」（故舊・舊年・舊故）の仮名音注「キウ」については、基本的に -iu で対応する。当該諸字三例には去声点を差す。観智院本類聚名義抄に反切「渠蕾反」および平声墨点を付した和音「ク」を見出す。日本呉音「ク」平声を認める。

　　　　舊 … 渠蕾反 フルシ［平平平］… 和ク［平：墨点］　　　　（観智院本類聚名義抄／僧上048-2）

▶番号5802b「就」（成就）の仮名音注「シユ」については、基本的に -ju で対応する。当該字に声点はない。観智院本類聚名義抄に反切「疾又反」（その反切下字に去声点）および和音「シウ」を見出す。日本漢音は去声、日本呉音「シウ」を認める。

　　　就 疾又［□去］反 … ツヒニ［上上□］／和シウ　　　　（観智院本類聚名義抄／佛下末019-2）

▶番号5433a「繍」（繍線綾）の仮名音注「シウ」については、基本的に -iu で対応する。当該字には去声点を差す。上巻の宥韻当該例で分析したように、日本漢音「シウ」去声を認める。

　　　綾 紋附 野王曰綾 音凌和名阿夜綾有就線綾長連綾二足綾花文綾平綾等名 …

　　　　　　　　　　　　　　　　　　　　　　　　　　　　　（元和本倭名類聚抄／巻十二15オ4）

▶番号5112b「繍」（錦繍）の仮名音注「シウ」については、基本的に -iu で対応する。当該字に声点はない。上述の分析を参照。

▶番号5947a「秀」（秀才）の仮名音注「シウ」については、基本的に -iu で対応する。当該字に声点はない。熟字5947「秀才」は左注「文章得業生」を付載する。観智院本類聚名義抄に去声点を付した同音字注「音繍」を見出すが、仮名音注はない。日本漢音は去声を認める。

　　　秀 音繍［去］ヒツ［上平濁］… ナカシ［平平濁上］　　　（観智院本類聚名義抄／法下015-3）

▶番号5527b「宿」（辰宿）の仮名音注「シウ」については、基本的に -iu で対応する。当該字には去声点を差す。廣韻に拠れば、宥韻 (siʌuᵌ) 屋韻 (siʌuk) 二音を有する。観智院本類聚名義抄に反切「息逐反・又息救反」および和音「シク」さらに平声点を付した呉音「守」を見出す。この呉音注は大般若経字抄による漢呉二音相同の同音字注「音守」を出典とする。長承本蒙求には仮名音注「シク」があり、その掲出字に徳声点を加える。日本漢音「シク」徳声（四声体系では入声）日本呉音「シク」を認める。加えて日本呉音は平声を認める。

　　　宿 … ヤトル［平平濁上］… 息逐反 … 又息救反 和シク　　　（観智院本類聚名義抄／法下054-6）

　　　星宿 下呉音守［平］　　　　　　　　　　　　　　　　　　（観智院本類聚名義抄／法下054-6）

3-4-2 -iʌ 系の字音的特徴 827

宿 [徳] シク　　　　　　　　　　　　　　　　　　　　　　　　　　　（長承本蒙求／066）

星宿 [音守：右傍]　　　　　　　　　　　　　　（石山寺一切経蔵本大般若経字抄／08 オ 5）

▶番号 5600a「咒」（咒詛）の仮名音注「シユ」については、基本的に -ju で対応する。当該字に声点はなく、左注「咀イ本」を付載する。当該字「咒」と「呪」は相互に異体字である。加えて「詶」は同用の扱いができる。観智院本類聚名義抄に反切「之授反」および和音「シフ」を見出す。この和音は日本語音韻史上における音変化 -ip > -iu を背景とする字音把握である。日本呉音「シウ」を認める。

　　詶 正 咒俗 音授 詶詛 又音酬 又讀 陟尤反／又酬字 コタフ …　　（観智院本類聚名義抄／法上 059-2）

　　呪 之授反 ノロフ／ウタフ … 詶 [同：墨右注] 和シフ　　　　　（観智院本類聚名義抄／佛中 041-6）

▶番号 6823a「咒」（咒師）の仮名音注「ス」については、基本的に -u で対応する。当該字に声点はない。上述の分析を参照。

▶番号 5191b「獸」（禽獸）の仮名音注「シウ」については、基本的に -iu で対応する。当該字には去声点を差す。その中古音が示す頭子音 ś- (等韻学の術語で言う書母) は無声後部歯茎摩擦音であり、日本語のサ行音をもって受容するので、字音「ジウ」を想定はできないが、現行多くの漢和辞典は慣用音とする。観智院本類聚名義抄に去声点を付した同音字注「音狩」および和音「平去」を見出す。長承本蒙求には仮名音注「シウ」があり、その掲出字に去声点を加える。元和本倭名類聚抄には同音字注「音狩」がある。日本漢音「シウ」去声、日本呉音は平/去声を認める。

　　獸 … 音狩 [＊←将] [去] ケモノ [平平平] … 和平去　　（観智院本類聚名義抄／佛下本 131-3）

　　獸 [去] シウ／シウ　　　　　　　　　　　　　　　　　　　　　（長承本蒙求／031）

　　獸 … 爾雅注云四足而毛謂之獸 音狩和名介毛乃　　　（元和本倭名類聚抄／巻十八 15 オ 7）

▶番号 3855b「授」（遙授）の仮名音注「シウ」[＊←シム]については、基本的に -iu で対応する。当該字には上声濁点を差すので、字音「ジウ」を想定する。その中古音が示す頭子音 ź- (等韻学の術語で言う常母) は有声後部歯茎摩擦音であり、日本語のザ行音をもって受容するが、中国語音韻史上における濁音声母の無声化を反映する場合にはサ行音で対応する。熟字 3855「遙授」は左注「兼行」を付載する。観智院本類聚名義抄に上声点を付した同音字注「音受」を見出す。長承本蒙求には仮名音注「シウ」があり、その掲出字に去声点を加える。日本漢音「シウ」上/去声を認める。

　　授 音受 [上] サツク [上上濁平] ウク [上平] …　　（観智院本類聚名義抄／佛下本 079-6）

　　授 [去] シウ　　　　　　　　　　　　　　　　　　　　　　　　（長承本蒙求／036）

▶番号 6175a「副」（副車）の仮名音注「フ」については、基本的に -u で対応する。当該字には去声点を差す。廣韻に拠れば、宥韻 (p'iʌuᵘ) 屋韻 (p'iʌuk) 職韻 (p'iɐk) 三音を有する。熟字 6175「副車」は右注「ヒトタマヒ」左注「ソヘクルマ」を付載する。観智院本類聚名義抄に反切「孚豆又普遍反」と去声点を付した同音字注「又覆」さらに反切「又迫六反・逼力反」(両反切下字に

828　3．仮名音注の韻母別考察　3-4　ⅢB韻類

入声点）を見出すが、仮名音注はない。日本漢音は去/入声を認める。

　　　副 … 孚豆又普逼反 … ソフ［上平］… 又覆［去］又逼六［□入］反　逼力［□入］反

　　　　　　　　　　　　　　　　　　　　　　　　（観智院本類聚名義抄／僧上089-8）

　　　副車　漢書注云副車 曾閇久流萬俗云比度大萬比 後乗也　（元和本倭名類聚抄／巻十一06ウ3）

▶番号4073「霤」（霤）の仮名音注「リウ」については、基本的に -iu で対応する。当該字には
去声点を差す。観智院本類聚名義抄に去声点を付した同音字注「音溜」を見出すが、仮名音注はな
い。元和本倭名類聚抄には同音字注「音溜」がある。日本漢音は去声を認める。

　　　霤 音溜［去］アマシタリ［平平平上濁平］／アラレ　　　（観智院本類聚名義抄／僧上089-8）

　　　霤　説文云霤屋簷前雨流下也音溜 和名阿萬之太利　　　　（元和本倭名類聚抄／巻一04ウ5）

3-4-2-6　-iʌm/-iʌp（凡/范/梵/乏韻）

　資料篇【表B-07】には凡韻（平声）范韻（上声）梵韻（去声）乏韻（入声）所属の諸例が含まれ
る。前田本の示す仮名音注は、-am/-ap, -om/-op で基本的に対応する。異例として、-an, -au, -em,
-en, -o, -on, -ou, -ok, -ot がある。所属諸例が少ない中で、唇内撥音韻尾 -m を「ン」とする字音
把握が目立つ。日本語音韻史上における音変化 -ap > -au, -op > -ou を反映する字音把握も多い。

《上巻　凡韻諸例》

▶番号0767a「凡」（凡人）の仮名音注「ハン」については、異例 -an を示す。当該字には平声
点を差す。唇内撥音韻尾 -m を「ン」で字音把握する。観智院本類聚名義抄に反切「扶嚴反」およ
び和音「ホン」を見出す。日本呉音「ホン」を認める。

　　　凡 扶嚴反 スヘテ／和ホン／オホヨソ ワロシ　　　（観智院本類聚名義抄／佛下末015-5）

▶番号1116「帆」（帆）の仮名音注「ハム」については、基本的に -am で対応する。当該字に
は去声点を差し、右注「ホ［上］」左注「風衣也」を付載する。廣韻に拠れば、凡/梵韻（biʌm¹ᐟ³）
二音を有する。図書寮本類聚名義抄に同音字注「川云凡」（その平声点位置に仮名音注「ハム」）
と同音字注「一音泛」（その去声点位置に仮名音注「ハム」）を見出す。観智院本には去声点を付
した同音字注「泛」と平声点を付した同音字注「凡」を見つけるが、仮名音注はない。元和本倭名
類聚抄には同音字注「音凡一音泛」がある。日本漢音「ハム」平/去声を認める。

　　　擧帆 川云凡［ハム：平声点位置］一音泛［ハム：去声点位置］和云保［上］…

　　　　　　　　　　　　　　　　　　　　　　　　（図書寮本類聚名義抄／法中284-7）

　　　帆 泛凡［去平］二音 ホ／シフカス［平平濁□□］　（観智院本類聚名義抄／法中103-7）

　　　帆　四聲字苑云帆 音凡一音泛和名保 風衣也 …　　　（元和本倭名類聚抄／巻十一03オ6）

3-4-2 -iʌ 系の字音的特徴　829

▶番号「1119a」「帆」（帆綱）の仮名音注「ハム」については、基本的に -am で対応する。当該字には平声点を差す。熟字1119「帆綱」は右注「ホツナ」を付載する。上述の分析を参照。

　　帆綱　文選注云長梢 所交反師說保都奈 今之帆綱也　　　　（元和本倭名類聚抄／巻十一・03 ウ 5）

▶番号1117a「帆」（帆竿）の仮名音注「ハン」については、異例 -an を示す。当該字には平声点を差す。脣内撥音韻尾 -m を「ン」で字音把握する。熟字1117「帆竿」は右注「ホケタ」を付載する。上述の分析を参照。

　　帆竿 ホケタ［上上平］　　　　　　　　　　　　（観智院本類聚名義抄／法中 103-7）

　　帆竿　楊氏漢語抄云帆竿 保偈多下古寒反　　　　（元和本倭名類聚抄／巻十一・03 ウ 1）

《下巻 凡韻諸例》

▶番号6239b「帆」（飛帆）の仮名音注「ハム」については、基本的に -am で対応する。当該字には平声点を差す。上巻の凡韻当該諸例で分析したように、日本漢音「ハム」平/去声を認める。

《上巻 范韻諸例》

▶番号1237a「犯」（犯過）の仮名音注「ホム」については、基本的に -om で対応する。当該字には平声濁点を差すので、字音「ボム」を想定する。その中古音が示す頭子音 b-（等韻学の術語で言う脣音濁並母）は有声両唇閉鎖音であり、日本語のバ行音をもって受容するが、中国語音韻史上における濁音声母の無声化を反映する場合にはハ行音で対応する。観智院本類聚名義抄に同音字注「音范」および和音「ホン」を見出す。長承本蒙求に仮名音注「ハム」があり、その掲出字に上声点を加える。日本漢音「ハム」上声、日本呉音「ホム」を認める。

　　犯 音范 ヲカス［上上□］／和ホム　　　　　（観智院本類聚名義抄／佛下本 129-3）

　　犯［上］ハム／ハム　　　　　　　　　　　　　　　　（長承本蒙求／057）

▶番号1238a・1239a「犯」（犯罪・犯用）の仮名音注「ホン」については、異例 -on を示す。当該字には平声濁点を差すので、字音「ボン」を想定する。脣内撥音韻尾 -m を「ン」で字音把握する。上述の分析を参照。

《下巻 范韻諸例》

▶番号4934b「鋄」（金鋄）の仮名音注「ハム」については、基本的に -am で対応する。当該字には上声点と去声点を差す。相互に「鋄・鋄」とは異体字であるが、字形の近似する「鋄・鋄」と誤認しやすい。熟字4934「金鋄」は右傍「ハム」右注「キムメン［平濁平平平］」中左注「又作

鍐／馬冠也」を付載する。次の熟字「銀面」には右注「同（キムメン）」左注「俗用之」を付載する。元和本倭名類聚抄の注記「今案俗云銀面」も併せて参看すれば、右注は熟字「金鍐」の字音ではない。観智院本類聚名義抄に反切「亡范反」を見出すが、仮名音注はない。

  鍐 … 亡范反   （観智院本類聚名義抄／僧上 137-4）

  金鍐 蔡邕独断云金鍐 祖議反字亦作騣今案俗云銀面之昌蒲形是 馬冠也 …

              （元和本倭名類聚抄／巻十五 03 オ 8）

  扌+娑 索也求也聚也 所鳩切十七 捜 上同凡従娑者作叟同 … 鍐 馬金耳飾

             （宋本廣韻／生母尤韻 ʂiʌu¹）

《上巻 梵韻諸例》

 ▶番号 2104b・3075a「欠」（量欠・欠剰）の仮名音注「カン」については、異例 *-an* を示す。両当該字には去声点を差す。脣内撥音韻尾 -m を「ン」で字音把握する。観智院本類聚名義抄に反切「丘劔反」および低平調を示す和音「カム」を見出す。日本呉音「カム」平声を認める。

  欠 丘劔反 タラス［上上平濁］… 和カム［平平］ （観智院本類聚名義抄／僧中 044-8）

 ▶番号 1427b・2545b「劔」（鐶劔・擁劔）の仮名音注「ケム」については、異例 *-em* を示す。両当該字には去声点を差す。同じ諧声符「僉」を有する「險・獫・譣・憸・嶮」暁母琰韻（xiam²）等からの類推による字音把握か。熟字 1427「鐶劔」は左右注「トノヒ／キテ」を、熟字 2545「擁劔」は右注「カサメ」を付載する。観智院本類聚名義抄に反切「居欠反」を見出す。長承本蒙求には仮名音注「ケム」三例があり、それらの掲出字に去声点を加える。金光明最勝王経音義には借字による「介牟反」を見つける。元和本倭名類聚抄には反切「舉欠反」がある。日本漢音「ケム」去声、日本呉音「ケム」去声を認める。

  劔 居欠反 タチ［平平］… 両刃刀／ツルキ （観智院本類聚名義抄／僧上 094-7）

  擁劔 カサヌ［平上濁上］〔＊カサメの誤認〕 （観智院本類聚名義抄／僧上 094-8）

  鐶劔 トノヒキテ［上上上上上］   （観智院本類聚名義抄／僧上 131-3）

  劔［去］ケム   （長承本蒙求／034・102・110）

  劔［去］介牟反／ツ留伎   （金光明最勝王経音義／05 ウ 2）

  劔 四聲字苑云似刀而両刃曰劔 舉欠反 … （元和本倭名類聚抄／巻十三 14 ウ 8）

  鐶鈕 辨色立成云鐶鈕 斗乃比岐天楊氏説同 門鈎也 （元和本倭名類聚抄／巻十 15 ウ 9）

  擁劔 本草云擁劔 和名加散女 似蟹色黄其一螯偏長三寸者也

              （元和本倭名類聚抄／巻十九 14 ウ 4）

 ▶番号 1177b「釰」（實釰）の仮名音注「ケン」については、異例 *-en* を示す。当該字には平声点を差す。相互に「劔・釰」と異体字である。上述の分析を参照。

3-4-2　-iʌ 系の字音的特徴　831

▶番号 0629a・0775a「汎」（汎龍丹・汎愛）の仮名音注「ハム」については、基本的に -am で
対応する。当該字には去声点を差す。熟字 0629「汎龍丹」は右注「水調」を付載する。図書寮本類
聚名義抄に反切「匹釼反」および「呉音公任云範」さらに低平調と推測する「真云ホム」（その右
傍に濁音「✓」表記）と「真云ハム ホム」（その右傍に濁音「✓」表記）を見出す。観智院本には
反切「教梵反」および去声濁点を付した呉音「範」を見つける。また平声濁点を付した同音字注「又
平公〔平濁〕」を見つけるが、これは「又平ハム〔平濁□〕」の誤認か。直後に別筆で「下音ハン」を
補う。なお、呉音注は大般若経字抄による漢呉二音相同の同音字注「音範」を出典とする。日本漢
音は去声、日本呉音「ハム・ボム」平声〔＊「ボム」は諧声符「凡 biʌm¹」による字音把握〕を認める。

　　汎 廣云又作泛同 匹釼〔□去〕反 … 呉音公任云範 … 真云ホム〔□平／✓□：右傍〕

　　　　　　　　　　　　　　　　　　　　　　　　　　（図書寮本類聚名義抄／008-4）

　　泛長 廣云匹釼〔□去〕反 … 東／敷梵〔□去〕反 … 真云ハム ホム〔✓□：右傍〕

　　　　　　　　　　　　　　　　　　　　　　　　　　（図書寮本類聚名義抄／008-5）

　　汎泛 二正 教梵反 ウカフ〔上上平〕… 呉範〔去濁〕又平又公〔平濁〕… 下音ハン〔：別筆〕

　　　　　　　　　　　〔＊又平ハム ← 又平又公〕（観智院本類聚名義抄／法上 008-6）

　　汎漾〔音範 音様：右傍〕水元涯際也　　　　（石山寺一切経蔵本大般若経字抄／16 ウ 3）

　　水調曲　拾翠樂 律歌有伊勢海曲是 … 汎龍丹　　　（元和本倭名類聚抄／巻四 16 ウ 9）

《下巻 梵韻諸例》

▶番号 6185b「劔」（鐶劔）の仮名音注「ケン」については、異例 -en を示す。当該字には平声
点を差す。熟字 6185「鐶劔」は左注「戸具」を付載する。上巻の梵韻当該諸例で分析したように、
日本漢音「ケム」去声、日本呉音「ケム」去声を認める。

《上巻 乏韻諸例》

▶番号 0366a「法」（法美）の仮名音注「ハフ」については、基本的に -ap で対応する。当該字
に声点はない。王仁昫刊謬補缺切韻によれば、同音の小韻所属字はなく、異体字「泆」を掲げるの
みである。宋本廣韻も異体字「灋」を指摘するが、他に同音字はない。事実上は同音字注を選択で
きない状況にある。乏韻全体の所属字も極小と言える。図書寮本類聚名義抄に反切「中云方乏反」
（その反切下字に徳声点）を見つける。観智院本には反切「方乏反」および和音「ホウ」を見出す。
日本語音韻史上における音変化 -op > -ou を反映する字音把握である。円唇性を特徴とする頭子音
p- と入声の末子音 -p に挿まれた介音+主母音 -iʌ- は日本語のオ列音で受容した。日本漢音は徳
声（四声体系では入声）日本呉音「ホウ」を認める。

832　3．仮名音注の韻母別考察　3-4　ⅢB韻類

　　法 方乏反則正作泫字一　　　　　　　　　　　　　　（王仁昫刊謬補缺切韻／幫母乏韻 piʌp）

　　法 則也敷也常也 … 方乏切二 灋 上同　　　　　　　　（宋本廣韻／幫母乏韻 piʌp）

　　法 中云方乏 ［囗德］ 反 … ノリ［上平／律：右注］ ノトル［上平上／記：右注］ …

　　　　　　　　　　　　　　　　　　　　　　　　　　（図書寮本類聚名義抄／004-5）

　　法 方乏反 ノリ［上平］ ノトル［上上上］ … 和ホウ　（観智院本類聚名義抄／法上001-4）

　　泫灋 二正　　　　　　　　　　　　　　　　　　　　（観智院本類聚名義抄／法上001-5）

　　因幡國 國府在法美郡 … 巨濃 古乃 法美 波不美國府 …　（元和本倭名類聚抄／巻五15 ウ 1）

　▶番号3016b「法」（苛法）の仮名音注「ハウ」については、異例 *-au* を示す。当該字には入声点を差す。日本語音韻史上の音変化 *-ap > -au* を反映する字音把握である。上述の分析を参照。

　▶番号0912a「法」（法堂）の仮名音注「ハツ」については、異例 *-at* を示す。当該字に声点はない。熟字0912「法堂」は別筆補入であり、その仮名音注「ハツタウ」は「ハフタウ」が促音による音変化を起こしたか。上述の分析を参照。

　▶番号1166a・1167a・1170a・1231a・1232a・1233a「法」（法相・法華・法會・法家・法條・法令）の仮名音注「ホフ」については、基本的に *-op* で対応する。当該諸字六例には入声点を差す。上述の分析を参照。

　▶番号1078「法」（法）の仮名音注「ホフ［平平］」については、基本的に *-op* で対応する。当該字に声点はなく、仮名音注に低平調の差声を施す。また左注「作法」を付載する。上述の分析を参照。

　▶番号1067a「法」（法師）の仮名音注「ホフ」については、基本的に *-op* で対応する。当該字に声点はない。上述の分析を参照。

　▶番号2391b「法」（枉法）の仮名音注「ホウ」については、異例 *-ou* を示す。当該字には入声濁点を差すので、日本語音韻史上の連濁による字音「ボウ」を想定する。日本語音韻史上における音変化 *-op > -ou* を反映する字音把握である。熟字2391に仮名音注はないが、次の熟字2392「枉惑」に仮名音注「ワウホウ」を見つける。注記の錯綜による誤配置と推測する。上述の分析を参照。

　▶番号1012b・1162a・1171a「法」（如法・法文・法用）の仮名音注「ホウ」については、異例 *-ou* を示す。当該諸字三例には入声点を差す。日本語音韻史上における音変化 *-op > -ou* を反映する字音把握である。上述の分析を参照。

　▶番号1274a・1276a・1278a・1279a・1280a「法」（法隆寺・法性寺・法務・法印・法眼）の仮名音注「ホウ」については、異例 *-ou* を示す。当該諸字五例に声点はない。日本語音韻史上における音変化 *-op > -ou* を背景とする字音把握である。上述の分析を参照。

　▶番号1273a「法」（法華寺）の仮名音注「ホ」については、異例 *-o* を示す。当該字に声点はない。熟字1273「法華寺」は右注「ホクエシ」を付載する。促音無表記である。上述の分析を参照。

　▶番号1281a「法」（法橋）の仮名音注「ホツ」については、異例 *-ot* を示す。当該字に声点は

ない。熟字1281「法橋」は右注「ホツケウ」を付載する。促音を「ツ」表記する。上述の分析を参照。

▶番号1120「乏」（乏）の仮名音注「ホウ」については、異例 *-ou* を示す。当該字に声点はなく、右注「楊弓乏」左注「張皮栁也」を付載するが、別筆補入である。日本語音韻史上における音変化 *-op > -ou* を反映する字音把握である。観智院本類聚名義抄に反切「扶法反」および和音「ホフ」を見出す。傍証ながら、同書の掲出字「姡」には反切「匹乏反」（その反切下字に朱筆で仮名音注「ハフ」）を見つける。日本漢音「ハフ」の蓋然性が高い。日本呉音「ホフ」を認める。

　　　乏 扶法反 トモシ［平□上］… ハシ？［上□］／和ホフ　　　（観智院本類聚名義抄／法下 040-1）

　　　姡 匹乏［ハフ：朱右傍］反 婦人行／コノム　　　（観智院本類聚名義抄／佛中 016-8）

▶番号1255a「乏」（乏少）の仮名音注「ホク」については、異例 *-ok* を示す。当該字には入声点を差す。熟字1255「乏少」は左注「ホクセウ」を付載するが、仮名の字形相似による「ホウセウ」の誤認か。

《下巻 乏韻諸例》

▶番号6690b「法」（制法）の仮名音注「ハウ」については、異例 *-au* を示す。当該字には平声点を差す。入声の認識がなく、日本語音韻史上における音変化 *-ap > -au* を反映する字音把握である。上巻の乏韻当該諸例で分析したように、日本漢音は徳声（四声体系では入声）日本呉音「ホウ」を認める。

▶番号3698b・5093b「法」（骨法・禁法）の仮名音注「ハウ」については、異例 *-au* を示す。当該字に声点はない。日本語音韻史上における音変化 *-ap > -au* を反映する字音把握である。上述の分析を参照。

▶番号6303b「法」（非法）の仮名音注「ホフ」については、基本的に *-op* で対応する。当該字には入声点を差す。上述の分析を参照。

▶番号4679b「法」（作法）の仮名音注「ホウ」については、異例 *-ou* を示す。当該字には入声点を差す。日本語音韻史上における音変化 *-op > -ou* を反映する字音把握である。上述の分析を参照。

▶番号5565b・6603b「法」（修法・説法）の仮名音注「ホウ」については、異例 *-ou* を示す。当該字に声点はない。日本語音韻史上における音変化 *-op > -ou* を反映する字音把握である。上述の分析を参照。

834　3．仮名音注の韻母別考察　3-4　ⅢB韻類

3-4-2-7　-iʌn/-iʌt（欣/隠/焮/迄韻）

資料篇【表B-07】には欣韻（平声）隠韻（上声）焮韻（去声）迄韻（入声）所属の諸例が含まれる。また等韻学の術語で言う牙喉音（隠韻に歯音二小韻三字がある）の所属字に限られる。前田本の示す仮名音注は、-in/-it, -on/-ot で基本的に対応する。異例として、-i, -im, -o がある。

《上巻　欣韻諸例》

▶番号0228a・0228b「殷」（殷ゝ・殷ゝ）の仮名音注「イン」については、基本的に -in で対応する。両当該字には平声点を差す。観智院本類聚名義抄に平声点を付した同音字注「音慇」と同音字注「音隠」および低平調を示す和音「イン」を見出す。長承本蒙求には仮名音注「イ」（平安時代中期の朱筆点：左側）「イゝ」（長承三年の墨点：右側）があり、その掲出字に東声点を加える。承暦本金光明最勝王経音義には仮名音注「イン」があり、その掲出字に平声圏点を加える。日本漢音「イン」東声（四声体系では平声）日本呉音「イン」平声を認める。

　　　殷 音慇［平］音隠 サカユ［上上□］… 和イン［平平］　　　（観智院本類聚名義抄／僧中066-6）
　　　殷［東］イ／イゝ　　　　　　　　　　　　　　　　　　　　　　（長承本蒙求／031）
　　　殷［平：圏点］ネモコロ／イン［：右傍］一重〔＊後筆墨書〕

　　　　　　　　　　　　　　　　　　　　　　　　　（承暦本金光明最勝王経音義／07ウ2）

▶番号0287a「慇」（慇懃）の仮名音注「イン」については、基本的に -in で対応する。当該字には平声点を差す。図書寮本類聚名義抄に平声点を付した同音字注「音殷」と上昇調を示す仮名音注「真云オン」を見つける。後者は真興和音であろう。観智院本には平声点を付した同音字注「殷」および上昇調を示す和音「オン」を見出す。日本漢音は平声、日本呉音「オン」去声を認める。

　　　慇懃 音殷勤［平平］… 真云オン［平上］コン［上上／✓□：右傍］　（図書寮本類聚名義抄／256-1）
　　　慇 憂也痛也 ネムコロ … 和オン［平上］　　　　　　　　（観智院本類聚名義抄／法中082-5）
　　　慇懃 音殷［平］勤［朱平濁・墨平濁］… 下憐也労也習 和或去　（観智院本類聚名義抄／法中082-5）

▶番号2609b「筋」（轉筋）の仮名音注「キン」については、基本的に -in で対応する。当該字には平声濁点を差すので、日本語音韻史上の連濁による字音「ギン」を想定する。熟字2609「轉筋」は右注「カラスナメリ」左注「又コムラカヘリ」を付載する。観智院本類聚名義抄に平声朱点と去声墨圏点を付した同音字注「音斤」（その右注に墨筆で仮名音注「キム」その左注に墨筆で仮名音注「コム」）を付載する。同書の凡例部分「朱音者正音也墨音者和音也」（篇目7-6）に従えば、朱墨で正音と和音を分別する傾向がある。また喉内撥音韻尾 -n を「ム」で字音把握する。日本漢音「キン」平声、日本呉音「コン」去声を認める。

筋 音斤［平・去：墨圏点／キム：墨右注・コム：墨左注］スチ［平上濁］／竹名 或菫
（観智院本類聚名義抄／僧上 062-7）

筋力 陸詞切韻云筋 斤反和名須知 …（元和本倭名類聚抄／巻三 09 ウ 7）

轉筋 脚気論云轉筋 俗云古無良加倍利一云加良須奈倍利 …（元和本倭名類聚抄／巻三 21 オ 1）

▶番号 2999b「勤」（恪勤）の仮名音注「コン」については、基本的に *-on* で対応する。当該字には平声濁点を差すので、字音「ゴン」を想定する。熟字 2999「恪勤」は右傍「ツヽシム ツトム」を付載する。観智院本類聚名義抄に反切「巨巾反」および低平調と推測する和音「徦ン」を見出す。同書では和音「後ウ・徦ム・後ン・徦ン」があり、日本語の濁音「ゴ」を端的に示す。同書の「後」に対して濁音「✓」表記を伴う和音「コオ」で明らかになる。日本呉音「ゴン」平声を認める。

勤 … 巨巾反 ツトム … イタハル［平平上平］和徦ン［□平］（観智院本類聚名義抄／僧上 081-2）

後 音后［上］ノチ ウシロ … 和［✓：右傍］コオ［□平］…（観智院本類聚名義抄／佛上 038-3）

▶番号 0287b「懃」（慇懃）の仮名音注「キン」については、基本的に *-in* で対応する。当該字には平声濁点を差すので、字音「ギン」を想定する。図書寮本類聚名義抄に平声点を付した同音字注「勤」と高平調を示す仮名音注「コン」（その右傍に濁音「✓」表記）を見つける。後者は真興音義の引用であろう。観智院本には平声濁点を付した同音字注「勤」（朱濁点と墨濁点を重出）および和音「或去」を見出す。日本漢音は平声、日本呉音「ゴン」上/去声を認める。

慇懃 音殷勤［平平］… 真云オン［平上］コン［上上／✓□：右傍］（図書寮本類聚名義抄／256-1）

慇懃 音殷［平］勤［朱平濁・墨平濁］… 下憐也勞也習 和或去（観智院本類聚名義抄／法中 082-5）

▶番号 0574「齗」（齗）の仮名音注「キン」については、基本的に *-in* で対応する。当該字には平声濁点を差すので、字音「ギン」を想定する。番号 0574「齗」は右注「ハシヽ」を付載する。観智院本類聚名義抄に反切「牛斤反」を見出すが、仮名音注はない。元和本倭名類聚抄には反切「魚斤反」がある。

齗 牛斤反 ハシ／オソハ アキ ニカム［上上□］（観智院本類聚名義抄／法上 103-8）

齗 玉篇云齗 魚斤反和名波之々 歯之肉也（元和本倭名類聚抄／巻三 06 オ 3）

▶番号 0958「齗」（齗）の仮名音注「キン」については、基本的に *-in* で対応する。当該字には平声点を差し、右注「ニカム［上上平］」を付載する。上述の分析を参照。

▶番号 3209「欣」（欣）の仮名音注「キン」については、基本的に *-in* で対応する。当該字には平声点を差し、和訓「ヨロコフ［□□□ヒ：墨右傍］」の同訓異字として位置する。観智院本類聚名義抄に反切「許斤反」二例および低平調と推測する和音「徦ン」を見出す。同書では和音「後ウ・徦ム・後ン・徦ン」があり、日本語の濁音「ゴ」を端的に示す。同書の「後」に対して濁音「✓」表記を伴う和音「コオ」で明らかになる。ただし、その中古音が示す頭子音 x-（等韻学の術語で言う喉音清暁母）は無声軟口蓋摩擦音であり、カ行音をもって受容する。ガ行音で対応することは許容しがたい。現行多くの漢和辞典は慣用音「ゴン」を掲げる。字形の近似する「所」疑母欣韻（ŋiʌn[1]）

836　3．仮名音注の韻母別考察　3-4　ⅢB韻類

による類推字音か。日本呉音「ゴン」平声を認める。

　　欣 許斤反 ネカフ［平上濁□］… 赤忻／和煖ン［□平］　　　　　（観智院本類聚名義抄／僧中049-1）

　　欣忻 許斤反　　　　　　　　　　　　　　　　　　　　　　　　（観智院本類聚名義抄／僧中034-6）

　　後 音后［上］ノチ ウシロ … 和［✓:右傍］コオ［□平］…　　　（観智院本類聚名義抄／佛上038-3）

　▶番号2967b「欣」（感欣）の仮名音注「キム」については、異例 -im を示す。当該字には平声
点を差す。喉内撥音韻尾 -n を「ム」で字音把握する。上述の分析を参照。

《下巻 欣韻諸例》

　▶番号3911「釿」（釿）の仮名音注「キン」については、基本的に -in で対応する。当該字に
は平声点を差す。廣韻に拠れば、欣韻 (kiʌn¹) 軫韻 (ŋien²) 二音を有する。観智院本類聚名義抄に
反切「魚謹反」二例と同音字注「又音斤」を見出すが、仮名音注はない。元和本倭名類聚抄には同
音字注「音斤」がある。

　　釿 魚謹反 … 又音斤 テオノ …　　　　　　　　　　　　　　　（観智院本類聚名義抄／僧上120-6）

　　釿 魚謹反 … 又音斤　　　　　　　　　　　　　　　　　　　　（観智院本類聚名義抄／僧中034-8）

　　釿 欟附 釋名云釿 音斤和名天乎乃 所以平滅斧迹也 …　　　（元和本倭名類聚抄／巻十五12 ウ2）

　▶番号3392b・6819「筋」（轉筋・筋）の仮名音注「キン」については、基本的に -in で対応す
る。両当該字には平声点を差す。熟字3392「轉筋」は右注「コムラカヘリ」左注「又カラスナメリ」
を、番号6819「筋」は右注「スチ」を付載する。上巻の欣韻当該例で分析したように、日本漢音「キ
ン」平声、日本呉音「コン」去声を認める。

　▶番号3577「斤」（斤）の仮名音注「コン［平平］」については、基本的に -on で対応する。
当該字に声点はないが、仮名音注に低平調を示す差声がある。また左注「十六兩為斤」を付載する。
廣韻に拠れば、欣/焮韻 (kiʌn¹ᐟ³) 二音を有する。観智院本類聚名義抄に平声点と去声点を付した同
音字注「音筋」（その右傍に朱筆で仮名音注「キン」右注に墨筆で仮名音注「コン」）を見出す。
同書の凡例部分「朱音者正音也墨声者和音也」（篇目 7-6）に従えば、朱墨で正音と和音を分別す
る傾向がある。日本漢音「キン」平/去声、日本呉音「コン」平/去声を認める。

　　斤 音筋［平・去／キン:朱右傍・コン:墨右注］鑺十六兩 ハカリ［平上平］

　　　　　　　　　　　　　　　　　　　　　　　　　　　　　　　（観智院本類聚名義抄／僧中033-8）

　▶番号6506「芹」（芹）の仮名音注「キン」については、基本的に -in で対応する。当該字に
は平声点を差し、右注「セリ」左注「巨斤反」を付載する。観智院本類聚名義抄に平声点を付した
同音字注「音勤」を見出すが、仮名音注はない。承暦本金光明最勝王経音義には同音字注「音根」
があり、その掲出字に去声点を加える。元和本倭名類聚抄には同音字注「音勤」がある。日本漢音
は平声、日本呉音は去声を認める。

芹 音勤［平］セリ［平□］　　　　　　　　　　　（観智院本類聚名義抄／僧上 019-5）

芹［去］根ミ　　　　　　　　　　　　　　　　　（承暦本金光明最勝王経音義／09 オ 5）

芹　陸詞切韻云芹 音勤和名世里 菜生水中也 …　　　（元和本倭名類聚抄／巻十七 19 ウ 6）

▶番号 5084a・5170a・5171a・5172a「勤」（勤公・勤節・勤勞・勤惰）の仮名音注「キン」については、基本的に -in で対応する。当該諸字四例には平声点を差す。上巻の欣韻当該例で分析したように、日本呉音「ゴン」平声を認める。

▶番号 5085a「勤」（勤厚）の仮名音注「キム」については、異例 -im を示す。当該字には平声点を差す。喉内撥音韻尾 -n を「ム」で字音把握する。上述の分析を参照。

▶番号 5144a「欣」（欣）の仮名音注「キン」については、基本的に -in で対応する。当該字には平声点を差す。上巻の欣韻当該例で分析したように、日本呉音「ゴン」平声を認める。

▶番号 5145a「欣」（欣）の仮名音注「キン」については、基本的に -in で対応する。当該字に声点はない。上述の分析を参照。

▶番号 5146a「欣」（欣）の仮名音注「キム」については、異例 -im を示す。当該字には平声点を差す。喉内撥音韻尾 -n を「ム」で字音把握する。上述の分析を参照。

《上巻 隱韻諸例》

▶番号 0307a・0327a・0329a「隱」（隱匿・隱文・隱居）の仮名音注「イン」については、基本的に -in で対応する。当該諸字三例には上声点を差す。廣韻に拠れば、隱/嫩韻（'iʌn²³）二音を有する。熟字 0307「隱匿」は右傍「カクル」を付載する。図書寮本類聚名義抄に反切「憲云扵勤反・鳥本反」および「公云音殷 正引」を見つける。後者は大般若経字抄による漢呉二音相同の同音字注「音殷」（欣韻 iʌn）を出典とする。同書には注記「正引」（軫韻 jien²³）があり、正音は上/去声であることを示す。観智院本には平声点を付した同音字注「呉音殷」を見出す。長承本蒙求には仮名音注「イ〻」があり、その掲出字に上声点を加える。日本漢音「イン」上声、日本呉音は平声を認める。

安隱 憲云扵勤反 … 鳥本反 … 公云音殷 正引 …　　　　（図書寮本類聚名義抄／206-3）

隱 カクル［平上平／□□ス：墨右傍］… 呉音殷［平／正引：墨右注］…

（観智院本類聚名義抄／法中 046-8）

安隱［音殷：右傍］正引安也／或用穩字　　（石山寺一切経蔵本大般若経字抄／01 ウ 4）

隱［上］イ〻　　　　　　　　　　　　　　　　　（長承本蒙求／089）

▶番号 0229a・0229b「隱」（隱ミ・隱ミ）の仮名音注「イン」については、基本的に -in で対応する。両当該字に声点はない。熟字 0229「隱ミ」は左注「車音」を付載する。上述の分析を参照。

▶番号 0241a・0731b「隱」（隱路・隱豹）の仮名音注「イム」については、異例 -im を示す。

838　3．仮名音注の韻母別考察　3-4　ⅢB韻類

両当該字には上声点を差す。喉内撥音韻尾 -n を「ム」で字音把握する。上述の分析を参照。

　▶番号0269a「隠」（隠逸）の仮名音注「イム」については、異例 -im を示す。当該字に声点はない。喉内撥音韻尾 -n を「ム」で字音把握する。上述の分析を参照。

　▶番号1744a「癮」（癮胗）の仮名音注「イン」については、基本的に -in で対応する。当該字には上声点を差す。熟字1744「癮胗」は右注「チ〻ホム」左注「チ〻ハクレ」を付載する。観智院本類聚名義抄に同音字注「隠」を見出すが、仮名音注はない。元和本倭名類聚抄には同音字注「隠」がある。

　　　癮胗　隠軫二音／チ、ホム［平平上濁平］／一云チ、ハクル［平平平上平］

（観智院本類聚名義抄／法下 121-6）

　　　癮胗　四聲字苑云癮胗　隠軫二音和名知々保無一云知々波久留　皮外小起也

（元和本倭名類聚抄／巻三 28 オ 6）

　▶番号1891b「近」（昵近）の仮名音注「キン」については、基本的に -in で対応する。当該字には去声点を差す。観智院本類聚名義抄に反切「渠謹反」および和音「吾ム」がある。喉内撥音韻尾 -n を「ム」で字音把握する。日本呉音「ゴン」の蓋然性が高い。

　　　近　渠謹反 チカシ … ツク［去声：墨右傍］マス 和吾ム　　（観智院本類聚名義抄／佛上 060-3）

　　　吾　音呉［平濁］和［同：墨右注］ワレ［平上］又牙［平濁］…　　（観智院本類聚名義抄／佛中 060-8）

　　　嚴　語瞼［上濁平／ケム：朱右傍］反 … 和吾ム　　（観智院本類聚名義抄／佛中 038-8）

　▶番号0587「龀」（齔）の仮名音注「シ」については、異例 -i を示す。当該字には上声点を差し、右注「ハカク」左注「又ハクキ」を付載する。字音「シン」を期待するが、異例の字音「シ」である。諸音符「齒」止韻（tɕʻiɐi²）による字音把握か。観智院本類聚名義抄に音注表記はない。

　　　齔　俗 ハカク ハクキ／通 イフ　　（観智院本類聚名義抄／法上 103-8）

《下巻 隠韻諸例》

　▶番号3985b「隠」（隠）の仮名音注「イン」については、基本的に -in で対応する。当該字には上声点を差す。上巻の隠韻当該諸例で分析したように、日本漢音「イン」上声、日本呉音は平声を認める。

　▶番号4834b「隠」（隠）の仮名音注「イム」については、異例 -im を示す。当該字には上声点を差す。喉内撥音韻尾 -n を「ム」で字音把握する。上述の分析を参照。

　▶番号6788a「菫」（菫菜）の仮名音注「キン」については、基本的に -in で対応する。当該字には上声点を差す。廣韻に拠れば、隠韻（kiʌn²）欣韻（giʌn¹）二音を有する。熟字6788「菫菜」は右注「スミレ」左注「菜也」を付載する。観智院本類聚名義抄に上声点を付した同音字注「音謹・又隠」と「又勤」を見出すが、仮名音注はない。元和本倭名類聚抄には同音字注「音謹」がある。

日本漢音は上声を認める。

　　　菫菜 スミレ［平上□］音謹［上］／又勤 又隱［上］　　　（観智院本類聚名義抄／僧上 025-4）

　　　菫菜　本草云菫菜俗謂之菫葵 菫音謹和名須美禮　　　（元和本倭名類聚抄／巻十七 23 ウ 4）

▶番号5050a「謹」（謹慎）の仮名音注「キン」については、基本的に -in で対応する。当該字には上声点を差す。図書寮本類聚名義抄に反切「弘云居隱反」を見出す。観智院本には反切「居隱反」を見つける。長承本蒙求には仮名音注「キ丶」があり、その掲出字に上声点を加える。日本漢音「キン」上声を認める。

　　　謹 弘云居隱反 … ツ丶シム［平平上平／易：右注］　　　（図書寮本類聚名義抄／097-6）

　　　謹 居隱反 … ツ丶シム［上上上□］イマシム　　　（観智院本類聚名義抄／法上 071-7）

　　　謹［上］キ丶　　　（長承本蒙求／148）

▶番号4958a・4958b「謹」（謹ゝ・謹ゝ）の仮名音注「キム」については、異例 -im を示す。両当該字に声点はない。喉内撥音韻尾 -n を「ム」で字音把握する。上述の分析を参照。

▶番号4978a・5083a「近」（近隣・近習）の仮名音注「キン」については、基本的に -in で対応する。両当該字には去声点を差す。上巻の隱韻当該例で分析したように、日本呉音「ゴン」の蓋然性が高い。

▶番号4957a・4957b「近」（近ゝ・近ゝ）の仮名音注「キン」については、基本的に -in で対応する。両当該字に声点はない。上述の分析を参照。

▶番号3629a・6898b「近」（近親・隨近）の仮名音注「コン」については、基本的に -on で対応する。両当該字には平声点を差す。上述の分析を参照。

▶番号5694b「近」（親近）の仮名音注「コン」については、基本的に -on で対応する。当該字には平声濁点を差すので、字音「ゴン」を想定する。上述の分析を参照。

▶番号3730a「近」（近衛）の仮名音注「コン」については、基本的に -on で対応する。当該字に声点はない。上述の分析を参照。

《上巻　㮇韻諸例》

▶番号1767b「斬」（逆斬）の仮名音注「ソ」については、異例 -o を示す。当該字に声点はない。熟字1767「逆斬」は右注「チカラカハ」左注「又作粗」を付載する。仮名音注「ソ」は字形の近似する「粗」従母姥韻（dzuʌ²）の字音による混同を起こしている。本来は仮名音注「キン」を期待する。観智院本類聚名義抄に同音字注「斤之去声」を見出すが、仮名音注はない。これは「斤」見母欣/㮇韻（kiʌn¹/³）が同音二声調を有するため、その去声であることを明示する。㮇韻自体の所属字が少なく、注字選択に制限があることも背景に考え得る。

　　　斬 斤之去声 カタシ［上上平］… 車中馬也 …　　　（観智院本類聚名義抄／僧中 079-6）

840　3．仮名音注の韻母別考察　3-4　ⅢB韻類

　　逆䖪　楊氏漢語抄云逆䖪 知賀良加波 一云逆斳　　　　　　（元和本倭名類聚抄／巻十五03 オ2）

《下巻 㩳韻諸例》

該当例なし。

《上巻 迄韻諸例》

▶番号2575a「乞」（乞兒）の仮名音注「コツ」については、基本的に -ot で対応する。当該字には入声点を差す。熟字2575「乞兒」は右注「カタヒ」左注「又ホカヒ、ト」を付載する。観智院本類聚名義抄に反切「丘訖反」と同音字注「又音氣」を見出すが、仮名音注はない。

　　乞 … 丘訖反／又音氣　　　　　　　　　　　　　　　（観智院本類聚名義抄／佛下末019-1）
　　乞兒 カタヒ［平上□］　　　　　　　　　　　　　　（観智院本類聚名義抄／佛下末015-8）
　　乞索兒 ホカヒ［平平上］人／カタヒ［平平上］　　　（観智院本類聚名義抄／佛下末015-8）
　　乞兒 … 楊氏漢語鈔云乞索兒保加比々止今案乞索兒即乞兒是也和名加多井

　　　　　　　　　　　　　　　　　　　　　　　　　　　（元和本倭名類聚抄／巻二12 オ5）

《下巻 迄韻諸例》

▶番号3390「吃」（吃）の仮名音注「キツ」については、基本的に -it で対応する。当該字には入声点を差し、右注「居乞反」中注「コト、モリ」右注「語難也」を付載する。観智院本類聚名義抄に入声点を付した同音字注「音訖」を見出すが、仮名音注はない。元和本倭名類聚抄には反切「居乞反」がある。日本漢音は入声を認める。

　　吃 音訖［入］コト、モリ／マ、ナキ　　　　　　（観智院本類聚名義抄／佛中041-3）
　　吃 聲類云吃 居乞反和名古度々毛利 重言也説文云語語難也

　　　　　　　　　　　　　　　　　　　　　　　　　　　（元和本倭名類聚抄／巻三18 オ7）

▶番号4984a・5031a「乞」（乞漿・乞巧）の仮名音注「キツ」については、基本的に -it で対応する。両当該字には入声点を差す。熟字4984は右傍「コウ コムツヲ」左注「キツシヤウ」〔＊次の掲出字「漁釣」に誤配置〕を付載する。上巻の迄韻当該例で分析した。

▶番号3708a「乞」（乞勾）の仮名音注「コツ」については、基本的に -ot で対応する。当該字には入声点を差す。熟字3708「乞勾」は中注「匂イ本」左注「音盍又乍山」を付載する。上述の分析を参照。

▶番号3711a・3353a「乞」（乞食・乞魚）の仮名音注「コツ」については、基本的に -ot で対

応する。両当該字に声点はない。熟字3353「乞魚」は右注「同（コツヲ）」左注「用之」を付載する。上述の分析を参照。

乞魚 コツヲ［上上上］　　　　　　　　　　　　（観智院本類聚名義抄／僧下 001-4）

▶番号3362a「鮚」（鮚魚）の仮名音注「キツ」については、基本的に -it で対応する。当該字には入声点を差す。熟字「鮚魚」は右注6973「コツヲ」左注「居乞反」右傍3362a「キツ」を付載する。観智院本類聚名義抄に同音字注「音訖」を見出すが、仮名音注はない。元和本倭名類聚抄には反切「居迄反」がある。

鮚 … 音訖 魚名／コツヲ［上上上］　　　　　（観智院本類聚名義抄／僧下 008-4）

鮚魚　玉篇云鮚魚 居迄反漢語抄云古都乎本朝式用乞魚二字 魚名也

（元和本倭名類聚抄／巻十九03 オ 3）

▶番号6973a「鮚」（鮚魚）の仮名音注「コツ」については、基本的に -ot で対応する。当該字には入声点を差す。熟字「鮚魚」は右注6973「コツヲ」左注「居乞反」右傍3362a「キツ」を付載する。右注「コツヲ」は「コツイヲ・コツウヲ」の母音連続を回避する音変化で生じた。上述の分析を参照。

▶番号3586「忔」（忔）の仮名音注「コツ」については、基本的に -ot で対応する。当該字に声点はなく、和訓「コノム」の同訓異字として位置する。観智院本類聚名義抄に反切「許訖反」を見出すが、仮名音注はない。

忔 許訖反 善／ヲソクレタリ［平平濁上平上□］　　（観智院本類聚名義抄／法中 080-6）

3-4-2-8　-iuʌn/-iuʌt（文/吻/問/物韻）

資料篇【表B-07】には文韻（平声）吻韻（上声）問韻（去声）物韻（入声）所属の諸例が含まれる。また等韻学の術語で言う唇牙喉音の所属字に限られる。前田本の示す仮名音注は、-on/-ot, -un/-ut で基本的に対応する。異例として、-ai, -an, -u, -um, -uri, -uru, -uun, -win, -wina, -wit がある。

《上巻 文韻諸例》

▶番号0114a・0231b・1325b「雲」（雲脂・陰雲・片雲）の仮名音注「ウン」については、基本的に -un で対応する。当該諸字三例には平声点を差す。熟字0114「雲脂」は右注「イロコ」を、熟字0231「陰雲」は右傍「クモル ハル」を付載する。その中古音が示す頭子音 ɣ-（等韻学の術語で言う于母あるいは喩母三等）は有声軟口蓋接近音 ɰ-（有声両唇軟口蓋接近音 w-）であり、原則的にア行音・ワ行音で対応する。観智院本類聚名義抄に平声点と去声点を付した同音字注「音云」を見出す。長承本蒙求には仮名音注「ウゝ」一例「ウ✓」三例があり、それらを含む掲出字五例に

842　3．仮名音注の韻母別考察　3-4　ⅢB韻類

平声点を加える。元和本倭名類聚抄には反切「王分反」がある。日本漢音「ウン」平/去声を認める。

　　　雲 音云［平・去］クモ［平平］／ハコフ　　　　　　　　（観智院本類聚名義抄／法下 072-5）

　　　雲脂 カシラノアカ／一云イロコ　　　　　　　　　　　（観智院本類聚名義抄／佛中 133-6）

　　　雲［平］ウゝ　　　　　　　　　　　　　　　　　　　　　　　　（長承本蒙求／013）

　　　雲［平］ウ✓　　　　　　　　　　　　　　　　　（長承本蒙求／014・041・103）

　　　雲［平］　　　　　　　　　　　　　　　　　　　　　　　　　　（長承本蒙求／050）

　　　雲　說文云山川出氣也王分反 和名久毛　　　　　　（元和本倭名類聚抄／巻一 03 オ 6）

　　　雲脂　墨子五行記云頭垢謂之雲脂 和名加之良乃安加一云伊呂古

　　　　　　　　　　　　　　　　　　　　　　　　　　　　（元和本倭名類聚抄／巻三 02 ウ 7）

▶番号 2208a「芸」（芸薹）の仮名音注「ウン」については、基本的に -un で対応する。当該字には平声点を差す。熟字 2208「芸薹」は右注「ヲチ」を付載する。上述の番号 0114a・0231b・1325b「雲」と同音であり、原則的にア行音・ワ行音で対応する。観智院本類聚名義抄に平声点を付した同音字注「音雲」と同音字注「雲」を見出すが、仮名音注はない。元和本倭名類聚抄には同音字注「雲・音雲」三例がある。日本漢音は平声を認める。

　　　芸 音雲［平］クサノ香［□平平□］… モミチ　　　　（観智院本類聚名義抄／僧上 024-8）

　　　芸薹 雲臺／二音 ヲチ［上平］　　　　　　　　　　　（観智院本類聚名義抄／僧上 024-8）

　　　薹 音云臺／ヲチ　　　　　　　　　　　　　　　　　（観智院本類聚名義抄／僧上 025-1）

　　　芸薹　本草云芸薹 雲臺二音和名予知 味辛温無毒 …　（元和本倭名類聚抄／巻十七 23 ウ 6）

　　　芸　禮記注云芸 音雲和名久佐乃香 香草也　　　　　（元和本倭名類聚抄／巻二十 01 ウ 7）

　　　芸香　禮記注云芸 音雲和名久佐乃香 香草也　　　　（元和本倭名類聚抄／巻十二 04 オ 5）

▶番号 0354a「員」（員辨）の仮名音注「ヰナ［上上］」については、異例 -wina を示す。当該字に声点はなく、仮名音注に高平調の差声を施す。廣韻に拠れば、文/問韻（ɣiuʌn¹ᐟ³）仙韻（ɣiuan¹）三音を有する。その中古音が示す頭子音 ɣ-（等韻学の術語で言う于母あるいは喩母三等）は有声軟口蓋接近音 ɰ-（有声両唇軟口蓋接近音 w-）であり、原則的にア行音・ワ行音で対応する。熟字 0354「員辨」は右注「ヰナヘ［上上平濁］」とあり、先行する地名に対して漢字表記を宛てた伊勢國の郡名である。観智院本類聚名義抄に同音字注「音圓」と「又云運二音」（「云」には平声点を付載）を見出す。元和本倭名類聚抄には「爲奈」がある。日本漢音は平声を認める。

　　　員 音圓 カス マトカナリ マス／又云［平］運二音　　（観智院本類聚名義抄／佛下本 021-4）

　　　伊勢國 國府在鈴鹿郡 … 桑名 久波奈 員辨 爲奈倍 …　（元和本倭名類聚抄／巻五 12 オ 7）

▶番号 0107「軍」（軍）の仮名音注「クン」については、基本的に -un で対応する。当該字には平声点を差し、右注「イクサ」を付載する。観智院本類聚名義抄に平声点を付した同音字注「音君」および低平調を示す和音「具ン」（「具」には平声濁点を付載する）を見出す。当該字の中古音が示す頭子音 k-（等韻学の術語で言う牙音清見母）は日本語のカ行音をもって受容する。ガ行音

で対応することは許容しがたい。現行多くの漢和辞典は慣用音「グン」を掲げる。これについては「母体となった原音が濁音であった蓋然性が高い」との指摘 (42) がある。長承本蒙求には仮名音注「クヽ」があり、その掲出字に東声点を加える。日本漢音「クン」東声 (四声体系では平声) 日本呉音「グン」平声を認める。

<table>
<tr><td>軍 イクサ［平平平］和具ン［平濁平］</td><td>（観智院本類聚名義抄／法下 055-8）</td></tr>
<tr><td>軍 音君［平］モロヽヽ イクサ［平平平］…</td><td>（観智院本類聚名義抄／僧中 093-1）</td></tr>
<tr><td>軍 ［東］クヽ</td><td>（長承本蒙求／101）</td></tr>
</table>

▶番号 0632d「軍」（盤渉參軍）の仮名音注「クン」については、基本的に -un で対応する。当該字に声点はない。熟字 0632「盤渉參軍」は左右注「盤渉／調」を付載する。上述の分析を参照。

盤渉調曲 … 盤渉參軍　永實樂　登貞樂　　　　　（元和本倭名類聚抄／巻四 17 オ 6）

▶番号 1826b「君」（儲君）の仮名音注「クン」については、基本的に -un で対応する。当該字には平声点を差す。観智院本類聚名義抄に平声点を付した同音字注「音軍」を見出す。長承本蒙求には仮名音注「クヽ」二例があり、それらの掲出字を含む三例に東声点を加える。日本漢音「クン」東声 (四声体系では平声) を認める。

<table>
<tr><td>君 音軍［平］キミ［上上］／タフトシ</td><td>（観智院本類聚名義抄／佛中 060-5）</td></tr>
<tr><td>君 ［東］クヽ</td><td>（長承本蒙求／070・092）</td></tr>
<tr><td>君 ［東］</td><td>（長承本蒙求／100）</td></tr>
</table>

▶番号 0826b・1263b「群」（拔群・毛群）の仮名音注「クン」については、基本的に -un で対応する。両当該字には平声点を差す。その中古音が示す頭子音 g- (等韻学の術語で言う牙音濁群母) は有声軟口蓋閉鎖音であり、日本語のガ行音をもって受容するが、中国語音韻史上における濁音声母の無声化を反映する場合はカ行音で対応する。観智院本類聚名義抄に低平調と推測する和音「具ン」を見出す。同書では掲出字「軍」に対して平声濁点を含む低平調の和音「具ン」を見つける。長承本蒙求には仮名音注「クヽ」があり、その掲出字に平声点を加える。日本漢音「クン」平声、日本呉音「グン」平声を認める。

<table>
<tr><td>群 トモカラ［上上上濁上］… 和具ン［□平］</td><td>（観智院本類聚名義抄／僧中 097-5）</td></tr>
<tr><td>軍 イクサ［平平平］和具ン［平濁平］</td><td>（観智院本類聚名義抄／法下 055-8）</td></tr>
<tr><td>群 ［平］クヽ</td><td>（長承本蒙求／053）</td></tr>
</table>

▶番号 3290b「群」（平群）の仮名音注「クリ」については、異例 -uri を示す。熟字 3290「平群」は右注「ヘクリ」を付載し、邊篇姓氏部に属する。上述の分析を参照。

<table>
<tr><td>右一首 平群文屋朝臣益人傳云 …</td><td>（西本願寺本万葉集／巻十二 3098）</td></tr>
<tr><td>平群朝臣嗶歌一首</td><td>（西本願寺本万葉集／巻十六 3842）</td></tr>
<tr><td>何所曽 真朱穿岳 薦疊 平群乃阿曽我 鼻上乎穿礼</td><td>（西本願寺本万葉集／巻十六 3843）</td></tr>
<tr><td>… 八重疊 平群乃山尓 四月 与五月間尓 …</td><td>（西本願寺本万葉集／巻十六 3885）</td></tr>
</table>

844　3．仮名音注の韻母別考察　3-4　ⅢB韻類

平群氏女郎贈越中守大伴宿祢家持歌十二首　　　　　　　　（西本願寺本万葉集／巻十七 3931）

▶番号 2780「薫」〔＊薫←薫〕（薫）の仮名音注「クン」については、基本的に -un で対応する。当該字には平声点を差し、和訓「カウハシ」の同訓異字として位置する。観智院本類聚名義抄に平声点を付した同音字注「音熏」（その右傍に朱筆で「クン」）を見出す。元和本倭名類聚抄には俗音「君」がある。日本漢音「クン」平声を認める。

　　　薫 音熏［平／クン：朱右傍］… カウハシ［上上上濁平］…　　　　（観智院本類聚名義抄／僧上 035-7）

　　　薫陸香　兼名苑云薫君香 俗音君祿 出中天竺也　　　　　　　（元和本倭名類聚抄／巻十二 02 オ 6）

▶番号 2778「芬」（芬）の仮名音注「フン」については、基本的に -un で対応する。当該字には平声濁点を差すので、字音「ブン」を想定する。和訓「カウハシ」の同訓異字として位置する。当該字の中古音が示す頭子音 pʻ-（等韻学の術語で言う脣音次清滂母）は無声有気両脣閉鎖音であり、日本語のハ行音をもって受容する。バ行音による字音把握は許容しがたい。おそらくは諧声符「分」（問韻 biuʌn³）による類推であろう。観智院本類聚名義抄に東声点を付した同音字注「音紛」（吻韻 piuʌn²）を見出す。承暦本金光明最勝王経音義には借字を含む「布〻反」があり、その掲出字に去声点を加える。日本漢音は東声（四声体系では平声）日本呉音「フン」去声を認める。

　　　芬 音紛［東］カウハシ［上上平濁□］…　　　　　　　　（観智院本類聚名義抄／僧上 015-7）

　　　布 ヌノ［上平］シク［上平］／和ノフ〔＊「和音フ」か〕　　（観智院本類聚名義抄／法中 110-4）

　　　芬 ［去］布〻反／加宇婆之［上上上□］　　　（承暦本金光明最勝王経音義／03 ウ 3）

　　　　先可知所付借字　　　　　　　　　　　　　（承暦本金光明最勝王経音義／01 オ 7）

　　　… 不［上］布［平］符己［平］古［上］衣［上］延［平］天［上］弖［平］

　　　　　　　　　　　　　　　　　　　　　　　（承暦本金光明最勝王経音義／01 ウ 5）

▶番号 2816「樊」（樊）の仮名音注「ハン」については、異例 -an を示す。当該字には平声点を差し、右注「樊籬」左注「樊墻」を付載する。和訓「カコフ」の同訓異字として位置する。観智院本類聚名義抄に反切「房文反」および和音「ホン」（その右傍に墨筆で濁音「✓」表記）を見出す。長承本蒙求には仮名音注「ハ〻」があり、その掲出字に東声点を加える。異例を示す仮名音注「ハン」は、諧声符「棥」（並母元韻 bian¹）による字音把握、あるいは字形の近似する「樊」（並母元韻 bian¹）との混同か。本来は「フン」を期待する。日本漢音「ハン」東声（四声体系では平声）日本呉音「ボン」を認める。

　　　樊 … カキル　焚 カコフ［上上平］　　　　（観智院本類聚名義抄／佛下末 035-3）

　　　樊 房文反 タフル … 和ホン［✓□：墨右傍］　　（観智院本類聚名義抄／佛下末 037-7）

　　　樊 ［東］ハ〻　　　　　　　　　　　　　　　　　　　　（長承本蒙求／118）

　　　樊 ［平］伴反／ハ〻　　　　　　　　　　　　　　　　　（長承本蒙求／018）

▶番号 2556「蚊」（蚊）の仮名音注「フン」については、基本的に -un で対応する。当該字には平声点を差し、右注「カ」を付載する。観智院本類聚名義抄に平声濁点を付した同音字注「音文」

（その右傍に朱筆で「フン」）を見出す。承暦本金光明最勝王経音義には同音字注「文音」があり、その掲出字に去声点を加える。元和本倭名類聚抄には同音字注「音文」がある。日本漢音「ブン」平声、日本呉音は去声を認める。

蚊 音文［平濁／フン：朱右傍］カ／クチフト 玉ムシ　　　　　　（観智院本類聚名義抄／僧下 021-3）

蚊 ［去］文ゞ／加阿［上上］　　　　　　　　　　　（承暦本金光明最勝王経音義／03 ウ 5）

蚊　四聲字苑云蚊 音文和名加 …　　　　　　　　　（元和本倭名類聚抄／巻十九29 オ 4）

▶番号0823b「聞」（博聞）の仮名音注「フン」については、基本的に -un で対応する。当該字には平声濁点を差すので、中国語音韻史上における鼻音声母の非鼻音化（denasalization）を反映した字音「ブン」を想定する。廣韻に拠れば、文/問韻（miuʌn¹ᐟ³）二音を有する。観智院本類聚名義抄に平声濁点を付した同音字注「音文」（その右傍に朱筆で「フン」右注に墨筆で「モム」）と「又去」を見出す。同書の凡例部分「朱音者正音也墨声者和音也」（篇目 7-6）に従えば、朱墨で正音と和音を分別する傾向がある。長承本蒙求には仮名音注「フゝ」があり、その掲出字に平声点を加える。日本漢音「ブン」平/去声、日本呉音「モン」を認める。

聞 呼加呼賈／文 ワラフ　　　　　　　　　　　　（観智院本類聚名義抄／佛中 030-8）

聞 音文［平濁／フン：朱右傍・モム：墨右注］キク［上平］又去 …

　　　　　　　　　　　　　　　　　　　　　　　（観智院本類聚名義抄／法下 075-5）

聞 ［平］フゝ　　　　　　　　　　　　　　　　　（長承本蒙求／030・082）

▶番号2621「聞」（聞）の仮名音注「フン」については、基本的に -un で対応する。当該字には去声濁点を差すので、中国語音韻史上における鼻音声母の非鼻音化（denasalization）を反映した字音「ブン」を想定する。また和訓「カク［上平濁］」の同訓異字として位置する。上述の分析を参照。

▶番号3011b「聞」（治聞）の仮名音注「フン」については、基本的に -un で対応する。当該字には去声点を差す。上述の分析を参照。

▶番号1822b「聞」（聴聞）の仮名音注「モン」については、基本的に -on で対応する。当該字には去声点を差す。上述の分析を参照。

▶番号0327b・1162b「文」（隠文・法文）の仮名音注「モン」については、基本的に -on で対応する。両当該字には去声点を差す。観智院本類聚名義抄に同音字注「音聞」（その右注に墨筆で「モム」）を見出す。長承本蒙求には仮名音注「フ✓」二例「フゝ」三例があり、それらの掲出字を含む八例に平声点を加える。承暦本金光明最勝王経音義には仮名音注「モゝ」があり、その掲出字に去声点を加える。日本漢音「フン」平声、日本呉音「モン」去声を認める。

文 … 音聞［モム：墨右注］ヒカリ カサル …　　　　　（観智院本類聚名義抄／僧中 061-7）

文 ［平］フ✓　　　　　　　　　　　　　　　　　（長承本蒙求／028・130）

文 ［平］フゝ　　　　　　　　　　　　　　　　　（長承本蒙求／072・091・124）

846　3．仮名音注の韻母別考察　3-4　ⅢB韻類

　　　文［平］　　　　　　　　　　　　　　　　　　　（長承本蒙求／051・069・070）
　　　文［去］モゝ　　　　　　　　　　　　　　　　　（承暦本金光明最勝王経音義／02 宇 3）

《下巻 文韻諸例》

　▶番号6703b「雲」（青雲）の仮名音注「ウン」については、基本的に -un で対応する。当該字に声点はない。上巻の文韻当該諸例で分析したように、日本漢音「ウン」平/去声を認める。

　▶番号4861「橒」（橒）の仮名音注「ウン」については、基本的に -un で対応する。当該字には平声点を差し、右注「キサ」〔*←キヒ〕左注「木文也」〔*←木父〕を付載する。観智院本類聚名義抄に平声点を付した同音字注「音雲」を見出すが、仮名音注はない。元和本倭名類聚抄には日本漢音は同音字注「音雲」がある。日本漢音は平を認める。

　　　橒 音雲［平］キサ［平平］／未詳 ヌテ［上上濁］　　　（観智院本類聚名義抄／佛下本 101-2）
　　　橒　唐韻云橒 音雲漢語抄云木佐或說木佐者蚘之和名也 … 木文也
　　　　　　　　　　　　　　　　　　　　　　　　　　　　　（元和本倭名類聚抄／巻二十22 ウ 8）

　▶番号5817b「貟」（正貟）の仮名音注「ヰン」については、異例 -win を示す。当該字には上声点を差す。上巻の文韻当該例で分析したように、日本漢音は平声を認める。

　▶番号4534「醺」（醺）の仮名音注「クン」については、基本的に -un で対応する。当該字には平声点を差し、右注「サカクサシ」左注「又作熏」を付載する。観智院本類聚名義抄に反切「許云反」を見出すが、仮名音注はない。

　　　醺 … 許云反 酔／サカクサシ［上上□□□］　　　　　（観智院本類聚名義抄／僧下 062-5）
　　　醺 サカクサシ［上上□□□］　　　　　　　　　　　　（観智院本類聚名義抄／僧下 064-5）

　▶番号4878「君」（君）の仮名音注「クン」については、基本的に -un で対応する。当該字には平声点を差し、右注「キミ」中注「在上之稱也」左注「舉云也」を付載する。上巻の文韻当該例で分析したように、日本漢音「クン」東声（四声体系では平声）を認める。

　▶番号4824b「軍」（參軍）の仮名音注「ク」については、異例 -u を示す。当該字に声点はない。熟字4824「參軍」は右注「サンク」を付載する。上巻の文韻当該諸例で分析したように、日本漢音「クン」東声（四声体系では平声）日本呉音「グン」平声を認める。

　▶番号4197「皸」（皸）の仮名音注「クウン」については、異例 -uun を示す。当該字には平声点を差し、右注「アカヽリ」中注「又乍輝」左注「足坼也」を付載する。廣韻に拠れば、文/問韻（kiuʌn¹/³）二音を有する。観智院本類聚名義抄に平声点を付した同音字注「君」と反切「居運反」を見出すが、仮名音注はない。元和本倭名類聚抄には同音字注「音軍」がある。日本漢音は平を認める。

　　　君 … 舉云切八 軍 軍旅也 … 皸 足坼 …　　　　　　　（宋本廣韻／見母文韻 kiuʌn¹）
　　　攗 說文拾也 居運切五 捃 上同 皸 足坼 又居云切 …　　（宋本廣韻／見母問韻 kiuʌn³）

3-4-2 -iʌ 系の字音的特徴　847

　皸胝 君五［平□］二音 … アカ丶リ［平上□□］　　　　　（観智院本類聚名義抄／佛中 115-1）

　皸輝 音君 又／居運反／アカ丶リ［上上上濁上］　　　（観智院本類聚名義抄／僧中 070-4）

　輝　漢書注云輝 音軍和名阿加々利 手足圻裂也　　　（元和本倭名類聚抄／巻三 28 オ 2）

▶番号 4400b「群」（平群）の仮名音注「クリ」については、異例 -uri を示す。当該字に声点はない。阿篇国郡部に属する地名である。元和本倭名類聚抄には借字表記「倍久里」がある。上巻の文韻当該諸例で分析した。

　安房國 國府在平群郡 … 平群 倍久里國府 …　　　　（元和本倭名類聚抄／巻五 15 オ 2）

▶番号 6437「裙」（裙）の仮名音注「クン」については、基本的に -un で対応する。当該字には平声点を差し、右注「同（モ）」左注「又作裳」を付載する。図書寮本類聚名義抄に平声点を付した同音字注「川云音与群同」を見出す。観智院本に平声点を付した同音字注「音群」を見つけるが、仮名音注はない。元和本倭名類聚抄には「唐韻云音與群同」がある。日本漢音は平声を認める。

　裙 川云音与群［平］同 字亦作裳 … コロモノスソ［切：右注］　　（図書寮本類聚名義抄／337-6）

　裙 音群［平］モ／キ物 衣ノスソ［□□上上］　裳 …　　（観智院本類聚名義抄／法中 138-5）

　裙裳 裙䙪附 釋名云上曰裙 唐韻云音與群同字亦作裳 …　（元和本倭名類聚抄／巻十二 20 ウ 3）

▶番号 4837「雰」（雰）の仮名音注「フン」については、基本的に -un で対応する。当該字には平声点を差し、右注「同（キリ）撫文反」左注「游游雰」を付載する。観智院本類聚名義抄には同音字注「音紛」を見出すが、仮名音注はない。

　雰 音紛 雪紛丶下／キル ハル　　　　　　　　　（観智院本類聚名義抄／法下 071-2）

　霧 … 兼名苑云一名雰音蒙一名雰音分水氣著樹木爲雰也

　　　　　　　　　　　　　　　　　　　　　　　（元和本倭名類聚抄／巻一 03 ウ 4）

▶番号 3452「樊」（樊）の仮名音注「ハン」については、異例 -an を示す。当該字には平声点を差し、右注「同（コ）音煩」左注「鳥籠也」を付載する。上巻の文韻当該例で分析したように、日本漢音「ハン」東声（四声体系では平声）日本呉音「ボン」を認める。

▶番号 3898「紋」（紋）の仮名音注「フン」については、基本的に -un で対応する。当該字には平声濁点を差すので、中国語音韻史上における鼻音声母の非鼻音化（denasalization）を反映した字音「ブン」を想定する。また右注「同（テノアヤ）」を付載する。図書寮本類聚名義抄に平声濁点を付した同音字注「川云音文」を見出す。観智院本には平声濁点を付した同音字注「音文」を見出つけるが、仮名音注はない。日本漢音は平声を認める。

　紋 川云音文［平濁］… アヤ［平平］　　　　　　　（図書寮本類聚名義抄／321-2）

　紋 音文［平濁］アヤ［平平］／又作文　　　　　　（観智院本類聚名義抄／法中 120-2）

　膞 四聲字苑云膞 落戈反和名天乃阿夜 手指文也　　（元和本倭名類聚抄／巻三 13 オ 5）

▶番号 4896・5811b「聞」（聞・執聞）の仮名音注「フン」については、基本的に -un で対応する。両当該字には平声濁点を差すので、中国語音韻史上における鼻音声母の非鼻音化を反映した

字音「ブン」を想定する。番号4896「聞」は右注「キク」左注「キコユ」を付載する。上巻の文韻当該諸例で分析したように、日本漢音「ブン」平/去声、日本呉音「モン」を認める。

　▶番号6194「文」（文）の仮名音注「フン」については、基本的に -un で対応する。当該字には平声濁点を差すので、中国語音韻史上における鼻音声母の非鼻音化（denasalization）を反映した字音「ブン」を想定する。上巻の文韻当該諸例で分析したように、日本漢音「フン」平声、日本呉音「モン」去声を認める。

　▶番号6465a・6470a・6471a「文」（文〻・文簿・文字）の仮名音注「モン」については、基本的に -on で対応する。当該諸字三例には去声点を差す。上述の分析を参照。

　▶番号6465b「文」（文〻）の仮名音注「モン」については、基本的に -on で対応する。当該字には上声点を差す。熟字6465「文〻」は毛篇重點部に属し、上字に去声点／下字に上声点を差す。その調値は「去去◐❶ → 去上◐●」と変化した。上述の分析を参照。

　▶番号4042b・6191b・6448・6475a・6481a「文」（天文博士・平文・文・文契・文章）の仮名音注「モン」については、基本的に -on で対応する。当該諸字五例に声点はない。番号6448「文」は中注「無分反 文身」左注「モトロカス」を付載する。上述の分析を参照。

《上巻 吻韻諸例》

　▶番号0678b・1314b「粉」（白粉・䅯粉）の仮名音注「フン」については、基本的に -un で対応する。両当該字には上声点を差す。熟字0678「白粉」は右注「ハフニ」左注「容餝具也」を、熟字1314「䅯粉」は右中左注「ヘニ［平濁上］今案／䅯即顂／字也」を付載する。観智院本類聚名義抄に上声点を付した同音字注「音㤟」を見出す。長承本蒙求には仮名音注「フ」（平安時代中期と推定する古い朱筆）「フ〻」（長承三年に加点された墨筆）があり、その掲出字に上声点を加える。元和本倭名類聚抄には反切「方吻反」を見つける。日本漢音「フン」上声を認める。

　　　粉 音㤟［上］コクタク［平□□□］… 客飾具　　　　　　　（観智院本類聚名義抄／法下 030-5）

　　　白粉 ハフニ［平上上］　　　　　　　　　　　　　　　　　（観智院本類聚名義抄／法下 030-6）

　　　粉［上］フ／フ〻　　　　　　　　　　　　　　　　　　　　　　　　　　（長承本蒙求／065）

　　　粉　唐式云并州毎年造粉五十石 … 粉方吻反和名古　　（元和本倭名類聚抄／巻十六 16 オ 4）

　　　䅯粉　釋名云頼粉 和名阴迩 䅯粉也 … 䅯即顂字也　　（元和本倭名類聚抄／巻十四 05 オ 7）

　　　白粉　開元式云白粉卅斤 俗云波布迩　　　　　　　　　（元和本倭名類聚抄／巻十四 05 ウ 2）

　▶番号1604b「㤟」（怒㤟）の仮名音注「フン」については、基本的に -un で対応する。当該字には去声点を差す。廣韻に拠れば、吻/問韻（pʻiuʌn[23]）二音を有する。図書寮本類聚名義抄に反切「弘云孛粉反」（その反切下字に上声点）を見出す。観智院本には反切「孛粉反」を見出すが、仮名音注はない。日本漢音は上声を認める。

3-4-2 -iʌ 系の字音的特徴 849

忿怒 弘云孚粉 ［□上］反 … ネタム［平平上／遊：右注］コ丶ロヤム …

（図書寮本類聚名義抄／242-5）

忿 ネタム［平平上］… コ丶ロヤム［平平□□］　　　（観智院本類聚名義抄／法中 088-3）

▶番号 0701「刎」（刎）の仮名音注「フン」については、基本的に -un で対応する。当該字には上声濁点を差すので、中国語音韻史上における鼻音声母の非鼻音化（denasalization）を反映した字音「ブン」を想定する。また右注「同（ハヌ）斬頚也」左注「刎頚［□上濁］也」を付載する。観智院本類聚名義抄に反切「亡粉反」を見出すが、仮名音注はない。

刎 亡粉反 ハヌ［平上］／キル カクス　　　　　　（観智院本類聚名義抄／僧上 087-4）

《下巻 吻韻諸例》

▶番号 3418・5474a「粉」（粉・粉壁）の仮名音注「フン」については、基本的に -un で対応する。両当該字には上声点を差す。号 3418「粉」は右注「コ」左注「方吻反」を付載する。上巻の吻韻当該諸例で分析したように、日本漢音「フン」上声を認める。

▶番号 3571b「粉」（胡粉）の仮名音注「フン［上上］」については、基本的に -un で対応する。当該字に声点はなく、仮名音注に上声相当である高平調の差声を施す。熟字「胡粉」は右注「コ フン［去濁上上］俗」を付載する。定着久しい字音として把握するか。上述の分析を参照。

▶番号 4228b・6321b「粉」（餅粉・繽粉）の仮名音注「フン」については、基本的に -un で対応する。両当該字には平声点を差す。熟字 4228「餅粉」は「アレ［平平］」を、熟字 6321「繽粉」は右傍「ニカヘリ」を付載する。上述の分析を参照。

餅 䭔字附 釋名云 … 胡餅以麻著之 今案䴛麥粉也俗云䭅粉阿禮是也 …

（元和本倭名類聚抄／巻十六 13 ウ 2）

▶番号 5892b「吻」（脣吻）の仮名音注「フツ」については、基本的に -ut で対応する。当該字に声点はない。諸声符「勿」（物韻 miuʌt）による類推の字音把握であろう。本来は字音「フン」を期待する。熟字 5892「脣吻」は右注「クチヒルニアフラサス」を付載する。観智院本類聚名義抄に音注表記はなく、異体字として「俗刎字㱁」を見出す。上巻吻韻の番号 0701「刎」を参照。

吻 正又俗刎字㱁 … クチワキ［□□上上］　　　（観智院本類聚名義抄／佛中 031-7）

《上巻 問韻諸例》

▶番号 2425「暈」（暈）の仮名音注「ウン」については、基本的に -un で対応する。当該字には去声点を差し、右注「カサ」左注「日月傍氣也」を付載する。その中古音が示す頭子音 ɣ-（等韻学の術語で言う于母あるいは喩母三等）は有声軟口蓋接近音 ɰ-（有声両唇軟口蓋接近音 w-）であ

850　3．仮名音注の韻母別考察　3-4　ⅢB韻類

り、原則的にア行音・ワ行音で対応する。観智院本類聚名義抄に同音字注「音運」を見出すが、仮名音注はない。元和本倭名類聚抄には同音字注「音運」がある。

　　　暈 音運 日月ノカサ／ニホフ テルヒカリ　　　　　　　　　（観智院本類聚名義抄／佛中093-1）

　　　暈 郭知玄切韻云暈氣繞日月也音運此間云日月 加左 …（元和本倭名類聚抄／巻一01 ウ9）

　▶番号2923b「訓」（家訓）の仮名音注「クキン」については、異例 -win を示す。当該字には去声点を差す。図書寮本類聚名義抄に反切「吁運反」を見出す。観智院本には反切「吁運反」および低平調と推測する和音「クン」を見つける。長承本蒙求には仮名音注「クキゝ」があり、その掲出字に去声点を加える。日本漢音「クキン」去声、日本呉音「クン」平声を認める。

　　　訓 广云吁運也 訓導也 … ヲシフ［上上平／詩：右注］…　　　（図書寮本類聚名義抄／076-6）

　　　訓 吁運反 ヲシフ … 和クン［□平：墨点?］　　　　（観智院本類聚名義抄／法上061-4）

　　　訓［去］クキゝ　　　　　　　　　　　　　　　　　　　　（長承本蒙求／082）

　▶番号3159a「郡」（郡馬）の仮名音注「クル」については、異例 -uru を示す。当該字に声点はない。熟字3159「郡馬」は加賀國郡部の上野國に属する郡名であり、左右注「東西／府」を付載する。図書寮本類聚名義抄に反切「弘云求幅反」（その反切下字に去声点）を見出す。観智院本には反切「求幅反」を見つける。長承本蒙求には仮名音注「クキ✓」があり、その掲出字に去声点を加える。日本漢音「クキン」去声を認める。

　　　郡 弘云求幅［□去］反 … 川云訓古保利［平平平］…　　　（図書寮本類聚名義抄／181-4）

　　　郡 求幅反／クニ コホリ　　　　　　　　　　（観智院本類聚名義抄／法中036-8）

　　　郡［去］クキ✓　　　　　　　　　　　　　　　　　　　　（長承本蒙求／030）

　　上野國 國府在群馬郡 … 群馬 久留末國分爲東西二郡府中間國府 …

　　　　　　　　　　　　　　　　　　　　　　　（元和本倭名類聚抄／巻五15 オ2）

　▶番号2979b・3082b「分」（交分・涯分）の仮名音注「フン」については、基本的に -un で対応する。両当該字には去声濁点を差すので、字音「ブン」を想定する。観智院本類聚名義抄に反切「甫墳反」と「府文反」（その反切下字に平声濁点）「又世間反」（その反切下字に去声濁点）「又扶問反」および和音「復ン」を見出す。傍証ながら同書で「復」を再検索すると、和音「フ」（の右傍に濁音「✓」表記）を見つける。長承本蒙求には仮名音注「フ✓」があり、その掲出字を含む二例に東声点を加える。日本漢音「フン」東声（四声体系では平声）日本呉音「ブン」を認める。

　　　分 甫墳反 ワカツ［平平平］… 和復ン 府文反［□平濁］… 又世間［□去濁］反 伏也 又扶問反 …

　　　　　　　　　　　　　　　　　　　　　　　（観智院本類聚名義抄／佛下末026-8）

　　　復 房富［□去／□フ：朱右傍］反 マタ … 又音伏 … 和［✓：墨右傍］フ［平］フク

　　　　　　　　　　〔＊「和」右傍に濁音「✓」表記〕（観智院本類聚名義抄／佛上038-1）

　　　分［東］フ✓　　　　　　　　　　　　　　　　　　　　　（長承本蒙求／139）

　　　分［東］　　　　　　　　　　　　　　　　　　　　　　　（長承本蒙求／111）

3-4-2 -iʌ 系の字音的特徴 851

▶番号 1025a「分」（分位）の仮名音注「フム」については、異例 -um を示す。当該字には去声濁点を差すので、字音「ブン」を想定する。喉内撥音韻尾 -n を「ム」で字音把握する。

▶番号 1658b「分」（等分）の仮名音注「フン」については、基本的に -un で対応する。当該字には平声濁点を差すので、字音「ブン」を想定する。上述の分析を参照。

▶番号 2360「分」（分）の仮名音注「フン」については、基本的に -un で対応する。当該字には平声点を差し、右注「ワク」を付載する。上述の分析を参照。

▶番号 2136b「分」（率分）の仮名音注「フン」については、基本的に -un で対応する。当該字に声点はない。上述の分析を参照。

▶番号 3019b「問」（勘問）の仮名音注「モン」については、基本的に -on で対応する。当該字には平声点を差す。観智院本類聚名義抄に反切「莫奮反」および低平調と推測する和音「モン」を見出す。長承本蒙求には仮名音注「フゝ」があり、その掲出字に去声点を加える。日本漢音「フン」去声、日本呉音「モン」平声を認める

問 莫奮反 トフ［上平］… 和lモン［□平］　　　　　（観智院本類聚名義抄／法下 082-7）

問［去］フゝ　　　　　　　　　　　　　　　　　　　　　　　　　（長承本蒙求／133）

《下巻 問韻諸例》

▶番号 6504a「訓」（昭訓門）の仮名音注「クキン」については、異例 -win を示す。当該字には去声点を差す。熟字 6504「昭訓門」は左右注「已上朝堂院／門名」を付載する。上巻の問韻当該例で分析したように、日本漢音「クキン」去声、日本呉音「クン」平声を認める。

▶番号 4068a「糞」（糞堆）の仮名音注「フン」については、基本的に -un で対応する。当該字には去声点を差す。熟字 4068「糞堆」は右注「アクタ」左傍「アクタ アクタ」を付載する。図書寮本類聚名義に仮名音注「真云フン」を見つける。観智院本類聚名義抄に上声点を付した同音字注「音忿」および和音「フン」を見出す。日本漢音は上声、日本呉音「フン」を認める。

糞 于云上俗／真云フン　　　　　　　　　　　（図書寮本類聚名義抄／215-2）

糞 音忿［上］クソ 赤裏 アクタ［上上上］／和フン　　（観智院本類聚名義抄／法下 037-2）

▶番号 5797b・6927b「分」（處分・随分）の仮名音注「フン」については、基本的に -un で対応する。両該当字に声点に声点はない。上巻の問韻当該諸例で分析したように、日本漢音「フン」東声（四声体系では平声）日本呉音「ブン」を認める。

▶番号 6476a・6478a「問」（問答・問訊）の仮名音注「モン」については、基本的に -on で対応する。両当該字には平声点を差す。熟字 6478「問訊」は右傍「トヒ トフ」を付載する。上巻の問韻当該例で分析したように、日本漢音「フン」去声、日本呉音「モン」平声を認める。

▶番号 6424a「問」（問喪）の仮名音注「モン」については、基本的に -on で対応する。当該字

852 　3．仮名音注の韻母別考察　3-4　ⅢB韻類

に声点はない。上述の分析を参照。

《上巻 物韻諸例》

▶番号0334b・0338b「爵」（壹爵・伊爵）の仮名音注「ウツ」については、基本的に -ut で対応する。両当該字には入声点を差す。熟字0334「壹爵」は右傍「イキトヲル」を、熟字0338「伊爵」は右傍「イキトヲル」を付載する。観智院本類聚名義抄に反切「紆勿反」を見出すが、仮名音注はない。

　　爵 サカユ イフカシ／イキトホル［平平□□□］…　　　　　（観智院本類聚名義抄／佛下本127-2）
　　鬱爵 紆勿反 …　　　　　　　　　　　　　　　　　　　（観智院本類聚名義抄／僧下089-6）
　▶番号3253b「屈」（抑屈）の仮名音注「クキツ」については、異例 -wit を示す。当該字には入声点を差す。熟字3253「抑屈」は右傍「ヲサヘ クシク」を付載する。観智院本類聚名義抄に反切「蓲勿反」（その反切下字に入声濁点）および低平調を示す和音「クツ」を見出す。長承本蒙求には仮名音注「クキツ・クツ」二例「クキツ・キ」一例があり、それらの掲出字に徳声点を加える。日本漢音「クキツ・クツ」徳声（四声体系では入声）日本呉音「クツ」入声を認める。

　　屈 蓲勿［□入濁］反 … クシク［上上濁□］… 和音クツ［平平］

　　　　　　　　　　　　　　　　　　　　　　　　　　　　（観智院本類聚名義抄／法下088-4）

　　屈 ［徳］クキツ・クツ　　　　　　　　　　　　　　　　（長承本蒙求／030・078）

　　屈 ［徳］クキツ・キ〔＊長承三年点とは別か〕　　　　　　（長承本蒙求／044）
　▶番号2056b「綍」（綸綍）の仮名音注「ハイ」については、異例 -ai を示す。当該字には去声点を差す。廣韻に拠れば、その中古音は幫母物韻（piuʌt）である。字形の近似する「悖」（隊韻 buʌi³・没韻 buʌt）と混同したか。熟字2056「綸綍」は右注「リムハイ」を付載する。漢字源改訂第五版は字音「リンフツ」で「① 青いおびひもと、棺を引く太い綱。② 転じて、詔勅のこと」と説明する。観智院本類聚名義抄に同音字注「音拂・又音弗」を見出すが、仮名音注はない。

　　弗 說文橋也分勿切二十 … 綍 大素葬者引車 …　　　　　（宋本廣韻／幫母物韻 piuʌt）

　　紼 音拂 牛ノツナ … 又音弗 … 綍 俗　　　　　　　　　（観智院本類聚名義抄／法中120-2）
　▶番号2154「髻」〔＊髻←髻〕（髻）の仮名音注「フツ」については、基本的に -ut で対応する。当該字には入声点を差し、右注「ヌカ、ミ」左注「又ヒタヒカミ」を付載する。観智院本類聚名義抄に同音字注「音拂」を見出すが、仮名音注はない。元和本倭名類聚抄に同音字注「拂反」がある。

　　髻 音拂／ヌカ、ミ［上上上濁上］　　　　　　　　　　　（観智院本類聚名義抄／佛下本035-4）

　　髻 唐韻云髻 拂反俗云奴加々美 額前髪也　　　　　　　　（元和本倭名類聚抄／巻三07 オ2）
　▶番号1313b「〻」（ノ〻）の仮名音注「ホツ」については、基本的に -ot で対応する。当該字に声点はない。熟字1313「ノ〻」は左注「船之艫臭」を付載する。同熟字は別筆である。観智院本

類聚名義抄に入声点を付した同音字注「音柫」と反切「俗又練結反」を見出すが、仮名音注はない。日本漢音は入声を認める。

　　　＼ 音柫［入］右戻也／俗又練結反　　　　　　　　（観智院本類聚名義抄／佛上 082-4）

▶番号 0609・0656「拂」（拂・白拂）の仮名音注「ホツ」については、基本的に -ot で対応する。両当該字に声点はない。番号 0609「拂」は右注「ハラフ」を付載する。観智院本類聚名義抄に入声点を付した同音字注「音弗」（その左注に墨筆で仮名音注「ホツ」）を見出す。同書の凡例部分「朱音者正音也墨声者和音也」（篇目 7-6）に従えば、墨筆で正音と和音を分別する傾向がある。日本漢音は入声、日本呉音「ホツ」入声を認める。

　　　拂 音弗［入／ホツ：墨左注］ハラフ［平平上］…　　　（観智院本類聚名義抄／佛下本 079-1）

　　　白拂 ハヘハラフ［上上□□□］　　　　　　　　　（観智院本類聚名義抄／佛下本 079-1）

▶番号 0271b・1912b「物」（逸物・珍物）の仮名音注「フツ」については、基本的に -ut で対応する。両当該字には入声濁点を差すので、中国語音韻史上における鼻音声母の非鼻音化を反映した字音「ブツ」を想定する。熟字「逸物」は右注 0271「イチフツ人也」左注 0272「イチモツ馬也」を付載する。観智院本類聚名義抄に和音「モチ」を見出す。日本呉音「モチ」を認める。

　　　物 モノ［平平］… タクヒ［平平濁□］和モチ　　　（観智院本類聚名義抄／佛下末 006-6）

▶番号 0272b「物」（逸物）の仮名音注「モツ」については、基本的に -ot で対応する。当該字には入声濁点を差すので、中国語音韻史上における鼻音声母の非鼻音化（denasalization）を反映した字音「ブツ」を想定するが、その仮名音注と乖離がある。熟字「逸物」は 0271 右注「イチフツ人也」0272 左注「イチモツ馬也」を付載する。上述の分析を参照。

▶番号 1218b「物」（實物）の仮名音注「フツ」については、基本的に -ut で対応する。当該字には入声点を差す。上述の分析を参照。

▶番号 0419b「物」（禄物）の仮名音注「モツ」については、基本的に -ot で対応する。当該字に声点はない。上述の分析を参照。

《下巻 物韻諸例》

▶番号 5145b「欝」（欣欝）の仮名音注「ウツ」については、基本的に -ut で対応する。当該字に声点はない。上巻の物韻当該諸例で分析した。

▶番号 5079b「屈」（窮屈）の仮名音注「クツ」については、基本的に -ut で対応する。当該字には入声点を差す。熟字「窮屈」は中注 5079「キウクツ」左注 6968「キウクキツ」を付載する。上巻の物韻当該諸例で分析したように、日本漢音「クキツ・クツ」徳声（四声体系では入声）日本呉音「クツ」入声を認める。

▶番号 6968b「屈」（窮屈）の仮名音注「クキツ」については、異例 -wit を示す。当該字には

854　3．仮名音注の韻母別考察　3-4　ⅢB韻類

入声点を差す。熟字「窮屈」は中注5079「キウクツ」左注6968「キウクキツ」を付載する。上述の分析を参照。

　▶番号6811b「蝱」（蛄蝱）の仮名音注「クキツ」については、異例 -wit を示す。当該字に声点はない。熟字6811「蛄蝱」は右注「同（スクモムシ）」を付載する。観智院本類聚名義抄に同音字注「屈」を見出すが、仮名音注はない。元和本倭名類聚抄には同音字注「屈」がある。

　　蛄蝱 吉屈二音 訓同〔＊スクモムシ［上上上上平］〕下又屈字　　（観智院本類聚名義抄／僧下022-7）
　　蟦蠐　本草云蟦蠐 齊曹二音 一名蛄蝱 吉屈二音和名須久毛無之 …
　　　　　　　　　　　　　　　　　　　　　　　　　　　（元和本倭名類聚抄／巻十九21 オ2）

　▶番号4676b「佛」（讃佛）の仮名音注「フツ」については、基本的に -ut で対応する。当該字には入声点を差す。観智院本類聚名義抄に去声点を付した同音字注「音費」（右傍に朱筆で仮名音注「ヒ」）と反切「又符弗反」（反切下字に入声点／右傍に朱筆で仮名音注「フフツ」）さらに入声墨圏点を付した同音字注「又音弼」（その右注に墨筆で仮名音注「ヒチ」）および和音「部ツ」を見出す。鎮国守国神社本も大方同様であるが、和音「復ツ」を見つける。日本漢音「ヒ・フツ」入声、日本呉音「ブツ」を認める。

　　佛 音費［去／ヒ：朱右傍］ホノカナリ 又符弗［□入／フフツ：朱右傍］反 ホトケ
　　　… 又音弼［入：墨圏点／ヒチ：墨右注］… 和音部ツ　　（観智院本類聚名義抄／佛上001-7）
　　部 蒲後反 ハカリ … 和フ［平濁：墨圏点］　　（観智院本類聚名義抄／法中036-8）
　　佛 音費［去］ホノカナリ 又符［フ：朱右傍］弗反 ホトケ［平平平］
　　　… 又音弼［ヒチ：墨右注］… 和音復ツ　　（鎮国守国神社本類聚名義抄／上一01 オ2）

　▶番号6904b「物」（瑞物）の仮名音注「フツ」については、基本的に -ut で対応する。当該字には入声点を差す。上巻の物韻当該諸例で分析したように、日本呉音「モチ」を認める。

　▶番号4036b「物」（調物）の仮名音注「モツ」については、基本的に -ot で対応する。当該字には入声点を差す。上述の分析を参照。

　▶番号4768b「物」（贓物）の仮名音注「モツ」については、基本的に -ot で対応する。当該字には平声点と入声点を差す。上述の分析を参照。

　▶番号5116b「物」（器物）の仮名音注「モツ」については、基本的に -ot で対応する。当該字に声点はない。上述の分析を参照。

　▶番号4952「芴」（芴）の仮名音注「ク」については、異例 -u を示す。当該字には平声点を差し、和訓「キヒシ」の同訓異字として位置する。廣韻に拠れば、その中古音は物韻入声（miuʌt）である。字形の近似する「苟」（厚韻 kʌu²・職韻 kiek）と混同したか。観智院本類聚名義抄に同音字注「音勿」明母物韻（miuʌt）を見出すが、仮名音注はない。

　　芴 音勿　　　　　　　　　　　　　　　　　　　（観智院本類聚名義抄／僧上021-1）

3-4-2 -iʌ 系の字音的特徴 855

3-4-2-9 -iʌuŋ/-iʌuk （東/送/屋韻）

資料篇【表B-07】には東韻（平声）送韻（去声）屋韻（入声）所属の諸例が含まれる。前田本の示す仮名音注は -uũ(-ũ)/-uk, -oũ /-ok, -iũ/-ik, -jũ, -juk で対応するが、かなり複雑と言える。これらの場合、主母音 -ʌ- が介音 -i- と韻尾である末子音 -uŋ/-uk とに挟まれた結果、その介音あるいは末子音に吸収され、i, u として字音の把握をしたと推測する。異例として、-i, -joũ, -opo, -uki がある。

《上巻 東韻諸例》

▶番号0247a「熊」（熊耳）の仮名音注「イウ」については、基本的に -iũ で対応する。当該字には平声点を差す。その中古音が示す頭子音 ɣ-（等韻学の術語で言う于母あるいは喩母三等）は有声軟口蓋接近音 ɰ-（有声両唇軟口蓋接近音 w-）であり、原則的にア行音・ワ行音で対応する。観智院本類聚名義抄に同音字注「音雄」を見出す。長承本蒙求には仮名音注「イウ」があり、その掲出字に平声点を加える。元和本倭名類聚抄には同音字注「音雄」がある。日本漢音「イウ」平声を認める。

　　　熊 音雄 クマ … 羆 音俾 シクマ　　　　　　　　（観智院本類聚名義抄／佛下末052-1）

　　　熊［平］イウ　　　　　　　　　　　　　　　　　　（長承本蒙求／064）

　　　熊　陸詞唐韻云熊 音雄和名久萬 獸之似羆而小也　（元和本倭名類聚抄／巻十八17オ3）

▶番号2220「雄」（雄）の仮名音注「イウ」については、基本的に -iũ で対応する。当該字には平声点を差し、右注「ヲトリ」を付載する。上述の番号0247a「熊」と同音であり、原則的にア行音・ワ行音で対応する。観智院本類聚名義抄に同音字注「音熊」および低平調と推測する和音「オウ」（その右傍に朱筆で喉内撥音韻尾「✓」表記）を見出す。長承本蒙求には仮名音注「イウ」があり、その掲出字に平声点を加える。同書の仮名音注は平安時代院政初期である長承三年（1134）に加点された墨筆（例示で両音形ある場合は右側）を中心とするが、平安時代中期と推定する古い朱筆（両音形ある場合は左側）の加点もある。元和本倭名類聚抄には同音字注「音熊」を見つける。日本漢音「イウ」平声、日本呉音「オウ」平声を認める。

　　　雄 … 音／熊 ヲトリ［上平濁平］… 和オウ［□平／□✓：朱右傍］

　　　　　　　　　　　　　　　　　　　　　　　　　　　（観智院本類聚名義抄／僧中133-3）

　　　雄［平］イウ／イウ　　　　　　　　　　　　　　　（長承本蒙求／029・033）

　　　雌雄　毛詩注云鳥之雌雄不別者以翼知之右掩左雄 音熊和名乎土里 …

　　　　　　　　　　　　　　　　　　　　　　　　　　（元和本倭名類聚抄／巻十八01ウ9）

▶番号1179b・1834c「宮」（蓬宮・長秋宮）の仮名音注「キウ」については、基本的に -iũ で

856　3．仮名音注の韻母別考察　3-4　ⅢB韻類

対応する。両当該字には平声点を差す。熟字1179「蓬宮」は左注「内裏也」を付載する。観智院本
類聚名義抄に同音字注「音弓」および上昇調と推測する和音「クウ」（その右傍に朱筆で喉内撥音
韻尾「√」表記）を見出す。承暦本金光明最勝王経音義には仮名音注「クウ」があり、その掲出字
に去声点を加える。日本呉音「クウ」去声を認める。

　　　宮　音弓　ミヤ／和クウ［□上／□√：朱右傍］　　　　　（観智院本類聚名義抄／法下056-6）

　　　宮［去：圏点］クウ［：右傍］〔＊後筆墨書〕　　　　（承暦本金光明最勝王経音義／07ウ2）

　▶番号1586b「宮」（頓宮）の仮名音注「クウ」については、基本的に -uū で対応する。当該字
には上声点を差す。上述の分析を参照。

　▶番号1833b「宮」（中宮）の仮名音注「クウ」については、基本的に -uū で対応する。当該字
には上声濁点を差すので、日本語音韻史上の連濁による字音「グウ」を想定する。上述の分析を参
照。

　▶番号1695b「宮」（東宮）の仮名音注「クウ」については、基本的に -uū で対応する。当該字
に声点はない。熟字1695「東宮」は右注「傅 学士 大夫」左注「亮 進 属」を付載する。上述の分
析を参照。

　▶番号1965b「宮」（中宮職）の仮名音注「ク」については、基本的に -ū で対応する。当該字
に声点はない。熟字1965「中宮」は右注「大夫」中注「亮」左注「進 属」を付載する。仮名音注
「ク」は長音と解釈できる -uū を示してはいない。慣用的な呼称「チウクシキ」として定着したか。
上述の分析を参照。

　　　職　職貟令云中宮職 奈加乃美夜乃豆加佐 …　　　　　（元和本倭名類聚抄／巻五08オ2）

　▶番号2214a「芎」（芎藭）の仮名音注「キウ」については、基本的に -iū で対応する。当該字
には去声点を差す。熟字「芎藭」は右左注「ヲムナ［上上上］／カツラ［上上濁平］」右傍2213「ク
ク俗」左傍2214「キウキウ」〔＊別筆か〕を付載する。観智院本類聚名義抄に平声点を付した同音字
注「弓」を見出すが、仮名音注はない。元和本倭名類聚抄には同音字注「弓」がある。日本漢音は
平声を認める。

　　　芎藭　弓窮［平平］二音 オムナカツラ［平平平平上濁平］　　（観智院本類聚名義抄／僧上041-5）

　　　芎藭　唐韻云芎藭 弓窮二音和名草於無奈加豆良 …　　（元和本倭名類聚抄／巻二十19オ4）

　▶番号2213a「芎」（芎）の仮名音注「ク」については、基本的に -ū で対応する。当該字には
去声点を差す。熟字「芎藭」は右注「ヲムナ［上上上］」左注「カツラ［上上濁平］」右傍2213「ク
ク俗」左傍2214「キウキウ」〔＊別筆か〕を付載する。上述の分析を参照。

　▶番号2214b「藭」（芎藭）の仮名音注「キウ」については、基本的に -iū で対応する。当該字
には平声点を差す。熟字「芎藭」は右注「ヲムナ［上上上］」左注「カツラ［上上濁平］」右傍2213
「クク俗」左傍2214「キウキウ」〔＊別筆か〕を付載する。観智院本類聚名義抄に平声点を付した同
音字注「窮」を見出すが、仮名音注はない。元和本倭名類聚抄に同音字注「窮」がある。

3-4-2 -iʌ 系の字音的特徴　857

　　芎藭　弓窮［平平］二音 オムナカツラ［平平平平上濁平］　　　（観智院本類聚名義抄／僧上 041-5）

　　芎藭　唐韻云芎藭 弓窮二音和名本草於無奈加豆良 …　　　（元和本倭名類聚抄／巻二十 19 オ 4）

　▶番号 2213b「藭」（芎藭）の仮名音注「ク」については、基本的に -ū で対応する。当該字には平声点を差す。熟字「芎藭」は右注「ヲムナ［上上上］」左注「カツラ［上上濁平］」右傍 2213「クク俗」左傍 2214「キウキウ」〔＊別筆か〕を付載する。上述の分析を参照。

　▶番号 1821b「衆」（聴衆）の仮名音注「シウ」については、基本的に -iū で対応する。当該字には平声濁点を差すので、日本語音韻史上の連濁による字音「ジウ」を想定する。廣韻に拠れば、東/送韻（tɕiʌuŋ¹ᐟ³）二音を有する。観智院本類聚名義抄に平声点（東声点か）を付した同音字注「音終」と「又去」および低平調と上昇調を示す和音「シウ」（その右傍に朱筆で喉内撥音韻尾「✓」表記）を見出す。長承本蒙求には仮名音注「シウ」があり、その掲出字に東声点を加える。日本漢音「シウ」東/去声（四声体系では平/去声）日本呉音「シウ」平/去声を認める。

　　衆 音終［平］モロヽヽ［上上□□］… 又去 … 和シウ［平平・平上／□✓：朱右傍］

　　　　　　　　　　　　　　　　　　　　　　　（観智院本類聚名義抄／僧中 006-6）

　　衆［東］シウ　　　　　　　　　　　　　　　　　　（長承本蒙求／068）

　▶番号 1652b「中」（途中）の仮名音注「チウ」については、基本的に -iū で対応する。当該字には平声点を差す。廣韻に拠れば、東/送韻（tiʌuŋ¹ᐟ³）二音を有する。観智院本類聚名義抄に東声点を付した同音字注「音忠」と「又去声」および上昇調と推測する和音「チウ」（その右傍に墨筆で喉内撥音韻尾「✓」表記）を見出す。承暦本金光明最勝王経音義には仮名音注「チ✓」があり、その掲出字に去声点を加える。日本漢音「チウ」東/去声（四声体系では平/去声）日本呉音「チウ」去声を認める。

　　中 音忠［東］ウチ［上平］又去声 ナカ … 和チウ［□上／□✓：墨右傍］

　　　　　　　　　　　　　　　　　　　　　　　（観智院本類聚名義抄／佛上 079-7）

　　中［去］チ✓　　　　　　　　　　　（承暦本金光明最勝王経音義／02 オ 7）

　▶番号 0954b・0990b「中」（人中・日中）の仮名音注「チウ」については、基本的に -iū で対応する。両当該字には上声点を差す。上述の分析を参照。

　　　人中　黄帝内經云木溝即人中也　　　　　（元和本倭名類聚抄／巻三 05 ウ 2）

　▶番号 1800a・1806a「中」（中間・中央）の仮名音注「チウ」については、基本的に -iū で対応する。両当該字には去声点を差す。上述の分析を参照。

　▶番号 0134「忡」（忡）の仮名音注「チウ」については、基本的に -iū で対応する。当該字には平声点を差し、和訓「イタム」の同訓異字として位置する。図書寮本類聚名義抄に反切「弘云直忠反」（その反切下字に東声点）を見出す。観智院本には反切「勅中反」（その反切下字に平声点）を見出すが、仮名音注はない。日本漢音は東声（四声体系では平声）を認める。

　　忡ゝ 弘云直忠［入東］反 …　　　　　　　（図書寮本類聚名義抄／257-5）

858　3．仮名音注の韻母別考察　3-4　ⅢB韻類

　　　仲 勅中［□平］反 ウレフ［平平上］… イタム［平平□］　　　（観智院本類聚名義抄／法中 069-4）
▶番号 2317「种」（种）の仮名音注「チウ」については、基本的に -iu で対応する。当該字には
平声点を差し、和訓「ワカシ」の同訓異字として位置する。観智院本類聚名義抄に同音字注「音沖」
を見出すが、仮名音注はない。

　　　种 音沖 姓　　　　　　　　　　　　　　　　　　　　　　（観智院本類聚名義抄／法下 018-1）

▶番号 1152b・1572b「風」（暴風・土風）の仮名音注「フウ」については、基本的に -uu で対
応する。両当該字には平声点を差す。廣韻に拠れば、東/送韻 (piʌuŋ¹/³) 二音を有する。観智院本類
聚名義抄に反切「方隆反」および上昇調と推測する和音「フウ」（その右傍に墨筆で喉内撥音韻尾
「✓」表記）を見出す。日本呉音「フウ」去声を認める。

　　　風 方隆［平□］反 カセ［上上濁］… 和フウ［□上：墨点／□✓：墨右傍］
　　　　　　　　　　　　　　　　　　　　　　　　　　　　（観智院本類聚名義抄／僧下 051-1）
　　　暴風　史記云暴風雷雨漢鈔云 八夜知又乃和木乃加世　　（元和本倭名類聚抄／巻一 05 オ 8）

▶番号 0488b「風」（搏風）の仮名音注「フウ」については、基本的に -uu で対応する。当該字
には上声点を差す。熟字 0488「搏風」は右注「ハフ」を付載する。広辞苑第七版に「日本建築で、
屋根の切妻についている合掌形の装飾板。また、それのついている所。」と説明する。元和本倭名
類聚抄には「和名如字」があり、字音由来の和名である。上述の分析を参照。

　　　榑風　辨色立成云榑風板 上音布悪反和名如字楊氏漢語抄説同
　　　　　　　　　　　　　　　　　〔＊搏風の誤認〕（元和本倭名類聚抄／巻十 10 オ 1）

▶番号 2217「楓」（楓）の仮名音注「フウ」については、基本的に -uu で対応する。当該字に
は平声点を差し、右注「ヲカツラ」を付載する。観智院本類聚名義抄に平声点を付した同音字注「音
風」二例と「又梵音」を見出すが、仮名音注はない。元和本倭名類聚抄には同音字注「風」がある。
日本漢音は平声を認める。

　　　楓 音風［平］カツラ［上上上］ヲカツラ［上□上□］… 又梵音
　　　　　　　　　　　　　　　　　　　　　　　　　　　　（観智院本類聚名義抄／佛下本 095-7）
　　　楓 音風 木／カヘテ［上平上濁］　　　　　　　　　　（観智院本類聚名義抄／僧下 054-6）
　　　楓　兼名苑云楓一名檟 風攝二音和名予加豆良 …　　　（元和本倭名類聚抄／巻二十 23 オ 7）

▶番号 1155a・1156a・1192a「豊」（豊贍・豊年・豊顔）の仮名音注「ホウ」については、基
本的に -ou で対応する。当該諸字三例には平声点を差す。廣韻に拠れば、東韻 (p'iʌuŋ¹) 薺韻 (lei²)
二音を有する。熟字 1155「豊贍」は右傍「ニキハウ」を、熟字「豊顔」は右注「皃女云ホカ」を付
載する。図書寮本類聚名義抄に反切「中云敷馮反・玉云孚宮反」を見出す。観智院本には同音字注
「音礼」と反切「敷馮反」および和音「復ウ」を見つける。同書では掲出字「復」に対して和音「フ」
（「和」右傍に濁音「✓」表記）がある。長承本蒙求には仮名音注「ホウ」があり、その掲出字に
東声点を加える。日本漢音「ホウ」東声（四声体系では平声）日本呉音「ブ」平声を認める。なお、

現行多くの漢和辞典は慣用音「ブ」を掲げる。

豐 … 中云敷瞪反 饒也 真云正 … 玉云 … 字宮反 …　　　　　（図書寮本類聚名義抄／129-3）

豐 音礼　　　　　　　　　　　　　　　　　　　　　　　　　（観智院本類聚名義抄／法上 095-3）

豐 敷瞪反 滿 ユタカナリ［平平平上平／□□□二］… 和復ウ　（観智院本類聚名義抄／法上 095-4）

復 房富［□去／□フ：朱右傍］反 マタ … 又音伏 … 和［✓：墨右傍］フ［平］フク

　　　　　　　　　　〔＊「和」右傍に濁音「✓」表記〕（観智院本類聚名義抄／佛上 038-1）

徆 復二或 今復／浮又反　　　　　　　　　　　　　　　　　（観智院本類聚名義抄／法下 057-4）

豐 敷隆反 滿 ユタカナリ … 和復ウ　　　　　　　　　　　　（天理大学本最勝王経音義／26 オ 3）

豐［東］ホウ　　　　　　　　　　　　　　　　　　　　　　　　　　　（長承本蒙求／016）

▶番号 1035a「豐」（豐財坊）の仮名音注「ホウ」については、基本的に -oū で対応する。当該字に声点はなく、左注「三条西」を付載する。上述の分析を参照。

坊 名附出 聲類云房反 和名萬知 … 豐財坊 三條西右京職穀倉院等是也

　　　　　　　　　　　　　　　　　　　　　　　　　　（元和本倭名類聚抄／巻十 05 オ 6）

▶番号 0160「豐」（豐）の仮名音注「ホウ」については、基本的に -oū で対応する。当該字には平声点を差し、右注「イリムキ」を付載する。観智院本類聚名義抄に音注表記はない。高山寺本篆隷萬象義に反切「芳風反」を見出す。

豐 正　　　　　　　　　　　　　　　　　　　　　　　　　（観智院本類聚名義抄／佛上 073-2）

豐 芳風反 熬麦也粥鬲麦也煮麦也　　　　　　　　　　　（高山寺本篆隷萬象義／第四 076 オ 6）

▶番号 1274b「隆」（法隆寺）の仮名音注「リウ」については、基本的に -iū で対応する。当該字には上声点を差す。図書寮本類聚名義抄に反切「玉云力弓反」（その反切下字に平声点）を見出す。観智院本には反切「力中反」（その反切下字に上声点）を見つけるが、仮名音注はない。上述した番号 1652b を参看すれば、この上声点については疑義を残す。長承本蒙求には仮名音注「リウ」があり、その掲出字に平声点を加える。日本漢音「リウ」平声を認める。

絶隆 … 玉云力弓［□平］反 … サカリニ✓［上上上□□／異：右注］

　　　　　　　　　　　　　　　　　　　　　　　　　　（図書寮本類聚名義抄／204-7）

隆 力中［入上］反 タカシ［平平□］…　　　　　　　　　（観智院本類聚名義抄／法中 040-4）

隆［平］リウ／リウ　　　　　　　　　　　　　　　　　　　　　（長承本蒙求／018）

▶番号 2406b「窿」（窪窿）の仮名音注「リウ」については、基本的に -iū で対応する。当該字には平声点を差す。観智院本類聚名義抄に同音字注「音隆」を見出すが、仮名音注はない。

窿 音隆　　　　　　　　　　　　　　　　　　　　　　　　（観智院本類聚名義抄／法下 065-3）

《下巻 東韻諸例》

860   3．仮名音注の韻母別考察   3-4   ⅢB韻類

▶番号3813b・5877b「雄」（英雄・雌雄）の仮名音注「イウ」については、基本的に *-iu* で対
応する。両当該字には平声点を差す。上巻の東韻当該例で分析したように、日本漢音「イウ」平声、
日本呉音「オウ」平声を認める。

▶番号5240「弓」（弓）の仮名音注「キウ」については、基本的に *-iu* で対応する。当該字には
平声点を差し、右注「ユミ」左注「居戎反」を付載する。観智院本類聚名義抄に同音字注「音宮」
および「和音躬」を見出すが、仮名音注はない。傍証ながら同書で「躬」（見母東韻 kiʌuŋˈ）を再
検索すると、去声濁点を付した同音字注「音弓」を見つけるので、和音「グ・グウ」を示す可能性
がある。ただし、その頭子音 k-（等韻学の術語で言う牙音清見母）とは相容れない。元和本倭名類
聚抄には同音字注「音宮」がある。

　　　弓 音宮 ユミ／和音躬　　　　　　　　　　　　　　　　（観智院本類聚名義抄／僧中 023-7）

　　　躬 音弓［去濁］ミツカラ［上上濁□□］…　　　　　　　（観智院本類聚名義抄／佛上 086-1）

　　　弓 四声字苑云弓 音宮和名由美 所以遣箭之器也 …　　　（元和本倭名類聚抄／巻十三 13 才 5）

▶番号4816b「宮」（齊宮寮）の仮名音注「ク」については、基本的に *-u* で対応する。当該字
に声点はない。熟字4816「齊宮寮」は右注「サイクレウ」を付載する。上巻の東韻当該諸例で分析
したように、日本呉音「クウ」去声を認める。

　　　寮 職員令云斎宮寮 以豆岐乃美夜乃豆加佐 …　　　　　　（元和本倭名類聚抄／巻五 06 才 7）

▶番号4678b「穹」（蒼穹）の仮名音注「キウ」については、基本的に *-iu* で対応する。当該字
に声点はない。熟字4678「蒼穹」は左注「云星居也」を付載する。観智院本類聚名義抄に反切「起
弓反」を見出すが、仮名音注はない。

　　　穹 起弓反 タカシ … キハム［平上□］　　　　　　　　（観智院本類聚名義抄／法下 062-1）

▶番号5045a「窮」（窮老）の仮名音注「キウ」については、基本的に *-iu* で対応する。当該字
には平声点と去声点を差す。その中古音が示す頭子音 g-（等韻学の術語で言う牙音濁群母）は有声
軟口蓋閉鎖音であり、日本語のガ行音をもって受容する。ただし、中国語音韻史上における濁音声
母の無声化を反映する場合にはカ行音で対応する。観智院本類聚名義抄に反切「渠弓反」および上
昇調と推測する和音「具ウ」（その右傍に朱筆で喉内撥音韻尾「✓」表記）を見出す。同書で「具」
を再検索すると、平声点を付した和音「ク」（その右傍に墨筆で濁音「✓」表記）を見つける。ま
た他に「和具ウ」三例を見つける。日本呉音「グウ」去声を認める。

　　　窮 渠弓反 セマル … 和具ウ［□上／□✓:朱右傍］　　　（観智院本類聚名義抄／法下 064-5）

　　　具 ソナハル［平平上平］／和ク［平／✓:墨右傍］　　　（観智院本類聚名義抄／佛中 078-3）

　　　共 トモニ／和具ウ　　　　　　　　　　　　　　　　　（観智院本類聚名義抄／佛下末 026-5）

　　　紅 音洪 … 和具ウ［□上］　　　　　　　　　　　　　（観智院本類聚名義抄／法中 115-8）

　　　弘 … 胡胘反 … 和具ウ［□上／□✓:朱右傍］　　　　（観智院本類聚名義抄／僧中 027-2）

▶番号5079a・6968a「窮」（窮屈・窮屈）の仮名音注「キウ」については、基本的に *-iu* で対

応する。当該字には平声点を差す。熟字「窮屈」は中注 5079「キウクツ」左注 6968「キウクキツ」を付載する。上述の分析を参照。

　▶番号 5082a「窮」（窮困）の仮名音注「キウ」については、基本的に -iu で対応する。当該字に声点はない。上述の分析を参照。

　▶番号 6282b「窮」（貧窮）の仮名音注「ク」については、基本的に -ū で対応する。当該字には上声点を差す。上述の分析を参照。

　▶番号 3754b「鵃」（雀鵃）の仮名音注「シウ」については、基本的に -iu で対応する。当該字には平声濁点を差すので、日本語音韻史上の連濁による字音「ジウ」を想定する。廣韻に拠れば、その中古音は歯音清心母東韻（siʌuŋ¹）である。熟字 3754「雀鵃」は右注「エツサイ　息弓反　似鷹而小能捕雀也」左注「云小鷹也」を付載する。観智院本類聚名義抄に同音字注「音戎」を見出すが、仮名音注はない。元和本倭名類聚抄に同音字注「音戎」がある。

　　鵃 音戎　雀鵃 和名エチサイ［上上平平］小鷹　　　　　　（観智院本類聚名義抄／僧中 131-1）
　　雀鵃　唐韻云雀鵃 音戎漢語抄云和名悦哉 小鷹也　　　（元和本倭名類聚抄／巻十八 04 オ 5）

　▶番号 3323b「菘」（温菘）の仮名音注「ショウ」については、異例 -joù を示す。当該字には平声点を差す。熟字 3323「温菘」は右注「コヲホネ」を付載する。諧声符「松」（邪母鍾韻 ziɒuŋ¹）による字音把握か。本来は「シウ」を期待する。観智院本類聚名義抄に平声点を付した同音字注「音終」を見出すが、仮名音注はない。元和本倭名類聚抄に同音字注「音終」がある。日本漢音は平声を認める。

　　菘 正 音終［平］コホネ［上上平］　　　　　　　　　　（観智院本類聚名義抄／僧上 015-3）
　　温菘　崔禹錫食經云温菘 音終和名古保禰 …　　　　　（元和本倭名類聚抄／巻十七 21 オ 8）

　▶番号 4592a「柊」（柊楑）の仮名音注「シウ」については、基本的に -iu で対応する。当該字には平声点を差す。熟字 4592「柊楑」は右注「サイツチ」を付載する。観智院本類聚名義抄に東声点を付した同音字注「終」を見出すが、仮名音注はない。同書が示す朱声点については東声と徳声を加えた六声体系を保持していたか判然としない。そのまま個別に出典元から継承した可能性がある。元和本倭名類聚抄には同音字注「終」がある。

　　柊楑　終葵［東□］二音 サイツチ［平平平□］…　　　（観智院本類聚名義抄／佛下本 085-4）
　　柊楑　纂文云方椎 直追反字亦作槌 謂之柊楑 終葵二音漢語抄云散伊都遅

　　　　　　　　　　　　　　　　　　　　　　　　　　　　　（元和本倭名類聚抄／巻十五 13 オ 7）

　▶番号 5535a・5598a「終」（終宵・終始）の仮名音注「シウ」については、基本的に -iu で対応する。当該字には平声点を差す。廣韻に拠れば、その中古音は東韻（tɕiʌuŋ¹）である。熟字 5535「終宵」は右傍「ヨモスカラ」を付載する。熟字 5598「終始」は左注「シゝウ」を「シウシ」に修正する。字音把握に混乱がある。図書寮本類聚名義抄に平声点を付した同音字注「音終」を見出す。観智院本には平声点を付した同音字注「音終」および和音「シユウ［平濁平上］」〔＊濁点は存疑〕を

862 　3．仮名音注の韻母別考察　3-4　ⅢB韻類

見出す。長承本蒙求には仮名音注「シウ」があり、その掲出字に東声点を加える。日本漢音「シウ」東声（四声体系では平声）日本呉音は去声を認める。日本呉音「ジユウ」は保留する。

　　　　終 音衆［平］… ヲハリ［上上上／異：右注］…　　　　　　　　（図書寮本類聚名義抄／306-6）

　　　　終 音衆［平］ヲハル［上平□］… 和シウウ［平濁平上］　　　（観智院本類聚名義抄／法中112-5）

　　　　終［東］シウ　　　　　　　　　　　　　　　　　　　　　　　（長承本蒙求／101）

　▶番号5534a「終」（終日）の仮名音注「シウ」については、基本的に -iu で対応する。当該字に声点はない。熟字5534「終日」は右傍「ヒメモス」を付載する。上述の分析を参照。

　▶番号5793a「衆」（衆力）の仮名音注「シウ」については、基本的に -iu で対応する。当該字には平声点を差す。上巻の東韻当該例で分析したように、日本漢音「シウ」東/去声（四声体系では平/去声）日本呉音「シウ」平/去声を認める。

　▶番号5836a・6414「衆」（衆徒・衆）の仮名音注「シウ」については、基本的に -iu で対応する。両当該字には去声点を差す。番号6414「衆」は右注「モロ〻〻［平上平上］」左注「音終又之中反」を付載する。上述の分析を参照。

　▶番号5901a「衆」（衆議不同）の仮名音注「シウ」については、基本的に -iu で対応する。当該字に声点はない。上述の分析を参照。

　▶番号4079b「衆」（安衆房）の仮名音注「シユ」については、基本的に -ju で対応する。当該字には去声点を差す。熟字4079「安衆房」は左中右注「七条東／鴻臚館／在此房」を付載する。上述の分析を参照。

　　　　安衆坊 七條東鴻臚館在此坊　　　　　　　　　　　（元和本倭名類聚抄／巻十05ウ1）

　▶番号5332「衆」（衆）の仮名音注「シユ」については、基本的に -ju で対応する。当該字に声点はなく、右注「之仲反 三人為衆」を付載する。上述の分析を参照。

　▶番号5768a「充」（充満）の仮名音注「シユ」については、基本的に -ju で対応する。当該字には去声濁点を差すので、字音「ジユ」を想定する。その中古音が示す頭子音 tś-（等韻学の術語で言う昌母）は日本語のサ行音をもって受容する。原則としてザ行音で対応することは許容しがたい。現行多くの漢和辞典は慣用音「ジユウ」を掲げる。図書寮本類聚名義抄に反切「子俞反」（その反切下字に平声点）を見出す。観智院本には反切「齒戎反」と和音「壽ウ」を見つける。傍証ながら、同書で「壽」（有韻 źiʌuᵖ）を再検索すると、上声朱点と平声濁墨点を付した同音字注「受」（有韻 źiʌuᵖ）を見つける。長承本蒙求には仮名音注「シウ」四例があり、それらの掲出字に東声点を加える。承暦本金光明最勝王経音義には同音字注「從」がある。日本漢音「シウ」東声（四声体系では平声）を認める。また日本呉音「ジウ」の蓋然性が高い。

　　　　充足 广云 … 子俞［□平］反 …　　　　　　　　　　　　　（図書寮本類聚名義抄／119-7）

　　　　充 齒戎反 アツ タル … 和壽ウ　　　　　　　（観智院本類聚名義抄／佛下末016-1）

　　　　壽 … 音受［上：朱点・平濁：墨点］… コトフキ　　　（観智院本類聚名義抄／僧下091-2）

　　　　　3-4-2　-iʌ 系の字音的特徴　　863

　　充 [東] シウ／シウ　　　　　　　　　　　　　　　　　　　　　（長承本蒙求／019）

　　充 [東] シウ〔＊平安時代中期点〕　　　　　　　　　　　　　　（長承本蒙求／046）

　　充 [東] シウ　　　　　　　　　　　　　　　　　　　　　（長承本蒙求／049・065）

　　充 従 [：右傍]〔＊後筆朱書〕　　　　　　　（承暦本金光明最勝王経音義／06 オ 5）

▶番号3759「戎」（戎）の仮名音注「シウ」については、基本的に -iū で対応する。当該字には
平声濁点を差すので、字音「ジウ」を想定する。また右注「同（エヒス）」左注「西戎」を付載す
る。観智院本類聚名義抄に音注表記はない。高山寺本篆隷萬象名義に反切「如終反」を見出す。

　　戎 ハツ物 [平上□] エヒス … オホキナリ [平平□□□]　　（観智院本類聚名義抄／僧中 043-4）

　　戎 如終反 大也兵相也乃也利也軍也拔也　　（高山寺本篆隷萬象名義／第五帖 039 ウ 4）

▶番号5725a「戎」（戎具）の仮名音注「シウ」については、基本的に -iū で対応する。当該字
には去声濁点を差すので、字音「ジウ」を想定する。上述の分析を参照。

▶番号5168b・6785a「崇」（答崇・崇明門）の仮名音注「ス」については、基本的に -ū で対
応する。両当該字には平声点を差す。熟字 5168「答崇」は左注「トカタシリ」を付載する。熟字
6785「崇明門」は右注「已上禁中門名」を付載する。観智院本類聚名義抄に反切「仕隆反」を見出
す。長承本蒙求に仮名音注「スウ」があり、その掲出字に東声点を加える。日本漢音「スウ」東声
（四声体系では平声）を認める。

　　崇 仕隆反 アカム [上平濁□] …　　　　　　　　　（観智院本類聚名義抄／法上 118-7）

　　崇 [東] スウ　　　　　　　　　　　　　　　　　　　　　　（長承本蒙求／124）

▶番号6783a「崇」（崇仁）の仮名音注「スウ」については、基本的に -uū で対応する。当該字
には平声点を差す。熟字 6783「崇仁」は右注「八条東」を付載する。上述の分析を参照。

　　崇仁坊 八條東　　　　　　　　　　　　　　　　（元和本倭名類聚抄／巻十 05 ウ 3）

▶番号5007b「中」（禁中）の仮名音注「チウ」については、基本的に -iū で対応する。当該字
には平声点を差す。上巻の東韻当該諸例で分析したように、日本漢音「チウ」東/去声（四声体系で
は平/去声）日本呉音「チウ」去声を認める。

▶番号6016b・6365b「中」（越中・備中）の仮名音注「チウ」については、基本的に -iū で対
応する。両当該字に声点はない。上述の分析を参照。

　　北陸國第五十五／… 越中 古之乃三知乃奈加 …　　（元和本倭名類聚抄／巻五 09 オ 6）

　　山陽國第五十七／… 備中 吉備乃美知乃奈加 …　　（元和本倭名類聚抄／巻五 09 オ 6）

▶番号4441b「風」（問風）の仮名音注「フウ」については、基本的に -uū で対応する。当該字
には平声点を差す。上巻の東韻当該諸例で分析したように、日本呉音「フウ」去声を認める。

▶番号6494b「風」（宣風房）の仮名音注「フウ」については、基本的に -uū で対応する。当該
字には東声点を差す。熟字 6494「宣風房」は右注「五条東」を付載する。上述の分析を参照。

　　宣風坊 五條東　　　　　　　　　　　　　　　　（元和本倭名類聚抄／巻十 05 オ 8）

864　3．仮名音注の韻母別考察　3-4　ⅢB韻類

▶番号6181b「風」（屏風）の仮名音注「フ」については、基本的に -ŭ で対応する。当該字には上声点を差す。熟字6181「屏風」は左注「雲母」右傍「ヒヤウフ俗」を付載する。定着久しい字音「フ」という認識か。上述の分析を参照。

▶番号5258「豊」（豊）の仮名音注「ホウ」については、基本的に -oŭ で対応する。当該字には平声点を差し、右注「ユタカニ」左注「敷空反」を付載する。上巻の東韻当該諸例で分析したように、日本漢音「ホウ」東声（四声体系では平声）日本呉音「ブ」平声を認める。

▶番号5843b「夢」（入夢）の仮名音注「ム」については、基本的に -ŭ で対応する。当該字には平声点を差す。廣韻に拠れば、東韻（miʌuŋ¹）送韻（mʌuŋ³）二音を有する。観智院本類聚名義抄に反切「莫公反」と「又去」を見出すが、仮名音注はない。日本漢音は去声を認める。

　　夢 莫公反 又去／ユメ［平口］イメミ［平平平］シニ［上平］　　　（観智院本類聚名義抄／法下135-1）

▶番号5983b・6741b「隆」（永隆樂・紹隆）「リウ」については、基本的に -iŭ で対応する。両当該字には平声点を差す。熟字5983「永隆樂」は右注「同（平調）」を付載する。上巻の東韻当該諸例で分析したように、日本漢音「リウ」平声を認める。

　　平調曲　相夫憐 … 永隆樂 …　　　　　　　　　　　（元和本倭名類聚抄／巻四15ウ5）

▶番号3707b「隆」（興隆）「リウ」については、基本的に -iŭ で対応する。当該字には上声点を差す。上述の分析を参照。

《上巻　送韻諸例》

▶番号1793a・1794a・1795a・1796a「仲」（仲春・仲夏・仲秋・仲冬）の仮名音注「チウ」については、基本的に -iŭ で対応する。当該諸字四例には去声点を差す。観智院本類聚名義抄に反切「廚諷反」を見出す。長承本蒙求には仮名音注「チウ」八例があり、それらの掲出字に去声点を加える。日本漢音「チウ」去声を認める。

　　仲 廚諷反 ナカ［平上］… シツカナリ　　　　　（観智院本類聚名義抄／佛上011-8）
　　仲［去］チウ　　　　（長承本蒙求／006・014・020・069・091・096・104・109）
　　二月　仲春　　　　　　　　　　　　　　　　（元和本倭名類聚抄／巻一18ウ6）
　　五月　仲夏　　　　　　　　　　　　　　　　（元和本倭名類聚抄／巻一19オ2）
　　八月　仲秋　　　　　　　　　　　　　　　　（元和本倭名類聚抄／巻一19オ7）
　　十一月　仲冬　　　　　　　　　　　　　　　（元和本倭名類聚抄／巻一19ウ3）

▶番号1047a・1048a・1175a・1180a・1209a・1257a「鳳」（鳳凰・鳳凰・鳳暦・鳳池・鳳雛・鳳輦）の仮名音注「ホウ」については、基本的に -oŭ で対応する。当該諸字六例には去声点を差す。熟字「鳳凰」は中注1047「ホウワワ」左注1048「ホウクワワ」を、熟字1257「鳳輦」は左注「皇興也」を付載する。観智院本類聚名義抄に同音字注「音俸・俗云豊」を見出すが、仮名音

注はない。長承本蒙求には去声点を加える掲出字「鳳」がある。元和本倭名類聚抄には同音字注「音俸俗云豊」を見つける。日本漢音は去声を認める。

鳳 音俸 俗云／豊雄曰鳳　　　　　　　　　　　（観智院本類聚名義抄／僧下 055-4）

凰 音皇 雌曰凰／俗皇［正：墨右注］　　　　　　（観智院本類聚名義抄／僧下 055-4）

鳳［去］　　　　　　　　　　　　　　　　　　　　（長承本蒙求／044）

鳳凰 爾雅云雄曰鳳 音俸俗云豊 雌曰凰 音皇 …　　（元和本倭名類聚抄／巻十八 02 ウ 4）

▶番号1059a「鳳」（鳳蝶）の仮名音注「ホミ［上上］」については、異例 *-opo* を示す。当該字に声点はない。熟字1059「鳳蝶」は右注「ホミテウ［上上上平］」を付載する。元和本倭名類聚抄には「今案和名保々天布鳳蝶二音之轉乎」があり、ハ行転呼を背景にした字音「ホウテウ」の音変化か。上述の分析を参照。

鳳蝶 或説作車 崔豹古今注云鳳蝶 … 一名鬼車 今案和名保々天布是鳳蝶二音之轉乎

　　　　　　　　　　　　　　　　　　　　（元和本倭名類聚抄／巻十九 23 オ 3）

《下巻 送韻諸例》

▶番号6493b「鳳」（栖鳳樓）の仮名音注「ホウ」については、基本的に *-oū* で対応する。当該字には去声点を差す。熟字6493「栖鳳樓」は左右注「在應天／門東」を付載する。上巻の送韻当該諸例で分析したように、日本漢音は去声を認める。

樓 辨色立成云 太加止乃 … 栖鳳樓 在應天門東 …　　（元和本倭名類聚抄／巻十 04 オ 6）

▶番号5008a「鳳」（鳳池）の仮名音注「ホウ」については、基本的に *-oū* で対応する。当該字に声点はない。上述の分析を参照。

《上巻 屋韻諸例》

▶番号2025b・2857b「澳」（涼澳・寒澳）の仮名音注「イク」については、基本的に *-ik* で対応する。両当該字には入声点を差す。熟字2025「涼澳」は右傍「スヽシク アツシ」を付載する。観智院本類聚名義抄に入声点を付した同音字注「音郁」と反切「於六反」を見出すが、仮名音注はない。日本漢音は入声を認める。

澳 音郁［入］アタヽカナリ［平平上平□□］　　（観智院本類聚名義抄／佛下末 052-6）

澳醞 於六反　　　　　　　　　　　　　　　　　（観智院本類聚名義抄／佛下末 052-7）

▶番号0342a「育」（育彩）の仮名音注「イク」については、基本的に *-ik* で対応する。当該字には入声点を差す。観智院本類聚名義抄に反切「余六反」および低平調と推測する和音「イク」を見出す。日本呉音「イク」入声を認める。

866　3．仮名音注の韻母別考察　3-4　ⅢB韻類

育 余六反／和音 イク［平平］／ヤシナフ［上上□□］… 和イク

(観智院本類聚名義抄／佛中 126-8)

▶番号 0985「掬」（掬）の仮名音注「キク」については、基本的に -ik で対応する。当該字に声
点はなく、和訓「ニキル」の同訓異字として位置する。観智院本類聚名義抄に入声点を付した同音
字注「音菊」と反切「又居玉反」を見出すが、仮名音注はない。日本漢音は入声を認める。

掬 音菊［入］ムスフ［上上平濁］ニキル［上上濁□］… 又居玉反 …

(観智院本類聚名義抄／佛下本 048-6)

▶番号 2665「麹」（麹）の仮名音注「キク」については、基本的に -ik で対応する。当該字には
入声点を差し、右注「カムタチ」左注「又乍鞠」を付載する。観智院本類聚名義抄に同音字注「音
菊」を見出すが、仮名音注はない。

麹 酒母也 カムタチ［上上上濁上］／音菊　　　　(観智院本類聚名義抄／佛上 071-6)

▶番号 1606b「哭」（慟哭）の仮名音注「コク」については、基本的に -ok で対応する。当該字
には入声点を差す。熟字 1606「慟哭」は右傍「イタミ ナク」を付載する。観智院本類聚名義抄に
反切「空屋反」と和音「コク」を見出す。日本呉音「コク」を認める。

哭 空屋反 ナク［上平］／和コク　　　　(観智院本類聚名義抄／佛中 031-2)

▶番号 1473「宿」（宿）の仮名音注「シク」については、基本的に -ik で対応する。当該字に声
点はなく、右注「同（トノヰス）」を付載する。観智院本類聚名義抄に反切「息逐反・又息救反」
および和音「シク」を見出す。長承本蒙求には仮名音注「シク」があり、その掲出字に徳声点を加
える。日本漢音「シク」徳声（四声体系では入声）日本呉音「シク」を認める。

宿 … ヤトル［平平濁上］… 息逐反 … 又息救反 和シク　(観智院本類聚名義抄／法下 054-6)
宿［徳］シク　　　　　　　　　　　　　　　　　　　　　(長承本蒙求／066)

▶番号 2102b「宿」（旅宿）の仮名音注「シユク」については、基本的に -juk で対応する。当
該字には入声点を差す。上述の分析を参照。

▶番号 1949b「肅」（懲肅）の仮名音注「シク」については、基本的に -ik で対応する。当該字
には入声点を差す。観智院本類聚名義抄に同音字注「宿」および和音「シク・主ク・ソク」を見出
す。日本呉音「シク・ソク」を認める。番号 4826b「主」（仮名音注「ス」）等を参看すれば、日
本呉音「スク」の可能性を指摘できる。

肅 … 音宿 イツクシ［平平□□］… 和シク 主ク ソク　(観智院本類聚名義抄／僧下 103-2)

▶番号 0918「祝」（祝）の仮名音注「シク」については、基本的に -ik で対応する。当該字には
入声点を差し、中注「ハフリ」左注「祠宮也」を付載する。観智院本類聚名義抄に入声点を付した
同音字注「音粥」と反切「之授反」を見出すが、仮名音注はない。日本漢音は入声を認める。

祝 音粥［入］イハフ［□□上］… 之授反 又訓 今作咒　(観智院本類聚名義抄／法下 005-4)

▶番号 2658「粥」（粥）の仮名音注「シク」については、基本的に -ik で対応する。当該字には

3-4-2 -iʌ 系の字音的特徴　867

入声点を差し、右注「カユ」左注「又シルカユ」を付載する。廣韻に拠れば、屋韻（tśiʌuk・jiʌuk）二音を有する。観智院本類聚名義抄に徳声点を付した同音字注「音祝」と入声点を付した同音字注「又音育」さらに反切「朱六反・之叔反」を見出すが、仮名音注はない。元和本倭名類聚抄に反切「之叔反」がある。日本漢音は徳声（四声体系では入声）と入声を認める。

粥　音祝［徳］シルカユ［平平平平］／又音育［入］賣也　　　　（観智院本類聚名義抄／法下 038-1）

餰　俗 鬻粥二／今 朱六反　　　　　　　　　　　　　　　　（観智院本類聚名義抄／僧上 107-7）

粥　之叔反 シルカユ［□ラ□□］カユ …　　　　　　　　　　（観智院本類聚名義抄／僧中 025-4）

粥　… 四聲字苑云周人呼粥也粥 之叔反和名之留加由 薄糜也

　　　　　　　　　　　　　　　　　　　　　　　　　（元和本倭名類聚抄／巻十六 12 オ 6）

▶番号0659b「熟」（半熟）の仮名音注「スク」については、基本的に -uk で対応する。当該字には入声点を差す。熟字0659「半熟」は右注「ハンスク俗」左注「好銅半熟」を付載する。観智院本類聚名義抄に反切「常六反」を見出すが、仮名音注はない。

熟　… 常六反／爛　　　　　　　　　　　　　　　　　　　（観智院本類聚名義抄／僧下 121-7）

半熟　唐韻云鎚 直類反 好銅半熟也　　　　　　　　　　　　（元和本倭名類聚抄／巻十一 16 ウ 5）

▶番号0586「衂」（衄）の仮名音注「チク」については、基本的に -ik で対応する。当該字には入声濁点を差すので、字音「ヂク」を想定する。また右注「ハナチ」左注「鼻出血也」を付載する。その中古音が示す頭子音 ń-（等韻学の術語で言う日母）は硬口蓋鼻音であり、日本語のナ行音をもって受容するが、中国語音韻史上における鼻音声母の非鼻音化（denasalization）を反映する場合はザ行音で対応する。本来は字音「ジク」を期待する。観智院本類聚名義抄に反切「女鞠反」と同音字注「音肉」を見出すが、仮名音注はない。元和本倭名類聚抄には反切「女鞠反」がある。

衂　女鞠反 音肉 … ハナチ［上上上濁］…　　　　　　　　　（観智院本類聚名義抄／僧上 095-1）

衄　… 音／肉 …女肉反／ハナチ［上上上濁］　　　　　　　　（観智院本類聚名義抄／僧中 016-3）

衄　說文云衄 女鞠反和名波奈知 鼻出血也　　　　　　　　　（元和本倭名類聚抄／巻三 05 オ 5）

▶番号1859a・1896a・1917a・1934a「竹」（竹馬・竹帛・竹葉・竹簡）の仮名音注「チク」については、基本的に -ik で対応する。当該諸字四例には入声点を差す。熟字1896「竹帛」は中注「文筆也」左注「无紙以性以竹帛書文也」を付載する。観智院本類聚名義抄に反切「張六反」および低平調を示す和音「チク」を見出す。長承本蒙求には仮名音注「チク」があり、その掲出字に徳声点を加える。元和本倭名類聚抄には反切「陟六反」を見つける。日本漢音「チク」徳声（四声体系では入声）日本呉音「チク」入声を認める。

竹　張六反 和名タケ［上上］ノ［上］和チク［平平］　　　　（観智院本類聚名義抄／僧上 061-2）

竹　［徳］チク　　　　　　　　　　　　　　　　　　　　　（長承本蒙求／125・144）

竹　篁附 四聲字苑云竹 陟六反和名多計 草也 …　　　　　　（元和本倭名類聚抄／巻二十 20 オ 9）

▶番号1287b・1956a・2464b「竹」（斑竹・竹生嶋・笭竹）の仮名音注「チク」については、

868　3．仮名音注の韻母別考察　3-4　ⅢB韻類

基本的に -ik で対応する。当該諸字三例に声点はない。熟字1287「斑竹」は右注「ヘンチク俗」を付載する。熟字1956「竹生嶋」は左注「生字或本用夫字」を、熟字2464「竹箸」は左注「又乍竹遂」を付載する。上述の分析を参照。

▶番号1771「筑」（筑）の仮名音注「チク」については、基本的に -ik で対応する。当該字には入声点を差す。観智院本類聚名義抄に入声点を付した同音字注「竹」を見出すが、仮名音注はない。日本漢音は入声を認める。

　　築 … 音竹［入］ツク［上平］杵也 判也　筑 … 俗　　　（観智院本類聚名義抄／僧上071-3）

▶番号1957a・1961a・1963a・1980a「筑」（筑前・筑後・筑紫・筑）の仮名音注「チク」については、基本的に -ik で対応する。当該諸字四例に声点はない。上述の分析を参照。

　　西海國第五十九／筑前 筑紫乃三知乃久知 筑後 筑紫乃三知乃之里 …

　　　　　　　　　　　　　　　　　　　　　　　（元和本倭名類聚抄／巻五10オ2）

▶番号0405b・1725a「畜」（六畜・畜生）の仮名音注「チク」については、基本的に -ik で対応する。両当該字に声点はない。廣韻に拠れば、屋韻（ȶ'iʌuk・xiʌuk）宥韻（ȶ'iʌu³・xiʌu³）四音を有する。観智院本類聚名義抄に同音字注「音宙・一音救・又菊」と反切「又許六反・又刃六反」さらに「呉音竹 又菊」および低平調を示す和音「又和チウ」と平声点を付した「ク」〔＊和音「チク」と解すべきか〕を見出す。その呉音は大般若経字抄による漢呉二音相同の同音字注「竹」と同音字注「菊音」を引用する。日本呉音「チウ」平声を認める。また日本呉音「チク」入声の蓋然性が高い。

　　畜 音宙 一音救 ケタモノ 又許六反 … 又刃六反 … 呉音竹 又菊 又和 チウ［平平］ク［平］ …

　　　　　　　　　　　　　　　　　　　　　　　（観智院本類聚名義抄／佛中112-1）

　　但畜［□竹：右傍］タクハフ／菊音 モノヤシナフ　　（石山寺一切経蔵本大般若経字抄／23オ4）

▶番号1944a「蓄」（蓄懷）の仮名音注「チク」については、基本的に -ik で対応する。当該字には入声点を差す。廣韻に拠れば、徹母屋韻（ȶ'iʌuk）曉母屋韻（xiʌuk）二音を有する。観智院本類聚名義抄に徳声点を付した同音字注「畜」（その右傍に墨筆に朱筆で重ね書きした仮名音注「チク・キク」）を見出す。日本漢音「チク・キク」徳声（四声体系では入声）を認める。

　　萹蓄 音編畜［徳／キク・チク：朱右傍］ウシ［上上］クサ［上平］下タクハフ［上上上平］ …

　　　　　　　　　　　　　　　　　　　　　　　（観智院本類聚名義抄／僧上032-6）

▶番号1304「舳」（舳）の仮名音注「チク」については、基本的に -ik で対応する。当該字には入声点を差し、右注「ヘ［上］」左注「舟舳」を付載する。観智院本類聚名義抄に入声点を付した同音字注「音逐」を見出すが、仮名音注はない。元和本倭名類聚抄には同音字注「音逐」がある。日本漢音は入声を認める。

　　舳 音逐［入］ヘ［上］／トモ　　　　　　　　（観智院本類聚名義抄／佛下本002-6）

　　舳　兼名苑注云船前頭謂之舳 音逐漢語抄云舟頭制水處也和語云胥

　　　　　　　　　　　　　　　　　　　　　　　（元和本倭名類聚抄／巻十一03オ2）

3-4-2 -iʌ 系の字音的特徴 869

▶番号 1765「軸」（軸）の仮名音注「チク」については、基本的に -ik で対応する。当該字には入声濁点を差すので、字音「ヂク」を想定する。観智院本類聚名義抄に同音字注「音逐」を見出すが、仮名音注はない。その掲出字「軸」に平声点を差したように見えるが、朱声点でなく滲みであろう。観智院本類聚名義抄に同音字注「音逐」を見出す。長承本蒙求には仮名音注「チク」があり、その掲出字に入声点を加える。元和本倭名類聚抄には反切「直六反」がある。日本漢音「チク」入声を認める。

    軸 音逐 ヨコカミ［上上上濁上］／メクラス   （観智院本類聚名義抄／僧中 093-1）

    軸［入］チク   （長承本蒙求／091）

    軸 説文云軸 直六反和名與占加美 持輪者也   （元和本倭名類聚抄／巻十一 07 ウ 2）

▶番号 3221「軸」（軸）の仮名音注「チク」については、基本的に -ik で対応する。当該字には入声点を差し、右注「ヨコカミ」を付載する。上述の分析を参照。

▶番号 0815b・1799a「逐」（放逐・逐電）の仮名音注「チク」については、基本的に -ik で対応する。両当該字には入声点を差す。観智院本類聚名義抄に入声点を付した同音字注「音軸」および「和同」を見出すが、仮名音注はない。日本漢音・日本呉音ともに入声を認める。

    逐 音軸［入］シタカフ［上上□□］／オフ［上平］… 和同   （観智院本類聚名義抄／佛上 059-2）

▶番号 3133a「忸」（忸怩）の仮名音注「チク」については、基本的に -ik で対応する。当該字には入声濁点を差すので、字音「ヂク」を想定する。当該字と「恧」は相互に異体字である。熟字 3133「忸怩」は右注「カヲホカム」を付載する。図書寮本類聚名義抄に同音字注「广云女竹反」（その反切下字に入声点）を見出す。観智院本には反切「女六反・又女手反」を見つけるが、仮名音注はない。日本漢音は入声を認める。

    忸怩 广云女竹［上濁入］反 …   （図書寮本類聚名義抄／265-2）

    忸〔＊←忸+心〕女六反 又女手反／ハツ イタム ウレフ   （観智院本類聚名義抄／法中 082-3）

    恧 女六反 愍 又寧句反／ウレフ   （観智院本類聚名義抄／法中 075-8）

▶番号 1908a「忸」（忸怩）の仮名音注「チク」については、基本的に -ik で対応する。当該字には入声点を差す。上述の分析を参照。

▶番号 0577・1592b「腹」（腹・同腹）の仮名音注「フク」については、基本的に -uk で対応する。両当該字には入声点を差す。番号 0577「腹」は右注「ハラ」を付載する。観智院本類聚名義抄に反切「方目反・弗鞠反」と同音字注「音複」および和音「フク」を見出す。日本呉音「フク」を認める。

    腹 方目反 弗鞠反 … ハラ ムカフ アツシ［上上□］和フク   （観智院本類聚名義抄／佛中 118-5）

    腹 音複 ムカフ ハラ … フトコロニス［上上上□□□］   （観智院本類聚名義抄／佛中 118-5）

    腹 野王案云腹 複反和名波良 所以容裏五臟之者也   （元和本倭名類聚抄／巻三 08 ウ 4）

▶番号 2404b「複」（往複）の仮名音注「フク」については、基本的に -uk で対応する。当該字

870　3．仮名音注の韻母別考察　3-4　ⅢB韻類

には入声点を差す。図書寮本類聚名義抄に入声点を付した同音字注「宍音决云音福」と反切「类云方伏反」を見出す。観智院本には入声点を付した同音字注「音福」を見出すが、仮名音注はない。日本漢音は入声を認める。

　　　複　宍音决云音福［入］… カサネテ［上上平上／白：右注］　　　（図書寮本類聚名義抄／333-4）

　　　複　类云方伏反／絮衣　　　　　　　　　　　　　　　　　　　　　（図書寮本類聚名義抄／343-2）

　　　複　音福［入］反 ウスワタ カサヌ …　　　　　　　　　　　　　（観智院本類聚名義抄／法中140-7）

　▶番号2560b「蝠」（蝙蝠）の仮名音注「フク」については、基本的に -uk で対応する。当該字には入声点を差す。熟字2560「蝙蝠」は右注「カハホリ」を付載する。観智院本類聚名義抄に同音字注「福」を見出すが、仮名音注はない。元和本倭名類聚抄には同音字注「福」がある。

　　　蝙蝠 邊福二音 カハホリ［平口上濁平］一名伏羽 …　　　　　　（観智院本類聚名義抄／僧下028-8）

　　　蝙蝠 天鼠矢附 本草云蝙蝠 邊福二音 一名伏翼 和名加波保里 …

　　　　　　　　　　　　　　　　　　　　　　　　　　　　　　　　　（元和本倭名類聚抄／巻十九18 オ4）

　▶番号0392b「福」（伊福部）の仮名音注「フク」については、基本的に -uk で対応する。当該字に声点はない。熟字0392「伊福部」は伊篇姓氏部に属する。観智院本類聚名義抄に反切「甫伏反」を見出すが、仮名音注はない。

　　　福 甫伏反 サイハヒ［ス［上］：墨右注］ヨシ／キル　　　　　　（観智院本類聚名義抄／法下008-1）

　▶番号0050a「覆」（覆葐子）の仮名音注「フク」については、基本的に -uk で対応する。当該字には入声点を差す。熟字0050「覆葐子」は左右注「同（イチコ）俗作／覆盆」を付載する。観智院本類聚名義抄に同音字注「音伏」を見出すが、仮名音注はない。元和本倭名類聚抄には反切「芳福反」がある。

　　　覆盆子 イチコ［平上平濁］覆瓮子 同　　　　　　　　　　　　　（観智院本類聚名義抄／法下137-4）

　　　複葐子 イチコ　　　　　　　　　　　　　　　　　　　　　　　（観智院本類聚名義抄／僧上035-8）

　　　鳥覆 同〔＊アケヒ〕音伏　　　　　　　　　　　　　　　　　　（観智院本類聚名義抄／僧上041-1）

　　　覆盆子　爾雅注云蒛葐 欠盆二音 覆盆也本草云覆盆子 和名以知古今案宜作葍芳福反見唐韻

　　　　　　　　　　　　　　　　　　　　　　　　　　　　　　　　　（元和本倭名類聚抄／巻十七14 ウ2）

　　　覆 方冨反去 葐也／伊知比古也　　　　　　　　　　　　　　　（天治本新撰字鏡／巻七32 ウ6）

　▶番号0560「蝮」（蝮）の仮名音注「フク」については、基本的に -uk で対応する。当該字に声点はなく、左中右注「ハミ 蝮蛇一名／反鼻或俗呼蛇／為反鼻其音ヘンヒ」を付載する。観智院本類聚名義抄に入声点を付した同音字注「音覆」を見出すが、仮名音注はない。元和本倭名類聚抄には同音字注「音覆」がある。

　　　蝮 音覆［入］ハミ［上平］一名 反鼻［フク：墨右傍］／ノッチ（観智院本類聚名義抄／僧下024-5）

　　　蝮　本草疏云蝮蛇 蝮音覆 … 兼名苑云一名反鼻 蝮和名波美俗或呼蛇爲反鼻其音片尾

　　　　　　　　　　　　　　　　　　　　　　　　　　　　　　　　　（元和本倭名類聚抄／巻十九17 ウ6）

3-4-2 -iʌ 系の字音的特徴　871

▶番号1212b「伏」（蒲伏）の仮名音注「フク」については、基本的に -uk で対応する。当該字には入声点を差す。熟字1212「蒲伏」は右傍「ハラ ハフ」を付載する。観智院本類聚名義抄に入声点を付した同音字注「音服」を見出す。長承本蒙求には仮名音注「フク」三例があり、それらの掲出字に入声点を加える。日本漢音「フク」入声を認める。

　　　伏 音服［入］フス［平上］… ハラハフ …　　　　　　　（観智院本類聚名義抄／佛上 013-6）

　　　伏［入］フク　　　　　　　　　　　　　　　　　　　（長承本蒙求／005・114）

　　　伏［入］フク〔＊長承三年点とは別筆存疑〕　　　　　　　　（長承本蒙求／034）

▶番号2891b「伏」（降伏）の仮名音注「フク」については、基本的に -uk で対応する。当該字には入声濁点を差すので、字音「ブク」を想定する。上述の分析を参照。

▶番号1946b「服」（重服）の仮名音注「フク」については、基本的に -uk で対応する。当該字には入声濁点を差すので、字音「ブク」を想定する。観智院本類聚名義抄に入声濁点を付した同音字注「音伏」を見出すが、仮名音注はない。注記の終末にある「ウ［去］」は和訓かどうか不明。あるいは「フウ」と解すべきか。日本漢音は入声を認める。

　　　服 … 音伏［入濁］キ物 キヌ［平上］… ウ［去］　　　（観智院本類聚名義抄／佛中 133-4）

▶番号1348b「復」（平復）の仮名音注「フク」については、基本的に -uk で対応する。当該字には入声点を差す。観智院本類聚名義抄に反切「房富反」（その反切下字に去声点）と同音字注「又音伏」および平声点を付した和音「フ」と和音「フク」を見出す。和音表示「禾」の右傍に濁音「〻」表記があるので、和音「ブ」平声と和音「ブク」を示すと解する。日本呉音「ブ」平声と同じく「ブク」を認める。

　　　復 房富［□去／□フ：朱右傍］反 マタ … 又音伏 … 和［〻：墨右傍］フ［平］フク

　　　　　　　　　　〔＊「和」右傍に濁音「〻」表記〕　（観智院本類聚名義抄／佛上 038-1）

▶番号2779「馥」（馥）の仮名音注「フク」については、基本的に -uk で対応する。当該字に声点はなく、和訓「カウハシ」の同訓異字として位置する。観智院本類聚名義抄に同音字注「音伏」を見出すが、仮名音注はない。承暦本金光明最勝王音義には同音字注「福音」があり、その掲出字に入声点を加える。石山寺一切経蔵本大般若経字抄には漢呉二音相同の同音字注「福」を見つける。日本呉音は入声を認める。

　　　馥 音伏 香 カホル［上上濁□］／カムカフ［平平□□］　（観智院本類聚名義抄／法下 027-4）

　　　馥［入］福〻／加保留［上上平］　　　　　　（承暦本金光明最勝王経音義／03 ウ 3）

　　　正分 氛 音粉 馥［福：右傍］甚香也　　　（石山寺一切経蔵本大般若経字抄／20 ウ 7）

▶番号1211b「匐」（匍匐）の仮名音注「ホク」については、基本的に -ok で対応する。当該字には入声点を差す。熟字1211「匍匐」は右傍「ハラ ハフ」を付載する。観智院本類聚名義抄に同音字注「音蹼」を見出すが、仮名音注はない。

　　　匍匐 ハラハフ［平平上濁平］下音蹼／伏也　　　（観智院本類聚名義抄／法下 057-2）

872　3．仮名音注の韻母別考察　3-4　ⅢB韻類

▶番号0315b・1605b・1919b「目」（有目・怒目・雉目）の仮名音注「ホク」については、基本的に *-ok* で対応する。当該諸字三例には入声濁点を差すので、字音「ボク」を想定する。その中古音が示す頭子音 m-（等韻学の術語で言う明母）は両唇鼻音であり、日本語のマ行音をもって受容するが、中国語音韻史上における鼻音声母の非鼻音化（denasalization）の影響を蒙る場合にはバ行音で対応する。観智院本類聚名義抄に入声濁点を付した同音字注「音牧」（その右傍に墨筆で仮名音注「モク」）を見出す。同書の凡例部分「朱音者正音也墨声者和音也」（篇目 7-6）に従えば、朱墨で正音と和音を分別する傾向があるので、仮名音注「モク」は和音を示す。日本漢音は入声、日本呉音「モク」入声を認める。

　　　　目　音牧［入濁／モク：墨右傍］メ　マナコ［平平上］…　　　　　　（観智院本類聚名義抄／法下 057-2）

　　　　目　釋名云目黙也黙而内識也　　　　　　　　　　　　　（元和本類倭名類聚抄／巻三 03 ウ 5）

▶番号0116b「目」（肬目）の仮名音注「ホク」については、基本的に *-ok* で対応する。当該字に声点はない。熟字0116「肬目」は右注「イホ又イヲメ」左注「肬即疣也」を付載する。上述の分析を参照。

▶番号1827b「目」（除目）の仮名音注「モク」については、基本的に *-ok* で対応する。当該字には入声点を差す。上述の分析を参照。

▶番号1183a「牧」（牧宰）の仮名音注「ホク」については、基本的に *-ok* で対応する。当該字には入声濁点を差すので、字音「ボク」を想定する。観智院本類聚名義抄に入声濁点を付した同音字注「音目」（その右傍に朱筆で「ホク」左注に墨筆で「モク」）と反切「又亡福反」を見出す。同書の凡例部分「朱音者正音也墨声者和音也」（篇目 7-6）に従えば、朱墨で正音と和音を分別する傾向がある。承暦本金光明最勝王経音義には同音字注「目音」があり、その掲出字に入声点を加える。元和本類倭名類聚抄には同音字注「音目」を見つける。日本漢音「ボク」入声、日本呉音「モク」入声を認める。

　　　　牧　音目［入濁］… ウシウマ／カフ　ムマキ［上上平］…　　　　（観智院本類聚名義抄／佛下末 003-8）

　　　　牧　音目［入濁／ホク：朱右傍・モク：墨左注］ムマキ［平平平］… 又亡福反

　　　　　　　　　　　　　　　　　　　　　　　　　　　　　　　　　　（観智院本類聚名義抄／僧中 061-3）

　　　　牧　［入］目ゞ　　　　　　　　　　　　　　　　　（承暦本金光明最勝王経音義／09 ウ 4）

　　　　牧　尚書云萊夷爲牧音目 … 無萬岐　　　　　　　　　（元和本類倭名類聚抄／巻一 11 オ 5）

▶番号0865b「牧」（放牧）の仮名音注「モク」については、基本的に *-ok* で対応する。当該字には入声点を差す。上述の分析を参照。

▶番号2810「牧」（牧）の仮名音注「モク」については、基本的に *-ok* で対応する。当該字に声点はなく、和訓「カフ」の同訓異字として位置する。上述の分析を参照。

▶番号1569b「睦」（登睦）の仮名音注「ホク」については、基本的に *-ok* で対応する。当該字には入声点を差す。観智院本類聚名義抄に入声濁点を付した同音字注「音目」と同音字注「又穆」

3-4-2 -iʌ 系の字音的特徴 873

および和音「木」を見出すが、仮名音注はない。傍証ながら同書で「木」を再検索すると、和音「モク」を見つける。日本漢音は入声を認める。日本呉音「モク」の可能性を指摘しておく。

　　睦　音目［入濁］ムツラ［上□□］… 又穆 和木　　　　　　（観智院本類聚名義抄／佛中 069-7）

　　木　莫木反 キ／サトル 和モク　　　　　　　　　　　　　（観智院本類聚名義抄／佛下本 082-4）

▶番号 0758b・2101a・2106a「陸」（博陸・陸行・陸梁）の仮名音注「リク」については、基本的に -ik で対応する。当該諸字三例には入声点を差す。熟字 2101「陸行」は右傍「クカノミチ」を付載する。図書寮本類聚名義抄に同音字注「类云六音」と反切「中云力竹反」（その反切下字に入声点）を見出す。観智院本には入声点を付した同音字注「音六」（その左傍に朱筆で「六ク」）を見つける。長承本蒙求には仮名音注「リク」四例があり、それらを含む掲出字五例に徳声点を加える。承暦本金光明最勝王経音義には同音字注「六音」を見つける。日本漢音「リク」徳声（四声体系では入声）を認める。

　　薫陸　类云六音 真云平地也 … 中云力竹［□入］反 …　　　（図書寮本類聚名義抄／205-6）

　　陸　音六［入／六ク：朱左傍］ムツ ミチ［上上］…　　　（観智院本類聚名義抄／法中 047-1）

　　陸［徳］リク　　　　　　　　　　　　　　　　　　　　　（長承本蒙求／035・107・139）

　　陸［徳］六／リク　　　　　　　　　　　　　　　　　　　（長承本蒙求／079）

　　陸［徳］　　　　　　　　　　　　　　　　　　　　　　　（長承本蒙求／114）

　　陸　六ミ／久何［上上］　　　　　　　　　　（承暦本金光明最勝王経音義／04 オ 4）

▶番号 0057b・2032a「陸」（商陸・陸路）の仮名音注「リク」については、基本的に -ik で対応する。当該字に声点はない。熟字 0057「商陸」は右注「イヲノキ」を付載する。上述の分析を参照。

　　商陸　イヲスキ／草类　　　　　　　　　　　　　　　　　（観智院本類聚名義抄／法中 047-5）

　　商陸　本草云商陸 和名伊乎須木　　　　　　　　（元和本倭名類聚抄／巻二十 12 オ 1）

▶番号 0044「稑」（稑）の仮名音注「ロク」については、基本的に -ok で対応する。当該字に声点はない。番号 0044「稑」は右注「同（ワセ）」左注「先熟曰稑」を付載する。観智院本類聚名義抄に同音字注「音六」を見出すが、仮名音注はない。

　　稑　音六 オクテ／ワセ［平上］　　　　　　　　　　　　（観智院本類聚名義抄／法下 011-8）

▶番号 2030a・2125a・2129a「六」（六出・六律・六徳）の仮名音注「リク」については、基本的に -ik で対応する。当該諸字三例には入声点を差す。観智院本類聚名義抄に同音字注「音陸」（その右傍・左傍に墨筆で仮名音注「リク・ロク」）を見出す。同書の凡例部分「朱音者正音也墨声者和音也」（篇目 7-6）に従えば、朱墨で正音と和音を分別する傾向があるが、ここでは区別がない。日本呉音「ロク」を認める。また日本漢音「リク」の蓋然性が高い。

　　六　音陸［リク：墨右傍・ロク：墨左傍］ムツ［上平］…　　（観智院本類聚名義抄／佛下末 026-3）

▶番号 0406a・0432a・0449 a「六」（六府・六通・六趣）の仮名音注「ロク」については、基

874　3．仮名音注の韻母別考察　3-4　ⅢB韻類

本的に *-ok* で対応する。当該諸字三例には入声点を差す。熟字0406「六府」は左注「付作腑」を付載する。上述の分析を参照。

　▶番号0405a・0459a「六」（六畜・六波羅）の仮名音注「ロク」については、基本的に *-ok* で対応する。両当該字に声点はない。上述の分析を参照。

　▶番号2070a「勠」（勠力）の仮名音注「リク」については、基本的に *-ik* で対応する。当該字には入声点を差す。観智院本類聚名義抄に入声点を付した同音字注「音六」を見出すが、仮名音注はない。日本漢音は入声を認める。

　　　　勠 音六［入］併力 アフ［平上］… セム［平上］　　　　　　（観智院本類聚名義抄／僧上081-3）

《下巻 屋韻諸例》

　▶番号4125b「蔩」（蔩蔩藤）の仮名音注「イク」については、基本的に *-ik* で対応する。当該字に声点はない。観智院本類聚名義抄に同音字注「育」と反切「又烏得反」を見出すが、仮名音注はない。元和本倭名類聚抄には同音字注「育」がある。

　　　　蔩蔩藤 嬰育二音 アマツラ［上上□□］… 中又烏得反　　　（観智院本類聚名義抄／僧上041-2）
　　　　千歳蔩　蘇敬本草注云千歳蔩一名蔩蔩藤 蔩蔩二音嬰育和名阿末豆良俗用甘葛 …

　　　　　　　　　　　　　　　　　　　　　　　　　　　　　（元和本倭名類聚抄／巻二十19 ウ 7）

　▶番号6100a「鬻」（鬻女）の仮名音注「イク」については、基本的に *-ik* で対応する。当該字には入声点を差す。熟字6100「鬻女」は右注「同（ヒサキヒト）」左注「賣女也」を付載する。観智院本類聚名義抄に同音字注「祝育二音」と反切「又他竹反」を見出すが、仮名音注はない。同書では「粥」を相互に異体字として扱い、反切「之叔反」を見つける。

　　　　鬻鬻 粥三今 祝育二音 糜 ニル 上下 ヒサク［上上□］／又他竹反 アキナフ

　　　　　　　　　　　　　　　　　　　　　　　　　　　　　（観智院本類聚名義抄／僧下119-3）

　　　　粥 之叔反 シルカユ［□ラ□□］カユ／鬻鬻 二或　　　　（観智院本類聚名義抄／僧中025-4）

　▶番号6381a「菊」（菊地）の仮名音注「キク」については、基本的に *-ik* で対応する。当該字に声点はない。熟字 6381「菊地」は飛篇國郡部に属する地名である。元和本倭名類聚抄は「久々知」とする。観智院本類聚名義抄に同音字注「音掬」を見出す。長承本蒙求には仮名音注「キク」があり、その掲出字に徳声点を加える。日本漢音「キク」徳声（四声体系では入声）を認める。

　　　　菊 音掬 カハラヨモキ［上上上□□□］／俗云 本音之重　　（観智院本類聚名義抄／僧上046-6）
　　　　菊［徳］キク　　　　　　　　　　　　　　　　　　　　　　（長承本蒙求／132）
　　　　肥後國 … 菊地 久々知 阿蘇 阿曾 …　　　　　　　　　（元和本倭名類聚抄／巻五27 オ 8）

　▶番号5110a「麹」（麹塵）の仮名音注「キク」については、基本的に *-ik* で対応する。当該字に声点はない。上巻の屋韻当該例で分析した。

3-4-2 -iʌ 系の字音的特徴　875

▶番号 4938a「麹」（麹塵）の仮名音注「キ［上］」については、異例 -i を示す。当該字に声点はないが、その仮名音注に上声点を差す。熟字 4938「麹塵」は右注「キチン［上平平］」を付載する。上述の分析を参照。

▶番号 5564a・5746a・5763a「宿」（宿賽・宿搆・宿債）の仮名音注「シク」については、基本的に -ik で対応する。当該諸字三例に声点はない。上巻の屋韻当該諸例で分析したように、日本漢音「シク」徳声（四声体系では入声）日本呉音「シク」を認める。

▶番号 4813b「宿」（揖宿）の仮名音注「スキ」については、異例 -uki を示す。当該字に声点はない。熟字 4813「揖宿」は右傍「イホスキ」を付載する。佐篇國郡部に属する郡名である。元和本倭名類聚抄は「以夫須岐」とする。上述の分析を参照。

　　　薩摩國 … 揖宿 以夫須岐 … 鹿児島 加古志萬　　　　　（元和本倭名類聚抄／巻五 28 オ 2）

▶番号 5471a「肅」（肅慎羽）の仮名音注「シク」については、基本的に -ik で対応する。当該字には徳声点を差す。熟字 5471「肅慎羽」は右注「シキリハ［上上濁上平］」右傍「シクシンウ」仮名音注を付載する。上巻の屋韻当該例で分析したように、日本呉音「シク・ソク」を認める。また日本呉音「スク」の可能性を指摘できる。

▶番号 5589a「夙」（夙夜）の仮名音注「シク」については、基本的に -ik で対応する。当該字には徳声点を差す。観智院本類聚名義抄に同音字注「音宿」を見出すが、仮名音注はない。

　　　夙 … 音宿 アシタ ハヤシ［平上□／□□ク［平］］…　　　　（観智院本類聚名義抄／僧下 053-1）

▶番号 5461a「縮」（縮砂）の仮名音注「シク」については、基本的に -ik で対応する。当該字に声点はない。観智院本類聚名義抄に反切「所六反」および和音「宿」を見出すが、仮名音注はない。上巻屋韻当該例の番号 1473「宿」を参看すれば、日本呉音「シク」の可能性を指摘できる。

　　　縮 所六反 ヲサム ツヽム［平平濁□／□□マル］… 和宿　　　（観智院本類聚名義抄／法中 125-7）

▶番号 5392「粥」（粥）の仮名音注「シク」については、基本的に -ik で対応する。当該字には入声点を差し、右注「シルカユ」左注「薄糜也」を付載する。上巻の当該例で分析したように、日本漢音は徳声（四声体系では入声）と入声を認める。

▶番号 6131「粥」（粥）の仮名音注「イク」については、基本的に -ik で対応する。当該字に声点はなく、和訓「ヒサク」の同訓異字として位置する。上述の分析を参照。

▶番号 3569b「糸+胡外」（糸+胡外）の仮名音注「シク」については、基本的に -ik で対応する。当該字には入声点を差す。紛れやすい「升」（蒸韻 śieŋ¹）は別字別音である。熟字 3569「糸+胡外」は「藥名」を付載する。熟字「胡椒」と関連するか。観智院本類聚名義抄に低平調を示す和音「シク」を見出す。相互に異体字とする「叔」（屋韻 śiʌuk）に対して、同書は反切「舒六切」〔＊大廣益會玉篇による引用〕と注記「俗作忬」を見つける。長承本蒙求には仮名音注「シク」八例があり、それらの掲出字に徳声点を加える。日本漢音「シク」徳声（四声体系では入声）日本呉音「シク」入声を認める。

876　3．仮名音注の韻母別考察　3-4　ⅢB韻類

叔 季父 … 式竹切十三〔＊注記「俗作尗」なし〕　　　　　　　　（宋本廣韻／屋韻 śiʌuk）

叔 舒六切 説文云拾也俗作尗　　　　　　　　　　　　（小學彙函本大廣益會玉篇／巻上 50 オ 4）

叔 舒六切 拾／也 俗作尗　　　　　　　　　　　　　（観智院本類聚名義抄／僧中 054-3）

尗 和シク［平平：墨点］　　　　　　　　　　　　　（観智院本類聚名義抄／僧下 109-6）

叔 ［徳］シク／シク　　　　　　　　　　　　　　　　　　　　（長承本蒙求／014）

叔 ［徳］シク　　　　　（長承本蒙求／016・020・047・058・065・093・098）

丸藥 諸家方云 … 胡椒丸 治胸中冷気 …　　　　　（元和本倭名類聚抄／巻十二 07 オ 2）

▶番号 6947a「熟」（熟金）の仮名音注「スク」については、基本的に -uk で対応する。当該字
には入声点を差す。上巻の屋韻当該例で分析した。

▶番号 4138c・4201b「肉」（羡鎧肉・癗肉）の仮名音注「シク」については、基本的に -ik で
対応する。当該字には入声濁点を差すので、字音「ジク」を想定する。熟字 4138「羡鎧肉」は右注
「アフミスリ」を、熟字 4201「癗肉」は右注「アマシミ」中注「又コクミ」左注「或乍膔惡也」を
付載する。観智院本類聚名義抄に反切「如祝反」および「和ニク」を見出す。元和本倭名類聚抄に
は反切「如陸反」がある。日本呉音「ニク」を認める。

　肉 如祝反 シヽ／ハタカ 和ニク　　　　　　　　　（観智院本類聚名義抄／佛中 112-7）

　肉 膔睚睚附 玉篇云肉 如陸反字亦作宍和名之之 …　　　　（元和本倭名類聚抄／巻三 11 オ 1）

▶番号 5338「肉」（肉）の仮名音注「シク」については、基本的に -ik で対応する。当該字には
入声点を差し、右注 5339「ニク俗 如六反」左注「シミ 如作宍」右傍 5338「シク」を付載する。
上述の分析を参照。

▶番号 5339「肉」（肉）の仮名音注「ニク」については、基本的に -ik で対応する。当該字には
入声点を差し、右注 5339「ニク俗 如六反」左注「シミ 如作宍」右傍 5338「シク」を付載する。
上述の分析を参照。

▶番号 3631b「肉」（骨肉）の仮名音注「シク」については、基本的に -ik で対応する。当該字
に声点はない。上述の分析を参照。

▶番号 5182b・5708a「竹」（薪竹・竹簡）の仮名音注「チク」については、基本的に -ik で対
応する。両当該字には入声点を差す。上巻の屋韻当該諸例で分析したように、日本漢音「チク」徳
声（四声体系では入声）日本呉音「チク」入声を認める。

▶番号 3909b・4792b「竹」（薪竹・煞竹）の仮名音注「チク」については、基本的に -ik で対
応する。両当該字に声点はない。上述の分析を参照。

▶番号 5929a・6356a「筑」（筑摩・筑波）の仮名音注「ツク」については、基本的に -uk で対
応する。両当該字に声点はない。上巻の屋韻当該例諸で分析したように、日本漢音は入声を認める。

　信濃國 國府在筑摩郡 … 筑摩 豆加萬國府 …　　　　　（元和本倭名類聚抄／巻五 17 オ 4）

　信濃國 國府在茨城郡 … 筑波 豆久波 …　　　　　　（元和本倭名類聚抄／巻五 15 ウ 9）

3-4-2　-iʌ 系の字音的特徴　877

▶番号 6937b「逐」（随逐）の仮名音注「チク」については、基本的に -ik で対応する。当該字に声点はない。上巻の屋韻当該例諸で分析したように、日本漢音・日本呉音ともに入声を認める。

▶番号 4164a「妯」（妯娌）の仮名音注「チク」については、基本的に -ik で対応する。当該字には入声点と平声点を差す。熟字 4164「妯娌」は右注「アヒヨメ」中左注「兄弟之妻／相呼也」を付載する。観智院本類聚名義抄に入声点を付した同音字注「音逐」と反切「勅流反」を見出す。元和本倭名類聚抄には同音字注「逐」がある。日本漢音は入声を認める。

　　妯 音逐［入］勅流反／オコク［平平濁上］イタム　　　　　（観智院本類聚名義抄／佛中 007-5）

　　妯娌 アヒヨメ／下音里［上］　　　　　　　　　　　　　（観智院本類聚名義抄／佛中 007-5）

　　妯娌　爾雅云関西兄弟之妻相呼爲妯娌逐理二反 和名阿比興女

　　　　　　　　　　　　　　　　　　　　　　　　　　　　　（元和本倭名類聚抄／巻二 19 ウ 8）

▶番号 5075b「複」（興複）の仮名音注「フク」については、基本的に -uk で対応する。当該字には入声濁点を差すので、日本語音韻史上の連濁による字音「ブク」を想定する。熟字 5075「興複」は右傍「ヲカシ カヘス」を付載する。上巻の屋韻当該例で分析したように、日本漢音は入声を認める。

▶番号 5165b「複」（給複）の仮名音注「フク」については、基本的に -uk で対応する。当該字に声点はない。上述の分析を参照。

▶番号 4572「鍑」（鍑）の仮名音注「フク」については、基本的に -uk で対応する。当該字には入声点を差し、右注「サカリ」中注「小釜也」左注「舊銅也」を付載する。廣韻に拠れば、屋韻（piʌuk）宥韻（piʌuʸ）二音を有する。観智院本類聚名義抄に反切「方伏反」と去声点を付した同音字注「又音富」を見出すが、仮名音注はない。元和本倭名類聚抄には同音字注「音富」がある。日本漢音は去声を認める。

　　鍑 方伏反 カナヘ／サカリ［平平濁平］又音富［去］…　　　（観智院本類聚名義抄／僧上 120-5）

　　鍑 四聲字苑云鍑 音富漢語抄云散質利俗用懸釜二字 …　　（元和本倭名類聚抄／巻十六 01 ウ 9）

▶番号 4078b「福」（安福殿）の仮名音注「フク」については、基本的に -uk で対応する。当該字には入声点を差す。熟字 4078「安福殿」は右注「禁中殿名」を付載する。上巻の屋韻当該例で分析した。

▶番号 5148b・5837b「伏」（儀伏・雌伏）の仮名音注「フク」については、基本的に -uk で対応する。両当該字には入声点を差す。上巻の屋韻当該諸例で分析したように、日本漢音「フク」入声を認める。

▶番号 5671b「伏」（承伏）の仮名音注「フク」については、基本的に -uk で対応する。当該字に声点はない。上述の分析を参照。

▶番号 4945「服」（服）の仮名音注「フク」については、基本的に -uk で対応する。当該字に声点はない。上巻の屋韻当該例で分析したように、日本漢音は入声を認める。

878　3．仮名音注の韻母別考察　3-4　ⅢB韻類

▶番号4150「鰒」（鰒）の仮名音注「フク」については、基本的に -uk で対応する。当該字には入声点を差し、右注「同（アハヒ）」左注「蒲角反」〔＊蒲←艹+補〕を付載する。観智院本類聚名義抄に同音字注「音雹・一音伏」を見出すが、仮名音注はない。元和本倭名類聚抄に反切「蒲角反與雹同」と同音字注「今案一音伏」がある。

　　　鰒 音雹 一音／伏 アハヒ［上平平］　　　　　　　　　　（観智院本類聚名義抄／僧下005-5）

　　　鰒 四聲字苑云鰒 蒲角反與雹同今案一音伏見本草音義 …　（元和本倭名類聚抄／巻十九14オ2）

▶番号4393a「馥」（馥焉）の仮名音注「フク」については、基本的に -uk で対応する。当該字には入声点を差す。上巻の屋韻当該例で分析したように、日本呉音は入声を認める。

▶番号6263b・6733b・6921b「目」（眉目・聖目・鶏目）の仮名音注「ホク」については、基本的に -ok で対応する。当該諸字三例に声点はない。熟字6921「鶏目」は左注「赤米也」を付載する。上巻の屋韻当該諸例で分析したように、日本漢音は入声、日本呉音「モク」入声を認める。

▶番号5705b・6469a「目」（色目・目録）の仮名音注「モク」については、基本的に -ok で対応する。両当該字に声点はない。上述の分析を参照。

▶番号6644b「穆」（昭穆）の仮名音注「ホク」については、基本的に -ok で対応する。当該字には入声濁点を差すので、字音「ボク」を想定する。熟字「昭穆」は中注6644「父子也／セウホク」左注「イ本 父母也」右傍6645b「モク」を付載する。観智院本類聚名義抄に去声濁点と入声濁点を付した同音字注「音目」を見出すが、仮名音注はない。去声濁点は右肩より下がった位置に差声しているため、疑義が残る。日本漢音は入声を認める。

　　　穆 音目［去濁・入濁］ムツマシ［上上□□／□□フ［平濁］］…

　　　　　　　　　　　　　　　　　〔＊去声濁点は存疑〕（観智院本類聚名義抄／法下019-8）

▶番号6645b「穆」（昭穆）の仮名音注「モク」については、基本的に -ok で対応する。当該字には入声濁点を差すので、字音「ボク」を想定する。熟字「昭穆」は中注6644「父子也／セウホク」左注「イ本 父母也」右傍6645b「モク」を付載する。上述の分析を参照。

▶番号4153b「陸」（馬陸）の仮名音注「リク」については、基本的に -ik で対応する。当該字には入声点を差す。熟字4153「馬陸」は右注「アマヒコ」を付載する。上巻の屋韻当該諸例で分析したように、日本漢音「リク」徳声（四声体系では入声）を認める。

▶番号6827b「六」（雙六）の仮名音注「リク」については、基本的に -ik で対応する。当該字に声点はない。熟字「雙六」は右注6828「スクロク」右傍6827「サウリク」を付載する。上巻の屋韻当該諸例で分析したように、日本呉音「ロク」を認める。日本漢音「リク」の蓋然性が高い。

▶番号6828b・6862b「六」（雙六・雙六采）の仮名音注「ロク」については、基本的に -ok で対応する。両当該字に声点はない。熟字「雙六」は右注6828「スクロク」右傍6827「サウリク」を、熟字6862「雙六采」は左右注「スクロク／サイ」を付載する。上述の分析を参照。

3-4-2　-iʌ 系の字音的特徴　879

3-4-2-10　-iʌ 系の基本的な表記

以下に資料篇【表 B-07】を分析した結果をまとめる。なお、日本語音韻史における音変化などを反映する場合には 〇 で囲む処理をする。それ以外の異例（例えば、諧声符読みや誤認など）については 〔〕 を用いて表示する。

-iʌ 〔魚/語/御韻〕 *-o, -jo* -iuʌ 〔虞/麌/遇韻〕 *-u, -iu, -ju, -uju*
 (-jou) *(-o)*
 [-an] [-eu] [-i] [-iu] [-u] *[-ei] [-i] [-it] [-ou] [-wa]*

-iʌi 〔微/尾/未韻〕 *-i, -e* - iuʌi 〔微/尾/未韻〕 *-wi*
 (-ii) *(-i)*
 [-wi] [-ut]

-iʌu 〔尤/有/宥韻〕 *-u, -iu, -ju, -o, -ou*
 (-ip)
 [-au] [-eu] [-i]

-iʌm 〔凡/范/梵韻〕 *-am, -om*
 (-an, -on)
 [-em] [-en] [-o] [-ok] [-ot]

-iʌp 〔乏韻〕 *-ap, -op*
 (-au, -ou)

-iʌn 〔欣/隱/焮/韻〕 *-in, -on* -iuʌn 〔文/吻/問韻〕 *-on, -un*
 (-im) *(-um)*
 [-i] [-o] *[-ai] [-an] [-u] [-uri] [-uru] [-uun] [-win][-wina]*

-iʌt 〔迄韻〕 *-it, -ot* -iuʌt 〔物韻〕 *-ot, -ut*
 (-wit)

-iʌuŋ 〔東/送/韻〕 *-uũ(-ũ), -oũ, -iũ, -jũ*
-iʌuk 〔屋韻〕 *-uk, -ok, -ik, -juk*
 [-i] [-joũ] [-opo] [-uki]

　ここで、-iʌ 系における前田本の仮名音注が示す基本的対応を【表 09】にまとめておくと、-iʌ 系は *o, u*（日本語のオ列音・ウ列音）で対応し、日本漢字音として把握する。一部 *-i*（イ列音）で対応する場合など個々の問題は当該箇所で述べた。介音と韻尾に挟まれた主母音 -ʌ- が両者それぞれ

に吸収された結果の反映と想定する。

【表09】

	-ø	-i	-u	-m	-p	-n	-t	-ŋ	-k	-uŋ	-uk
-iʌ-	-o -jo (-jou) -e	-i (-ii)	-o -ou -u -iu -ju	-om (-on) -am (-an)	-op (-ou) -ap (-au)	-on -in (-im)				-oũ -uũ -iũ -jũ	-ok -uk -ik -juk
-iuʌ-	-u -iu -ju -uju	(-i) -wi				-un (-um) -on	-ut -ot				

3-5　IIIA 韻類

　IIIA 韻類には拗音韻類 -ia 系 -ie 系 -ie 系が含まれる。それぞれ -a-, -e-, -e- を主母音（V）とし
たグループで、等韻図の三四等欄に配置されるため、いわゆる三四等両属韻とも呼ぶ。以下、IIIA
韻類について、切韻系韻書が示す二百六韻を用い三根谷説によって分類した結果を掲げた上で、仮
名音注が示す字音の特徴を分析をする。

	-ø	-i	-u	-m(p)	-n(t)	-ŋ(k)	-uŋ(uk)
-ia-	麻馬禡	(齊)(海)祭	宵小笑	鹽琰豔葉	仙獮線薛	庚梗映陌	
-iua-		祭			仙獮線薛	庚梗映	
-ie-		之止志			臻　櫛	蒸拯證職	
-iue-						職	
-ie-	支紙寘	脂旨至	幽黝幼	侵寢沁緝	眞軫震質	清靜勁昔	
-iue-	支紙寘	脂旨至			諄準稕術	清靜勁昔	

　3-5-1　-ia 系の字音的特徴

　韻母 -ia 系グループとは、主母音 -a- を有する諸韻目、麻/馬/禡韻・祭韻・宵/小/笑韻・鹽/琰/豔
/葉韻・仙/獮/線/薛韻・庚/梗/映(敬)/陌韻を指す。なお、記号「/」による区別は四声（平/上/去/入
声）を示している。該当する前田本の諸例を 3-5-1-1 から 3-5-1-9 に集約した。

　3-5-1-1　-ia（麻/馬/禡韻）

　資料篇【表 B-08】には麻韻（平声）馬韻（上声）禡韻（去声）所属の諸例が含まれる。熟字の場
合は資料篇【表 A-01】【表 A-02】をも参照しながら、それを当該字の直後に括弧内で示す。単字
も同様の表示を行う。以下の諸韻も同様。前田本の示す仮名音注は基本的に -ja で対応する。異例
として、-a, -au, -i, -jau, jo がある。

《上巻　麻韻諸例》

▶番号 1662b「車」（同車）の仮名音注「シヤ」については、基本的に -ja で対応する。当該字

882　3．仮名音注の韻母別考察　3-5　ⅢA韻類

には平声濁点を差すので、日本語音韻史上の連濁による字音「ジャ」を想定する。廣韻に拠れば、麻韻（tśʻiaˡ）魚韻（kiʌˡ）二音を有する。観智院本類聚名義抄に反切「齒邪反」と同音字注「居音」（平声点を付した同音字注「古音居」もある）および上昇調と推測する和音「シャ」を見出す。長承本蒙求には仮名音注「キヨ」二例があり、それらの掲出字に東声点を加える。また同書には仮名音注「シャ」二例があり、それぞれの掲出字に平声点あるいは東声点を加える。元和本倭名類聚抄には反切「尺遮反」と同音字注「一音居」を見つける。日本漢音「キヨ・シャ」東声（四声体系では平声）日本呉音「シャ」去声を認める。

　　　車 齒邪反 古音居［平］クルマ［上上平］コシ／居音 カハチ 人躰 和シヤ［囗上］

　　　　　　　　　　　　　　　　　　　　　　　　（観智院本類聚名義抄／僧中 083-7）

　　　車 ［東］キヨ　　　　　　　　　　　　　　　　　　（長承本蒙求／017・059）

　　　車 ［平］シヤ〔＊東声の誤認か〕　　　　　　　　　　　　（長承本蒙求／049）

　　　車 ［東］シヤ　　　　　　　　　　　　　　　　　　　　（長承本蒙求／140）

　　　車 ［東］　　　　　　　　　　　　　　　　　（長承本蒙求／081・087・103）

　　　車駕　古史考云黄帝作車 尺遮反一音居和名久留萬 …　　（元和本倭名類聚抄／巻十一 05 ウ 4）

　▶番号 1922b「車」（女車）の仮名音注「シャ」については、基本的に -ja で対応する。当該字には平声点を差す。上述の分析を参照。

　▶番号 3259b「車」（輿車）の仮名音注「シャ」については、基本的に -ja で対応する。当該字には上声点を差す。上述の分析を参照。

　▶番号 1290・2559b「虵」（虵・蚖虵）の仮名音注「シャ」については、基本的に -ja で対応する。両当該字には平声点を差す。番号 1290「虵」は右注「ヘミ」左注「一云クチナハ」を、熟字 2559「蚖虵」は右注「カラスヘミ［平平平平平］」を付載する。観智院本類聚名義抄に反切「時遮反」および和音「自ヤ」と「下又陀音」を見出す。同書では「自キ・自フ・自ム・自ヤ・自ヤウ・自ヨ・自ン」があり、平声濁点を付した和音二例を含むので、これらの「自」は濁音「ジ」を示す。長承本蒙求には仮名音注「シャ」があり、その掲出字に平声点を加える。元和本倭名類聚抄には反切「食遮反」を見つける。日本漢音「シャ」平声、日本呉音「ジャ」を認める。

　　　虵蛇 時遮反／ヘミ［入上］… 和自ヤ 下又 陀音　　（観智院本類聚名義抄／僧下 016-5）

　　　　　　　〔＊仮名「ヘ」の字形が左下の平声点位置を確保しがたく、入声点の位置に差したか。〕

　　　取虵尾 スサヒ　　　　　　　　　　　　　　　　（観智院本類聚名義抄／僧下 016-6）

　　　深 式林［囗去濁］反 … 和自ム［平濁上：墨圏点］　　（観智院本類聚名義抄／法下 010-3）

　　　甚 常枕［囗上］反 … 和自ン［平濁上：墨点］　　（観智院本類聚名義抄／僧下 082-6）

　　　虵 ［平］シヤ　　　　　　　　　　　　　　　　　　　　（長承本蒙求／031）

　　　蛇　孫愐切韻云蛇 食遮反和名倍美一云久知奈波日本紀私記云予呂知 毒虫也

　　　　　　　　　　　　　　　　　　　　　　　　（元和本倭名類聚抄／巻十九 17 オ 7）

3-5-1 -ia 系の字音的特徴 883

▶番号1801a「𧖴」（𧖴理）の仮名音注「チ」については、異例 -i を示す。当該字には平声濁点を差すので、字音「ヂ」を想定する。同じ諧声符「也」を持つ「池」（支韻 ḍie¹）「地」（至韻 ḍie³）などからの類推による字音把握か。廣韻に拠れば、当該字は麻韻（dźia¹）馬韻（jia²）支韻（jie¹）三音を有する。本来は字音「ヂャ」を期待する。熟字1801「𧖴理」は左注「地上」を付載するので、あるいは熟字「地理」の誤認か。上述の分析を参照。

▶番号0708「賒」（賒）の仮名音注「シャ」については、基本的に -ja で対応する。当該字には平声点を差し、和訓「ハルカ」の同訓異字として位置する。観智院本類聚名義抄に去声点を付した同音字注「音奢」を見出すが、仮名音注はない。日本漢音は去声を認める。

　　賒 音奢［去］オキノル［上上上平］… ハルカナリ …　　　　（観智院本類聚名義抄／佛下本016-1）

《下巻 麻韻諸例》

▶番号4267「罝」（罝）の仮名音注「サ」については、異例 -a を示す。当該字には平声点を差し、右注「同（アミ）」左注「兔罝」を付載する。観智院本類聚名義抄に平声点を付した同音字注「音嗟」（その右傍に朱筆で仮名音注「シャ」）を見出す。元和本倭名類聚抄には反切「子耶反」を見つける。日本漢音「シャ」平声を認める。

　　罝 …音嗟［平／シャ：朱右傍］兔網／アミ［平平］…　　　　（観智院本類聚名義抄／僧中007-6）
　　罘網 紲附 纂要云 … 兎網曰罝 子耶反已上訓皆阿美 …　　（元和本倭名類聚抄／巻十五06 オ8）

▶番号4048a・5547a「斜」（斜脚・斜徑）の仮名音注「シャ」については、基本的に -ja で対応する。両当該字には平声点を差す。廣韻に拠れば、邪母麻韻（zia¹）羊母麻韻（jia¹）二音を有する。観智院本類聚名義抄に去声点を付した同音字注「音奢」と平声点を付した同音字注「音耶」（その右傍に朱筆で仮名音注「ヤ」）および和音「シャ」を見出す。日本漢音は去声と「ヤ」平声、日本呉音「シャ」を認める。

　　斜 音奢［去］カタフク［平平上濁囗］又音耶［平／ヤ：朱右傍］… 和シャ

（観智院本類聚名義抄／法下141-4）

▶番号5540a「斜」（斜脚）の仮名音注「シャウ」については、異例 -jau を示す。当該字には平声点を差す。広辞苑第七版は「光や雨が斜めにそそぐさま。また、その光や雨。」と説明する。直前の熟字5539「商羊」に対する右注「シャウヤウ」仮名音注に牽引され、本来の「シャキヤク」ではなく「シャウキヤク」と字音把握したか。上述の分析を参照。

▶番号4710b「邪」（讒邪）の仮名音注「シャ」については、基本的に -ja で対応する。当該字には平声点を差す。廣韻に拠れば、羊母麻韻（jia¹）常母麻韻（zia¹）二音を有する。図書寮本類聚名義抄には「顔氏云瑯邪」（その平声点位置に仮名音注「ヤ」）と反切「弘云与遮反」（その反切下字に東声点）と同音字注「廣韻云音斜」さらに上声点を付した仮名音注「ヤ」を見出す。観智院

884　3．仮名音注の韻母別考察　3-5　ⅢA韻類

本類聚名義抄に反切「与遮反」（その反切下字に去声点）と去声濁点を付した同音字注「又音斜」および和音「ヤ」〔＊←ナ〕を見出す。天理大学本最勝王経音義には和音「自ヤ」がある。日本漢音「ヤ」東声（四声体系では平声）日本呉音「ヤ」と「ジヤ」を認める。それぞれの日本呉音は上声と去声の蓋然性が高い。

　　邪　顔氏云音瑘［ラウ：平声点位置］邪［ヤ：平声点位置］之邪
　　　弘云与遮［□東］反 … 廣韻云音斜 … ヤ［上／顔：右注］　　　　（図書寮本類聚名義抄／174-5）
　　邪　与遮反 ヨコサマ［□□シ□：墨右傍］… 又音斜［去濁］和ナ〔＊ヤの誤認〕
　　　　　　　　　　　　　　　　　　　　　　　　　　　（観智院本類聚名義抄／法中036-4）
　　邪　与遮反 アシ［平上］／ヨコサマ … 和自ヤ　　　　（天理大学本最勝王経音義／13ウ2）

▶番号5624a「邪」（邪見）の仮名音注「シヤ」については、基本的に *ja* で対応する。当該字には去声点を差す。上述の分析を参照。

▶番号5333a・5563a「邪」（邪魔・邪氣）の仮名音注「シヤ」については、基本的に *ja* で対応する。両当該字に声点はない。上述の分析を参照。

▶番号4626・5504「遮」（遮・遮）の仮名音注「シヤ」については、基本的に *ja* で対応する。両当該字に声点はない。番号4626「遮」は左傍「正奢反」を付載し、和訓「サイキル」の同訓異字として位置する。番号5504「遮」は左注「遮凝」右注「シヤス」サ変動詞を付載する。観智院本類聚名義抄に反切「之虵反」（その反切下字に平声点）および上昇調と推測する和音「シヤ」を見出す。日本漢音は平声、日本呉音「シヤ」去声を認める。

　　　遮　之虵［□平］反 サイキル［上上□□］… 和シヤ［□上］　　（観智院本類聚名義抄／佛上058-1）

▶番号6944b「車」（随車）の仮名音注「シヤ」については、基本的に *ja* で対応する。当該字には平声点を差す。上巻の麻韻当該諸例で分析したように、日本漢音「キヨ・シヤ」東声（四声体系では平声）日本呉音「シヤ」去声を認める。

▶番号「車」5133b・5462c・5463c（牛車・四馬車・指南車）の仮名音注「シヤ」については、基本的に *ja* で対応する。当該諸字三例に声点はない。熟字5462「四馬車」は右注「小車也」を付載する。上述の分析を参照。

　　四馬車　論語注云小車四馬車也　　　　　　　　　　（元和本倭名類聚抄／巻十一06ウ2）
　　指南車　鬼谷子注周成王時粛慎氏献白雉還恐惑周公作指南車以送之
　　　　　　　　　　　　　　　　　　　　　　　　　　　（元和本倭名類聚抄／巻十一06ウ7）

▶番号5409a「硨」（硨磲）の仮名音注「シヤ」については、基本的に *ja* で対応する。当該字には去声点を差す。熟字5409「硨磲」は右注「シヤコ俗」を付載する。図書寮本類聚名義抄は熟字「硨磲」に平声点を付した同音字注「宋法花云音車」と「俗謝古［去平］」を注記する。観智院本には反切「昌奢反」（その右傍に墨筆で仮名音注「シヤ」）を見出す。また熟字「硨磲」としては仮名音注「俗シヤコ［平上平］」を見つける。元和本倭名類聚抄には「俗音謝古」がある。日本漢

音は平声、定着久しい字音「シヤ」去声を認める。

> 硨磲 宋法花云音車 [平] … 俗謝古 [去平] 　　　　　（図書寮本類聚名義抄／149-5）

> 硨 〔＊「磲」補入を指示〕正 車俗 昌奢 [□シヤ：墨右傍] 反　（観智院本類聚名義抄／法中 005-1）

> 磲 巨魚反／俗 シヤコ [平上平]　　　　　　　　　（観智院本類聚名義抄／法中 005-2）

> 硨磲 廣雅云車渠 陸詞並從石作硨磲也俗音謝古 石之次玉也

　　　　　　　　　　　　　　　　　　　　　　　（元和本倭名類聚抄／巻十一 19 オ 4）

▶番号 5938a「虵」（虵結）の仮名音注「シヤ」については、基本的に -ja で対応する。当該字に声点はない。上巻の麻韻当該諸例で分析したように、日本漢音「シヤ」平声、日本呉音「ジヤ」を認める。

《上巻 馬韻諸例》

▶番号 1853b・2369b・3249b「者」（杖者・王者・勇者）の仮名音注「シヤ」については、基本的に -ja で対応する。当該諸字三例には上声点を差す。熟字 1853「杖者」は左注「老人也」を付載する。観智院本類聚名義抄に反切「諸野反」を見出すが、仮名音注はない。

> 者 諸野反 モノ／ヒト [上平] …　　　　　　　　（観智院本類聚名義抄／佛中 100-3）

▶番号 1852b「者」（長者）の仮名音注「シヤ」については、基本的に -ja で対応する。当該字には上声濁点を差すので、日本語音韻史上の連濁による字音「ジヤ」を想定する。上述の分析を参照。

▶番号 1894b「者」（智者）の仮名音注「シヤ」については、基本的に -ja で対応する。当該字には平声点を差す。上述の分析を参照。

▶番号 1823b「者」（定者）の仮名音注「シヤ」については、基本的に -ja で対応する。当該字には平声濁点を差すので、日本語音韻史上の連濁による字音「ジヤ」を想定する。上述の分析を参照。

▶番号 2139b「者」（竪者）の仮名音注「シヤ」については、基本的に -ja で対応する。当該字に声点はない。上述の分析を参照。

▶番号 2393b「舍」（蝸舍）の仮名音注「シヤ」については、基本的に -ja で対応する。当該字には上声点を差す。廣韻に拠れば、麻／禡韻（śia²³）二音を有する。観智院本類聚名義抄に去声点を付した「音謝ヤ」および低平調を示す和音「シキ」〔＊シヤの誤認か〕を見出す。鎮国守国神社蔵本三寶類聚名義抄には去声点を付した「音謝」および低平調を示す和音「シヤ」を見つける。長承本蒙求には仮名音注「シヤ」があり、その掲出字に去声点を加える。日本漢音「シヤ」去声、日本呉音「シヤ」平声を認める。

> 舍 音謝ヤ [去□] ヤトル [平平濁上] … 和シキ [平平]　　（観智院本類聚名義抄／僧中 001-7）

886 3. 仮名音注の韻母別考察 3-5 ⅢA韻類

舍 音謝ヤ［去去：圏点］ヤトル［平平濁上］… 和シヤ［平平］

(鎮国守国神社蔵本三寶類聚名義抄／下一47オ3)

　舍［去］シヤ　　　　　　　　　　　　　　　　　(長承本蒙求／140)

▶番号3269b「捨」（用捨）の仮名音注「シヤ」については、基本的に -ja で対応する。当該字には去声点を差す。観智院本類聚名義抄に平声点・上声点を付した同音字注「音舍」を見出す。日本漢音は平/上声を認める。

　捨 音舍［平・上］スツ［上平］… ハナツ　　　(観智院本類聚名義抄／佛下本053-7)

▶番号1272b・1689b・3147b「野」（北野・佐野・髙野）の仮名音注「ヤ」については、基本的に -ja で対応する。当該諸字三例に声点はない。観智院本類聚名義抄に同音字注「音也」および「和平」を見出すが、仮名音注はない。日本呉音は平声を認める。

　野 音也ノ［平］／イヤシ［平上上］和平　　　(観智院本類聚名義抄／僧下100-8)

　遠江國 國府在豊田郡 … 佐野　城飼 岐加布　　(元和本倭名類聚抄／巻五13オ9)

▶番号2927b「冶」（閑冶）の仮名音注「ヤ」については、基本的に -ja で対応する。当該字には上声点と去声点を差す。熟字2927「閑冶」は右傍「ミヤヒカナリ」を付載する。図書寮本類聚名義抄に上声点を付した同音字注「音也」と反切「中云音羊者反」を見出す。観智院本には上声点を付した同音字注「音也」を見つける。長承本蒙求に仮名音注「ヤ」があり、その掲出字には上声点と朱圏点による去声点を加える。承暦本金光明最勝王経音義には同音字注「也音」があり、その掲出字に去声点を加える。次項のごとく、元和本倭名類聚抄には借字による同音字注「夜反」を見つける。日本漢音「ヤ」上/去声、日本呉音は去声を認める。また日本呉音「ヤ」の蓋然性が高い。

　鑢冶 川云音也［上］… 于ツ［平上］　　　　　(図書寮本類聚名義抄／066-4)

　叉冶 中云音羊者反　　　　　　　　　　　　　(図書寮本類聚名義抄／066-4)

　冶 音也［上］ミカク［上上濁□］… ウツ［平上］(観智院本類聚名義抄／法上044-8)

　冶［上・去：朱圏点］ヤ／ヤ　　　　　　　　　(長承本蒙求／065)

　冶［去］也ゝ／介須［上平］　　　(承暦本金光明最勝王経音義／04ウ4)

　　先可知所付借字　　　　　　　　(承暦本金光明最勝王経音義／01オ7)

　耶［上］也［平］万［平］末［平］麻［上］計［平］介［平］氣［上］

(承暦本金光明最勝王経音義／01ウ4)

▶番号2570b「冶」（鍛冶）の仮名音注「ヤ」については、基本的に -ja で対応する。当該字に声点はない。熟字2570「鍛冶」は右注「カチ」左注「俗謂訛也」右傍「タンヤ」仮名音注を付載する。前田本が掲げる当該の字形「鍛治」を「鍛冶」に修正する。元和本倭名類聚抄の注記「俗云鍛冶訛也」が述べるように、両熟字の混同は日常的に生じていたと推測できる。現行多くの古語辞典は「金打ち（かなうち）」が「かぬち」となり、さらに「かぢ」に変化したと説明する。上述の分析を参照。

鍛冶 四聲字苑云鍛 段反 冶 夜反 打金鉄爲器也俗云鍛冶訛也燒鉄銷鑠也

（元和本倭名類聚抄／巻二 09 オ 5）

《下巻 馬韻諸例》

▶番号5918a「寫」（書寫山）の仮名音注「シヤ」については、基本的に -ja で対応する。当該字に声点はない。熟字5918「書寫山」は右注「シヨシヤノヤマ」を付載する。観智院本類聚名義抄に反切「思野反」および上昇調と推測する和音「シヤ」を見出す。長承本蒙求には仮名音注「シヤ」があり、その掲出字に上声点を加える。日本漢音「シヤ」上声、日本呉音「シヤ」去声を認める。

　　寫寫 上俗下正 思野反 ノソク［平上濁平］… 和シヤ［□上］　　（観智院本類聚名義抄／法下 055-1）

　　寫［上］シヤ［舃 セキ イ本：左傍］　　　　　　　　　　　（長承本蒙求／039）

▶番号5581a「瀉」（瀉瓶）の仮名音注「シヤ」については、基本的に -ja で対応する。当該字には去声点を差す。廣韻に拠れば、馬/禡韻（sia^{23}）二音を有する。図書寮本類聚名義抄に上声点を付した同音字注「宋云音寫」と反切「鮎云 又思夜反」（その反切下字に去声点）を見出す。観智院本には同音字注「音寫」を見出すが、仮名音注はない。日本漢音は上/去声を認める。

　　瀉 宋云音寫［上］鮎云瀉渡水 又思夜［□去］／反 … ソク［上上］／集：右注］…

（図書寮本類聚名義抄／056-2）

　　瀉 音寫 ウツス ソク／カタトムム　　（観智院本類聚名義抄／法上 037-1）

▶番号4998b「者」（行者）の仮名音注「シヤ」については、基本的に -ja で対応する。当該字には平声点を差す。上巻の馬韻当該諸例で分析した。

▶番号5326c・5701b「者」（修行者・儒者）の仮名音注「シヤ」については、基本的に -ja で対応する。両当該字に声点はない。上述の分析を参照。

▶番号5789b「捨」（取捨）の仮名音注「シヤ」については、基本的に -ja で対応する。当該字には平声点を差す。上巻の馬韻当該諸例で分析したように、日本漢音は平/上声を認める。

▶番号4404a・4807b・5200b「野」（野州・阿野・禁野）の仮名音注「ヤ」については、基本的に -ja で対応する。当該諸字三例に声点はない。上巻の馬韻当該諸例で分析したように、日本呉音は平声を認める。

　　近江國 國府在栗本郡 … 野州 蒲生 加萬不 …　　（元和本倭名類聚抄／巻五 16 オ 7）

　　讃岐國 國府在阿野郡 … 香川 介加波 阿野 綾 …　　（元和本倭名類聚抄／巻五 16 オ 7）

《上巻 禡韻諸例》

▶番号0804b「謝」（拜謝）の仮名音注「シヤ」については、基本的に -ja で対応する。当該字

には去声点を差す。図書寮本類聚名義抄に去声点を付した同音字注「舍」を見出す。観智院本には同音字注「舍」を見出すが、音表示はない。長承本蒙求には仮名音注「シヤ」五例があり、それら掲出字中の三例に去声点を加える。日本漢音「シヤ」去声を認める。

愧謝 音舍 ［去］ … ユルス ［平平上／礼：右注］ …　　　　（図書寮本類聚名義抄／098-3）

謝 … 舍 カシコマル …　　　　（観智院本類聚名義抄／法上 054-5）

謝 ［去］シヤ　　　　（長承本蒙求／024・094・136）

謝 ［＊右上隅欠］シヤ　　　　（長承本蒙求／034・050）

▶番号 2479a「射」（射干）の仮名音注「ヤ」については、基本的に -ja で対応する。当該字には去声点を差す。廣韻に拠れば、羊母碼韻（jia³）船母碼韻（dźia³）二音を有する。熟字 2479「射干」は右注「カラスアフキ」左注「又乍夜干」を付載する。観智院本類聚名義抄に同音字注「音麝・音夜」と反切「時枯反・又食赤反」および和音「シヤ」を見出す。長承本蒙求には仮名音注「ヤ」があり、その掲出字に去声点を加える。元和本倭名類聚抄には同音字注「音夜」を見つける。日本漢音「ヤ」去声、日本呉音「シヤ」を認める。

射 正 音麝 イル／ハカルトホシ／又食亦 和シヤ　　　　（観智院本類聚名義抄／佛上 088-1）

射 時枯反 イル … 又食赤反　　　　（観智院本類聚名義抄／法下 143-6）

射干 音夜　　　　（観智院本類聚名義抄／法下 144-1）

射 ［去］ヤ　　　　（長承本蒙求／141）

射干 本草云射干一名烏扇 射音夜和名加良須安布木　　　　（元和本倭名類聚抄／巻二十 12 ウ 3）

▶番号 3155b「射」（武射）の仮名音注「サ」については、異例 -a を示す。当該字には声点はない。万葉集では借字「射」を日本語の濁音「ザ」相当として頻用する。熟字 3155「武射」は加篇國郡部に属する地名である。万葉集に郡名を見出す。上述の分析を参照。

上總國 國府在市原郡 … 山邊 也末乃倍 武射 埴生　　　　（元和本倭名類聚抄／巻五 16 オ 7）

余曽尓能美 美弓夜和多良毛 奈尓波我多 久毛為尓美由流 志麻奈良奈久尓

右一首武射郡上丁丈部山代　　　　（西本願寺本万葉集／巻二十 4355 番）

山神乃 奉御調等 春部者 花挿頭持 秋立者 黄葉頭刺理 ［一云黄葉加射之］

山神の 奉る御調と 春へは 花かざし持ち 秋立てば 黄葉かざせり ［一云黄葉かざし］

　　　　（西本願寺本万葉集／巻一 0038 番）

伊能知乎之 麻多久之安良婆 安里伎奴能 安里弓能知尓毛 安波射良米也母

命をし全くしあらばあり衣のありて後にも逢はざらめやも

　　　　（西本願寺本万葉集／巻十五 3741 番）

▶番号 1026b・3193a「夜」（司夜・夜眼）の仮名音注「ヤ」については、基本的に -ja で対応する。両当該字には去声点を差す。熟字 1026「司夜」は左注「已上星名也」を、熟字 3193「夜眼」は右注「ヨメ」左注「馬眼」を付載する。観智院本類聚名義抄に反切「已舍反」と同音字注「音射」

および和音「ヤ」を見出す。長承本蒙求には仮名音注「ヤ」があり、その掲出字に去声点を加える。日本漢音「ヤ」去声、日本呉音「ヤ」を認める。

夜 巳舍反 ヨル［平上］／ヨハ［平上］和ヤ　　　　　　　　（観智院本類聚名義抄／法下 040-7）

夜 音射 ヨハ［平上］　　　　　　　　　　　　　　　　　（観智院本類聚名義抄／法下 134-6）

夜 ［去］ヤ　　　　　　　　　　　　　　　　　　　　　　　　　　（長承本蒙求／014）

▶番号0727b・1797b・2862b「夜」（半夜・晝夜・閑夜）の仮名音注「ヤ」については、基本的に -ja で対応する。当該諸字三例には平声点を差す。熟字2862「閑夜」は右傍「シツカナルヨ」を付載する。上述の分析を参照。

▶番号1058b「保夜」（夜）の仮名音注「ヤ」については、基本的に -ja で対応する。当該字に声点はない。熟字0727「保夜」は右注「同（ホヤ）」左注「俗用之」を付載する。上述の分析を参照。

《下巻 禡韻諸例》

▶番号5500「謝」（謝）の仮名音注「シヤ［平去］」については、基本的に -ja で対応する。当該字に声点はなく、その仮名音注に去声相当である上昇調の差声を施す。上巻の禡韻当該諸例で分析したように、日本漢音「シヤ」去声を認める。

▶番号4229「炙」（炙）の仮名音注「シヤ」については、基本的に -ja で対応する。当該字には去声点を差す。廣韻に拠れば、禡韻 (tśia³) 昔韻 (tśiek) 二音を有する。番号4229「炙」は右注「アフリモノ」左注「之夜反 炙害也」を付載する。観智院本類聚名義抄に反切「章適反・又章夜反」および「呉尺」と上昇調を示す「又シヤ」〔＊正音か〕を見出す。その呉音は大般若経字抄の漢呉二音相同の同音字注「尺」による引用である。長承本蒙求には同音字注「者反」（平安時代中期と推定する古い朱筆）と仮名音注「シヤ」（平安時代院政初期である長承三年に加点された墨筆）さらに「キウ」（長承三年点とは別筆ながら同時期の墨点／字形の近似する「炎」有/宥韻 (kiʌu²³) との混同による字音把握）があり、その掲出字に去声点を加える。元和本倭名類聚抄には反切「之夜反又之石反」を見つける。日本漢音「シヤ」去声を認める。

炙 章適反 又章夜反 アフリ物［平平濁平□］呉尺 又シヤ［□上］

　　　　　　　　　　　　　　　　　　　　　（観智院本類聚名義抄／佛下末 039-5）

炙 ［尺：右傍／舍：左傍］アフル　　　（石山寺一切経蔵本大般若経字抄／23 オ 7）

炙 ［去］者反／シヤ／キウ　　　　　　　　　　　　　　　　（長承本蒙求／060）

炙 ［入］キウ〔＊入声点は別音の昔韻 (tśiek) を示す〕　　（長承本蒙求／130）

炙 唐韻云炙 之夜反又之石反和名阿布利毛乃 …　　（元和本倭名類聚抄／巻十六 19 ウ 5）

▶番号4329「炙」（炙）の仮名音注「シヤ」については、基本的に -ja で対応する。当該字には

890　3．仮名音注の韻母別考察　3-5　ⅢA韻類

去声点を差す。番号4329「炙」は右注「アフル」中注「之夜之石二反」左注「炙背」右傍「シヤ セ キ」仮名音注を付載する。上述の分析を参照。

　▶番号3563a「射」（射鞲）の仮名音注「シヤ」については、基本的に -ja で対応する。当該字には去声点を差す。熟字3563「射鞲」は右注「コテ［上上］」中注「又タマキ」左注「射具也」を付載する。上巻の禡韻当該諸例で分析したように、日本漢音「ヤ」去声、日本呉音「シヤ」を認める。

　▶番号5464a「麝」（麝香）の仮名音注「シヤ」については、基本的に -ja で対応する。当該字には去声濁点を差すので、字音「ジヤ」を想定する。廣韻に拠れば、禡韻（dźia³）昔韻（dźiek）二音を有する。熟字5464「麝香」は右注「出中天竺也」を付載する。観智院本類聚名義抄に同音字注「音射・又音石」を見出すが、仮名音注はない。承暦本金光明最勝王経音義には同音字注「虵音」があり、その掲出字に去声点を加える。元和本倭名類聚抄には反切「食夜反」を見つける。日本呉音は去声を認める。

　　　　麝麜 音射 香麜 又音石　　　　　　　　　　　　（観智院本類聚名義抄／法下 110-4）

　　　　麝［去］虵ゝ　　　　　　　　　　　　　　　　（承暦本金光明最勝王経音義／09 オ 2）

　　　　麜香 爾雅注云麜 食夜反 脚似麕而有香　　　　　（元和本倭名類聚抄／巻十二 02 オ 2）

　▶番号5730a・5787a「赦」（赦面・赦免）の仮名音注「シヤ」については、基本的に -ja で対応する。両当該字には去声点を差す。観智院本類聚名義抄に去声点を付した同音字注「音舍」を見出すが、仮名音注はない。石山寺一切経蔵本大般若経字抄には漢呉二音相同の同音字注「舍」がある。日本漢音は去声を認める。

　　　　赦 音舍［去］ユルス［平平上］ … マヌカル［平平□□］　　（観智院本類聚名義抄／僧中 060-7）

　　　　赦［舍：右傍］ゝ免也　　　　　　　　　　　　（石山寺一切経蔵本大般若経字抄／25 オ 4）

　▶番号5256「赦」（赦）の仮名音注「シヤ」については、基本的に -ja で対応する。当該字に声点はなく、和訓「ユルス」の同訓異字として位置する。上述の分析を参照。

　▶番号5530b・5853b「夜」（司夜・子夜）の仮名音注「ヤ」については、基本的に -ja で対応する。両当該字には去声点を差す。上巻の禡韻当該諸例で分析したように、日本漢音「ヤ」去声、日本呉音「ヤ」を認める。

　▶番号5867b「夜」（燭夜）の仮名音注「ヤ」については、基本的に -ja で対応する。当該字には上声点を差す。上述の分析を参照。

　▶番号5536b・5589b「夜」（初夜・子夜）の仮名音注「ヤ」については、基本的に -ja で対応する。両当該字には平声点を差す。上述の分析を参照。

　▶番号4717b・6367b「夜」（三夜・賀夜）の仮名音注「ヤ」については、基本的に -ja で対応する。両当該字に声点はない。上述の分析を参照。

　　　　備中國 國府在賀夜郡 … 都宇 津 窪夜 久保也 賀夜 …　　（元和本倭名類聚抄／巻五 16 オ 7）

▶番号5537b「夜」（深夜）の仮名音注「カウ」については、異例 -au を示す。熟字5537「深夜」は左注「シムカウ」を付載するが、本来は次の熟字5538「深更」に付載すべき仮名音注である。上述の分析を参照。

3-5-1-2　-iai（祭韻）

資料篇【表B-08】には祭韻（去声）開口所属の諸例が含まれる。前田本の示す仮名音注は基本的に -ei, -e, -ai で対応する。異例として、-i がある。

《上巻　祭韻開口諸例》

▶番号1351b「羿」（苗羿）の仮名音注「エイ」については、基本的に -ei で対応する。当該字には平声点を差す。熟字1351「苗羿」は遠い子孫を意味する。図書寮本類聚名義抄に去声点を付した「宋法花云音曳」を見出す。観智院本には反切「与制反」と同音字注「音曳」および上昇調と推測する和音「エイ」を見出す。長承本蒙求には仮名音注「エイ」があり、その掲出字に去声点を加える。承暦本金光明最勝王経音義には借字による「衣伊反」があり、その掲出字に去声点を加える。日本漢音「エイ」去声、日本呉音「エイ」去声を認める。

　　　羿 宋法花云音曳［去］玉云末也 …　　　　　　　　（図書寮本類聚名義抄／334-3）
　　　羿 与制反 … 羿 正　　　　　　　　　　　　　（観智院本類聚名義抄／法上091-3）
　　　羿 音曳 遠也 ウヘモ … 和エイ［□上］羿 通　　　（観智院本類聚名義抄／法中143-6）
　　　羿 音曳 ウヘモ … 和エイ［□上］　　　　　　　（天理大学本最勝王経音義／23ウ3）
　　　羿［去］エイ／エイ　　　　　　　　　　　　　　　　　（長承本蒙求／042）
　　　羿［去］衣伊反　　　　　　　　（承暦本金光明最勝王経音義／08オ4）
▶番号0567「羿」（羿）の仮名音注「エイ」については、基本的に -ei で対応する。当該字に声点はない。番号0567「羿」は右注「ハツコ」左注「或作羿」を付載する。上述の分析を参照。
▶番号1123「羿」（羿）の仮名音注「エイ」については、基本的に -ei で対応する。当該字に声点はなく、和訓「ホカ」の同訓異字として位置する。上述の分析を参照。
▶番号0355b「藝」（奄藝）の仮名音注「キ［平濁］」については、異例 -i を示す。当該字に声点はなく、その仮名音注に平声濁点を差すので、字音「ギ」を想定する。当該字は中国語音韻史上における重紐甲類（祭韻 ŋjiai³）を示す。万葉集では借字「藝」を「ギ甲類」相当として頻用する。熟字0355「奄藝」は右傍「アムキ［平平平濁］」を付載する。伊篇國郡部に属する。観智院本類聚名義抄に反切「魚世反」と同音字注「詣音」（霽韻 ŋei³）を見出すが、仮名音注はない。

　　　藝 … 魚世反 詣音／ウフ［上平］… ケ［平／衣也：墨右注］…（観智院本類聚名義抄／僧上045-2）

892 3. 仮名音注の韻母別考察 3-5 ⅢA韻類

　　　伊勢國 國府在鈴鹿郡 … 鈴鹿 須々加國府 奄藝 阿武義 …　　　（元和本倭名類聚抄／巻五 12 オ 8）

▶番号 1691b「藝」（安藝）の仮名音注「キ」については、異例 -i を示す。当該字に声点はない。熟字 1691「安藝」は度篇国郡部の土左に属する郡名である。上述の分析を参照。

　　　土佐國 國府在長岡郡 … 安藝 香美 加々美 …　　　（元和本倭名類聚抄／巻五 26 オ 4）

▶番号 1392b「際」（邊際）の仮名音注「サイ」については、基本的に -ai で対応する。当該字には平声濁点を差すので、日本語音韻史上の連濁による字音「ザイ」を想定する。図書寮本類聚名義抄に反切「广云子例反」を見出す。観智院本類聚名義抄に墨筆の平声点を付した同音字注「音祭」（その右注に墨筆で仮名音注「セイ」）を見出す。日本漢音「セイ」平声を認める。

　　　耳際 广云子例反 …　　　（図書寮本類聚名義抄／196-2）

　　　際 音祭［平：墨点／セイ：墨右注］キハ［平平］…　　　（観智院本類聚名義抄／法中 044-3）

▶番号 3100b「際」（涯際）の仮名音注「サイ」については、基本的に -ai で対応する。当該字には平声点を差す。上述の分析を参照。

▶番号 1803b「勢」（地勢）の仮名音注「セイ」については、基本的に -ei で対応する。当該字には去声点を差す。観智院本類聚名義抄に去声点を付した同音字注「音世」および「和平」を見出す。日本漢音は去声、日本呉音は平声を認める。

　　　勢 音世［去］イキホヒ［平平平平］… 和平　　　（観智院本類聚名義抄／僧上 083-3）

▶番号 0143・0352b・0353b・0391b・3160a「勢」（勢・伊勢・伊勢・伊勢・勢多）の仮名音注「セ」については、基本的に -e で対応する。日本語の音変化 -ei > -ee > -e を想定する。当該諸字五例に声点はない。番号 0143「勢」は右注「イキオヒ」を付載する。上述の分析を参照。

　　　東海國第五十三／伊勢 以世 志摩 之萬 …　　　（元和本倭名類聚抄／巻五 08 ウ 5）

　　　上野國 國府在群馬郡 … 利根 止禰 勢多 佐位 …　　　（元和本倭名類聚抄／巻五 17 ウ 3）

▶番号 1672b・2184b「世」（遁世・累世）の仮名音注「セイ」については、基本的に -ei で対応する。両当該字には去声点を差す。観智院本類聚名義抄に去声点を付した同音字注「勢」を見出す。西念寺本類聚名義抄と鎮国守国神社本三寳類聚名義抄には「和セ」があり、高山寺本三寳類字抄には同音字注「音セ」を見つける。日本漢音は去声、日本呉音「セ」を認める。

　　　世 音勢［去］ヨ［上］／ヨ、［上平］ツク　　　（観智院本類聚名義抄／僧下 109-2）

　　　世 式制［セイ：右傍］反 ヨ、／和セ　　　（西念寺本類聚名義抄／44 ウ 4）

　　　世 ヨ／和セ　　　（鎮国守国神社本三寳類聚名義抄／上一 18 ウ 4）

　　　世 ヨ／音セ　　　（高山寺本三寳類字抄／上 43 オ 6）

▶番号 1948b「世」（濁世）の仮名音注「セ」については、基本的に -e で対応する。当該字には平声点を差す。日本語の音変化 -ei > -ee > -e を想定する。上述の分析を参照。

▶番号 1186b「筮」（卜筮）の仮名音注「セイ」については、基本的に -ei で対応する。当該字には去声濁点を差すので、字音「ゼイ」を想定する。前田本の字形は「莁」（虞韻 miuʌ¹）である

が、これを「筮」に修正した。観智院本類聚名義抄に「莁」を見出すが、その和訓「ウラナフ」から考えて「筮」の誤認であろう。ただし音注表記はない。

無 有無也 … 武夫切二十一 … 莁 莁蕢 …　　　　　　　　　（宋本廣韻／明母虞韻 miuʌ˥）

逝 往也行也去也時制切十三 … 噬 齧噬 … 筮 龜曰卜蓍曰筮 …　　（宋本廣韻／常母祭韻 ziai˧）

莁〔＊筮の誤認〕ウラナフ　　　　　　　　　　　　（観智院本類聚名義抄／僧上 058-6）

噬 音逝［去］… ハム クラフ カム … ウラナフ …　　　　（観智院本類聚名義抄／佛中 052-7）

▶番号1684b・1871b・2281b「滯」（擁滯・沈滯・擁滯）の仮名音注「タイ」については、基本的に -ai で対応する。当該諸字三例には去声点を差す。熟字1684「擁滯」は右注「ト、コホル」を、熟字2281「擁滯」は右傍「ト、コホル」を付載する。図書寮本類聚名義抄に反切「真云直例反」（その反切下字に去声点）および低平調と推測する「真タイ」を見出す。後者は真興撰『大般若経音訓』による引用（いわゆる真興和音）である。観智院本類聚名義抄に反切「除例反」〔＊除例反の誤認〕（その反切下字に去声点）および和音「タイ」を見出す。承暦本金光明最勝王経音義には借字による「太伊反」があり、その掲出字に平声点を加える。日本漢音は去声、日本呉音「タイ」平声を認める。

滯 真云直例［□去］反 … 真タイ［□平］　　　　　（図書寮本類聚名義抄／050-4）

滯 除側［□去］反 ト、コホル［上上濁□□□］… 和タイ　　（観智院本類聚名義抄／法上 039-3）

滯 除例反 ト、コホル … 和タイ　　　　　　　　　（天理大学本最勝王経音義／09 オ 4）

滯 除例［□去］反 … 和タイ［平平］　　　　（鎮国守国神社本三寶類聚名義抄／中一20 ウ 5）

滯［平］太伊反/止、己保留　　　　　　　　（承暦本金光明最勝王経音義／05 ウ 6）

▶番号0739b「弊」（亡弊）の仮名音注「ヘイ」については、基本的に -ei で対応する。当該字には去声点を差す。観智院本類聚名義抄と天理大学本最勝王経音義に反切「禅制反」および和音「ヘイ」を見出す。承暦本金光明最勝王経音義には借字による「ヘ伊反」二例があり、それらの掲出字二例に平声点と一例には去声点も加える。日本呉音「ヘイ」平/去声を認める。

弊 禅制反 ツヒエ［□□平］… 和ヘイ　　　　　（観智院本類聚名義抄／佛下末 023-6）

弊 禅制反 和ヘイ／ツイユ サタム …　　　　　（天理大学本最勝王経音義／25 ウ 1）

弊［平］又作蔽 ヘ伊反　　　　　　　　　（承暦本金光明最勝王経音義／05 オ 2）

蔽［平・去］又作弊 ヘ伊反／加久須［平上平］　（承暦本金光明最勝王経音義／07 ウ 6）

▶番号1382a「幣」（幣居）の仮名音注「ヘイ」については、基本的に -ei で対応する。当該字には去声点を差す。相互に「弊」と異体字である。熟字1382「幣居」は右傍「カクレキル」を付載する。上述の分析を参照。

▶番号1383a「幣」（幣宅）の仮名音注「ヘイ」については、基本的に -ei で対応する。当該字には平声点を差す。熟字1383「幣宅」は右注「云我宅詞」を付載する。上述の分析を参照。

▶番号1309「幣」（幣）の仮名音注「ヘイ［平平］」については、基本的に -ei で対応する。当

894　3．仮名音注の韻母別考察　3-5　ⅢA韻類

該字に声点はなく、その仮名音注に低平調の差声を施す。また左注「幣帛」を付載する。図書寮本類聚名義抄に同音字注「川云音蔽」（その去声点位置に仮名音注「ヘイ」）を見出す。観智院本に去声点を付した同音字注「音蔽」を見つける。承暦本金光明最勝王経音義には借字による「ヘ伊反」があり、その掲出字に平声点を加える。元和本倭名類聚抄には同音字注「音獘」を見つける。日本漢音「ヘイ」去声、日本呉音「ヘイ」平声を認める。

　　　財幣 川云音与蔽［ヘイ：去声点位置］同 和云美天久良［上上上濁平］…

　　　　　　　　　　　　　　　　　　　　　　（図書寮本類聚名義抄／279-4）

　　　幣 音蔽［去］ミチクラ［上上上濁平］… 幣 俗　　　（観智院本類聚名義抄／法中102-6）

　　　贄 幣 音帛／幣二正　　　　　　　　　　　（観智院本類聚名義抄／佛下本015-6）

　　　幣［平］ヘ以反　　　　　　　　　　　（承暦本金光明最勝王経音義／09 オ1）

　　　幣帛 禮記注云幣 音獘和名美天久良 今江東云幣帛　（元和本倭名類聚抄／巻十三07 オ5）

　▶番号1319「獘」（獘）の仮名音注「ヘイ」については、基本的に -ei で対応する。当該字に声点はなく、左注「牛馬死也」右注「ヘス」サ変動詞を付載する。観智院本類聚名義抄に去声点を付した同音字注「音幣」と同音字注「音幣」を見出す。元和本倭名類聚抄には反切「毘祭反」がある。日本漢音は去声を認める。

　　　獘 音幣［去］死／タフル［平□□］　　　　（観智院本類聚名義抄／僧下105-5）

　　　獘 音幣 死　　　　　　　　　　　　　　（観智院本類聚名義抄／僧下116-2）

　　　獘 四聲字苑云獘 毘祭反訓多布流 死也　　　（元和本倭名類聚抄／巻十一16 オ2）

　▶番号0759b・2062b「例」（傍例・流例）の仮名音注「レイ」については、基本的に -ei で対応する。両当該字には去声点を差す。観智院本類聚名義抄に去声点を付した同音字注「音勵」を見出すが、仮名音注はない。日本漢音は去声を認める。

　　　例 音勵［去］ツネナリ…　　　　　　　　（観智院本類聚名義抄／佛上023-3）

　▶番号1839b「例」（廔例）の仮名音注「レイ」については、基本的に -ei で対応する。当該字には上声点を差す。上述の分析を参照。

　▶番号1514「礪」（礪）の仮名音注「レイ」については、基本的に -ei で対応する。当該字に声点はなく、左注「磨金+戟石也」を付載する。図書寮本類聚名義抄に反切「川云力制反」および「和レイ」を見出す。観智院本に同音字注「音例」を見つける。元和本倭名類聚抄に反切「力制反」がある。日本呉音「レイ」を認める。

　　　砷礪 川云力制反 和云度［平］… 和レイ　　　（図書寮本類聚名義抄／149-3）

　　　礪 音例 トク… イシハシ　　　　　　　　（観智院本類聚名義抄／法中004-5）

　　　礪 四聲字苑云礪 力制反今案擬名也 磨鋧石也　（元和本倭名類聚抄／巻十五17 オ3）

　▶番号2546「蠣」（蠣）の仮名音注「レイ」については、基本的に -ei で対応する。当該字には去声点を差し、左注「カキ」を付載する。観智院本類聚名義抄に同音字注「音例」を見出すが、仮

名音注はない。元和本倭名類聚抄に反切「力制反」がある。

　　蠣　音例 カキ［平平］／ハチ　　　　　　　　（観智院本類聚名義抄／僧下 026-7）

　　蠣　四聲字苑云蠣 力制反本草云蠣蛤和名加木 …　　（元和本倭名類聚抄／巻十九 14 オ 8）

《下巻 祭韻諸例》

▶番号 3796a・3796b・3871a「曳」（曳〻・曳〻・曳佐）の仮名音注「エイ」については、基本的に *-ei* で対応する。当該諸字三例に声点はない。観智院本類聚名義抄と鎮国守国神社本三實類聚名義抄に上昇調を示す和音「エイ」を見出す。日本呉音「エイ」去声を認める。

　　曳 ヒク［上平］／和エイ［平上］〔＊上声点は不鮮明〕　（観智院本類聚名義抄／僧中 043-3）

　　曳 ヒク［上平］／和エイ［平上］　　　（鎮国守国神社本三實類聚名義抄／下一 61 オ 5）

▶番号 3845a「洩」（洩啓）の仮名音注「エイ」については、基本的に *-ei* で対応する。当該字には去声点を差す。図書寮本類聚名義抄に類云として去声点を付した同音字注「曳音」を見出す。また正字「泄」（祭韻 jiai³・薛韻 siat）を掲げる。観智院本類聚名義抄では「泄」に対して同音字注「曳音」を見つけるが、仮名音注はない。日本漢音は去声を認める。

　　洩 类云俗 泄［正：右注］曳［去］音／又薩［入］音 モラス［後：右注］

　　　　　　　　　　　　　　　　　　　　　　　　（図書寮本類聚名義抄／035-5）

　　泄 曳音 又薩音 モル［平上］…　　　　　　（観智院本類聚名義抄／法上 024-2）

　　洩 俗通 マシハル［平平上濁□］　　　　　　（観智院本類聚名義抄／法上 024-3）

▶番号 4751b「藝」（雑藝）の仮名音注「ケイ」については、基本的に *-ei* で対応する。当該字には去声濁点を差すので、字音「ゲイ」を想定する。上巻の祭韻当該諸例で分析した。

▶番号 4901b「藝」（伎藝）の仮名音注「ケイ」については、基本的に *-ei* で対応する。当該字には平声濁点を差すので、字音「ゲイ」を想定する。左注「上渠綺反」を付載する。上述の分析を参照。

▶番号 4407b・4409b「藝」（安藝・安藝）の仮名音注「キ」については、異例 *-i* を示す。両当該字に声点はない。阿篇国郡部に属する。万葉集では借字「藝」を「ギ甲類」相当として頻用する。上述の分析を参照。

　　山陽國第五十七／播磨 波里萬 … 安藝　周防 須波宇 …　（元和本倭名類聚抄／巻五 09 ウ 5）

　　安藝國 國府在安藝郡 … 賀茂　安藝　佐伯 佐倍木 …　　（元和本倭名類聚抄／巻五 23 ウ 3）

▶番号 6599a「祭」（祭祀）の仮名音注「セイ」については、基本的に *-ei* で対応する。当該字には去声点を差す。熟字 6599「祭祀」は右傍「マツリ」を付載する。観智院本類聚名義抄に音注表記はない。

　　祭 マツリ［上上□］　　　　　　　　　　　　（観智院本類聚名義抄／法下 009-7）

896　3．仮名音注の韻母別考察　3-5　ⅢA韻類

▶番号4795a「際」（際目）の仮名音注「サイ」については、基本的に -ai で対応する。当該字
には平声点を差す。熟字6599「際目」は左注「サイメ」を付載する。いわゆる重箱読みである。上
巻の祭韻当該諸例で分析したように、日本漢音「セイ」平声を認める。

▶番号6560「製」（製）の仮名音注「セイ［平上］」については、基本的に -ei で対応する。当
該字に声点はなく、その仮名音注に上昇調の差声を施す。右注「セイス［平上平］」サ変動詞、左
注「音制 製作」を付載する。図書寮本類聚名義抄に去声点を付した同音字注「類云制音」および上
昇調を示す仮名音注「真云セイ」を見出す。後者は真興撰『大般若経音訓』による引用（いわゆる
真興和音）である。これらを観智院本類聚名義抄は継承し、同音字注「音制」および「和同・和セ
イ」を見出す。日本漢音は去声、日本呉音「セイ」去声を認める。

　　　製造 類云制［去］音 … 真云セイ［平上］　　　　　　　　（図書寮本類聚名義抄／336-3）

　　　製 音制 ツクル［平平□／□□リ［平］］… 和同　　　（観智院本類聚名義抄／法中 150-8）

　　　製 ツクル／和セイ　　　　　　　　　　　　　　　　（観智院本類聚名義抄／僧上 095-4）

▶番号3612b「製」（御製）の仮名音注「セイ」については、基本的に -ei で対応する。当該字
には平声点を差す。熟字3612「御製」は左注「コセイ」を付載する。上述の分析を参照。

▶番号5095b・6690a「制」（禁制・制法）の仮名音注「セイ」については、基本的に -ei で対
応する。両当該字には去声点を差す。観智院本類聚名義抄に同音字注「音製」および墨点による上
昇調を示す「和セイ」を見出す。長承本蒙求には仮名音注「セイ」三例があり、それらの掲出字に
去声点を加える。承暦本金光明最勝王経音義には仮名音注「セイ」二例がある。日本漢音「セイ」
去声、日本呉音「セイ」去声を認める。

　　　制 … 音製 トム … 和セイ［平上：墨点］　　　　　　（観智院本類聚名義抄／僧上 087-6）

　　　制 ツクル／和セイ　　　　　　　　　　　　　　　　（観智院本類聚名義抄／僧上 095-3）

　　　制［去］セイ　　　　　　　　　　　　　　　　　　　　（長承本蒙求／016・056・075）

　　　制［セイ：右傍］〔＊後筆墨書〕　　　　　（承暦本金光明最勝王経音義／10 ウ 2）

　　　制底［セイテイ：右傍］〔＊後筆墨書〕　　　（承暦本金光明最勝王経音義／06 ウ 2）

▶番号6561「制」（制）の仮名音注「セイ［平上］」については、基本的に -ei で対応する。当
該字に声点はなく、その仮名音注に去声相当である上昇調の差声を施す。中注「征例反」左注「禁
制」右注「セイス［平上平］」サ変動詞を付載する。

▶番号6726a「制」（制止）の仮名音注「セイ」については、基本的に -ei で対応する。当該字
に声点はない。上述の分析を参照。

▶番号6589a・6663a「世」（世路・世途）の仮名音注「セイ」については、基本的に -ei で対
応する。両当該字には去声点を差す。上巻の祭韻当該諸例で分析したように、日本漢音は去声、日
本呉音「セ」を認める

▶番号6730a「世」（世俗）の仮名音注「セ」については、基本的に -e で対応する。当該字に

は平声点を差す。上述の分析を参照。

▶番号3701b・6376a・6565a・6565b「世」（後世・世羅・世ミ・世ミ）

　　備後國 國府在葦田郡 … 御調 三豆木 世羅 三谿 美多爾 …　　（元和本倭名類聚抄／巻五23ウ8）

▶番号6293b「勢」（筆勢）の仮名音注「セイ」については、基本的に -ei で対応する。当該字には平声点を差す。上巻の祭韻当該諸例で分析したように、日本漢音は去声、日本呉音は平声を認める。

▶番号6743a「勢」（勢徳）の仮名音注「セイ」については、基本的に -ei で対応する。当該字に声点はない。上述の分析を参照。

▶番号3735b・6760a「勢」（巨勢・勢多橋）の仮名音注「セ」については、基本的に -e で対応する。両当該字に声点はない。熟字3735「巨勢」は古篇姓氏部に、熟字6760「勢多橋」は世篇国郡部に属する。上述の分析を参照。

▶番号3806b「筮」（易筮）の仮名音注「セイ」については、基本的に -ei で対応する。当該字には去声点を差す。前田本の字形は「莁」であるが、これを「筮」に修正した。上巻の祭韻当該例で分析した。

▶番号6731a・6732a「誓」（誓盟・誓言）の仮名音注「セイ」については、基本的に -ei で対応する。両当該字には去声点を差す。熟字6731「誓盟」は右傍「チカヒ チカフ」を付載する。図書寮本類聚名義抄に去声点を付した同音字注「逝」を見出す。観智院本には去声点を付した同音字注「逝」および低平調を示す和音「セイ」を見出す。長承本蒙求には仮名音注「セイ」があり、その掲出字に去声点を加える。日本漢音「セイ」去声、日本呉音「セイ」平声を認める。

　　誓 音逝［去］… チカフ［上上平／記：右注］　　　　　　　（図書寮本類聚名義抄／095-4）

　　誓 音逝［去］チカフ［上上□］… 和セイ［平平］　　　　　（観智院本類聚名義抄／法上072-7）

　　誓［去］セイ　　　　　　　　　　　　　　　　　　　　　（長承本蒙求／133）

▶番号6675a「誓」（誓約）の仮名音注「セイ」については、基本的に -ei で対応する。当該字に声点はない。上述の分析を参照。

▶番号4023b「滞」（停滞）の仮名音注「テイ」については、基本的に -ei で対応する。当該字には去声点を差す。熟字4023「停滞」は左注「テイミミ」を付載する。上巻の祭韻当該諸例で分析したように、日本漢音は去声、日本呉音「タイ」平声を認める。

▶番号6160a「蔽」（蔽髪）の仮名音注「ヘイ」については、基本的に -ei で対応する。当該字には去声点を差す。熟字6160「蔽髪」は右注「ヒタヒ」中左注「髪前為／餙也 容飾具」を付載する。観智院本類聚名義抄に反切「必袂反」（直下に双行割注で「弥弊」／反切下字「袂」が二音を持つための措置）および低平調を示す和音「ヘイ」を見出す。承暦本金光明最勝王経音義には借字による「ヘ伊反」があり、その掲出字に平声点と去声点を加える。日本呉音「ヘ」平/去声を認める。

　　蔽 必袂［弥弊：割注］反 オホフ［平平上］… 和ヘイ［平平］　（観智院本類聚名義抄／僧上046-4）

蔽［平・去］又作弊 ヘ伊反／加久須［平上平］　　　　　（承暦本金光明最勝王経音義／07 ウ 6）

▶番号3688b「幣」（古幣）の仮名音注「ヘイ」については、基本的に -ei で対応する。当該字には平声点を差す。上巻の祭韻当該例で分析したように、日本漢音は去声、日本呉音「ヘイ」平声を認める。

▶番号3944b・6281b「弊」（凋弊・貧弊）の仮名音注「ヘイ」については、基本的に -ei で対応する。両当該字には平声点を差す。熟字3944「凋弊」（衰え疲れるの意味）は前田本「凋幣」を修正する。上巻の祭韻当該例で分析したように、日本呉音「ヘイ」平声を認める。

▶番号5358「斃」（獘）の仮名音注「ヘ」については、基本的に -ei で対応する。当該字に声点はなく、和訓「シヌ」の同訓異字として位置する。左右注「牛馬／獘」を付載する。上巻の祭韻当該例で分析したように、日本漢音は去声を認める。

▶番号6138「糲」（糲）の仮名音注「レイ」については、基本的に -ei で対応する。当該字には去声点を差し、右注「ヒラシラケノヨネ」中左注「春一石成八斗／之米也」を付載する。廣韻に拠れば、祭韻（liaiᵇ）泰韻（lɑiᵇ）曷韻（lɑt）三音を有する。観智院本類聚名義抄に同音字注「音刺」と反切「又郎帶反」を見出すが、仮名音注はない。元和本倭名類聚抄には同音字注「音刺」がある。

烏米 ヒラシラケノヨネ［上上上上平濁平□□］／又在下　　　（観智院本類聚名義抄／法下 029-7）

糲米 同上 音刺／又郎帶反　　　　　　　　　　　　　　　　（観智院本類聚名義抄／法下 029-7）

糲米　崔禹錫食經云烏米一名糲米 糲音刺和名比良之良介乃與禰 烏米謂春一斛之糲成八斗之米也

（元和本倭名類聚抄／巻二十 28 オ 5）

▶番号4200「癘」（癘）の仮名音注「レイ」については、基本的に -ei で対応する。当該字には去声点を差し、右注「アシキヤマヒ」を付載する。観智院本類聚名義抄に去声点を付した同音字注「音勵」（その右傍に朱筆で仮名音注「レイ」）を見出す。日本漢音「レイ」去声を認める。

癘 音勵［去／レイ：朱右傍］疫病／アシキヤマヒ　　　　　（観智院本類聚名義抄／法下 116-7）

▶番号4283b「礪」（青礪）の仮名音注「レイ」については、基本的に -ei で対応する。当該字には去声点を差す。熟字「青礪」は右注「アヲト」中注「力制反」左注「磨漆上也」を付載する。上巻の祭韻当該例で分析したように、日本呉音「レイ」を認める。

3-5-1-3　-iuai（祭韻）

資料篇【表B-08】には祭韻（去声）合口所属の諸例が含まれる。前田本の示す仮名音注は基本的に -ei, -wei, -we で対応する。異例として、-et がある。

《上巻 祭韻合口諸例》

3-5-1 -ia 系の字音的特徴　899

▶番号 0462a「彗」（彗星）の仮名音注「セイ」については、基本的に -ei で対応する。当該字
には平声点を差す。廣韻に拠れば、祭韻（ziuai³・jiuai³）至韻（ziuei³）三音を有する。熟字 0462
「彗星」は右注「ハヽキホシ」左注「示歳妖星也」を付載する。観智院本類聚名義抄に同音字注「音
遂」（その右傍に朱筆で仮名音注「スイ」）と去声点を付した同音字注「又音歳」（その右傍に朱
筆で仮名音注「セイ」）と同音字注「又音嘒」さらに反切「又甫恵反・又羽劌反」を見出す。元和
本倭名類聚抄には同音字注「音遂又音歳」がある。日本漢音「スイ」と「セイ」去声を認める。

　　彗 音遂［スイ：朱右傍］妖星也 … 又音歳［去／セイ：朱右傍］又甫恵反 … 又羽劌反 … 又音嘒 …
　　　　　　　　　　　　　　　　　　　　　　　　　（観智院本類聚名義抄／僧下 105-6）

　　彗星　兼名苑云彗星其形如箒彗也音遂又音歳 和名八々木保之
　　　　　　　　　　　　　　　　　　　　　　　　　（元和本倭名類聚抄／巻一 02 ウ 8）

▶番号 0946「毳」（毳）の仮名音注「セイ」については、基本的に -ei で対応する。当該字には
去声点を差し、右注「ニコケ［上上平濁］」左注「細弱毛也」を付載する。観智院本類聚名義抄に
去声点を付した同音字注「音脆」（その右傍に朱筆で仮名音注「セイ」）を見出す。当該字「毳」
の後に改行して「毳」を掲げるが、連続する異体字と判断する。元和本倭名類聚抄には反切「川芮
反」がある。日本漢音「セイ」去声を認める。

　　毳 マコケ［上上平濁］／カモ［上上］　　　（観智院本類聚名義抄／僧上 100-6）

　　毳 音脆［去／セイ：朱右傍］　　　　　　　（観智院本類聚名義抄／僧上 100-7）

　　毳 �附 考聲切韻云毳 川芮反訓爾占計 細弱毛也 …　　（元和本倭名類聚抄／巻十八 12 ウ 5）

▶番号 2489a「衛」（衛矛）の仮名音注「エイ」については、基本的に -ei で対応する。当該字
には去声点を差す。熟字 2489「衛矛」は右注「カハクマツヽラ［上上上上上平］」左注「又クソ
マユミ」を付載する。その中古音が示す頭子音 γ-（等韻学の術語で言う于母あるいは喩母三等）は
有声軟口蓋接近音 ɰ-（有声両唇軟口蓋接近音 w-）であり、原則的にア行音・ワ行音で対応する。
観智院本類聚名義抄に反切「王歳反」および和音「ヱ」を見出す。長承本蒙求には仮名音注「エイ」
四例があり、それらの掲出字に去声点を加える。承暦本金光明最勝王経音義には同音字注「會音・
惠音」があり、それらの掲出字に平声点を加える。日本漢音「エイ」去声、日本呉音「ヱ」平声を
認める。

　　衛 王歳反 マホリ［右傍：□モ□］ … 和ヱ　　（観智院本類聚名義抄／佛上 043-3）

　　衛［去］エイ　　　　　　　　　　　　　　　（長承本蒙求／021・093・097・103）

　　衛［平］會ゞ／万毛流［平平上］　　　　　　（承暦本金光明最勝王経音義／03 ウ 1）

　　衛［平］惠ゞ／末毛流　　　　　　　　　　　（承暦本金光明最勝王経音義／08 オ 6）

　　　　先可知所付借字　　　　　　　　　　　　（承暦本金光明最勝王経音義／01 オ 7）

　　惠［平］會［平］廻［上］比［平］皮［平］非［上］　　（承暦本金光明最勝王経音義／01 ウ 7）

　　衛矛　本草云衛矛 和名久曾末由美一云加波久末豆々良　　（元和本倭名類聚抄／巻二十 28 オ 5）

900　3．仮名音注の韻母別考察　3-5　ⅢA韻類

《下巻 祭韻合口諸例》

▶番号3776「叡」（叡）の仮名音注「エイ［平上］」については、基本的に -ei で対応する。当該字に声点はなく、その仮名音注に上昇調の差声を施す。右注「以芮反 又乍睿」左注「エイ［平上］公之御詞也」を付載する。観智院本類聚名義抄に反切「俞芮切」（反切下字の右傍に墨筆で去声濁点を付した仮名音注「セイ」〔＊反切下字「芮」の字音〕）と注記「廣韻去声」を見出す。承暦本金光明最勝王経音義には仮名音注「エイ」がある。日本漢音は去声、日本呉音「エイ」を認める。

　　鋭 利也 … 以芮切六 … 叡 聖也 睿 上同 …　　　　　　　　　　　　（宋本廣韻／羊母祭韻 jiuai³）
　　睿 余芮切 智也明也聖也　　　　　　　　　　　　（小學彙函本大廣益會玉篇／巻上33 オ12）
　　叡 以芮切 明也聖也智也與睿同　　　　　　　　　（小學彙函本大廣益會玉篇／巻中09 オ03）
　　睿 餘贅反 智也明也聖也 古文叡字也　　　　　　　（高山寺本篆隷萬象名義／第一帖097 オ3）
　　叡 以贅反 明也智也　　　　　　　　　　　　　　（高山寺本篆隷萬象名義／第三帖081 ウ3）
　　叡 音鋭 古睿 明也 智也　　　　　　　　　　　　（観智院本類聚名義抄／僧中052-7）
　　叡 ［毛云：墨右傍］俞芮切 ［セイ［去濁口］：墨右傍］／聖也 廣韻去声
　　　　　　　　　　　　　　　　　　　　　　　　　（観智院本類聚名義抄／僧中052-7）
　　睿 羊税反／フカシ［平平上］… 叡 俗　　　　　　（観智院本類聚名義抄／佛中067-2）
　　叡 ［エイ：右傍］〔＊後筆墨書〕　　　　　　　　（承暦本金光明最勝王経音義／07 ウ1）

▶番号6355b「叡」（比叡山）の仮名音注「エイ」については、基本的に -ei で対応する。当該字に声点はない。飛篇諸寺部に属する。上述の分析を参照。

▶番号6003a「衛」（衞）の仮名音注「ヱ」については、基本的に -we で対応する。当該字には平声点を差す。上巻の祭韻合口当該例で分析したように、日本漢音「エイ」去声、日本呉音「ヱ」平声を認める。

▶番号3730b・6019a・6020a・6391b「衛」（近衛府・衛門府・衛士・兵衛府）の仮名音注「ヱ」については、基本的に -we で対応する。当該諸字四例に声点はない。熟字3730「近衛府」は右注「大将中将少将将監将曹府生」左注「在左右」を、熟字6019「衛門府」は左注「左右衛門府」を、熟字6020「衛士」は左注「在東門」を付載する。上述の分析を参照。

▶番号4144「鱖」（鱖）の仮名音注「クエイ」については、基本的に -wei で対応する。当該字には去声点を差し、右注「クエツ」左注「アサチ」を付載する。廣韻に拠れば、祭韻（kiuai³）月韻（kiuɑt）二音を有する。観智院本類聚名義抄に反切「居衛反」を見出すが、仮名音注はない。

　　鱖 居衛反／アサチ［平上上濁］又音厥　　　　　　（観智院本類聚名義抄／僧下008-6）

▶番号6580a「歳」（歳暮）の仮名音注「セイ」については、基本的に -ei で対応する。当該字には去声点を差す。図書寮本類聚名義抄に反切「弘云思恵反・中云相鋭反」を見出す。観智院本に

は反切「思恵反」および低平調を示す和音「サイ」を見つける。日本呉音「サイ」平声を認める。

歳 弘云思恵／反 中云相／鋭反 … トシ［平平／詩：右注］…　　　（図書寮本類聚名義抄／133-6）

歳 思恵反 トシ［平平］／和サイ［平平：墨点］　　　（観智院本類聚名義抄／法上 097-2）

▶番号 3912a「綴」（綴牛皮）の仮名音注「テ［平］」については、基本的に -e で対応する。当該字に声点はなく、その仮名音注に平声点を差す。当該字「綴」は「叕」と相互に異体字である。廣韻に拠れば、薛韻（ţiuat）祭韻（ţiuaï³）二音を有する。熟字3912「綴牛皮」には右注「テコヒ（平上濁平）」仮名音注を付載する。これは字音「テイコヒ」の音変化 -ei > -ee > -e を想定する。図書寮本類聚名義抄に同音字注「音輟」（その去声点位置に仮名音注「テイ」／徳声点位置に仮名音注「テチ」）および低平調を示す仮名音注「真云テイ」と入声点を差した仮名音注「テチ」を見出す。日本漢音「テイ」去声と「テチ」徳声（四声体系では入声）日本呉音「テイ」平声と「テチ」入声を認める。

連綴 音輟［テイ：去声点位置／テチ：徳声点位置］／广云［去：右注］… 真云 合連也 又［入：右注］…

　　　　　　　真云 … テイ［□平］テチ［□入］　　　（図書寮本類聚名義抄／319-6）

綴 音輟［去／ライ・ラチ：朱右傍］テチ テイ ツラヌ［上上□］… 正叕 …

　　　　　　　〔＊ライ・ラチはテイ・テチの誤認〕（観智院本類聚名義抄／法中 122-3）

叕 今綴 陟叡反　　　　　　　　　（観智院本類聚名義抄／僧中 054-2）

▶番号 5499「涗」（涗）の仮名音注「エツ」については、異例 -et を示す。当該字には入声点を差し、和訓「シタム」の同訓異字として位置する。廣韻に拠れば、その中古音は祭韻去声（śiuaï³）であり、本来は仮名音注「セイ」を期待する。字形が近似する「悦」（薛韻 jiuat）との混同による字音把握と推測する。観智院本類聚名義抄に音注表記はない。同書で「悦」を再検索すると、徳声点を付した同音字注「音閲」と仮名音注「又音セイ」を見出す。

税 斂也舍也 … 舒芮切九 … 涗 温水又清也 …　　　（宋本廣韻／祭韻 śiuaï³）

涗 キヨシ／シタム　　　　　　　（観智院本類聚名義抄／法上 010-8）

悦 音閲［徳］ヨロコフ … 又音セイ　　　（観智院本類聚名義抄／法中 099-8）

3-5-1-4　-iau（宵/小/笑韻）

資料篇【表B-08】には宵韻（平声）小韻（上声）笑韻（去声）所属の諸例が含まれる。前田本の示す仮名音注は基本的に -eu で対応する。異例として -au, -jou, -i がある。

《上巻 宵韻諸例》

▶番号 1872b「夭」（中夭）の仮名音注「エウ」については、基本的に -eu で対応する。当該字

902　3．仮名音注の韻母別考察　3-5　ⅢA韻類

には平声点を差す。観智院本類聚名義抄に同音字注「音殀」および和音「エウ」を見出す。日本呉音「エウ」を認める。

　　　夭 屈也 拔也 枡也／不盡也 音殀 … 和エウ　　　　　　　　（観智院本類聚名義抄／佛下末035-4）

▶番号2333「祅」（祆）の仮名音注「エウ」については、基本的に -eu で対応する。当該字には平声点を差し、和訓「ワサハヒ」の同訓異字として位置する。観智院本類聚名義抄に反切「扖橋反」を見出すが、仮名音注はない。また注記「妖二今」があり、異体字として「妖」を掲げる。

　　　祅 妖二今 扖橋反 爰／ワサハヒ［上上濁□□］　　　　　（観智院本類聚名義抄／法下007-2）

▶番号2625「妖」（妖）の仮名音注「エウ」については、基本的に -eu で対応する。当該字には平声点を差し、和訓「カホヨシ」の同訓異字として位置する。観智院本類聚名義抄に反切「扖橋反」を見出す。その「反」表示に平声点を差すが、これは反切下字に差すべき誤認であろう。承暦本金光明最勝王経音義には仮名音注「エウ」がある。さらに、同音字注「曜音」もあり、その掲出字に去声点を加える。日本呉音「エウ」去声を認める。

　　　妖 扖橋反［□□平］巧也／カホヨシ［上上□□］　　　　（観智院本類聚名義抄／佛中011-6）

　　　妖［エウ：右傍］〔＊後筆墨書〕　　　　　　　　　　　（承暦本金光明最勝王経音義／10 オ1）

　　　妖［去］曜ξ／災也　　　　　　　　　　　　　　　　　（承暦本金光明最勝王経音義／10 ウ1）

▶番号2928b「妖」（佳妖）の仮名音注「エウ」については、基本的に -eu で対応する。当該字には去声点を差す。熟字2928「佳妖」は左注「カイエウ」を付載する。上述の分析を参照。

▶番号3097b「要」（簡要）の仮名音注「エウ」については、基本的に -eu で対応する。当該字には平声点を差す。観智院本類聚名義抄に上昇調を示す和音「エフ」を見出す。その中古音が示す末子音 -u を「フ」で対応するのは、日本語の音変化 -ep > -eu を背景とする。日本呉音「エウ」去声を認める。

　　　要 モトム … 和エフ［平上］　　　　　　　　　　　　　（観智院本類聚名義抄／佛中023-7）

▶番号0187b「腰」（壱腰鼓）の仮名音注「エウ」については、基本的に -eu で対応する。当該字に声点はない。観智院本類聚名義抄に反切「扖霄反」（その反切下字に平声点）および低平調を示す和音「エウ」を見出す。長承本蒙求には仮名音注「エウ」があり、その掲出字に東声点を加える。元和本倭名類聚抄には反切「於宵反」を見つける。日本漢音「エウ」東声（四声体系では平声）日本呉音「エウ」平声を認める。

　　　腰 扖霄［□平］反 コシ［上上］／和エウ［平平］　胥 或　（観智院本類聚名義抄／佛中135-3）

　　　腰［東］エウ　　　　　　　　　　　　　　　　　　　　（長承本蒙求／038）

　　　腰鼓 唐令云高麗伎一部横笛腰鼓各一 腰鼓俗云三乃豆々美 …

　　　　　　　　　　　　　　　　　　　　　　　　　　　　　（元和本倭名類聚抄／巻四10 オ4）

　　　胥 説文云胥 於宵反或作腰和名古之 …　　　　　　　　　（元和本倭名類聚抄／巻三09 オ4）

▶番号2439「窯」（窯）の仮名音注「エウ」については、基本的に -eu で対応する。当該字に

は平声点を差し、右注「カハラヤ」左注「焼瓦竈也」を付載する。観智院本類聚名義抄に同音字注「遥」を見出すが、仮名音注はない。元和本倭名類聚抄には同音字注「遥」がある。

　　　窯 音遥／カハラヤ 窰 同　　　　　　　　　　　　　　　（観智院本類聚名義抄／法下 060-8）

　　　瓦 … 唐韻云窯 音遥楊氏漢語抄云加波良加萬 焼瓦竈也　　（元和本倭名類聚抄／巻十 08 ウ 9）

　▶番号 1452「鰩」（鰩）の仮名音注「エウ」については、基本的に -eu で対応する。当該字には平声点を差し、右注「トヒイホ」左注「魚之能飛也」を付載する。観智院本類聚名義抄に同音字注「遥」を見出すが、仮名音注はない。元和本倭名類聚抄には同音字注「遥」がある。

　　　鰩 … 音遥／トヒラ［上上濁平］〔*トヒヲの誤認〕　　（観智院本類聚名義抄／僧下 005-6）

　　　鰩　陸詞切韻云鰩 音遥和名止比乎 魚之鳥翼能飛也　　　（元和本倭名類聚抄／巻十九 03 ウ 2）

　▶番号 0536「鷂」（鷂）の仮名音注「エウ」については、基本的に -eu で対応する。当該字には平声点を差し、右注「ハシタカ」左注「執鳥也」を付載する。廣韻に拠れば、宵/笑韻 (jiau¹ʼ³) 二音を有する。観智院本類聚名義抄に同音字注「遥」を見出すが、仮名音注はない。元和本倭名類聚抄には同音字注「遥」と「又去聲」〔*両者は玉篇の引用〕がある。日本漢音は去声を認める。

　　　鷂 音遥 ユタカ／ハシタカ［平上平平］ス、タカ　　　（観智院本類聚名義抄／僧中 119-5）

　　　鷂　… 野王案鷂 音遥又去聲漢語抄云波之太賀兄鷂占能里 似鷹而小者

　　　　　　　　　　　　　　　　　　　　　　　　　　　　（元和本倭名類聚抄／巻十八 03 ウ 7）

　▶番号 2411b「喬」（王喬鳥）の仮名音注「ケウ」については、基本的に -eu で対応する。当該字に声点はない。廣韻に拠れば、見母宵韻 (kiau¹) 群母宵韻 (giau¹) 二音を有する。熟字 2411「王喬鳥」は右傍「ワウケウカクツ」左注「鳥名」を付載する。なお「王喬」は周の霊王の太子「王子喬」を指すか。漢字源改訂第五版「父をいさめて嫌われ、平民となった。また仙人になったともいう。」とある。観智院本類聚名義抄に音注表記はない。長承本蒙求には仮名音注「ケウ」二例があり、それらの掲出字に平声点を加える。日本漢音「ケウ」平声を認める。

　　　喬 … タカシ　　　　　　　　　　　　　　　　　　　（観智院本類聚名義抄／僧下 110-6）

　　　喬［平］ケウ　　　　　　　　　　　　　　　　　　　（長承本蒙求／062・147）

　▶番号 1101「蕎」（蕎）の仮名音注「ケウ」については、基本的に -eu で対応する。当該字には平声点を差し、右注「同（ホコ）」左注「大戟也」を付載する。廣韻に拠れば、見母宵韻 (kiau¹) 群母宵韻 (giau¹) 二音を有する。観智院本類聚名義抄に同音字注「音喬・一音驕」を見出すが、仮名音注はない。元和本倭名類聚抄同音字注「音喬一音驕」がある。

　　　蕎 … 音喬 一音驕 大戟／ソハムキ［平平濁□□］…　　（観智院本類聚名義抄／僧上 026-4）

　　　蕎麥　孟詵食經云蕎麥 蕎音喬一音驕和名曾波牟岐一云久呂無木 …

　　　　　　　　　　　　　　　　　　　　　　　　　　　　（元和本倭名類聚抄／巻十七 04 オ 9）

　▶番号 3090b「憍」（傲憍）の仮名音注「ケウ」については、基本的に -eu で対応する。当該字には上声点を差し、右傍「ヲコリ ヲコル」を付載する。図書寮本類聚名義抄に平声点を付した同音

字注「音嬌」および上昇調を示す仮名音注「真云ケウ」を見出す。観智院本には同音字注「音喬」および上昇調と推測する和音「ケウ」を見出す。日本漢音は平声、日本呉音「ケウ」去声を認める。

　　　　嬌傲 宋法花云音嬌［平］… 真云ケウ［平上］…　　　　　　　（図書寮本類聚名義抄／248-5）

　　　　嬌 音喬 オホル タカシ／ホシマ、和ケウ［囗上：墨点］　　　（観智院本類聚名義抄／法中094-4）

▶番号0018b「橋」（石橋）の仮名音注「ケウ」については、基本的に -eu で対応する。当該字には平声点を差し、右注「イシハシ」を付載する。観智院本類聚名義抄に同音字注「音喬」を見出す。長承本蒙求には仮名音注「ケウ」二例があり、それらの掲出字に平声点を加える。なお、同書は平安時代院政初期である長承三年（1134）に加点された墨筆（例示で両音形ある場合は右側）を中心とするが、平安時代中期と推定する古い朱筆（両音形ある場合は左側）の加点もある。元和本倭名類聚抄には同音字注「音喬」がある。日本漢音「ケウ」平声を認める。

　　　　橋 音喬 ハシ ハシワタス … ヨコタハル　　　　　　　　　（観智院本類聚名義抄／佛下本103-8）

　　　　橋［平］ケウ／ケウ　　　　　　　　　　　　　　　　　　　（長承本蒙求／037）

　　　　橋［平］ケウ　　　　　　　　　　　　　　　　　　　　　　（長承本蒙求／100）

　　　　橋 葱台附 説文云橋 音喬和名波之水上横木所以渡也 …　　　（元和本倭名類聚抄／巻十18 ウ6）

▶番号1281b「橋」（法橋）の仮名音注「ケウ」については、基本的に -eu で対応する。当該字に声点はない。上述の分析を参照。

　　　　僧位階　法印大和尚位 僧正位 … 法橋上人位 律師位 …　　（元和本倭名類聚抄／巻五05 オ8）

▶番号0058b「翹」（連翹）の仮名音注「シ」については、異例 -i を示す。当該字には上声点を差す。廣韻に拠れば、宵/笑韻（gjiau^{1/3}）二音を有する。字形の近似する「翅」（寘韻 śie³）との誤認による字音把握であろう。熟字0058「連翹」は右注「イタチクサ［平平平上平］」左注「イタチハセ［平平平平上］」を付載する。観智院本類聚名義抄に反切「巨遥反」および「和去」を見出すが、仮名音注はない。承暦本金光明最勝王経音義には同音字注「交音」があり、その掲出字に去声点を加える。日本呉音は去声を認める。

　　　　尭+羽 巨遥反 クハタツ［上上囗囗］… 和去　　　　　　　（観智院本類聚名義抄／僧上095-7）

　　　　翹 人口+蓋反 起又／人嬌反　　　　　　　　　　　　　　（観智院本類聚名義抄／僧上095-8）

　　　　尭+羽［去］交ミ／企也　　　　　　　　　　　　（承暦本金光明最勝王経音義／09 ウ1）

　　　　連翹　本草云連翹一名三廉草 和名以多知久佐一云以太知波勢

　　　　　　　　　　　　　　　　　　　　　　　　　　　　　　　　（元和本倭名類聚抄／巻二十08 オ8）

▶番号3145a「顤」（顤顟）の仮名音注「セウ」については、基本的に -eu で対応する。当該字に声点はなく、右注「カシケタリ」を付載する。観智院本類聚名義抄に異体字として「譙」を掲げ、反切「才焦反」および上昇調と推測する和音「セウ」を見出す。石山寺一切経蔵本大般若経字抄には正音「樵」（宵韻 dziau¹）と同音字注「音小」（小韻 siau²）がある。漢呉二音相同の同音字注を選択できない場合の措置である。一方で、正音がなく同音字注「音小」のみを付載する例がある。

日本呉音「セウ」去声を認める。

顦 カシク［上上□］　(観智院本類聚名義抄／佛下本 025-8)

憔 才焦反 カシケタリ／正顦 和セウ［□上：墨点］　(観智院本類聚名義抄／法中 088-8)

正憔瑞 顦［音小：右傍］<u>卆+頁</u>［音水：右傍］　(石山寺一切経蔵本大般若経字抄／13 ウ 2)

顦［音小：右傍］顇［水：右傍］　(石山寺一切経蔵本大般若経字抄／19 ウ 2)

▶番号 2612a「痟」（痟瘍）の仮名音注「セウ」については、基本的に *-eu* で対応する。当該字には去声点を差し、左右注「カチノ／ヤマヒ」を付載する。観智院本類聚名義抄に同音字注「音消」二例を見出すが、仮名音注はない。元和本倭名類聚抄には同音字注「消」がある。

痟 音消 瘦病／ヤム カル［上平］　(観智院本類聚名義抄／法下 114-8)

痟瘍 音消渴／俗云／カタノヤマヒ　(観智院本類聚名義抄／法下 124-6)

痟瘍　病源論云痟瘍 今案四聲字苑云痟瘍音與消渴同俗云加知乃也萬比 …

(元和本倭名類聚抄／巻三 23 ウ 8)

▶番号 3182・3272b「霄」（霄・終霄）の仮名音注「セウ」については、基本的に *-eu* で対応する。両当該字には平声点を差す。観智院本類聚名義抄に同音字注「音消」を見出すが、仮名音注はない。

霄 音消 ソラ［上上］ヨル／オホソラ ヨヒ　(観智院本類聚名義抄／法下 069-2)

▶番号 0497b「蕉」（芭蕉）の仮名音注「セウ」については、基本的に *-eu* で対応する。当該字には平声点を差す。熟字 0497「芭蕉」は右注「ハセヲハ」を付載する。観智院本類聚名義抄に東声点を付した同音字注「焦」および高平調を示す和音「セウ」を見出す。前者の東声点は平声点を差すべき位置に部首「灬」があり、本来の平声点位置より上方に加えたと考える余地もある。元和本倭名類聚抄には同音字注「焦」がある。また和名「発勢乎波」を付載する。早くから「セウ」の音変化 *seu (→ seo) → sjoo* があり、定着久しい字音として「セヲ」を認識していたと推測する。日本漢音は東声（四声体系では平声）日本呉音「セウ」上声を認める。

芭蕉 今巴焦［平東］／二音／ハセヲハ［平上上上濁］／和ハセウ［去上上／✓□□：墨右傍］

(観智院本類聚名義抄／僧上 043-1)

芭蕉　唐韻云芭蕉 巴焦二音和名発勢乎波 …　(元和本倭名類聚抄／巻二十 02 ウ 7)

▶番号 0515「椒」（椒）の仮名音注「セウ」については、基本的に *-eu* で対応する。当該字には平声点を差し、右注「ハシカミ」を付載する。観智院本類聚名義抄に東声点を付した同音字注「音蕭」を見出すが、仮名音注はない。元和本倭名類聚抄には同音字注「音蕭」がある。日本漢音は東声（四声体系では平声）を認める。

椒桝 音蕭［東］ハシカミ／ホソキ　(観智院本類聚名義抄／佛下本 101-3)

蔓椒　本草云蔓椒 和名以多知波之加美一云保曾木　(元和本倭名類聚抄／巻二十 24 ウ 9)

蜀椒　蘇敬本草注云蜀椒 音蕭和名奈留波之加美一云不佐波之加美

906　3．仮名音注の韻母別考察　3-5　ⅢA韻類

(元和本倭名類聚抄／巻十六22ウ6)

▶番号2986b「招」(嘉招)の仮名音注「セウ」については、基本的に -eu で対応する。当該字
には去声点を差す。観智院本類聚名義抄に平声点と去声点を付した同音字注「音昭」を見出すが、
仮名音注はない。日本漢音は平/去声を認める。

　　　招　音昭［平・去］マネク［平平上］／トル タスク　　　　　(観智院本類聚名義抄／佛下本057-6)

▶番号0468a「韶」(韶光)の仮名音注「セウ」については、基本的に -eu で対応する。当該字
には平声点を差す。その中古音が示す頭子音 ź-(等韻学の術語で言う歯音濁常母)は有声歯茎摩擦
音であり、日本語のザ行音をもって受容するが、中国語音韻史上における濁音声母の無声化[22]を反
映する場合にはサ行音で対応する。観智院本類聚名義抄に反切「時昭反」と平声点を付した同音字
注「音昭」を見出す。長承本蒙求には同音字注「昭反」と仮名音注「セウ」があり、その掲出字に
東声点〔*疑義あり／頭子音が濁常母ゆえ東声ではない〕を加える。また同音字注「小」があり、その掲出字
に平声点を加える。日本漢音「セウ」平声を認める。

　　　韶　時昭反 … ツク ヒカル 樂　　　　　　　　　　　　　(観智院本類聚名義抄／法上093-1)

　　　韶　音昭［平］舜樂名／ウルハシ ヒカル　　　　　　　　(観智院本類聚名義抄／僧下101-4)

　　　韶　［東］昭反／セウ　　　　　　　　　　　　　　　　　　　　　(長承本蒙求／046)

　　　韶　［平］小　　　　　　　　　　　　　　　　　　　　　　　　　(長承本蒙求／056)

▶番号0506a「蕘」(蕘華)の仮名音注「セウ」については、基本的に -eu で対応する。当該字
には平声点を差し、右注「ハマニレ［平平平上］」を付載する。観智院本類聚名義抄に同音字注「音
饒」を見出すが、仮名音注はない。元和本倭名類聚抄には同音字注「音饒」がある。

　　　蕘　音饒 キコリ クサカリワラハ　蕘花 ハマニレ　　　　(観智院本類聚名義抄／僧上022-4)

　　　蕘花　本草云蕘花 上音饒和名波末仁禮　　　　　　　　　(元和本倭名類聚抄／巻二十10ウ7)

▶番号1351a「苗」(苗蔓)の仮名音注「ヘウ」については、基本的に -eu で対応する。当該字
には去声濁点を差すので、字音「ベウ」を想定する。観智院本類聚名義抄に平声濁点を付した同音
字注「音猫」があり、その右傍に朱筆で仮名音注「ヘウ」右注に墨筆で仮名音注「メウ」を見出す。
同書の凡例部分「朱音者正音也墨音者和音也」(篇目7-6)に従えば、朱墨で正音と和音を分別す
る傾向がある。長承本蒙求には仮名音注「ヘウ」があり、その掲出字に平声点を加える。承暦本金
光明最勝王経音義には借字による「女字反」と仮名音注「メウ」があり、前者の掲出字に去声点を
加える。日本漢音「ベウ」平声、日本呉音「メウ」去声を認める。

　　　苗　音猫［平濁／ヘウ：朱右傍・メウ：墨右注］ナヘ［□上濁］／カリ

　　　　　　　　　　　　　　　　　　　　　　　　　　　　　　(観智院本類聚名義抄／僧上011-2)

　　　苗　［平］ヘウ　　　　　　　　　　　　　　　　　　　　　(長承本蒙求／017)

　　　苗　［去］女字反／奈惠　　　　　　　　(承暦本金光明最勝王経音義／08オ2)

　　　苗　［メウ：右傍］〔*後筆墨書］　　　　(承暦本金光明最勝王経音義／10オ5)

3-5-1 -ia 系の字音的特徴　907

▶番号3058b「苗」（髙苗）の仮名音注「ハウ」については、異例 -au を示す。当該字には去声
濁点を差すので、字音「バウ」を想定する。仮名の字形相似による「ヘウ」の誤認であろう。上述
の分析を参照。

▶番号1404a「漂」（漂倒）の仮名音注「ヘウ」については、基本的に -eu で対応する。当該字
には平声点を差す。廣韻に拠れば、宵/笑韻（p'jiau$^{1/3}$）二音を有する。観智院本類聚名義抄に同音字
注「音飄」を見出す。長承本蒙求には仮名音注「ヘウ」二例あり、それらの掲出字に去声点を加
える。承暦本金光明最勝王経音義には借字による「ヘ宇反」があり、その掲出字に去声点を加える。
日本漢音「ヘウ」去声、日本呉音「ヘウ」去声を認める。

　　　漂 音飄 ウカフ［上平□］タヽ ヨフ［上平濁□□］…　　　　（観智院本類聚名義抄／法上 004-1）

　　　漂［去］ヘウ　　　　　　　　　　　　　　　　　　　　（長承本蒙求／081・115）

　　　漂［去］ヘ宇反／多太与布［上上上平］　　　（承暦本金光明最勝王経音義／04 オ 5）

▶番号1683a「僄」（僄狡）の仮名音注「ヘウ」については、基本的に -eu で対応する。当該字
には去声点を差し、右注「トキモノ」を付載する。観智院本類聚名義抄に同音字注「音漂」を見出
すが、仮名音注はない。

　　　僄 漂音 カロシ／ナメシ ウカフ　　　　　　　　　　（観智院本類聚名義抄／佛上 007-4）

　　　僄狡 トヽキ物［□平平平］　　　　　　　　　　　　（観智院本類聚名義抄／佛上 007-5）

▶番号1295a「瘭」（瘭疽）の仮名音注「ヘウ」については、基本的に -eu で対応する。当該字
には去声点を差す。観智院本類聚名義抄に反切「匹遥反」を見出すが、仮名音注はない。元和本倭
名類聚抄には同音字注「音標」および借字による「俗云倍宇曾」がある。定着久しい字音「ヘウ」
の蓋然性が高い。

　　　瘭 … 匹遥反 癰 或［：右注］　　　　　　　　　　（観智院本類聚名義抄／法下 117-8）

　　　瘭疽　集驗方云瘭疽 瘭音標俗云倍宇曾 血気否澁而所生也（元和本倭名類聚抄／巻三 25 オ 3）

▶番号1316「標」（標）の仮名音注「ヘウ」については、基本的に -eu で対応する。当該字に
声点はなく、左右注「ヘウノ／カマ」を付載する。廣韻に拠れば、宵/小韻（pjiau$^{1/2}$）二音を有する。
観智院本類聚名義抄に平声点を付した同音字注「音飄」（その右注に朱筆で仮名音注「ヘウ」）と
上声点を付した同音字注「又表」を見出す。日本漢音「ヘウ」平声を、同じく上声を認める。

　　　標 音飄［平／ヘウ：朱右注］又表［上］スエ［上上］…　　（観智院本類聚名義抄／佛下本 102-6）

▶番号0968b「燎」（庭燎）の仮名音注「レウ」については、基本的に -eu で対応する。当該字
には平声点を差す。廣韻に拠れば、宵/小/笑韻（liau$^{1/2/3}$）三音を有する。熟字0968「庭燎」は右注
「ニハヒ」左注「庭火也」を付載する。観智院本類聚名義抄に平声点を付した同音字注「音料」と
同音字注「遼綟療三音」および去声点を付した同音字注「呉新」を見出すが、仮名音注はない。こ
の呉音は大般若経字抄による漢呉二音相同の同音字注を出典とする。元和本倭名類聚抄に反切「力
照反」がある。日本漢音は平声、日本呉音は去声を認める。

脅 音料［平］腸胃間形 膏／アフラ　燎 或　　　　　　　　　　（観智院本類聚名義抄／佛中124-3）

燎 遼繚燎三音／フスフ ヤク［上□］… 呉新［去］　　　　（観智院本類聚名義抄／佛下末041-4）

燎 ［音新：右傍］焼也　　　　　　　　　　　（石山寺一切経蔵本大般若経字抄／02 オ7）

庭燎　四聲字苑云燎 カ照反和名邇波比毛詩有庭燎篇 庭火也

（元和本倭名類聚抄／巻十二11 オ5）

▶番号1509「燎」（燎）の仮名音注「レウ」については、基本的に -eu で対応する。当該字には平声点と去声点を差し、右注「同（トフヒ）」左注「庭火也」を付載する。上述の分析を参照。

▶番号2754b「燎」（門燎）の仮名音注「レウ」については、基本的に -eu で対応する。当該字には上声点を差す。熟字2754「門燎」は左右注「カトヒ／喪出日門前燃火也」を付載する。元和本倭名類聚抄には反切「力弔反」がある。上述の分析を参照。

門燎　周禮云喪設門燎 カ弔反俗云門火 顏氏家訓云喪出之日門前燃火

（元和本倭名類聚抄／巻十四21 オ9）

《下巻 宵韻諸例》

▶番号3809a「妖」（妖艶）の仮名音注「エウ」については、基本的に -eu で対応する。当該字には平声点を差す。上巻の宵韻当該諸例で分析したように、日本呉音「エウ」去声を認める。

▶番号3870a「妖」（妖孽）の仮名音注「エウ」については、基本的に -eu で対応する。当該字に声点はない。上述の分析を参照。

▶番号 3843a・3844a・3852a・5776b「要」（要樞・要須・要劇・至要）の仮名音注「エウ」については、基本的に -eu で対応する。当該諸字四例には平声点を差す。熟字3844「要須」は右傍「カナラス」を付載する。上巻の宵韻当該例で分析したように、日本呉音「エウ」去声を認める。

▶番号3851a「要」（要害）の仮名音注「エウ」については、基本的に -eu で対応する。当該字には去声点を差す。上述の分析を参照。

▶番号 3790・3791・3853a「要」（要・要・要用）の仮名音注「エウ」については、基本的に -eu で対応する。当該諸字三例に声点はない。番号3790・3791「要」は右注3790「エウス」中注3791「エウ」左注「至」を付載する。上述の分析を参照。

▶番号3383「膅」（膅）の仮名音注「エウ」については、基本的に -eu で対応する。当該字には平声点を差し、右注「コシ」左注「或作腰」を付載する。上巻の宵韻当該例で分析したように、日本漢音「エウ」東声（四声体系では平声）日本呉音「エウ」平声を認める。

▶番号3797a「喓」（喓々）の仮名音注「エウ」については、基本的に -eu で対応する。当該字には平声点を差す。観智院本類聚名義抄に平声点を付した同音字注「音要」を見出すが、仮名音注はない。日本漢音は平声を認める。

嗖 音要［平］虫声／ナク［上平］　　　　　　　　　　　（観智院本類聚名義抄／佛中 029-6）

　▶番号3797b「嗖」（嗖ミ）の仮名音注「エウ」については、基本的に -eu で対応する。当該字に声点はない。上述の分析を参照。

　▶番号3793「傜」（傜）の仮名音注「エウ」については、基本的に -eu で対応する。当該字には平声点を差し、右注「エタツス［平平濁平上］」左注「勞民調也」を付載する。観智院本類聚名義抄に同音字注「音遥」を見出すが、仮名音注はない。広辞苑第七版は「えだち【役】」を掲げ「① 人民に課する労役。課役。」と説明する。

　　傜 … 音遥／ツカフ　　　　　　　　　　　　　　　　（観智院本類聚名義抄／佛上 022-5）

　▶番号3857a・3858a「傜」（傜役・傜丁）の仮名音注「エウ」については、基本的に -eu で対応する。両当該字には去声点を差す。上述の分析を参照。

　▶番号3833a・3855a「遥」（遥點・遥授）の仮名音注「エウ」については、基本的に -eu で対応する。両当該字には去声点を差す。熟字 3833「遥點」は右傍「ハルカニ テムス」を付載する。観智院本類聚名義抄に反切「餘招反」（その反切下字に平声点）および和音「エウ」を見出す。日本漢音は平声、日本呉音「エウ」を認める。

　　遥 餘招［□平］反／ハルカ［平上□］… 和エウ　　（観智院本類聚名義抄／佛上 047-7）

　　遥點 トホヨソ［上上□□］　　　　　　　　　　　　（観智院本類聚名義抄／佛上 048-1）

　▶番号6670b「遥」（逍遥）の仮名音注「エウ」については、基本的に -eu で対応する。当該字には上声点を差す。上述の分析を参照。

　▶番号6805b「鷮」（雀鷮）の仮名音注「エウ」については、基本的に -eu で対応する。当該字には平声点を差す。熟字6805「雀鷮」は右注「スミミタカ」中注「善提雀也」左注「又ツミ」を付載する。上巻の宵韻当該例で分析した。

　　雀鷮　兼名苑云雀鷮 漢語抄云須々美多加或云豆美 善提雀者也

　　　　　　　　　　　　　　　　　　　　　　　（元和本倭名類聚抄／巻十八 04 オ 3）

　▶番号6452「蘇」（蘇）の仮名音注「エウ」については、基本的に -eu で対応する。当該字には平声点を差し、和訓「モユ」の同訓異字として位置する。観智院本類聚名義抄に同音字注「音姚」を見出すが、仮名音注はない。

　　蘇 音姚 草盛貞／モシ［平上］　　　　　　　　　　（観智院本類聚名義抄／僧上 048-7）

　▶番号6752b「喬」（遷喬）の仮名音注「ケウ」については、基本的に -eu で対応する。当該字には平声点を差す。上巻の宵韻当該例で分析したように、日本漢音「ケウ」平声を認める。

　▶番号4866「鷸」（鷸）の仮名音注「ケウ」については、基本的に -eu で対応する。当該字には平声点を差し、右注「同（キシ）」を付載する。廣韻に拠れば、宵韻（kiau¹・giau¹）二音を有する。観智院本類聚名義抄に同音字注「喬橋二音」を見出すが、仮名音注はない。

　　鷸 … 喬橋二音 キシ［上上濁］　　　　　　　　　　（観智院本類聚名義抄／僧中 122-5）

910　3．仮名音注の韻母別考察　3-5　ⅢA韻類

▶番号6751b「橋」（成橋）の仮名音注「ケウ」については、基本的に *-eu* で対応する。当該字には平声点を差す。上巻の宵韻当該諸例で分析したように、日本漢音「ケウ」平声を認める。

▶番号4317・6080「翹」（翹・翹）の仮名音注「ケウ」については、基本的に *-eu* で対応する。両当該字には平声点を差す。番号4317「翹」は左右注「翹首翹足／林等也」を付載し、和訓「アク［上平濁］」の同訓異字として位置する。番号6080「翹」は右注「渠遙反」中注「ヒスイ」中左注「鳥尾上長／毛也俗云／翡翠是也」を付載する。上巻の宵韻当該例で分析したように、日本呉音は去声を認める。

　　　翹　四聲字苑云翹 渠遙反今案俗云翡翠是 鳥尾上長毛也　（元和本倭名類聚抄／巻十八13ウ7）

▶番号6132「嚻」（嚻）の仮名音注「ケウ」については、基本的に *-eu* で対応する。当該字には平声点を差し、右注「ヒスカシ」を付載する。宵韻 (xiau¹) 豪韻 (ŋɑu¹) 二音を有する。観智院本類聚名義抄に反切「許朝五髙二反」〔＊朝に去声点を差すが不審〕を見出すが、仮名音注はない。石山寺一切経蔵本大般若経字抄には同音字注「正梟」（蕭韻 keu¹）と「音交」（肴韻 kau¹）がある。漢呉二音相同の同音字注を選択できない場合の措置である。

　　　嚻　許朝 [□去] 五髙二反／カマヒスシ [平平□□□]　　　（観智院本類聚名義抄／佛中046-6）
　　　正梟 嚻 [音交：右傍] カマヒスシ　　　　　　　　　（石山寺一切経蔵本大般若経字抄／21 オ2）

▶番号6490a・6500a・6504a「昭」（昭陽舍・昭慶門・昭訓門）の仮名音注「セウ」については、基本的に *-eu* で対応する。当該諸字三例には平声点を差す。熟字6490「昭陽舍」は左注「ナシツホ」を、熟字6500「昭慶門」は右注「北大門」を付載する。観智院本類聚名義抄に平声点を付した同音字注「音招」と反切「章邵反」を見出す。長承本蒙求に仮名音注「セウ」があり、その掲出字を含む二例に東声点を加える。日本漢音「セウ」東声（四声体系では平声）を認める。

　　　昭 音招 [平] 章邵反 照今炤 或 [：右注] ヒカリ …　　　（観智院本類聚名義抄／佛中087-5）
　　　昭 [東] セウ　　　　　　　　　　　　　　　　　　　　　　　（長承本蒙求／148）
　　　昭 [東]　　　　　　　　　　　　　　　　　　　　　　　　　　（長承本蒙求／062）

▶番号6644a「昭」（昭穆）の仮名音注「セウ」については、基本的に *-eu* で対応する。当該字には平声点と去声点を差す。熟字「昭穆」は中注「父子也」左注「イ本父母也」を付載する。上述の分析を参照。

▶番号3585「焦」（焦）の仮名音注「セウ」については、基本的に *-eu* で対応する。当該字には平声点を差し、右注「コカス」を付載する。異体字として「燋」がある。観智院本類聚名義抄に東声点を付した同音字注「音蕉」および去声点を付した「呉消」を見出す。前者の東声点は平声点を差すべき位置に部首「灬」があり、本来の平声点位置より上方に加えたと考える余地もある。後者の呉音注は大般若経字抄による漢呉二音相同の同音字注を出典とする。日本漢音は東声（四声体系では平声）日本呉音は去声を認める。

　　　焦 コカス [平平濁平] ／音蕉 [東]〔＊平声点か〕　　　（観智院本類聚名義抄／佛下末045-3）

3-5-1 -ia系の字音的特徴 911

燋 音同上 又績又／側角反 … コカス［平平濁平／□□ル：墨右傍］ … 呉消［去］

（観智院本類聚名義抄／佛下末045-3）

燋焦 上通下正 （観智院本類聚名義抄／佛下末045-4）

燋［音消：右傍］炷［音趣：右傍］上ヤク／下トウシミ

（石山寺一切経蔵本大般若経字抄／13 ウ2）

▶番号4472a「鷦」（鷦鷯）の仮名音注「セウ」については、基本的に -eu で対応する。当該字には平声点を差す。熟字4472「鷦鷯」は右注「サミキ」を付載する。観智院本類聚名義抄に平声点を付した同音字注「焦」（その右傍に朱筆で仮名音注「セウ」）を見出す。元和本倭名類聚抄には同音字注「焦」がある。日本漢音「セウ」平声を認める。

鷦鷯 焦遼［平平／セウレウ：朱右傍］サ、キ［上上平濁］ （観智院本類聚名義抄／僧中111-5）

鷦鷯 文選鷦鷯賦云鷦鷯 焦遼二音和名佐々木 … （元和本倭名類聚抄／巻十八09 ウ2）

▶番号5828b「噍」（嘲噍）の仮名音注「セウ」については、基本的に -eu で対応する。当該字には平声点を差す。熟字5828「嘲噍」は左注「小鳥音也」を付載する。観智院本類聚名義抄に反切「徐笑反」を見出すが、仮名音注はない。

噍 徐笑反 咀也／嚼也 ツ、シル （観智院本類聚名義抄／佛中059-6）

▶番号6662a「顤」（顤顇）の仮名音注「セウ」については、基本的に -eu で対応する。当該字には平声点を差す。熟字6662「顤顇」は左注「又作燋忰」を付載する。上巻の宵韻当該例で分析したように、日本呉音「セウ」去声を認める。

▶番号6681a「樵」（樵夫）の仮名音注「セウ」については、基本的に -eu で対応する。当該字には平声点を差す。熟字6681「樵夫」は右傍「キコリ」を付載する。観智院本類聚名義抄に反切「徐焦反」（その反切下字に平声点）を見出すが、仮名音注はない。日本漢音は平声を認める。

樵 徐焦［□平］反 キコリ［平平平］／シハノタキ、［□□□上上平濁］

（観智院本類聚名義抄／佛下本097-7）

▶番号3785b「消」（塩消）の仮名音注「セウ」については、基本的に -eu で対応する。当該字には平声点を差す。図書寮本類聚名義抄に平声点を付した同音字注「季云音霄」および上昇調と推測する「真云セウ」を見出す。観智院本には平声点を付した同音字注「音霄」を見つける。日本漢音は平声、日本呉音「セウ」去声を認める。

乾消 季云音霄［平］ … キユ［上平］ 真云セウ［□上］ （図書寮本類聚名義抄／043-3）

消 音霄［平］キユ［上平］ … ケス［上平］ （観智院本類聚名義抄／法上025-4）

▶番号6688a「消」（消息）の仮名音注「セウ」については、基本的に -eu で対応する。当該字には去声点を差す。上述の分析を参照。

▶番号5524b・5535b「霄」（紫霄・終霄）の仮名音注「セウ」については、基本的に -eu で対応する。両当該字には平声点を差す。熟字5535「終霄」は右傍「ヨモスカラ」を付載する。上巻の

912　3．仮名音注の韻母別考察　3-5　ⅢA韻類

宵韻当該諸例で分析した。

▶番号6670a「逍」（逍遥）の仮名音注「セウ」については、基本的に *-eu* で対応する。当該字には去声点を差す。観智院本類聚名義抄に平声点を付した同音字注「音霄」を見出すが、仮名音注はない。日本漢音は平声を認める。

　　　逍 音霄 ［平］キユ［上平］… ケス［上平］　　　　　（観智院本類聚名義抄／佛上048-1）

　　　逍遥 タハフレ 上音霄 アソフ／ヤウヤク　　　　　　（観智院本類聚名義抄／佛上048-1）

▶番号6524a「痟」（痟癘）の仮名音注「セウ」については、基本的に *-eu* で対応する。当該字には去声点を差す。熟字6524「痟癘」は左注「又カチノヤマヒ」を付載する。上巻の宵韻当該例で分析した。

▶番号4909「綃」（綃）の仮名音注「セウ」については、基本的に *-eu* で対応する。当該字には平声点を差し、右注「同（キヌ）」を付載する。図書寮本類聚名義抄に反切「廣云私遥反」（その反切下字に平声点）と同音字注「東云蕭宵二音」を見出す。観智院本類聚名義抄に東声点〔＊平声点の誤認か〕を付した同音字注「音消」を見出すが、仮名音注はない。元和本倭名類聚抄には反切「所交反」と同音字注「又音消」がある。日本漢音は東声（四声体系では平声）を認めるが、平声の可能性も残る。

　　　綃縠 廣云私遥 ［□平］反 … 東云蕭宵二音 生絲綃也 … カトリ［上上上］キヌ［平上］切

　　　　　　　　　　　　　　　　　　　　　　　　　　　　　　　（図書寮本類聚名義抄／293-6）

　　　綃 音消 ［東］繒名 キヌ［□上］／カトリ［上□□］…　　（観智院本類聚名義抄／法中117-2）

　　　繰　毛詩注云綃 所交反又音消和名加止利 繰也 …　　（元和本倭名類聚抄／巻十二15ウ5）

▶番号6530a・6581a「韶」（韶應樂・韶景）の仮名音注「セウ」については、基本的に *-eu* で対応する。両当該字に声点はない。熟字6530「韶應樂」は右注「壱越調」を付載する。上巻の宵韻当該例で分析したように、日本漢音「セウ」平声を認める。

▶番号3963a「超」（超越）の仮名音注「テウ」については、基本的に *-eu* で対応する。当該字には去声点を差す。観智院本類聚名義抄に反切「恥驕反」および上昇調と推測する和音「テウ」を見出す。長承本蒙求には仮名音注「テウ」があり、その掲出字を含む二例に平声点を加える。日本漢音「テウ」平声、日本呉音「テウ」去声を認める。

　　　超 恥驕反 コユ［上平］… 和テウ［□上］　　　　　（観智院本類聚名義抄／佛上066-2）

　　　超 ［平］テウ／テウ　　　　　　　　　　　　　　　　　（長承本蒙求／004）

　　　超 ［平］　　　　　　　　　　　　　　　　　　　　　　（長承本蒙求／041）

▶番号3951a・3957a・4060「朝」（朝章・朝覲・朝）の仮名音注「テウ」については、基本的に *-eu* で対応する。当該諸字三例には平声点を差す。番号4060「朝」は右注「アシタ」左注「陟遥反」を付載する。観智院本類聚名義抄に反切「陟驕反」を見出すが、仮名音注はない。

　　　朝 陟驕反 トモカラ［上上□□］… アシタ …　　　　（観智院本類聚名義抄／佛中138-2）

3-5-1　-ia 系の字音的特徴　913

▶番号 3955a「朝」（朝廷）の仮名音注「テウ」については、基本的に -eu で対応する。当該字には平声点と去声点を差す。上述の分析を参照。

▶番号 3933a・3933b「朝」（朝ゞ・朝ゞ）の仮名音注「テウ」については、基本的に -eu で対応する。両当該字に声点はない。上述の分析を参照。

▶番号 5259「饒」（饒）の仮名音注「ネウ」については、基本的に -eu で対応する。当該字には平声点を差し、右注「人招反」左注「豊饒」を付載する。観智院本類聚名義抄に平声濁点を付した同音字注「音蕘」および上昇調と推測する和音「ネウ」を見出す。日本漢音は平声、日本呉音は「ネウ」去声を認める。

　　　饒 音蕘［平濁］ユタカナリ［平上□□□／□□□ニ］… 和音 ネウ［□上］

　　　　　　　　　　　　　　　　　　　　　　　（観智院本類聚名義抄／僧上 104-7）

▶番号 6048「瓢」（瓢）の仮名音注「ヘウ」については、基本的に -eu で対応する。当該字には平声点を差し、右注「同（ヒサコ）」を付載する。廣韻に拠れば、濁並母宵韻（bjiau¹）を示す。観智院本類聚名義抄に反切「毗遥反」を見出す。長承本蒙求には仮名音注「ヘウ」があり、その掲出字に東声点〔＊疑義あり／頭子音が濁並母ゆえ平声〕を加える。また平声点を差した掲出字「瓢」も見つける。元和本倭名類聚抄に反切「符宵反」がある。日本漢音「ヘウ」平声を認める。

　　　瓢 … 毗遥反 ウリ／ウル［上平］ナリヒサコ［平平平濁上上］　　（観智院本類聚名義抄／僧中 006-2）

　　　瓢［平］　　　　　　　　　　　　　　　　　　　　　　（長承本蒙求／037）

　　　瓢［東］ヘウ　　　　　　　　　　　　　　　　　　　　（長承本蒙求／109）

　　　杓 瓢附 … 瓢 符宵反和名奈利比佐古 …　　　　　　（元和本倭名類聚抄／巻十六 06 オ 8）

▶番号 6453「熛」（熛）の仮名音注「ヘウ」については、基本的に -eu で対応する。当該字には平声点を差し、和訓「モユ」の同訓異字として位置する。観智院本類聚名義抄に同音字注「音漂」および「和表」を見出すが、仮名音注はない。同書で「表」を再検索すると、和音「ヘウ」を見つける。日本呉音「ヘウ」の可能性を指摘しておく。

　　　熛〔＊字形「小」部分は「灬」〕音漂 燋火／灬古　　　（観智院本類聚名義抄／佛下末 047-1）

　　　熛 俗 モユ［上平］／ホノホ 和表　　　　　　　　（観智院本類聚名義抄／佛下末 047-1）

　　　表 方少反 又去 ウヘ … 和ヘウ　　　　　　　　　（観智院本類聚名義抄／法中 136-8）

▶番号 3346・5444・6873「標」（標・標・標）の仮名音注「ヘウ」については、基本的に -eu で対応する。当該諸字三例には平声点を差す。番号 3346「標」は左注「木杪也」を、番号 5444「標」は右注「シメ」中注「シルシ／云木為記也」左注「競馬具」を、番号 6873「標」は右注「同（スヱ）」左注「木杪也」を付載する。上巻の宵韻当該例で分析したように、日本漢音「ヘウ」平声を、また日本漢音は上声を認める。

　　　競馬 標附 本朝式云五月五日競馬 和名久良夫宇麻 立標 標読師米

　　　　　　　　　　　　　　　　　　　　　　　　（元和本倭名類聚抄／巻四 05 オ 4）

914　3．仮名音注の韻母別考察　3-5　ⅢA韻類

▶番号6228「飄」（飄）の仮名音注「ヘウ」については、基本的に -eu で対応する。当該字に声点はなく、和訓「ヒルカヘス」の同訓異字として位置する。廣韻に拠れば、滂母宵韻（p'jiau^1）並母宵韻（bjiau^1）二音を有する。観智院本類聚名義抄に反切「匹遥反」および去声点を付した「呉音表」を見出すが、仮名音注はない。この呉音注は大般若経字抄による漢呉二音相同の同音字注を出典とする。同書には正音「飆」（宵韻 pjiau^1）と去声点を付した同音字注「音表」（小韻 piau^2）もある。日本呉音は去声を認める。

　　　飄 … 匹遥反 … ヒルカヘル［平平平濁上平］… 呉ノ表［去］　　（観智院本類聚名義抄／僧下 051-6）

　　　飄［音表［去：圏点］：右傍］正飆〔＊左右反転の字形〕

　　　　　　　　　　　　　　　　　　　　　　　　（石山寺一切経蔵本大般若経字抄／02 オ 1）

　　　飄［音表［去：圏点］：右傍］立表　　　　　（石山寺一切経蔵本大般若経字抄／03 オ 5）

　　　飄［音表［去：圏点］：右傍］　　　　　　　（石山寺一切経蔵本大般若経字抄／04 オ 5）

　　　飄［音表：右傍］飆［音陽：右傍］飛揚也　　（石山寺一切経蔵本大般若経字抄／12 ウ 5）

　　　飄［表：右傍］飆［様：右傍］　　　　　　　（石山寺一切経蔵本大般若経字抄／22 ウ 7）

《上巻 小韻諸例》

▶番号2263「小」（小）の仮名音注「セウ」については、基本的に -eu で対応する。当該字に声点はなく、左注「ヲ」を付載する。図書寮本類聚名義抄に反切「中云私兆反・真云之兆反」を見出す。観智院本に反切「弘兆反」〔＊反切上字は「私」か〕および低平調と推測する和音「セウ」を見ける。日本呉音「セウ」平声を認める。

　　　小 中云私兆反 … スクシキ［平上平平／詩：右注］　　　（図書寮本類聚名義抄／275-1）

　　　幼小 真云之兆反 婢小也 …　　　　　　　　　　　　　（図書寮本類聚名義抄／275-2）

　　　小 弘兆反 スクナシ … 和セウ［□平：墨点］　　　　（観智院本類聚名義抄／法中 068-8）

▶番号1808b・2140「沼」（池沼・沼）の仮名音注「セウ」については、基本的に -eu で対応する。両当該字には上声点を差す。番号2140「沼」は中注「又ヌマ」左注「池沼」を付載する。観智院本類聚名義抄に反切「朱紹反」および呉音「小」を見出す。後者は大般若経字抄による漢呉二音相同の同音字注を出典とする。承暦本金光明最勝王経音義には仮名音注「セウ」があり、その掲出字に去声点を加える。元和本倭名類聚抄には反切「之詔反」を見つける。日本呉音「セウ」去声を認める。

　　　沼 朱紹反 ヌウ／コイケ イケ／呉小　　　　　　（観智院本類聚名義抄／法上 028-8）

　　　沼［去］セウ［：右傍］少［平］伊止き奈之［上上上平］　（承暦本金光明最勝王経音義／10 ウ 1）

　　　沼［音小：右傍］ヌ字　　　　　　　（石山寺一切経蔵本大般若経字抄／01 オ 7）

　　　沼 唐韻云沼池也之詔反 和名奴　　　　　　　（元和本倭名類聚抄／巻一 16 オ 5）

3-5-1　-ia 系の字音的特徴　915

▶番号 1255b「少」（乏少）の仮名音注「セウ」については、基本的に -eu で対応する。当該字には上声点を差す。廣韻に拠れば、小/笑韻（śiau²³）二音を有する。観智院本類聚名義抄に反切「書治反」（その反切下字に上声点）と声調表記「又去・上声」を見出す。承暦本金光明最勝王経音義には平声圏点を付した掲出字「少」がある。日本漢音は上/去声、日本呉音は平声を認める。

　　　少 書治［平上］反 又去 スクナシ［平平平上］… 上声　　　　（観智院本類聚名義抄／僧下 075-3）

　　　幼［去：圏点／エウ：右傍］少［平：圏点］〔*後筆墨書〕　（承暦本金光明最勝王経音義／13 オ 4）

▶番号 1315「表」（表）の仮名音注「ヘウ［上上］」については、基本的に -eu で対応する。当該字には上声点を差し、その仮名音注に高平調の差声を施す。また右注「賤表」左注「書名」を付載する。図書寮本類聚名義抄に反切「真云方少反・中云陂嬌反」を見出す。観智院本には反切「方少反」と声調表記「又去」および和音「ヘウ」を見つける。元和本倭名類聚抄には反切「碑嬌反」がある。日本漢音は去声、日本呉音「ヘウ」を認める。

　　　表裏 真云方少反 … 川云守邴［上平］…　　　　　　　　　（図書寮本類聚名義抄／329-5）

　　　長表 中云陂嬌反 …　　　　　　　　　　　　　　　　　　（図書寮本類聚名義抄／329-7）

　　　表 方少反 又去 ウヘ … 和ヘウ　　　　　　　　　（観智院本類聚名義抄／法中 136-8）

　　　表裏 説文云表 碑嬌反守邴 衣外也 …　　　　　　（元和本倭名類聚抄／巻十二23 オ 7）

▶番号 1409a「表」（表裏）の仮名音注「ヘウ」については、基本的に -eu で対応する。当該字には上声点を差す。上述の分析を参照。

▶番号 1344a「表」（表事）の仮名音注「ヘウ」については、基本的に -eu で対応する。当該字には去声点を差す。上述の分析を参照。

▶番号 1345a・1403a「表」（表相・表白）の仮名音注「ヘウ」については、基本的に -eu で対応する。当該字には平声点を差す。上述の分析を参照。

▶番号 1306a「標」（標紙）の仮名音注「ヘウ」については、基本的に -eu で対応する。当該字には平声点を差す。熟字 1306「標紙」は右注「ヘウシ俗」仮名音注を付載する。この俗表記は定着久しい字音を示すと考える。観智院本類聚名義抄に反切「并抄反・袖端反」を見出すが、仮名音注はない。後者の反切は注文の誤認である。元和本倭名類聚抄には反切「音方小反」がある。

　　　標 袖端方小切四　　　　　　　　　　　　　　（宋本廣韻／幫母小韻 pjiau²）

　　　標 并抄反／袖端反　　　　　　　　　　　　　（観智院本類聚名義抄／法中 142-2）

　　　標紙 唐式云染麻紙廿五張穀紙五十張標紙廿張標 音方小反 …

　　　　　　　　　　　　　　　　　　　　　　　　　（元和本倭名類聚抄／巻十三09 ウ 6）

▶番号 1056「鰾」（鰾）の仮名音注「ヘウ」については、基本的に -eu で対応する。当該字には上声点を差し、左注「ホハラ」を付載する。観智院本類聚名義抄に反切「防抄反」（その反切下字に上声濁点）を見出すが、仮名音注はない。元和本倭名類聚抄に反切「防抄反上聲之重」がある。切韻を撰述して以降の中国語において、上声濁が次第に去声化を起こした状態を、日本漢音では反

916　3．仮名音注の韻母別考察　3-5　ⅢA韻類

映する。これは上声を構成する上声軽と上声重とが allotone であり、後者の調値が去声と区別できないことを示すとも言える。日本漢音は上声を認める。

　　　　鰾 … 防抄［平上濁］反／ホハラ［平平上］魚膘　　　　　　（観智院本類聚名義抄／僧下 006-7）

　　　　鰾　文字集略云鰾 防抄反上聲之重漢語抄云保波良 …　　　　（元和本倭名類聚抄／巻十九 10 オ 7）

　▶番号 1331a「眇」（眇邈）の仮名音注「ヘウ」については、基本的に -eu で対応する。当該字には上声濁点を差すので、字音「ベウ」を想定する。熟字 1331「眇邈」は右傍「カスカナリ ハルカナリ」を付載する。観智院本類聚名義抄に上声濁点を付した同音字注「杪」（その右注に朱筆で仮名音注「ヘウ」）および低平調と推測する和音「メウ」を見出す。日本漢音「ベウ」上声、日本呉音「メウ」平声を認める。

　　　　眇 杪［上濁／ヘウ：朱右注］スカメ［平上濁上］… 和メウ［□平］

　　　　　　　　　　　　　　　　　　　　　　　　　　　　　　　（観智院本類聚名義抄／佛中 071-2）

　　　　眇　周易云眇能視蹇能行 師説眇読須加女蹇見下文也　　　　（元和本倭名類聚抄／巻三 17 ウ 2）

　▶番号 1320a・1320b「眇」（眇〻・眇〻）の仮名音注「ヘウ」については、基本的に -eu で対応する。両当該字に声点はない。熟字 1320「眇〻」は左注「ハルカナリ」を付載する。上述の分析を参照。

　▶番号 1338a「森」（森茫）の仮名音注「ヘウ」については、基本的に -eu で対応する。当該字には上声濁点を差すので、字音「ベウ」を想定する。図書寮本類聚名義抄に上声濁点を付した同音字注「眇音」を見出す。観智院本には同音字注「音杪」を見出すが、仮名音注はない。日本漢音は上声を認める。

　　　　森 类云眇［上濁］音 東云／水寛大皃也　　　　　　　　（図書寮本類聚名義抄／057-2）

　　　　森 音杪 ハルカナリ … 或作眇［未詳：右注］ソニカケ　　（観智院本類聚名義抄／法上 007-6）

　▶番号 1321a・1321b「森」（森〻・森〻）の仮名音注「ヘウ」については、基本的に -eu で対応する。両当該字に声点はない。熟字 1321「森〻」は右注「水森〻也」中注「大水也」左注「ハルカナリ」を付載する。上述の分析を参照。

《下巻 小韻諸例》

　▶番号 4318「矯」（矯）の仮名音注「ケウ」については、基本的に -eu で対応する。当該字には上声点を差し、右注「矯手」を付載する。和訓「アク［上平濁］」の同訓異字として位置する。観智院本類聚名義抄に上声点を付した同音字注「音暁」（その右傍に朱筆で仮名音注「ケウ」）および「和去」を見出す。日本漢音「ケウ」上声、日本呉音は去声を認める。

　　　　矯 音暁［上／ケウ：朱右傍］… アク［上平濁］アカル／和去　　（観智院本類聚名義抄／僧中 032-6）

　▶番号 5956a「小」（小綱）の仮名音注「ショウ」については、異例 -jou を示す。当該字に声

3-5-1 -ia 系の字音的特徴 917

点はない。日本語音韻史上の音変化 *-eu* > *-jou* >*-joo* を反映する字音把握である。上巻の小韻当該
例で分析したように、日本呉音「セウ」平声を認める。

▶番号3815b「少」（幼少）の仮名音注「セウ」については、基本的に *-eu* で対応する。当該字
には平声点を差す。上巻の小韻当該例で分析したように、日本漢音は上/去声、日本呉音は平声を認
める。

▶番号6568a・6568b・6762a・6763a「少」（少ミ・少ミ・少将・少納言）の仮名音注「セウ」
については、基本的に *-eu* で対応する。当該諸字四例に声点はない。熟字6762「少将」は右注「在
左右近衛府」を、熟字6763「少納言」は右注「在太政官」を付載する。上述の分析を参照。

　　　次官　本朝職貟令 … 近衛府曰中少将 …　　　　　　（元和本倭名類聚抄／巻五03 ウ6）

　　　少納言　本朝職貟令云少納言 須奈伊毛乃萬宇之　　　（元和本倭名類聚抄／巻五02 オ4）

▶番号6667a・6741a「紹」（紹介・紹隆）の仮名音注「セウ」については、基本的に *-eu* で対
応する。両当該字には去声点を差す。廣韻に拠れば、熟字6667「紹介」は左注「少事也」を付載す
る。図書寮本類聚名義抄に反切「市繞反」（その反切下字に上声点）および上昇調と推測する仮名
音注「真云セウ」を見出す。観智院本には反切「市繞反」（その反切下字に上声点）を見出す。長
承本蒙求には同音字注「小」があり、その掲出字に去声点を加える。当該字の中古音は歯音濁常母
小韻上声（ʑiauᵇ）である。切韻を撰述して以降の中国語において、上声濁が次第に去声化を起こし
た状態を、日本漢音では反映する。承暦本金光明最勝王経音義には同音字注「照音」があり、その
掲出字に去声点を加える。日本漢音は上/去声、日本呉音「セウ」去声を認める。

　　　紹 广云市／繞［□上］反 … 真云セウ［平上］　　　（図書寮本類聚名義抄／300-7）

　　　紹 市繞［□上］反 ツク［上平濁］… アマネシ　　　（観智院本類聚名義抄／法中 134-3）

　　　紹芥 ナカタチ　　　　　　　　　　　　　　　　　　（観智院本類聚名義抄／僧上 036-1）

　　　紹［去］小　　　　　　　　　　　　　　　　　　　　（長承本蒙求／070）

　　　紹［去］照音　　　　　　　　　　　　　（承暦本金光明最勝王経音義／03 オ5）

▶番号6638b「兆」（先兆）の仮名音注「テウ」については、基本的に *-eu* で対応する。当該字
には上声点を差す。熟字6638「先兆」は右傍「サキノキサシ」を付載する。観智院本類聚名義抄に
同音字注「音超」を見出すが、仮名音注はない。

　　　兆 音超 十億／キサス［上上濁平］　　　　　　　（観智院本類聚名義抄／佛下末 013-6）

▶番号3926「兆」（兆）の仮名音注「テウ［平平］」については、基本的に *-eu* で対応する。
当該字には去声点を差し、その仮名音注に平声相当である低平調を示す差声がある。また左注「十
億曰兆」を付載する。上述の分析を参照。

▶番号4693b「兆」（三兆）の仮名音注「テウ」については、基本的に *-eu* で対応する。当該字
には去声点を差す。上述の分析を参照。

▶番号3918a「兆」（兆土）の仮名音注「テウ」については、基本的に *-eu* で対応する。当該字

918　3．仮名音注の韻母別考察　3-5　ⅢA韻類

には平声濁点を差す。熟字3918「兆土」は左注「雙六一」を付載する。上述の分析を参照。

　▶番号6640b「摽」（先摽）の仮名音注「ヘウ」については、基本的に *-eu* で対応する。当該字には上声濁点を差すので、字音「ベウ」を想定する。廣韻に拠れば、小韻 (bjiau²) 宵/笑韻 (p'jiau^{1/3}) 三音を有する。観智院本類聚名義抄に反切「脾小反」と同音字注「又音漂」を見出す。長承本蒙求には仮名音注「ヘウ」があり、その掲出字に平声点と東声点を加える。日本漢音「ヘウ」東声（四声体系では平声）を認める。

　　　摽 脾小反 樹橷心 又音漂 …　　　　　　　　　　（観智院本類聚名義抄／佛下本 050-2）
　　　摽［平・東］ヘウ／ヘウ　　　　　　　　　　　　　　　　　（長承本蒙求／005）

　▶番号6820「眇」（眇）の仮名音注「ヘウ」については、基本的に *-eu* で対応する。当該字には上声濁点を差すので、字音「ベウ」を想定する。右注「スカメ」中注「スカム」左注「亡沼反 眇目」を付載する。上巻の小韻当該諸例で分析したように、日本漢音「ベウ」上声、日本呉音「メウ」平声を認める。

《上巻 笑韻諸例》

　▶番号2463b「燿」（含耀門）の仮名音注「エウ」については、基本的に *-eu* で対応する。当該字には去声点を差す。観智院本類聚名義抄に反切「羊照反・餘叫反」および和音「エウ」を見出す。承暦本金光明最勝王経音義には仮名音注「エウ」二例（朱書と墨書）がある。日本呉音「エウ」を認める。

　　　曜 羊照反 燿耀 二或 カ，ヤク … ヒカル［平平上］　　　（観智院本類聚名義抄／佛中 095-5）
　　　耀 … 俗燿字 餘叫反／光 カ，ヤカシス［平平平平平］和エウ

　　　　　　　　　　　　　　　　　　　　　　　　　　（観智院本類聚名義抄／佛下末 022-1）
　　　耀［エウ：右傍］〔＊後筆朱書〕　　　　　（承暦本金光明最勝王経音義／06 ウ 3）
　　　耀［エウ：右傍］〔＊後筆墨書〕　　　　　（承暦本金光明最勝王経音義／06 ウ 3）

　▶番号0796b「咲」（白咲）の仮名音注「セウ」については、基本的に *-eu* で対応する。当該字には去声点を差す。観智院本類聚名義抄に反切「忠妙反」および和音「セフ」を見出す。また異体字「笑」には反切「羞曜反」および上昇調を示す和音「セウ」を見つける。長承本蒙求には同音字注「小」があり、その掲出字に去声点を加える。日本漢音は去声、日本呉音「セウ」去声を認める。

　　　咲 笑上通下正 忠妙反 ワラフ … 和セフ　　　　　（観智院本類聚名義抄／佛中 031-3）
　　　笑 咲二正嘆俗／羞曜反 … ワラフ［上上平］… 和セウ［平上］　（観智院本類聚名義抄／僧上 067-6）
　　　笑［去］小　　　　　　　　　　　　　　　　　　　　　（長承本蒙求／138）

　▶番号2326「嘆」（嘆）の仮名音注「セウ」については、基本的に *-eu* で対応する。当該字に声点はなく、和訓「ワラフ」の同訓異字として位置する。観智院本類聚名義抄は異体字として「笑・

咲」を掲げる。上述の分析を参照。

嘆 … ワラフ［上上□］／ヱム　　　　　　　　　（観智院本類聚名義抄／佛中 031-3）

▶番号 1472a「照」（照射）の仮名音注「セウ」については、基本的に -eu で対応する。当該字には去声点を差す。熟字「照射」は右注「トモシ」を付載する。観智院本類聚名義抄に反切「之曜反」を見出す。長承本蒙求に仮名音注「セウ」四例があり、それらの掲出諸字に東声点と去声点を加える。日本漢音「セウ」東/去声（四声体系では平/去声）を認める。

照 之曜反 テラス［平平平］… テル［平上］　　　（観智院本類聚名義抄／佛下末 038-5）

照 ［東］セウ　　　　　　　　　　　　　　　　　　　　（長承本蒙求／011・144）

照 ［去］セウ　　　　　　　　　　　　　　　　　　　　（長承本蒙求／091）

昭 ［東］　　　　　　　　　　　　　　　　　　　　　　（長承本蒙求／046）

照射 蹠血附 … 今案俗云照射止毛之蹠血波加利　　　（元和本倭名類聚抄／巻四 02 ウ 1）

▶番号 1388a「廟」（廟略）の仮名音注「ヘウ」については、基本的に -eu で対応する。当該字には去声濁点を差すので、字音「ベウ」を想定する。観智院本類聚名義抄に反切「眉召反」（その反切下字に去声点）および上昇調を示す和音「メウ」を見出す。長承本蒙求には仮名音注「ヘウ」二例があり、それらの掲出諸字に去声加濁点を加える。日本漢音「ベウ」去声、日本呉音「メウ」去声を認める。

廟 眉召 ［□去］反 ヤシロ／和メウ［平上］　　　（観智院本類聚名義抄／法下 103-4）

廟 ［去／去：加濁］ヘウ／ヘウ　　　　　　　　　　　（長承本蒙求／033）

廟 ［去／去：加濁］ヘウ　　　　　　　　　　　　　　（長承本蒙求／138）

《下巻 笑韻諸例》

▶番号 3923「曜」（曜）の仮名音注「エウ」については、基本的に -eu で対応する。当該字には去声点を差し、和訓「テラス」の同訓異字として位置する。観智院本類聚名義抄に反切「羊照反」を見出すが、仮名音注はない。上巻の笑韻当該例（番号 2463b「耀」）で分析したように s、異体字「燿・爠」を参照すれば、日本呉音「エウ」を認める。

曜 羊照反 耀爠 二或 カヤク … ヒカル［平平上］　　（観智院本類聚名義抄／佛中 095-5）

▶番号 3736「曜」（曜）の仮名音注「エウ」については、基本的に -eu で対応する。当該字に声点はなく、右注「弋照反 七曜 日月火水／木金土」左注「九曜 羅土金水日／火計月木」を付載する。上述の分析を参照。

▶番号 6000b・6491b「耀」（榮耀・宣耀殿）の仮名音注「エウ」については、基本的に -eu で対応する。当該字には去声点を差す。熟字「榮耀」は右傍「サカエ カミヤク」を付載する。上巻の笑韻当該例で分析したように、日本呉音「エウ」を認める。

920　3．仮名音注の韻母別考察　3-5　ⅢA韻類

　　　殿 名附出 … 宣耀殿 在麗景殿北 …　　　　　　　　　　　　（元和本倭名類聚抄／巻十 02 ウ 1）

　▶番号4575「鞘」（鞘）の仮名音注「セウ」については、基本的に -eu で対応する。当該字に
は去声点を差し、右注「サヤ」中注「釼鞘」左注「刀室也」を付載する。廣韻に拠れば、笑韻（siau³）
看韻（sau¹）二音を有する。観智院本類聚名義抄に平声点を付した同音字注「音霄」（その右傍に
朱筆で仮名音注「セウ」／霄：宵韻 siau¹）〔＊平声の注字選択は不審〕を見出す。元和本倭名類聚抄に
は反切「私妙反」がある。日本漢音「セウ」を認める。

　　　鞘 … サヤ［平上］… 音霄［平／セウ：朱右傍］　　　　　（観智院本類聚名義抄／僧中 073-4）

　　　削 … サヤ［平上］又私妙反／又鞘 正 先薬反 ケツル　　　（観智院本類聚名義抄／僧上 088-7）

　　　鞘 … 唐韻云鞘 私妙反和名佐夜 刀室也　　　　　　　　　（元和本倭名類聚抄／巻十三 16 ウ 3）

　▶番号3922・6023a・6577a「照」（照・照地・照地）の仮名音注「セウ」については、基本的
に -eu で対応する。当該諸字三例には去声点を差す。番号3922「照」は右注「テラス」中注「毛
少反」左注「テル又乍炤」を付載する。上巻の笑韻当該例で分析したように、日本漢音「セウ」東
／去声（四声体系では平／去声）を認める。

　▶番号4308「照」（照）の仮名音注「セウ」については、基本的に -eu で対応する。当該字に
は平声点を差し、右注「同（アキラカナリ）」右注「明也」を付載する。上述の分析を参照。

　▶番号6710a「詔」（詔使）の仮名音注「セウ」については、基本的に -eu で対応する。当該字
には上声点を差す。図書寮本類聚名義抄に同音字注「音照」を見出す。観智院本には去声点を付し
た同音字注「音照」および「和平」を見出す。日本漢音は去声、日本呉音は平声を認める。

　　　教詔 音照 … ツク［上平濁／書：右注］　　　　　　　　　（図書寮本類聚名義抄／088-1）

　　　詔 音照［去］ツク［上平濁／告：右注］… 和平　　　　　（観智院本類聚名義抄／法上 060-3）

　▶番号6526「詔」（詔）の仮名音注「セウ」については、基本的に -eu で対応する。当該字に
声点はなく、右注「私妙反」左注「帝仰也」を付載する。上述の分析を参照。

　▶番号5307a「驃」（驃馬）の仮名音注「ヘウ」については、基本的に -eu で対応する。当該字
には去声点を差し、右注「シラカケ」中注「毗召反 白鹿毛也」左注「黄白色馬也」を付載する。観
智院本類聚名義抄に反切「毗妙反・安妙反」を見出すが、仮名音注はない。元和本倭名類聚抄に反
切「毘召反」がある。

　　　驃 … 毗妙反 驃騎也／安妙反 馬名　　　　　　　　　　　（観智院本類聚名義抄／僧中 108-5）

　　　驃馬 赤驃附 説文云驃 毘召反漢語抄云驃馬白鹿毛也 … 黄白色馬也

　　　　　　　　　　　　　　　　　　　　　　　　　　　　　　（元和本倭名類聚抄／巻十一 11 ウ 4）

　▶番号5823b「妙」（神妙）の仮名音注「ヘウ」については、基本的に -eu で対応する。当該字
には去声点を差す。観智院本類聚名義抄に反切「妄照反」（その反切下字に去声点）および低平調
を示す「メウ」〔＊「禾」表記なし〕を見出す。長承本蒙求には仮名音注「ヘウ」がある。日本漢音「ヘ
ウ」去声、日本呉音「メウ」平声を認める。

妙 妄照［□去］反 タヘナリ［上上平□］… メウ［平平］　　　（観智院本類聚名義抄／佛中006-4）

妙〔＊左上隅欠〕ヘウ　　　　　　　　　　　　　　　　　　　　（長承本蒙求／011）

3-5-1-5　　-iam/-iap（鹽/琰/豔/葉韻）

資料篇【表B-08】には鹽韻（平声）琰韻（上声）豔韻（去声）葉韻（入声）所属の諸例が含まれる。前田本の示す仮名音注は基本的に -em/-ep で対応する。異例として、-en, -eu, -am, -in, -ei, -ik がある。

《上巻 鹽韻諸例》

▶番号1561「淹」（淹）の仮名音注「エム」については、基本的に -em で対応する。当該字に声点はなく、和訓「ト、トム」の同訓異字として位置する。廣韻に拠れば、鹽韻（'iam¹）梵韻（'iʌm³）二音を有する。図書寮本聚名義抄に反切「憲云英廉反」（その反切下字に平声点）と上声点を付した同音字注「東云又音同奄」（その右傍に仮名音注「エム」）および平声点を付した「呉音公云獣」低平調を示す「真云又アム」を見出す。この「真云」は真興撰『大般若経音訓』による引用で、観智院本では和音とする。その観智院本に反切「英廉」〔＊「反」表示なし〕と上声点を付した同音字注「又音奄」（その右傍に墨筆で仮名音注「エム」）さらに「又去」および「呉音獣・又アム」を見出す。長承本蒙求には仮名音注「エム」があり、その掲出字に東声点を加える。日本漢音「エム」東/上/去声（四声体系では平/上/去声）日本呉音「アム」平声を認める。

淹久 憲云英廉［□平］反 久也 … 東云 … 又音同奄［上／エム：右傍］…

　　又拵劔［東去？］反 … 呉音公云獣［平］… 真云又アム［平平］　　（図書寮本類聚名義抄／012-6）

淹 英廉 ヒサシ … 又音奄［上／エム：墨右傍］雲状也 又去 一穢之 呉音獣 又／アム …

　　　　　　　　　　　　　　　　　　　　　　　　　　（観智院本類聚名義抄／法上031-3）

淹 英廉反 ヒサシ … 又音奄［上］… 又去 … 呉　　（鎮国守国神社本類聚名義抄／中一16ウ2）

淹［東］エム／エム　　　　　　　　　　　　　　　　　　　　　（長承本蒙求／036）

▶番号0201「猒」（猒）の仮名音注「エム」については、基本的に -em で対応する。当該字には去声点を差し、右注「イトフ」左注「又作猒」を付載する。廣韻に拠れば、鹽/豔韻（'jiam¹ᐟ³）二音を有する。観智院本類聚名義抄に反切「一監」〔＊「反」表示なし〕と和音「エム」を見出す。承暦本金光明最勝王経音義には仮名音注「エム」がある。日本呉音「エム」を認める。

猒 一監 イトフ［平平上］… 和エム 又通用 又拵甲反 去上入／三音

　　　　　　　　　　　　　　　　　　　　　　　　（観智院本類聚名義抄／佛下本137-3）

猒［エム：右傍］〔＊後筆墨書］　　　　　　　　（承暦本金光明最勝王経音義／09オ5）

922　3．仮名音注の韻母別考察　3-5　ⅢA韻類

▶番号2039b「閹」（閹閹）の仮名音注「エム」については、基本的に -em で対応する。当該字には平声点を差す。熟字2039「閹閹」は右傍「サト」を付載する。観智院本類聚名義抄に反切「与苦反」〔＊与苦反の誤認〕および和音「エム」を見出す。日本呉音「エム」を認める。

　　　閹 与苦反 閹閹𦊆里／サトノカト シキミ／サト／和エム　　　　　　（観智院本類聚名義抄／法下079-3）

▶番号0156c「塩」（壹德塩）の仮名音注「エム」については、基本的に -em で対応する。当該字に声点はない。熟字0156「壹德塩」は右注「イットクエム」仮名音注を付載する。図書寮本類聚名義抄に同音字注「音閹」を見出す。観智院本には同音字注「音炎」および低平調と推測する和音「エム」を見つける。長承本蒙求には仮名音注「エム」があり、その掲出字に平声点を加える。日本漢音「エム」平声、日本呉音「エム」平声を認める。

　　　塩梅 音閹 川㕘公安國／曰塩鹹 梅酢／附皿部　　　　　　　　　（図書寮本類聚名義抄／235-2）
　　　塩 鹽 上通下正　　　　　　　　　　　　　　　　　　　　　　（観智院本類聚名義抄／法中068-1）
　　　塩 俗㲉 シホ［平平］／和エム［囗平：墨点］　　　　　　　　（観智院本類聚名義抄／法中068-1）
　　　鹽 音炎 通　　　　　　　　　　　　　　　　　　　　　　　　（観智院本類聚名義抄／僧中015-4）
　　　塩［平］エム　　　　　　　　　　　　　　　　　　　　　　　　（長承本蒙求／141）
　　　沙陀調曲　案摩 有囀 … 壹德鹽　曹婆筑　紫諸懸　　　　　（元和本倭名類聚抄／巻四15 オ2）

▶番号2648c「塩」（合歡塩）の仮名音注「エン」については、異例 -en を示す。当該字には平声点を差す。その中古音が示す末子音の唇内韻尾 -m を「ン」で対応する。熟字2648「合歡塩」は右注「大食調」を付載する。上述の分析を参照。

　　　道調曲　上元樂 … 合歡鹽 太平樂之急也 …　　　　　　　　（元和本倭名類聚抄／巻四15 ウ9）

▶番号1121「炎」（炎）の仮名音注「エム」については、基本的に -em で対応する。当該字には東声点を差し、右注「同（ホノホ）」左注「埶也」を付載する。その中古音が示す頭子音 ɣ-（等韻学の術語で言う喉音清濁于母あるいは喩母三等）は有声軟口蓋接近音 ɰ-（有声両唇軟口蓋接近音 w-）であり、原則的にア行音・ワ行音で対応する。また頭子音は清濁声母であるから、東声ではなく平声である。観智院本類聚名義抄に反切「烏胡反」〔＊爲覘反の誤認〕を見出す。承暦本金光明最勝王経音義には仮名音注「エム」がある。高山寺本篆隷萬象名義には反切「爲覘反」を見つける。日本呉音「エム」を認める。

　　　炎 烏胡反 アツシ／ホノホ カケロフ　　　　　　　　　　　（観智院本類聚名義抄／佛下末050-5）
　　　炎［エム：右傍］〔＊後筆墨書〕　　　　　　　　　　　　　　（承暦本金光明最勝王経音義／10 オ6）
　　　炎 爲覘反 菩沽反 埶也 燒也 重也　　　　　　　　　　　（高山寺本篆隷萬象名義／第五帖143 オ3）

▶番号2735・2739b「鉗」（鉗・鐵鉗）の仮名音注「ケム」については、基本的に -em で対応する。両当該字には平声点を差す。番号2735「鉗」は右注「カナキ」を、熟字2739「鐵鉗」は右注「カナハシ」を付載する。観智院本類聚名義抄に反切「巨炎反」（その反切下字に平声点）を見出すが、仮名音注はない。元和本倭名類聚抄には反切「奇炎反」がある。日本漢音は平声を認める。

3-5-1　-ia 系の字音的特徴　923

鈐鉗鉆 三正 巨炎［□平］反 … カナキ［上上上］…　　　（観智院本類聚名義抄／僧上 114-5）

鐵鉗 カナハシ［上上上濁平］　　　　　　　　　　　　（観智院本類聚名義抄／僧上 114-6）

鉗 漢書注云鉗 奇炎反和名加奈岐 以鐵束頸也 …　　（元和本倭名類聚抄／巻十三 17 オ 6）

鋏鉗 漢語抄云鋏鉗 加奈波之下奇炎反　　　　　　　（元和本倭名類聚抄／巻十五 16 オ 7）

▶番号 3038a「鉗」（鉗口）の仮名音注「カム」については、異例 -am を示す。当該字には平声点を差す。諧声符「甘」（談韻 kɑm¹）による字音把握か。現行多くの漢和辞典は慣用音として「カム」を掲げる。上述の分析を参照。

▶番号 2738「鈐」（鈐）の仮名音注「ケム」については、基本的に -em で対応する。当該字には平声点を差し、右注「カフラエリ 細工具」中注「曲刀醫也」左注「カフラクリ」を付載する。図書寮本類聚名義抄に「广云 巨炎反」を見出す。観智院本類聚名義抄に同音字注「含鉗二音」と反切「巨淹反」を見出すが、仮名音注はない。元和本倭名類聚抄には反切「臣淹反」がある。

蹋鈐 广云蒲北／巨炎反　　　　　　　　　　　　　　（図書寮本類聚名義抄／111-6）

鈐 含鉗二音 … 巨淹反／カフラエリ［上上濁上上平］スヽ［上上濁］

　　　　　　　　　　　　　　　　　　　　　　　　　（観智院本類聚名義抄／僧上 114-7）

鋏 辨色立成云鋏 加布良惠利臣淹反 曲刀鑿也　　　（元和本倭名類聚抄／巻十五 14 オ 3）

▶番号 0203「漸」（漸）の仮名音注「セム」については、基本的に -em で対応する。当該字には平声点を差し、右注「入也」を付載する。また和訓「イタル」の同訓異字として位置する。廣韻に拠れば、鹽韻（tsiam¹）琰韻（dziam²）二音を有する。図書寮本類聚名義抄に反切「广云才冉反」（その反切下字に上声濁点）を見出す。観智院本には反切「慈琰反」および和音「セム」を見出す。日本漢音は上声、日本呉音「セム」を認める。

漸ゞ 广云才冉［□上濁］反 水名 … 真云ハシメ［上上濁上］ゞ［去濁］

　　　　　　　　　　　　　　　　　　　　　　　　　（図書寮本類聚名義抄／031-5）

漸 慈琰反 水名 ウタヽ … 和セム … ヒタス［平平□］　（観智院本類聚名義抄／法上 033-5）

▶番号 1543「銛」（銛）の仮名音注「セム」については、基本的に -em で対応する。当該字には平声点を差し、和訓「トシ」の同訓異字として位置する。観智院本類聚名義抄に同音字注「音暹・又琰添二音」を見出すが、仮名音注はない。

銛 … 音暹 利也 又琰添二音 … トシ キハ／トル　　（観智院本類聚名義抄／僧上 114-8）

▶番号 1155b「瞻」（豊瞻）の仮名音注「セム」については、基本的に -em で対応する。当該字には平声点を差す。熟字 1155「豊瞻」は右傍「ニキハフ」を付載する。観智院本類聚名義抄に平声点を付した同音字注「音占」と声調表記「又去」および「和平」を見出す。天理大学本最勝王経音義では「又去」がなく、和音の声調表記もない。長承本蒙求には仮名音注「セム」二例あり、それぞれの掲出字に上声点と平声点を加える。日本漢音「セム」平声を認める。日本呉音の声調は保留する。

924　3．仮名音注の韻母別考察　3-5　ⅢA韻類

瞻 音占 ［平］ ミル ［□上］ … ユタカナリ 又去 和平　　　（観智院本類聚名義抄／佛中 065-2）

瞻 音占 ミル … ユタカナリ 和　　　　　　　　　　　　（天理大学本最勝王経音義／19 オ 3）

瞻 ［上］ セム 〔＊上声点は存疑〕　　　　　　　　　　　　　（長承本蒙求／028）

瞻 ［平］ セム　　　　　　　　　　　　　　　　　　　　　　（長承本蒙求／076）

▶番号 2305「痁」（痁）の仮名音注「セム」については、基本的に -em で対応する。当該字に
は平声点を差し、右注「同（ワラハヤミ）」左注「又名将軍病」を付載する。観智院本類聚名義抄
に同音字注「音苫」を見出すが、仮名音注はない。

痁 音苫 又痁／ワラハヤミ ［平平平平平］　　　　　　　（観智院本類聚名義抄／法下 119-7）

瘧病 説文云瘧 音虐俗云衣夜美一云和良波夜美 …　　　　（元和本倭名類聚抄／巻三 24 オ 5）

▶番号 1507「苫」（苫）の仮名音注「セム」については、基本的に -em で対応する。当該字に
は平声点を差し、右注「同（トモツナ）」中左注「編菅覆／屋也」を付載する。観智院本類聚名義
抄に反切「商占反」および低平調を示す和音「セム」を見出す。元和本倭名類聚抄には反切「土廉
反」がある。日本呉音「セム」平声を認める。

苫 商占反 トマ ［上上］ … 和セム ［平平：墨点］　　　（観智院本類聚名義抄／僧上 015-3）

苫 爾雅注云苫 土廉反和名度萬 編菅茅以覆屋也　　　（元和本倭名類聚抄／巻十一 03 ウ 9）

▶番号 0951a「蚺」〔＊諧声符「冉」は縦棒二本〕（蚺虵）の仮名音注「セム」については、基本的に
-em で対応する。当該字には平声点を差す。熟字 0951「蚺虵」は右注「ニシキヘヒ」左注「蚺イ
本」を付載する。観智院本類聚名義抄に同音字注「音髯」を見出すが、仮名音注はない。元和本倭
名類聚抄には同音字注「音髯」がある。

蚺 音髯 ニシ／キヘミ　　　　　　　　　　　　　　　（観智院本類聚名義抄／僧下 025-1）

蚺蛇 文字集略云蚺 音髯和名仁之木倍美 …　　　　　（元和本倭名類聚抄／巻十九 17 ウ 2）

▶番号 0674・2012「匳」（匳・匲）の仮名音注「レム」については、基本的に -em で対応す
る。両当該字には平声点を差す。番号 0674「匳」は右注「同（ハコ）」左注「盛香器也」を、番号
2012「匳」は右注「リン」左注「盛香器也」右傍「レム」を付載する。観智院本類聚名義抄に平声
点を付した同音字注「音廉」および低平調を示すと推測する和音「レム」を見出す。石山寺一切経
蔵本大般若経字抄には漢呉二音相同の同音字注「音廉」がある。元和本倭名類聚抄には同音字注「音
廉俗云輪」を見つける。日本漢音は平声、日本呉音「レム」平声を認める。

匳 〔＊「从」がない字形〕音廉 ［平］ … ハコ 鏡一也　　（観智院本類聚名義抄／佛上 063-5）

匲匳 上俗歟／古 和レム ［□平］　　　　　　　　　　（観智院本類聚名義抄／佛上 063-6）

奩 ［音廉：右傍］ 鏡匣也　　　　　　　　（石山寺一切経蔵本大般若経字抄／15 オ 3）

匳 唐韻云匳 音廉俗云輪 香匳盛香器也　　　　　　（元和本倭名類聚抄／巻十三 04 オ 1）

▶番号 2011「匳」（匳）の仮名音注「リム」については、異例 -in を示す。当該字には平声点
を差し、右注「リン」左注「盛香器也」右傍「レム」を付載する。その中古音が示す末子音 -m を

「ン」で対応する。上記に掲げる元和本倭名類聚抄には同音字注「俗云輪 (譚韻：liuen')」があり、定着久しい字音「リン」の可能性を指摘できる。

　▶番号2721「鎌」（鎌）の仮名音注「レム」については、基本的に -em で対応する。当該字には平声点を差し、右注「カマ［平上］」を付載する。観智院本類聚名義抄に反切「良占反」と同音字注「音兼」を見出すが、仮名音注はない。

　　　鎌 … 良占／反 カマ［平上］／音兼 一名鍥　　　　　　　　（観智院本類聚名義抄／僧上133-1）

《下巻　鹽韻諸例》

　▶番号6040b「檐」（飛檐）の仮名音注「エム」については、基本的に -em で対応する。当該字には平声点を差す。相互に異体字として「簷」がある。観智院本類聚名義抄に低平調を示す仮名音注「エム」を見出す。元和本倭名類聚抄には反切「余廉反」がある。また同書が掲げる熟字「飛簷」には「此間音比衣無」を見つける。近時の字音「エム」を認める。

　　　飛檐 ヒエム［□平平］　　　　　　　　　　　　　　　　（観智院本類聚名義抄／佛下本093-6）

　　　簷 通檐字／ノキ［上上］　　　　　　　　　　　　　　　（観智院本類聚名義抄／僧上078-8）

　　　檐 唐韻云檐 余廉反字亦作簷和名能岐 屋檐也　　　　　　（元和本倭名類聚抄／巻十09ウ2）

　　　飛簷 文選注云飛簷 此間音比衣無 棟頭似鳥翅舒將飛之状也

　　　　　　　　　　　　　　　　　　　　　　　　　　　　　（元和本倭名類聚抄／巻十09ウ3）

　▶番号6171b「簷」（長簷車）の仮名音注「エム」については、基本的に -em で対応する。当該字には平声点を差す。熟字6171「長簷車」は左右注「ヒサシノ／クルマ」を付載する。観智院本類聚名義抄に音注を見出せない。上述の分析を参照。

　　　接簷 ヒサシ［上上上］　　　　　　　　　　　　　　　　（観智院本類聚名義抄／僧上079-1）

　　　長簷車　顔氏家訓云乗長簷車 今案俗云𨊂剌車是乎　　　　（元和本倭名類聚抄／巻十一06オ9）

　▶番号4448b「閻」（閻閻）の仮名音注「エン」については、異例 -en を示す。その中古音が示す末子音の脣内韻尾 -m を「ン」で対応する。当該字には平声点を差す。熟字4448「閻閻」は右注「サトノカト」中注「上力居反」左注「下余廉反」を付載する。上巻の鹽韻当該例で分析したように、日本呉音「エム」を認める。

　▶番号3777a・3785a・3837a・5399「塩」（塩梅・塩消・塩梅・塩）の仮名音注「エム」については、基本的に -em で対応する。当該諸字四例には平声点を差す。熟字3777「塩梅」は左注「塩鹹［シハ：ユク：右傍］梅酢也」を、番号5399「塩」は右注「同 (シゝヒシホ) 白塩黒塩堅塩等也」中注「余廉反 煮海為塩」左注「俗用之又乍鹽［エム：右注］」を付載する。元和本倭名類聚抄には反切「爾廉反」がある。上巻の鹽韻当該諸例で分析したように、日本漢音「エム」平声、日本呉音「エム」平声を認める。

926　3．仮名音注の韻母別考察　3-5　ⅢA韻類

鹽梅　尚書説命篇云若作和羹爾惟鹽梅 孔安国云鹽鹹也梅酢也

（元和本倭名類聚抄／巻十六 21 オ 6）

白鹽　陶隱居本草注云白鹽 爾廉反和名阿和之保　　（元和本倭名類聚抄／巻十六 21 オ 8）

黒鹽　崔禹錫食經云石鹽一名白鹽又有黒鹽 今案俗呼黒鹽爲堅鹽日本紀私記云堅鹽木多師是也

（元和本倭名類聚抄／巻十六 21 ウ 1）

▶番号 5400「鹽」（鹽）の仮名音注「エム」については、基本的に *-em* で対応する。その脣内韻尾 -m を「ン」で対応する。当該字に声点はなく、番号 5399「塩」の左注に含まれる。上述の分析を参照。

▶番号 3827a「猒」（猒却）の仮名音注「エン」については、異例 *-en* を示す。その中古音が示す末子音の脣内韻尾 -m を「ン」で対応する。当該字には去声点を差す。上巻の鹽韻当該例で分析したように、日本呉音「エム」を認める。

▶番号 6076「鵂」（鵂）の仮名音注「ケム」については、基本的に *-em* で対応する。当該字には平声点を差し、右注「ヒメ［去上］」を付載する。観智院本類聚名義抄に反切「渠炎反」と平声点を付した同音字注「音黔」（その右注に朱筆で仮名音注「ケム」）さらに平声点を付した同音字注「音琴」（その右注に朱筆で仮名音注「キム」）を見出す。後者は諧声符「今」侵韻（kiem¹）による類推字音と推測する。元和本倭名類聚抄には同音字注「音黔又音琴」がある。日本漢音「ケム・キム」平声を認める。

鵂 渠炎反 白喙鳥 ヒメ［去上］／音黔［平／ケム：朱右注］又琴［平／キム：朱右注］シメ

（観智院本類聚名義抄／僧中 118-3）

鵂　陸詞切韻云鵂 音黔又音琴漢語抄云比米 白喙鳥也　　（元和本倭名類聚抄／巻十八 05 ウ 8）

▶番号 6222「燖」（燖）の仮名音注「セム」については、基本的に *-em* で対応する。当該字には平声点を差し、左注「火滅也」を付載する。また和訓「ヒミル［上上平］」の同訓異字として位置する。観智院本類聚名義抄に同音字注「音尖」を見出すが、仮名音注はない。

火+替 音尖 ヒウチケツ …　燖 正　　　　（観智院本類聚名義抄／佛下末 048-1）

▶番号 6630a「僉」（僉議）の仮名音注「セム」については、基本的に *-em* で対応する。当該字には平声点を差す。観智院本類聚名義抄に平声点を付した同音字注「音籤」（その右傍に朱筆で仮名音注「セム」）を見出す。日本漢音「セム」平声を認める。

僉 … ミナ［□平］… 音籤［平／セム：朱右傍］　　　（観智院本類聚名義抄／僧中 001-2）

▶番号 6567a・6567b「漸」（漸𛀀）の仮名音注「セム」については、基本的に *-em* で対応する。両当該字に声点はなく、世篇重點部に属する。上巻の鹽韻当該例で分析したように、日本漢音は上声、日本呉音「セム」を認める。

漸𛀀 スコフル　　　　　　　　　　（観智院本類聚名義抄／法上 033-6）

▶番号 6226「潜」（潜）の仮名音注「サム」については、異例 *-am* を示す。当該字には平声点

を差し、和訓「ヒソカニ」の同訓異字として位置する。字形の近似する「潛」删/濟韻（san^{1/2}）との誤認による仮名音注か。図書寮本類聚名義抄に反切「憲云昨鹽慈艶二反」と平声点を付した同音字注「公云瞻」を見出す。後者は大般若経字抄による漢呉二音相同の同音字注「音瞻」を出典とする。観智院本類聚名義抄に平声点を付した同音字注「音籤」（その右傍に朱筆で仮名音注「セム」）を見出す。承暦本金光明最勝王経音義には仮名音注「セム」を見つける。さらに借字による「世牟」があり、その掲出字に平声点を加える。日本漢音「セム」平声、日本呉音「セム」平声を認める。

　　潛轉 憲云昨鹽慈艶二反 … 公云瞻 [平] ヒソカニ [平上□□] …

　　　　　　　　　　　　　　　　　　　　（図書寮本類聚名義抄／032-5013-5）

　　潛 … ミナ [□平] … 音籤 [平／セム：朱右傍]　　　（観智院本類聚名義抄／法上 025-2）

　　潛 カクス／セム六〔＊後筆墨書〕　　　　（承暦本金光明最勝王経音義／07 ウ 1）

　　潛 [平] 世牟／可久須　　　　　　　　　（承暦本金光明最勝王経音義／07 ウ 2）

　　潛 [音瞻：右傍] 蔵也　　　　　　　　（石山寺一切経蔵本大般若経字抄／14 オ 1）

　　潛 [音瞻：右傍] ヒソカニ　　　　　　（石山寺一切経蔵本大般若経字抄／21 ウ 4）

▶番号6544a「詹」（詹糖）の仮名音注「セム」については、基本的に -em で対応する。当該字には平声点を差す。観智院本類聚名義抄に平声点を付した同音字注「音占」を見出すが、仮名音注はない。元和本倭名類聚抄には同音字注「占」がある。日本漢音は平声を認める。

　　詹 音占 [平] 多言／イタル [上上平]　　　（観智院本類聚名義抄／佛下末 026-7）

　　詹糖香　本草云詹糖香 詹糖二音占唐　　　（元和本倭名類聚抄／巻十二 03 ウ 4）

▶番号6090a「蟾」（蟾蜍）の仮名音注「セム」については、基本的に -em で対応する。当該字には平声点を差す。熟字6090「蟾蜍」は右注「ヒキ」左注「ヒキカヘル」を付載する。観智院本類聚名義抄に同音字注「占」を見出すが、仮名音注はない。元和本倭名類聚抄には同音字注「占」がある。

　　蟾蜍 占徐二音／ヒキ [平平] ／上ヒキ 下一音余　　　（観智院本類聚名義抄／僧下 020-5）

　　蟾蜍　兼名苑注云蟾蜍 占徐二音蜍或作蠩一音余和名比木 似蝦蟇而大陸居者也

　　　　　　　　　　　　　　　　　　　　（元和本倭名類聚抄／巻十九 24 ウ 8）

▶番号6541「籤」（籤）の仮名音注「レン」については、異例 -en を示す。その中古音が示す末子音の脣内韻尾 -m を「ン」で対応する。当該字には平声点を差し、中注「士廉反」左注「貫也」を付載する。観智院本類聚名義抄に平声点を付した同音字注「音僉」と注記「俗云去声」を見出すが、仮名音注はない。元和本倭名類聚抄には反切「昌廉反」がある。日本漢音は平声、定着久しい字音は去声を認める。

　　籤 … 音僉 [平] シルシ／ホソシ 俗云去声 竹ノクシ　　　（観智院本類聚名義抄／僧上 074-3）

　　籤　玉篇云籤 昌廉反 験也一曰鋭也貫也　　　（元和本倭名類聚抄／巻十三 10 オ 5）

▶番号6716a「纎」（纎芥）の仮名音注「セム」については、基本的に -em で対応する。当該

928 3. 仮名音注の韻母別考察 3-5 ⅢA韻類

字には平声点を差す。図書寮本類聚名義抄に同音字注「宋云音鉆」（その平声点位置に仮名音注「セン」）および平声点を付した「公云音占」を見出す。後者は大般若経字抄による漢呉二音相同の同音字注を出典とする。観智院本類聚名義抄に平声点を付した同音字注「音鉆」（その右注に墨筆で仮名音注「セン」）および平声墨点を付した「和占」を見出す。承暦本金光明最勝王経音義には借字による「世牟反」があり、その掲出字に平声点を加える。日本漢音「セム」平声、日本呉音「セム」平声を認める。

　　　纖長 宋云音鉆 [セン：平声点位置] … 公云音占 [平] ホソシ [平平上] …

　　　　　　　　　　　　　　　　　　　　　　　　　　　（図書寮本類聚名義抄／304-7）

　　　纖 音鉆 [平／セン：墨右注] ホソシ [平平□] … 和占 [平：墨点]　　纖 正

　　　　　　　　　　　　　　　　　　　　　　　　　（観智院本類聚名義抄／法中119-2）

　　　孅 先廉反 婦人手孅細云 纖 [同：右注] … 和セム [平平]　　（観智院本類聚名義抄／佛中013-8）

　　　纖 [平] 世牟反／ホソク／曽比也可仁　　　　　　　（承暦本金光明最勝王経音義／06 ウ 4）

　　　纖 [音占：右傍] ホソシ　　　　　　　　　　　（石山寺一切経蔵本大般若経字抄／15 オ 4）

▶番号3905a「黏」（黏臍）の仮名音注「テム」については、基本的に -em で対応する。当該字には平声濁点を差すので、字音「デム」を想定する。その中古音が示す頭子音 ṇ-（等韻学の術語で言う娘母）は反り舌鼻音であり、日本語のナ行音をもって受容するが、中国語音韻史上における鼻音声母の非鼻音化（denasalization）₍₂₂₎を反映する場合はダ行音で対応する。熟字3905「黏臍」は左注「添齊二音」を付載する。観智院本類聚名義抄に反切「女廉反」を見出すが、仮名音注はない。元和本倭名類聚抄には反切「女廉反」がある。

　　　黏 又沾 女廉反 和音／ノリ ネヤカル [平平□□]　　　（観智院本類聚名義抄／僧下103-3）

　　　黏臍 辨色立成云黏臍 油餅名也黏作似人胅臍也上女廉反下音齊

　　　　　　　　　　　　　　　　　　　　　　　　　　　（元和本倭名類聚抄／巻十六15 オ 8）

▶番号6844「簾」（簾）の仮名音注「レム」については、基本的に -em で対応する。当該字に声点はなく、右注「白珠翠羽 [スイウ：右傍]」中注「スタレ」左注「編竹帳也」を付載する。観智院本類聚名義抄に平声点を付した同音字注「音廉」を見出すが、仮名音注はない。元和本倭名類聚抄には同音字注「音廉」がある。日本漢音は平声を認める。

　　　簾 音廉 [平] スタレ [平平濁上]　　　　　　　　　（観智院本類聚名義抄／僧上061-5）

　　　簾 野王曰簾 音廉和名須太禮 編竹帳也　　　　　　（元和本倭名類聚抄／巻十四16 オ 1）

▶番号6656b「廉」（清廉）の仮名音注「レン」については、異例 -en を示す。その中古音が示す末子音の脣内韻尾 -m を「ン」で対応する。当該字には平声点を差す。熟字6656「清廉」は右傍「キヨク キヨシ」を付載する。観智院本類聚名義抄に平声点を付した同音字注「音簾」を見出す。長承本蒙求には仮名音注「レム」五例があり、それらの掲出字に平声点を加える。同書は平安時代院政初期である長承三年（1134）に加点された墨筆（例示で両音形ある場合は右側）を中心とする

が、平安時代中期と推定する古い朱筆（両音形ある場合は左側）の加点もある。日本漢音「レム」平声を認める。

廉 音籨 [平] … キヨシ [平平上] … ソハ [平上濁]　　　　（観智院本類聚名義抄／法下 105-7）

廉 [平] レム／レム　　　　　　　　　　　　　　　　　　　（長承本蒙求／061）

廉 [平] レム　　　　　　　　　　　　　　　（長承本蒙求／095・121・131・145）

《上巻 琰韻諸例》

▶番号 0355b「奄」の仮名音注「アム [平平]」については、異例 -am を示す。同じ字形を有する「庵・罨・菴」等からの類推字音か。本来は字音「エム」を期待する。当該字に声点はなく、その仮名音注に平声相当である低平調の差声を施す。熟字 0355「奄藝」は右傍「アムキ [平平平濁]」を付載する。伊篇国郡部に属する「伊勢」の左注に含まれる地名である。観智院本類聚名義抄に音注表記を見出せない。元和本倭名類聚抄には伊勢國の郡名「阿武義」がある。

奄 オホフ [平平上] … スナハチ [上上上□]　　　　（観智院本類聚名義抄／佛下末 034-3）

伊勢国 國府在鈴鹿郡 … 奄藝 阿義 … 度會 和多良比　　　（元和本倭名類聚抄／巻五 12 オ 8）

▶番号 0202「厭」（猒）の仮名音注「エム」については、基本的に -em で対応する。当該字に声点はなく、和訓「イトフ」の同訓異字として位置する。この和訓から考えて、前田本が掲げる当該字「壓」を「厭」に修正した。また入声点と誤認しそうな墨点があるが、これは声点ではない。廣韻に拠れば、琰／豔韻（'jiam²³）葉韻（'jiap）三音を有する。観智院本類聚名義抄に反切「伢扌+哥反」と反切「抰冉反」（その反切下字に上声濁点）を見出す。承暦本金光明最勝王経音義には仮名音注「エム」がある。日本漢音は上声、日本呉音「エム」を認める。

厭 伢扌+哥反 抰冉 [□上濁] 反／鬼名亦与猒同 … ウミタリ [平上□□]

　　　　　　　　　　　　　　　　　　　　　　　　　（観智院本類聚名義抄／法下 107-4）

厭 或猒字　　　　　　　　　　　　　　　　　　　（観智院本類聚名義抄／法下 109-7）

厭 [エム：右傍]〔＊後筆墨書〕　　　（承暦本金光明最勝王経音義／09 オ 5）

▶番号 1300「諂」（謟）の仮名音注「テム」については、基本的に -em で対応する。当該字には上声点を差し、左注「ヘツラフ」を付載する。図書寮本類聚名義抄に反切「刃冉反」（その反切下字に上声濁点）を見出す。観智院本には反切「刃冉反」および「和音點」を見つける。承暦本金光明最勝王経音義には仮名音注「テム」を見つける。また借字による「天牟反」があり、その掲出字に平声点を加える。日本漢音は上声、日本呉音「テム」平声を認める。

諂曲 茲云刃冉反 佞也 …　　　　　　　　　　　（図書寮本類聚名義抄／088-4）

諂諂 … 下刃冉 [□上濁] 反 … 季云宇多加不 [上上上濁平]　（図書寮本類聚名義抄／088-6）

諂 刃冉反 ヘツラフ [上平□□] … 和音點 … コフル　　　（観智院本類聚名義抄／法上 055-7）

930 3．仮名音注の韻母別考察 3-5 ⅢA韻類

　　　詔 [テム：右傍]〔＊後筆朱書〕　　　　　　　　　（承暦本金光明最勝王経音義／05 ウ 3）

　　　詔 [平] 天牟反／阿坐牟②　　　　　　　　　　　（承暦本金光明最勝王経音義／07 ウ 6）

▶番号1266b「貶」（襃貶）の仮名音注「ヘン」については、異例 *-en* を示す。当該字には上声
点を差す。その中古音が示す末子音の脣内韻尾 -m を「ン」で対応する。観智院本類聚名義抄に反
切「兵儉反」を見出すが、仮名音注はない。

　　　貶 兵儉反 シリソク [平平上□] … オトス　　　　（観智院本類聚名義抄／佛下本 017-1）

　　　襃貶 アケクタス／ニ　　　　　　　　　　　　　（観智院本類聚名義抄／佛下本 017-1）

▶番号1369a「貶」（貶謫）の仮名音注「ヘイ」については、異例 *-ei* を示す。当該字には上声
点を差す。仮名字形の相似による「ヘム」の誤認か。熟字1369「貶謫」は右注「ソシルナリ」を付
載する。上述の分析を参照。

▶番号1370a「貶」（貶黜）の仮名音注「ヘン」については、異例 *-en* を示す。当該字には去声
点を差す。その中古音が示す末子音の脣内韻尾 -m を「ン」で対応する。上述の分析を参照。

▶番号3093b「撿」（開撿）の仮名音注「ケム」については、基本的に *-em* で対応する。当該
字には平声点を差す。廣韻に拠れば、当該字の中古音は来母琰韻 (liam²) であり、本来は仮名音注
「レム」を期待する。ただし、木扁の「検」注文に「俗作撿撿本音斂」とあり、見母琰韻 (kiam²)
による字音「ケム」の把握も可能である。あるいは当該字「撿」を「検」と混同した可能性がある。
観智院本類聚名義抄に反切「臭斂反・七尖反」と同音字注「又斂音」および和音「ケム」を見出す。
同書で「検」を再検索すると、注文「撿通用」を見つける。日本呉音「ケム」を認める。

　　　斂 収也 … 良冉切十三 撿 說文拱 …　　　　　　　　　　　（宋本廣韻／来母琰韻 liam²）

　　　検 書検 … 俗作撿撿本音斂 … 居奄切二 瞼 眼瞼　　　　　　（宋本廣韻／見母琰韻 kiam²）

　　　撿 臭斂反 七尖反 又斂音 … カムカフ [平上上濁□] … 和ケム

　　　　　　　　　　　　　　　　　　　　　　　　　（観智院本類聚名義抄／佛下本 053-8）

　　　検 居儼反 甲也 … 撿通用　　　　　　　　　　（観智院本類聚名義抄／佛下本 125-1）

《下巻 琰韻諸例》

▶番号3808a「厭」（厭術）の仮名音注「エム」については、基本的に *-em* で対応する。当該
字には平声点を差す。上巻の琰韻当該例で分析したように、日本漢音は上声、日本呉音「エム」を
認める。

▶番号3807a「厭」（厭魅）の仮名音注「エン」については、異例 *-en* を示す。当該字には平声
点を差す。その中古音が示す末子音の脣内撥音韻尾 -m を「ン」で対応する。上述の分析を参照。

▶番号3821b「詔」（誑詔）の仮名音注「テム」については、基本的に *-em* で対応する。当該
字には平声点を差す。上巻の琰韻当該例で分析したように、日本漢音は上声、日本呉音「テム」平

声を認める。

▶番号4005a・4006a「諂」（諂曲・諂奸）の仮名音注「テン」については、異例 -en を示す。両当該字には平声点を差す。その中古音が示す末子音の脣内撥音韻尾 -m を「ン」で対応する。熟字4006「諂奸」は右傍「イツハリ　カタム」を付載する。上述の分析を参照。

▶番号4033a「諂」（諂佞）の仮名音注「テン」については、異例 -en を示す。当該字に声点はない。その中古音が示す末子音の脣内撥音韻尾 -m を「ン」で対応する。上述の分析を参照。

▶番号5592b「撿」（巡撿）の仮名音注「ケン」については、異例 -en を示す。当該字には平声点を差す。その中古音が示す末子音の脣内撥音韻尾 -m を「ン」で対応する。上巻の琰韻当該例で分析したように、日本呉音「ケム」を認める。

▶番号5593b「撿」（實撿）の仮名音注「ケム」については、基本的に -em で対応する。当該字には平声点を差す。上述の分析を参照。

《上巻 豔韻諸例》

▶番号0470a・3237b「艶」（艶陽・容艶）の仮名音注「エム」については、基本的に -em で対応する。両当該字には去声点を差す。観智院本類聚名義抄に反切「羊瞻反」と同音字注「音焔」を見出すが、仮名音注はない。

　　豔 羊瞻反 呉〔＊ロ天か〕…　艶 俗　　　　　　　　（観智院本類聚名義抄／法上 093-7）
　　艶豔 … 音焔 ヤサシ［上上上］… ナヨヽカナリ　　　（観智院本類聚名義抄／僧下 103-1）

▶番号0277b・0769b「艶」（優艶・芳艶）の仮名音注「エン」については、異例 -en を示す。両当該字には去声点を差す。その中古音が示す末子音の脣内撥音韻尾 -m を「ン」で対応する。上述の分析を参照。

▶番号2047b「驗」（靈驗）の仮名音注「ケム」については、基本的に -em で対応する。当該字には平声濁点を差す。観智院本類聚名義抄に反切「臭欠反」および低平調を示す和音「下ム」（その右傍に朱筆で濁音「✓」表記）を見出す。承暦本金光明最勝王経音義には仮名音注「ケム」があり、その掲出字に平声点を加える。日本呉音「ゲム」平声を認める。

　　驗 臭欠反／シルシ［上上上］… 和下ム［平平／✓□：朱右傍］　（観智院本類聚名義抄／僧中 110-1）
　　驗 ケム〔＊後筆墨書〕　　　　　　　　　　（承暦本金光明最勝王経音義／08 ウ 3）

《下巻 豔韻諸例》

▶番号3722b・3809b・3811a・3825a「艶」（紅艶・妖艶・艶姿・艶書）の仮名音注「エム」については、基本的に -em で対応する。当該諸字四例には去声点を差す。熟字3811「艶姿」は右

932　3．仮名音注の韻母別考察　3-5　ⅢA韻類

傍「コキカタチ」を付載する。上巻の豔韻当該諸例で分析した。

　▶番号3799a「艶」（艷陽）の仮名音注「エン」については、異例 -en を示す。当該字には去声点を差す。その中古音が示す末子音の脣内撥音韻尾 -m を「ン」で対応する。熟字 3799「艷陽」は右注「春名也」を付載する。上述の分析を参照。

　▶番号3775「艶」（艷）の仮名音注「エム［平平］」については、基本的に -em で対応する。当該字に声点はなく、その仮名音注に平声相当である低平調の差声を施す。また右注「同（エムス［平平□］）」サ変動詞を付載する。上述の分析を参照。

　▶番号3863a「艶」（艷）の仮名音注「エン」については、異例 -en を示す。当該字には平声点を差す。その中古音が示す末子音の脣内撥音韻尾 -m を「ン」で対応する。上述の分析を参照。

　▶番号3774「豔」（豔）の仮名音注「エム［平平］」については、基本的に -em で対応する。当該字に声点はなく、その仮名音注に平声相当である低平調の差声を施す。また右注「以瞻反」中注「エムス［平平□］俗乍」左注「美色也」を付載する。当該字「豔」は「艷」と相互に異体字である。上述の分析を参照。

　▶番号5147b「驗」（氣驗）の仮名音注「ケム」については、基本的に -em で対応する。当該字には平声濁点を差すので、字音「ゲム」を想定する。その中古音が示す頭子音 ŋ-（等韻学の術語で言う疑母）は軟口蓋鼻音であり、日本語のガ行音をもって受容する。上巻の豔韻当該例で分析したように、日本呉音「ゲム」平声を認める。

　▶番号5575b「驗」（修驗）の仮名音注「ケム」については、基本的に -em で対応する。当該字に声点はない。上述の分析を参照。

《上巻　葉韻諸例》

　▶番号0783b・2183b「葉」（末葉・累葉）の仮名音注「エフ」については、基本的に -ep で対応する。両当該字には入声点を差す。廣韻に拠れば、羊母葉韻 (jiap) 書母葉韻 (śiap) 二音を有する。観智院本類聚名義抄に反切「餘渉反・又式渉反」および和音「エフ・セフ」を見出す。元和本倭名類聚抄には反切「與渉反」がある。日本呉音「エフ・セフ」を認める。

　　葉 … 餘渉反／ワキハヨ［□□上上］… 又式渉反 … 和エフ セフ

　　　　　　　　　　　　　　　　　　　　　　　　（観智院本類聚名義抄／僧上045-8）

　　葉　陸詞切韻云葉 與渉反和名波萬葉集黃葉紅葉読皆毛美知波 草木之敷於茎枝者也

　　　　　　　　　　　　　　　　　　　　　　　（元和本倭名類聚抄／巻二十32 オ 9）

　▶番号1917b「葉」（竹葉）の仮名音注「エウ」については、異例 -eu を示す。当該字には入声点を差す。日本語の音変化 -ep > -eu を反映する。上述の分析を参照。

　▶番号0522「葉」（葉）の仮名音注「エフ」については、基本的に -ep で対応する。当該字に

声点はなく、左右注「八黄之紅葉／云モミチ」を付載する。上述の分析を参照。

　▶番号2573a・2763「樶」（樶師・）の仮名音注「セフ」については、基本的に -ep で対応する。両当該字には入声点を差す。熟字2573「樶師」は右注「カチトリ」を、番号2763「樶」は右注「カチ」左注「又乍楫」付載する。観智院本類聚名義抄に入声点を付した同音字注「音妾・一音集」を見出すが、仮名音注はない。元和本倭名類聚抄には同音字注「音妾一音集」がある。日本漢音は入声を認める。

　　樶 音妾［入］一音集［入］／カチ［上平濁］… 一名桡　　　（観智院本類聚名義抄／佛下本112-7）

　　樶師 カチトリ［上上濁上平］　　　　　　　　　　　（観智院本類聚名義抄／佛下本112-8）

　　樶師　文選呉都賦云橋工樶師 和名加知止利　　　　　（元和本倭名類聚抄／巻二11オ9）

　　樶　釋名云樶 音接一音集和名加遅 使舟捷疾也兼名苑云樶一名桡 …

　　　　　　　　　　　　　　　　　　　　　　　　　（元和本倭名類聚抄／巻二04オ9）

　▶番号2240「妾」（妾）の仮名音注「セフ」については、基本的に -ep で対応する。当該字には入声点を差し、右注「ヲウナメ」左注「小妻也」を付載する。観智院本類聚名義抄に同音字注「音接」を見出すが、仮名音注はない。元和本倭名類聚抄に同音字注「接反」がある。

　　妾 音接 ヲムナメ［上□上上］… コナミ　　　　　（観智院本類聚名義抄／佛中008-6）

　　妾　文字集略云妾 接反和名乎無奈女 … 一云有接嫡之名也小妻也

　　　　　　　　　　　　　　　　　　　　　　　　　（元和本倭名類聚抄／巻二20ウ9）

　▶番号0907b「捷」（勁捷）の仮名音注「セウ」については、異例 -eu を示す。当該字には入声点を差す。日本語の音変化 -ep > -eu を反映する。熟字0907「勁捷」は右注「ハヤワサ」を付載する。観智院本類聚名義抄に同音字注「音妾」および「呉攝」を見出す。後者の呉音注は大般若経字抄による漢呉二音相同の同音字注を出典とする。長承本蒙求には仮名音注「セウ」があり、その掲出字に入声点を加える。同書は平安時代院政初期である長承三年（1134）に加点された墨筆（例示で両音形ある場合は右側）を中心とするが、平安時代中期と推定する古い朱筆（両音形ある場合は左側）の加点もある。日本漢音「セウ」入声を認める。

　　捷 健二正 音妾／剟也 カツ［平上］勝也　　　　　（観智院本類聚名義抄／佛下本058-7）

　　捷 俗欸 トシ スミヤカナリ … 呉攝　　　　　　　（観智院本類聚名義抄／佛下本058-8）

　　捷［音攝：右傍］速伕／也　　　　　（石山寺一切経蔵本大般若経字抄／01ウ6）

　　捷［入］セウ／セウ　　　　　　　　　　　　　　　　　　（長承本蒙求／055）

　▶番号0631b「涉」（盤涉調）の仮名音注「シキ」については、異例 -ik を示す。当該字には入声点を差す。図書寮本類聚名義抄に反切「憲云時攝反」と入声点を付した同音字注「公云攝」を見出す。後者は大般若経字抄による漢呉二音相同の同音字注を出典とする。観智院本には入声点を付した同音字注「音攝」を見出すが、仮名音注はない。日本漢音は入声を認める。

　　涉 憲云時攝［□入］反 … 公云攝［入］／ワタル［上上□］…　　（図書寮本類聚名義抄／054-7）

934　3．仮名音注の韻母別考察　3-5　ⅢA韻類

　　　　渉 音攝［入］ワタル［上上□］マシハル … アフル　　　　　（観智院本類聚名義抄／法上 042-6)

　　　　渉［音攝：右傍］ワタル　　　　　　　　　（石山寺一切経蔵本大般若経字抄／11 オ 6）

　　　　渉［音攝：右傍］　　　　　　　　　　　　（石山寺一切経蔵本大般若経字抄／19 ウ 3）

▶番号 0632b「渉」（盤渉參軍）の仮名音注「シキ」については、異例 -ik を示す。当該字に声
点はない。熟字 0632「盤渉參軍」は左右注「盤渉／調」を付載する。上述の分析を参照。

　　　　盤渉調曲 蘇合香 … 盤渉參軍 永寶樂 登貞樂　　　　　（元和本倭名類聚抄／巻四 17 オ 6）

▶番号 0250b「攝」（引攝）の仮名音注「セウ」については、基本的に -eu で対応する。当該字
には去声濁点を差すので、日本語音韻史上の連濁による字音「ゼウ」を想定する。また日本語の音
変化 -ep > -eu を反映する。観智院本類聚名義抄に反切「舒葉反」および和音「セフ」を見出す。
日本呉音「セフ」を認める。

　　　　攝 舒葉反 ヲサム［平□上］… 和セフ　　　　　　　　（観智院本類聚名義抄／佛下本 077-8)

▶番号 2571a「獵」（獵師）の仮名音注「レフ」については、基本的に -ep で対応する。当該字
には入声点を差す。熟字 2571「獵師」は右注「カリヒト」を付載する。観智院本類聚名義抄に反切
「力葉反」と仮名音注「音レウ」〔＊正音の認識か〕を見出す。字音「レウ」を認める。

　　　　獵 力葉反 カリス［平上□］… 音レウ 獦 俗　　　　　（観智院本類聚名義抄／佛下本 130-5)

　　　　獵師 カリヒト［平上上濁平］　　　　　　　　　　　　（観智院本類聚名義抄／佛下本 130-6)

　　　　獵師 内典云譬如群鹿怖畏獦師 涅槃文云 一謂獦者 和名加利比止

　　　　　　　　　　　　　　　　　　　　　　　　　　　　　　（元和本倭名類聚抄／巻二 10 オ 8）

《下巻 葉韻諸例》

▶番号 5979「靨」（靨）の仮名音注「エフ」については、基本的に -ep で対応する。当該字に
は入声点を差し、右注「ヱクホ」を付載する。観智院本類聚名義抄に反切「扵愜反」を見出すが、
仮名音注はない。元和本倭名類聚抄には同音字注「業反」〔＊葉の誤認か〕がある。高山寺本篆隷萬象
名義には反切「扵愜反」がある。天治本新撰字鏡には反切「扵劦反」を見つける。

　　　　靨 扵愜反／靨子　　　　　　　　　　　　　　　　　（観智院本類聚名義抄／法上 101-8)

　　　　靨 淮南子注云靨 業反和名惠久保 面小下也　　　　　（元和本倭名類聚抄／巻三 02 ウ 8）

　　　　靨 扵愜反 醜也　　　　　　　　　　　　　　　（高山寺本篆隷萬象名義／第一帖 089-1)

　　　　靨 扵劦反 入黒子也波ゝ屎又惠久保也　　　　　　　（天治本新撰字鏡／巻二 06 ウ 2）

▶番号 3726b「葉」（紅葉）の仮名音注「エフ」については、基本的に -ep で対応する。当該字
に声点はない。上巻の葉韻当該諸例で分析したように、日本呉音「エフ・セフ」を認める。

　　　　黄葉 モミチハ［平平平濁平濁］紅葉 同　　　　　　（観智院本類聚名義抄／僧上 046-1)

▶番号 4927b「葉」（杏葉）の仮名音注「エウ」については、異例 -eu を示す。当該字には入声

点を差す。日本語の音変化 *-ep* > *-eu* を反映する。熟字4927「杏葉」は中左注「唐鞍／具」を付載する。観智院本類聚名義抄に「俗云行エフ［去濁平平］」があり、定着久しい字音「エフ」平声を加えて認める。上述の分析を参照。

　　　　杏葉　ワヒラ［上上濁上］俗云／行エフ［去濁平平］　　　　　（観智院本類聚名義抄／僧上 046-2）

　　　　杏葉　辨色立成云杏葉 伊俾良俗云行衣布　　　　　　　　　　（元和本倭名類聚抄／巻十五 02 オ 8）

　▶番号3344b「葉」（五葉松）の仮名音注「エウ」については、異例 *-eu* を示す。当該字に声点はない。日本語の音変化 *-ep* > *-eu* を反映する。熟字3344「五葉松」は右注「同（コエウノマツ）」を付載する。上述の分析を参照。

　　　　松子　…　楊氏漢語抄云五粒松 五葉松子和名萬豆乃美　　　（元和本倭名類聚抄／巻十七 08 ウ 7）

　▶番号3886a「鍱」（鍱木）の仮名音注「テウ［平濁平］」については、異例 *-eu* を示す。当該字に声点はなく、その仮名音注に濁音を含む低平調の差声を施す。日本語の音変化 *-ep* > *-eu* を反映する。廣韻に拠れば、その中古音は喩母四等葉韻 (jiap) であり、同じ諧声符を有する「楪・喋・蹀・諜・堞・惵・渫・蝶」（帖韻 dep）等との混同による字音把握か。本来は仮名音注「エフ」を期待する。熟字3886「鍱木」は右注「式渉反 テウキ［平濁平上濁］」左注「銅鍱戸具」を付載する。観智院本類聚名義抄に反切「羊渉反・式渉反」と「与葉同」を見出すが、仮名音注はない。

　　　　葉　枝葉 … 與渉切又式渉切十 … 鍱　銅鍱　　　　　　　　　　　（宋本廣韻／葉韻 jiap）

　　　　鍱 羊渉反　マク … 式渉反／与葉同 トノテフキ［上上平濁平上濁］

　　　　　　　　　　　　　　　　　　　　　　　　　　　　　　　　（観智院本類聚名義抄／僧上 121-8）

　▶番号3887b「鍱」（戸鍱）の仮名音注「エウ」については、異例 *-eu* を示す。当該字には入声点を差す。日本語の音変化 *-ep* > *-eu* を反映する。熟字3887「戸鍱」は右注「同（テウキ［平濁平上濁］）」を付載する。元和本倭名類聚抄には反切「式渉反與葉同」がある。上述の分析を参照。

　　　　戸鍱　唐韻云鍱 式渉反與葉同楊氏漢語抄云戸乃帖木 銅鍱也　（元和本倭名類聚抄／巻十 16 オ 2）

　▶番号4630「接」（接）の仮名音注「セフ」については、基本的に *-ep* で対応する。当該字には入声点を差し、右注「サシカハス」中注「サカツキ」左注「觴接」を付載する。観智院本類聚名義抄に同音字注「音睫」および「和攝」を見出すが、仮名音注はない。傍証ながら、同書で「睫」を再検索すると、同音字注「音接」および「和睚」があり、同音字注は相互に循環してしまう。また「攝」に対しては和音「セフ」を見つける。日本呉音「セフ」の可能性を指摘しておく。

　　　　接　音睫 トル マシハル［平平濁上平］… 和攝　　　（観智院本類聚名義抄／佛下本 078-5）

　　　　睫　音接 マツケ［上上平濁］／マナフタ［□□上濁□］和睚　（観智院本類聚名義抄／佛中 069-4）

　　　　攝　舒葉反 ヲサム［平図上］… 和セフ　　　　　　　（観智院本類聚名義抄／佛下本 077-8）

　▶番号6593a「接」（接河）の仮名音注「セフ」については、基本的に *-ep* で対応する。当該字に声点はない。上述の分析を参照。

　▶番号5555b「檝」（舟檝）の仮名音注「セウ」については、異例 *-eu* を示す。当該字に声点は

936 3．仮名音注の韻母別考察　3-5　ⅢA韻類

なく、右傍「フネ カチ」を付載する。日本語の音変化 *-ep* > *-eu* を反映する。上巻の葉韻当該諸例で分析したように、日本漢音は入声を認める。

　▶番号6653b「輙」（専輙）の仮名音注「テウ」については、異例 *-eu* を示す。当該字に声点はない。日本語の音変化 *-ep* > *-eu* を反映する。その中古音は舌音清知母葉韻（ţiap）である。観智院本類聚名義抄に反切「竹妾反」および「和云テフ」（その右傍に朱筆で濁音「✓」表記）〔＊知母に対する濁音表記は疑義を残す〕さらに低平調を示す「テフ」を見出す。長承本蒙求には仮名音注「テフ」があり、その掲出字に徳声点を加える。日本漢音「テフ」徳声（四声体系では入声）日本呉音「テフ」入声を認める。日本呉音「デフ」は保留する。

　　輙輙 竹妾反 タヤスク［上上上平］… 和云 テフ ［✓：朱右傍］テフ［平平］

　　　　　　　　　　　　　　　　　　　　　　　　　（観智院本類聚名義抄／僧中093-5）

　　輙 ［徳］テフ　　　　　　　　　　　　　　　　　　　　　（長承本蒙求／039）

　▶番号5244「渫」（渫）の仮名音注「セフ」については、基本的に *-ep* で対応する。当該字には入声点を差し、右注「ユミカケ」を付載する。観智院本類聚名義抄に同音字注「音攝」を見出すが、仮名音注はない。元和本倭名類聚抄に反切「戸渉反」がある。

　　渫 音攝 ユミカケ［平平平濁平］　　　（観智院本類聚名義抄／僧中026-7）

　　鰈 音攝 ユカケ［平平濁平］丁医反 … 或渫　　（観智院本類聚名義抄／僧中081-6）

　　渫 毛詩注云渫 戸渉反訓由美加介 …　　（元和本倭名類聚抄／巻四02 ウ9）

　▶番号3363a「攝」（攝龜）の仮名音注「セフ」については、基本的に *-ep* で対応する。当該字には入声点を差す。熟字3363「攝龜」は右注「コマメ」を付載する。上巻の葉韻当該例で分析したように、日本呉音「セフ」を認める。

　　攝龜 爾雅集注云摂亀一名陵亀 和名古加米 小亀也　　（元和本倭名類聚抄／巻十九10 ウ8）

　▶番号6627a「攝」（攝籙）の仮名音注「セウ」については、基本的に *-eu* で対応する。当該字には入声点を差す。日本語の音変化 *-ep* > *-eu* を反映する。熟字6627「攝籙」は左注「納也」を付載する。上述の分析を参照。

　▶番号6562「攝」（攝）の仮名音注「セフ［上上］」については、基本的に *-ep* で対応する。当該字に声点はなく、その仮名音注に徳声相当である高平調の差声を施す。また右注「セフス［上上平］」中注「書渉反」左注「兼也録也」を付載する。上述の分析を参照。

　▶番号6761a「攝」（攝政）の仮名音注「セフ」については、基本的に *-ep* で対応する。当該字に声点はない。上述の分析を参照。

　▶番号4024b「獵」（定獵）の仮名音注「レフ」については、基本的に *-ep* で対応する。当該字には入声点を差す。上巻の葉韻当該例で分析したように、字音「レウ」を認める。

　▶番号4127a「獵」（獵子鳥）の仮名音注「レウ」については、異例 *-eu* を示す。当該字には入声点を差す。日本語の音変化 *-ep* > *-eu* を反映する。熟字「獵子鳥」は右傍「アトリ」を付載する。

観智院本類聚名義抄に同音字注「音葛」を見出す。異体字「獵」に対しては反切「力葉反」と「音レウ」〔＊正音の認識か〕がある。字音「レウ」を認める。

　　　獦　音葛 状如狼而／赤首鼠目奇／如家名曰獦狙但丁　　　（観智院本類聚名義抄／佛下本 130-4）

　　　獵　力葉反 カリス［平上□］… 音レウ　獦 俗　　　　　（観智院本類聚名義抄／佛下本 130-5）

　　　獦子鳥　… 楊氏漢語抄云獦子鳥 和名上同〔＊阿止里〕今案両説所出未詳 …

　　　　　　　　　　　　　　　　　　　　　　　　　　　　　（元和本倭名類聚抄／巻十八 06 オ 3）

　　3-5-1-6　-ian/-iat（仙/獮/線/薛韻）

　資料篇【表B-08】には仙韻（平声）獮韻（上声）線韻（去声）薛韻（入声）開口所属の諸例が含まれる。前田本の示す仮名音注は基本的に -en/-et で対応する。異例として、-an, -e, -ei, -em, -eni, -in, -win がある。

《上巻 仙韻開口諸例》

▶番号 1400b「焉」（炳焉）の仮名音注「エン」については、基本的に -en で対応する。当該字には平声点を差す。観智院本類聚名義抄に反切「扵延反」（その反切下字に平声点）を見出すが、仮名音注なはい。日本漢音は平声を認める。

　　　焉 扵延［□平］反 … イツクンソ［平□□□］ナソ　　　（観智院本類聚名義抄／佛上 076-1）

▶番号 0218「焉」（焉）の仮名音注「エン」については、基本的に -en で対応する。当該字に声点はなく、和訓「イカテカ・イツクソ」の同訓異字として位置する。上述の分析を参照。

▶番号 2897b「莚」（講莚）の仮名音注「エン」については、基本的に -en で対応する。当該字には平声点を差す。観智院本類聚名義抄に反切「餘戦反」を見出すが、仮名音注はない。

　　　蔓莚 ハヒコル／下餘戦反 … 又 ムシロ　　　　　　　　（観智院本類聚名義抄／僧上 013-8）

▶番号 2804・2817「褰」（褰・褰）の仮名音注「ケン」については、基本的に -en で対応する。両当該字には平声点を差す。図書寮本類聚名義抄に同音字注「季云音愆」（その平声点位置に仮名音注「ケン」）を見出す。観智院本には同音字注「音騫」と反切「丘言反」および低平調と推測する和音「ケン」を見出す。日本漢音「ケン」平声、日本呉音「ケン」平声を認める。

　　　褰縮 季云音愆［ケン：平声点位置］… カ、ク［平上平濁／切：右注］

　　　　　　　　　　　　　　　　　　　　　　　　　　　　　（図書寮本類聚名義抄／332-5）

　　　褰 音騫 襦 袴 カ、ク［平上平濁］カキル／アカル ハカマ　（観智院本類聚名義抄／法中 148-2）

　　　褰 丘言反 カ、ク／アカル［上上濁□］和ケン［□平］　（観智院本類聚名義抄／法下 047-5）

▶番号 0188「乾」（乾）の仮名音注「ケン」については、基本的に -en で対応する。当該字に

938 3．仮名音注の韻母別考察 3-5 ⅢA韻類

は平声点を差し、右注「イヌキ」を付載する。廣韻に拠れば、仙韻（gian¹）寒韻（kɑn¹）二音を有
する。後者については「字樣云本音虔今借爲乾濕字」とあり、派生した借音のような見解である。
観智院本類聚名義抄に和音「カン」を見出す。また同音字注「本音虔」と平声点を付した同音字注
「借音干」（その右傍に朱筆で仮名音注「カン」）を見つける。日本漢音「カン」平声、日本呉音
「カン」を認める。

　　　乾 天也君也堅也 渠焉切九 虔 恭也固也殺也 …　　　　　　　　　（宋本廣韻／群母仙韻）

　　　干 求也犯也觸也 … 古寒切十六 乾 字樣云本音虔今借爲乾濕字 …　　　（宋本廣韻／見母寒韻）

　　　卓+乞 ホス 和カン　　　　　　　　　　　　　　　（観智院本類聚名義抄／法下 142-2）

　　　乾 本音虔 健、 天乾 借音干 [平／カン：朱右傍] ／カハク [平平上] ホス [平上]

　　　　　　　　　　　　　　　　　　　　　　　　　　　　（観智院本類聚名義抄／法下 142-2）

　　　乾 虔音 ホス 乹 俗乾 [正／燥：双行割注] 又、　　（観智院本類聚名義抄／佛下末 013-6）

　▶番号 0795b・1588b・2087b・3260b「然」（惘然・徒然・森然・欲然）の仮名音注「セン」
については、基本的に -en で対応する。当該字には平声濁点を差すので、字音「ゼン」を想定する。
その中古音が示す頭子音 ń-（等韻学の術語で言う日母）は硬口蓋鼻音であり、日本語のナ行音をも
って受容するが、中国語音韻史上における鼻音声母の非鼻音化（denasalization）の影響を反映す
る場合はザ行音で対応する。熟字 0795「惘然」は右傍「ホル」を、熟字 1588「徒然」は右傍「ツ
レヾヾ」を、熟字 2087「森然」は右傍「イヨ、カナリ」を付載する。観智院本類聚名義抄に反切「如
旃反」および和音「ネン」（左傍に墨筆で「セ」か）を付載する。日本呉音「ネン」を認める。

　　　然 如旃反 シカナリ … 和ネン [□セ？：墨左傍]　　（観智院本類聚名義抄／佛下末 050-4）

　　　徒然 ツレヽヽナリ　　　　　　　　　　　　　　　（観智院本類聚名義抄／佛上 040-1）

　▶番号 0196「煎」〔＊部首字形「火」〕（煎）の仮名音注「セン」については、基本的に -en で対
応する。当該字には平声点を差し、右注「イル [平平]」左注「以火煎也」を付載する。観智院本
類聚名義抄に反切「子連反」を見出すが、仮名音注はない。

　　　煎〔＊部首字形「火」〕子連反／イル ニル　　　　（観智院本類聚名義抄／佛下末 050-5）

　▶番号 1700b「遷」（得遷）の仮名音注「セン」については、基本的に -en で対応する。当該字
に声点はない。観智院本類聚名義抄に反切「七延反」および和音「セン」を見出す。当該字「遷」
と「遷」とは相互に異体字である。日本呉音「セン」を認める。

　　　遷 七延反 ウツル [上上：□／□□ス [上]：墨右傍] … 和セン　（観智院本類聚名義抄／佛上 046-6）

　　　遷 俗　　　　　　　　　　　　　　　　　　　　　（観智院本類聚名義抄／佛上 046-7）

　▶番号 1108b・1248b「錢」（方錢・方錢）の仮名音注「セン」については、基本的に -en で対
応する。両当該字には平声濁点を差す。熟字 1108「方錢」は左注「帯方錢也」を付載する。廣韻に
拠れば、仙韻（dzian¹）獼韻（tsian²）二音を有する。観智院本類聚名義抄に平声点と平声濁墨点を
付した同音字注「音剪」と反切「昨仙反」および上昇調を示す「セニ [平濁上]」を見出す。長承

本蒙求には仮名音注「セヽ」二例「セ✓」一例があり、それらを含む掲出字四例に平声点を加える。元和本倭名類聚抄には「鏃」に対して注記「訓世邇都良」を見つける。日本漢音「セン」平声を、早くから字音が定着し和訓に馴化した「ゼニ」を認める。

　　　錢　音剪［平／平濁：墨点］田器又／昨仙反 セニ［平濁上］　　　（観智院本類聚名義抄／僧上 130-7）

　　　錢［平］　　　　　　　　　　　　　　　　　　　　　　　　　　（長承本蒙求／032）

　　　錢［平］セヽ　　　　　　　　　　　　　　　　　　　　　　　　（長承本蒙求／061）

　　　錢［平：圏点］セヽ〔＊長承三年点と別筆〕　　　　　　　　　　（長承本蒙求／061）

　　　錢［平］セ✓　　　　　　　　　　　　　　　　　　　　　　　　（長承本蒙求／145）

　　　錢　唐韻云鏉 初牙反與差同 錢異名也漢書志云鏃 居両反訓世邇都良 錢貫也 …

　　　　　　　　　　　　　　　　　　　　　　　　　　　（元和本倭名類聚抄／巻十一 17 ウ 6）

▶番号 2762b「錢」（紙錢）の仮名音注「セニ」については、異例 -eni を示す。当該字に声点はない。熟字「紙錢」は右注「カミセニ」左注「祭礼具也」を付載する。本来は字音であったにも関わらず、すでに和訓と認定する。舌内撥音韻尾 -n を持つ「錢」は、それを明示するため「セニ」と表示することがあった。観智院本類聚名義抄に「カミセニ［上上上濁平］一云セニカタ［平濁平平濁上］」を見出す。元和本倭名類聚抄には「俗云加美勢邇一云勢邇加太」がある。この表記「俗云」は定着久しい字音に由来する和訓を示す。上述の分析を参照。

　　　紙錢 カミセニ［上上上濁平］一云／セニカタ［平濁平平濁上］祭祀具

　　　　　　　　　　　　　　　　　　　　　　　　　　（観智院本類聚名義抄／僧上 130-7）

　　　紙錢　新樂府云神之来兮風飄々紙錢動兮錦徹揺 俗云加美勢邇一云勢邇加太

　　　　　　　　　　　　　　　　　　　　　　　　　　（元和本類聚名義抄／巻十三 07 ウ 2）

▶番号 3203「涎」（涎）の仮名音注「セン」については、基本的に -en で対応する。当該字には平声点を差し、右注「同（ヨタリ）又乍次」左注「口液也」を付載する。廣韻に拠れば、仙韻（zian¹）線韻（jian³）二音を有する。図書寮本類聚名義抄に平声点を付した同音字注「音延」と反切「广云詳延反」（その反切下字に平声点）および真云として平声点を付した同音字注「和仙」さらに平声点を付した同音字注「公云音泉」を見出す。観智院本には平声点を付した同音字注「音延」と反切「徐延反」（その反切下字に平声点）および和音「仙音」を見つけるが、仮名音注はない。傍証ながら、承暦本金光明最勝王経音義には「件ヽ音ムニハ異也可知之」（02 ウ 4）の中で平声点を付した「仙」を掲げ、そこに字音注記「セヽ」がある。日本漢音・日本呉音ともに平声を認める。また日本呉音「セン」の蓋然性が高い。

　　　次 口液也 夕連切二 涎 同上　　　　　　　　　　　（宋本廣韻／邪母仙韻 zian¹）

　　　涎沫 音延［平］广云詳延［□平］反 … 真云口液也 和仙［平］音 … 公云音泉［平］…

　　　　　　　　　　　　　　　　　　　　　　　　　　（図書寮本類聚名義抄／059-2）

　　　涎 音延［平］又徐延［□平］反 和／仙音 ヨタリ［上上上］…　 次 三正

940　3．仮名音注の韻母別考察　3-5　ⅢA韻類

(観智院本類聚名義抄／法上024-2)

涎 [音泉：右傍] ツハキ　　　　　　　　(石山寺一切経蔵本大般若経字抄／04ウ4)

仙 [平] セ丶 善 [平濁] 是丶 …　　　　　　(承暦本金光明最勝王経音義／02ウ1)

▶番号0537「鸇」（鸇）の仮名音注「セン」については、基本的に -en で対応する。当該字に声点はなく、右注「同（ハシタカ）」を付載する。観智院本類聚名義抄に平声点を付した同音字注「音旆」（その右傍に朱筆で仮名音注「セン」）を見出す。元和本倭名類聚抄には反切「諸延反」がある。日本漢音「セン」平声を認める。

鸇 … 音旆 [平／セン：朱右傍] … タカヘ ハシタカ　　(観智院本類聚名義抄／僧中116-4)

鷐　兼名苑云鷐一名鸇 鷐音淫鸇諸延反 鸇也野王案鸇 音遥又去聲漢語抄云波之太賀 …

(元和本倭名類聚抄／巻十八03ウ7)

▶番号2661「饘」（饘）の仮名音注「セン」については、基本的に -en で対応する。当該字には平声点を差し、加篇飲食部「饘」の左注「又乍饘」に含まれる。観智院本類聚名義抄に反切「紀言反・之然反」を見出すが、仮名音注はない。

饘 紀言反 之然反／麻+粥　　　　　　　　(観智院本類聚名義抄／僧上111-7)

鬻 正餙 … 饘 麻+単 麻+粥／三俗 已仙反 又旆音　(観智院本類聚名義抄／僧下119-2)

▶番号2701「毡」（毡）の仮名音注「セン」については、基本的に -en で対応する。当該字には平声点を差し、右注「同（カモ [上上]）極毛為席也」左注「金 沙金 [カネ：右傍] 也」を付載する。観智院本類聚名義抄に反切「至然反」と同音字注「音旆」を見出すが、仮名音注はない。

毡 至然反　　　　　　　　　　　　　　(観智院本類聚名義抄／法上101-2)

毡 … 音旆／毛席 カモ　　　　　　　　　(観智院本類聚名義抄／僧上102-1)

▶番号0649「旃」（旃）の仮名音注「タン」については、異例 -an を示す。当該字には平声点を差し、右注「同（ハタ）」を付載する。諧声符「丹」（寒韻 tɑn¹）による字音把握であろう。観智院本類聚名義抄に反切「之延反」および上昇調を示す和音「セン」を見出す。長承本蒙求には仮名音注「セ丶」二例があり、それらの掲出字に東声点を加える。承暦本金光明最勝王経音義には仮名音注「セ丶音」を見つける。日本漢音「セン」東声（四声体系では平声）日本呉音「セン」去声を認める。

旃 之延反 㫍 ユク … 亦旃 和セン [平上]　　(観智院本類聚名義抄／僧中028-6)

旃 [東] セ丶　　　　　　　　　　　　　(長承本蒙求／090・149)

旃 [セ丶六：右傍] 〔＊後筆墨書〕　　　　(承暦本金光明最勝王経音義／10ウ2)

▶番号0416「鋋」（鋋）の仮名音注「セン」については、基本的に -en で対応する。当該字には去声点を差し、右注「ロクロカナ」を付載する。廣韻に拠れば、常母仙韻 (ẓian¹) 喩母仙韻 (jian¹) 二音を有する。観智院本類聚名義抄に反切「市然反」と同音字注「又延音」および和音「仙」を見出すが、仮名音注はない。元和本倭名類聚抄には反切「辝戀反又市連反」がある。日本呉音「セン」

の蓋然性が高い。

　　鋋 … 市然反 … 又延音／ロクロカナ［平平平平上］和仙　　　　（観智院本類聚名義抄／僧上 116-7）

　　鋋　漢語抄云鋋 辭戀反又市連反和名路久魯加奈 …　　　　　（元和本倭名類聚抄／巻十五 10 ウ 3）

　　仙［平］セ丶 善［平濁］是丶 …　　　　　　　　　　　　　　（承暦本金光明最勝王経音義／02 ウ 1）

　　　　件丶音ムニ丶異也可知之　　　　　　　　　　　　　　　（承暦本金光明最勝王経音義／02 ウ 4）

▶番号 1100「鋋」（鋋）の仮名音注「セン」については、基本的に -en で対応する。当該字に声点はなく、右注「同（ホコ）」左注「卜鋋也」を付載する。上述の分析を参照。

▶番号 0033「廛」（廛）の仮名音注「テン」については、基本的に -en で対応する。当該字には平声点を差し、右注「同（イチクラ）」左注「俗作厘」を付載する。観智院本類聚名義抄に反切「地連反」と同音字注「田音」を見出すが、仮名音注はない。石山寺一切経蔵本大般若経字抄に漢呉二音相同の同音字注「田・音田」がある。

　　土+厘〔＊墥か〕直速反 イチクラ　鄽 或 …　廛 正　　　　（観智院本類聚名義抄／法中 061-6）

　　厘廛 … 地連反 田丶／イチクラ［平平平濁平］　　　　　　　（観智院本類聚名義抄／法下 108-5）

　　廛［田：右傍］厘字正作也　　　　　　　　　　　　　　　　（石山寺一切経蔵本大般若経字抄／25 オ 3）

　　厘［音田：右傍］イチクラ　　　　　　　　　　　　　　　　（石山寺一切経蔵本大般若経字抄／16 ウ 2）

▶番号 0645b「纏」（行纏）の仮名音注「テン」については、基本的に -en で対応する。当該字には平声点を差す。前田本の字形は「糸+厘」であるが、これを「纏」に修正する。廣韻に拠れば、仙/線韻（dian^{1/3}）二音を有する。その中古音が示す頭子音 ḍ-（等韻学の術語で言う舌音濁澄母）は有声反り舌閉鎖音であり、日本語のダ行音をもって受容するが、中国語音韻史上における濁音声母の無声化を反映する場合はタ行音で対応する。熟字 0645「行纏」は左右注「ハミキ 今俗／編苛為行纏也」を付載する。図書寮本類聚名義抄に平声点を付した同音字注「音厘」および「真云田音」を見出す。観智院本には去声濁墨点を付した同音字注「音厘」および去声濁点を付した和音「田」を見つけるが、仮名音注はない。同書の凡例部分「朱音者正音也墨声者和音也」（篇目 7-6）に従えば、朱墨で正音と和音を分別する傾向があるので、前者の去声濁墨点は和音を示すと推測する。元和本倭名類聚抄には反切「直連反」がある。日本漢音は平声、日本呉音は去声を認める。

　　纏縛 音厘［平］… 真云田音　　　　　　　　　　　　　　　（図書寮本類聚名義抄／306-2）

　　糸+厘 音厘［去濁：墨点］マク［上平］和ー田［去濁］　　　（観智院本類聚名義抄／法中 125-8）

　　纏 正　　　　　　　　　　　　　　　　　　　　　　　　　（観智院本類聚名義抄／法中 125-8）

　　行纏 艹+㡇附 唐式云諸府衛士人別行纏一具 纏音直連反 本朝式云脛巾 俗云波々岐 …

　　　　　　　　　　　　　　　　　　　　　　　　　　　　　（元和本倭名類聚抄／巻十四 19 ウ 6）

▶番号 1027「躔」（躔）の仮名音注「テン」については、基本的に -en で対応する。当該字には平声点を差し、右注「ホシノヤトリ」中注「日月行經也」左注「星運行也」を付載する。前田本の字形は「躣」であるが、これを「躔」に修正する。観智院本類聚名義抄に同音字注「音糸+厘」を

942　3．仮名音注の韻母別考察　3-5　ⅢA韻類

見出すが、仮名音注はない。

　　　躔　音糸+厘 ヤトリ［平平□／□□ル］…　　　　　　　　（観智院本類聚名義抄／法上 087-2）

▶番号1130・1334a・1354a・1355a・1371a「偏」（偏・偏戸・偏頗・偏執・偏録）の仮名音注「ヘン」については、基本的に -en で対応する。当該諸字五例には平声点を差す。番号1130「偏」は和訓「ホトリ」の同訓異字として位置する。観智院本類聚名義抄に平声点を付した同音字注「音篇」を見出すが、仮名音注はない。日本漢音は平声を認める。

　　　偏　音篇［平］ヒトヘニ［平平上平］…　　　　　　　　　（観智院本類聚名義抄／佛上 018-1）

▶番号2785「偏」（偏）の仮名音注「ヘン」については、基本的に -en で対応する。当該字に声点はなく、和訓「カタハラ」の同訓異字として位置する。上述の分析を参照。

▶番号1390a「偏」（偏黨）の仮名音注「ヘム」については、異例 -em を示す。当該字には平声点を差す。その中古音が示す末子音の舌内撥音韻尾 -n を「ム」で対応する。上述の分析を参照。

▶番号1372a「篇」（篇什）の仮名音注「ヘン」については、基本的に -en で対応する。当該字には平声点を差す。観智院本類聚名義抄に平声点を付した同音字注「音編」を見出す。長承本蒙求には仮名音注「ヘヽ」があり、その掲出字に東声点を加える。日本漢音「ヘン」東声（四声体系では平声）を認める。

　　　篇　音編［平］アム フタ ホト カケル／章　　　　　　　（観智院本類聚名義抄／僧上 078-3）
　　　篇　［東］ヘヽ　　　　　　　　　　　　　　　　　　　　　　　　（長承本蒙求／148）

▶番号1317「篇」（篇）の仮名音注「ヘン」については、基本的に -en で対応する。当該字には上声点を差す。上述の分析を参照。

▶番号2340「綿」（綿）の仮名音注「メン」については、基本的に -en で対応する。当該字には平声点を差し、右注「ワタ」左注「又乍緜」を付載する。図書寮本類聚名義抄に反切「真云弥連反」（その反切下字に平声点）見出す。真興撰『大般若経音訓』（いわゆる真興音義が示す呉音）による引用か。観智院本に反切「弥連反」を見つけるが、仮名音注はない。図書寮本が示す出典表記を省略したため、正音の反切と誤認する可能性がある。元和本倭名類聚抄には反切「唐韻云武連反」がある。なお、王仁昫刊謬補缺切韻は「武連反」を掲げる。切韻系韻書の切三・王一も同様。日本呉音は平声を認める。

　　　綿　武連反絮正作緜十 …　　　　　　　　　　　（王仁昫刊謬補缺切韻／明母仙韻 mjian¹）
　　　緜　精曰緜纊曰絮 … 武延切十七　綿 上同 …　　　　　　　（宋本廣韻／明母仙韻 mjian¹）
　　　綿　真云弥連 ［□平］反 … 川云和云和太 ［平平］…　　　　（図書寮本類聚名義抄／320-6）
　　　綿　弥連反 ワタ ［平平］…　緜 正　　　　　　　　　　　　（観智院本類聚名義抄／法中 121-8）
　　　綿絮　屯字附 唐韻云綿 武連反和名和太 …　　　　　　　（元和本倭名類聚抄／巻十二 17 オ 5）

▶番号0058a・0066b・2189b・2753a「連」（連翹・木連子・留連・連伽）の仮名音注「レン」については、基本的に -en で対応する。当該諸字四例には平声点を差す。熟字0058「連翹」は右

注「イタチクサ［平平平上平］」左注「イタチハセ［平平平平上］」を、熟字0066「木連子」は右注「イタヒ」左注「菓類也」を、熟字2753「連枷」は右注「カラサヲ」左注「農具也」を付載する。観智院本類聚名義抄に同音字注「音聯」および「和去又平」を見出す。長承本蒙求には仮名音注「レ√」二例があり、その掲出字に平声点を加える。日本漢音「レン」平声、日本呉音は平/去声を認める。

連 音聯 ツラヌ［上上平／□□ナル：墨右傍］… 和去又平　　（観智院本類聚名義抄／佛上 056-7）

木連子 イタヒ［平平平］　　　　　　　　　（観智院本類聚名義抄／佛下本 082-5）

留連 タチモトホル／タヽスム　　　　　　　（観智院本類聚名義抄／佛下本 056-8）

連枷 カラサホ［平平平上］　　　　　　　　（観智院本類聚名義抄／佛下本 103-3）

連［平］レ√　　　　　　　　　　　　　　　（長承本蒙求／011・069）

連翹　本草云連翹一名三廉草 和名以多知久佐一云以太知波勢

　　　　　　　　　　　　　　　　　　　　（元和本倭名類聚抄／巻二十08 オ 8）

木連子　崔禹錫食經云木蓮子 和名以太比 本草云折傷木

　　　　　　　　　　　　　　　　　　　　（元和本倭名類聚抄／巻十七08 オ 2）

連枷　陸詞切韻云連枷 音加和名加良佐乎 打穀具也 …　（元和本倭名類聚抄／巻十五10 オ 3）

▶番号2294b「連」（黄連）の仮名音注「レン」については、基本的に -en で対応する。当該字に声点はない。熟字2294「黄連」は左注「又カクマクサ」を付載する。上述の分析を参照。

黄連 カクマクサ［上上上上濁平］　　　　　（観智院本類聚名義抄／佛上 056-8）

黄連　本草云黄連一名王連 和名加久未久佐　　（元和本倭名類聚抄／巻二十04 ウ 3）

《下巻 仙韻開口諸例》

▶番号3692b・4393b「焉」（忽焉・馥焉）の仮名音注「エン」については、基本的に -en で対応する。両当該字には平声点を差す。熟字3692「忽焉」は右傍「タチマチナリ」を、熟字4393「馥焉」は左注「アハツ」付載する。上巻の仙韻開口当該諸例で分析したように、日本漢音は平声を認める。

▶番号3741a・3742a・3804a・3839a・3854a「延」（延嘉房・延政門・延引・延佇・延期）の仮名音注「エン」については、基本的に -en で対応する。当該諸字五例には平声点を差す。熟字3741「延嘉房」は左注「八条西」を、熟字3742「」は左注「禁中門」を、熟字3839「延佇」は右傍「ノヒトミマル」を付載する。観智院本類聚名義抄に反切「以然反」および「和エン」を見出す。長承本蒙求には仮名音注「エヽ」二例があり、それらの掲出字に平声点を加える。日本漢音「エン」平声、日本呉音「エン」を認める。

延 以然反 ノフ［平上］… 和エン　　　　　（観智院本類聚名義抄／佛上 062-2）

944　3．仮名音注の韻母別考察　3-5　ⅢA韻類

延 [平] エヽ　　　　　　　　　　　　　　　　　　　　　（長承本蒙求／084）

延 [平：圏点] エヽ　　　　　　　　　　　　　　　　　　（長承本蒙求／126）

坊 名附出 … 延喜坊 八條西 …　　　　　　　（元和本倭名類聚抄／巻十 05 ウ 3）

　▶番号 3805a「延」（延意）の仮名音注「エム」については、異例 -em を示す。当該字には平
声点を差す。その中古音が示す末子音の舌内撥音韻尾 -n を「ム」で対応する。上述の分析を参照。

　▶番号 5262b「乾」（式乾門）の仮名音注「ケン」〔＊不鮮明〕については、基本的に -en で対応
する。当該字には平声点を差す。上巻の仙韻開口当該例で分析したように、日本漢音「カン」平声、
日本呉音「カン」を認める。

　　　房 名附出 … 蘭林房 在式乾門内東今分爲御書所是也　　　　（元和本倭名類聚抄／巻十 04 ウ 9）

　▶番号 6505a「栴」（栴檀）の仮名音注「セン」については、基本的に -en で対応する。当該字
には去声点を差す。熟字 6505「栴檀」は右注「センタン 禾木也」左注「赤者牛頭栴檀」を付載す
る。観智院本類聚名義抄に同音字注「仙」と上昇調を示す仮名音注「俗云セム」を見出す。元和本
倭名類聚抄には同音字注「仙」と「俗云善」がある。定着久しい字音「セム」去声を認める。

　　　栴檀 仙壇二音 俗云セムタム [平上上濁上] 下和名 和タン [平上] ／マユミ [上平上] …

　　　　　　　　　　　　　　　　　　　　　　　（観智院本類聚名義抄／佛下本 083-3）

　　　栴 名附出 … 蘭林房 在式乾門内東今分爲御書所是也　　　　（元和本倭名類聚抄／巻十 04 ウ 9）

　　　栴檀　唐韻云栴檀 仙壇二音俗云善短 香木也内典云赤者謂之牛頭栴檀

　　　　　　　　　　　　　　　　　　　　　　　（元和本倭名類聚抄／巻二十 22 オ 6）

　▶番号 6534a「煎」〔＊諧声符の字形「火」〕（煎餅）の仮名音注「セン [平平]」については、基
本的に -en で対応する。当該字に声点はなく、その仮名音注に平声相当である低平調の差声を施す。
元和本倭名類聚抄に注記「此間云如字」を見出す。和訓がないことを示唆する。上巻の仙韻開口当
該例で分析した。

　　　煎餅　楊氏漢語抄云煎餅 此間云如字 以油熬小麦麺之名也

　　　　　　　　　　　　　　　　　　　　　　　（元和本倭名類聚抄／巻十六 15 オ 4）

　▶番号 6535・6559「煎」〔＊諧声符「火」〕（煎・煎）の仮名音注「セン」については、基本的に
-en で対応する。当該字に声点はない。番号 6535「煎」は右注「煮藥汁令稠也」中左注「有生薑煎
地黄煎／等也」を、番号 6559「煎」は右注「センス」サ変動詞を付載する。上述の分析を参照。

　　　煎藥　考聲切韻云煎 煎煎〔＊諧声符「火」〕一音箭 煮薬汁令稠也諸家方云枸杞煎

　　　　　　　　　　　　　　　　　　　　　　　（元和本倭名類聚抄／巻十二 10 オ 8）

　▶番号 4723b・6677a・6686a「遷」（左遷・遷替・遷謫）の仮名音注「セン」については、基
本的に -en で対応する。当該諸字三例には平声点を差す。上巻の仙韻当該例で分析したように、日
本呉音「セン」を認める。

　▶番号 6621a「遷」（遷幸）の仮名音注「セン」については、基本的に -en で対応する。当該字

に声点はない。熟字6621「遷幸」は中左注「内裏／移也」を付載する。上述の分析を参照。

▶番号6752a「遷」（遷喬）の仮名音注「セム」については、異例 -em を示す。当該字には平声点を差す。その中古音が示す末子音の舌内撥音韻尾 -n を「ム」で対応する。上述の分析を参照。

▶番号5237b・5751b「韆」（鞦韆・鞦韆）の仮名音注「セン」については、基本的に -en で対応する。両当該字には平声点を差す。熟字5237「鞦韆」は右注「ユフサリ」左注「ユサハリ［上上上上］」を、熟字5751「鞦韆」は右傍「ユサフリ」を付載する。観智院本類聚名義抄に同音字注「遷」を見出すが、仮名音注はない。元和本倭名類聚抄には同音字注「遷」がある。

> 鞦韆 秋遷二音 ユサハリ［平上平濁平］伎藝 　　　　　（観智院本類聚名義抄／僧中 072-7）
>
> 韆 名附出 … 蘭林房 在式乾門内東今分爲御書所是也 　　　（元和本倭名類聚抄／巻十 04 ウ 9）
>
> 鞦韆 古今藝術圖云鞦韆 秋遷二音和名由佐波利 … 　　　（元和本倭名類聚抄／巻四 05 オ 6）

▶番号 3330b・4789b・5556b「錢」（金錢花・綵錢・紙錢）の仮名音注「セン」については、基本的に -en で対応する。当該諸字三例には平声点を差す。熟字「金錢花」は右傍3329「キムセム」左右注3330「コムセン／クエ［平上上上上上］」を付載する。上巻の仙韻当該諸例で分析したように、日本漢音「セン」平声を、また早くから字音が定着し和訓に馴化した「ゼニ」を認める。

> 金錢花 　梁簡文帝有金錢花賦 金錢俗云古無歉 　　　（元和本倭名類聚抄／巻二十 02 ウ 1）

▶番号6962b「錢」（鑄錢司）の仮名音注「セン」については、基本的に -en で対応する。当該字に声点はない。上述の分析を参照。

▶番号3329b「錢」（金錢花）の仮名音注「セム」については、異例 -em を示す。当該字には平声点を差す。その中古音が示す末子音の舌内撥音韻尾 -n を「ム」で対応する。熟字「金錢花」は右傍3329「キムセム」左右注3330「コムセン／クエ［平上上上上上］」を付載する。上述の分析を参照。

▶番号6529b・6536「錢」（意錢・錢）の仮名音注「セン」については、基本的に -en で対応する。両当該字には平声点を差す。熟字6529「意錢」は右注「セニウチ」を、番号6536「錢」は右注「セニ 鵝眼［平濁上濁］〔＊穴あき錢の意〕」左注「昨仙反」付載する。上述の分析を参照。

▶番号4119b「仙」（神仙菜）の仮名音注「セン」については、基本的に -en で対応する。当該字には平声点を差す。熟字4119「神仙菜」は右注「アマノリ」を付載する。観智院本類聚名義抄に同音字注「音鮮」を見出す。長承本蒙求には仮名音注「セ✓」があり、その掲出字に東声点を加える。承暦本金光明最勝王経音義には仮名音注「セ✓」があり、その掲出字に平声点を施す。日本漢音「セン」東声（四声体系では平声）日本呉音「セン」平声を認める。

> 僊 音鮮 ヒシリ／ヒト マフ 仙 俗 　　　　　（観智院本類聚名義抄／佛上 007-2）
>
> 神仙菜 アマノリ［上上□□］ 　　　　　（観智院本類聚名義抄／僧上 025-3）
>
> 仙［東］セ✓ 　　　　　　　　　　　　　　（長承本蒙求／025）
>
> 仙［平］セゝ 善［平濁］是ゝ … 　　　（承暦本金光明最勝王経音義／02 ウ 1）

946　3．仮名音注の韻母別考察　3-5　ⅢA韻類

　　件〻音ムニハ異也可知之　　　　　　　　（承暦本金光明最勝王経音義／02 ウ 4）

　　仙［平／セ✓：右傍］〔＊後筆墨書〕　　　（承暦本金光明最勝王経音義／08 ウ 2）

　神仙菜　崔禹錫食經云 … 俗呼曰神仙菜 漢語抄云阿末乃里俗用甘苦

　　　　　　　　　　　　　　　　　　　　　　（元和本倭名類聚抄／巻十七 18 オ 3）

▶番号6516a「仙」（仙人）の仮名音注「セン」については、基本的に -en で対応する。当該字
に声点はない。熟字6516「仙人」は右注「赤松［入平／セキシヨウ：右傍］王母［平上］」右注「或
乍僊」を付載する。上述の分析を参照。

　桃子　漢武内伝云西王母桃三千年一生実 西王母者仙人名也 …

　　　　　　　　　　　　　　　　　　　　　　（元和本倭名類聚抄／巻十七 09 ウ 5）

▶番号6057b・6702a「鮮」（白鮮・鮮明）の仮名音注「セン」については、基本的に -en で対
応する。両当該字には平声点を差す。熟字6057「白鮮」は右注「ヒツシクサ」を、熟字6702「鮮
明」は右傍「アサヤカナリ」を付載する。廣韻に拠れば、心母仙/獮/線韻 (sian$^{1/2/3}$) 三音を有する。
観智院本類聚名義抄には同音字注「音仙」と「又上声」を見出す。承暦本金光明最勝王経音義には
同音字注「仙音」があり、その掲出字に平声点を加える。また仮名音注「セ✓」二例も見つける。
それらの掲出字一例に平声点を施す。元和本倭名類聚抄には反切「式連反」がある。日本漢音は上
声、日本呉音「セン」平声を認める。

　鮮 … 音／仙／ヨミス［去平上］… 又上声 イヤシ［平上上］…　（観智院本類聚名義抄／僧下 002-7）

　鮮［平］仙〻／阿坐耶可仁［平平上平□］　　　（承暦本金光明最勝王経音義／03 ウ 1）

　鮮潔［セ✓ケツ：右傍］〔＊後筆朱書〕　　　　（承暦本金光明最勝王経音義／07 オ 2）

　鮮［平］セ✓〔＊後筆墨書〕　　　　　　　　　（承暦本金光明最勝王経音義／07 ウ 5）

　白鮮　陶隱居本草注云白鮮一名羊羶 和名比豆之久佐式連反乍臭也 …

　　　　　　　　　　　　　　　　　　　　　　（元和本倭名類聚抄／巻二十 09 ウ 5）

▶番号6594a「潺」（潺湲）の仮名音注「セン」については、基本的に -en で対応する。当該字
には平声点を差す。熟字6594「潺湲」は右傍「カリ ミツ」を付載する。廣韻に拠れば、仙韻 (dzian^1)
山韻 (dzen^1) 二音を有する。図書寮本類聚名義抄に反切「广云上仕山仕環反」（それぞれの反切下
字に平声点）を見出す。観智院本類聚名義抄に反切「仕糸+厘在山二反」を見つけるが、仮名音注は
ない。日本漢音は平声を認める。

　潺湲 广云上仕山 ［□平］仕環 ［□平］反 水流皃 …　　　（図書寮本類聚名義抄／055-5）

　潺 仕糸+厘在山二反 ナカル／カリミツ サ〻ラナミ　　（観智院本類聚名義抄／法上 007-7）

▶番号6197「燀」（燀）の仮名音注「セン」については、基本的に -en で対応する。当該字に
は平声点を差し、右注「同（ヒカリ）」を付載する。廣韻に拠れば、昌母仙/獮韻（tś'ian$^{1/2}$）章母獮
韻（tśian^2）三音を有する。観智院本類聚名義抄に同音字注「音渾又暉又暈又瑰」を見出すが、仮名
音注はない。

3-5-1　-ia 系の字音的特徴　947

　　　煇暉輝 三正 音/渾又暉又暈/又瑰 ヒカリ［平平平］…　　（観智院本類聚名義抄／佛下末044-2）

　▶番号6511「蟬」（蟬）の仮名音注「セン」については、基本的に -en で対応する。当該字には平声点を差し、右注「セミ 五徳 馬后」左注「市連反」を付載する。観智院本類聚名義抄に同音字注「音禪」を見出すが、仮名音注はない。元和本倭名類聚抄には同音字注「音禪」がある。

　　　蟬 音禪 セミ［上平］　　　　　　　　　　　　　（観智院本類聚名義抄／僧下018-2）

　　　蟬　爾雅集注云蛥蜩 … 此蟬類也五采具謂之蛥蜩小而有文謂之蜱蜩也

　　　　　　　　　　　　　　　　　　　　　　　　　　（元和本倭名類聚抄／巻十九21 ウ 9）

　　　蚱蟬　本草云蚱蟬 作禪二音和名奈波世美　　　（元和本倭名類聚抄／巻十九22 オ 4）

　▶番号6680a「蟬」（蟬冕）の仮名音注「セン」については、基本的に -en で対応する。当該字には上声点を差す。上述の分析を参照。

　▶番号5506「禪」（禪）の仮名音注「セン」については、基本的に -en で対応する。当該字には平声点を差し、左注「市連反」を付載する。観智院本類聚名義抄に反切「時戰反」と平声点を付した同音字注「音蟬」および上昇調と推測する和音「是ン」を見出す。同書の和音に用いる「是」は「ゼ」を示す。日本漢音は平声、日本呉音「ゼン」去声を認める。

　　　禪 時戰反 ユツル［上上濁平］… 音蟬［平］和是ン［□上］　　（観智院本類聚名義抄／法下008-5）

　　　是 コレ／和セ［平濁］　　　　　　　　　　　　（観智院本類聚名義抄／佛中106-1）

　▶番号3360「鱣」（鱣）の仮名音注「ツキン」については、異例 -win を示す。当該字に声点はなく、右注「同（コヒ）」を付載する。観智院本類聚名義抄に平声点を付した同音字注「音天」を見出すが、仮名音注はない。元和本倭名類聚抄には同音字注「音天」がある。日本漢音は平声を認める。

　　　鱣 … 音/天［平］ナマツ／ムナキ［平上上濁］　　（観智院本類聚名義抄／僧下002-5）

　　　魚　文字集略云鱣 音天和名無奈木 黄魚鋭頭口在頸下者也 …

　　　　　　　　　　　　　　　　　　　　　　　　　　（元和本倭名類聚抄／巻十九04 ウ 2）

　▶番号4032a「纏」（纏頭）の仮名音注「テン」については、基本的に -en で対応する。当該字には平声点を差す。上巻の仙韻当該例で分析したように、日本呉音は去声を認める。

　▶番号5830b「然」（而然）の仮名音注「セン」については、基本的に -en で対応する。当該字には平声濁点を差すので、字音「ゼン」を想定する。上巻の仙韻当該諸例で分析したように、日本呉音「ネン」を認める。

　▶番号5146b「然」（欣然）の仮名音注「セン」については、基本的に -en で対応する。当該字には平声点を差す。熟字5146「欣然」は右傍「ヨロコフ」を付載する。上述の分析を参照。

　▶番号然5799b「然」（自然）の仮名音注「セン」については、基本的に -en で対応する。当該字に声点はない。熟字「自然」は右注5799「シセン」左注5800「シネン」を付載する。上述の分析を参照。

948　3．仮名音注の韻母別考察　3-5　ⅢA韻類

▶番号5800b・6477b「然」（自然・黙然）の仮名音注「ネン」については、基本的に *-en* で対応する。両当該字に声点はない。熟字「自然」は右注5799「シセン」左注5800「シネン」を付載する。上述の分析を参照。

▶番号4275a「籩」（籩輿）の仮名音注「ヘン」については、基本的に *-en* で対応する。当該字には平声点を差す。熟字4275「籩輿」は右注「アミイタ」中注「編竹木為輿也」左注「アムタ」を付載する。廣韻に拠れば、幫母仙韻（pjian¹）並母仙韻（bjian¹）二音を有する。観智院本類聚名義抄に平声点を付した同音字注「音鞭」（その右傍に朱筆で仮名音注「ヘン」）と「又去」を見出す。元和本倭名類聚抄には同音字注「音鞭」がある。日本漢音「ヘン」平/去声を認める。

　　　籩 … 音鞭［平／ヘン：朱右傍］又去／竹輿車也 笥也　　　　　（観智院本類聚名義抄／僧上068-8）

　　　籩輿　漢書注云籩輿 上音鞭和名阿美以太 編竹木為輿也　（元和本倭名類聚抄／巻十三17ウ9）

▶番号6223「偏」（偏）の仮名音注「ヘン」については、基本的に *-en* で対応する。当該字に声点はなく、和訓「ヒトリ」の同訓異字として位置する。上巻の仙韻当該諸例で分析したように、日本漢音は平声を認める。

▶番号6323a「便」（便宜）の仮名音注「ヒン」については、異例 *-in* を示す。当該字には平声点を差す。廣韻に拠れば、仙/線韻（bjian¹/³）二音を有する。観智院本類聚名義抄に反切「方連反」（その反切下字に平声点）と「又婢面反」（線韻 biuan³）および上昇調を示す和音「ヘン」（その右傍に墨筆で濁音「✓」表記）と「又平」さらに「又ヒン」〔＊和音か判断保留〕を見出す。日本漢音は平声、日本呉音「ベン」平/去声、字音「ヒン」を認める。

　　　便 方連［□平］反 スナハチ［□平□□］… 又婢面反 和ヘン［平濁上／✓□：墨右傍］又平／又ヒム

　　　　　　　　　　　　　　　　　　　　　　　　　　　　（観智院本類聚名義抄／佛上030-7）

　　　便偄 房連［□平］反 スナハチ［平平平□］… ヒン 又婢面反　（高山寺本三寶類聚名義抄／17オ7）

　　　便偄 房連反 スナハチ … 又婢面反 和ヘン［□ハ：墨右傍］又平 又ヒン

　　　　　　　　　　　　〔＊「ハ」は濁音「✓」表記の誤認〕（西念寺本類聚名義抄／14ウ4）

▶番号5254b「綿」（木綿）の仮名音注「メン」については、基本的に *-en* で対応する。当該字には平声点を差す。熟字5254「木綿」は右注「ユフ」を付載する。上巻の仙韻当該例で分析した。

▶番号6804b「連」（雀連）の仮名音注「レン」については、基本的に *-en* で対応する。当該字には平声点を差す。上巻の仙韻当該諸例で分析したように、日本漢音「レン」平声を認める。

　　　雀連　辨色立成云連雀 唐雀也時々群飛 …　　　　　（元和本倭名類聚抄／巻十八09オ3）

《上巻 獮韻開口諸例》

▶番号2899b「演」（講演）の仮名音注「エン」については、基本的に *-en* で対応する。当該字には平声点を差す。図書寮本類聚名義抄に上声点を付した同音字注「音引」と反切「中云以淺反」

3-5-1 -ia 系の字音的特徴 949

（その反切下字に上声点）を見出す。観智院本には同音字注「音引」および墨点による低平調を示す和音「エン」を見つける。日本漢音は上声、日本呉音「エン」平声を認める。

演 音引［上］中云以淺［□上］反 … ヒク［上平／選：右注］　　　（図書寮本類聚名義抄／043-5）

演 音引 ノフ［平上濁］ヒク［上平］… 和エン［平平：墨点］　　（観智院本類聚名義抄／法上 029-7）

▶番号1537「挙」（搴）の仮名音注「ケン」については、基本的に -en で対応する。当該字には平声点を差し、和訓「トル」の同訓異字として位置する。観智院本類聚名義抄に上声点を付した同音字注「音甐」と反切「丘言反」を見出すが、仮名音注はない。日本漢音は上声を認める。

挙 音甐［上］ヌク［上平］／サヽク［平上□］トル［平上］　　（観智院本類聚名義抄／佛下本 046-1）

挙 音同〔＊丘言反〕トル … ヌキツ［上平上濁］　　　　（観智院本類聚名義抄／法下 047-5）

▶番号0879b「遺」（發遺）の仮名音注「ケム」については、異例 -em を示す。当該字には平声点を差す。その中古音が示す末子音の舌内撥音韻尾 -n を「ム」で対応する。観智院本類聚名義抄に反切「去闚反」（その反切下字に上声点）および和音「ケン」を見出す。日本漢音は上声、日本呉音「ケン」を認める。

遺 去闚［□上］反 ヤル［上平］… 和ケン　　　　　　（観智院本類聚名義抄／佛上 056-6）

▶番号2601「癬」（癬）の仮名音注「セン」については、基本的に -en で対応する。当該字には平声点を差し、右注「カサ」を付載する。観智院本類聚名義抄に平声点と上声点を付した同音字注「音淺」と低平調を示す仮名音注「俗セン［平濁平］」（その右傍に墨筆で「□ニ」）を見出す。前者の平声点には疑義が残る。後者は字音に由来する和訓「ゼニ」をも示すが、その頭子音 s- （等韻学の術語で言う歯音清心母）から考えて、濁声点には疑義が残る。元和本倭名類聚抄には注記「音淺俗云錢加佐」がある。日本漢音は上声を認める。定着久しい字音「ゼン」平声は保留する。

癬 音淺［平・上］俗 センカサ［平濁平上濁平／□ニ□□：墨右傍］

（観智院本類聚名義抄／法下 119-5）

癬　説文云癬 音淺俗云錢加佐 乾瘍也　　　　（元和本倭名類聚抄／巻三 26 ウ 1）

▶番号1343a「辨」（辨濟）の仮名音注「ヘン」については、基本的に -en で対応する。当該字には平声濁点を差すので、字音「ベン」を想定する。廣韻に拠れば、獮韻（bian²）襉韻（ben³）二音を有する。観智院本類聚名義抄に反切「皮免反」（その反切下字に上声点）「頻編反」および墨点による上昇調を示す「和云ヘム［平濁上］」を見出す。長承本蒙求には仮名音注「へゝ」二例があり、それらの掲出字に上声点と去声圏点また東声点〔＊頭子音が濁声母ゆゑ疑義を残す〕を加える。日本漢音「ヘン」上/去声、日本呉音「ベン」去声を認める。

辧辨 皮免［□上］反 説也 慧也／利也 今正　　　（観智院本類聚名義抄／僧下 065-7）

辨 … ワキマウ［平平上平］和云ヘム［平濁上：墨点］　　（観智院本類聚名義抄／僧下 065-7）

辨辯 音辯 具也 判也 マ亅 … 正今　　　　　　（観智院本類聚名義抄／僧下 065-8）

辨 頻編反／憂也 急也　　　　　　　　　　　（観智院本類聚名義抄／僧下 066-1）

950　3．仮名音注の韻母別考察　3-5　ⅢA韻類

　　　辨［上／去：圏点］ヘ〉　　　　　　　　　　　　　　　　　　　（長承本蒙求／020）

　　　辨［東］ヘ〉〔＊東声点は疑義を残す〕　　　　　　　　　　　（長承本蒙求／118）

▶番号1373a・1375a・1376a・1377a・1384a・1386a・1387a「弁」（弁才・弁説・弁定・弁
決・弁備・弁進・弁補）の仮名音注「ヘン」については、基本的に -en で対応する。当該諸字七例
には平声濁点を差すので、字音「ベン」を想定する。上述の分析を参照。

▶番号1411「辨」（辨）の仮名音注「ヘン」については、基本的に -en で対応する。当該字に
声点はなく、左右注「ヘン 在七人／有左右大中小権」を付載する。上述の分析を参照。

　　　大辨　職貟令云左右大辨 於保乃於保止毛比　　　　（元和本倭名類聚抄／巻五02 オ5）

　　　中辨　職貟令云左右中辨 奈加乃於保止毛比　　　　（元和本倭名類聚抄／巻五02 オ6）

　　　小辨　職貟令云左右小辨 須奈於於保止毛比　　　　（元和本倭名類聚抄／巻五02 オ7）

▶番号1413a「弁」（弁濟使）の仮名音注「ヘン」については、基本的に -en で対応する。当該
字に声点はない。上述の分析を参照。

▶番号0354b「辨」（貟辨）の仮名音注「ヘ［平濁］」については、異例 -e を示す。当該字に
声点はない。伊篇国郡部「伊勢」の右注に含まれる。上述の分析を参照。

　　　伊勢　國府在鈴鹿郡 … 桑名 久波奈 貟辨 爲奈倍 …　　（元和本倭名類聚抄／巻五12 オ5）

▶番号1341a・1374a・2681「冕」（冕旒・冕淩・冕）の仮名音注「ヘン」については、基本的
に -en で対応する。当該諸字三例には上声濁点を差すので、字音「ベン」を想定する。番号2681
「冕」は右注「同（カウフリ）」左注「玉冕」を付載する。その中古音が示す頭子音 m-（等韻学の
術語で言う明母）は両唇鼻音であり、日本語のマ行音をもって受容するが、中国語音韻史上におけ
る鼻音声母の非鼻音化（denasalization）を反映する場合はバ行音で対応する。観智院本類聚名義
抄に同音字注「音讒」を見出す。長承本蒙求には仮名音注「ヘイ」（平安時代中期と推定する古い
朱筆）「ヘ〉」（長承三年点）があり、その掲出字に上声点を加える。元和本倭名類聚抄には同音
字注「音免」を見つける。日本漢音「ヘン」上声を認める。

　　　免冕冕黿 俗／或／正 音讒／狡免　　　　　　　　（観智院本類聚名義抄／佛下末014-8）

　　　冕［上］ヘイ／ヘ〉　　　　　　　　　　　　　　　　　　　（長承本蒙求／064）

　　　冕　續漢書興服志云冕 音免和名玉乃冠 冠之前後垂旒者也

　　　　　　　　　　　　　　　　　　　　　　　　　　（元和本倭名類聚抄／巻十二 17 ウ3）

▶番号0829b「免」（放免）の仮名音注「メン」については、基本的に -en で対応する。当該字
には上声点を差す。熟字0829「放免」は左注「俗云ハウメン」を付載する。観智院本類聚名義抄に
反切「靡蹇反」および低平調と推測する和音「メン」を見出す。長承本蒙求には仮名音注「ハ〉」
（平安時代中期と推定する古い朱筆）と「ヘ〉・ヘ✓」（長承三年点）があり、それらの掲出字に
上声点と上声加濁点を加える。日本漢音「ベン」上声、日本呉音「メン」平声を認める。

　　　免 或絵字 音間 祖免／凶服　　　　　　　　　　（観智院本類聚名義抄／佛下末015-2）

3-5-1 -ia 系の字音的特徴　951

免 麋蹇反 マヌカル［平平平平］和メン［平□］ノカル　　　（観智院本類聚名義抄／佛下末016-3）

免 ［上］へゝ　　　　　　　　　　　　　　　　　　　　　　　（長承本蒙求／090）

免 ［上／上：加濁］ハゝ・へ✓　　　　　　　　　　　　　　　（長承本蒙求／149）

▶番号0298b「免」（優免）の仮名音注「メン」については、基本的に -en で対応する。当該字には平声点を差す。上述の分析を参照。

▶番号0949「鮸」（鮸）の仮名音注「メン」については、基本的に -en で対応する。当該字に声点はなく、右注「ニヘ」左注「又クチ」を付載する。観智院本類聚名義抄に反切「湯故反」を見出すが、仮名音注はない。元和本倭名類聚抄には同音字注「音免」がある。

鮸 湯故反　　　　　　　　　　　　　　　　　　　　（観智院本類聚名義抄／僧下011-3）

鮸 唐韻云鮸 音免辨色立成云仁倍一云久智 魚名也　　　　（元和本倭名類聚抄／巻十九07ウ8）

▶番号1257「輦」（鳳輦）の仮名音注「レン」については、基本的に -en で対応する。当該字には上声点を差す。熟字 1257「鳳輦」は左注「皇輿也」を付載する。観智院本類聚名義抄に反切「力展反」および低平調と推測する和音「レン」を見出す。長承本蒙求には仮名音注「レイ」（平安時代中期と推定する古い朱筆）「レン」（長承三年点）がある。元和本倭名類聚抄には反切「力展反」がある。日本漢音「レン」日本呉音「レン」平声を認める

輦 力展反 テクルマ［平平濁上平］…和レン［□平］　　　（観智院本類聚名義抄／僧中084-3）

輦 レイ／レン　　　　　　　　　　　　　　　　　　　　　（長承本蒙求／064）

輦 周禮注云后居宮中縱容所乘謂之輦 力展反和名大久流萬 …

（元和本倭名類聚抄／巻十一06オ4）

《下巻 獮韻開口諸例》

▶番号4194「蹇」（蹇）の仮名音注「ケン」については、基本的に -en で対応する。当該字には上声点を差し、右注「アシナヘク」左注「アシナヘ」を付載する。図書寮本類聚名義抄に同音字注「音犬」および「公云音犬」さらに低平調を示す仮名音注「真云ケン」を見出す。観智院本類聚名義抄に平声点を付した同音字注「音犬」および「呉音犬」を見出す。この呉音注は大般若経字抄による漢呉二音相同の同音字注「犬」の引用である。長承本蒙求には仮名音注「ケゝ」があり、その掲出字に上声点を加える。元和本倭名類聚抄には同音字注「音犬」を見つける。日本漢音「ケン」上声、日本呉音「ケン」平声を認める。

跋蹇 … 下川云音犬 訓阿之奈閇［平平平平］… 公云音犬 …　　（図書寮本類聚名義抄／103-7）

偃蹇 東云偃蹇威儀皃 … 真云ケン［平平］　　　　　　　　（図書寮本類聚名義抄／104-2）

蹇 音犬［平］アシナヘ［平平平平］此間云 ナヘク［平平平濁］… 呉一犬

〔＊「犬」平声点は存疑〕（観智院本類聚名義抄／法上073-7）

952　3．仮名音注の韻母別考察　3-5　ⅢA韻類

　　　　塞［上］見？／ケ〻　　　　　　　　　　　　　　　　　　　　（長承本蒙求／071）

　　　　塞［犬：右傍］　　　　　　　　　　　　　（石山寺一切経蔵本大般若経字抄／26 ウ 5）

　　　　塞　説文云塞 音犬訓阿之奈開此間云那那久 行不正也　　　　（元和本倭名類聚抄／巻三 21 オ 6）

　▶番号 5149b「譣」（議譣）の仮名音注「ケム」については、異例 -em を示す。当該字には上
声濁点を差すので、字音「ゲム」を想定する。廣韻に拠れば、獼韻（ŋian²）薛韻（ŋiat）二音を有
する。当該字の仮名音注は前者の舌内撥音韻尾 -n を「ム」で対応する。観智院本類聚名義抄に反
切「奐列反」を見出すが、仮名音注はない。

　　　　譣　或歟字／奐列反　　　　　　　　　　　　　　　　　（観智院本類聚名義抄／法上 068-7）

　▶番号 6523「癬」（癬）の仮名音注「セン」については、基本的に -en で対応する。当該字に
は上声点を差し、右注「セニカサ」中注「センカサ」左注「息浅反」を付載する。上巻の獼韻当該
例で分析したように、日本漢音は上声を認める。定着久しい字音「ゼン」平声は保留する。

　▶番号 6439「剪」（剪）の仮名音注「セン」については、基本的に -en で対応する。当該字に
は上声点を差す。観智院本類聚名義抄に反切「即踐反」を見出すが、仮名音注はない。元和本倭名
類聚抄に反切「即浅反」がある。

　　　　剪　即踐反 キル［平上］ ワル［上平］ スツ［上平］ …　　　（観智院本類聚名義抄／僧上 094-2）

　　　　剪刀　楊氏漢語鈔云剪刀 剪音即浅反俗云毛乃多知加太奈 …

　　　　　　　　　　　　　　　　　　　　　　　　　　　　　（元和本倭名類聚抄／巻十四 09 オ 8）

　▶番号 6611a「踐」（踐袸）の仮名音注「セン」については、基本的に -en で対応する。当該字
には平声点を差す。図書寮本類聚名義抄に同音字注「弘云音餞」および同音字注「公云音淺・真云
仙音」を見出す。観智院本には同音字注「音餞」および平声点を付した同音字注「呉音淺」を見つ
ける。この呉音注は大般若経字抄による漢呉二音相同の同音字注「音浅」を出典とする。長承本蒙
求には仮名音注「セ〻」があり、その掲出字に上声点を加える。承暦本金光明最勝王経音義には同
音字注「仙音」があり、その掲出字には平声点を施す。日本漢音「セン」上声、日本呉音は平声を
認める。また日本呉音「セン」の蓋然性が高い。

　　　　踐　音餞 弘云訓剪反 … 公云音淺 フム 真云仙音　　　　　（図書寮本類聚名義抄／108-2）

　　　　踐　音餞 フム［上平］ 呉音淺［平］ … ハタシ［平上□］　　（観智院本類聚名義抄／法上 088-5）

　　　　踐　音餞 フム［上平］ … ハタシ［平去濁□］ 呉、淺［平］　　（天理大学本最勝王経音義／06 ウ 3）

　　　　踐［上］セ〻　　　　　　　　　　　　　　　　　　　　　（長承本蒙求／107）

　　　　踐［平］仙〻　　　　　　　　　　　　　　　（承暦本金光明最勝王経音義／06 ウ 2）

　　　　仙［平］セ〻 善［平濁］是〻 …　　　　　　　（承暦本金光明最勝王経音義／02 ウ 1）

　　　　踐［音浅：右傍］フム　　　　　　　　（石山寺一切経蔵本大般若経字抄／14 オ 3）

　　　　踐［音浅：右傍］　　　　　　　　　　（石山寺一切経蔵本大般若経字抄／21 ウ 2）

　▶番号 6708a「餞」（餞別）の仮名音注「セン」については、基本的に -en で対応する。当該字

3-5-1　-ia 系の字音的特徴　953

には上声点を差す。廣韻に拠れば、獮/線韻 (dʑian²³) 二音を有する。熟字6708「餞別」は右傍「メマノハナフケ」を付載する。観智院本類聚名義抄に上声点を付した同音字注「音踐」と「又去」を見出すが、仮名音注はない。日本漢音は上/去声を認める。

　　餞　音踐［上］物クル［上上□］／又去 ムマノハナムアケ …　　　（観智院本類聚名義抄／僧上107-2）

　▶番号 6528「餞」（餞）の仮名音注「セン［上平］」については、基本的に -en で対応する。当該字に声点はなく、その仮名音注に東声相当である下降調の差声を施すが、疑義を残す。その中古音が示す頭子音 dz-（等韻学の術語で言う従母）は歯音濁声母であり、清・次清声母に対応する東声を許容できない。右注「慈湎才綿二反」左注「酒食送人也」を付載する。上述の分析を参照。

　▶番号 5117b「饌」（饗饌）の仮名音注「セン」については、基本的に -en で対応する。当該字には平声点を差す。廣韻に拠れば、獮韻 (dʑian²) 潸韻 (dʐuan²) 二音を有するが、後者は王仁昫を始め切韻系韻書になく、廣韻の増補字である。その中古音が示す頭子音 dʐ-（等韻学の術語で言う歯音濁崇母）は有声反り舌破擦音であり、日本語のザ行をもって受容するが、中国語音韻史上における濁音声母の無声化を反映する場合はサ行音で対応する。観智院本類聚名義抄に同音字注「纂・音饌」反切「又従旦反」を見出すが、仮名音注はない。

　　饌　術也定也持也 士兔切五 …　　　　　　　　　　　　　　　（宋本廣韻／崇母獮韻 dʑian²）

　　饌　撰術 雛睆切二 饌 盤饌　　　　　　　　　　　　　　　　（宋本廣韻／崇母潸韻 dʐuan²）

　　撰 … 纂 又従旦／反 音撰 又遶／遶定 エラフ［平上□］ …　（観智院本類聚名義抄／佛下本076-1）

　▶番号 6636a「撰」（撰擇）の仮名音注「セン」については、基本的に -en で対応する。当該字に声点はない。上述の分析を参照。

　▶番号 5574b「善」（進善）の仮名音注「セン」については、基本的に -en で対応する。当該字には平声点を差す。熟字5574「進善」は「幡名也」を付載する。観智院本類聚名義抄に反切「是闞反・常演反」および低平調と推測する和音「是ン」を見出す。同書の和音に用いる「是」は字音「ゼ」濁音を示す。長承本蒙求には仮名音注「セ丶」と上声点を付した掲出字「善」がある。承暦本金光明最勝王経音義には「是丶」があり、その掲出字に平声濁点を加える。日本漢音「セン」上声、日本呉音「ゼン」平声を認める。

　　善 是闞反 ヨシ／ヨミス［去平平］ホム 和是ン［□平］　（観智院本類聚名義抄／佛中056-4）

　　是 コレ／和セ［平濁］　　　　　　　　　　　　　　　（観智院本類聚名義抄／佛中106-1）

　　善 ヨシ［平平］　　　　　　　　　　　　　　　　　　（観智院本類聚名義抄／佛下末029-5）

　　善善藹 今篆正 常演反　　　　　　　　　　　　　　　（観智院本類聚名義抄／僧中095-1）

　　善［上］　　　　　　　　　　　　　　　　　　　　　　（長承本蒙求／040）

　　善〔＊左上隅欠〕セ丶　　　　　　　　　　　　　　　　（長承本蒙求／095）

　　仙［平］セ丶 善［平濁］是丶 …　　　　　　　　（承暦本金光明最勝王経音義／02ウ1）

　▶番号 5814b「善」（積善）の仮名音注「セン」については、基本的に -en で対応する。当該字

954　3．仮名音注の韻母別考察　3-5　ⅢA韻類

に声点はない。上述の分析を参照。

　▶番号6286b「俛」（僷俛）の仮名音注「ハン」については、異例 -an を示す。当該字には上声点を差す。同じ諸声符を持つ「俛・挽・晩」などからの類推字音か。あるいは仮名字形の相似による「ヘン」の誤認か。熟字6286「僷俛」は右注「仕官」右傍「ツトム」を付載する。観智院本類聚名義抄に同音字注「音免」を見出すが、仮名音注はない。

　　　　俛　音免 フス［平上］ウツフス ツトム … アク　　　　　　（観智院本類聚名義抄／佛上010-5）

　▶番号6680b「冕」（蟬冕）の仮名音注「ヘン」については、基本的に -en で対応する。当該字には上声濁点を差すので、字音「ベン」を想定する。上巻の獮韻当該諸例で分析したように、日本漢音「ベン」上声を認める。

　▶番号5787b「免」（赦免）の仮名音注「メン」については、基本的に -en で対応する。当該字には去声点を差す。上巻の獮韻当該諸例で分析したように、日本漢音「ベン」上声、日本呉音「メン」平声を認める。

《上巻 線韻開口諸例》

　▶番号0184c「箭」（平題箭）の仮名音注「セン」については、基本的に -en で対応する。当該字には去声点を差す。熟字0184「平題箭」は右注「イタツキ」を付載する。観智院本類聚名義抄に反切「子賤反」および和音「是ン」を見出す。同書の和音に用いる「是」は字音「ゼ」濁音を示す。日本呉音「ゼン」を認める。

　　　　箭 … 子賤反 ヤ［平］／和是ン　　　　　　　　　　　（観智院本類聚名義抄／僧上069-7）
　　　　是 コレ／和セ［平濁］　　　　　　　　　　　　　　　（観智院本類聚名義抄／佛中106-1）
　　　　平題箭　楊雄方言云鏃不銳者謂之平題 和名以太都岐 …

　　　　　　　　　　　　　　　　　　　　　　　　　　　　　（元和本倭名類聚抄／巻十三14 オ9）

　▶番号2480b「箭」（赤箭）の仮名音注「セン」については、基本的に -en で対応する。当該字に声点はない。熟字2480「赤箭」は右注「カミノヤカラ」左注「又ヲト丶丶シ」を付載する。上述の分析を参照。

　　　　赤箭　蘇敬本草注云赤箭 和名乎止乎止之一云加美乃夜加良 …

　　　　　　　　　　　　　　　　　　　　　　　　　　　　　（元和本倭名類聚抄／巻二十04 オ1）

　▶番号1360b「賤」（蔑賤）の仮名音注「セン」については、基本的に -en で対応する。当該字には平声点を差す。観智院本類聚名義抄に同音字注「音餞」および「和仙」を見出す。長承本蒙求には仮名音注「サ丶」（長承三年点／存疑）「セ✓」（長承三年点とは別筆ながら同時期の墨点）があり、その掲出字に去声点を加える。承暦本金光明最勝王経音義には掲出字「仙」に対して仮名音注「セ丶」を見つける。日本漢音「セン」去声を認める。日本呉音「セン」の蓋然性が高い。

賤 イヤシ／ミシカシ　　　　　　　　　　　　　　　（観智院本類聚名義抄／佛下本 020-1）

賎 音餞 イヤシ／ヤスシ 和仙　　　　　　　　　　　（観智院本類聚名義抄／佛下本 020-2）

賤 ［去］サ丶／セ✓〔＊長承三年点と別筆〕　　　　　　（長承本蒙求／061）

仙 ［平］セ丶 善 ［平濁］是丶 …　　　　　　　　　　（承暦本金光明最勝王経音義／02 ウ 1）

▶番号 0122「賎」（賤）の仮名音注「セン」については、基本的に -en で対応する。当該字に声点はなく、右注「イヤシ」を付載する。上述の分析を参照。

▶番号 0170「線」（綫）の仮名音注「セン」については、基本的に -en で対応する。当該字に声点はなく、右注「イトスシ」左注「又作綫」を付載する。図書寮本類聚名義抄に反切「私賤反」を見出す。観智院本には反切「息箭反・私前反」を見つける。承暦本金光明最勝王経音義には同音字注「仙音」があり、その掲出字に平声点を加える。また仮名音注「セ✓」を見つける。日本呉音「セン」平声を認める。

　　線 广云今綫／私賤反 … 　線綫 千云並／正　　　　　（図書寮本類聚名義抄／291-5）

　　線 古 息箭反／イト／ヌヌキヌ イトヨル　綫 正／イトスシ　（観智院本類聚名義抄／法中 115-1）

　　綫 私前反 縷 線 古 又ヒキヌ／イトヨル　　　　　　（観智院本類聚名義抄／法中 120-4）

　　線 ［平］仙彡／糸也　　　　　　　　　　　　　　　（承暦本金光明最勝王経音義／08 オ 2）

　　線 ［セ✓：右傍〕〔＊後筆墨書〕　　　　　　　　　（承暦本金光明最勝王経音義／08 ウ 2）

▶番号 3031b「戰」（合戰）の仮名音注「セン」については、基本的に -en で対応する。当該字には去声点を差す。観智院本類聚名義抄に反切「之繕反」および和音「セン」を見出す。承暦本金光明最勝王経音義には同音字注「仙」があり、その掲出字に平声点を加える。日本呉音「セン」平声を認める。

　　戰 之繕反 タ丶カフ ［平平上平］ …　　　　　　　（観智院本類聚名義抄／僧中 039-3）

　　戰 〔＊部首字形「戋」〕今正／和セン　　　　　　　（観智院本類聚名義抄／僧中 039-3）

　　戰 ［平］仙　　　　　　　　　　　　　　　　　　（承暦本金光明最勝王経音義／07 ウ 2）

▶番号 3170b「膳」（奉膳）の仮名音注「セン」については、基本的に -en で対応する。当該字には平声濁点を差すので、字音「ゼン」を想定する。その中古音が示す頭子音 ź-（等韻学の術語で言う歯音濁常母）は有声後部歯茎摩擦音であり、日本語のザ行音をもって受容するが、中国語音韻史上における濁音声母の無声化を反映する場合はサ行音で対応する。熟字 3170「奉膳」は左右注「同（カミ）用内／膳司」を付載する。観智院本類聚名義抄に去声点を付した同音字注「音善」を見出すが、仮名音注はない。日本漢音は去声を認める。

　　膳 音善 ［去］ソナフ ［平平上］ カシハテ ［上上上上］ …　（観智院本類聚名義抄／佛中 134-6）

　　長官　本朝職貟令二方品員等所載 … 内膳司曰奉膳 今案令有奉膳二人後停奉膳一人爲正 …

　　　　　　　　　　　　　　　　　　　　　　　　（元和本倭名類聚抄／巻五 03 オ 6）

▶番号 1910b「膳」（珎膳）の仮名音注「セン」については、基本的に -en で対応する。当該字

956   3．仮名音注の韻母別考察   3-5   ⅢA韻類

には平声点を差す。上述の分析を参照。

　▶番号1391a「變」（變改）の仮名音注「ヘン」については、基本的に *-en* で対応する。当該字には去声点を差す。観智院本類聚名義抄に反切「碑媛反」および低平調と推測する和音「ヘン」を見出す。日本呉音「ヘン」平声を認める。

　　　　變 … 碑媛反 カヘル … カハル 和ヘン［□平］　　　　　　　（観智院本類聚名義抄／僧中 059-6）

　▶番号1402a「變」（變化）の仮名音注「ハン」については、異例 *-an* を示す。当該字には平声点を差す。仮名字形の近似による仮名音注「ヘン」の誤認と推測する。上述の分析を参照。

　▶番号1318・1322a・1322b「變」（變・變〻・變〻）の仮名音注「ヘン」については、基本的に *-en* で対応する。当該諸字三例に声点はない。番号1318「變」は右傍「ヘンス」サ変動詞を付載する。熟字1322「變〻」は邊篇重點部に属する。上述の分析を参照。

　▶番号1389a「遍」（遍滿）の仮名音注「ヘン」については、基本的に *-en* で対応する。当該字には平声点を差す。熟字1389「遍滿」は右傍「アマネキ」を付載する。観智院本類聚名義抄に反切「布昞反」（その反切下字に去声点）および和音「ヘム」を見出す。日本漢音は去声、日本呉音「ヘン」を認める。

　　　　遍 布昞［□去］反 アマネシ … 徧［正：墨右注］ユク 和ヘム　（観智院本類聚名義抄／佛上 058-5）

　▶番号1364a・1366a・1407a「抃」（抃感・抃躍・抃悦）の仮名音注「ヘン」については、基本的に *-en* で対応する。当該諸字三例には去声点を差す。観智院本類聚名義抄に去声濁点を付した同音字注「音弁」を見出すが、仮名音注はない。日本漢音は去声を認める。

　　　　抃 音弁［去濁］モテアソフ … テウチマフ［平平上上平］　（観智院本類聚名義抄／佛下本 049-2）

　▶番号1381a「抃」（抃帳）の仮名音注「ヘン」については、基本的に *-en* で対応する。当該字には平声点を差す。上述の分析を参照。

　▶番号1365a「抃」（抃喜）の仮名音注「ヘン」については、基本的に *-en* で対応する。当該字に声点はない。上述の分析を参照。

《下巻 線韻開口諸例》

　▶番号5433b「線」（繍線綾）の仮名音注「セン」については、基本的に *-en* で対応する。当該字には去声点を差す。上巻の線韻当該例で分析したように、日本呉音「セン」平声を認める。

　▶番号6546a「線」（線鞋）の仮名音注「セン」については、基本的に *-en* で対応する。当該字に声点はない。熟字6546「線鞋」は左右注「センカイノ／クツ」を付載する。上述の分析を参照。

　▶番号4041b「膳」（典膳）の仮名音注「セン」については、基本的に *-en* で対応する。当該字に声点はない。熟字4041「典膳」は左注「在内膳司」を付載する。上巻の獮韻当該諸例で分析したように、日本漢音は去声点を認める。

判官　本朝職員令二方品員等所載 … 内膳曰典膳 …　　（元和本倭名類聚抄／巻五04 オ4）

▶番号6412「嬗」（嬗）の仮名音注「セン」については、基本的に -en で対応する。当該字には平声点を差し、右注「モヌク［平上上］」左注「變化反」を付載する。廣韻に拠れば、線韻（źian³）寒韻（tʻɑn¹）旱韻（tɑn²）三音を有する。観智院本類聚名義抄に反切「他亶反」（その右傍に朱筆で仮名音注「タン」）「又他爰反」（その右傍に朱筆で仮名音注「ヱン」）と平声点を付した同音字注「又禅」を見出す。日本漢音「タン」を認める。また日本漢音は平声を認める。

　　嬗 他亶［タン：朱右傍］反 又他爰［ヱン：朱右傍］又禅［平］音 …

　　　モヌク［平平上／□□ケ：墨右傍］…　　　　　　　（観智院本類聚名義抄／佛中017-6）

《上巻 薛韻開口諸例》

▶番号3214「孼」（孽）の仮名音注「ケツ」については、基本的に -et で対応する。当該字には入声濁点を差すので、字音「ゲツ」を想定する。また右注「ヨネノモヤシ」を付載する。当該字「孼」は「庶子・わざわい」などの意味を有する。当該字「孼」は同音の「糱」（下部字形「米」／もやし・麴）と混同を起こしている。観智院本類聚名義抄に反切「奠列反」を見出すが、仮名音注はない。同書で「糱」を再検索すると、入声点を付した反切「奠竭反」を見つける。元和本倭名類聚抄は「糱」を掲げ、反切「魚列反」和訓「和名與禰乃毛夜之」がある。

　　孼 … 說文曰庶子也 魚列反十二 糱 麴糱說文曰牙米也　　（宋本廣韻／疑母薛韻 ŋiat）

　　孼孼 奠列反　　　　　　　　　　　　　　　　（観智院本類聚名義抄／法下139-3）

　　糱 奠竭［平濁入］反 モヤシ ヨネノモヤシ［□□上平上上］　（観智院本類聚名義抄／法下035-2）

　　糱 奠竭反 モヤシ　　　　　　　　　　　　　（観智院本類聚名義抄／僧上009-7）

　　糱 說文云糱 魚列反和名與禰乃毛夜之 牙米也 …　（元和本倭名類聚抄／巻十六16 オ2）

▶番号2383b「哲」（往哲）の仮名音注「テツ」については、基本的に -et で対応する。当該字には入声点を差す。観智院本類聚名義抄に反切「知列反」（その反切下字に入声点）と反切「陟列反」を見出すが、仮名音注はない。日本漢音は入声を認める。

　　哲 知列［□入］反 或喆字　　　　　　　　　（観智院本類聚名義抄／佛中050-5）

　　喆矗 正古 陟列反 サカシ … 哲［或：墨右注］　（観智院本類聚名義抄／僧下124-4）

▶番号2548「龞」（鼈）の仮名音注「ヘツ」については、基本的に -et で対応する。当該字には入声点を差し、右注「カハカメ」左注「俗乍鱉」を付載する。観智院本類聚名義抄に反切「并列反」および和音「ヘイ」〔＊「ヘチ」の誤認〕を見出す。長承本蒙求には同音字注「別反」二例と仮名音注「ヘチ」二例があり、その掲出字に徳声点を加える。同書の音注は平安時代院政初期である長承三年（1134）に加点された墨筆（例示で両音形ある場合は右側）を中心とするが、平安時代中期と推定する古い朱筆（両音形ある場合は左側）の加点もある。石山寺一切経蔵本大般若経字抄には漢呉

958　3．仮名音注の韻母別考察　3-5　ⅢA韻類

二音相同の同音字注「別」を見つける。元和本倭名類聚抄には反切「并列反」がある。日本漢音は徳声（四声体系では入声）日本呉音「ヘチ」を認める。

　　　鼈鼊 … 鼈鼊二或 并列反／カハカメ ウミカメ 和ヘイ　　　　　（観智院本類聚名義抄／僧下 047-2）

　　　鼊 ［徳］別列反／ヘチ〔＊呉音形の混入か〕　　　　　　　　　（長承本蒙求／023・051）

　　　鼊 ［別：右傍］龜属也　　　　　　　　　（石山寺一切経蔵本大般若経字抄／26 オ5）

　　　鼊 本草云鼊 唐韻并列反魚鼈字或作鼊和名加波加米　　　（元和本倭名類聚抄／巻十九 11 オ3）

　▶番号3130b「別」（合別）の仮名音注「ヘチ」については、基本的に -et で対応する。当該字に声点はない。廣韻に拠れば、薜韻（biat・piat）二音を有する。図書寮本類聚名義抄に反切「兵列反」（その反切下字に徳声点）を見出す。観智院本には反切「補徹反」および和音「ヘチ」（その右傍に墨書で濁音「✓」表記）を見出す。日本漢音は徳声（四声体系では入声）日本呉音「ベチ」を認める。

　　　記別 … 下兵列 ［□徳］反 …　　　　　　　　　　　　　　　（図書寮本類聚名義抄／072-1）

　　　別別 … 補徹反 … ワク ［平上］和ヘチ ［✓□：墨右傍］　　（観智院本類聚名義抄／僧上 092-7）

　▶番号1332a・1362a・2071b「別」（別業・別離・離別）の仮名音注「ヘツ」については、基本的に -et で対応する。当該諸字三例には入声点を差す。上述の分析を参照。

　▶番号1412a「別」（別當）の仮名音注「ヘツ」については、基本的に -et で対応する。当該字に声点はない。熟字1412「別當」は左右注「ヘツタウ 在檢非違使／并蔵人所等」を付載する。上述の分析を参照。

　▶番号1610b「滅」（頓滅）の仮名音注「メツ」については、基本的に -et で対応する。当該字には入声点を差す。観智院本類聚名義抄に反切「亡列反」および低平調を示す和音「メチ」を見出す。日本呉音「メチ」入声を認める。

　　　滅 亡列反 ホロフ ［上上□］… 和メチ ［平平］　　　　　（観智院本類聚名義抄／法上 043-6）

　▶番号0994b「滅」（入滅）の仮名音注「メツ」については、基本的に -et で対応する。当該字に声点はない。熟字0994「入滅」は左注「僧死也」を付載する。上述の分析を参照。

　　　入滅 シヌ ［上平］　　　　　　　　　　　　　　　　　（観智院本類聚名義抄／法上 043-6）

　▶番号0838b・1804b「裂」（破裂・地裂）の仮名音注「レツ」については、基本的に -et で対応する。両当該字には入声点を差す。その中古音が示す頭子音 l-（等韻学の術語で言う半舌音清濁来母）であるから、六声体系による声調は徳声を示す。熟字0838「破裂」は右傍「ヤフレ サク」を、熟字1804「地裂」は右傍「サクルナリ」を付載する。観智院本類聚名義抄に徳声点を付した同音字注「音列」と去声点を付した「又音例」を見出すが、仮名音注はない。図書寮本類聚名義抄に徳声点を付した同音字注「音列」と去声点を付した同音字注「又音例」を見出す。観智院本には徳声点を付した同音字注「音列」と去声点を付した同音字注「又音例」を見つけるが、仮名音注はない。承暦本金光明最勝王経音義には同音字注「劣音」があり、その掲出字に入声点を加える。日本

漢音は徳声（四声体系では入声）日本呉音は入声を認める。

　　裂 東云音列［徳］玉云破裂也 … 又音例［去］　　　　　　　（図書寮本類聚名義抄／336-4）

　　裂 音列［徳］サク［平上］… 又音例［去］　　　　　　　（観智院本類聚名義抄／法中149-5）

　　裂［入］劣彡/佐久［平上］　　　　　　　　　　　　　　（承暦本金光明最勝王経音義／08 ウ1）

　▶番号2572a「列」（列卒）の仮名音注「レツ」については、基本的に -et で対応する。当該字には入声点を差す。熟字2572「列卒」は右注「カリコ」を付載する。観智院本類聚名義抄に徳声点を付した同音字注「音烈」を見出す。また、入声墨点を差すようにも見えるが、墨点の字形「丶」ではなく、墨を落とした滲みによる丸点と判断する。仮名音注はない。観智院本類聚名義抄に徳声点を付した同音字注「音烈」を見出す。承暦本金光明最勝王経音義に仮名音注「レツ」がある。日本漢音は徳声（四声体系では入声）日本呉音「レツ」を認める。

　　列 ツラヌ［上上□/□□ナル］　　　　　　　　　　　（観智院本類聚名義抄／法下133-3）

　　列 音烈［徳/入：墨点?］ツラヌ［上上□/□□ナル］…　　（観智院本類聚名義抄／僧上094-5）

　　列［レツ：右傍］〔＊後筆墨書〕　　　　　　　　　　（承暦本金光明最勝王経音義／10 ウ1）

　　列卒　文選云列卒満山 和名加利古　　　　　　　　　（元和本倭名類聚抄／巻二11 ウ1）

《下巻 薛韻開口諸例》

　▶番号3860b「傑」（英傑）の仮名音注「ケツ」については、基本的に -et で対応する。当該字には入声点を差す。観智院本類聚名義抄に同音字注「音揭」を見出すが、仮名音注はない。石山寺一切経蔵本大般若経字抄には漢呉二音相同の同音字注「音揭」がある。

　　傑 … 音揭 獨立也 英俊也 智出住人也 スクル … イチシルシ　（観智院本類聚名義抄／佛上016-7）

　　傑［音揭：右傍］才逸也　　　　　　　　　　（石山寺一切経蔵本大般若経字抄／22 オ2）

　▶番号6070「孽」（孽）の仮名音注「ケツ」については、基本的に -et で対応する。当該字には入濁声点を差すので、字音「ゲツ」を想定する。また右注「ヒコハユ」中注「魚列反」左注「斬而復生曰孽」を付載する。当該字「孽」は「庶子・わざわい」などの意味を有するが、同音で字形の近似する「蘖」との混同により「ひこばえ（切り株などから生える芽）」を加えたと推測する。観智院本類聚名義抄で「蘖」を検索すると、反切「魚列反」（その反切下字に入声点）および「呉ケチ」を見つける。この呉音注は大般若経字抄による漢呉二音相同の同音字注「下」（入声圏点を付し「ゲツ」相当か）である。元和本倭名類聚抄は掲出字「蘖」を掲げ、反切「魚列反」和訓「和名比古波衣」がある。上巻の薛韻当該例で分析した。

　　蘖 正 魚列［□入］/ヒコハユ［上上上濁平］呉ケチ　　　（観智院本類聚名義抄／佛下本091-4）

　　蘖 不古 五割反［魚列反：墨右傍］ヒコハユ　　　　　（観智院本類聚名義抄／僧上009-7）

　　蘖［下［入声圏点］：右傍］ヒコハユ　　　　（石山寺一切経蔵本大般若経字抄／22 オ6）

960　3．仮名音注の韻母別考察　3-5　ⅢA韻類

　　薛　纂要云斬而復生曰薛 魚列反和名比古波衣　　　　　　（元和本倭名類聚抄／巻二十 32 オ 2）
　▶番号3870b「薛」（妖薛）の仮名音注「ケツ」については、基本的に -et で対応する。当該字
に声点はない。熟字3870「妖薛」は「災いが起きる徴候」を意味する。上述の分析を参照。
　▶番号4929「紲」（紲）の仮名音注「セツ」については、基本的に -et で対応する。当該字には
入声点を差し、右注「同（キツナ）思列反」左注「或乍緤」を付載する。図書寮本類聚名義抄に同
音字注「音薛」と反切「广云思列反」（その反切下字に徳声点）および入声点を付した同音字注「真
云節」を見出す。観智院本には同音字注「音薛」および「和節」を見出すが、仮名音注はない。元
和本倭名類聚抄には反切「思列反」がある。日本漢音は徳声（四声体系では入声）日本呉音は入声
を認める。

　　　　紲 … 下音薛 广云緤繫也 …　　　　　　　　　　　　　　（図書寮本類聚名義抄／299-7）
　　　　縶紲 … 广云思列 [口徳] 反 … 真云節 [入] 音　　　　　　（図書寮本類聚名義抄／315-2）
　　　　緤 音薛 又与 ツナク ホタシ キツナ [上上濁上] … 和節　　（観智院本類聚名義抄／法中 119-1）
　　　　緤 文選西京賦云韓盧噬於緤末 緤音思列反訓岐豆奈 …　（元和本倭名類聚抄／巻十五 06 オ 2）

　▶番号5457a「褻」（褻器）の仮名音注「セツ」については、基本的に -et で対応する。当該字
には入声点を差す。図書寮本類聚名義抄に反切「广云思烈反」（その反切下字に徳声点）を見出す。
観智院本類聚名義抄に反切「山列反」を見つけるが、仮名音注はない。元和本倭名類聚抄には反切
「思列反」がある。日本漢音は徳声（四声体系では入声）を認める。

　　　　鄙褻 广云思烈 [平徳] 反 …　　　　　　　　　　　　　　（図書寮本類聚名義抄／333-1）
　　　　褻 山列反 私/服 結 [或：墨右注]　　　　　　　　　　　（観智院本類聚名義抄／法中 141-5）
　　　　褻器 周禮注云褻器 褻音思列反 謂清器虎子之属也 …　（元和本倭名類聚抄／巻十四 18 ウ 4）

　▶番号4767b「折」（相折）の仮名音注「セツ」については、基本的に -et で対応する。当該字
には入声濁点を差すので、字音「ゼツ」を想定する。廣韻に拠れば、薛韻（ẑiat・tśiat）齊韻（deiⁱ）
三音を有する。観智院本類聚名義抄に反切「士列反」および「呉音節」を見出す。後者の呉音注は
大般若経字抄による「或作析音節」（屑韻 tset）の引用であるが、一方で漢呉二音相同の同音字注
「音尺」を見つける。長承本蒙求には仮名音注「セチ」三例「セツ」四例があり、それらの掲出字
に徳声点を加える。また同音字注「舌反」（平安時代中期と推定する古い朱筆）も見つける。日本
漢音「セツ」徳声（四声体系では入声）を認める。

　　　　折 士列反 呉音節 クタク [平平濁上] ワル [上平]　　　　（観智院本類聚名義抄／佛下本 072-4）
　　　　折 [徳] 舌反/セチ [＊呉音形の混入か]　　　　　　　　　（長承本蒙求／038）
　　　　折 [徳] セツ　　　　　　　　　　　　　　　　（長承本蒙求／077・091・103・136）
　　　　折 [徳] セチ [＊呉音形の混入か]　　　　　　　　　　　（長承本蒙求／125・129）
　　　　折 [音尺：右傍] クタク或作析音節俗従三折非也　　（石山寺一切経蔵本大般若経字抄／01 ウ 7）

　▶番号6693a「折」（折角）の仮名音注「セツ」については、基本的に -et で対応する。当該字

には入声点を差す。熟字6693「折角」は左注「切イ本」右傍「ヲル ツノヲ」を付載する。上述の分析を参照。

　▶番号4205a「爇」（爇沸瘡）の仮名音注「セツ」については、基本的に *-et* で対応する。当該字には入声点を差す。熟字4205「熱沸瘡」は右注「アセモ」を付載する。観智院本類聚名義抄に反切「而列反」および和音「ネイ」〔＊ネチの誤認〕を見出す。日本呉音「ネチ」を認める。

　　　熱 而列反 アツシ／ホトホル［平平□□］… 和ネイ　爇 俗　（観智院本類聚名義抄／佛下末041-5）

　　　爇沸瘡 アセモ［平平平］　　　　　　　　　　（観智院本類聚名義抄／法下128-8）

　　　熱沸瘡 … 新録方云治夏月熱沸瘡 和名阿世毛今案沸字宜作痱乎

　　　　　　　　　　　　　　　　　　　　　　　　　　　　（元和本倭名類聚抄／巻三27 オ2）

　▶番号4039a「哲」（哲利）の仮名音注「テツ」については、基本的に *-et* で対応する。当該字には入声点を差す。熟字4039「哲利」は中注「サカシ」左注「アキラカナリ」を付載する。上巻の薛韻当該例で分析したように、日本漢音は入声を認める。

　▶番号3902「哲」（哲）の仮名音注「テツ」については、基本的に *-et* で対応する。当該字に声点はなく、左注「テツナリ」を付載する。上述の分析を参照。

　▶番号6368a「哲」（哲多）の仮名音注「テイ」については、異例 *-ei* を示す。当該字に声点はない。熟字6368「哲多」は飛騨國郡部の「備中」に属する郡名である。日本地理志料には「訓㒻、按民部省式旁_訓氏太_」と記述する。上述の分析を参照。

　　　備中國 國府在賀夜郡 … 都宇 津 … 哲多 英賀 阿加　　（元和本倭名類聚抄／巻五23 ウ1）

　　　哲多郡 訓㒻、按民部省式旁_訓氏太_、今制因_之、名義未_詳 …

　　　　　　　　　　　　　　　　　　　　　　（日本地理志料 (10) ／巻四十八15 ウ3）

　▶番号3931「撤」（撤）の仮名音注「テツ［平平］」については、基本的に *-et* で対応する。当該字に声点はなく、その仮名音注に低平調の差声を施す。右注「テツス［平平平］」中注「直列反」左注「取置也」を付載する。観智院本類聚名義抄に同音字注「音徹」を見出すが、仮名音注はない。

　　　撤 音徹 剥也 … トホス マネク …　　　　　（観智院本類聚名義抄／佛下本064-4）

　▶番号5625b・6708b「別」（差別・餞別）の仮名音注「ヘツ」については、基本的に *-et* で対応する。両当該字には入声点を差す。熟字6708「餞別」は右傍「ムマノハナフケ」を付載する。上巻の薛韻当該諸例で分析したように、日本漢音は徳声（四声体系では入声）日本呉音「ベチ」を認める。

　▶番号4038b「滅」（弥滅）の仮名音注「メツ」については、基本的に *-et* で対応する。当該字には入声点を差す。熟字4038「殄滅」は左注「ツキホロフ［上平上上平］」を付載する。上巻の薛韻当該諸例で分析したように、日本呉音「メチ」を認める。

　▶番号3365b「蜊」（蜻蜊）の仮名音注「レツ」については、基本的に *-et* で対応する。当該字に声点はない。熟字3365「蜻蜊」は右注「コホロキ」左注「精列言」を付載する。観智院本類聚名

義抄には同音字注「列」を見出すが、仮名音注はない。

蜻蛚 精列二音／コホロキ［平平上上濁］　　　　　　　　（観智院本類聚名義抄／僧下 020-3）

▶番号 4535b「裂」（塂裂）の仮名音注「レツ」については、基本的に -et で対応する。当該字には入声点を差す。熟字 4535「塂裂」は右注「サクエタリ［上上平平上］」左注「衰歆」を付載する。上巻の薛韻当該諸例で分析したように、日本漢音は徳声（四声体系では入声）日本呉音は入声を認める。

3-5-1-7　-iuan/-iuat（仙/獮/線/薛韻）

資料篇【表B-08】には仙韻（平声）獮韻（上声）線韻（去声）薛韻（入声）合口所属の諸例が含まれる。前田本の示す仮名音注は基本的に -en/-et で、k- 系頭子音の場合は -wen（-wet 該当例なし）で対応する。異例として -an/-at, -em, -ap, -in, -e を見出す。

《上巻 仙韻合口諸例》

▶番号 0252b・1583b「縁」（因縁・度縁）の仮名音注「エン」については、基本的に -en で対応する。両当該字には上声点を差す。廣韻に拠れば、当該字は仙/線韻（jiuan¹/³）二音を有する。図書寮本類聚名義抄に同音字注「音鉛」（その平声点位置に仮名音注「エン」）と反切「玉日又餘絹反」（その反切下字に去声点）を見出す。観智院本には平声点と去声点を付した同音字注「音鉛」を見つけるが、仮名音注はない。日本漢音「エン」平/去声を認める。

縁 音鉛［エン：平声点位置］玉日又餘絹［□去］反 脩也 …　　　（図書寮本類聚名義抄／289-6）

縁 音鉛［平・去］ウシノハナツラ … ユヱナリ［平平□□］　（観智院本類聚名義抄／法中 134-8）

▶番号 3001b「縁」（強縁）の仮名音注「エン」については、基本的に -en で対応する。当該字には去声点を差す。上述の分析を参照。

▶番号 2506b「橼」（枸橼）の仮名音注「エン」については、基本的に -en で対応する。当該字には平声点を差す。熟字 2506「枸橼」は右注「カフチ」左注「枳子也」を付載する。観智院本類聚名義抄に同音字注「音縁」を見出すが、仮名音注はない。元和本倭名類聚抄には同音字注「音縁」がある。

橼 音縁 木橡／カフチ　　　　　　　　　　　（観智院本類聚名義抄／佛下本 096-3）

枳椇 … 七巻食經云枸橼 枸即椇字也橼音縁和名加布智　（元和本倭名類聚抄／巻二十 31 ウ 1）

▶番号 1312a「巻」（巻子）の仮名音注「クエン」については、基本的に -wen で対応する。当該字には去声点を差す。廣韻に拠れば、仙/線韻（giuan¹/³）獮韻（kiuan²）阮韻（giuɑn²）四音を有する。熟字 1312「巻子」は右注「ヘソ」左注「芧巻」を付載する。観智院本類聚名義抄に反切「居

遠反・又去遠去貟・居戀反」と平声点を付した同音字注「音拳」および低平調と推測する和音「火ン」を見出す。同書の和音に用いる「火」は仮名音注「クワ」に相当し「火イ・火ウ・火ク・火チ・火ン」など頻用する。日本漢音は平声、日本呉音「クワン」平声を認める。

　　　巻 居遠反 又去遠／去貟 居轉也／巨貟也 居戀反　　　（観智院本類聚名義抄／佛下末 028-7）

　　　巻 マク シ 丶 ム ミツラ　　　　　　　　　（観智院本類聚名義抄／僧下 079-1）

　　　巻 音拳［平］曲也／マキ［上平／ロク［平］］… 和火ン［□平：墨点］

　　　　　　　　　　　　　　　　　　　　　　　　（観智院本類聚名義抄／僧下 107-2）

　　　巻子 ヘソ［平上］／未詳　　　　　　　　　　（観智院本類聚名義抄／僧下 107-3）

　　　火 呼菓反 ヒ［上］／和クワ 丶丶丶 火字　　　（観智院本類聚名義抄／佛下末 036-2）

　　　火 クワ　　　　　　　　　　　　　　　　　　（長承本蒙求／119）

　　　巻子 楊氏漢語鈔云巻子 閖蘇 今案本文未詳 …　　（元和本倭名類聚抄／巻十四 13 オ 9）

▶番号 1544「攧」（攧）の仮名音注「セム」については、異例 -em を示す。当該字には上声点を差し、和訓「トシ」の同訓異字として位置する。その中古音が示す末子音の喉内撥音韻尾 -n を「ム」で対応する。観智院本類聚名義抄に反切「如専反」を見出すが、仮名音注はない。

　　　攧 如専反 捼　　　　　　　　　　　　　　　（観智院本類聚名義抄／佛下本 062-6）

▶番号 0883b「筌」（忘筌）の仮名音注「セン」については、基本的に -en で対応する。当該字には平声点を差す。観智院本類聚名義抄に平声点を付した同音字注「音全」を見出すが、仮名音注はない。日本漢音は平声を認める。

　　　筌 音全［平］ウヘ［上上］　　　　　　　　　（観智院本類聚名義抄／僧上 063-2）

▶番号 1349b「痊」（平痊）の仮名音注「セン」については、基本的に -en で対応する。当該字には平声点を差す。観智院本類聚名義抄に平声点を付した同音字注「音詮」を見出すが、仮名音注はない。日本漢音は平声を認める。

　　　癊瘥 莫禁反 疒+黄／コハナ　　　　　　　　（観智院本類聚名義抄／法下 118-5）

　　　痊瘂 俗　　　　　　　　　　　　　　　　　　（観智院本類聚名義抄／法下 118-6）

　　　痊 … 音詮［平］／イユ［平上］慔字　　　　　（観智院本類聚名義抄／法下 121-5）

▶番号 0010「泉」（泉）の仮名音注「セン」については、基本的に -en で対応する。当該字には平声点を差し、右注「イツミ 舒姑［平平］」左注「盖嶺 台山」を付載する。図書寮本類聚名義抄に反切「广云自宣反」（その反切下字に平声点）を見出す。観智院本には平声点を付した同音字注「音全」および上昇調と推測する和音「セム」を見つける。日本漢音は平声、日本呉音「セム」去声を認める。

　　　橋泉 广云自宣［□平］反 … イツミ［平平濁平／切：右注］　（図書寮本類聚名義抄／059-6）

　　　泉 音全［平］イツ／和セム［□上］　　　　　（観智院本類聚名義抄／佛中 105-6）

▶番号 0450b「宣」（漏宣）の仮名音注「セン」については、基本的に -en で対応する。当該字

には平声点を差す。観智院本類聚名義抄に反切「思縁反」および上昇調と推測する和音「セム」を見出す。日本呉音「セム」去声を認める。

宣 思縁反 ノフ［平上濁］… 和セム［□上］　（観智院本類聚名義抄／法下049-2）

▶番号1828b「宣」（勅宣）の仮名音注「セム」については、異例 *-em* を示す。当該字には平声点を差す。その中古音が示す末子音の舌内撥音韻尾 -n を「ム」で対応する。上述の分析を参照。

▶番号0501a「旋」（旋華）の仮名音注「セン」については、基本的に *-en* で対応する。当該字には去声点を差す。熟字0501「旋華」は右注「ハヤヒトクサ」を付載する。観智院本類聚名義抄に平声点を付した同音字注「音全」および上昇調と推測する和音「セム」を見出す。元和本倭名類聚抄に同音字注「音賤」がある。日本漢音は平声、日本呉音「セム」去声を認める。

旋 音全［平］又賤 メクル［平上濁平］… 和セム［□上］　（観智院本類聚名義抄／僧中029-3）

旋花 ハヤヒトクサ［平平平平上濁平］一名美草　（観智院本類聚名義抄／僧中029-3）

旋花　本草云旋花一名美草 旋音賤和名波夜比止久佐　（元和本倭名類聚抄／巻二十09オ1）

▶番号1476c「旋」（團乱旋）の仮名音注「テン」については、基本的に *-en* で対応する。当該字には上声濁点を差すので、字音「デン」を想定する。前田本の掲出字形「⻌+疋」を「旋」に修正する。広辞苑第七版は「雅楽の唐楽、壱越調の大曲。6人または4人で舞う舞があった。近世廃曲。后帝団乱旋。皇帝団乱旋。団蘭伝。后帝楽。とらんでん」と説明する。上述の分析を参照。

壹越調曲　… 團亂旋 大曲 春鶯囀 大曲 …　（元和本倭名類聚抄／巻四14オ3）

▶番号2427「川」（川）の仮名音注「セン」については、基本的に *-en* で対応する。当該字には平声点を差し、右注「同（カハ）」を付載する。観智院本類聚名義抄に平声点を付した同音字注「音穿」および「和去」を見出すが、仮名音注はない。日本漢音は平声、日本呉音は去声を認める。

川 音穿［平］カハ［上平］／和去　（観智院本類聚名義抄／佛上080-5）

▶番号1002b「専」（柔専）の仮名音注「セン」については、基本的に *-en* で対応する。当該字には平声点を差す。観智院本類聚名義抄に反切「之縁反」および和音「セン」を見出す。日本呉音「セン」を認める。

専専 通正／之縁反 モハラ［上平平］… 和セン　（観智院本類聚名義抄／法下143-3）

▶番号0332b「舩」（郵舩）の仮名音注「セン」については、基本的に *-en* で対応する。当該字には上声点を差す。当該字「舩」は「船」と相互に異体字である。熟字0332「郵舩」は右傍「ムマヤノフネ」を付載する。観智院本類聚名義抄に同音字注「音旋」と同音字注「音舡」および低平調を示す和音「セン」を見出す。日本呉音「セン」平声を認める。

船 音旋 フネ［平上］／和セン［平平］　（観智院本類聚名義抄／佛下本002-1）

舩 俗通／音舡 可尋　（観智院本類聚名義抄／佛下本002-1）

船　唐韻云船 傍陌反楊氏漢語抄云都具能布禰 海中大船也　（元和本倭名類聚抄／巻十一01オ5）

▶番号2323「譚」（譚）の仮名音注「タフ」については、異例 *-ap* を示す。当該字に声点はな

く、和訓「ワスル」の同訓異字として位置する。当該字の直前には「諸」（右傍に仮名音注「タウ」／合韻 dʌp）があり、当該字「譔」を字形の近似する「諂」（豪韻 tʻɑu¹）と誤認したか。本来は字音「クヱン」を期待する。観智院本類聚名義抄に反切「火玄反」を見出すが、仮名音注はない。

　　譔 或 儇字 火玄反／智　　　　　　　　　　　（観智院本類聚名義抄／法上 067-2）

▶番号2356a「圓」（圓座）の仮名音注「ヱン」については、基本的に -en で対応する。当該字には平声点を差す。その中古音が示す頭子音 ɣ-（等韻学の術語で言う于母あるいは喩母三等）は有声軟口蓋接近音 ɰ-（有声両唇軟口蓋接近音 w-）であり、原則的にア行音・ワ行音で対応する。熟字2356「圓座」は右注「同（ワラフタ）」左注「俗用之」を付載する。観智院本類聚名義抄に平声点を付した同音字注「音負」（その右傍に朱筆で仮名音注「ヱン」）および低平声調と推測する和音「ヱン」を見出す。日本漢音「ヱン」平声、日本呉音「ヱン」平声を認める。

　　圓 音負 ［平／ヱン：朱右傍］マトナリ ［平上□□］… 和ヱン ［平□］

　　　　　　　　　　　　　　　　　　　　　　　　（観智院本類聚名義抄／法下 083-7）

　　圓座　孫恤曰藟 徒口反上聲之重此間云圓座一云和良布太 …（元和本倭名類聚抄／巻十四17 ウ7）

▶番号1267b「圓」（方圓）の仮名音注「ヱン」については、基本的に -en で対応する。当該字に声点はない。上述の分析を参照。

▶番号2791「負」（負）の仮名音注「ヱン」については、基本的に -en で対応する。当該字には平声点を差し、右注「カス」を付載する。廣韻に拠れば、仙韻（ɣiuan¹）文／問韻（ɣiuʌn¹ᐟ³）三音を有する。その中古音が示す頭子音 ɣ-（等韻学の術語で言う于母あるいは喩母三等）は有声軟口蓋接近音 ɰ-（有声両唇軟口蓋接近音 w-）であり、原則的にア行音・ワ行音で対応する。観智院本類聚名義抄に同音字注「音圓」と同音字注「又云運二音」（前者「云」に平声点を付載）を見出すが、仮名音注はない。日本漢音は平声を認める。

　　負 音圓 カス マトカナリ マス／又云 ［平］運二音　　　　（観智院本類聚名義抄／佛下本 021-4）

《下巻 仙韻合口諸例》

▶番号6884「捐」（捐）の仮名音注「ヱン」については、基本的に -en で対応する。当該字には平声点を差し、和訓「スツ」の同訓異字として位置する。観智院本類聚名義抄に同音字注「音縁」および「和同」を見出すが、仮名音注はない。

　　捐 スツ ［上平］… 音縁 … 覆也 寛也 和同　　　　（観智院本類聚名義抄／佛下本 073-8）

▶番号3331a「鳶」（鳶尾）の仮名音注「ヱン」については、基本的に -en で対応する。当該字には平声点を差す。熟字3331「鳶尾」は右注「コヤスクサ」を付載する。観智院本類聚名義抄に同音字注「音鉛」を見出すが、仮名音注はない。

　　鳶 … 音鉛／トヒ ［上上濁］　　　　　　　　　　（観智院本類聚名義抄／僧中 043-6）

966　3．仮名音注の韻母別考察　3-5　ⅢA韻類

鳶尾　本草云鳶尾一名烏園 和名古夜須久佐　　　　　　　　（元和本倭名類聚抄／巻二十 11 オ 7）

▶番号 3739「櫞」（櫞）の仮名音注「エン［平平］」については、基本的に -en で対応する。当該字に声点はなく、右注「同（エン［平平］）」を付載する。上巻の仙韻合口当該例で分析した。

▶番号 3868a「縁」（縁邊）の仮名音注「エン」については、基本的に -en で対応する。当該字には平声点を差す。上巻の仙韻合口当該諸例で分析したように、日本漢音「エン」平/去声を認める。

▶番号 3866a「縁」（縁起）の仮名音注「キン」については、異例 -in を示す。当該字には去声点を差す。熟字「縁起」は左注 3866「キン」の右傍に「エ」とあり、修正 3867「エン」を想定する。上述の分析を参照。

▶番号 3867a「縁」（縁起）の仮名音注「エン」については、基本的に -en で対応する。当該字には去声点を差す。熟字「縁起」は左注 3866「キン」の右傍に「エ」とあり、修正 3867「エン」を想定する。上述の分析を参照。

▶番号 5161b「縁」（機縁）の仮名音注「エン」については、基本的に -en で対応する。当該字には上声点を差す。上述の分析を参照。

▶番号 3738「縁」（縁）の仮名音注「エン［平平］」については、基本的に -en で対応する。当該字に声点はなく、左注「屋縁」を付載する。上述の分析を参照。

▶番号 3769「縁」（縁）の仮名音注「エン［上上］」については、基本的に -en で対応する。当該字に声点はなく、左注「与専反」を付載する。上述の分析を参照。

▶番号 3795a・3795b・3869a・5807b「縁」（縁彡・縁彡・縁海・所縁）の仮名音注「エン」については、基本的に -en で対応する。当該字に声点はない。上述の分析を参照。

▶番号 3380「拳」（拳）の仮名音注「クエン」については、基本的に -wen で対応する。当該字には平声点を差し、右注「コフシ」を付載する。観智院本類聚名義抄に同音字注「音権」を見出すが、仮名音注はない。元和本倭名類聚抄には同音字注「権反」がある。

拳　音権 コフシ［平平濁平］ニキル［上上濁□］ 掌也 …　　（観智院本類聚名義抄／佛下本 039-7）

拳　唐韻云拳 権反和名古不之 屈手也　　　　　　　　　（元和本倭名類聚抄／巻三 13 オ 2）

▶番号 5683b「攌」（執攌）の仮名音注「クエン」については、基本的に -wen で対応する。当該字には平声点を差す。相互に「權」と異体字である。観智院本類聚名義抄に平声点を付した同音字注「音拳」および和音「五ン」を見出す。同書では「五」を含む表記として呉音「五ウ」俗音「五マ［去濁□］」があり、字音「ゴ」濁音を示す。承暦本金光明最勝王経音義には「次可知濁音借字」を掲げ、濁音の借字「吾［去濁］五」を見つける。長承本蒙求で「五」を検索すると、仮名音注「コ」二例があり、それらの掲出字に上声点を加える。また別途に上声加濁点を施した掲出字「五」二例を見つける。日本漢音は平声、日本呉音「ゴン」を認める。

權　權變也 … 俗作攌 巨員切二十三 …　　　　　　　　　（宋本廣韻／群母仙韻 giuan¹）

攌　音拳［平］和五ン … ハカル［平平上］…　　　　　（観智院本類聚名義抄／佛下本 040-1）

權 ハカリ ツラ アラシ／オコツリ［上上ウ□□］俗𫝄 …　　　（観智院本類聚名義抄／佛下本 097-8）

攉 音拳 和五ン … ハカル …　　　　　　　　　　　　（宝菩提院本類聚名義抄／049-5）

攉 音拳 和吾ン ハカル …　　　　　　　　　　　　（天理大学本最勝王経音義／04 ウ 6）

藕 音偶［上濁］… ハチス［上上上］… 吳音 五ウ［上□］ク［平濁］

　　　　　　　　　　　　　　　　　　　　　　　　　（観智院本類聚名義抄／僧上 004-7）

胡麻 俗音五マ［去濁□］／說云ウコマ［上上濁上］　　　（観智院本類聚名義抄／法上 103-6）

五 音午 イツ、［平平平］／トモ　　　　　　　　　　（観智院本類聚名義抄／佛上 074-2）

　　次可知濁音借字　　　　　　　　　　　（承暦本金光明最勝王経音義／02 オ 1）

我［平濁］何 義［平濁］疑 具［平濁］求 下［平濁］夏 吾［去濁］五 …

　　　　　　　　　　　　　　　　　　　（承暦本金光明最勝王経音義／02 オ 4）

五［上／上：加濁］　　　　　　　　　　　（長承本蒙求／072・117）

五［上］コ　　　　　　　　　　　　　　　（長承本蒙求／100・135）

▶番号 5707b「巻」（黄巻）の仮名音注「クヱン」については、基本的に -wen で対応する。当該字には去声点を差す。上巻の仙韻合口当該例で分析したように、日本漢音は平声、日本呉音「クワン」平声を認める。

▶番号 4569「棬」（棬）の仮名音注「クヱン」については、基本的に -wen で対応する。当該字には平声点を差し、右注「サスエ［平平平］」中左注「似斗屈木／為之」を付載する。観智院本類聚名義抄に同音字注「音拳」を見出すが、仮名音注はない。元和本倭名類聚抄には同音字注「音與拳同」がある。

　　棬 … 音拳／サスエ［平平平］サス　　　　（観智院本類聚名義抄／佛下本 084-7）

　　棬 陸詞切韻云棬 音與拳同漢語抄云佐須エ 器似斗屈木爲之 …

　　　　　　　　　　　　　　　　　　　（元和本倭名類聚抄／巻十六06 ウ 2）

▶番号 4351「詮」（詮）の仮名音注「セン」については、基本的に -en で対応する。当該字には平声点を差し、和訓「アキラカニ」の同訓異字として位置する。図書寮本類聚名義抄に同音字注「音筌」を見出す。観智院本には反切「七金反」〔＊七全反か〕を見つけるが、仮名音注はない。

　　能詮 音筌 … アラハス［平平上平／白：右注］　　　（図書寮本類聚名義抄／091-7）

　　詮 𥑐二或 七金反 … アキラカニ［平平□□□］…　　（観智院本類聚名義抄／法上 055-2）

▶番号 5897c「詮」（无所詮）の仮名音注「セン」については、基本的に -en で対応する。当該字に声点はない。熟字 5897「无所詮」は右傍「シヨセンナシ」を付載する。上述の分析を参照。

▶番号 4166a・5214b「泉」（泉郎・温泉）の仮名音注「セン」については、基本的に -en で対応する。両当該字には平声点を差す。熟字 4166「泉郎」は右注「アマ［平平］」を、熟字 5214「温泉」は右注「ユ」左注「上烏渾反」を付載する。上巻の仙韻合口当該例で分析したように、日本漢音は平声、日本呉音「セム」去声を認める。

968　3．仮名音注の韻母別考察　3-5　ⅢA韻類

▶番号5834b・6491a・6494a・6495a「宣」（所宣・宣耀殿・宣風房・宣義房）の仮名音注「セン」については、基本的に -en で対応する。当該諸字四例には平声点を差す。熟字6494「宣風房」は右注「五条東」を、熟字6495「宣義房」は右注「五条西」左注「圭房名」を付載する。上巻の仙韻合口当該諸例で分析したように、日本呉音「セム」去声を認める。

　　　　殿 名附出 … 宣耀殿 在春興殿北 …　　　　　　　　（元和本倭名類聚抄／巻十02 ウ1）

　　　　坊 名附出 … 宣宣風 五条東 房義坊 五条西 …　　　　（元和本倭名類聚抄／巻十06 ウ2）

▶番号6440a「旋」（旋子）の仮名音注「セン」については、基本的に -en で対応する。当該字には平声点を差す。熟字6440「旋子」は右注「同（ホトホリ）」左注「以泉反」〔＊似泉反の誤認〕を付載する。上巻の仙韻合口当該諸例で分析したように、日本漢音は平声、日本呉音「セム」去声を認める。

　　▶番号4924「栓」（栓）の仮名音注「セン」については、基本的に -en で対応する。当該字には平声点を差し、右注「キクチ」〔＊キクキの誤認〕左注「木釘也」を付載する。観智院本類聚名義抄に反切「山貟反」を見出すが、仮名音注はない。元和本倭名類聚抄には反切「山貟反」がある。

　　　　栓 山貟反 木釘二 …　　　　　　　　　　　（王仁昫刊謬補缺切韻／生母仙韻 ṣiuan¹）

　　　　栓 木丁也 山貟切二 …　　　　　　　　　　　（宋本廣韻／生母仙韻 ṣiuan¹）

　　　　栓 山貟反／キクキ［平平平濁］　　　　（観智院本類聚名義抄／佛下本091-6）

　　　　栓　四聲字苑云栓 山員反和名岐久木 木釘也　　（元和本倭名類聚抄／巻十五11 オ1）

▶番号6727a・6768a「専」（専一・専當）の仮名音注「セン」については、基本的に -en で対応する。両当該字に声点はない。上巻の仙韻合口当該例で分析したように、日本呉音「セン」を認める。

　　▶番号6653a「専」（専輙）の仮名音注「セ」については、異例 -e を示す。当該字に声点はない。熟字6653「専輙」は撥音無表記による右注「セテウ」を付載する。上述の分析を参照。

　　▶番号6107b「川」（洛川）の仮名音注「セム」については、異例 -em を示す。当該字には平声点を差す。その中古音が示す末子音の舌内撥音韻尾 -n を「ム」で対応する。熟字6107「洛川」は熟字「義婦人」の右注に含まれる。上巻の仙韻合口当該例で分析したように、日本漢音は平声、日本呉音は去声を認める。

　　▶番号6597a「舡」（舡舫）の仮名音注「セン」については、基本的に -en で対応する。当該字には平声点を差す。熟字6597「舡舫」は右傍「フネ フネ」を付載する。上巻の仙韻合口当該例で分析したように、日本呉音「セン」平声を認める。

　　▶番号6963b「舡」（主舡）の仮名音注「セン」については、基本的に -en で対応する。当該字に声点はない。熟字6963「主舡」は左注「在大宰府」を付載する。上述の分析を参照。

　　▶番号3840b・4715b「傳」（驛傳・相傳）の仮名音注「テン」については、基本的に -en で対応する。両当該字には平声点を差す。廣韻に拠れば、澄母仙/線韻（ḍiuan¹ᐟ³）知母線韻（ṭiuan³）三

音を有する。熟字3840「驛傳」は右傍「ムマヤノツカヒ」を付載する。観智院本類聚名義抄に去声点を付した同音字注「音椽」および「和又平」を見出す。日本漢音は去声、日本呉音は平声を認める。

傳 音椽［去］／ツタフ［上上平］… 和又平　　　　　（観智院本類聚名義抄／佛上 025-2）

▶番号6969「傳」（傳）の仮名音注「テン［平濁平］」については、基本的に -en で対応する。当該字に声点はなく、その仮名音注に濁音を含む低平調の差声を施す。上述の分析を参照。

▶番号4028a「傳」（傳丹）の仮名音注「テン」については、基本的に -en で対応する。当該字に声点はない。上述の分析を参照。

▶番号5388c「傳」（志岐傳）の仮名音注「テ」については、異例 -e を示す。当該字には上声点を差す。熟字5388「志岐傳」は右注「髙麗樂」を付載する。熟字5388「志岐傳」は撥音無表記による左傍「シキテ」を付載する。上述の分析を参照。

高麗樂曲　新鳥蘇 … 志岐傳 … 納蘇利　　　　　　（元和本倭名類聚抄／巻四 17 オ 9）

▶番号4289「攣」（攣）の仮名音注「レン」については、基本的に -en で対応する。当該字には平声点を差し、右注「アシヲ」中注「呂貟反」左注「鷹攣」を付載する。観智院本類聚名義抄に平声点を付した同音字注「音聯」を見出すが、仮名音注はない。元和本倭名類聚抄に同音字注「音聯」がある。日本漢音は平声を認める。

攣 音聯［平］… アシヲ［平平平］鷹恭也 係也　　　（観智院本類聚名義抄／佛下本 057-5）

攣 唐韻云攣 音聯今案一字両訓在鷹阿之乎在犬岐豆奈 …　（元和本倭名類聚抄／巻十五 05 ウ 1）

▶番号6011a「圓」（圓璧）の仮名音注「ヱン」については、基本的に -en で対応する。当該字には平声点を差す。上巻の仙韻合口当該例で分析したように、日本漢音「ヱン」平声、日本呉音「ヱン」平声を認める。

▶番号6594b「湲」（潺湲）の仮名音注「ヱン」については、基本的に -en で対応する。当該字には平声点を差す。その中古音が示す頭子音 ɣ-（等韻学の術語で言う于母あるいは喩母三等）は有声軟口蓋接近音 ɰ-（有声両唇軟口蓋接近音 w-）であり、原則的にア行音・ワ行音で対応する。熟字6594「潺湲」は右傍「ヤリ ミツ」を付載する。図書寮本類聚名義抄に反切「于攫反」を見出す。観智院本には同音字注「音爰」を見つけるが、仮名音注はない。

潺湲 … 下于攫反 潺湲流皃 …　　　　　　　　　　（図書寮本類聚名義抄／055-5）

湲〔＊字形「厶←爪」〕俗 音爰／フカシ ヤリ水　　（観智院本類聚名義抄／法上 018-8）

湲 正 潺湲　　　　　　　　　　　　　　　　　　　（観智院本類聚名義抄／法上 019-1）

《上巻 獮韻合口諸例》

▶番号2609a「轉」（轉）の仮名音注「テン」については、基本的に -en で対応する。当該字に

970 3．仮名音注の韻母別考察 3-5 ⅢA韻類

は上声点を差す。熟字2609「轉筋」は右注「カラスナメリ」左注「又コムラカヘリ」を付載する。観智院本類聚名義抄に反切「徴篆反」および和音「テン」を見出す。日本呉音「テン」を認める。

　　　轉筋 徴篆反 カヒロク カコフ［上上平］… 和テン　　　　　　　（観智院本類聚名義抄／僧中093-2）

　　　轉筋 コムラカヘリ［平平平平濁平平］一云／カラスナメリ［平平平平平平］

　　　　　　　　　　　　　　　　　　　　　　　　　　　　　（観智院本類聚名義抄／僧上063-1）

　　　轉筋　脚気論云轉筋 俗云古無良加倍利一云加良須奈倍利 …　（元和本倭名類聚抄／巻三21オ1）

　▶番号2112b「轉」（輪轉）の仮名音注「テン」については、基本的に -en で対応する。当該字には平声濁点を差すので、日本語音韻史上の連濁による字音「デン」を想定する。上述の分析を参照。

　▶番号2187b「轉」（流轉）の仮名音注「テン」については、基本的に -en で対応する。当該字には平声点を差す。上述の分析を参照。

　▶番号0997b「軟」（柔軟）の仮名音注「ナン」については、異例 -an を示す。当該字には平声点を差す。本来は仮名音注「ネン」を期待する。観智院本類聚名義抄に同音字注「音㪍・音㪍」を見出すが、仮名音注はない。天理大学本最勝王経音義には同音字注「音㪍」を見つける。

　　　軟 音㪍　　　　　　　　　　　　　　　　　　　　　（観智院本類聚名義抄／僧中045-3）

　　　軟 音㪍 ヤハラカナリ …　　　　　　　　　　　　　（天理大学本最勝王経音義／13ウ1）

　　　軟輭 … 音㪍 ヤハラカナリ［平平上平平平／□□□□二□］… 正㪍

　　　　　　　　　　　　　　　　　　　　　　　　　　　（観智院本類聚名義抄／僧中088-5）

　▶番号2628「孌」（孌）の仮名音注「ヘン」については、基本的に -en で対応する。当該字に声点はなく、和訓「カホヨシ」の同訓異字として位置する。廣韻に拠れば、獮/線韻（liuan²³）二音を有する。字形の近似する「變」（線韻 pian³）との混同による字音把握か。観智院本類聚名義抄に反切「力眷反」（その反切下字に去声点）と上声点を付した同音字注「音孿」（その右傍に朱筆で仮名音注「レン」）さらに声調表記「又去」を見出す。日本漢音「レン」上/去声を認める。

　　　孌 力眷［□去］反／ウルハシ　　　　　　　　　　　（観智院本類聚名義抄／佛中011-2）

　　　孌 音孿［上／レン：朱右傍］又去／戀慕子也／美皃　（観智院本類聚名義抄／佛中023-3）

《下巻 獮韻合口諸例》

　▶番号4908「絹」（絹）の仮名音注「ケム」については、異例 -em を示す。当該字には去声点を差し、右注「キヌ 桒孫」中注「去掾反」左注「繪帛反」を付載する。その中古音が示す末子音の喉内撥音韻尾 -n を「ム」で対応する。図書寮本類聚名義抄に反切「玉云居橡反」を見出す。観智院本には反切「吉橡反」を見つけるが、仮名音注はない。元和本倭名類聚抄には反切「吉橡反」がある。

3-5-1 -ia 系の字音的特徴 971

絹 玉云居橡反 … 川云和云／跂沼［平上］カトリ　　　　　（図書寮本類聚名義抄／293-7）

絹 吉橡反 カトリ［上上上］キヌ［平上］カク　　　　（観智院本類聚名義抄／法中117-2）

絹 幅字附 陸詞切韻云絹 吉橡反和名岐沼 繒帛也 …　（元和本倭名類聚抄／巻十二16 オ1）

　▶番号3392a「轉」（轉筋）の仮名音注「テン」については、基本的に -en で対応する。当該字には上声点を差す。熟字3392「轉筋」は右注「コムラカヘリ」左注「又カラスナメリ」を付載する。上巻の獮韻合口当該諸例で分析したように、日本呉音「テン」を認める。

　▶番号3934a「轉」（轉ミ）の仮名音注「テン」については、基本的に -en で対応する。当該字には平声点を差す。上述の分析を参照。

　▶番号3934b「轉」（轉ミ）の仮名音注「テン」については、基本的に -en で対応する。当該字には平声濁点を差すので、日本語音韻史上の連濁による字音「デン」を想定する。上述の分析を参照。

　▶番号3932「轉」（轉）の仮名音注「テン［上平］」については、基本的に -en で対応する。当該字に声点はなく、その仮名音注に下降調の差声を施す。また左注「陟究知戀二反」右注「テンス［上平平濁］」サ変動詞を付載する。上述の分析を参照。

　▶番号3928「篆」（篆）の仮名音注「テン［上平］」については、基本的に -en で対応する。当該字に声点はなく、その仮名音注に下降調の差声を施す。また左注「文書造名也」を付載する。観智院本類聚名義抄に反切「直戀反」を見出すが、仮名音注はない。鎮国守国神社本三寶類聚名義抄には仮名音注「テン・セン」（掲出字「篆」の右傍〔＊同書では極めて稀な措置〕）と反切「直戀反」（その反切下字に上声点）を見つける。日本漢音は上声を認める。

　　篆 直戀反／引書　　　　　　　　　　　　（観智院本類聚名義抄／僧上065-1）

　　篆［テン・セン：右傍］直戀［□上］反／引書 求也

　　　　　　　　　　　　　　　　（鎮国守国神社本三寶類聚名義抄／下一13 オ5）

　▶番号6548a「軟」（軟錦）の仮名音注「セン」については、基本的に -en で対応する。当該字に声点はない。その中古音が示す頭子音 ń-（等韻学の術語で言う半歯音清濁日母）は硬口蓋鼻音であり、日本語のナ行音をもって受容するが、いわゆる中国語音韻史上における鼻音声母の非鼻音化（denasalization）を反映する場合はザ行音で対応する。上巻の獮韻合口当該例で分析した。

　▶番号4203a「喘」（喘息）の仮名音注「セン」については、基本的に -en で対応する。当該字に声点はない。熟字4203「喘息」は右注「アヘキ」左注「或乍歇」を付載する。観智院本類聚名義抄に上声点を付した同音字注「音舛」を見出すが、仮名音注はない。元和本倭名類聚抄には反切「昌苑反」がある。日本漢音は上声を認める。

　　喘喘 … 音舛［上］／ソヽヤク［平平上平］　（観智院本類聚名義抄／佛中056-2）

　　喘 正 アヘク［上上平／□□キ［上］］イキツク …　（観智院本類聚名義抄／佛中056-3）

　　喘息 正 アヘキ［上上□／□□ク］　　　　（観智院本類聚名義抄／佛中056-3）

972　3．仮名音注の韻母別考察　3-5　ⅢA韻類

喘息　唐韻云歇 昌苑反字亦作喘阿倍岐 口気引貌也　　　　　（元和本倭名類聚抄／巻三 19 オ 1）

《上巻 線韻合口諸例》

▶番号 0684「桊」（桊）の仮名音注「クエン」については、基本的に -wen で対応する。当該字に声点はなく、右注「ハナキ」を付載する。観智院本類聚名義抄に同音字注「音眷」を見出すが、仮名音注はない。元和本倭名類聚抄には同音字注「音眷」がある。

　　　桊 音眷 牛ノ／ハナキ［上上平濁］　　　　　　　（観智院本類聚名義抄／佛下本 084-7）

　　　牛縻 … 字書云桊 音眷漢語抄云桊牛乃波奈岐 牛鼻環也　（元和本倭名類聚抄／巻十一 09 オ 5）

▶番号 2614b「面」（飼面）の仮名音注「メン」については、基本的に -en で対応する。当該字には去声点を差す。熟字 2614「飼面」は右注「カスモ」左注「面皮上有澤也」を付載する。観智院本類聚名義抄に反切「弥箭反」および和音「メン」を見出す。日本呉音「メン」を認める。

　　　面 弥箭反 オモテ［平平平］… 和メン … ソムク［平上□］　（観智院本類聚名義抄／法上 100-8）

　　　飼面 カスモ［平平上］　　　　　　　　　　　　　　（観智院本類聚名義抄／法上 102-5）

　　　飼面 病源論云飼面 和名加須毛 面皮上有澤是也　　　　（元和本倭名類聚抄／巻三 27 オ 5）

▶番号 1275c「院」（寶幢院）の仮名音注「キン」については、異例 -in を示す。当該字に声点はない。その中古音が示す頭子音 ɣ-（等韻学の術語で言う于母あるいは喩母三等）は有声軟口蓋接近音 ɰ-（有声両唇軟口蓋接近音 w-）であり、原則的にア行音・ワ行音で対応する。図書寮本類聚名義抄に同音字注「川云俗音如筠」（その平声点位置に仮名音注「キン」）を見出す。観智院本には反切「于眷反」および低平調を示す「俗云キン」を見つける。定着久しい字音「キン」平声を認める。

　　　院 川云俗音／如筠［キン…平声点位置］　　　　　　（図書寮本類聚名義抄／208-3）

　　　院 于眷反 俗云 キン［平平］カキ／ツカサ …　　　　（観智院本類聚名義抄／法中 041-5）

　　　寶幢 華厳經偈云寶幢諸幡盖　　　　　　　　　　　（元和本倭名類聚抄／巻十三 03 オ 5）

▶番号 0828b「援」（防援）の仮名音注「エン」については、基本的に -en で対応する。当該字には上声点を差す。廣韻に拠れば、線韻（ɣiuan³）元韻（ɣiuɑn¹）二音を有する。その中古音が示す頭子音 ɣ-（等韻学の術語で言う于母あるいは喩母三等）は有声軟口蓋接近音 ɰ-（有声両唇軟口蓋接近音 w-）であり、原則的にア行音・ワ行音で対応する。熟字 0828「防援」は右注「タミス」右傍「フセキ マホル」を付載する。当該熟字には去声点と上声点（◑●）を差すが、これは去声点と去声点（◑●）からの変化と考える。観智院本類聚名義抄に同音字注「音爰」（元韻 ɣiuɑn¹）を見出す。長承本蒙求に仮名音注「ヱゝ」があり、その掲出字に去声点を加える。日本漢音「エン」去声を認める。

　　　援 防 チハフ 音爰／タスク［平平上］…　　　　　（観智院本類聚名義抄／佛下本 050-3）

援 [去] ェゝ　　　　　　　　　　　　　　　　　　　　　（長承本蒙求／135）

《下巻 線韻合口諸例》

▶番号6143「釧」（釧）の仮名音注「セン」については、基本的に -en で対応する。当該字には去声点を差し、右注「ヒチマキ」中注「食倫尺絹二反」右注「服玩具」を付載する。広辞苑第七版は「装身具の腕輪。多くは弥生・古墳時代の遺物で、貝・銅・石・ガラスの製品があり、小鈴をつけたものもある。ひじまき。たまき。」と説明する。観智院本類聚名義抄に去声点を付した同音字注「音穿」（その右傍に朱筆で仮名音注「セン」）と反切「昌縁反」（その反切下字に平声点）を見出す。後者は異体字とする「玔」（玉でできた環）の反切を加えたと推測する。元和本倭名類聚抄には反切「食備反」〔*反切下字は「倫」の誤認か〕がある。日本漢音「セン」去声を認める。

釧 … 音穿 [去／セン：朱右傍] ヒチマキ [上上濁上平] … 昌縁 [□平] 反 …

（観智院本類聚名義抄／僧上 123-1）

玔 昌縁反 今釧／ヒチタマ　　　　（観智院本類聚名義抄／法中 014-7）

釧 内典云在指上者名之曰鐶在臂上者名之爲釧 涅槃經文也釧音食備反比知萬岐

（元和本倭名類聚抄／巻十四02 オ 4）

▶番号4476「囀」（囀）の仮名音注「テン」については、基本的に -en で対応する。当該字には去声点を差し、右注「サヘツル」を付載する。廣韻に拠れば、その中古音は線韻去声（ʧiuan³）である。観智院本類聚名義抄に同音字注「音傳」を見出すが、仮名音注はない。元和本倭名類聚抄には同音字注「音轉」がある。

囀 音傳 サヘツル 疾／カマヒスシ ヒ、ラク　　　（観智院本類聚名義抄／佛中 051-7）

鳴 唐韻云鳴 音名訓與嘀同 鳥啼也囀 音轉訓佐倍囉都流 …　（元和本倭名類聚抄／巻十八12 ウ 2）

▶番号5379c「囀」（春鶯囀）の仮名音注「テン」については、基本的に -en で対応する。当該字には上声濁点を差すので、日本語音韻史上の連濁による字音「デン」を想定する。熟字5379「春鶯囀」は右注「同（壹越調）」を付載する。熟字としての声調把握において、本来の「平平去○○●」から「平平上○○●」と変化したか。上述の分析を参照。

壹越調曲 … 團乱施 大曲 春鶯囀 大曲 …　　　（元和本倭名類聚抄／巻四14 オ 3）

▶番号5730b「面」（赦面）の仮名音注「メン」については、基本的に -en で対応する。当該字には平声点を差す。上巻の線韻合口当該例で分析したように、日本呉音「メン」を認める。

▶番号4933b「面」（銀面）の仮名音注「メン [平平]」については、基本的に -en で対応する。当該字に声点はなく、その仮名音注に平声相当である低平調の差声を施す。熟字4933「銀面」は右注「同（キムメン [平濁平平平]）」左注「俗用之」を付載する。上述の分析を参照。

金鐼 蔡邕独斷云金鐼 祖叢反字亦作驦今案俗云銀面之昌蒲形是 馬冠也 …

974　3．仮名音注の韻母別考察　3-5　ⅢA韻類

(元和本倭名類聚抄／巻十五03 オ8)

▶番号4817b・6764c「院」（齊院司・施藥院）の仮名音注「ヰン」については、異例 -in を示す。両当該字に声点はない。上巻の線韻合口当該例で分析したように、定着久しい字音「ヰン」平声を認める。

　　司　職貟令云 … 斎院司 以豆岐乃院乃宿 …　　　　(元和本倭名類聚抄／巻五07 オ1)

　　樓　辨色立成云 太加止乃 一云 和名呂 施藥樓 …　　(元和本倭名類聚抄／巻十04 オ3)

《上巻 薛韻合口諸例》

▶番号1407b・2965b「悦」（抃悦・感悦）の仮名音注「エツ」については、基本的に -et で対応する。両当該字には入声点を差す。熟字2965「感悦」は左注「悦詞也」を付載する。図書寮本類聚名義抄に徳声点を付した同音字注「音閲」と仮名音注「又音セイ」を見出す。後者の右傍に注記「巾坎」を付載する。これは掲出字が「帨」である可能性を指摘する。当該字「悦」は字形の近似する「帨・税」と混同することがあったと言える。観智院本類聚名義抄には入声点を付した同音字注「音閲」〔＊墨筆の入声濁点は不審／掲出字を「税」と誤認か〕と仮名音注「又音セイ」を見つける。日本漢音は徳声（四声体系では入声）を認める。

　　怡悦 弘云胡拙 [平徳] 反 … 音閲 [徳] ／ヨロコフ [平平上平濁／異：右注]

　　　又音セイ [巾坎：右傍／異：右注] 真云㸤也／帨 [税：右注]　　(図書寮本類聚名義抄／264-6)

　　悦 音閲 [入／入濁：墨筆] ヨロコフ … 又音セイ　　(観智院本類聚名義抄／法中099-8)

▶番号2687c「戙」（櫟鬢戙）の仮名音注「セツ」については、基本的に -et で対応する。当該字には入声点を差す。熟字2687「櫟鬢戙」は左右注「カミ／カキ」を付載する。観智院本類聚名義抄に入声点を付した同音字注「音雪」を見出すが、仮名音注はない。元和本倭名類聚抄には同音字注「音雪」がある。日本漢音は入声を認める。

　　戙 音雪 [入] カミカキ [平平平濁平／□ウロイ：墨右傍／□ム□□：墨左傍] …

　　　　　　　　　　　　　　　　　　　　　　　　　(観智院本類聚名義抄／僧中051-6)

　　櫟鬢戙　文選云勁戙理鬢 李善曰通俗文所以理鬢謂之戙也戙音雪 …

　　　所以導櫟鬢髪也或曰櫟鬢 戙音暦和名加美賀岐　　(元和本倭名類聚抄／巻十二 19 オ4)

▶番号1375b・2896b「説」（弁説・講説）の仮名音注「セツ」については、基本的に -et で対応する。両当該字には入声濁点を差すので、日本語音韻史上の連濁による字音「ゼツ」を想定する。観智院本類聚名義抄に反切「始悦反」（その反切下字に入声点）と同音字注「又音悦・又音税」および和音「セチ」を見出す。日本漢音は入声、日本呉音「セチ」を認める。

　　説 始悦 [□入] 反 … トク [平上] … 又音悦 … 又音税 和セチ …

　　　　　　　　　　　　　　　　　　　　　　　　　(観智院本類聚名義抄／法上052-2)

3-5-1 -ia 系の字音的特徴　975

▶番号1246b「綴」（補綴）の仮名音注「テチ」については、基本的に -et で対応する。当該字には入声点を差す。当該字「綴」は「叕」と相互に異体字である。廣韻に拠れば、薛韻（ţiuɑt）祭韻（ţiuɑiᵃ）二音を有する。図書寮本類聚名義抄に同音字注「音輟」（その去声点位置に仮名音注「テイ」／その入声点位置に仮名音注「テチ」）および低平調と推測する仮名音注「真云テイ」と入声音を付した仮名音注「テチ」を見出す。後二者は真興和音である。観智院本には去声点を付した同音字注「音輟」（その右傍に朱筆で仮名音注「ライ・ラチ」）と仮名音注「テチ・テイ」を見出す。日本漢音「テイ」去声と「テチ」入声、日本呉音「テイ」平声と「テチ」入声を認める。

　　　連綴 音輟 [テイ：去声点位置／テチ：入声点位置] … 真云テイ [□平] テチ [□入]
　　　　　　　　　　　　　　　　　　　　　　　　　　　　　　（図書寮本類聚名義抄／319-6）
　　　綴 音輟 [去／ライ・ラチ：朱右傍] テチ テイ ツラヌ [上上□] … 正叕 …
　　　　　　　　　　　　　　　　　　　　　　　　　　（観智院本類聚名義抄／法中122-3）
　　　叕 今綴 陟睿反　　　　　　　　　　　　　　　　（観智院本類聚名義抄／僧中054-2）

▶番号0791b「埒」（放埒）の仮名音注「ラツ」については、異例 -at を示す。当該字には入声点を差す。字形の近似する「捋」（末韻合口 luɑt）との混同による字音把握か。図書寮本類聚名義抄に同音字注「音劣」と借字による字音表記「俗音良智 [平平]」を見出す。後者には低平調を示す差声を施す。観智院本には同音字注「音劣」と低平調を示す仮名音注「俗音ラチ」を見出す。定着久しい字音「ラチ」入声を認める。

　　　埒 音劣 … 川云俗音良智 [平平] ヒトシ [平平上／白：右注]　（図書寮本類聚名義抄／227-7）
　　　埒 音劣 俗音 ラチ [平平] ／ヒトシ [平平上] オナシ　（観智院本類聚名義抄／法中058-4）

▶番号0346b「劣」（優劣）の仮名音注「レツ」については、基本的に -et で対応する。当該字には入声点を差す。観智院本類聚名義抄に和音「レチ」を見出す。日本呉音「レチ」を認める。

　　　劣 オトル [平平□／□□ス] … 和レチ　　　　　　（観智院本類聚名義抄／僧上084-5）

《下巻 薛韻合口諸例》

▶番号4510a「噦」（噦噎）の仮名音注「エツ」については、基本的に -et で対応する。当該字には入声点を差し、二種の仮名音注「クワイ」と「エツ」を付載する。二巻本色葉字類抄に仮名音注「エツ」はなく「クワイ」のみである。廣韻に拠れば、薛韻（ʾiuat）月韻（ʾiuɑt）泰韻（xuɑiᵃ）三音を有する。熟字4510「噦噎」は右注「サクリ」を付載する。観智院本類聚名義抄に反切「扵越反」（その反切下字に入声点）と反切「又乙劣反」を見出すが、仮名音注はない。元和本倭名類聚抄には反切「於越反」がある。日本漢音は入声を認める。

　　　噦噎 サクリ／クワイエツ エツ [：右傍]　　　（前田本色葉字類抄／下佐・045 オ4・人躰）
　　　噦噎 サクリ [：右傍] クワイ エツ [：左傍]　（二巻本色葉字類抄／巻下下佐・12 ウ1・人躰）

976　3．仮名音注の韻母別考察　3-5　ⅢA韻類

　　　曦 抐越［平入］反 … 又乙劣反／サクリ … アヘキ　　　　　（観智院本類聚名義抄／佛中 059-8）

　　　曦壹　唐韻云曦壹 上於越反下乙劣反楊氏漢語抄云曦壹佐久利 逆気也

　　　　　　　　　　　　　　　　　　　　　　　　　　　　　　　　（元和本倭名類聚抄／巻三 18 ウ 8）

　▶番号5137b・5144b・5835b「悦」（喜悦・欣悦・悉悦）の仮名音注「エツ」については、基
本的に -et で対応する。当該諸字三例には入声点を差す。上巻の薛韻合口当該諸例で分析したよう
に、日本漢音は徳声（四声体系では入声）を認める。

　▶番号6326b「閲」（披閲）の仮名音注「エツ」については、基本的に -et で対応する。当該字
には入声点を差す。観智院本類聚名義抄に同音字注「音悦」を見出すが、仮名音注はない。

　　　閲 音悦 ウク … エラフ［平上平濁］　　　　　　　　　（観智院本類聚名義抄／法下 076-2）

　▶番号6413「蛻」（蛻）の仮名音注「セツ」については、基本的に -et で対応する。当該字には
入声点を差し、右注「同（モヌク［平上上］）舒芮反」中注「始悦反／蟬蚰之解皮也」左注「又戈
雪反」を付載する。廣韻に拠れば、薛韻 (jiuat) 祭韻 (śiuai⁵) 泰韻 (t'uɑi⁵) 過韻 (t'uɑ⁵) 四音を有
する。観智院本類聚名義抄は当該字を掲げていない。元和本倭名類聚抄には反切「始悦反」と同音
字注「音税」がある。

　　　蛻 齒鋭反 蟬蚰 所鮮反　　　　　　　　　　　　　　（高山寺本篆隷萬象名義／第六帖 091 ウ 2）
　　　蛻 尸鋭始悦二切 蛇皮也　　　　　　　　　　　　　　（小學彙函本大廣益會玉篇／巻下 35 オ 11）
　　　蛻 蛻蛻附 野王案蛻 始悦反音税訓毛沼久 蟬蛇之解皮也 …

　　　　　　　　　　　　　　　　　　　　　　　　　　　　　（元和本倭名類聚抄／巻十九 29 オ 3）

　▶番号6588a・6683a「絶」（絶域・絶煙）の仮名音注「セチ」については、基本的に -et で対
応する。両当該字には入声点を差す。図書寮本類聚名義抄に反切「中云情雪反」（その反切下字に
入声点）を見出す。観智院本には反切「自雪反」および和音「セチ」を見つける。日本漢音は入声、
日本呉音「セチ」を認める。

　　　絶 中云情雪［□入］反 … タエンタル［平上平平濁上／異：右注］…（図書寮本類聚名義抄／302-2）
　　　絶 自雪反 タユ［平上］… 和セチ　　　　　　　　　（観智院本類聚名義抄／法中 122-6）

　▶番号4380b・6467b・6736a・6737a「絶」（絶域・絶煙・絶席・絶交）の仮名音注「セツ」
については、基本的に -et で対応する。当該諸字四例には入声点を差す。上述の分析を参照。

　▶番号6738a・6759a「絶」（絶倫・絶入）の仮名音注「セツ」については、基本的に -et で対
応する。両当該字に声点はない。熟字6738「絶倫」は左傍「トモニスクレタリ」を付載する。上述
の分析を参照。

　▶番号6742a「絶」（絶入）の仮名音注「セ」については、異例 -e を示す。当該字に声点はな
い。熟字6742「絶入」は右注「セニウ」仮名音注を付載する。上述の分析を参照。

　▶番号5209・5704b「雪」（雪・聚雪）の仮名音注「セツ」については、基本的に -et で対応す
る。両当該字には入声点を差す。番号5209は右注「ユキ 相絶反 凝雨也」左注「又作霅」を付載

する。観智院本類聚名義抄に入声点を付した同音字注「音切」および和音「セチ」を見出す。元和本倭名類聚抄には同音字注「音切」がある。日本漢音は入声、日本呉音「セチ」を認める。

雪 音切 [入] ユキ … 和セチ　　　　　　　　　　　　　　（観智院本類聚名義抄／法下 069-6）

雪 … 五經通義云陽則散爲雨水寒則凝爲雪霜皆從地而昇者也又作霎音切 和名由木

（元和本倭名類聚抄／巻一 05 ウ 5）

▶番号3575b・5470b「雪」（紅雪・紫雪）の仮名音注「セツ」については、基本的に -et で対応する。両当該字に声点はない。熟字3575「紅雪」は左注「唐物」を、熟字5470「紫雪」は左注「唐物」を付載する。上述の分析を参照。

▶番号6272b・6602a「説」（謬説・説經）の仮名音注「セツ」については、基本的に -et で対応する。両当該字には入声点を差す。上巻の薛韻合口当該諸例で分析したように、日本漢音は入声、日本呉音「セチ」を認める。

▶番号6569a・6569b・6603a「説」（説〻・説〻・説法）の仮名音注「セツ」については、基本的に -et で対応する。当該諸字三例に声点はない。上述の分析を参照。

▶番号4348「埒」（埒）の仮名音注「ラツ」については、異例 -at を示す。当該字には入声点を差し、和訓「アヤツル」の同訓異字として位置する。上巻の薛韻合口当該例で分析したように、定着久しい字音「ラチ」入声を認める。

▶番号5885b「劣」（勝劣）仮名音注「レツ」については、基本的に -et で対応する。当該字には入声点を差す。上巻の薛韻合口当該例で分析したように、日本呉音「レチ」を認める。

3-5-1-8　-iaŋ/-iak（庚/梗/映/陌韻）

資料篇【表B-08】には庚韻（平声）梗韻（上声）映韻（去声）陌韻（入声）所属の諸例が含まれる。前田本の示す仮名音注は基本的に -jaŭ, -ei/-ek で対応する。異例としては、-a, -aĭ, -e がある。

《上巻 庚韻開口諸例》

▶番号0520「英」（英）の仮名音注「エイ」については、基本的に -ei で対応する。当該字には平声点を差し、右注「同（ハナタチハナ）」左注「又アタハナ」を付載する。観智院本類聚名義抄に平声点を付した同音字注「音霙」を見出すが、仮名音注はない。日本漢音は平声を認める。

英 … 音霙 [平] ／アタハナ [上上濁上濁囗] …　　　　　（観智院本類聚名義抄／僧上 035-4）

花　爾雅云木謂之華 戸花反 草謂之榮 永兵反 榮而不実謂之英 於驚反訓阿太波奈

（元和本倭名類聚抄／巻二十 33 オ 1）

▶番号0500b・2218「荊」（蔓荊・荊）の仮名音注「ケイ」については、基本的に -ei で対応す

978　3．仮名音注の韻母別考察　3-5　ⅢA韻類

る。両当該字には平声点を差す。熟字0500「蔓荊」は右注「ハマハヒ」を、番号2218「荊」は右注「同（ヲトロ）」を付載する。観智院本類聚名義抄に同音字注「音京」および「和形」を見出す。長承本蒙求には仮名音注「ケイ」三例があり、それらの掲出字に東声点・去声点・平声点を加える。承暦本金光明最勝王経音義には同音字注「形音」があり、その掲出字に去声点を加える。元和本倭名類聚抄には同音字注「音京」を見つける。日本漢音「ケイ」東声（四声体系では平声）日本呉音は去声を認める。

　　　蔓荊 ハマハヒ［平平平上］… 下音京 ウハラ［上上濁囗］スハエ 和形

　　　　　　　　　　　　　　　　　　　　　　　　　（観智院本類聚名義抄／僧上 014-1）

　　　荊 ウハラ　　　　　　　　　　　　　　　　　（観智院本類聚名義抄／僧上 092-5）

　　　荊［東］ケイ／ケイ　　　　　　　　　　　　　　　　　（長承本蒙求／058）

　　　荊［去］ケイ〔＊呉音声調の混入か〕　　　　　　　　　　（長承本蒙求／082）

　　　荊［平］ケイ　　　　　　　　　　　　　　　　　　　　（長承本蒙求／131）

　　　荊［去］形ゝ　　　　　　　　（承暦本金光明最勝王経音義／11 ウ2）

　　　蔓荊　蘇敬本草注云蔓荊一名小荊 和名波末波非　　　（元和本倭名類聚抄／巻二十 29 ウ8）

　　　荊　唐韻云荊 音京漢語抄奈末江乃木 木名也　　　　（元和本倭名類聚抄／巻二十 30 オ1）

　▶番号1498b「擎」（燈擎）の仮名音注「カイ」については、異例 -aï を示す。当該字に声点はない。熟字1498「燈擎」は右注「同（トウカイ）」を付載する。直前の熟字1497「燈械」の左右注「トウ／カイ」を踏襲する。当該字「擎」は字音「ケイ」を期待する。観智院本類聚名義抄に平声点を付した同音字注「音鯨」を見出すが、仮名音注はない。日本漢音は平声を認める。

　　　擎 音鯨［平］サ〻ク［上上平］／カキアク タム　　　（観智院本類聚名義抄／佛下本 042-7）

　　　燈械　楊氏漢語抄云燈械 音戒 所以居燈盞也　　　　（元和本倭名類聚抄／巻十二 13 ウ6）

　▶番号2230「鯨」（鯨）の仮名音注「ケイ」については、基本的に -eï で対応する。当該字には平声点を差し、右注「ケイ」左注「ヲクチラ」を付載する。観智院本類聚名義抄に反切「巨京反」を見出すが、仮名音注はない。元和本倭名類聚抄には反切「巨京反」がある。

　　　鯨 … 巨京反 クチラ［平上濁平］… 雄曰鯨　　　　（観智院本類聚名義抄／僧下 002-3）

　　　鯨鯢　唐韻云大魚雄曰鯨 渠京反 雌曰鯢 音蜺和名久知良 …

　　　　　　　　　　　　　　　　　　　　　　　　　（元和本倭名類聚抄／巻十九 02 オ2）

　▶番号0884b「迎」（拜迎）の仮名音注「ケイ」については、基本的に -eï で対応する。当該字には平声点を差す。廣韻に拠れば、庚/映韻（ŋiaŋ$^{1/3}$）二音を有する。観智院本類聚名義抄に反切「宜景反」および低平調と推測する和音「カウ」（その右傍に朱筆で濁音「✓」表記）を見出す。後者の和音は鎮国守国神社本・西念寺本において同じく「和カウ」（その右傍に朱筆で濁音「✓」表記）である。長承本蒙求には仮名音注「ケイ」があり、その掲出字に上声点を加える。古くは庚/梗/映/陌韻三等の牙喉音が直音 -aü/-ak を示す点について、有坂秀世『国語音韻史の研究』（1944／増補

新版1957）に指摘がある。 (43) 日本漢音「ケイ」上声、日本呉音「ガウ」平声を認める。

迎 冝景反 ムカフ［上上平］／サカサマ［上上□□］和カウ［□平／右傍：✓□］

(観智院本類聚名義抄／佛上060-2)

迎 冝京反／ムカフ 和カウ［右傍：✓□］ (鎮国守国神社本三寶類聚名義抄／上一10ウ7)

迎 冝京反 ムカフ … 和カウ［□上／右傍：✓□］ (西念寺本類聚名義抄／33オ6)

迎 冝京［□平］反／ムカフ［上上平］ (高山寺本三寶類字集／上32オ7)

迎［上］ケイ／ケイ・迪イウイ〔＊「迪 イウ」イ本か〕 (長承本蒙求／041)

▶番号0162「牲」（牲）の仮名音注「セイ」については、基本的に -ei で対応する。当該字には平声点を差し、右注「同（イケニヘ）」を付載する。観智院本類聚名義抄に平声点を付した同音字注「音生」を見出すが、仮名音注はない。日本漢音は平声を認める。

牲 音生［平］イケニヘ［平平平平］／アサヤカナリ (観智院本類聚名義抄／佛下末002-1)

▶番号3027b「兵」（甲兵）の仮名音注「ヒヤウ」については、基本的に -jaū で対応する。当該字には上声点を差す。観智院本類聚名義抄に反切「彼榮反」および和音「ヒヤウ」を見出す。日本呉音「ヒヤウ」を認める。

兵 彼榮反 … ツハ物／イクサ［平上平］和ヒヤウ (観智院本類聚名義抄／佛下末025-6)

▶番号0617「評」（評）の仮名音注「ヒヤウ」については、基本的に -jaū で対応する。当該字には平声点を差し、和訓「ハカル」の同訓異字として位置する。図書寮本類聚名義抄に平声点を付した同音字注「季云音平」と反切「弘云皮柄反」さらに去声点を付した同音字注「宋云又音病」を見出す。観智院本類聚名義抄に同音字注「平」を見出すが、仮名音注はない。日本漢音は平/去声を認める。

評論 季云音平［平］弘云皮柄反 … 宋云又音病［去］… (図書寮本類聚名義抄／096-7)

評 ハカル ソシル カソフ … 音平 (観智院本類聚名義抄／法上056-3)

▶番号0184a・1302a・1327a・1328a・1342a・1347a・1348a・1349a・1352a・1359a・1385a・1399a・1406a・1410a「平」（平題箭・平蠻調・平明・平旦・平安・平癒・平復・平痊・平民・平懐・平索・平坏・平給・平否）の仮名音注「ヘイ」については、基本的に -ei で対応する。当該諸字十四例には平声点を差す。廣韻に拠れば、庚韻（biaŋ¹）仙韻（bjian¹）二音を有する。熟字0184「平題箭」は右注「イタツキ」を、熟字1302「平蠻樂」は右注「平調」を、熟字1327「平明」は「アケホノ」を、1328「平旦」は「アケホノ」を、熟字1359「平懐」は右傍「ナメシ」を付載する。熟字1347「平癒」は前田本が示す「平口+愈」を修正した。これは邊篇疊字部醫方部疾病分に属することによる。観智院本類聚名義抄に反切「歩兵反」（その反切下字に平声点）と反切「皮兵反」（その反切下字に平声点）さらに同音字注「又音便」（仙韻 bjian¹/³）を見出す。長承本蒙求には仮名音注「ヘイ」があり、その掲出字に東声圏点〔＊頭子音 b- 脣音濁並母ゆえ不審〕を加えるが、仮名音注を付載しない掲出字八例には平声点を加える。承曆本金光明最勝王経音義には仮名音注「ヒ

980　3．仮名音注の韻母別考察　3-5　ⅢA韻類

ヤウ」を見つける。日本漢音「ヘイ」平声、日本呉音「ヒヤウ」を認める。

　　　　平 歩兵 ［□平］反 ヒトシ／タヒラカニナリ　　　　　　　　（観智院本類聚名義抄／佛上081-4）

　　　　平 皮兵 ［□平］反／タヒラカニ ［平平□□□］… 又音便　　　（観智院本類聚名義抄／佛上083-7）

　　　　平 ［平］　　　　　　　（長承本蒙求／039・040・042・065・086・088・090・092）

　　　　平 ［東：圏点］ ヘイ　　　　　　　　　　　　　　　　　　　　　　　（長承本蒙求／126）

　　　　平 ［ヒヤウ：右傍］〔＊後筆墨書］　　　　（承暦本金光明最勝王経音義／07 ウ6）

　　　　平題箭　楊雄方言云鏃不鋭者謂之平題 和名以太都岐 …

　　　　　　　　　　　　　　　　　　　　　　　　　　（元和本倭名類聚抄／巻十三14 オ9）

　　　　平調曲　相夫憐 萬歳樂 … 平蠻樂 … 夜半樂　　　（元和本倭名類聚抄／巻四15 ウ3）

　▶番号3290a「平」（平群）の仮名音注「ヘ」については、異例 -e を示す。当該字に声点はない。略音による借字表記か。熟字3290「平群」は邊篇姓氏部に属する。万葉集に先例がある。上述の分析を参照。

　　　平群朝臣嬥歌一首

　　　小児等 草者勿苅 八穂蓼乎 穂積乃阿曽我 腋草乎可礼　　　（西本願寺本万葉集巻十六3842）

　　　穂積朝臣和歌一首

　　　何所曽 真朱穿岳 薦疊 平群乃阿曽我 鼻上乎穿礼　　　（西本願寺本万葉集巻十六3843）

　▶番号1580b「明」（燈明）の仮名音注「ミヤウ」については、基本的に -jaū で対応する。当該字には上声点を差す。その中古音が示す頭子音 m-（等韻学の術語で言う唇音清濁明母）は両唇鼻音であり、日本語のマ行音をもって受容する。ただし、中国語音韻史上における鼻音声母の非鼻音化 (denasalization) を反映する場合はバ行音で対応するが、末子音に鼻音韻尾 ŋ- を持つ音節では非鼻音化が起こらないか、あるいは程度が軽かった。 (44) そのためか前田本では仮名音注「ベイ」が顕れない。観智院本類聚名義抄に同音字注「音鳴」および和音「ミヤフ」〔＊ミヤウの誤認］を見出す。長承本蒙求には仮名音注「メイ」二例があり、それらを含む掲出字三例に平声点を加える。日本漢音「メイ」平声、日本呉音「ミヤウ」を認める。

　　　　明 可在月 アキラカナリ ［□□□ニ□□］… 和ミヤフ　　（観智院本類聚名義抄／佛中087-2）

　　　　明 … 音鳴／アキラカナリ アクルニ アス　　　　（観智院本類聚名義抄／佛中137-3）

　　　　明 ［平］　　　　　　　　　　　　　　　　　　　　（長承本蒙求／091）

　　　　明 ［平］ メイ　　　　　　　　　　　　　　　　　（長承本蒙求／132・139）

　▶番号1327b「明」（平明）の仮名音注「メイ」については、基本的に -ei で対応する。当該字には平声点を差す。熟字1327「平明」は「アケホノ」を付載する。上述の分析を参照。

　▶番号0490b・2732a「鳴」（鹿鳴草・鳴前）の仮名音注「メイ」については、基本的に -ei で対応する。両当該字には平声点を差す。熟字0490「鹿鳴草」は右注「同（ハキ）」を、2732「鳴前」は右注「カフラ」を付載する。観智院本類聚名義抄に同音字注「音明」を見出す。長承本蒙求

には仮名音注「メイ」二例があり、それらの掲出字に平声点を加える。日本漢音「メイ」平声を認める。

鳴 音明 ナル［上平］ナク［上平］…	（観智院本類聚名義抄／佛中061-2）	
鳴［平］メイ／メイ	（長承本蒙求／013）	
鳴［平］メイ	（長承本蒙求／130）	
鹿鳴草　爾雅集注云萩一名蕭 萩音秋一音焦蕭音宵和名波木 … 楊氏漢語抄又用鹿鳴草三字並本文未詳		
	（元和本倭名類聚抄／巻二十02ウ9）	

▶番号1751「盟」（盟）の仮名音注「メイ」については、基本的に -ei で対応する。当該字に声点はなく、和訓「チカヒ／□□フ」の同訓異字として位置する。廣韻に拠れば、庚韻（miaŋ¹）映韻（maŋ³）二音を有する。また当該字「盟」は「盟」と相互に異体字である。観智院本類聚名義抄に平声点を付した同音字注「音明」（庚韻 miaŋ¹）と上声点を付した同音字注「又音皿」（梗韻 miaŋ²）さらに同音字注「又音孟」（映韻 maŋ³）を見出すが、仮名音注はない。鎮国守国神社本三寶類聚名義抄には平声点と去声点を付した同音字注「音明」を見つける。日本漢音は平/上/去声を認める。

明 光也 … 武兵切五 盟 盟約 … 盟 同上	（宋本廣韻／庚韻 miaŋ¹）	
皿 器皿 武永切三 … 盟 盟也	（宋本廣韻／梗韻 miaŋ²）	
孟 長也 … 莫更切四 … 盟 盟津又音明	（宋本廣韻／映韻 maŋ³）	
盟 音明［平］チカフ［上上□］… 又音皿［上］／又音孟 …	（観智院本類聚名義抄／僧中013-4）	
盟 音明［平・去］チカフ［上上□］… 又音皿 又音孟 …		
	（鎮国守国神社本三寶類聚名義抄／下一50ウ7）	

《下巻 庚韻開口諸例》

▶番号3813a・3814a・3860a・3861a・4117「英」（英雄・英才・英傑・英髦・英）の仮名音注「エイ」については、基本的に -ei で対応する。当該諸字五例には平声点を差す。番号4117「英」は右注「於驚反」中注「アタハナ」左注「榮而不實曰英」を付載する。上巻の庚韻当該例で分析したように、日本漢音は平声を認める。

▶番号5921a・6369a「英」（英虞・英賀）の仮名音注「ア」については、異例 -a を示す。両当該字に声点はない。字音「アウ」の略音による借字であろう。また万葉集に地名「英遠浦」を借字「安乎能宇良」とする大伴家持の歌がある。古くは庚/梗/映/陌韻三等が直音 -aŭ/-ak を示す点について、有坂秀世『国語音韻史の研究』（1944／増補新版1957）に指摘がある。[43]

志摩國 國府在英虞郡 … 答志　英虞 阿呉	（元和本倭名類聚抄／巻五12ウ4）	
備中國 國府在賀夜郡 … 都宇 津 … 英賀 阿加	（元和本倭名類聚抄／巻五23ウ2）	

行英遠浦之日作歌一首

982　3．仮名音注の韻母別考察　3-5　ⅢA韻類

　　安乎能宇良尓　餘須流之良奈美　伊夜末之尓　多知之伎与世久　安由乎伊多美可聞

　　右一首大伴宿祢家持作之　　　　　　　　　　　　　（西本願寺本万葉集／巻十八 4093）

　▶番号 4052「霙」（霙）の仮名音注「エイ」については、基本的に -eĭ で対応する。当該字には平声点を差し、右注「同（アラレ）」を付載する。廣韻に拠れば、庚韻（'iaŋ'）陽韻（'iɑŋ'）二音を有する。観智院本類聚名義抄に同音字注「音英」と反切「又乙文反」を見出すが、仮名音注はない。元和本倭名類聚抄に反切「於驚反」がある。

　　霙　音英 又乙文反／雲貞 ミソレ　　　　　　　　　（観智院本類聚名義抄／法下 070-7）

　　霙　孫愐云霙雨雪相雑也音於驚反文選雪賦師說曰 三曾禮

　　　　　　　　　　　　　　　　　　　　　　　　　（元和本倭名類聚抄／巻一 06 オ 5）

　▶番号 4845「京」（京）の仮名音注「キヤウ」については、基本的に -jaŭ で対応する。当該字には平声点を差し、右注 4845「キヤウ 天子之居也」左注 4844「ケイ」を付載する。観智院本類聚名義抄に反切「居貞反」を見出す。長承本蒙求には仮名音注「ケイ」二例があり、それらの掲出字に東声点を加える。日本漢音「ケイ」東声（四声体系では平声）を認める。

　　京 居貞反 ミヤコ オホイナリ ワタル／ウレシ　　　（観智院本類聚名義抄／法下 040-2）

　　京 ［東］ケイ　　　　　　　　　　　　　　　　　　（長承本蒙求／048・079）

　▶番号 5202a「京」（京職）の仮名音注「キヤウ」については、基本的に -jaŭ で対応する。当該字に声点はない。熟字 5202「京職」は左注「左右京職」を付載する。上述の分析を参照。

　　職　職員令云 … 左京職 比多利乃美佐止豆加佐 右京職 美岐乃美佐止豆加佐

　　　　　　　　　　　　　　　　　　　　　　　　　（元和本倭名類聚抄／巻五 06 オ 2）

　▶番号 4844「京」（京）の仮名音注「ケイ」については、基本的に -eĭ で対応する。当該字には平声点を差し、右注 4845「キヤウ 天子之居也」左注 4844「ケイ」を付載する。上述の分析を参照。

　▶番号 5204「卿」（卿）の仮名音注「キヤウ」については、基本的に -jaŭ で対応する。当該字には平声点を差し、右注 5203「ケイ」中注 5204「キヤウ」左注「在八省」を付載する。観智院本類聚名義抄に反切「去京反」を見出す。長承本蒙求には仮名音注「ケイ」二例があり、それらの掲出字に東声点を加える。日本漢音「ケイ」東声（四声体系では平声）を認める。

　　卿 去京反 キミ［上上］／公卿也 …　　　　　　　　（観智院本類聚名義抄／法下 135-1）

　　卿 ［東］ケイ　　　　　　　　　　　　　　　　　　（長承本蒙求／024・099）

　　長官　本朝職員令云二方品貞等所載神祇曰伯省曰卿 …

　　　　　　　　　　　　　　　　　　　　　　　　　（元和本倭名類聚抄／巻五 03 オ 3）

　▶番号 5203「卿」（卿）の仮名音注「ケイ」については、基本的に -eĭ で対応する。当該字には平声点を差し、右注 5203「ケイ」中注 5204「キヤウ」左注「在八省」を付載する。上述の分析を参照。

3-5-1 -ia 系の字音的特徴 983

▶番号4620「擎」（擎）の仮名音注「ケイ」については、基本的に -ei で対応する。当該字には平声点を差し、左注「攣也」を付載する。また和訓「ヒミク」の同訓異字として位置する。上巻の庚韻当該例で分析したように、日本漢音は平声を認める。

▶番号5246「檠」（檠）の仮名音注「ケイ」については、基本的に -ei で対応する。当該字には平声点を差し、右注「ユミタメ」左注「又タマ」を付載する。廣韻に拠れば、庚/映韻（giaŋ)¹⁾³⁾ 二音を有する。観智院本類聚名義抄に去声点を付した同音字注「音敬」と平声点を付した同音字注「又鯨」さらに上声点を付した同音字注「音境」を見出すが、仮名音注はない。元和本倭名類聚抄に同音字注「音敬又音鯨」がある。日本漢音は平/去声を認める。

　　檠 音敬［去］又鯨［平］ユミタメ［平平平濁上］ユタメ／音境［上］

　　　　　　　　　　　　　　　　　　（観智院本類聚名義抄／佛下本110-7）

　　檠 樣字附 野王案檠 音敬又音鯨和名由美太米 所以正弓弩也 … 字亦作㷉訓 太無

　　　　　　　　　　　　　　　　　　（元和本倭名類聚抄／巻十三15ウ7）

▶番号6692b「兵」（精兵）の仮名音注「ヒヤウ」については、基本的に -jaū で対応する。当該字には平声点を差す。上巻の庚韻当該例で分析したように、日本呉音「ヒヤウ」を認める。

▶番号6389a・6390a・6391a「兵」（兵部省・兵庫寮・兵衛府）の仮名音注「ヒヤウ」については、基本的に -jaū で対応する。当該諸字三例に声点はない。上述の分析を参照。

▶番号6311a「平」（平等）の仮名音注「ヒヤウ」については、基本的に -jaū で対応する。当該字には去声濁点を差すので、字音「ビヤウ」を想定する。その中古音が示す頭子音 b-（等韻学の術語で言う濁並母）は有声両唇閉鎖音であり、日本語のバ行音をもって受容するが、中国語音韻史上における濁音声母の無声化を反映する場合はハ行音で対応する。上巻の庚韻開口当該諸例で分析したように、日本漢音「ヘイ」平声、日本呉音「ヒヤウ」を認める。

▶番号6191a「平」（平文）の仮名音注「ヒヤウ」については、基本的に -jaū で対応する。当該字に声点はない。上述の分析を参照。

▶番号4400a「平」（平群）の仮名音注「ヘ」については、異例 -e を示す。当該字に声点はなく、左右注「国／府」を付載する。略音による借字表記か。上巻の庚韻開口当該例（番号3290a）で分析した。上述の分析を参照。

　　安房國 國府在平群郡 … 平群 倍久利國府 安房 如國 …　　（元和本倭名類聚抄／巻五14ウ9）

▶番号3560b「枰」（基枰）の仮名音注「ヒヤウ」については、基本的に -jaū で対応する。当該字には平声点を差す。廣韻に拠れば、庚/映韻（biaŋ)¹⁾³⁾ 二音を有する。熟字3560「某枰」は右注「同（コハン）」中注「皮命反」左注「音平」を付載する。観智院本類聚名義抄に同音字注「平病二音」を見出すが、仮名音注はない。元和本倭名類聚抄に反切「皮命反」と同音字注「一音平」がある。

　　枰 平病二音 楊也／平也　　　　　　　　　　（観智院本類聚名義抄／佛下本088-6）

984　3．仮名音注の韻母別考察　3-5　ⅢA韻類

　　碁局 楔字附 唐韻云枰 皮命反一音平 按簿局也 …　　　　　　（元和本倭名類聚抄／巻四07ウ2）

▶番号6296a「評」（評定）の仮名音注「ヒヤウ」については、基本的に *-jaü* で対応する。当該字には平声点を差す。熟字6296「評定」は右傍「ハカリ サタム」を付載する。上巻の庚韻当該例で分析したように、日本漢音は平/去声を認める。

▶番号4046a「明」（明星）の仮名音注「ミヤウ」については、基本的に *-jaü* で対応する。当該字には平声点を差す。熟字4046「明星」は右注「アカホシ」を付載する。上巻の庚韻開口当該諸例で分析したように、日本漢音「メイ」平声、日本呉音「ミヤウ」を認める。

　　明星　兼名苑云歳星一名明星此間云 阿加保之　　　　　　（元和本倭名類聚抄／巻四07ウ2）

▶番号 3719b・4272b・6234b・6702b「明」（五明・五明・未明・鮮明）の仮名音注「メイ」については、基本的に *-eï* で対応する。当該諸字四例には平声点を差す。熟字6702「鮮明」は右傍「アサヤカナリ」を付載する。上述の分析を参照。

▶番号6731b「盟」（誓盟）の仮名音注「メイ」については、基本的に *-eï* で対応する。当該字に声点はない。熟字6731「誓盟」は右傍「チカヒ チカフ」を付載する。上巻の庚韻当該例で分析したように、日本漢音は平/上/去声を認める。

《上巻 梗韻開口諸例》

▶番号2033b・2080b「境」（隣境・苞境）の仮名音注「ケイ」については、基本的に *-eï* で対応する。両当該字には上声点を差す。図書寮本類聚名義抄に同音字注「音警」（その上声点位置に仮名音注「ケイ」）を見出す。観智院本類聚名義抄に同音字注「音警」を見つける。日本漢音「ケイ」上声を認める。

　　境 音警［ケイ：上声点位置］… サカヒ［平平平/記：右傍］…　　　（図書寮本類聚名義抄／228-4）
　　境 音警 界／サカヒ［平平□］ヲリ［平上］　　　　　　（観智院本類聚名義抄／法中067-8）

▶番号0469b「景」（韶景）の仮名音注「ケイ」については、基本的に *-eï* で対応する。当該字には上声点を差す。熟字0469「韶景」は掲出字「春」の右注に属する。観智院本類聚名義抄に反切「居影反」を見出す。長承本蒙求に仮名音注「ケイ」があり、その掲出字に上声点を加える。日本漢音「ケイ」上声を認める。

　　景 … 居影反 オホキナリ カケ［平上濁］…　　　　　　（観智院本類聚名義抄／佛中100-1）
　　景［上］ケイ　　　　　　　　　　　　　　　　　　　（長承本蒙求／110・129）

▶番号0728b「景」（晩景）の仮名音注「ケイ」については、基本的に *-eï* で対応する。当該字には上声濁点を差すので、日本語音韻史上の連濁による字音「ゲイ」を想定する。熟字0728「晩景」は右傍「ユウカケ」を付載する。上述の分析を参照。

▶番号0215「警」（警）の仮名音注「ケイ」については、基本的に *-eï* で対応する。当該字に声

点はなく、和訓「イマシム」の同訓異字として位置する。図書寮本類聚名義抄に反切「弘云居影反」と上声点を付した同音字注「異音決云音景」を見出す。観智院本には同音字注「音影」を見出すが、仮名音注はない。日本漢音は上声を認める。

　　　警心 弘云居影反 スヽム … イマシム［平平上平／詩：右注］…　　　（図書寮本類聚名義抄／085-1）

　　　警宿 異音決云音景［上］スヽム … イマシム［平平□□］…　　　（図書寮本類聚名義抄／085-4）

　　　警 音影 スヽム … イマシム［平平□□］…　　　（観智院本類聚名義抄／法上 064-8）

　▶番号1329a「秉」（秉濁）の仮名音注「ヘイ」については、基本的に -ei で対応する。当該字には上声点を差す。熟字1329「秉濁」は右傍に「トモシヒヲトル」を付載する。観智院本類聚名義抄に上声点と去声点〔＊存疑〕を付した同音字注「丙」（その右傍に朱筆で仮名音注「ヘイ」左傍に墨筆で仮名音注「ヒヤウ」）を見出す。同書の凡例部分「朱音者正音也墨声者和音也」（篇目 7-6）に従えば、朱墨で正音と和音を分別する傾向がある。長承本蒙求には仮名音注「ヘイ」二例があり、それらの掲出字に上声点を加える。承暦本金光明最勝王経音義には同音字注「并音」があり、その掲出字に平声点を施す。石山寺一切経蔵本大般若経字抄には漢呉二音相同の同音字注「音丙」を見つける。日本漢音「ヘイ」上声、日本呉音「ヒヤウ」平声を認める。

　　　秉 イナタハリ　　　（観智院本類聚名義抄／法下 024-1）

　　　秉 音丙［上・去／ヘイ：朱右傍／ヒヤウ：墨左傍］イナタハリ［平平平平濁上］…

　　　　　　　　　　　　　　　　（観智院本類聚名義抄／法下 040-3）

　　　秉［上］ヘイ　　　（長承本蒙求／047・058）

　　　秉［平］并ミ／取也　　　（承暦本金光明最勝王経音義／05 ウ 5）

　　　秉［音丙：右傍］　　　（石山寺一切経蔵本大般若経字抄／21 ウ 7）

　▶番号0043・1536「秉」（秉・秉）の仮名音注「ヘイ」については、基本的に -ei で対応する。両当該字に声点はない。番号0043「秉」は右注「イナタハリ」を、番号1536「秉」は右注「秉濁」を付載する。また後者は和訓「トル」の同訓異字として位置する。上述の分析を参照。

　▶番号1400a「炳」（炳焉）の仮名音注「ヘイ」については、基本的に -ei で対応する。当該字には上声点を差す。観智院本類聚名義抄に上声点を付した同音字注「丙音」および「和平」を見出すが、仮名音注はない。日本漢音は上声、日本呉音は平声を認める。

　　　炳 丙［上］音 トチレリ［□平上平］チル … 和平　　　（観智院本類聚名義抄／佛下末 042-4）

《下巻 梗韻開口諸例》

　▶番号3762「影」（影）の仮名音注「エイ」については、基本的に -ei で対応する。当該字に声点はなく、左注「形代也」を付載する。観智院本類聚名義抄に反切「抍景反」を見出す。長承本蒙求には仮名音注「エイ」があり、その掲出字に上声点を加える。日本漢音「エイ」上声を認める。

986　3．仮名音注の韻母別考察　3-5　ⅢA韻類

影 抂景反 カケ［平上濁］ナ、メナリ …　　　　　　　　（観智院本類聚名義抄／佛下本 032-2）

影［上］エイ　　　　　　　　　　　　　　　　　　　　　　　（長承本蒙求／031）

▶番号 5113a「警」（警築）の仮名音注「キヤウ」については、基本的に -jaŭ で対応する。当該字には上声点を差す。上巻の梗韻当該例で分析したように、日本漢音は上声を認める。

▶番号 5839b「景」（思景）の仮名音注「エイ」については、基本的に -eĭ で対応する。当該字には上声点を差す。熟字「思景」は右注 5839「シエイ」左注 5840「シケイ」を付載する。仮名音注「エイ」は当該字「景」（見母梗韻 kiaŋ²）を「影」（影母梗韻 'iaŋ²）と混同したか。上巻の梗韻当該諸例で分析したように、日本漢音「ケイ」上声を認める。

▶番号 5840b・6233b・6581b「景」（思景・美景・韶景）の仮名音注「ケイ」については、基本的に -eĭ で対応する。当該諸字三例には上声点を差す。熟字「思景」は右注 5839「シエイ」左注 5840「シケイ」を付載する。上述の分析を参照。

《上巻 映韻開口諸例》

▶番号 1838b「敬」（致敬）の仮名音注「キヤウ」については、基本的に -jaŭ で対応する。当該字には平声点を差す。観智院本類聚名義抄に平声点と去声点を付した同音字注「音竟」を見出す。平声点は日本呉音の声調か。長承本蒙求には仮名音注「ケイ」三例があり、それらの掲出字に去声点を加える。日本漢音「ケイ」去声を認める。

敬 音竟［平・去］ウヤマフ［上上上□］… ウヤ［上平］　　　（観智院本類聚名義抄／僧中 060-3）

敬［去］ケイ　　　　　　　　　　　　　　　（長承本蒙求／003・134・148）

▶番号 2633「鏡」（鏡）の仮名音注「ケイ」については、基本的に -eĭ で対応する。当該字には去声点を差し、右注「カ、ミ」左注「揚州 百練」を付載する。観智院本類聚名義抄に同音字注「音竟」を見出す。長承本蒙求には仮名音注「ケイ」があり、その掲出字に去声点を加える。元和本倭名類聚抄には反切「居命反」を見つける。日本漢音「ケイ」去声を認める。

鏡 音竟 カ、ミ［平平濁平］… カ、ミル［平平濁平上］　　（観智院本類聚名義抄／僧上 137-5）

鏡［去］ケイ　　　　　　　　　　　　　　　　　　　　　（長承本蒙求／091）

鏡　孫愐切韻云鏡 居命反和名加々美 照人面者也　　　（元和本倭名類聚抄／巻十四 04 ウ 3）

▶番号 2706a「鏡」（鏡臺）の仮名音注「キヤウ」については、基本的に -jaŭ で対応する。当該字には平声点を差す。熟字 2706「鏡臺」は右注「カ、ミカケ」右傍「キヤウタイ俗」仮名音注を付載する。右傍の俗表記は定着久しい字音としておく。上述の分析を参照。

鏡臺 カ、ミカケ［平平濁平上平］　　　　　　　　（観智院本類聚名義抄／僧上 137-5）

鏡臺　魏武疏云純銀参帯鏡臺辨色立成云 加加美加介　　（元和本倭名類聚抄／巻十四 04 ウ 5）

▶番号 1756b「慶」（長慶子）の仮名音注「ケイ」については、基本的に -eĭ で対応する。当該

字には去声濁点を差すので、日本語音韻史上の連濁による字音「ゲイ」を想定する。観智院本類聚名義抄に反切「枯敬反」および和音「キヤウ」を見出す。長承本蒙求には仮名音注「ケイ」があり、その掲出字に去声点を加える。日本漢音「ケイ」去声、日本呉音「キヤウ」を認める。

  慶 枯敬反 美也 賜也 ヨシ［平上］… 和キヤウ   （観智院本類聚名義抄／法下106-5）

  慶 ［去］ケイ   （長承本蒙求／089）

  平調曲　相夫憐 … 長慶子 …   （元和本倭名類聚抄／巻四15 ウ5）

 ▶番号3265b「慶」（餘慶）の仮名音注「ケイ」については、基本的に $-ei$ で対応する。当該字には去声点を差す。上述の分析を参照。

 ▶番号2453b「柄」（鴨柄）の仮名音注「ヘイ」については、基本的に $-ei$ で対応する。当該字には去声点を差す。熟字2453「鴨柄」は右注「カモエ」左注「屋具也」を付載する。観智院本類聚名義抄に反切「碑敬反」（その反切下字に去声点）と反切「戈甚反」（その反切下字に上声点）を見出すが、仮名音注はない。後者の反切は出自未詳。日本漢音は去声を認める。

  柄 彼病反杓標五 …   （王仁昫刊謬補缺切韻／敬韻 pianʒ）

  柄 本也權也柯也 陂病切六 棟 説文同上 … （宋本廣韻／映韻 pianʒ）

  柄 碑敬反 權也柯也／尿也柱也 （高山寺本篆隷萬象名義／第四帖016 ウ3）

  柄 碑敬 ［□去］反 エ［上］一云 カラ［上平］… 戈甚［□上］反

          （観智院本類聚名義抄／佛下本110-6）

  鴨柄 カモエ   （観智院本類聚名義抄／佛下本110-7）

  鴨柄 功程式云鴨柄 賀毛江今案本文未詳 （元和本倭名類聚抄／巻十11 ウ5）

 ▶番号1997b・2920b・2921b「病」（痁病・看病・脚病）の仮名音注「ヒヤウ」については、基本的に $-jau$ で対応する。当該諸字三例には平声濁点を差すので、字音「ビヤウ」を想定する。その中古音が示す頭子音 b-（等韻学の術語で言う脣音濁並母）は有声両脣閉鎖音であり、日本語のバ行音をもって受容するが、中国語音韻史上における濁音声母の無声化を反映する場合はハ行音で対応する。観智院本類聚名義抄に反切「皮命反」および低平調と推測する和音「ヒヤウ」を付載する。日本呉音「ビヤウ」平声を認める。

  病 … ヤマヒ … 皮命反 … 和ヒヤウ［□平平］ （観智院本類聚名義抄／法下113-3）

  痁 釋名云痁 音利久曾比理乃夜萬比 … （元和本倭名類聚抄／巻三22 オ8）

  脚病 伯樂曰脚病 俗云知阿奈岐 … （元和本倭名類聚抄／巻十一15 ウ4）

 ▶番号2613b「病」（脚病）の仮名音注「ヒヤウ」については、基本的に $-jau$ で対応する。当該字には平声点を差す。上述の分析を参照。

 ▶番号2307b「病」（黄病）の仮名音注「ヒヤウ」については、基本的に $-jau$ で対応する。当該字に声点はない。熟字2307「黄病」は右注「同（ワタタン）」を付載する。上述の分析を参照。

  黄疸 病源論云黄疸 音旦一云黄病岐波無夜萬比 … （元和本倭名類聚抄／巻三24 オ1）

988　3．仮名音注の韻母別考察　3-5　ⅢA韻類

▶番号2304b「病」（瘧病）の仮名音注「ヘイ」については、基本的に -ei で対応する。当該字に声点はない。熟字2304「瘧病」は右注「ワラハヤミ」左注「又エヤミ」を付載する。上述の分析を参照。

　　瘧病　說文云瘧 音瘧俗云衣夜美一云和良波夜美 …　　　　　　　　（元和本倭名類聚抄／巻三 24 オ 5）

▶番号0793b・0874b「命」（亡命・薄命）の仮名音注「メイ」については、基本的に -ei で対応する。両当該字には去声点を差す。観智院本類聚名義抄に反切「靡竟反」および和音「ミヤウ」（その右傍に朱筆で喉内撥音韻尾「✓」表記）を見出す。後者の「✓」表記は「ヤ」の右傍に付載するので、疑義を残す。あるいは付載位置を誤認したか。日本呉音「ミヤウ」を認める。

　　命 靡竟反 ヲシフ イノチ［平平上］… 和ミヤウ［□✓□：朱右傍］

　　　　　　　　　　　　　　　　　　　　　　　　　　　　　　（観智院本類聚名義抄／僧中 003-5）

▶番号1215b「命」（報命）の仮名音注「メイ」については、基本的に -ei で対応する。当該字には平声点を差す。上述の分析を参照。

《下巻 映韻開口諸例》

▶番号3792「映」（映）の仮名音注「エイ」については、基本的に -ei で対応する。当該字に声点はなく、反切「扵敬反 或作暎」〔＊暎の誤認か〕左注「エイス 耀也」を付載する。廣韻に拠れば、映韻（'iaŋ³）蕩韻（'ɑŋ²）二音を有する。観智院本類聚名義抄に反切「扵敬反」および上昇調を示す和音「エイ」と低平調を示す「アフ」を見出す。両和音について、鎮国守国神社本三寶類聚名義抄と高山寺本三寶類字集は「又音」とするので、漢音系字音とすべきか。なお「アフ（アウ）」は「ヤウ」の誤認とも考え得る。長承本蒙求には仮名音注「エイ」があり、その掲出字に去声点を加える。日本漢音「エイ」去声を認める。また日本呉音「ヤウ」平声の可能性を指摘しておく。

　　映暎 扵敬反 ヒカリ … 和エイ［平上］アフ［平平］　　　　（観智院本類聚名義抄／佛中 091-5）

　　暎 扵敬反 … ヒカリ … 和エイ［平上］アウ［平平］　　　（天理大学本最勝王経音義／17 オ 5）

　　映暎 扵敬反 ヒカリ … 又音エイ アウ　　　（鎮国守国神社本三寶類聚名義抄／上一 63 ウ 2）

　　映［去：圏点／エイ：右傍］暎 俗　　　（鎮国守国神社本三寶類聚名義抄／上一 63 ウ 2）

　　映暎 扵敬反 ヒカリ … 又音エイ［平上］アウ［平平］　　　（高山寺本三寶類字集／上 96 ウ 7）

　　映［去］エイ　　　　　　　　　　　　　　　　　　　　　　　（長承本蒙求／049）

▶番号4920a「鏡」（鏡臺）の仮名音注「キヤウ」については、基本的に -jau で対応する。当該字に声点はない。上巻の映韻当該諸例で分析したように、日本漢音「ケイ」去声を認める。

▶番号6331b「竟」（畢竟）の仮名音注「キヤウ」については、基本的に -jau で対応する。当該字に声点はない。観智院本類聚名義抄に同音字注「音敬」および和音「キヤウ」を見出す。日本呉音「キヤウ」を認める。

竟 音敬 ヲフ ヲハル／ワタル［上上□］ ツヒニ［平平□］　　（観智院本類聚名義抄／佛下末016-6）

竟 ツヒニ ヲハル［上上□］／ワタル 和キヤウ　　　　　（観智院本類聚名義抄／法上091-8）

畢竟 ツヒニ　　　　　　　　　　　　　　　　　　　　（観智院本類聚名義抄／佛下末016-7）

　▶番号6500b「慶」（昭慶門）の仮名音注「ケイ」については、基本的に *-ei* で対応する。当該字には去声点を差す。熟字6500「昭慶門」は右注「北大門」を付載する。上巻の映韻当該諸例で分析したように、日本漢音「ケイ」去声、日本呉音「キヤウ」を認める。

　▶番号5684b「柄」（執柄）の仮名音注「ヘイ」については、基本的に *-ei* で対応する。当該字には上声点を差す。熟字5684「執柄」は右傍「マツリコトシル」を付載する。上巻の映韻当該例で分析したように、日本漢音は去声を認める。

　▶番号3697b・6740b「命」（顧命・成命）の仮名音注「メイ」については、基本的に *-ei* で対応する。両当該字には平声点を差す。上巻の映韻当該諸例で分析したように、日本呉音「ミヤウ」を認める。

《上巻 陌韻開口諸例》

　▶番号0502b「戟」（大戟）の仮名音注「ケキ」については、基本的に *-ek* で対応する。当該字には入声点を差す。熟字0502「大戟」は右注「同（ハヤヒトクサ）」を付載する。観智院本類聚名義抄に反切「居逆反」および「和客」を見出すが、仮名音注はない。傍証ながら、同書で「客」を再検索すると、和音「キヤク」を見つける。承暦本金光明最勝王経音義に同音字注「客音」があり、その掲出字に入声点を加える。日本呉音「キヤク」入声の蓋然性が高い。

　　戟 居逆反 ミツマタナル［上上上上平上］… ハヤク 和客　　（観智院本類聚名義抄／僧中041-5）

　　賓客 濱客二音 下 マラヒト［上上□□］… 和キヤク　　　　（観智院本類聚名義抄／法下050-2）

　　戟［入］客ミ／保己　　　　　　　　　　　　　　　　　（承暦本金光明最勝王経音義／09 ウ 4）

　▶番号2471a「劇」（劇草）の仮名音注「ケキ」については、基本的に *-ek* で対応する。当該字には入声点を差す。熟字2471「劇草」は右注「カキツハタ」を付載する。観智院本類聚名義抄に反切「其逆反」と入声点を付した同音字注「音屐」（その右注に朱筆で仮名音注「ケキ」）および和音「キヤク」を見出す。長承本蒙求に仮名音注「ケキ」があり、その掲出字に入声点を加える。日本漢音「ケキ」入声、日本呉音「キヤク」を認める。

　　劇 … 其逆反　　　　　　　　　　　　　　　　　　　（観智院本類聚名義抄／法下097-4）

　　劇 音屐［入／ケキ：朱右注］ハナハタシ［上上上上濁□］… 和キヤク［平上平］

　　　　　　　　　　　　　　　　　　　　　　　　　　（観智院本類聚名義抄／僧上086-7）

　　劇［入］ケキ／ケキ　　　　　　　　　　　　　　　　　　（長承本蒙求／007）

　　劇草 蘇敬本草注云劇草一名馬藺 和名加木豆波太　　（元和本倭名類聚抄／巻二十16 オ 7）

990　3．仮名音注の韻母別考察　3-5　ⅢA韻類

▶番号1767a「逆」（逆斳）の仮名音注「ケキ」については、基本的に -ek で対応する。当該字
には入声点を差す。熟字1767「逆斳」は右注「チカラカハ」左注「又作粗」を付載する。観智院本
類聚名義抄に反切「臭戟反」（その反切下字に入声濁点）および和音「キヤク」（その右傍に濁音
「✓」表記）を見出す。日本漢音は入声、日本呉音「ギヤク」を認める。

　　　　逆　臭戟［□入濁］反　ムカフ［上上平］…　和キヤク［✓□□］　　逆
　　　　　　　　　　　　　　　　　　　　　　　　　（観智院本類聚名義抄／佛上059-3）
　　　　逆粗　楊氏漢語抄云逆粗 知賀良加波 一云逆斳　　　　（元和本倭名類聚抄／巻十五02 ウ9）

《下巻 陌韻開口諸例》

▶番号5733b・6354b「隙」（伺隙・伺隙）の仮名音注「ケキ」については、基本的に -ek で対
応する。当該字には入声点を差す。相互に「隙」と異体字である。熟字5733「伺隙」は右傍「ウカ丶
フ　ヒマヲ」〔＊←ヒマラ〕を、熟字6354「伺隙」は左右注「ヒマヲウ／カ丶フ」を付載する。図書
寮本類聚名義抄に入声点を付した同音字注「公云音擊」および仮名音注「真云キヤク［□□平］」
を見出す。観智院本には反切「卿逆反」および「呉擊」を見つけるが、仮名音注はない。これらの
同音字注は大般若経字抄による漢呉二音相同の同音字注「音擊」を出典とする。元和本倭名類聚抄
に反切「綺戟反」がある。日本呉音「キヤク」入声を認める。

　　　　瑕隙 … 公云音擊［入］川云和云比末［上上］真云キヤク［□□平］　（図書寮本類聚名義抄／206-1）
　　　　隙　卿逆反 ヒマ［上上］…　呉擊　　　　　　　　　（観智院本類聚名義抄／法中041-8）
　　　　隙 正　　　　　　　　　　　　　　　　　　　　　（観智院本類聚名義抄／法中042-1）
　　　　隙［音擊：右傍］　　　　　　　　　　　　（石山寺一切経蔵本大般若経字抄／08 オ3）
　　　　壁　隙附 … 四聲字苑云隙 綺戟反和名比末 壁除孔也　　　（元和本倭名類聚抄／巻十13 オ8）
▶番号3852b「劇」（要劇）の仮名音注「キヤク」については、基本的に -jak で対応する。当
該字には入声点を差す。上巻の陌韻当該例で分析したように、日本漢音「ケキ」入声、日本呉音「キ
ヤク」を認める。

▶番号4273「屐」（屐）の仮名音注「ケキ［□平］」については、基本的に -ek で対応する。
当該字に声点はなく、その仮名音注に低平調と推測する差声を施す。また右注「アシタ」左注「奇
逆反」を付載する。観智院本類聚名義抄に入声点を付した同音字注「音劇」（その右傍に朱筆で仮
名音注「ケキ」）を見出す。長承本蒙求には仮名音注「ケキ」があり、その掲出字に入声点を加え
る。元和本倭名類聚抄には反切「奇逆反」を見つける。日本漢音「ケキ」入声を認める。

　　　　屐　音劇［入／ケキ：朱右傍］　　　　　　　　　　（観智院本類聚名義抄／法下087-6）
　　　　屐［入］ケキ　　　　　　　　　　　　　　　　　　　　　　（長承本蒙求／085）
　　　　屐　兼名苑云屐一名足下 屐音奇逆反和名阿師太　　　　（元和本倭名類聚抄／巻十二27 オ9）

▶番号5126a「逆」（逆旅）の仮名音注「キヤク」については、基本的に -jak で対応する。当該字には入声点を差す。上巻の陌韻当該例で分析した。

3-5-1-9　-iuaŋ（庚/梗/映韻）

資料篇【表B-08】には庚韻（平声）梗韻（上声）映韻（去声）合口所属の諸例が含まれる。陌韻（入声）合口の該当例はない。前田本の示す仮名音注は基本的に -eï, -weï, -jaū, -wjaū で対応する。異例としては、-wjū がある。

《上巻　庚韻合口諸例》

▶番号0102「兄」（兄）の仮名音注「クキヤウ」については、基本的に -wjaū で対応する。当該字には平声点と去声点を差し、右注「イロネ」中注「又アニ」左注3296「クエイ」右傍0102「クキヤウ俗」を付載する。俗表記を伴う仮名音注は定着久しい字音を示すと考えたい。観智院本類聚名義抄に反切「許栄反」と同音字注「一云昆」を見出す。長承本蒙求には仮名音注「クエイ」があり、その掲出字に東声点を加える。元和本倭名類聚抄には反切「許営反」を見つける。日本漢音「クエイ」東声（四声体系では平声）を認める。

　　兄 アニ コノカミ／エタ シケシ　　　　　　　　　　（観智院本類聚名義抄／佛中 041-6）

　　兄 許栄反 一云昆／コノカミ イロネ …　　　　　　　（観智院本類聚名義抄／佛下末 016-3）

　　兄 ［東］クエイ　　　　　　　　　　　　　　　　　　（長承本蒙求／098）

　　兄　爾雅云男子先生爲兄 許営反 一云昆 和名古乃加美 日本紀云 和名伊呂禰

　　　　　　　　　　　　　　　　　　　　　　　　　　（元和本倭名類聚抄／巻二 16 オ 1）

▶番号3296「兄」（兄）の仮名音注「クエイ」については、基本的に -weï で対応する。当該字には平声点と去声点を差し、右注「イロネ」中注「又アニ」左注3296「クエイ」右傍0102「クキヤウ俗」を付載する。上述の分析を参照。

▶番号0518「榮」（榮）の仮名音注「エイ」については、基本的に -weï で対応する。当該字には平声点を差し、右注「同（ハナタチハナ）又ハナサク」左注「草榮」を付載する。その中古音が示す頭子音 ɣ-（等韻学の術語で言う于母あるいは喩母三等）は有声軟口蓋接近音 ɯ-（有声両唇軟口蓋接近音 w-）であり、原則的にア行音・ワ行音で対応する。観智院本類聚名義抄に平声点を付した同音字注「音瑩」と反切「為明反」および和音「ヰヤウ」（その右傍に墨筆で喉内撥音韻尾「✓」表記）を見出す。長承本蒙求には仮名音注「エイ」があり、その掲出字に東声点を加える。承暦本金光明最勝王経音義には仮名音注「ヰヤウ／エイ　二音」を見つける。日本漢音「エイ」平声、日本呉音「ヰヤウ」を認める。

992　3．仮名音注の韻母別考察　3-5　ⅢA韻類

　　榮 音瑩 [平] ハナサカユ [□平上上□] …　　　　　　（観智院本類聚名義抄／佛下本107-6)

　　榮 木部 [平] … 花サク [□平平] … 為明反 … 和キヤウ [□□✓：墨右傍]

　　　　　　　　　　　　　　　　　　　　　　　　　　　（観智院本類聚名義抄／佛下末050-7)

　　榮 [平] エイ　　　　　　　　　　　　　　　　　　　（長承本蒙求／130)

　　榮 キヤウ／エイ 二六〔＊後筆墨書〕　　　　　　　（承暦本金光明最勝王経音義／08 オ 4)

《下巻 庚韻合口諸例》

　▶番号4363b「兄」（阿兄）の仮名音注「クキヤウ」については、基本的に -wjaŭ で対応する。
当該字に声点はない。熟字4363「阿兄」は左注「吉祥也」を付載する。上巻の庚韻合口当該諸例で
分析したように、日本漢音「クエイ」東声（四声体系では平声）を認める。

　▶番号3368「兄」（兄）の仮名音注「クキヤウ」については、基本的に -wjaŭ で対応する。当
該字には平声点と去声点を差し、右注「許榮反」中注「コノカミ」中左注「阿兄舎兄／母兄」を付
載する。上述の分析を参照。

　▶番号3369「兄」（兄）の仮名音注「クエイ」については、基本的に -weĭ で対応する。当該字
には平声点と去声点を差し、右注「許榮反」中注「コノカミ」中左注「阿兄舎兄／母兄」を付載す
る。上述の分析を参照。

　▶番号4161「兄」（兄）の仮名音注「クキウ」〔＊「ヤ」脱落か〕については、異例 -wjŭ を示す。
仮名音注「クキヤウ」の誤認と推測する。当該字には平声点と去声点を差し、右注「アニ」左注「イ
ウネ」右傍4161「クキウ」左傍4162「クエイ」を付載する。上述の分析を参照。

　▶番号4162「兄」（兄）の仮名音注「クエイ」については、基本的に -weĭ で対応する。当該字
には平声点と去声点を差し、右注「アニ」左注「イウネ」右傍4161「クキウ」左傍4162「クエイ」
を付載する。上述の分析を参照。

　▶番号4498a・6000a・6001a「榮」（榮螺子・榮耀・榮華）の仮名音注「エイ」については、
基本的に -eĭ で対応する。当該諸字三例には平声点を差す。その中古音が示す頭子音 ɣ-（等韻学の
術語で言う于母あるいは喩母三等）は有声軟口蓋接近音 ɰ-（有声両唇軟口蓋接近音 w-）であり、
原則的にア行音・ワ行音で対応する。熟字4498「榮螺子」は右注「サタエ」〔＊ササエの誤認〕左注
「似蛤而円也」を、熟字6000「榮耀」は右傍「サカエ カゝヤク」を付載する。上巻の庚韻合口当
該例で分析したように、日本漢音「エイ」平声、日本呉音「キヤウ」を認める。

　　榮螺子　崔禹錫食經云榮螺子 和名佐左江 似蛤而圓者也

　　　　　　　　　　　　　　　　　　　　　　　　　　（□和本倭名類聚抄／巻十九11 オ 6)

《上巻 梗韻合口諸例》

該当例なし。

《下巻　梗韻合口諸例》

▶番号 5963a・5964a・5983a・6013a「永」（永昌坊・永寧坊・永隆樂・永安）の仮名音注「ヱイ」については、基本的に -ei で対応する。当該諸字四例には上声点を差す。その中古音が示す頭子音 ɣ-（等韻学の術語で言う于母あるいは喩母三等）は有声軟口蓋接近音 ɰ-（有声両唇軟口蓋接近音 w-）であり、原則的にア行音・ワ行音で対応する。熟字 5963「永昌坊」は右注「四条東」を、熟字 5964「永寧坊」は右注「四条西」左注「已上坊名」を、5983「永隆樂」は右注「同（平調）」を付載する。観智院本類聚名義抄に反切「于憬反」および和音「ヤウ」を見出す。後者の和音は -wjau > -jau を反映する。長承本蒙求には仮名音注「ヱイ」があり、その掲出字に上声点を加える。日本漢音「ヱイ」上声、日本呉音「ヤウ」を認める。

　　永 … 于憬反／ナカシ［□平濁上］… 和ヤウ　　　　　　　（観智院本類聚名義抄／法下 041-6）
　　永［上］ヱイ　　　　　　　　　　　　　　　　　　　　　　　　　（長承本蒙求／068）
　　坊 名附出 聲類云房反 和名萬知 … 永昌坊 四條東 永寧坊 四條西朱雀院比坊 …
　　　　　　　　　　　　　　　　　　　　　　　　　　（元和本倭名類聚抄／巻十 05 オ 7）
　　平調曲　相大憐　萬歳樂 … 永隆樂 … 夜半樂　　　（元和本倭名類聚抄／巻四 15 ウ 5）

《上巻　映韻合口諸例》

該当例なし。

《下巻　映韻合口諸例》

▶番号 3409b「詠」（古詠詩）の仮名音注「キヤウ」については、基本的に -jau で対応する。当該字には去声点を差す。その中古音が示す頭子音 ɣ-（等韻学の術語で言う于母あるいは喩母三等）は有声軟口蓋接近音 ɰ-（有声両唇軟口蓋接近音 w-）であり、原則的にア行音・ワ行音で対応する。熟字 3409「古詠詩」は右注「同（壹越調）」を付載する。図書寮本類聚名義抄に反切反切「為命反」（その反切下字に去声点）を見出す。観智院本には反切「為命反」（その反切下字に去声点）および「和同」〔＊ヱイを示すか〕「和クキヤウ」〔＊和音キヤウの誤認か〕を見つける。日本漢音は去声を認める。また日本呉音「キヤウ」の蓋然性が高い。

　　詠 弘云為命［□去］反 … 宋云咏［上同：左右注］　　　　（図書寮本類聚名義抄／098-4）

詠 為命 [□去] 反 ウタフ [上上□] … 和同／和クキヤウ　　　（観智院本類聚名義抄／法上 072-4）

壹越調曲　皇帝破陣樂 大曲 … 古詠詩　　　　　　（元和本倭名類聚抄／巻四 14 ウ 3）

▶番号 5659b「詠」（觴詠）の仮名音注「エイ」については、基本的に -ei で対応する。当該字には去声点を差す。上述の分析を参照。

▶番号 5982（詠）「詠」の仮名音注「エイ［平上］」については、基本的に -ei で対応する。当該字に声点はなく、右注「エイス［平上□］」サ変動詞〔＊去声相当の上昇調〕中注「為命反」左注「或乍詠」を付載する。上述の分析を参照。

▶番号 5071b（咏）「吟咏」の仮名音注「エイ」については、基本的に -ei で対応する。当該字には去声点を差す。当該字「咏」は「詠」と相互に異体字である。その中古音が示す頭子音 ɣ-（等韻学の術語で言う匣母あるいは喩母三等）は有声軟口蓋接近音 ɰ-（有声両唇軟口蓋接近音 w-）であり、原則的にア行音・ワ行音で対応する。熟字 5071「咏」は左注「詠イ本」を付載する。上述の分析を参照。

3-5-1-10　-ia 系の基本的な表記

以下に資料篇【表 B-08】を分析した結果をまとめる。なお、日本語音韻史における音変化などを反映する場合には () で囲む処理をする。それ以外の異例（例えば、諧声符読みや誤認など）については // を用いて表示する。

-ia	〔麻/馬/禡韻〕	-ja			
		[-a] [-au] [-i] [-jau] [jo]			
-iai	〔祭韻〕	-ei, -e, -ai	-iuai	〔祭韻〕	-ei, -wei, -we
		[-i]			[-et]
-iau	〔宵/小/笑韻〕	-eu			
		[-au] [-jou] [-i]			
-iam	〔鹽/琰/豔韻〕	-em			
		(-en)			
		[-am] [-in] [-ei]			
-iap	〔葉韻〕	-ep			
		(-eu)			
		[-ik]			
-ian	〔仙/獮/線韻〕	-en, (-ei)	-iuan	〔仙/獮/線韻〕	-en, -wen（k- 系）
		(-em)			(-em)

		[-an] [-e]			[-an] [-ap]
		[eni] [-in] [-win]			[-in] [-e]
-iat	〔薛韻〕	-et	-iuat	〔薛韻〕	-et
		[-ei]			[-at] [-e]
-iaŋ	〔庚/梗/映韻〕	-eĭ, -jaŭ	-iauŋ	〔庚/梗/映韻〕	-eĭ, -weĭ, -jaŭ, -wjaŭ
		[-a] [-aĭ] [-e]			[-wjŭ]
-iak	〔陌韻〕	-ek	-iauk	〔陌韻〕	*例なし

　ここで、-ia 系における前田本の仮名音注が示す基本的対応を【表10】にまとめておくと、-ia 系は *e, a*（日本語のエ列音・ア列音）で対応し、日本漢字音として把握する。

【表10】

	-ø	-i	-u	-m	-p	-n	-t	-ŋ	-k
-ia-		-ei -e -ai	-eu	-em (-en)	-ep (-eu)	-en (-em)	-et	-eĭ	-ek
	-ja							-jaŭ	
-iua-		-ei -wei -we				-en (-em) -wen	-et -wet	-eĭ - weĭ -jaŭ -wjaŭ	

996 3．仮名音注の韻母別考察 3-5 ⅢA韻類

3-5-2 -ie 系の字音的特徴

韻母 -ie 系グループとは、主母音 -e- を有する諸韻目、之/止/志韻・臻/櫛韻・蒸/拯/證/職韻を指す。なお、記号「/」による区別は四声（平/上/去/入声）を示している。該当する前田本の諸例を3-5-2-1 から3-5-2-4 に集約した。

3-5-2-1 -iei（之/止/志韻）

資料篇【表B-09】には之韻（平声）止韻（上声）志韻（去声）所属の諸例が含まれる。熟字の場合は資料篇【表A-01】【表A-02】をも参照しながら、それを当該字の直後に括弧内で示す。単字も同様の表示を行う。以下の諸韻も同様。前田本の示す仮名音注は基本的に -i, -o で対応するが、圧倒的に -i が多い。長音を反映する -ii も見られる。異例として、-ai, -jo, -e, -en がある。

《上巻 之韻諸例》

▶番号0264a・0265a「醫」（醫方・醫家）の仮名音注「イ」については、基本的に -i で対応する。両当該字には去声点を差す。廣韻に拠れば、その中古音は影母清之韻（'iei'）であり、その同音字として「毉・譩・瘱・噫」を掲げる。観智院本類聚名義抄に平声点を付した同音字注「音伊」脂韻（'jiei'）を見出すが、同音字ではない。承暦本金光明最勝王経音義には借字による「衣伊反」があり、その掲出字に去声点を加える。これは諸声符「殹」齊韻（'ei³'）による字音把握か。元和本倭名類聚抄には同音字注「伊反」〔*借字「伊」と見るべきか〕を見つける。日本漢音は平声、日本呉音は去声を認める。また日本漢音「イ」の蓋然性が高い。日本呉音「エイ」については保留する。

醫 音伊［平］／クスシ［平上上］… 毉 上同 （観智院本類聚名義抄／僧下 057-5）
醫［去］衣伊反 （承暦本金光明最勝王経音義／03 オ5）
以［平］伊［上］呂［平］路［上］波［上］八［平］… （承暦本金光明最勝王経音義／01 ウ1）
己［平］古［上］衣［上］延［平］天［上］旦［平］… （承暦本金光明最勝王経音義／01 ウ5）
毉 說文云毉 伊反 作醫 和名久須之 治病工也 （元和本倭名類聚抄／巻二 08 ウ5）

▶番号0386a「醫」（醫博士）の仮名音注「イ」については、基本的に -i で対応する。当該字に声点はない。熟字0386「醫博士」は左注「在典藥寮」を付載する。上述の分析を参照。

▶番号0661「㢑」（㢑）の仮名音注「イ」については、基本的に -i で対応する。当該字には平声点を差し、右注「ハンサウ」を付載する。前田本の掲出字形「匚+色」であるが、これを「㢑」に修正する。観智院本類聚名義抄に平声点を付した同音字注「移音」と反切「又戈尒反」を見出すが、仮名音注はない。元和本倭名類聚抄には反切「移爾反」と同音字注「一音移」さらに注記「波邇佐

布」がある。日本漢音は平声を認める。

　　　匜　移音 [平] 又戈尓反 … 迆 迤　　　　　　　　（観智院本類聚名義抄／佛上 062-6）

　　　匚+色 ハンサフ [平平平濁平]　　　　　　　　　　（観智院本類聚名義抄／佛上 062-6）

　　　匜　頷胃附 說文云匜 移爾反一音移和名波邇佐布 …　（元和本倭名類聚抄／巻十四 06 ウ 8）

▶番号 0087「鮧」（鯷）の仮名音注「イ」については、基本的に -i で対応する。当該字には平
声点を差し、右注「イシフシ」左注「性流伏在石間也」を付載する。観智院本類聚名義抄に平声点
を付した同音字注「怡」と同音字注「夷」を見出すが、仮名音注はない。元和本倭名類聚抄には同
音字注「音夷・怡」がある。日本漢音は平声を認める。

　　　鮧鯷　隻怡 [平平] 二音　　　　　　　　　　　　（観智院本類聚名義抄／僧下 004-1）

　　　鮧鯷魚 フク [平平] 一云 フクヘ [平上上濁] 中音夷 イシフシ [平平上濁上] …

　　　　　　　　　　　　　　　　　　　　　　　　　　（観智院本類聚名義抄／僧下 004-1）

　　　鯷　崔禹錫食經云鯷 音夷和名伊師布之 性伏沈在石間者也

　　　　　　　　　　　　　　　　　　　　　　　　　　（元和本倭名類聚抄／巻十九 08 オ 3）

　　　鮧鯷魚　崔禹錫食經云鮧鯷 侯怡二音和名布久一云布久閇 …

　　　　　　　　　　　　　　　　　　　　　　　　　　（元和本倭名類聚抄／巻十九 06 オ 7）

▶番号 2309「台」（台）の仮名音注「イ」については、基本的に -i で対応する。当該字に声点
はなく、和訓「ワレ」の同訓異字として位置する。廣韻に拠れば、之韻（'iei'）咍韻（t'ʌi'）二音を
有する。観智院本類聚名義抄に平声点を付した同音字注「音醫」と同音字注「又音胎」を見出すが、
仮名音注はない。日本漢音は平声を認める。

　　　台　音醫 [平] ワレ [平上] … 又音胎　　　　　　（観智院本類聚名義抄／佛中 047-5）

▶番号 0092a「貽」（貽貝）の仮名音注「イ」については、基本的に -i で対応する。当該字には
平声点を差し、右注「イカヒ」を付載する。観智院本類聚名義抄に平声点を付した同音字注「音怡」
を見出すが、仮名音注はない。元和本倭名類聚抄には同音字注「音怡」がある。日本漢音は平声を
認める。

　　　貽　音怡 [平] ノコス [□ル [上]] オクル [上上□]　（観智院本類聚名義抄／佛下本 017-2）

　　　貽貝　爾雅注云貽貝一名黒貝 貽音怡和名伊加比　　（元和本倭名類聚抄／巻十九 08 オ 3）

▶番号 1958a「怡」（怡土）の仮名音注「イ」については、基本的に -i で対応する。当該字に声
点はない。廣韻に拠れば、その中古音は之韻（jiei'）である。図書寮本類聚名義抄に平声点を付した
同音字注「音飴」之韻（jiei'）と熟字「熙怡」に対する同音字注「公云音基伊 [去上]」〔＊借字と扱
うべきか〕を見出す。後者は大般若経字抄による漢呉二音相同の同音字注「基伊」を出典とする。観
智院本には平声点を付した同音字注「音飴」を見つけるが、仮名音注はない。元和本倭名類聚抄に
は地名「怡土」に対して借字による「以止」がある。日本漢音は平声を認める。また日本漢音「イ」
の蓋然性が高い。

998　3．仮名音注の韻母別考察　3-5　ⅢA韻類

熙怡 音飴［平］… 公云音基伊［去上］和悦也 下ヤハラク［上上上平濁／葉：右注］

(図書寮本類聚名義抄／243-3)

熙怡 公云音基／伊 和悦也　　　　　　　　　　　　(図書寮本類聚名義抄／265-3)

怡 音飴［平］ヨロコフ［平平上□］…　　　　　　　(観智院本類聚名義抄／法中078-6)

熙怡［音基伊：右傍］和悦也　　　　　　(石山寺一切経蔵本大般若経字抄／01 オ3)

熙怡［音規伊：右傍］　　　　　　　　　(石山寺一切経蔵本大般若経字抄／17 ウ4)

筑前國 太宰府並國府在御笠郡 … 怡土 以止 …　　(元和本倭名類聚抄／巻五26 オ8)

▶番号3202b「頤」（津頤）の仮名音注「イ」については、基本的に -i で対応する。当該字には平声点を差す。相互に「頤・頷」と異体字である。熟字3202「津頤」は右注「ヨタリ」を付載する。観智院本類聚名義抄に平声点を付した同音字注「音怡」および「和醫」を見つけるが、仮名音注はない。日本漢音は平声を認める。

頤 音怡［平］和醫　　　　　　　　　　　(観智院本類聚名義抄／佛下本026-7)

頷 カマチ／カシケタリ … 頤 四俗　　　　(観智院本類聚名義抄／佛下本026-8)

津頤 ヨタリ　　　　　　　　　　　　　　(観智院本類聚名義抄／佛下本027-1)

津頤 病源論云津頤 與多利 小兒多涎唾流出於頤下也　(元和本倭名類聚抄／巻三19 オ9)

▶番号0286b「期」（一期）の仮名音注「コ」については、基本的に -o で対応する。当該字には上声濁点を差すので、字音「ゴ」を想定する。観智院本類聚名義抄に平声点を付した同音字注「音期」を見出す。長承本蒙求には仮名音注「キ」があり、その掲出字に平声点を加える。日本漢音「キ」平声を認める。

期 音期［平］… トキ アヒ …　　　　　　(観智院本類聚名義抄／佛中137-7)

期［平］キ　　　　　　　　　　　　　　　(長承本蒙求／084)

▶番号0648「旗」（旗）の仮名音注「キ」については、基本的に -i で対応する。当該字には平声点を差し、右注「ハタ」左注「戦旗」を付載する。観智院本類聚名義抄に平声点を付した同音字注「音祈」（その右傍に朱筆で仮名音注「キ」）および「呉音竒」を見出す。後者は大般若経字抄による漢呉二音相同の同音字注「音竒」を出典とする。承暦本金光明最勝王経音義には同音字注「竒音」があり、その掲出字に去声点を加える。同書には仮名音注「キ音」も見つける。元和本倭名類聚抄には同音字注「期」がある。日本漢音「キ」平声、日本呉音「キ」去声を認める。

旗 音祈［平／キ：朱右傍］ハタ［上平］… 呉音竒　(観智院本類聚名義抄／僧中028-5)

旗［去］竒ミ／幡也　　　　　　　　　　　(承暦本金光明最勝王経音義／09 ウ3)

旗［キ六：右傍］イクサハタ［＊後筆墨書］　(承暦本金光明最勝王経音義／09 ウ1)

旗［音竒：右傍］ハタ　　　　　　　　　(石山寺一切経蔵本大般若経字抄／08 オ1)

幡 旌附 考工記云幡 音翻和名波太 旌旗 精期二音 …　(元和本倭名類聚抄／巻十三12 ウ4)

▶番号1415「萁」（萁）の仮名音注「キ」については、基本的に -i で対応する。当該字には平

声点を差し、右注「同（トシ）」左注「一周也」を付載する。当該字「碁」は「期」と相互に異体字である。観智院本類聚名義抄に同音字注「音姫」を見出すが、仮名音注はない。

　　　碁 メクル　　　　　　　　　　　　　　　　　　（観智院本類聚名義抄／佛中 102-5）

　　　棋 碁ニ今 音姫／周年　　　　　　　　　　　　（観智院本類聚名義抄／法下 019-3）

　▶番号1868b「疑」（遲疑）の仮名音注「キ」については、基本的に -i で対応する。当該字には平声濁点を差すので、字音「ギ」を想定する。観智院本類聚名義抄に反切「語基反」（その反切下字に平声点）および去声濁点を付した和音「キ」を見出す。長承本蒙求には仮名音注「キ」があり、その掲出字に去声点と平声濁圏点を加える。日本漢音「ギ」平声、日本呉音「ギ」去声を認める。

　　　疑 語基 [□平] 反 ウタカヒ [上上上濁上／□□□フ：墨右傍] … 和キ [去濁] ネヤ

　　　　　　　　　　　　　　　　　　　　　　　　　（観智院本類聚名義抄／僧下 100-7）

　　　疑 [去／平濁：圏点] キ〔＊去声点は呉音声調か〕　　　（長承本蒙求／024）

　▶番号1869b「疑」（持疑）の仮名音注「キ」については、基本的に -i で対応する。当該字には上声濁点を差すので、字音「ギ」を想定する。上述の分析を参照。

　▶番号1417「茲」（茲）の仮名音注「シ」については、基本的に -i で対応する。当該字には平声点を差し、右注「同（トシ）」左注「今茲」を付載する。観智院本類聚名義抄に同音字注「音慈」を見出すが、仮名音注はない。

　　　茲 … 音慈／ミマシ [上上平] 席 コレ [上上] …　　（観智院本類聚名義抄／僧上 020-3）

　▶番号0234b「糸」（遊糸）の仮名音注「シ」については、基本的に -i で対応する。当該字には上声点を差す。熟字0234「遊糸」は右注「春空也」を付載する。当該字「糸」は「絲」の略字として用いる。廣韻に拠れば、之韻（siei¹）錫韻（mek）二音を有する。図書寮本類聚名義抄に同音字注「类云覓音」と同音字注「川云司」（その平声点位置に仮名音注「シ」）を見出す。観智院本には同音字注「音覓」と平声点を付した同音字注「音司」（その右傍に朱筆で仮名音注「シ」）を見つける。天理大学本最勝王経音義には同音字注「音覓」（その右傍「ハク」左傍「ミヤク」）がある。本来「ヘキ」を想定する字音「ハク」には疑念が残る。長承本蒙求には仮名音注「シ」があり、その掲出字に東声点を加える。日本漢音「シ」東声（四声体系では平声）を認める。

　　　糸 类云覓音 玉云徽連也細絲也　　　　　　　　　（図書寮本類聚名義抄／287-1）

　　　絲 … 川云司 [シ：平声点位置] 和云以度 [平上] …　　（図書寮本類聚名義抄／287-3）

　　　糸 音覓 細絲／ツク [付：右注] ツラヌ　　　　　（観智院本類聚名義抄／法中 110-8）

　　　絲 音司 [平／シ：朱右傍] イト [平上] ヨル …　　（観智院本類聚名義抄／法中 111-2）

　　　糸 音覓 [ハク：右傍／ミヤク：左傍] … イト [上濁□]　（天理大学本最勝王経音義／10 ウ 3）

　　　糸 [東] シ　　　　　　　　　　　　　　　　　　（長承本蒙求／009）

　▶番号1026a「司」（司夜）の仮名音注「シ」については、基本的に -i で対応する。当該字には平声点を差す。観智院本類聚名義抄に反切「胥釐反」を見出す。長承本蒙求には仮名音注「シ」が

1000　3．仮名音注の韻母別考察　3-5　ⅢA韻類

あり、その掲出字に東声点を加える。日本漢音「シ」東声（四声体系では平声）を認める。

　　　司 胥〔＊←胃〕釐反 ツカサ［上上上］…　　　　　　　　（観智院本類聚名義抄／僧下 102-1）

　　　司 ［東］シ　　　　　　　　　　　　　　　　　　　　　　　（長承本蒙求／040）

　▶番号 1277b・3173b「司」（保司・郷司）の仮名音注「シ」については、基本的に -i で対応する。両当該字に声点はない。上述の分析を参照。

　▶番号 1899b「思」（沈思）の仮名音注「シ」については、基本的に -i で対応する。当該字には去声点を差す。廣韻に拠れば、之/志韻（siɐi$^{1/3}$）二音を有する。図書寮本類聚名義抄に反切「真云息茲反・弘云首辞反」と同音字注「音司・茲云音笥・恠云又音司」さらに声調表記「口傳云去声・平声」と「真云去声」を見出す。観智院本には同音字注「音笥」志韻（siɐi^3）と声調表記「又去」および去声墨点を付した和音「シ」を見つける。長承本蒙求には仮名音注「シ」四例があり、それらの掲出字に東声点を加える。日本漢音「シ」東声（四声体系では平声）と去声、日本呉音「シ」去声を認める。

　　　不思議 真云息茲反 念也 … ハカラク　　　　　　　　　（図書寮本類聚名義抄／072-5）

　　　思察 音司 弘云首辞反 … 茲云 … 音笥 オモヒ［平平平／異：右注］恠云又音司

　　　　口傳云去声［其：右注］オモヒ［平平平］平声［其：右注］オモフ［平平上］

　　　　　　　　　　　　　　　　　　　　　　　　　　　　　　（図書寮本類聚名義抄／238-2）

　　　是思 真云去声／思慮也　　　　　　　　　　　　　　　（図書寮本類聚名義抄／238-3）

　　　思 音笥 オモフ［平平上］… 又去 … 和シ［去：墨点］　（観智院本類聚名義抄／法中 071-3）

　　　思 ［東］シ　　　　　　　　　　　　　　　　　　　（長承本蒙求／112・117・141・145）

　▶番号 1285b「罳」（罘罳）の仮名音注「シ」については、基本的に -i で対応する。当該字に声点はない。熟字 1285「罘罳」は右注「同（ヘイ）」を付載する。観智院本類聚名義抄に同音字注「音思」を見出すが、仮名音注はない。元和本倭名類聚抄に同音字注「思」がある。

　　　罳 音思 罘罳屏　罘罳 屏也　　　　　　　　　　　　　（観智院本類聚名義抄／僧中 009-5）

　　　屏　唐韻云罘罳 浮思二音 屏也 …　　　　　　　　　（元和本倭名類聚抄／巻十 13 オ 2）

　▶番号 2723「柶」（柶）の仮名音注「シ」については、基本的に -i で対応する。当該字に声点はなく、右注「カマツカ 又乍枱」左注「鎌柶」を付載する。観智院本類聚名義抄に平声点を付した同音字注「音詞」を見出すが、仮名音注はない。元和本倭名類聚抄に同音字注「祠」がある。日本漢音は平声を認める。

　　　柶 音詞 ［平］カマツカ［平平平平］　　　　　　　（観智院本類聚名義抄／佛下本 090-6）

　　　鎌 … 野王案柶 音祠和名加萬都加 鎌柄也　　　　　　（元和本倭名類聚抄／巻十五 09 ウ 9）

　▶番号 2422「屭」（屭）の仮名音注「シ」については、基本的に -i で対応する。当該字には平声点を差し、右注「同（カセ）」を付載する。廣韻に拠れば、小韻所属字が二例しかなく、同音の注字選択に困難がある。観智院本類聚名義抄に反切「側持反」を見出すが、仮名音注はない。この

反切は小韻代表字「輜」に対する別音（荘母清之韻 tṣiɐi¹）を示し、当該字「飋」の反切ではない。

　　　輜 楚持反又側持反車二 飋 風　　　　　　　　　　（王仁昫刊謬補缺切韻／初母次清之韻 tṣʻiɐi¹）

　　　輜 楚持切又側持切義見下文二 飋 風也　　　　　　　（宋本廣韻／初母次清之韻 tṣʻiɐi¹）

　　　飋 側持反／疾風　　　　　　　　　　　　　　　　　（観智院本類聚名義抄／僧下 052-5）

▶番号 2327「嘁」（嘁）の仮名音注「シ」については、基本的に -i で対応する。当該字には平声点を差し、和訓「ワラフ」の同訓異字として位置する。観智院本類聚名義抄に同音字注「音蚩」と反切「昌之反」および去声点を付した和音「シ」を見出す。日本呉音「シ」去声を認める。

　　　嘁 音蚩 昌之反 アサケル ワラフ［上上□］… 和シ［去］　　（観智院本類聚名義抄／佛中 052-3）

▶番号 1933b「芝」（張芝）の仮名音注「シ」については、基本的に -i で対応する。当該字には平声点を差す。観智院本類聚名義抄に平声点を付した同音字注「音之」を見出す。長承本蒙求には仮名音注「シ」があり、その掲出字に東声点を加える。日本漢音「シ」東声（四声体系では平声）を認める。

　　　芝 音之［平］ サハウト … シハ　　　　　　　　　　（観智院本類聚名義抄／僧上 021-1）

　　　芝［東］シ　　　　　　　　　　　　　　　　　　　　　　　　（長承本蒙求／009）

▶番号 2368b「時」（往時）の仮名音注「シ」については、基本的に -i で対応する。当該字には平声点を差す。観智院本類聚名義抄に反切「是夷反」および濁音を含む上昇調の和音「シイ」を見出す。一音節二拍の字音把握「ジイ」である。長承本蒙求には仮名音注「シ」があり、それを含む掲出字二例に平声点を加える。日本漢音「シ」平声、日本呉音「ジイ」去声を認める。

　　　時 是夷反 トキ … 和シイ［平濁上］　　　　　　　　（観智院本類聚名義抄／佛中 086-7）

　　　時 是夷反 トキ … 和シイ　　　　（鎮国守国神社本三寶類聚名義抄／上一 61 ウ 2）

　　　時［平］シ　　　　　　　　　　　　　　　　　　　　　　　　（長承本蒙求／112）

　　　時［平］　　　　　　　　　　　　　　　　　　　　　　　　　（長承本蒙求／017）

▶番号 1425「塒」（塒）の仮名音注「シ」については、基本的に -i で対応する。当該字には平声点を差し、右注「トクラ」左注「栖鶏曰塒」を付載する。図書寮本類聚名義抄に倭名類聚抄を出典とする同音字注「川云音時」（平声点の位置に仮名音注「シ」）を見出す。観智院本には音注表記がない。元和本倭名類聚抄には同音字注「音時」がある。日本漢音「シ」平声を認める。

　　　塒 川云音時［シ：平声点位置］和云／度久良［上上濁上］…　　（図書寮本類聚名義抄／218-4）

　　　塒［＊←扌+時］トクラ　　　　　　　　　　　　　（観智院本類聚名義抄／佛下本 071-5）

　　　巣 孫愐切韻云 … 穿垣栖鶏曰塒 音時和名止久良　　（元和本倭名類聚抄／巻十八 15 オ 3）

▶番号 2456「榯」（榯）の仮名音注「シ」については、基本的に -i で対応する。当該字に声点はなく、右注「カラキシキ」左注「門具也」を付載する。広辞苑第七版は「門柱の下に敷き、門扉の軸受とする石または木の厚板」を「唐居敷」と説明する。観智院本類聚名義抄に同音字注「音時」を見出すが、仮名音注はない。

1002　3．仮名音注の韻母別考察　3-5　ⅢA韻類

樫 音時 トクラ［上上濁上］／カラキシキ　　　　　　　（観智院本類聚名義抄／佛下本107-5）

樫 音時 トクラ／カラキシキ　　　　　　　　　　　　（宝菩提院本類聚名義抄／126-6）

▶番号1903a「笞」（笞杖）の仮名音注「チ」については、基本的に -i で対応する。当該字には平声点を差す。熟字1903「笞杖」は右傍「シモト ツヱ」を付載する。廣韻に拠れば、その中古音は徹母次清之韻（ţʰiɐiʲ）である。観智院本類聚名義抄に去声点を付した同音字注「音智」寘韻（ţieʲ）と反切「丑之反」〔＊←刃〕を見出すが、仮名音注はない。前者の同音字注は「知」支韻（ţieʲ）の誤認か。その去声点も疑義が残る。元和本倭名類聚抄には同音字注「音知」がある。

癡 丑之反騃四〔＊←刃〕… 笞 楚撻 …　　　　　　　（王仁昫刊謬補缺切韻／徹母之韻 ţʰiɐiʲ）

癡 不慧也丑之切四 飴 牛吐食而復嚼也 笞 捶擊 痴 痴瘀不達之兒　　（宋本廣韻／徹母之韻 ţʰiɐiʲ）

笞 音智［去］丑之反〔＊←刃〕／シモト［平平平］…　　（観智院本類聚名義抄／僧上069-6）

笞 丑之反〔＊←刃〕音智／シモト …　　　　　　　　（鎮国守国神社本三寳類聚名義抄／下一15オ5）

笞 唐令云笞 音知和名之毛度 …　　　　　　　　　　（元和本倭名類聚抄／巻十三16ウ7）

杖 唐令云諸杖 音仗和名都惠 …　　　　　　　　　　（元和本倭名類聚抄／巻十三16ウ9）

▶番号0779b「痴」（白痴）の仮名音注「チ」については、基本的に -i で対応する。当該字には上声点を差す。観智院本類聚名義抄に反切「勑離反」を見出すが、仮名音注はない。

痴 勑離反 痴疵／不健　　　　　　　　　　　　　　（観智院本類聚名義抄／法下124-7）

▶番号2251「癡」（癡）の仮名音注「チ」については、基本的に -i で対応する。当該字には平声点を差し、左右注「愚／癡」を付載する。また和訓「ヲロカ」の同訓異字として位置する。観智院本類聚名義抄に同音字注「音笞」および去声点を付した和音「チ」を見出す。長承本蒙求には仮名音注「チ」があり、その掲出字に東声点を加える。日本漢音「チ」東声（四声体系では平声）日本呉音「チ」去声を認める。

癡 音笞 カタクナ［平上□□］… 和チ［去］　　　　（観智院本類聚名義抄／法下127-6）

癡［東］チ　　　　　　　　　　　　　　　　　　　（長承本蒙求／098）

▶番号0623b「癡」（白癡）の仮名音注「チ」については、基本的に -i で対応する。当該字に声点はない。熟字0623「白癡」は右注「同（ハクチ）」を付載する。上述の分析を参照。

▶番号0948「飴」（飴）の仮名音注「タイ」については、異例 -ai を示す。当該字には平声点を差し、右傍「又タイ」右注「ニケカム 又乍飴」左注「牛食己吐再嚼也」を付載する。廣韻に拠れば、徹母之韻（ţʰiɐiʲ）書母之韻（ɕieʲ）二音を有する。諧声符「台」咍韻（tʰʌiʲ）による字音把握か。観智院本類聚名義抄に同音字注「苔」咍韻（dʌiʲ）〔＊笞の誤認〕を見出すが、仮名音注はない。元和本倭名類聚抄には同音字注「音臺唐韻有笞詩二音」がある。

飴飼 … 苔詩二音／ニチカム ニケ［平平平濁］　　　（観智院本類聚名義抄／法上103-1）

飴 爾雅集注云獸呑芻噫噎反出而嚼牛曰飴 音臺唐韻有笞詩二音字亦作飼 …

　　　　　　　　　　　　　　　　　　　　　　　（元和本倭名類聚抄／巻十八23オ3）

3-5-2 -iɐ 系の字音的特徴　1003

　▶番号 1869a「持」（持疑）の仮名音注「チ」については、基本的に -i で対応する。当該字には平声点を差す。その中古音が示す頭子音 ḍ-（等韻学の術語で言う舌音濁澄母）は有声反り舌閉鎖音であり、日本語のザ行音をもって受容するが、中国語音韻史上における濁音声母の無声化 (22) を反映する場合にはサ行音で対応する。観智院本類聚名義抄に同音字注「音遅」および和音「チ」（その右傍に墨筆で濁音「✓」表記）を見出す。長承本蒙求には仮名音注「チ」二例があり、それらの掲出字に平声点を加える。日本漢音「チ」平声、日本呉音「ヂ」を認める。

　　持 音遅 タモツ［上上□］… 和チ［✓：墨右傍］　　　（観智院本類聚名義抄／佛下本 071-4）

　　持［平］チ　　　　　　　　　　　　　　　　　　　　　（長承本蒙求／068・077）

　▶番号 1820b・2889b「持」（住持・加持）の仮名音注「チ」については、基本的に -i で対応する。両当該字には上声濁点を差すので、字音「ヂ」を想定する。上述の分析を参照。

　▶番号 1825a「持」（持齊）の仮名音注「チ」については、基本的に -i で対応する。当該字には去声濁点を差すので、字音「ヂ」を想定する。上述の分析を参照。

　▶番号 1783「持」（持）の仮名音注「チ［去濁］」については、基本的に -i で対応する。当該字に声点はなく、その仮名音注に去声濁点を差すので、字音「ヂ」を想定する。池篇辞字部に属し、右注「チス［去濁平］」サ変動詞を付載する。その声調表記が示す調値は「●○」である。あるいは二音節三拍「○●○」と把握していたか。上述の分析を参照。

　▶番号 1734b「持」（住持）の仮名音注「チ」については、基本的に -i で対応する。当該字に声点はない。上述の分析を参照。

　▶番号 0270b「治」（異治）の仮名音注「チ」については、基本的に -i で対応する。当該字には平声濁点を差すので、字音「ヂ」を想定する。廣韻に拠れば、之／志韻（ḍiei¹ᐟ³）至韻（ḍiei³）三音を有する。その中古音が示す頭子音 ḍ-（等韻学の術語で言う舌音濁澄母）は有声反り舌閉鎖音であり、日本語のザ行音をもって受容するが、中国語音韻史上における濁音声母の無声化を反映する場合にはサ行音で対応する。熟字 0270「異治」は左注「武勇也」を付載する。図書寮本類聚名義抄に平声点を付した同音字注「音持」さらに東宮切韻を出典とする反切「又直更反」と上声点を付した同音字注「又音同里」を見出す。観智院本には平声点を付した同音字注「音持」と声調表記「又去」さらに同音字注「又音里」を見つける。長承本蒙求には仮名音注「チ」があり、その掲出字に去声点を加える。日本漢音「チ」平/去声を認める。

　　治 音持［平］… 東云 … 又直更反 … 又音同里［上］條也 ヲサム［平平□］…

　　　　　　　　　　　　　　　　　　　　　　　　　　　　（図書寮本類聚名義抄／031-1）

　　治 音持［平］ヲサム［平平上］… 又去 － 又音里　（観智院本類聚名義抄／法上 032-2）

　　治［去］チ　　　　　　　　　　　　　　　　　　　　　（長承本蒙求／008）

　▶番号 1807a・1883・1942a・1943a「治」（治田・治略・治方・治術）の仮名音注「チ」については、基本的に -i で対応する。当該諸字四例には去声濁点を差すので、字音「ヂ」を想定する。

1004　3．仮名音注の韻母別考察　3-5　ⅢA韻類

熟字1807「治田」は右傍「ハル　タヲ」を、熟字1883「治略」は右傍「ハカリ　コチサタム」を付
載する。上述の分析を参照。

　▶番号1282b・1966a「治」（品治・治部省）の仮名音注「チ」については、基本的に -i で対応
する。両当該字に声点はない。熟字1282「品治」は左注「無戸或宿祢」を、熟字1966「治部省」
は左右注「郷鋪／丞録」を付載する。上述の分析を参照。

　　　省　職貟令云 … 治部省 乎佐牟留都加佐 …　　　　　　　　　（元和本倭名類聚抄／巻五05ウ5）

　▶番号2018「釐」（釐）の仮名音注「リ」については、基本的に -i で対応する。当該字に声点
はなく、左注「十毫曰釐」を付載する。観智院本類聚名義抄に平声点を付した同音字注「音離」を
見出すが、仮名音注はない。日本漢音は平声を認める。

　　　釐 … 理也 活也　　　　　　　　　　　　　　　　　　　　　（観智院本類聚名義抄／僧下103-5）

　　　釐〔＊「厂」なし〕作氂十／毫音離　　　　　　　　　　　　（観智院本類聚名義抄／僧下103-6）

　　　釐 作氂十／毫 音離 [平]　　　　　　　　　　　　　　　　　（観智院本類聚名義抄／僧下138-7）

　▶番号2053a「釐」（釐）の仮名音注「リイ」については、基本的に -ii で対応する。当該字に
は去声点を差す。これは一音節二拍「リイ」であり、去声調値「◗」→「○●」という字音把握で
ある。上述の分析を参照。

　▶番号3077b「氂」（毫氂）の仮名音注「リ」については、基本的に -i で対応する。当該字には
上声点を差す。熟字3077「毫氂」は右注「負也」を付載する。極めて僅かであることを意味する。
観智院本類聚名義抄には「犛・氂」を掲げ、反切「莫交反」を見出すが、別音である。

　　　釐 理也一曰福也里之切二十 … 氂 十豪 … 犛 犛牛又茅 …　　　　　　（宋本廣韻／来母之韻 lieĭ）

　　　茅 草名 … 莫交切八 … 犛 牛名又力之切 …　　　　　　　　　　　　（宋本廣韻／明母肴韻 mauĭ）

　　　犛氂 … 莫交反／氂牛　　　　　　　　　　　　　　　　　　（観智院本類聚名義抄／僧下115-2）

　　　氂 … 音毛 ニコケ [上上□]／犛 牛尾 又音茅　　　　　　　（観智院本類聚名義抄／僧下103-8）

　　　犛 音茅 西南夷 長髦牛／和メウ [平□：墨点]　　　　　　　（観智院本類聚名義抄／僧下103-6）

《下巻 之韻諸例》

　▶番号5941b「醫」（侍醫）の仮名音注「イ」については、基本的に -i で対応する。当該字に声
点はない。熟字5941「侍醫」は左注「在典藥」を付載する。上巻の之韻当該諸例で分析したように、
日本漢音は平声、日本呉音は去声を認める。また日本漢音「イ」の蓋然性が高い。日本呉音「エイ」
については保留する。

　▶番号4224「飴」（飴）の仮名音注「イ」については、基本的に -i で対応する。当該字には平
声点を差し、右注「アメ」中注「又乍粘」左注「與之反」を付載する。観智院本類聚名義抄に平声
点を付した同音字注「怡」（その右傍に朱筆で仮名音注「イ」）を見出す。元和本倭名類聚抄に同

音字注「怡」がある。日本漢音「イ」平声を認める。

飴 音怡［平／イ：朱右傍］錫 アメ［上上］… （観智院本類聚名義抄／僧上107-5）

飴 說文云飴 音怡和名阿女 米蘗煎也 （元和本倭名類聚抄／巻十六17ウ2）

▶番号5122a・5269b・6449「基」（基趾・主基所・基）の仮名音注「キ」については、基本的に -i で対応する。当該諸字三例には平声点を差す。熟字5122「基趾」は右傍「モトノ アナ」左注「舊跡」を、熟字5269「主基所」は中左注「大嘗會之時／云右也」を、番号6449「基」は中注「居之反」左注「阯也」を付載する。図書寮本類聚名義抄に同音字注「季云音欺」を見出す。観智院本には同音字注「音欺・音其」および平声墨点と去声墨点を付した和音「キ」を見つける。日本呉音「キ」平/去声を認める。

基 季云音欺 毛圡井［平平平］… （図書寮本類聚名義抄／219-6）

基 音欺［＊←欺］モト［平平］… 和キ［平・去：墨点］ （観智院本類聚名義抄／法中066-4）

踑踶 音其 アト／二俗基字 （観智院本類聚名義抄／法上083-4）

▶番号5069a「箕」（箕裘）の仮名音注「キ」については、基本的に -i で対応する。当該字には平声点を差す。観智院本類聚名義抄に平声点を付した同音字注「音其」を見出す。元和本倭名類聚抄には同音字注「音姬」がある。日本漢音は平声を認める。

箕 … 音其［平］／ミ［＊←三］［平］ （観智院本類聚名義抄／僧上063-5）

箕 說文云箕 音姬和名美 除糞籔米之器也 （元和本倭名類聚抄／巻十六09ウ8）

▶番号6097「姖」（姖）の仮名音注「キ」については、基本的に -i で対応する。当該字には平声点を差し、右注「ヒメ」左注「居之反」を付載する。当該字「姖」は「姫・姬」と相互に異体字である。観智院本類聚名義抄に平声点を付した同音字注「音其」を見出す。日本漢音は平声を認める。

姖 音其［平］／ヒメ［上平］ 姬 俗 （観智院本類聚名義抄／佛中013-1）

▶番号6210「抾」（抾）の仮名音注「キヨ」については、異例 -jo を示す。当該字には平声点を差し、和訓「ヒク」の同訓異字として位置する。之韻（kʻiɐiˊ）業韻（kʻiɑp）二音を有する。字形の近似する「枯」（魚韻 kʻiʌˊ）との混同か。あるいは諧声符「去」（語/御韻 kʻiʌ²³）による字音把握の可能性もある。観智院本類聚名義抄に同音字注「音怯攄二音」を見出すが、仮名音注はない。

欺 詐也去其切十一 … 抾 把也又丘之切 （宋本廣韻／溪母次清之韻 kʻiʌiˊ）

怯 畏也去劫切九 㹘 上同 抾 扌+邑也 … （宋本廣韻／溪母次清業韻 kʻiɑp）

虛 … 去魚切又許魚切十二 … 攄 擊也 枯 板置鼅上負物 … （宋本廣韻／溪母次清魚韻 kʻiʌˊ）

抾 音怯攄二音 … ヒク［上平］又云俗法字 （観智院本類聚名義抄／佛下本043-4）

▶番号3394b・3561a「碁」（圍碁・碁子）の仮名音注「キ」については、基本的に -i で対応する。両当該字には平声点を差す。熟字3561「碁子」は右注「コイシ」を付載する。図書寮本類聚名義抄に倭名類聚抄を出典とする同音字注「川云音期」（平声点の位置に仮名音注「キ」）および去

1006 3. 仮名音注の韻母別考察 3-5 ⅢA韻類

声濁点を付した「此間云五」（去声点の位置に仮名音注「コ」）さらに熟字「圍碁」に対して「借声為違期」を見出す。観智院本には同音字注「音期」と「此間云五」を見つける。元和本倭名類聚抄には同音字注「音期」と「此間云五」がある。日本漢音「キ」平声、近時の字音「ゴ」去声を認める。

圍碁 川云音期 ［キ：平声点位置］ 字 亦作棊 此間云五 ［去濁／コ：去声点位置］ …

　圍碁／借声為違期 ［遊：右注］ …　　　　　　　　　　（図書寮本類聚名義抄／148-4）

碁棊 千云上／通 碁子 川云藝云堊云白黒碁子 …　　　　（図書寮本類聚名義抄／148-5）

碁 正作棊音期／此間云五 圍碁 碁子　　　　　　　（観智院本類聚名義抄／法中012-5）

圍碁 博物志云堯造圍碁 音期字亦作棊世間云五　　　（元和本倭名類聚抄／巻四05 オ8）

▶番号3395b「碁」（圍碁）の仮名音注「コ」については、基本的に -o で対応する。当該字には平声点を差す。上述の分析を参照。

▶番号6378a「碁」（碁肆）の仮名音注「キ」については、基本的に -i で対応する。当該字に声点はない。熟字6378「碁肆」は飛篇國郡部の「肥前」に属する。上述の分析を参照。

肥前國 管十一 … 基肆 養父 夜不 …　　　　　　　（元和本倭名類聚抄／巻五27 オ2）

▶番号3559a「棊」（棊局）の仮名音注「キ」については、基本的に -i で対応する。当該字には平声点を差す。熟字「棊局」は右傍3559「キ キヨク」右注6978左注「渠玉反」〔＊←渠玉也〕を付載する。観智院本類聚名義抄に同音字注「音其」を見出すが、仮名音注はない。元和本倭名類聚抄に反切「渠玉反」と借字によると推測する「俗云五」がある。定着久しい字音「ゴ」の蓋然性が高い。

棊 音其 圍碁／日弈　　　　　　　　　　　　　（観智院本類聚名義抄／佛下本084-1)

碁局 … 陸詞云碁 渠玉反棊局俗云五半 棊板枰也　　（元和本倭名類聚抄／巻四07 ウ2)

　次可知濁音借字　　　　　　　　　　　（承暦本金光明最勝王経音義／02 オ1)

我 ［平濁］ 何 義 ［平濁］ 疑 … 吾 ［去濁］ 五　（承暦本金光明最勝王経音義／02 オ3)

▶番号3558・6978a「棊」（棊・棊局）の仮名音注「コ」については、基本的に -o で対応する。両当該字には平声点を差す。番号3558「棊」は右注「音期」左注「圍棊堯造也」を、熟字「棊局」は右傍3559「キ キヨク」右注6978左注「渠玉反」〔＊←渠玉也〕を付載する。付載する。上述の分析を参照。

▶番号4868a「麒」（麒麟）の仮名音注「キ」については、基本的に -i で対応する。当該字には平声点を差す。熟字4868「麒麟」は右注「牡曰麒」左注「牝曰麟」〔＊←麒〕を見出す。観智院本類聚名義抄に同音字注「音其」を見出すが、仮名音注はない。元和本倭名類聚抄には同音字注「其」がある。

麒 … 音其　　　　　　　　　　　　　　　（観智院本類聚名義抄／法下110-3)

麒麟 瑞応圖云麒麟 其鄰二音亦作騏驎 仁獸也牡曰麒牝曰麟

(元和本倭名類聚抄／巻十八 16 ウ 5)

　▶番号 5153a「期」（期約）の仮名音注「キ」については、基本的に *-i* に対応する。当該字には平声点を差す。上巻の之韻当該例で分析したように、日本漢音「キ」平声を認める。

　▶番号 3854b「期」（延期）の仮名音注「コ」については、基本的に *-o* で対応する。当該字には平声点を差す。上述の分析を参照。

　▶番号 4775b「期」（参期）の仮名音注「コ」については、基本的に *-o* で対応する。当該字に声点はない。上述の分析を参照。

　▶番号 5188a「淇」（淇園）の仮名音注「キ」については、基本的に *-i* で対応する。当該字には平声点を差す。類聚名義抄諸本に当該例を見出せない。高山寺本篆隷萬象名義に反切「渠基反」を見出す。天治本新撰字鏡には反切「基之反」がある。

　　基 渠之反 … 期 指信 … 麒 ⅋麟 淇 水名 …　　　　（王仁昫刊謬補缺切韻／群⺟之韻 giei¹）

　　淇 渠基反　　　　　　　　　　　　　　（高山寺本篆隷萬象名義／第五帖 082 ウ 1）

　　淇 基之反／奴万　　　　　　　　　　　　　　（天治本新撰字鏡／巻六 15 オ 7）

　▶番号 3642b・5185a「疑」（狐疑・疑星）の仮名音注「キ」については、基本的に *-i* で対応する。両当該字には平声点を差す。上巻の之韻当該諸例で分析したように、日本漢音「ギ」平声、日本呉音「ギ」去声を認める。

　▶番号 5062a「疑」（疑殆）の仮名音注「キ」については、基本的に *-i* で対応する。当該字には去声濁点を差すので、字音「ギ」を想定する。上述の分析を参照。

　▶番号 6219「熙」（熙）の仮名音注「キ」については、基本的に *-i* で対応する。当該字には平声点を差し、右注「和也」を付載する。また和訓「ヒロシ」の同訓異字として位置する。図書寮本類聚名義抄に反切「虚之反」（その反切下字に平声点）および去声点を付した「公云音基」を見出す。後者は大般若経字抄による漢呉二音相同の同音字注「基」を出典とする。観智院本には反切「火之反」および「和基」を見つけるが、仮名音注はない。日本呉音は去声を認める。

　　熙怡 … 弘云 … 上㽵作嬉 同 虚之［平平］反 … 公云音基伊［去上］和悦也 …

　　　　　　　　　　　　　　　　　　　　　　　　　（図書寮本類聚名義抄／243-3）

　　熙怡 公云音基／伊 和悦也　　　　　　　　　　（図書寮本類聚名義抄／265-3）

　　熙 火之反 ヒロシ［平平上／□□マル］／和基 オコル　　（観智院本類聚名義抄／佛下末 047-3）

　　熙怡［音基伊：右傍］和悦也　　　　（石山寺一切経蔵本大般若経字抄／01 オ 3）

　　熙怡［音規伊：右傍］　　　　　　　（石山寺一切経蔵本大般若経字抄／17 ウ 4）

　▶番号 4959a・4959b「熙」（熙⅋・熙⅋）の仮名音注「キ」については、基本的に *-i* で対応する。両当該字に声点はない。上述の分析を参照。

　　熙⅋ トタノシ［平平平□］／ヒロマル［平平平平］　　（観智院本類聚名義抄／佛下末 047-3）

　▶番号 6913b「嬉」（水嬉）の仮名音注「キ」については、基本的に *-i* で対応する。当該字には

1008　3．仮名音注の韻母別考察　3-5　ⅢA韻類

平声点を差す。廣韻に拠れば、之/志韻（xiei$^{1/3}$）二音を有する。熟字6913「水嬉」は右傍「タハフ
レ」を付載する。観智院本類聚名義抄に平声点を付した同音字注「音熙」および平声点を付した和
音「キ」を見出す。日本漢音は平声、日本呉音「キ」平声を認める。

　　　嬉 音熙［平］… タハフル［□□□レ］… 和キ［平］　　　　　（観智院本類聚名義抄／佛中012-1）

　▶番号5486「滋」（滋）の仮名音注「シ」については、基本的に -i で対応する。当該字には平
声点を差し、右注「シケシ」左注「多也」を付載する。図書寮本類聚名義抄に平声点を付した同音
字注「季云音茲」および平声点と去声点を付した仮名音注「真シ」を見出す。後者は真興撰『大般
若経音訓』による引用（いわゆる真興和音）である。観智院本には平声点を付した同音字注「音茲」
および「和又去」を見つける。承暦本金光明最勝王経音義には同音字注「此音」と仮名音注「シ」
がある。現行多くの漢和辞典は慣用音「ジ」を掲げるが、これは諧声符「茲」（從母之韻 dziei^i）
による類推の字音把握であろう。日本漢音は平声、日本呉音「シ」平/去声を認める。

　　　滋味 季云音／茲［平］… シケシ［平平濁平／後：右注］… 真シ［平・去］

　　　　　　　　　　　　　　　　　　　　　　　　　　　　　　　　（図書寮本類聚名義抄／048-4）

　　　滋 音茲［平］シケシ … シク マサル 和又去　　　　　　　（観智院本類聚名義抄／法上015-1）

　　　滋 音茲［平］… シク［□イ：右傍］和又去　　　（鎮国守国神社本三寶類聚名義抄／中一06 オ7）

　　　滋〔＊「灬」添加］［シケリ：右傍］此ミ／又作滋　　（承暦本金光明最勝王経音義／10 オ3）

　　　滋［シ：右傍］〔＊後筆墨書］　　　　　　　　　　（承暦本金光明最勝王経音義／10 オ1）

　▶番号4402a「滋」（滋賀）の仮名音注「シ」については、基本的に -i で対応する。当該字に声
点はない。熟字4402「滋賀」は阿篇国郡部の「近江」に属する。借字による注記「志賀」がある。
上述の分析を参照。

　　　近江國 國府在栗本郡 滋賀 志賀 …　　　　　　　（元和本倭名類聚抄／巻五16 オ6）

　▶番号3613b「慈」（鴻慈）の仮名音注「シ」については、基本的に -i で対応する。当該字には
去声点を差す。その中古音が示す頭子音 dz-（等韻学の術語で言う歯音濁從母）は有声歯茎破擦音
であり、日本語のザ行をもって受容するが、中国語音韻史上における濁音声母の無声化を反映する
場合はサ行音で対応する。図書寮本類聚名義抄に倭名類聚抄を出典とする「川云此間云之」（去声
点を付加）と篆隷萬象名義による反切「弘云枝茲」（その反切下字に平声点）また和音として去声
濁点を付した「行円云慈」を見出す。観智院本には反切「材茲反」と去声濁墨点（天理大学本最勝
王経音義は上声濁墨点）を付した和音「シ」を見つける。長承本蒙求には仮名音注「シ」二例があ
り、それらの掲出字に平声点を加える。日本漢音「シ」平声、日本呉音「ジ」去声を認める。

　　　慈石 川云此間云之㾼久［去平平］…　　　　　　　　　　　（図書寮本類聚名義抄／147-3）

　　　慈悲 弘云枝茲［平平］反 … ウツクシヒ［平平平平濁／詩：右注］…　（図書寮本類聚名義抄／236-6）

　　　慈哀 和音 行円云／慈哀［去濁上］　　　　　　　　　　　　（図書寮本類聚名義抄／237-1）

　　　慈 材茲反 … タノム 和シ［去濁：墨点］　　　　　　　　（観智院本類聚名義抄／法中099-3）

3-5-2 -ie 系の字音的特徴 1009

　　　慈 ウツクシヒ　　　　　　　　　　　　　　　（観智院本類聚名義抄／僧上 020-3）

　　　慈 材慈反 … アハレフ 和シ［上濁：墨点］　　　（天理大学本最勝王経音義／03 ウ 5）

　　　慈 ［平］シ　　　　　　　　　　　　　　　　　（長承本蒙求／086・139）

　　　慈 枝慈反 愛也 敏也　　　　　　　　　　　（高山寺本篆隷萬象名義／第二帖 082 ウ 1）

　　　慈 本草云慈石吸針此間云 之毗久 …　　　　　（元和本倭名類聚抄／巻一 09 ウ 4）

　▶番号 6359b「慈」（久慈）の仮名音注「シ」については、基本的に -i で対応する。当該字に声点はない。熟字 6359「久慈」は飛騨國郡部の「常陸」に属する。上述の分析を参照。

　　　常陸國 國府在茨城郡 … 久慈 多珂　　　　　　（元和本倭名類聚抄／巻五 16 オ 6）

　▶番号 5299b「鷀」（鸕鷀）の仮名音注「シ」については、基本的に -i で対応する。当該字には平声点を差す。熟字 5299「鸕鷀」は右注「シマツキトリ」中左注「鷀大之名／也見宇部」を付載する。観智院本類聚名義抄に同音字注「慈音」を見出すが、仮名音注はない。元和本倭名類聚抄には同音字注「兹」がある。

　　　鷀 慈音 ウ／シマトリ／サクナキ　　　　　　　（観智院本類聚名義抄／僧中 120-5）

　　　鸕鷀 亦 ウ　　　　　　　　　　　　　　　　　（観智院本類聚名義抄／僧中 120-6）

　　　鸕鷀 辨色立成云大曰鸕鷀 盧兹二音日本紀私記云志萬豆止利

　　　　　　　　　　　　　　　　　　　　　　　　　（元和本倭名類聚抄／巻十八 11 オ 6）

　▶番号 5432a「絲」（絲鞋）の仮名音注「シ［平］」については、基本的に -i で対応する。当該字に声点はなく、その仮名音注に平声点を差す。熟字 5432「絲鞋」は右注「シカイ［平上平］」中左注「又イトノ／クツ」を付載する。図書寮本類聚名義抄に同音字注「川云司」（平声点の位置に仮名音注「シ」）を見出す。観智院本には平声点を付した同音字注「音司」（その右傍に朱筆で仮名音注「シ」）を見つける。長承本蒙求には仮名音注「シ」があり、その掲出字に東声点を加える。元和本倭名類聚抄には熟字「糸鞋」に対して借字による「今案俗云之賀伊」がある。日本漢音「シ」東声（四声体系では平声）を認める。

　　　絲 … 川云司 ［シ：平声点位置］ 和云以度 ［平上］ …　　　（図書寮本類聚名義抄／287-3）

　　　絲 音司 ［平／シ：朱右傍］ イト ［平上］ ヨル …　　　（観智院本類聚名義抄／法中 111-2）

　　　絲 ［東］ シ　　　　　　　　　　　　　　　　　（長承本蒙求／009）

　　　糸鞋 辨色立成云糸鞋 伊止乃久都今案俗云之賀伊　　　（元和本倭名類聚抄／巻十二 26 ウ 9）

　▶番号 5530a「司」（司夜）の仮名音注「シ」については、基本的に -i で対応する。当該字には平声点を差す。上巻の之韻当該諸例で分析したように、日本漢音「シ」東声（四声体系では平声）を認める。

　▶番号 3654b・4447b・4817b・5957b・6962c「司」（國司・曹司・齊院司・所司・鑄錢司）の仮名音注「シ」については、基本的に -i で対応する。当該諸字五例に声点はない。熟字 4447「曹司」は左注「職曹司」を付載する。上述の分析を参照。

1010　3．仮名音注の韻母別考察　3-5　ⅢA韻類

▶番号5733a・6354a「伺」（伺隑・伺隑）の仮名音注「シ」については、基本的に -i で対応する。両当該字には平声点を差す。廣韻に拠れば、之/志韻（sjei$^{i/3}$）二音を有する。熟字5733「伺隑」は右傍「ウカ、フ ヒマヲ」〔*←ヒマラ〕を、熟字6354「伺隑」は左右注「ヒマヲウ／カ、フ」を付載する。観智院本類聚名義抄に平声点を付した同音字注「司」と去声点を付した同音字注「笥」および「和平」を見出す。鎮国守国神社本三寶類聚名義抄には「和シ」を見つける。日本漢音は平/去声、日本呉音「シ」平声を認める。

　　伺 司笥 ［平去］二音 和平／ウカ、ウ ［上上上平］…　　　　　（観智院本類聚名義抄／佛上 008-8）

　　伺 司笥二音 和平／ウカ、ウ … 和シ　　　　　　（鎮国守国神社本三寶類聚名義抄／上一 03 ウ 2）

▶番号5617a・5839a・5840a「思」（思慮・思景・思景）の仮名音注「シ」については、基本的に -i で対応する。当該諸字三例には去声点を差す。熟字「思景」は右注5839「シエイ」左注5840「シケイ」を付載する。上巻の之韻当該例で分析したように、日本漢音「シ」東声（四声体系では平声）日本呉音「シ」去声を認める。

▶番号5618a「思」（思惟）の仮名音注「シ」については、基本的に -i で対応する。当該字に声点はない。上述の分析を参照。

▶番号3399・5714a「詞」（詞・詞林）の仮名音注「シ」については、基本的に -i で対応する。両当該字には平声点を差す。その中古音が示す頭子音 z-（等韻学の術語で言う歯音濁邪母）は有声歯茎摩擦音であり、日本語のザ行音をもって受容するが、中国語音韻史上における濁音声母の無声化を反映する場合はサ行音で対応する。番号3399「詞」は右注「コトハ」を付載する。図書寮本類聚名義抄に同音字注「音辞」（平声点の位置に仮名音注「シ」）を見出す。観智院本には同音字注「音辞」を見つける。長承本蒙求には仮名音注「シ」があり、その掲出字に平声点を加える。承暦本金光明最勝王経音義には仮名音注「シ」がある。日本漢音「シ」平声、日本呉音「シ」を認める。

　　言詞 音辞 ［シ：平声点位置］…　　　　　　　　　（図書寮本類聚名義抄／074-5）

　　詞 音辞 フ ハ ［平平濁］…　　　　　　　　　　（観智院本類聚名義抄／法上 055-6）

　　詞 ［平］ シ　　　　　　　　　　　　　　　　　（長承本蒙求／020）

　　詞 ［シ：右傍］〔*後筆墨書〕　　　（承暦本金光明最勝王経音義／08 オ 3）

▶番号3650b「辞」（固辞）の仮名音注「シ」については、基本的に -i で対応する。当該字には平声点を差す。観智院本類聚名義抄に東声点を付した同音字注「音詞」を見出す。当該字の中古音が示す頭子音 z-（等韻学の術語で言う歯音濁邪母）であり、濁声母における差声は平声点の誤認である。長承本蒙求には仮名音注「シ」六例があり、それらの掲出字に平声点を加える。日本漢音「シ」平声を認める。

　　辝 音詞 ［東］ イナフ ［平平上濁］／コトハ マウス　　（観智院本類聚名義抄／僧下 066-7）

　　辞 辝 辭 コトハ ［平平平濁］…　　　　　　　　（観智院本類聚名義抄／僧下 066-8）

　　辝 ［平］ シ　　　　　　　　　　　　　　　（長承本蒙求／040・097・137）

3-5-2　-iɐ 系の字音的特徴　1011

辞 [平] シ　　　　　　　　　　　　　　　　　　　　　（長承本蒙求／102）

斿 [平] シ／シ　　　　　　　　　　　　　　　　　　　（長承本蒙求／064）

斿 [平] シ　　　　　　　　　　　　　　　　　　　　　（長承本蒙求／080）

▶番号 5588a「辞」（辞退）の仮名音注「シ」については、基本的に -i で対応する。当該字には
平声濁点を差すので、字音「ジ」を想定する。上述の分析を参照。

▶番号 5489「斿」（斿）の仮名音注「シ [平濁]」については、基本的に -i で対応する。当該
字に声点はなく、その仮名音注に平声濁点を差すので、字音「ジ」を想定する。また、右注「音詞
不受也」中注「シス [平濁□]」左注「又乍辞」を付載する。上述の分析を参照。

▶番号 5878a・5879a「緇」（緇素・緇銖）の仮名音注「シ」については、基本的に -i で対応す
る。両当該字には去声点を差す。図書寮本類聚名義抄に同音字注「季云音緇」を見出す。観智院本
には同音字注「音緇」を見つけるが、仮名音注はない。

緇素 季云音緇 玉云黒 …　　　　　　　　　　　　　（図書寮本類聚名義抄／298-7）

緇 音緇／クロシ　緇 正　　　　　　　　　　　　　　（観智院本類聚名義抄／法中 117-3）

▶番号 5677a「芝」（芝蘭）の仮名音注「シ」については、基本的に -i で対応する。当該字には
平声点を差す。上巻の之韻当該例で分析したように、日本漢音「シ」東声（四声体系では平声）を
認める。

▶番号 3584・5232「之」（之・之）の仮名音注「シ」については、基本的に -i で対応する。両
当該字には平声点を差す。番号 3584「之」は和訓「コノ、ニ」の同訓異字として位置する。番号 5232
「之」は左傍「止而反」を付載し、和訓「ユク」の同訓異字として位置する。観智院本類聚名義抄
に反切「止而反」および和音「シ」を見出す。日本呉音「シ」を認める。

之 ノ カ コレ コノ ユク … アリ　　　　　　　　　（観智院本類聚名義抄／佛上 060-7）

之 止而反 ノ カ … ユク [上平] … 和 シ　　　　　　（観智院本類聚名義抄／法下 042-4）

▶番号 3409c「詩」（古詠詩）の仮名音注「シ」については、基本的に -i で対応する。当該字に
は上声濁点を差すので、日本語音韻史上の連濁による字音「ジ」を想定する。熟字 3409「古詠詩」
は右注「同（壹越調）」を付載する。図書寮本類聚名義抄に篆隷萬象名義を出典とする反切「弘云
舒之反」（その反切下字に平声点）を見出す。観智院本には反切「舒之反」（その反切下字に平声
点）を見つける。長承本蒙求には仮名音注「シ」があり、その掲出字を含む二例に東声点を加える。
日本漢音「シ」東声（四声体系では平声）を認める。

詩 弘云舒之 [□平] 反／極也 … ウタ [上平／切：右注]　　（図書寮本類聚名義抄／091-3）

詩 舒之 [□平] 反 ウタフ … ウク [平平]　　　　　　（観智院本類聚名義抄／法上 061-7）

詩 舒之反 極也　　　　　　　　　　　　　（高山寺本篆隷萬象名義／第三 008 ウ 1）

詩 [東] シ　　　　　　　　　　　　　　　　　　　　（長承本蒙求／136）

詩 [東]　　　　　　　　　　　　　　　　　　　　　（長承本蒙求／005）

1012　3．仮名音注の韻母別考察　3-5　ⅢA韻類

　　　壹越調曲　皇帝破陣樂 大曲 … 古詠詩　　　　　　　　　（元和本倭名類聚抄／巻四 14 ウ 3）

　▶番号 5428「詩」（詩）の仮名音注「シ［平］」については、基本的に -i で対応する。当該字に声点はなく、仮名音注に平声点を加える。また右注「シ［平］書之反」左注「文峯［ホウ：右傍］詞林」を付載する。上述の分析を参照。

　▶番号 5604a「時」（時行）の仮名音注「シ」については、基本的に -i に対応する。当該字には去声濁点を差すので、字音「ジ」を想定する。熟字 5604「時行」は左注「病也」を付載する。上巻の之韻当該例で分析したように、日本漢音「シ」平声、日本呉音「ジイ」去声を認める。。

　▶番号 5893a・5893b「時」（時〻見・時〻見）の仮名音注「シ」については、基本的に -i で対応する。両当該字に声点はない。上述の分析を参照。

　▶番号 5830a「而」（而然）の仮名音注「シ」については、基本的に -i で対応する。当該字には去声点を差す。観智院本類聚名義抄に反切「如之反」（その反切下字に平声点）および和音「二」（その右傍に朱筆で濁音「✓」表記）を見出す。この和音は表示字形の大きさから漢字「二」と判断するが、その仮名音注としては和音「ニ」であり、朱筆の濁音「✓」表記により正音「ジ」を示すとも推測できる。日本漢音は平声を認める。また日本漢音「ジ」日本呉音「ニ」の可能性を指摘しておく。

　　　而 如之［□平］反 シカモ［□□リ］… 和二［✓：朱右傍］　　　（観智院本類聚名義抄／佛上 075-4）
　　　二［去］シ〔＊不鮮明〕　　　　　　　　　　　　　　　　　　　（長承本蒙求／011）
　　　二［去］　　　　　　　　　　　　　　　　　　　　　　　　　（長承本蒙求／048・139）

　▶番号 5454「笞」（笞）の仮名音注「チ」については、基本的に -i で対応する。当該字に声点はなく、右注「シモト」中注「丑之反 撫擊也」中左注「大頭二分小頭／一分半也 刑曰討杖也」を付載する。上巻の之韻当該例で分析した。

　▶番号 5573b「持」（受持）の仮名音注「チ」については、基本的に -i で対応する。当該字に声点はない。上巻の之韻当該諸例で分析したように、日本漢音「チ」平声、日本呉音「ヂ」を認める。

　▶番号 6373b「治」（品治）の仮名音注「チ」については、基本的に -i で対応する。当該字に声点はない。熟字 6373「品治」は飛篇國郡部の備後に属する。元和本倭名類聚抄は借字「保牟知」を注記する。上巻の之韻当該諸例で分析したように、日本漢音「チ」平/去声を認める。

　　　備後國 國府在葦田郡 … 品治 保牟知 …　　　　　　　　　（元和本倭名類聚抄／巻五 23 ウ 3）

　▶番号 4120b「氊」（陟氊）の仮名音注「テン」については、異例 -en を示す。当該字には平声点を差す。字形の近似する「廛」（仙韻 ḍian¹）との混同か。本来は仮名音注「リ」を期待する。熟字 4120「陟氊」は右注「アヲノリ」を付載する。上巻の之韻当該諸例で分析したように、日本漢音は平声を認める。

　　　陟厘 音糸+厘［平］／アヲノリ［平平上平］　　　　　　　　（観智院本類聚名義抄／僧下 108-2）
　　　陟氊　本草云陟氊 音糸+厘一本作厘和名阿乎乃利俗用青苔　（元和本倭名類聚抄／巻十七 18 オ 2）

3-5-2　-iᴇ系の字音的特徴　1013

《上巻　止韻諸例》

▶番号0260a・0261a「以」（以來・以降）の仮名音注「イ」については、基本的に -i で対応する。両当該字には上声点を差す。図書寮本類聚名義抄に反切「广云扌歓反」を見出す。観智院本には同音字注「音苡」（その右傍に朱筆で仮名音注「イ」）および和音「イ」を見出す。日本漢音「イ」日本呉音「イ」を認める。

　　衣以 广云扌歓反 …　　　　　　　　　　　　　　（図書寮本類聚名義抄／327-5）

　　以 音苡 ［イ：朱右傍］モチキル［平上上平］… 和イ　　（観智院本類聚名義抄／佛上004-8）

▶番号0259a「以」（以往）の仮名音注「イ」については、基本的に -i で対応する。両当該字には去声点を差す。上述の分析を参照。

▶番号0340a・0390a「已」（已度・已灌頂）の仮名音注「イ」については、基本的に -i で対応する。両当該字には平声点を差す。廣韻に拠れば、止/志韻（jiei²³）二音を有する。熟字0340「已度」は右傍「ワタル」を付載する。観智院本類聚名義抄に平声点を付した同音字注「以」を見出す。別には仮名音注「イ」と反切「羊里切・弋旨切」さらに仮名音注「シ」と反切「詳里切」を見出す。同書において仮名音注を掲出字直下の双行割注で配置することは極めて稀である。これらは「巳」（邪母止韻 ziei²）との混同した注記を含む。宋本廣韻あるいは篆隷萬象名義や大廣益會玉篇においても、同様の混同を看取できる。日本漢音「イ」を認めるが、平声は保留する。

　　以 羊止反古作㠯用五 巳 止 …　　　　　　（王仁昫刊謬補缺切韻／羊母止韻 jiei²）

　　以 用也 … 羊己切七 㠯 古文 巳 止也此也甚也詑也 又音似　　（宋本廣韻／羊母止韻 jiei²）

　　異 奇也說文分也 羊吏切七 … 巳 過事語辝又去也弃也成也　　（宋本廣韻／羊母志韻 jiei³）

　　已 音以［平］ステニ［平上濁□］ヲハル［上上□］／ヤム［上平］ワキマフ［平上□□］

　　　　　　　　　　　　　　　　　　　　　　　（観智院本類聚名義抄／佛下末013-8）

　　已 已猶 決竟　　　　　　　　　　　　　　（観智院本類聚名義抄／僧下124-6）

　　已 イ 羊里切 止也 弋旨切／退也止也弃也畢也／シ 又詑也 詳里切

　　　　　　　　　　　　　　　　　　　　　　　（観智院本類聚名義抄／僧下124-6）

　　已 徐里反 … 退也止也／基也去也成也瘉也記也畢也大也此也棄也

　　　　　　　　　　　　　　　　　　　　　（高山寺本篆隷萬象名義／第六帖183 オ 3）

　　已 徐里切 嗣也起也 又弋又切 退／也止也此也弃也畢也旨詑也

　　　　　　　　　　　　　　　　　　　　（小學彙函本大廣益會玉篇／巻下62 ウ 11）

▶番号0389a・2267「已」（已講・已）の仮名音注「イ」については、基本的に -i で対応する。両当該字に声点はない。番号2267「已」は和訓「ヲハル」の同訓異字として位置する。

▶番号0714「巳」（巳）の仮名音注「キ」については、基本的に -i で対応する。当該字には上

声点を差す。番号0714「㠯」は左右注「㠯上／ハナハタシ」を付載するので、字音「イ」を期待するが、当該字「㠯」を「己」と誤認し、仮名音注「キ」を右傍に付す。上述の分析を参照。

▶番号2241「己」（己）の仮名音注「キ」については、基本的に -i で対応する。当該字には上声点を差す。番号2241「己」は右注「ヲノレ」左注「又ツチノト」を付載する。観智院本類聚名義抄に「呉音古」と「正起」（その右傍に「紀」）を見出す。この呉音と正音は大般若経字抄による同音字注「音古・正起也」を出典とする。観智院本では別途に仮名音注「キ」と反切「居里切」また同音字注「又音似」と仮名音注「シ」を見つける。同書が仮名音注を掲出字直下の双行割注で配置することは極めて稀である。後者の注記は「巳」（邪母止韻 ziei²）との混同を含む。日本漢音「キ」を認める。また日本呉音「コ」の蓋然性が高い。

紀 居以反綯四 己 身 …　　　　　　　　　　（王仁昫刊謬補缺切韻／見母止韻 kiei²）

紀 極也 … 居里切四 己 身己 …　　　　　　　　（宋本廣韻／見母止韻 kiei²）

己 呉音古 正起［右傍：紀］… オノレ［上上平］ツチノト［平平□□］

　　　　　　　　　　　　　　　　　　　（観智院本類聚名義抄／佛下末013-8）

己 キ 居里切 又音似／シ 身也　　　　　　（観智院本類聚名義抄／僧下124-6）

恃己［音古：右傍］ヲノレ 正起也／又代巳 以音 … 志音辰巳 …

　　　　　　　　　　　　　　　　　（石山寺一切経蔵本大般若経字抄／14 オ2）

　　先可知所付借字　　　　　　　　　（承暦本金光明最勝王経音義／01 オ7）

… 己［平］古［上］衣［上］延［平］天［上］弖［平］　（承暦本金光明最勝王経音義／02 ウ5）

己 居喜反 終也絶也　　　　　　　（高山寺本篆隷萬象名義／第六帖179 オ6）

己 居喜切 己身也 …　　　　　（小學彙凾本大廣益會玉篇／巻下61 オ13）

▶番号1013b「己」（入己）の仮名音注「コ」については、基本的に -o で対応する。当該字には上声点を差す。上述の分析を参照。

▶番号1885b「己」（知己）の仮名音注「コ」については、基本的に -o で対応する。当該字には平声点を差す。上述の分析を参照。

▶番号3040b「紀」（干紀）の仮名音注「キ」については、基本的に -i で対応する。当該字には平声点を差す。図書寮本類聚名義抄に同音字注「音己」（上声点の位置に仮名音注「キ」）を見出す。観智院本には上声点を付した同音字注「音己」および平声点を付した和音「キ」を見つける。長承本蒙求には仮名音注「キ」があり、その掲出字を含む二例に上声点を加える。日本漢音「キ」上声、日本呉音「キ」平声を認める。

綱紀 … 下 音己［キ：上声点位置］… シルシ［上上平／異：右注］…

　　　　　　　　　　　　　　　　　　　　　（図書寮本類聚名義抄／297-4）

紀 音己［上］トシ［平平］… 和キ［平］　（観智院本類聚名義抄／法中120-8）

紀［上］キ　　　　　　　　　　　　　　　　　　　（長承本蒙求／098）

紀 [上]　　　　　　　　　　　　　　　　　　　　　　　　（長承本蒙求／076）

▶番号2145b「杞」（枸杞）の仮名音注「キ」については、基本的に -i で対応する。当該字には上声点を差す。熟字「枸杞」は右傍2145「コウキ」右注「ヌミクスリ」中注「一名却老」左注2146「又クコ［去上］」を付載する。観智院本類聚名義抄に上声点を付した同音字注「紀」および上声点を付した「俗云コ」を見出す。承暦本金光明最勝王経音義には「古音」があり、借字による字音把握と考える。同書の冒頭に掲げる「先可知所付借字」では「己［平］古［上］」とあり、日本語アクセントの相対的な「上（高）」として「古」を示す。天治本新撰字鏡には熟字「枸杞」に対して「久古」を見つける。元和本倭名類聚抄には熟字「枸杞」に対して「苟起二音」および「俗音久古」がある。日本漢音は上声、定着久しい字音「コ」上声を認める。

　　枸杞 苟紀［上上］二音 ヌミクスリ［上平平濁上□］俗云クコ［去上］… 又枸杞

　　　　　　　　　　　　　　　　　　　　　　（観智院本類聚名義抄／佛下本099-5）

　　枸 九氵 杞 古氵　　　　　　　　　（承暦本金光明最勝王経音義／09 オ3）

　　　先可知所付借字　　　　　　　　（承暦本金光明最勝王経音義／01 オ7）

　　… 己［平］古［上］衣［上］延［平］天［上］弖［平］　（承暦本金光明最勝王経音義／02 ウ5）

　　枸杞 春夏採茎葉秋冬採實根陰干久古　　　　　（天治本新撰字鏡／巻七35 ウ2）

　　枸杞　本草云枸杞 苟起二音 … 和名沼美久須利俗音久古 …

　　　　　　　　　　　　　　　　　　　　　　（元和本倭名類聚抄／巻二十24 ウ3）

▶番号2146b「杞」（杞）の仮名音注「コ［上］」については、基本的に -o で対応する。当該字には上声点を差し、その仮名音注にも上声点を差す。熟字「枸杞」は右傍2145「コウキ」右注「ヌミクスリ」中注「一名却老」左注2146「又クコ［去上］」を付載する。上述の分析を参照。

▶番号0875b・1213b・1236b「起」（發起・發起・蜂起）の仮名音注「キ」については、基本的に -i で対応する。当該諸字三例に平声点を差す。観智院本類聚名義抄に上声点を付した同音字注「音豈」および平声点を付した和音「キ」を見出す。長承本蒙求には仮名音注「キ」があり、その掲出字を含む二例に上声点を加える。日本漢音「キ」上声、日本呉音「キ」平声を認める。

　　起 音豈［上］オコス［平平上］… 和キ［平］　　（観智院本類聚名義抄／佛上066-2）

　　起［上］キ　　　　　　　　　　　　（長承本蒙求／086・116・135）

　　起［上］　　　　　　　　　　　　　　（長承本蒙求／134）

▶番号2461b「喜」（嘉喜門）の仮名音注「キ」については、基本的に -i で対応する。当該字には上声点を差す。廣韻に拠れば、止/志韻（xiei[23]）二音を有する。観智院本類聚名義抄に反切「虚己反」（その反切下字に上声点）と声調表記「去声」および和音「キ」を見出す。日本漢音は上/去声、日本呉音「キ」を認める。

　　喜 虚己反［上］ヨシ ヨロシ［上上□］… 去声 … 和キ　（観智院本類聚名義抄／佛中039-1）

▶番号0384a・1365b「喜」（喜多・抃喜）の仮名音注「キ」については、基本的に -i で対応す

る。両当該字に声点はない。熟字「喜多」は伊篇国郡部の「伊豫」に属する。元和本倭名類聚抄は借字「岐多」を注記する。上述の分析を参照。

　　　伊豫國 國府在越智郡 … 喜多 岐多 宇和　　　　　　　　（元和本倭名類聚抄／巻五 25 ウ 9）

　▶番号 0596b・1105b・1264b・1768b・2301b「子」（黒子・帽子・墨子・鎮子・侲子）の仮名音注「シ」については、基本的に ᵢ で対応する。当該諸字五例には上声点を差す。熟字 0596「黒子」は右注「ハミクソ」を、熟字 1768「鎮子」は左注「座臥具也」を、熟字 2301「侲子」は右注「ワラハヘ」を付載する。観智院本類聚名義抄に反切「即里反」および和音「シ」を見出す。長承本蒙求には仮名音注「シ」九例があり、それら掲出字を含む十四例に上声点を加える。日本漢音「シ」上声、日本呉音「シ」を認める。

　　　子 即里反 コ［上］ミ［上］… 和シ　　　　　　　（観智院本類聚名義抄／法下 137-2）

　　　子 ハ、クソ［上上上上］　　　　　　　　　　　　（観智院本類聚名義抄／法下 137-8）

　　　子［上］シ　　　（長承本蒙求／009・030・090・096・102・117・128・132・140）

　　　子［上］　　　　　　　　　　　（長承本蒙求／015・039・040・044・060）

　▶番号 0173b・2724b「子」（倚子・合子）の仮名音注「シ［上］」については、基本的に ᵢ で対応する。両当該字に声点はなく、それらの仮名音注に上声点を差す。熟字 0173「倚子」は左注「胡床之類也」右注「イシ［去上］」仮名音注を付載する。上述の分析を参照。

　　　倚子 イシ　　　　　　　　　　　　　　　　　　（観智院本類聚名義抄／佛上 003-4）

　　　倚 本朝式云紫宸殿設黒柿倚子　　　　　　　　　（元和本倭名類聚抄／巻十四 17 オ 2）

　　　合子 唐式云尚食局漆器 … 今案朱合俗所謂朱漆合子也　　（元和本倭名類聚抄／巻十六 04 オ 5）

　▶番号 1305b「子」（瓶子）の仮名音注「シ」については、基本的に ᵢ で対応する。当該字には上声濁点を差すので、日本語音韻史上の連濁による字音「ジ」を想定する。上述の分析を参照。

　　　瓶子 楊氏漢語抄云瓶子 上音薄經反和加米　　　　　（元和本倭名類聚抄／巻十六 07 ウ 2）

　▶番号 0421b・0422b・0423b「子」（簏子・籠子・樓子）の仮名音注「シ［上濁］」については、基本的に ᵢ で対応する。当該諸字三例に声点はなく、その仮名音注に上声濁点を差すので、日本語音韻史上の連濁による字音「ジ」を想定する。上述の分析を参照。

　　　簏 說文云 音鹿楊氏漢語抄云簏子須利 竹篋也　　　　（元和本倭名類聚抄／巻十六 07 ウ 2）

　▶番号 1731b・1756c・1775b・1851b・3060b「子」（嫡子・長慶子・地子・嫡子・稼子）の仮名音注「シ」については、基本的に ᵢ で対応する。当該諸字五例には平声点を差す。上述の分析を参照。

　　　平調曲 … 長慶子 … 夜半樂　　　　　　　　　　（元和本倭名類聚抄／巻四 15 ウ 5）

　▶番号 1773b「子」（丁子）の仮名音注「シ［平濁］」については、基本的に ᵢ で対応する。当該字には平声濁点を差すので、日本語音韻史上の連濁による字音「ジ」を想定する。右注「出天竺也」左注「栴檀之實也」を付載する。上述の分析を参照。

3-5-2 -iɐ 系の字音的特徴　1017

丁子香　内典云丁子鬱金婆律膏 七言偈也鬱金見下文 　　　（元和本倭名類聚抄／巻十二02 オ 4）

▶番号 1457b・1568c・1513c・1995c・2451b・2452b・2496b「子」（童子・銅鈸子・頓拍子・良家子・篲子・格子・柑子）の仮名音注「シ」については、基本的に -i で対応する。当該諸字七例に声点はない。熟字 1568「銅鈸子」は左注「鈸即鉢也」を付載する。上述の分析を参照。

銅鈸子 トウハチシ［平平上上□］　銅鉢子 同 　　　（観智院本類聚名義抄／僧上 120-1）

篲子 音隔／カウシ 　　　　　　　　　　　　　　　（観智院本類聚名義抄／僧上 073-3）

柑子 … カムシ［上平上濁］／音甘［平］ 　　　　　（観智院本類聚名義抄／佛下本 084-1）

銅鈸子　律書樂圖云銅鈸子 今案鈸即鉢字也 … 　　（元和本倭名類聚抄／巻四09 オ 6）

篲子　通俗文云篲子 篲音隔字亦作簬俗用格子二字 竹障名也

　　　　　　　　　　　　　　　　　　　　　　　　（元和本倭名類聚抄／巻十10 ウ 8）

柑子　馬琬食經云柑子 上音甘和名加無之 　　　　　（元和本倭名類聚抄／巻十七08 オ 1）

▶番号 2494a「萆」（萆麻）の仮名音注「ヒ」については、基本的に -i で対応する。当該字には平声点を差す。熟字 2494「萆麻」は右注「カラカシハ」を付載する。廣韻に拠れば、当該字は止韻（sieiˣ）昔韻（biek）二音を有する。本来は仮名音注「シ」を期待する。諸声符「卑」（支韻 pjieˡ）による字音把握か。あるいは竹冠の「箄」至韻（pjieiˣ）と混同したか。観智院本類聚名義抄に反切「頻益反」昔韻（biek）を見出す。また和訓「シタミ」も別途掲げるが、竹冠「箄」の誤認である。高山寺本篆隷萬象名義には反切「釜赤反」（昔韻 biek）を見つける。元和本倭名類聚抄には反切「釜示反」があるが、これは「釜赤反」の誤認である。

萆 シタミ 　　　　　　　　　　　　　　　　　　　（観智院本類聚名義抄／僧上 031-4）

萆 頻益反／雨衣 　　　　　　　　　　　　　　　　（観智院本類聚名義抄／僧上 031-5）

萆麻 カラカシハ／一云カラヱ 　　　　　　　　　　（観智院本類聚名義抄／僧上 031-5）

箄 卑婢［平去／ヒヒ：朱右傍］二音 筬箄小籠邁也／交籠 イヒシタミ

　　　　　　　　　　　　　　　　　　　　　　　　（観智院本類聚名義抄／僧上 066-1）

萆 釜赤反 雨衣羹似／烏韭名草 　　　（高山寺本篆隷萬象名義／第四帖 049 オ 2）

萆麻　本草云萆麻 上音釜示反和名加良可之波一云加良衣 　（元和本倭名類聚抄／巻二十05 ウ 1）

箄　四聲字苑云箄 博繼反漢語抄云飯箄以比之太美 … 　　（元和本倭名類聚抄／巻十六09 ウ 3）

▶番号 0819b「士」（博士）の仮名音注「シ」については、基本的に -i で対応する。当該字には去声点を差す。その中古音は歯音濁崇母之韻上声（dʒieiˣ）であり、ザ行音をもって受容するが、中国語音韻史上における濁音声母の無声化を反映する場合はサ行音で対応する。図書寮本類聚名義抄に平声点を付した同音字注「川云音与仕同」を見出す。観智院本には平声濁点と上声点を付した同音字注「音仕」之韻（dʒieiˣ）を見つける。前者の平声濁点は呉音字調を示すか。元和本倭名類聚抄には同音字注「士音與仕同」がある。長承本蒙求には仮名音注「シ」三例があり、それらの掲出字中二例に上声点、一例に去声点を加える。切韻を撰述して以降の中国語において、上声濁が次第に

1018　3．仮名音注の韻母別考察　3-5　ⅢA韻類

去声化を起こした状態を、日本漢音では反映する。これは上声を構成する上声軽と上声重とが allotone であり、後者の調値が去声と区別できないことを示すとも言える。日本漢音「シ」上/去声を認める。また日本呉音は平声の可能性がある。

　　　士　川云音与仕［平］同 和云与男同 … 允云緒止古［平平平］ …　　　　（図書寮本類聚名義抄／234-6）

　　　士　音仕［平濁・上］ヲノコ［上平平］ヲトコ［平平平］ …　　　（観智院本類聚名義抄／法中068-5）

　　　士［上］シ　　　　　　　　　　　　　　　　　　　　　　　　　　　（長承本蒙求／006・013）

　　　士［去］シ　　　　　　　　　　　　　　　　　　　　　　　　　　　　　（長承本蒙求／113）

　　　士　白虎通云男謂之士音與仕同　　　　　　　　　　（元和本倭名類聚抄／巻二05 ウ8）

　▶番号3251b「士」（勇士）の仮名音注「シ」については、基本的に -i で対応する。当該字には平声点を差す。上述の分析を参照。

　▶番号0386c・0915b「士」（醫博士・博士）の仮名音注「セ」については、異例 -e を示す。両当該字に声点はない。熟字0386「醫博士」は左注「在典薬寮」を付載する。元和本倭名類聚抄には熟字「博士」に対して借字による「波加世」がある。定着久しい字音「セ」の可能性を指摘しておく。上述の分析を参照。

　　　史生　職員令云 … 俗云醫 久須之 博士 波加世 …　　　　（元和本倭名類聚抄／巻五02 ウ2）

　▶番号0765b「仕」（末仕）の仮名音注「シ」については、基本的に -i で対応する。当該字には平声点を差す。その中古音は歯音濁崇母之韻上声（dẓieiᵇ）であり、ザ行音をもって受容するが、中国語音韻史上における濁音声母の無声化を反映する場合はサ行音で対応する。観智院本類聚名義抄に同音字注「音士」を見出すが、仮名音注はない。

　　　仕　音士 ツカフ［上上平］ … ツモム　　　　　　　（観智院本類聚名義抄／佛上002-7）

　▶番号1224b・1836b「仕」（奉仕・致仕）の仮名音注「シ」については、基本的に -i で対応する。両当該字には平声濁点を差すので、字音「ジ」を想定する。上述の分析を参照。

　▶番号2497「柿」（柿）の仮名音注「シ」については、基本的に -i で対応する。当該字には上声点を差し、右注「カキ」を付載する。観智院本類聚名義抄に同音字注「音士」を見出すが、仮名音注はない。元和本倭名類聚抄には同音字注「音市」（止韻 ẓieiᵇ）がある。

　　　柿　音仕 カキ［上上］　　　　　　　　　　　　　　（観智院本類聚名義抄／佛上031-1）

　　　柿　音仕 カキ　　　　　　　　　　　　　　　　　　（宝菩提院本類聚名義抄／128-4）

　　　柿　説文云柿 音市和名賀岐 赤實菓也　　　　（元和本倭名類聚抄／巻十七10 ウ4）

　▶番号1413c・3164d「使」（弁濟使・勘解由使）の仮名音注「シ」については、基本的に -i で対応する。両当該字に声点はない。大辞林第七版では「弁済使」を「9～10世紀、中央に送る調庸の管理および中央への貢上折衝のために受領が私的に置いた機関。貢調庸の有名無実化の原因として禁止されたが効を奏さなかった」と説明する。観智院本類聚名義抄に反切「所里所伎二反」（両反切下字に上声点）および和音「シ」を見出す。日本漢音は上声、日本呉音「シ」を認める。

3-5-2 -ie 系の字音的特徴　1019

使 所里 ［□上］ 所伎 ［□上］ 二反 シム … 和シ …　　　　（観智院本類聚名義抄／佛上 031-1）

▶番号1905b「止」（停止）の仮名音注「シ」については、基本的に -i で対応する。当該字には
上声点を差す。図書寮本類聚名義抄に上声点を付した同音字注「音趾」と反切「茲云詣市反」を見
出す。観智院本には同音字注「音趾」を見つける。長承本蒙求には仮名音注「シ」二例があり、そ
れらの掲出字に上声点を加える。日本漢音「シ」上声を認める。

　　　　止 ミ 音趾 ［上］ … トヽマル ［□上濁上平／易：右注］ …　　　（図書寮本類聚名義抄／131-3）

　　　　制止 茲云詣市反 …　　　　　　　　　　　　　　　　　　　　　（図書寮本類聚名義抄／131-6）

　　　　止 音趾 トヽマル ［上上濁□平／□□ム□］ …　　　　　　　（観智院本類聚名義抄／法上 097-8）

　　　　止 ［上］ シ　　　　　　　　　　　　　　　　　　　　　　　　（長承本蒙求／006・042）

▶番号2470b・3189b「苣」（白苣・白苣）の仮名音注「シ」については、基本的に -i で対応す
る。両当該字には上声点を差す。当該字「苣」（止韻 tśiei²）と「芝」（之韻 tśiei¹）は別字である
が、通用している。熟字2470「白苣」は右注「カサモチ ［平平平平］」左注「又ヨロヒクサ」を、
熟字3189「白苣」は右注「ヨロコヒクサ」中注「ヨロヒクサ」左注「カサモチ ［平平平平］」を付
載する。観智院本類聚名義抄に音注表記はない。元和本倭名類聚抄に同音字注「音止」を見出す。

　　　　白芝 一名 白芝／カサモチ ヨロヒ草　　　　　　　　　　　　（観智院本類聚名義抄／僧上 039-3）

　　　　芝 音之 ［平］ サハウト … シハ　　　　　　　　　　　　　　（観智院本類聚名義抄／僧上 021-2）

　　　　白芝 カサモチ ［平平平□］／ヨロヒクサ ［上上上□□］　　（観智院本類聚名義抄／僧上 021-2）

　　　　白苣　雑要決云白苣一名白芝 和名加佐毛知一云與呂比久佐

　　　　　　　　　　　　　　　　　　　　　　　　　　　　　　（元和本倭名類聚抄／巻二十 09 オ 5）

▶番号0689b「苣」（白苣）の仮名音注「シ」については、基本的に -i で対応する。当該字に声
点はない。熟字0689「白苣」は左注「香名」を付載する。

　　　　白苣香　本草云白苣香 苣音止 味辛生河東　　　　　　　　　（元和本倭名類聚抄／巻十二 03 ウ 6）

▶番号0679b・2242b「齒」（黒齒・齲齒）の仮名音注「シ」については、基本的に -i で対応す
る。両当該字には上声点を差す。その中古音は歯昌母止韻（tśʻiei²）である。熟字 0679「黒齒」
は右注「ハクロメ 柔 ［同：右注］東海黒齒國土」左注「俗以草染齒今婦人有黒齒取之也」を、熟字
2242「齲齒」は右注「ヲソハ」を付載する。観智院本類聚名義抄に反切「昌氏反」および平声点を
付した和音「シ」を見出す。長承本蒙求には仮名音注「シ」三例があり、それらの掲出字を含む四
例に上声点を加える。承暦本金光明最勝王経音義には同音字注「子音」（精母止韻 tsiei²）と仮名音
注「シ」を見つける。日本漢音「シ」上声、日本呉音「シ」平声を認める。

　　　　齒 昌氏反 ハ ［去］ ヨハヒ ［平平□］ … 和シ ［平］　　　　（観智院本類聚名義抄／法上 102-6）

　　　　齒 ［上］ シ　　　　　　　　　　　　　　　　　　　　　　　（長承本蒙求／010・026・136）

　　　　齒 ［上］　　　　　　　　　　　　　　　　　　　　　　　　　（長承本蒙求／035）

　　　　齒 子ミ　　　　　　　　　　　　　　　　　　（承暦本金光明最勝王経音義／03 ウ 6）

1020　3．仮名音注の韻母別考察　3-5　ⅢA韻類

　　　齒［シ：右傍］〔＊後筆墨書〕　　　　　　　　　　　　　　（承暦本金光明最勝王経音義／08 ウ 3）

　　黒齒　文選注云黒齒國在東海中其土俗以草染齒故曰黒齒　俗云波久路女

　　　今婦人有黒齒具故取之　　　　　　　　　　　　　　　（元和本倭名類聚抄／巻十四05 ウ 6）

　　䶒齒　蒼頡篇云䶒 五溝反又部膇䶒齒於曾波　齒重生也　　　　　　（元和本倭名類聚抄／巻三20 オ 2）

　▶番号2454b「齒」（鴈齒）の仮名音注「シ」については、基本的に -i で対応する。当該字には
平声濁点を差すので、日本語音韻史上の連濁による字音「ジ」を想定する。熟字2454「鴈齒」は左
注「橋具也」を付載する。上述の分析を参照。

　　　雁齒　白氏文集云鴨頭新緑水雁齒小紅橋　　　　　　（元和本倭名類聚抄／巻十19 ウ 2）

　▶番号0573「齒」（齒）の仮名音注「シ」については、基本的に -i で対応する。当該字に声点
はなく、右注「ハ」を付載する。上述の分析を参照。

　▶番号2399b「市」（和市）の仮名音注「シ」については、基本的に -i で対応する。当該字には
平声点を差す。廣韻に拠れば、その中古音は歯音濁常母止韻上声（ʑiei²）である。図書寮本類聚名
義抄に同音字注「音恃」を見出す。観智院本にも同音字注「音恃」と反切「是止反」を見つける。
長承本蒙求には仮名音注「シ」三例があり、それらの掲出字中二例に去声点、一例に上声点を加え
る。切韻を撰述して以降の中国語において、上声濁が次第に去声化を起こした状態を、日本漢音で
は反映する。これは上声を構成する上声軽と上声重とが allotone であり、後者の調値が去声と区
別できないことを示すとも言える。日本漢音「シ」上/去声を認める。

　　　市 音恃 … 方云 … 井城鄽賣買處也　　　　　　　　　（図書寮本類聚名義抄／279-3）

　　　市 … 音恃 イチカフ／アキナフ ハカリ　　　　　　　（観智院本類聚名義抄／法中 102-6）

　　　市 是止反 アキナフ／イチ［平上］カフ［上平］　　（観智院本類聚名義抄法下 040-1）

　　　市［去］シ　　　　　　　　　　　　　　　　　　　（長承本蒙求／041・106）

　　　市［上］シ　　　　　　　　　　　　　　　　　　　　　　　（長承本蒙求／065）

　▶番号0031「市」（市）の仮名音注「シ」については、基本的に -i で対応する。当該字に声点
はなく、右注「イチ」左注「賣買所也」を付載する。上述の分析を参照。

　　　市郭兒　辨色立成云市郭兒 和名伊知比止 一云市人　　　（元和本倭名類聚抄／巻二09 ウ 2）

　▶番号2353b「耳」（鼈耳）の仮名音注「チ」については、基本的に -i で対応する。当該字には
上声濁点を差すので、字音「ヂ」を想定する。その中古音が示す頭子音 ń-（等韻学の術語で言う半
歯音清濁日母）は硬口蓋鼻音であり、日本語のナ行音をもって受容するが、中国語音韻史上におけ
る鼻音声母の非鼻音化（denasalization）₍₂₂₎を反映する場合はザ行音で対応する。本来は字音「ジ」
を期待する。熟字 2353「鼈耳」は右注「ワラクツノチ」を付載する。観智院本類聚名義抄に反切
「如始反」（その反切上字に平声濁点・反切下字に上声点）および和音「ニ」を見出す。長承本蒙
求には仮名音注「シ」があり、その掲出字に上声点を加える。日本漢音「ジ」上声、日本呉音「ニ」
を認める。

3-5-2　-iɐ 系の字音的特徴　1021

耳 如始［平濁上］反 ミ、… 和二　　　　　　　　　　　（観智院本類聚名義抄／佛中 001-3）

耳 如始反 ミ、… 和二　　　　　　　　　　　　　　　　（天理大学本最勝王経音義／20 ウ 3）

耳［上］シ　　　　　　　　　　　　　　　　　　　　　（長承本蒙求／091）

麘耳　唐令云青耳麘 今案麘耳者俗人云麘之乳乎　　　　（元和本倭名類聚抄／巻十二 28 ウ 3）

▶番号 0247b「耳」（熊耳）の仮名音注「シ」については、基本的に -i で対応する。当該字には去声濁点を差すので、字音「ジ」を想定する。上述の分析を参照。

▶番号 1907a「恥」（恥辱）の仮名音注「チ」については、基本的に -i で対応する。当該字には上声点を差す。熟字 1907「恥辱」は中注「チンシヨク」を付載するが、これを「チシヨク」に修正する。図書寮本類聚名義抄に反切「弘云癡理反」を見出す。観智院本には反切「勅止反」（その反切下字に上声点）と「癡裡反」を見つける。長承本蒙求には仮名音注「チ」があり、その掲出字に上声点を加える。承暦本金光明最勝王経音義には借字による「知音」二例があり、それらの掲出字に去声点を加える。同書の冒頭に掲げる「先可知所付借字」では「千［平］知［上］」とあり、日本語アクセントの相対的な「上（高）」として「知」を掲げる。日本漢音「チ」上声、日本呉音「チ」去声を認める。

恥 弘云癡理反／愧也　　　　　　　　　　　　　　　　（図書寮本類聚名義抄／263-4）

耻 勅止［□上］反 ハチ／ハツ［□上濁］… 恥 正　　　（観智院本類聚名義抄／佛中 002-5）

耻 癡裡反 ハツ［平上濁］　　　　　　　　　　　　　　（観智院本類聚名義抄／法中 101-6）

耻［上］チ　　　　　　　　　　　　　　　　　　　　　（長承本蒙求／057）

耻［去］知ミ／ハ徒［平平］　　　　　　　　　　　　　（承暦本金光明最勝王経音義／05 ウ 5）

耻［去］知ミ　　　　　　　　　　　　　　　　　　　　（承暦本金光明最勝王経音義／08 ウ 4）

▶番号 1740「痔」（痔）の仮名音注「チ」については、基本的に -i で対応する。当該字には上声点を差し、右注「チノヤマヒ」を付載する。その中古音は舌音濁澄母止韻上声（dieiˑ）である。観智院本類聚名義抄に上声点を付した同音字注「音雉」および「呉音治」を見出す。さらに去声濁点を付した「チ」と去声点を付した「俗云シ」がある。この呉音注は大般若経字抄による漢呉二音相同の同音字注「音治」を出典とする。元和本倭名類聚抄には反切「治里反上聲之重」を見つける。切韻を撰述して以降の中国語において、上声濁が次第に去声化を起こした状態を、日本漢音では反映する。これは上声を構成する上声軽と上声重とが allotone であり、後者の調値が去声と区別できないことを示すとも言える。日本漢音は上声、定着久しい字音「ヂ」去声を認める。

痔 音雉［上］チノヤマヒ［去濁上平上平］俗云シノヤマヒ［去上：□□□］／呉音治

　　　　　　　　　　　　　　　　　　　　　　　　　　（観智院本類聚名義抄／法下 122-7）

痔［音治：右傍］病也　　　　　　　　　　　　　　　　（石山寺一切経蔵本大般若経字抄／019 ウ 3）

痔［活〔*治の誤認〕：右傍］　　　　　　　　　　　　　（石山寺一切経蔵本大般若経字抄／022 オ 5）

痔　說文云痔 治里反之重知乃夜萬比 …　　　　　　　　（元和本倭名類聚抄／巻三 22 オ 2）

1022　3．仮名音注の韻母別考察　3-5　ⅢA韻類

▶番号0737b・2037b・2040b・2089a「里」（万里・閭里・隣里・里儒）の仮名音注「リ」については、基本的に -i で対応する。当該諸字四例には上声点を差す。熟字2089「里儒」は右傍「サト ハカセ」を付載する。観智院本類聚名義抄に平声点を付した同音字注「音里」を見出す。この平声点は呉音声調を示すか。長承本蒙求には仮名音注「リ」二例があり、それらの掲出字を含む三例に上声点を加える。日本漢音「リ」上声を認める。

　　　里 音理 ［平］サト［上上］… イヤシ　　　　　　　　（観智院本類聚名義抄／佛中110-5）

　　　里［上］リ　　　　　　　　　　　　　　　　　　　　（長承本蒙求／046・056）

　　　里［上］　　　　　　　　　　　　　　　　　　　　　（長承本蒙求／127）

▶番号1981「里」（里）の仮名音注「リ」については、基本的に -i で対応する。当該字には平声点を差し、左右注「三百六十歩為一段／十段一町三十六町為里」を付載する。上述の分析を参照。

▶番号2134a「理」（理乱）の仮名音注「リ」については、基本的に -i で対応する。当該字には上声点を差す。図書寮本類聚名義抄に上声点を付した同音字注「音里」を見出す。観智院本には同音字注「音里」を見つける。長承本蒙求には仮名音注「リ」があり、その掲出字に上声点を加える。日本漢音「リ」上声を認める。

　　　理 音里 ［上］… 朱云去止和利［平平平平］…　　　（図書寮本類聚名義抄／160-1）

　　　理 音里 … コワリ［□平平］メノマヽヨシ［平平□□平上］　（観智院本類聚名義抄／法中024-4）

　　　理［上］リ　　　　　　　　　　　　　　　　　　　　（長承本蒙求／096）

▶番号1801b・2091a・2092a・2093a・2098a「理」（蚍理・理非・理論・理致・理髪）の仮名音注「リ」については、基本的に -i で対応する。当該諸字五例には平声点を差す。熟字1801「蚍理」は左注「チリ 地上」を付載する。上述の分析を参照。

▶番号2019・2135a「理」（理・理不盡）の仮名音注「リ」については、基本的に -i で対応する。両当該字に声点はない。番号2019「理」は右注「リス」サ変動詞を付載する。上述の分析を参照。

▶番号1409b「裏」（表裏）の仮名音注「リ」については、基本的に -i で対応する。当該字には上声点を差す。図書寮本類聚名義抄に上声点を付した同音字注「川云音里」と「真云表裏［□去］」を見出す。観智院本には上声点を付した同音字注「音里」および平声墨点と去声墨点を付した和音「リ」を見つける。元和本倭名類聚抄には同音字注「音理」がある。日本漢音は上声、日本呉音「リ」平/去声を認める。

　　　表裏 … 下 川云音里 ［上］宇良［平平］… 真云表裏［□去］衣内也　（図書寮本類聚名義抄／329-5）

　　　裏 … 音里［上］ウラ［平平］… 和リ［平墨点・去墨点］　（観智院本類聚名義抄／法中137-2）

　　　表裏 　… 裏 音理宇良 衣内也　　　　　　　　　　（元和本倭名類聚抄／巻十二.23 オ7）

▶番号2510a・3071b「李」（李衡・行李）の仮名音注「リ」については、基本的に -i で対応する。両当該字には上声点を差す。熟字2510「李衡」は左右注「カムシノサネ」を付載する。観智院

本類聚名義抄に同音字注「音里」を見出す。長承本蒙求に仮名音注「リ」六例があり、それらの掲出字に上声点を加える。同書の仮名音注は平安時代院政初期である長承三年（1134）に加点された墨筆（例示で両音形ある場合は右側）を中心とするが、平安時代中期と推定する古い朱筆（両音形ある場合は左側）の加点もある。日本漢音「リ」上声を認める。

　　　李 ツハキモ、[平平濁平上□] 上音里／スモ、[平上□] … 　（観智院本類聚名義抄／佛下本087-2）

　　　李衡 カムシノサネ [平上上濁□□□] 　　　　　　　　　（観智院本類聚名義抄／佛下本087-2）

　　　李 [上] リ 　　　　　　　　　　　　　　　　（長承本蒙求／005・025・042・049・108）

　　　李 [上] リ／リ 　　　　　　　　　　　　　　　　　　　　　　（長承本蒙求／036）

　　　李子　兼名苑云李 音里 一名黄吉 和名須毛々 　　　（元和本倭名類聚抄／巻十七10 オ1）

　　　李衡　馬琬食經云李衡 和名加無之乃佐禰 … 　　　　（元和本倭名類聚抄／巻十七11 ウ6）

　▶番号2131a「李」（李門）の仮名音注「リ」については、基本的に -i で対応する。当該字に声点はない。上述の分析を参照。

《下巻 止韻諸例》

　▶番号4126b「已」（防已）の仮名音注「イ」については、基本的に -i で対応する。当該字には平声点を差す。熟字4126「防已」は右注「アヲカツラ」を付載する。上巻の止韻当該諸例で分析したように、日本漢音「イ」を認めるが、平声は保留する。

　　　　防已　本草云防已一名解離 和名阿乎加豆良 … 　　　（元和本倭名類聚抄／巻二十19 ウ4）

　▶番号4856a・6890「已」（及已・已）の仮名音注「イ」については、基本的に -i で対応する。両当該字に声点はない。熟字4856「及已」は右注「キツネクサ」を付載する。番号6890「已」は右注「去也」左注「弃也」を付載し、和訓「ステニ」の同訓異字として位置する。元和本倭名類聚抄には仁諧音義を引用した同音字注「音以」がある。上述の分析を参照。

　　　　及已　本草云及已 仁諧音義已音以和名豆木禰久佐 　　　（元和本倭名類聚抄／巻二十11 オ5）

　▶番号3710a「已」（已用）の仮名音注「コ」については、基本的に -o で対応する。当該字には去声点を差す。上巻の止韻当該諸例で分析したように、日本漢音「キ」を認める。また日本呉音「コ」の蓋然性が高い。

　▶番号4838・5196a・5207・5961b「紀」（紀・紀伊・紀・紀志）の仮名音注「キ」については、基本的に -i で対応する。当該諸字四例に声点はない。番号4838「紀」は右注「キ 居里反」左注「十二年曰紀」を付載する。熟字5196「紀伊」は木篇国郡部に、番号5207「紀」は木篇姓氏部に、熟字5961「紀志」は師篇姓氏部に属する。上巻の止韻当該例で分析したように、日本漢音「キ」上声、日本呉音「キ」平声を認める。

　　　　紀伊國 國府在名草郡 … 伊都 … 牟婁 牟呂 　　　　（元和本倭名類聚抄／巻五24 ウ5）

1024　3．仮名音注の韻母別考察　3-5　ⅢA韻類

　▶番号5073a・5102a「起」（起居・起請）の仮名音注「キ」については、基本的に -i で対応する。両当該字には上声点を差す。上巻の止韻当該諸例で分析したように、日本漢音「キ」上声、日本呉音「キ」平声を認める。

　▶番号3866b「起」（縁起）の仮名音注「キ」については、基本的に -i で対応する。当該字には平声点を差す。上述の分析を参照。上述の分析を参照。

　▶番号5118a「擬」（擬把）の仮名音注「キ」については、基本的に -i で対応する。当該字には上声点を差す。熟字5118「擬把」は右傍「ス トラムト」を付載する。観智院本類聚名義抄に反切「奠理反」を見出すが、仮名音注はない。

　　　擬 奠理反 ナスラフ［平平濁上□］… 度量也　　　　　　　（観智院本類聚名義抄／佛下本078-4）

　　　擬 奠理反 ナスラフ … 度量也　　　　　　　　　　　　　（宝菩提院本類聚名義抄／093-5）

　▶番号5128a「擬」（擬使）の仮名音注「キ」については、基本的に -i で対応する。当該字には去声点を差す。上述の分析を参照。

　▶番号5798b「擬」（准擬）の仮名音注「キ」については、基本的に -i で対応する。当該字には去声濁点を差すので、字音「ギ」を想定する。上述の分析を参照。

　▶番号4158a「蟢」（蟢子）の仮名音注「キ」については、基本的に -i で対応する。当該字に声点はない。熟字4158「蟢子」は右注「同（アシタカ／クモ）」を付載する。観智院本類聚名義抄に同音字注「音喜」を見出すが、仮名音注はない。元和本倭名類聚抄には同音字注「音喜」がある。

　　　蠨蛸 蕭梢二音 アシタカノクモ［平平平平平平上］　　　（観智院本類聚名義抄／僧下019-3）

　　　蟢子 音喜 和／名 同上　　　　　　　　　　　　　　　　（観智院本類聚名義抄／僧下019-3）

　　　蠨蛸　爾雅注云蠨蛸 蕭梢二音 一名蟢子 上音喜和名阿之太加乃久毛 …

　　　　　　　　　　　　　　　　　　　　　　　　　　　（元和本倭名類聚抄／巻十九25 オ4）

　▶番号5047a・5137a「喜」（喜懼・喜悦）の仮名音注「キ」については、基本的に -i で対応する。両当該字には去声点を差す。上巻の止韻当該諸例で分析したように、日本漢音は上/去声、日本呉音「キ」を認める。

　▶番号5033a・5159a・6933b「喜」（喜瑞・喜怒・随喜）の仮名音注「キ」については、基本的に -i で対応する。当該諸字三例には平声点を差す。上述の分析を参照。

　▶番号3557b「子」（兀子）の仮名音注「シ［上］」については、基本的に -i で対応する。当該字には上声点を差し、その仮名音注に上声点を加える。熟字3557「兀子」は右注「コツシ［上上上］」左注「公卿座也」を付載する。上巻の止韻当該諸例で分析したように、日本漢音「シ」上声、日本呉音「シ」を認める。

　▶番号3561b・4580b・5465b・5853a「子」（碁子・草子・床子・子夜）の仮名音注「シ」については、基本的に -i で対応する。当該諸字四例には上声点を差す。熟字3561「碁子」は右注「コイシ」を、熟字4580「草子」は左注「書名也」を、熟字5465「床子」は右傍「シヤウシ俗」を付

載する。上述の分析を参照。

▶番号3916b「子」（銚子）の仮名音注「シ［上］」については、基本的に -i で対応する。当該字に声点はなく、その仮名音注に上声点を差す。熟字3916「銚子」は右注「テウシ［平平上］」仮名音注を付載する。上述の分析を参照。

▶番号3892b「子」（弟子）の仮名音注「シ［平］」については、基本的に -i で対応する。当該字に声点はなく、その仮名音注に平声点を差す。熟字3892「弟子」は右注「テシ［平濁平］」仮名音注を付載する。上述の分析を参照。

▶番号6404c「子」（木槵子）の仮名音注「シ［平濁］」については、基本的に -i で対応する。当該字に声点はなく、その仮名音注に平声濁点を差すので、日本語音韻史上の連濁による字音「ジ」を想定する。熟字6404「木槵子」は右注「可用珠数」右傍「モク𛀆エンシ［平平去濁去平平濁］」仮名音注を付載する。上述の分析を参照。

　　槵　蘇敬本草注云槵 魯官反漢語抄云木槵子無久禮邇之乃木 其子堪爲數珠者也
　　　　　　　　　　　　　　　　　　　　　　（元和本倭名類聚抄／巻二十26 オ 2）

▶番号3781c・4249b・4596b・5301b・5452b・5750b・5767a・5894c・5907a・5907b・6066c・6072c・6149b「子」（烏帽子・襖子・鑷子・師子・酌子・倡子・子細・兒女子・子𛀆孫𛀆・檳榔子・白附子・拍子）の仮名音注「シ」については、基本的に -i で対応する。当該諸字十三例に声点はない。熟字4249「襖子」は中注「烏老反」左注「衣服具」を、熟字4596「鑷子」は左注「或乍鑷」を、熟字5301「師子」は左中右注「日行五百里／以虎豹爲粮／者也」を、熟字5750「倡子」は右傍「ウタメ」を、熟字5894「兒子」は左注「又上字士」を、熟字6149「拍子」は中注「並伯反 柏子板」を付載する。上述の分析を参照。

　　帽子 川云俗云／二字音　　　　　　　　　　　　（図書寮本類聚名義抄／284-3）

　　烏帽 兼名苑云帽一名頭衣 帽音芼烏帽子俗訛烏爲今案烏爲或通見文選注王篇等 …
　　　　　　　　　　　　　　　　　　　　　　（元和本倭名類聚抄／巻十二 18 オ 3）

　　襖子　唐令云諸給時服冬則白襖子一領 襖音烏老反襖子阿乎之
　　　　　　　　　　　　　　　　　　　　　　（元和本倭名類聚抄／巻十二 20 オ 2）

　　鑷子　唐韻云鑷 蘇果反俗作鑷子 銕鑷也楊氏漢語抄云鑷子 蔵乃賀岐 …
　　　　　　　　　　　　　　　　　　　　　　（元和本倭名類聚抄／巻十 16 ウ 2）

　　師子　… 穆天子傳云狻猊日行五百里以虎豹爲粮者也
　　　　　　　　　　　　　　　　　　　　　　（元和本倭名類聚抄／巻十八 16 オ 4）

　　檳榔　子附 兼名苑注云檳榔 賓郎二音此間音旻朗 … 本草云檳榔子 …
　　　　　　　　　　　　　　　　　　　　　　（元和本倭名類聚抄／巻二十 30 ウ 9）

　　拍子　蔣魴切韻云拍 普伯反拍子俗云百師 打也 …　　（元和本倭名類聚抄／巻四 10 オ 7）

▶番号4110「梓」（梓）の仮名音注「シ」については、基本的に -i で対応する。当該字には上

1026　3．仮名音注の韻母別考察　3-5　ⅢA韻類

声点を差し、右注「アツサ」を付載する。観智院本類聚名義抄に上声点を付した同音字注「子音」を見出すが、仮名音注はない。元和本倭名類聚抄には同音字注「音子」がある。日本漢音は上声を認める。

梓 子［上］音 エ木シ／エ アツサ［平平濁平］　　　　（観智院本類聚名義抄／佛下本 088-8）

梓　孫愐切韻云梓 音子和名阿豆佐 木名楸之属也　　　（元和本倭名類聚抄／巻二十 27 ウ 7）

　▶番号 6599b「祀」（祭祀）の仮名音注「シ」については、基本的に -i で対応する。当該字には去声点を差す。その中古音は歯音濁邪母止韻上声（ziei°）である。熟字 6599「祭祀」は右傍「マツリ」を付載する。観智院本類聚名義抄に上声点を付した同音字注「音似」を見出す。長承本蒙求には仮名音注「シ」があり、その掲出字に去声点を加える。切韻を撰述して以降の中国語において、上声濁が次第に去声化を起こした状態を、日本漢音では反映する。これは上声を構成する上声軽と上声重とが allotone であり、後者の調値が去声と区別できないことを示すとも言える。日本漢音「シ」上/去声を認める。

祀 音似［上］マツル［上上□／□□リ：墨右傍］…　　　（観智院本類聚名義抄／法下 003-4）

祀［去］シ　　　　　　　　　　　　　　　　　　　　（長承本蒙求／106）

　▶番号 5330・5946b・5948b・6020b・6954b「士」（士・進士・俊士・衛士・冨士）の仮名音注「シ」については、基本的に -i で対応する。当該諸字五例に声点はない。番号 5330「士」は右注「鉏里反」を、熟字 5946「進士」は左注「文章生」を、熟字 6020「衛士」は左注「在東門」を付載する。熟字 6954「冨士」は洲篇国郡部の「駿河」に属する。上巻の止韻当該諸例で分析したように、日本漢音「シ」上/去声を認める。また日本呉音は平声の可能性がある。

駿河國 國府在安部郡 … 冨士 浮志 駿河 與國同　　　　（元和本倭名類聚抄／巻五 13 ウ 5）

　▶番号 3731b・4820b・5942c・5944c・6481d「士」（歴博士・筭博士・針博士・書博士・文章博士）の仮名音注「セ」については、異例 -e を示す。当該諸字五例に声点はない。熟字 5942「針博士」は左注「同（在典薬）」を、熟字 5944「書博士」は左注「在大学」を付載する。上述の分析を参照。

　▶番号 4771b「仕」（參仕）の仮名音注「シ」については、基本的に -i で対応する。当該字には平声濁点を差すので、字音「ジ」を想定する。上巻の止韻当該諸例で分析した。

　▶番号 6003b「仕」（衛仕）の仮名音注「シ」については、基本的に -i で対応する。当該字には平声点を差す。上述の分析を参照。

　▶番号 4504b・4825b・5958b「仕」（雜仕・散仕・承仕）の仮名音注「シ」については、基本的に -i で対応する。当該諸字三例に声点はない。上述の分析を参照。

　▶番号 5945「史」（史）の仮名音注「シ」については、基本的に -i で対応する。当該字に声点はなく、右注「大夫史 大史」中注「二人左右 新大史」左注「左一左端指次新小史」を付載する。観智院本類聚名義抄に上声点を付した同音字注「音使」を見出す。長承本蒙求には仮名音注「シ」

五例があり、それらの掲出字に上声点を加える。日本漢音「シ」上声を認める。

　　　史 音使 [上]　　　　　　　　　　　　　　　（観智院本類聚名義抄／僧中 052-5）

　　　史 [上] シ　　　　　　　　　　　　　　　　（長承本蒙求／052・063・128・134）

　　　史 [上：圏点] シ　　　　　　　　　　　　　（長承本蒙求／126）

　　　大史　職貟令云左右大史 大史讀於保伊佐宇官　　（元和本倭名類聚抄／巻五 02 オ 9）

　　　小史　職貟令云左右小史 小史讀須奈佐官　　　　（元和本倭名類聚抄／巻五 02 ウ 1）

▶番号 5128b・6710b「使」（擬使・詔使）の仮名音注「シ」については、基本的に -i で対応する。両当該字には上声点を差す。当該字「使」は「使」と相互に異体字である。上巻の止韻当該諸例で分析したように、日本漢音は上声、日本呉音「シ」を認める。

▶番号 5755a「使」（使乎）の仮名音注「シ」については、基本的に -i で対応する。当該字には去声点を差す。上述の分析を参照。

▶番号 4419c・4420c「使」（按察使府・押領使）の仮名音注「シ」については、基本的に -i で対応する。両当該字に声点はない。上述の分析を参照。

▶番号 5630b「止」（進止）の仮名音注「シ」については、基本的に -i で対応する。当該字には上声濁点を差すので、日本語音韻史上の連濁による字音「ジ」を想定する。上巻の止韻当該例で分析したように、日本漢音「シ」上声を認める。

▶番号 5571a・6726b「止」（止観・制止）の仮名音注「シ」については、基本的に -i で対応する。両当該字に声点はない。上述の分析を参照。

▶番号 5122b「趾」（基趾）の仮名音注「シ」については、基本的に -i で対応する。当該字には上声点を差す。熟字 5122「基趾」は右傍「モトノ　アナ」左注「舊跡也」を付載する。図書寮本類聚名義抄に同音字注「广云音止・川云音止」を見出す。観智院本には同音字注「音止」を見つけるが、仮名音注はない。元和本倭名類聚抄に同音字注「音止」がある。

　　　足趾　广云音止 … 川云音止訓阿之 … 阿刀 フモト [集：右注]　　（図書寮本類聚名義抄／114-1）

　　　趾 音止 アシアト [平平平上] フモト [上上□] …　　　（観智院本類聚名義抄／法上 077-4）

　　　脚足　釋名云脚 居約反 … 趾 音止和名並阿之 …　　　（元和本倭名類聚抄／巻三 14 ウ 3）

▶番号 4178「趾」（趾）の仮名音注「シ」については、基本的に -i で対応する。当該字に声点はなく、右注「同（アシ）」を付載する。上述の分析を参照。

▶番号 5598b「始」（終始）の仮名音注「シ」については、基本的に -i で対応する。当該字には去声濁点を差すので、日本語音韻史上の連濁による字音「ジ」を想定する。熟字 5598「終始」は左注「シ丶ウ」を付載するが、これを「シウシ」と修正する。字音把握に混乱がある。観智院本類聚名義抄に反切「舒以反」（その反切下字に上声点）および平声点を付した和音「シ」を見出す。日本漢音は上声、日本呉音「シ」平声を認める。

　　　始 舒以 [□上] 反 ハシメ [□□ム：墨右傍] … 和シ [平]　　（観智院本類聚名義抄／佛中 022-7）

1028　3．仮名音注の韻母別考察　3-5　ⅢA韻類

▶番号3997b「耳」（提耳）の仮名音注「シ」については、基本的に -i で対応する。当該字には上声点を差す。上巻の止韻当該諸例で分析したように、日本漢音「ジ」上声、日本呉音「ニ」を認める。

▶番号5664a「耳」（耳語）の仮名音注「シ」については、基本的に -i で対応する。当該字には去声濁点を差すので、字音「ジ」を想定する。上述の分析を参照。

▶番号5351「痔」（痔）の仮名音注「シ」については、基本的に -i で対応する。当該字には上声点を差し、右注「シノヤマヒ」左注「又チノヤマヒ」を付載する。上巻の止韻当該例で分析したように、日本漢音は上声、定著久しい字音「ヂ」去声を認める。

▶番号4980b「里」（郷里）の仮名音注「リ」については、基本的に -i で対応する。当該字には上声点を差す。上巻の止韻当該諸例で分析したように、日本漢音「リ」上声を認める。

▶番号4935c・6610b「里」（黄久里・戚里）の仮名音注「リ」については、基本的に -i で対応する。両当該字に声点はない。上述の分析を参照。

▶番号5150b・6628b「理」（義理・燮理）の仮名音注「リ」については、基本的に -i で対応する。両当該字には上声点を差す。熟字6628「燮理」は右傍「カハラケ ヲサム」を付載する。上巻の止韻当該諸例で分析したように、日本漢音「リ」上声を認める。

▶番号6302b「理」（非理）の仮名音注「リ」については、基本的に -i で対応する。当該字には平声点を差す。上述の分析を参照。

▶番号5343b「理」（縦理）の仮名音注「リ［平］」については、基本的に -i で対応する。当該字に声点はなく、その仮名音注に平声点を差す。熟字5343「縦理」は左注「縦理入口餓死之相也」を付載する。上述の分析を参照。

▶番号5937b「理」（修理職）の仮名音注「リ」については、基本的に -i で対応する。当該字に声点はない。上述の分析を参照。

▶番号3358「鯉」（鯉）の仮名音注「リ」については、基本的に -i で対応する。当該字に声点はなく、右注「コヒ」を付載する。観智院本類聚名義抄に同音字注「音里」を見出す。長承本蒙求には仮名音注「リ」があり、その掲出字に上声点を加える。日本漢音「リ」上声を認める。

　　　鯉 音里 … コヒ ナマツ ワニ　鯉臾 コヒ［平上］　　　　（観智院本類聚名義抄／僧下006-2）

　　　鯉［上］リ　　　　　　　　　　　　　　　　　　　　　　（長承本蒙求／136）

▶番号4164b「娌」（姒娌）の仮名音注「リ」については、基本的に -i で対応する。当該字には上声点を差す。熟字4164「姒娌」は右注「アヒヨメ」中左注「兄弟之妻／相呼也」を付載する。観智院本類聚名義抄に上声点を付した同音字注「音里」を見出すが、仮名音注はない。元和本倭名類聚抄には熟字「姒娌」に対して同音字注「逐理二反」がある。日本漢音は上声を認める。

　　　姒娌 アヒヨメ／下音里［上］　　　　　　　　　　　　（観智院本類聚名義抄／佛中007-6）

　　　姒娌　爾雅云関西兄弟之妻相呼爲姒娌逐理二反 和名阿比與女

（元和本倭名類聚抄／巻二 19 ウ 8）

▶番号4464b・6795「李」（麦李・李）の仮名音注「リ」については、基本的に *i* で対応する。両当該字には上声点を差す。熟字4464「麦李」は右注「サモ ミ」中左注「麦秀時／獎政以名也」を、番号6795「李」は右注「スモ ミ 翆質［スイシチ：右注］」左注「李子 盛蹊［セイケイ：右注］」を付載する。上巻の止韻当該諸例で分析したように、日本漢音「リ」上声を認める。

　　麦李 サモ ヽ ［上上□］　　　　　　　　（観智院本類聚名義抄／佛下本 087-3）

　　麦李 陶隱居本草云麦李 漢語抄云佐毛々 麦秀時熟故以名之 …

（元和本倭名類聚抄／巻十七 10 オ 2）

《上巻 志韻諸例》

▶番号0295a「意」（意氣）の仮名音注「イ」については、基本的に *i* で対応する。当該字には去声点を差す。図書寮本類聚名義抄に反切「弘云扲記反」（その反切下字に上声点）〔＊上声は存疑〕を見出す。観智院本には「扲記反」および和音「イ」を見つける。日本呉音「イ」を認める。

　　意 弘云扲記［上□］反 志也 … 朱云去ミ呂［平平上］…　　　（図書寮本類聚名義抄／238-1）

　　意 扲記反 コヽロ［平平上］… 和イ　　　　（観智院本類聚名義抄／法中 076-7）

▶番号0256a・0292a・0293a・0294a・0318a・0969b・1003b・1201b・1622b・2938b・3240b「意」（意見・意趣・意胡・意略・意況・如意・如意・本意・得意・雅意・用意）の仮名音注「イ」については、基本的に *i* で対応する。当該諸字十一例には平声点を差す。熟字0969「如意」は右注「ニヨイ俗」を付載する。上述の分析を参照。

▶番号0371a「意」（意字）の仮名音注「イ」については、基本的に *i* で対応する。当該字に声点はない。仮名音注「イ」は「オ」の誤認か。熟字0371「意字」は右注「府」を付載する。元和本倭名類聚抄は郡名「意字」に対して借字による「於字」を掲げる。上述の分析を参照。

　　　出雲國 國府在意字郡 … 意字 於字 …　　　　（元和本倭名類聚抄／巻五 13 ウ 5）

▶番号0243a・0266a・0270a・0328a・0331a「異」（異域・異父・異治・異味・異能）の仮名音注「イ」については、基本的に *i* で対応する。当該諸字五例には去声点を差す。熟字0270「異治」は左注「武勇也」を付載する。観智院本類聚名義抄に反切「羊吏反」および平声点を付した和音「イ」を見出す。日本呉音「イ」平声を認める。

　　異 コトニ［□□ナリ：墨右傍］アヤシム …　　　　（観智院本類聚名義抄／佛中 111-4）

　　異 羊吏反 コトナリ［上上□□］… 和イ［平］　　（観智院本類聚名義抄／佛下末 026-1）

▶番号0263a「異」（異桐）の仮名音注「イ」については、基本的に *i* で対応する。当該字には平声点を差す。上述の分析を参照。

▶番号0291a「異」（異體）の仮名音注「イ」については、基本的に *i* で対応する。当該字には

1030   3．仮名音注の韻母別考察   3-5   ⅢA韻類

上声点を差す。上述の分析を参照。

▶番号0290a「異」（異様）の仮名音注「イ」については、基本的に *i* で対応する。当該字に声点はない。上述の分析を参照。

▶番号1930b・2195b・3010b「記」（注記・流記・強記）の仮名音注「キ」については、基本的に *i* で対応する。当該諸字三例には平声点を差す。図書寮本類聚名義抄に反切「真云居吏反・弘云居意反」を見出す。観智院本類聚名義抄には反切「居意反」および和音「キ」を見つける。長承本蒙求には仮名音注「キ」があり、その掲出字に去声点を加える。日本漢音「キ」去声、日本呉音「キ」を認める。

　　　記別 真云居吏反 決也別也 …　　　　　　　　　　　（図書寮本類聚名義抄／072-1）
　　　註記 … 下 弘云居意反 … シルス［月：右注］　　　　（図書寮本類聚名義抄／078-7）
　　　記 居意反 シルス［上上平］… 和キ　　　　　　　（観智院本類聚名義抄／法上067-7）
　　　記［去］キ　　　　　　　　　　　　　　　　　　　（長承本蒙求／014・055）

▶番号0037b・1976b・3148b「記」（悠記所・注記・志記）の仮名音注「キ」については、基本的に *i* で対応する。当該諸字三例に声点はない。熟字0037「悠記所」は左注「大嘗會時云左也」を、熟字3148「志記」は右注「府」を付載する。上述の分析を参照。

　　　河内國 國府在志紀郡 … 志紀 之岐 …　　　　　　　（元和本倭名類聚抄／巻五13ウ5）

▶番号0194「忌」（忌）の仮名音注「キ」については、基本的に *i* で対応する。当該字に声点はなく、右注「イム」を付載する。図書寮本類聚名義抄に反切「弘云渠記反・广云渠記反」（それぞれの反切下字に去声点）を見出す。観智院本には反切「渠記反」を見つける。長承本蒙求には仮名音注「キ」があり、その掲出字に去声点を加える。日本漢音「キ」去声を認める。

　　　忌憚 弘云渠記［□去］反 … 广云渠記［□去］反 … イム［平上］…（図書寮本類聚名義抄／250-1）
　　　忌 驦記反 イム オソル［平平上］…　　　　　　　（観智院本類聚名義抄／法中070-3）
　　　忌［去］キ　　　　　　　　　　　　　　　　　　　　（長承本蒙求／010）

▶番号1163b「字」（梵字）の仮名音注「シ」については、基本的に *i* で対応する。当該字には平声濁点を差すので、字音「ジ」を想定する。観智院本類聚名義抄に反切「辞恣反」および和音「シ」を見出す。日本呉音「シ」を認める。その中古音が示す頭子音 dz-（等韻学の術語で言う歯音濁従母）から見て日本呉音「ジ」の蓋然性が高い。

　　　字 辞恣反 ナ／ナック［上上濁平］… 和シ　　　　（観智院本類聚名義抄／法下140-2）

▶番号1017c・1018b・1273c・1274c・1276c「寺」（仁和寺・入寺僧・法華寺・法隆寺・法性寺）の仮名音注「シ」については、基本的に *i* で対応する。当該諸字五例に声点はない。観智院本類聚名義抄に同音字注「音伺」および和音「シ」を見出す。日本呉音「シ」を認める。その中古音が示す頭子音 z-（等韻学の術語で言う歯音濁邪母）から見て、日本呉音「ジ」の蓋然性が高い。

　　　寺 音伺 チカツク［□□シ□］テラ … 和シ　　　　（観智院本類聚名義抄／法下143-5）

3-5-2 -ie 系の字音的特徴 1031

▶番号 2614a「飼」（飼面）の仮名音注「シ」については、基本的に -i で対応する。当該字には去声点を差す。熟字 2614「飼面」は右注「カスモ」左注「面皮上有滓也」を付載する。観智院本類聚名義抄に反切「似志反」を見出すが、仮名音注はない。

　　　飼飤 似志反／カフ［平上］上通下正　　　　　　　　（観智院本類聚名義抄／僧上 105-5）

　　　飼面 病源論云飼面 和名加須毛 面皮上有滓是也　　　　（元和本倭名類聚抄／巻三 27 オ 5）

▶番号 2447「廁」（廁）の仮名音注「シ」については、基本的に -i で対応する。当該字には去声点を差し、右注「カハヤ」を付載する。観智院本類聚名義抄に平声点と去声点を付した同音字注「音四」を見出すが、仮名音注はない。前者の平声点は呉音声調を示すか。石山寺一切経蔵本大般若経字抄に漢呉二音相同の同音字注「音四」を見つける。元和本倭名類聚抄には同音字注「音四反」がある。これら「音四」（至韻 siei³）は当該字「廁」（志韻 tṣʻiɐi³）と同音ではなく、日本漢字音として馴化の進んだ字音把握を示す。日本漢音は去声を認める。平声については保留する。

　　　廁 音四［平・去］カハヤ［上上上］…　　　　　　（観智院本類聚名義抄／法下 105-8）

　　　廁 ［音四：右傍］マシハル　　　　（石山寺一切経蔵本大般若経字抄／16 ウ 3）

　　　廁 … 釋名云廁 音四反和名加波夜 …　　　　　（元和本倭名類聚抄／巻十 08 オ 9）

▶番号 0442b「事」（録事）の仮名音注「シ」については、基本的に -i で対応する。当該字には上声点を差す。観智院本類聚名義抄に反切「鋤吏反」（その反切下字に去声点）および平声点を付した和音「シ」（その右傍に朱筆で濁音「✓」表記）を見出す。日本漢音は去声、日本呉音「ジ」平声を認める。

　　　事 鋤吏［□去］反 コト［平平］… 和シ［平／✓：朱右傍］　（観智院本類聚名義抄／佛上 080-7）

　　　事 鋤吏［□去］反 コト … 和シ［一・：右傍］　（鎮国守国神社本三寶類聚名義抄／上一 19 ウ 1）

　　　事 鋤吏［□去］反 コト［平平］… アツマル　　（高山寺本三寶類字集／巻上 42 ウ 1）

▶番号 1344b・1941b・2376b「事」（表事・珠事・往事）の仮名音注「シ」については、基本的に -i で対応する。当該諸字三例には平声点を差す。上述の分析を参照。

▶番号 0917b・1972c・2414b「事」（判事・知家事・王事�靡鹽）の仮名音注「シ」については、基本的に -i で対応する。当該諸字三例に声点はない。熟字 0917「判事」は左注「大小判事」を、熟字 2414「王事麿鹽」は右傍「ワウシ モロイコトナシ」を付載する。上述の分析を参照。

▶番号 2314「事」（事）の仮名音注「シイ」については、基本的に -ii で対応する。当該字に声点はなく、和訓「ワサ」の同訓異字として位置する。一音節二拍の長音による字音把握である。当該字「事」の前後には仮名音注「タイ」を右傍に掲げる「態・儸」があり、これらに牽引されて仮名音注「シイ」とした可能性も残る。上述の分析を参照。

▶番号 0357b「志」（壹志）の仮名音注「シ［上濁］」については、基本的に -i で対応する。当該字に声点はなく、その仮名音注に上声濁点を差すので、日本語音韻史の連濁による字音「ジ」を想定する。熟字 0357「壹志」は右傍「イキシ［上上上濁］」〔＊イチシの誤認〕を付載する。伊篇国

1032　3．仮名音注の韻母別考察　3-5　ⅢA韻類

郡部の「伊勢」に属する。図書寮本類聚名義抄に反切「弘云之異反」（その反切下字に東声点と去声点）および去声点を付した「和行円云志」を見出す。前者の東声点は疑念が残る。後者の「和行円」は出自不明である。図書寮本では出典名「行円」を十二例を数える。観智院本には反切「之異反」（その反切下字に去声点）および平声墨点と去声墨点を付した和音「シ」を見つける。天理大学本最勝王経音義には反切「之異反」（その反切下字に去声点）および平声点を付した「和之」と去声点を付した和音「或之」がある。元和本倭名類聚抄には郡名「壹志」に対して借字による「伊知之」を見出す。日本漢音は去声、日本呉音「シ」平/去声を認める。

志 弘云之 [東] 異 [東・去] 反 … コ、ロサシ [平平平平濁平/記：右注] ／和行円云志 [去]

（図書寮本類聚名義抄／258-1）

志 之異 [□去] 反 心サシ … 和シ [平・去：墨点]　　　（観智院本類聚名義抄／法中 098-6）

志 之異 [□去] 反 和之 [平?] ／或之 [去] 心サシ …　　（天理大学本最勝王経音義／03 ウ 6）

伊勢國 國府在鈴鹿郡 … 壹志 伊知之 …　　　　　　　（元和本倭名類聚抄／巻五 12 オ 9）

▶番号2210b「志」（遠志）の仮名音注「シ [平]」については、基本的に -i で対応する。当該字に声点はなく、その仮名音注に平声点を差す。熟字2210「遠志」は撥音無表記の右注「ヲシ [上平]」を付載する。広辞苑第七版は「中国原産のヒメハギ科多年草イトヒメハギ（漢名、遠志）の根を乾してつくった生薬。鎮静・抗健忘作用がある。浸剤として去痰薬に用いる。」と説明する。上述の分析を参照。

丸藥 諸家方云七気丸 … 遠志丸 …　　　　　　　　　（元和本倭名類聚抄／巻十二 08 オ 5）

▶番号0399c・1959a・3148a「志」（伊蕀志・志麻・志記）の仮名音注「シ」については、基本的に -i で対応する。当該諸字三例に声点はない。熟字0399「伊蕀志」は伊篇姓氏部に、熟字1959「志麻」は池篇国郡部の筑前に、熟字3148「志記」は加篇国郡部の河内に属する。元和本倭名類聚抄には郡名「志記」に対して借字による「之岐」を見出す。上述の分析を参照。

筑前國 太宰府並國府在御笠郡 … 志麻 …　　　　　　（元和本倭名類聚抄／巻五 12 オ 9）

河内國 國府在志紀郡 … 志記 之岐 …　　　　　　　　（元和本倭名類聚抄／巻五 11 オ 6）

▶番号0597「誌」（誌）の仮名音注「シ」については、基本的に -i で対応する。当該字に声点はなく、右注「同（ハミクソ）」左注「黒子也」を付載する。図書寮本類聚名義抄に去声点を付した同音字注「类云志音」を見出す。観智院本に去声点を付した同音字注「音志」（その右傍に墨筆で仮名音注「シ」）を見つける。日本漢音「シ」去声を認める。

志 类云志 [去] 音 … シル [上平/彦：右注]　　　　　（図書寮本類聚名義抄／083-4）

志 音志 [去／シ：墨右傍] シルス [平平□] …　　　　（観智院本類聚名義抄／法上 055-1）

黒子 漢書云黒子 和名波々久曾 … 呉楚俗謂之誌者訛也　（元和本倭名類聚抄／巻三 27 ウ 5）

▶番号2260「熾」（熾）の仮名音注「シ」については、基本的に -i で対応する。当該字に声点はなく、右注「同（ヲキヒ）」を付載する。観智院本類聚名義抄に反切「處志反」および和音「シ」

を見出す。天理大学本最勝王経音義には反切「處志反」および平声点を付した和音「シ」を見つける。元和本倭名類聚抄には反切「昌志反」がある。日本呉音「シ」平声を認める。

熾 處志反 オキ … ヒヲコス 和シ　　　　　　　　　（観智院本類聚名義抄／佛下末 050-3）

熾 處志反 ヲキ［上上］／ヲキヒ … 和シ［平］　　　　　（天理大学本最勝王経音義／07 ウ 1）

爆煟 唐韻云熾 昌志抄漢語抄云於岐比 …　　　　　　　（元和本倭名類聚抄／巻十二 11 ウ 5）

▶番号 1597b「餌」（土餌）の仮名音注「シ」については、基本的に -i で対応する。当該字に上声濁点を差すので、字音「ジ」を想定する。観智院本類聚名義抄に反切「人志反」（その反切下字に去声点）と去声濁点を付した同音字注「音二」を見出す。天理大学本最勝王経音義には去声濁点を付した同音字注「音二」（その右傍に仮名音注「シ」）を見つける。日本漢音「ジ」去声を認める。

餌 人志［□去］反 ヱ　　　　　　　　　　　　　（観智院本類聚名義抄／佛中 002-3）

餌 … 音二［去濁］餅 ヱ［去］… クラフ ヨシ［平上］　　（観智院本類聚名義抄／僧上 107-1）

餌 音二［去濁／シ：右傍］餅 刀／ヤシナフ クラフ／ヨシ　（天理大学本最勝王経音義／14 オ 3）

▶番号 0873b・3099b「置」（癈置・割置）の仮名音注「チ」については、基本的に -i で対応する。両当該字には上声点を差す。観智院本類聚名義抄に反切「陟吏反」および去声点を付した和音「チ」を見出す。長承本蒙求には仮名音注「チ」二例あり、それらの掲出字一例に平声点を加える。承暦本金光明最勝王経音義には仮名音注「チ音」を見つける。日本漢音「チ」平声、日本呉音「チ」去声を認める。

罝罦 俗置字／オク［上平］… 和チ［去］　　　　　　（観智院本類聚名義抄／佛中 098-6）

置 … 陟吏／反／立オク［□上平］… 和チ　　　　　（観智院本類聚名義抄／僧中 009-8）

置［平］□反〔＊不鮮明〕／チ　　　　　　　　　（長承本蒙求／011）

置〔＊右上隅欠〕チ　　　　　　　　　　　　　（長承本蒙求／123）

置 チ六〔＊後筆墨書〕　　　　　　　　　（承暦本金光明最勝王経音義／09 オ 6）

▶番号 1928a「置」（置質）の仮名音注「チ」については、基本的に -i で対応する。当該字には平声点を差す。上述の分析を参照。

▶番号 2079b・2081a・2082a「吏」（良吏・吏幹・吏幹）の仮名音注「リ」については、基本的に -i で対応する。当該諸字三例には去声点を差す。観智院本類聚名義抄に反切「理致反」および平声点を付した和音「リ」を見出す。日本呉音「リ」平声を認める。

吏 理致反 使／和リ［平］　　　　　　　　　　（観智院本類聚名義抄／僧中 052-6）

吏 理致反／使　　　　　　　　（鎮国守国神社本三寶類聚名義抄／下一 65 オ 3）

▶番号 1975b・1994「吏」（長吏・吏）の仮名音注「リ」については、基本的に -i で対応する。両当該字に声点はない。番号 1994「吏」は左注「良吏 酷吏」を付載する。上述の分析を参照。

1034　3．仮名音注の韻母別考察　3-5　ⅢA韻類

《下巻 志韻諸例》

　▶番号4737b「意」（造意）の仮名音注「イ」については、基本的に -i で対応する。当該字に声点はない。上巻の志韻当該諸例で分析したように、日本呉音「イ」を認める。

　▶番号5913b「意」（任意）の仮名音注「ミ［平］」については、基本的に -i で対応する。当該字に声点はなく、その仮名音注に平声点を差す。熟字5913「任意」は右注「シミ［去濁平］」を付載する。本来は仮名音注「シムイ」であるが、日本語音韻史上の連声による音変化を経て、撥音無表記の字音把握「シミ」を示す。字音表記が固定化すると、二音節三拍 /zimmi/「○●○」から二音節 /zimi/「◑○」のように認識する。上述の分析を参照。

　▶番号4691b「異」（災異）の仮名音注「イ」については、基本的に -i で対応する。当該字には平声点と去声点を差す。熟字4691「災異」は中注「サイミ」仮名音注を付載するので、その調値は「○○○」と「○○◑」を示す。イ列音の連続となるため、後者は「○○●」と認識する可能性がある。上巻の志韻当該諸例で分析したように、日本呉音「イ」平声を認める。

　▶番号5091a「記」（記録）の仮名音注「キ」については、基本的に -i で対応する。当該字には上声点を指す。上巻の志韻当該諸例で分析したように、日本漢音「キ」去声、日本呉音「キ」を認める。

　▶番号4948「記」（記）の仮名音注「キ［上］」については、基本的に -i で対応する。当該字に声点はなく、その仮名音注に上声点を差す。木篇辞字部に属し、中左注「日記 風記／人記 言記事」右注「キス［上□］」サ変動詞を付載する。上述の分析を参照。

　▶番号5134b・5135a「忌」（禁忌・忌諱）の仮名音注「キ」については、基本的に -i で対応する。両当該字には平声点を差す。熟字5135「忌諱」は右傍「イム イム」左注「上下諱也」を付載する。上巻の志韻当該例で分析したように、日本漢音「キ」去声を認める。

　▶番号5862b・6471b「字」（十字・文字）の仮名音注「シ」については、基本的に -i で対応する。両当該字には平声濁点を差すので、字音「ジ」を想定する。上巻の志韻当該例で分析したように、日本呉音「シ」を認める。その中古音が示す頭子音 dz-（等韻学の術語で言う歯音濁従母）から見て日本呉音「ジ」の蓋然性が高い。

　▶番号5425「字」（字）の仮名音注「シ［平濁］」については、基本的に -i で対応する。当該字に声点はなく、その仮名音注に平声濁点を差すので、字音「ジ」を想定する。また右注「疾置反」中左注「梵字 漢字 疑／字等也」を付載する。上述の分析を参照。

　▶番号5138b「事」（行事）の仮名音注「シ」については、基本的に -i で対応する。当該字に声点はない。熟字5138「行事」は右注「キヤウシ」を付載するが、不鮮明である。上巻の志韻当該諸例で分析したように、日本漢音は去声、日本呉音「ジ」平声を認める。

　▶番号5388a「志」（志岐傳）の仮名音注「シ」については、基本的に -i で対応する。当該字に

は上声点を差す。熟字5388「志岐傳［上上上］」は右注「髙麗樂」左傍「シキテ」仮名音注を付載する。上巻の志韻当該諸例で分析したように、日本漢音は去声、日本呉音「シ」平/去声を認める。

　　　　髙麗樂曲　新鳥蘇 … 志岐傳 … 納蘇利　　　　　　　（元和本倭名類聚抄／巻四 17 ウ 2）

　▶番号 3695b・5919a・5920b・5959a・5960a・5961a・5962a・6018b・6950a「志」（懇志・志摩・答志・志賀・志我閇・志紀・志貴・古志・志太）の仮名音注「シ」については、基本的に -i で対応する。当該諸字九例に声点はない。熟字5919「志摩」は師篇國郡部に、熟字5920「答志」は師篇國郡部の「志摩」に、熟字6018「古志」は會篇國郡部の「越後」に、熟字6950「志太」は洲篇国郡部の「駿河」に属する。上述の分析を参照。

　　　　畿内國第五十二／伊賀 以加 … 志摩 之萬 …　　　　（元和本倭名類聚抄／巻五 08 ウ 5）

　　　　志摩國 國府在英虞郡 … 答志 英虞 阿呉　　　　　　（元和本倭名類聚抄／巻五 12 ウ 2）

　　　　越後國 國府在頸城郡 … 頸城 久比岐 古志 …　　　　（元和本倭名類聚抄／巻五 20 オ 5）

　　　　駿河國 國府在安部郡 … 志太 … 駿河 與國同　　　　（元和本倭名類聚抄／巻五 13 ウ 4）

　▶番号 5831a「熾」（熾盛）の仮名音注「シ」については、基本的に -i で対応する。当該字には平声点を差す。上巻の志韻当該例で分析したように、日本呉音「シ」平声を認める。

　▶番号 5939a・5941a・6767b「侍」（侍從・侍醫・掌侍）の仮名音注「シ」については、基本的に -i で対応する。当該諸字三例に声点はない。熟字5941「侍醫」は左注「在典薬」を付載する。熟字6767「掌侍」は右傍「シセウ」を付載するが、これを「セウシ」に修正する。観智院本類聚名義抄に反切「時至反」（その反切下字に去声点）を見出すが、仮名音注はない。日本漢音は去声を認める。

　　　　侍 時至 ［□去］反 ハムヘリ サフラフ ［上上濁□□］…　（観智院本類聚名義抄／佛上 025-1）

　　　　判官　本朝職貟令二方品員等所載 … 内侍曰掌侍 …　（元和本倭名類聚抄／巻五 04 オ 1）

　▶番号 5984「餌」（餌）の仮名音注「シ」については、基本的に -i で対応する。当該字には去声濁点を差すので、字音「ジ」を想定する。また、右注「ヱ」中注「仍吏反」左注「以食誘隺鳥也」を付載する。上巻の志韻当該例で分析したように、日本漢音「ジ」去声を認める。

　　　　餌 四聲字苑云餌 仍吏反和名惠 以食誘魚鳥也　　　（元和本倭名類聚抄／巻十五 07 ウ 1）

　▶番号 4381b「置」（安置）の仮名音注「チ」については、基本的に -i で対応する。当該字には上声濁点を差すので、日本語音韻史上の連濁による字音「ヂ」を想定する。上巻の志韻当該諸例で分析したように、日本漢音「チ」平声、日本呉音「チ」を認める。

　▶番号 5087b「置」（弃置）の仮名音注「チ」については、基本的に -i で対応する。当該字には平声点を差す。上述の分析を参照。

1036　3．仮名音注の韻母別考察　3-5　ⅢA韻類

3-5-2-2　-iɐn/-iɐt（臻/櫛韻）

　資料篇【表B-09】には臻韻（平声）櫛韻（入声）所属の諸例が含まれる。前田本の示す仮名音注は基本的に -in/-it で対応する。異例として、-im がある。

《上巻　臻韻諸例》

　▶番号0511「榛」（榛）の仮名音注「シム」については、異例 -im を示す。当該字には平声点を差し、右注「ハシハミ」左注「又作楉」を付載する。その中古音が示す末子音の舌内撥音韻尾 -n を「ム」で対応する。観智院本類聚名義抄に「秦之軽音」を見出すが、仮名音注はない。元和本倭名類聚抄には「秦之軽音」がある。両注記の「軽音」とは「秦」（歯音濁従母眞韻 dzien¹）に対して、歯音清荘母臻韻（tṣiɐn¹）であることを指すか。廣韻を始め切韻系韻書に拠れば、臻韻の所属字は相当に少ない（韻鏡が示す歯音二等欄にのみ存する）ため、同音の注字選択に制限がかかる。

　　　臻 至也乃也 側詵切十一 … 亲 亲栗 榛 上同 楉 亦同 …　　　　　　　（宋本廣韻／荘母臻韻 tṣiɐn¹）
　　　榛 秦之軽音 ハシハミ［平上平濁平］… ハシカミ／オトロ［上上濁平］…
　　　　　　　　　　　　　　　　　　　　　　　　　　（観智院本類聚名義抄／佛下本084-4）
　　　榛子 ハシハミ［平上□□］　　　　　　　　　　（観智院本類聚名義抄／佛下本084-4）
　　　楉 ハシカミ　　　　　　　　　　　　　　　　　（観智院本類聚名義抄／佛下本124-2）
　　　榛子 唐韻云榛 秦之軽音字亦作楉食經和名波之波美 …　　（元和本倭名類聚抄／巻十七08 オ6）

　▶番号2219「蓁」（蓁）の仮名音注「シン」については、基本的に -in で対応する。当該字には平声点を差し、右注「同（ヲトロ）」を付載する。観智院本類聚名義抄に音注表記はない。

　　　蓁 木叢生 士臻切三 … 帇 幕也 又音廉　　　　　（宋本廣韻／崇母臻韻 dzien¹）
　　　蓁〔＊禾←木〕オトロ［上上濁□］／蓁 コタチ　　（観智院本類聚名義抄／僧上060-4）
　　　蓁 蓁［イ：右傍］〔＊禾←木〕コタチ／オトロ［上上濁□］
　　　　　　　　　　　　　　　　　　（鎮国守国神社本三寶類聚名義抄／下一10 ウ5）

《下巻　臻韻諸例》

該当例なし。

《上巻　櫛韻諸例》

該当例なし。

3-5-2 -iɐ系の字音的特徴　1037

《下巻 櫛韻諸例》

▶番号5317「虱」（虱）の仮名音注「シチ」については、基本的に -it で対応する。当該字に声点はなく、右注「シラミ」左注「所乙反 齧人虫也」を付載する。異体字として「蝨」がある。観智院本類聚名義抄に徳声点を付した同音字注「音瑟」（その右傍に朱筆で仮名音注「シチ」）および同音字注「又㐌音」を見出す。元和本倭名類聚抄には反切「所乙反」がある。日本漢音「シチ」徳声（四声体系では入声）を認める。

蝨　音瑟 ［徳／シチ：朱右傍］　又㐌音／シラミ ［平上上］　　　（観智院本類聚名義抄／僧下 037-5）

虱　［キサヽ：墨右傍］ … ハヘ シラミ　　　　　　　　　　　（観智院本類聚名義抄／僧下 037-6）

虱　俗蝨字　　　　　　　　　　　　　　　　　　　　　　　（観智院本類聚名義抄／僧下 103-1）

蟣虱　説文云 … 虱 所乙反和名之良美 齧人虫也　　　（元和本倭名類聚抄／巻十九27 ウ 8）

▶番号5414「瑟」（瑟）の仮名音注「シチ［上上］」については、基本的に -it で対応する。当該字に声点はなく、右注「シチ［上上］音七」左注「樂器」を付載する。図書寮本類聚名義抄に同音字注「音虱」および入声点を付した同音字注「真云七音」を見出す。観智院本には同音字注「音虱」および「和音七」を見つける。元和本倭名類聚抄には反切「所櫛反」がある。日本呉音は入声を認める。

瑟　音虱 弘云閒也 中云／樂器也 … 真云七 ［入］ 音　　　　（図書寮本類聚名義抄／170-2）

瑟　音虱 樂器 二十八絃 カスカナリ／ツヽシム 和ミ七　　（観智院本類聚名義抄／法中 024-3）

瑟　孫愐切韻云瑟 所櫛反 樂器似箏而大三十六絃　　　（元和本倭名類聚抄／巻四10 ウ 8）

3-5-2-3　-iəŋ/-iɐk（蒸/拯/證/職韻）

資料篇【表B-09】には蒸韻（平声）職韻（入声）所属の諸例が含まれる。拯韻（上声）證韻（去声）に該当する例はない。前田本の示す仮名音注は基本的に -joũ/-jok, -oũ/-ok, -ik で対応する。ただし、-ik は -iki となる。異例として、-eũ, -in, -jo, -ika, -i がある。

《上巻 蒸韻諸例》

▶番号0634b「鷹」（放鷹樂）の仮名音注「エウ」については、異例 -eũ を示す。当該字には平声点を差す。日本語音韻史上の音変化 -eũ > -joũ > -joo を背景にした字音把握である。熟字0634「放鷹樂」は左右注「乞食／調」を付載する。観智院本類聚名義抄に仮名音注「キヨウ」（掲出字「鷹」の右傍に朱筆）と平声点を付した同音字注「音膺」（その右傍に朱筆で仮名音注「ヨウ」・

1038　3．仮名音注の韻母別考察　3-5　ⅢA韻類

その左注に墨筆で仮名音注「オウ」）を付載する。なお、同書の凡例部分「朱音者正音也墨声者和
音也」（篇目 7-6）に従えば、朱墨で正音と和音を分別する傾向がある。長承本蒙求には仮名音注
「キヨウ」があり、その掲出字に東声点を加える。日本漢音「キヨウ・ヨウ」東声（四声体系では
平声）日本呉音「オウ」を認める。

　　　鷹［キヨウ：朱右傍］音鷹［平／ヨウ：朱右傍／オウ：墨左注］タカ［上上］…

　　　　　　　　　　　　　　　　　　　　　　　　　　　　（観智院本類聚名義抄／僧中 130-2）

　　　鷹［東］キヨウ　　　　　　　　　　　　　　　　　　　　　　（長承本蒙求／003）

　　　乞食調曲　秦王破陣樂　還城樂　放鷹樂　蘇芳菲　　　（元和本倭名類聚抄／卷四 16 オ 8）

　▶番号3083b「應」（合應）の仮名音注「キヨウ」については、基本的に -jou で対応する。当
該字には平声点を差す。廣韻に拠れば、蒸／證韻（'ieŋ$^{1/3}$）二音を有する。熟字3083「合應」は右傍
「カナフ」を付載する。観智院本類聚名義抄に平声点を付した同音字注「音鷹」と反切「㧬興反」
と声調表記「平・又去」および和音「オウ」を見出す。長承本蒙求には仮名音注「キヨウ」三例が
あり、それらの掲出字に去声点を加える。日本漢音「キヨウ」平／去声、日本呉音「オウ」を認める。

　　　應 音鷹［平］カナフ … コタフ［平平上］　　　　（観智院本類聚名義抄／法中 099-4）

　　　應 㧬興反 ヨロシ／平／アフ … 又去 … 和オウ　　（観智院本類聚名義抄／法下 103-4）

　　　應［去］キヨウ　　　　　　　　　　　　　　　　（長承本蒙求／050・083・100）

　▶番号0099b「蝿」（狗蝿）の仮名音注「ヨウ」については、基本的に -jou で対応する。当該
字に声点はない。熟字0099「狗蝿」は右傍「コウヨウ」右注「イヌハエ」左注「著犬蝿也」を付載
する。廣韻に拠れば、小韻代表一字（羊母蒸韻 jieŋ¹）で同音字がない。そのため同音字注の選択に
は制約が掛かる。観智院本類聚名義抄に当該字を見出せない。鎮国守国神社本三寶類聚名義抄に同
音字注「音庸」（鍾韻 jiɑuŋ¹）を見出す。天理大学本最勝王経音義には同音字注「音庸」と仮名音
注「シヨウ音」を見つける。長承本蒙求には仮名音注「シヨウ・ヨウ」があり、それらの掲出字に
平声点を加える。承暦本金光明最勝王経音義には同音字注「用音」（用韻 jiɑuŋ³）と仮名音注「シ
ヨウ音」があり、その掲出字に平声点を加える。仮名音注「シヨウ」は同じ諸声符「黽」を有する
諸字（繩・䋲・憴・䲇・澠」（船母蒸韻 dʑieŋ¹）からの類推音か。元和本倭名類聚抄には同音字注
「音鷹」（影母蒸韻 'ieŋ¹）を見つける。日本漢音「ヨウ」平声、日本呉音は平声を認める。

　　虫+黽 音庸／ハヘ［上上］　　　　　　（鎮国守国神社本三寶類聚名義抄／下二 32 オ 3）

　　蝿 音庸／ハヘ［上上］／シヨウ云　　　　（天理大学本最勝王経音義／15 オ 4）

　　蝿［平］用反／シヨウ　　　　　　　　　　　　　　（長承本蒙求／045）

　　蝿［平］シヨウ・ヨウ　　　　　　　　　　　　　　（長承本蒙求／141）

　　蝿［平／シヨウ六：右傍］用ミ／波ヘ［上上］〔＊後筆朱書〕

　　　　　　　　　　　　　　　　　　　　　　（承暦本金光明最勝王経音義／04 オ 2）

　　蝿 䏲附 方言云陳楚之間謂之蝿 音鷹和名波閉 …　　（元和本倭名類聚抄／卷十九 26 オ 8）

猗蠅　兼名苑云猗蠅一名犬蠅 著於犬者也　(元和本倭名類聚抄／巻十九 26 ウ 3)

▶番号 0556「蝿」(蝿) の仮名音注「コウ」については、基本的に *-oũ* で対応する。当該字に声点はなく、右注「ハヘ」左注「虫也」右傍「コウ」仮名音注を付載する。右傍は仮名字形の相似による「ヨウ」の誤認と推測する。上述の分析を参照。

▶番号 0557a「蝿」(蝿虎) の仮名音注「ヨウ」については、基本的に *-joũ* で対応する。当該字には平声点を差す。熟字 0557「蝿虎」は右注「ハヘトリ 似蜘蛛」左注「捕蝿為粮也」を付載する。上述の分析を参照。

虫+竈虎 ハヘトリ [上上上平] …　蝿 今　(鎮国守国神社本三寶類聚名義抄／下二 32 オ 2)

蠅虎　兼名苑注云蠅虎 和名波倍度里 此虫似蜘蛛恒捕蠅爲粮者也 …

(元和本倭名類聚抄／巻十九 25 オ 6)

▶番号 1562「凝」(凝) の仮名音注「キヨウ」については、基本的に *-joũ* で対応する。当該字には平声濁点を差すので、字音「ギヨウ」を想定する。また和訓「ト丶ム」の同訓異字として位置する。廣韻に拠れば、蒸/證韻 ($\mathrm{ŋieŋ}^{1/3}$) 二音を有する。その頭子音が示す ŋ- (等韻学の術語で言う牙音清濁疑母) は軟口蓋鼻音であり、日本語のガ行音をもって受容する。図書寮本類聚名義抄に反切「憲云魚陵反」を見出す。観智院本には反切「魚陵反」を見つける。長承本蒙求には仮名音注「キウ」(平安時代中期と推定する古い朱筆／例示で両音形ある場合は左側) 仮名音注「キヨウ」(平安時代院政初期である長承三年 (1134) に加点された墨筆／両音形ある場合は右側) があり、その掲出字に平声点を加える。前者「キウ」は疑義を残す。日本漢音「キヨウ」平声を認める。

凝然 憲云魚陵反 … コル [上平／詩：右注] …　(図書寮本類聚名義抄／068-6)

凝 魚陵反 コル [上平] … ト丶ム [上上濁□] …　(観智院本類聚名義抄／法上 046-8)

凝 [平] キウ〔＊存疑〕／キヨウ　(長承本蒙求／065)

▶番号 1940b「興」(中興) の仮名音注「キヨウ」については、基本的に *-joũ* で対応する。当該字には平声点を差す。観智院本類聚名義抄に反切「虚凝反」および和音「コウ」を見出す。長承本蒙求には仮名音注「キヨウ」があり、それを含む掲出字二例に東声点を加える。日本漢音「キヨウ」東声 (四声体系では平声) 日本呉音「コウ」を認める。

興 … 虚凝反 オコル [平平平／□□ス：墨右傍] … 和コウ　(観智院本類聚名義抄／佛下末 025-8)

興 [東] キヨウ〔＊長承三年点と別筆か〕　(長承本蒙求／023)

興 [東]　(長承本蒙求／072)

▶番号 2962b「興」(感興) の仮名音注「ケウ」については、異例 *-eũ* を示す。当該字には去声点を差す。日本語音韻史上の音変化 *-eũ* > *-joũ* > *-joo* を背景にした字音把握である。上述の分析を参照。

▶番号 0289b「稱」(雄稱) の仮名音注「シヨウ」については、基本的に *-joũ* で対応する。当該字には平声点を差す。廣韻に拠れば、蒸/證韻 ($\mathrm{tś‘ieŋ}^{1/3}$) 二音を有する。観智院本類聚名義抄に反

切「處陵反」および和音「所ウ」を見出す。同書で「昇・證・陞・悚・秤・升」を再検索すると和音「所ウ」を見つける。また「所」には低平調を示す和音「シヨ」がある。長承本蒙求には仮名音注「シヨウ」があり、その掲出字に東声点を加える。承暦本金光明最勝王経音義には仮名音注「シヨ✓」があり、その掲出字に去声点を加える。日本漢音「シヨウ」東声（四声体系では平声）日本呉音「シヨウ」去声を認める。

稱 處陵反 又去 カナウ [平平上] … 和所ウ	（観智院本類聚名義抄／法下 018-6）
昇 式義反 … ノホル [上上濁□] カツ 和所ウ	（観智院本類聚名義抄／佛中 088-2）
證 諸孕反 カナフ [平平上] … 和所ウ [□平：墨点／□✓：墨右傍]	
	（観智院本類聚名義抄／法上 057-3）
陞 音升 陞踏也 … ノホル 和所ウ	（観智院本類聚名義抄／法中 041-6）
悚 音聳 オツ [□平濁] … 和所ウ [平□：墨点]	（観智院本類聚名義抄／法中 062-6）
ネ+平 ハカリ 俗秤字／㪿 和所ウ [□上／□✓：墨右傍]	（観智院本類聚名義抄／法下 008-2）
升 和所ウ	（観智院本類聚名義抄／法下 134-8）
所 トコロ [上上上] 和シヨ [平平]	（観智院本類聚名義抄／法下 093-7）
稱 [東] シヨウ	（長承本蒙求／040）
稱 [去] シヨ✓	（承暦本金光明最勝王経音義／02 オ6）

▶番号 1065b「乘」（金乘）の仮名音注「シヨウ」については、基本的に -joŭ で対応する。当該字には上声濁点を差すので、字音「ジヨウ」を想定する。廣韻に拠れば、蒸/證韻（dʑieŋ¹ᐟ³）二音を有する。観智院本類聚名義抄には平声点を付した同音字注「音縄」と反切「又食證反」を見出す。長承本蒙求には仮名音注「シヨウ」があり、その掲出字に上声点を加える。承暦本金光明最勝王経音義には「自ヨ✓」があり、その掲出字に去声濁点を加える。同書冒頭の「次可知濁音借字」では「自」を濁音の借字として扱う。日本漢音「シヨウ」平/上声、日本呉音「ジヨウ」去声を認める。

乘 音縄 [平] ノル [上平] … 又食證反 … スツ	（観智院本類聚名義抄／法下 040-6）
乘 [上] シヨウ	（長承本蒙求／033）
乘 [去濁] 自ヨ✓	（承暦本金光明最勝王経音義／02 オ6）
次可知濁音借字	（承暦本金光明最勝王経音義／02 オ1）
我 [平濁] 何 義 [平濁] 疑 具 [平濁] 求 下 [平濁] 夏 吾 [去濁] 五	
坐 [平濁] 自 [平濁] 事 受 [平濁] 是 [平濁] 增	（承暦本金光明最勝王経音義／02 オ3）

▶番号 0752b「乘」（万乘）の仮名音注「シヨウ」については、基本的に -joŭ で対応する。当該字には去声点を差す。熟字 0752「万乘」は中注「ハンシヨウ」を付載すると推測するが、不鮮明である。上述の分析を参照。

▶番号 2611a「癥」（癥瘕）の仮名音注「チヨウ」については、基本的に -joŭ で対応する。当該字には平声点を差す。熟字 2611「癥瘕」は右注「カメハラ」を付載する。観智院本類聚名義抄に

3-5-2 -iɐ 系の字音的特徴　1041

同音字注「音徵」を見出すが、仮名音注はない。元和本倭名類聚抄には同音字注「音徵」がある。

　　癥 … 音徵／腸癥　　　　　　　　　　　　　　　　　　　（観智院本類聚名義抄／法下 121-3）

　　癥痕 徵嫁二音／カメハラ［平平平濁平］　　　　　　　　（観智院本類聚名義抄／法下 125-6）

　　癥痕　蒼頡篇云癥痕 徵嫁二音今案醫家書有魚痕蛇痕等師傳云加女波良此類也 …

　　　　　　　　　　　　　　　　　　　　　　　　　　　　　（元和本倭名類聚抄／巻三 21 ウ 1）

▶番号 1949a「懲」（懲肅）の仮名音注「チヨウ」については、基本的に -joũ で対応する。当該字には平声点を差す。図書寮本類聚名義抄に平声点を付した同音字注「季云音澄」と反切「弘云雉陵反」（その反切下字に平声点）を見出す。観智院本には平声点を付した同音字注「音澄」を見つけるが、仮名音注はない。日本漢音は平声を認める。

　　懲 季云音澄［平］古留［平上］弘云雉陵［□平］反 …　　（図書寮本類聚名義抄／264-1）

　　懲 音澄［平］コロス［平平上／□ル□：墨右傍］…　　　（観智院本類聚名義抄／法中 096-6）

▶番号 1353a「氷」（氷魚）の仮名音注「ヘウ」については、異例 -eũ を示す。当該字には平声点を差す。日本語音韻史上の音変化 -eũ > -joũ > -joo を背景にした字音把握である。図書寮本類聚名義抄に反切「玉云臭膺反・川云筆陵反」を見出す。観智院本には反切「臭膺反」を見つける。長承本蒙求には仮名音注「ヒヨウ」二例と「ヘウ」一例があり、それらの掲出字に平声点を加える。承暦本金光明最勝王経音義には借字による「比与√反」と仮名音注「ヒヨウ」があり、前者の掲出字に平声点を加える。日本漢音「ヒヨウ・ヘウ」平声、日本呉音「ヒヨウ」平声を認める。

　　氷氷 … 玉云臭膺反 … 川云筆陵反 和云比［平］一云古保利［上上上］…

　　　　　　　　　　　　　　　　　　　　　　　　　　　　　（図書寮本類聚名義抄／法上 065-1）

　　氷 … 臭膺反 今為冫字音在／上和ヒ［平］一云コホリ［上上上］

　　　　　　　　　　　　　　　　　　　　　　　　　　　　　（観智院本類聚名義抄／法上 044-5）

　　氷 ［平］ヒヨウ　　　　　　　　　　　　　　　　　　　（長承本蒙求／093・124）

　　氷 ［平］ヘウ　　　　　　　　　　　　　　　　　　　　（長承本蒙求／141）

　　氷 ［平］比与√反　　　　　　　　　　　　　　（承暦本金光明最勝王経音義／11 オ 1）

　　氷 ヒヨウ〔＊後筆朱書〕　　　　　　　　　　　　（承暦本金光明最勝王経音義／06 ウ 6）

　　氷　四聲字苑云水寒凍結也筆凌反 和名比又古保利　　　（元和本倭名類聚抄／巻一 14 ウ 3）

▶番号 0135「憑」（憑）の仮名音注「ヒヨウ」については、基本的に -joũ で対応する。当該字には平声点を差し、和訓「イタム」の同訓異字として位置する。図書寮本類聚名義抄に反切「弘云白陵反」（その反切下字に平声点）を見出す。観智院本には反切「白陵反」（その反切下字に平声点）を見つける。長承本蒙求には仮名音注「フウ」があり、その掲出字に平声点を加える。これは諧声符「馮」（東韻 biʌuŋ'・蒸韻 bieŋ'）による字音把握と推測する。日本漢音は平声を認める。

　　依憑 弘云白陵［入平］反 … ヨル［上平／集：右注］…　　（図書寮本類聚名義抄／265-7）

　　憑 白陵［□平］反 ヨル［上平］イカル［上上□］…　　　（観智院本類聚名義抄／法中 100-1）

1042　3．仮名音注の韻母別考察　3-5　ⅢA韻類

憑［平］フウ　　　　　　　　　　　　　　　　　　　　　　（長承本蒙求／096）

▶番号1356a「憑」（憑虚）の仮名音注「ヘウ」については、異例 -eū を示す。当該字には平声
点を差す。日本語音韻史上の音変化 -eū > -joū > -joo を背景にした字音把握である。上述の分析を
参照。

▶番号3232「凭」（凭）の仮名音注「ヒヨウ」については、基本的に -joū で対応する。当該字
には平声点を差し、右注「同（ヨリカ丶ル）」を付載する。観智院本類聚名義抄に反切「皮氷反」
を見出すが、仮名音注はない。

　　　　凭 … ヨル［上平］／皮氷反 … ウシマツキ　　　　　（観智院本類聚名義抄／佛下末015-3）

▶番号2247「悷」の仮名音注「リヨウ」については、基本的に -joū で対応する。当該字には平
声点を差し、和訓「ヲツ」の同訓異字として位置する。図書寮本類聚名義抄に平声点を付した同音
字注「季云音陵」を見出す。観智院本に平声点を付した同音字注「音陵」を見つけるが、仮名音注
はない。日本漢音は平声を認める。

　　　　悷 季云音陵［平］怜也 扲豆［上平］…　　　　　　（図書寮本類聚名義抄／275-4）

　　　　悷 … 音陵［平］オツ［上平濁］／オソル 怜　　　　（観智院本類聚名義抄／法中089-7）

▶番号1982a「綾」（綾綺殿）の仮名音注「リヨウ」については、基本的に -joū で対応する。
当該字には平声点を差す。熟字1982「綾綺殿」は左注「禁中殿名」を付載する。図書寮本類聚名義
抄に同音字注「川云音陵」（平声点位置に仮名音注「リヨウ」／その「ウ」右傍に喉内撥音韻尾「✓」
表記）を見出す。観智院本には平声点を付した同音字注「音陵」を見つけるが、仮名音注はない。
日本漢音「リヨウ」平声を認める。

　　　　綾 川云音陵［リヨウ：平声点位置／□□✓：右傍］和云阿夜［平平］…

　　　　　　　　　　　　　　　　　　　　　　　　　　　　（図書寮本類聚名義抄／307-7）

　　　　綾 音陵［平］アヤ［平平］／ムナシ　　　　　　　（観智院本類聚名義抄／法中126-7）

　　　　殿 名附出 唐令云殿電反 和名止乃 … 綾綺殿 在宜陽殿北 …　（元和本倭名類聚抄／巻十02 オ8）

▶番号2015a「綾」（綾羅）の仮名音注「リヨウ」については、基本的に -joū で対応する。当
該字に声点はない。上述の分析を参照。

　　　　綾 紋附 野王曰綾 音凌和名阿夜 …　　　　　　　（元和本倭名類聚抄／巻十二15 オ6）

　　　　羅 唐韻云羅 魯何反此間云良一云蝉翼 …　　　　（元和本倭名類聚抄／巻十二15 オ9）

▶番号2120a・2121a・2200「陵」（陵遅・陵夷・陵）の仮名音注「リヨウ」については、基本
的に -joū で対応する。当該諸字三例には平声点を差す。番号2200「陵」は右注「同（ヲカ）」左
注「陵正字」を付載する。図書寮本類聚名義抄には反切「广云力蒸反」（その反切下字に平声点）
を見出す。観智院本には同音字注「音凌」および「和音去」を見つけるが、仮名音注はない。日本
漢音は平声、日本呉音は去声を認める。

　　　　陵遅 广云力蒸［□平］反 …　　　　　　　　　　（図書寮本類聚名義抄／211-4）

3-5-2　-iᵉ 系の字音的特徴　1043

　　　陵 音淩 シノク … ヲカ［上上］… 和去－　　　　　　　（観智院本類聚名義抄／法中 041-3）
　▶番号 2003a「陵」（陵王）の仮名音注「リョウ」については、基本的に -jou で対応する。当
該字に声点はない。熟字 2003「陵王」は左注「同（沙汰調）」を付載する。上述の分析を参照。

　　　沙陁調曲　案摩 有囀 陵王 有囀 新羅陵王 一云團長樂 …　　（元和本倭名類聚抄／巻四 14 ウ 4）

　▶番号 1985b「陵」（零陵香）の仮名音注「レウ」については、異例 -eū を示す。当該字に声点
はない。日本語音韻史上の音変化 eu＞jou＞joo を背景にした字音把握である。上述の分析を参照。

　　　零陵香　南州異物志云零陵香土人謂爲燕草　　　　（元和本倭名類聚抄／巻十二 02 ウ 9）

　▶番号 1374b「淩」（冕淩）の仮名音注「レウ」については、異例 -eū を示す。当該字には平声
点を差す。日本語音韻史上の音変化 -eū＞-joū＞-joo を背景にした字音把握である。図書寮本類聚
名義抄に平声点を付した同音字注「音陵」および去声点を付した和音「淩」を見出す。観智院本に
は同音字注「音陵」を見つける。日本漢音は平声、日本呉音は去声を認める。

　　　淩蔑 音陵［平］… 和－［去］シノク［平平上濁／易：右注］　　　（図書寮本類聚名義抄／038-2）
　　　淩 音陵 シノク［平平上濁］… ハシワタス［上平上□□］　　（観智院本類聚名義抄／法上 028-6）

《下巻 蒸韻諸例》

　▶番号 6508b「鷹」（兄鷹）の仮名音注「キョウ」については、基本的に -joū で対応する。当
該字には平声点を差す。上巻の蒸韻当該例で分析したように、日本漢音「キョウ・ョウ」東声（四
声体系では平声）日本呉音「オウ」を認める。

　▶番号 5058b・6530b「應」（饗應・韶應樂）の仮名音注「ョウ」については、基本的に -oū で
対応する。両当該字には平声点を差す。熟字 6530「韶應樂」は右注「壹越調」を付載する。上巻の
蒸韻当該諸例で分析したように、日本漢音「キョウ」平/去声、日本呉音「オウ」を認める。

　▶番号 4662b「應」（相應）の仮名音注「ヲウ」については、基本的に -oū で対応する。当該字
には上声点を差す。上述の分析を参照。

　▶番号 5156a「矜」（矜恤）の仮名音注「キョウ」については、基本的に -joū で対応する。当
該字には平声点を差す。観智院本類聚名義抄に平声点を付した同音字注「音兢」（その右傍に朱筆
で仮名音注「キョウ」）と反切「巨斤反」および高平調と上昇調を示す和音「コウ」（その右傍に
喉内撥音韻尾「√」表記）を見出す。日本漢音「キョウ」平声、日本呉音「コウ」上/去声を認める。

　　　矜 … 音兢［平／キョウ：朱右傍］… 巨斤反 … 和コウ［上上・上平／□√：朱右傍］
　　　　　　　　　　　　　　　　　　　　　　　　　　（観智院本類聚名義抄／僧中 036-6）

　▶番号 3351b・5120a「凝」（大凝菜・凝濁）の仮名音注「キョ」については、異例 -jo を示す。
両当該字には平声濁点を差すので、字音「ギョ」を想定する。熟字 3351「大凝菜」は右注「コ丶ロ
フト」左注「コルモハ」を付載する。上巻の蒸韻当該例で分析したように、日本漢音「キョウ」平

1044　3．仮名音注の韻母別考察　3-5　ⅢA韻類

声を認める。

　　大凝菜　本朝式云凝海藻 古留毛波俗用心太二字云古々呂布止 楊氏漢語抄云大凝菜

　　　　　　　　　　　　　　　　　　　　　　　　（元和本倭名類聚抄／巻十七18 ウ7）

　▶番号4846a「凝」（凝華舎）の仮名音注「キヨウ」については、基本的に -joū で対応する。
当該字には平声濁点を差すので、字音「ギヨウ」を想定する。熟字5136「凝華舎」は右注「ウメツ
ホ」左注「禁中舎名」を付載する。上述の分析を参照。

　　　　屋名附出 … 凝華舎 在飛香舎北牟倍豆保　　　　　　（元和本倭名類聚抄／巻十01 オ5）

　▶番号5136a「凝」（凝睇）の仮名音注「キヨウ」については、基本的に -joū で対応する。当
該字には平声点を差す。熟字5136「凝睇」は右傍「ナカシメミル」を付載する。上述の分析を参照。

　▶番号4960a・4960b「兢」（兢〻・兢〻）の仮名音注「キヨウ」については、基本的に -joū で
対応する。両当該字に声点はない。観智院本類聚名義抄に反切「居陵反」を見出すが、仮名音注は
ない。

　　　　兢 居陵反 ヲヒユ … カシコマル　　　　　　　（観智院本類聚名義抄／佛下末016-5）

　▶番号5075a・6781b「興」（興複・春興殿）の仮名音注「キヨウ」については、基本的に -joū
で対応する。両当該字には平声点を差す。熟字5075「興複」は右傍「ヲカシ カヘス」を付載する。
上巻の蒸韻当該諸例で分析したように、日本漢音「キヨウ」東声（四声体系では平声）日本呉音「コ
ウ」を認める。

　　　　殿 名附出 唐令云殿電反 和名止乃 … 春興殿 東之南一　　　（元和本倭名類聚抄／巻十02 オ7）

　▶番号4900「興」（興）の仮名音注「キヨウ」については、基本的に -joū で対応する。当該字
に声点はなく、左注「許應反」を付載する。上述の分析を参照。

　▶番号3681a「興」（興敗）の仮名音注「コウ」については、基本的に -oū で対応する。当該字
には平声点を差す。熟字3681「興敗」は右傍「イウス」を付載する。上述の分析を参照。

　▶番号3707a「興」（興隆）の仮名音注「コウ」については、基本的に -oū で対応する。当該字
には去声点を差す。上述の分析を参照。

　▶番号5899c・5899d「興」（心〻興〻・心〻興〻）の仮名音注「ケウ」については、異例 -eū
を示す。両当該字に声点はない。日本語音韻史上の音変化 -eū > -joū > -joo を背景にした字音把握
である。上述の分析を参照。

　▶番号4131a「騶」（騶馬）の仮名音注「ソウ」については、基本的に -oū で対応する。当該字
には平声点を差す。熟字4131「騶馬」は右傍「アシフチ」を付載する。観智院本類聚名義抄に同音
字注「音繪」を見出すが、仮名音注はない。元和本倭名類聚抄には同音字注「音僧」がある。

　　　　騶 … 音／繪 馬／四骹白／シフチ［平平上濁平］　　　（観智院本類聚名義抄／僧中106-7）

　　　　騶馬 踏雪馬附 爾雅注云四骹皆白曰騶 音僧俗云阿之布知 …

　　　　　　　　　　　　　　　　　　　　　　　　（元和本倭名類聚抄／巻十一13 オ5）

3-5-2　-i̯e 系の字音的特徴　1045

▶番号5514「稱」（稱）の仮名音注「シヨウ」については、基本的に -jou で対応する。当該字に声点はなく、右注「シヤウス」サ変動詞を付載する。上巻の蒸韻当該例で分析したように、日本漢音「シヨウ」東声（四声体系では平声）日本呉音「シヨウ」去声を認める。

▶番号4327「蒸」（蒸）の仮名音注「シヨウ」については、基本的に -jou で対応する。当該字には平声点を差し、右注「蒸民」左注「進也」を付載する。また和訓「アツム」の同訓異字として位置する。観智院本類聚名義抄に反切「章繩反」（その反切下字に平声点）を見出すが、仮名音注はない。日本漢音は平声を認める。

　　蒸 章繩［□平］反 ムス［平］…　　　　　　　　　　（観智院本類聚名義抄／僧上 039-1）

▶番号6839a「繩」（繩墨）の仮名音注「シヨウ」については、基本的に -jou で対応する。当該字に声点はない。その中古音が示す頭子音 dʑ-（等韻学の術語で言う歯音濁船母）は日本語のザ行音をもって受容するが、中国語音韻史上における濁音声母の無声化を反映する場合はサ行音で対応する。熟字6839「繩墨」は右注「スナハ」左注「スミナハ」を付載する。図書寮本類聚名義抄に反切「中云食陵反」を見出す。観智院本には平声点と去声濁点を付した同音字注「音乗」を見つけるが、去声濁点は呉音声調か。日本漢音は平声を認める。去声は保留する。

　　繩繩 千云上通 中云食陵反／索也　　　　　　　　　（図書寮本類聚名義抄／322-5）

　　繩 音乗［平・去濁］ナハ［平平］…　　　　　　　　（観智院本類聚名義抄／法中 132-3）

　　繩墨 踏雪馬附 内典云端直不曲喩如繩墨 涅槃經文也繩墨和名須美奈波

　　　　　　　　　　　　　　　　　　　　　　　　　（元和本倭名類聚抄／巻十五 13 ウ 1）

▶番号5866a「乗」（乗軒）の仮名音注「シヨウ」については、基本的に -jou で対応する。当該字には平声点を差す。上巻の蒸韻当該諸例で分析したように、日本漢音「シヨウ」平/上声、日本呉音「ジヨウ」去声を認める。

▶番号3603b「乗」（金乗）の仮名音注「シヨウ」については、基本的に -jou で対応する。当該字には上声点を差す。上述の分析を参照。

▶番号5590a・5881a「昇」（昇進・昇降）の仮名音注「シヨウ」については、基本的に -jou で対応する。両当該字には平声点を差す。当該字「昇」は「昇」と相互に異体字である。観智院本類聚名義抄に反切「式兼反」および和音「所ウ」を見出す。同書で「證・陞・悚・秤・稱・升」を再検索すると和音「所ウ」を見つける。また「所」には低平調を示す和音「シヨ」がある。高山寺本三寶類字集では和音「所ウ」の「ウ」右傍に平声点を付載するので、平声相当である低平調と推測する。日本呉音「シヨウ」平声を認める。

　　昇 式兼反 … ノホル［上上濁□］カツ 和所ウ　　　（観智院本類聚名義抄／佛中 088-2）

　　昇 式承反 … ノホル／カツ 和所ウ　　　（鎮国守国神社本三寶類聚名義抄／上一 612 オ 3）

　　昇 式承反 … ノホル［上上濁□］／又音所ウ［□平］　　（高山寺本三寶類字集／上 094 オ 6）

　　證 諸孕反 カナフ［平平上］… 和所ウ［□平：墨点／□✓：墨右傍］

1046　3．仮名音注の韻母別考察　3-5　ⅢA韻類

(観智院本類聚名義抄／法上 057-3)

陞 音升 陞階也 … ノボル 和所ウ　　　　　　　　(観智院本類聚名義抄／法中 041-6)

悚 音聳 オツ［□平濁］… 和所ウ［平□：墨点］　(観智院本類聚名義抄／法中 062-6)

礻+平 ハカリ 俗秤字／攽 和所ウ［□上／□✓：墨右傍］(観智院本類聚名義抄／法下 008-2)

稱 處陵反 又去 カナウ［平平上］… 和所ウ　　(観智院本類聚名義抄／法下 018-6)

升 和所ウ　　　　　　　　　　　　　　　　(観智院本類聚名義抄／法下 134-8)

所 トコロ［上上上］和ショ［平平］　　　　　(観智院本類聚名義抄／法下 093-7)

▶番号5915a「昇」（昇座）の仮名音注「シン」については、異例 -in を示す。当該字に声点は
ない。熟字5915「昇座」は右傍「シンソ」右注「仏彡」を含めて墨付きが相当に薄く、別筆補入の
可能性がある。

▶番号5682b・5772a・5790a・5791a・5885a・5887a「勝」（殊勝・勝載・勝形・勝趣・勝
劣・勝負）の仮名音注「ショウ」については、基本的に -jou で対応する。当該諸字六例には平声点
を差す。廣韻に拠れば、蒸／證韻 (śieŋ¹ᐟ³) 二音を有する。番号5772a「勝」は前田本が示す部首の
字形「舟」を「月」に修正する。観智院本類聚名義抄には反切「書證反」と同音字注「又音升」を
見出す。長承本蒙求には仮名音注「ショウ」四例があり、それらの掲出字中一例に東声点と同二例
に去声点を加える。日本漢音「ショウ」東／去声（四声体系では平／去声）を認める

勝 書證反 カツ … 又音升 …　　　　　　　　(観智院本類聚名義抄／佛中 123-8)

勝〔*左下隅欠〕ショウ　　　　　　　　　　(長承本蒙求／044)

勝［東］ショウ　　　　　　　　　　　　　　(長承本蒙求／077)

勝［去］ショウ　　　　　　　　　　　　(長承本蒙求／089・094)

▶番号5895a「勝」（勝他心）の仮名音注「ショウ」については、基本的に -jou で対応する。
当該字に声点はない。上述の分析を参照。

▶番号4138a「羕」（羕鐷肉）の仮名音注「ショウ」については、基本的に -jou で対応する。
当該字には平声点を差す。水流が長いさまを言う「羕」（漾韻 jieŋ¹）は「承」（蒸韻 źieŋ¹）と別
字ながら字形近似による混同を起こす場合が多い。前田本も「承」の異体字として扱う。その中古
音が示す頭子音 ź-（等韻学の術語で言う歯頭濁常母）は有声硬口蓋（後部歯茎）摩擦音であり、日
本語のザ行音をもって受容するが、中国語音韻史上における濁音声母の無声化を反映する場合はサ
行音で対応する。熟字4138「羕鐷肉」は右注「アフミスリ」を付載する。観智院本類聚名義抄に反
切「暑陵反」（その反切下字に平声点）と反切「殊陵反」および去声相当の上昇調と推測する和音
「序ウ」（「ウ」右傍に朱筆で喉内撥音韻尾「✓」表記）を見出す。同書で「序」を再検索すると、
濁音を含む低平調の和音「ショ」を見つける。長承本蒙求には仮名音注「ショウ」があり、その掲
出字に平声点を加える。日本漢音「ショウ」平声、日本呉音「ジョウ」去声を認める。

羕 暑陵［□平］反 ウク［平上］… 和序ウ［□上／□✓：朱右傍］

3-5-2 -ie 系の字音的特徴 1047

（観智院本類聚名義抄／佛下本 060-1）

羡 殊陵反 ウク［平平］… サクル　　　　　（観智院本類聚名義抄／佛下末 027-4）

承鐙 アフミスリ［平平濁□上濁平］　　　　（観智院本類聚名義抄／佛中 112-8）

序 徐呂反 ノフ［平上］… 和シヨ［平濁平］　　（観智院本類聚名義抄／法下 104-3）

羡 殊陵反 ウク … 和序ウ　　　　　　　　（宝菩提院本類聚名義抄／072-4）

羡［平］ショウ　　　　　　　　　　　　　　（長承本蒙求／063）

肉 李緒相馬經云承鐙肉欲垂 承鐙肉俗云阿布美須利　　（元和本倭名類聚抄／巻十一 14 オ 3）

▶番号 5261a・5668a「羡」（羡明門・羡引）の仮名音注「ショウ」については、基本的に -jou で対応する。当該字には平声点を差す。上述の分析を参照。

▶番号 5667b「羡」（祇羡）の仮名音注「ショウ」については、基本的に -jou で対応する。当該字には平声濁点を差すので、字音「ジョウ」を想定する。上述の分析を参照。

▶番号 5665a「羡」（羡諾）の仮名音注「ショウ」については、基本的に -jou で対応する。当該字には上声濁点を差すので、字音「ジョウ」を想定する。上述の分析を参照。

▶番号 4716b「羡」（相羡）の仮名音注「ショウ」については、基本的に -jou で対応する。当該字には去声濁点を差すので、字音「ジョウ」を想定する。上述の分析を参照。

▶番号 5472a・5473a・5671a・5906d・5958a「羡」（羡塵・羡足・羡伏・師資相羡・羡仕）の仮名音注「ショウ」については、基本的に -jou で対応する。当該諸字五例に声点はない。熟字 5472「羡塵」は中左注「式云身屋以帛／張羡塵爲之也」を、熟字 5473「羡足」は中左注「御椅子／前置／羡足是也」を付載する。上述の分析を参照。

承塵 釋名云承塵 此間名如字 施於上承塵土也　　（元和本倭名類聚抄／巻十四 16 オ 5）

▶番号 5502「仍」（仍）の仮名音注「ショウ」については、基本的に -jou で対応する。当該字には平声点を差し、左注「如乗反」を付載する。また和訓「シキリ」の同訓異字として位置する。その中古音が示す頭子音 ń-（等韻学の術語で言う日母）は硬口蓋鼻音であり、日本語のナ行音をもって受容し、中国語音韻史上における鼻音声母の非鼻音化（denasalization）を反映する場合はザ行音で対応する。観智院本類聚名義抄に反切「如陵反」および「呉音乗」を見出すが、仮名音注はない。前者の反切は信行撰の可能性が高い大般若経音義(45)による引用か。石山寺一切経蔵本と来迎院本において確認できる。この呉音注は大般若経字抄にない。

仍 如陵反 又訛／呉音乗 ナヲ［□ホ：墨右傍］… シキリニ …　（観智院本類聚名義抄／佛上 005-2）

仍為　如陵反仍就也 …　　（石山寺一切経蔵本大般若経音義／中巻第一百廿八巻 18-4）

仍為　如陵反仍就也 …　　（来迎院本大般若経音義／中巻第一百廿八巻 059-2）

▶番号 5164b「徵」（咎徵）の仮名音注「チョウ」については、基本的に -jou で対応する。当該字には平声点を差す。廣韻に拠れば、蒸韻（ţieŋ˥）止韻（ţieᵒ）二音を有する。図書寮本類聚名義抄に反切「方云竹里反」（その反切下字に上声点）と「又竹陵反」（その反切下字に平声点）およ

1048　3．仮名音注の韻母別考察　3-5　ⅢA韻類

び仮名音注「真云チヨウ」（「ウ」に平/去声点と喉内撥音韻尾「✓」表記）を見出す。真興撰『大般若経音訓』いわゆる真興音義による和音を指す。観智院本には平声点を付した同音字注「澄」と反切「又竹里反」を見つける。日本漢音は平/上声、日本呉音「チヨウ」平/去声を認める。

　　徴　方云竹里［德上］反 … 又竹陵［德平］反 □メス［集：右注］

　　　… 真云チヨウ［□□平・□□去／□□✓］　　　　　（図書寮本類聚名義抄／142-5）

　　徴　音澄［平］シルス［□□上／□□シ：墨右傍］… 又竹里反　　（観智院本類聚名義抄／佛上038-8）

　▶番号6886「澄」（澂）の仮名音注「チヨウ」については、基本的に -joū で対応する。当該字には平声点を差し、右注「スム」中注「直陵反」左注「水澄」を付載する。廣韻に拠れば、蒸韻 (ţieŋ¹) 庚韻 (ɖaŋ¹) 二音を有する。図書寮本類聚名義抄に平声点を付した同音字注「宋云音徴」と反切「又直庚反」および仮名音注「真云チヨウ」（「ウ」に平声点と喉内撥音韻尾「✓」表記）を見出す。後者は真興撰『大般若経音訓』いわゆる真興音義による和音を指す。観智院本には平声点を付した同音字注「音徴」と反切「又直庚反」を見つける。承暦本金光明最勝王経音義には仮名音注「チヨウ」がある。日本漢音は平声、日本呉音「チヨウ」平声を認める。

　　泓澂　下　宋云音徴［平］又直庚反 … 真云チヨウ［□□平／□□✓］　（図書寮本類聚名義抄／045-5）

　　澄澂　音徴［平］スム［平平］… 又直庚反　　　　（観智院本類聚名義抄／法上017-4）

　　澄　チヨウ〔＊後筆墨書〕　　　　　　　　　　（承暦本金光明最勝王経音義／08 オ4）

　▶番号3302・6033「氷」（氷・氷）の仮名音注「ヒヨウ」については、基本的に -joū で対応する。両当該字には平声点を差す。番号3302「氷」は右注「コホリ［上上上］象玉［去□／シヤウ□：右傍］」左注「比珠［去平／□ス：右傍］」を、番号6033「氷」は中注「ヒ」左注「筆陵反」を付載する。上巻の蒸韻当該例で分析したように、日本漢音「ヒヨウ・ヘウ」平声、日本呉音「ヒヨウ」平声を認める。

　▶番号5433c「綾」（繍線綾）の仮名音注「リヨウ」については、基本的に -joū で対応する。当該字には平声点を差す。上巻の蒸韻当該諸例で分析したように、日本漢音「リヨウ」平声を認める。

　▶番号3307「凌」（凌）の仮名音注「リヨウ」については、基本的に -joū で対応する。当該字には平声点を差し、右注「同（コホリ）」を付載する。観智院本類聚名義抄に平声点を付した同音字注「音陵」を見出すが、仮名音注はない。日本漢音は平声を認める。

　　凌　音陵［平］ハケシ／コホリ　　　　　　　　　（観智院本類聚名義抄／法上044-8）

　▶番号5497「淩」（淩）の仮名音注「リヨク」〔＊「リヨウ」の誤認か〕については、基本的に -jok で対応する。当該字に声点はなく、和訓「シノク」の同訓異字として位置する。上巻の蒸韻当該例で分析したように、日本呉音は去声を認める。

　▶番号3359「鯪」の仮名音注「リヨウ」については、基本的に -joū で対応する。当該字に声点はなく、和訓「同（コヒ）」を付載する。観智院本類聚名義抄に平声点を付した同音字注「音陵」

を見出すが、仮名音注はない。元和本倭名類聚抄には同音字注「音陵」がある。日本漢音は平声を認める。

　　　鯪 … 音陵［平］人魚 一名鯪／鬼　　　　　　　　　（観智院本類聚名義抄／僧下 004-7）

　　　人魚　兼名苑云人魚一名鯪魚 上音陵 魚身人面者也 …

　　　　　　　　　　　　　　　　　　　　　　　　　　　　（元和本倭名類聚抄／巻十九02 ウ4）

▶番号6045a「菱」（菱子）の仮名音注「リョウ」については、基本的に -jou で対応する。当該字には平声点を差す。熟字6045「菱子」は右注「ヒシ」左注「鏡中［去□］」を付載する。観智院本類聚名義抄に同音字注「音陵」を見出すが、仮名音注はない。元和本倭名類聚抄には同音字注「音陵」がある。

　　　菱　音陵 ヒシ［上上］　菱子 同　　　　　　　　（観智院本類聚名義抄／僧上 022-7）

　　　菱子　説文云菱 音陵 … 亦作芰和名比之　　　　（元和本倭名類聚抄／巻十七14 オ7）

《上巻 拯韻諸例》

該当例なし。

《下巻 拯韻諸例》

該当例なし。

《上巻 證韻諸例》

▶番号3075b「剰」（欠剰）の仮名音注「ショウ」については、基本的に -jou で対応する。当該字には上声点を差す。観智院本類聚名義抄に去声点を付した同音字注「音乗」を見出すが、仮名音注はない。日本漢音は去声を認める。

　　　剰 … 音乗［去］アマル［平平□／□□レリ：墨右傍］…　　（観智院本類聚名義抄／僧上 087-2）

▶番号1766「榺」（榺）の仮名音注「ショウ」については、基本的に -jou で対応する。当該字には去声点を差し、中注「チキリ」左注「織具也」を付載する。機織りで縦糸を巻いておく中央がくびれた形状の棒を指す。観智院本類聚名義抄に去声点を付した同音字注「音勝」を見出すが、仮名音注はない。元和本倭名類聚抄には同音字注「音勝」がある。日本漢音は去声を認める。

　　　榺　音勝［去］チキリ［平上平］　　　　　　　　（観智院本類聚名義抄／佛中 123-7）

　　　榺　四聲字苑云榺 音勝 … 楊氏漢語鈔云織榺 知岐利　（元和本倭名類聚抄／巻十四12 オ9）

▶番号0568a「孕」（孕婦）の仮名音注「ヨウ」については、基本的に -jou で対応する。当該

1050　3．仮名音注の韻母別考察　3-5　ⅢA韻類

字には去声点を差す。熟字0568「孕婦」は「ハラメ」を付載する。観智院本類聚名義抄に反切「余
證反」および平声点を付した同音字注「呉音用」（その右傍に朱筆で仮名音注「ヨウ」）を見出す。
後者は大般若経字抄による漢呉二音相同の同音字注「音用」を出典とする。長承本蒙求には仮名音
注「ヨウ」があり、その掲出字に去声点を加える。日本漢音「ヨウ」去声、日本呉音「ヨウ」平声
を認める。

　　　孕 … 余證反 ハラム［平平上］呉音用［平／ヨウ：朱右傍］…　（観智院本類聚名義抄／法下 138-8）

　　　孕 ハラメ［平平平］　　　　　　　　　　　　　　　　　　（観智院本類聚名義抄／佛中 022-4）

　　　孕［去］ヨウ　　　　　　　　　　　　　　　　　　　　　　　　　　（長承本蒙求／099）

　　　孕［音用：右傍］ハラム　　　　　　　（石山寺一切経蔵本大般若経字抄／11 オ 6）

　　　孕婦　養性志云孕婦 和名宇不女 …　　　　　　　　（元和本倭名類聚抄／巻二 06 ウ 4）

《下巻 證韻諸例》

▶番号 5722a「證」（證據）の仮名音注「ショウ」については、基本的に *joù* で対応する。当
該字には平声点を差す。図書寮本類聚名義抄に反切「弘云諸孕反」（その反切下字に去声点）を見
出す。観智院本には反切「諸孕反」および低平調と推測する和音「所ウ」（「ウ」右傍に墨筆で喉
内撥音韻尾「√」表記）を見つける。観智院本類聚名義抄に反切「處陵反」および和音「所ウ」を
見出す。同書で「昇・陞・悚・秤・稱・升」を再検索すると和音「所ウ」を見つける。また「所」
には低平調を示す和音「ショ」がある。日本漢音は去声、日本呉音「ショウ」平声を認める。

　　　疾證 弘云諸孕［□去］反 … アラハス［平平上平／侖：右注］　　（図書寮本類聚名義抄／098-6）

　　　證 諸孕反 カナフ［平平上］… 和所ウ［□平：墨点／□√：墨右傍］

　　　　　　　　　　　　　　　　　　　　　　　　　　　　　　（観智院本類聚名義抄／法上 057-3）

　　　證 諸孕［□去］反 カナフ … 所ウ［□平］　　　　　（天理大学本最勝王経音義／02 ウ 5）

　　　證 諸孕反 カナフ … 所ウ［□√］　　　（鎮国守国神社本三寶類聚名義抄／中一 30 ウ 4）

　　　昇 式兼反 … ノホル［上上濁□］カツ 和所ウ　　　　（観智院本類聚名義抄／佛中 088-2）

　　　陞 音升 陞階也 … ノホル 和所ウ　　　　　　　　　（観智院本類聚名義抄／法中 041-6）

　　　悚 音聳 オツ［□平濁］… 和所ウ［平□：墨点］　　（観智院本類聚名義抄／法中 062-6）

　　　ネ+平 ハカリ 俗秤字／㪍 和所ウ［□上／□√：墨右傍］（観智院本類聚名義抄／法下 008-2）

　　　稱 處陵反 又去 カナウ［平平上］… 和所ウ　　　　　（観智院本類聚名義抄／法下 018-6）

　　　升 和所ウ　　　　　　　　　　　　　　　　　　　　（観智院本類聚名義抄／法下 134-8）

　　　所 トコロ［上上上］和ショ［平平］　　　　　　　　（観智院本類聚名義抄／法下 093-7）

《上巻 職韻開口諸例》

3-5-2　-ie 系の字音的特徴　1051

▶番号2502「檍」（檍）の仮名音注「ヲク」については、基本的に -ok で対応する。当該字に声点はなく、右注「同（カシノキ）」を付載する。観智院本類聚名義抄に同音字注「音檍」を見出すが、仮名音注はない。元和本倭名類聚抄には同音字注「音檍」がある。

　　檍 音檍 アハキ［平平平］　　　　　　　　　　　　（観智院本類聚名義抄／佛下本097-1）
　　檍 説文云檍 音檍日本紀私記云阿波木今案又橿木一名也 …（元和本倭名類聚抄／巻二十27 オ7）

▶番号2937b「憶」（豪憶）の仮名音注「ヲク」については、基本的に -ok で対応する。当該字には入声点を差す。図書寮本類聚名義抄に同音字注「音檍」（その入声点位置に仮名音注「イク」）を見出す。この仮名音注「イク」は「ヨク」あるいは「ヲク」の誤認か。観智院本には同音字注「音檍」（その右傍に墨筆で仮名音注「ヲク」）を見つける。同書の凡例部分「朱声者正音也墨声者和音也」（篇目7-6）に従えば、朱墨で正音と和音を分別する傾向があるので、仮名音注「ヲク」は和音を示すと考えたい。日本漢音は入声、日本呉音「ヲク」を認める。

　　憶 音檍［イク：入声点位置］… 行円云 オモフ［平平上］　（図書寮本類聚名義抄／274-6）
　　憶 音檍［ヲク：墨右傍］オモフ［平平上］…　　　　（観智院本類聚名義抄／法中076-6）

▶番号3253a・3254a「抑」（抑屈・抑留）の仮名音注「ヨク」については、基本的に -jok で対応する。両当該字には入声点を差す。熟字3253「抑屈」は右傍「ヲサヘ クシク」を付載する。観智院本類聚名義抄に入声点を付した同音字注「音檍」（その右傍に朱筆で仮名音注「ヨク」）および入声点を付した同音字注「呉檍」と仮名音注「又ヨク」を見出す。この呉音注は大般若経字抄による漢呉二音相同の同音字注「音檍」を出典とする。日本漢音「ヨク」入声、日本呉音は入声を認める。

　　抑 音檍［入／ヨク：朱右傍］… オサフ［上平□］… 呉檍［入］又ヨク
　　　　　　　　　　　　　　　　　　　　　　　（観智院本類聚名義抄／佛下本078-2）
　　抑 音檍 … オサフ … 呉檍 又ヨク　　　　　　（宝菩提院本類聚名義抄／093-3）
　　抑 ［音檍：右傍］ヲサフ　　　　　　（石山寺一切経蔵本大般若経字抄／01 オ3）

▶番号1181b「翼」（輔翼）の仮名音注「ヨク」については、基本的に -jok で対応する。当該字には入声点を差す。観智院本類聚名義抄に徳声点を付した同音字注「音弋」（その右傍に朱筆で仮名音注「ヨク」）を見出す。長承本蒙求には仮名音注「ヨク」があり、その掲出字に徳声点を加える。日本漢音「ヨク」徳声（四声体系では入声）を認める。

　　翼 音弋［徳／ヨク：朱右傍］ハネ［上上］…　　（観智院本類聚名義抄／僧上095-6）
　　翼 ［徳］ヨク　　　　　　　　　　　　　　　　（長承本蒙求／079）

▶番号0136「息」（息）の仮名音注「ソク」については、基本的に -ok で対応する。当該字には入声点を差し、右注「イコフ」を付載する。図書寮本類聚名義抄に反切「弘云思力反」（その反切下字に入声点）を見出す。観智院本に反切「思力反」（その反切下字に入声点）および和音「ソ

ク」を見つける。長承本蒙求には仮名音注「シヨク」があり、その掲出字に徳声点を加える。また仮名音注「ソク」は長承三年点と同時期の別筆で呉音系字音の可能性がある。日本漢音「シヨク」徳声（四声体系では入声）日本呉音「ソク」を認める。

息 弘云思力［□入］反 … イコフ［平平上］　（図書寮本類聚名義抄／237-1）

息 思力［□入／リキ：墨右傍］反 … イコフ［平平上］… 和ソク　（観智院本類聚名義抄／法中 071-2）

息［徳］シヨク／ソク〔＊長承三年点と同時期の別筆〕　（長承本蒙求／016）

▶番号 2836「昃」（昃）の仮名音注「シヨク」については、基本的に *-jok* で対応する。当該字には入声点を差し、右注「日昃」を付載する。また和訓「カタフク」の同訓異字として位置する。観智院本類聚名義抄に同音字注「音側」を見出すが、仮名音注はない。

稄 稫稄 阻力切十一 … 昃 日昃又旁也傾也不正也 … 側 傍側 …　（宋本廣韻／荘母職韻 tṣiɐk）

昃昃 … 音／側 カケタリ カタフク　（観智院本類聚名義抄／佛中 092-2）

▶番号 2935b・2950b「色」（好色・顔色）の仮名音注「ソク」については、基本的に *-ok* で対応する。両当該字には入声点を差す。熟字 2935「好色」は中注「艶詞［エモイハヌコトハ：右傍］」を付載する。図書寮本類聚名義抄に反切「中云所力反」（その反切下字に入声点）を見出す。観智院本類聚名義抄には反切「疎側反」および低平調と推測する和音「シキ」を見つける。日本漢音は入声、日本呉音「シキ」入声を認める。

色 中云所力［□入］反 … イロ［平平／記：右注］　（図書寮本類聚名義抄／185-2）

㐌 疎側反 イロ［平平］／和シキ［□平］　（観智院本類聚名義抄／法中 026-2）

▶番号 0307b・3036b「匿」（隠匿・姦匿）の仮名音注「チヨク」については、基本的に *-jok* で対応する。両当該字には入声点を差す。その中古音が示す頭子音 ṇ-（等韻学の術語で言う舌音清濁娘母）は反り舌鼻音であり、日本語のナ行音をもって受容するが、中国語音韻史上における鼻音声母の非鼻音化（denasalization）を反映する場合はダ行音で対応する。熟字 0307「隠匿」は右傍「カクル」を、熟字 3036「姦匿」は右傍「カタマシク カクル」を付載する。観智院本類聚名義抄に反切「女力反・他得反」を見出す。長承本蒙求には仮名音注「トク ィ本」があり、その掲出字に徳声点を加える。また後筆朱点ながら仮名音注「チヨク」を併載する。前者の仮名音注「トク」は「慝・<u>忄+匿</u>」（職韻 t'ʌk）との混同による字音把握か。現行多くの漢和辞典は慣用音とする。字音「トク」徳声（四声体系では入声）を認める。また日本漢音「チヨク」（おそらくは「ヂヨク」）の蓋然性が高い。

匿 女力反 カクス［平上□／□□ル：墨右傍］…　（観智院本類聚名義抄／佛上 063-7）

<u>忄+匿</u> … 他得反 オソシ … 女棘〔＊←棘〕反　（観智院本類聚名義抄／法中 081-6）

匿〔＊慝と誤認か〕音同〔＊他得反〕ヨコシマ／穢也 耶也　（観智院本類聚名義抄／法中 081-6）

慝 … 他得反／悪音〔＊悪也の誤認か〕　（観智院本類聚名義抄／法下 108-8）

3-5-2 -iʔ 系の字音的特徴 1053

匿［徳］トクイ本〔*長承三年点〕／チョク〔*後筆朱点〕　　　　　　　　　（長承本蒙求／048）

▶番号1965c「職」（中宮職）の仮名音注「シキ」については、基本的に -iki で対応する。当該字に声点はない。その中古音が示す末子音（Final）-k を -ki と捉えている。日本語への馴化に際して、主母音（Principal Vowel）と同じイ列音による -iki と字音把握する。熟字1965「中宮職」は右中左注「大夫／亮／進属」を付載する。観智院本類聚名義抄に同音字注「音織」を見出すが、仮名音注はない。承暦本金光明最勝王経音義に同音字注「㔟音」があり、その掲出字に入声点を加える。日本呉音は入声を認める。また日本呉音「シキ」の可能性を指摘しておく。

職　音織 ツカサトル［上上上上濁平］… ツカサ［上上□］　　　（観智院本類聚名義抄／佛上 088-4）

㔟　疎側反 イロ［平平］／和シキ［□平］　　　　　　　　　（観智院本類聚名義抄／法中 026-2）

職［入］㔟冫　　　　　　　　　　　　（承暦本金光明最勝王経音義／03 ウ 5）

職　職貢令云中宮職 奈加乃美夜乃豆加佐 …　　　　　　　　　（元和本倭名類聚抄／巻五 06 オ 2）

▶番号0284b「職」（有職）の仮名音注「ショク」については、基本的に -jok で対応する。当該字には入声点を差す。上述の分析を参照。

▶番号1837b「職」（重職）の仮名音注「ショク」については、基本的に -jok で対応する。当該字には入声濁点を差すので、日本語音韻史上の連濁による字音「ジョク」を想定する。上述の分析を参照。

▶番号0561b「織」（促織）の仮名音注「ショク」については、基本的に -jok で対応する。当該字には入声点を差す。熟字0561「促織」は右注「ハタヲリメ」中左注「聲似息機／故以名之」を付載する。図書寮本類聚名義抄に同音字注「川云音織」と反切「信云之力之貳反」を見出す。観智院本には入声点を付した同音字注「音職」（その右傍に墨筆で仮名音注「ショク」右注に墨筆で仮名音注「シキ」）を見つける。仮名音注「シキ」は呉音系字音と推測する。長承本蒙求には仮名音注「ショク」があり、その掲出字に徳声点を加える。日本漢音「ショク」徳声（四声体系では入声）を認める。また日本呉音「シキ」の蓋然性が高い。

圭織 川云音／職 訓於／流［去平］…　　　　　　　　　（図書寮本類聚名義抄／294-7）

促織 和云波太於利米［去平］鳴声／如急［入］織機故名 …　　（図書寮本類聚名義抄／295-1）

織師 信云之力之貳反［去平］作布帛／之捻名 …　　　　　　（図書寮本類聚名義抄／295-2）

織 音職［入／ショク：墨右傍／シキ：墨右注］オル …　　　（観智院本類聚名義抄／法中 116-1）

織［徳］ショク　　　　　　　　　　　　　　　　　　　　（長承本蒙求／142）

促織　兼名苑云絡緯一名促織 和名波太於里米 鳴聲如急織機故以名之

（元和本倭名類聚抄／巻十九 19 オ 1）

▶番号1010b「食」（日食）の仮名音注「シキ」については、基本的に -iki で対応する。当該字には入声点を差す。廣韻に拠れば、職韻（dʑiek）志韻（jieⁱ）二音を有する。前者の中古音が示す末子音（Final）-k を -ki と捉えている。日本語への馴化に際して、主母音（Principal Vowel）と

1054　3．仮名音注の韻母別考察　3-5　ⅢA韻類

同じイ列音による *-iki* と字音把握する。また頭子音 dź-（等韻学の術語で言う歯音濁船母）は日本語のザ行音をもって受容するが、中国語音韻史上における濁音声母の無声化を反映する場合はサ行音で対応する。観智院本類聚名義抄には入声点を付した同音字注「音蝕」および和音「自キ」さらに同音字注「又音自」去声点を付した同音字注「又音異」を見出す。同書では和音に「自」を含む諸例「自フ・自ム・自ヤ・自ヤウ・自ヨ・自ン」を見つける。これらの中で、掲出字「深」に対して平声濁墨圏点を付した和音「自ム」と、掲出字「甚」に対して平声濁墨点を付した和音「自ン」を見つけるので、両者は和音「ジム・ジン」を示すことがわかる。長承本蒙求には仮名音注「ショク」三例があり、それらの掲出字を含む三例に入声点を加える。徳声点を差す一例については入声点とも見える微妙な位置にある。日本漢音「ショク」入声、日本呉音「ジキ」を認める。

　　　食 … 音蝕［入］和自キ … クラフ［上上□］又音自 又音異［去］人名

　　　　　　　　　　　　　　　　　　　　　　　　（観智院本類聚名義抄／僧上104-5）

　　　食 音蝕［入］和自キ … クラフ イツハル　　　　（天理大学本最勝王経音義／14 オ 1）

　　　食 … 音蝕［入］… クラフ［上上平］… 和自キ［□平］又音自 又音異

　　　　　　　　　　　　　　　　　　（鎮国守国神社本三寶類聚名義抄／下一 32 オ 1）

　　　深 式林［□去濁］反 フカシ［平平上］… 和自ム［平濁上：墨圏点］

　　　　　　　　　　　　　　　　　　　　　　　　（観智院本類聚名義抄／法上 010-3）

　　　甚 常［□上］反 ハナハタシ［上上上上濁平］… 和自ン［平濁上：墨点］

　　　　　　　　　　　　　　　　　　　　　　　　（観智院本類聚名義抄／僧下 075-6）

　　　食［徳］〔＊入か〕ショク　　　　　　　　　　　　　　　　（長承本蒙求／033）

　　　食［入］ショク　　　　　　　　　　　　　　　　　　　　（長承本蒙求／081・112）

　　　食［入］　　　　　　　　　　　　　　　　　　　　　　　（長承本蒙求／129）

　▶番号1650b「食」（屯食）の仮名音注「シキ」については、基本的に *-iki* で対応する。当該字に声点はない。上述の分析を参照。

　▶番号3283a「餝」（餝磨）の仮名音注「シカ」については、異例 *-ika* を示す。当該字に声点はない。当該字「餝」は「飾」と相互に異体字である。熟字3283「餝磨」は波篇國郡部に属し、左右注「府／東西」を付載する。観智院本類聚名義抄に入声点を付した同音字注「音式」（その右傍に朱筆で仮名音注「ショク」左注に墨筆で仮名音注「シキ」）を見出す。同書の凡例部分「朱音者正音也墨声者和音也」（篇目 7-6）に従えば、朱墨で正音と和音を分別する傾向がある。承暦本金光明最勝王経音義には仮名音注「シキ」二例がある。日本漢音「ショク」入声、日本呉音「シキ」を認める。

　　　飾 … 音式［入／ショク：朱右傍／シキ：墨左注］… タ、ス［平平濁上］

　　　　　　　　　　　　　　　　　　　　　　　　（観智院本類聚名義抄／僧上 109-4）

　　　餝飾 … 餝 俗　　　　　　　　　　　　　　　（観智院本類聚名義抄／僧上 109-4）

飾 シキ〔＊後筆墨書〕　　　　　　　　　　　　　　（承暦本金光明最勝王経音義／10 オ6）

　　荘飾 シヤウシキ〔＊後筆墨書〕　　　　　　　　　（承暦本金光明最勝王経音義／07 ウ1）

　　播磨國 國府在餝磨郡 … 餝磨 國府 …　　　　　（元和本倭名類聚抄／巻五22 ウ4）

▶番号1816b「識」（知識）の仮名音注「シキ」については、基本的に -iki で対応する。当該字には入声点を差す。図書寮本類聚名義抄に入声点を付した同音字注「宋云音式」を見出す。観智院本には入声点を付した同音字注「音式」（その左注に墨筆で仮名音注「シキ」）を見つける。同書の凡例部分「朱音者正音也墨声者和音也」（篇目 7-6）に従えば、朱墨で正音と和音を分別する傾向がある。長承本蒙求には仮名音注「ショク」二例があり、それらの掲出字に徳声点を加える。日本漢音「ショク」徳声（四声体系では入声）日本呉音「シキ」を認める。

　　知識 宋云音式［入?］… 真云サトル［上上平］…　　　（図書寮本類聚名義抄／073-1）

　　識 音式［入／シキ：墨左注］サトル［上上□］…　　（観智院本類聚名義抄／法上048-3）

　　識［徳］ショク　　　　　　　　　　　　　　　　　（長承本蒙求／014・021）

▶番号0477「埴」（埴）の仮名音注「ショク」については、基本的に -jok で対応する。当該字には入声点を差し、右注「ハニ［上上］」左注「黏土也」を付載する。図書寮本類聚名義抄に入声点を付した同音字注「音寔」を見出す。観智院本類聚名義抄には入声点を付した同音字注「音寔」を見つけるが、仮名音注はない。元和本倭名類聚抄には反切「常職反」がある。日本漢音は入声を認める。

　　挺埴 音寔［入］… 川云和云波迩ツチ［上上平平／老也：右注］　（図書寮本類聚名義抄／215-5）

　　埴 ハニ［上上］… 音寔［入］　　　　　　　　　（観智院本類聚名義抄／法中048-8）

　　埴　釋名云土黄而細密曰埴常職反 和名波爾　　　（元和本倭名類聚抄／巻一13 ウ3）

▶番号0741b「殖」（播殖）の仮名音注「ショク」については、基本的に -jok で対応する。当該字には入声点を差す。観智院本類聚名義抄に同音字注「音食」と反切「又除夫反」および和音「シキ・ショク」を見出す。和音「シキ」に続けて「ショク」を掲げるが、これは同書で言う正音と見ておく。日本漢音「ショク」日本呉音「シキ」を認める。

　　殖 … 音食 … 又除夫反／タネ … 和シキ ショク　　（観智院本類聚名義抄／法下129-3）

　　殖 音食 オホシ／タネ … 和シキ ショク　　　　（天理大学本最勝王経音義／22 オ4）

▶番号1677b「植」（動植）の仮名音注「ショク」については、基本的に -jok で対応する。当該字には入声点を差す。廣韻に拠れば、職韻（ʑiek）志韻（tśiei³）二音を有する。観智院本類聚名義抄に同音字注「音寔」と反切「直致反」および「和稙」（その右傍に朱筆で仮名音注「シキ」）を見出す。長承本蒙求には仮名音注「ショク」があり、その掲出字に入声点を加える。日本漢音「ショク」入声、日本呉音「シキ」を認める。

　　植 音寔 ウフ［上平］… 和稙［シキ：朱右傍］… 直致反 …　（観智院本類聚名義抄／佛下本085-8）

　　植［入］色?／ショク　　　　　　　　　　　　　（長承本蒙求／054）

1056　3．仮名音注の韻母別考察　3-5　ⅢA韻類

▶番号1178b・1828a「勅」（奉勅・勅宣）の仮名音注「チヨク」については、基本的に -jok で
対応する。両当該字には入声点を差す。当該字「勅」は「勅・敕」と相互に異体字である。観智院
本類聚名義抄・鎮国守国神社本三寶類聚名義抄に反切「耻力反」および和音「チヨク」を見出す。
現行の漢和辞典で日本呉音「チキ」を掲げる場合があるが、日本漢音「チヨク」のみを掲載する漢
和辞典もある。日本呉音「チヨク」を認める。

　　　勅 耻力反 ト・ノフ［平平上上］… 和チヨク　　　　　　　　（観智院本類聚名義抄／僧上 083-8）

　　　勅 俗　　　　　　　　　　　　　　　　　　　　　　　（観智院本類聚名義抄／僧上 084-1）

　　　勅 耻力反 ト・ノフ［平平上平］… 和チヨク 勞也　勅 俗

　　　　　　　　　　　　　　　　　　　（鎮国守国神社本三寶類聚名義抄／下一 22 オ 5）

▶番号1829a「勅」（勅荅）の仮名音注「チヨク」については、基本的に -jok で対応する。当
該字には入声点を差す。上述の分析を参照。

▶番号1753「勅」（勅）の仮名音注「チヨク」については、基本的に -jok で対応する。当該字
に声点はない。上述の分析を参照。

▶番号2223b「鷘」（淫+鳥鷘）の仮名音注「チヨク」については、基本的に -jok で対応する。
当該字に声点はない。前田本が示す諸声符の字形は「勅」（相互に「勅・敕」と異体字）であり、
上下配置による「鶒」に近い。熟字2223「淫+鳥鷘」は右注「同（ヲシ）」を付載する。観智院本
類聚名義抄に入声点を付した同音字注「勅」を見出す。元和本倭名類聚抄には同音字注「勅」があ
る。日本漢音は入声を認める。

　　淫+鳥鷘 同上〔＊鶒／左右反転の字形〕正文 溪勅［平入］二音／ヲシ［上上］

　　　　　　　　　　　　　　　　　　　　　　　　（観智院本類聚名義抄／僧中 129-5）

　　　鴛鷘　崔豹古今注云鴛鷘 宛驪二音和乎之楊氏抄云溪+鳥鷘其音溪勅 …

　　　　　　　　　　　　　　　　　　　　　　　　（元和本倭名類聚抄／巻十八 10 オ 2）

▶番号3080b「直」（高直）の仮名音注「チキ」については、基本的に -iki で対応する。当該字
には入声点を差す。その中古音が示す頭子音 ḏ-（等韻学の術語で言う舌音濁澄母）は有声反り舌閉
鎖音であり、日本語のダ行音をもって受容するが、中国語音韻史上における濁音声母の無声化を反
映する場合にはタ行音で対応する。観智院本類聚名義抄に反切「除力反」および和音「地キ」を見
出す。高山寺本三寶類字集には反切「除力反」（その反切下字に入声点）および又音「地キ」を見
つける。観智院本では掲出字「除」に対して上昇調を示す和音「地ヨ」があり、その「地」に平声
墨濁点を差すので、和音「ヂヨ」を想定する。長承本蒙求には仮名音注「チヨク」三例があり、そ
れらの掲出字に入声点を加える。日本漢音「チヨク」入声、日本呉音「ヂキ」を認める。

　　　直 除力反 … タ、 … 和地キ　　　　　　　　　　　　（観智院本類聚名義抄／佛上 084-5）

　　　直 除力［□入］反 … タ、［平平濁］… 又音地キ　　　　（高山寺本三寶類字集／上 045-5）

　　　除 ノソク［平平濁上］… 音儲［平］和地ヨ［平濁上：墨点］　（観智院本類聚名義抄／法中 044-3）

地 題利反 坤地／トコロ［上上□］… 和地［平］…　　　　（観智院本類聚名義抄／法中 048-2）

直 ［入］チョク　　　　　　　　　　　　　　　　　　（長承本蒙求／045・047・121）

▶番号 1925a「直」（直入）の仮名音注「チョク」については、基本的に -jok で対応する。当該字には入声点を差す。熟字 1925「直入」は右傍「タ、ニ イル」を付載する。上述の分析を参照。

▶番号 1971a「直」（直講）の仮名音注「チョク」については、基本的に -jok で対応する。当該字に声点はない。熟字 1971「直講」は左注「在大学」を付載する。上述の分析を参照。

▶番号 2940b・3061b・3070b「力」（強力・強力・脚力）の仮名音注「リキ」については、基本的に -iki で対応する。当該諸字三例には入声点を差す。観智院本類聚名義抄・鎮国守国神社本三實類聚名義抄・天理大学本最勝王経音義に反切「呂職反」および和音「リキ」を見出す。長承本蒙求には仮名音注「リョク」があり、その掲出字に徳声点を加える。日本漢音「リョク」徳声（四声体系では入声）日本呉音「リキ」を認める。

力 呂職反 チカラ［上上平］… 和リキ　　　　　　　（観智院本類聚名義抄／僧上 081-1）

力 呂職反 チカラ［上平平］… 和リキ　　　　　（鎮国守国神社本三實類聚名義抄／下一 21 オ 1）

力 呂職反 チカラ … 和リキ　　　　　　　　　　（天理大学本最勝王経音義／21 オ 6）

力 ［徳］リョク　　　　　　　　　　　　　　　　　（長承本蒙求／095）

▶番号 1739・2070b・2947b・3268b「力」（力・勤力・合力・膂力）の仮名音注「リョク」については、基本的に -jok で対応する。当該諸字四例には入声点を差す。番号 1739「力」は右注「力」を、3268「膂力」は左注「云力強者也」を付載する。上述の分析を参照。

《下巻 職韻開口諸例》

▶番号 4113「憶」（憶）の仮名音注「ヨク」については、基本的に -jok で対応する。当該字には入声点を差し、右注「アハキ」を付載する。上巻の職韻当該例で分析した。

▶番号 5795b「極」（至極）の仮名音注「コク」については、基本的に -ok で対応する。当該字に声点はない。観智院本類聚名義抄に反切「洭憶反」および和音「五ク」を見出す。同書では熟字「胡麻」に対して「俗云五マ［去濁□］」があり、また掲出熟字「五鈷」に対して「コ、［上濁平］」があるので、両例の「五」は字音「ゴ」を想定する。日本呉音「ゴク」を認める。

極〔＊木←扌〕洭憶反 キム［平平上］… 和五ク　　　（観智院本類聚名義抄／佛下本 115-1）

胡麻 俗云五マ［去濁□］／説云ウコマ［上上濁上］　　（観智院本類聚名義抄／法下 103-6）

五鈷 コ、［上濁平］　　　　　　　　　　　　　　　（観智院本類聚名義抄／法下 103-6）

▶番号 5178b「嶷」（岐嶷）の仮名音注「キヨク」については、基本的に -jok で対応する。当該字には入声点を差す。廣韻に拠れば、職韻 (ŋiek) 之韻 (ŋiei') 二音を有する。熟字 5178「岐嶷」は左注「聡人欤」を付載する。図書寮本類聚名義抄に平声濁点を付した同音字注「类云疑」と反切

「广云語棘反」を見出す。観智院本には反切「臭力反」を見つける。長承本蒙求には平安時代中期点の同音字注「玉反」があり、その掲出字に徳声加濁点を加える。日本漢音は徳声（四声体系では入声）を認める。

　　　岐嶷 类云疑［平濁］音 … 下 广云語棘反 …　　　　　　　　　（図書寮本類聚名義抄／137-3）

　　　嶷 臭力反 サカシ／タカシ　　　　　　　　　　　　　　　　（観智院本類聚名義抄／法上 109-6）

　　　嶷［徳／徳：加濁］玉反〔＊平安中期点〕　　　　　　　　　　　　（長承本蒙求／027）

　▶番号3823b・5067b・6688b「息」（偃息・休息・消息）の仮名音注「ソク」については、基本的に -ok で対応する。当該字には入声点を差す。熟字3823「偃息」は右傍「ノイフシ ヤスム」を付載する。上巻の職韻開口当該例で分析したように、日本漢音「シヨク」徳声（四声体系では入声）日本呉音「ソク」を認める。

　▶番号4203b・5812b「息」（喘息・悚息）の仮名音注「ソク」については、基本的に -ok で対応する。当該字に声点はない。熟字4203「喘息」は右注「アヘキ」左注「或作歘」を付載する。上述の分析を参照。

　　　喘息　唐韻云歘 昌苑反字亦作喘阿倍岐 口気引貌也　　　　　（元和本倭名類聚抄／巻三 19 オ 1）

　▶番号4201a「瘜」（瘜肉）の仮名音注「ソク」については、基本的に -ok で対応する。当該字には入声点を差す。熟字4201「瘜肉」は右注「アマシ〻」中注「コクミ」左注「或作腺惡」を付載する。観智院本類聚名義抄に入声点を付した同音字注「音息」（その右傍に朱筆で仮名音注「シヨク」）を見出す。元和本倭名類聚抄には同音字注「音息」がある。日本漢音「シヨク」入声を認める。

　　　瘜 或腺 音息［入／シヨク：朱右傍］／アマシ〻 コクニ　　（観智院本類聚名義抄／法下 119-3）

　　　腺 正瘜 或 音息／腺肉　　　　　　　　　　　　　　　　（観智院本類聚名義抄／佛中 130-6）

　　　瘜肉　説文云瘜 音息瘜肉和名阿萬之々一云古久美 寄肉也　　（元和本倭名類聚抄／巻三 26 オ 2）

　▶番号4660b・5167b「䊸」（綵䊸・禁䊸）の仮名音注「シキ」については、基本的に -iki で対応する。両当該字には入声点を差す。当該字「䊸」は「色」と相互に異体字である。熟字4660「綵䊸」は右傍「イロトル」を付載する。上巻の職韻当該諸例で分析したように、日本漢音は入声、日本呉音「シキ」入声を認める。

　　　䊸 踈側反 イロ［平平］／和シキ［口平］　　　　　　　　（観智院本類聚名義抄／法中 026-2）

　▶番号4503b・5450a・5705a「䊸」（雑䊸・䊸紙・䊸目）の仮名音注「シキ」については、基本的に -iki で対応する。当該諸字三例に声点はない。上述の分析を参照。

　▶番号3596b「䊸」（五䊸）の仮名音注「ソク」については、基本的に -ok で対応する。当該字には入声点を差す。前田本の当該字形「包」を「䊸」に修正する。熟字3596「五䊸」は右注「露名」を付載する。上述の分析を参照。

　▶番号3865b「䊸」（艶䊸）の仮名音注「ソク」については、基本的に -ok で対応する。当該字

には入声点を差す。上述の分析を参照。

▶番号5686b「皀」（潤皀）の仮名音注「ヲク」については、基本的に -ok で対応する。当該字には入声点を差す。仮名音注「ヲク」は仮名字形の相似による「ソク」の誤認か。上述の分析を参照。

▶番号5063b・6184b「皀」（氣皀・秘皀）の仮名音注「ソク」については、基本的に -ok で対応する。両当該字に声点はない。上述の分析を参照。

▶番号5782a「職」（職掌）の仮名音注「シキ」については、基本的に -iki で対応する。当該字には入声点を差す。上巻の職韻当該諸例で分析したように、日本呉音は入声を認める。また日本呉音「シキ」の可能性を指摘しておく。

▶番号5202b・5372「職」（京職・職）の仮名音注「シキ」については、基本的に -iki で対応する。両当該字に声点はない。熟字5202「京職」は左注「左右京職」を、番号5372「職」は右注5371「ショク［上上上］」中注「之翼反」左注5372「又シキ」を付載する。上述の分析を参照。

　　職　職貞令云 … 左京職 比多利乃美佐止豆加佐 右京職 美岐乃美佐止豆加佐

（元和本倭名類聚抄／巻五06 オ 4）

▶番号5371「職」（職）の仮名音注「ショク［上上上］」については、基本的に -jok で対応する。当該字に声点はなく、右注5371「ショク［上上上］」中注「之翼反」左注5372「又シキ」を付載する。上述の分析を参照。

▶番号5937c「職」（修理職）の仮名音注「シ」については、異例 -i を示す。当該字に声点はない。熟字5937「修理職」は右注「シユリシ」を付載する。上述の分析を参照。

　　職　職貞令云 … 修理職 乎佐女豆久留豆加佐 …　　　（元和本倭名類聚抄／巻五06 オ 3）

▶番号5551a・5553a「織」（織紙・織婦）の仮名音注「ショク［上上上］」については、基本的に -jok で対応する。両熟字5551「織紙」は右傍「キヌヲル」を付載する。上巻の職韻当該例で分析した。

▶番号4672b・4747b「食」（齊食・菜食）の仮名音注「シキ」については、基本的に -ik で対応する。両当該字には入声点を差す。上巻の職韻当該諸例で分析したように、日本漢音「ショク」入声、日本呉音「ジキ」を認める。

▶番号3711b「食」（乞食）の仮名音注「シキ」については、基本的に -iki で対応する。当該字に声点はない。上述の分析を参照。

▶番号6116a・6306b「食」（食指・美食）の仮名音注「ショク」については、基本的に -jok で対応する。当該字には入声点を差す。差声位置が入声より相対的に上で徳声とも見えるが、その中古音が示す頭子音 dʑ-（等韻学の術語で言う歯音濁船母）であるから、濁音母の声調は入声である。熟字6116「食指」は右傍「ヒトサシノユヒ」を付載する。上述の分析を参照。

▶番号5745a「食」（食歎）の仮名音注「ショク」については、基本的に -jok で対応する。当

該字に声点はない。上述の分析を参照。

▶番号 5922b「飾」（葛飾）の仮名音注「シカ」については、異例 *-ika* を示す。当該字に声点はない。元和本倭名類聚抄は熟字「葛餝」に対して借字による「加止志加」を付載する。異体字「餝」については上巻の職韻当該例で分析したように、日本漢音「シヨク」入声、日本呉音「シキ」を認める。

下総國 國府在葛餝郡 … 葛餝 加止志加 千葉 知波 …　（元和本倭名類聚抄／巻五 15 ウ 1）

▶番号 5017b・5263a「式」（儀式・式乾門）の仮名音注「シキ」については、基本的に *-iki* で対応する。両当該字には入声点を差す。観智院本類聚名義抄に同音字注「識」（その右注に墨筆で仮名音注「シキ」）を見出す。同書の凡例部分「朱音者正音也墨声者和音也」（篇目 7-6）に従えば、朱墨で正音と和音を分別する傾向があるので、この仮名音注「シキ」は呉音系字音であろう。承暦本金光明最勝王経音義には仮名音注「シキ」がある。日本呉音「シキ」を認める。

式 音識［シキ：墨右注］／モチ［平上／□ッ：墨右傍］…　（観智院本類聚名義抄／僧中 039-4）

式 シキ〔＊後筆墨書〕　（承暦本金光明最勝王経音義／08 ウ 2）

房 名附出 … 蘭林房 在式乾門内東今分爲御書所是也　（元和本倭名類聚抄／巻十 04 ウ 9）

▶番号 5936a「式」（式部省）の仮名音注「シキ」については、基本的に *-iki* で対応する。当該字に声点はない。熟字 5936「式部省」は左右注「卿輔盖／録省掌」を付載する。上述の分析を参照。

省　職員令云 … 式部省 乃利乃豆加佐 …　（元和本倭名類聚抄／巻五 05 オ 5）

▶番号 5262a「式」（式乾門）の仮名音注「シヨク」については、基本的に *-jok* で対応する。当該字には入声点を差す。上述の分析を参照。

▶番号 4120a「陟」（陟釐）の仮名音注「チヨク」については、基本的に *-jok* で対応する。当該字には入声点を差す。熟字 4120「陟釐」は右注「アヲノリ」を付載する。図書寮本類聚名義抄に反切「广云胝棘反」および入声点を付した同音字注「真云勅音」を見出す。後者は真興撰『大般若経音訓』による引用（いわゆる真興和音）である。観智院本には反切「胝棘反」および和音「勅音」を見つける。傍証ながら同書で「勅」を再検索すると、和音「チヨク」がある。日本呉音は入声を認める。また日本呉音「チヨク」の蓋然性が高い。

叔陟 广云胝棘〔＊←棘〕反… ノホル［上上濁平／書：右注］真云勅［入］音

（図書寮本類聚名義抄／205-2）

陟 徵棘〔＊←棘〕反 スヽム … 和勅　（観智院本類聚名義抄／法中 046-4）

陟厘 音糸+厘／アヲノリ［平平上平］　（観智院本類聚名義抄／僧下 108-2）

勅 耻力反 トヽノフ［平平上上］… 和チヨク　（観智院本類聚名義抄／僧上 083-8）

▶番号 5781b「直」（質直）の仮名音注「チキ」については、基本的に *-iki* で対応する。当該字には平声濁点を差すので、字音「ヂキ」を想定する。上巻の職韻当該諸例で分析したように、日本漢音「チヨク」入声、日本呉音「ヂキ」を認める。

3-5-2 -ie 系の字音的特徴 1061

▶番号5793b「力」（衆力）の仮名音注「リキ」については、基本的に -iki で対応する。当該字には入声点を差す。上巻の職韻当該諸例で分析したように、日本漢音「リヨク」徳声（四声体系では入声）日本呉音「リキ」を認める。

▶番号5066b・6966b「力」（氣力・擁力）の仮名音注「リヨク」については、基本的に -jok で対応する。両当該字には入声点を差す。上述の分析を参照。

▶番号4287「枌」（枌）の仮名音注「リヨク」については、基本的に -jok で対応する。当該字には入声点を差し、右注「アフコ」左注「杖也」右傍「ロク リヨク」を付載する。荷物を刺し通して肩に担ぐ棒、いわゆる天秤棒を指す。観智院本類聚名義抄に同音字注「音力」を見出すが、仮名音注はない。宝菩提院本も同様。元和本倭名類聚抄には同音字注「音力」がある。

   枌 音力 理也 隅也／アフコ［平平平］材也　　　　　（観智院本類聚名義抄／佛下本 103-2）

   枌 音力 理也 隅也／アフコ 材也　　　　　　　　（宝菩提院本類聚名義抄／121-6）

   枌　聲類云枌 音力和名阿布古 杖名也　　　　　（元和本倭名類聚抄／巻十四20 オ6）

3-5-2-4　-iuek（職韻）

資料篇【表B-09】には職韻合口（入声）所属の諸例が含まれる。蒸韻合口（平声）拯韻合口（上声）證韻合口（去声）に該当する例はない。職韻合口には所属小韻字が暁母と羊母しかない。前田本の示す仮名音注は基本的に -ik で対応する。ただし、-ik は -iki となる。

《上巻 職韻合口諸例》

▶番号1424「閾」（閾）の仮名音注「キキ」については、基本的に -iki で対応する。当該字には入声点を差し、右注「トシキミ」を付載する。廣韻に拠れば、その中古音は暁母職韻（xiuek）であり、仮名音注「キヨク・コク」を期待する。観智院本類聚名義抄に同音字注「音域」と反切「亦許域反」を見出すが、仮名音注はない。前者は諧声符「音域」（羊母職韻 jiuek）による字音把握であろう。元和本倭名類聚抄には同音字注「音域」がある。

   閾 音域 一名閾 隅也 トシキミ［上上濁上平］… 亦許域反　　（観智院本類聚名義抄／法下 078-6）

   閾　爾雅注云閾 音域 門限也兼名苑云閾一名閾 苦本反和名之岐美俗云度之岐美

                                 （元和本倭名類聚抄／巻十 16 ウ9）

▶番号0243b「域」（異域）の仮名音注「キキ」については、基本的に -iki で対応する。当該字には入声点を差す。図書寮本類聚名義抄に反切「弘云為逼反」（その反切下字に入声点）を見出す。観智院本には反切「栄逼反」を見つけるが、仮名音注はない。日本漢音は入声を認める。

   域 弘云為逼［□入］反 … サカヒ［平平平／異：右注］…　　　（図書寮本類聚名義抄／228-6）

1062　3．仮名音注の韻母別考察　3-5　Ⅲ A韻類

域 栄逼反 サカヒ［平平□］…　　　　　　　　　　　（観智院本類聚名義抄／法中060-7）

《下巻 職韻合口諸例》

▶番号3831b・6588b「域」（壽域・絶域）の仮名音注「ヰキ」については、基本的に -iki で対応する。当該字には入声点を差す。上巻の職韻合口当該例で分析したように、日本漢音は入声を認める。

▶番号5852b「域」（絶域）の仮名音注「イキ」については、基本的に -iki で対応する。当該字には入声点を差す。上述の分析を参照。

3-5-2-5　-iɐ 系の基本的な表記

以下に資料篇【表B-09】を分析した結果をまとめる。なお、日本語の音韻史上における音変化などを反映する場合には () で囲む処理をする。それ以外の異例（例えば、諧声符読みや誤認など）については [] を用いて表示する。

-iɐi　〔之/止/志韻〕　　-o, -i, -ii
　　　　　　　　　　　　[-ai] [-jo] [-e] [-en]
-iɐn　〔臻韻〕　　　　　-in
　　　　　　　　　　　　(-im)
-iɐt　〔櫛韻〕　　　　　-it
-iɐŋ　〔蒸/拯/證韻〕　　-oŭ, -joŭ
　　　　　　　　　　　　(-eŭ)
　　　　　　　　　　　　[-in] [-jo] [-i]
-iɐk　〔職韻開口〕　　　-ok, -jok, -iki　　-iuɐk　〔職韻合口〕　　-iki
　　　　　　　　　　　　[-ika]

ここで、- iɐ 系における前田本の仮名音注が示す基本的対応を【表11】にまとめておくと、- iɐ 系は -i, -o（日本語のイ列音・オ列音）で対応し、日本漢字音として把握する。

【表11】

	-ø	-i	-u	-m	-p	-n	-t	-ŋ	-k	-uŋ	-uk
-iɐ-		*-i* *-ii* *-o*				*-in* *(-im)*	*-it*	*-oŭ* *-joŭ* *(-eŭ)*	*-iki* *-ok* *-jok*		
-iuɐ-									*-iki*		

3-5-3 -ie 系の字音的特徴

韻母 -ie 系グループとは、主母音 -e- を有する諸韻目、支/紙/寘韻・脂/旨/至韻・幽/黝/幼韻・侵/寢/沁/緝韻・眞/軫/震/質韻・諄/準/稕/術韻・清/靜/勁/昔韻を指す。なお、記号「/」による区別は四声（平/上/去/入声）を示している。該当する前田本の諸例を 3-5-3-1 から 3-5-3-10 に集約した。

3-5-3-1 -ie (支/紙/寘韻)

資料篇【表 B-10】には支韻（平声）紙韻（上声）寘韻（去声）開口所属の諸例が含まれる。熟字の場合は資料篇【表 A-01】【表 A-02】をも参照しながら、それを当該字の直後に括弧内で示す。単字も同様の表示を行う。以下の諸韻も同様。前田本の示す仮名音注は基本的に -i, -e で対応する。異例として -o, -et, -it がある。

《上巻 支韻開口諸例》

▶番号 0312a・1466a「犄」（犄頓・犄頓）の仮名音注「イ」については、基本的に -i で対応する。両当該字には平声点を差す。なお諧声符の字形は「奇」である。観智院本類聚名義抄に反切「抆羈反」を見出すが、仮名音注はない。

　　犄 今犄 抆羈反／犄氏縣名 ヨル　　　　　　　　（観智院本類聚名義抄／法中 044-2）

▶番号 0227a・0227b「犄」（犄ゝ・犄ゝ）の仮名音注「イ」については、基本的に -i で対応する。両当該字に声点はない。なお諧声符の字形は「奇」である。上述の分析を参照。

▶番号 0323a「移」（移徙）の仮名音注「イ」については、基本的に -i で対応する。当該字には平声点を差す。観智院本類聚名義抄に反切「弋支反」（その反切下字に平声点）および和音「イ」を見出す。漢音資料を代表する長承本蒙求には仮名音注「イ」があり、その掲出字に平声点を加える。日本漢音「イ」平声、日本呉音「イ」を認める。

　　移 弋支 [入平] 反 ウツル [平平上／□□ス] … 和イ　　（観智院本類聚名義抄／法下 010-6）
　　移 [平] イ [＊平安時代中期の加点]　　　　　　　　　　（長承本蒙求／037）

▶番号 0193「移」（移）の仮名音注「イ [平]」については、基本的に -i で対応する。当該字に声点はなく、その仮名音注に平声点を差す。また右注「移文也」左注「書名也」を付載する。上述の分析を参照。

▶番号 1115「羈」（羈）の仮名音注「キ」については、基本的に -i で対応する。当該字に声点はなく、右注「同（ホタシ）」左注「馬絆也」を付載する。観智院本類聚名義抄に反切「京竒反」と平声点を付した同音字注「音基」を見出すが、仮名音注はない。元和本倭名類聚抄には同音字注

3-5-3 -ie 系の字音的特徴 1065

「音基」がある。日本漢音は平声を認める。

　　穴+﨑〔＊諧声符字形「竒」〕… 𩰚𩰙二正 京竒反／寅　　　　　　（観智院本類聚名義抄／法下 060-2）

　　𩰙𩰚 二或 音基［平］… ホタル［上上濁□／□□ス］…　　　　（観智院本類聚名義抄／僧中 007-7）

　　羈頭　唐韻云羈 音籠漢語抄云羈頭於毛都良 羈頭也羈 音基 馬絡頭也 今案絡頭即𩱰頭也

　　　　　　　　　　　　　　　　　　　　　　　　　　　　　　　　　（元和本倭名類聚抄／巻十五04 オ 4）

　▶番号 0238b・0249b「竒」（幽竒・淫竒）の仮名音注「キ」については、基本的に -i で対応する。両当該字には平声点を差す。観智院本類聚名義抄に反切「蝎知反」と平声点を付した同音字注「音羈」および和音「キ」二例を見出す。長承本蒙求には仮名音注「キ」があり、その掲出字に平声点を加える。呉音による経本文の読誦音を掲げる承暦本金光明最勝王経音義には仮名音注「キ」を見つける。日本漢音「キ」平声、日本呉音「キ」を認める。

　　竒 蝎知反 アヤシフ［平平平□］… 和キ　　　　　　　　　　　（観智院本類聚名義抄／法上 091-8）

　　竒 音羈［平］アヤシ［平平上］… 和キ　　　　　　　　　　　　（観智院本類聚名義抄／法下 042-6）

　　竒［平］キ　　　　　　　　　　　　　　　　　　　　　　　　　　　　　　　　（長承本蒙求／055）

　　竒 キ［：右傍］〔＊後筆墨書〕　　　　　　　　　　　　　（承暦本金光明最勝王経音義／10 オ 6）

　▶番号 2713「錡」（錡）の仮名音注「キ」については、基本的に -i で対応する。当該字には平声点を差し、右注「同（カナヘ）」左注「釜属也」を付載する。なお諧声符の字形は「竒」である。観智院本類聚名義抄に平声点を付した同音字注「音蟻」を見出すが、仮名音注はない。日本漢音は平声を認める。

　　錡 音蟻［平］三足 釜綺 音誤 アシナヘ …　　　　　　　　　　（観智院本類聚名義抄／僧上 126-3）

　▶番号 1710「岐」（岐）の仮名音注「キ」については、基本的に -i で対応する。当該字には平声点を差し、右注「チマタ」左注「岐路」を付載する。図書寮本類聚名義抄に反切「广云渠宜反」（その反切下字に平声濁点）を見出す。観智院本には同音字注「音竒」と反切「巨支反」を見つける。長承本蒙求には仮名音注「キ」があり、その掲出字に平声点を加える。なお、同書の仮名音注は平安時代院政初期である長承三年（1134）に加点された墨筆（例示で両音形ある場合は右側）を中心とするが、平安時代中期と推定する古い朱筆（両音形ある場合は左側）の加点もある。日本漢音「キ」平声を認める。

　　岐嶷 类云疑［平濁］音 广云渠宜反 …　　　　　　　　　　　　（図書寮本類聚名義抄／137-3）

　　岐路 广云渠宜［□平濁］反 謂道有支分者也 …　　　　　　　　（図書寮本類聚名義抄／141-3）

　　岐 音竒 山名／チマタ チハヤ …　　　　　　　　　　　　　　（観智院本類聚名義抄／法上 115-3）

　　郊岐 或正 巨支反／邑名　　　　　　　　　　　　　　　　　　（観智院本類聚名義抄／僧中 062-6）

　　岐［平］キ／キ　　　　　　　　　　　　　　　　　　　　　　　　　　　　　　（長承本蒙求／009）

　▶番号 0398b「岐」（壹岐）の仮名音注「キ」については、基本的に -i で対応する。当該字に声点はない。熟字 0398「壹岐」は左注「已上直」を付載し、伊篇姓氏部に属する。上述の分析を参照。

1066　3．仮名音注の韻母別考察　3-5　ⅢA韻類

▶番号0562b・1190b・3243b「儀」（母儀・母儀・容儀）の仮名音注「キ」については、基本的に -i で対応する。当該諸字三例には平声濁点を差すので、字音「ギ」を想定する。熟字1190「母儀」は左注「云母也」を付載する。観智院本類聚名義抄に平声濁点と去声濁点を付した同音字注「音冝」を見出す。去声濁点は諧声符「義」（寘韻 ŋie³）による字音把握の誤認か。末尾にある注記「禾」が和音を示そうとするものか不明。日本漢音は平声を認める。

　　　儀 音冝［平濁・去濁］ノリ［上□］… 禾　　　　　　　　　（観智院本類聚名義抄／佛上 033-7）

　　　儀 音冝 ノリ … オホヒナリ　　　　　　　　　　　　　　（天理大学本最勝王経音義／02 オ 4）

▶番号0161「犧」（犠）の仮名音注「キ」については、基本的に -i で対応する。当該字には平声点を差し、右注「イケニヘ」を付載する。観智院本類聚名義抄に反切「戯冝反」を見出す。長承本蒙求に仮名音注「キ」があり、その掲出字に東声点を加える。日本漢音「キ」東声（四声体系では平声）を認める。

　　　犧 戯冝反／イケニヘ［平平平平］　　　　　　　　　　　（観智院本類聚名義抄／佛下末 001-8）

　　　犧［東］キ　　　　　　　　　　　　　　　　　　　　　（長承本蒙求／010）

▶番号2587「髭」（髭）の仮名音注「シ」については、基本的に -i で対応する。当該字には平声点を差し、右注「カヒツヒケ」左注「又乍鼥」を付載する。観智院本類聚名義抄に同音字注「音茲」を見出す。長承本蒙求には仮名音注「シ」があり、その掲出字に東声点を加える。元和本倭名類聚抄には反切「子移反」を見つける。日本漢音「シ」東声（四声体系では平声）を認める。

　　　髭 音茲 カミツヒケ／ヒケ　　　　　　　　　　　　　　（観智院本類聚名義抄／佛下本 036-7）

　　　髭［東］シ／シ　　　　　　　　　　　　　　　　　　　（長承本蒙求／010）

　　　髭鬚 説文云髭 子移反和名加美豆比介 …　　　　　　　　（元和本倭名類聚抄／巻三 07 オ 7）

▶番号0619「訾」（訾）の仮名音注「シ」については、基本的に -i で対応する。当該字に声点はなく、和訓「ハカル」の同訓異字として位置する。図書寮本類聚名義抄に反切「子移反」と同音字注「类云紫音」および「真云之音」を見出す。観智院本には同音字注「音髭」および「和之」を見つけるが、仮名音注はない。傍証ながら、同書で「之」を再検索すると、和音「シ」を見つける。日本呉音「シ」の蓋然性が高い。

　　　諜訓 … 下类云紫音 … 下公云同皆 罵也 真云之音［已上：右注］　（図書寮本類聚名義抄／097-2）

　　　訾計 广云巠作費貨之質／非 子移反 思也 量也　　　　　　（図書寮本類聚名義抄／097-5）

　　　訾 音髭 ハカル … 同皆 和之 …　　　　　　　　　　　　（観智院本類聚名義抄／法上 066-8）

　　　之 止而反 ノ ノカ … ユク［上平］… 和シ　　　　　　　　（観智院本類聚名義抄／法下 042-4）

　　　訾［同訾：右傍］罵／也　　　　　　　　　　　（石山寺一切経蔵本大般若経字抄／03 ウ 1）

▶番号2736「鍇」（鍇）の仮名音注「シ」については、基本的に -i で対応する。当該字には平声点を差し、右注「カナ」を付載する。観智院本類聚名義抄に平声点を付した同音字注「音斯」を見出すが、仮名音注はない。元和本倭名類聚抄に同音字注「音斯」がある。

3-5-3　-ie 系の字音的特徴　1067

鋤 音斯［平］亦鉏／カナ［平平］　　　　　　　　　（観智院本類聚名義抄／僧上 138-2）

鉏 唐韻云鉏 音斯和名賀奈 …　　　　　　　　（元和本倭名類聚抄／巻十五 12 ウ 5）

　▶番号 3136b「差」（参差）の仮名音注「シ」については、基本的に -i で対応する。当該字には平声点を差す。廣韻に拠れば、支韻（tṣʻieˡ）佳/卦韻（tṣʻɐiˡ/³）皆韻（tṣʻɐiˡ）麻韻（tṣʻaˡ）五音を有する。熟字 3136「参差」は左右注「カタ、カヒ／ナリ」を付載する。図書寮本類聚名義抄に反切「信云上楚崖反」を見出す。観智院本には反切「楚冝楚佳二反」と去声点を付した仮名音注「シ」さらに低平調と推測する仮名音注「サイ」および低平調と推測する和音「シヤ」を見つける。字音「シ」去声と「サイ」平声、和音「シヤ」平声を認める。

　　差跌 信云上楚崖反 錯也 …　　　　　　　　　　（図書寮本類聚名義抄／111-4）

　　差 … 楚冝楚佳二反 ナカハ サス［平平］… シ［去］サイ［□平］… 和シヤ［□平］

　　　　　　　　　　　　　　　　　　　　　　　（観智院本類聚名義抄／佛下末 028-1）

　　粂差 カタチカヒ［平平平□□］　　　　　　　　（観智院本類聚名義抄／佛下末 028-1）

　▶番号 0897b・0903b「枝」（芳枝・百枝）の仮名音注「シ」については、基本的に -i で対応する。両当該字には平声点を差す。観智院本類聚名義抄に同音字注「音支」を見出す。長承本蒙求には仮名音注「シ」があり、その掲出字に東声点を加える。元和本倭名類聚抄には同音字注「支」を見つける。日本漢音「シ」東声（四声体系では平声）を認める。

　　枝 音支 和、エタ［上上濁］…　　　　　　　　（観智院本類聚名義抄／佛下本 124-7）

　　枝［東］シ　　　　　　　　　　　　　　　　　　　　　（長承本蒙求／012）

　　枝條 玉篇云枝柯 支哥二音和名衣太 …　　　（元和本倭名類聚抄／巻二十 32 オ 4）

　▶番号 2725「匙」（匙）の仮名音注「シ」については、基本的に -i で対応する。当該字には平声点を差し、右注「同（カヒ）」左注「取飯具」を付載する。図書寮本類聚名義抄に同音字注「川云音与疧同」（その平声点位置に仮名音注「シ」）と同音字注「又音提」（その平声点位置に仮名音注「テイ」）さらに反切「是支反」を見出す。観智院本には反切「市脂反」と同音字注「音疧」を見つけるが、仮名音注はない。元和本倭名類聚抄に反切「是支反」同音字注「與疧同又音提見唐韻」がある。日本漢音「シ」平声と「テイ」平声を認める。ただし、後者は同音字注「提」（支韻 źieˡ・齊韻 deiˡ）二音のうち「匙」（支韻 źieˡ）とは異なる齊韻による誤認である。

　　提 羣飛兒 是支切又弟泥切十二 … 匙 匕也 …　　　　　　（宋本廣韻／支韻 źieˡ）

　　鑰匙 川云音与疧［シ：平声点位置］同 又音提［テイ：平声点位置］… 广云 … 是支反 弁論也 …

　　　　　　　　　　　　　　　　　　　　　　　（図書寮本類聚名義抄／132-6）

　　匙 市脂反／カヒ　　　　　　　　　　　　　　（観智院本類聚名義抄／佛中 106-3）

　　匙 音疧 又提 カヒ［平濁平］／ワケカヒ　　　（観智院本類聚名義抄／法上 097-6）

　　匙 説文云匕 卑履反和名賀比 所以取飯也兼名苑云匕一名匙 是支反與疧同又音提見唐韻

　　　　　　　　　　　　　　　　　　　　　　　（元和本倭名類聚抄／巻十四 07 ウ 5）

1068　3．仮名音注の韻母別考察　3-5　ⅢA韻類

▶番号2716b「匙」（鈎匙）の仮名音注「シ」については、基本的に -i で対応する。当該字には平声点を差す。熟字2716「鈎匙」は右注「カラヤキ」左注「戸一」を付載する。上述の分析を参照。

　　　鈎匙 トノカキ［上上平平濁］一云／カラカキ［平平平上濁］　　　　（観智院本類聚名義抄／僧上 115-3）

　　　鈎匙　楊氏漢語抄云鈎匙 戸乃加岐一云加良加岐鈎音古侯反　　（元和本倭名類聚抄／巻十 16 オ 9）

▶番号3195b「蟗」（蛄蟗）の仮名音注「シ」については、基本的に -i で対応する。当該字には去声点を差す。熟字3195「蛄蟗」は右注「ヨナムシ」を付載する。観智院本類聚名義抄に同音字注「音翅・翅」を見出すが、仮名音注はない。元和本倭名類聚抄には同音字注「翅」がある。

　　　蟗 音翅 蛄蟗 米中小黒甲虫　　　　　　　　　　　　　　　　（観智院本類聚名義抄／僧下 032-5）

　　　蛄蟗 姑翅／二音／ヨナムシ［上上上平］上ケラ　　　　　　　（観智院本類聚名義抄／僧下 027-1）

　　　蛄蟗　爾雅集注云蛄蟗 姑翅二音和名與奈無之 今穀米中蠹小黒虫也

　　　　　　　　　　　　　　　　　　　　　　　　　　　　　　（元和本倭名類聚抄／巻十九 28 オ 8）

▶番号1145「施」（施）の仮名音注「シ」については、基本的に -i で対応する。当該字に声点はなく、右注「ホトコス」を付載する。廣韻に拠れば、支/寘韻（śie$^{1/3}$）二音を有する。図書寮本類聚名義抄に反切「广云補故反」（その反切下字に去声点）を見出す。観智院本には東声点を付した同音字注「音絁」（その右傍に朱筆で仮名音注「シ」）と声調表記「又去」を見つける。長承本蒙求には仮名音注「シ」があり、その掲出字に東声点を加える。日本漢音「シ」東/去声（四声体系では平/去声）を認める。

　　　布施 广云補故［□去］反 分布也 …　　　　　　　　　　　　（図書寮本類聚名義抄／278-5）

　　　施 音絁［東／シ：朱右傍］… 又去 … ホトコス［上上濁上平］…

　　　　　　　　　　　　　　　　　　　　　　　　　　　　　　（観智院本類聚名義抄／僧中 030-3）

　　　施［東］シ　　　　　　　　　　　　　　　　　　　　　　　（長承本蒙求／038）

▶番号1099「鉇」（鉇）の仮名音注「シ」については、基本的に -i で対応する。当該字に声点はなく、右注「同（ホコ）」を付載する。観智院本類聚名義抄に平声点を付した同音字注「音支」を見出すが、仮名音注はない。元和本倭名類聚抄に反切「視遮反」と同音字注「一音夷」がある。日本漢音は平声を認める。

　　　鉇 音支［平］ホコ …　　　　　　　　　　　　　　　　　　（観智院本類聚名義抄／僧上 116-6）

　　　鐰　唐韻云鐰 … 新撰萬葉集用鉇字今案鉇字所出未詳但唐韻有鉇視遮反一音夷短矛名也 …

　　　　　　　　　　　　　　　　　　　　　　　　　　　　　　（元和本倭名類聚抄／巻十五 12 ウ 5）

▶番号1895a「知」（知新）の仮名音注「チ」については、基本的に -i で対応する。当該字には平声点を差す。観智院本類聚名義抄に反切「陟離反」および去声点を付した和音「チ」を見出す。長承本蒙求には仮名音注「チ」があり、その掲出字に東声点を加える。日本漢音「チ」東声（四声体系では平声）日本呉音「チ」去声を認める。

　　　知 陟離反 シル［上平］／トモニ 和チ［去］　　　　　　　　（観智院本類聚名義抄／僧中 033-2）

3-5-3　-ie系の字音的特徴　1069

　　　知 [東] チ　　　　　　　　　　　　　　　　　　　　（長承本蒙求／047）

　▶番号1816a・1885a「知」（知識・知己）の仮名音注「チ」については、基本的に -i で対応する。両当該字には去声点を差す。上述の分析を参照。

　▶番号0382b・1686b・1688b・1972a・2035b「知」（越知・敷知・周知・知家事・領知）の仮名音注「チ」については、基本的に -i で対応する。当該諸字五例に声点はない。熟字2035「領知」は右傍「ウチ シレ」を付載する。上述の分析を参照。

　　　伊豫國 國府在越智郡 … 越智 予知 …　　　　　（元和本倭名類聚抄／巻五25 ウ8）

　　　遠江國 國府在豊田郡 … 敷智 淵 … 周智 …　　（元和本倭名類聚抄／巻五13 オ4）

　▶番号1735a「魑」（魑魅）の仮名音注「チ [去]」については、基本的に -i で対応する。当該字に声点はなく、その仮名音注に去声点を差す。観智院本類聚名義抄に平声点を付した同音字注「音摛」（その右傍に朱筆で仮名音注「チ」）と反切「又丑未反」および和音「チ」を見出す。日本漢音「チ」平声、日本呉音「チ」を見出す。

　　　魑 螭二正 音摛 [平／チ：朱右傍]／又丑未反／スタマ … 和チ　（観智院本類聚名義抄／僧下048-3）

　　　魑魅 山海經云魑魅 和名須太萬 鬼類也 …　　　（元和本倭名類聚抄／巻二05 オ1）

　▶番号1923a「踟」（踟躕）の仮名音注「チ」については、基本的に -i で対応する。当該字には平声点を差す。熟字1923「踟躕」は右傍「タチヤスラフ又タ丶スム」を付載する。図書寮本類聚名義抄に平声点を付した同音字注「音馳」と反切「广云直知反」を見出す。観智院本には平声点を付した同音字注「音馳」と「又智音」を見つけるが、仮名音注はない。日本漢音は平声を認める。

　　　踟躕 音馳 [平] …　　　　　　　　　　　　　（図書寮本類聚名義抄／112-5）

　　　末踟 广云直／知反　　　　　　　　　　　　　（図書寮本類聚名義抄／121-1）

　　　踟躕 オソシ タチモトヲル／タチヤスラフ　　（観智院本類聚名義抄／法上076-2）

　　　踟躕 上馳 [平] 又智音 一或／タチヤスラフ オソシ　（観智院本類聚名義抄／法上076-2）

　▶番号2318「趍」（趍）の仮名音注「シ」については、基本的に -i で対応する。当該字には平声点を差し、右注「ワシル」を付載する。廣韻に拠れば、支韻 (dieˈ) 虞韻 (tsʻiuʌˈ) 二音を有する。本来は仮名音注「チ」と「シユ」を期待する。当該字「趍」を「趙」（脂韻 tsʻieiˈ）と誤認したか。観智院本類聚名義抄に平声点を付した同音字注「遅」と反切「七踰反」（その反切下字に平声点）さらに注記「又作趨」〔＊←趨〕を見出すが、仮名音注はない。日本漢音は平声を認める。

　　　趍 遅 [平] 音 今七踰 [□平] 反／ワシル [平平上] … 又作趨　（観智院本類聚名義抄／佛上067-5）

　▶番号2319「趨」（趨）の仮名音注「シ」については、基本的に -i で対応する。当該字に声点はなく、和訓「ワシル」の同訓異字として位置する。当該字「趨」と「趍」とは相互に異体字である。本来は仮名音注「チ」と「シユ」を期待する。上述の分析を参照。

　▶番号0009「池」（池）の仮名音注「チ」については、基本的に -i で対応する。当該字に声点はなく、右注「イケ 千秋」左注「草聖 張芝硯」を付載する。図書寮本類聚名義抄に平声点を付し

1070　3．仮名音注の韻母別考察　3-5　ⅢA韻類

た同音字注「季綱云音馳」を見出す。観智院本には同音字注「音馳」を見つけるが、仮名音注はない。元和本倭名類聚抄に反切「直離反」がある。日本漢音は平声を認める。

　　　　池 玉云又池字 季綱云音馳 [平] … 川云和名以介 [平□]　　　　　（図書寮本類聚名義抄／007-3）

　　　　池 音馳 イケ [平平] ／ツクス 亦池字　　　　　　　（観智院本類聚名義抄／法上002-4）

　　　　池 玉篇云池直離反畜水也 和名以介　　　　　　　　（元和本倭名類聚抄／巻一16 オ6）

▶番号1180b・1808a・1809a「池」（鳳池・池沼・池水）の仮名音注「チ」については、基本的に -i で対応する。当該諸字三例には平声点を差す。上述の分析を参照。

▶番号0700「馳」（馳）の仮名音注「チ」については、基本的に -i で対応する。当該字には平声点を差し、右注「ハス」左注「馳車馬」を付載する。観智院本類聚名義抄に平声点を付した同音字注「音池」を見出すが、仮名音注はない。日本漢音は平声を認める。

　　　　馳 音池 [平] ハス [平平] … ミチ　　　　　　　　（観智院本類聚名義抄／僧中101-4）

▶番号1898a・1931a・1939a「馳」（馳望・馳嚴・馳走）の仮名音注「チ」については、基本的に -i で対応する。当該諸字三例には去声点を差す。上述の分析を参照。

▶番号1708a「馳」（馳道）の仮名音注「チ」については、基本的に -i で対応する。当該字に声点はなく、左注「天子所行之道也」を付載する。上述の分析を参照。

　　　　馳道 漢書注云馳道天子所行之道也　　　　　　　　（元和本倭名類聚抄／巻十17 オ3）

▶番号3135a「陂」（陂陁）の仮名音注「ヒ」については、基本的に -i で対応する。当該字には平声点を差す。廣韻に拠れば、支/寘韻（pie$^{1/3}$）二音を有する。熟字3135「陂陁」は右注「カタクツレ」を付載する。図書寮本類聚名義抄に同音字注「川云音碑・公云音皮」を見出す。後者は大般若経字抄による漢呉二音相同の同音字注を出典とする。また反切「广云筆皮反・或又彼義反」（後者の反切下字に去声濁点）がある。観智院本には平声点を付した同音字注「音碑」と平声点を付した同音字注「又頗音」さらに反切「又彼義反」（その反切下字に去声濁点）を見つけるが、仮名音注はない。承暦本金光明最勝王経音義には同音字注「音卑」がある。元和本倭名類聚抄には同音字注「音卑」を見つける。日本漢音は平/去声を認める。

　　　　陂 川云音碑 和云都ゝ美 [平平上] ／公云音皮　　　　（図書寮本類聚名義抄／203-3）

　　　　陂池 广云筆皮反 … 東云礼記音碑上林賦音／皮 又音同彼 …

　　　　　或又彼義 [□去濁] 反 ツ、ミ [平平上／異：右注]　　（図書寮本類聚名義抄／209-7）

　　　　陂 [音皮：右傍] ツ、ミ　　　　　　（石山寺一切経蔵本大般若経字抄／01 ウ7）

　　　　陂 [音卑：右傍]　　　　　　　　　（石山寺一切経蔵本大般若経字抄／17 ウ7）

　　　　陂 音碑 [平] イケ [平平] … 又頗 [平] 音 又彼義 [□去濁] 反 或坡

　　　　　　　　　　　　　　　　　　　　　　　　　　　（観智院本類聚名義抄／法中040-5）

　　　　陂池 カタクツルシ [平平平去濁平]　　　　　　　　（観智院本類聚名義抄／法中040-5）

　　　　陂 音卑 [：右傍]　　　　　　　　　（承暦本金光明最勝王経音義／17 ウ7）

陂隄 禮記云蓄水曰陂音碑 和名豆豆三 隄又作堤 　　　　（元和本倭名類聚抄／巻一 16 オ 9）

▶番号2498「椑」（椑）の仮名音注「ヒ」については、基本的に -i で対応する。当該字には平声点を差し、右注「同（カキ）」を付載する。観智院本類聚名義抄に同音字注「音卑」を見出すが、仮名音注はない。

　　椑 音卑 … ミシカシ 　　　　　　　　　　（観智院本類聚名義抄／佛下本 087-4）

▶番号2277「裨」（裨）の仮名音注「ヒ」については、基本的に -i で対応する。当該字には平声点を差し、左注「益也助也」を付載する。観智院本類聚名義抄に同音字注「音界」を見出すが、仮名音注はない。

　　礻+畀 音界 … 益 　　　　　　　　　　　（観智院本類聚名義抄／法中 146-3）

　　裨 ツヽル オキヌフ［上上□□］… タスク［平平□］　（観智院本類聚名義抄／法中 146-4）

▶番号1776c「皮」（陳橘皮）の仮名音注「ヒ」については、基本的に -i で対応する。当該字には平声濁点を差すので、字音「ビ」を想定する。その中古音が示す頭子音 b-（等韻学の術語で言う並母）は日本語のバ行音をもって受容するが、中国語音韻史上における濁音声母の無声化 ⒇ を反映する場合はハ行音で対応する。観智院本類聚名義抄に去声点を付した同音字注「音被」と反切「扶卑反」（その反切下字に平声点）を見出すが、仮名音注はない。元和本倭名類聚抄に同音字注「疲反」がある。日本漢音は平/去声を認める。

　　皮 音被［去］カハ［平平］… 扶卑［□平］反 　　　（観智院本類聚名義抄／僧中 068-4）

　　皮 釋名云皮 疲反和名賀波 被也被体也 　　　（元和本倭名類聚抄／巻三 10 ウ 8）

▶番号2594・2746「皮」（皮・皮）の仮名音注「ヒ」については、基本的に -i で対応する。両当該字には平声点を差す。番号2594「皮」は右注「カハ」を、番号2746「皮」は右注「同（カハ）荒皮」左注「的皮射具也」を付載する。上述の分析を参照。

▶番号2444「陴」（陴）の仮名音注「ヒ」については、基本的に -i で対応する。当該字には平声点を差し、和訓「カキ」の同訓異字として位置する。観智院本類聚名義抄に反切「婢卑反」を見出すが、仮名音注はない。

　　陴 婢卑反 城上女/牆 　　　　　　　　　　（観智院本類聚名義抄／法中 043-4）

▶番号3201「脾」（脾）の仮名音注「ヒ」については、基本的に -i で対応する。当該字には平声点を差し、右注「ヨコシ」を付載する。観智院本類聚名義抄に平声点を付した同音字注「音陴」および「呉弊 又卑」を見出すが、仮名音注はない。後者は大般若経字抄による漢呉二音相同の同音字注「音弊・卑・音卑」を出典とする。元和本倭名類聚抄には反切「俾移反」がある。日本漢音は平声を認める。

　　脾 音陴［平］モ、［平上］ヨコシ［平上平］… 呉弊 又卑 …　（観智院本類聚名義抄／佛中 120-4）

　　卑 脾［音弊：右傍］可從骨 … 　　　　　　　（石山寺一切経蔵本大般若経字抄／01 オ 5）

　　脾［音卑：右傍］心府也 　　　　　　　　　　（石山寺一切経蔵本大般若経字抄／04 ウ 3）

1072　3．仮名音注の韻母別考察　3-5　ⅢA韻類

　　女墻　白虎通云牌 俾移反和名與古之 土之精也色黃　　　　　（元和本倭名類聚抄／巻三 11 ウ 6）

▶番号2660「麋」（麋）の仮名音注「ヒ」については、基本的に -i で対応する。当該字には平声濁点を差すので、字音「ビ」を想定する。また右注「同（カユ）」を付載する。観智院本類聚名義抄に反切「麋為反」および「呉音微」を見出す。後者の呉音注は大般若経字抄による漢呉二音相同の同音字注「音微」を出典とする。長承本蒙求に仮名音注「ヒ」があり、その掲出字に平声加濁点を加える。日本漢音「ビ」平声を認める。

　　麋 … 麋為反／カユ［上平］呉音微　　　　　　　（観智院本類聚名義抄／法下 031-7）

　　麋 ［音微：右傍］カユ　　　　　　　　　（石山寺一切経蔵本大般若経字抄／04 ウ 7）

　　麋 ［微：右傍］　　　　　　　　　　　　（石山寺一切経蔵本大般若経字抄／23 ウ 1）

　　麋 ［平／平：加濁］ヒ　　　　　　　　　　　　　　　　　（長承本蒙求／110）

　　粥 … 四聲字苑云周人呼粥也粥 之叔反和名之留加由 薄麋也 …

　　　　　　　　　　　　　　　　　　　　　　　　　（元和本倭名類聚抄／巻十六 12 オ 6）

▶番号0683「麋」（麋）の仮名音注「ヒ」については、基本的に -i で対応する。当該字には平声濁点を差すので、字音「ビ」を想定する。また右注「ハナツラ」左注「牛䖪也」を付載する。観智院本類聚名義抄に平声濁点を付した同音字注「音麋」（その右傍に朱筆で仮名音注「ヒ」）を見出す。元和本倭名類聚抄には同音字注「音與麋同」がある。日本漢音「ビ」平声を認める。

　　麋 音麋［平濁／ヒ：朱右傍］ハナツラ［上上上平］　　　（観智院本類聚名義抄／法下 106-5）

　　牛麋　蒼頡篇云麋 音與麋同和名波奈都良 牛䖪也 …　　（元和本倭名類聚抄／巻十一 09 オ 5）

▶番号2215a「藤」（藤蕪）の仮名音注「ヒ」については、基本的に -i で対応する。当該字に声点はない。熟字2215「藤蕪」は右注「同（ヲムナカツラ［上上上上上濁平］）」を付載する。元和本倭名類聚抄に同音字注「微」があり、異体字として「或作薇」を指摘する。観智院本類聚名義抄には異体字「薇」に対して平声濁点を付した同音字注「微」二例を見出す。日本漢音は平声の蓋然性が高い。

　　薔 疾羊反／薔藤　　　　　　　　　　　　　　　（観智院本類聚名義抄／僧上 021-8）

　　薇 音微［平濁］／ワラヒ［平平平］　　　　　　　（観智院本類聚名義抄／僧上 021-8）

　　薇蕨 微厥［平濁入］／二音／ワラヒ［平平平濁］…　　（観智院本類聚名義抄／僧上 021-8）

　　芎藭　唐韻云芎藭 弓窮二音和名本草於無奈加豆良

　　香草也根曰芎藭苗曰藤蕪 微無二音藤或作薇　　（元和本倭名類聚抄／巻二十 19 オ 4）

▶番号2175b・2176b「璃」（瑠璃・流璃）の仮名音注「リ」については、基本的に -i で対応する。両当該字には平声点と上声点を差す。熟字「瑠璃」は右傍2175「ルリ」左傍2176「リウリ」を付載する。図書寮本類聚名義抄に平声点を付した同音字注「離」と上声点を付した俗云「利」を見出す。観智院本には同音字注「離」と俗云「リ」を見つける。元和本倭名類聚抄には同音字注「離」と俗云「利」がある。日本漢音は平声、定着久しい字音「リ」上声を認める。

瑠璃 川云流離［平平］二音 俗云留利［去上］…　　　　　　　　　　　（図書寮本類聚名義抄／158-4）

瑠瑠璃 流［リウ：墨右傍］離二音／俗云 ルリ　　　　　　　　　　（観智院本類聚名義抄／法中 015-3）

璃　野王案瑠璃 流離二音俗云留利 青色而如玉者也　　　（元和本倭名類聚抄／巻十一 18 ウ 2）

▶番号 2194b「璃」（瑠璃）の仮名音注「ト」については、異例 -o を示す。当該字には上声点を差す。熟字 2194「瑠璃」は左注「ルト」仮名音注を付載するが、これは「ルリ」の誤認か。上述の分析を参照。

▶番号 1362b・2071a・2072a・2111b「離」（別離・離別・離盃・流離）の仮名音注「リ」については、基本的に -i で対応する。当該諸字四例には平声点を差す。廣韻に拠れば、支/寘韻（lie$^{1/3}$）霽韻（lei^3）三音を有する。観智院本類聚名義抄に同音字注「音籬」と声調表記「去声」および去声点を付した和音「リ」を見出す。長承本蒙求には仮名音注「リ」があり、その掲出字に平声点を加える。日本漢音「リ」平/去声、日本呉音「リ」去声を認める。

離 音籬 去声 ハナル［平平上］… 和リ［去］　　　　　　（観智院本類聚名義抄／僧中 136-2）

離［平］リ　　　　　　　　　　　　　　　　　　　　　　　　（長承本蒙求／102）

▶番号 2023a・2023b・2177b「離」（離ミ・離ミ・流離）の仮名音注「リ」については、基本的に -i で対応する。当該諸字三例に声点はない。熟字 2023「離ミ」は左注「苗名」を付載する。上述の分析を参照。

離ミ フサナル［上平上平］　　　　　　　　　　　　　　　（観智院本類聚名義抄／僧中 136-3）

▶番号 0034b「籬」（瑞籬）の仮名音注「リ」については、基本的に -i で対応する。当該字には平声点を差す。熟字 0034「瑞籬」は右注「イカキ」左注「社垣也」左傍「イカキ」を付載する。観智院本類聚名義抄に平声点を付した同音字注「音離」を見出すが、仮名音注はない。元和本倭名類聚抄には同音字注「音離」がある。日本漢音は平声を認める。

籬 マカキ　　　　　　　　　　　　　　　　　　　　　　（観智院本類聚名義抄／僧上 058-4）

籬 音離［平］マカキ［平上濁平平］… 一云マセ［平平］シハカキ　（観智院本類聚名義抄／僧上 070-4）

瑞籬 ミツカキ［平平濁平上］／イカキ　　　　　　　　　（観智院本類聚名義抄／僧上 070-4）

籬 栫名附 釋名云籬 音離字亦作欐和名末加岐一云末世 …　　　（元和本倭名類聚抄／巻十 13 オ 5）

瑞籬　日本私記云瑞籬 俗云美豆加岐一云以賀岐　　　　（元和本倭名類聚抄／巻十三 08 ウ 4）

《下巻 支韻開口諸例》

▶番号 6897b「移」（推移）の仮名音注「イ」については、基本的に -i で対応する。当該字には平声点を差す。上巻の支韻開口当該例で分析したように、日本漢音「イ」平声、日本呉音「イ」を認める。

▶番号 5127a「羈」（羈旅）の仮名音注「キ」については、基本的に -i で対応する。当該字には

1074　3．仮名音注の韻母別考察　3-5　ⅢA韻類

平声点を差す。上巻の支韻開口当該例で分析したように、日本漢音は平声を認める。

　▶番号5090a・5105a・6934b「竒」（竒骨・竒恠・數竒）の仮名音注「キ」については、基本的に *i* で対応する。当該諸字三例には平声点を差す。熟字6934「數竒」は右傍「マサリカホナシ」を付載する。上巻の支韻開口当該諸例で分析したように、日本漢音「キ」平声、日本呉音「キ」を認める。

　▶番号5151a「竒」（竒特）の仮名音注「キ」については、基本的に *i* で対応する。当該字には上声点を差す。上述の分析を参照。

　▶番号4437「碕」（碕）の仮名音注「キ」については、基本的に *i* で対応する。当該字には平声点を差し、右注「同（サキ）」左注「曲岸也」を付載する。廣韻に拠れば、支韻（gieᶦ）支/紙韻（kʻieˡ/²）微韻（giʌiᶦ）四音を有する。観智院本類聚名義抄に平声点を付した同音字注「音竒」と反切「又巨機反」を見出すが、仮名音注はない。日本漢音は平声を認める。

> 碕 音竒［平］又巨機反／クマ マカレルキシ …　　　　　（観智院本類聚名義抄／法中004-2）
>
> 碕 正　　　　　　　　　　　　　　　　　　　　　　　　（観智院本類聚名義抄／法中004-3）

　▶番号5131a「騎」（騎用）の仮名音注「キ」については、基本的に *i* で対応する。当該字には去声点を差す。廣韻に拠れば、支/寘韻（gieˡ/³）二音を有する。なお諸声符の字形は「竒」である。観智院本類聚名義抄に反切「勒記反」〔＊帰納字音に疑義〕と声調表記「又平」を見出す。高山寺本篆隷萬象名義には反切「渠知反」がある。日本漢音は平声を認める。

> 騎 … 勒記反 ノル［上平］… 又平 同哥　　　　　　　　（観智院本類聚名義抄／僧中108-4）
>
> 騎 渠知反 乗馬也　　　　　　　　　　　　　　　　　　（高山寺本篆隷萬象名義／第六帖030 オ5）

　▶番号5388b「岐」（志岐傳）の仮名音注「キ」については、基本的に *i* で対応する。当該字には上声点を差す。熟字5388「志岐傳」は右注「高麗樂」を付載する。上巻の支韻開口当該諸例で分析したように、日本漢音「キ」平声を認める。

> 高麗樂曲　新鳥蘇 … 志岐傳 …　　　　　　　　　　　（元和本倭名類聚抄／巻四17 ウ2）

　▶番号5178a「岐」（岐嶷）の仮名音注「キ」については、基本的に *i* で対応する。当該字には去声点を差す。熟字5178「岐嶷」は左注「聡人㒵」を付載する。上述の分析を参照。

　▶番号4096d・4805b「岐」（阿佐豆岐・讃岐）の仮名音注「キ」については、基本的に *i* で対応する。両当該字に声点はない。熟字4096「阿佐豆岐」は右注「同（アサツキ［上上上上］）」左注「用之」を付載する。上述の分析を参照。

> 島蒜 楊氏漢語抄云島蒜 阿佐豆木本朝式文用之　　　　（元和本倭名類聚抄／巻十七16 オ9）
>
> 南海國第五十八／紀伊 … 讃岐 佐奴岐 …　　　　　　（元和本倭名類聚抄／巻五09 ウ8）

　▶番号5193a・5195a「祇」（祇園・祇陀林）の仮名音注「キ」については、基本的に *i* で対応する。両当該字に声点はない。観智院本類聚名義抄に平声点を付した同音字注「音岐」および去声濁点を付した和音「キ」を見出す。日本漢音は平声、日本呉音「ギ」去声を見出す。

祇 音岐 [平] カミ [平平] … 和キ [去濁]　　　　　（観智院本類聚名義抄／法下 002-2）

▶番号6323b「宜」（便宜）の仮名音注「キ」については、基本的に -i で対応する。当該字に平声点を差す。当該字「宜」と「冝」は相互に異体字である。観智院本類聚名義抄に平声濁点を付した同音字注「音儀」を見出すが、仮名音注はない。日本漢音は平声を認める。

宜 音儀 [平濁] ヨロシ [上上□] … ムヘナフ [上上濁□□] …　（観智院本類聚名義抄／法下 045-2）

冝 俗　　　　　　　　　　　　　　　　　　　　　（観智院本類聚名義抄／法下 045-3）

▶番号4555・4847a「冝」（冝・冝陽殿）の仮名音注「キ」については、基本的に -i で対応する。両当該字に平声点を差す。当該字「冝」と「宜」は相互に異体字である。番号4555「冝」は右注「同（サカナ）」を付載する。観智院本類聚名義抄に音注表記はない。

冝 ムヘ [上上濁]　　　　　　　　　　　　　　　　（観智院本類聚名義抄／僧下 125-6）

殿 名附出 唐令云殿電反 和名止乃 … 冝陽殿 在春興殿北 …（元和本倭名類聚抄／巻十 02 オ 8）

▶番号4551a・5115a「冝」（冝春・冝春）の仮名音注「キ」については、基本的に -i で対応する。両当該字に声点はない。熟字5115「冝春」は左注「酒名」を付載する。上述の分析を参照。

▶番号5017a・5148a「儀」（儀式・儀伏）の仮名音注「キ」については、基本的に -i で対応する。両当該字に平声点を差す。上巻の支韻開口当該諸例で分析したように、日本漢音は平声を認める。

▶番号4895「儀」（儀）の仮名音注「キ [平濁]」については、基本的に -i で対応する。当該字に声点はなく、その仮名音注に平声濁点を差すので、字音「ギ」を想定する。また左注「音冝」を付載する。上述の分析を参照。

▶番号5954c「儀」（従威儀師）の仮名音注「キ」については、基本的に -i で対応する。当該字に声点はない。上述の分析を参照。

▶番号6028「曦」（曦和）の仮名音注「キ」については、基本的に -i で対応する。当該字に声点はなく、右注「同（日名）」を付載する。観智院本類聚名義抄に同音字注「音義」を見出すが、仮名音注はない。

曦 音義 日光也 ヒ／ヒカル [平平□] カ、ヤク [上上□□]　（観智院本類聚名義抄／佛中 101-3）

▶番号5375b「戲」（冢戲）の仮名音注「キ」については、基本的に -i で対応する。当該字に声点はない。廣韻に拠れば、支/寘韻（xie¹ᐟ³）模韻（xuʌ¹）三音を有する。観智院本類聚名義抄に反切「香義反・香紀反」と声調表記「又平」および平声点を付した和音「ケ」を見出す。日本漢音は平声、日本呉音「ケ」平声を認める。

戲戲 通正／香義反 遊也 タハフル [上上上濁平／□□□レ] … 又平 和ケ [平]

　　　　　　　　　　　　　　　　　　　　　　　（観智院本類聚名義抄／僧中 039-7）

戲戲 … 下正 香紀反　　　　　　　　　　　　　　（観智院本類聚名義抄／僧中 044-1）

戲 香義反 タハフル … 和ケ　　　　　　　　　　　（天理大学本最勝王経音義／19 ウ 5）

1076　3．仮名音注の韻母別考察　3-5　ⅢA韻類

戯戯 通正 香義反 遊也 … 又平 和ケ　　　　　（鎮国守国神社本三寶類聚名義抄／下一 60 オ 1）

戯戯 … 下正 香紀反　　　　　　　　　　　　（鎮国守国神社本三寶類聚名義抄／下一 60 オ 2）

▶番号4590a「賷」（賷布）の仮名音注「シ」については、基本的に -i で対応する。当該字に平声点を差す。熟字4590「賷布」は右注「サヨミノヌノ」を付載する。観智院本類聚名義抄に同音字注「音賷」を見出すが、仮名音注はない。

賷 音賷 布 タカラ［平平平］… サイミ［布：右注］　　　（観智院本類聚名義抄／佛下本 015-5）

賷布 … 唐式云賷布 漢語抄云佐與美乃沼能今案賷布宜作帯布乎

　　　　　　　　　　　　　　　　　　　　　　　（元和本倭名類聚抄／巻十二 17 オ 2）

▶番号6117「髭」（髭）の仮名音注「シ」については、基本的に -i で対応する。当該字に平声点を差し、右注「ヒケ」左注「口上毛也」を付載する。上巻の支韻開口当該例で分析したように、日本漢音「シ」東声（四声体系では平声）を認める。

▶番号5837a「雌」（雌伏）の仮名音注「シ」については、基本的に -i で対応する。当該字に平声点を差す。観智院本類聚名義抄に同音字注「音斯」を見出すが、仮名音注はない。元和本倭名類聚抄に同音字注「音斯」がある。

雌 音斯 メトリ［平上濁平］…　　　　　　　　（観智院本類聚名義抄／僧中 133-4）

▶番号5877a「雌」（雌雄）の仮名音注「シ」については、基本的に -i で対応する。当該字に去声点を差す。上述の分析を参照。

雌雄 毛詩注云鳥之雌雄不別者以翼知之 … 左掩右雌 音斯和名米止利 …

　　　　　　　　　　　　　　　　　　　　　　　（元和本倭名類聚抄／巻十八 01 ウ 8）

▶番号5479a「雌」（雌黄）の仮名音注「シ」については、基本的に -i で対応する。当該字に声点はない。上述の分析を参照。

雌黄 兼名苑云雌黄一名金液 雌黄俗音之王 山有金其精薫則生雌黄耳

　　　　　　　　　　　　　　　　　　　　　　　（元和本倭名類聚抄／巻十三 12 オ 8）

▶番号4198・4889「疵」（疵・疵）の仮名音注「シ」については、基本的に -i で対応する。両当該字に平声点を差す。番号4198「疵」は右注「アサ［上平］」左注「疾移反黒病也」を、番号4889「疵」は右注「疾移反」左注「黒病也」を付載する。観智院本類聚名義抄に同音字注「音疵」を見出す。長承本蒙求には仮名音注「シ」があり、その掲出字に平声点を加える。元和本倭名類聚抄には反切「疾移反」を見つける。日本漢音「シ」平声を認める。

疵疵 今正 音疵／アサ［上平］キス［上上濁］　　　（観智院本類聚名義抄／法下 114-6）

疵［平］シ　　　　　　　　　　　　　　　　　　　　　　　（長承本蒙求／095）

疵 晋書云趙孟面有二疵 音疾移反師説阿佐　　　　（元和本倭名類聚抄／巻三 27 ウ 4）

▶番号5341「齘」（齘）の仮名音注「シ」については、基本的に -i で対応する。当該字に平声点を差し、右注「同（シ〻ムラ）疾智反」左注「骨猶有肉也」を付載する。観智院本類聚名義抄に

3-5-3　-ie 系の字音的特徴　1077

同音字注「音雌」を見出すが、仮名音注はない。

　　　背 音雌 人子鵩／又清音 シ、ムラ［平平平］　齒 正 …　　　（観智院本類聚名義抄／佛中 124-8）
　▶番号 3583・5476b「斯」（斯・華斯鶒）の仮名音注「シ」については、基本的に -i で対応する。両当該字に平声点を差す。番号 3583 は和訓「コ、ニ」の同訓異字として位置する。熟字 5476「華斯鶒」は左右注「霜雪／白」を付載する。観智院本類聚名義抄に反切「息移反」を見出すが、仮名音注はない。

　　　斯 息移反 … コ、ニ［平上上］… シロシ［平平上］　　　（観智院本類聚名義抄／僧中 035-3）
　▶番号 5689a「厮」（厮丁）の仮名音注「シ」については、基本的に -i で対応する。当該字に平声点を差す。熟字 5689「厮丁」は右傍「トネヲイフナリ」を付載する。観智院本類聚名義抄に同音字注「音斯」を見出すが、仮名音注はない。

　　　厮 音斯 儞同 養 ヤシナフ … ツカヒ イヤシ　　　（観智院本類聚名義抄／法下 102-5）
　▶番号 5792b「差」（參差）の仮名音注「シ」については、基本的に -i で対応する。当該字に平声点を差す。上巻の支韻開口当該例で分析したように、字音「シ」去声と「サイ」平声、和音「シヤ」平声を認める。

　▶番号 5912b「差」（參差）の仮名音注「シ」については、基本的に -i で対応する。当該字に声点はない。熟字 5912「參差」は別筆補入か。左傍「カタ、イ」を付載する。上述の分析を参照。

　▶番号 5498「醨」（醨）の仮名音注「リ」については、基本的に -i で対応する。当該字に平声点を差し、右注「又作麗」左注「下酒」を付載する。仮名の字形相似による「シ」の誤認か。廣韻に拠れば、支/紙韻（sie$^{1/2}$）魚韻（siʌ³）三音を有する。あるいは諧声符「麗」（霽韻 lei³）による字音の類推か。観智院本類聚名義抄に反切「疎綺／又所宜反」と「所宜反」（その反切下字に平声濁点）さらに声調表記「又上声」を見出す。元和本倭名類聚抄には反切と声調表記「所宜反又上聲」がある。日本漢音は平/上声を認める。

　　　麗 醨二正 疎綺／又所宜反 …　　　（観智院本類聚名義抄／僧中 010-4）
　　　醨 所宜 ［□平濁］反 又上声 シタム［平平上］ 俗云サケアク［上上上平濁］…
　　　　　　　　　　　　　　　　　　　　　（観智院本類聚名義抄／僧中僧下 056-3）
　　　醨 醨子附 … 唐韻云醨 所宜反又上聲醨酉佐介之太無俗云阿久 下酒也
　　　　　　　　　　　　　　　　　　　　　（元和本倭名類聚抄／巻十六 10 オ 9）

　▶番号 4391a「支」（支離）の仮名音注「シ」については、基本的に -i で対応する。当該字に東声点を差す。熟字 4391「支離」は右注「アツシ［上上濁上］」左注「病也」を付載する。観智院本類聚名義抄に同音字注「音枝」を見出すが、仮名音注はない。

　　　支 音枝 サ、フ［平平□］…　　　（観智院本類聚名義抄／僧中 052-3）
　　　支離 ソ、ケタリ［上上平□□］／アツシ［上上濁上］…　　　（観智院本類聚名義抄／僧中 136-3）
　▶番号 5628a・5747a「支」（支配・支度）の仮名音注「シ」については、基本的に -i で対応す

1078　3．仮名音注の韻母別考察　3-5　ⅢA韻類

る。両当該字に平声点を差す。熟字5628「支配」は右傍「サ∑ヘ　クハル」を付載する。上述の分析を参照。

　▶番号4429b・5903a「支」（阿支那・支度相違）の仮名音注「シ」については、基本的に -i で対応する。両当該字に声点はない。熟字4429「阿支那」は阿篇姓氏部に属する。上述の分析を参照。

　▶番号3748・5187b・5974b「枝」（枝・九枝・芳枝）の仮名音注「シ」については、基本的に -i で対応する。当該諸字三例に平声点を差す。番号3748「枝」は右注「エタ」を付載する。上巻の支韻開口当該諸例で分析したように、日本漢音「シ」東声（四声体系では平声）を認める。

　▶番号3764「肢」（肢）の仮名音注「シ」については、基本的に -i で対応する。当該字に平声点を差し、右注「エタ　章移反」左注「又作𦜝四肢／二手／二足也」を付載する。観智院本類聚名義抄に同音字注「音支」二例を見出すが、仮名音注はない。元和本倭名類聚抄には反切「章移反」がある。

　　　𦜝 肌二或 肢正／音支 エタ　　　　　　　　　　　（観智院本類聚名義抄／佛上087-8）
　　　胑肢 𦜝 音支 ニコケ エタ［上上濁］　　　　　　（観智院本類聚名義抄／佛中122-7）
　　　肢体　野王案肢 章移反字亦作𦜝和名衣太 四体也 …　　　（元和本倭名類聚抄／巻三07 ウ 6）

　▶番号4561「卮」（卮）の仮名音注「シ」については、基本的に -i で対応する。当該字に平声点を差し、右注「同（サカツキ）」を付載する。観智院本類聚名義抄に同音字注「音支」を見出すが、仮名音注はない。元和本倭名類聚抄に同音字注「音支」がある。

　　　卮卮 今正 … 音支／サカツキ［上上上濁平］　　　（観智院本類聚名義抄／僧下078-2）
　　　杯盞　兼名苑云一名卮 盃亦作杯卮音支和名佐賀都木 …　　（元和本倭名類聚抄／巻十六08 オ 8）

　▶番号6778a「楮」（楮柱）の仮名音注「シ」については、基本的に -i で対応する。当該字に平声点を差す。熟字6778「スケ［上上］」中左注「支屋／𣀈也」を付載する。観智院本類聚名義抄に同音字注「音支」を見出すが、仮名音注はない。元和本倭名類聚抄に同音字注「音支」がある。

　　　楮 音支 スケ［上上］／柱也 下也 載也　　　　（観智院本類聚名義抄／佛下本108-3）
　　　楮柱　唐韻云楮 音支 柱 今案和名須介 支屋𣀈也　　　　（元和本倭名類聚抄／巻十五11 ウ 5）

　▶番号5121a「楮」（楮柱）の仮名音注「キ」については、基本的に -i で対応する。当該字に平声点を差す。諸声符「耆」（脂韻 giei）による字音把握と推測する。上述の分析を参照。

　▶番号5597a・6105b・6646b「施」（施行・西施・西施）の仮名音注「シ」については、基本的に -i で対応する。当該諸字三例に平声点を差す。上巻の支韻開口当該例で分析したように、日本漢音「シ」東声（四声体系では平声）と去声を認める。

　▶番号5568b・6635a・6764a「施」（信施・施入・施薬院）の仮名音注「セ」については、基本的に -e で対応する。当該諸字三例に声点はない。上述の分析を参照。

　　　樓　辨色立成云 太加止乃 一云 和名呂／施薬樓 …　　（元和本倭名類聚抄／巻十04 オ 3）

▶番号5864b「知」（知）の仮名音注「チ」については、基本的に -i で対応する。当該字に平声点を差す。上巻の支韻開口当該諸例で分析したように、日本漢音「チ」東声（四声体系では平声）日本呉音「チ」去声を認める。

▶番号5826b・5900d「知」（所知・死生不知）の仮名音注「チ」については、基本的に -i で対応する。両当該字に声点はない。上述の分析を参照。

▶番号6814a「魑」（魑魅）の仮名音注「チ」については、基本的に -i で対応する。当該字に平声点を差す。熟字6814「魑魅」は右注「スタマ」を付載する。上巻の支韻開口当該例で分析したように、日本漢音「チ」平声、日本呉音「チ」を見出す。

▶番号6441「黐」（黐）の仮名音注「チ」については、基本的に -i で対応する。当該字に平声点を差し、右注「モチ［上上］」中注「丑知反」左注「鳥取具」を付載する。なお、前田本の当該字形「糖」を「黐」に修正した。廣韻に拠れば、支韻（ȶʰieˡ・lieˡ）二音を有する。観智院本類聚名義抄に反切「勅離反」二例と反切「丑知反」さらに同音字注「音魑」を見出すが、仮名音注はない。元和本倭名類聚抄に反切「丑知反」がある。

    䐈 勅離反／黐正   （観智院本類聚名義抄／佛中113-1）

    黐 勅離反 黏   （観智院本類聚名義抄／法下028-5）

    黐 音魑 モチ［上上］   （観智院本類聚名義抄／僧下103-4）

    黐 … 丑知反 粘鳥   （観智院本類聚名義抄／僧下116-4）

    黐 揆附 唐韻云黐 丑知反和名毛知 所以黏鳥也 … （元和本倭名類聚抄／巻十五07 オ6）

▶番号5008b「池」（鳳池）の仮名音注「チ」については、基本的に -i で対応する。当該字に声点はない。上巻の支韻開口当該諸例で分析したように、日本漢音は平声を認める。

▶番号3816b・6531c「兒」（嬰児・千金女兒）の仮名音注「シ」については、基本的に -i で対応する。両当該字に平声点を差す。観智院本類聚名義抄に和音「ニ」を見出す。長承本蒙求には仮名音注「シ」があり、その掲出字に平声加濁点を加える。元和本倭名類聚抄には反切「女移反」を見つける。日本漢音「ジ」平声、日本呉音「ニ」を認める。

    児兒 上俗下正／コ チコ 和ニ   （観智院本類聚名義抄／佛下末015-6）

    嬰兒 アキムト［平平上上］   （観智院本類聚名義抄／佛下末015-7）

    兒［平／平：加濁］シ   （長承本蒙求／070）

    嬰兒 蒼頡篇云女曰嬰 於盈反 男曰兒 女移反 … （元和本倭名類聚抄／巻二08 ウ1）

    性調曲 西河 按弓士 千金女兒 …   （元和本倭名類聚抄／巻四16 オ9）

▶番号5894a「兒」（兒女子）の仮名音注「シ」については、基本的に -i で対応する。当該字に声点はない。熟字5894「兒女子」は左注「又上字士」を付載する。上述の分析を参照。

▶番号3732b「兒」（健兒）の仮名音注「ニ」については、基本的に -i で対応する。当該字に声点はない。熟字3732「健兒」は右注「諸國健兒」を付載する。上述の分析を参照。

1080　3．仮名音注の韻母別考察　3-5　ⅢA韻類

▶番号5306「羆」（羆）の仮名音注「ヒ」については、基本的に *i* で対応する。当該字に平声点を差し、右注「シクマ」左注「彼為反」を付載する。観智院本類聚名義抄に同音字注「音俾」を見出すが、仮名音注はない。元和本倭名類聚抄には同音字注「音碑」がある。

　　　羆 音俾 シクマ　　　　　　　　　　　　　　　　　　　（観智院本類聚名義抄／佛下末052-1）

　　　羆 爾雅集注云羆 音碑和名之久萬 …　　　　　　　　　（元和本倭名類聚抄／巻十八17オ5）

▶番号6182「碑」（碑）の仮名音注「ヒ［平］」については、基本的に *i* で対応する。当該字に声点はなく、その仮名音注に平声点を差す。また左注「彼為反」を付載する。図書寮本類聚名義抄に同音字注「季云音陂」（その平声点位置に仮名音注「ヒ」）と反切「广云彼為反」を見出す。観智院本には同音字注「陂音」を見つけるが、仮名音注はない。日本漢音「ヒ」平声を認める。

　　　碑 季云音陂 ［ヒ：平声点位置］　　　　　　　　　　　（図書寮本類聚名義抄／148-3）

　　　碑闕 广云彼為反 …　　　　　　　　　　　　　　　　　（図書寮本類聚名義抄／155-3）

　　　碑 陂音 シルス／フムタ　　　　　　　　　　　　　　（観智院本類聚名義抄／法中002-6）

▶番号6252a「卑」（卑下）の仮名音注「ヒ」については、基本的に *i* で対応する。当該字に平声点を差す。観智院本類聚名義抄に反切「補支反」と「和平」を見出す。承暦本金光明最勝王経音義には仮名音注「ヒ」がある。日本呉音「ヒ」平声を認める。

　　　卑 補支反 イヤシ … 和平　　　　　　　　　　　　　　（観智院本類聚名義抄／佛中111-2）

　　　卑 ヒ［：右傍］〔＊後筆墨書〕　　　　　　　　　（承暦本金光明最勝王経音義／08オ2）

▶番号3388b「痺」（喉痺）の仮名音注「ヒ」については、基本的に *i* で対応する。当該字に平声点を差す。熟字3388「喉痺」は右注「コヒ［平平］」左注「喉腫也」右傍「コウヒ」仮名音注を付載する。観智院本類聚名義抄に反切「頻寐反」を見出すが、仮名音注はない。元和本倭名類聚抄には「喉痺」に対して同音字注「侯婢二音」と「俗訛云古比」がある。馴化し定着久しい字音「ヒ」の可能性を指摘しておく。

　　　痺 … 頻寐反 脚也 痺今　　　　　　　　　　　　　　（観智院本類聚名義抄／法下118-3）

　　　喉痺 病源論云喉痺 侯婢二音俗訛云古比 喉裏腫塞痺痛水漿不得入是也

　　　　　　　　　　　　　　　　　　　　　　　　　　　（元和本倭名類聚抄／巻三19ウ4）

▶番号6125b「痺」（痿痺）の仮名音注「ヒ」については、基本的に *i* で対応する。当該字に去声点を差す。熟字6125「痿痺」は右注「ヒルムヤマヒ」左傍「ヒルム ヒルム」を付載する。上述の分析を参照。

　　　痿痺 蒼頡篇云痿痺 萎婢二音俗云比留無夜末比 不能行也　（元和本倭名類聚抄／巻三20ウ8）

▶番号6099a・6312a「裨」（裨販・裨并）の仮名音注「ヒ」については、基本的に *i* で対応する。両当該字に平声点を差す。熟字6099「裨販」は右注「ヒサキヒト」左注「賣男也」を付載する。上巻の支韻開口当該例で分析した。

　　　裨販 文選西京裨賦云販夫婦 和名比佐岐比止 …　　　　　（元和本倭名類聚抄／巻二09ウ6）

3-5-3　-ie 系の字音的特徴　1081

▶番号6322a「裨」（裨補）の仮名音注「ヒ」については、基本的に -i で対応する。当該字に上声点を差す。熟字6322「裨補」は右傍「ヲキヌノ」を付載する。上述の分析を参照。

▶番号6074「鶙」（鶙）の仮名音注「ヒ」については、基本的に -i で対応する。当該字に平声点を差し、右注「ヒエトリ」左注「卑匹二音」を付載する。廣韻に拠れば、支韻 (pjie¹) 質韻 (p'jiet) 二音を有する。観智院本類聚名義抄に同音字注「卑匹二音」を見出すが、仮名音注はない。元和本倭名類聚抄には同音字注「音卑一音匹」がある。

　　　鶙 卑匹二音／ヒエトリ …　　　　　　　　　（観智院本類聚名義抄／僧中114-4）

　　　鶙 崔禹錫食經云鶙 音卑一音匹和名比衣土里 …　　（元和本倭名類聚抄／巻十八06 オ 7）

▶番号4576「鞞」（鞞）の仮名音注「ヒ」については、基本的に -i で対応する。当該字に声点はなく、右注「同（サヤ）釖鞞也」を付載する。支/紙韻 (pjie¹ᐟ²) 薺韻 (bei¹) 迥韻 (peŋ²) 四音を有する。観智院本類聚名義抄に反切「必履反」と同音字注「卑音」および平声点を付した和音「ヒ」（その右傍に朱筆で濁音「✓」表記）さらに仮名音注「ヘイ」上声を見出す。日本漢音「ヘイ」上声、日本呉音「ビ」平声を認める。

　　　鞞 サヤ［平上］和ヒ［平／✓：朱右傍］…　　　（観智院本類聚名義抄／僧中073-7）

　　　鞞 … 必履反 説文卑音／フルフ … 玉補頂反鞸鞞刀室　（観智院本類聚名義抄／僧中078-6）

　　　鞞鞛［上上／ヘイホウ：朱右傍］　　　　　　　（観智院本類聚名義抄／僧中078-7）

▶番号3881a・6319a・6325a・6326a・6342a「披」（披香・披露・披陳・披閲・披香）の仮名音注「ヒ」については、基本的に -i で対応する。当該諸字五例に平声点を差す。観智院本類聚名義抄に反切「普彼反・敷碑反」を見出すが、仮名音注はない。

　　　披 普彼反 ヒラク［平平上］… 和平 …　　　　（観智院本類聚名義抄／佛下本050-5）

　　　披 … 敷碑反 擔／ヒラク［平平□］　　　　　　（観智院本類聚名義抄／僧中069-7）

▶番号4864b・6261a「皮」（甘皮・皮膚）の仮名音注「ヒ」については、基本的に -i で対応する。両当該字に平声点を差す。熟字4864「甘皮」は右注「キカハ」左注「一名橘皮 其色黄義也」を付載する。上巻の支韻開口当該諸例で分析したように、日本漢音は平/去声を認める。

　　　甘皮　本草云橘皮一名甘皮 和名木加波其色黄之義也　（元和本倭名類聚抄／巻十七11 ウ 9）

　　　橘皮　本草注云橘皮一名甘皮 和名太知波奈乃加波一云木加波

　　　　　　　　　　　　　　　　　　　　　　　　　（元和本倭名類聚抄／巻十六23 ウ 7）

▶番号3912c「皮」（綴牛皮）の仮名音注「ヒ［平］」については、基本的に -i で対応する。当該字に声点はなく、その仮名音注に平声点を差す。熟字3912「綴牛皮」は右注「テコヒ（平上濁平）」を付載する。上述の分析を参照。

▶番号4567b「皮」（作皮）の仮名音注「ヒツ［上平］」については、異例 -it を示す。当該字に声点はない。熟字4567「作皮」は左注「移鞍切付也」右注「サヒツ［去上平］」仮名音注を付載する。広辞苑第七版は見出し語「左筆」において「太刀の尻鞘しりざやや下鞍したぐらなどに虎斑とらふなどを

1082 　3．仮名音注の韻母別考察　3-5　ⅢA韻類

極彩色に描いたもの」と説明する。上述の分析を参照。

　▶番号6271a「紕」（紕繆）の仮名音注「ヒ」については、基本的に -i で対応する。当該字に平
声点を差す。廣韻に拠れば、支韻（bjie¹）脂韻（p'jiei¹）止韻（tś'iei²）三音を有する。図書寮本類
聚名義抄に反切「匹毗反」と同音字注「类云音辟」を見出す。観智院本には同音字注「音辟・或毗
音」と反切「匹弥反・俗又布迷反」を見つけるが、仮名音注はない。元和本倭名類聚抄には反切「匹
夷反」がある。

　　　　紕繆 … 上乱也 匹毗反　　　　　　　　　　　　　　　　　　　（図書寮本類聚名義抄／098-5）

　　　　紕繆 类云辟音 … 川云／万与布［平平上］一云与流［上平］…　　（図書寮本類聚名義抄／316-6）

　　　　紕 音辟 － 匹弥反 俗又布迷反 或毗音／マヨフ［平平上］…　　（観智院本類聚名義抄／法中119-6）

　　　　紕繆 アヤマル　　　　　　　　　　　　　　　　　　　　　　（観智院本類聚名義抄／法中119-7）

　　　　絁 紕字附 … 紕 匹夷反漢語抄云萬與布一云與流 …　　　　　（元和本倭名類聚抄／巻十二16 オ6）

　▶番号6245a「弥」（弥留）の仮名音注「ヒ」については、基本的に -i で対応する。当該字に平
声濁点を差すので、字音「ビ」を想定する。その中古音が示す頭子音 m-（等韻学の術語で言う唇音
清濁明母）は日本語のマ行音をもって受容するが、中国語音韻史上における鼻音声母の非鼻音化(22)
を反映する場合はバ行音で対応する。熟字6245「弥留」は右傍「ヒサシク ト、マル」を付載する。
観智院本類聚名義抄に反切「武移反」および去声点を付した和音「ミ」を見出す。日本呉音「ミ」
去声を認める。

　　　　弥彌 … 武移反 ミッ［平平］… 和ミ［去］　　　　　　　（観智院本類聚名義抄／僧中025-6）

　▶番号5328b「弥」（沙弥）の仮名音注「ヒ」については、基本的に -i で対応する。当該字に声
点はない。上述の分析を参照。

　▶番号3339a・5285a「獼」（獼猴桃・獼猴桃）の仮名音注「ミ」については、基本的に -i で対
応する。両当該字に去声点を差す。熟字3339「獼猴桃」は右注「コクハ」左注「又シラクチ」を、
熟字5285「獼猴桃」は右注「シラフチ［□□ク□］」左注「又コクハ」を付載する。観智院本類聚
名義抄に平声点を付した同音字注「弥」を見出すが、仮名音注はない。承暦本金光明最勝王経音義
には同音字注「弥音」があり、その掲出字に去声点を加える。日本呉音「ミ」去声を認める。

　　　　獼猴 弥侯［平平濁］二音／サル［平上］　　　　　　　（観智院本類聚名義抄／佛下本127-7）

　　　　獼［去］弥ミ　　　　　　　　　　　　　　　　　（承暦本金光明最勝王経音義／10 ウ5）

　　　　　先可知所付借字　　　　　　　　　　　　　　　（承暦本金光明最勝王経音義／01 オ7）

　　　　女［上］馬［平］面［平］美［平］弥［上］…　　（承暦本金光明最勝王経音義／01 ウ6）

　　　　獼猴桃 七巻食經云獼猴桃 和名之良久知一云古久波　　（元和本倭名類聚抄／巻十七08 オ4）

　▶番号4485a「獼」（獼猴）の仮名音注「ミ」については、基本的に -i で対応する。当該字に声
点はない。熟字4485「獼猴」は右注「同（サル）」を付載する。上述の分析を参照。

　▶番号4391b「離」（支離）の仮名音注「リ」については、基本的に -i で対応する。当該字に平

声点を差す。熟字4391「支離」は右注「アツシ［上上濁上］」左注「病也」を付載する。上巻の支韻開口当該諸例で分析したように、日本漢音「リ」平/去声、日本呉音「リ」去声を認める。

　▶番号5393・6140b・6425「醨」（醨・神醨・醨）の仮名音注「リ」については、基本的に -i で対応する。当該諸字三例に平声点を差す。番号5393「醨」は右注「同（シル）」左注「酒薄也」を、熟字6140「神醨」は右注「同（ヒホロキ）」左注「俗用之」を、番号6425「醨」は右注「モソコ［□□平］酒薄也」左注「又シル」を付載する。観智院本類聚名義抄に同音字注「音離」を見出すが、仮名音注はない。元和本倭名類聚抄には同音字注「音離」がある。

　　　醨 音離 シル［平上］／一云モソロ［上上上］…　　　　（観智院本類聚名義抄／僧下 059-7）

　　　醨　唐韻云醨 音離和名之流一云毛曾呂 酒薄也　　　　（元和本倭名類聚抄／巻十六 11 オ 5）

《上巻 紙韻開口諸例》

　▶番号0173a「倚」（倚子）の仮名音注「イ［去］」については、基本的に -i で対応する。当該字に声点はなく、その仮名音注に去声点を差す。廣韻に拠れば、紙/寘韻（'ie²³）二音を有する。熟字0173「倚子」は左注「胡床之類也」右注「イシ［去上］」仮名音注を付載するので、その調値は「●●」（実際には二音節三拍「○●●」）である。観智院本類聚名義抄に上声点を付した同音字注「音猗」（その右傍に朱筆で仮名音注「イ」）を見出す。長承本蒙求には仮名音注「イ」があり、その掲出字に東声点を加える。日本漢音「イ」上声を認める。なお東声については保留する。

　　　倚 音猗［上／イ：朱右傍］ヨル［上□］… ヨリフス　　　（観智院本類聚名義抄／佛上 003-3）

　　　倚子 イシ　　　　　　　　　　　　　　　　　　　（観智院本類聚名義抄／佛上 003-4）

　　　倚［東］イ／イ〔＊上声の誤認か〕　　　　　　　　（長承本蒙求／008）

　　　倚　本朝式云紫宸殿設黒柿倚子　　　　　（元和本倭名類聚抄／巻十四 17 オ 2）

　▶番号0320a「倚」（倚蘭）の仮名音注「イ」については、基本的に -i で対応する。当該字には去声点を差す。上述の分析を参照。

　▶番号2254・2700「綺」（綺・綺）の仮名音注「キ」については、基本的に -i で対応する。両当該字には上声点を差す。それら諸声符の字形は「竒」である。番号2254「綺」は右注「ヲリモノ」を、番号2700「綺」は右注「カムハタ又ヲリモノ」左注「以綿而薄者也」を付載する。観智院本類聚名義抄に反切「渠几反・虚彼反」と「俗云キ」および平声点を付した和音「キ」を見出す。元和本倭名類聚抄には反切「虚彼反」と「俗云岐」がある。日本呉音「キ」平声、定着久しい字音「キ」を認める。

　　　巾+竒 渠几反 羅 正綺　　　　　　　　　　　　（観智院本類聚名義抄／法中 105-3）

　　　綺 虚彼反 カムハタ［上上上濁平］一云オリ物［上上上］… 俗云／キ 和キ［平］

　　　　　　　　　　　　　　　　　　　　　　　（観智院本類聚名義抄／法中 134-1）

1084　3．仮名音注の韻母別考察　3-5　ⅢA韻類

綺　蔣䰛切韻云綺 虚彼反俗云岐一云於利毛能又一訓加無波太 似錦而薄者也 …

(元和本倭名類聚抄／巻十二 14 ウ 5)

▶番号1982b「綺」（綾綺殿）の仮名音注「キ」については、基本的に -i で対応する。当該字に
は上声濁点を差すので、日本語音韻史上の連濁による字音「ギ」を想定する。なお諧声符の字形は
「奇」である。上述の分析を参照。

殿　名附出 唐令云殿電反 和名止乃 … 綾綺殿 在宜陽殿北　　　（元和本倭名類聚抄／巻十 02 オ 8）

▶番号0970b「紫」（如紫䕨+胵）の仮名音注「シ」については、基本的に -i で対応する。当該
字には上声点を差す。熟字0970「如紫䕨+胵」は右注「ニヨシツカ」を付載する。図書寮本類聚名
義抄に上声点を付した同音字注「音訾」と去声点を付した仮名音注「真云シ」を見出す。観智院本
類聚名義抄に同音字注「訾音」および去声点を付した和音「シ」を見つける。日本漢音は上声、日
本呉音「シ」去声を認める。

紫　音訾［上］真云色赤黒也 玉云／青赤色 真云シ［去］　　　　（図書寮本類聚名義抄／310-1）

紫　訾音 和シ［去］／ムラサキ［平上上平］ツ・ム　　　　　　（観智院本類聚名義抄／法中 135-1）

▶番号0085a「紫」（紫鱗）の仮名音注「シ」については、基本的に -i で対応する。当該字には
去声点を差す。上述の分析を参照。

▶番号1963b・1980b「紫」（筑紫・筑紫）の仮名音注「シ」については、基本的に -i で対応す
る。両当該字に声点はない。熟字1980「筑紫」は左注「連」を付載する。池篇姓氏部に属する。上
述の分析を参照。

筑前 筑紫乃三知乃久知　筑後 筑紫乃三知乃之里 …　　　　　（元和本倭名類聚抄／巻五 10 オ 2）

▶番号0323b「徙」（移徙）の仮名音注「シ」については、基本的に -i で対応する。当該字には
上声点を差す。観智院本類聚名義抄に反切「思紫反」を見出すが、仮名音注はない。

徙 … 思紫反／ウツル ウツス［□□上］ウツロフ　　　　　　（観智院本類聚名義抄／佛上 039-7）

▶番号0646「屣」（屣）の仮名音注「シ」については、基本的に -i で対応する。当該字に声点
はなく、右注「ハキモノ」を付載する。廣韻に拠れば、紙/寘韻（ṣie²³）二音を有する。観智院本類
聚名義抄に反切「所解反」と同音字注「又纚音」さらに声調表記「又平去」を見出す。長承本蒙求
には仮名音注「シ」があり、その掲出字に去声点を加える。元和本倭名類聚抄に反切「所綺反」と
同音字注「與徙同」がある。日本漢音「シ」去声を認める。平声は保留する。

屣　所解反 又纚音／ハキ物 クツ 又平去　　　　　　　　　　（観智院本類聚名義抄／法下 090-2）

屣［去］シ　　　　　　　　　　　　　　　　　　　　　　　（長承本蒙求／076）

屣屣　史記注云屣 所綺反與徙同 …　　　　　　　　　　　　（元和本倭名類聚抄／巻十二 27 ウ 2）

▶番号2505a「枳」（枳椇）の仮名音注「シ」については、基本的に -i で対応する。当該字には
上声点を差す。熟字2505「枳椇」は右注「カラタチ」を付載する。観智院本類聚名義抄に上声点を
付した同音字注「音只」と反切「居只反」（その反切下字に上声点）および去声点を付した和音「キ」

を見出す。天理大学本最勝王経音義には同音字注「音只」（その右傍に墨筆で「シ」）を見つける。元和本倭名類聚抄には同音字注「只」がある。日本漢音「シ」上声、日本呉音「キ」去声を認める。

　　　　枳 音只［上］玉也 居只［平上］反 橘也 カラタチ［平平平平］／被只字 和キ［去］

　　　　　　　　　　　　　　　　　　　　　　　（観智院本類聚名義抄／佛下本093-2）

　　　　枳 音只［シ：墨右傍］居只反／カラタチ　　　　（天理大学本最勝王経音義／06ウ6）

　　　　枳椇　本草云枳椇 只矩二音和名加良太知 …　　（元和本倭名類聚抄／巻二十31ウ1）

　▶番号2747「紙」（紙）の仮名音注「シ」については、基本的に -ie で対応する。当該字には上声点を差し、右注「カミ又乍㫋」左注「奥網白麻蔡倫」を付載する。図書寮本類聚名義抄に反切「之氏反」（その反切下字に上声点）と上声点を付した同音字注「音只」を見出す。観智院本には反切「之氏反」と上声点を付した同音字注「音只」を見つける。長承本蒙求に仮名音注「シ」があり、その掲出字に上声点を加える。日本漢音「シ」上声を認める。

　　　　㫋 玉云之氏［囗上］反 荅也 紙字　　　　　　　（図書寮本類聚名義抄／283-7）

　　　　紙 音只［上］… 川云／古文作㫋 和云賀美［上平］…　（図書寮本類聚名義抄／315-4）

　　　　㫋 紙 上通下正／之氏反　　　　　　　　　　　（観智院本類聚名義抄／法中110-3）

　　　　紙 音只［上］古㫋／カミ［上平］　　　　　　　（観智院本類聚名義抄／法中135-6）

　　　　紙［上］シ　　　　　　　　　　　　　　　　　（長承本蒙求／075）

　　　　紙　兼名苑注云紙古文作㫋 和名加美 …　　　（元和本倭名類聚抄／巻十三09オ9）

　▶番号1306b「紙」（褾紙）の仮名音注「シ」については、基本的に -ie で対応する。当該字には平声点を差す。熟字1306「褾紙」は右注「ヘウシ俗」仮名音注を付載する。定着久しい字音に「俗」表記を付載するか。上述の分析を参照。

　▶番号3135b「阤」（陂阤）の仮名音注「チ」については、基本的に -ie で対応する。当該字には平声点を差す。廣韻に拠れば、澄母紙韻（ḍie²）書母紙韻（śie²）二音を有する。熟字3135「陂阤」は右注「カタクツレ」を付載する。観智院本類聚名義抄に同音字注「音豸」（その右注に墨筆で仮名音注「チ」）と同音字注「又音豸」を見出す。日本漢音「チ」を認める。

　　　　豸 蟲豸 … 池爾切十二 … 阤 落也說文云小崩也 …　　（宋本廣韻／澄母紙韻 ḍie²）

　　　　弛 釋也 … 施是切三 豕 豬也 阤 壞也又音豸　　　　（宋本廣韻／澄母紙韻 śie²）

　　　　阤 音豸［チ：墨右注］オツ／又音豕／クツル アハクル　（観智院本類聚名義抄／法中043-3）

　▶番号1357b「尒」（蔑尒）の仮名音注「シ」については、基本的に -ie で対応する。当該字には平声濁点を差すので、字音「ジ」を想定する。熟字1357「蔑尒」は右傍「イルカセ」を付載する。観智院本類聚名義抄に上声濁点を付した「音迩」および和音「ニ」を見出す。長承本蒙求には仮名音注「シ」があり、その掲出字に上声加濁点を加える。日本漢音「ジ」上声、日本呉音「ニ」を認める。

　　　　尔尒 通正 音迩［上濁］ナムチ［上上上濁］… 和ニ　　（観智院本類聚名義抄／僧中003-1）

1086　3．仮名音注の韻母別考察　3-5　ⅢＡ韻類

　　　尓［上／上：加濁］シ　　　　　　　　　　　　　　　　　　　　　（長承本蒙求／149）
　▶番号2867b「迩」（遐迩）の仮名音注「シ」については、基本的に -i で対応する。当該字には平声濁点を差すので、字音「ジ」を想定する。その中古音が示す頭子音 ń-（等韻学の術語で言う日母）は硬口蓋鼻音であり、日本語のナ行音をもって受容するが、中国語音韻史上における鼻音声母の非鼻音化（denasalization）を反映する場合はザ行音で対応する。観智院本類聚名義抄に同音字注「尒音」を見出すが、仮名音注はない。

　　　尒 尒音 チカシ マタ …　　　　　　　　　　　　　（観智院本類聚名義抄／佛上046-1）
　▶番号0375a・2418b「迩」（迩摩・和迩部）の仮名音注「ニ」については、基本的に -i で対応する。両当該字に声点はない。熟字0357「迩摩」は伊篇国郡部に、熟字2418「和迩部」は和篇姓氏部に属する。上述の分析を参照。

　　　石見國 國府在那賀郡 ・ 安濃　邇摩 …　　　　　　　（元和本倭名類聚抄／巻五22 オ5）
　▶番号2344b「被」（横被）の仮名音注「ヒ」については、基本的に -i で対応する。当該字には平声濁点を差すので、字音「ビ」を想定する。その中古音（紙韻 bieᵉ）が示す頭子音 b-（等韻学の術語で言う唇音濁並母）は日本語のバ行音をもって受容するが、中国語音韻史上における濁音声母の無声化を反映する場合はハ行音で対応する。熟字2344「横被」は左注「帔同」右注「ワウヒ俗」仮名音注を付載する。仏教用語で僧が法衣に袈裟を着る時に右肩へ掛ける長方形の布を指す。図書寮本類聚名義抄に反切「茲云皮義反」（その反切下字に去声濁点）と反切「方云皮彼反」を見出す。加えて熟字「横被」に対して同音字注「川云王微［平平濁］二音」を見出す。観智院本には反切「皮彼反」（その反切下字に上声点）と声調表記「又去」を見つける。後者は切韻を撰述して以降の中国語において、上声濁（ここでは並母上声濁）が次第に去声化を起こした状態示すもので、これを日本漢音では反映する。これは上声を構成する上声軽と上声重とが allotone であり、後者の調値が去声と区別できないことを示すとも言える。長承本蒙求には仮名音注「ヒ」二例があり、それらを含む掲出字三例に去声点を加える。日本漢音「ヒ」上/去声を、定着久しい字音は平声を認める。

　　　被服 茲云皮義［□去濁］反 … 方云皮彼反 …　　　　　（図書寮本類聚名義抄／334-6）
　　　横被 川云俗云王微［平平濁］二音　　　　　　　　　　（図書寮本類聚名義抄／335-1）
　　　被 皮彼［□上］反 … カツク 又去 ツク　　　　　　　（観智院本類聚名義抄／法中146-5）
　　　被［去］ヒ　　　　　　　　　　　　　　　　　　　　　（長承本蒙求／026）
　　　被［去］ヒ／ヒ　　　　　　　　　　　　　　　　　　　（長承本蒙求／075）
　　　被［去］　　　　　　　　　　　　　　　　　　　　　　（長承本蒙求／119）
　▶番号2170b「婢」（奴婢）の仮名音注「ヒ」については、基本的に -i で対応する。当該字には平声濁点を差すので、字音「ビ」を想定する。観智院本類聚名義抄に反切「便俾反」および平声点を付した和音「ヒ」を見出す。日本呉音「ヒ」平声を認める。

　　　婢 便俾反 ヤツコ［□上上］／和ヒ［平］　　　　　　（観智院本類聚名義抄／佛中013-7）

3-5-3　-ie 系の字音的特徴　1087

《下巻　紙韻開口諸例》

▶番号5754b「偯」（徙偯）の仮名音注「イ」については、基本的に -i で対応する。当該字には上声点を差す。熟字5754「徙偯」は中左注「シイ　思／惟也」を付載する。上巻の紙韻開口当該例で分析したように、日本漢音「イ」東声（四声体系では平声）を認める。

▶番号5009a「綺」（綺閣）の仮名音注「キ」については、基本的に -i で対応する。当該字には上声点を差す。なお諸声符の字形は「竒」である。上巻の紙韻開口当該諸例で分析したように、日本呉音「キ」平声、定着久しい字音「キ」を認める。

▶番号4911・5111a「綺」（綺・綺羅）の仮名音注「キ」については、基本的に -i で対応する。両当該字に声点はない。これら諸声符の字形は「竒」である。番号4911「綺」は右注「一云オリモノ」左注「又カムハタ」を付載する。上述の分析を参照。

　　　羅　唐韻云羅 魯何反此間云良一云蟬翼　綺羅亦網羅也　　　（元和本倭名類聚抄／巻十二 15 オ 9）

▶番号3746a・4109a・5275a・5289a・5524a・5529a・5844a「紫」（紫葛・紫陽花・紫苑・紫檀・紫霄・紫微・紫盖）の仮名音注「シ」については、基本的に -i で対応する。当該諸字七例には上声点を差す。熟字3746「紫葛」は右注「エヒカツラ」を、熟字4109「紫陽花」は右注「アツサキ」を、熟字5275「紫苑」は右注「シヲン」左注「又ノシ」を、熟字5289「紫檀」は右注「シタン　唐物」左注「栴檀黒曰紫檀」を、熟字5844「紫盖」は右注「紫盖嶺」を付載する。上巻の紙韻開口当該諸例で分析したように、日本漢音は上声、日本呉音「シ」去声を認める。

　　　紫葛　本草云紫葛 和名衣比加豆良 …　　　　　　（元和本倭名類聚抄／巻二十 19 ウ 1）

　　　紫陽花　白氏文集律詩云紫陽花 和名安豆佐爲　　（元和本倭名類聚抄／巻二十 03 オ 7）

　　　紫檀　内典云栴檀黒者謂之紫檀兼名苑云一名紫栴　（元和本倭名類聚抄／巻二十 22 オ 8）

▶番号3873a・5281a・5869a・5870a「紫」（紫微・紫蕈・紫鱗・紫蕚）の仮名音注「シ」については、基本的に -i で対応する。当該諸字四例には去声点を差す。上述の分析を参照。

▶番号5467a「紫」（紫盖）の仮名音注「シ」については、基本的に -i で対応する。当該字には平声点を差す。熟字5467「紫盖」は左注「行具也」を付載する。上述の分析を参照。

▶番号5469a・5470a「紫」（紫籐・紫雪）の仮名音注「シ」については、基本的に -i で対応する。両当該字に声点はない。両熟字5469「紫籐」5470「紫雪」は左注「唐物」を付載する。上述の分析を参照。

▶番号4949「玼」（玼）の仮名音注「シ」については、基本的に -i で対応する。当該字には平声点を差し、右注「キス」左注「玉病也」を付載する。廣韻に拠れば、紙韻（ts'ie²）薺韻（ts'ei²）二音を有する。図書寮本類聚名義抄に反切「且礼反」（その反切下字に上声点）と平声点を付した同音字注「季云音疵」さらに上声点を付した同音字注「又音此」を見出す。観智院本には平声点を

1088　3．仮名音注の韻母別考察　3-5　ⅢA韻類

付した同音字注「音疵」と同音字注「又此音」を見つけるが、仮名音注はない。日本漢音は平/上声を認める。

　　　玼　弘云旦礼 [□上] 反 鮮明也 … 季云音疵 [平] … 又音此 [上]　　　（図書寮本類聚名義抄／164-3）

　　　玼　音疵 [平] 色鮮 又此/音 キス …　　　　　　　　　（観智院本類聚名義抄／法中014-7）

　▶番号5754a「徙」（徙倚）の仮名音注「シ」については、基本的に -i で対応する。当該字には平声点を差す。前田本の掲出字形「徒」を「徙」に修正した。熟字5754「徙倚」は中左注「シイ 思/惟也」を付載する。上巻の紙韻開口当該例で分析した。

　▶番号5556a・6539a「紙」（紙銭・紙銭）の仮名音注「シ」については、基本的に -i で対応する。両当該字には上声点を差す。熟字6539「紙銭」は右注「セニ 鵞眼 [平濁上濁]」左注「昨仙反」を付載する。上巻の紙韻開口当該諸例で分析したように、日本漢音「シ」上声を認める。

　　　紙銭　新樂府云神之来分風飄々紙銭動分錦織揺 俗云加美勢遲一云勢遲加太

　　　　　　　　　　　　　　　　　　　　　　　　　　（元和本倭名類聚抄／巻十三07ウ2）

　▶番号5459a「紙」（紙老鴟）の仮名音注「シ」については、基本的に -i で対応する。当該字には平声点を差す。熟字5459「紙老鴟」は左中右注「雑/藝/具也」右傍「シラウシ俗」仮名音注を付載する。元和本倭名類聚抄には注記「世間云師勞之」を見出す。上述の分析を参照。

　　　紙老鴟　辨色立成云紙老鴟 世間云師勞之 以紙爲鴟形乗風能飛一云紙鳶

　　　　　　　　　　　　　　　　　　　　　　　　　　（元和本倭名類聚抄／巻四08オ3）

　▶番号5449a・5450b「紙」（紙燭・色紙）の仮名音注「シ」については、基本的に -i で対応する。両当該字に声点はない。元和本倭名類聚抄は熟字「紙燭」に対して「俗音之曾玖」を見出す。上述の分析を参照。

　　　紙燭　雑題有紙燭詩 紙燭俗音之曾玖　　　　　　（元和本倭名類聚抄／巻十二11オ1）

　▶番号5548a「咫」（咫尺）の仮名音注「シ」については、基本的に -i で対応する。当該字には去声点を差す。熟字5548「咫尺」は中注「八寸也」左注「近卜云也」を付載する。漢字源改訂第五版は「①非常に短い距離・長さ/②すぐそばまで近づく」と説明する。周尺で八寸が咫である。観智院本類聚名義抄は同音字注「音紙」を見出すが、仮名音注はない。

　　　咫　音紙 八寸也/咫尺 近也　　　　　　　　　　（観智院本類聚名義抄／僧下104-7）

　▶番号5841a「弛」（弛張）の仮名音注「シ」については、基本的に -i で対応する。当該字には平声点を差す。熟字5841「弛張」は右傍「ユルヒ ハル」を付載する。観智院本類聚名義抄に反切「詩紙反」を見出すが、仮名音注はない。

　　　弛 … 張弓 詩紙反 ユルフ [平平上]　　　　　　（観智院本類聚名義抄／僧中025-1）

　▶番号6691a「是」（是非）の仮名音注「セ」については、基本的に -e で対応する。当該字には平声点を差す。観智院本類聚名義抄に同音字注「音氏」および平声濁点を付した和音「セ」を見出す。日本呉音「ゼ」平声を認める。

是 音氏 コレ［上上］コヽニ［平上□］…　　　　（觀智院本類聚名義抄／佛中 095-3）

是 コレ／和セ［平濁］　　　　（觀智院本類聚名義抄／佛中 106-1）

▶番号 3700b「尒」（忽尒）の仮名音注「シ」については、基本的に *-i* で対応する。当該字に声点はない。上巻の紙韻開口当該例で分析したように、日本漢音「ジ」上声、日本呉音「ニ」を認める。

▶番号 6295a「被」（被盗）の仮名音注「ヒ」については、基本的に *-i* で対応する。当該字には去声点を差す。上巻の紙韻開口当該例で分析したように、日本漢音「ヒ」上/去声を認める。

▶番号 6328a「被」（被管）の仮名音注「ヒ」については、基本的に *-i* で対応する。当該字に声点はない。上述の分析を参照。

▶番号 4394b「峛」（嶚峛）の仮名音注「レツ」については、異例 *-et* を示す。当該字には入声点を差す。廣韻に拠れば、その中古音は紙韻上声（lie²）である。諧声符「列」（薛韻 liat）による字音把握と推測する。前田本の当該字形「山+剌」を「峛」に修正した。熟字 4394「嶚峛」は左右注「アヒモト／ホル」を付載する。觀智院本類聚名義抄に反切「力綺反」を見出すが、仮名音注はない。

峛 力綺反 峛㟪／山脊　　　　（觀智院本類聚名義抄／法上 116-3）

《上巻 寘韻開口諸例》

▶番号 2048b「義」（竪義）の仮名音注「キ」については、基本的に *-i* で対応する。当該字には平声濁点を差すので、字音「ギ」を想定する。觀智院本類聚名義抄に反切「㒷琦反」を見出す。長承本蒙求には仮名音注「キ」二例があり、それらを含む掲出字三例に去声加濁点を加える。日本漢音「ギ」去声を認める。

義 㒷琦反 理也 … ヨシ ヨロシ／ノリ アマル　　　　（觀智院本類聚名義抄／佛下末 028-7）

義［去／去：加濁］キ　　　　（長承本蒙求／015・080）

義［去／去：加濁］　　　　（長承本蒙求／108）

▶番号 0372b「義」（能義）の仮名音注「キ」については、基本的に *-i* で対応する。当該字に声点はない。伊籚国郡部に属する。上述の分析を参照。

出雲國 國府在意宇郡 … 意宇 於宇 能義 乃木 …　　　　（元和本倭名類聚抄／巻五 21 ウ 9）

▶番号 2394b「議」（和議）の仮名音注「キ」については、基本的に *-i* で対応する。当該字には上声濁点を差すので、字音「ギ」を想定する。廣韻に拠れば、その中古音は寘韻（ŋie³）である。図書寮本類聚名義抄に反切「㒷斯反」と反切「弘云㒷奇反」（その反切下字に去声点）さらに同音字注「中云宜音」支韻（ŋie¹）と去声濁点を付した同音字注「東云又音義」を見出す。この「中云」は仲算撰『法華經釋文』による引用 (26) であり、同書の基本的引用文献の一つである。觀智院本には平

1090　3．仮名音注の韻母別考察　3-5　ⅢA韻類

声濁点を付した同音字注「音冝」と去声濁点を付した同音字注「又義」を見つける。長承本蒙求には仮名音注「キ」があり、その掲出字に去声点を加える。日本漢音「ギ」去声を認める。平声は保留する。

　　　論議 … 下臭斯反 義量也 又去声 … 下 弘云臭奇［平濁去］反 …

　　　　中云冝／音 量也 又去 謀ということ 東云又音義［去濁］…　　　　　　（図書寮本類聚名義抄／071-4）

　　　議［去：圏点］曇捷云音冝［平］… 又冝寄反 孫愐云謀也（醍醐寺本妙法蓮華經釋文／上巻 15 才 7）

　　　議 音冝［平濁］又義［去濁］ハカル …　　　　　　　（観智院本類聚名義抄／法上 060-5）

　　　議 音冝［平濁］又義［去濁］ハカル［平平上］　　（鎮国守国神社本三寶類聚名義抄／中一 32 才 6）

　　　議［去］キ　　　　　　　　　　　　　　　　　　　　　　　　（長承本蒙求／038）

　▶番号 0433b「議」（論議）の仮名音注「キ」については、基本的に -i で対応する。当該字には平声濁点を差すので、字音「ギ」を想定する。上述の分析を参照。

　▶番号 1884a・1893a・1894a「智」（智音・智慧・智者）の仮名音注「チ」については、基本的に -i で対応する。当該諸字三例には平声点を差す。熟字 1893「智慧」は左注「才智」を付載する。観智院本類聚名義抄に低平調と推測する和音「チイ」を見出す。一音節二拍語として認識するか。長承本蒙求に仮名音注はないが、当該掲出字に去声点を加える。日本漢音は去声、日本呉音「チイ」平声を認める。

　　　智 サトシ［上上上］サトル … 和チイ［□平］　　　　　（観智院本類聚名義抄／佛中 101-8）

　　　智 サカシ ハカル … 和チイ　　　　　（鎮国守国神社本三寶類聚名義抄／上一 68 才 4）

　　　智［去］　　　　　　　　　　　　　　　　　　　　　　　　　（長承本蒙求／056）

　▶番号 0367a・0377b・1745・2285b「智」（智頭・邑智・智・越智）の仮名音注「チ」については、基本的に -i で対応する。当該諸字四例に声点はない。番号 1745「智」は右注「チ 樂水」を、熟字 2285「越智」は左注「直」を付載する。上述の分析を参照。

　　　因幡國 國府在法美郡 … 智頭 知豆 …　　　　　　　（元和本倭名類聚抄／巻五 21 ウ 2）

　　　石見國 國府在那賀郡 … 邑知 於保知 …　　　　　　（元和本倭名類聚抄／巻五 22 才 5）

　▶番号 0640b「臂」（半臂）の仮名音注「ヒ」については、基本的に -i で対応する。当該字には上声濁点を差すので、日本語音韻史上の連濁による字音「ビ」を想定する。図書寮本類聚名義抄に反切「慈云匹義反」を見出す。観智院本類聚名義抄に同音字注「音秘」を見つける。また同書が掲げる熟字「半臂」に対して仮名音注「ハンヒ［平上上濁］」を見出す。承暦本金光明最勝王経音義には同音字注「彼音」と仮名音注「ヒ」がある。元和本倭名類聚抄には同音字注「音秘」と借字による「音比」を見つける。日本呉音「ヒ」を認める。

　　　臂喩 慈云匹義反 喩也 …　　　　　　　　　　　　　（図書寮本類聚名義抄／090-2）

　　　臂 音秘／タ、ムキ［平上上□］ヒチ［上平濁］　　（観智院本類聚名義抄／佛中 125-1）

　　　半臂 ハンヒ［平上上濁］　　　　　　　　　　　　　（観智院本類聚名義抄／佛中 125-1）

臂 彼㆚／宇傳	（承暦本金光明最勝王経音義／06 ウ 5）
臂 ［ヒ：右傍］〔＊後筆墨書〕	（承暦本金光明最勝王経音義／09 ウ 6）
臂 廣雅云臂 音秘 … 和名比知 臂節也	（元和本倭名類聚抄／巻三 13 ウ 8）
半臂 蒋魴切韻云半臂 此間名如字但下音比 衣名也	（元和本倭名類聚抄／巻十二 19 ウ 5）

▶番号 2688「髲」（髲）の仮名音注「ヒ」については、基本的に -i で対応する。当該字には去声点を差し、右注「カツラ」を付載する。観智院本類聚名義抄に去声点を付した同音字注「音被」を見出すが、仮名音注はない。元和本倭名類聚抄には同音字注「音被」がある。日本漢音は去声を認める。

髲 音被 ［去］カツラ［平上濁平］／飾也	（観智院本類聚名義抄／佛下本036-1）
髲 釋名云髲 音被和名加都良 …	（元和本倭名類聚抄／巻十四04 ウ 7）

▶番号 1615b「避」（遁避）の仮名音注「ヒ」については、基本的に -i で対応する。当該字には平声濁点を差すので、字音「ビ」を想定する。その中古音が示す頭子音 b-（等韻学の術語で言う並母）は日本語のバ行音をもって受容するが、中国語音韻史上における濁音声母の無声化を反映する場合はハ行音で対応する。観智院本類聚名義抄に反切「䅰鼓反」（反切下字の右傍に朱筆で仮名音注「シ」）および平声点を付した和音「ヒ」を見出す。長承本蒙求には仮名音注「ヒ」があり、その掲出字に去声点を加える。日本漢音「ヒ」去声、日本呉音「ヒ」平声を認める。

避 䅰鼓 ［□シ：朱右傍］反 ノカル … 和ヒ ［平］	（観智院本類聚名義抄／佛上056-7）
避 ［去］ヒ	（長承本蒙求／121）

《下巻 眞韻開口諸例》

▶番号 5150a「義」（義理）の仮名音注「キ」については、基本的に -i で対応する。当該字には去声濁点を差すので、字音「ギ」を想定する。上巻の眞韻開口当該諸例で分析したように、日本漢音「ギ」去声を認める。

▶番号 6495b「義」（宣義房）の仮名音注「キ」については、基本的に -i で対応する。当該字には去声点を差す。熟字 6495「宣義房」は右注「五条西」左注「已上房名」を付載する。上述の分析を参照。

坊 名附出 聲類云房反 和名萬知 … 宣義坊 五條西 …	（元和本倭名類聚抄／巻十05 オ 8）

▶番号 4893「義」（義）の仮名音注「キ［去濁・平］」については、基本的に -i で対応する。当該字には平声濁点を差すので、字音「ギ」を想定する。その仮名音注に去声濁点と平声点を加える。また右注「仁義」左注「宜寄反」を付載する。上述の分析を参照。

▶番号 4894「議」（議）の仮名音注「キ［去濁］」については、基本的に -i で対応する。当該字に声点はなく、その仮名音注に去声濁点を差すので、字音「ギ」を想定する。また左注「宜寄反」

を付載する。上巻の眞韻開口当該諸例で分析したように、日本漢音「ギ」去声を認める。平声は保留する。

▶番号5101a・6630b「議」（議定・僉議）の仮名音注「キ」については、基本的に -i で対応する。両当該字には平声点を差す。熟字5101「議定」は右傍「ハカリ サタム」を付載する。上述の分析を参照。

▶番号5149a「議」（議讞）の仮名音注「キ」については、基本的に -i で対応する。当該字には平声濁点を差すので、字音「ギ」を想定する。上述の分析を参照。

▶番号5901b「議」（衆議不同）の仮名音注「キ」については、基本的に -i で対応する。当該字に声点はない。上述の分析を参照。

▶番号3306「漸」（漸）の仮名音注「シ」については、基本的に -i で対応する。当該字には平声点を差し、右注「同（コホリ［上上］）」を付載する。観智院本類聚名義抄に去声点を付した同音字注「音賜」と平声点を付した同音字注「又斯音」を見出すが、仮名音注はない。日本漢音は平/去声を認める。

　　　漸 音賜［去］ツキヌ［上平上］索也／又斯［平］音 …　　　　（観智院本類聚名義抄／法上 033-5）

▶番号4405b・4430b「智」（愛智・奄智）の仮名音注「チ」については、基本的に -i で対応する。両当該字に声点はない。熟字4430「奄智」は阿篶姓氏部に属する。上巻の眞韻開口当該諸例で分析したように、日本漢音は去声、日本呉音「チイ」平声を認める。

　　　近江國 國府在栗本郡 … 滋賀 志賀 … 愛智 衣知 …　　　　（元和本倭名類聚抄／巻五 16 オ7）

▶番号6119「臂」（臂）の仮名音注「ヒ」については、基本的に -i で対応する。当該字には去声点を差し、右注「ヒチ」左注「卑義反」を付載する。上巻の眞韻開口当該例で分析したように、日本呉音「ヒ」を認める。

▶番号6240a「譬」（譬喩）の仮名音注「ヒ」については、基本的に -i で対応する。当該字には平声点を差す。観智院本類聚名義抄に反切「匹義反」を見出すが、仮名音注はない。

　　　譬 … 匹義反　　　　　　　　　　　　　　　　　　　　（観智院本類聚名義抄／僧下 066-6）

▶番号6232a「避」（避暑）の仮名音注「ヒ」については、基本的に -i で対応する。当該字には去声点を差す。熟字6232「避暑」は右傍「ヒル アツキヲ」を付載する。上巻の眞韻開口当該例で分析したように、日本漢音「ヒ」去声、日本呉音「ヒ」平声を認める。

3-5-3-2　-iue（支/紙/眞韻）

資料篇【表B-10】には支韻（平声）紙韻（上声）眞韻（去声）合口所属の諸例が含まれる。前田本の示す仮名音注は基本的に -ui, -wi で対応する。後者は k- 系頭子音の場合に多い。異例として -am, -i がある。

3-5-3　-ie 系の字音的特徴　1093

《上巻 支韻合口諸例》

▶番号3275a「逶」（逶迆）の仮名音注「ヰ」については、基本的に -wi で対応する。当該字に
声点はない。熟字3275「逶迆」は右注「ヨロホウ」を付載する。観智院本類聚名義抄に反切「扵偽
反」および呉音「威」を付載するが、仮名音注はない。後者の呉音注は大般若経字抄による漢呉二
音相同の同音字注「音威」を出典とする。

　　　逶迆 タヲヤカナリ … 呉音威移 [□上] ／上扵偽反 …　　　（観智院本類聚名義抄／佛上 048-5）
　　　逶 [音威：右傍] 迆 [移：右傍] 曲折行也 …　　　　（石山寺一切経蔵本大般若経字抄／15 ウ 3）

▶番号3275b「迆」（逶迆）の仮名音注「イ」については、異例 -i を示す。当該字に声点はな
い。熟字3275「逶迆」は右注「ヨロホウ」を付載する。観智院本類聚名義抄に同音字注「陁」平声
点を付した同音字注「移」および上声点を付した呉音「移」を付載するが、仮名音注はない。後者
の呉音注は大般若経字抄による漢呉二音相同の同音字注「移」を出典とする。日本漢音は平声、日
本呉音は上声を認める。

　　　迆迆 陁移 [□平] タヲヤカナリ … ヨロホフ …　　　　　（観智院本類聚名義抄／佛上 048-5）
　　　逶迆 タヲヤカナリ … 呉音威移 [□上] ／上扵偽反 …　　　（観智院本類聚名義抄／佛上 048-5）
　　　逶 [音威：右傍] 迆 [移：右傍] 曲折行也 …　　　　（石山寺一切経蔵本大般若経字抄／15 ウ 3）

▶番号2803「虧」（虧）の仮名音注「キ」については、異例 -i を示す。当該字には平声点を差
し、左右注「日月／虧也」を付載する。また和訓「カク [上平]」の同訓異字として位置する。日
本漢字音における馴化 -wi > -i を反映する。観智院本類聚名義抄に反切「去為反」を見出すが、仮
名音注はない。

　　　虧 … 去為反 少　　　　　　　　　　　　　　　（観智院本類聚名義抄／僧下 115-3）

▶番号0159「䲹」（䲹）の仮名音注「スヰ」については、基本的に -wi で対応する。当該字に
は平声点を差し、右傍「イ本䲹」右注「イリモノ」左注「又作爐爔」を付載する。観智院本類聚名
義抄に反切「子維又子兊反」を見出すが、仮名音注はない。元和本倭名類聚抄には同音字注「音雖
一音淺」がある。

　　　爔 䲹正　　　　　　　　　　　　　　　　　　　（観智院本類聚名義抄／佛下末 049-6）
　　　䲹 … 子維又子兊反／爐或爔　　　　　　　　　　（観智院本類聚名義抄／僧下 114-5）
　　　䲹 玉篇云䲹 音雖一音淺和名以利毛乃 少汁爔也　　（元和本倭名類聚抄／巻十六 20 オ 1）

▶番号2822「炊」（炊）の仮名音注「スイ」については、基本的に -ui で対応する。当該字には
上声点を差し、右注「カシク [平平上]」を付載する。観智院本類聚名義抄に平声点を付した同音
字注「音吹」を見出すが、仮名音注はない。日本漢音は平声を認める。

　　　炊 音吹 [平] カシク [平平上] ／ヒタク イヒカシク　　　（観智院本類聚名義抄／佛下末 043-1）

1094　3．仮名音注の韻母別考察　3-5　ⅢA韻類

▶番号3104a「炊」（炊爨）の仮名音注「カム」については、異例 -am を示す。当該字に声点はない。熟字3104「炊爨」は右傍「イヒカシクナリ」を付載する。仮名音注「カム」は諧声符「欠」（梵韻 kʻiʌm³）による字音把握であろう。上述の分析を参照。

▶番号2758「䩞」（䩞）の仮名音注「スキ」については、基本的に -wi で対応する。当該字には平声点を差し、右注「カレヒツケ」左注「鞍具」を付載する。その頭子音 ʂ-（等韻学の術語で言う歯音清審母）であり、韻鏡の支韻二等欄に配置するべき反り舌音である。観智院本類聚名義抄に音注表記はない。元和本倭名類聚抄に同音字注「音吹」がある。

　　　䩞 カレヒツケ　　　　　　　　　　　　　　（観智院本類聚名義抄／僧中 079-6）

　　　鞍鞴 カレヒツケ［平平平平平］　　　　　　（観智院本類聚名義抄／僧中 079-6）

　　　䩞　唐韻云䩞 音吹 鞍鞴也楊氏漢語抄云 賀禮比都気

　　　　　　　　　　　　　　　　　　　　　　（元和本倭名類聚抄／巻十六20 オ 1）

▶番号2405b「羸」（𦣻羸）の仮名音注「ルイ」については、基本的に -ui で対応する。当該字には平声点を差す。観智院本類聚名義抄に反切「力為反・以成反」および「和類」を見出すが、仮名音注はない。傍証ながら、同書で「類」を再検索すると、低平調と推測する和音「ルイ」を見つける。承暦本金光明最勝王経音義には同音字注「類音」がある。日本呉音「ルイ」平声の可能性を指摘しておく。

　　　羸 … 力為反 ツカル［平上平］… 以成反 … 和類　　（観智院本類聚名義抄／僧下 094-2）

　　　類 力遂反 トモカラ … 和ルイ［□平］　　　　　　（観智院本類聚名義抄／佛下本 030-8）

　　　羸 類ミ／ツ加留［平上平］　　　　　　　　　　（承暦本金光明最勝王経音義／04 オ 6）

《下巻 支韻合口諸例》

▶番号4094b・5970b「萎」（女萎・女萎）の仮名音注「キ」については、基本的に -wi で対応する。両当該字には平声点を差す。廣韻に拠れば、支/眞韻（ʼiue¹ᐟ³）二音を有する。熟字4094「女萎」は右注「同（アマナ）」を、熟字5970「女萎」は右注「同（エミクサ）」左注「又アマヒ［□□ニ欤］」を付載する。観智院本類聚名義抄に反切「抁危反」（その反切下字に平声点）と「又去」および「和平」を見出す。日本漢音は平/去声を、日本呉音は平声を認める。

　　　萎 抁危［□平］反 シワム［上□□］… 又去 和平　　（観智院本類聚名義抄／僧上 030-4）

　　　女葳蕤　唐韻云拾遺本草云女葳蕤一名黄芝 葳音威蕤音汝誰反和名惠美久佐一云安麻奈

　　　　　　　　　　　　　　　　　　　　　　（元和本倭名類聚抄／巻二十04 オ 7）

▶番号6125a「痿」（痿痺）の仮名音注「キ」については、基本的に -wi で対応する。当該字には平声点を差す。廣韻に拠れば、影母支韻（ʼiue¹）日母支韻（ńiue¹）二音を有する。また異体字として「㾹」を指摘できる。熟字6125「痿痺」は右注「ヒルムヤマヒ」左傍「ヒルム ヒルム」を付

載する。観智院本類聚名義抄に同音字注「音委」と反切「扵為反・又儒隹反」を見出すが、仮名音注はない。元和本倭名類聚抄に同音字注「萎」がある。

瘻 痿二正 音委 ヒルム［平平上］又儒隹反 … （観智院本類聚名義抄／法下 122-5）

痿 痿二正 扵為反／病也 弱 （観智院本類聚名義抄／法下 130-6）

痿痺 蒼頡篇云痿痺 萎痺二音俗云比留無夜末比 不能行也 （元和本倭名類聚抄／巻三 20 ウ 8）

▶番号4829b「為」（佐為）の仮名音注「ヰ［平］」については、基本的に -wi で対応する。当該字に声点はなく、その仮名音注に平声点を差す。佐篇姓氏部に属する。廣韻に拠れば、支/寘韻（ɣiue$^{1/3}$）二音を有する。その中古音が示す頭子音 ɣ-（等韻学の術語で言う于母あるいは喩母三等）は有声軟口蓋接近音 ɯ-（有声両唇軟口蓋接近音 w-）であり、原則的にア行音・ワ行音で対応する。観智院本類聚名義抄に反切「古蓮反」と声調表記「平声・去声」を見出すが、仮名音注はない。長承本蒙求には平声点を付した掲出字「為」がある。日本漢音は平/去声を認める。

爲為 正今／古蓮反 … 平声 九訓又二去声 … （観智院本類聚名義抄／僧下 079-5）

為 ［平］ （長承本蒙求／040）

▶番号5020a「規」（規摸）の仮名音注「キ」については、異例 -i を示す。当該字には平声点と上声点を差す。日本漢字音における馴化 -wi>-i を反映する。当該字「規」は「規」と相互に異体字である。観智院本類聚名義抄に反切「吉隹反」および和音「キ」を見出す。承暦本金光明最勝王経音義には同音字注「幾音」があり、その掲出字に去声点を加える。同書の冒頭に「先可知所付借字」として以呂波相当箇所があり、そこでは借字「幾」を掲げる。日本呉音「キ」去声を認める。

規 吉隹反 ノリ［上平］… 和キ 規 俗 （観智院本類聚名義抄／佛中 082-3）

規 ［去］幾ゞ〔*借字「幾」による注音か〕 （承暦本金光明最勝王経音義／11 オ 2）

　先可知所付借字 （承暦本金光明最勝王経音義／01 オ 7）

阿［上］安［平］佐［上］作［平］伎［平］幾［上］… （承暦本金光明最勝王経音義／01 ウ 6）

▶番号5154a「規」（規矩）の仮名音注「キ」については、異例 -i を示す。当該字には上声点を差す。熟字5154「規矩」は右傍「フサキ フセク」左注「作法欵」を付載する。上述の分析を参照。

▶番号4389b「危」（安危）の仮名音注「クヰ」については、基本的に -wi で対応する。当該字には平声点を差す。観智院本類聚名義抄に反切「臭為反」および低平調と推測する和音「クヰ」を見出す。日本呉音「クヰ」平声を認める。

危 臭為反 アヤフム［上上上濁□］… （観智院本類聚名義抄／佛下末 027-7）

危 アヤフシ … 和クヰ［□平］ （観智院本類聚名義抄／佛下末 030-1）

▶番号5508「随」（随）の仮名音注「スイ」については、基本的に -ui で対応する。当該字には平声濁点を差すので、字音「ズイ」を想定する。また右注「シタカフ」左注「肩随」を付載する。その中古音が示す頭子音 z-（等韻学の術語で言う歯音濁邪母）は有声歯茎摩擦音であり、日本語のザ行をもって受容するが、中国語音韻史上における濁音声母の無声化を反映する場合はサ行音で対

1096　3．仮名音注の韻母別考察　3-5　ⅢA韻類

応する。図書寮本類聚名義抄に反切「弘云辞規反」を見出す。観智院本には反切「須惟反」および
低平調と推測する和音「スイ」を見つける。長承本蒙求には仮名音注「スイ」があり、その掲出字
に平声点を加える、日本漢音「スイ」平声、日本呉音「スイ」平声を認める。

　　　隋随 … 下弘云辞規反 … シタカフ［上上上濁□／切：右注］　　　　（図書寮本類聚名義抄／197-2）

　　　随 須惟反 シタカフ … 和スイ［□平］　　隨 正　　　　　（観智院本類聚名義抄／法中039-8）

　　　随［平］スイ　　　　　　　　　　　　　　　　　　　　　　　　（長承本蒙求／009・104）

　▶番号6944a「随」（随車）の仮名音注「スイ」については、基本的に -ui で対応する。当該字
には平声点を差す。上述の分析を参照。

　▶番号6930a・6933a「随」（随従・随喜）の仮名音注「スイ」については、基本的に -ui で対
応する。両当該字には去声点を差す。上述の分析を参照。

　▶番号6898a・6927a・6937a・6964a「随」（随近・随分・随逐・随身）の仮名音注「スイ」
については、基本的に -ui で対応する。当該諸字四例に声点はない。上述の分析を参照。

　▶番号6914a「吹」（吹嘘）の仮名音注「スイ」については、基本的に -ui で対応する。当該字
には平声点を差す。廣韻に拠れば、支/寘韻 (tśʻiue^{1/3}) 二音を有する。熟字6914「吹嘘」は左注「引
吸也」を付載する。観智院本類聚名義抄に平声点を付した同音字注「音衰」と「又去」および低平
調を示す和音「スイ」を見出す。日本漢音は平/去声、日本呉音「スイ」平声を認める。

　　　吹 音衰［平］カセ［上上濁］… 又去 … 和スイ［平平］　　　（観智院本類聚名義抄／佛中049-7）

　▶番号6918a「炊」（炊爨）の仮名音注「スイ」については、基本的に -ui で対応する。当該字
には上声点を差す。熟字6918「炊爨」は右傍「カシキ カシク」を付載する。上巻の支韻合口当該
例で分析したように、日本漢音は平声を認める。

　▶番号6902a・6912a・6917a・6942a「垂」（垂衣・垂拱・垂纓・垂露）の仮名音注「スイ」
については、基本的に -ui で対応する。当該諸字四例には平声点を差す。観智院本類聚名義抄に反
切「時規反・是規反」および上昇調を示す和音「スイ」と平声点を付した「又シ」を見出す。日本
呉音「スイ」去声と「シ」平声を認める。

　　　垂 時規反 タル［平上］… 和スイ［平上］又シ［平］　　　　（観智院本類聚名義抄／法下039-7）

　　　垂 是規反　　　　　　　　　　　　　　　　　　　　　　　（観智院本類聚名義抄／僧中023-2）

《上巻 紙韻合口諸例》

　▶番号0100b「蟻」（赤蟻）の仮名音注「キ」については、異例 -i を示す。当該字には上声濁点
を差すので、字音「ギ」を想定する。日本漢字音における馴化 -wi>-i を反映する。熟字0100「赤
蟻」は右注「イヒアリ」観智院本類聚名義抄に上声濁点を付した同音字注「音儀」（その右傍に朱
筆で仮名音注「キ」）を見出す。その中古音が示す頭子音 g-（等韻学の術語で言う群母）は日本語

3-5-3 -ie 系の字音的特徴 1097

のガ行音をもって受容する。中国語音韻史上における濁音声母の無声化を反映する場合はカ行音で
対応するが、当該字「蟻」は日本漢音においてもガ行音であり、その無声化を反映しない。日本漢
音「ギ」上声を認める。

　　螘蟻 … アリ 音儀 [上濁／キ：朱右傍] … アリ サソリ　　　　（観智院本類聚名義抄／僧下 025-3）

　　赤蟻 イヒアリ　　　　　　　　　　　　　　　　　　　　　　（観智院本類聚名義抄／僧下 025-5）

　　赤蟻　爾雅集注云赤駮虵蜻一名蠨虹 龍偵二音和名伊比阿里 赤蟻也

　　　　　　　　　　　　　　　　　　　　　　　　　　　　　　（元和本倭名類聚抄／巻十九27 ウ 4）

▶番号 2183a・2184a・2185a・2186a・2193a・2330「累」（累葉・累世・累祖・累代・累路・
累）の仮名音注「ルイ」については、基本的に -ui で対応する。当該諸字六例には上声点を差す。
番号 2330「累」は和訓「ワツラヒ」の同訓異字として位置する。図書寮本類聚名義抄に反切「茲云
力委反」（その反切下字に上声点）を見出す。観智院本類聚名義抄に反切「力住力季二反」と「力
偽反・力捶力住二反」および和音「ルイ」を見つける。なお、反切下字「住」二例は「隹」の誤認
であろう。日本漢音は上声、日本呉音「ルイ」を認める。

　　纍 茲云力委 [□上] 反 … 玉云力錐反 繋也 …　累 玉云上字 …　　（図書寮本類聚名義抄／299-6）

　　累 力住力季二反 カサヌ [上上平] シキリ ワツラフ …　　（観智院本類聚名義抄／佛中 110-4）

　　累 力偽反 … 力捶力住二反 カサヌ [上上□／□□ナル] … 和ルイ

　　　　　　　　　　　　　　　　　　　　　　　　　　　　　　（観智院本類聚名義抄／法中 118-6）

▶番号 2759「樏」（樏）の仮名音注「ルイ」については、基本的に -ui で対応する。当該字には
上声点を差し、右注「カレヒケ」左注「行旅具」を付載する。観智院本類聚名義抄に反切「力追反」
を見出すが、仮名音注はない。元和本倭名類聚抄に反切「力委反」がある。

　　樏 力追反／カレヒチ [平平平平濁] ワリコ [上上去濁]　　（観智院本類聚名義抄／佛下本 107-8）

　　樏子 觶附 蔣魴切韻云樏 力委反漢語抄云樏子加禮比計今案俗所謂破子是破子読和利古 …

　　　　　　　　　　　　　　　　　　　　　　　　　　　　　　（元和本倭名類聚抄／巻十四19 オ 1）

《下巻 紙韻合口諸例》

▶番号 5904c「毇」（自讚毇他）の仮名音注「クキ」については、基本的に -wi で対応する。当
該字に声点はない。観智院本類聚名義抄に反切「許軌反」および低平平調と推測する和音「クキ」を
見出す。日本呉音「クキ」平声を認める。

　　毇 … 許軌／反 ソコナフ [平平□□] … 和クキ [□平]　　（観智院本類聚名義抄／僧中 065-3）

▶番号 6818「髓」（髄）の仮名音注「スイ」については、基本的に -ui で対応する。当該字には
上声濁点を差すので、字音「ズイ」を想定する。右注「スネ」左注「先累反」を付載する。異体字
として「髄」がある。その中古音が示す頭子音 s-（等韻学の術語で言う歯音清心母）は無声歯茎摩

1098　3．仮名音注の韻母別考察　3-5　ⅢA韻類

擦音であり、日本語のサ行音をもって受容するので、字音「ズイ」は許容しがたい。同じ諧声符を持つ「隋・随・隨」（邪母支韻 ziue¹）による類推音か。現行多くの漢和辞典は慣用音とする。観智院本類聚名義抄に反切「須薞反」および濁音を含む高平調の和音「スイ」と「又平」を見出す。日本呉音「ズイ」平/上声を認める。

　　　髄　須薞反 スネ／和スイ［上濁上］又平　　　　　　　（観智院本類聚名義抄／佛下本006-7）

　　　髄　髄二俗 通／骨ノナツキ　　　　　　　　　　　　（観智院本類聚名義抄／佛下本006-8）

▶番号3647b・6936a「髄」（骨髄・髄脳）の仮名音注「スイ」については、基本的に -ui で対応する。両当該字に声点はない。上述の分析を参照。

　　　脳　説文云脳 奴道反 … 頭中髄脳也　　　　　　　　　　　（元和本倭名類聚抄／巻三01ウ6）

▶番号5292「蘂」（蕊）の仮名音注「スキ」については、基本的に -wi で対応する。当該字には上声濁点を差すので、字音「ズイ」を想定する。右注「シヘ」中注「花心也」左注「如累反」を付載する。前田本が示す当該字形「蘂」は「蕊」と修正すべきか。観智院本類聚名義抄に反切「如水反・又云女廉反」を見出すが、仮名音注はない。元和本倭名類聚抄には反切「而髄反」がある。

　　　蕊　花外曰蕚花内曰蕊如累切四 蕊　草木叢生皃 … 蘂　茸也垂也又佩垂皃　（宋本廣韻／日母紙韻 niue²）

　　　蕊　如水反 正／花頭點 蕊 或 蕋　　　　　　　　　　（観智院本類聚名義抄／僧上014-4）

　　　蘂　俗 シヘ［平上濁］… 又云女廉反　　　　　　　　（観智院本類聚名義抄／僧上014-4）

　　　蘂　東宮切韻云蘂 而髄反和名之倍 花心也　　　　　　（元和本倭名類聚抄／巻二十33オ7）

《上巻 眞韻合口諸例》

▶番号0034a「瑞」（瑞籬）の仮名音注「スイ」については、基本的に -ui で対応する。当該字には去声点を差す。熟字0034「瑞籬」は右注「イカキ」左注「社垣也」左傍「イカキ」を付載する。図書寮本類聚名義抄に平声点と去声点を付した同音字注「音睡」を見出す。観智院本類聚名義抄に同音字注「音睡」および低平調と推測する和音「スイ」を見つける。日本漢音は平/去声、日本呉音「スイ」平声を認める。

　　　嘉瑞　兹云与睡［平・去］同音 … 有玉抄云カナフ ノフ　　（図書寮本類聚名義抄／162-4）

　　　瑞　音睡 マフ … イカキ … 和スイ［□平］　　　　　（観智院本類聚名義抄／法中020-4）

　　　瑞　ミツカキ［平平濁平上］／イカキ　　　　　　　　（観智院本類聚名義抄／僧上070-4）

　　　瑞籬　日本私記云瑞籬 俗云美豆加岐一云以賀岐　　　　（元和本倭名類聚抄／巻十三08ウ4）

《下巻 眞韻合口諸例》

▶番号5629b「恚」（瞋恚）の仮名音注「イ」については、異例 -i を示す。当該字には平声点を

差す。熟字5629「瞋恚」は右傍「イカリ フツクム」を付載する。図書寮本類聚名義抄に反切「弘云扌睡反」（その反切下字に平声点）を見出す。観智院本には反切「扲睡反」および平声点を付した和音「イ」を見つける。日本漢音は平声、日本呉音「イ」平声を認める。

恚 … 下弘云扌睡［平平］反 … 中云扌避反忿也　　　（図書寮本類聚名義抄／251-3）

恚 弘云扌睡反 … イカル［上上平／列：右注］　　　（図書寮本類聚名義抄／258-2）

恚 … 扲睡反 イカル … 和イ［平］　　　（観智院本類聚名義抄／法中085-2）

▶番号5891b「偽」（真偽）の仮名音注「クヰ」については、基本的に -wi で対応する。当該字には平声濁点を差すので、字音「グヰ」を想定する。観智院本類聚名義抄に反切「危睸反」（その反切下字に去声点）および和音「クヰ」と「又濁」を見出す。日本漢音は去声、日本呉音「クヰ・グヰ」を認める。

偽偽 上俗 危睸［□去］反 イツハリ［□□□ル］… 和クヰ／又濁

（観智院本類聚名義抄／佛上020-2）

▶番号4708b「偽」（詐偽）の仮名音注「クヰ」については、基本的に -wi で対応する。当該字には平声点を差す。上述の分析を参照。

▶番号5033b「瑞」（喜瑞）の仮名音注「スイ」については、基本的に -ui で対応する。当該字には去声点を差す。上巻の寘韻合口当該例で分析したように、日本呉音「スイ」平声を認める。

▶番号5601b「瑞」（祥瑞）の仮名音注「スイ」については、基本的に -ui で対応する。当該字には平声濁点を差すので、字音「ズイ」を想定する。上述の分析を参照。

▶番号6904a・6931a「瑞」（瑞物・瑞祥）の仮名音注「スイ」については、基本的に -ui で対応する。両当該字には平声点を差す。熟字6931「瑞祥」は左注「古相也」を付載する。上述の分析を参照。

3-5-3-3　-iei（脂/旨/至韻）

資料篇の【表7-12】には脂韻（平声）旨韻（上声）至韻（去声）開口所属の諸例が含まれる。前田本の示す仮名音注は基本的に -i で対応する。長音形 -ii も確認する。異例として -ei がある。

《上巻 脂韻開口諸例》

▶番号0337a・0338a「伊」（伊望・伊㸸）の仮名音注「イ」については、基本的に -i で対応する。両当該字には平声点を差す。熟字0337「伊望」は右傍「ヲクリ ツミシム」を、熟字「伊㸸」は右傍「イキトヲル」左注「不審詞也」を付載する。観智院本類聚名義抄に反切「扲時反」および去声点を付した和音「イ」を見出す。長承本蒙求には仮名音注「イ」があり、その掲出字を含む二

1100　3．仮名音注の韻母別考察　3-5　ⅢA韻類

例に東声点を加える。日本漢音「イ」東声（四声体系では平声）日本呉音「イ」去声を認める。

　　　　伊 抣時反 コレ コゝニ … 和イ［去］　　　　　　　　（観智院本類聚名義抄／佛上 033-3）

　　　　伊［東］イ　　　　　　　　　　　　　　　　　　　　　　　　（長承本蒙求／071）

　　　　伊［東］　　　　　　　　　　　　　　　　　　　　　　　　　（長承本蒙求／083）

　▶番号 0352a・0353a・0359a・0361a・0379a・0391a・0392a・0393a・0395a・0396a・0397a・0399a「伊」（伊勢・伊勢・伊賀・伊豆・伊豫・伊勢・伊福・伊賀・伊香・伊吉・伊豫・伊蘓志）の仮名音注「イ」については、基本的に *i* で対応する。当該諸字十二例に声点はない。上述の分析を参照。

　　　　東海國第五十三／伊賀 以加 伊勢 以世 … 伊豆 …　　（元和本倭名類聚抄／巻五 08 ウ 5）

　　　　南海國第五十八／紀伊 … 伊豫 伊與 … 土佐　　　　　（元和本倭名類聚抄／巻五 09 ウ 9）

　▶番号 0235a・0242a・0740b・1653b・2121b「夷」（夷則・夷狄・蠻夷・東夷・陵夷）の仮名音注「イ」については、基本的に *i* で対応する。当該諸字五例には平声点を差す。観智院本類聚名義抄に同音字注「音曰彞」と反切「羊脂反」および去声墨点を付した和音「イ」を見出す。日本呉音「イ」去声を認める。

　　　　夷 音曰彞 タクラク／ナラス ワキマフ …　　　　　　　（観智院本類聚名義抄／佛下末 034-7）

　　　　夷 羊脂反 タヒラカナリ … 和イ［去：墨点］　　　　　（観智院本類聚名義抄／僧下 107-5）

　▶番号 0394b・1693b・3154a「夷」（生夷・奴夷國・夷灊）の仮名音注「イ」については、基本的に *i* で対応する。当該諸字三例に声点はない。上述の分析を参照。

　　　　上総國 國府在市原郡 … 夷灊 伊忠美 長柄 奈加良 …　　（元和本倭名類聚抄／巻五 15 オ 8）

　▶番号 0104・2232「姨」（姨・姨）の仮名音注「イ」については、基本的に *i* で対応する。両当該字には平声点を差す。番号 0104「姨」は右注「イモシウトメ」左注「妻之姉妹也」を、番号 2232「姨」は右注「同（ヲハ）母之姉妹曰姨」左注「又イモシウトメ」を付載する。観智院本類聚名義抄に平声点を付した同音字注「夷」を見出すが、仮名音注はない。元和本倭名類聚抄には同音字注「唐韻音夷」がある。日本漢音は平声を認める。

　　　　姨 音夷［平］イモーシウトメ［平平 平濁上平平］…　　（観智院本類聚名義抄／佛中 022-7）

　　　　姨 唐韻音夷母之姉妹也　　　　　　　　　　　　　　　（元和本倭名類聚抄／巻二 15 ウ 6）

　▶番号 1522「寅」（寅）の仮名音注「イ」については、基本的に *i* で対応する。当該字には平声点を差し、右傍「イ イン」右注「トラ」を付載する。廣韻に拠れば、脂韻 (jiei¹)、眞韻 (jien¹) 二音を有する。観智院本類聚名義抄に同音字注「夷」を見出すが、仮名音注はない。

　　　　姨 … 以脂切二十六 ・ 寅 敬也亦辰名 … 又引人切 夷 夷猶等也 …　（宋本廣韻／脂韻 jiei¹）

　　　　寅 辰名說文作寅 翼眞切又以脂切六 …　　　　　　　　（宋本廣韻／眞韻 jien¹）

　　　　寅 音夷 ヌ／ツヽシム　寅 俗　　　　　　　　　　　（観智院本類聚名義抄／法下 055-6）

　▶番号 2595「肌」（肌）の仮名音注「キ」については、基本的に *i* で対応する。当該字には平

声点を差し、右注「カハヘ」左注「膚也」を付載する。観智院本類聚名義抄に同音字注「音飢」（その右傍に朱筆で仮名音注「キ」）を見出す。元和本倭名類聚抄には同音字注「飢反」がある。日本漢音「キ」を認める。

肌 音飢［キ：朱右傍］ハタヘ［平平濁平］カハヘ …　　　　（観智院本類聚名義抄／佛中 125-4）

肌 陸詞云肌 飢反和名加波倍 膚肉也　　　　　　　　　（元和本倭名類聚抄／巻三 10 ウ 6）

▶番号 0579「肌」（肌）の仮名音注「キ」については、基本的に -i で対応する。当該字に声点はなく、右注「ハタヘ」を付載する。上述の分析を参照。

▶番号 0550「鰭」（鰭）の仮名音注「キ」については、基本的に -i で対応する。当該字には平声点を差し、右注「ハタ 奥背上鬣也」左注「俗云ヒレ」を付載する。観智院本類聚名義抄に平声点を付した同音字注「音同（耆）」を見出すが、仮名音注はない。元和本倭名類聚抄には同音字注「音耆」がある。日本漢音は平声を認める。

鮨 … 音耆［平］スシ［平平］…　　　　　　　　　（観智院本類聚名義抄／僧下 003-5）

鰭 音同 ハタ［上上］俗云ヒレ［上上］…　　　　　　（観智院本類聚名義抄／僧下 003-6）

鰭 文選注云鰭 音耆和名波太俗云比禮 魚背上鬣也 …　（元和本倭名類聚抄／巻十九 10 オ 3）

▶番号 3277b「耆」（伯耆）の仮名音注「キ」については、基本的に -i で対応する。当該字に声点はない。観智院本類聚名義抄に同音字注「音祇」を見出すが、仮名音注はない。元和本倭名類聚抄には熟字「伯耆」に対して借字「波々岐」がある。万葉集における「岐」はキ甲類である。

耆 音祇〔＊破損不鮮明〕コハシ［平平上］…　　　　（観智院本類聚名義抄／僧下 122-8）

山陰國第五十八／丹波 太迩波 … 伯耆 波々岐 …　　（元和本倭名類聚抄／巻五 09 ウ 1）

▶番号 0508「茨」（茨）の仮名音注「シ」については、基本的に -i で対応する。当該字には平声点を差し、右注「同（ハマヒシ）」を付載する。観智院本類聚名義抄に同音字注「音瓷」を見出すが、仮名音注はない。

茨 音瓷／ムハラ　　　　　　　　　　　　　　　（観智院本類聚名義抄／僧上 023-4）

▶番号 2728「瓷」（瓷）の仮名音注「シ」については、基本的に -i で対応する。当該字には平声点を差し、右注「同（カメ）」左注「瓦器也」を付載する。観智院本類聚名義抄に平声点を付した同音字注「音慈」を見出すが、仮名音注はない。元和本倭名類聚抄には反切「疾資反」を見つける。また注記「俗云瓷器之乃宇豆波毛乃（シノウツハ物）」が示すように、定着久しい字音「シ」の可能性が高い。

瓷 音慈［平］ウツハ物／シノウツハ物［平平上上：□□］　（観智院本類聚名義抄／僧中 018-6）

瓷 唐韻云瓷 疾資反俗云瓷器之乃宇豆波毛乃 瓦器也　　（元和本倭名類聚抄／巻十六 08 オ 3）

▶番号 0306b「私」（陰私）の仮名音注「シ」については、基本的に -i で対応する。当該字は破損による不鮮明部分があるため、声点は確認できない。観智院本類聚名義抄に反切「息脂反」を見出す。また上声点を付した俗字「厶」（その右傍に朱筆で仮名音注「シ」）を指摘する。日本漢音

1102　3．仮名音注の韻母別考察　3-5　ⅢA韻類

「シ」の蓋然性が高い。

　　　私 俗 ム［上／シ：朱右傍］字 息脂反 ワタクシ［上上□□］…（観智院本類聚名義抄／法下 012-3）

　▶番号 2874b「私」（耕私）の仮名音注「シ」については、基本的に -i で対応する。当該字には
平声濁点を差すので、日本語音韻史上の連濁による字音「ジ」を想定する。上述の分析を参照。

　▶番号 2571b「師」（獵師）の仮名音注「シ」については、基本的に -i で対応する。当該字には
平声点を差す。熟字 2571「獵師」は右注「カリヒト」を付載する。観智院本類聚名義抄に去声点を
付した和音「シ」を見出す。長承本蒙求に仮名音注「シ」があり、その掲出字を含む三例に東声点
を加える。日本漢音「シ」東声（四声体系では平声）日本呉音「シ」去声を認める。

　　　師 訓 イクサ［平平平］… 和シ［去：墨点］　　　　　　　（観智院本類聚名義抄／僧下 102-7）

　　　師［東］シ　　　　　　　　　　　　　　　　　　　　　　　　　　（長承本蒙求／031）

　　　師［東］　　　　　　　　　　　　　　　　　　　　　　　　　（長承本蒙求／091・092）

　　　獵師 … 一謂獲者 和名加利比止　　　　　　　　　　　　（元和本倭名類聚抄／巻二 10 オ 8）

　▶番号 2900b「師」（講師）の仮名音注「シ」については、基本的に -i で対応する。当該字には
上声濁点を差すので、日本語音韻史上の連濁による字音「ジ」を想定する。上述の分析を参照。

　▶番号 1067b・1456b・2138b・2173b「師」（法師・讀師・律師・布師）の仮名音注「シ」に
ついては、基本的に -i で対応する。当該諸字四例に声点はない。上述の分析を参照。

　▶番号 0114b・2586b「脂」（雲脂・雲脂）の仮名音注「シ」については、基本的に -i で対応す
る。当該字には平声点を差す。熟字 0114「雲脂」は右注「イロコ」を、熟字 2586「雲脂」は右注
「カシラノアカ」を付載する。観智院本類聚名義抄に反切「旨夷反」を見出す。長承本蒙求には仮
名音注「シ」東声があり、その掲出字に東声点を加える。承暦本金光明最勝王経音義には借字によ
る音注「之」を見つける。元和本倭名類聚抄には反切「旨夷反」がある。日本漢音「シ」東声（四
声体系では平声）日本呉音「シ」を認める。

　　　脂 旨夷反 アフラサス／アフラ［平上濁平］マツヤニ　　　（観智院本類聚名義抄／佛中 133-6）

　　　脂 カシラノアカ／一云 イロコ　　　　　　　　　　　　　（観智院本類聚名義抄／佛中 133-7）

　　　脂［東］シ／シ　　　　　　　　　　　　　　　　　　　　　　　（長承本蒙求／065）

　　　脂 之　　　　　　　　　　　　　　（承暦本金光明最勝王経音義／09 オ 3）

　　　　先可知所付借字　　　　　　　　　（承暦本金光明最勝王経音義／01 オ 7）

　　　… 美［平］弥［上］之［上］志［平］七［?］　　（承暦本金光明最勝王経音義／01 ウ 6）

　　　恵［平］會［平］廻［上］比［平］皮［平］非［上］

　　　脂膏 唐韻云膏 高反 肪 方反 脂 旨夷反和名阿布良 …　　　（元和本倭名類聚抄／巻三 11 オ 8）

　　　雲脂 墨子五行記云頭垢謂之雲脂 和名加之良乃安加一云伊呂古

　　　　　　　　　　　　　　　　　　　　　　　　　　　（元和本倭名類聚抄／巻三 02 オ 7）

　▶番号 1448b・2297b「胆」（臆胆・臆胆）の仮名音注「シ」については、基本的に -i で対応す

る。当該字には平声点を差す。熟字1448「膔胵」は右注「トリノワタ」を、熟字2297「膔胵」は右注「ワタ」左注「鳥蔵也」を付載する。観智院本類聚名義抄に反切「昌脂反」を見出すが、仮名音注はない。元和本倭名類聚抄には同音字注「蚩」がある。

　　　胵　昌脂反／トリノワタ …　　　　　　　　　　（観智院本類聚名義抄／佛中 113-5）

　　　膔胵　ワタ 鳥胵　　　　　　　　　　　　　　　（観智院本類聚名義抄／佛中 113-6）

　　　膔胵　本草云膔胵 毘蚩二音和名鳥乃和太 鳥胃也　　　（元和本倭名類聚抄／巻十八 14 オ 7）

▶番号 1445・3190b「鴟」（鴟・怖鴟）の仮名音注「シ」については、基本的に i で対応する。当該字には平声点を差す。番号1445は右注「同（トヒ）」左注「又作鵄」を、熟字3190「怖鴟」は右注「ヨタカ 書伏」左注「夜行鳴以為怖者也」を付載する。観智院本類聚名義抄に同音字注「音祇」を見出すが、仮名音注はない。元和本倭名類聚抄には同音字注「音祇」がある。

　　　鵄殢鴟　音／祇／俗通正　　　　　　　　　　　（観智院本類聚名義抄／僧中 127-6）

　　　怖鴟　ヨタカ／フクロフ　　　　　　　　　　　（観智院本類聚名義抄／僧中 127-7）

　　　鴟　本草云鴟一名鳶 鴟音祇鳶音鉛和名土比 …　　（元和本倭名類聚抄／巻十八 04 ウ 8）

　　　怖鴟　爾雅注云怖鴟 漢語抄云與多加 書伏夜行鳴以爲怖者也

　　　　　　　　　　　　　　　　　　　　　　　　　（元和本倭名類聚抄／巻十八 05 オ 5）

▶番号 2596「尸」（尸）の仮名音注「シ」については、基本的に i で対応する。当該字には平声点を差し、右注「カハネ」を付載する。図書寮本類聚名義抄に「真云始脂」〔＊「反」表記なし〕を見出す。観智院本には平声点を付した同音字注「音屍」を見つける。日本漢音は平声を認める。

　　　憍尸　真云／始脂 迦 …　　　　　　　　　　　（図書寮本類聚名義抄／261-3）

　　　尸〔＊冂の誤認か〕或巳 音莭 [入]／瑞信　　　（観智院本類聚名義抄／佛上 082-1）

　　　尸　音屍 [平] カハネ … ノス　　　　　　　　　（観智院本類聚名義抄／法下 087-1）

▶番号 2597「屍」（屍）の仮名音注「シ」については、基本的に i で対応する。当該字には平声点を差し、右注「同（カハネ）」を付載する。廣韻に拠れば、脂／至韻（śiei$^{i/3}$）二音を有する。観智院本類聚名義抄に平声点と去声点を付した同音字注「音尸」と「又去」および「和去」を見出すが、仮名音注はない。元和本倭名類聚抄に同音字注「音與尸同」がある。日本漢音は平／去声、日本呉音は去声を認める。

　　　屍　音尸 [平・去] カハネ [上上濁上] … 又去 和去　　（観智院本類聚名義抄／法下 087-1）

　　　棺　… 屍 音與尸同訓或通 死人形体曰屍也　　　（元和本倭名類聚抄／巻十四 20 ウ 6）

▶番号 0927「埿」（埿）の仮名音注「チ」については、基本的に i で対応する。当該字には平声点を差し、右注「同（ニハ）」を付載する。図書寮本類聚名義抄に平声点を付した同音字注「音遅」を見出す。観智院本には平声点を付した同音字注「音遅」を見つけるが、仮名音注はない。日本漢音は平声を認める。

　　　埿　音文異音決埿遅 [平] 弘云塗地／ニハ [上上／切：右注]　　（図書寮本類聚名義抄／216-3）

1104　3．仮名音注の韻母別考察　3-5　ⅢA韻類

　　墀墀 音遅［平］塗 ニハ［上上］アカキツチ …　　　　　　　　　（観智院本類聚名義抄／法中 052-6）

　▶番号2120b「遅」（陵遅）の仮名音注「チ」については、基本的に -i で対応する。当該字には平声濁点を差すので、字音「ヂ」を想定する。その中古音が示す頭子音 ḑ-（等韻学の術語で言う舌音濁澄母）は有声歯茎反り舌閉鎖音であり、日本語のダ行音をもって受容するが、中国語音韻史上における濁音声母の無声化を反映する場合はタ行音で対応する。また当該字は脂／至韻（ḑiei$^{1/3}$）二音を有する。観智院本類聚名義抄に平声点を付した同音字注「音坁」（その右傍に墨筆で仮名音注「チ」）と声調表記「去声」を見出す。日本漢音「チ」平/去声を認める。

　　遅 音坁［平／チ：墨右傍］ヲソシ … 去声 ネカフ …　　　　（観智院本類聚名義抄／佛上 057-6）

　▶番号1798a・1845a・1846a・1847a・1848a・1866a・1868a「遅」（遅日・遅速・遅引・遅怠・遅参・遅鈍・遅疑）の仮名音注「チ」については、基本的に -i で対応する。当該諸字七例には平声点を差す。上述の分析を参照。

　▶番号1789a・1789b・2273「遅」（遅ゝ・遅ゝ・遅）の仮名音注「チ」については、基本的に -i で対応する。当該諸字三例に声点はない。番号2273「遅」は右注「ヲソシ」を付載する。上述の分析を参照。

　▶番号1908b「怩」（忸怩）の仮名音注「チ」については、基本的に -i で対応する。当該字には平声濁点を差すので、字音「ヂ」を想定する。その中古音が示す頭子音 ṇ-（等韻学の術語で言う舌音清濁娘母）は有声反り舌鼻音であり、日本語のナ行音をもって受容するが、中国語音韻史上における鼻音声母の非鼻音化（denasalization）を反映する場合はダ行音で対応する。図書寮本類聚名義抄に平声濁点を付した同音字注「音尼」を見出す。観智院本には平声濁点を付した同音字注「音尼」を見つけるが、仮名音注はない。日本漢音は平声を認める。

　　忸怩 … 下季云音尼［平濁］…　　　　　　　　　　　　　　（図書寮本類聚名義抄／265-2）

　　怩 音尼［平濁］ハツ　　　　　　　　　　　　　　　　　　（観智院本類聚名義抄／法中 082-4）

　▶番号3133b「怩」（忸怩）の仮名音注「チ」については、基本的に -i で対応する。当該字には去声濁点を差すので、字音「ヂ」を想定する。熟字3133「忸怩」は右注「カヲアカム」を付載する。上述の分析を参照。

　▶番号2347「柅」（柅）の仮名音注「チ」については、基本的に -i で対応する。当該字には平声濁点を差すので、字音「ヂ」を想定する。また右注「ワクノエ」を付載する。当該字は脂／旨韻（ṇiei$^{1/2}$）紙韻（ṇiai^2）三音を有する。その中古音が示す頭子音 ṇ-（等韻学の術語で言う舌音清濁娘母）は有声反り舌鼻音であり、日本語のナ行音をもって受容するが、中国語音韻史上における鼻音声母の非鼻音化（denasalization）を反映する場合はダ行音で対応する。観智院本類聚名義抄に同音字注「音尼」と反切「女礼反」（その反切下字に上声点）と「刃吏反」を見出すが、仮名音注はない。元和本倭名類聚抄には反切「女履反」がある。日本漢音は上声を認める。

　　柅〔＊ヒはエの字形〕音尼 似梨／女礼［□上］反 ワクノエ［平平平上］

3-5-3 -ie 系の字音的特徴　1105

（観智院本類聚名義抄／佛下本089-7）

梶　俗通 刃吏反 屎正／柄　　　　　　　　　（観智院本類聚名義抄／佛下本089-8）

鑼　…唐韻云梶 女履反和名久久江 鑼柄也　　（元和本倭名類聚抄／巻十四14ウ2）

▶番号2634「悲」（悲）の仮名音注「ヒ」については、基本的に -i で対応する。当該字には平声点を差し、右注「カナシフ」左注「カナシ」を付載する。観智院本類聚名義抄に彼達反（その反切下字に平声点）および去声墨点を付した和音「ヒ」を見出す。前者の反切下字「達」は字形「辶＋麦」を修正した。長承本蒙求には仮名音注「ヒ」があり、その掲出字に東声点を加える。日本漢音「ヒ」東声（四声体系では平声）日本呉音「ヒ」去声を認める。

悲 彼達［□平］反 カナシフ［上上□□］… 和ヒ［去：墨点］　（観智院本類聚名義抄／法中099-2）

悲［東］ヒ　　　　　　　　　　　　　　　（長承本蒙求／009）

▶番号1448a・2297a「脰」（脰脛・脰脛）の仮名音注「ヒ」については、基本的に -i で対応する。両当該字には平声点を差す。熟字1448「脰脛」は右注「トリワタ」を、熟字2297「脰脛」は右注「ワタ」左注「鳥蔵也」を付載する。観智院本類聚名義抄に反切「昌脂反」を見出すが、仮名音注はない。元和本倭名類聚抄に同音字注「毘」がある。

脛 昌脂反／トリノワタ…　　　　　　　　　（観智院本類聚名義抄／佛中113-5）

脰脛 ワタ 鳥脛　　　　　　　　　　　　　（観智院本類聚名義抄／佛中113-6）

脰脛　本草云脰脛 毘蚩二音和名鳥乃和太 鳥胃也　（元和本倭名類聚抄／巻十八14オ7）

▶番号1073・1292「脹」（脹・脹）の仮名音注「ヘイ」については、異例 -ei を示す。両当該字には平声点を差す。同じ諸声符を有する「媲・箆・蓖・鎞」等からの類推音「ヘイ」か。番号1073「脹」は左注「ホソ」を、番号1292「脹」は右注「同（ヘソ）」付載する。上述の分析を参照。

▶番号1125「湄」（湄）の仮名音注「ヒ」については、基本的に -i で対応する。当該字には平声点を差し、右注「水湄」を付載する。和訓「ホトリ」の同訓異字として位置する。図書寮本類聚名義抄に反切「玉云莫龜反」（その反切下字に平声点）を見出す。観智院本に同音字注「音眉」を見つけるが、仮名音注はない。日本漢音は平声を認める。

湄 玉云莫龜［□平］反／水瀰也／ホトリ［平上□／詩：右注］　（図書寮本類聚名義抄／049-6）

湄 音眉 ホトリ　　　　　　　　　　　　　（観智院本類聚名義抄／法上018-3）

▶番号2929b「眉」（娥眉）の仮名音注「ヒ」については、基本的に -i で対応する。当該字には平声濁点を差すので、字音「ビ」を想定する。その中古音が示す頭子音 m-（等韻学の術語で言う唇音清濁明母）は両唇鼻音であり、日本語のマ行音をもって受容するが、中国語音韻史上における鼻音声母の非鼻音化（denasalization）を反映する場合はバ行音で対応する。観智院本類聚名義抄に同音字注「音麋」（その右注に墨筆で仮名音注「ミ」）と反切「明悲反」を見出す。同書の凡例部分「朱音者正音也墨声者和音也」（篇目7-6）に従えば、朱墨で正音と和音を分別する傾向がある。長承本蒙求に仮名音注「ヒ」二例があり、それらの掲出字に平声加濁点と平声濁点を加える。日本

1106　3．仮名音注の韻母別考察　3-5　ⅢA韻類

漢音「ビ」平声、日本呉音「ミ」を認める。

　　　眉　音麋［ミ：墨右注］マユ　　　　　　　　　　　　　　　（観智院本類聚名義抄／佛中076-8）

　　　眉　明悲反 … ヨシ　　　　　　　　　　　　　　　　　　（観智院本類聚名義抄／法下088-2）

　　　眉　［平／平：加濁］ヒ　　　　　　　　　　　　　　　　　　　　（長承本蒙求／136）

　　　眉　［入?／平濁：圏点］ヒ　　　　　　　　　　　　　　　　　　（長承本蒙求／143）

　▶番号2761b「梨」（呵梨勒）の仮名音注「リ」については、基本的に -i で対応する。当該字に
声点はない。廣韻に拠れば、その中古音は脂韻（liei¹）である。熟字2761「呵梨勒」は左注「藥名」
を付載する。図書寮本類聚名義抄に「中云或本作離」を見出す。観智院本には平声点を付した同音
字注「音離」（支／眞韻 lie¹ᐟ³）を見つけるが、仮名音注はない。日本漢音は平声を認める。

　　　毗梨　中云或／本作離　耶　茲曰云精進　　　　　　　　　　（図書寮本類聚名義抄／176-1）

　　　梨　音離［平］ナシ［上平］ワカル［平平上］／借声 …　　（観智院本類聚名義抄／佛下本124-4）

　▶番号0507b「蔾」（蒺蔾）の仮名音注「リ」については、基本的に -i で対応する。当該字には
平声点を差す。熟字0507「蒺蔾」は右注「ハマヒシ」を付載する。観智院本類聚名義抄に平声点を
付した同音字注「梨」を見出すが、仮名音注はない。日本漢音は平声を認める。

　　　蒺蔾　疾梨［徳平］二音　ハマヒシ［平平平濁平］／ムハラ　　（観智院本類聚名義抄／僧上041-8）

《下巻　脂韻開口諸例》

　▶番号5927a・4406a・4811a・5196b・5197a「伊」（伊那・伊香・伊作・紀伊・伊都）の仮
名音注「イ」については、基本的に -i で対応する。当該諸字五例に声点はない。上巻の脂韻開口諸
例で分析したように、日本漢音「イ」東声（四声体系では平声）日本呉音「イ」去声を認める。

　　　信濃國　國府在筑摩郡 … 伊那　諏訪　須波 …　　　　　（元和本倭名類聚抄／巻五17 オ 4）

　　　近江國　國府在栗本郡 … 伊香　伊加古　高嶋　太加之萬　　（元和本倭名類聚抄／巻五16 オ 8）

　　　近江國第八十八／伊香郡 … 伊香　以加古　大社　　　　　（元和本倭名類聚抄／巻六06 ウ 4）

　　　薩摩國 … 出水　伊豆美 … 伊作　伊佐久 …　　　　　　（元和本倭名類聚抄／巻五28 ウ 3）

　　　紀伊國　國府在名草郡 … 伊都　那賀　賀音如鷓 …　　　　（元和本倭名類聚抄／巻五24 ウ 5）

　▶番号3342b・4054a「夷」（辛夷・夷則）の仮名音注「イ」については、基本的に -i で対応す
る。両当該字には平声点を差す。熟字3342「辛夷」は「コフシハシカミ」中注「又カマアラヽキ」
左注「又乍挼其子可散嗽之」を付載する。上巻の脂韻開口諸例で分析したように、日本呉音「イ」
去声を認める。

　　　辛夷　崔禹錫食經云辛夷　和名夜末阿良々木一云古不之波之加美　其子可嗽之

　　　　　　　　　　　　　　　　　　　　　　　　　　　　（元和本倭名類聚抄／巻十六22 ウ 8）

　▶番号3757「夷」（夷）の仮名音注「イ」については、基本的に -i で対応する。当該字に声点

3-5-3　-ie 系の字音的特徴　1107

はなく、右注「同（エヒス）」左注「東夷」を付載する。上述の分析を参照。

　▶番号4888「痍」（痍）の仮名音注「イ」については、基本的に -i で対応する。当該字に声点はない。観智院本類聚名義抄に同音字注「音夷」を見出すが、仮名音注はない。元和本倭名類聚抄には同音字注「音夷」がある。

　　　痍 … 音夷／瘡也／傷也 キス［上上濁］　　　　　　　　（観智院本類聚名義抄／法下 117-6）
　　　瘡 搏字附 唐韻云瘡 音倉和名加佐 痍也痍 音夷和名岐須 …　（元和本倭名類聚抄／巻三 24 ウ 2）

　▶番号6817「洟」（洟）の仮名音注「イ」については、基本的に -i で対応する。当該字には平声点を差し、右注「スゞハナ」左注「音夷又田計反」を付載する。廣韻に拠れば、脂韻 (jieiʲ) 霽韻 (tʻeiʲ) 二音を有する。図書寮本類聚名義抄に平声点を付した同音字注「川云音夷」を見出す。観智院本には去声点を付した同音字注「音弟」と平声点を付した同音字注「又夷音」さらに上声点を付した同音字注「又音體」および去声墨圏点を付した和音「イ」を見つける。元和本倭名類聚抄には同音字注「夷反」がある。日本漢音は平/上/去声、日本呉音「イ」去声を認める。

　　　洟唾 广云古糲曰勅計［□去］反 … 川云音夷［平］須ゞ波奈［平上平濁平］
　　　　公任卿云音佪［平］正弟［去］ …　　　　　　　　　（図書寮本類聚名義抄／037-2）
　　　洟 音弟［去］又夷［平］音 スゝハナ［上平□□］… 又音體［上］／和イ［去：墨圏点］
　　　　　　　　　　　　　　　　　　　　　　　　　　　（観智院本類聚名義抄／法上 007-3）
　　　洟［佪：右傍］スゝハナ／正弟　　　　（石山寺一切経蔵本大般若経字抄／04 ウ 4）
　　　洟 搏字附 字書曰洟 夷反和名須々波奈 …　　　　　　（元和本倭名類聚抄／巻三 05 オ 6）

　▶番号5080a・5081a「飢」（飢寒・飢饉）の仮名音注「キ」については、基本的に -i で対応する。両当該字には去声点を差す。観智院本類聚名義抄に平声点を付した同音字注「音肌」（その右傍に朱筆で仮名音注「キ」）および去声点を付した和音「ケ」を見出す。日本漢音「キ」平声、日本呉音「ケ」去声を認める。

　　　饑飢 或正 音肌［平／キ：朱右傍］ツカル ウヘ … 和ケ［去］　（観智院本類聚名義抄／僧上 110-3）
　　　饑飢 或正 音肌［平／キ：朱右傍］… 和ケ　（鎮国守国神社蔵本三寶類聚名義抄／下一 34 オ 5）
　　　飢 音肌［平：圏点／キ：右傍］ツカル … 和ケ［去］　　　　（天理大学本最勝王経音義／14 オ 1）

　▶3581 番号「耆」（耆）の仮名音注「キ」については、基本的に -i で対応する。当該字には平声点を差し、左右注「已上／強也」を付載する。和訓「コハシ」の同訓異字として位置する。上巻の脂韻開口当該例で分析した。

　▶番号6089「鰭」（鰭）の仮名音注「キ」については、基本的に -i で対応する。当該字には平声点を差し、右注「ヒレ」左注「臾背上鬣也」を付載する。上巻の脂韻開口当該例で分析したように、日本漢音は平声を認める。

　▶番号6831「鮨」（鮨）の仮名音注「シ」については、基本的に -i で対応する。当該字には平声点を差す。諧声符「旨」（旨韻 śieiʲ）による字音把握か。本来は仮名音注「キ」を期待する。現

1108　3．仮名音注の韻母別考察　3-5　ⅢA韻類

行幾つかの漢和辞典は慣用音「シ」を掲げる。観智院本類聚名義抄に平声点を付した同音字注「音
耆」を見出すが、仮名音注はない。元和本倭名類聚抄には反切「渠脂反」と同音字注「與者同」が
ある。日本漢音は平声を認める。

　　　　鮨 … 音耆［平］スシ［平平］…　　　　　　　　　　　　（観智院本類聚名義抄／僧下 003-5）

　　　　鮨　爾雅注云鮨 渠脂反與者同和名須之 鮓属也 …　　　　（元和本倭名類聚抄／巻十九 10 オ 3）

　▶番号5395a「粢」（粢餅）の仮名音注「シ」については、基本的に -i で対応する。当該字には
平声点を差す。熟字 5395「粢」は左注「祭餅也」を付載する。観智院本類聚名義抄に同音字注「音
姿」と反切「又疾脂反・即私反」を見出すが、仮名音注はない。元和本倭名類聚抄には同音字注「音
姿」と反切「又疾脂反」がある。

　　　　粢 音姿 又疾脂反 即私反 スシ … シトキ　　　　　　　（観智院本類聚名義抄／法下 031-6）

　　　　粢餅 シトキ［□□上濁］　　　　　　　　　　　　　　（観智院本類聚名義抄／法下 031-7）

　　　　粢餅　陸詞切韻云粢 音姿又疾脂反 漢語鈔云粢 之度岐 祭餅也

　　　　　　　　　　　　　　　　　　　　　　　　　　　　　（元和本倭名類聚抄／巻十三 08 オ 5）

　▶番号5558a「粢」（粢餅）の仮名音注「シ」については、基本的に -i で対応する。当該字に声
点はない。熟字 5558「粢餅」は右傍「シトキ」を付載する。上述の分析を参照。

　▶番号5760a・5761a「資」（資貯・資財）の仮名音注「シ」については、基本的に -i で対応す
る。両当該字には去声点を差す。観智院本類聚名義抄に同音字注「音咨」および和音「シ」を見出
す。長承本蒙求には仮名音注「シ」があり、その掲出字に東声点を加える。日本漢音「シ」東声（四
声体系では平声）日本呉音「シ」を認める。

　　　　資 音咨 タスクル トル［平上］和シ …　　　　　　　（観智院本類聚名義抄／佛下本 014-2）

　　　　資［東］シ　　　　　　　　　　　　　　　　　　　　　（長承本蒙求／110・137）

　▶番号5906b「資」（師資相承）の仮名音注「シ」については、基本的に -i で対応する。当該字
に声点はない。上述の分析を参照。

　▶番号3811b「姿」（艶姿）の仮名音注「シ」については、基本的に -i で対応する。当該字には
平声点を差す。観智院本類聚名義抄に同音字注「音咨」を見出すが、仮名音注はない。

　　　　姿 音咨 スカタ カタチ … フルマヒ　　　　　　　　　（観智院本類聚名義抄／佛中 023-3）

　▶番号4628・4631「輜」（輜・輜）の仮名音注「シ」については、基本的に -i で対応する。両
当該字には平声点を差す。廣韻に拠れば、清母脂韻 (ts‘iei¹) 従母脂韻 (dziei¹) 崇母佳韻 (dʐɐ¹) 三
音を有する。番号 4628 は右注「サシマワス」左注「輜車」を、番号 4631「輜」は右注「ヒシ［平
上］シリソク［平平上濁平］」左注「輜車」を付載する。観智院本類聚名義抄に反切「秋脂反」と
同音字注「又音柴」を見出すが、仮名音注はない。

　　　　輜 … 秋脂反 又音柴 連車／サシシリソク［平上平平上濁平］… （観智院本類聚名義抄／僧中 091-2）

　▶番号5794a「赵」（赵趄）の仮名音注「シ」については、基本的に -i で対応する。当該字には

平声点を差す。観智院本類聚名義抄には反切「七夷反」を見出すが、仮名音注はない。

　　　赾　七夷反／シサル［平平平］　　　　　　　　（観智院本類聚名義抄／佛上 065-3）

　　　赾趑　シサル　　　　　　　　　　　　　　　　（観智院本類聚名義抄／佛上 065-4）

　▶番号 5448b・6977b「瓷」（白瓷・白瓷）の仮名音注「シ」については、基本的に -i で対応する。両当該字には平声点を差す。熟字「白瓷」は右注 5448「シラシ」中注「瓦器也」左注「白瓷青瓷等」右傍 6977「シ」仮名音注を付載する。右注は和訓「シラ」と字音「シ」との複合語か。上巻の脂韻開口当該例で分析したように、定着久しい字音「シ」という認識があったためかと考え得る。

　▶番号 4284b「瓷」（青瓷）の仮名音注「シ」については、基本的に -i で対応する。当該字に声点はない。熟字 4284「青瓷」は右注「アヲシ」を付載する。和訓「アヲ」と字音「シ」との複合語か。上述の分析を参照。

　▶番号 5271「茨」（茨）の仮名音注「シ」については、基本的に -i で対応する。当該字には平声点を差す。上巻の脂韻開口当該例で分析した。

　▶番号 5323「師」（師）の仮名音注「シ」については、基本的に -i で対応する。当該字には平声点を差し、右注「逸才［イッサイ：右傍］」中左注「人有三尊非父不生非／師學非君不仕故曰三尊」。上巻の脂韻開口当該諸例で分析したように、日本漢音「シ」東声（四声体系では平声）日本呉音「シ」去声を認める。

　▶番号 4431b・4882b・5301a・5325c・5579a・5906a・5954d・5977b・6823b「師」（穴師・經師・師子・眞言師・師匠・師資相承・従威儀師・畫師・咒師）の仮名音注「シ」については、基本的に -i で対応する。当該諸字九例に声点はない。熟字 4431「穴師」は左注「已上無戸」を、熟字 5301「師子」は左中右注「日行五百里／以虎豹為粮／者也」を付載する。上述の分析を参照。

　　　師子　兼名苑云師子一名狻猊 酸𥇦二音 穆天子傳云狻猊日行五百里以虎豹爲粮者也

　　　　　　　　　　　　　　　　　　　　　　　　（元和本倭名類聚抄／巻十八 16 オ 4）

　▶番号 3786b「脂」（燕脂）の仮名音注「シ［上濁］」については、基本的に -i で対応する。当該字には平声濁点を差し、その仮名音注には上声濁点を差すので、日本語音韻史上の連濁による字音「ジ」を想定する。右注「エンシ［平平上濁］」中注「又乍支［平］」左注「丹具也」〔＊丹←舟〕を付載する。上巻の脂韻開口当該諸例で分析したように、日本漢音「シ」東声（四声体系では平声）を認める。日本呉音「シ」の可能性を指摘しておく。

　　　燕支　西河舊事云焉支山出丹今案焉支烟支燕支燕脂皆通用

　　　　　　　　　　　　　　　　　　　　　　　　（元和本倭名類聚抄／巻十三 11 ウ 8）

　▶番号 4188・6399b「脂」（脂・桃脂）の仮名音注「シ」については、基本的に -i で対応する。両当該字には平声点を差す。番号 4188「脂」は右注「同（アフラ）」左注「旨夷反」を、熟字 6399「桃脂」は右注「モ,ノヤニ」を付載する。上述の分析を参照。

　　　桃脂　神仙服餌方云桃脂一名桃膠 和名毛々乃夜邇　　　（元和本倭名類聚抄／巻十七 12 ウ 2）

1110　3．仮名音注の韻母別考察　3-5　ⅢA韻類

▶番号5667a・5693a「祇」（祇承・祇候）の仮名音注「シ」については、基本的に -i で対応する。両当該字には平声点を差す。両当該字が示す前田本の字形「ネ+弓」を「祇」に修正する。熟字5693「祇候」は右傍「ツ˰シミツカフ」を付載する。観智院本類聚名義抄に反切「旨夷反」を見出すが、仮名音注はない。

　　　祇 旨夷反 ツカフ／ツ˰シム［□上□□］…　　　　　　　（観智院本類聚名義抄／法下002-7）

▶番号5298「鶺」（鶺）の仮名音注「シ」については、基本的に -i で対応する。当該字には平声点を差し、右注「シメ」左注「小青雀也」を付載する。観智院本類聚名義抄に東声点を付した同音字注「音脂」を見出すが、仮名音注はない。元和本倭名類聚抄には同音字注「脂」がある。日本漢音は東声（四声体系では平声）を認める。

　　　鶺 … 音脂［東］鳥般／ヒメ シメ［去上］　　　　　　（観智院本類聚名義抄／僧中118-8）

　　　鶺 孫愐切韻云鶺 音脂漢語抄云之女 小青雀也　　　　　（元和本倭名類聚抄／巻十八06 オ1）

▶番号5459c「鷗」（紙老鷗）の仮名音注「シ」については、基本的に -i で対応する。当該字には平声点を差す。前田本の掲出字形「鴉」を「鷗」に修正する。熟字5459「紙老鷗」は左中右注「雜藝具也」右傍「シラウシ俗」仮名音注を付載する。元和本倭名類聚抄には「世間云」として借字による「師勞之」がある。上巻の脂韻開口当該諸例で分析した。

　　　紙老鷗 シラヲシ／雜藝類　　　　　　　　　　　　　（観智院本類聚名義抄／僧中127-8）

　　　紙老鷗　辨色立成云紙老鷗 世間云師勞之 以紙爲鷗形乘風能飛 一云紙鳶

　　　　　　　　　　　　　　　　　　　　　　　　　　　（元和本倭名類聚抄／巻四08 オ3）

▶番号4165「尼」（尼）の仮名音注「チ」については、基本的に -i で対応する。当該字には平声点を差し、右注「アマ［平上］」左注「女夷反」を付載する。図書寮本類聚名義抄に反切「直尸反」を見出す。観智院本には反切「奴谷女飢二反」および和音「ニ」を見つける。日本呉音「ニ」を認める。

　　　尼坻 广云 … 直／尸反　　　　　　　　　　　　　　（図書寮本類聚名義抄／226-4）

　　　尼 奴谷女飢二反 スナハチ … ヤハラカナリ　　　　　（観智院本類聚名義抄／法下087-1）

　　　尼〔＊ヒは工の字形〕俗／アマ 和ニ　　　　　　　　（観智院本類聚名義抄／法下087-2）

▶番号6146a「琵」（琵琶）の仮名音注「ヒ」については、基本的に -i で対応する。当該字には平声濁点を差すので、字音「ビ」を想定する。熟字6146「琵琶」は中注「馬上［上去／ハシヤウ］」左注「樂器也」を付載する。熟字「琵琶」に対して、図書寮本類聚名義抄に同音字注「川云毗婆［平平］」と「俗云微波［平平］」を見出す。また観智院本には同音字注「毗婆二音」と「俗云ヒワ」を見つける。元和本倭名類聚抄には「毘婆二音」と「俗云微波二音」がある。日本漢音は平声、定着久しい字音「ヒ」平声〔＊ビの蓋然性が高い〕を認める。

　　　琵琶 川云毗婆［平平］二音 俗云微波［平平］…　　　　（図書寮本類聚名義抄／170-5）

　　　琵琶 毗婆二音 俗云 ヒワ　　　　　　　　　　　　　（観智院本類聚名義抄／法中015-4）

3-5-3　-ie 系の字音的特徴　1111

毗 裨時 ［□平］ 反 タスク ［平平□］ … 和ヒイ ［平濁平］　　　（観智院本類聚名義抄／佛中 110-8）

微 莫飛反 和ミ ホノカニ …　　　　　　　　　　　　　　　（観智院本類聚名義抄／佛上 038-6）

琵琶 擽附 兼名苑云琵琶 毘婆二音俗云微波二音 本出於胡也馬上鼓之 …

　　　　　　　　　　　　　　　　　　　　　　　　　　　（元和本倭名類聚抄／巻四 08 オ 3）

▶番号 6101a「比」（比丘）の仮名音注「ヒ」については、基本的に -i で対応する。当該字には
平声濁点を差すので、字音「ビ」を想定する。廣韻に拠れば、脂/至韻（bjiei¹ᐟ³）旨/至韻（pjiei²ᐟ³）
質韻（bjiet）五音を有する。図書寮本類聚名義抄に同音字注「匕鼻邲三音」（「匕」には上声点／
「邲」は入声点位置に仮名音注「ヒチ」）と反切「中云俾履反」を見出す。観智院本には同音字注
「音匕」と反切「又苻脂反」さらに去声濁点を付した同音字注「又音鼻」と入声点を付した同音字
注「又音邲」を見つける。長承本蒙求には仮名音注「ヒ」があり、その掲出字に上声点を加える。
日本漢音「ヒ」上声「ヒチ」入声を認める。また日本漢音は去声を認める。

　　等比 宋云音匕 ［上］ 鼻邲 ［ヒチ：入声点位置］ 三音 中云／俾履反 …

　　　コロホヒ ［上上上上／論：右注］ … 行円云タトヒ ［平平平］　　（図書寮本類聚名義抄／134-2）

　　比 音匕 ナラフ ［上上平濁］ … 又苻脂反 … 又音鼻 ［去濁］ … 又音邲 ［入］ …

　　　　　　　　　　　　　　　　　　　　　　　　　　　（観智院本類聚名義抄／法上 098-7）

　　比 ［上］ ヒ　　　　　　　　　　　　　　　　　　　　　　　（長承本蒙求／130）

▶番号 6237a・6292a・6324a「比」（比屋・比校・比方）の仮名音注「ヒ」については、基本
的に -i で対応する。当該諸字三例には平声点を差す。上述の分析を参照。

▶番号 6339a「比」（比珠）の仮名音注「ヒ」については、基本的に -i で対応する。当該字には
去声点を差す。上述の分析を参照。

▶番号 3784b・6355a・6387a「比」（衣比香・比叡山・比良）の仮名音注「ヒ」については、
基本的に -i で対応する。当該諸字三例に声点はない。上述の分析を参照。

　　褁衣香 文字集略云褁衣香 褁於業反褁衣俗云衣比　　　（元和本倭名類聚抄／巻十二 02 オ 3）

▶番号 4582「枇」（枇）の仮名音注「ヒ」については、基本的に -i で対応する。当該字には平
声点を差し、右注「サシクシ ［平上平濁平］」左注「櫛枇」を付載する。廣韻に拠れば、脂/至韻（bjiei¹ᐟ³）
旨韻（pjiei²）三音を有する。観智院本類聚名義抄に平声点を付した同音字注「琵」と注記「此間云」
として去声濁点を付した仮名音注「ヒ」を見出す。元和本倭名類聚抄には反切「毘志反」がある。
日本漢音は平声、近時の字音「ビ」去声を認める。

　　枇杷 琵琶 ［平平］ 此間云 ヒハ ［去濁平］ … クシ ［平平］ …（観智院本類聚名義抄／佛下本 100-5）

　　細櫛　唐韻云 … 枇 毘志反和名保曽岐久之 百刺櫛 佐之久之

　　　　　　　　　　　　　　　　　　　　　　　　　　　（元和本倭名類聚抄／巻十四 06 オ 4）

▶番号 6064a「枇」（枇杷）の仮名音注「ヒ」については、基本的に -i で対応する。当該字には
去声点を差す。熟字 6064「枇杷」は左注「果木」を付載する。上述の分析を参照。

1112　3．仮名音注の韻母別考察　3-5　ⅢA韻類

枇杷　唐韻云枇杷 琵琶二音此間云味杷 菓木冬花而夏実也

（元和本倭名類聚抄／巻十七 11 オ 7）

　▶番号6263a「眉」（眉目）の仮名音注「ヒ」については、基本的に -i で対応する。当該字に声点はない。上巻の脂韻開口当該例で分析ように、日本漢音「ビ」平声、日本呉音「ミ」を認める。

　▶番号4422c「梨」（阿闍梨）の仮名音注「ヒ」については、基本的に -i で対応する。当該字に声点はない。上巻の脂韻開口当該例で分析したように、日本漢音は平声を認める。

《上巻　旨韻開口諸例》

　▶番号2256「几」（几）の仮名音注「キ」については、基本的に -i で対応する。当該字には上声点を差し、右注「ヲシマツキ」左注「以竹木為几」を付載する。図書寮本類聚名義抄に「川云二音如朞帳［平去濁］」を見出す。観智院本には上声点を付した同音字注「音机」を見つけるが、仮名音注はない。元和本倭名類聚抄に反切「居履反」がある。日本漢音は上声を認める。

几帳 川云二音如朞帳［平去濁］ 今案本／文 未詳　　　　　　（図書寮本類聚名義抄／281-3）

几 音机［上］オシマツキ［上上上上濁上］　　　　　（観智院本類聚名義抄／佛下末015-4）

几 脇息附 西京雑記云漢制天子玉几公侯皆以竹木爲几

居履反和名於之萬都岐 今案几属有脇息之名所出未詳　　　（元和本倭名類聚抄／巻十四 16 ウ 6）

　▶番号1950b「几」（女几）の仮名音注「キ」については、基本的に -i で対応する。当該字には去声点を差す。上述の分析を参照。

　▶番号0103「姉」（姉）の仮名音注「キ」については、基本的に -i で対応する。当該字には上声点を差し、右注「イロネ」左注「又アネ」を付載する。観智院本類聚名義抄に上声点を付した同音字注「音止」を見出すが、仮名音注はない。元和本倭名類聚抄には上声点を付した同音字注「止反」がある。日本漢音は上声を認める。

姉 音止［上］アネ／コノカミ　　　　　　　　　　　（観智院本類聚名義抄／佛中 022-6）

姉 爾雅云女子先生爲姉 止反 女兄 和名阿禰　　　　　（元和本倭名類聚抄／巻二 16 オ 4）

　▶番号0761b・2994b「死」（半死・餓死）の仮名音注「シ」については、基本的に -i で対応する。両当該字には上声点を差す。観智院本類聚名義抄に和音「シ」を見出す。日本呉音「シ」を認める。

死 シヌ／カル 和シ　　　　　　　　　　　　　　　（観智院本類聚名義抄／佛上 078-5）

　▶番号2385b「死」（横死）の仮名音注「シ」については、基本的に -i で対応する。当該字には平声点を差す。上述の分析を参照。

　▶番号2054b「旨」（令旨）の仮名音注「シ」については、基本的に -i で対応する。当該字には上声濁点を差すので、日本語音韻史上の連濁による字音「ジ」を想定する。観智院本類聚名義抄に

平声点〔*存疑〕を付した同音字注「音指」と反切「又怖迷反」を見出す。前者の同音字注「指」は旨韻上声（tśieiʰ）ゆえ疑義が残る。長承本蒙求には仮名音注「シ」があり、その掲出字に上声点を加える。日本漢音「シ」上声を認める。

　　　旨 音指［平］又怖迷反 ムネ［上上］…　　　　　　　　　（観智院本類聚名義抄／佛中 098-8）

　　　旨［上］シ　　　　　　　　　　　　　　　　　　　　　　（長承本蒙求／053）

　▶番号 2055b「旨」（綸旨）の仮名音注「シ」については、基本的に -i で対応する。当該字には去声点を差す。上述の分析を参照。

　▶番号 3065b「旨」（雅旨）の仮名音注「シ」については、基本的に -i で対応する。当該字には平声点を差す。上述の分析を参照。

　▶番号 1095a「雉」（雉脯）の仮名音注「チ」については、基本的に -i で対応する。当該字には上声点を差す。熟字 1095「雉脯」は右注「ホシトリ」を付載する。観智院本類聚名義抄に上声点を付した同音字注「音智」および去声点を付した「呉音知」を見出すが、仮名音注はない。承暦本金光明最勝王経音義には同音字注「知音」知毋支韻（tieʰ）⁽⁴⁶⁾があり、その掲出字に去声点を加える。元和本倭名類聚抄には同音字注「音智上聲之重」を見つける。当該字「雉」は舌音濁澄母旨韻上声（ḍieiʰ）を示す。切韻を撰述して以降の中国語において、上声濁が次第に去声化を起こした状態を、日本漢音では反映する。これは上声を構成する上声軽と上声重とが allotone であり、後者の調値が去声と区別できないことを示すとも言える。日本漢音は上声、日本呉音は去声を認める。また日本呉音「チ」の蓋然性が高い。

　　　雉 音智［上］キ丶ス［上上濁上］一云キシ［上上濁］／呉音知［去］…

　　　　　　　　　　　　　　　　　　　　　　　　　（観智院本類聚名義抄／僧中 136-2）

　　　雉［去］知丶　　　　　　　　　　　　　　　（承暦本金光明最勝王経音義／09 オ 6）

　　　　先可知所付借字　　　　　　　　　　　　　（承暦本金光明最勝王経音義／01 オ 7）

　　　千［平］知［上］利［平］理［上］…　　　　（承暦本金光明最勝王経音義／01 ウ 2）

　　　雉 廣雅云雉 音智上聲之重和名木々須一云木之 野鶏也　（元和本倭名類聚抄／巻十八08 オ 4）

　　　雉脯 遊仙窟云西山鳳脯 音甫䫴說保之止利俗用干鳥二字　（元和本倭名類聚抄／巻十六20 オ 9）

　▶番号 0888b・1935a「雉」（万雉・雉尾）の仮名音注「チ」については、基本的に -i で対応する。両当該字には去声点を差す。上述の分析を参照。

　▶番号 1919a「雉」（雉目）の仮名音注「チ」については、基本的に -i で対応する。当該字には平声点を差す。上述の分析を参照。

　▶番号 0564「姃」（姃）の仮名音注「ヒ」については、基本的に -i で対応する。当該字には去声点を差し、右注「同（ハ丶）先姃」左注「死母曰姃」を付載する。観智院本類聚名義抄に反切「俾棄反」（その反切下字に上声点）を見出すが、仮名音注はない。元和本倭名類聚抄には反切「田履反」〔*界履反の誤認か〕がある。日本漢音は上声を認める。

1114　3．仮名音注の韻母別考察　3-5　ⅢA韻類

　　　姊 俾癸 [□上] 反 母／死曰姊 ハ 〔上上〕　　　　　　　　　（観智院本類聚名義抄／佛中 008-2）

　　　父母 … 爾雅云父爲考 好反 母爲姊 田履反 …　　　　　（元和本倭名類聚抄／巻二 14 オ 9）

　▶番号 1333b・1679b「鄙」（邊鄙・都鄙）の仮名音注「ヒ」については、基本的に -i で対応する。両当該字には上声点を差す。熟字 1333「邊鄙」は右傍「アツマ ヒト」を、熟字 1679「都鄙」は右傍「ミヤコ キナカ」を付載する。図書寮本類聚名義抄に反切「茲云補美反」を見出す。観智院本類聚名義抄に反切「陂美反」および平声点を付した和音「ヒ」を見つける。承暦本金光明最勝王経音義には同音字注「比音」があり、その掲出字に平声点を加える。日本呉音「ヒ」平声を認める。

　　　鄙 茲云補美反 輕嫌也 …　　　　　　　　　　　　　　（図書寮本類聚名義抄／180-7）

　　　鄙 陂美反 イヤシ [□上上] … キナカ 和ヒ [平] …　　　（観智院本類聚名義抄／法中 027-4）

　　　鄙 [平] 比ミ／伊也之　　　　　　　　　　　　　　　（承暦本金光明最勝王経音義／07 ウ 5）

　　　邊鄙　文選西京賦云蛍眩邊鄙訓 阿豆萬豆 …　　　　　（元和本倭名類聚抄／巻二 10 ウ 6）

　▶番号 0123「鄙」（鄙）の仮名音注「ヒ」については、基本的に -i で対応する。当該字に声点はなく、和訓「イヤシ」の同訓異字として位置する。上述の分析を参照。

　▶番号 0276b「美」（優美）の仮名音注「ヒ」については、基本的に -i で対応する。当該字には上声点を差す。観智院本類聚名義抄に和音「ミ」を見出す。日本呉音「ミ」を認める。

　　　美 ヨシ [平平] ウルハシ [平平平平] … 和ミ　　　　　（観智院本類聚名義抄／佛下末 029-2）

　▶番号 1227b・1909b「美」（褒美・珍美）の仮名音注「ヒ」については、基本的に -i で対応する。両当該字には平声濁点を差すので、字音「ビ」を想定する。その中古音が示す頭子音 m-（等韻学の術語で言う唇音清濁明母）は両唇鼻音であり、マ行音をもって受容する。ただし、鼻音声母の非鼻音化（denasalization）現象によって、m->mb->b- の音変化をする。原則的に言えば、この影響を受けた日本漢音はバ行音を反映する。

　▶番号 0366b・0368b・0369b・0378a・3287a・1701b・3163b「美」（法美・邑美・邑美・美濃・美嚢・登美・能美）の仮名音注「ミ」については、基本的に -i で対応する。当該諸字七例に声点はない。上述の分析を参照。

　　　因幡國 國府在法美郡 … 法美 波不美國府 邑美 於不美 …　（元和本倭名類聚抄／巻五 21 オ 8）

　　　石見國 國府在那賀郡 安濃 … 美濃　　　　　　　　　　（元和本倭名類聚抄／巻五 22 オ 3）

　　　播磨國 國府在餝磨郡 明石 安加志 … 美嚢 美奈木　　　（元和本倭名類聚抄／巻五 22 ウ 2）

　　　加賀國 國府在能美郡 江沼 能美 國府 …　　　　　　　（元和本倭名類聚抄／巻五 19 ウ 3）

　▶番号 2099a「履」（履鞜）の仮名音注「リ」については、基本的に -i で対応する。当該字には平声点を差す。熟字 2099「履鞜」は右傍「クツ シタウツ」を付載する。観智院本類聚名義抄に同音字注「音李」および和音「リ」を見出す。長承本蒙求には仮名音注「リ」があり、その掲出字を含む二例に上声点を加える。承暦本金光明最勝王経音義には同音字注「利音」があり、その掲出字に平声点を加える。元和本倭名類聚抄には同音字注「音李」を見つける。日本漢音「リ」上声、日

本呉音「リ」平声を認める。

履 音李 フム クツ 皮也 … 和ヽリ	（観智院本類聚名義抄／法下 091-5）
履［上］リ	（長承本蒙求／087）
履［上］	（長承本蒙求／132）
履［平］利ミ	（承暦本金光明最勝王経音義／06 ウ 2）
履　唐韻云草日 … 革曰履 音李和名並久豆用轄子音杏	（元和本倭名類聚抄／巻十二 26 オ 1）

《下巻 旨韻開口諸例》

▶番号 4919a「几」（几帳）の仮名音注「キ」については、基本的に -i で対応する。当該字に声点はない。上巻の旨韻開口当該諸例で分析したように、日本漢音は上声を認める。

帳 几帳附 釋名云帳 … 今案帳属有几帳之名所出未詳（元和本倭名類聚抄／巻十四 15 ウ 6）

▶番号 4160「姉」（姉）の仮名音注「シ」については、基本的に -i で対応する。当該字には上声点を差し、右注「将九反」中注「アネ」左注「又イハネ」〔＊イロネの誤認〕を付載する。上巻の旨韻開口当該例で分析したように、日本漢音は上声を認める。

▶番号 5822a・5900a「死」（死罪・死生不知）の仮名音注「シ」については、基本的に -i で対応する。両当該字に声点はない。上巻の旨韻開口当該諸例で分析したように、日本呉音「シ」を認める。

▶番号 5873a「兕」（兕觥）の仮名音注「シ」については、基本的に -i で対応する。当該字には上声点を差す。熟字 5873「兕觥」は左注「盃名也」を付載する。観智院本類聚名義抄に同音字注「音似」と反切「又徐姉反」を見出すが、仮名音注はない。元和本倭名類聚抄に同音字注「音似」がある。

兕 音似 又徐姉反 似牛一角青色重千斤 …	（観智院本類聚名義抄／佛下末 017-1）
犀 雌犀附 … 本草云雌犀一名兕犀 楊玄操曰兕音似	（元和本倭名類聚抄／巻十八 16 ウ 1）

▶番号 5305「兕」（兕）の仮名音注「シ」については、基本的に -i で対応する。当該字に声点はなく、右注「同（シカ）」左注「害虒」を付載する。上述の分析を参照。

▶番号 5757a・5774a「指」（指南・指歸）の仮名音注「シ」については、基本的に -i で対応する。両当該字には平声点を差す。熟字 5757「指南」は右傍「シルヘ」を付載する。観智院本類聚名義抄に平声点を付した同音字注「音旨」（旨韻上声 śiei²）を見出すが、その平声点に疑義が残る。長承本蒙求には仮名音注「シ」があり、その掲出字に上声点を加える。元和本倭名類聚抄には同音字注「旨反」を見つける。日本漢音「シ」上声を認める。

指 音旨［平］ユヒ［平平濁］俗云オヨヒ［平平平濁］…	（観智院本類聚名義抄／佛下本 039-3）
指南 シルヘ	（観智院本類聚名義抄／佛下本 039-3）

1116　3．仮名音注の韻母別考察　3-5　ⅢA韻類

指［上］シ　　　　　　　　　　　　　　　　　　　　（長承本蒙求／088）

指　唐韻云指 旨反和名由比俗云於與此 …　　　　（元和本倭名類聚抄／巻三 13 オ 3）

▶番号 5225・5463a・5896a「指」（指・指南車・指佞草）の仮名音注「シ」については、基本的に -i で対応する。当該諸字三例に声点はない。番号 5225「指」は右注「ユヒ」を付載する。

指南車　鬼谷子注周成王時肅愼氏献白雉還恐惑周公作指南車以送之

（元和本倭名類聚抄／巻十一 06 ウ 7）

▶番号 4865「雉」（雉）の仮名音注「チ」については、基本的に -i で対応する。当該字には上声点を差し、右注「キシ 山梁」中注「直几反」左注「キミス」を付載する。上巻の旨韻開口当該諸例で分析したように、日本漢音は上声、日本呉音は去声を認める。日本呉音「チ」の蓋然性が高い。

▶番号 4271a「雉」（雉尾）の仮名音注「チ」については、基本的に -i で対応する。当該字には去声点を差す。上述の分析を参照。

▶番号 3766「痞」（痞）の仮名音注「ヒ」については、基本的に -i で対応する。当該字には上声点を差し、右注「エカハラ」左注「符鄙方久二反」を付載する。廣韻に拠れば、幇母清旨韻 (piei²) 並母濁旨韻 (biei²) 幇母清有韻 (piʌu²) 三音を有する。観智院本類聚名義抄に同音字注「音否」を見出すが、仮名音注はない。元和本倭名類聚抄には反切「符鄙反上聲之重」がある。切韻を撰述して以降の中国語において、上声濁が次第に去声化を起こした状態を、日本漢音では反映する。これは上声を構成する上声軽と上声重とが allotone であり、後者の調値が去声と区別できないことを示すとも言える。

痞 音否 氣痞結／エカハラ［去平濁平平］　　　（観智院本類聚名義抄／法下 120-3）

痞　錄験方云痞 符鄙反上聲之重衣質波良 小児腹病也 …　　（元和本倭名類聚抄／巻三 21 ウ 3）

▶番号 6254a「鄙」（鄙人）の仮名音注「ヒ」については、基本的に -i で対応する。当該字には上声点を差す。上巻の旨韻開口当該諸例で分析したように、日本呉音「ヒ」平声を認める。

▶番号 5224b「牝」（遊牝）の仮名音注「ヒ」については、基本的に -i で対応する。当該字に声点はない。廣韻に拠れば、旨韻 (bjiei²) 軫韻 (bjien²) 二音を有する。熟字 5224「遊牝」は右注「ユヒ」左注「又ツルヒ」を付載する。観智院本類聚名義抄に同音字注「音髀・又音婢」を見出すが、仮名音注はない。元和本倭名類聚抄には熟字「遊牝」に対して「俗云由比」がある。定着久しい字音「ヒ」の可能性を指摘しておく。

牝 音髀 メケモノ［去平平平］／又音婢 ツルフ　　（観智院本類聚名義抄／佛下末 002-3）

遊牝 … 唐厩牧令云諸牧馬毎年三月遊牝 俗云由比日本紀私記云豆流比

（元和本倭名類聚抄／巻十八 15 ウ 4）

▶番号 6233a・6249a・6306a「美」（美景・美麗・美食）の仮名音注「ヒ」については、基本的に -i で対応する。当該諸字三例には上声点を差す。熟字 6249「美麗」は右傍「ヨ ハウ」を付載する。上巻の旨韻開口当該諸例で分析したように、日本呉音「ミ」を認める。

3-5-3 -ie 系の字音的特徴　1117

▶番号 6250a「美」（美操）の仮名音注「ヒ」については、基本的に -i で対応する。当該字に声
点はない。上述の分析を参照。

▶番号 4414a「美」（美馬）の仮名音注「ミ」については、基本的に -i で対応する。当該字に声
点はない。上述の分析を参照。

　　　阿波國 國府在名東郡本是名方郡也今分爲東西二郡 … 美馬 美萬 …

　　　　　　　　　　　　　　　　　　　　　　　　　（元和本倭名類聚抄／巻五 25 オ 3）

▶番号 5786b「履」（珠履）の仮名音注「リ」については、基本的に -i で対応する。当該字には
平声点を差す。上巻の旨韻開口当該例で分析したように、日本漢音「リ」上声、日本呉音「リ」平
声を認める。

▶番号 4577b「履」（草履）の仮名音注「リ」については、基本的に -i で対応する。当該字に声
点はない。上述の分析を参照。

　　　草履　楊氏漢語抄云草履 和名與鞺同俗云佐宇利　　　（元和本倭名類聚抄／巻十二 27 ウ 6）

《上巻 至韻開口諸例》

▶番号 1955b「屓」（贔屓）の仮名音注「キ」については、基本的に -i で対応する。当該字には
平声点を差す。熟字 1955「贔屓」は右注「チカラヲコシ」を付載する。観智院本類聚名義抄に同音
字注「咽」を見出すが、仮名音注はない。

　　　贔屓 備四二音 トチカラオコシメ　屓贔 同訓　　　（観智院本類聚名義抄／佛下本 013-8）

▶番号 2755b「器」（嚴器）の仮名音注「キ」については、基本的に -i で対応する。当該字には
去声点を差す。熟字 2755「嚴器」は右注「カラクシケ」を想定する。観智院本類聚名義抄に反切
「羌寄反」および平声点を付した和音「キ」を見出す。長承本蒙求には仮名音注「キ」があり、そ
の掲出字に去声点を加える。日本漢音「キ」去声、日本呉音「キ」平声を認める。

　　　器 羌寄反 ツキ ウツハ牛［上上上□］… 和キ［平］　　　（観智院本類聚名義抄／佛中 045-8）
　　　器［去］キ　　　　　　　　　　　　　　　　　　　　　　　　　（長承本蒙求／113）
　　　嚴器　魏武疏云漆画嚴器俗用唐櫛匣三字 賀良玖師介　（元和本倭名類聚抄／巻十四 06 オ 6）

▶番号 1649b「器」（土器）の仮名音注「キ」については、基本的に -i で対応する。当該字には
上声点を差す。上述の分析を参照。

▶番号 3062b「器」（樂器）の仮名音注「キ」については、基本的に -i で対応する。当該字には
上声濁点を差すので、日本語音韻史上の連濁による字音「ギ」を想定する。上述の分析を参照。

▶番号 0624「劀」（劀）の仮名音注「キ」については、基本的に -i で対応する。当該字には去
声濁点を差すので、字音「ギ」を想定する。また右注「同（ハナキル）」を付載する。観智院本類
聚名義抄に反切「臭既反」を見出すが、仮名音注はない。石山寺一切経蔵本大般若経字抄には漢呉

二音相同の同音字注「音義・義」（賓韻 ŋie³）三例がある。

劓 臬既反 ハナキル …　（観智院本類聚名義抄／佛中 079-7）

劓［音義：右傍］ハナ／キル　（石山寺一切経蔵本大般若経字抄／19 ウ 3）

劓［音義：右傍］　（石山寺一切経蔵本大般若経字抄／21 ウ 2）

劓［義：右傍］　（石山寺一切経蔵本大般若経字抄／22 オ 5・25 オ 5）

▶番号 1545「佽」（佽）の仮名音注「シ」については、基本的に -*i* で対応する。当該字には去声点を差し、和訓「トシ」の同訓異字として位置する。観智院本類聚名義抄に同音字注「音次」を見出すが、仮名音注はない。

佽 音次 トシ　（観智院本類聚名義抄／佛上 005-8）

▶番号 2061b「次」（鱗次）の仮名音注「シ」については、基本的に -*i* で対応する。当該字には去声点を差す。熟字 2061「鱗次」は右傍「イロクツノ如ニツイツ」を付載する。図書寮本類聚名義抄に反切「中云七四反」（その反切下字に去声点）を見出す。観智院本類聚名義抄に反切「七四反」（その反切下字に去声点）を見つける。長承本蒙求には仮名音注「シ」があり、その掲出字に去声点を加える。日本漢音「シ」去声を認める。

次 中云七四［□去］反 次第也　（図書寮本類聚名義抄／069-3）

次 七四［□去］反 ツキ ツイテ［上上上濁］　（観智院本類聚名義抄／法上 046-5）

次［去］シ　（長承本蒙求／114）

▶番号 0446b「次」（路次）の仮名音注「シ」については、基本的に -*i* で対応する。当該字には上声点を差す。当該熟字 0466「路次」には去声点と上声点（◑●）を差すが、これは去声点と去声点（◑◑）からの変化と考える。上述の分析を参照。

▶番号 0672a「髼」（髼筆）の仮名音注「シ」については、基本的に -*i* で対応する。当該字には去声点を差す。前田本の掲出字形は「鏒」に近いが、諧声符「參」の上部に「彡」を加えた字形を示すので、これを「髼」に修正する。熟字 0672「髼筆」は右注「ハケ」左注「以漆塗器也」を付載する。観智院本類聚名義抄に同音字注「音次」を見出すが、仮名音注はない。元和本倭名類聚抄に同音字注「音次」がある。

髼 音次　髼筆 ハケ　（観智院本類聚名義抄／佛下本 035-7）

髼筆　陸詞切韻云髼 音次漢語抄云髼筆波介 以漆塗物也　（元和本倭名類聚抄／巻十五 14 ウ 7）

▶番号 0032「肆」（肆）の仮名音注「シ」については、基本的に -*i* で対応する。当該字に声点はなく、右注「イチクラ」を付載する。観智院本類聚名義抄に平声点と去声点を付した同音字注「音四」を見出すが、仮名音注はない。元和本倭名類聚抄に「四反」がある。日本漢音は平/去声を認める。

肆 音四［平・去］イチクラ［平平平濁平］…　（観智院本類聚名義抄／佛下本 033-3）

肆　唐令云諸市毎肆立標題 四反和名伊知久良　（元和本倭名類聚抄／巻十 07 ウ 6）

3-5-3　-ie 系の字音的特徴　1119

▶番号0963「贅」（贅）の仮名音注「シ」については、基本的に -i で対応する。当該字に声点はなく、右注「ニヘ」を付載する。観智院本類聚名義抄に同音字注「音至」を見出すが、仮名音注はない。

　　　贅 音至 タカラ／ニヘ［上上］ツト　　　　　　　　（観智院本類聚名義抄／佛下本020-1）

▶番号0141「謚」（謚）の仮名音注「シ」については、基本的に -i で対応する。当該字には去声点を差し、右注「イミナ」左注「謚号」を付載する。図書寮本類聚名義抄に反切「弘云時志反」を見出す。観智院本類聚名義抄に同音字注「音益」と反切「又神至反・又呼迪反」を見つけるが、仮名音注はない。

　　　謚比 弘云時志反 申也 …　　　　　　　　　　　　　（図書寮本類聚名義抄／093-5）
　　　謚 音益 又神至反 イミナ … 又呼迪反 笑　謚 正　（観智院本類聚名義抄／法上063-7）

▶番号0738b「示」（牓示）の仮名音注「シ」については、基本的に -i で対応する。当該字には上濁声点を差すので、字音「ジ」を想定する。廣韻に拠れば、至韻（dʑieiᵌ）支韻（gjieⁱ）二音を有する。観智院本類聚名義抄に反切「時志反」（志韻 ʑieiᵌ）と「俗音祇」（支韻 gjieⁱ）を見出すが、仮名音注はない。

　　　示 時志反 俗音祇 … シメス［上平平］… シム　　（観智院本類聚名義抄／法下001-2）

▶番号0402b「二」（十二）の仮名音注「シ」については、基本的に -i で対応する。当該字に声点はない。その中古音が示す頭子音 ń-（等韻学の術語で言う日母）は硬口蓋鼻音であり、日本語のナ行音をもって受容するが、中国語音韻史上における鼻音声母の非鼻音化（denasalization）現象によって、ń->nʑ->ʑ- の音変化をする。これを反映する場合はザ行音で対応する。観智院本類聚名義抄に反切「耳異反」（その反切下字に去声点）を見出す。長承本蒙求には仮名音注「シ」があり、その掲出字を含む三例に去声点を加える。日本漢音「シ」去声を認める。

　　　二 耳異［口去］反 フタツ／フタリ フタ、ヒ　（観智院本類聚名義抄／佛上074-1）
　　　二［去］シ〔*不鮮明〕　　　　　　　　　　　　　　（長承本蒙求／011）
　　　二［去］　　　　　　　　　　　　　　　　　　（長承本蒙求／048・139）

▶番号0974「二」（二）の仮名音注「ニ」については、基本的に -i で対応する。当該字に声点はない。上述の分析を参照。

▶番号2093b「致」（理致）の仮名音注「チ」については、基本的に -i で対応する。当該字には上声点を差す。観智院本類聚名義抄に反切「徴吏反」および和音「チ」を見出す。日本呉音「チ」を認める。

　　　致 徴吏反 イタス［上上平］… 今／致字 … 和チ　（観智院本類聚名義抄／僧中061-2）

▶番号0150a・1811a・1836a・1838a「致」（致齋・致齋・致仕・致敬）の仮名音注「チ」については、基本的に -i で対応する。当該諸字四例には平声点を差す。熟字0150「致齋」は右注「イミサス」を、熟字1811「致齋」は右傍「イタス モノイミヲ」左注「イミサスヲ云也」を付載する。

1120　3．仮名音注の韻母別考察　3-5　ⅢA韻類

上述の分析を参照。

▶番号1757a・1803a・1804a・1832a・1947a「地」（地久樂・地勢・地裂・地久・地忍）の仮名音注「チ」については、基本的に *i* で対応する。当該諸字五例には去声点を差す。その中古音が示す頭子音 ḍ-（等韻学の術語で言う舌音濁澄母）であるから、日本語のダ行音をもって受容するが、中国語音韻史上における濁音声母の無声化を反映する場合はタ行音で対応する。熟字1757「地久樂」は右注「高麗楽」を、熟字1804「地裂」は右傍「サクルナリ」を、熟字1947「地忍」は右傍「タミニシノフ」を付載する。図書寮本類聚名義抄に反切「弘云題利反」（その反切下字に去声点）を見出す。観智院本には平声点を付した和音「チ」を見出す。日本漢音は去声、日本呉音「チ」平声を認める。

　　　地 弘云題利［平去］反 易也 辟也／底也 …　　　　　　　（図書寮本類聚名義抄／214-1）

　　　地 … トコロ［上上□］… 和云［平］…　　　　　　　　（観智院本類聚名義抄／法中 048-2）

　　　高麗樂曲 … 地久樂 即歌有桜人曲是也 納蘇利　　　　（元和本倭名類聚抄／巻四 18 オ 1）

▶番号1337b・1721a・1775a・1802a・1849a・1918a「地」（邊地・地黄・地子・地形・地震・地味）の仮名音注「チ」については、基本的に *i* で対応する。当該諸字六例には平声濁点を差すので、字音「ヂ」を想定する。熟字1721「地黄」は右注「チワウ俗」左注「一名地髄」を付載する。上述の分析を参照。

　　　地震 ナヰ［平上］　　　　　　　　　　　　　　（観智院本類聚名義抄／法中 048-3）

　　　地黄 本草云地黄一名地髄　　　　　　　　　（元和本倭名類聚抄／巻二十 04 ウ 1）

▶番号0730b・0736b・1887a・2864b「地」（白地・薄地・地望・寒地）の仮名音注「チ」については、基本的に *i* で対応する。当該諸字四例には平声点を差す。上述の分析を参照。

　　　白地 アカラサマ［上上□□□］　　　　　　　　　（観智院本類聚名義抄／法中 048-3）

▶番号1704「地」（地）の仮名音注「チ」については、基本的に *i* で対応する。当該字に声点はない。右注「東傾［平平］」左注「右動［上去］」を付載する。上述の分析を参照。

▶番号0351b「縡」（綵縡）の仮名音注「チ」については、基本的に *i* で対応する。当該字には去声点を差す。熟字0351「綵縡」は右注「イロキヒシ」を付載する。図書寮本類聚名義抄に去声点を付した「真云チ」を見出す。観智院本には同音字注「音稚・音致」と反切「徐智反」および「呉音智」を見出す。日本呉音「チ」去声を認める。

　　　綵縡 音采［上］… 真云サイチ［平平去］　　　　　（図書寮本類聚名義抄／317-4）

　　　縡 音稚 キヒシ［平平濁□］… 音致 呉音智　　　　（観智院本類聚名義抄／法中 128-7）

　　　虫+致 徐智反／正縡　　　　　　　　　　　　（観智院本類聚名義抄／僧下 039-3）

▶番号1600b「稚」（童稚）の仮名音注「チ」については、基本的に *i* で対応する。当該字には去声点を差す。その中古音が示す頭子音 ḍ-（等韻学の術語で言う舌音濁澄母）であるから、日本語のダ行音をもって受容するが、中国語音韻史上における濁音声母の無声化を反映する場合はタ行音

で対応する。観智院本類聚名義抄に去声点を付した同音字注「音緻」および「和同」を見出す。長承本蒙求には仮名音注「チ」二例があり、それぞれの掲出字に去声点と平声点を加える。その中古音から見て、平声点には疑義が残る。あるいは呉音系声調の混入か。日本漢音「チ」去声を認める。

稚 音緻［去］イトキナシ ヲサナシ［平平□□］… 和同　　　（観智院本類聚名義抄／法下 017-1）

稚［去］チ　　　　　　　　　　　　　　　　　　　　　　　（長承本蒙求／009）

稚［平］チ　　　　　　　　　　　　　　　　　　　　　　　（長承本蒙求／130）

▶番号 0280b「稚」（幼稚）の仮名音注「チ」については、基本的に -i で対応する。当該字には上声点を差す。当該熟字 0280「幼稚」には去声点と上声点（◐●）を差すが、これは去声点と去声点（◐◖）からの変化と考える。上述の分析を参照。

▶番号 1724a「稚」（稚海藻）の仮名音注「チ」については、基本的に -i で対応する。当該字には平声点を差す。上述の分析を参照。

▶番号 2316「稚」（稚）の仮名音注「チ」については、基本的に -i で対応する。当該字に声点はなく、右注「ワカシ」を付載する。上述の分析を参照。

▶番号 1294「屁」（屁）の仮名音注「ヒ」については、基本的に -i で対応する。当該字には去声点を差し、右注「ヘ」左注「又ヘヒル」を付載する。智院本類聚名義抄に反切「匹鼻反」を見出すが、仮名音注はない。元和本倭名類聚抄には「匹鼻反」がある。

屁 … 匹鼻／反 ヘヒル ヘ［平］　　　　　　　　　　　（観智院本類聚名義抄／法下 089-5）

屁　四聲字苑云屁糞㷱 匹鼻反三字通也楊氏漢語抄云放屁和名倍比流 …

　　　　　　　　　　　　　　　　　　　　　　　　　　（元和本倭名類聚抄／巻三 16 ウ 6）

▶番号 1089「糒」（糒）の仮名音注「ヒ」については、基本的に -i で対応する。当該字には去声濁点を差すので、字音「ビ」を想定する。また右注「ホシイヒ」左注「乾飯也」を付載する。観智院本類聚名義抄に同音字注「音備」を見出すが、仮名音注はない。元和本倭名類聚抄に反切「平秘反」と同音字注「與備同」がある。

糒 音備 ホシイヒ　　　　　　　　　　　　　　　　　（観智院本類聚名義抄／法下 030-7）

糒　野王案糒 平秘反與備同和名保之以比 乾飯也　　　（元和本倭名類聚抄／巻十六 13 オ 7）

▶番号 1384b「備」（弁備）の仮名音注「ヒ」については、基本的に -i で対応する。当該字には去声濁点を差すので、字音「ビ」を想定する。観智院本類聚名義抄に反切「皮秘反」および和音「ヒイ」（その右傍に墨筆で濁音「✓」表記）を見出す。この和音は一音節二拍語としての字音把握と推測する。西念寺本にも和音「ヒイ」を見つける。長承本蒙求には仮名音注「ヒ」二例があり、それらの掲出字に去声点を加える。日本漢音「ヒ」去声、日本呉音「ビイ」を認める。

俻備 … 皮秘反 ツフサニ［平平濁□□］… 和ヒイ［✓□：墨右傍］

　　　　　　　　　　　　　　　　　　　　　　　　　　（観智院本類聚名義抄／佛上 035-1）

俻備 … 皮／秘反 ツフサ … 和ヒイ　　　　　　　　（西念寺本類聚名義抄／19 オ 2）

1122　3．仮名音注の韻母別考察　3-5　ⅢA韻類

　　　傄備 … 皮秘 [□去] 反 ツフサ [上平濁□□] …　　　　　（高山寺本三寶類字抄／上019 オ6）

　　　備 [去] ヒ　　　　　　　　　　　　　　　　　　　　　（長承本蒙求／122・149）

　▶番号3178c「傄」（甘南傄）の仮名音注「ミ」については、基本的に -i で対応する。当該字に
声点はない。加篇姓氏部に属する。当該字「傄」は「備」と相互に異体字である。その中古音が示
す頭子音 b-（等韻学の術語で言う並母）は有声両唇閉鎖音であり、日本語のバ行をもって受容する。
マ行音で対応することは許容しがたい。熟字3178の第二字「南」（覃韻 nʌm¹）が末子音 -m で
あるため、後退同化を起こし両唇鼻音の子音を含む「ミ」と把握したか。上述の分析を参照。

　▶番号1955a「晶」（晶屓）の仮名音注「ヒイ」については、基本的に -ii で対応する。当該字
には平声点を差す。一音節二拍語の字音把握と推測する。熟字1955「晶屓」は右注「チカラヲコ
シ」を付載する。観智院本類聚名義抄に同音字注「備」を見出すが、仮名音注はない。

　　　晶 晶屓　　　　　　　　　　　　　　　　　　　　　（観智院本類聚名義抄／佛下本013-8）

　　　晶屓 備四二音 トチカラオコシメ　　　　　　　　　　（観智院本類聚名義抄／佛下本013-8）

　　　屓晶 同訓　　　　　　　　　　　　　　　　　　　　（観智院本類聚名義抄／佛下本013-8）

　▶番号0571「鼻」（鼻）の仮名音注「ヒ」については、基本的に -i で対応する。当該字には平
声点と去声点を差し、右注「平声俗」左注「ハナ」を付載する。観智院本類聚名義抄に反切「頻寐
反」および平声点を付した和音「ヒ」（その右傍に朱筆で濁音「✓」表記）を見出す。元和本倭名
類聚抄には「秘反」がある。日本呉音「ビ」平声を認める。

　　　鼻 頻寐反 ハナ ハシメ ツラヌク／和ヒ [平／✓：墨右傍]　（観智院本類聚名義抄／佛中079-5）

　　　鼻　陸詞切韻云鼻 秘反和名波奈 …　　　　　　　　（元和本倭名類聚抄／巻三04 ウ6）

　▶番号0584b「鼻」（塞鼻）の仮名音注「ヒ」については、基本的に -i で対応する。当該字には
去声点を差す。熟字0584「塞鼻」は右注「ハナヒセ」を付載する。上述の分析を参照。

　　　塞鼻　釋名云鼻塞曰齆 音一共反和名波奈比世 …　　（元和本倭名類聚抄／巻三18 オ4）

　▶番号1735b「魅」（魑魅）の仮名音注「ミ [去]」については、基本的に -i で対応する。当該
字に声点はなく、その仮名音注に去声点を差す。観智院本類聚名義抄に同音字注「音媚」および平
声点を付した「和云ミ」を見出す。承暦本金光明最勝王経音義には仮名音注「ミ」がある。日本呉
音「ミ」平声を認める。

　　　魅彪 今正 … 音媚／スタマ … 和云ミ [平]　　　　（観智院本類聚名義抄／僧下048-4）

　　　魅 [ミ：右傍]〔＊後筆墨書〕　　　　　　　　　　（承暦本金光明最勝王経音義／09 オ4）

　　　魑魅　山海經云魑魅 和名須太萬 鬼類也 …　　　　（元和本倭名類聚抄／巻二05 オ1）

　▶番号2132a「利」（利害）の仮名音注「リ」については、基本的に -i で対応する。当該字には
去声点を差す。観智院本類聚名義抄に去声点を付した同音字注「音莅」および和音「リ」を見出す。
日本漢音は去声、日本呉音「リ」を認める。

　　　利 トシ [平上]／シルシ カ、 [平平濁]　　　　　　（観智院本類聚名義抄／法下023-7）

利　音苨［去］トクス［去平上／□シ□：墨右傍］… 和リ　　　（観智院本類聚名義抄／僧上 094-3）

　▶番号 2088a「利」（利口）の仮名音注「リ」については、基本的に -i で対応する。当該字には上声点を差す。上述の分析を参照。

　▶番号 2045a・2049a・2086a・2105a・2117a・2123a・2124a・2133a「利」（利他・利養・利根・利幷・利楑・利見・利盃・利鈍）の仮名音注「リ」については、基本的に -i で対応する。当該諸字八例には平声点を差す。上述の分析を参照。

　▶番号 1998・2108a・2109a「利」（利・利益・利潤）の仮名音注「リ」については、基本的に -i で対応する。当該諸字三例に声点はない。上述の分析を参照。

　▶番号 1997a「痢」（痢病）の仮名音注「リ」については、基本的に -i で対応する。当該字には平声点を差す。観智院本類聚名義抄に去声点を付した同音字注「音利」を見出すが、仮名音注はない。元和本倭名類聚抄には同音字注「音利」がある。日本漢音は去声を認める。

　　痢　音利［去］クソヒリノヤマヒ［平平平平平平上平］　　　（観智院本類聚名義抄／法下 123-6）

　　痢　釋名云痢 音利久曾比理乃夜萬比 …　　　　　　　　　（元和本倭名類聚抄／巻三 22 オ 8）

　▶番号 2080a「苨」（苨境）の仮名音注「リ」については、基本的に -i で対応する。当該字には去声点を差す。観智院本類聚名義抄に反切「力智反」を見出すが、仮名音注はない。

　　苨　力智［□去］反 ノソム［上上濁□］…　　　　　　　（観智院本類聚名義抄／僧上 028-1）

　《下巻 至韻開口諸例》

　▶番号 6378b「肆」（碁肆）の仮名音注「キ」については、基本的に -i で対応する。当該字に声点はない。熟字 6378「碁肆」は右傍「キキ」を付載するが、これは「キイ」の誤認であろう。飛篇國郡部に属する地名である。観智院本類聚名義抄に反切「以示反」を見出すが、仮名音注はない。元和本倭名類聚抄は「基肆」に対して借字による「木伊」を掲げる。

　　肆　以示反 ナラフ／アマレリ［平平□□］　　　　　　　（観智院本類聚名義抄／僧下 076-5）

　　肥前國 … 基肆　養父 夜不 … 高来 多加久　　　　　　（元和本倭名類聚抄／巻五 27 オ 2）

　　肥前國第百二十九／基肆郡／姫社 … 基肆 木伊 …　　（元和本倭名類聚抄／巻九 16 ウ 1）

　▶番号 6330b「贔」（贔贔）の仮名音注「キ」については、基本的に -i で対応する。当該字に声点はない。熟字 6330「贔贔」は右傍「チカラヲコシ」を付載する。上巻の至韻開口当該例で分析した。

　▶番号 5037a・5457b「器」（器量・褻器）の仮名音注「キ」については、基本的に -i で対応する。両当該字には去声点を差す。上巻の至韻開口当該諸例で分析したように、日本漢音「キ」去声、日本呉音「キ」平声を認める。

　　褻器　周禮注云褻器 褻音思列反 謂清器虎子之属也 …（元和本倭名類聚抄／巻十四 18 ウ 4）

1124　3．仮名音注の韻母別考察　3-5　ⅢA韻類

▶番号5116a・5160a「器」（器物・器用）の仮名音注「キ」については、基本的に -i で対応する。両当該字に声点はない。上述の分析を参照。

▶番号5087a「弃」（弃置）の仮名音注「キ」については、基本的に -i で対応する。当該字には上声点と去声点を差す。観智院本類聚名義抄に反切「去異反」を見出すが、仮名音注はない。

　　　弃 去異反 スタル／スツ ワキ 或棄　　　　　　　　（観智院本類聚名義抄／佛下末 023-5）

▶番号4794b・5615a「次」（造次顛沛・次第）の仮名音注「シ」については、基本的に -i で対応する。両当該字には平声点を差す。上巻の至韻開口当該諸例で分析したように、日本漢音「シ」去声を認める。

▶番号5902a・5943a「次」（次第不同・次官）の仮名音注「シ」については、基本的に -i で対応する。両当該字に声点はない。上述の分析を参照。

　　　次官　本朝職貟令二方品貟等所載 … 已上皆介　　　（元和本倭名類聚抄／巻五 03 ウ 3）

▶番号5608a「自」（自謙）の仮名音注「シ」については、基本的に -i で対応する。当該字には去声点を差す。その中古音が示す頭子音 dz-（等韻学の術語で言う従母）は有声歯茎破擦音であり、日本語のザ行音をもって受容するが、中国語音韻史上における濁音声母の無声化を反映する場合はサ行音で対応する。熟字5608「自謙」は左注「ヒケノコトハナリ」を付載する。観智院本類聚名義抄に去声点を付した同音字注「音字」を見出す。長承本蒙求には仮名音注「シ」があり、その掲出字を含む五例に去声点を加える。日本漢音「シ」去声を認める。

　　　自 音字［去］ミツカラ …　　　　　　　　　　　（観智院本類聚名義抄／佛中 078-8）

　　　自［去］シ　　　　　　　　　　　　　　　　　　（長承本蒙求／019）

　　　自［去］シ〔＊長承三年点と同時期の別筆／存疑〕　（長承本蒙求／064）

　　　自［去］　　　　　　　　　　　　　　　　　（長承本蒙求／030・044・090）

▶番号5647a・5726a「自」（自在・自歎）の仮名音注「シ」については、基本的に -i で対応する。両当該字には平声濁点を差すので、字音「ジ」を想定する。上述の分析を参照。

▶番号5799a・5800a・5904a・5905a「自」（自然・自然・自讃毀他・自行化他）の仮名音注「シ」については、基本的に -i で対応する。当該諸字四例に声点はない。上述の分析を参照。

▶番号5462a「四」（四馬車）の仮名音注「シ」については、基本的に -i で対応する。当該字には去声点を差す。熟字5462「四馬車」は右注「小車也」を付載する。観智院本類聚名義抄に反切「私自反」（その反切下字に去声点）を見出す。長承本蒙求には仮名音注「シ」があり、その掲出字を含む二例に去声点を加える。日本漢音「シ」去声を認める。

　　　四 私自反［去］ヨツ マトカニ ヨツ …　　　　　　（観智院本類聚名義抄／僧中 015-6）

　　　四［去］シ　　　　　　　　　　　　　　　　　　（長承本蒙求／047・053）

　　　四［去］　　　　　　　　　　　　　　　　　　　（長承本蒙求／049・083）

　　　四馬車　論語注云小車四馬車也　　　　　　　　（元和本倭名類聚抄／巻十一 06 ウ 2）

3-5-3 -ie 系の字音的特徴　1125

　▶番号5481a・5864a「四」（四維・四知）の仮名音注「シ」については、基本的に -i で対応する。両当該字には平声点を差す。熟字5481「四維」は左注「角也」を付載する。上述の分析を参照。
　▶番号5854a「泗」（泗濱）の仮名音注「シ」については、基本的に -i で対応する。当該字に声点はない。観智院本類聚名義抄に同音字注「音四」を見出すが、仮名音注はない。

　　泗 音四 水名／ナミタ［平平上濁／□ム□］ミチ　　　　　（観智院本類聚名義抄／法上 002-8）

　▶番号5911a「駟」（駟不及舌）の仮名音注「シ」については、基本的に -i で対応する。当該字に声点はない。熟字「駟不及舌」は右傍「シモ」を付載する。これは論語の顔淵「駟も舌に及ばず」に相当する。漢字源改訂第五版は「いったん口外したことばは、速度のはやい四頭立ての馬車で追っても追いつけない。ことばを慎むべきことのたとえ。」と説明する。観智院本類聚名義抄に平声点〔＊存疑〕を付した同音字注「音四」を見出す。この平声は呉音声調か。長承本蒙求には仮名音注「シ」があり、その掲出字を含む二例に去声点を加える。日本漢音「シ」去声を認める。

　　駟 音四［平］〔＊存疑〕一乗四馬／ツタフ　　　　　　　（観智院本類聚名義抄／僧中 102-2）

　　駟［去］シ／シ　　　　　　　　　　　　　　　　　　　　　　　　（長承本蒙求／071）

　　駟［去］シ　　　　　　　　　　　　　　　　　　　　　　　　　　（長承本蒙求／129）

　▶番号5775a・5776a「至」（至用・至要）の仮名音注「シ」については、基本的に -i で対応する。両当該字には去声点を差す。観智院本類聚名義抄に反切「脂利反」および平声点を付した和音「シ」を見出す。長承本蒙求には仮名音注「シ」があり、その掲出字に去声点を加える。日本漢音「シ」去声、日本呉音「シ」平声を認める。

　　至 脂利反 イタル／和シ［平］…　　　　　　　　　　　（観智院本類聚名義抄／佛上 075-2）

　　至［去］シ　　　　　　　　　　　　　　　　　　　　　　　　　　（長承本蒙求／083）

　▶番号5795a「至」（至極）の仮名音注「シ」については、基本的に -i で対応する。当該字に声点はない。上述の分析を参照。
　▶番号5561a「示」（示現）の仮名音注「シ」については、基本的に -i で対応する。当該字には平声濁点を差すので、字音「ジ」を想定する。廣韻に拠れば、至韻（dźiei⁴）支韻（gjie¹）二音を有する。熟字5561「示現」は右傍「シメシ シルス」を付載する。上巻の至韻開口当該例で分析した。
　▶番号5860a「二」（十二）の仮名音注「シ」については、基本的に -i で対応する。当該字には上声濁点を差すので、字音「ジ」を想定する。上巻の至韻開口当該諸例で分析したように、日本漢音「シ」去声を認める。
　▶番号3438b・4029b・6023b・6577b「地」（擽地・擽地・照地・照地）の仮名音注「チ」については、基本的に -i で対応する。当該諸字四例には去声点を付載する。上巻の至韻開口当該諸例で分析したように、日本漢音は去声、日本呉音「チ」平声を認める。
　▶番号3599b・4694b「地」（厚地・爽地）の仮名音注「チ」については、基本的に -i で対応する。両当該字には平声点を差す。上述の分析を参照。

1126　3．仮名音注の韻母別考察　3-5　ⅢA韻類

▶番号5545b・6381b・6446c「地」（濕地・菊地・木爛地）の仮名音注「チ」については、基本的に -i で対応する。当該諸字三例に声点はない。上述の分析を参照。

　　　　肥後國 … 菊池 久々知 阿蘇 阿曾 …　　　　　　　　　　（元和本倭名類聚抄／巻五27オ8）

▶番号3818b・3819b「稚」（幼稚・嬰稚）の仮名音注「チ」については、基本的に -i で対応する。両当該字には上声点と去声点を差す。当該熟字3818「幼稚」には去声点と上声点(◑●)を差すが、これは去声点と去声点(◑◑)からの変化と考える。それゆえ二声調を差すか。上巻の至韻開口当該諸例で分析したように、日本漢音「チ」去声を認める。

▶番号4765b「緻」（絑緻）の仮名音注「チ」については、基本的に -i で対応する。当該字には去声点を差す。熟字4765「絑緻」は右傍「イロ キヒシ」を付載する。上巻の至韻開口当該例で分析したように、日本呉音「チ」去声を認める。

▶番号5397「粃」（粃）の仮名音注「ヒ」については、基本的に -i で対応する。当該字には上声点を差し、右注「シヒナ」中左注「穀實但有皮而／無米也 シヒナセ」を付載する。観智院本類聚名義抄に同音字注「音比之去声」と上声点を付した仮名音注「又音ヒ」を見出す。後者の上声点には疑義が残る。元和本倭名類聚抄には「比之去聲」がある。この「比」は同音字注ではなく、借字と見るべきか。承暦本金光明最勝王経音義の冒頭に「先可知所付借字」として以呂波相当箇所があり、そこでは平声点を付した借字「比」を掲げる。日本漢音「ヒ」去声を認める。

　　　粃 粃二正 女弭反 粟不成／シヒタ シヒナシ　　　　　（観智院本類聚名義抄／法下015-1）

　　　粃 粃二正 音比之／去声 和名／シヒナセ［上上□□］シヒタ … 又音ヒ［上］…

　　　　　　　　　　　　　　　　　　　　　　　　　　（観智院本類聚名義抄／法下032-3）

　　　惠［平］會［平］迴［上］比［平］波［平］非［上］… （承暦本金光明最勝王経音義／01ウ7）

　　　粃　野王案粃 比之去聲和名之比奈世 穀實但有皮而無米也

　　　　　　　　　　　　　　　　　　　　　　　　　　（元和本倭名類聚抄／巻十七02ウ2）

▶番号6268a・6335a「秘」（秘蔵・秘閣）の仮名音注「ヒ」については、基本的に -i で対応する。両当該字には去声点を差す。熟字6335「秘閣」は中左注「云御書／所也」を付載する。観智院本類聚名義抄に反切「筆媚反」および平声点を付した和音「ヒ」を見出す。また熟字「秘錦」に仮名音注「ヒコム［去上上］」を見出す。日本漢音は去声、日本呉音「ヒ」平声を認める。

　　　秘 … 筆媚反 ヒソカニ … 和ヒ［平］　　　　　　　（観智院本類聚名義抄／法下010-3）

　　　秘錦 ヒコム［去上上］　　　　　　　　　　　　　（観智院本類聚名義抄／僧上138-2）

▶番号6213「秘」（秘）の仮名音注「ヒ［去］」については、基本的に -i で対応する。当該字に声点はなく、その仮名音注に去声点を差す。また左注「丘媚反」右注「ヒス［去上］」サ変動詞を付載する。上述の分析を参照。

▶番号6334a「秘」（秘計）の仮名音注「ヒ」については、基本的に -i で対応する。当該字には平声点と去声点を差す。上述の分析を参照。

3-5-3　-ie 系の字音的特徴　1127

▶番号6269a・6327a「秘」（秘密・秘重）の仮名音注「ヒ」については、基本的に -i で対応する。両当該字には平声点を差す。上述の分析を参照。

▶番号6184a・6332a「秘」（秘色・秘術）の仮名音注「ヒ」については、基本的に -i で対応する。両当該字に声点はない。上述の分析を参照。

▶番号6037「庇」（庇）の仮名音注「ヒ」については、基本的に -i で対応する。当該字には去声点を差し、右注「ヒサシ」中注「必至反」左注「孫庇妻庇」を付載する。観智院本類聚名義抄に反切「雌利反」を見出すが、仮名音注はない。

庇　雌利反　ヒサシ　　　　　　　　　　　　（観智院本類聚名義抄／法下 102-7）

▶番号4008b「備」（調備）の仮名音注「ヒ」については、基本的に -i で対応する。当該字には上声点を差す。上巻の至韻開口当該諸例で分析したように、日本漢音「ヒ」去声、日本呉音「ビイ」を認める。

▶番号5208b・6362a・6365a・6370a「備」（吉備・備前・備中・備後）の仮名音注「ヒ」については、基本的に -i で対応する。当該諸字四例に声点はない。上述の分析を参照。

山陽國第五十七／… 備前國 岐比乃美知乃久知 備中 吉備乃美知乃奈加 備後 吉備乃美知乃之利 …
　　　　　　　　　　　　　　　　　　　　　　　（元和本倭名類聚抄／巻五 09 ウ 4）

▶番号6142b「爩」（炒爩魚）の仮名音注「ヒ」については、基本的に -i で対応する。当該字には去声点を差す。熟字6142「炒爩魚」は右注「炒或乍焊」中左注「ヒホシ／ノイヲ」を付載する。観智院本類聚名義抄に同音字注「備」を見出すが、仮名音注はない。元和本倭名類聚抄には同音字注「備」がある。廣韻は「火乾肉也」として「爨・熰」を掲げる。大廣益會玉篇と高山寺本篆隷萬象名義には「熰・爩」を見つける。禾篇とイ偏に相違を示すが、字形上の混同が起きたか。これらは職韻字であるから、当該字「爩」は諧声符「備」（至韻 biei³）による字音把握であろう。

愎 很也 符逼切八 … 爨 火乾肉也 熰 上同 …　　　　　　（宋本廣韻／職韻 biek）
熰 皮逼切 火乾也 爩〔＊部首「灬」〕同上　　　（小學彙函本大廣益會玉篇／下巻 05 ウ 10）
炒爩 早備二音／炒爩魚／ヒホシノイヲ　　　　　（観智院本類聚名義抄／佛下末 047-4）
炒爩　唐韻云炒爩 早備二音漢語抄云炒爩魚比保之乃以乎俗云火旱 火乾也
　　　　　　　　　　　　　　　　　　　　　（元和本倭名類聚抄／巻十六 19 ウ 3）
熰 皮逼切 火乾物也 爩同上　　　　　　　　（高山寺本篆隷萬象名義／第五帖 137 オ 5）

▶番号6330a「贔」（贔屓）の仮名音注「ヒ」については、基本的に -i で対応する。当該字に声点はない。熟字6330「贔屓」は右傍「チカラ ヲコシ」を付載する。上巻の至韻開口当該例で分析した。

▶番号6167a「鼻」（鼻高履）の仮名音注「ヒ」については、基本的に -i で対応する。当該字に声点はない。熟字6167「鼻高履」は左注「今僧侶」を付載する。上巻の至韻開口当該諸例で分析したように、日本呉音「ビ」平声を認める。

1128　3．仮名音注の韻母別考察　3-5　ⅢA韻類

　　鼻高履　楊氏漢語抄云突子 <small>突音他骨反今僧侶所著鼻廣履是歟</small> 鼻高履也

　　　　　　　　　　　　　　　　　　　　　　（元和本倭名類聚抄／巻十二 26 ウ 4）

　▶番号 3807b「魅」（厭魅）の仮名音注「ミ」については、基本的に -i で対応する。当該字には
去声点を差す。上巻の至韻開口当該例で分析したように、日本呉音「ミ」平声を認める。

　▶番号 6814b「魅」（魑魅）の仮名音注「ミ」については、基本的に -i で対応する。当該字には
去声濁点を差すので、仮名音注とは別に字音「ビ」を想定する。熟字 6814「魑魅」は右注「スタマ」
を付載する。上述の分析を参照。

　　魑魅　山海經云魑魅 <small>和名須太萬</small> 鬼類也 …　　　　　　（元和本倭名類聚抄／巻二 05 オ 1）

　▶番号 3643b「寐」（寤寐）の仮名音注「ヒ」については、基本的に -i で対応する。当該字には
平声点を差す。観智院本類聚名義抄に反切「弥臂反」および和音「ミ」を見出す。日本呉音「ミ」
を認める。

　　寐 … 弥臂反／フス … 和ミ　　　　　　　　　　（観智院本類聚名義抄／法下 046-3）

　　寤寐 サメテモネ／テモ　　　　　　　　　　　　（観智院本類聚名義抄／法下 046-4）

　▶番号 4039b「利」（哲利）の仮名音注「リ」については、基本的に -i で対応する。当該字には
平声点を差す。熟字 4039「哲利」は中注「サカシ」左注「アキラカナリ」を付載する。上巻の至韻
開口当該諸例で分析したように、日本漢音は去声、日本呉音「リ」を認める。

　　3-5-3-4　-iuei（脂/旨/至韻）

　資料篇【表 B-10】には脂韻（平声）旨韻（上声）至韻（去声）合口所属の諸例が含まれる。前田
本の示す仮名音注は基本的に -ui, -wi で対応する。後者は k- 系頭子音の場合に多い。これらは、
中国語音における合口介音 -u- を強く反映した結果と推測する。異例として -i, -win がある。

《上巻 脂韻合口諸例》

　▶番号 2538「龜」（龜）の仮名音注「クヰ」については、基本的に -wi で対応する。当該字に
は平声点を差し、左右注「カメ 㞒圓／左馬顧」を付載する。観智院本類聚名義抄に反切「居達反・
居筠反」と東声点を付した同音字注「又音丘」を見出す。長承本蒙求に仮名音注「クヰ」二例があ
り、それら掲出字の一例に東声点を加える。元和本倭名類聚抄に反切「居追反」がある。日本漢音
「クヰ」東声（四声体系では平声）を認める。

　　龜 居達反 カメ［平平］… 居筠反 … 又音丘［東］…　　　（観智院本類聚名義抄／僧下 045-4）

　　龜〔＊左下隅欠〕クヰ　　　　　　　　　　　　　　　　　（長承本蒙求／066）

　　龜［東］クヰ　　　　　　　　　　　　　　　　　　　　　（長承本蒙求／107）

3-5-3　-ie 系の字音的特徴　1129

龜　大戴禮云甲虫三百六十四神龜 居追反和名加米 …　　（元和本倭名類聚抄／巻十九 10 ウ 4）

▶番号 2291b「葵」（山葵）の仮名音注「クヰ」については、基本的に -wi で対応する。当該字には平声点を差す。観智院本類聚名義抄に同音字注「音遶」（群母₂脂韻 giueiᶦ）を見出す。重紐四等甲類を示す当該字「葵」（群母₃脂韻 gjiueiᶦ）に対して重紐三等乙類の同音字注を付載することから考えて、重紐の分別をした字音把握はしていない。長承本蒙求に仮名音注「クヰ」があり、その掲出字に東声点を加える。同書の仮名音注は平安時代院政初期である長承三年（1134）に加点された墨筆（例示で両音形ある場合は右側）を中心とするが、平安時代中期と推定する古い朱筆（両音形ある場合は左側）の加点もある。ここでは「支」〔＊借字「伎」の誤認か〕を掲げる。日本漢音「クヰ」東声（四声体系では平声）を認める。

蒲葵 櫼櫚一名蒲葵 下音遶／アフヒ ワサヒ　　　　（観智院本類聚名義抄／僧上 019-3）

山葵 ワサヒ　　　　　　　　　　　　　　　　（観智院本類聚名義抄／僧上 019-4）

山葵 ワサヒ［上平平濁］　　　　　　　　　　　（観智院本類聚名義抄／僧上 045-5）

葵［東］支／クヰ　　　　　　　　　　　　　　　　（長承本蒙求／066）

山葵　養生秘要云山葵 和名和佐比漢語抄用山薑二字今案所出未詳 …

　　　　　　　　　　　　　　　　　　　　（元和本倭名類聚抄／巻十六 23 オ 1）

▶番号 2031b「錐」（立錐）の仮名音注「スイ」については、基本的に -ui で対応する。当該字には平声点を差す。熟字 2031「立錐」は右傍「キリヲ」を付載する。観智院本類聚名義抄に平声点を付した同音字注「音隹」（その右傍に朱筆で仮名音注「スキ」）を見出す。元和本倭名類聚抄には反切「職追反」がある。日本漢音「スキ」平声を認める。

錐 音隹［平／スキ：朱右傍］キリ［平上］…　　　（観智院本類聚名義抄／僧上 119-4）

錐　毛詩云童子佩錐 職追反和名岐利　　　　　　（元和本倭名類聚抄／巻十五 13 ウ 9）

▶番号 0947a「騅」（騅馬）の仮名音注「スキ」については、基本的に -wi で対応する。当該字には平声点を差す。熟字 0947「騅馬」は右注「ニケノウマ」を付載する。観智院本類聚名義抄に平声点を付した同音字注「音隹」（その右傍に朱筆で仮名音注「スキ」）を見出す。日本漢音「スキ」平声を認める。

騅 音隹［平／スキ：朱右傍］蒼白／雜　　　　　（観智院本類聚名義抄／僧中 100-8）

騅馬 ニケノウマ　　　　　　　　　　　　　　（観智院本類聚名義抄／僧中 101-1）

騅 菼附 毛詩注云騅 音錐漢語抄云騅馬鼠毛也 蒼白雜毛馬也 …

　　　　　　　　　　　　　　　　　　　　（元和本倭名類聚抄／巻十一 12 オ 5）

▶番号 1104「綏」（綏）「スキ」については、基本的に -wi で対応する。当該字には平声点を差し、右注「ホ丶スケ」中注「冠綏也」左注「又オイカケ」を付載する。前田本が掲げる字形は「綷」であるが、これを「綏」に修正する。図書寮本類聚名義抄に反切「玉云乳隹反」を見出す。観智院本には反切「人隹反」を見つけるが、仮名音注はない。元和本倭名類聚抄には反切「儒誰反」と同

1130　3．仮名音注の韻母別考察　3-5　ⅢA韻類

音字注「與蕤同」がある。

綟　玉云乳隹反 継也 繋也 …　　　　　　　　　　　　（図書寮本類聚名義抄／311-5）

綟　人隹反 ヲイカケ／フサ 繋也 冠／飾也　　　　　（観智院本類聚名義抄／法中125-5）

綟　兼名苑云綟 儒雖反與蕤同 一名老繋 和名冠乃乎一云保々須介又云於以加計 …

　　　　　　　　　　　　　　　　　　　　　　　（元和本倭名類聚抄／巻十二 19 オ 1）

▶番号2683「綟」（綟）の仮名音注「スキ」については、基本的に -wi で対応する。当該字には平声点を差し、右注「カフリノヲ」左注「又オイカケ」を付載する。前田本の掲げる字形「綏」は車の乗降する時に摑まり身体の安定を保つ綱を指す。同本の左右注とは異なるので、これを「綟」と修正するが、両字「綏・綟」は同義として扱う場合がある。観智院本類聚名義抄に同音字注「音雖」（その右傍に墨筆で仮名音注「スイ」）を見出す。日本漢音「スイ」を認める。

綏　音雖［墨右傍：スイ］ヤスシ［平平□］… 冠ノヲ ホヽスケ［平平平上］オイカケ

　　　　　　　　　　　　　　　　　　　　　　　（観智院本類聚名義抄／法中125-5）

▶番号2264「追」（追）の仮名音注「ツイ」については、基本的に -ui で対応する。当該字に声点はなく、右注「ヲフ」を付載する。観智院本類聚名義抄反切「猪龜反」（その反切下字に平声点）と平声点を付した同音字注「又音磓」および低平調と推測する和音「ツイ」を見出す。日本漢音は平声、日本呉音「ツイ」平声を認める。

追　猪龜反 ［□平］和ツイ ［□平］オフ … 又音磓 ［平］冠　　（観智院本類聚名義抄／佛上053-5）

追　猪龜反 和ツイ／オフ … 又音磓 冠名　　（鎮国守国神社蔵本三寶類聚名義抄／上一07 ウ 7）

追　猪龜反 ［□平］音磓／オフ … 和ツイ　　（天理大学本最勝王経音義／12 オ 3）

▶番号0003「䰣」（䰣）の仮名音注「ツイ」については、基本的に -ui で対応する。当該字には平声点を差し、右注「同（イカッチ）」を付載する。観智院本類聚名義抄に当該字は見出せない。

追　逐也隨也 陟隹切三 䰣 雷也出韓詩 …　　　　　　（宋本廣韻／知母脂韻 ṭiuei'）

▶番号2737b「槌」（鐵槌）の仮名音注「ツイ」については、基本的に -ui で対応する。当該字には平声点を差す。廣韻に拠れば、脂韻（ḍiuei'）寘韻（ḍiue³）二音を有する。熟字2737「鐵槌」は右注「カナツチ」を付載する。観智院本類聚名義抄に同音字注「音鎚・音鐟」を見出すが、仮名音注はない。元和本倭名類聚抄は「椎」に対して反切「直追反」と注記「字亦作槌」がある。

椎　音鎚 ツチ ウツ／音鐟 シヒ … 　　槌 同　　（観智院本類聚名義抄／佛下本 097-7）

槌　サイツチ クミ　　　　　　　　　　　　　　　（観智院本類聚名義抄／佛下本 102-5）

鐵槌　廣雅云鈍 於劫反和加奈都知 鐵槌也　　　　　（元和本倭名類聚抄／巻十五 13 オ 6）

柊楑　纂文云方椎 直追反字亦作槌 謂之柊楑 終葵二音漢語抄云散伊都遅

　　　　　　　　　　　　　　　　　　　　　　　（元和本倭名類聚抄／巻十五 13 オ 7）

▶番号2276「遺」（遺）の仮名音注「ユイ」については、基本的に -ui で対応する。当該字に声点はなく、和訓「ヲクル」の同訓異字として位置する。観智院本類聚名義抄に平声点を付した同音

字注「音維」を見出す。長承本蒙求には仮名音注「ヰ」平声がある。日本漢音「ヰ」平声を認める。

　　　遺 音維［平］… ワスル［上上平］… オクル［上上□］…　　　（観智院本類聚名義抄／佛上056-5）

　　　遺［平］ヰ　　　　　　　　　　　　　　　　　　　　　（長承本蒙求／105・122・144）

　▶番号2321「遺」（遺）の仮名音注「ヰ」については、基本的に -wi で対応する。当該字に声点はなく、和訓「ワスル」の同訓異字として位置する。上述の分析を参照。

　▶番号2690「帷」（帷）の仮名音注「ヰ」については、基本的に -wi で対応する。当該字には平声点を差し、右注「カタヒラ」を付載する。図書寮本類聚名義抄に反切「唐韻云上洧悲反」と同音字注「川云音維」（その平声点位置に仮名音注「ヰ」）を見出す。観智院本類聚名義抄に去声点を付した同音字注「維」（その右傍に墨筆で仮名音注「ヰ」右注に墨筆で仮名音注「ユイ」）を見つける。去声点と両仮名音注は和音と解すべきか、判断を留保する。同音字注の右傍に掲げる仮名音注は朱筆が多い。同書の凡例部分「朱音者正音也墨声者和音也」（篇目7-6）に従えば、朱墨で正音と和音を分別する傾向がある。長承本蒙求には仮名音注「ヰ」二例があり、それらの掲出字に平声点を加える。元和本倭名類聚抄には同音字注「維」を見つける。日本漢音「ヰ」平声を認める。

　　　帷 洧悲反／慢一　　　　　　　　　　　　（王仁昫刊謬補欠切韻／脂韻 yiuei¹）

　　　帷惟 唐韻云上洧悲反 帷慢 …　　　　　　　　　（図書寮本類聚名義抄／244-5）

　　　帷帳 川云音維 ［ヰ：平声点位置］ 和云加太比良［平平平濁平］…　（図書寮本類聚名義抄／281-3）

　　　帷 カタヒラ［平平平濁平］音維 ［去／ヰ：墨右傍／ユイ：墨右注］／古違字

　　　　　　　　　　　　　　　　　　　　　　　　（観智院本類聚名義抄／法中105-1）

　　　帷［平］ヰ　　　　　　　　　　　　　　　　　　　　　（長承本蒙求／064）

　　　帷［平］尹?／ヰ　　　　　　　　　　　　　　　　　　（長承本蒙求／065）

　　　帷　釋名云帷 音維和名加太比良 囲也以自障囲也　　（元和本倭名類聚抄／巻十四15 オ5）

《下巻 脂韻合口諸例》

　▶番号3337b・4081「葵」（龍葵・葵）の仮名音注「クヰ」については、基本的に -wi で対応する。当該字には平声点を差す。熟字3337「龍葵」は右注「コナスヒ」を、番号4081は右注「アフキ」左注「渠追反 菜也」付載する。上巻の脂韻合口当該例で分析したように、日本漢音「クヰ」東声（四声体系では平声）を認める。

　　　龍葵　本草云龍葵 和名古奈須比 味苦寒無毒者也　　（元和本倭名類聚抄／巻十七23 オ3）

　　　葵　本草云葵 音違和名阿布比 味甘寒無毒者也　　　（元和本倭名類聚抄／巻十七22 ウ5）

　▶番号4592b「楑」（柊楑）の仮名音注「クヰ」については、基本的に -wi で対応する。当該字には平声点を差す。熟字4592「柊楑」は右注「サイツチ」を付載する。観智院本類聚名義抄に同音字注「葵・葵音」を見出すが、仮名音注はない。元和本倭名類聚抄には同音字注「葵」がある。

1132　3．仮名音注の韻母別考察　3-5　ⅢA韻類

　　　柊樗 終葵音 サイツチ［平平平□］…　　　　　　　（観智院本類聚名義抄／佛下本 085-4）

　　　樗 葵音 木名　　　　　　　　　　　　　　　（観智院本類聚名義抄／佛下本 117-3）

　　　柊樗　纂文云方椎 直追反字亦作槌 謂之柊樗 終葵二音漢語云散伊都遅

　　　　　　　　　　　　　　　　　　　　　　　（元和本倭名類聚抄／巻十五 13 オ 7）

▶番号 4072「壝」（壙）の仮名音注「クキ」については、基本的に -wi で対応する。当該字に
は平声点を差し、右注「同（アツチ）」を付載する。諧声符「貴」（未韻 kiuʌiʲ）による字音把握
か。本来は仮名音注「キ」を期待する。観智院本類聚名義抄に反切「弋隹反」を見出すが、仮名音
注はない。

　　　壝 弋隹反 壻／ツクル［平平□］　　　　　　　（観智院本類聚名義抄／法中 064-7）

▶番号 3327b「荾」（胡荾）の仮名音注「スキ」については、基本的に -wi で対応する。当該字
には平声点を差す。熟字 3327「胡荾」は右注「コニシ［平平上］」を付載する。観智院本類聚名義
抄に平声点を付した同音字注「音綏」と注記「与上同（コシ）」を見出すが、仮名音注はない。元
和本倭名類聚抄に反切「息遺反」がある。

　　　胡荽 コシ　荾 音綏［平］与上同〔＊コシ〕　　　（観智院本類聚名義抄／僧上 024-4）

　　　胡荾 和一コニシ［平平上］　　　　　　　　　（観智院本類聚名義抄／僧上 024-5）

　　　胡荾　崔禹錫食經云胡荾 息遺反和名古仁之 …　（元和本倭名類聚抄／巻十六 23 オ 5）

▶番号 6945a「綏」（綏山）の仮名音注「スキ」については、基本的に -wi で対応する。当該字
には平声点を差す。図書寮本類聚名義抄に同音字注「川云音与蕤同」（その東声点位置に仮名音注
「スキ」）を見出す。観智院本には同音字注「音雖」（その右傍に墨筆で仮名音注「スイ」）を見
つける。日本漢音「スキ・スイ」東声（四声体系では平声）を認める。両者は日本語音韻史上にお
ける「キ」と「イ」の弁別機能消失を物語るか。

　　　綏衄 川云音与蕤［スキ：東声点位置］同 … ヤスシ［平平上／俞：右注］

　　　　　　　　　　　　　　　　　　　　　　　　　（図書寮本類聚名義抄／311-6）

　　　綏 音雖［墨右傍：スイ］ヤスシ［平平□］… 冠ノヲ ホ、スケ［平平平上］オイカケ

　　　　　　　　　　　　　　　　　　　　　　　　　（観智院本類聚名義抄／法中 125-5）

　　　綏　兼名苑云綏 儒雖反与蕤同 一名老繋 和名冠乃乎一云保々須介又云於以加計 …

　　　　　　　　　　　　　　　　　　　　　　　　　（元和本倭名類聚抄／巻十二 19 オ 1）

▶番号 5890b・6906a・6909a・6932a「衰」（盛衰・衰邁・衰容・衰相）の仮名音注「スイ」
については、基本的に -ui で対応する。当該諸字四例には平声点を差す。廣韻に拠れば、脂韻（ṣiueiʲ）
支韻（tṣʻiueʲ）二音を有する。熟字 6932「衰相」は左注「亡相也」を付載する。図書寮本類聚名義
抄に反切「广兎所龜反・中云所追反」さらに「玉云又素和反」（その反切下字に平声点）を見出す。
観智院本には反切「素和反」（その反切下字に平声点）と「所龜反」（その反切下字に平声点）お
よび和音「スイ」を見つける。日本漢音は平声、日本呉音「スイ」を認める。

3-5-3 -ie 系の字音的特徴　1133

褬褭耄 千云上通 广云 … 所龜反 … 中云所追反 … 玉云又素和 [□平] 反

　草衣也 ヲトロヘシタル [平平上平平平上／詩：右注]　　　　　　（図書寮本類聚名義抄／330-6）

褭 素和 [□平] 反 所龜 [□平] 反 … オトロフ [平平上平] 和スイ

　　　　　　　　　　　　　　　　　　　　　　　　　　（観智院本類聚名義抄／法中 138-1）

　褭 素和反 [＊掲出字「褭」との混同か] 草衣也　　　　（高山寺本篆隷萬象名義／第六帖 155-6）

▶番号4922「錐」（錐）の仮名音注「スキ」については、基本的に -wi で対応する。当該字には平声点を差し、右注「キリ」左注「職追反」を付載する。上巻の脂韻合口当該例で分析したように、日本漢音「スキ」平声を認める。

▶番号6897a・6907a・6929a「推」（推移・推量・推察）の仮名音注「スイ」については、基本的に -ui で対応する。当該諸字三例には平声点を差す。観智院本類聚名義抄に反切「土堆反」と同音字注「又吹音」および低平調を示す和音「スイ」を見出す。長承本蒙求には仮名音注「スイ」二例があり、それぞれの掲出字に東声点と平声点を加える。同書の仮名音注は平安時代院政初期である長承三年（1134）に加点された墨筆（例示で両音形ある場合は右側）を中心とするが、平安時代中期と推定する古い朱筆（両音形ある場合は左側）の加点もある。ここでは前者の安時代中期朱筆加点「スイ」が不鮮明である。日本漢音「スイ」東声（四声体系では平声）日本呉音「スイ」平声を認める。

推 土堆反 又吹音 オス … 和スイ [平平]　　　　　（観智院本類聚名義抄／佛下本 070-2）

推 [東] ス?イ／スイ　　　　　　　　　　　　　　　　　　　（長承本蒙求／035）

推 [平] スイ　　　　　　　　　　　　　　　　　　　　　　　（長承本蒙求／079）

▶番号6924a「推」（推轂）の仮名音注「スイ」については、基本的に -ui で対応する。当該字に声点はない。上述の分析を参照。

▶番号4093c・5969c「蕤」（女蕕蕤・女蕕蕤）の仮名音注「スキ」については、基本的に -wi で対応する。両当該字には平声点を差す。熟字4093「女蕕蕤」は右注「アマナ」左注「又ヱミクサ」を、熟字5969「女蕕蕤」は右注「ヱミクサ」左注「又アマナ」を付載する。観智院本類聚名義抄に反切「汝誰反」を見出すが、仮名音注はない。元和本倭名類聚抄に反切「汝誰反」がある。

蕤 汝誰反／絨也　　　　　　　　　　　　　　　　　（観智院本類聚名義抄／僧下 101-8）

女蕕蕤 ヱミクサ [上上上濁平] 一云アマナ [上上上]／中音威 ヱミクサ

　　　　　　　　　　　　　　　　　　　　　　　　　（観智院本類聚名義抄／僧上 014-6）

女蕕蕤　拾遺本草云女蕕蕤一名黃芝 蕤音威蕕音汝誰反和名惠美久佐一云安麻奈

　　　　　　　　　　　　　　　　　　　　　　　　　（元和本倭名類聚抄／巻二十 04 オ 7）

▶番号6896a「蕤」（蕤賓）の仮名音注「スキン」については、異例 -win を示す。当該字には平声点を差す。熟字6896「蕤賓（蕤賓）」は五月の別名で「ズイヒン」である。熟字後部との混淆による字音「スキン」か。上述の分析を参照。

1134　3．仮名音注の韻母別考察　3-5　ⅢA韻類

▶番号5287「椎」（椎）の仮名音注「ツキ」については、基本的に -wi で対応する。当該字に
は平声点を差し、右注「シヒ」左注「直追反 椎子」を付載する。観智院本類聚名義抄に同音字注「音
鎚・音錐」と反切「直追反」を見出すが、仮名音注はない。元和本倭名類聚抄には反切「直追反」
がある。

　　　椎 音鎚 ツチ ウツ／音錐 シヒ …　　槌 同　　　　　　　（観智院本類聚名義抄／佛下本097-7）

　　　椎 … 鎚 直追反　　　　　　　　　　　　　　　　　　　（観智院本類聚名義抄／僧中133-8）

　　　椎子　本草云椎子 上音直追反和名之比　　　　　　　　（元和本倭名類聚抄／巻十七08ウ2）

▶番号5618b「惟」（思惟）の仮名音注「ユイ」については、基本的に -ui で対応する。当該字
に声点はない。図書寮本類聚名義抄に反切「弘云役蔡反」を見出す。観智院本には反切「役蔡反」
および上昇調を示す和音「ユイ」を見つける。日本呉音「ユイ」去声を認める。

　　　惟忖 弘云役／蔡反 … オモミレハ［平去平上平濁］…　　　（図書寮本類聚名義抄／244-3）

　　　惟 役蔡反 … オモハカル［平去□□□］… 和ユイ［平上：墨点］

　　　　　　　　　　　　　　　　　　　　　　　　　　　　　（観智院本類聚名義抄／法中088-7）

▶番号5481b「維」（四維）の仮名音注「ユイ」については、基本的に -ui で対応する。当該字
には平声点を差す。熟字5481「四維」は左注「角也」を付載する。図書寮本類聚名義抄に平声点を
付した同音字注「音惟」を見出す。観智院本類聚名義抄に去声点を付した同音字注「音惟」（その
右傍に朱筆で仮名音注「ユイ」その左傍に朱筆で仮名音注「キ」）を見つける。去声点と仮名音注
「ユイ」は和音の混入か。長承本蒙求には仮名音注「キ」があり、その掲出字に平声点を加える。
日本漢音「キ」平声を認める。日本呉音「ユイ」去声の可能性を指摘しておく。

　　　四維 季云音惟［平］異師説加多牟［上上平］…　　　　　（図書寮本類聚名義抄／314-6）

　　　維 音惟［去／ユイ：朱右傍／キ：朱左傍］スミ［平上］…　　（観智院本類聚名義抄／法中114-1）

　　　維［平］キ　　　　　　　　　　　　　　　　　　　　　　（長承本蒙求／054）

▶番号6871「維」（維）の仮名音注「キ」については、基本的に -wi で対応する。当該字に声
点はなく、右注「同（スミ）」左注「以追反」を付載する。上述の分析を参照。

▶番号4124c「虆」（千歳虆）の仮名音注「ルイ」については、基本的に -ui で対応する。当該
字には平声点を差す。熟字4124「千歳虆」は右注「アマツラ」を付載する。観智院本類聚名義抄に
反切「力水反」を見出すが、仮名音注はない。元和本倭名類聚抄に同音字注「纍」がある。

　　　虆 訓同 力水反／カツラ　　　　　　　　　　　　　　（観智院本類聚名義抄／僧上040-8）

　　　千歳虆汁 アマツラ　　　　　　　　　　　　　　　　（観智院本類聚名義抄／僧上040-8）

　　　千歳虆汁　本草云千歳虆汁味甘平無毒続筋骨長肌肉一名虆蕪 虆蕪二音 …

　　　　　　　　　　　　　　　　　　　　　　　　　　　（元和本倭名類聚抄／巻十六17ウ5）

▶番号4227c「虆」（千歳虆汁）の仮名音注「ルイ」については、基本的に -ui で対応する。当
該字に声点はない。熟字4227「千歳虆」は右注「アマツラ」を付載する。上述の分析を参照。

《上巻 旨韻合口諸例》

▶番号 0471b・1809b・2044b・2645b・2883b・2982b「水」（曲水・池水・流水・河水樂・河水・交水）の仮名音注「スイ」については、基本的に -ui で対応する。当該諸字六例には上声点を差す。熟字 0471「曲水」は左注「三月三日名」を、熟字 2645「河水樂」は右注「同（壹越調）」を、熟字 2982「交水」は中注「君子之交也」を付載する。図書寮本類聚名義抄に反切「弘云尸癸反」を見出す。観智院本には反切「尸癸反」および上昇調を示す和音「スイ」を見つける。長承本蒙求には仮名音注「スイ」があり、その掲出字を含む二例に上声点を加える。日本漢音「スイ」上声、日本呉音「スイ」去声を認める。

　　　水 弘云尸癸反 中云所以潤万物也 …　　　　　　　　　　（図書寮本類聚名義抄／004-2）

　　　水 尸癸反 ミ゙ス［上上濁］… 和スイ［平上］　　　　　（観智院本類聚名義抄／法上 001-3）

　　　水［上］スイ　　　　　　　　　　　　　　　　　　　　　　（長承本蒙求／087）

　　　水［上］　　　　　　　　　　　　　　　　　　　　　　　　（長承本蒙求／147）

　　　壹越調曲　皇帝破陣樂 大曲 … 河水樂 …　　　（元和本倭名類聚抄／巻四 14 オ 6）

▶番号 1339b「水」（碧水）の仮名音注「スイ」については、基本的に -ui で対応する。当該字には平声点を差す。熟字 1339「碧水」は右傍「アヲキ ミツ」を付載する。上述の分析を参照。

▶番号 2180「誄」（誄）の仮名音注「ルイ［上上］」については、基本的に -ui で対応する。当該字に声点はなく、その仮名音注に上声に相当する高平調の差声を施す。また左注「書名銘誄」を付載する。漢字源改訂第五版は「死者の生前の功績・徳行を整理してほめたたえることば・文章。」と説明する。図書寮本類聚名義抄に同音字注「音耒」（旨韻 liuei²／隊韻 luʌi³）と反切「弘云力水反」（旨韻 liuei²）を見出す。後者の反切は篆隷萬象名義による引用である。観智院本類聚名義抄では字形の近似する「誄」に対して同音字注「音礨」（旨韻 liuei²）を見出すが、この「誄」は出自を明らかにできない。

　　　礨 力軌反蟼十 … 誄 述行 耒 田器又盧猥反 讄 禱 …　　　（王仁昫刊謬補缺切韻／上声第五旨韻）

　　　礨 … 力軌切十四 … 誄 銘誄誄礨也 … 耒 田器又盧對切 讄 禱也 …　　　（宋本廣韻／旨韻 liuei²）

　　　誄 音耒 弘云力水反 辞也 累也　　　　　　　　　　　　（図書寮本類聚名義抄／096-5）

　　　誄〔＊←誄〕音礨 … 誄 辞也 累也　　　　　　　　　　（観智院本類聚名義抄／法上 062-1）

　　　誄 音礨 … 誄 辞也 累　　　　　　　（鎮国守国神社本三寶類聚名義抄／中一 33 オ 4）

　　　讄 力水反 求福也　　　　　　　　　　　（高山寺本篆隷萬象名義／第三帖 018 オ 3）

　　　誄 力水反 辞也 累也　　　　　　　　　　（高山寺本篆隷萬象名義／第三帖 018 オ 4）

　　　誄 力軌反 謚也 累也 讄 上字 又力水反　　　　　（天治本新撰字鏡／巻三 08 ウ 2）

1136　3．仮名音注の韻母別考察　3-5　ⅢA韻類

《下巻　旨韻合口諸例》

▶番号5829b「癸」（周癸）の仮名音注「キ」については、異例 -i を示す。当該字には上声点を差す。日本語音韻史上の音変化 -wi > -i を反映する。前田本が掲げる字形「関」を「癸」に修正する。当該字「癸」について、漢字源改訂第五版は「象形。刃が三方または四方に張り出ていて、どちらでも突けるほこを描いたもので、回転させる意を含む。十干が一巡してもとに戻ろうとするその最後の位。」と解説する。観智院本類聚名義抄に音注表記はない。高山寺本篆隷萬象名義・天治本新撰字鏡には反切「吉癸反」がある。

　　　癸 ハツ ヲフ ハカル　　　　　　　　　　　　　　（観智院本類聚名義抄／僧下 099-1）

　　　癸 吉癸反 度也　　　　　　　　　　　　　　（高山寺本篆隷萬象名義／第六帖 180 ウ 3）

　　　癸 吉癸反 癸也／度也足也　　　　　　　　　　（天治本新撰字鏡／巻十 53 ウ 3）

▶番号3598b・4552b・5872b・6777a・6913a・6922a・6925a「水」（曲水・藍水・湘水・水門・水嬉・水郵・水濕）の仮名音注「スイ」については、基本的に -ui で対応する。当該諸字七例には上声点を差す。熟字6913「水嬉」は右傍「タハフレ」を付載する。上巻の旨韻合口当該諸例で分析したように、日本漢音「スイ」上声、日本呉音「スイ」去声を認める。

▶番号6854a「水」（水精）の仮名音注「スイ」については、基本的に -ui で対応する。当該字には平声点を差す。熟字6854「水精」は右傍「スイシヤウ俗」を付載する。上述の分析を参照。

　　　水精　兼名苑注云水玉一名月珠 和名美豆止留太萬 水精也（元和本倭名類聚抄／巻十一 18 オ 7）

▶番号3308b・6808a・6849a・6895a・6935a「水」（鴻水・水牛・水干・水驛）の仮名音注「スイ」については、基本的に -ui で対応する。当該諸字五例に声点はない。熟字3308「鴻水」は左右注「コウスイ 用／洪水」を、熟字6808「水牛」は右注「能沈没於水中者也」左注「沈牛一名潜牛」を付載する。上述の分析を参照。

　　　水牛　文選上林賦注云沈牛 今案又一名潜牛也見南越志 即水牛也能沈没於水中者也 …

　　　　　　　　　　　　　　　　　　　　　　　　　（元和本倭名類聚抄／巻十一 09 ウ 6）

▶番号5312「鮪」（鮪）の仮名音注「ヰ」については、基本的に -wi で対応する。当該字には上声点を差し、右注「シヒ」を付載する。その中古音（旨韻 $\gamma iuei^2$）が示す頭子音 ɣ-（等韻学の術語で言う于母あるいは喩母三等）は有声軟口蓋接近音 ɰ-（有声両唇軟口蓋接近音 w-）であり、原則的にア行音・ワ行音で対応する。観智院本類聚名義抄に同音字注「音委」を見出すが、仮名音注はない。元和本倭名類聚抄には同音字注「音委」がある。

　　　鮪 音委 シヒ［上上］一名黄頬帝 …　　　　　（観智院本類聚名義抄／僧下 006-1）

　　　鮪　食療經云鮪 音委 一名黄頬魚 和名之比 …　　（元和本倭名類聚抄／巻十九 02 ウ 7）

《上巻　至韻合口諸例》

3-5-3 -ie 系の字音的特徴 1137

▶番号 2655b「醉」（醈醉樂）の仮名音注「スイ」については、基本的に -ui で対応する。当該字には平声点を差す。熟字 2655「醈醉樂」は右注「髙麗樂」を付載する。観智院本類聚名義抄に反切「將邃反」および低平調と推測する和音「スイ」を見出す。長承本蒙求には仮名音注「スイ」があり、その掲出字に去声点を加える。承暦本金光明最勝王経音義には借字による「須伊反」を見つける。日本漢音「スイ」去声、日本呉音「スイ」平声を認める。

醉 … 將邃反 エフ［平上］／ヨロコフ 和スイ［□平］　　（観智院本類聚名義抄／僧下 063-8）

醉 同　　　　　　　　　　　　　　　　　　　　　　　　（観智院本類聚名義抄／僧下 063-8）

醉［去］スイ　　　　　　　　　　　　　　　　　　　　　　　　　　　　（長承本蒙求／114）

醉 須伊反／會不［平上］　　　　　　　　　（承暦本金光明最勝王経音義／04 オ 2）

髙麗樂曲　新鳥蘇 … 醈醉樂 … 納蘇利　　　（元和本倭名類聚抄／巻四 17 ウ 5）

▶番号 1916b「粋」（沈粋）の仮名音注「スイ」については、基本的に -ui で対応する。当該字には去声点を差す。観智院本類聚名義抄に反切「須醉反」を見出すが、仮名音注はない。

粋 須醉反 モハラ／マタラナリ 粋 俗　　　　　（観智院本類聚名義抄／法下 033-3）

▶番号 0825b「萃」（拔萃）の仮名音注「スイ」については、基本的に -ui で対応する。当該字には去声点を差す。熟字 0825「拔萃」は右注「又作粋」を付載する。観智院本類聚名義抄に同音字注「音遂」を見出すが、仮名音注はない。

萃 俗 萃 正 … 艹+卒 音遂 アツマル［平平上平］…　　（観智院本類聚名義抄／僧上 045-5）

▶番号 3145b「頦」（顤頦）の仮名音注「スイ」については、基本的に -ui で対応する。当該字に声点はない。熟字 3145「顤頦」は右注「カシケタリ」を付載する。観智院本類聚名義抄に同音字注「音遂」および「和又平」を見出すが、仮名音注はない。石山寺一切経蔵本大般若経字抄には正音「瑞」（寘韻 ẑiue³）と呉音「水」（旨韻 śiuei²）がある。漢呉二音相同の同音字注を選択できない場合の方策である。日本呉音は平声を認める。

頦 又萃 音遂 カシケタリ［上上□□□／□□ク□□］… 和又平

　　　　　　　　　　　　　　　　　　　　　　　　　（観智院本類聚名義抄／佛下本 026-1）

顤頦 カシク　　　　　　　　　　　　　　　　　　　（観智院本類聚名義抄／佛下本 026-1）

正礁瑞 顤頦［音水：右傍］音小　　　　　（石山寺一切経蔵本大般若経字抄／13 ウ 2）

▶番号 0934b「遂」（甘遂）の仮名音注「スイ」については、基本的に -ui で対応する。当該字には去声点を差す。熟字 0934「甘遂」は右注「ニハソ［上上上］」左注「ニヒソ［上上上］」を付載する。観智院本類聚名義抄に反切「辞類反」（その反切下字に去声点）および「和去又平」を見出す。日本漢音は去声、日本呉音は平/去声を認める。

遂 辞類［□去］反／和去又平 ツヒニ［上上□］…　　（観智院本類聚名義抄／佛上 059-2）

甘遂　本草云甘遂 和名邇波曾一云仁比曾　　　　（元和本倭名類聚抄／巻四 17 ウ 5）

1138　3．仮名音注の韻母別考察　3-5　ⅢA韻類

▶番号1508b「燧」（烽燧）の仮名音注「スイ」については、基本的に *-ui* で対応する。当該字には去声点を差す。熟字1508「烽燧」は右注「トフヒ」左注「又作夆火」左傍「トフヒ　トソヒ」を付載する。観智院本類聚名義抄に同音字注「音遂」を見出すが、仮名音注はない。元和本倭名類聚抄には同音字注「遂」がある。

　　　燧 音遂 トフヒ ヒウチ …　　　　　　　　　　　　（観智院本類聚名義抄／佛下末 043-5）

　　　烽燧 峯遂二／音 トフヒ　　　　　　　　　　　　　（観智院本類聚名義抄／佛下末 043-6）

　　　烽燧 火擬附 説文云烽燧 峰遂二音度布比 …　　　　　（元和本倭名類聚抄／巻十二 11 オ 7）

▶番号2870b「穗」（稼穗）の仮名音注「スイ」については、基本的に *-ui* で対応する。当該字には去声点を差す。熟字2870「稼穗」は中注「稲穗也」を付載する。観智院本類聚名義抄に同音字注「音遂」を見出すが、仮名音注はない。元和本倭名類聚抄には同音字注「音遂」がある。

　　　穗 音遂 ヒツ［上平濁］／ホ［平］　穗 正 …　　　（観智院本類聚名義抄／法下 011-1）

　　　稲 芒韻等附 … 唐韻云穗 音遂和名保 …　　　　　　（元和本倭名類聚抄／巻十七 01 ウ 5）

▶番号0108「帥」（䚦）の仮名音注「スイ」については、基本的に *-ui* で対応する。当該字に声点はなく、右注「同（イクサ）」を付載する。図書寮本類聚名義抄に同音字注「音率」（その右傍に仮名音注「スキチ」）と反切「率必反」さらに真云・東云の反切「又所類反」を見出す。観智院本には同音字注「音率」（その左傍に墨筆で仮名音注「スキチ」〔＊和音を示すか〕）と反切「又所類反」さらに仮名音注「音スイ」および「和卆」を見出す。同書の凡例部分「朱音者正音也墨声者和音也」（篇目 7-6）に従えば、朱墨で正音と和音を分別する傾向がある。石山寺一切経蔵本大般若経字抄には同音字注「音瑞」（その右傍／眞韻 ziue⁵）と同音字注「卒」（その左傍／没韻 tsuʌt・ts'uʌt／観智院本・鎮国守国神社本が引用する）を見つける。傍証ながら「率」に対して、長承本蒙求は仮名音注「スキツ」があり、その掲出字に徳声点を加える。同じく承暦本金光明最勝王経音義には仮名音注「ソツ」がある。字音「スイ」日本呉音「スキチ」を認める。日本漢音「スキツ」徳声（四声体系では入声）日本呉音「ソツ」の可能性を指摘しておく。

　　　將帥 音率［スキチ：右傍］真云 … 下率必反 本所类反 … 東云 … 又所类反 …

　　　　　　　　　　　　　　　　　　　　　　　　　　　（図書寮本類聚名義抄／284-5）

　　　帥 音率［スキチ：墨左傍］又所類反 … イクサ［平平平］…　（観智院本類聚名義抄／法中 104-3）

　　　帥 … 音スイ イクサキミ［平平平上濁平］… 和卆　　　（観智院本類聚名義抄／僧下 102-8）

　　　帥 … 音スイ／イクサキミ イクサ … 呉卆　　　（鎮国守国神社本三寶類聚名義抄／下二 65 オ 2）

　　　帥［音瑞：右傍／卒：左傍］軍将也　　　　　　　　（石山寺一切経蔵本大般若経字抄／13 オ 1）

　　　率［徳］スキツ〔＊字形「玄」ではなく「言」／攣か〕　　　　　（長承本蒙求／036）

　　　率 ソツ〔＊後筆墨書〕　　　　　　　　　　　　　（承暦本金光明最勝王経音義／10 オ 6）

▶番号2182a「類」（類親）の仮名音注「ルイ」については、基本的に *-ui* で対応する。当該字には平声点を差す。観智院本類聚名義抄に反切「力遂反」と去声点を付した同音字注「音淚」およ

び低平調と推測する和音「ルイ」を見出す。日本漢音は去声、日本呉音「ルイ」平声を認める。

> 類 力遂反 トモカラ … 犬部 和ルイ［□平］　　　　　（観智院本類聚名義抄／佛下本 030-8）

> 類 音涙［去］タクヒ［平平濁平］　　　　　　　　　（観智院本類聚名義抄／佛下本 129-6）

▶番号 0811b「類」（伴類）の仮名音注「ルイ」については、基本的に -ui で対応する。当該字には平声濁点を差すが、平声点の誤認であろう。熟字上字「伴」の平声濁点に牽引されたか。上述の分析を参照。

▶番号 2174「類」（類）の仮名音注「ルイ」については、基本的に -ui で対応する。当該字に声点はない。上述の分析を参照。

▶番号 1025b「位」（分位）の仮名音注「ヰ」については、基本的に -wi で対応する。当該字には去声点を差す。その中古音が示す頭子音 ɣ-（等韻学の術語で言う于母あるいは喩母三等）は有声軟口蓋接近音 ɯ-（有声両唇軟口蓋接近音 w-）であり、原則的にア行音・ワ行音で対応する。観智院本類聚名義抄に反切「胡愧反」および平声点を付した和音「ヰ」を見出す。下記次項のように、元和本倭名類聚抄には熟字「版位」に対して「俗云変爲二音」がある。これは借字による定着久しい字音「爲」（支/寘韻 yiue^(1/3)）と考えるべきか。日本呉音「ヰ」平声を認める。

> 位 胡愧反 クラヰ … 和ヰ［平］　　　　　　　　　（観智院本類聚名義抄／佛上 003-2）

> 位 タ丶スタ丶／クラヰ　　　　　　　　　　　　　（観智院本類聚名義抄／法上 092-2）

> 有［平］宇［上］為［上］謂［平］　　　　　　　（承暦本金光明最勝王経音義／01 ウ 4）

▶番号 0754b・1307b「位」（版位・版位）の仮名音注「ヰ」については、基本的に -wi で対応する。両当該字には平声点を差す。熟字 0754「版位」は右傍「シルシナリ」を、熟字 1307「版位」は右注「標木［シルシ：右傍］也」左注「以木爲書籍是也」を付載する。上述の分析を参照。

> 版位 唐儀制令云諸版位 俗云変爲二音 … 野王案以木爲書籍是也
>
> 　　　　　　　　　　　　　　　　　　　　　　（元和本倭名類聚抄／巻十三 11 オ 4）

《下巻 至韻合口諸例》

▶番号 4675b・4741b「愧」（懺愧・慚愧）の仮名音注「クヰ」については、基本的に -wi で対応する。両当該字には平声濁点を差すので、日本語音韻史上の連濁による字音「グヰ」を想定する。熟字 4675「懺愧」は中注「上懺天／下愧人」右傍「ハチ ハツ」を付載する。図書寮本類聚名義抄に反切「跼饋反」を見出す。観智院本には反切「跼饋反・軏位反」および和音「クヰ」を見つける。日本呉音「クヰ」を認める。

> 慙愧 … 下弘云跼饋反 ハツ［平上濁／異：右注］　　　（図書寮本類聚名義抄／263-4）

> 愧 跼饋反 ハツ［平上濁］… 和クヰ　　　　　　　（観智院本類聚名義抄／法中 101-2）

> 愧媿謉瑰 軏位反 慙也 老也　　　　　　　　　　（観智院本類聚名義抄／僧下 049-2）

1140　3．仮名音注の韻母別考察　3-5　ⅢA韻類

▶番号4839「季」（季）の仮名音注「キ」については、異例 -i を示す。当該字には去声点を差し、左注「四季二季」を付載する。日本語音韻史上の音変化 kwi > ki を反映する。観智院本類聚名義抄に反切「癸喜反」を見出す。長承本蒙求には仮名音注「キ」二例があり、それらを含む掲出字三例に去声点を加える。日本漢音「キ」去声を認める。

　　　季 スヱ［上上］ヲハリ　　　　　　　　　　　（観智院本類聚名義抄／法下 015-4）

　　　季 … 癸喜反 スヱ　　　　　　　　　　　　　（観智院本類聚名義抄／法下 139-1）

　　　季［去］キ　　　　　　　　　　　　　　　　（長承本蒙求／025・028・102・113）

　　　季［去］リ〔＊掲出字を「李」と誤認〕／キ　　　　　　　　（長承本蒙求／032）

　　　季［去］　　　　　　　　　　　　　　　　　　　　　（長承本蒙求／087）

▶番号3381a「季」（季指）の仮名音注「キ」については、異例 -i を示す。当該字に声点はない。熟字3381「季指」は右注「コヲヨヒ」左注「コユヒ」を付載する。上述の分析を参照。

　　　季指 コオヨヒ［上上□□］　　　　　　　　（観智院本類聚名義抄／佛下本 039-4）

　　　季指 儀禮云季指 和名古於與比 小指第五指也　　　（元和本倭名類聚抄／巻三 13 ウ 4）

▶番号6164「樻」（樻）の仮名音注「クキ」については、基本的に -wi で対応する。当該字には去声点を差し、右注「ヒツ 長樻韓樻」左注「明樻折樻等之名也」観智院本類聚名義抄に去声点を付した同音字注「音貴」を見出すが、仮名音注はない。元和本倭名類聚抄には同音字注「音與貴同」がある。日本漢音は去声を認める。

　　　樻 音貴［去］ヒツ［上上］　　　　　　　　（観智院本類聚名義抄／佛下本 102-2）

　　　樻　蒋魴切韻云樻 音與貴同和名比都俗有長樻韓樻折樻小樻等之名

　　　　　　　　　　　　　　　　　　　　　　　（元和本倭名類聚抄／巻十六 04 ウ 8）

▶番号3838b・6919a・6940a「醉」（淵醉・醉郷・醉吟）の仮名音注「スイ」については、基本的に -ui で対応する。当該諸字三例には去声点を差す。熟字6940「醉吟」は右注「スウハイ」を付載する。上巻の至韻合口当該例で分析したように、日本漢音「スイ」去声、日本呉音「スイ」平声を認める。

▶番号6920a「醉」（醉顔）の仮名音注「スイ」については、基本的に -ui で対応する。当該字に声点はない。上述の分析を参照。

▶番号6943a「翠」（翠羽）の仮名音注「スイ」については、基本的に -ui で対応する。当該字には去声点を差す。観智院本類聚名義抄に反切「父未反」と「旦醉反」（その反切下字に去声点）および高平調を示す和音「スイ」を見出す。日本漢音は去声、日本呉音「スイ」上声を認める。

　　　翡 父未反 ハネ　　　　　　　　　　　　　（観智院本類聚名義抄／僧上 096-4）

　　　翠翠 旦醉［□去］反 ミトリ … 和ヒスイ［去上上］　　　（観智院本類聚名義抄／僧上 096-4）

▶番号6796a・6845a・6946a「翠」（翠質・翠羽・翠質）の仮名音注「スイ」については、基本的に -ui で対応する。当該字に声点はない。上述の分析を参照。

▶番号6662b「穎」（顥穎）の仮名音注「スイ」については、基本的に *-ui* で対応する。当該字には去声点を差す。熟字6662「顥穎」は左注「又作譙忰」右傍「カシケタリ」を付載する。上巻の至韻合口当該例で分析したように、日本呉音は平声を認める。

▶番号6156「燧」（燧）の仮名音注「スイ」については、基本的に *-ui* で対応する。当該字に声点はなく、右注「ヒウチ」左注「或乍䃲」を付載する。上巻の至韻合口当該例で分析した。

3-5-3-5　-ieu（幽/黝/幼韻）

資料篇【表B-10】には幽韻（平声）黝韻（上声）幼韻（去声）所属の諸例が含まれる。前田本の示す仮名音注は基本的に *-eu, -iu* で対応する。

《上巻　幽韻諸例》

▶番号0233a・0238a・0239a・0246a・0321a・0324a「幽」（幽天・幽奇・幽玄・幽谷・幽居・幽閑）の仮名音注「イウ」については、基本的に *-iu* で対応する。当該諸字六例には東声点を差す。熟字0233「幽天」は右注「冬天」を、熟字0324「幽閑」は右傍「カスカナリ」を付載する。観智院本類聚名義抄に反切「一由反」と「拎虬反」（その右傍に朱筆で仮名音注「キウ」）および上昇調を示す和音「エウ」を見出す。長承本蒙求には仮名音注「イウ」があり、その掲出字に東声点を加える。日本漢音「イウ」東声（四声体系では平声）日本呉音「エウ」去声を認める。

　　幽　一由反 カスカナリ／クロシ　　　　　　　　　　（観智院本類聚名義抄／法上118-5）

　　幽　拎虬 ［キウ：朱右傍］反 … カスカナリ ［平平平□□］ … 和エウ ［平上］

　　　　　　　　　　　　　　　　　　　　　　　　　　　（観智院本類聚名義抄／僧下107-1）

　　幽 ［東］イウ　　　　　　　　　　　　　　　　　　　　　　（長承本蒙求／046）

《下巻　幽韻諸例》

該当例なし。

《上巻　黝韻諸例》

▶番号3024b「紏」（勘紏）の仮名音注「キウ」については、基本的に *-iu* で対応する。当該字には平声点を差す。観智院本類聚名義抄に反切「吉黝反」を見出す。長承本蒙求には仮名音注「キウ」があり、その掲出字に上声点を加える。平安中期の朱筆加点「久」は借字か同音字注か判断が

1142　3．仮名音注の韻母別考察　3-5　ⅢA韻類

付かない。日本漢音「キウ」上声を認める。

　　　糺 タヽス キヒシ ツナ　　　　　　　　　　　　（観智院本類聚名義抄／佛下末014-3）

　　　糺 吉黝反 糺彈／クヽス［平平濁上］　　　　　　（観智院本類聚名義抄／法中116-5）

　　　糺 或 タヽス［平平濁□／□□シ］… マトフ　糾 古　（観智院本類聚名義抄／法中116-5）

　　　糺［上］久／キウ　　　　　　　　　　　　　　　　　（長承本蒙求／048）

《下巻 黝韻諸例》

▶番号5098a・5099a・5100a「糺」（糺彈・糺断・糺正）の仮名音注「キウ」については、基本的に -iu で対応する。当該諸字三例には平声点を差す。上巻の黝韻当該例で分析したように、日本漢音「キウ」上声を認める。

《上巻 幼韻諸例》

▶番号0151・0280a・0281a「幼」（幼・幼稚・幼日）の仮名音注「イウ」については、基本的に -iu で対応する。当該諸字三例には去声点を差す。番号0151「幼」は右注「イトケナシ」を付載する。観智院本類聚名義抄に反切「伊謬反」および上昇調と推測する和音「エウ」を見出す。日本呉音「エウ」去声を認める。

　　　幼 伊謬反 … イトケナシ［□□キ□□］… ヲサナシ［平平□□］

　　　　　　　　　　　　　　　　　　　　　　　　　　（観智院本類聚名義抄／僧上083-3）

　　　幼 ヲサナシ … イトケナシ … 和エウ［□上：墨点］　（観智院本類聚名義抄／僧上094-1）

　　　幼 ヲサナシ［平平□□］　　　　　　　　　　　　（観智院本類聚名義抄／法中136-4）

　　　幼［エウ：右傍］小［去平：圏点］伊止き奈之［上上上上平］

　　　　　　　　　　　　　　　　　　　　　　（承暦本金光明最勝王経音義／13 オ 3）

《下巻 幼韻諸例》

▶番号3815a・3818a・3864a「幼」（幼少・幼稚・幼敏）の仮名音注「エウ」については、基本的に -eu で対応する。当該諸字三例には去声点を差す。上巻の幼韻当該諸例で分析したように、日本呉音「エウ」去声を認める。

3-5-3 -ie系の字音的特徴 1143

3-5-3-6 -iem/-iep（侵/寝/沁/緝韻）

資料篇【表B-10】には侵韻（平声）寝韻（上声）沁韻（去声）緝韻（入声）所属の諸例が含まれる。前田本の示す仮名音注は基本的に -im/-ip, -om/-op で対応する。異例として -i, -imi, -in, -iu, -ok, -on, -ou, -eu, -ju, -it, -ipi, -ipo -opa, -opo がある。

《上巻 侵韻諸例》

▶番号3064b「音」（雅音）の仮名音注「イム」については、基本的に -im で対応する。当該字には平声点を差す。図書寮本類聚名義抄に反切「弘云猗金反」（その反切下字に平声点）を見出す。観智院本に反切「椅金反」（その反切下字に平声点）および和音「オム」を見つける。長承本蒙求には仮名音注「イム」があり、その掲出字に東声点を加える。日本漢音「イム」東声（四声体系では平声）日本呉音「オム」を認める。

音 弘云猗金［□平］反 … コエ［平平/詩：右注］　　　　（図書寮本類聚名義抄／126-1）

音 椅金［□平］反コエ［平上］オト … 和オム　　　（観智院本類聚名義抄／法上093-1）

音［東］イム　　　　　　　　　　　　　　　　　　　（長承本蒙求／035・054）

▶番号1884b「音」（智音）の仮名音注「イン」については、異例 -in を示す。当該字には平声点を差す。末子音の唇内撥音韻尾 -m を「ン」で対応する。上述の分析を参照。

▶番号2243a「瘖」（瘖瘂）の仮名音注「イン」については、異例 -in を示す。当該字には平声点を差す。末子音の唇内撥音韻尾 -m を「ン」で対応する。熟字2243「瘖瘂」は右注「ヲフシ」左傍「ヲフシ」を付載する。観智院本類聚名義抄に同音字注「音音」および和音「オム」を見出す。また異体字とする「喑」には平声点を付した同音字注「音譜」と反切「又扵禁反」を見つける。元和本倭名類聚抄には同音字注「音」がある。日本漢音は平声、日本呉音「オム」を認める。

瘖 音音 瘂也 オフシ／ヒロシ 有作喑 和オム　　　（観智院本類聚名義抄／法下115-3）

喑 音譜［平］又扵禁反 又或瘖字／ナク サケフ　　（観智院本類聚名義抄／佛中035-2）

瘖瘂 音亞二音／オフシ［上上上］　　　　　　　　（観智院本類聚名義抄／法下115-3）

瘖瘂 説文云瘖瘂 音鴉二音於布之 不能言也　　　（元和本倭名類聚抄／巻三18 オ6）

▶番号0230a・0231a・0299a「陰」（陰晴・陰雲・陰謀）の仮名音注「イン」については、異例 -in を示す。当該諸字三例には平声点を差す。末子音の唇内撥音韻尾 -m を「ン」で対応する。熟字0230「陰晴」は右傍「クモル ハル」を、熟字0299「陰謀」は右傍「ハカリコト」を付載する。図書寮本類聚名義抄に同音字注「类云音彡」と反切「广云扌禁反」および「和去」を見出す。観智院本には同音字注「音彡」（その右注に墨書で仮名音注「イム」左注に墨書で仮名音注「オム」）

1144　3．仮名音注の韻母別考察　3-5　ⅢA韻類

を見つける。長承本蒙求には仮名音注「イ✓・イム」があり、それらの掲出字に東声点を加える。
日本漢音「イム」東声（四声体系では平声）日本呉音は去声を認める。日本呉音「オム」の蓋然性
が高い。

陰	川云今案玉莖玉門等通称也 … 和法	（図書寮本類聚名義抄／202-7）
陰陽	上类云音彡 …	（図書寮本類聚名義抄／209-2）
香陰	广云彡／禁反 …	（図書寮本類聚名義抄／209-5）
陰	音彡［イン：墨右注／オム：墨左注］… クモル［平平上］…	（観智院本類聚名義抄／法中 038-1）
陰	正	（観智院本類聚名義抄／法中 038-2）
陰	［東］イ✓	（長承本蒙求／047）
陰	［東］イム	（長承本蒙求／106）
陰	釋名云陰 今案玉莖玉門等之通称也 …	（元和本倭名類聚抄／巻三 15 オ 7）

　▶番号 0306a「陰」（陰私）の仮名音注「イム」については、基本的に -im で対応する。当該字
には平声点を差す。熟字後部は落書を揩消したためか不鮮明である。あるいは熟字「陰士・陰事」
か、伊篇疊字部の人事部秘穏分に属する。上述の分析を参照。

　▶番号 0121「婬」（婬）の仮名音注「イム」については、基本的に -im で対応する。当該字に
は平声点を差し、左注「婬欲」を付載する。観智院本類聚名義抄に平声点を付した同音字注「音滛」
を見出すが、仮名音注はない。

婬	音滛［平］タハシ ヨシ／タハル タハフル	（観智院本類聚名義抄／佛中 013-2）
媱	音遥 タハル アソフ［□□平濁］… 俗為婬字	（観智院本類聚名義抄／佛中 013-2）

　▶番号 0273a・0274a・0275a「婬」（婬奔・婬欲・婬泆）の仮名音注「イン」については、異
例 -in を示す。当該諸字三例には平声点を差す。末子音の脣内撥音韻尾 -m を「ン」で対応する。
当該諸字三例には平声点を差す。上述の分析を参照。

　▶番号 0232a・0249a「滛」（滛雨・滛奇）の仮名音注「イン」については、異例 -in を示す。
両当該字には平声点を差す。末子音の脣内撥音韻尾 -m を「ン」で対応する。相互に「淫」と異体
字である。熟字 0232「滛雨」は左注「五月已上雨也」を付載する。図書寮本類聚名義抄に平声点を
付した同音字注「类云音婬」を見出す。観智院本には同音字注「音婬」を見出すが、仮名音注はな
い。日本漢音は平声を認める。

浸滛	… 下类云婬［平］音 玉云潤也 …	（図書寮本類聚名義抄／040-6）
淫	音婬 久雨也 ソム	（観智院本類聚名義抄／法上 016-3）
滛	俗狱 ウルフ …	（観智院本類聚名義抄／法上 016-3）

　▶番号 0154b「金」（溢金樂）の仮名音注「キム」については、基本的に -im で対応する。当該
字には平声点を差す。観智院本類聚名義抄に平声朱点と去声墨点を付した同音字注「音今」（その
右傍に朱筆で仮名音注「キム」左傍に墨筆で仮名音注「コム」）を見出す。同書の凡例部分「朱音

者正音也墨声者和音也」（篇目 7-6）に従えば、朱墨で正音と和音を分別する傾向がある。長承本蒙求には仮名音注「キム」二例があり、それらを含む掲出字三例に東声点を加える。日本漢音「キム」東声（四声体系では平声）日本呉音「コム」去声を認める。

　　　　金 … 音今［平：朱点／去：墨点／キム：朱右傍／コム：墨左傍］カネ［上上］…

　　　　　　　　　　　　　　　　　　　　　　　（観智院本類聚名義抄／僧上 113-6）

　　　　金 … 音今［平：朱点／キム：墨右注／コム：墨左注］カネ［上上］…

　　　　　　　　　　　　　　　　　（鎮国守国神社本三寶類聚名義抄／下一 36 オ 1）

　　　　金［東］キム　　　　　　　　　　　　　　　　（長承本蒙求／024・139）

　　　　金［東］キム〔＊長承三年点と同時期の別筆〕　　　　　（長承本蒙求／061）

　　　　金［東］　　　　　　　　　　　　　　（長承本蒙求／059・060・102）

　　　　壹越調曲 … 溢金樂 一云承和樂 … 承和樂 壹團樂 …（元和本倭名類聚抄／巻四 14 オ 7）

▶番号 1065a「金」（金乗）の仮名音注「コン」については、異例 -on を示す。当該字には去声点を差す。末子音の脣内撥音韻尾 -m を「ン」で対応する。上述の分析を参照。

▶番号 1443「禽」（禽）の仮名音注「キム」については、基本的に -im で対応する。当該字には平声点を差し、左右注「同（トリ）二足羽四／禽走四獸与禽同」を付載する。観智院本類聚名義抄に平声点を付した同音字注「音琴」および「和同」と上昇調と推測する「又コム」を見出す。この「和同」は「和琴」と解する。鎮国守国神社本三寶類聚名義抄もほぼ同じ注音状況である。長承本蒙求には同音字注「琴」と仮名音注「キム」があり、その掲出字に平声点を加える。日本漢音「キム」平声、日本呉音「コム」去声を認める。

　　　　禽 音琴［平］／トリ［上上］… 和同 又コム［□上］　（観智院本類聚名義抄／僧中 002-4）

　　　　禽 音琴［平］トリ［上上］… 和同 又コム　（鎮国守国神社本三寶類聚名義抄／下一 47 オ 6）

　　　　禽 音琴 トリ／トリコ　　　　　　（天理大学本最勝王経音義／23 ウ 1）

　　　　禽［平］琴反／キム　　　　　　　　　　　　　　　（長承本蒙求／062）

　　　　鳥 … 爾雅集注云二足而羽者曰禽 和名與鳥同土里 … 走曰獸総謂之禽 訓與獸同

　　　　　　　　　　　　　　　　　　　　　　　（元和本倭名類聚抄／巻十八 01 オ 9）

▶番号 1535「擒」（擒）の仮名音注「キム」については、基本的に -im で対応する。当該字には平声点を差し、和訓「トル」の同訓異字として位置する。観智院本類聚名義抄に同音字注「音琴」と反切「巨今反・又竹沉反」を見出すが、仮名音注はない。後続する掲出字「擒」には「呉音禽」（その右注に墨筆で仮名音注「コム」左注に墨筆で仮名音注「キム」）を見つける。これは大般若経字抄による漢呉二音相同の同音字注「音禽」を出典とする。日本漢音「キム」平声、日本呉音「コム」去声の蓋然性が高い。

　　　　擒 俗 トリ … 又竹沉反 繋也 トリコ［平平□］音琴　（観智院本類聚名義抄／佛下本 053-6）

　　　　擒 刃離［□平］反 ノフトル … 呉一禽［コム：墨右注／キム：墨左注］

1146　3．仮名音注の韻母別考察　3-5　ⅢA韻類

（観智院本類聚名義抄／佛下本 053-6）

鈘 摘撿 四正 巨今反 ソク［平上濁］一歓　　　　　（観智院本類聚名義抄／僧上 132-6）

摘 音琴 呉禽［平・去：墨丸点／コム：右注・キム：左注］／ノフ …

（天理大学本最勝王経音義／05 ウ 4）

摘 俗 トリ … 又竹沉反 … 音琴　　　　　　　　　（宝菩提院本類聚名義抄／065-2）

摘 刃離反 ノフトル … 呉一禽［コム：右注／キム：左注］　（宝菩提院本類聚名義抄／065-2）

摘［禽：右傍］繋［習：右傍／蟄：左傍］同上／渉立反

（石山寺一切経蔵本大般若経音字抄／25 オ 4）

▶番号1986b「檎」（林檎）の仮名音注「コウ」については、異例 -ou を示す。当該字には平声点を差す。熟字「林檎」は右傍 1987「リムキ」右注 1986「リウコウ」左注「與奈相似而小者也」を付載する。なお「奈」は祭りの供物として供える林檎の木をあらわす。観智院本類聚名義抄に同音字注「音禽」を見出すが、仮名音注はない。続いて掲げる「林檎子」には低平調を示す「和音リウコウ」を見つける。元和本倭名類聚抄には同音字注「音禽」があり、注記「和名利宇古字」とする。和名として扱うほど馴化した定着久しい字音「コウ」と考えるべきか。

檎 音禽 林ノ果名／ナシ［上平］クヒトル　　　　（観智院本類聚名義抄／佛下本 091-5）

林檎子 禾ノ／リウコウ［平平平平］　　　　　　（観智院本類聚名義抄／佛下本 091-6）

林檎　本草云林檎 音禽和名利宇古字 與奈相似而小者也（元和本倭名類聚抄／巻十七 09 オ 8）

▶番号1987b「檎」（檎）の仮名音注「キ」については、異例 -i を示す。当該字には平声点を差す。熟字「林檎」は右傍 1987「リムキ」右注 1986「リウコウ」左注「與奈相似而小者也」を付載する。上述の分析を参照。

▶番号2350b「琴」（倭琴）の仮名音注「コン」については、異例 -on を示す。当該字には去声点を差す。末子音の脣内撥音韻尾 -m を「ン」で対応する。その中古音が示す頭子音 g-（等韻学の術語で言う群母）は有声軟口蓋閉鎖音であり、日本語のガ行音をもって受容するが、中国語音韻史上における濁声声母の無声化を反映する場合はカ行音で対応する。図書寮本類聚名義抄に平声点を付した同音字注「音禽」を見出す。観智院本には同音字注「音禽」および低平調を示す和音「キム」と上昇調と推測する「又コム」を見つける。長承本蒙求には仮名音注「キム」二例があり、それらの掲出字に平声点を加える。日本漢音「キム」平声、日本呉音「キム」平声「コム」去声を認める。

琴 音禽［平］… コト［切：右注］　　　　　　　　（図書寮本類聚名義抄／169-7）

琴絃 信云音禽下与弦同 …　　　　　　　　　　　（図書寮本類聚名義抄／320-5）

琴 音禽 コト［平上］… 和キム［平平：墨圏点］又コム［□上：墨圏点］

（観智院本類聚名義抄／法中 025-4）

倭琴 ヤマトコト［平平□平上］　　　　　　　　（観智院本類聚名義抄／法中 025-5）

琴［平］キム　　　　　　　　　　　　　　　　　（長承本蒙求／050・118）

琴［平］キム〔＊長承三年点と同時期の別筆〕　（長承本蒙求／061）

日本琴　萬葉集云梧桐日本琴一面 … 俗用倭琴二字夜萬止古止 …

（元和本倭名類聚抄／巻四 12 ウ 2）

▶番号 3051b「吟」（閑吟）の仮名音注「キム」については、基本的に *-im* で対応する。当該字には平声点を差す。観智院本類聚名義抄に反切「奥今反」（その反切下字に平声点）を見出すが、仮名音注はない。日本漢音は平声を認める。

吟 … 奥今［□平］反 ニヨフ／ナケク［□平濁□］…　（観智院本類聚名義抄／佛中 027-1）

▶番号 1900b「吟」（沈吟）の仮名音注「キン」については、異例 *-in* を示す。当該字には平声点を差す。末子音の脣内撥音韻尾 -m を「ン」で対応する。上述の分析を参照。

▶番号 2270「侵」（侵）の仮名音注「シム」については、基本的に *-im* で対応する。当該字に声点はなく、和訓「ヲカス」の同訓異字として位置する。観智院本類聚名義抄に反切「七林反」（その反切下字に平声点）および低平調と推測する和音「シム」を見出す。承暦本金光明最勝王経音義には借字による「志牟反」がある。日本呉音「シム」平声を認める。

侵 正 七林［□平］反 … ヲカス［上上平］… 和シム［□平］　（観智院本類聚名義抄／佛上 029-5）

侵［平］志牟反／予加須［上上平］　（承暦本金光明最勝王経音義／03 オ 6）

▶番号 2936b・2953b・2964b「心」（隔心・骸心・感心）の仮名音注「シム」については、基本的に *-im* で対応する。当該諸字三例には平声点を差す。廣韻に拠れば、その中古音は心母侵韻平声（siem[1]）である。熟字 2964「感心」は中注「悦詞也」を付載する。図書寮本類聚名義抄に東声点を付した同音字注「源為憲口遊云音深」（侵/沁韻 śiem[1/3]）を見出す。観智院本には平声点を付した同音字注「音深」を見つける。天理大学本最勝王経音義に同音字注「音深」および「和真」（眞韻 tśien[1]）を見出す。長承本蒙求には仮名音注「シム」二例があり、それらを含む掲出字三例に東声点を加える。日本漢音「シム」東声（四声体系では平声）を認める。

心 源為憲口遊云音深［東］… コヽロ［平平上］…　（図書寮本類聚名義抄／236-1）

心 音深［平］コヽロ［平上上］…　（観智院本類聚名義抄／法中 068-7）

心 音深 コヽロ … 和真　（天理大学本最勝王経音義／03 ウ 2）

心［東］シム　（長承本蒙求／038・114）

心［東］　（長承本蒙求／097）

▶番号 0799b・2941b「心」（芳心・甘心）の仮名音注「シム」については、基本的に *-im* で対応する。両当該字には平声濁点を差すので、日本語音韻史上の連濁による字音「ジム」を想定する。熟字 2941「甘心」は右傍「アマナフ」左注「承伏詞欤」を付載する。上述の分析を参照。

▶番号 3035b・3087b・3106b「心」（姧心・肝心・寒心）の仮名音注「シム」については、基本的に *-im* で対応する。当該諸字三例には上声濁点を差すので、日本語音韻史上の連濁による字音「ジム」を想定する。熟字 3035「姧心」は右傍「カタマシ」を、熟字 3087「肝心」は左注「云人

1148　3．仮名音注の韻母別考察　3-5　ⅢA韻類

之咎也」を、熟字3106「寒心」は左注「賀怨極也」を付載する。上述の分析を参照。

　▶番号1607b「心」（同心）の仮名音注「シン」については、異例 -in を示す。当該字には上声
濁点を差すので、日本語音韻史上の連濁による字音「ジン」を想定する。その中古音が示す末子音
の脣内撥音韻尾 -m を「ン」で対応する。上述の分析を参照。

　▶番号3241b・3270b「心」（用心・慾心）の仮名音注「シム」については、基本的に -im で対
応する。両当該字には去声点を差す。熟字3270「慾心」は左注「オミホル欤」を付載する。

　▶番号1494b「心」（燈心）の仮名音注「シミ」については、異例 -imi を示す。当該字に声点
はない。末子音の脣内撥音韻尾 -m を開音節化した字音「シミ」とする。熟字1494「燈心」は右
注「トウシミ」を付載する。その直後には「炷」を掲げ、右注「同（トウシミ）」を付載する。元
和本倭名類聚抄には注記「和名度宇之美燈心音訛也」があり、熟字「燈心」の字音変化による和名
「トウシミ」とする。上述の分析を参照。

　　　燈 音登 トモシヒ［平平平平濁／□ホ□□］／アフラヒ　　　　（観智院本類聚名義抄／佛下末052-2）

　　　炷 音主［上］又去 俗云トウシミ［□平平濁東］…呉趣　　　　（観智院本類聚名義抄／法中068-7）

　　　燈心　考聲切韻云炷 音主又去聲和名度宇之美燈心音訛也 燈心也

　　　　　　　　　　　　　　　　　　　　　　　　　　　　　（元和本倭名類聚抄／巻十二12ウ4）

　▶番号1127「潯」（潯）の仮名音注「シム」については、基本的に -im で対応する。当該字に
は平声点を差し、和訓「ホトリ」の同訓異字として位置する。観智院本類聚名義抄に同音字注「尋」
を見出すが、仮名音注はない。

　　　潯 音尋 キシ ホトリ／水ノホトリ［平上平］　　　　　　　（観智院本類聚名義抄／法上033-7）

　▶番号3154b「灊」（夷灊）の仮名音注「シミ」については、異例 -imi を示す。当該字に声点
はない。末子音の脣内撥音韻尾 -m を開音節化した字音「シミ」とする。廣韻に拠れば、邪母侵韻
（ziem¹）従母侵韻（dziem¹）従母鹽韻（dziam¹）三音を有する。元和本倭名類聚抄には熟字「夷
灊」郡名に対して「伊志美」がある。観智院本類聚名義抄に同音字注「音潛」と「又尋」を見出す
が、仮名音注はない。

　　　灊 音潛 水名／又尋　　　　　　　　　　　　　　　　　　（観智院本類聚名義抄／法上016-5）

　　　上總國 國府在市原郡…夷灊 伊志美…　　　　　　　　　　（元和本倭名類聚抄／巻五15オ8）

　▶番号2684「簪」（簪）の仮名音注「シム」については、基本的に -im で対応する。当該字に
は平声点を差し、右注「カムサシ」を付載する。観智院本類聚名義抄に反切「側林反」を見出す。
長承本蒙求には平安時代中期と推定する古い朱筆「シム」（例示で両音形ある場合は左側）と墨筆
による長承三年「シウ・シム」（両音形ある場合は右側）がある。元和本倭名類聚抄には反切「作
含反又則岑反」を見つける。日本漢音「シム」東声（四声体系では平声）を認める。

　　　簪 側林反／カムサシ［平平平濁平］トシ［平上］　　　　　（観智院本類聚名義抄／僧上062-7）

　　　簪［東］シム／シウ・シム　　　　　　　　　　　　　　　　（長承本蒙求／062）

簪　四聲字苑云簪 作含反又則岑反和名加無左之 …　　　　　（元和本倭名類聚抄／巻十二 18 ウ 2）

▶番号 0217「森」（森）の仮名音注「シン」については、基本的に -im で対応する。当該字には平声点を差し、右注「イヨ̣シカ」左注「イヨ̣シ」を付載する。観智院本類聚名義抄に反切「所金反」（その反切下字に平声点）を見出すが、仮名音注はない。日本漢音は平声を認める。

　　森 所金 [□平] 反 … イヨ̣カナリ [平平上平上□] …　　　（観智院本類聚名義抄／佛下本 126-3）

▶番号 2087a「森」（森然）の仮名音注「リン」については、異例 -in を示す。当該字には平声点を差す。仮名の字形相似による「シン」の誤認か。あるいは当該字を「林」（侵韻 liem¹）と混同したか。末子音の唇内撥音韻尾 -m を「ン」で対応する。熟字 2087「森然」は右傍「イヨ̣カナリ」を付載する。上述の分析を参照。

▶番号 3136a「叅」（叅差）の仮名音注「シム」については、基本的に -im で対応する。当該字には平声点を差す。廣韻に拠れば、生母侵韻（ṣiem¹）崇母侵韻（dẓiem¹）覃/勘韻（tsʿʌm¹ᐟ³）談韻（sɑm¹）五音を有する。熟字「叅差」は左右注「カタ、カヒ／ナリ」を付載する。観智院本類聚名義抄に反切「食含反」と平声点を付した「又音森」さらに声調表記「又去」を見出すが、仮名音注はない。日本漢音は平/去声を認める。

　　叅 食含反 即三也 又音森 [平] 星名 又去 … マイル …　　（観智院本類聚名義抄／僧下 100-5）
　　參叁 古俗　　　　　　　　　　　　　　　　　　　　　　（観智院本類聚名義抄／僧下 100-6）
　　叅差 カタチカフ [□□タ□□]　　　　　　　　　　　　（観智院本類聚名義抄／僧下 100-6）

▶番号 2212b「叅」（玄叅）の仮名音注「シム」については、基本的に -im で対応する。当該字には平声濁点を差すので、日本語音韻史上の連濁による字音「ジム」を想定する。熟字 2212「玄叅」は右注「ヲシクサ」を付載する。上述の分析を参照。

　　玄參　本草云玄參一名重臺 和名於之久佐　　　　　　　（元和本倭名類聚抄／巻二十 12 ウ 5）

▶番号 0935b「蒘」（人蒘）の「シン」については、異例 -in を示す。当該字には上声点を差す。末子音の唇内撥音韻尾 -m を「ン」で対応する。相互に「艹+浸」と異体字である。熟字 0935「人蒘」は右注「ニンシン俗」左注「俗作叅藥名」を付載する。観智院本類聚名義抄に同音字注「音森」および反切「又蕪含反」を見出すが、仮名音注はない。

　　艹+浸 音森 藥／草　蒘 [＊小 ←氺] 今 又蕪含反　　　（観智院本類聚名義抄／僧上 028-5）
　　人蒘 カノ二ケクサ [平平平平濁上濁平]　　　　　　　（観智院本類聚名義抄／佛上 001-6）
　　人參　本草云人參一名神草 和名加乃仁介久佐一名久末乃伊

　　　　　　　　　　　　　　　　　　　　　　　　　　　　（元和本倭名類聚抄／巻二十 04 ウ 4）

▶番号 0549a・0670・3194a「針」（針魚・針・針魚）の仮名音注「シム」については、基本的に -im で対応する。廣韻に拠れば、侵/沁韻（tśiem¹ᐟ³）二音を有する。当該諸字三例には平声点を差す。熟字 0549「針魚」は右注「ハリイヲ」を、番号 0670「針」は右注「ハリ」左注「又作鍼」を、熟字 3194「ヨロツ [平上上]／□□ト：右傍」を付載する。観智院本類聚名義抄に同音字注「音

斲」と声調表記「又去声」および「俗云シム」と低平調と推測する和音「シム」を見出す。承暦本金光明最勝王経音義には借字による「志牟反」があり、その掲出字に平声点を加える。元和本倭名類聚抄には反切「織深反」を見つける。日本漢音は平/去声、日本呉音「シム」平声を認める。また定着久しい字音「シム」を認める。

鍼針 蔵三正 音／斲 ハリ … 又去声 俗云シム … 和シ厶 [□平：墨点]

(観智院本類聚名義抄／僧上 122-1)

鍼針 蔵三正 音斲 [平] ハリ [平上] … 和シ厶 又去声 俗云シ厶 …

(鎮国守国神社本三寶類聚名義抄／下一 39 オ 5)

針 音斲 ハリ … 俗云シ厶／和シ厶 　　　(天理大学本最勝王経音義／08 ウ 1)

針 [平] 志牟反／八理 　　　　　　　　(承暦本金光明最勝王経音義／10 ウ 5)

針魚 七卷食經云針魚 和名波利乎一云與呂豆 … 　　(元和本倭名類聚抄／卷十九 04 オ 7)

針 陸詞切韻云鍼 織深反和名波利 縫衣具也字亦作針 　(元和本倭名類聚抄／卷十四 09 ウ 3)

▶番号 1020a・1021a「壬」（壬生部・壬生）の仮名音注「ニ」については、異例 -i を示す。両当該字に声点はない。熟字 1020「壬生部」〔＊部は阝の字形〕は右注「ニフヘ」左注「公／キミ：右傍」を、熟字「壬生」は右注「ニフ」左注「臣」を付載する。両熟字ともに仁篇姓氏部に属する。元和本倭名類聚抄には地名として「壬生」を掲げ「尒布・爾布」とする。図書寮本類聚名義抄に同音字注「音任」を見出す。観智院本には同音字注「任」を見つけるが、仮名音注はない。

壬 音任 　　　　　　　　　　　　　　　(図書寮本類聚名義抄／168-4)

壬 音任〔＊←氵+壬〕　　　　　　　　　(観智院本類聚名義抄／法中 025-3)

遠江国第七十八／磐田郡　飯寶 … 壬生 尒布 … 　(元和本倭名類聚抄／卷六 17 ウ 6)

安房国第八十四／長狹郡　壬生 爾布 … 　　　　　(元和本倭名類聚抄／卷六 27 オ 4)

筑前国第百二十五／上座郡　把伎 波木 壬生 尒布 … 　(元和本倭名類聚抄／卷九 12 ウ 2)

▶番号 1008a・1882b「任」（任限・着任）の仮名音注「ニン」については、異例 -in を示す。両当該字には平声点を差す。末子音の脣内撥音韻尾 -m を「ン」で対応する。廣韻に拠れば、侵/沁韻 ($niem^{1/3}$) 二音を有する。熟字 1008「任限」は左注「日年之終也」を付載する。観智院本類聚名義抄に平声濁点を付した同音字注「音壬」（その右注に墨筆で仮名音注「ニ厶」左注に朱筆で仮名音注「シ厶」）と声調表記「又去声」を見出す。同書の凡例部分「朱音者正音也墨声者和音也」（篇目 7-6）に従えば、朱墨で正音と和音を分別する傾向がある。長承本蒙求には仮名音注「シ〻」があり、その掲出字に平声点を加える。日本漢音「ジ厶」平/去声、日本呉音「ニ厶」を認める。

任 音壬 [平濁／ニ厶：墨右注／シ厶：朱左注] タヘタリ [平去□□／□フ□□：朱右傍] … 又去声

(観智院本類聚名義抄／佛上 002-8)

任 [平] シ〻 　　　　　　　　　　　　　(長承本蒙求／045)

▶番号 1841b「任」（抽任）の仮名音注「シ厶」については、基本的に -im で対応する。当該字

には去声濁点を差すので、字音「ジム」を想定する。上述の分析を参照。

　▶番号2740b「砧」（鐵砧）の仮名音注「チム」については、基本的に -im で対応する。当該字には平声点を差す。熟字2740「鐵砧」は右注「カナシキ」左注「鍛冶具也」を付載する。図書寮本類聚名義抄に反切「广云猪金反・川云知林反」を見出す。観智院本類聚名義抄に音注表記はない。元和本倭名類聚抄には反切「知林反」がある。

　　砧䂖 广云猪／金反　　　　　　　　　　　　　　　　　　　（図書寮本類聚名義抄／149-5）

　　刀砧 川云知林反 … 和云岐沼伊太 ［平平平上］ …　　　　（図書寮本類聚名義抄／150-1）

　　砧磓 … キヌタ ［平平平／□イ□：墨右傍］／カナシキ …　（観智院本類聚名義抄／法中002-5）

　　鐵砧 カナシキ ［上上上上］　　　　　　　　　　　　　　（観智院本類聚名義抄／法中002-6）

　　砧　唐韻云磓 知林反和名岐沼伊太 擣衣石也字亦作砧　　（元和本倭名類聚抄／巻十四09 オ 2）

　▶番号1772a「沈」（沈香）の仮名音注「チム」については、基本的に -im で対応する。当該字には去声濁点を差すので、字音「ヂム」を想定する。廣韻に拠れば、侵／沁韻 (ɖiem^{1/3}) 寢韻 (ɕiem^2) 三音を有する。熟字1772「沈香」は左右注「出天／笠也梅檀之沈也」を付載する。図書寮本類聚名義抄に反切「中云直深反」と「又上声」さらに低平調と推測する「真云チム」（真興撰『大般若経音訓』いわゆる真興音義による和音）を見出す。観智院本には反切「直深反」および低平調を示す和音「チム」（その右傍に墨筆で濁音圏点を含む低平調の仮名音注「チム」）を見つける。長承本蒙求には仮名音注「チム」があり、その掲出字に平声点を加える。承暦本金光明最勝王経音義には仮名音注「チム」二例があり、それら掲出字の一例に平声濁圏点を加える。元和本倭名類聚抄には「俗音女林反」を見つける。日本漢音「チム」平／上声、日本呉音「ヂム」平声を認める。

　　沉淪 上中云／直深反 … シツム ［上上濁□／記：右注］／又上声 真云チム ［□平］
　　　　　　　　　　　　　　　　　　　　　　　　　　　　　（図書寮本類聚名義抄／021-5）

　　沈 鮎曰式荏反／人姓　　　　　　　　　　　　　　　　　（図書寮本類聚名義抄／021-7）

　　沉 直深反 シツム … 和チム ［平平：墨圏点／チム ［平濁平：墨圏点］ ：墨右傍］
　　　　　　　　　　　　　　　　　　　　　　　　　　　　　（観智院本類聚名義抄／法上008-8）

　　沈 式甚反 姓　　　　　　　　　　　　　　　　　　　　　（観智院本類聚名義抄／法上013-1）

　　沉 直深反 シツム ［上上濁平］ … 和チム ［平平］ テン ［平平］
　　　　　　　　　　　　　　　　　　　（鎮国守国神社本三寶類聚名義抄／中一05 オ 4）

　　沉 直深反 シツム … 和チン ［平平］　　　　　　　　　（天理大学本最勝王経音義／09 ウ 1）

　　沉 ［平］ チム　　　　　　　　　　　　　　　　　　　　（長承本蒙求／094）

　　沉 ［平濁：圏点／チム：右傍］ 〔＊後筆墨書〕　　　（承暦本金光明最勝王経音義／07 オ 5）

　　沉 ［チム：右傍］ 〔＊後筆墨書〕　　　　　　　　　（承暦本金光明最勝王経音義／10 オ 1）

　　沈香　本草云沈香 沈俗音女林反 節堅而沉水者也 …　（元和本倭名類聚抄／巻十二01 ウ 6）

　▶番号1850a・1870a・1871a・1890a・1899a・1900a・1916a「沈」（沈困・沈淪・沈滞・沈

1152 3．仮名音注の韻母別考察 3-5 ⅢA韻類

難・沈思・沈吟・沈粋）の仮名音注「チム」については、基本的に -im で対応する。当該諸字七例
には平声点を差す。上述の分析を参照。

▶番号0474・1986a・1987a・2028a・2097b「林」（林・林檎・林檎・林鍾・緑林）の仮名音
注「リム」については、基本的に -im で対応する。当該諸字五例には平声点を差す。番号0474「林」
は左注「ハヤシ」を付載する。熟字1986・1987「林檎」は右傍「リムキ」右注「リウコウ」左注
「與奈相似而小者也」を、熟字2028「林鍾」は左注「六月名」を付載する。元和本倭名類聚抄には
熟字「林檎」に対して注記「和名利宇古字」とあり、右注「リウコウ」を字音とはしていない。な
お「奈」は祭りの供物として供える林檎の木をあらわす。観智院本類聚名義抄に和音「リン」を見
出す。宝菩提院本には和音「リム」を見つける。長承本蒙求ニハ仮名音注「リム」二例があり、そ
れらを含む掲出字三例に平声点を加える。日本漢音「リム」平声、日本呉音「リム」を認める。

　　　林 ハヤシ［平平平］キミ［上上］／和リン　　　　　　（観智院本類聚名義抄／佛下本126-2）

　　　林 ハヤシ キミ／和リム　　　　　　　　　　　　　　（宝菩提院本類聚名義抄／148-1）

　　　林［平］リム　　　　　　　　　　　　　　　　　　　（長承本蒙求／038・115）

　　　林［平］　　　　　　　　　　　　　　　　　　　　　（長承本蒙求／077）

　　　林檎　本草云林檎 音禽和名利宇古字 與奈相似而小者也（元和本倭名類聚抄／巻十七09 オ 8）

▶番号2029a「霖」（霖雨）の仮名音注「リム」については、基本的に -im で対応する。当該字
には平声点を差す。熟字2029「霖雨」は右注「三日以上雨也」を付載する。観智院本類聚名義抄に
同音字注「林」を見出すが、仮名音注はない。

　　　霖 音林 ナガメ［平平濁上］／コシアメ　　　　　　　（観智院本類聚名義抄／法下068-2）

　　　霖　兼名苑云霖三日以上雨也音林 和名奈加阿女 …　　　（元和本倭名類聚抄／巻一04 オ 1）

▶番号2063a「霖」（霖西）の仮名音注「リン」については、異例 -in を示す。当該字には平声
点を差す。末子音の脣内撥音韻尾 -m を「ン」で対応する。上述の分析を参照。

▶番号2007a・2051a「臨」（臨河・臨幸）の仮名音注「リム」については、基本的に -im で対
応する。両当該字には平声点を差す。熟字2063「臨河」は右注「髙麗樂」を付載する。観智院本類
聚名義抄に同音字注「音林」を見出すが、仮名音注はない。

　　　臨 … 音林 ノソム［上上濁囗］…　　　　　　　　　　（観智院本類聚名義抄／僧下076-3）

　　　高麗樂曲　新鳥蘇 … 臨河 或云林歌 …　　　　　　　（元和本倭名類聚抄／巻四17 ウ 8）

▶番号2005a「臨」（臨胡褌脱）の仮名音注「リン」については、異例 -in を示す。当該字には
平声点を差す。末子音の脣内撥音韻尾 -m を「ン」で対応する。熟字2005「臨胡褌脱」は右注「平
調」を付載する。上述の分析を参照。

　　　平調曲　相夫憐 … 臨胡褌脱 …　　　　　　　　　　　（元和本倭名類聚抄／巻四15 ウ 3）

▶番号2002a「臨」（臨邑乱）の仮名音注「リム」については、基本的に -im で対応する。当該
字に声点はない。熟字2002「臨邑乱」は左注「沙汰調」を付載する。上述の分析を参照。

3-5-3　-ie 系の字音的特徴　1153

沙陁調曲　案摩 有囀 陵王 有囀 … 臨色亂樂 …　　　　　　　（元和本倭名類聚抄／巻四 14 ウ 7）

▶番号 1614b「臨」（登臨）の仮名音注「リン」については、異例 -in を示す。当該字に声点はない。末子音の脣内撥音韻尾 -m を「ン」で対応する。上述の分析を参照。

《下巻 侵韻諸例》

▶番号 3756a「鱏」（鱏魚）の仮名音注「イム」については、基本的に -im で対応する。当該字には平声点を差す。廣韻に拠れば、羊母侵韻 (jiem¹) 邪母侵韻 (ziem¹) 二音を有する。観智院本類聚名義抄に同音字注「音尋一音潙」を見出すが、仮名音注はない。元和本倭名類聚抄には同音字注「音尋一音淫」がある。

　　　鱏 … 音尋一音潙 エヒ［上上濁］　　　　　　（観智院本類聚名義抄／僧下 002-5）

　　　鱏魚　文字集略云鱏 音尋一音淫和名衣比 …　　　（元和本倭名類聚抄／巻十九 04 オ 9）

▶番号 4940「陰」（陰）の仮名音注「イム」については、基本的に -im で対応する。当該字には平声点を差し、右注「同（キタ）」左注「漢陰」を付載する。上巻の侵韻当該諸例で分析したように、日本漢音「イム」東声（四声体系では平声）日本呉音は去声を認める。日本呉音「オム」の蓋然性が高い。

▶番号 3385「音」（音）の仮名音注「イン」については、異例 -in を示す。当該字には平声点を差し、中注「於金反」左注「五音八音七音」を付載する。右注「コエ」が欠落したか。末子音の脣内撥音韻尾 -m を「ン」で対応する。上巻の侵韻当該諸例で分析したように、日本漢音「イム」東声（四声体系では平声）日本呉音「オム」を認める。

▶番号 5024a「今」（今來）の仮名音注「キン」については、異例 -in を示す。当該字には去声点を差す。末子音の脣内撥音韻尾 -m を「ン」で対応する。熟字 5024「今來」は中注「イマヨリコノカタ」左注「キンラヒ」仮名音注を付載するが、左注に摺消し跡がある。観智院本類聚名義抄に東声点〔*平声点か〕と去声点を付した同音字注「音金」を見出すが、仮名音注はない。日本漢音は東/去声（四声体系では平/去声）を認める。

　　　今 音金［東・去／コム：左注］イマ［平上］… ケフ［平上］　（観智院本類聚名義抄／僧中 001-4）

　　　今属 コノコロ［上上上濁平］ 今来 訓同　　　（観智院本類聚名義抄／僧中 001-5）

▶番号 3329a・4963a・5189a「金」（金銭花・金兎・金彩）の仮名音注「キム」については、基本的に -im で対応する。当該諸字三例には平声点を差す。熟字 3329「金銭花」は右傍「キムセム」左右注「コムセム／クエ［平上上上上上］俗」を付載する。上巻の侵韻当該諸例で分析したように、日本漢音「キム」東声（四声体系では平声）日本呉音「コム」去声を認める。

　　　金銭花　梁簡文帝有金銭花賦 金銭俗云古無歟　　　（元和本倭名類聚抄／巻二十 02 ウ 1）

▶番号 5382b「金」（金銭花）の仮名音注「キム」については、基本的に -im で対応する。当該

1154　3．仮名音注の韻母別考察　3-5　ⅢA韻類

字には東声点を差す。熟字5382「澁金樂」は右注「平調」を付載する。上述の分析を参照。

　　　　金錢花　梁簡文帝有金錢花賦 金錢俗云古無歓　　　　　　（元和本倭名類聚抄／巻二十02ウ1）

　▶番号6947b「金」（澁金樂）の仮名音注「キム」については、基本的に -im で対応する。当該
字に声点はない。熟字5382「澁金樂」は右注「平調」を付載する。上述の分析を参照。

　　　　平調曲　相夫憐 … 澁金樂 …　　　　　　　　　　　　（元和本倭名類聚抄／巻四15ウ4）

　▶番号3311a・3341a・3439a・3572a・3603a・6151a「金」（金堂・金漆樹・金漆・金青・金
乗・金鈹）の仮名音注「コム」については、基本的に -om で対応する。当該諸字六例には去声点
を差す。熟字3341「金漆樹」は右注「コシアフラノキ」左注「コムシツ俗」を、熟字3572「金青」
は右注「コムシヤウ俗」を、熟字6151「金鈹」は右注「ヒラカネ」を付載する。上述の分析を参照。

　　　　金漆　開元式云臺州有金漆樹 金漆和名古之阿布良　　　　（元和本倭名類聚抄／巻十五14ウ3）

　　　　金青　本草稽疑云金青者空青之最上也　　　　　　　　（元和本倭名類聚抄／巻十三12オ3）

　　　　金鈹　最勝經云妙幢菩薩於夢中見大金鈹 和名比良加禰　（元和本倭名類聚抄／巻十三03ウ5）

　▶番号3428a「金」（金鼓）の仮名音注「コム［平］」については、基本的に -om で対応す
る。当該字には去声点を差し、その仮名音注には平声相当である低平調の差声を施す。熟字3428
「金鼓」は右注「コムク［平平平濁］」左注「又ヒラカネ」付載する。上述の分析を参照。

　　　　鉦鼓　… 兼名苑云鉦一名鏡 女交反 金鼓也　　　　　（元和本倭名類聚抄／巻四08ウ9）

　▶番号3440a「金」（金剛砂）の仮名音注「コム［平上］」については、基本的に -om で対応
する。当該字には去声点を差し、その仮名音注には去声相当である上昇調の差声を施す。熟字3440
「金剛砂」は右注「コムカウサ［平上上濁上□］／□□□□シヤ［□□□□平濁平］：右傍」を付
載する。上述の分析を参照。

　▶番号3330a「金」（金錢花）の仮名音注「コム［平上］」については、基本的に -om で対応
する。当該字には平声点を差し、その仮名音注には去声相当である上昇調の差声を施す。熟字3330
「金錢花」は左右注「コムセム／クヱ［平上上上上上］俗」右傍「キムセム」を付載する。元和本
倭名類聚抄には注記「金錢俗云古無歓」を見出す。上述の分析を参照。

　　　　金錢花　梁簡文帝有金錢花賦 金錢俗云古無歓　　　　　（元和本倭名類聚抄／巻二十02ウ1）

　▶番号3437「金」（金）の仮名音注「コム」については、基本的に -om で対応する。当該字に
は平声点と去声点を差し、右注「コム去聲俗」中注「コカネ」左注「居吟反」左右注「四知／擲地
［入去／テキチ：右傍］」を付載する。上述の分析を参照。

　　　　金　… 説文云銑 蘇典反和名加禰 金之最有光沢也　　（元和本倭名類聚抄／巻十一16オ4）

　▶番号3442a「金」（金鎚）の仮名音注「コム［平平］」については、基本的に -om で対応す
る。当該字には平声点を差し、その仮名音注には平声相当である低平調の差声を施す。熟字3442
「金鎚」は左注「コムヘイ［平平平平］」を付載する。上述の分析を参照。

　　　　金鎚　大日經疏云金鎚 邊奚反　　　　　　　　　　（元和本倭名類聚抄／巻十三04ウ8）

3-5-3　-ie系の字音的特徴　1155

▶番号6109b「襟」（連襟）の仮名音注「キム」については、基本的に -im で対応する。当該字に声点はない。熟字6109「連襟」は右傍に「ツラヌ　キムヲ」を付載する。図書寮本類聚名義抄に平声点を付した同音字注「川云音金」を見出す。観智院本には東声点を付した同音字注「音金」を見つけるが、仮名音注はない。元和本倭名類聚抄に同音字注「音金」がある。日本漢音は東声（四声体系では平声）を認める。

　　袷　玉云居吟［平平濁］反 衣領也　　　　　　　　　　　（図書寮本類聚名義抄／331-4）

　　袷襟　玉云上字 川云音金［平］…　　　　　　　　　　　（図書寮本類聚名義抄／331-4）

　　襟　音金［東］帶綴 … 衣ノクヒ［上□上上濁］…　　　　（観智院本類聚名義抄／法中144-7）

　　衿　釋名云衿 音領古呂毛乃久比 … 襟 音金 禁也 …　　（元和本倭名類聚抄／巻十二22 ウ1）

▶番号6159a「衿」（衿帶）の仮名音注「キム」については、基本的に -im で対応する。当該字には去声点を差す。熟字「衿帶」は右注「ヒキヲヒ」左注「小帶也」を付載する。図書寮本類聚名義抄に平声点を付した同音字注「川云音与襟同」を見出す。観智院本類聚名義抄に反切「巨今・又渠禁反」と平声点を付した同音字注「又今音」を見つけるが、仮名音注はない。元和本倭名類聚抄には同音字注「音與襟同」がある。日本漢音は平声を認める。

　　衿　川云音与襟［平］同 和云比歧於比［上上上平濁］…　　（図書寮本類聚名義抄／331-5）

　　衿帶　音与襟同 和云比歧於比［上上上平濁］　　　　　　（図書寮本類聚名義抄／279-7）

　　衿帶　ヒキオヒ［上上上平濁］　　　　　　　　　　　　（観智院本類聚名義抄／法中109-8）

　　衿　［ヒキオヒ［上上上平濁］：墨右傍］巨今 又渠禁反 … 又今［平］音 …

　　　　　　　　　　　　　　　　　　　　　　　　　　　（観智院本類聚名義抄／法中144-8）

　　衿帶　陸詞曰衿 音與襟同和名比岐於比 小帶也 …　　（元和本倭名類聚抄／巻十二24 ウ8）

▶番号5097a・5134a・5167a「禁」（禁固・禁忌・禁色）の仮名音注「キム」については、基本的に -im で対応する。当該諸字三例には平声点を差す。廣韻に拠れば、侵/沁韻（kiem$^{1/3}$）二音を有する。観智院本類聚名義抄に平声点を付した同音字注「音金」と声調表記「又去」および「和平」を見出す。天理大学本最勝王経音義には仮名音注「キム」がある。日本漢音「キム」平/去声、日本呉音は平声を認める。

　　禁　イマシム … イム　　　　　　　　　　　　　　　（観智院本類聚名義抄／佛下本127-1）

　　禁　音金［平］ミヤコ … 又去 和平　　　　　　　　　（観智院本類聚名義抄／法下007-8）

　　禁　音キム／イマシム … イム　　　　　　　　　　　（天理大学本最勝王経音義／07 オ3）

▶番号5094a・5095a「禁」（禁断・禁制）の仮名音注「キン」については、異例 -in を示す。両当該字には平声点を差す。末子音の脣内撥音韻尾 -m を「ン」で対応する。上述の分析を参照。

▶番号5010a・5011a「禁」（禁圍・禁省）の仮名音注「キム」については、基本的に -im で対応する。両当該字には去声点を差す。上述の分析を参照。

▶番号5007a「禁」（禁中）の仮名音注「キン」については、異例 -in を示す。当該字には去声

1156　3．仮名音注の韻母別考察　3-5　ⅢA韻類

点を差す。末子音の唇内撥音韻尾 -m を「ン」で対応する。上述の分析を参照。

▶番号4955・5200a「禁」（禁・禁野）の仮名音注「キム」については、基本的に -im で対応する。両当該字に声点はない。番号4955「禁」は右注「キムス」左注「居蔭反」を付載する。上述の分析を参照。

▶番号5093a・5096a「禁」（禁法・禁遏）の仮名音注「キン」については、異例 -in を示す。両当該字に声点はない。末子音の唇内撥音韻尾 -m を「ン」で対応する。上述の分析を参照。

▶番号4921「琴」（琴）の仮名音注「キム」については、基本的に -im で対応する。当該字には平声点を差し、右注「巨金反」左注「樂器也」を付載する。上巻の侵韻当該例で分析したように、日本漢音「キム」平声、日本呉音「キム」平声「コム」去声を認める。

▶番号5191a「禽」（禽獣）の仮名音注「キム」については、基本的に -im で対応する。当該字には平声点を差す。上巻の侵韻当該例で分析したように、日本漢音「キム」平声、日本呉音「コム」去声を認める。

▶番号6068b「芩」（黄芩）の仮名音注「キン」については、異例 -in を示す。当該字に声点はない。末子音の唇内撥音韻尾 -m を「ン」で対応する。熟字6068「黄芩」は右注「ヒ丶ラキ」を付載する。観智院本類聚名義抄に平声点を付した同音字注「音琴」を見出すが、仮名音注はない。日本漢音は平声を認める。元和本倭名類聚抄には同音字注「音琴」がある。

　　芩 音琴［平］／ヒ丶ラキ［平平□□］　　　　　　　（観智院本類聚名義抄／僧上040-3）

　　黄芩 同　　　　　　　　　　　　　　　　　　　（観智院本類聚名義抄／僧上040-4）

　　黄芩　本草云黄芩 音琴和名比々良木 …　　　　（元和本倭名類聚抄／巻二十29 ウ2）

▶番号5108a「黔」（黔首）仮名音注「キム」については、基本的に -im で対応する。当該字には平声点を差す。観智院本類聚名義抄に平声点を付した同音字注「音琴」と反切「又巨炎反」を見出すが、仮名音注はない。日本漢音は平声を認める。

　　黔 音琴［平］首也 又巨炎反 クロシ［平平□］黒而／黄 …　　（観智院本類聚名義抄／佛下末054-2）

▶番号5036a・6940b「吟」（吟動・酔吟）の仮名音注「キム」については、基本的に -im で対応する。当該字には平声濁点を差すので、字音「ギム」を想定する。熟字6940「酔吟」は右注「スウハイ」を付載する。上巻の侵韻当該諸例で分析したように、日本漢音は平声を認める。

▶番号5071a「吟」（吟咏）の仮名音注「キム」については、基本的に -im で対応する。当該字には平声点を差す。熟字5071「吟咏」は左注「詠イ本」を付載する。上述の分析を参照。

▶番号4518「歆」（歆）の仮名音注「キム」については、基本的に -im で対応する。当該字には平声点を差し、和訓「サカシ」の同訓異字として位置する。観智院本類聚名義抄に同音字注「音歆・音金」を見出すが、仮名音注はない。

　　歆 音歆 … 音金／サカシ …　　　　　　　　　（観智院本類聚名義抄／法下101-5）

▶番号5354a「浸」（浸溚瘡）の音注「心［平］」については、異例を示す。当該字に声点はな

く、その音注「心」に平声点を差す。熟字5354「浸溼瘡」は左右注「心ミサ／ウ［平去上上］俗」を付載する。同音字注「心」と仮名音注「ミサウ」との複合した音注形態である。おそらくは連声による音変化「シムイムサウ」/sim-im-sau/→/simmimsau/を示すための字音表記と推測する。撥音の無表記とオ列長音を経て「シムミサウ」/simmisoo/となる。元和本倭名類聚抄には「俗云心美佐宇」があり、やはり「心」を含む借字による字音表記を示す。図書寮本類聚名義抄に平声点を付した同音字注「音尋」と反切「广云姉鳩反」を見出す。観智院本には平声点を付した同音字注「音尋」を見出すが、仮名音注はない。日本漢音は平声を認める。

　　　浸溼　音尋［平］广云／姉鳩反 …　　　　　　　　　　　　　（図書寮本類聚名義抄／040-6）
　　　浸　音尋［平］ヒタス［平平□］…　　　　　　　　　　　　（観智院本類聚名義抄／法上031-2）
　　　浸溼瘡　病源論云浸溼瘡 俗云心美佐宇 風熱発於肌膚也 （元和本倭名類聚抄／巻三 25 ウ2）

　▶番号5354b「溼」（浸溼瘡）の仮名音注「ミ」については、異例 -i を示す。当該字に声点はなく、その仮名音注「ミ」に去声点を差す。本来は仮名音注「イム」を期待する。熟字5354「浸溼瘡」は左右注「心ミサ／ウ［平去上上］俗」を付載するので、その調値は「心ミサウ：○◑●●」であるが、連声による音変化を考慮すれば「シムミサウ：○○●●●」と把握したか。上巻の侵韻当該諸例で分析したように、日本漢音は平声を認める。。

　▶番号5621a「心」（心操）の仮名音注「シン」については、異例 -in を示す。当該字には平声点を差す。末子音の脣内撥音韻尾 -m を「ン」で対応する。上巻の侵韻当該諸例で分析したように、日本漢音「シム」東声（四声体系では平声）を認める。

　▶番号5646a・5819a「心」（心勞・心喪）の仮名音注「シム」については、基本的に -im で対応する。両当該字には去声点を差す。熟字5646「心勞」は右傍「コヽロイツミ」を付載する。上述の分析を参照。

　▶番号5670b「心」（信心）の仮名音注「シム」については、基本的に -im で対応する。当該字には去声濁点を差すので、日本語音韻史上の連濁による字音「ジム」を想定する。上述の分析を参照。

　▶番号5895c・5899a・5899b「心」（勝他心・心ゝ興ゝ・心ゝ興ゝ）の仮名音注「シム」については、基本的に -im で対応する。当該字に声点はない。上述の分析を参照。

　▶番号5777a「尋」（尋常）の仮名音注「シム」については、基本的に -im で対応する。当該字には去声濁点を差すので、字音「ジム」を想定する。熟字5777「尋常」は右傍「ヨノツネ」を付載する。観智院本類聚名義抄に反切「以林反」および和音「自ム」を見出す。なお同書の和音には「自キ・自フ・自ム・自ヤ・自ヤウ・自ヨ・自ン」を見つける。これらの中で平声濁点を付した「自」があり、字音「ジ」に相当する。長承本蒙求には仮名音注「シム」三例があり、それら掲出字の二例に平声点を加える。日本漢音「シム」平声、日本呉音「ジム」を認める。

　　　尋 以林反 タツヌ［平平濁上］… ツネニ［上上□］… 和自ム　（観智院本類聚名義抄／法下143-2）

1158　3．仮名音注の韻母別考察　3-5　ⅢA韻類

深 式林［□去濁］反 フカシ［平平上］… 和自ム［平濁上：墨圏点］

（観智院本類聚名義抄／法上 010-3）

甚 常枕［□上］反 ハナハタシ［上上上上濁平］… 和自ン［平濁上：墨点］

（観智院本類聚名義抄／僧下 082-6）

尋［平］シム　　　　　　　　　　　　　　　　　　　　（長承本蒙求／005）

尋〔＊左下隅欠〕シム　　　　　　　　　　　　　　　　（長承本蒙求／044）

尋［平：圏点］シム　　　　　　　　　　　　　　　　　（長承本蒙求／126）

▶番号 6204「尋」（尋）の仮名音注「シム」については、基本的に *-im* で対応する。当該字に
声点はなく、右注「ヒロ 徐林反」中左注「八尺為一尋又人之／両臂一紐也為尋」を付載する。上述
の分析を参照。

▶番号 5627a「酙」（酙酌）の仮名音注「シン」については、異例 *-in* を示す。当該字には平声
点を差す。末子音の脣内撥音韻尾 -m を「ン」で対応する。当該字「酙」と「斟」は相互に異体字
である。熟字 5627「酙酌」は中左注「斟酉+夕／同作」右傍「クミ クム」を付載する。観智院本
類聚名義抄に反切「章林反」と平声点を付した同音字注「音針」および「呉除」〔＊深の誤認〕を見出
すが、仮名音注はない。この呉音注は大般若経字抄による漢呉二音相同の同音字注「深」を出典と
する。日本漢音は平声を認める。

酙 俗斟字／章林反 クム　　　　　　　　　　　　　　（観智院本類聚名義抄／僧下 057-6）

斟 音針［平］クム［上平］… 呉除　　　　　　　　　（観智院本類聚名義抄／法下 141-3）

斟［深：右傍］クム　　　　　　　　（石山寺一切経蔵本大般若経字抄／23 オ 5）

▶番号 5361「針」（針）の仮名音注「シム」については、基本的に *-im* で対応する。当該字に
声点はなく、左右注「醫方／有針灸」を付載する。前田本の掲出字形は「計」であるが、これを「針」
に修正する。その直下に掲出字「鍼」を掲げることからも首肯できよう。上巻の侵韻当該諸例で分
析したように、日本漢音は平/去声、日本呉音「シム」平声を認める。また定着久しい字音「シム」
を認める。

▶番号 5942a「針」（針博士）の仮名音注「シン」については、異例 *-in* を示す。当該字に声点
はない。末子音の脣内撥音韻尾 -m を「ン」で対応する。熟字 5942「針博士」は左注「同（在典
薬）」を付載する。上述の分析を参照。

▶番号 5362「鍼」（鍼）の仮名音注「シム」については、基本的に *-im* で対応する。当該字に
声点はなく、右注「同（シム）」仮名音注を付載する。当該字「鍼」は「針」と相互に異体字であ
る。上述の分析を参照。

▶番号 5537a「深」（深夜）の仮名音注「シム」については、基本的に *-im* で対応する。当該字
には平声点を差す。廣韻に拠れば、侵/沁韻（śiem$^{1/3}$）二音を有する。熟字 5537「深夜」は左注「シ
ムカウ」を付載するが、これは次の熟字 5538「深更」に付載すべき仮名音注である。意味上から

の類推が働いたか。図書寮本類聚名義抄に反切「真云式針反」（その反切下字に平声濁点）を見つ
ける。観智院本には反切「式林反」（その反切下字に去声濁点）および濁音を含む上昇調の和音「自
ム」を見出す。日本漢音は平/去声、日本呉音「ジム」去声を認める。

　　　淺深 … 下真云式針 [□平濁] 反 … ムツマシ [遊：右注]　　　　　　　　　（図書寮本類聚名義抄／034-6）

　　　深 式林 [□去濁] 反 フカシ [平平上] … 和自ム [平濁上：墨圏点]

　　　　　　　　　　　　　　　　　　　　　　　　　　　　　　　（観智院本類聚名義抄／法上010-3）

　　　深 式林 [□平] 反 フカシ [平平上] … 和自ン　（鎮国守国神社本三寶類聚名義抄／中一08 オ6）

　▶番号5538a「深」（深更）の仮名音注「シム」については、基本的に -im で対応する。当該字
に声点はない。熟字5538「深更」は右注「同（天部晨夜分）」を付載する。熟字5537の左注「シ
ムカウ」は本来この「深更」に付載すべき仮名音注である。上述の分析を参照。

　▶番号5913a「任」（任意）の仮名音注「ミ [去濁]」については、異例 -i を示す。当該字に声
点はなく、その仮名音注に去声濁点を付載するので、字音「ジ」を想定する。熟字5913「任意」は
右注「シミ [去濁平]」を付載するので、その調値は「ジミ：●○」であるが、連声による音変化
を考慮すれば「ジムミ：○●○」と把握したか。上巻の侵韻当該諸例で分析したように、日本漢音
「ジム」平/去声、日本呉音「ニム」を認める。

　▶番号5792a「叅」（叅差）の仮名音注「シム」については、基本的に -im で対応する。当該字
には平声点を差す。上巻の侵韻当該諸例で分析したように、日本漢音は平/去声を認める。

　▶番号5912a「叅」（叅差）の仮名音注「シン」については、異例 -in を示す。当該字に声点は
ない。末子音の脣内撥音韻尾 -m を「ン」で対応する。熟字5912「叅差」は別筆補入と推測する。
なお左傍「カタ、カイ」を付載する。上述の分析を参照。

　▶番号4914「碪」（碪）の仮名音注「シム」については、基本的に -im で対応する。当該字に
は平声点を差し、右注「同（キヌイタ）」を付載する。上巻の侵韻当該例で分析した。

　　　砧　唐韻云礛 知林反和名岐沼伊太 搗衣石也字亦作砧　　（元和本倭名類聚抄／巻十四09 オ2）

　▶番号4881・5714b「林」（林・詞林）の仮名音注「リン」については、異例 -in を示す。両当
該字には平声点を差す。末子音の脣内撥音韻尾 -m を「ン」で対応する。番号4881は右注「已上
同（キミ）」中注「王大也林君也」左注「王任也卿大夫也」を付載する。上巻の侵韻当該諸例で分
析したように、日本漢音「リム」平声、日本呉音「リム」を認める。

　▶番号5702b「林」（儒林）の仮名音注「リン」については、異例 -in を示す。当該字に声点は
ない。末子音の脣内撥音韻尾 -m を「ン」で対応する。上述の分析を参照。

　▶番号5195c「林」（祇陁林）の仮名音注「リ」については、異例 -i を示す。当該字に声点はな
い。末子音の脣内撥音韻尾 -m を省く字音把握か。熟字5195「祇陁林」は木篇諸寺部に属する。
祇園精舎の異称である。上述の分析を参照。

　▶番号6403a「林」（林蘭）の仮名音注「モク [平平]」については、異例 -ok を示す。当該字

1160　3．仮名音注の韻母別考察　3-5　ⅢA韻類

に声点はないが、その仮名音注に低平調の差声を施す。熟字 6403「林蘭」は右注「同（モチツ、チ）」右傍「モクラン［平平平平］」仮名音注を付載する。元和本倭名類聚抄には「木蘭一名林蘭」とする。また字音ではなく和名として「毛久良邇」を示す。上述の分析を参照。

　　　木蘭　本草云木蘭一名林蘭 和名毛久良邇　　　　　　　　（元和本倭名類聚抄／巻二十29 ウ 7）

　　　羊躑躅　陶隱居本草注云羊躑躅 攟直二音和名以波豆々之一云毛知豆々之

　　　　　　　　　　　　　　　　　　　　　　　　　　　　（元和本倭名類聚抄／巻二十26 ウ 4）

　▶番号4310a「淋」（淋灰）の仮名音注「リム」については、基本的に -im で対応する。当該字には平声点を差す。熟字 4310「淋灰」は右注「アクタル」を付載する。図書寮本類聚名義抄に平声点を付した同音字注「林」を見出す。観智院本には反切「麻杲切云隣任反」と平声点を付した同音字注「林」を見つけるが、仮名音注はない。元和本倭名類聚抄に同音字注「音林」がある。日本漢音は平声を認める。

　　　淋滲 川云林／深［平平］二音…　　　　　　　　　　（図書寮本類聚名義抄／046-7）

　　　淋 麻杲切云隣任反… アクタル［平平上］… ユハリ　　（観智院本類聚名義抄／法上040-3）

　　　淋滲 林深［平平］二音／ツ、ケ［上上濁□］…　　　（観智院本類聚名義抄／法上040-3）

　　　淋滲 文選海賦云鶴子淋滲 林深二音師説豆々介…　　（元和本倭名類聚抄／巻十八13 オ 1）

　　　灰汁 辨色立成云灰汁 阿久 淋 阿久太流音林　　　　（元和本倭名類聚抄／巻十四11 ウ 8）

　▶番号5345a「淋」（淋病）の仮名音注「リン」については、異例 -i を示す。当該字には平声点を差す。末了音の唇内撥音韻尾 -m を「ン」で対応する。熟字 5254「淋病」は右注「シハユリ」中注「又作麻」左注「小便数也」を付載する。上述の分析を参照。

　　　淋病 シハユハリ／上又作麻　　　　　　　　　　　（観智院本類聚名義抄／法上040-4）

　　　淋病 聲類云淋 音林字亦作麻之波由波利 小便數也　　（元和本倭名類聚抄／巻三22 ウ 5）

　▶番号5346a「臨」（臨瀝）の仮名音注「リム」については、基本的に -im で対応する。当該字には平声点を差す。熟字 5346「臨瀝」は右注「シタテユハリ」左注「小便滴也」を付載する。上巻の侵韻当該諸例で分析した。

　　　臨瀝　病源論云臨瀝 音暦之太天由波利 小便滴瀝也　　（元和本倭名類聚抄／巻三22 ウ 7）

《上巻 寝韻諸例》

　▶番号 0343a・0344a・3054b・3262b「飲」（飲羽・飲露・好飲・飫飲）の仮名音注「イム」については、基本的に -im で対応する。当該諸字四例には上声点を差す。観智院本類聚名義抄に反切「扵錦反」および低平調と推測する和音「オム」を見出す。長承本蒙求には仮名音注「イム」があり、その掲出字に上声点を加える。日本漢音「イム」上声、日本呉音「オム」平声を認める。

　　　飲 扵錦反 ノム［平上］… 和オム［□平：墨点］　　（観智院本類聚名義抄／僧上112-4）

3-5-3 -ie 系の字音的特徴　1161

飲 扵錦反 ノム［平上］… 和ヲム …　　　　　　　　（鎮国守国神社本三寳類聚名義抄／下一 35 オ 5）

飲［上］イム　　　　　　　　　　　　　　　　　　　　（長承本蒙求／112）

▶番号 0964「錦」（錦）の仮名音注「キム」については、基本的に -im で対応する。当該字には上声点を差し、右注「ニシキ」左注「蜀江［入平］還卿［平平］」を付載する。観智院本類聚名義抄に反切「羇飲反」と高平調を示す仮名音注「コム」を見出す。長承本蒙求には仮名音注「キ丶」があり、その掲出字に上声点を加える。元和本倭名類聚抄には反切「居飲反」を見つける。日本漢音「キム」上声、字音「コム」上声を認める。

錦 羇飲反 ニシキ［平平上］カナシキ　　　　　　　　（観智院本類聚名義抄／僧上 138-1）

秘錦 ヒコム［去上上］　　　　　　　　　　　　　　　（観智院本類聚名義抄／僧上 138-2）

錦［上］キ丶　　　　　　　　　　　　　　　　　　　　（長承本蒙求／087）

錦 釋名云錦 居飲反和名邇之岐 …　　　　　　　　（元和本倭名類聚抄／巻十二 14 ウ 2）

▶番号 0120・3181b「寝」（寝・就寝）の仮名音注「シム」については、基本的に -im で対応する。両当該字に声点はなく、その部首字形は「穴」である。番号 0120 は右傍「又ヌ」右注「イヌ」左注「イネタリ」を、熟字 3181「就寝」は右傍「ツク シムニ」を付載する。観智院本類聚名義抄に反切「且審反」を見出すが、仮名音注はない。元和本倭名類聚抄に反切「七稔反」がある。

寝 室也臥也 七稔切九 寝 上同見説文 寝 上同見經典 …　　　　（宋本廣韻／寝韻 ts'iem²）

寝 且審反 フス／ネヤ ヤム［上平］　　　　　　　　（観智院本類聚名義抄／法下 053-8）

寐 イヌ フス／ネタリ　　　　　　　　　　　　　　　（観智院本類聚名義抄／法下 064-3）

殿 名附出 唐令云 … 寝殿 四聲云寝七稔反 和名禰夜 …（元和本倭名類聚抄／巻十 02 ウ 9）

▶番号 1732「朕」（朕）の仮名音注「チム」については、基本的に -im で対応する。当該字には去声点を差す。観智院本類聚名義抄に反切「直忍反・又除衽反」および「和沉」を見出すが、仮名音注はない。

朕 直忍反 又除衽反／ワレ［平上］和沉　　　　　　　（観智院本類聚名義抄／佛中 113-3）

▶番号 1194a「品」（品秩）の仮名音注「ホム」については、基本的に -om で対応する。当該字には平声点を差す。観智院本類聚名義抄に和音「ホム」を見出す。日本呉音「ホム」を認める。

品 シナ タクヒ … 和ホム　　　　　　　　　　　　　（観智院本類聚名義抄／佛中 026-3）

▶番号 1261a「品」（品態）の仮名音注「ホウ」については、異例 -ou を示す。当該字には平声点を差す。熟字 1261「品態」は右注「ホウワサ」を付載する。熟字後部のワ行音に牽引された音変化か。/φom-waza/→/φouwaza/ を想定する。上述の分析を参照。

▶番号 1282a「品」（品治）の仮名音注「ホム」については、基本的に -om で対応する。当該字に声点はない。熟字 1282「品治」は保篇姓氏部に属し、左注「無戸或宿祢」を付載する。郡名地名ではあるが、元和本倭名類聚抄には借字による「保牟知・保無智」がある。上述の分析を参照。

備後國 國府在葦田郡 … 品治 保牟知 …　　　　　　（元和本倭名類聚抄／巻五 23 ウ 6）

1162　3．仮名音注の韻母別考察　3-5　ⅢA韻類

大和國第六十九／葛下郡 國府在葦田郡 … 品治 保無智 …　（元和本倭名類聚抄／巻六 04 オ 4）

▶番号1204a「稟」（稟性）の仮名音注「ホム」については、基本的に -om で対応する。当該字には上声点を差す。観智院本類聚名義抄に平声点と上声点を付した同音字注「品」（その右傍に朱筆で仮名音注「ヒム」）を見出す。鎮国守国神社本三寶類聚名義抄には和音「ホム」を見つける。日本漢音「ヒム」平/上声、日本呉音「ホム」を認める。

　　　稟 音品［平・上／ヒム：朱右傍］… ウク［平上］　　　　　（観智院本類聚名義抄／法下 009-1）
　　　稟 音品 … ウク［平上］命也　　　　　　　　　　　　（天理大学本最勝王経音義／14 ウ 5）
　　　稟 シナ … 和ホム …　　　　　　　　　　（鎮国守国神社本三寶類聚名義抄／上一 34 オ 2）

《下巻 寝韻諸例》

▶番号3408b「飲」（胡飲酒）の仮名音注「イム」については、基本的に -im で対応する。当該字には上声点を差す。熟字3408「胡飲酒」は右注「壹越調」を付載する。上巻の寝韻当該諸例で分析したように、日本漢音「イム」上声、日本呉音「オム」平声を認める。。

　　　壹越調曲　皇帝破陣樂 大曲 … 胡飲酒 …　　　　　　（元和本倭名類聚抄／巻四 14 オ 6）

▶番号4932a・5112a・6548b「錦」（錦鞋・錦繡・軟錦）の仮名音注「キム」については、基本的に -im で対応する。当該諸字三例に声点はない。上巻の寝韻当該例で分析したように、日本漢音「キム」上声、字音「コム」上声を認める。

▶番号4535a「墋」（墋裂）の仮名音注「サム」については、異例 -am を示す。当該字には上声点を差す。諧声符「參」による字音把握か。なお、前田本が示す諧声符の字形は「㕚」である。熟字4535「墋裂」は右注「サクエタリ［上上平平上］」左注「衰欤」を付載する。観智院本類聚名義抄に反切「初錦反」を見出すが、仮名音注はない。

　　　墋 初錦反 土墋／ニコル …　　　　　　　　　　　　（観智院本類聚名義抄／法中 063-4）

▶番号5783a「寢」（寢席）の仮名音注「シム」については、基本的に -im で対応する。当該字には上声点を差し、その部首字形は「穴」である。上巻の寝韻当該諸例で分析した。

▶番号5876a「枕」（枕席）の仮名音注「シム」については、基本的に -im で対応する。当該字には上声点を差す。廣韻に拠れば、寝/沁韻（tśiem²³）侵韻（ḍiem¹）三音を有する。観智院本類聚名義抄に反切「之稔反」（その反切下字に上声点）と声調表記「去」および和音「シム」を見出す。長承本蒙求には仮名音注「シム」があり、その掲出字に上声点を加える。元和本倭名類聚抄には反切「之稔反」と注記「枕物之処去聲」を見つける。日本漢音「シム」上/去声、日本呉音「シム」を認める。

　　　枕枕 之稔［□上］反 マクラ［平平平］… 下俗欤去 和シム　（観智院本類聚名義抄／佛下本 098-7）
　　　枕枕 之稔反 マクラ［平平平］… 下俗欤去也 和シム　　　（宝菩提院本類聚名義抄／116-6）

枕［上］シム　（長承本蒙求／111）

枕　陸詞切韻云枕 之稔反和名萬久良枕物之処去聲 …　（元和本倭名類聚抄／巻十四 18 オ 9）

▶番号 4259「罧」（罧）の仮名音注「リム」については、基本的に *-im* で対応する。当該字には平声点を差し、右注「同（アミ）」を付載する。諧声符「林」による字音把握か。廣韻に拠れば、心母寑韻（siem[2]）生母寑韻（ṣiem[3]）二音を有する。観智院本類聚名義抄に反切「所禁所林二反・呂金反」を見出すが、仮名音注はない。元和本倭名類聚抄には反切「蘇蔭反」がある。

罧 積柴取魚 斯甚切二 …　（宋本廣韻／心母寑韻 siem[2]）

滲 滲漉 所禁切二 罧 爾雅曰槮謂之 … 又息甚切槮與罧同也　（宋本廣韻／生母沁韻 ṣiem[3]）

罧 … 所禁所林二反 或槮／アト 呂金反 …　（観智院本類聚名義抄／僧中 008-2）

罧　爾雅云罧 蘇蔭反字亦作槮 …　（元和本倭名類聚抄／巻十五 08 オ 4）

▶番号 3743「荏」（荏）の仮名音注「シム」については、基本的に *-im* で対応する。当該字には上声濁点を差すので、字音「ジム」を想定する。また右注「エ」左注「而秋反」〔＊而枕反の誤認〕を付載する。観智院本類聚名義抄に反切「而枕反」（その反切上字に平声濁点、反切下字に上声濁点）および去声濁点を付した呉音「尋」を見出すが、仮名音注はない。この呉音注は大般若経字抄による上声濁点を付した漢呉二音相同の同音字注「尋」を出典とする。正音と呉音を二分して、反切「正而甚反」と上声圏点を付した同音字注「尋」を掲げる例もある。元和本倭名類聚抄には反切「而枕反」を見つける。日本漢音は上声、日本呉音は去声を認める。

荏苒 上而枕［平濁上濁］反 エ［上］… 呉音尋染［去濁平濁］　（観智院本類聚名義抄／僧上 034-3）

正而甚反 荏［尋［上：圏点〔＊濁点か〕］：右傍］　（石山寺一切経蔵本大般若経字抄／17 オ 5）

荏［尋［上濁］：右傍］　（石山寺一切経蔵本大般若経字抄／26 オ 7）

荏　野王案云葉大而有毛其實白者曰荏 而枕反和名衣 …

（元和本倭名類聚抄／巻十七 08 オ 4）

▶番号 6329a「品」（品秩）の仮名音注「ヒン」については、異例 *-in* を示す。当該字には上声点を差す。脣内撥音韻尾 -m を「ン」で対応する。上巻の寑韻当該諸例で分析したように、日本呉音「ホム」を認める。

▶番号 6373a・4790b「品」（品治・三品）の仮名音注「ホン」については、異例 *-on* を示す。両当該字に声点はない。脣内撥音韻尾 -m を「ン」で対応する。熟字 6329「品秩」は飛篇國郡部に属する。熟字 4790「三品」の右注「サンホン」には摺消し跡がある。上述の分析を参照。

備後國 國府在葦田郡 … 品治 保牟知 …　（元和本倭名類聚抄／巻五 23 ウ 6）

▶番号 4776b「懍」（操懍）の仮名音注「リウ」については、異例 *-iu* を示す。当該字に声点はない。仮名字形の相似による「リム」の誤認か。熟字 4776「操懍」は右傍「ヤマヒ ヲソル」を付載する。図書寮本類聚名義抄に反切「良甚反」を見出す。観智院本には反切「良甚反」を見つけるが、仮名音注はない。

1164　3．仮名音注の韻母別考察　3-5　ⅢA韻類

憛 弘云良甚反 敬也 危懼也　　　　　　　　　　　　（図書寮本類聚名義抄／274-2）

憛 良甚反 敬 ウレフ／トモシ ネサメ　　　　　　　（観智院本類聚名義抄／法中076-5）

《上巻 沁韻諸例》

▶番号0081b「吣」（犬吣）の仮名音注「シム」については、基本的に -im で対応する。当該字には去声点を差す。熟字0081「犬吣」は右注「イヌノタマヒ」中注「呋吐也」左注「又イヌノタマシヒ」を付載する。観智院本類聚名義抄に反切「七鴆反」を見出すが、仮名音注はない。元和本倭名類聚抄には反切「七鴆反」がある。

　　吣㕙 七鴆反〔＊←七傾反〕　　　　　　　　　　（観智院本類聚名義抄／佛中040-6）

　　吣 七鴆反 イヌノツ［平平平上］／タミ［平濁平］　（観智院本類聚名義抄／佛中061-1）

　　犬㕙　唐韻云㕙 七鴆反以奴乃太末比 犬吐也　　　（元和本倭名類聚抄／巻十八23オ7）

▶番号3263b「賃」（傭賃）の仮名音注「チム」については、基本的に -im で対応する。当該字には平声点を差す。その中古音が示す頭子音 ṇ-（等韻学の術語で言う娘母）は日本語のナ行音をもって受容するが、中国語音韻史上における鼻音声母の非鼻音化（denasalization）を反映する場合はダ行音で対応する。観智院本類聚名義抄に反切「乃禁反」および「和云或チム」を見出す。宝菩提院本は仮名音注「ニム」（和云の右傍）を加える。日本呉音「ニム・チム」を認める。

　　賃 乃禁反 ツクノフ／ヤトフ 和云或チム　　　　（観智院本類聚名義抄／佛下本020-3）

　　賃 乃禁反 ツクノフ／ヤトフ 和云［ニム：右傍］或チム　（宝菩提院本類聚名義抄／027-1）

▶番号1770「賃」（賃）の仮名音注「チム［平上］」については、基本的に -im で対応する。当該字に声点はなく、その仮名音注に去声相当である上昇調の差声を施す。また左注「傭賃」を付載する。上述の分析を参照。

《下巻 沁韻諸例》

▶番号5365「譖」（譖）の仮名音注「シム」については、基本的に -im で対応する。当該字に声点はなく、右注「シコツ」左注「荘蔭反」を付載する。廣韻に拠れば、小韻代表字「譖」一字のみで同音字は他にない。図書寮本類聚名義抄に反切「弘云壮賃反」を見出す。観智院本には反切「子焔反・壮賃反」を見つけるが、仮名音注はない。

　　譖 讒也殻也 荘蔭切一　　　　　　　　　　　　（宋本廣韻／荘母沁韻 tṣiem³）

　　譖譖 千云上俗 弘云壮賃反 … シコツ［平平上濁／記：右注］…　（図書寮本類聚名義抄／096-4）

　　譖 子焔反 … シコツ［平平上濁］… 壮賃反 …　（観智院本類聚名義抄／法上048-5）

　　譖 正　　　　　　　　　　　　　　　　　　　　（観智院本類聚名義抄／法上048-5）

3-5-3 -ie 系の字音的特徴　1165

▶番号5551b「紸」（織紕）の仮名音注「シム」については、基本的に -im で対応する。当該字
に声点はない。熟字5551「織紕」は右傍「キヌ　ヲル」を付載する。観智院本類聚名義抄に反切「如
鴆如林二反・又女林反」を見出すが、仮名音注はない。

　　　紕　紕身懷孕 如鴆切五　紕　織紕亦作紕綝 …　　　　　　　　　（宋本廣韻／日母沁韻 ńiem[3]）

　　　紕　如鴆如林二反 織繪布 女工也／又女林反　　　　（観智院本類聚名義抄／法中112-2）

　　　綝紕 或／ツクム　　　　　　　　　　　　　　　　（観智院本類聚名義抄／法中112-3）

《上巻 絹韻諸例》

▶番号0322a「邑」（邑居）の仮名音注「イフ」については、基本的に -ip で対応する。当該字
には入声点を差す。図書寮本類聚名義抄に反切「弘云扌急反」を見出す。篆隷萬象名義を出典とす
る反切である。観智院本には反切「依立反」および和音「オフ」を見つける。天理大学本最勝王経
音義には和音「オフ・ヲフ」がある。日本呉音「オフ」を認める。

　　　邑 弘云扌急反 里也 …　　　　　　　　　　　　　　（図書寮本類聚名義抄／171-1）

　　　邑 依立反 ムラ［上平］… 和オフ　　　　　　　　（観智院本類聚名義抄／法中027-2）

　　　邑 依立反 ムラ … 和オフ　　　　　　　　　　　　（天理大学本最勝王経音義／06 オ5）

　　　邑 依立反 ムラ … 和ヲフ　　　　　　　　　　　　（天理大学本最勝王経音義／13 ウ2）

　　　邑 扲急反 里也 …　　　　　　　　（高山寺本篆隷萬象名義／第一帖041 ウ1）

▶番号0283a「邑」（邑老）の仮名音注「イウ」については、異例 -iu を示す。当該字には上声
点を差す。日本語音韻史上の -ip > -iu を反映する。その音変化とともに、入声ではなく上声を示す
ことは日本語に馴化した声調把握を示す。上述の分析を参照。

▶番号0377a「邑」（邑智）の仮名音注「ヲフ」については、基本的に -op で対応する。当該字
に声点はない。熟字0377「邑智」は伊篇国郡部の石見に属する。元和本倭名類聚抄には借字による
「於保知」がある。先んじて存在する地名に対して類似する字音を宛てる。上述の分析を参照。

　　　石見國 國府在那賀郡 … 邑知 於保知 …　　　　　（元和本倭名類聚抄／巻五22 オ5）

▶番号2002b「邑」（臨邑乱）の仮名音注「ヲウ」については、異例 -ou を示す。当該字に声点
はない。日本語音韻史上の -op > -ou を反映する。熟字2002「臨邑乱」は左注「沙汰調」を付載
する。元和本倭名類聚抄は沙陁調曲「臨色亂樂」とする。天平時代に伝来した林邑楽のことか。上
述の分析を参照。

　　　沙陁調曲 … 臨色亂樂 …　　　　　　　　　　　　（元和本倭名類聚抄／巻四14 ウ7）

▶番号0368a「邑」（邑美）の仮名音注「ヲホ」については、異例 -opo を示す。当該字に声点
はない。熟字0368「邑美」は伊篇国郡部の因幡に属し、右傍0368「ヲホミ」左傍0369「ヲハミ」
を付載する。先んじて存在する地名に対して、類似する字音を宛て開音節化する。倭名類聚抄には

1166　3．仮名音注の韻母別考察　3-5　ⅢA韻類

借字による「於不美」を見出すので、後退同化による音変化 /oɸumi/→/oɸomi/ を想定する。上述の分析を参照。

　　　因幡國 國府在法美郡 … 邑美 於不美 …　　　　　　　　　（元和本倭名類聚抄／巻五21 ウ2）

　▶番号0369a・3162a「邑」（邑美・邑樂）の仮名音注「ヲハ」については、異例 -opa を示す。両当該字に声点はない。熟字「邑美」は伊篇国郡部の因幡に属し、右傍0368「ヲホミ」左傍0369「ヲハミ」を付載する。熟字3162「邑樂」は加篇國郡部の上野に属し、右傍「ヲハラキ」を付載する。先んじて存在する地名に対して、類似する字音を宛て開音節化する。上述の分析を参照。

　　　上野國 國府在群馬郡 … 邑樂 於波良岐 …　　　　　　　　（元和本倭名類聚抄／巻五17 ウ4）

　▶番号0257a「揖」（揖讓）の仮名音注「イフ」については、基本的に -ip で対応する。当該字には入声点を差す。観智院本類聚名義抄に反切「扵執反」と同音字注「又音昌」を見出す。長承本蒙求には仮名音注「イフ」があり、その掲出字に徳声点を加える。日本漢音「イフ」徳声（四声体系では入声）を認める。

　　　揖 扵執反 又音昌 カシコマル …　　　　　　　　　　　　（観智院本類聚名義抄／佛下本044-2）

　　　揖 ［徳］イフ　　　　　　　　　　　　　　　　　　　　　　　　（長承本蒙求／083）

　▶番号3282a「揖」（揖保）の仮名音注「イヒ」については、異例 -ipi を示す。当該字に声点はない。熟字3282「揖保」は波篇國郡部に属する熟字「播磨」の左注に掲げる。元和本倭名類聚抄には借字による「伊比保」がある。先んじて存在する地名に対して、類似する字音を宛て開音節化する。上述の分析を参照。

　　　播磨國 國府在飾磨郡 … 揖保 伊比保 …　　　　　　　　　（元和本倭名類聚抄／巻五22 ウ5）

　▶番号0854b「急」（破急）の仮名音注「キウ」については、異例 -iu を示す。当該字には入声点を差す。日本語音韻史上の -ip > -iu を反映する。廣韻に拠れば、その中古音は緝韻（kiep）である。図書寮本類聚名義抄に徳声点を付した同音字注「給」（緝韻 kiep）と反切「弘云居立反」（その反切下字に徳声圏点〔*濁点か不審〕）を見つける。観智院本には同音字注「給」を見出す。長承本蒙求には仮名音注「キフ」がある。日本漢音「キフ」徳声（四声体系では入声）を認める。

　　　急 音給 ［徳］ 弘云居立 ［平徳濁？：圏点］ 反 堅也 盡也 …　　（図書寮本類聚名義抄／246-7）

　　　急 音給 スミヤカナリ ［平平上平□□］ …　　　　　　　　　　（観智院本類聚名義抄／法中084-6）

　　　急 〔*右下隅欠〕キフ　　　　　　　　　　　　　　　　　　　（長承本蒙求／084）

　　　急 居立反 堅也 盡也　　　　　　　　（高山寺本篆隷萬象名義／第二帖085 オ3）

　▶番号0998b「給」（日給）の仮名音注「キフ」については、基本的に -ip で対応する。当該字には入声点を差す。観智院本類聚名義抄に徳声点を付した同音字注「音急」を見出す。多少とも縦長字形の「急」であるが、入声点ではない。長承本蒙求には仮名音注「キフ」があり、その掲出字に入声点を加える。日本漢音「キフ」徳声（四声体系では入声）を認める。

　　　給 音急 ［徳］ タマフ ［平平上］ …　　　　　　　　　　　（観智院本類聚名義抄／法中134-5）

給［入］キフ［＊徳声点か］　　　　　　　　　　　　　　　　　　　　（長承本蒙求／020）

　▶番号1406b「給」（平給）の仮名音注「キウ」については、異例 -iu を示す。当該字には入声
点を差す。日本語音韻史上の -ip ＞ -iu を反映する。上述の分析を参照。

　▶番号0317b・0797b「級」（引級・班級）の仮名音注「キフ」については、基本的に -ip で対
応する。両当該字には入声濁点を差すので、日本語音韻史上の連濁による字音「ギフ」を想定する。
熟字0797「班級」は右傍「イラス」を付載する。図書寮本類聚名義抄に同音字注「應云音急」を見
出す。徳声点を差すか。観智院本には同音字注「音急」を見つけるが、仮名音注はない。

　　　重級 广云音急［徳？］次也 …　　　　　　　　　　　　（図書寮本類聚名義抄／302-7）

　　　級 音急 シナ［上上］…　　　　　　　　　　　　　（観智院本類聚名義抄／法中120-7）

　▶番号2911b「汲」（加汲）の仮名音注「キフ」については、基本的に -ip で対応する。当該字
には入声点を差す。図書寮本類聚名義抄に徳声点を付した同音字注「音急」を見つける。観智院本
には入声点を付した同音字注「音急」を見出す。鎮国守国神社本三寳類聚名義抄には徳声点を付し
た同音字注「音急」と和音「キフ」がある。長承本蒙求には仮名音注「キウ」があり、その掲出字
に徳声点を加える。日本漢音「キウ」徳声（四声体系では入声）を認める。日本漢音「キウ」徳声
（四声体系では入声）日本呉音「キフ」を認める。

　　　汲水 音急［徳］… クム［上平／易：右注］…　　　　（図書寮本類聚名義抄／054-2）

　　　汲 音急［入］クム スヽム …　　　　　　　　　　　（観智院本類聚名義抄／法上018-8）

　　　汲 音急［徳］クム［上□］スヽム … 和キフ …（鎮国守国神社本三寳類聚名義抄／中一10ウ2）

　　　汲［徳］キウ　　　　　　　　　　　　　　　　　　　　　　　　（長承本蒙求／129）

　▶番号2069a「泣」（泣涕）の仮名音注「リウ」については、異例 -iu を示す。当該字には平声
点を差す。日本語音韻史上の -ip ＞ -iu を反映する。仮名音注「キウ」を期待するが、諧声符「立」
（緝韻 liep）による字音把握「リウ」と見るべきか。あるいは直前に位置する熟字2068「流涕」
の右注「リウテイ」に牽引された結果か。加えて、入声ではなく平声を示すことは日本語に馴化し
た声調把握を示す。図書寮本類聚名義抄に倭名類聚抄を出典とする同音字注「順云音急」を見出す。
徳声点を差すかどうか判然としない。観智院本には同音字注「音急」を見つけるが、仮名音注はな
い。元和本倭名類聚抄には同音字注「急反」がある。

　　　涕泣 順云音急［徳？］… 亦音利［去］訖也 …　　　（図書寮本類聚名義抄／037-6）

　　　承泣 川云奈／美太ミ利［平平平平平］　　　　　　　（図書寮本類聚名義抄／038-1）

　　　泣 音急 ナク … 又音炅+余 又音利 訖也　　　　（観智院本類聚名義抄／法上014-7）

　　　涕涙 承泣附 … 黄帝内經云目下謂之承泣 急反和名奈美太々利

　　　　　　　　　　　　　　　　　　　　　　　　　　　（元和本倭名類聚抄／巻三04 オ9）

　▶番号2942b「執」（確執）の仮名音注「シフ」については、基本的に -ip で対応する。当該字
には入声点を差す。熟字2942「確執」は中注「僻也」を付載する。観智院本類聚名義抄に同音字注

1168　3．仮名音注の韻母別考察　3-5　ⅢA韻類

「音汁」を見出すが、仮名音注はない。

　　執 音汁 … トル［平上］トラフ［平上平］…　　　　　　　（観智院本類聚名義抄／佛下末018-1）

　▶番号1355b「執」（偏執）の仮名音注「シフ」については、基本的に -ip で対応する。当該字には入声濁点を差すので、日本語音韻史上の連濁による字音「ジフ」を想定する。上述の分析を参照。

　▶番号3115b「執」（我執）の仮名音注「シウ」については、異例 -iu を示す。当該字には入声点を差す。日本語音韻史上の -ip > -iu を反映する。前田本が掲げる字形「执」を「執」に修正する。上述の分析を参照。

　▶番号1525「十」（十）の仮名音注「シフ」については、基本的に -ip で対応する。当該字に声点はなく、右注「トヲ」を付載する。観智院本類聚名義抄・高山寺本三寶類字集に入声点を付した同音字注「音什」を見出す。長承本蒙求には仮名音注「シフ・シウ」があり、それらの掲出字に入声点を加える。日本漢音「シフ・シウ」入声を認める。

　　十 音什［入］　　　　　　　　　　　　　　　　　　　（観智院本類聚名義抄／佛上082-5）

　　十 音什／八十 ヤソ　　　　　　　　　（鎮国守国神社本三寶類聚名義抄／上一20オ2）

　　十 音什［入］　　　　　　　　　　　　　　　　　　　（高山寺本三寶類字集／上044オ6）

　　十［入］シウ　　　　　　　　　　　　　　　　　　　　　　　（長承本蒙求／112）

　　十［入］シフ　　　　　　　　　　　　　　　　　　　　　　　（長承本蒙求／135）

　▶番号0402a「十」（十二）の仮名音注「シウ」については、異例 -iu を示す。当該字に声点はない。日本語音韻史上の -ip > -iu を反映する。熟字0402「十二」は右傍「シウシ」仮名音注を付載する。上述の分析を参照。

　▶番号1945a「蟄」（蟄居）の仮名音注「チツ」については、異例 -it を示す。当該字には入声点を差す。その諧声符「執」が示す末子音も -p 入声韻尾であり、諧声符読みは想定できない。熟字1945「蟄居」は右傍「ヒシケ キル」右注「チツキヨ」を付載する。本来の字音把握「チフキヨ」が促音化した「チツキヨ」を想定する。観智院本類聚名義抄に反切「除立反」を見出すが、仮名音注はない。元和本倭名類聚抄には反切「除立反」がある。

　　蟄 除立反 コモル［平平上］／カクル［平上平］ウルフ　（観智院本類聚名義抄／僧下028-5）

　　蟄 野王案蟄 除立反訓須古毛流 虫至冬隱不出也　　（元和本倭名類聚抄／巻十九29オ6）

　▶番号0992a・1925b「入」（入礼・直入）の仮名音注「ニフ」については、基本的に -ip で対応する。両当該字には入声点を差す。熟字1925「直入」は右傍「タミニ イル」を付載する。観智院本類聚名義抄に反切「如立反」および和音「ニフ」を見出す。日本呉音「ニフ」を認める。

　　　入 如立反 イル［上平］ハム［上平］… 和ニフ　　　（観智院本類聚名義抄／僧下109-7）

　▶番号1007a・1009a「入」（入部・入學）の仮名音注「ニウ」については、異例 -iu を示す。両当該字には入声点を差す。日本語音韻史上の -ip > -iu を反映する。上述の分析を参照。

▶番号 0994a・1018a「入」（入滅・入寺僧）の仮名音注「ニウ」については、異例 *-iu* を示す。両当該字に声点はない。日本語音韻史上の *-ip > -iu* を反映する。上述の分析を参照。

▶番号 0995a・1013a「入」（入室・入己）の仮名音注「ニツ」については、異例 *-it* を示す。両当該字には入声点を差す。0995「入室」は右注「ニツシツ」を、1013「入己」は右注「ニツコ」を付載する。熟字における促音化を示す。上述の分析を参照。

▶番号 0975「廿」（廿）の仮名音注「ニシウ」については、異例 *-iu* を示す。当該字に声点はない。日本語音韻史上の *-ip > -iu* を反映する。観智院本類聚名義抄に去声濁点を付した同音字注「音入」と仮名音注「ニフ」および和音「又ニシフ」（濁音を含む低平調「シフ」）を見出す。前者の去声濁点は上昇調を示す字音「ジフ」を想定するので、疑義が残る。あるいは濁声点の機能のみを示す意図か。高山寺本三寶類字集は入声濁点を付した同音字注「音入」がある。また和音は「二十（ニシフ）」として字音把握をする。日本漢音「ジフ」入声、日本呉音「ニフ」入声を認める。

　　廿 音入 [去濁] ニフ／和又ニシフ [上平濁□]　　　　　（観智院本類聚名義抄／佛上 082-5）

　　廿 音入 [ニフ:左注／シフ:右傍] 和又ニシフ　　　　　（西念寺本類聚名義抄／47 オ 1）

　　廿 音入 [ニフ:左注] ／廿七 ハタナヽ　　　（鎮国守国神社本三寶類字集／上一 20 オ 3）

　　廿 音入 [入濁／ニフ:左注] ／和ニシウ [上平濁平]　　（高山寺本三寶類字集／上 044 オ 6）

▶番号 1617b・2031a・2119a・2959b「立」（獨立・立錐・立用・角立）の仮名音注「リウ」については、異例 *-iu* を示す。当該諸字四例には入声点を差す。日本語音韻史上の *-ip > -iu* を反映する。熟字 2031「立錐」は右傍「キリヲ」を付載する。図書寮本類聚名義抄に反切「弘云力急反」を見出す。篆隷萬象名義を出典とする反切である。観智院本類聚名義抄には反切「力鷙反」および入声相当の低平調を示す和音「リフ」を見つける。日本呉音「リフ」入声を認める。

　　立 弘云力急反 …　　　　　　　　　　　　　　　　　（図書寮本類聚名義抄／122-1）

　　立 力鷙反 和〔*←チ〕リフ [平平] … タツ [平上] …　（観智院本類聚名義抄／法上 090-1）

　　立 呂鷙反 タツ … 和リフ　　　　　　　　　　　　　（天理大学本最勝王経音義／24 オ 4）

　　立 力急反 住也 成也 逗也　　　　　　　　　　　（高山寺本篆隷萬象名義／第三帖 059 ウ 2）

▶番号 2748「笠」（笠）の仮名音注「リフ」については、基本的に *-ip* で対応する。当該字には入声点を差し、右注「カサ」を付載する。観智院本類聚名義抄に同音字注「音立」を見出す。長承本蒙求には仮名音注「リフ」があり、その掲出字に入声点を加える。日本漢音「リフ」入声を認める。

　　笠 音立 カサ [平上] ／フサク　　　　　　　　　　　（観智院本類聚名義抄／僧上 066-6）

　　笠 [入] リフ　　　　　　　　　　　　　　　　　　　（長承本蒙求／077）

《下巻 緝韻諸例》

1170　3．仮名音注の韻母別考察　3-5　ⅢA韻類

▶番号6364a「邑」（邑久）の仮名音注「ヲホ」については、異例 -opo を示す。当該字に声点はない。元和本倭名類聚抄には熟字6364「邑久」に対して借字による「於保久」がある。先んじて存在する地名に対して、類似する字音を宛て開音節化する。上巻の緝韻当該諸例で分析したように、日本呉音「オフ」を認める。

　　　備前國 國府在御野郡 … 邑久 於保久 …　　　　　　　　　（元和本倭名類聚抄／巻五23 オ2）

▶番号4813a「揖」（揖宿）の仮名音注「イホ」については、異例 -ipo を示す。当該字に声点はない。元和本倭名類聚抄には熟字4813「揖宿」に対して借字による「以夫須岐」がある。上巻の緝韻当該諸例で分析したように、日本漢音「イフ」徳声（四声体系では入声）を認める。

　　　薩摩國 出水 伊豆美 … 揖宿 以夫須岐 …　　　　　　　　（元和本倭名類聚抄／巻五17 ウ4）

▶番号5029a「急」（急速）の仮名音注「キウ」については、異例 -iu を示す。当該字には上声点を差す。日本語音韻史上の音変化 -ip > -iu を反映する。徳声（あるいは入声）ではなく上声を示すことは日本語に馴化した声調把握を示す。上巻の緝韻当該例で分析したように、日本漢音「キフ」徳声（四声体系では入声）を認める。

▶番号5030a・5898c「急」（急切・序破急）の仮名音注「キウ」については、異例 -iu を示す。両当該字に声点はない。日本語音韻史上の音変化 -ip > -iu を反映する。上述の分析を参照。

▶番号5052b「急」（救急）の仮名音注「キ」については、異例 -i を示す。当該字には上声点を差す。徳声（あるいは入声）ではなく上声を示すことは日本語に馴化した声調把握を示す。熟字5052「救急」は左注「キウキ」を付載するが、これは「キウキウ」の誤認か。上述の分析を参照。

▶番号5163a「給」（給主）の仮名音注「キフ」については、基本的に -ip で対応する。当該字には入声点を差す。上巻の緝韻当該諸例で分析したように、日本漢音「キフ」徳声（四声体系では入声）を認める。

▶番号5595b「給」（賑給）の仮名音注「キフ」については、基本的に -ip で対応する。当該字には入声濁点を差すにで、日本語音韻史上の連濁による字音「ギフ」を想定する。熟字5595「賑給」は中左注「死人数施物也」を付載する。上述の分析を参照。

▶番号5165a「給」（給複）の仮名音注「キフ」については、基本的に -ip で対応する。当該字に声点はない。上述の分析を参照。

▶番号5180a・5205a「給」（給官・給絺）の仮名音注「キウ」については、異例 -iu を示す。両当該字に声点はない。日本語音韻史上の音変化 -ip > -iu を反映する。上述の分析を参照。

▶番号5190a「及」（及肩）の仮名音注「キフ」については、基本的に -ip で対応する。当該字には入声点を差す。その中古音が示す頭子音 g-（等韻学の術語で言う牙音濁群母）は日本語のガ行音をもって受容するが、中国語音韻史上における濁音声母の無声化を反映する場合はカ行音で対応する。観智院本類聚名義抄に反切「渠立反」および和音「義フ」を見出す。傍証ながら、同書で「義」（疑母寘韻 ŋie³）を再検索すると和音「キ」がある。日本呉音「ギフ」の蓋然性が高い。

3-5-3　-ie 系の字音的特徴　1171

及 渠立反 オヨフ［上上平濁］… 和義フ　　　　　　　（観智院本類聚名義抄／僧中 052-1）

及 渠立反 オヨフ … 和義フ …　　　　　　（鎮国守国神社本三實類聚名義抄／下一 64 王 6）

及已　本草云及已 仁詣音義已音以和名豆木禰久佐　　　　　（元和本倭名類聚抄／巻二十 11 オ 5）

義 ヨロシ／ノリ［上平］和キ　　　　　　　　　（観智院本類聚名義抄／佛下末 030-1）

▶番号 6352a「潗」（潗濇）の仮名音注「シフ」については、基本的に -ip で対応する。当該字
には入声点を差す。熟字 6352「潗濇」は右注「ヒチメ」を付載する。観智院本類聚名義抄に反切
「子入反」を見出すが、仮名音注はない。高山寺本篆隷萬象名義には反切「且立反」がある。天治
本新撰字鏡には反切「姉入反」を見つける。

潗 子入反 溢潗 沸／滴貞　　　　　　　　　　　（観智院本類聚名義抄／法上 040-8）

潗 且立反 溢也細涌也　　　　　　　　　（高山寺本篆隷萬象名義／第五帖 104 ウ 3）

潗 姉入反 泉出也流轉細涌貞也　　　　　　　　（天治本新撰字鏡／巻六 18 ウ 7）

▶番号 5083b「習」（近習）の仮名音注「シフ」については、基本的に -ip で対応する。当該字
には入声濁点を差すので、字音「ジフ」を想定する。その中古音が示す頭子音 z-（等韻学の術語で
言う邪母）は日本語のザ行音をもって受容するが、中国語音韻史上における濁音声母の無声化を反
映する場合はサ行音で対応する。観智院本類聚名義抄・鎮国守国神社本三實類聚名義抄に入声点を
付した同音字注「音襲」（その右傍に朱筆で仮名音注「シフ」）および和音「シフ・自フ」を見出
す。なお同書の和音には「自キ・自フ・自ム・自ヤ・自ヤウ・自ヨ・自ン」を見つける。これらの
中で平声濁点を付した「自」があり、字音「ジ」に相当する。日本漢音「シフ」入声、日本呉音「ジ
フ」を認める。

習 音襲［入／シフ：朱右傍］ナラフ［平平上］… 和シフ 自フ　（観智院本類聚名義抄／僧上 099-5）

習 音襲［入／シフ：朱右傍］ナラフ［平平上］… 和シフ 自フ

　　　　　　　　　　　　　　　　　　　　　　（鎮国守国神社本三實類聚名義抄／29 オ 5）

深 式林［□去濁］反 フカシ［平平上］… 和自ム［平濁上：墨圏点］

　　　　　　　　　　　　　　　　　　　　　　　（観智院本類聚名義抄／法上 010-3）

甚 常枕［□上］反 ハナハタシ［上上上上濁平］… 和自ン［平濁上：墨点］

　　　　　　　　　　　　　　　　　　　　　　　（観智院本類聚名義抄／僧下 082-6）

習［入］シウ　　　　　　　　　　　　　　　　　（長承本蒙求／008）

▶番号 5591a「習」（習礼）の仮名音注「シフ」については、基本的に -ip で対応する。当該字
には入声点を差す。上述の分析を参照。

▶番号 4384b「習」（愛習）の仮名音注「シウ」については、異例 -iu を示す。当該字に声点は
ない。日本語音韻史上の音変化 -ip > -iu を反映する。上述の分析を参照。

▶番号 5295「蕺」（蕺）の仮名音注「シフ」については、基本的に -ip で対応する。当該字には
入声点を差し、右注「シフクサ」中注「シフキ［上上上］菜名也」左注「阻立反」を付載する。観

1172　3．仮名音注の韻母別考察　3-5　ⅢA韻類

智院本類聚名義抄に同音字注「音戢」を見出すが、仮名音注はない。傍証ながら、同書で「戢」を再検索すると、反切「側立反」を見つける。元和本倭名類聚抄には反切「祖立反」がある。

　　　　戢 止也斂也 阻立切九 … 萋 菜也 …　　　　　　　　　　　　　　（宋本廣韻／荘母緝韻 tṣiep）

　　　　萋 音戢／シフキ［上上□］　　　　　　　　　（観智院本類聚名義抄／僧上 012-1）

　　　　戢 側立／反／アツマル［平平□□］　　　　　（観智院本類聚名義抄／僧中 041-8）

　　　　萋　唐韻云萋 祖立反養生秘要云之布木 菜名也　　　（元和本倭名類聚抄／巻十七 20 ウ 7）

▶番号5382a「澁」（澁金樂）の仮名音注「シフ」については、基本的に -ip で対応する。当該字には入声点を差す。熟字5382「澁金樂」は右注「平調」を付載する。図書寮本類聚名義抄に反切「憲云色立反」（その反切下字に入声点）を見出す。観智院本には反切「色立反」および和音「シフ」を見つける。承暦本金光明最勝王経音義には仮名音注「シフ音」を見つける。日本漢音は入声、日本呉音「シフ」を認める。

　　　　澁澀 千云上俗 憲云色立［□入］反／不滑利也 難也　　　（図書寮本類聚名義抄／039-1）

　　　　滑澀 … 下中云色立反 赤澀不滑利也 …　　　　　　（図書寮本類聚名義抄／048-6）

　　　　澁 色立反 シフル［右傍：□□カス］… 和シフ　　（観智院本類聚名義抄／法上 019-6）

　　　　澀 犾ﾞ〔＊執音か〕　　　　　　　　　　　（承暦本金光明最勝王経音義／08 ウ 6）

　　　　澀 シフ六〔＊後筆墨書〕　　　　　　　　　（承暦本金光明最勝王経音義／10 オ 1）

　　　　平調曲　相夫憐 … 澁金樂 …　　　　　　　（元和本倭名類聚抄／巻四 15 ウ 4）

▶番号5809b「澁」（所澁）の仮名音注「シフ」については、基本的に -ip で対応する。当該字には徳声点を差すが、差声位置は右下「止」部分の第一画横棒右端である。あるいは入声点か、疑義が残る。上述の分析を参照。

▶番号6353a「儑」（儑畾）仮名音注「シフ」については、基本的に -ip で対応する。当該字には入声点を差す。熟字6353「儑畾」は右注「同（ヒチメ）」を付載する。観智院本類聚名義抄に仮名音注「シフ」を見出す。字音「シフ」を認める。

　　　　儑 シフ　　　　　　　　　　　　　　　（観智院本類聚名義抄／佛上 018-7）

▶番号5683a・5684a・5805a・5811a「執」（執権・執柄・執啓・執聞）の仮名音注「シフ」については、基本的に -ip で対応する。当該諸字四例には入声点を差す。上巻の緝韻当該諸例で分析した。

▶番号5367・5584a・5658a・5951a・5952a「執」（執・執政・執聟・執行・執行）の仮名音注「シフ」については、基本的に -ip で対応する。当該諸字五例に声点はない。番号5367「執」は右注「シフス」サ変動詞を付載する。上述の分析を参照。

▶番号5804a「執」（執達）の仮名音注「シウ」については、異例 -iu を示す。当該字には入声点を差す。日本語音韻史上の音変化 -ip > -iu を反映する。上述の分析を参照。

▶番号5778a「執」（執着）の仮名音注「シウ」については、異例 -iu を示す。当該字に声点は

ない。日本語音韻史上の音変化 *-ip* > *-iu* を反映する。上述の分析を参照。

　▶番号 5545a・6925b「濕」（濕地・水濕）の仮名音注「シフ」については、基本的に *-ip* で対応する。両当該字には入声点を差す。図書寮本類聚名義抄に反切「詩立反」（その反切下字に徳声点）および和音「シフ」を見出す。観智院本には反切「尸立反」および和音「シフ」を見つける。日本漢音は徳声（四声体系では入声）日本呉音「シフ」を認める。

　　　溼 玉云詩立［□徳］反 … 濕 … 真云正溼 水霈也／和シフ …　　　（図書寮本類聚名義抄／026-4）

　　　溼 尸立反 … 濕 上正 ウルフ ホル／和シフ　　　（観智院本類聚名義抄／法上 015-2）

　　　濕 尸立反 ウルフ … 和シフ　　　（天理大学本最勝王経音義／08 ウ 2）

　　　溼 尸立反 … 濕 上正 … 和シフ　　　（鎮国守国神社本三寶類聚名義抄／中一 06 ウ 1）

　▶番号 5680a・5884b「拾」（拾謁・取拾）の仮名音注「シフ」については、基本的に *-ip* で対応する。両当該字には入声点を差す。観智院本類聚名義抄に入声点を付した同音字注「音十」を見出す。長承本蒙求には仮名音注「シフ」があり、その掲出字に入声点を加える。日本漢音「シフ」入声を認める。

　　　拾 音十［入］ヒロフ［上上□］…　　　（観智院本類聚名義抄／佛下本 052-6）

　　　拾［入］シフ　　　（長承本蒙求／067）

　▶番号 5703a・6214「拾」（拾螢・拾）の仮名音注「シフ」については、基本的に *-ip* で対応する。両当該字に声点はない。番号 6214「拾」は右注「ヒロフ」を付載する。上述の分析を参照。

　▶番号 5860a・5862a「十」（十二・十字）の仮名音注「シウ」については、異例 *-iu* を示す。両当該字には入声点を差す。上巻の緝韻当該諸例で分析したように、日本漢音「シフ・シウ」入声を認める。。

　▶番号 3653b「入」（口入）の仮名音注「シフ」については、基本的に *-ip* で対応する。当該字には入声点を差す。上巻の緝韻当該諸例で分析したように、日本呉音「ニフ」を認める。

　▶番号 5119b・5709a「入」（虚入・入木）の仮名音注「シフ」については、基本的に *-ip* で対応する。両当該字に声点はない。上述の分析を参照。

　▶番号 5843a・5855a「入」（入夢・入木）の仮名音注「シウ」については、異例 *-iu* を示す。両当該字には入声濁点を差すので、字音「ジフ」を想定する。日本語音韻史上の音変化 *-ip* > *-iu* を反映する。上述の分析を参照。

　▶番号 5488「入」（入）の仮名音注「シウ」については、異例 *-iu* を示す。当該字に声点はなく、左注「一入冉入也」を付載する。日本語音韻史上の音変化 *-ip* > *-iu* を反映する。上述の分析を参照。

　▶番号 6759b「入」（絶入）の仮名音注「シユ」については、異例 *-ju* を示す。当該字に声点はない。熟字 6759「絶入」は別筆補入か。上述の分析を参照。

　▶番号 5273a「入」（入室）の仮名音注「ニフ」については、基本的に *-ip* で対応する。当該字

1174　3．仮名音注の韻母別考察　3-5　ⅢA韻類

に声点はない。熟字5273「入室」は師篇植物部の単字「芝」の中注にある。上述の分析を参照。

　▶番号4769b「入」（参入）の仮名音注「ニウ」については、異例 -iu を示す。当該字には入声点を差す。日本語音韻史上の音変化 -ip > -iu を反映する。上述の分析を参照。

　▶番号6635b・6742b「入」（施入・絶入）の仮名音注「ニウ」については、異例 -iu を示す。両当該字に声点はない。日本語音韻史上の音変化 -ip > -iu を反映する。上述の分析を参照。

　▶番号6353b「疊」（儑疊）の仮名音注「チフ」については、基本的に -ip で対応する。当該字には入声濁点を差すので、字音「ヂフ」を想定する。廣韻に拠れば、緝韻（ɖiep）合韻（dʌp）二音を有する。熟字6353「儑疊」は右注「同（ヒチメ）」を付載する。観智院本類聚名義抄に反切「徒合反」と仮名音注「チフ音」を見出す。字音「チフ」を認める。

　　疊 徒合反 カマヒシシ … ヒチメク　　　　　　　　　　　（観智院本類聚名義抄／法上 048-1）

　　疊 ヒ、メク チフ 〔＊チフ音か〕　　　　　　　　　　　（観智院本類聚名義抄／法上 071-4）

　▶番号6352b「濷」（漢濷）の仮名音注「チフ」については、基本的に -ip で対応する。当該字には入声点を差す。前田本の字形「氵+孬」を「濷」に修正する。熟字6352「漢濷」は右注「ヒチメ」を付載する。観智院本類聚名義抄に和訓「ヒチメク」を見出すが、音注表記はない。

　　孬 戢濷兒 尼立切五 濷 漢濷水文兒 …　　　　　　　　　（宋本廣韻／緝韻 ṇiep）

　　濷〔＊日←皿〕ヒチメク　　　　　　　　　　　　　　　（観智院本類聚名義抄／法上 042-3）

　▶番号3343b「粒」（五粒松）の仮名音注「エウ」については、異例 -eu を示す。当該字に声点はない。熟字3343「五粒松」は右注「コエウノマツ」を付載する。その直下には熟字3344「五葉松」を掲げる。仮名音注「エウ」は「葉」（羊母葉韻 jiap）に対する字音である。観智院本類聚名義抄に入声点を付した同音字注「立」を見出すが、仮名音注はない。傍証ながら、同書で「立」を再検索すると、和音「リフ」がある。日本漢音は入声を認める。

　　粒 音立［入］イナツヒ［□□平上濁］…　　　　　　　　（観智院本類聚名義抄／法下 030-4）

　　立 口〔＊呂の誤認〕豎反 千〔＊和の誤認〕リフ［平平］…　（観智院本類聚名義抄／法上 090-1）

　　松子 … 楊氏漢語抄云五粒松 五葉松子和名萬豆乃美　　　（元和本倭名類聚抄／巻十七 08 ウ 7）

3-5-3-7　-ien/-iet（眞/軫/震/質韻）

　資料篇【表B-10】には眞韻（平声）軫韻（上声）震韻（去声）質韻（入声）所属の諸例が含まれる。前田本の示す仮名音注は基本的に -in/-it, -on/-ot で対応する。異例として、-i, -ii, -im, -ina, -it, -o, -ik がある。

《上巻 眞韻諸例》

3-5-3 -ie 系の字音的特徴　1175

▶番号 0252a・0253a「因」（因縁・因果）の仮名音注「イン」については、基本的に -in で対応する。両当該字には去声点を差す。図書寮本類聚名義抄に「真云上扌隣反」（その反切下字に平声点）を見出す。観智院本には反切「一人反」および和音「イン」を見つける。日本呉音「イン」を認める。

　　因縁 真云上扌隣［□平］反 仍也 …　　　　　　　　　（図書寮本類聚名義抄／290-1）

　　因 一人反 ヨル［□リテ：墨右傍］… 和イン　　　　（観智院本類聚名義抄／法下 085-1）

▶番号 0339a「因」（因准）の仮名音注「イン」については、基本的に -in で対応する。当該字には上声点を差す。熟字 0339「因准」は右傍「ヨリ ナスラフ」を付載する。上述の分析を参照。

▶番号 0364a「因」（因幡）の仮名音注「イナ」については、異例 -ina を示す。当該字に声点はない。熟字 0364「因幡」は伊篇国郡部の属する。先んじて存在する地名に対して、類似する字音を宛て開音節化する。元和本倭名類聚抄には借字による「以奈八」がある。上述の分析を参照。

　　山陰國第五十六／丹波 太迩波 … 因幡 以奈八 …　　　（元和本倭名類聚抄／巻五 09 ウ 1）

▶番号 0939a・2216a「茵」（茵芋・茵芋）の仮名音注「イン」については、基本的に -in で対応する。両当該字には平声点を差す。熟字 0939「茵芋」は右注「ニハツヽシ」を、熟字 2216「茵芋」は右注「ヲカツヽシ」左注「又ニハツヽシ」を付載する。観智院本類聚名義抄に同音字注「音因」を見出すが、仮名音注はない。元和本倭名類聚抄に同音字注「因・音因」がある。

　　茵 … 音因／シトネ［平平平］靷［同：墨右注］　　　（観智院本類聚名義抄／僧上 010-5）

　　茵芋 本草云茵芋 因于二音和名仁豆々之一云乎加豆々之　（元和本倭名類聚抄／巻二十 26 ウ 7）

　　茵 褥附 野王曰茵 音因和名之士禰 …　　　　　　　（元和本倭名類聚抄／巻十四 17 ウ 2）

▶番号 0987「寅」（寅）の仮名音注「イン」については、基本的に -in で対応する。当該字には平声点を差し、右傍「イ イン」右注「トラ」を付載する。廣韻に拠れば、廣韻に拠れば、脂韻 (jiei¹) 眞韻 (jien¹) 二音を有する。観智院本類聚名義抄に同音字注「夷」を見出すが、仮名音注はない。

　　寅 辰久説文作寅 翼眞切又以脂切六 …　　　　　　　（宋本廣韻／眞韻 jien¹）

　　姨 … 以脂切二十六 … 寅 敬也亦辰名 … 又引人切 夷 夷猶等也 …　（宋本廣韻／脂韻 jiei¹）

　　寅 音夷 ヌ／ツヽシム　寅 俗　　　　　　　　　　　（観智院本類聚名義抄／法下 055-6）

▶番号 1647b「巾」（頭巾）の仮名音注「キン」については、基本的に -in で対応する。当該字には平声点を差す。図書寮本類聚名義抄に反切「弘云羈銀反」（その反切下字に平声濁点）を見出す。観智院本は反切部分に欠損があり、仮名音注はない。天理大学本最勝王経音義に反切「羈銀反」を見つける。長承本蒙求には仮名音注「キヽ」二例があり、それらの掲出字に平声点と東声点を加える。日本漢音「キン」東声（四声体系では平声）を認める。

　　巾 弘云羈銀［□平濁］反 … カウフリ［平平平濁平／白：右注］　（図書寮本類聚名義抄／277-1）

　　巾 羈食□ 衣也／ノコフ［□平濁上］ ノリ物［上平□］　　（観智院本類聚名義抄／04 ウ 4）

　　巾 羈銀反／ノコフ ノリ物　　　　　　　　　　　　　（天理大学本最勝王経音義／04 ウ 4）

1176　3．仮名音注の韻母別考察　3-5　ⅢA韻類

　　　頭巾 カウフリ［平平平濁平］　　　　　　　　　　　　（図書寮本類聚名義抄／277-3）

　　　頭巾 カウフリ［平平□□］　　　　　　　　　　　　　（観智院本類聚名義抄／法中102-4）

　　　巾［平］キヽ　　　　　　　　　　　　　　　　　　　　　　　（長承本蒙求／077）

　　　巾［東］キヽ　　　　　　　　　　　　　　　　　　　　　　　（長承本蒙求／122）

　　　頭巾　唐令云諸給時服冬則頭巾一枚　　　　　　（元和本倭名類聚抄／巻十二18オ6）

　　　頭巾　内典云世尊新剃頭髪以衣覆頭頭巾之縁是也　　（元和本倭名類聚抄／巻十三05ウ9）

▶番号1487b「巾」（頭巾）の仮名音注「キム」については、異例 -im を示す。当該字には平声点を差す。末子音の舌内撥音韻尾 -n を「ム」で対応する。熟字1487「頭巾」は左注「以衣覆頭也」を付載する。上述の分析を参照。

▶番号0641c「巾」（勒肚巾）の仮名音注「キン」については、基本的に -in で対応する。当該字に声点はない。熟字0641「勒肚巾」は右注「ハラマキ」左注「肶イ本」を付載する。上述の分析を参照。

　　　勒肚巾 波良万岐［平平平上］一云腹帯　　　　　　　（図書寮本類聚名義抄／277-3）

　　　勒肚巾 ハラマキ［平平平上］／一云腹帯　　　　　　（観智院本類聚名義抄／法中102-4）

　　　勒肚巾　楊氏漢語抄云勒肚巾 波良萬岐一云腹帯　　（元和本倭名類聚抄／巻十二25オ1）

▶番号2168「堇」（堇）の仮名音注「キン」については、基本的に -in で対応する。当該字に声点はなく、和訓「ヌル」の同訓異字として位置する。廣韻に拠れば、眞/震韻（gien$^{1/3}$）二音を有する。図書寮本類聚名義抄に去声点を付した同音字注「音瑾」と反切「弘云竒鎭反」を見つける。観智院本には去声点を付した同音字注「音瑾」を見出すが、仮名音注はない。日本漢音は去声を認める。

　　　堇 音瑾［去］弘云竒／鎭反 塗也／ヌル［上平／月：右注］　（図書寮本類聚名義抄／216-5）

　　　堇 音瑾［去］ヌル［□平］／カヘ ウツム［上上濁□］　　（観智院本類聚名義抄／法中050-4）

▶番号1134「垠」（垠）の仮名音注「キン」については、基本的に -in で対応する。当該字には平声点を差し、右注「序也」を付載する。また和訓「ホトリ」の同訓異字として位置する。図書寮本類聚名義抄に反切「弘云五根反」と平声濁点を付した同音字注「季云音銀」を見つける。観智院本には平声濁点を付した同音字注「音銀」と反切「五根反」（その反切下字に平声点）を見出すが、仮名音注はない。日本漢音は平声を認める。

　　　無垠 弘云五根反 … 季云音銀［平濁］… カキリ　　　（図書寮本類聚名義抄／228-1）

　　　垠 音銀［平濁］五根［□平］反 … カキル［平平濁上／□□リ：墨右傍］…

　　　　　　　　　　　　　　　　　　　　　　　　　　　　（観智院本類聚名義抄／法中058-8）

▶番号2787「垠」（垠）の仮名音注「キン」については、基本的に -in で対応する。当該字には平声濁点を差すので、字音「ギン」を想定する。また右注「カキリ」左注「序也」を付載する。上述の分析を参照。

▶番号3202a「津」（津頴）の仮名音注「シ」については、異例 *-i* を示す。当該字には平声点を差す。熟字3202「津頴」は右注「ヨタリ」右傍「シイ」仮名音注を付載する。本来は「シンイ」を期待するが、撥音の無表記「シイ」であるか。図書寮本類聚名義抄に反切「广云十鄰」（その反切下字に平声点）および低平調と推測する和音「シン」（「ン」の去声点位置に「∟」）を見つける。観智院本には反切「将鄰反」（その反切下字に平声点）を見出す。天理大学本最勝王経音義に反切「将鄰反」と仮名音注「シム」を見出す。承暦本金光明最勝王経音義には仮名音注「シ✓」がある。元和本倭名類聚抄には反切「将鄰反」を見つける。日本漢音は平声、日本呉音「シン」平/去声を認める。

津溜 广云十鄰 ［□平］ 力救反 … 順云和名豆 ［平］　　　　　　　　（図書寮本類聚名義抄／038-3）

津呢 … 和シン ［□平・□∟：去声点位置］　　　　　　　　　　　　（図書寮本類聚名義抄／039-1）

津 将鄰 ［□平］ 反 ツワタル …　　　　　　　　　　　　　　　　　（観智院本類聚名義抄／法上 034-7）

津 将鄰反 ツ ［平］ ホス／ワタル …　　　　　　（鎮国守国神社本三寶類聚名義抄／中一 18 オ 6）

津 将鄰反 … ツ／ワタル 和シム　　　　　　　　　　　　（天理大学本最勝王経音義／09 オ 4）

津 ［シ✓：右傍］ 〔＊後筆墨書〕　　　　　　　　　（承暦本金光明最勝王経音義／09 ウ 4）

津　四聲字苑云津 将鄰反和名豆 渡水處也 …　　　　　　　　（元和本倭名類聚抄／巻十 18 オ 4）

▶番号2182b「親」（類親）の仮名音注「シン」については、基本的に *-in* で対応する。当該字には去声点を差す。観智院本類聚名義抄に反切「七鄰反」および平声相当の低平調を示す和音「シン」を見出す。長承本蒙求には仮名音注「シゝ」があり、それを含む掲出字二例に東声点を加える。日本漢音「シン」東声（四声体系では平声）日本呉音「シン」平声を認める。

親 七鄰反 シタシ ［平平上］ … 和シン ［平平］　　　　（観智院本類聚名義抄／佛中 081-4）

親 ［東］　　　　　　　　　　　　　　　　　　　　　　　　　　（長承本蒙求／034）

親 ［東］ シゝ　　　　　　　　　　　　　　　　　　　　　　　　（長承本蒙求／134）

▶番号0093a「秦」（秦龜）の仮名音注「シン」については、基本的に *-in* で対応する。当該字には平声点を差す。熟字0093「秦龜」は右注「イシカメ」を付載する。観智院本類聚名義抄に反切「似津反」を見出す。には同音字注「信反」（平安時代中期の朱書）と仮名音注「シゝ・シ✓」（平安時代院政期長承三年の墨書）があり、それらの掲出字に平声点を加える。日本漢音「シン」平声を認める。

秦 似津反／ハタ 和名　　　　　　　　　　　　　　　　（観智院本類聚名義抄／法下 024-5）

秦 ［平］ 信反／シゝ　　　　　　　　　　　　　　　　　　　　　（長承本蒙求／029）

秦 ［平］ シ✓　　　　　　　　　　　　　　　　　　　　　　　　（長承本蒙求／059）

秦龜　本草云秦龜一名蟏蟷 衰維二音和名伊之加米 …　　　（元和本倭名類聚抄／巻十九 11 オ 1）

▶番号0510a「秦」（秦芁）の仮名音注「シン」については、基本的に *-in* で対応する。当該字に声点はない。熟字0510「秦芁」は右注「ハカリ ［平上平］」左注「又ツカリクサ」を付載する。

1178　3．仮名音注の韻母別考察　3-5　ⅢA韻類

上述の分析を参照。

　　　秦芃　本草云秦芃 音交和名都加里久佐一云波加里久散　　　（元和本倭名類聚抄／巻二十07 ウ3）

　▶番号2466a・2677・2784「辛」（辛菜・辛・辛）の仮名音注「シン」については、基本的に-in で対応する。当該諸字三例には平声点を差す。熟字2466「辛菜」は右注「カラシ」を、番号2677「辛」は右注「カラシ」左注「五辛」を、番号2784「辛」は右注「カノト」左注「穽イ本」を付載する。観智院本類聚名義抄に同音字注「音新」を見出す。長承本蒙求には仮名音注「シ〻」があり、その掲出字に東声点を加える。日本漢音「シン」東声（四声体系では平声）を認める。

　　　辛 … 音新 カラシ カノト　　　　　　　　　　　　　　　（観智院本類聚名義抄／法下042-1）

　　　辛 [東] シ〻　　　　　　　　　　　　　　　　　　　　　　（長承本蒙求／018）

　　　辛菜　崔禹錫食經云又有辛菜 和名賀良之俗用芥子 …　　　（元和本倭名類聚抄／巻十七21 ウ1）

　▶番号1895b「新」（知新）の仮名音注「シン」については、基本的に -in で対応する。当該字には平声点を差す。観智院本類聚名義抄・鎮国守国神社本三寶類聚名義抄に去声点を付した同音字注「音真」を見出すが、仮名音注はない。日本漢音は去声を認める。

　　　新 音真 [去] 初也 イマ …　　　　　　　　　　　　　（観智院本類聚名義抄／僧中033-8）

　　　新 音真 [去] 初也 イマ …　　　　　　　　（鎮国守国神社本三寶類聚名義抄／下二49 ウ3）

　▶番号2301a「侲」（侲子）の仮名音注「シン」については、基本的に -in で対応する。当該字には去声点を差す。熟字2301「侲子」は右注「ワラハヘ」を付載する。観智院本類聚名義抄に平声点を付した同音字注「音晨」を見出すが、仮名音注はない。日本漢音は平声を認める。

　　　侲 音晨 [平]　　　　　　　　　　　　　　　　　　　（観智院本類聚名義抄／僧下108-3）

　▶番号1618b「身」（獨身）の仮名音注「シム」については、異例 -im を示す。当該字には平声点を差す。末子音の舌内撥音韻尾 -n を「ム」で対応する。観智院本類聚名義抄に平声点を付した同音字注「音申」および和音「シン」（「シ」に平声墨圏点）を見出す。日本漢音は平声、日本呉音「シン」平声を認める。

　　　身 音申 [平] ミ [上] … 和シン [平□：墨圏点]　　　（観智院本類聚名義抄／佛上086-1）

　　　身 音申 ミ ワレ … 和シン　　　　　　　　　　（天理大学本最勝王経音義／21 ウ2）

　▶番号0606「娠」（娠）の仮名音注「シン」については、基本的に -in で対応する。当該字には平声点を差し、右注「ハラム」を付載する。廣韻に拠れば、眞韻（ɕien¹）震韻（tɕien³）二音を有する。観智院本類聚名義抄に平声点と去声点を付した同音字注「身振二音」を見出すが、仮名音注はない。日本漢音は平/去声を認める。

　　　娠 身振 [平去] 二音／ハラム フルフ　　　　　　　（観智院本類聚名義抄／佛中012-5）

　▶番号0812b「臣」（波臣）の仮名音注「シン」については、基本的に -in で対応する。当該字には平声点を差す。観智院本類聚名義抄に平声点を付した同音字注「音辰」および和音「自ン」を見出す。同書では「自キ・自フ・自ム・自ヤ・自ヤウ・自ヨ・自ン」があり、平声濁点を付した和

音二例を見出すので、これらの「自」は濁音「ジ」を示す。日本漢音は平声、日本呉音「ジン」を認める。

臣 音辰 [平] ヤツナシ [平平上平／□ト□□] … 和ノ自ン　　　（観智院本類聚名義抄／僧下 075-4）

深 式林 [□去濁] 反 … 和自ム [平濁上：墨圏点]　　　（観智院本類聚名義抄／法下 010-3）

甚 常枕 [□上] 反 … 和自ン [平濁上：墨点]　　　（観智院本類聚名義抄／僧下 082-6）

▶番号 2026b・2859b「辰」（良辰・佳辰）の仮名音注「シン」については、基本的に -in で対応する。両当該字には平声点を差す。熟字 2026「良辰」は右傍「ヨキ トキ」を付載する。観智院本類聚名義抄に平声点を付した同音字注「音晨」を見出すが、仮名音注はない。日本漢音は平声を認める。

辰 音晨 [平]　　　（観智院本類聚名義抄／僧下 108-3）

▶番号 1149b「辰」（北辰）の仮名音注「シム」については、異例 -im を示す。当該字には平声点を差す。末子音の舌内撥音韻尾 -n を「ム」で対応する。熟字 1149「北辰」は左注「星也」を付載する。上述の分析を参照。

▶番号 0254b・1886b・2926b「人」（一人・稠人・佳人）の仮名音注「シン」については、基本的に -in で対応する。当該諸字三例には平声濁点を差すので、字音「ジン」を想定する。観智院本類聚名義抄に平声濁点を付した同音字注「音仁」（その右注に墨筆で仮名音注「ニン」）を見出す。同書の凡例部分「朱音者正音也墨声者和音也」（篇目 7-6）に従えば、朱墨で正音と和音を分別する傾向がある。長承本蒙求には仮名音注「シゝ」があり、その掲出字に平声点を加える。日本漢音「ジン」平声、日本呉音「ニン」を認める。

人 音仁 [平濁／ニン：墨右注] ヒト [上平] ワレ [平平] …　　　（観智院本類聚名義抄／佛上 001-3）

一人 ヒトリ [平上□]　　　（観智院本類聚名義抄／佛上 001-3）

人 [平] シゝ　　　（長承本蒙求／114）

▶番号 2885b「人」（海人）の仮名音注「シン」については、基本的に -in で対応する。当該字には平声点を差す。上述の分析を参照。

漁人 アマ　海人 同上　　　（観智院本類聚名義抄／佛上 001-5）

▶番号 1363b「人」（僻人）の仮名音注「シム」については、異例 -im を示す。当該字には平声濁点を差すので、字音「ジム」を想定する。末子音の舌内撥音韻尾 -n を「ム」で対応する。上述の分析を参照。

▶番号 0767b「人」（凡人）の仮名音注「シム」については、異例 -im を示す。当該字には平声点を差す。末子音の舌内撥音韻尾 -n を「ム」で対応する。上述の分析を参照。

▶番号 0935a・0950a・0952a・0954a・0991a・1004a・1006a・1595b・1904b・1938b・3032b「人」（人籙・人魚・人民・人中・人定・人體・人間・土人・秣人・注人・降人）の仮名音注「ニン」については、基本的に -in で対応する。当該諸字十一例には去声点を差す。熟字 0935

1180　3．仮名音注の韻母別考察　3-5　ⅢA韻類

「人粂」は右注「ニンシン俗」左注「俗乎黍藥名」を、熟字0952「人民」は左注「或說云オホムタ
カラ」を、熟字0991「人定」は左注「死時也」を、熟字1904「株人」は右傍「ナカント」を付載
する。上述の分析を参照。

　　　人粂 カノニケクサ［平平平平濁上濁平］　　　　　　　（観智院本類聚名義抄／佛上001-6）

▶番号0953a「人」（人形）の仮名音注「ニン」については、基本的に -in で対応する。当該字
に声点はない。上述の分析を参照。

▶番号1017a「仁」（仁和寺）の仮名音注「ニ」については、異例 -i を示す。当該字に声点はな
い。熟字1017「仁和寺」は右注「ニクワシ」を付載する。本来は「ニンクワシ」を想定するが、撥
音の無表記を示す。観智院本類聚名義抄に平声濁点を付した同音字注「音人」（その右傍に墨筆で
仮名音注「ニン」その左傍に朱筆で仮名音注「シム」）を見出す。同書の凡例部分「朱音者正音也
墨声者和音也」（篇目7-6）に従えば、朱墨で正音と和音を分別する傾向がある。日本漢音「ジン」
平声、日本呉音「ニン」を認める。

　　　仁 音人［平濁／ニン：墨右傍／シム：朱左傍］キミ［上上］…　　　（観智院本類聚名義抄／佛上002-6）

▶番号0373a「仁」（仁多）の仮名音注「ニイ」については、異例 -ii を示す。当該字に声点は
ない。熟字0373「仁多」は伊篇国郡部の出雲に属する。元和本倭名類聚抄には借字による「爾以
多」があり、先んじて存在する地名に漢字表記を宛てたと推測する。上述の分析を参照。

　　　出雲國 國府在意宇郡 … 仁多 爾以多 …　　　　　　　　（元和本倭名類聚抄／巻五22オ2）

▶番号1768a・1812a・1813a・1815a「鎮」（鎮子・鎮魂・鎮守・鎮護）の仮名音注「チン」
については、基本的に -in で対応する。当該諸字四例には平声点を差す。廣韻に拠れば、眞/震韻
(ţien¹ᐟ³)二音を有する。熟字1768「鎮子」は左注「坐臥具也」を付載する。観智院本類聚名義抄
に東声点を付した同音字注「音珎」と「又去」を見出す。鎮国守国神社本三寶類聚名義抄には平声
点を付した同音字注「音珎」と「又去」を見つける。長承本蒙求には仮名音注「チ〻」があり、そ
の掲出字に平声点を加える。日本漢音「チン」平/去声を認める。東声は保留する。

　　　鎮 音珎［東］カシツク … 又去 …　　　　　　　　　（観智院本類聚名義抄／僧上137-6）

　　　鎮 音珎［平］カシツク … 又去 …　　　　　（鎮国守国神社本三寶類聚名義抄／下一45ウ3）

　　　鎮［平］チ〻　　　　　　　　　　　　　　　　　　　　　（長承本蒙求／125）

▶番号1786・1962a・1964a「鎮」（鎮・鎮西・鎮守府）の仮名音注「チン」については、基本
的に -in で対応する。当該諸字三例に声点はない。番号1786「鎮」は右注「チンス」サ変動詞を
付載する。上述の分析を参照。

▶番号1909a・1910a・1911a・1912a・1941a「珎」（珎美・珎膳・珎菓・珎物・珎事）の仮
名音注「チン」については、基本的に -in で対応する。当該諸字五例には東声点を差す。図書寮本
類聚名義抄に平声点を付した同音字注「音鎮」を見つける。観智院本には同音字注「音鎮」および
「和去」を見出すが、仮名音注はない。日本漢音は平声、日本呉音は去声を認める。

珎珍 … 音鎮［平］… タカラ［平平平／異：右注］… 　　　　　　（図書寮本類聚名義抄／160-3）

　　　珎 音鎮 タカラ［平平平］… 和去　珍 正 釤占 　　　　　　（観智院本類聚名義抄／法中 019-1）

　▶番号 1878a「珎」（珎重）の仮名音注「チン」については、基本的に -in で対応する。当該字には平声点を差す。上述の分析を参照。

　▶番号 1888a「珎」（珎寶）の仮名音注「チン」については、基本的に -in で対応する当該字には去声点を差す。図書寮本類聚名義抄には「慈云珎寶」を掲げ、その「珎」に去声点を差す。上述の分析を参照。

　　　珎玩 音翫［去濁］慈云珎寶［去□］也 … 　　　　　　　　（図書寮本類聚名義抄／160-4）

　▶番号 1889a・1979「珎」（珎財・珎）の仮名音注「チン」については、基本的に -in で対応する。両当該字に声点はない。番号 1979「珎」は池篇姓氏部に属し、左注「縣主［アカタヌシ：右傍」」を付載する。

　▶番号 1707・1805a「塵」（塵・塵土）の仮名音注「チン」については、基本的に -in で対応する。両当該字には平声点を差す。その中古音が示す頭子音 ḍ-（等韻学の術語で言う舌音濁澄母）は有声反り舌閉鎖音であり、日本語のダ行音をもって受容するが、中国語音韻史上における濁音声母の無声化を反映する場合はタ行音で対応する。番号 1707「塵」は右注「チリ」を見出す。図書寮本類聚名義抄に平声点を付した同音字注「順云陳」を見つける。観智院本には反切「土人反」を見出す。長承本蒙求には仮名音注「チゝ」があり、その掲出字に平声点を加える。元和本倭名類聚抄には同音字注「陳」がある。日本漢音「チン」平声を認める。

　　　塵埃 順云陳哀［平平］二音 禾云知利［上上］… 又宙刃反 … 　　　（図書寮本類聚名義抄／223-6）

　　　塵 土人反 チリ／ケカス 　　　　　　　　　　　　　　（観智院本類聚名義抄／法中 063-7）

　　　塵［平］チゝ 　　　　　　　　　　　　　　　　　　　（長承本蒙求／023・078）

　　　塵埃　孫愐云揚土也陳哀二音 和名知利 　　　　　　　（元和本倭名類聚抄／巻一 13 オ 6）

　▶番号 2043b・3235b「塵」（梁塵・餘塵）の仮名音注「チム」については、異例 -im を示す。両当該字には平声点を差す。上述の分析を参照。

　▶番号 1776a「陳」（陳橘皮）の仮名音注「チン」については、基本的に -in で対応する。当該字には平声点を差す。図書寮本類聚名義抄に同音字注「音塵」観智院本類聚名義抄に平声点を付した同音字注「音塵・中云音塵」および濁音表示を含む去声点「└」を付した和音「真云チン」を見出す。長承本蒙求には仮名音注「チン」一例「チゝ」六例「チ✓」三例があり、これらを含む掲出字十三例に平声点を加える。日本漢音「チン」平声、日本呉音「ヂン」を認める。

　　　陳 音塵 … 中云布也 音塵 … 真云チン［去□：└］ 　　　（図書寮本類聚名義抄／208-2）

　　　陳 音塵［平］ノフ［平上濁］… シク［上平］ 　　　　　（観智院本類聚名義抄／法中 046-1）

　　　陳［平］チン 　　　　　　　　　　　　　　　　　　　（長承本蒙求／025）

　　　陳［平］チゝ 　　　　　　　　　　（長承本蒙求／042・043・105・105・144・145）

1182　3．仮名音注の韻母別考察　3-5　ⅢA韻類

　　　陳 ［平］チ✓　　　　　　　　　　　　　　　　　　　（長承本蒙求／061・123・147）

　　　陳 ［平］　　　　　　　　　　　　　　　　　　　　（長承本蒙求／027・053・148）

　▶番号1754「陳」（陳）の仮名音注「チム」については、異例 -im を示す。当該字に声点はな
く、右注「チムス」サ変動詞を付載する。末子音の舌内撥音韻尾 -n を「ム」で対応する。上述の
分析を参照。

　▶番号3119b「賓」（佳賓）の仮名音注「ヒン」については、基本的に -in で対応する。当該字
には平声点を差す。図書寮本類聚名義抄に「中云」として反切「必隣」（その反切下字に平声点）
を見つける。この「中云」は中算撰の法蓮華經釈文 ₍₂₆₎ による引用を指す。醍醐寺本に拠れば、反切
下字「隣」に平声点はない。観智院本には反切「必隣反」および低平調と上昇調を示す和音「ヒン」
を見出す。日本呉音「ヒン」平/去声を認める。

　　　却 中云居怯 賓 必隣 ［□平］那 慈云房宿 ［入］…　　　　（図書寮本類聚名義抄／171-6）

　　　却 居怯反 賓 必隣反 那 慈云唐云房宿也　　　　（醍醐寺本妙法蓮華經釋文／上06ウ6）

　　　賓 必隣反／マラフト … 和ヒン ［平平・平上］　　　　（観智院本類聚名義抄／法下053-4）

　▶番号0473・2879b「濱」（濱・海濱）の仮名音注「ヒン」については、基本的に -in で対応す
る。両当該字には平声点を差す。番号0473「濱」は右注「ハマ」左注「水際也」を付載する。観智
院本類聚名義抄に同音字注「音賓」を見出す。長承本蒙求には仮名音注「ヒゝ」があり、その掲出
字に東声点を加える。日本漢音「ヒン」東声（四声体系では平声）を認める。

　　　濱 音賓 キハ キシ … セリ　　　　　　　　　　　　　（観智院本類聚名義抄／法上021-7）

　　　濱 ［＊濱か不鮮明］［東］ヒゝ　　　　　　　　　　　　　　（長承本蒙求／078）

　▶番号3233「嬪」（嬪）の仮名音注「ヒン」については、基本的に -in で対応する。当該字に
は平声点を差し、右注「ヨメツカヒ」左注「婦人宮人又妻死曰嬪」を付載する。前田本が示す諧声
符の字形は「賓」である。観智院本類聚名義抄に反切「苻隣反」を見出す。長承本蒙求には仮名音
注「ヒゝ」があり、その掲出字に東声点を加える。日本漢音「ヒン」東声（四声体系では平声）を
認める。

　　　嬪 ［＊諧声符は賓］苻隣反 ヨメツカヘ ［上上平濁上平］…　（観智院本類聚名義抄／佛中013-4）

　　　嬪 ［＊諧声符は賓］［東］ヒゝ　　　　　　　　　　　　　（長承本蒙求／088）

　▶番号1451b「獱」（胡獱）の仮名音注「ヒン」については、基本的に -in で対応する。当該字
に声点はない。前田本が示す諧声符の字形は「賓」である。熟字1451「胡獱」は右注「トゞ」左注
「コヒノ若名也」を付載する。観智院本類聚名義抄に同音字注「音頻」を見出すが、仮名音注は
ない。元和本倭名類聚抄に同音字注「音頻」がある。

　　　獱 ［＊諧声符は賓］音頻 獺属　　　　　　　　　　　　（観智院本類聚名義抄／佛下本136-4）

　　　獺 … 唐韻云獱 ［＊諧声符は賓］音頻 獺之別名也　　　（元和本倭名類聚抄／巻十八17ウ9）

　▶番号2647c「頻」（迦樓頻）の仮名音注「ヒン」については、基本的に -in で対応する。当該

3-5-3 -ie 系の字音的特徴 1183

字に声点はない。熟字 2647「迦楼頻」は右注「沙陀調」を付載する。雅楽における林邑楽系の唐楽を指す。観智院本類聚名義抄に同音字注「音贇」および「和平 又去」を見出す。承暦本金光明最勝王経音義には仮名音注「ヒ✓」があり、その掲出字に平声点と去声圏点を加える。日本呉音「ヒン」平/去声を認める。

　　頻 音贇 シキリナリ［上上：□□□］… 和平 又去　　　　　　（観智院本類聚名義抄／佛下本 023-3）

　　頻［平・去：圏点／ヒ✓：右傍］〔*後筆墨書〕　　　　　　（承暦本金光明最勝王経音義／09 ウ 1）

　　沙陀調 … 迦楼頻 或譜云天竺語也 …　　　　　　　　（元和本倭名類聚抄／巻四 14 ウ 7）

▶番号 0553「蠙」（蠙）の仮名音注「ヒン」については、基本的に -in で対応する。当該字には平声点を差し、右注「同（ハマクリ）」左注「珠母也」を付載する。前田本が示す諧声符の字形は「賓」である。観智院本類聚名義抄・鎮国守国神社本三寶類聚名義抄に反切「蒲田反」を見出すが、仮名音注はない。

　　蠙〔*諧声符は賓〕… 蒲田反 珠母　　　　　　　　　　（観智院本類聚名義抄／僧下 031-4）

　　蠙〔*諧声符は賓〕… 蒲田反 珠母　　　　　　　（鎮国守国神社本三寶類聚名義抄／下一 33 ウ 4）

▶番号 1352b・1601b「民」（平民・土民）の仮名音注「ミン」については、基本的に -in で対応する。両当該字には平声点を差す。観智院本類聚名義抄に同音字注「音泯」（その左注に墨筆で仮名音注「ミ✓」）を見出す。同書の凡例部分「朱音者正音也墨声者和音也」（篇目 7-6）に従えば、朱墨で正音と和音を分別する傾向がある。日本呉音「ミン」を認める。

　　民 音泯［ミ✓：墨左注］衆萌／タミ　　　　　　　　　（観智院本類聚名義抄／僧下 077-1）

▶番号 0952b「民」（人民）の仮名音注「ミン」については、基本的に -in で対応する。当該字には上声点を差す。熟字 0952「人民」は左注「或説云オホムタカラ」を付載する。上述の分析を参照。

　　人民 ヒトクサ［上上上上］或云／オホムタカラ［平平上上上］

　　　　　　　　　　　　　　　　　　　　　　　　　　　（観智院本類聚名義抄／僧下 077-1）

　　人民　日本紀云人民 和名比止久佐 一云 於保太加良　　　（元和本倭名類聚抄／巻二 10 ウ 9）

▶番号 0313b「隣」（有隣）の仮名音注「リン」については、基本的に -in で対応する。当該字には平声点を差す。図書寮本類聚名義抄に平声点を付した同音字注「音鏻」を見出す。観智院本には平声点を付した同音字注「音鏻」および上昇調と推測する和音「リン」を見つける。長承本蒙求に仮名音注「リ」（平安時代中期の朱筆加点）「リヽ」（院政期長承三年の墨筆加点）があり、その掲出字に平声点を加える。承暦本金光明最勝王経音義には同音字注「輪音」を見つける。日本漢音「リン」平声、日本呉音「リン」去声を認める。

　　隣 音鏻［平］弘云親也 …　　　　　　　　　　　　　（図書寮本類聚名義抄／180-6）

　　隣 音鏻［平］トナリ［上□上］… 和リン［□上：墨点］　（観智院本類聚名義抄／法中 046-5）

　　隣［平］リ／リヽ　　　　　　　　　　　　　　　　　（長承本蒙求／052）

隣［去］輪〻／止奈利　（承暦本金光明最勝王経音義／07ウ2）

▶番号2040a「隣」（隣里）の仮名音注「リム」については、異例 *-im* を示す。当該字には平声点を差す。末子音の舌内撥音韻尾 -n を「ム」で対応する。上述の分析を参照。

▶番号2033a・2034a「隣」（隣境・隣國）の仮名音注「リム」については、異例 *-im* を示す。両当該字には去声点を差す。末子音の舌内撥音韻尾 -n を「ム」で対応する。上述の分析を参照。

▶番号0085b・0086・2061a「鱗」（紫鱗・鱗・鱗次）の仮名音注「リン」については、基本的に *-in* で対応する。当該諸字三例には平声点を差す。番号0086「鱗」は右注「イロクツ 魚甲也」左注「イロコ俗訓」を、熟字2061「鱗次」は右傍「イロクツノ如ニツイツ」を付載する。観智院本類聚名義抄に平声点を付した同音字注「音隣」を見出すが、仮名音注はない。元和本倭名類聚抄には同音字注「音鄰」がある。日本漢音は平声を認める。

鱗 音隣［平］イロクツ［平平平上濁］俗云イロコ …　（観智院本類聚名義抄／僧下003-5）

鱗　唐韻云鱗 音鄰和名以呂久都俗云伊呂古 魚甲也 …　（元和本倭名類聚抄／巻十九09ウ4）

▶番号1993・2059a「麟」（麟・麟閣）の仮名音注「リン」については、基本的に *-in* で対応する。両当該字には平声点を差す。観智院本類聚名義抄に同音字注「音隣」を見出すが、仮名音注はない。元和本倭名類聚抄には同音字注「鄰」がある。

麐麟 俗今／音隣　（観智院本類聚名義抄／法下110-4）

麒麟　瑞応圖云麒麟 其鄰二音亦作騏驎 仁獸也 …　（元和本倭名類聚抄／巻十八16ウ5）

《下巻 眞韻諸例》

▶番号3648b「姻」（婚姻）の仮名音注「イン」については、基本的に *-in* で対応する。当該字に声点はない。熟字3648「婚姻」は中左注「聟之父為姻婦之父為婚／婦之父母聟之父母相謂婚姻」を付載する。観智院本類聚名義抄に平声点を付した同音字注「因音」を見出すが、仮名音注はない。元和本倭名類聚抄には同音字注「因反」がある。

姻 因［平］音 トツキ［上上□／□□ク］…　（観智院本類聚名義抄／佛中015-6）

姻 因音／トツキ［□□ク］…　（鎮国守国神社本三寶類聚名義抄／上一29オ4）

婚姻　爾雅云壻之父爲姻 因反 婦之父爲婚 昏反 婦之父母壻之父母相謂爲婚姻

（元和本倭名類聚抄／巻二18ウ5）

▶番号5437・6058a「茵」（茵・茵陳蒿）の仮名音注「イン」については、基本的に *-in* で対応する。両当該字には平声点を差す。番号5437「茵」は右注「シトネ」を、熟字6058「茵陳蒿」は右注「同（ヒキヨモキ［上上上上平濁］）」を付載する。上巻の眞韻当該諸例で分析した。

▶番号5440b「鞇」（文鞇）の仮名音注「イン」については、基本的に *-in* で対応する。当該字には声点はない。熟字5440「文鞇」は右注「同（シトネ）」左注「車鞇也」を付載する。観智院本

類聚名義抄に平声点を付した同音字注「音茵」を見出すが、仮名音注はない。元和本倭名類聚抄には同音字注「音與茵同」がある。日本漢音は平声を認める。

　　　鞇 音茵［平］シトネ／クルマノシトネ［上上上上上平平］　　　（観智院本類聚名義抄／僧中 080-1）

　　　茵 … 音因／シトネ［平平平］鞇［同：墨右注］　　　　　　　　（観智院本類聚名義抄／僧上 010-5）

　　　鞇　釋名云車中所坐者曰文鞇 音與茵同車乃之度禰 …　　　　　（元和本倭名類聚抄／巻十一 08 ウ 3）

　　　茵 褥附 野王曰茵 音因和名之士禰 …　　　　　　　　　　　　（元和本倭名類聚抄／巻十四 17 ウ 2）

▶番号 3435a「巾」（巾子）の仮名音注「キン」については、基本的に -in で対応する。当該字には平声点を差す。熟字 3435「巾子」は右注「コシ［平上濁］」〔＊「コンジ」の撥音無表記〕左注「冠巾」を付載する。広辞苑第七版は「平安時代以後、冠の頂上後部に高く突き出て髻をさし入れ、その根元に簪を挿す部分。古くは髻の上にかぶせた木製の形をいった。」と説明する。元和本倭名類聚抄には注記「此間巾音如渾」があり、近時の字音「コン」を想定する。上巻の眞韻当該諸例で分析したように、日本漢音「キン」東声（四声体系では平声）を認める。

　　　巾子　辨色立成云巾子 此間巾音如渾 …　　　　　　　　　　　（元和本倭名類聚抄／巻十二 18 ウ 6）

▶番号 3875a・4964a・5403・6832b「銀」（銀漢・銀漢・銀・晉銀）の仮名音注「キン」については、基本的に -in で対応する。当該諸字四例には平声濁点を差すので、字音「ギン」を想定する。その中古音が示す頭子音 ŋ-（等韻学の術語で言う疑母）は軟口蓋鼻音であり、日本語のガ行音をもって受容する。番号 5403「銀」は右傍「キン コン」右注「上声俗」中注「シロカネ／語巾反」左注「白金謂銀」を付載する。観智院本類聚名義抄に同音字注「音罷」および上昇調と推測する和音「コン」を見出す。元和本倭名類聚抄には反切「宜珍反」がある。日本呉音「コン」去声を認める。

　　　銀 音罷／シロカネ［平平上上］和コン［□上：墨点］　　　　　（観智院本類聚名義抄／僧上 113-7）

　　　銀 音罷／シロカネ［平平上上］和コン …　　　（鎮国守国神社本三寶類聚名義抄／下一 36 オ 2）

　　　銀　爾雅云白金謂之銀 宜珍反 其美者謂之鐐 力周力弔二反和名之路加禰

　　　　　　　　　　　　　　　　　　　　　　　　　　　　　　　（元和本倭名類聚抄／巻十一 16 オ 9）

▶番号 5404「銀」（銀）の仮名音注「コン」については、基本的に -on で対応する。当該字には上声濁点を差すので、字音「ゴン」を想定する。番号 5404「銀」は右傍「キン コン」右注「上声俗」中注「シロカネ／語巾反」左注「白金謂銀」を付載する。上述の分析を参照。

▶番号 4965a「銀」（銀丸）の仮名音注「キン」については、基本的に -in で対応する。当該字に声点はない。上述の分析を参照。

▶番号 5857b「銀」（晉銀）の仮名音注「キム」については、異例 -im を示す。当該字には平声濁点を差すので、字音「ギム」を想定する。末子音の舌内撥音韻尾 -n を「ム」で対応する。上述の分析を参照。

▶番号 4933a「銀」（銀面）の仮名音注「キム［平濁平］」については、異例 -im を示す。当該

1186　3．仮名音注の韻母別考察　3-5　ⅢA韻類

字に声点はなく、その仮名音注に濁音を含む低平調の差声を施す。字音「ギム」を想定する。末子音の舌内撥音韻尾 -n を「ム」で対応する。熟字 4933「銀面」は右注「同（キムメン［平濁平平平］）」左注「俗用之」を付載する。上述の分析を参照。

▶番号 6133「嚚」（嚚）の仮名音注「キン」については、基本的に -in で対応する。当該字には平声濁点を差すので、字音「ギン」を想定する。番号 6133「嚚」は右注「已上同（ヒスカシ）」左注「愚也」を付載する。観智院本類聚名義抄に反切「語巾反」および低平調を示す和音「キン」（その右傍に墨筆で濁音「✓」表記）を見出す。石山寺一切経蔵本大般若経字抄には漢呉二音相同の同音字注「音銀」がある。日本呉音「ギン」平声を認める。

　　　嚚 語巾反 … ヒスカシ［平平濁平平□］和キン［平平／✓□：墨右傍］

（観智院本類聚名義抄／佛中 046-4）

　　　嚚 語巾反 頑嚚 和キン … ヒスカシ …　　　（鎮国守国神社本三寶類聚名義抄／上一 43 オ 2）

　　　正侯鲽反 頑［音元：右傍］嚚［音銀：右傍］上カタクナ／下ヒスカシキ

（石山寺一切経蔵本大般若経字抄／09 ウ 2）

　　　頑嚚［音元［去：圏点］銀：右傍］　　（石山寺一切経蔵本大般若経字抄／18 ウ 6・21 オ 4）

▶番号 4962a・4962b「狺」（狺ゝ・狺ゝ）の仮名音注「キン」については、基本的に -in で対応する。両当該字には声点はない。廣韻に拠れば、眞韻（ŋien¹）欣韻（ŋiʌn¹）二音を有する。熟字 4962「狺ゝ」は左注「ニカメリ」を付載する。観智院本類聚名義抄に同音字注「釡銀二音」を見出すが、仮名音注はない。

　　　狺 釡銀二音／吠声　　　　　　　　　　　　（観智院本類聚名義抄／佛下本 135-6）

▶番号 4843「垠」（垠）の仮名音注「キン」については、基本的に -in で対応する。当該字には平声点を差し、右注「同（キシ）」を付載する。上巻の眞韻当該諸例で分析したように、日本漢音は平声を認める。

▶番号 5369・5694a・5695a・5883a「親」（親・親近・親昵・親疎）の仮名音注「シン」については、基本的に -in で対応する。当該諸字四例には平声点を差す。番号 5369「親」は右注「シタシ」中左注「七人反近／親傍親類親」を付載する。上巻の眞韻当該例で分析したように、日本漢音「シン」東声（四声体系では平声）日本呉音「シン」平声を認める。

▶番号 3629b「親」（近親）の仮名音注「シン」については、基本的に -in で対応する。当該字には去声点を差す。上述の分析を参照。

▶番号 5384a「秦」（秦王破陳樂）の仮名音注「シン」については、基本的に -in で対応する。当該字には平声濁点を差すので、字音「ジン」を想定する。熟字 5384「秦王破陳樂」は右注「乞食調」を付載する。上巻の眞韻当該諸例で分析したように、日本漢音「シン」平声を認める。

　　　秦 似律反／ハタ 和名　　　　　　　　　　（観智院本類聚名義抄／法下 024-5）

　　　乞食調曲　秦王破陣樂 … 蘇芳菲　　　　（元和本倭名類聚抄／巻四 16 オ 7）

3-5-3　-ie 系の字音的特徴　1187

▶番号 5519a・5519b「秦」（秦ﾐ・秦ﾐ）の仮名音注「シン」については、基本的に -in で対応する。両当該字には声点はない。上述の分析を参照。

▶番号 3342a・4151b「辛」（辛夷・大辛螺）の仮名音注「シン」については、基本的に -in で対応する。両当該字には平声点を差す。熟字 3342「辛夷」は右注「コフシハシカミ」中注「ヤマアラ丶キ」左注「又乍挾其子可噉之」を付載する。上巻の眞韻当該諸例で分析したように、日本漢音「シン」東声（四声体系では平声）を認める。

　　辛夷　崔禹錫食經云辛夷 和名夜末阿良々木一云古不之波之加美 其子可噉之

　　　　　　　　　　　　　　　　　　　　（元和本倭名類聚抄／巻十六 22 ウ 8）

　　大辛螺　七卷食經云大辛螺 和名阿木 …　　　（元和本倭名類聚抄／巻十九 12 オ 7）

▶番号 5605a「辛」（辛苦）の仮名音注「シン」については、基本的に -in で対応する。当該字には去声点を差す。上述の分析を参照。

▶番号 6055b「辛」（細辛）の仮名音注「シン」については、基本的に -in で対応する。当該字に声点はない。熟字 6055「細辛」は右注「ヒキノヒタヒクサ」左注「又ミラノネクサ」を付載する。上述の分析を参照。

　　細辛　釋藥性云細辛一名小辛 和名美良乃禰久佐一云比木乃比太比久佐

　　　　　　　　　　　　　　　　　　　　（元和本倭名類聚抄／巻二十 04 ウ 9）

▶番号 5391a「新」（新靺鞨）の仮名音注「シン」については、基本的に -in で対応する。当該字に声点はない。熟字 5391「新靺鞨」は右注「同（髙麗樂）」を付載する。上巻の眞韻当該例で分析したように、日本漢音は去声を認める。

　　髙麗樂曲　…　新靺鞨 靺鞨二音末曷蕃人出北土見唐韻 …　　　（元和本倭名類聚抄／巻四 17 ウ 6）

▶番号 5417a「新」（新羅琴）の仮名音注「シ」については、異例 -i を示す。当該字に声点はない。熟字 5417「新羅」は左右注「シラキ／コチト」を付載する。上述の分析を参照。

　　新羅琴本朝格云新羅琴師一人 新羅琴和名之良岐古止今案所出未詳疑自新羅國來歟 …

　　　　　　　　　　　　　　　　　　　　（元和本倭名類聚抄／巻四 11 ウ 8）

▶番号 6658b「薪」（積薪）の仮名音注「シン」については、基本的に -in で対応する。当該字には平声点を差す。観智院本類聚名義抄に東声点を付した同音字注「音新」を見出す。長承本蒙求には仮名音注「シ丶」があり、その掲出字に東声点を加える。元和本倭名類聚抄には同音字注「音新」を見つける。日本漢音「シン」東声（四声体系では平声）を認める。

　　薪 音新 ［東］タキ丶　　　　　　　　　　　（観智院本類聚名義抄／僧上 035-1）

　　薪 ［東］シ丶　　　　　　　　　　　　　　（長承本蒙求／128）

　　薪　纂要云火木曰薪 音新和名多岐々　　　（元和本倭名類聚抄／巻十二 13 オ 2）

▶番号 5891a「真」（真偽）の仮名音注「シン」については、基本的に -in で対応する。当該字には平声点を差す。図書寮本類聚名義抄に反切「中側隣反」を見出す。これは中算撰の法蓮華經釋

1188　3．仮名音注の韻母別考察　3-5　ⅢA韻類

文による引用である。観智院本には反切「側隣反・之仁反」および和音「シン」を見つける。長承
本蒙求には仮名音注「シ✓」があり、それを含む掲出字二例に東声点を加える。承暦本金光明最勝
王経音義には仮名音注「シゝ」があり、その掲出字に去声点を加える。日本漢音「シン」東声（四
声体系では平声）日本呉音「シン」去声を認める。

眞 中側隣反／寶也		（図書寮本類聚名義抄／165-6）
眞 側隣反 釋氏云／寶也		（醍醐寺本妙法蓮華經釋文／上 18 オ 6 補入）
真 マ¬ニ［平上□］／サネ 和シン		（観智院本類聚名義抄／佛下末 026-4）
眞 側隣反 マ¬［平平］		（観智院本類聚名義抄／佛下末 035-4）
眞 之仁反 マ¬／オホシ／ヒトリサカツキ		（観智院本類聚名義抄／法上 097-3）
真 ［東］シ✓		（長承本蒙求／060）
真 ［東］		（長承本蒙求／132）
真 ［去］シゝ		（承暦本金光明最勝王経音義／02 ウ 2）

▶番号 5325a・5570a・5636a「眞」（眞言師・眞言・眞實）の仮名音注「シン」については、
基本的に -in で対応する。当該諸字三例に声点はない。上述の分析を参照。

▶番号 5629a「瞋」（瞋恚）の仮名音注「シン」については、基本的に -in で対応する。当該字
には去声点を差す。諧声符の字形は「真」である。熟字 5629「瞋恚」は右傍「イカリ フツクム」
を付載する。観智院本類聚名義抄に反切「昌真反」（その反切下字に平声点）および和音「シム」
を見出す。日本漢音は平声、日本呉音「シム」を認める。

瞋〔＊諧声符は真〕昌真［□平］反 イカル［上上平／□□リ［上］：墨右傍］… 和シム

（観智院本類聚名義抄／佛中 076-3）

▶番号 4119a・5818a・5823a・6140a「神」（神仙菜・神速・神妙・神籬）の仮名音注「シン」
については、基本的に -in で対応する。当該諸字四例には平声点を差す。熟字 5629「神仙菜」は
右注「アマノリ」を、熟字 6140「神籬」は右注「同（ヒホロキ）」左注「俗用之」を付載する。観
智院本類聚名義抄に平声点を付した同音字注「音晨」を見出す。長承本蒙求には仮名音注「シゝ」
二例があり、その掲出字に平声点を加える。承暦本金光明最勝王経音義には借字による「事ゝ」(47)
があり、その掲出字に去声濁点を加える。日本漢音「シン」平声、日本呉音「ジン」去声を認める。

神 音晨 ［平］鬼也 カミ オニ …		（観智院本類聚名義抄／法下 001-3）
事 鋤吏 ［□去］反 コト ［平平］… 和シ ［平／✓：朱右傍］		（観智院本類聚名義抄／佛上 080-7）
神 ［平］シゝ		（長承本蒙求／032・114）
神 ［去濁］事ゝ		（承暦本金光明最勝王経音義／02 ウ 2）
神仙菜 崔禹錫食經云 … 俗呼曰神仙菜 漢語抄云阿末乃里俗用甘苦		

（元和本倭名類聚抄／巻十七 18 オ 3）

▶番号 5559a「神」（神籬）の仮名音注「シン」については、基本的に -in で対応する。当該字

に声点はない。熟字5559「神籬」は右傍「ヒヒロキ」を付載する。上述の分析を参照。

神籬 日本紀私記云神籬 俗云比保路岐 （元和本倭名類聚抄／巻十三 07 ウ 4）

▶番号5304「震」（震）の仮名音注「シン」については、基本的に -in で対応する。当該字には平声点を差し、右注「同（シカ）」左注「麋牝也」を付載する。観智院本類聚名義抄に同音字注「辰淳二音」を見出すが、仮名音注はない。

震 辰淳二音／牝麋 （観智院本類聚名義抄／法下 111-3）

麋 四聲字苑云麋 音眉漢語抄云於保之加 … （元和本倭名類聚抄／巻十八 18 オ 3）

▶番号6964b「身」（随身）の仮名音注「シン」については、基本的に -in で対応する。当該字に声点はない。上巻の眞韻当該例で分析したように、日本漢音は平声、日本呉音「シン」平声を認める。

▶番号5321「臣」（臣）の仮名音注「シン」については、基本的に -in で対応する。当該字には平声点を差し、右注「男子賤也」を付載する。上巻の眞韻当該例で分析したように、日本漢音は平声、日本呉音「ジン」を認める。

▶番号5527a「辰」（辰宿）の仮名音注「シン」については、基本的に -in で対応する。当該字には平声点を差す。上巻の眞韻当該諸例で分析したように、日本漢音は平声を認める。

▶番号4064a・5533a「晨」（晨明晞・晨昏）の仮名音注「シン」については、基本的に -in で対応する。両当該字には平声点を差す。観智院本類聚名義抄に平声点を付した同音字注「音辰」を見出す。長承本蒙求には仮名音注「シゝ」があり、その掲出字に平声点を加える。日本漢音「シン」平声を認める。

晨 音辰 [平] アシタ [平平□] … （観智院本類聚名義抄／佛中 086-5）

晨明 アリアケ [平上□□] （観智院本類聚名義抄／佛中 086-6）

晨 [平] シゝ （長承本蒙求／101）

▶番号6254b「人」（鄙人）の仮名音注「シン」については、基本的に -in で対応する。当該字には平声点を差す。上巻の眞韻当該例で分析したように、日本漢音「ジン」平声、日本呉音「ニン」を認める。

▶番号5720b「人」（囚人）の仮名音注「シン」については、基本的に -in で対応する。当該字には上声点を差す。上述の分析を参照。

▶番号5610a・6398b「人」（人望・桃人）の仮名音注「シン」については、基本的に -in で対応する。両当該字に声点はない。熟字6398「桃人」は右注「同（モゝノサネ）」を付載する。上述の分析を参照。

▶番号3373b「人」（故人）の仮名音注「シム」については、基本的に -im で対応する。当該字に声点はない。末子音の舌内撥音韻尾 -n を「ム」で対応する。上述の分析を参照。

▶番号5322b・6516b「人」（聖人・仙人）の仮名音注「ニン」については、基本的に -in で対

1190　3．仮名音注の韻母別考察　3-5　ⅢA韻類

応する。両当該字に声点はない。熟字6516「仙人」は左注「或乍僊」を付載する。上述の分析を参照。

　▶番号5383b「人」（庶人三臺）の仮名音注「ミ」については、異例 -i を示す。当該字に声点はない。熟字5383「庶人三臺」は右注「大食調」左傍「ショミサハタイ」を付載する。仮名字形の相似による「ショシサムタイ」の誤認で、撥音無表記の字音「シ」か。

　　　道調曲　上元樂 … 庶人三臺 … 五坊樂後散　　　　　（元和本倭名類聚抄／巻四 16 オ 1）

　▶番号5356・5801a・6783b「仁」（仁・仁寮・崇仁房）の仮名音注「シン」については、基本的に -in で対応する。当該諸字三例には平声濁点を差すので、字音「ジン」を想定する。番号5356「仁」は左注「如斷反」を、熟字6783「崇仁房」は右注「八条東」を付載する。上巻の眞韻当該諸例で分析したように、日本漢音「ジン」平声、日本呉音「ニン」を認める。

　　　坊 名附出 聲類云房反 和名萬知 … 崇仁坊 八條東 …　　　（元和本倭名類聚抄／巻十八 18 オ 3）

　▶番号6497b「仁」（宣仁門）の仮名音注「ニン」については、基本的に -in で対応する。当該字には平声点を差す。上述の分析を参照。

　▶番号6163「紃」（紃）の仮名音注「チム」については、異例 -im を示す。当該字には上声濁点を差すので、字音「ヂム」を想定する。末子音の舌内撥音韻尾 -n を「ム」で対応する。また右注「ヒモ」中注「女人反」〔＊←女久反〕左注「衣紃」を付載する。観智院本類聚名義抄に反切「女人反」を見出すが、仮名音注はない。

　　　紃 女人反 單縄 ツナ／ツク ムスフ　　　　　（観智院本類聚名義抄／法中 123-8）

　▶番号4938b「塵」（麹塵）の仮名音注「チン［平平］」については、基本的に -in で対応する。当該字に声点はなく、その仮名音注に平声相当である低平調の差声を施す。熟字4938「麹塵」は右注「キチン［上平平］」仮名音注を付載する。上巻の眞韻当該諸例で分析したように、日本漢音「チン」平声を認める。

　▶番号5110b・5472b「塵」（麹塵・承塵）の仮名音注「チン」については、基本的に -in で対応する。両当該字に声点はない。熟字5472「承塵」は中注「式三身屋／以帛」左注「張承塵為之也」を付載する。上述の分析を参照。

　　　承塵　釋名云承塵 此間名如字 施於上承塵土也　　　　（元和本倭名類聚抄／巻十八 18 オ 3）

　▶番号6058b・6325b「陳」（茵陳蒿・披陳）の仮名音注「チン」については、基本的に -in で対応する。両当該字には平声点を差す。熟字6058「茵陳蒿」は右注「同（ヒキヨモキ［上上上平濁］）」を付載する。上巻の眞韻当該諸例で分析したように、日本漢音「チン」平声、日本呉音「チン」を認める。

　▶番号6108b「賓」（佳賓）の仮名音注「ヒン」については、基本的に -in で対応する。当該字には平声点を差す。熟字6108「佳賓」は左右注「書／也」を付載する。上巻の眞韻当該例で分析したように、日本呉音「ヒン」平/去声を認める。

　　　　　　　　　　　　　　　　　　　　　　3-5-3　-ie 系の字音的特徴　1191

　▶番号 6803b・6896b「矉」（佳矉・斀矉）の仮名音注「ヒン」については、基本的に -in で対応する。両当該字に声点はない。上述の分析を参照。

　▶番号 6066a「檳」（檳榔子）の仮名音注「ヒン」については、基本的に -in で対応する。当該字には平声点を差す。観智院本類聚名義抄に同音字注「矉」を見出すが、仮名音注はない。元和本倭名類聚抄には同音字注「矉」と「此間音旻」がある。

　　　檳榔 矉郎／二音　　　　　　　　　　　　　　　（観智院本類聚名義抄／佛下本 097-5）

　　　檳榔 子附 兼名苑注云檳榔 矉郎二音此間音旻朗 … 本草云檳榔子 …

　　　　　　　　　　　　　　　　　　　　　　　（元和本倭名類聚抄／巻二十 30 ウ 9）

　▶番号 6063a「檳」（檳榔）の仮名音注「ヒ」については、異例 -i を示す。当該字に声点はない。熟字 6063「檳榔」は右傍「ヒリヤウ」を付載する。撥音の無表記を示す。上述の分析を参照。

　▶番号 5854b「濱」（泗濱）の仮名音注「ヒン」については、基本的に -in で対応する。当該字に声点はない。上巻の眞韻当該諸例で分析したように、日本漢音「ヒン」東声（四声体系では平声）を認める。

　▶番号 6321a「繽」（繽粉）の仮名音注「ヒン」については、基本的に -in で対応する。当該字には平声点を差す。熟字 6321「繽粉」は右傍「マカヘリ」を付載する。図書寮本類聚名義抄に反切「慈云上匹仁反」（その反切下字に平声濁点）および「真云矉」を見出す。観智院本には反切「匹人反」および平声点を付した「和矉」を見つけるが、仮名音注はない。日本漢音は平声、日本呉音は平声を認める。

　　　繽粉 慈云上匹仁 ［平濁］ 反… 真云矉フン ［□平平］　　　（図書寮本類聚名義抄／312-5）

　　　繽 匹 ［疋：墨右傍］ 人反 … マカフ … 和矉 ［平］　　　（観智院本類聚名義抄／法中 119-8）

　　　繽粉 トマカフ ［□平平上］ …　　　　　　　　　　（観智院本類聚名義抄／法中 119-8）

　▶番号 6280a「貧」（貧賤）の仮名音注「ヒン」については、基本的に -in で対応する。当該字には平声点と去声点を差す。その中古音が示す頭子音 b-（等韻学の術語で言う濁並母）は有声両唇閉鎖音であり、日本語のバ行音をもって受容するが、中国語音韻史上における濁音声母の無声化を反映する場合はハ行音で対応する。観智院本類聚名義抄に反切「苻巾反」および和音「鼻ン」を見出す。同様の例として、同書では「鬢」に対して「俗云本音濁 和鼻ン」がある。また「鼻」に対しては平声点を付した和音「ヒ」（その右傍に墨筆で濁音「✓」表記）を見つける。日本呉音「ビン」を認める。

　　　貧 苻巾反 イヤシ … 和鼻ン　　　　　　　　　　（観智院本類聚名義抄／佛下本 020-8）

　　　鬢 〔*譜声符は矉〕音擯 俗云本音濁 和鼻ン …　　　（観智院本類聚名義抄／佛下本 038-5）

　　　鼻 頻䑏反 ハナ … 和ヒ ［平／✓：墨右傍〕　　　（観智院本類聚名義抄／佛下本 020-8）

　▶番号 6281a・6282a「貧」（貧弊・貧窮）の仮名音注「ヒン」については、基本的に -in で対応する。両当該字には去声点を差す。上述の分析を参照。

1192　3．仮名音注の韻母別考察　3-5　ⅢA韻類

▶番号 6130「噸」（噸）の仮名音注「ヒン」については、基本的に -in で対応する。当該字には平声点を差し、右注「ヒソム」中注「笑也」左注「噸眉」を付載する。観智院本類聚名義抄に平声点を付した同音字注「音頻」を見出す。承暦本金光明最勝王経音義には借字による「比ゝ反」(48) があり、その掲出字に平声点を加える。日本漢音は平声、日本呉音「ヒン」平声を認める。

　　　噸 音頻 ［平］クチヒソム［上上平囗上］…　　　　　　　　（観智院本類聚名義抄／佛中 051-5）

　　　噸 ［平］比ゝ反　　　　　　　　　　　　　　　　　　（承暦本金光明最勝王経音義／03 オ 5）

▶番号 6755b「蘋」（青蘋）の仮名音注「ヒン」については、基本的に -in で対応する。当該字には平声点を差す。観智院本類聚名義抄に平声点を付した同音字注「音頻」を見出すが、仮名音注はない。元和本倭名類聚抄に同音字注「音頻」がある。日本漢音は平声を認める。

　　　蘋 音頻 ［平］兎葵／ウキクサ　　　　　　　　　　　　（観智院本類聚名義抄／僧上 029-2）

　　　藻 … 崔禹錫食經云沈者曰藻浮者曰蘋 音頻今案蘋又大萍名也

　　　　　　　　　　　　　　　　　　　　　　　　　　　　（元和本倭名類聚抄／巻十七 17 オ 6）

▶番号 6231a「旻」（旻天）の仮名音注「ヒン」については、基本的に -in で対応する。当該字には平声点を差す。その中古音が示す頭子音 m-（等韻学の術語で言う明母）は両唇鼻音であり、日本語のマ行音をもって受容するが、中国語音韻史上における鼻音声母の非鼻音化（denasalization）を反映する場合はバ行音で対応する。熟字 6231「旻天」は左注「秋天也」を付載する。観智院本類聚名義抄に平声濁点を付した同音字注「音珉」を見出すが、仮名音注はない。日本漢音は平声を認める。

　　　旻 音珉 ［平濁］ヒロシ ハルカ …　　　　　　　　　　（観智院本類聚名義抄／佛中 099-1）

▶番号 6538「緡」（緡）の仮名音注「ヒン」については、基本的に -in で対応する。当該字には平声点を差し、右注「同（センツラ）」左注「武巾反」を付載する。その中古音が示す頭子音 m-（等韻学の術語で言う明母）は両唇鼻音であり、日本語のマ行音をもって受容するが、中国語音韻史上における鼻音声母の非鼻音化（denasalization）を反映する場合はバ行音で対応する。図書寮本類聚名義抄に反切「广云亡巾反」（その反切下字に平声点）を見出す。観智院本には平声濁点を付した同音字注「音旻」（その右傍に墨筆で仮名音注「ヒン」）を見出す。日本漢音「ビン」平声を認める。

　　　作緡 广云亡巾 ［囗平］反 … ヲ［上／詩：右注］　　　（図書寮本類聚名義抄／323-6）

　　　緡 旻［平濁／ヒン：墨右傍］音 … ツラヌ ヲ［上］　　（観智院本類聚名義抄／法中 130-8）

　　　緡 鎇 二正　　　　　　　　　　　　　　　　　　　　（観智院本類聚名義抄／法中 130-8）

▶番号 6916b「縝」（綵縝）の仮名音注「ヒン」については、基本的に -in で対応する。当該字には去声点を差す。熟字 6916「綵縝」は右傍「チル」を付載する。上述の分析を参照。

▶番号 4268「罜」（罜）の仮名音注「コ」については、異例 -o を示す。当該字には平声点を差し、右注「同（アミ）」左注「礜罜」を付載する。この「コ」は当該字の右隣にあり字形の近似す

る番号4260「罛」（姥韻 kuʌ²）の右傍「コ」仮名音注に牽引されたか。観智院本類聚名義抄に反切「忙巾反」を見出すが、仮名音注はない。元和本倭名類聚抄には反切「武巾反」がある。

　　　罛 … 忙／巾反 网　　　　　　　　　　　　　　（観智院本類聚名義抄／僧中008-7）

　　　罛 … アミ［平平］／罬網　　　　　　　　　　（観智院本類聚名義抄／僧中008-8）

　　　罛網 細附 纂要云獸網曰罛 音浮 罬網曰罛 武巾反 …　（元和本倭名類聚抄／巻十五06 オ8）

　▶番号4978b「隣」（近隣）の仮名音注「リン」については、基本的に *-in* で対応する。当該字には平声点を差す。上巻の眞韻当該諸例で分析したように、日本漢音「リン」平声、日本呉音「リン」去声を認める。

　▶番号5869b「鱗」（紫鱗）の仮名音注「リン」については、基本的に *-in* で対応する。当該字には平声点を差す。上巻の眞韻当該諸例で分析したように、日本漢音は平声を認める。。

　▶番号4966b「鱗」（魚鱗）の仮名音注「リム」については、異例 *-im* を示す。当該字には平声点を差す。末子音の舌内撥音韻尾 -n を「ム」で対応する。上述の分析を参照。

　▶番号4868b「麟」（麒麟）の仮名音注「リン」については、基本的に *-in* で対応する。当該字には平声点を差す。熟字4868「麒麟」は左右注「牡曰麒／牝曰麟」を付載する。上巻の眞韻当該諸例で分析した。

《上巻 軫韻諸例》

　▶番号 0245a・0310b・0317a・1846b「引」（引率・誘引・引級・遲引）の仮名音注「イン」については、基本的に *-in* で対応する。当該諸字四例には上声点を差す。観智院本類聚名義抄に去声点を付した同音字注「音胤」および和音「イン」を見出す。長承本蒙求には仮名音注「イ〻」があり、その掲出字に上声点を加える。承暦本金光明最勝王経音義には仮名音注「イ〻」があり、その掲出字に平声点を加える。日本漢音「イン」上声、日本呉音「イン」平声を認める。

　　　引 音胤［去］ヒク［上上］… 和イン　　　　（観智院本類聚名義抄／佛上080-7）

　　　引［上］イ〻　　　　　　　　　　　　　　　（長承本蒙求／018）

　　　引［平］イ〻　　　　　　　　　　　　（承暦本金光明最勝王経音義／02 ウ3）

　▶番号0250a・0251a「引」（引攝・引導）の仮名音注「イン」については、基本的に *-in* で対応する。両当該字には平声点を差す。上述の分析を参照。

　▶番号1687a「引」（引佐）の仮名音注「イナ」については、異例 *-ina* を示す。当該字に声点はない。熟字1687「引佐」は度篇国郡部の遠江に属する。先んじて存在する地名に対して、類似する字音を宛て開音節化する。上述の分析を参照。

　　　遠江國 國府在豊田郡 … 引佐 伊奈佐 …　　（元和本倭名類聚抄／巻五13 オ7）

　▶番号2135c「盡」（理不盡）の仮名音注「シン」については、基本的に *-in* で対応する。当該

1194　3．仮名音注の韻母別考察　3-5　ⅢA韻類

字に声点はない。熟字 2135「理不盡」は右注「長疊字」を付載する。観智院本類聚名義抄に反切「辞引反」および和音「自ン」を見出す。同書では「自キ・自フ・自ム・自ヤ・自ヤウ・自ヨ・自ン」があり、平声濁点を付した和音二例を見出すので、これらの「自」は濁音「ジ」を示す。日本呉音「ジン」を認める。

盡　辞引反 ツキヌ ツクス［上上平］… 和自ン　　　（観智院本類聚名義抄／僧中 014-6）

深　式林［□去濁］反 … 和自ム［平濁上：墨圍点］　　（観智院本類聚名義抄／法下 010-3）

甚　常枕［□上］反 … 和自ン［平濁上：墨点］　　　（観智院本類聚名義抄／僧下 082-6）

▶番号3258b「盡」（用盡）の仮名音注「シム」については、異例 -im を示す。当該字には平声濁点を差すので、字音「ジム」を想定する。末子音の舌内撥音韻尾 -n を「ム」で対応する。上述の分析を参照。

▶番号1744b「胗」（瘢胗）の仮名音注「シン」については、基本的に -in で対応する。当該字には上声点を差す。熟字「瘢胗」は右注「チ ミ ホム」左注「チ ミ ハクル」を付載する。観智院本類聚名義抄に同音字注「音軫・又音緊」および低平調と推測する和音「シム」を見出す。元和本倭名類聚抄には同音字注「軫」がある。日本呉音「シン」平声を認める。

胗胗　上俗通下正 音軫 又音緊 クチヒル … 和シム［□平］　　（観智院本類聚名義抄／佛中 129-6）

瘢胗　隱軫二音／チ、ホム［平平上濁平］／一云チ、ハクル［平平平上平］

　　　　　　　　　　　　　　　　　　　　　（観智院本類聚名義抄／法下 121-6）

瘢胗　四聲字苑云瘢胗 隱軫二音和名知々保無一云知々波久留 皮外小起也

　　　　　　　　　　　　　　　　　　　　　（元和本倭名類聚抄／巻三 28 オ 6）

▶番号0993a・1947b「忍」（忍辱・地忍）の仮名音注「ニン」については、基本的に -in で対応する。両当該字には平声点を差す。熟字 0993「忍辱」は右傍「シノヒ ハツ」を、熟字 1947「地忍」は右傍「タ ミ ニ シノフ」を付載する。図書寮本類聚名義抄に反切「如軫反」（その反切下字に上声点）を見出す。観智院本類聚名義抄に反切「如軫反」（その反切下字に上声点）および和音「ニン」を見つける。日本漢音は上声、日本呉音「ニン」を認める。

忍　弘云如軫［□上］反 強也 合也 …　　　　　　（図書寮本類聚名義抄／263-7）

忍　如軫［□上］反 シノフ［上上平濁］… 和ニン　（観智院本類聚名義抄／法中 082-3）

▶番号2067b「愍」（憐愍）の仮名音注「ミン」については、基本的に -in で対応する。当該字には平声点を差す。図書寮本類聚名義抄に仮名音注「真云レン」〔＊ミンの誤認か〕と同音字注「音閔」さらに反切「弘云眉隕反」を見つける。観智院本には同音字注「音閔」および低平調を示す和音「ミン」を見出す。日本呉音「ミン」平声を認める。

憐愍 … 真云リン［平平］レン 下音閔 弘云眉隕反 …　　　（図書寮本類聚名義抄／255-2）

愍　音閔 カナシフ［上上□□］… 和ミン［平平：墨点］（観智院本類聚名義抄／法中 100-2）

▶番号2635「閔」（閔）の仮名音注「ヒン」については、基本的に -in で対応する。当該字に

声点はなく、和訓「カナシフ」の同訓異字として位置する。観智院本類聚名義抄に同音字注「音敏・又音間」を見出す。長承本蒙求には仮名音注「ヒイゝ・ヒゝ」があり、その掲出字に上声点を加える。その仮名音注は平安時代院政初期である長承三年（1134）に加点された墨筆（例示で両音形ある場合は右側）を中心とするが、平安時代中期と推定する古い朱筆（両音形ある場合は左側）の加点もある。日本漢音「ヒン」上声を認める。

| 閔 音敏 … 又音間 … カナシフ［上上上平濁］ | （観智院本類聚名義抄／法下 079-2） |
| 閔［上］ヒイゝ／ヒゝ | （長承本蒙求／074） |

《下巻 軫韻諸例》

▶番号5668b「引」（承引）の仮名音注「イン」については、基本的に *-in* で対応する。当該字には上声点を差す。上巻の軫韻当該諸例で分析したように、日本漢音「イン」上声、日本呉音「イン」平声を認める。

▶番号3804b「引」（延引）の仮名音注「イム」については、異例 *-im* を示す。当該字には上声点を差す。末子音の舌内撥音韻尾 -n を「ム」で対応する。上述の分析を参照。

▶番号5603a「詶」（詶脉）の仮名音注「シム」については、異例 *-im* を示す。当該字には上声点を差す。末子音の舌内撥音韻尾 -n を「ム」で対応する。廣韻に拠れば、軫韻 (tśien²) 震韻 (ḑien³) 二音を有する。熟字5603「詶脉」は右傍「チノミチ」を付載する。図書寮本類聚名義抄に反切「弘云除刃反・東云 … 又之忍反」と同音字注「又音軫・類云説文音陳」を見出す。略称「類」が示す出典は明らかでないが、部首水部の冒頭に出典名として『類聚抄莝垂類』がある。観智院本には反切「除刃反」（その反切下字に去声点）と上声点を付した同音字注「又音軫」さらに「又陳」を見つけるが、仮名音注はない。日本漢音は上/去声を認める。

詶 弘云除刃反 東云 … 又之忍反 … 又音軫 方云候人之血脉也	（図書寮本類聚名義抄／083-2）
詶病 广云脉候也 類云説文音陳	（図書寮本類聚名義抄／083-3）
詶脉 然日詶者候脉	（図書寮本類聚名義抄／083-5）
詶 除刃［□去］反 又音軫［上］又陳 … 候脉／ミル …	（観智院本類聚名義抄／法上 068-4）

▶番号5595a「賑」（賑給）の仮名音注「シン」については、基本的に *-in* で対応する。当該字には平声点を差す。廣韻に拠れば、軫/震韻 (tśien²⁄³) 二音を有する。熟字5595「賑給」は中左注「死人数／施物也」観智院本類聚名義抄に平声点と上声点を付した同音字注「音振」を見出すが、仮名音注はない。平声は当該字「賑」の声調ではなく、同音字注「振」（眞/震韻 tśien¹⁄³）自体の声調か、疑義を残す。日本漢音は上声を認める。

| 賑 音振［平・上］タマフ … | （観智院本類聚名義抄／佛下本 017-2） |

▶番号5596a「賑」（賑血）の仮名音注「シン」については、基本的に *-in* で対応する。当該字

1196　3．仮名音注の韻母別考察　3-5　ⅢA韻類

に声点はない。上述の分析を参照。

▶番号 6801a「忍」（忍冬）の仮名音注「ニン」については、基本的に -in で対応する。当該字には平声点を差す。熟字 6801「忍冬」は右注「スヒカツラ」左注「又乍葱苳」を付載する。上巻の軫韻当該諸例で分析したように、日本漢音は上声、日本呉音「ニン」を認める。

　　　忍冬　陶隠居本草注云忍冬 和須比可豆良 …　　　　（元和本倭名類聚抄／巻二十 19 ウ 5）

▶番号 4190「髕」（髕）の仮名音注「ヒン」については、基本的に -in で対応する。当該字に声点はなく、右注「蒲忍反」中注「アハタコ俗云アハタ」左注「又作膊膝䯢［ヒサカハラ：右傍］」を付載する。前田本が示す諧声符の字形は「𡧑」である。観智院本類聚名義抄に反切「毗忍反」を見出すが、仮名音注はない。元和本倭名類聚抄には反切「蒲忍反上聲之重」がある。当該字の頭子音 b-（等韻学の術語で言う脣音濁並母）が濁並母であり、上声之重に相当することを言う。切韻を撰述して以降の中国語において、上声濁が次第に去声化を起こした状態を、日本漢音では反映する。これは上声を構成する上声軽と上声重とが allotone であり、後者の調値が去声と区別できないことを示すとも言える。

　　　髕〔＊諧声符は𡧑〕… 毗忍反 アハタコ 俗云アハタ［平平平］／膝盖

　　　　　　　　　　　　　　　　　　　　　　　（観智院本類聚名義抄／佛下本 007-2）

　　　膝䯢　宿耀經云膝䯢 師說比佐乃加波良 … 野王案髕 蒲忍反上聲之重字亦作䯢阿波太古俗云阿波太 …

　　　　　　　　　　　　　　　　　　　　　　　（元和本倭名類聚抄／巻三 14 オ 4）

▶番号 6315a「牝」（牝牡）の仮名音注「ヒン」については、基本的に -in で対応する。当該字には去声点を差す。観智院本類聚名義抄に同音字注「音髕・又音婢」を見出すが、仮名音注はない。元和本倭名類聚抄には同音字注「音臏」がある。

　　　牝 音髕〔＊諧声符は𡧑〕メケモノ［去平平平］又音婢 …　（観智院本類聚名義抄／佛下末 002-3）

　　　牝　說文云牝 音臏〔＊諧声符は𡧑〕和名米計毛乃 畜母也　（元和本倭名類聚抄／巻十八 15 ウ 2）

▶番号 3864b「敏」（幼敏）の仮名音注「ヒン」については、基本的に -in で対応する。当該字には上声点を差す。観智院本類聚名義抄に同音字注「音敃」および上昇調を示す和音「ミン」と低平調を示す仮名音注「ヒン」（その右傍に朱筆で濁音「✓」表記）を見出す。同書の凡例部分「朱音者正音也墨音者和音也」（篇目 7-6）に従えば、朱墨で正音と和音を分別する傾向があるので、後者の仮名音注「ヒン」は正音を標榜するか。承暦本金光明最勝王経音義には同音字注「民音」があり、その掲出字に去声点を加える。日本漢音「ビン」平声、日本呉音「ミン」去声を認める。

　　　敏 … 音敃 トシ … 和云 ミン［平上］ヒン［平平／✓□：朱右傍］

　　　　　　　　　　　　　　　　　　　　　　　（観智院本類聚名義抄／僧中 055-4）

　　　敏 音敃 … トシ 和ミン［□上］ヒン　　　　　　（天理大学本最勝王経音義／22 ウ 3）

　　　敏 … 音敃 トシ［平上］… 又音 ミン［平上］又ヒン［平平］

　　　　　　　　　　　　　　　　　　　　　　（鎮国守国神社本三寳類聚名義抄／下一 66 オ 7）

敏［去］民ミ　　　　　　　　　　　　　　　　　　（承暦本金光明最勝王経音義／10 ウ 6）

▶番号4373b「愍」（哀愍）の仮名音注「ミン」については、基本的に -in で対応する。当該字には平声点を差す。上巻の軫韻当該例で分析したように、日本呉音「ミン」平声を認める。

▶番号6286a「儐」（儐俛）の仮名音注「ヒン」については、基本的に -in で対応する。当該字には上声点を差す。熟字 6286「儐俛」は右傍「ツトム」を付載する。観智院本類聚名義抄に反切「壬忍反」（その反切下字に上声濁点）を見出す。日本漢音は上声を認める。

儐 … 壬忍［平濁上濁］反 ツトム／アフク［平上平濁］　　　　（観智院本類聚名義抄／佛上 010-8）

《上巻 震韻諸例》

▶番号0185・1279b・2255「印」（印・法印・印）の仮名音注「イン」については、基本的に -in で対応する。当該諸字三例に声点はない。番号 2255「印」は右注「ヲシテ」を付載する。観智院本類聚名義抄に注記「曰之去声」（曰・因：眞韻 'jien'）および「和平」を見出すが、仮名音注はない。日本漢音は去声、日本呉音は平声を認める。

印 符印地 … 於刃切四 鈤 魚身上如印 氏+堊 … 霣 氣行　　　　（宋本廣韻／震韻 'ien³）

印 曰之去声 オシテ シルシ／和平　　　　　　　　（観智院本類聚名義抄／佛上 081-2）

▶番号3281a「印」（印南）の仮名音注「イ」については、異例 -i を示す。当該字に声点はない。熟字 3281「印南」は波篇國郡部の播磨に属する。先んじて存在する地名に対して、類似する字音を宛て、撥音無表記と開音節化をする。上述の分析を参照。

播磨國 國府在錺磨郡 … 印南 伊奈美 …　　　　　（元和本倭名類聚抄／巻五 22 ウ 4）

▶番号3092b「瑾」（瑕瑾）の仮名音注「キン」については、基本的に -in で対応する。当該字には去声点を差す。観智院本類聚名義抄に同音字注「音金+堇」を見出すが、仮名音注はない。

瑾 音金+堇 玉一ス〔＊玉キスか〕　　　　　　　（観智院本類聚名義抄／法中 021-7）

▶番号3091b「疊」（瑕疊）の仮名音注「キン」については、基本的に -in で対応する。当該字には去声点を差す。熟字 3091「瑕疊」は左注「疵也」を付載する。当該字「疊」は「釁」と相互に異体字である。観智院本類聚名義抄に反切「許斬反」および上昇調と推測する和音「キム」を見出す。石山寺一切経蔵本大般若経字抄には正音「觀」と同音字注「音巾」がある。日本呉音「キン」去声を認める。

釁 許／斬／反 … 和キム［□上］　　　　　　　　（観智院本類聚名義抄／僧下 071-2）

疊 俗 ウカヽフ［上上□□］ツミ［平上］…　　　　（観智院本類聚名義抄／僧下 071-2）

正觀 疊［音巾：右傍］ツミ　　　　　　　　　　（石山寺一切経蔵本大般若経字抄／02 オ 7）

疊 音帝〔＊巾か〕　　　　　　　　　　　　　（石山寺一切経蔵本大般若経字抄／18 オ 1）

▶番号1386b「進」（弁進）の仮名音注「シン」については、基本的に -in で対応する。当該字

1198　3．仮名音注の韻母別考察　3-5　ⅢA韻類

には平声濁点を差すので、日本語音韻史上の連濁による字音「ジン」を想定する。観智院本類聚名
義抄に同音字注「音晉」を見出す。長承本蒙求には仮名音注「シ丶」があり、その掲出字に去声点
を加える。日本漢音「シン」去声を認める。

　　　進 音晉 ス丶ム［上上□］マイル …　　　　　　　　　　（観智院本類聚名義抄／佛上 058-6）

　　　進 ［去］シ丶　　　　　　　　　　　　　　　　　　　　　　　　　　（長承本蒙求／081）

　▶番号 1861b「信」（忠信）の仮名音注「シン」については、基本的に -in で対応する。当該字
には去声点を差す。図書寮本類聚名義抄に同音字注「音迅」（その去声点位置に仮名音注「シン」）
を見出す。観智院本には去声点を付した同音字注「音迅」を見つける。長承本蒙求には仮名音注「シ丶」
二例があり、その掲出字に去声点を加える。日本漢音「シン」去声を認める。

　　　信受 音迅［シン：去声点位置］… マコト［上上上／易：右注］…　　（図書寮本類聚名義抄／073-3）

　　　信 言部 マ丁［平□］マイル …　　　　　　　　　　　　　（観智院本類聚名義抄／佛上 032-8）

　　　信 音迅［去］… マ丁［平上］…　　　　　　　　　　　　　（観智院本類聚名義抄／法上 048-2）

　　　信 ［去］シ丶　　　　　　　　　　　　　　　　　　　　　（長承本蒙求／074・098）

　▶番号 1533「訊」（訊）の仮名音注「シム」については、異例 -im を示す。当該字に声点はな
く、和訓「トフ」の同訓異字として位置する。末子音の舌内撥音韻尾 -n を「ム」で対応する。図
書寮本類聚名義抄に反切「慈云息晉反」さらに平声点を付した同音字注「真云信音」〔＊真興音義に
よる和音〕と去声点を付した同音字注「类云信音」を見つける。略称「类」が示す出典は明らかでな
いが、部首水部の冒頭に出典名として『類聚抄莖垂類』がある。観智院本には去声点を付した同音
字注「音信」を見出すが、仮名音注はない。日本漢音は去声、日本呉音は平声を認める。

　　　問訊 慈云息晉反 事也 辞也 言也 …　　　　　　　　　　（図書寮本類聚名義抄／089-4）

　　　訊 中云又作訊 … 真云信［平］音　　　　　　　　　　　（図書寮本類聚名義抄／089-4）

　　　訊訊 千云上俗／类云信［去］音 トフ［上平／後：左傍］　　（図書寮本類聚名義抄／089-5）

　　　訊 音信［去］トフラフ［上上濁□□］／トフ［上平］…　　（観智院本類聚名義抄／法上 047-8）

　　　訊 音信［去］トフラフ［上上濁□□］… トフ［上平］

　　　　　　　　　　　　　　　　　　　　　　　（鎮国守国神社本三寶類聚名義抄／中一 25 ウ7）

　▶番号 1541「迅」（迅）の仮名音注「シン」については、基本的に -in で対応する。当該字に
声点はなく、和訓「トシ」の同訓異字として位置する。廣韻に拠れば、震韻（sien³）稕韻（siuen³）
二音を有する。観智院本類聚名義抄に去声点を付した同音字注「音峻・又音信」を見出すが、仮名
音注はない。日本漢音は去声を認める。

　　　濡迅 トクトシ［去平平平］／詩　　　　　　　　　　　　（図書寮本類聚名義抄／015-5）

　　　迅 音峻［去］トシ［平上］… 又音信［去］　　　　　　（観智院本類聚名義抄／佛上 045-5）

　▶番号 3021b「迅」（拷迅）の仮名音注「シム」については、異例 -im を示す。当該字には平声
点を差す。末子音の舌内撥音韻尾 -n を「ム」で対応する。熟字 3021「拷迅」は右傍「ウチ ウツ」

3-5-3　-ie 系の字音的特徴　1199

を付載する。上述の分析を参照。

　▶番号1849b「震」（地震）の仮名音注「シン」については、基本的に -in で対応する。当該字には平声点を差す。観智院本類聚名義抄に反切「之刃反」および和音「シム」を見出す。長承本蒙求には仮名音注「シゝ」があり、その掲出字に去声点を加える。日本漢音「シン」去声、日本呉音「シン」を認める。

　　震 之刃反 … フルフ［上上平］… 和シム　　　　　　　（観智院本類聚名義抄／法下 069-7）

　　震［去］シゝ　　　　　　　　　　　　　　　　　　　　　（長承本蒙求／047）

　▶番号1011a「刃」（刃傷）の仮名音注「ニン」については、基本的に -in で対応する。当該字には平声点を差す。その中古音が示す頭子音 ń-（等韻学の術語で言う日母）は硬口蓋鼻音であり、日本語のナ行音をもって受容し、中国語音韻史上における鼻音声母の非鼻音化（denasalization）を反映する場合はザ行音で対応する。日母は早くから有声摩擦音を生じていた (22) ので、非鼻音化が著しかった。観智院本類聚名義抄に反切「而振反」（その反切下字に去声点）および去声濁点を付した和音「神」さらに低平調を示す仮名音注「シン・ニン」を見出す。日本漢音は去声、日本呉音「ジン・ニン」平/去声を認める。

　　刃 而振［□去］反 ヤキハ／和音神［去濁］シン［平平］ニン［平平］

　　　　　　　　　　　　　　　　　　　　　　　　　（観智院本類聚名義抄／僧上 094-6）

　　刃 而振［□去］反 ヤキハ／和音神［去濁］シム ニン

　　　　　　　　　　　　　　　　　　　（鎮国守国神社本三寶類聚名義抄／下一 27 オ1）

　▶番号1712・1830a・1831a「陣」（陣・陣中・陣頭）の仮名音注「チン」については、基本的に -in で対応する。当該諸字三例には去声濁点を差すので、字音「ヂン」を想定する。また当該字「陣」は「陳」（眞/震韻 ḍien¹/³）の通用字として扱うことがある。番号1712「陣」は左注「諸陣」を付載する。図書寮本類聚名義抄に平声点を付した同音字注「音陳」を見出す。この平声点は「陳」自体に対する声調と考える。同書の「陳」には同音字注「音塵」および濁音表示を含む去声点「⌐」を付した和音「真云チン」がある。観智院本には同音字注「音陳」を見つけるが、仮名音注はない。日本呉音「ヂン」去声を認める。

　　陳 列也直刃切五 陳 上同見經典 陣 俗今通用 …　　　　　（宋本廣韻／震韻 ḍien³）

　　陣 音陳［平］中云詣師攏　　　　　　　　　　　　（図書寮本類聚名義抄／207-7）

　　陳 音塵 … 中云布也 音塵 … 真云チン［去□：⌐］　　（図書寮本類聚名義抄／208-2）

　　陣 音陳 ツラヌ … 本作陣　　　　　　　　　　　　（観智院本類聚名義抄／法中 046-1）

　　陳 音塵［平］ノフ［平上濁］… シク［上平］　　　（観智院本類聚名義抄／法中 046-1）

　▶番号1718a「陣」（陣座）の仮名音注「チン」については、基本的に -in で対応する。当該字に声点はない。熟字1718「陣座」は右注「チンノサ」左注「一名伏座」を付載する。上述の分析を参照。

1200 3. 仮名音注の韻母別考察 3-5 ⅢA韻類

▶番号0770b・1197b「鬢」（白鬢・蓬鬢）の仮名音注「ヒン」については、基本的に -in で対応する。両当該字には去声濁点を差すので、字音「ビン」を想定する。前田本が示す諧声符の両字形は「賓」である。中古音が示す頭子音 p-（等韻学の術語で言う唇音清幇母）は無声無気両唇閉鎖音であり、日本語のハ行音をもって受容する。バ行音で対応することは許容しがたい。同じ諧声符「賓（=賓）」を有する諸字「嬪・獱・蠙・薲」（眞韻 bjien¹）や「髕・臏」（軫韻 bjien²）等と字音の類推を起こしやすい環境にあったか。観智院本類聚名義抄に去声点を付した同音字注「音擯」〔*諧声符は賓〕および和音「鼻ン」を見出す。後者の和音を前行「俗云本音濁」の直下に挿入するよう朱筆で指示がある。宝菩提院本は同指示を反映する。定着久しい字音「ビン」があり、和音としても認識する。元和本倭名類聚抄には反切「卑各反」がある。日本漢音は去声、定着久しい字音と日本呉音「ビン」を認める。

　　　鬢〔*諧声符は賓〕音擯［去］俗云本音濁／ツラノカミ ホノカミ 和音ン

　　　　　　　　　　　　　　　　　　　　　　　（観智院本類聚名義抄／佛下本038-5）

　　　鬢〔*諧声符は賓〕音擯 俗云本音濁 和鼻ン／ツラノカミ …　　（宝菩提院本類聚名義抄／044-6）

　　　鬢〔*諧声符は賓〕音擯 ツラノカミ … 和鼻ン　　　　（天理大学本最勝王経音義／22 オ6）

　　　鬢〔*諧声符は賓〕髮 髮根附 説文云鬢 卑各反 頬髮也 …　（元和本倭名類聚抄／巻三06 ウ6）

▶番号2687b「鬢」（櫟鬢釵）の仮名音注「ヒン」については、基本的に -in で対応する。当該字には去声点を差す。前田本が示す諧声符の字形は「賓」である。熟字2687「櫟鬢釵」は左右注「カミ／カキ」を付載する。上述の分析を参照。

▶番号2008b「鬢」（龍鬢）の仮名音注「ヒン」については、基本的に -in で対応する。当該字には平声濁点を差すので、字音「ビン」を想定する。前田本が示す諧声符の字形は「賓」である。上述の分析を参照。

▶番号1062「蟒」（蟒）の仮名音注「リン」については、基本的に -in で対応する。当該字には平声点を差し、右注「同（ホタル）」を付載する。諧声符「粦」による字音把握か。観智院本類聚名義抄に音注表記はない。同書で俗字とする「獜」には反切「力珎反」を見出すが、意味が異なる。

　　　蟒 俗獜字／ホタルヒ　　　　　　　　　　　　（観智院本類聚名義抄／僧下 037-5）

　　　螢 音熒／ホタル　蟒 正　　　　　　　　　　（観智院本類聚名義抄／僧下 022-1）

　　　獜 力珎反 又零音／健犬 鏻［或：右注〕　　　（観智院本類聚名義抄／佛下本 135-7）

　　　鏻 力珎反 健　　　　　　　　　　　　　　　（観智院本類聚名義抄／佛下本 135-7）

▶番号2118a「悋」（悋惜）の仮名音注「リン」については、基本的に -in で対応する。当該字には去声点を差す。熟字2118「悋惜」は右傍「イナヒ ヲシム」を付載する。観智院本類聚名義抄に反切「力進反」（その反切下字に去声点）および低平調と推測する和音「リム」を見出す。承暦本金光明最勝王経音義には同音字注「輪音」があり、その掲出字に平声点を加える。日本漢音は去

声、日本呉音「リン」平声を認める。

悋惜　茲云カ晉 [入去] 反 … ヲシム [平平上／後：右注] …　　　　（図書寮本類聚名義抄／254-7）

悋　力進 [□去] 反 ヲシム [平平□] … 和リム [□平]　　　（観智院本類聚名義抄／法中 074-5）

悋 [平] 輪ミ／也不佐之　　　　　　　　　　　　　（承暦本金光明最勝王経音義／05 ウ 1）

▶番号2472b「藺」（馬藺）の仮名音注「リン」については、基本的に -in で対応する。当該字には去声点を差す。熟字2472「馬藺」は右注「同（カキハタ）」を付載する。図書寮本類聚名義抄に反切「良刃」および「真云」として仮名音注「リン」（その掲出字「藺」に平声点）を見出す。観智院本には去声点を付した同音字注「音丞」を見つける。石山寺一切経蔵本大般若経字抄には漢呉二音相同の同音字注「悋」がある。元和本倭名類聚抄には同音字注「吝」がある。日本漢音は去声、日本呉音「リン」平声を認める。

畢藺　良／刃 陁筏蹉 見上注 真云畢蹦陁筏蹉 [入平上上上／ヒチリンタ [└：濁点] ハシヤ]

　　　　　　　　　　　　　　　　　　　　　　　　　　（図書寮本類聚名義抄／104-4）

藺　音丞 [去] ヰ [去] ／キクサ スル [平上]　　　（観智院本類聚名義抄／僧上 017-3）

馬藺　カキツハタ [上上□□□]　　　　　　　　　（観智院本類聚名義抄／僧上 017-3）

畢藺 [悋：右傍] 陁筏嗟 …　　　　　　　　（石山寺一切経蔵本大般若経字抄／22 ウ 5）

藺　玉篇云藺 音吝和名爲辨色立成云鷺尻刺 …　　（元和本倭名類聚抄／巻二十 16 ウ 6）

《下巻　震韻諸例》

▶番号5923a「印」（印幡）の仮名音注「イン」については、基本的に -in で対応する。当該字に声点はない。熟字5923「印幡」は師篇國郡部の下総に属する。上巻の震韻当該諸例で分析したように、日本漢音は去声、日本呉音は平声を認める。

下総國 國府在葛餝郡 葛餝 加止志加 … 印幡 …　　　　　（元和本倭名類聚抄／巻五 15 ウ 1）

▶番号3957b「覲」（朝覲）の仮名音注「キン」については、基本的に -in で対応する。当該字には去声点を差す。観智院本類聚名義抄に去声点を付した同音字注「音僅」および低平調と推測する和音「後ン」を見出す。同書では和音「後ウ・後ム・後ン・後ン」があり、日本語の濁音「ゴ」を端的に示す。同書の「後」に対して濁音「✓」表記を伴う和音「コオ」で明らかになる。鎮国守国神社本三寶類聚名義抄には同音字注「音僅」および和音「後ン」がある。高山寺本三寶類字集には去声点を付した同音字注「音僅」および「又後ン」を見つける。日本漢音は去声、日本呉音「ゴン」平声を認める。

覲　音僅 [去] ミル [平上] … 和後ン [□平]　　　（観智院本類聚名義抄／佛中 081-6）

後　音后 [上] ノチ ウシロ … 和 [✓：右傍] コオ [□平] …　（観智院本類聚名義抄／佛上 038-3）

覲　音僅 ミル … 和後ン　　　　（鎮国守国神社本三寶類聚名義抄／上一 59 オ 5）

1202　3．仮名音注の韻母別考察　3-5　ⅢA韻類

觀 音慬 [去] ミル [平上] … 又後ン　　　　　　　　　　　（高山寺本三寳類字集／上 090 ウ 7）

▶番号5081b「慬」（飢慬）の仮名音注「キン」については、基本的に -in で対応する。当該字には平声点を差す。観智院本類聚名義抄に平声濁墨点を付した同音字注「觀」（その右傍に墨筆で仮名音注「キン」その左傍に墨筆で仮名音注「コン」）を見出す。同書の凡例部分「朱音者正音也 墨声者和音也」（篇目 7-6）に従えば、朱墨で正音と和音を分別する傾向があるとするが、堅守するとは限らない。日本漢音「キン」日本呉音「ゴン」平声を認める。

慬 音觀 [平濁：墨点／キン：墨右傍／コン：墨左注] ／ウフ [上平]

（観智院本類聚名義抄／僧上 110-1）

▶番号5574a・5758a「進」（進善・進退）の仮名音注「シン」については、基本的に -in で対応する。両当該字には去声点を差す。熟字5574「進善」は左注「幡名也」を付載する。上巻の震韻当該例で分析したように、日本漢音「シン」去声を認める。

▶番号5590b「進」（昇進）の仮名音注「シン」については、基本的に -in で対応する。当該字には平声濁点を差すので、日本語音韻史上の連濁による字音「ジン」を想定する。上述の分析を参照。

▶番号5630a・5753a「進」（進止・進發）の仮名音注「シン」については、基本的に -in で対応する。両当該字には平声点を差す。上述の分析を参照。

▶番号5946a・6765「進」（進士・進）の仮名音注「シン」については、基本的に -in で対応する。両当該字に声点はない。熟字5964「進士」は左注「文章生」を、番号6765「進」は右注「セウ」左注「有大小職官」を付載する。上述の分析を参照。

▶番号5857a・6832a「晉」（晉銀・晉銀）の仮名音注「シム」については、異例 -im を示す。両当該字には去声点を差す。末子音の舌内撥音韻尾 -n を「ム」で対応する。観智院本類聚名義抄に同音字注「進」を見出す。長承本蒙求には仮名音注「シゝ」三例があり、それらの掲出字に去声点を加える。日本漢音「シン」去声を認める。

晉 音進 スゝム [上上平] …　晉 正　　　　　　　　　　（観智院本類聚名義抄／佛中 089-5）

晉 [去] 口反／シゝ　　　　　　　　　　　　　　　　　（長承本蒙求／013）

晉 [去] シゝ　　　　　　　　　　　　　　　　　　　　（長承本蒙求／082・088）

▶番号5357・5669a・5670a・5780a「信」（信・信受・信心・信仰）の仮名音注「シン」については、基本的に -in で対応する。当該諸字四例には平声点を差す。番号5357「信」は右注「息晉反」中左注「忠ユメ父／字之信也」を付載する。上巻の震韻当該例で分析したように、日本漢音「シン」去声を認める。

▶番号5568a・5917a「信」（信施・信貴）の仮名音注「シン」については、基本的に -in で対応する。両当該字に声点はない。上述の分析を参照。

▶番号5916a・6357a「信」（信太・信太）の仮名音注「シ」については、異例 -i を示す。上述

の分析を参照。両当該字に声点はない。熟字5916「信太」は師篇諸社部に、熟字6357「信太」は飛篇國郡部の常陸に属する。すでに万葉集では借字「信」を日本語の音節「シ」相当として用いる諸例がある。上述の分析を参照。

　　　常陸國 國府在茨城郡 … 信太 志多 …　　　　　　　（元和本倭名類聚抄／巻五16 オ1）

　　　廬原乃 浄見乃埼乃 見穂之浦乃 寛見乍 物念毛奈信　　　　（万葉集／巻三0296 番歌）
　　　　［廬原の清見の崎の三保の浦のゆたけき見つつ物思ひもなし］

　　　朝名寸二 梶音所聞 三食津國 野嶋乃海子乃 船二四有良信　　（万葉集／巻六0934 番歌）
　　　　［朝なぎに楫の音聞こゆ御食つ国野島の海人の舟にしあるらし］

　　　此小川 白氣結 瀧至 八信井上尓 事上不為友　　　　　　（万葉集／巻七1113 番歌）
　　　　［この小川霧ぞ結べるたぎちゆく走井〔＊はしりゐ？〕の上に言挙げせねども］

　　　墓上之 木枝靡有 如聞 陳努壮士尓之 依家良信母　　　　　（万葉集／巻九1811 番歌）
　　　　［墓の上の木の枝靡けり聞きしごと茅渟壮士にし寄りにけらしも］

▶番号5926a「信」（信濃）の仮名音注「シナ」については、異例 -ina を示す。上述の分析を参照。当該字に声点はない。熟字5926「信濃」は師篇国郡部に属する。先んじて存在する地名に対して、類似する字音を宛て開音節化する。上述の分析を参照。

　　　東山國第五十四／近江 知加津阿不三 … 信濃 之奈乃 …　　（元和本倭名類聚抄／巻五09 オ1）

▶番号4174a「顋」（顋會）の仮名音注「シン」については、基本的に -in で対応する。当該字には去声点を差す。熟字4174「顋會」は右注「アタマ」を付載する。観智院本類聚名義抄に同音字注「音信」を見出すが、仮名音注はない。元和本倭名類聚抄に同音字注「音信」がある。

　　　顋 … 凶今／音信　　　　　　　　　　　　（観智院本類聚名義抄／佛下本 023-1）

　　　顋會　針灸經云顋會一云天窓 顋音信字作凶和名阿太萬 …　（元和本倭名類聚抄／巻三01 ウ8）

▶番号5471b「慎」（肅慎羽）の仮名音注「シン」については、基本的に -in で対応する。当該字には去声点を差す。熟字5471「肅慎羽」は右注「シキリハ［上上濁上平］」を付載する。図書寮本類聚名義抄に反切「視震反」（その反切下字に去声点）を見出す。観智院本には反切「視震反」および低平調を示す和音「シン」を見つける。長承本蒙求には仮名音注「シ丶」があり、その掲出字に去声点を加える。日本漢音「シン」去声、日本呉音「シン」平声を認める。

　　　謹慎 弘云視／震 ［□去］反 … 真云シン ［平平］　　　（図書寮本類聚名義抄／238-1）

　　　慎 視震反 静也 ツ丶シム ［平上上□］ … 和シン ［平平：墨点］　（観智院本類聚名義抄／法中 083-6）

　　　慎 ［去］ シ丶　　　　　　　　　　　　　　　　　（長承本蒙求／133）

▶番号5050b「慎」（謹慎）の仮名音注「シン」については、基本的に -in で対応する。当該字には平声濁点を差すので、日本語音韻史上の連濁による字音「ジン」を想定する。上述の分析を参照。

▶番号6478b「訊」（問訊）の仮名音注「シム」については、異例 -im を示す。当該字には平声

1204　3．仮名音注の韻母別考察　3-5　ⅢA韻類

濁点を差すので、日本語音韻史上の連濁による字音「ジム」を想定する。末子音の舌内撥音韻尾 -n を「ム」で対応する。熟字6478「問訊」は右傍「トヒ　トフ」を付載する。上巻の震韻当該例で分析したように、日本漢音は去声、日本呉音は平声を認める。

▶番号4106a「藎」（藎草）の仮名音注「シン」については、基本的に -in で対応する。当該字には去声点を差す。熟字4106「藎地」は右注「アシキ［上上上］」を付載する。観智院本類聚名義抄に同音字注「音燼」を見出すが、仮名音注はない。元和本倭名類聚抄には反切「疾胤反」がある。

　　　藎草　音燼 スヽ、ム［上上□］…　一云アシキ［上上上］　　　　　（観智院本類聚名義抄／僧上004-3）

　　　藎草　本草云藎草 上音疾胤反和名加木奈一云阿之井　　　　　（元和本倭名類聚抄／巻二十07 ウ 7）

▶番号5838a「震」（震動）仮名音注「シン」については、基本的に -in で対応する。当該字には平声点を差す。上巻の震韻当該例で分析したように、日本漢音「シン」去声、日本呉音「シン」を認める。

▶番号6444「燼」（燼）の仮名音注「シン」については、基本的に -in で対応する。当該字には去声点を差し、右注「モエクヒ」左注「火餘木也」を付載する。観智院本類聚名義抄に同音字注「音晉」を見出すが、仮名音注はない。元和本倭名類聚抄には同音字注「音晉」がある。

　　　燼　音晉 モエクヒ［上上平平］…　　　　　　　　　（観智院本類聚名義抄／佛下末041-3）

　　　燼　左傳注云燼 音晉和名毛江久比 火餘木也　　　　（元和本倭名類聚抄／巻十二13 オ 3）

▶番号5484「伣」（伣）の仮名音注「シム」については、異例 -im を示す。当該字には上声濁点を差すので、字音「ジム」を想定する。末子音の舌内撥音韻尾 -n を「ム」で対応する。また中注「云遠路也」左注「七尺曰伣」を付載する。観智院本類聚名義抄に去声濁点を付した同音字注「音刃」（その右傍に朱筆で仮名音注「シム」）を見出す。日本漢音「ジン」去声を認める。

　　　伣　音刃［去濁／シム：朱右傍］一尋也 七尺也 八尺也 ヒロ…　（観智院本類聚名義抄／佛上012-7）

▶番号6115「鬢」（鬢）の仮名音注「ヒン」については、基本的に -in で対応する。当該字には去声濁点を差すので、字音「ビン」を想定する。また右注「ヒタヒカミ」中注「在奴部」左注「又ヌカヽミ」を付載する。前田本が示す諧声符の字形は「賓」である。上巻の震韻当該諸例で分析したように、日本漢音は去声、定着久しい字音と日本呉音「ビン」を認める。

▶番号6343a「鬢」（鬢毛）の仮名音注「ヒン」については、基本的に -in で対応する。当該字には去声点を差す。前田本が示す諧声符の字形は「賓」である。上述の分析を参照。

▶番号6287a「擯」（擯出）の仮名音注「ヒツ」については、異例 -it を示す。当該字には平声点を差す。前田本が示す諧声符の字形は「賓」である。仮名音注は「ヒン」の誤認であろう。熟字6287「擯出」は右傍「ヒキテ　イタス」左注「ヒツシユツ」を付載する。観智院本類聚名義抄に同音字注「音鬢」〔*諧声符は賓〕および低平調と推測する和音「ヒム」を見出す。承暦本金光明最勝王経音義には仮名音注「ヒˇ音」がある。日本呉音「ヒン」平声を認める。

　　　擯〔*諧声符は賓〕擯正 音鬢 … ヒク … 和ヒム ［□平］　　（観智院本類聚名義抄／佛下本046-8）

3-5-3 -ie系の字音的特徴 1205

擯〔＊諧声符は賓〕〔ヒ＼六：右傍〕〔＊後筆墨書〕　　　（承暦本金光明最勝王経音義／10ウ3）

▶番号5728b「躙」（踐躙）の仮名音注「リン」については、基本的に -in で対応する。当該字には平声点を差す。熟字5728「踐躙」は右傍「フミニシル」を付載する。図書寮本類聚名義抄に同音字注「下音与藺同」を見出す。観智院本には同音字注「音藺」を見つけるが、仮名音注はない。

踐躙 … 下音与藺同 踐躙トフミニシテ［□上平平平濁上／異：右注］　（図書寮本類聚名義抄／114-4）

蹸躙 音藺 ニシル／フミニシル　　　　　　　　　　　　（観智院本類聚名義抄／法上075-3）

踐躙 トフミニシル［□上平□□□］　　　　　　　　　（観智院本類聚名義抄／法上075-3）

《上巻 質韻諸例》

▶番号3132b「乙」（甲乙）の仮名音注「ヲツ」については、基本的に -ot で対応する。当該字に声点はない。観智院本類聚名義抄に反切「猗室反」を見出すが、仮名音注はない。

乙 猗室反 キノト／ヲハル　　　　　　　　　　　　　（観智院本類聚名義抄／佛下末013-3）

▶番号0268a・0286a・0308a「一」（一門・一期・一諾）の仮名音注「イチ」については、基本的に -it で対応する。当該諸字三例には入声点を差す。番号0308aの仮名音注「イチ」は破損をしており、推定の域を出ない。観智院本類聚名義抄に入声点を付した「音壹」を見出すが、仮名音注はない。長承本蒙求は掲出字「一」四例に入声点を加える。字形として当然ながら上下に幅がないため、入声点か徳声点か判然としない場合もある。日本漢音は入声を認める。

一 音壹［入］ヒトツ ヒトリ … 古弌 サウ　　　　　　（観智院本類聚名義抄／佛上073-8）

一［入］　　　　　　　　　（長承本蒙求／007・012・028・037・139）

▶番号0387a・0388a「一」（一臈・一勞）の仮名音注「イチ」については、基本的に -it で対応する。両当該字に声点はない。熟字0387「一臈」は左注「用外記」を、熟字0388「一勞」は左注「用上日所」付載する。上述の分析を参照。

▶番号0335a「一」（一切）の仮名音注「イ」については、異例 -i を示す。当該字には入声点を差す。熟字0335「一切」は右注「イセツ」仮名音注を付載する。これは「イツセツ」の促音無表記による字音把握である。上述の分析を参照。

一切 アマネシ　　　　　　　　　　　　　　　　　　（観智院本類聚名義抄／佛上074-1）

▶番号0237a・0254a・0258a・0267a・0330a・0336a・0345a「一」（一旦・一人・一割・一族・一盞・一渧・一舉）の仮名音注「イツ」については、基本的に -it で対応する。当該諸字七例には入声点を差す。これらの幾つかは促音化していた可能性がある。熟字0345「一舉」は左注「靍一挙千里以」を付載する。上述の分析を参照。

▶番号0191a・0192a「一」（一攃・一匝）の仮名音注「イツ」については、基本的に -it で対応する。両当該字に声点はない。これらは促音化していた可能性がある。上述の分析を参照。

1206　3．仮名音注の韻母別考察　3-5　ⅢA韻類

▶番号0334a「壹」（壹爵）の仮名音注「イチ」については、基本的に *-it* で対応する。当該例には入声点を差す。熟字0334「壹爵」は右傍「イキトヲル」を付載する。図書寮本類聚名義抄に同音字注「音一」を見出す。観智院本には同音字注「音一」二例を見つける。長承本蒙求に仮名音注「イチ」があり、その掲出字に徳声点を加える。日本漢音「イチ」徳声（四声体系では入声）を認める。

　　　壹 益云 音一／ヒトタヒ［平平上平濁／詩：右注］　　　　　　　　（図書寮本類聚名義抄／129-4）
　　　壹 音一／ヒトタヒ［上平上□］　　　　　　　　　　　　　　　　（観智院本類聚名義抄／法上096-2）
　　　壹 ヒトツ［上上□］　　　　　　　　　　　　　　　　　　　　　（観智院本類聚名義抄／法上096-2）
　　　壹 … 音一 専／ヒトツ［平平□］　　　　　　　　　　　　　　　（観智院本類聚名義抄／僧下088-1）
　　　壹［徳］イチ　　　　　　　　　　　　　　　　　　　　　　　　　　（長承本蒙求／071）

▶番号0152a・0187a「壹」（壹越調・壹腰鼓）の仮名音注「イチ」については、基本的に *-it* で対応する。両当該字に声点はない。上述の分析を参照。

　　　壹越調曲 … 壹弄樂 弄實如郎下皆同 …　　　　　　　　　　　（元和本倭名類聚抄／巻四14 オ2）
　　　腰鼓　唐令云高麗伎一部横笛腰鼓各一 腰鼓俗云三乃豆々美
　　　　本朝令云腰鼓師一人 腰鼓讀久禮豆々美今呉樂所用是也　　　（元和本倭名類聚抄／巻四14 オ4）

▶番号0153a・0156a「壹」（壹弄樂・壹德塩）の仮名音注「イツ」については、基本的に *-it* で対応する。両当該字に声点はない。上述の分析を参照。

　　　沙陁調曲　案摩 有囀 … 壹弄德鹽 …　　　　　　　　　　　（元和本倭名類聚抄／巻四15 オ2）

▶番号0357a「壹」（壹志）の仮名音注「イキ［上上］」については、異例 *-ik* を示す。当該字に声点はなく、その仮名音注に高平調の差声を施す。熟字0357「壹志」は右傍「イキシ［上上上］」を付載し、伊篇国郡部の伊勢に属する。仮名字形の相似による「イチシ」の誤認であろう。元和本倭名類聚抄には借字による「伊知之」がある。上述の分析を参照。

　　　伊勢國 國府在鈴鹿郡 … 壹志 伊知之 …　　　　　　　　　　（元和本倭名類聚抄／巻五12 オ9）

▶番号0398a「壹」（壹岐）の仮名音注「イ」については、異例 *-i* を示す。当該字に声点はない。熟字0398「壹岐」は左注「已上直」を付載し、伊篇姓氏部に属する。地名ではあるが、元和本倭名類聚抄には借字による「由岐」がある。上述の分析を参照。

　　　西海國第五十九／… 壹岐島 由岐 對馬島 都之萬　　　　　　（元和本倭名類聚抄／巻五10 オ5）

▶番号0271a・0272a「逸」（逸物・逸物）の仮名音注「イチ」については、基本的に *-it* で対応する。両当該字には入声点を差す。熟字0271・0172「逸物」は右注「イチフツ人也」左注「イチモツ馬也」を付載する。観智院本類聚名義抄に反切「与質反」（その反切下字に入声点）および和音「イチ」を見出す。長承本蒙求には仮名音注「イチ」（平安時代中期の朱加点／院政期長承三年の墨加点）があり、その掲出字に徳声点を加える。日本漢音「イチ」徳声（四声体系では入声）日本呉音「イチ」を認める。

3-5-3　-ie 系の字音的特徴　1207

逸 与質［□入］反／ヤスシ［平平上］… 和イチ　　　　（観智院本類聚名義抄／佛上 049-8）

逸 正　　　　　　　　　　　　　　　　　　　　　　（観智院本類聚名義抄／佛上 050-1）

逸［徳］イ、〔＊イチ〕／イチ　　　　　　　　　　　　　（長承本蒙求／039）

▶番号 0341a「逸」（逸才）の仮名音注「イツ」については、基本的に -it で対応する。当該字
には入声点を差す。上述の分析を参照。

▶番号 0772b「逸」（放逸）の仮名音注「イツ」については、基本的に -it で対応する。当該字
には入声点を差す。熟字 0772「放逸」は右傍「ホシ マ〻」を付載する。上述の分析を参照。

▶番号 0269b「逸」（隠逸）の仮名音注「イツ」については、基本的に -it で対応する。当該字
に声点はない。上述の分析を参照。

▶番号 0887b「佾」（八佾）の仮名音注「イツ」については、基本的に -it で対応する。当該字
には入声点を差す。前田本の掲出字形「イ＋脊」を「佾」に修正する。熟字 0887「八佾」は周代の
舞楽の制で舞人の縦横八列を指す。観智院本類聚名義抄に入声点を付した同音字注「音逸」を見出
すが、仮名音注はない。

佾 音逸［入］列也　　　　　　　　　　　　　　　　（観智院本類聚名義抄／佛上 020-6）

イ＋脊 アヤマツ［平平□□］／ツラヌ ツラ　　　　　　（観智院本類聚名義抄／佛上 020-6）

▶番号 0154a「溢」（溢金樂）の仮名音注「イツ」については、基本的に -it で対応する。当該
字に声点はない。図書寮本類聚名義抄に入声点を付した同音字注「音宋摺本法花奥云逸」および「真
云イチ」を見出す。観智院本には入声点を付した同音字注「音逸」を見つける。承暦本金光明最勝
王経音義には同音字注「一音」があり、その掲出字に入声点を加える。日本漢音は入声、日本呉音
「イチ」入声を認める。

瀲溢 … 下音宋摺本法花奥云逸［入］… 真云イチ　　　（図書寮本類聚名義抄／047-5）

溢 今 音逸［入］アフル［上上濁平］…　　　　　　　　（観智院本類聚名義抄／法上 003-6）

溢［入］一音／太〻不　　　　　　　　　　　　　　（承暦本金光明最勝王経音義／05 ウ 1）

壹越調曲 … 溢金樂 一云承和樂 … 承和樂 壹團樂 …　（元和本倭名類聚抄／巻四 14 オ 7）

▶番号 0275b「泆」（姪泆）の仮名音注「シチ」については、基本的に -it で対応する。当該字
には入声点を差す。諧声符「失」（質韻 śiet）による字音の把握である。図書寮本類聚名義抄に反
切「广云与一反」（その反切下字に入声点）を見出す。観智院本には反切「餘質反」（その反切下
字に入声濁点）を見出すが、仮名音注はない。日本漢音は入声を認める。

泆 广云与一［□入］反 水所蕩泆也／今作溢　　　　　（図書寮本類聚名義抄／047-4）

泆 餘質［平入濁］反／トラカス　　　　　　　　　　（観智院本類聚名義抄／法上 016-3）

▶番号 0396b「吉」（伊吉）の仮名音注「キ」については、異例 -i を示す。当該字に声点はな
い。その中古音は重紐甲類（質韻 kjiet）を示し、万葉集ではキ甲類仮名として頻用する。熟字 0396
「伊吉」は伊籥姓氏部に属する。観智院本類聚名義抄に反切「居實反」および和音「キチ」を見出

1208　3．仮名音注の韻母別考察　3-5　ⅢA韻類

す。日本呉音「キチ」を認める。

　　　吉 居實反 … ヨシ［平上］朔日吉 和キチ　　　　　　　　　（観智院本類聚名義抄／佛中 047-7）

▶番号 2980b「漆」（膠漆）の仮名音注「シツ」については、基本的に -it で対応する。当該字には入声点を差す。図書寮本類聚名義抄に德声点を付した同音字注「类云七音」を見つける。観智院本には同音字注「音七」を見出すが、仮名音注はない。元和本倭名類聚抄には同音字注「音七」がある。日本漢音は德声（四声体系では入声）を認める。

　　　漆 类云七［德］音 … 禾、 宇流之［上上上］…　　　　　　（図書寮本類聚名義抄／029-4）

　　　漆 音七 水名 ウルシ［上上□］／クロシ ヌル　　　　　　（観智院本類聚名義抄／法上 026-8）

　　　膠 野王案膠 音交和名爾加波 …　　　　　　　　　　　　（元和本倭名類聚抄／巻十五 14 オ 6）

　　　漆 野王案曰漆 音七宇流之 木汁可以塗物也　　　　　　　（元和本倭名類聚抄／巻十五 14 オ 9）

▶番号 0507a「蔊」（蔊蔜）の仮名音注「シツ」については、基本的に -it で対応する。当該字には入声点を差す。熟字 0507「蔊蔜」は右注「ハマヒシ」を付載する。観智院本類聚名義抄に入声点を付した同音字注「疾」を見出すが、仮名音注はない。元和本倭名類聚抄には同音字注「疾」がある。

　　　蔊蔜 疾梨［入平］二音 ハマヒシ［平平平濁平］／ムハラ　（観智院本類聚名義抄／僧上 041-8）

　　　蔊蔜 本草云蔊蔜 疾梨二音和名波萬比之　　　　　　　　（元和本倭名類聚抄／巻二十 05 ウ 9）

▶番号 0778b「膝」（抱膝）の仮名音注「シツ」については、基本的に -it で対応する。当該字には入声点を差す。観智院本類聚名義抄に同音字注「音悉」を見出すが、仮名音注はない。石山寺一切経蔵本大般若経字抄には漢呉二音相同の同音字注「音七」がある。元和本倭名類聚抄には同音字注「音悉」を見つける。

　　　膝 音悉 ヒサ［上上濁］…　　　　　　　　　　　　　　（観智院本類聚名義抄／佛中 123-2）

　　　膝［音七：右傍］　　　　　　　　　　　　　　　　　（石山寺一切経蔵本大般若経字抄／02 ウ 6）

　　　膝 野王案膝 音悉比佐 脛頭也　　　　　　　　　　　　（元和本倭名類聚抄／巻三 14 オ 3）

▶番号 1928b「質」（置質）の仮名音注「シチ」については、基本的に -it で対応する。当該字には入声点を差す。観智院本類聚名義抄に反切「之日反」（その反切下字に入声濁点）および低平調を示す和音「セチ」を見出す。長承本蒙求には仮名音注「シチ」があり、その掲出字に德声点を加える。日本漢音「シチ」德声（四声体系では入声）日本呉音「セチ」を認める。

　　　質 之日［□入濁］反 和セチ［平平］ミ［上］… 又音致　（観智院本類聚名義抄／佛下本 019-3）

　　　質 之日反 和セチ ミ … 又音致　　　　　　　　　　　（宝菩提院本類聚名義抄／025-7）

　　　質［德］シチ　　　　　　　　　　　　　　　　　　　　（長承本蒙求／135）

▶番号 3300「叱」（叱）の仮名音注「シツ」については、基本的に -it で対応する。当該字には入声点を差し、右注「イサフ」左注「制止也」を付載する。観智院本類聚名義抄に入声点を付した同音字注「音七」を見出す。長承本蒙求には仮名音注「シツ」があり、その掲出字に德声点を加え

る。承暦本金光明最勝王経音義には同音字注「七音」があり、その掲出字に入声点を加える。石山
寺一切経蔵本大般若経字抄には漢呉二音相同の同音字注「音七」を見つける。日本漢音「シツ」徳
声（四声体系では入声）日本呉音は入声を認める。

　　叱 音七［入］イサム［平平□／□□フ［上］：墨右傍］…　　　　　（観智院本類聚名義抄／佛中 029-7）

　　叱［徳］シツ　　　　　　　　　　　　　　　　　　　　　　　　　　　（長承本蒙求／121）

　　叱［入］七ミ　　　　　　　　　　　　　　　（承暦本金光明最勝王経音義／09 オ 4）

　　叱［音七：右傍］イサフ　　　　　　　（石山寺一切経蔵本大般若経字抄／19 ウ 3）

　▶番号 3059b「實」（髙實）の仮名音注「シチ」については、基本的に -it で対応する。当該字
には入声点を差す。その中古音が示す頭子音 dź-（等韻学の術語で言う歯音濁船母）は有声後部歯
茎破擦音であり、日本語のザ行音をもって受容するが、中国語音韻史上における濁音声母の無声化
を反映する場合はサ行音で対応する。観智院本類聚名義抄に反切「時質反」および和音「シチ」（そ
の右傍に朱筆で濁音「✓」表記）を見出す。長承本蒙求には仮名音注「シツ」があり、その掲出字
に入声点を加える。日本漢音「シツ」入声、日本呉音「ジチ」を認める。

　　實 時質反 マサ マ┐…和シチ［✓□：朱右傍］　　　　（観智院本類聚名義抄／法下 053-7）

　　實［入］シツ　　　　　　　　　　　　　　　　　　　　　　　　　　　（長承本蒙求／144）

　▶番号 1678b「失」（得失）の仮名音注「シチ」については、基本的に -it で対応する。当該字
には入声点を差す。観智院本類聚名義抄に同音字注「音質」を見出す。長承本蒙求には仮名音注「シ
チ」があり、その掲出字に徳声点を加える。日本漢音「シチ」徳声（四声体系では入声）を認める。

　　失 音質 ウス［上平］ウシナフ［上上平□］…　　　　（観智院本類聚名義抄／佛下末 035-4）

　　失［徳］シチ　　　　　　　　　　　　　　　　　　　　　　　　　　　（長承本蒙求／122）

　▶番号 0451b「失」（漏失）の仮名音注「シツ」については、基本的に -it で対応する。当該字
には入声点を差す。上述の分析を参照。

　▶番号 0787b・0995b「室」（房室・入室）の仮名音注「シツ」については、基本的に -it で対
応する。両当該字には入声点を差す。観智院本類聚名義抄に徳声点を付した同音字注「音七」を見
出す。長承本蒙求には仮名音注「シツ」三例があり、それらの掲出字二例に徳声点を加える。日本
漢音「シツ」徳声（四声体系では入声）を認める。

　　室 音七［徳］ムロ［平平］… サヤ［平上］　　　　　　（観智院本類聚名義抄／法下 052-4）

　　室［＊右下隅欠］シツ　　　　　　　　　　　　　　　　　　　　　　　（長承本蒙求／057）

　　室［徳］シツ　　　　　　　　　　　　　　　　（長承本蒙求／066・076）

　▶番号 0281b「日」（幼日）の仮名音注「シチ」については、基本的に -it で対応する。当該字
には入声濁点を差すので、字音「ジチ」を想定する。観智院本類聚名義抄に反切「人一反」および
和音「ニチ」を見出す。長承本蒙求には仮名音注「シチ」三例があり、それらの掲出字に徳声加濁
点と徳声点を加える。日本漢音「ジチ」徳声（四声体系では入声）日本呉音「ニチ」を認める。

1210 3. 仮名音注の韻母別考察 3-5 ⅢA韻類

　　日 人一反 ヒ［平］… 古而職音 … 和ニチ　　　　　　　　　（観智院本類聚名義抄／佛中085-6）

　　日 人一反 ヒ … 古而職反 ヤスシ 和ニチ　　　　　　　　（鎮国守国神社本三寶類聚名義抄／上一61 オ5）

　　日 一人反 古而職反／ヒ …　　　　　　　　　　　　　　　（天理大学本最勝王経音義／17 オ5）

　　日 ［徳／徳：加濁］シチ　　　　　　　　　　　　　　　　　（長承本蒙求／013）

　　日 ［徳］シチ〔＊平安時代中期の朱筆加点〕　　　　　　　　（長承本蒙求／025）

　　日 ［徳］シチ　　　　　　　　　　　　　　　　　　　　　　（長承本蒙求／029）

　▶番号0724b・1368b「日」（白日・并日）の仮名音注「シツ」については、基本的に -it で対応する。両当該字には入声濁点を差すので、字音「ジツ」を想定する。熟字1368「并日」は右傍「アハス ヒヲ」を付載する。上述の分析を参照。

　▶番号1798b・2367b「日」（遅日・往日）の仮名音注「シツ」については、基本的に -it で対応する。両当該字には入声点を差す。上述の分析を参照。

　▶番号0989a・0990a・0999a・1010a「日」（日没・日中・日勞・日食）の仮名音注「ニチ」については、基本的に -it で対応する。当該諸字四例には入声点を差す。熟字0989「日没」は右注「天部日入也」を付載する。上述の分析を参照。

　▶番号0998a「日」（日給）の仮名音注「ニツ」については、基本的に -it で対応する。当該字には入声点を差す。熟字0998「日給」は「ニチキフ」の促音化による仮名音注「ニツキフ」を示す。上述の分析を参照。

　▶番号0988a・0988b「日」（日ゞ・日ゞ）仮名音注「ニチ」については、基本的に -it で対応する。両当該字に声点はない。上述の分析を参照。

　▶番号1891a「昵」（昵近）の仮名音注「チツ」については、基本的に -it で対応する。当該字には入声濁点を差すので、字音「ヂツ」を想定する。観智院本類聚名義抄・鎮国守国神社本三寶類聚名義抄に反切「尼栗反」を見出すが、仮名音注はない。

　　昵 尼栗反 シタシ ［平平濁□］…　　　　　　　　　　　　（観智院本類聚名義抄／佛中091-4）

　　昵 尼栗反 シタシ／チカヅク ムツマシ　　　　　　　（鎮国守国神社本三寶類聚名義抄／上一63 ウ1）

　▶番号1194b・1880a「秩」（品秩・秩滿）の仮名音注「チゞ」については、基本的に -it で対応する。両当該字には入声濁点を差すので、字音「ヂゞ」を想定する。その中古音が示す頭子音 ḍ-（等韻学の術語で言う舌音濁澄母）は有声反り舌閉鎖音であり、日本語のダ行音をもって受容するが、中国語音韻史上における濁音声母の無声化を反映する場合はタ行音で対応する。観智院本類聚名義抄に入声濁点を付した同音字注「音袟」を見出すが、仮名音注はない。日本漢音は入声を認める。

　　秩 音袟 ［入濁］… ノリ ホトツキ …　　　　　　　　　　（観智院本類聚名義抄／法下012-8）

　▶番号1749「秩」（秩）の仮名音注「チツ［平濁平］」については、基本的に -it で対応する。当該字に声点はなく、その仮名音注に濁音を含んだ低平調の差声を施すので、字音「ヂツ」を想定

する。また左注「云年也」を付載する。上述の分析を参照。

　▶番号1781「帙」（帙）の仮名音注「チキ」〔＊チツの誤認か〕については、異例 -ik を示す。当該字には入声点を差し、左注「又乍疾衣」を付載する。観智院本類聚名義抄に反切「除栗反」を見出すが、仮名音注はない。元和本倭名類聚抄には反切「直質反」がある。

　　帙　除栗反 書衣／ツ丶ム　或 裹夫［下：墨右注］　　　　（観智院本類聚名義抄／法中 105-7）

　　帙　四聲字苑云帙直質反字亦作褋所以裏書也 …　　　（元和本倭名類聚抄／巻十三 10 オ 3）

　▶番号2975b「畢」（勘畢）の仮名音注「ヒツ」〔＊ヒツ←ヒツ〕については、基本的に -it で対応する。観智院本類聚名義抄に入声点を付した同音字注「必」を見出す。長承本蒙求には仮名音注「ヒチ」があり、その掲出字に徳声点を加える。また仮名音注「ヒツ」も見つかる。日本漢音「ヒチ・ヒツ」徳声（四声体系では入声）を認める。

　　畢 … 音必［入］… ツキヌ［上口上］…　　　　　（観智院本類聚名義抄／佛上 081-7）

　　畢［徳］ヒチ　　　　　　　　　　　　　　　　　（長承本蒙求／051）

　　畢［ヒツ：右傍］イ本〔＊同字は下欄外にあり〕　　　（長承本蒙求／089）

　▶番号3185「華」（華）の仮名音注「ヒツ」については、基本的に -it で対応する。当該字に声点はなく、右注「同（ヨモキ）」を付載する。観智院本類聚名義抄に同音字注「必」を見出すが、仮名音注はない。元和本倭名類聚抄には同音字注「畢」がある。

　　華菝 必發二音 … 上コケ／ヨモキ　　　　　　　（観智院本類聚名義抄／僧上 047-2）

　　蓬　兼名苑云蓬一名華 艾也蓬華二音逢畢和名與毛木 …　（元和本倭名類聚抄／巻二十 13 オ 4）

　▶番号1182b「弼」（輔弼）の仮名音注「ヒツ」については、基本的に -it で対応する。当該字には入声点を差す。観智院本類聚名義抄に反切「平筆反」を見出すが、仮名音注はない。

　　弼 平筆反／タスク［平平上］　　　　　　　　　（観智院本類聚名義抄／僧中 024-8）

　▶番号2412b「慄」（惨慄）の仮名音注「リツ」については、基本的に -it で対応する。当該字には入声点を差す。熟字2412「惨慄」は右注「ワヒシ」を付載する。図書寮本類聚名義抄に入声点を付した同音字注「音栗」と反切「慈云力質反」および低平調と推測する仮名音注「真云リチ」を見つける。観智院本には同音字注「栗」を見出す。日本呉音「リチ」を認める。

　　慄慄 宋法花云音聳栗［上入］…下慈云力質反 … 真云リチ［□平］…（図書寮本類聚名義抄／245-2）

　　慄 オソル ヲノ丶ク／音栗 オツ／ワナ丶ク　　　（観智院本類聚名義抄／法中 076-4）

《下巻 質韻諸例》

　▶番号6727b「一」（専一）の仮名音注「イツ」については、基本的に -it で対応する。当該字に声点はない。上巻の質韻当該諸例で分析したように、日本漢音は入声を認める。

　▶番号5324a「逸」（逸才）の仮名音注「イツ」については、基本的に -it で対応する。当該字

1212　3．仮名音注の韻母別考察　3-5　ⅢA韻類

に声点はない。上巻の質韻当該諸例で分析したように、日本漢音「イチ」徳声（四声体系では入声）
日本呉音「イチ」を認める。

　▶番号5032a・5155・5206a「吉」（吉祥・吉甫・吉上）の仮名音注「キツ」については、基
本的に -it で対応する。当該諸字三例に声点はない。熟字5155「吉甫」は左注「賢人名也」を、熟
字5206「吉上」は左注「在六衛府」を付載する。上巻の質韻当該例で分析したように、日本呉音
「キチ」を認める。

　▶番号5208a「吉」（吉備）の仮名音注「キ」については、異例 -i を示す。当該字に声点はな
い。その中古音は重紐甲類（質韻 kjiet）を示し、万葉集ではキ甲類仮名として頻用する。熟字5208
「吉備」は木篇姓氏部に属する。上述の分析を参照。

　▶番号6811a「蛣」（蛣蝸）の仮名音注「キツ」については、基本的に -it で対応する。当該字
に声点はない。熟字6811「蛣蝸」は右注「同（スクモムシ）」を付載する。観智院本類聚名義抄に
同音字注「吉」を見出すが、仮名音注はない。元和本倭名類聚抄には同音字注「吉」がある。

　　蛣蜣 同訓 クソムシ／イヒホムシリ　　　　　　　　　（観智院本類聚名義抄／僧下 018-2）

　　蛣蝸 吉屈二音 訓同〔＊スクモムシ［上上上上平］〕下又屈字　（観智院本類聚名義抄／僧下 022-7）

　　蠐螬 本草云蟠蠐 齊曹二音 一名蛣蝸 吉屈二音和名須久毛無之 …

　　　　　　　　　　　　　　　　　　　　　　　　　　　（元和本倭名類聚抄／巻十九21 オ2）

　▶番号3439b・5480b「漆」（金漆・朱漆）の仮名音注「シチ」については、基本的に -it で対
応する。両当該字に声点はない。上巻の質韻当該例で分析したように、日本漢音は徳声（四声体系
では入声）を認める。

　　金漆 開元式云臺州有金漆樹 金漆和名古之阿布良　　　（元和本倭名類聚抄／巻十五14 ウ3）

　　朱漆 荊州記云金銀朱漆之器　　　　　　　　　　　　（元和本倭名類聚抄／巻十五14 ウ2）

　▶番号3341b「漆」（金漆樹）の仮名音注「シツ」については、基本的に -it で対応する。当該
字には入声点を差す。熟字3341「金漆樹」は右注「コシアフラノキ」左注「コムシツ俗」を付載す
る。上述の分析を参照。

　　金漆樹 楊氏漢語抄云金漆樹 許師阿夫良能紀　　　　　（元和本倭名類聚抄／巻二十29 オ3）

　▶番号5779a「嫉」（嫉妬）の仮名音注「シツ」については、基本的に -it で対応する。当該字
には入声点を差す。熟字5779「嫉妬」は右傍「ウラヤミ ネタム」を付載する。観智院本類聚名義
抄に入声点を付した同音字注「音疾・又音自」を見出すが、仮名音注はない。日本漢音は入声を認
める。

　　嫉 音疾［入］ネタム［平平□］… ウラヤム … 又音自　（観智院本類聚名義抄／佛中 013-1）

　　嫉 音疾 ネタム … ウラム／又音自 …　　　　（鎮国守国神社本三實類聚名義抄／上一28 オ1）

　▶番号5572a・5835a「悉」（悉曇・悉悅）の仮名音注「シツ」については、基本的に -it で対
応する。両当該字には入声点を差す。図書寮本類聚名義抄に徳声点を付した同音字注「音膝」を見

つける。観智院本に音注表記はない。日本漢音は徳声（四声体系では入声）を認める。

　　悉　音媵［徳］…コト、、ク［上上平平濁平／記：右注］　　　　　　（図書寮本類聚名義抄／258-3）

　　悉　コト、、ク［上上□□□］／ツクス…　　　　　　　　　　（観智院本類聚名義抄／法中 098-6）

　▶番号6121「膝」（膝）の仮名音注「シツ」については、基本的に -it で対応する。当該字には入声点を差し、右注「ヒサ」を付載する。上巻の質韻当該例で分析した。

　▶番号4874a「蟋」（蟋蟀）の仮名音注「シツ」については、基本的に -it で対応する。当該字には入声点を差す。熟字4874「蟋蟀」は右注「同（キリ、、ス）〔＊蹯字「く」の字形〕」左注「居壁［ヘキ：右傍］」を付載する。観智院本類聚名義抄に同音字注「悉」を見出すが、仮名音注はない。元和本倭名類聚抄には同音字注「悉」がある。

　　蟋蟀　悉率二音 キリ、、ス［上上□□□］／上又音瑟 俗…　　（観智院本類聚名義抄／僧下 027-4）

　　蟋蟀　兼名苑云蟋蟀 悉率二音 … 和名木里木里須　　　　　　（元和本倭名類聚抄／巻十九 19 ウ 5）

　▶番号5781a「質」（質直）の仮名音注「シチ」については、基本的に -it で対応する。当該字には入声点を差す。当該字には入声点を差す。上巻の質韻当該例で分析したように、日本漢音「シチ」徳声（四声体系では入声）日本呉音「セチ」を認める。

　▶番号5363・5821a・6796b・6946b「質」（質・質券・犂質・犂質）の仮名音注「シチ」については、基本的に -it で対応する。当該諸字四例に声点はない。番号5363「質」は左注「質物 質券」を付載する。上述の分析を参照。

　▶番号5634a「質」（質朴）の仮名音注「シツ」については、基本的に -it で対応する。当該字に声点はない。熟字5634「質朴」は右傍「スナヲナリ」を付載する。上述の分析を参照。

　▶番号5490「叱」（叱）の仮名音注「シツ」については、基本的に -it で対応する。当該字に声点はなく、左右注「催牛／詞也」を付載する。上巻の質韻当該例で分析したように、日本漢音「シツ」徳声（四声体系では入声）日本呉音は入声を認める。

　▶番号5593a「實」（實撿）の仮名音注「シチ」については、基本的に -it で対応する。当該字には入声濁点を差すので、字音「ジチ」を想定する。上巻の質韻当該例で分析したように、日本漢音「シツ」入声、日本呉音「ジチ」を認める。

　▶番号3624b「實」（故實）の仮名音注「シチ」については、基本的に -it で対応する。当該字には入声点を差す。上述の分析を参照。

　▶番号4116b・5636b「實」（鴽實・眞實）の仮名音注「シチ」については、基本的に -it で対応する。両当該字に声点はない。熟字4116「鴽實」は左注「藥名也」を付載する。上述の分析を参照。

　　鴽實　漢語抄云鴽實 俗云阿字之智一云宇久比須乃岐乃美今案所出未詳

　　　　　　　　　　　　　　　　　　　　　　　（元和本倭名類聚抄／巻十七 09 オ 3）

　▶番号5723a「實」（實否）の仮名音注「シツ」については、基本的に -it で対応する。当該字

1214　3．仮名音注の韻母別考察　3-5　ⅢA韻類

には入声濁点を差すので、字音「ジツ」を想定する。現行多くの漢和辞典は日本漢音「シツ」慣用音「ジツ」を掲げる。上述の分析を参照。

▶番号5871b「實」（朱實）の仮名音注「シツ」については、基本的に -it で対応する。当該字には入声点を差す。上述の分析を参照。

▶番号5662a「失」（失礼）の仮名音注「シチ」については、基本的に -it で対応する。当該字には入声点を差す。上巻の質韻当該諸例で分析したように、日本漢音「シチ」徳声（四声体系では入声）を認める。

▶番号5661a・6124a「失」（失誤・失聲）の仮名音注「シツ」については、基本的に -it で対応する。両当該字には入声点を差す。熟字6124「失聲」は右注「ヒコヱ」を付載する。上述の分析を参照。

失聲 嘶咽附 食療經云食熱膩物勿飲酢漿失聲嘶咽 師說失聲比古惠嘶咽古路々久

（元和本倭名類聚抄／巻三 18 ウ 4）

▶番号3712b・5663a「失」（言失・失錯）の仮名音注「シツ」については、基本的に -it で対応する。両当該字に声点はない。上述の分析を参照。

▶番号6021「日」（日）の仮名音注「シツ」については、基本的に -it で対応する。当該字には入声点を差し、右注「ヒ」左注「人質反」を付載する。上巻の質韻当該諸例で分析したように、日本漢音「ジチ」徳声（四声体系では入声）日本呉音「ニチ」を認める。

▶番号5534b「日」（終日）の仮名音注「シツ」については、基本的に -it で対応する。当該字に声点はない。熟字5534「終日」は右傍「ヨモスカラ」を付載する。上述の分析を参照。

▶番号6585b「日」（先日）の仮名音注「ニチ」については、基本的に -it で対応する。当該字には入声点を差す。熟字6585「先日」は右傍「サキノヒ」を付載する。上述の分析を参照。

▶番号4247「衵」（衵）の仮名音注「シツ」については、基本的に -it で対応する。当該字に声点はなく、右注「アコメ」中左注「人質戸質／二反 女人近身／衣也」を付載する。図書寮本類聚名義抄に反切「玉云女袟反」を見出す。観智院本には反切「女乙反・人質又尼質反」を見つけるが、仮名音注はない。元和本倭名類聚抄には反切「人質反又尼質反」がある。

衵 玉云女袟反 進身衣也／順云阿古米 [平上上]　　　　（図書寮本類聚名義抄／333-5）

衵 女乙反／貴人之報 [平：墨圏点]　　　　（観智院本類聚名義抄／佛中 098-5）

衵 人質又尼質反 アコメキヌ [平上上上濁平] ／アコメ [平上平]

（観智院本類聚名義抄／法中 137-6）

衵　唐韻云衵 人質反又尼質反漢語抄云阿古女岐沼 女人近身衣也

（元和本倭名類聚抄／巻十二 20 ウ 6）

▶番号5695b「昵」（親昵）の仮名音注「チツ」については、基本的に -it で対応する。当該字には入声濁点を差すので、字音「ヂツ」を想定する。上巻の質韻当該例で分析した。

3-5-3 -ie系の字音的特徴 1215

▶番号4075b「室」（庵室）の仮名音注「シチ」については、基本的に -it で対応する。当該字には入声点を差す。上巻の質韻当該諸例で分析したように、日本漢音「シツ」徳声（四声体系では入声）を認める。

室 無戸附 白虎通云黄帝作室以避寒暑音七 和名無呂 …　　（元和本倭名類聚抄／巻十 05 ウ 7）

庵室 唐韻云庵 烏含反 方言腰云草庵 和名伊保 …　　（元和本倭名類聚抄／巻十 08 オ 5）

▶番号5216b「室」（浴室）の仮名音注「シツ」については、基本的に -it で対応する。当該字には徳声点を差す。熟字5216「浴室」は右注「ユヤ」を付載する。上述の分析を参照。

浴室 内典有温室經今案温室即浴室也 俗云由夜　　（元和本倭名類聚抄／巻十三 03 オ 3）

▶番号5273b「室」（入室）の仮名音注「シツ」については、基本的に -it で対応する。当該字に声点はない。熟字5273「入室」は師篇植物部に属する単字「芝」の中注に掲げる。上述の分析を参照。

▶番号6329b「秩」（品秩）の仮名音注「チツ」については、基本的に -it で対応する。当該字には入声濁点を差すので、字音「ヂツ」を想定する。その中古音が示す頭子音 ḍ-（等韻学の術語で言う舌音濁澄母）は有声反り舌閉鎖音であり、日本語のダ行音をもって受容するが、中国語音韻史上における濁音声母の無声化を反映する場合はタ行音で対応する。上巻の質韻当該諸例で分析したように、日本漢音は入声を認める。

▶番号6290a・6291a・6293a「筆」（筆削・筆跡・筆勢）の仮名音注「ヒツ」については、基本的に -it で対応する。当該諸字三例には入声点を差す。観智院本類聚名義抄に徳声点を付した同音字注「音鉍」を見出す。長承本蒙求には仮名音注「ヒチ」二例があり、それらを含む掲出字三例に徳声点を加える。日本漢音「ヒチ」徳声（四声体系では入声）を認める。

筆 音鉍 [徳] フミテ [上上上／□ム：墨右傍] … フテ　　（観智院本類聚名義抄／僧上 061-2）

筆 [徳]　　（長承本蒙求／036）

筆 [徳] ヒチ　　（長承本蒙求／050・075）

筆 張華博物志云蒙恬造筆古文作笔 布美天　　（元和本倭名類聚抄／巻十三 08 ウ 6）

▶番号6172a「筆」（筆臺）の仮名音注「ヒツ」については、基本的に -it で対応する。当該字に声点はない。熟字6172「筆臺」は左右注「置筆／是也」を付載する。上述の分析を参照。

筆臺 漢語鈔云筆臺　　（元和本倭名類聚抄／巻十三 09 オ 8）

▶番号6317a「必」（必定）の仮名音注「ヒチ」については、基本的に -it で対応する。当該字には入声点を差す。観智院本類聚名義抄に同音字注「音畢」および和音「ヒチ」を見出す。日本呉音「ヒチ」を認める。

必 カナラス [平平平平濁] … 和ヒチ　　（観智院本類聚名義抄／佛下末 029-4）

必 [八部：墨右傍] 音畢 俗云 カナラス [上上□□] …　　（観智院本類聚名義抄／僧下 107-4）

▶番号6331a「畢」（畢竟）の仮名音注「ヒチ」については、基本的に -it で対応する。当該字

1216　3．仮名音注の韻母別考察　3-5　ⅢA韻類

に声点はない。上巻の質韻当該例で分析したように、日本漢音「ヒチ・ヒツ」徳声（四声体系では入声）を認める。

　▶番号6141a「觱」（觱㿰）の仮名音注「ヒチ」については、基本的に -it で対応する。当該字には入声点を差す。観智院本類聚名義抄に入声点を付した同音字注「畢」と高平調を示す「俗云ヒチ」を見出す。元和本倭名類聚抄には同音字注「畢」と「俗云比知」がある。日本漢音は入声、定着久しい字音「ヒチ」を認める。

　　　觱㿰　畢羅［入平］二音 俗云 ヒチラ［上上平］…　　　　　（観智院本類聚名義抄／僧上112-7）

　　　觱㿰　唐韻云觱㿰 畢羅二音字亦作麥+必麵俗云比知良 …　　（元和本倭名類聚抄／巻十六15ウ1）

　▶番号6148a「篳」（篳篥）の仮名音注「ヒチ」については、基本的に -it で対応する。当該字には入声点を差す。観智院本類聚名義抄に同音字注「音必・畢」と低平調の差声を施す「俗云ヒチ」を見出す。元和本倭名類聚抄には同音字注「畢」と「俗云比千」がある。定着久しい字音「ヒチ」を認める。

　　　篳　音必／マカキ［平上濁平］　　　　　　　　　　　　（観智院本類聚名義抄／僧上062-6）

　　　篳篥　畢栗二／音 俗云ヒチリキ［平平平平］　　　　　　（観智院本類聚名義抄／僧上062-7）

　　　篳篥　律書樂圖云大篳篥小篳篥 畢栗二音俗云比千利岐　　（元和本倭名類聚抄／巻四13オ6）

　▶番号6042「韠」（韠）の仮名音注「ヒツ」については、基本的に -it で対応する。当該字に声点はなく、中注「云畢織荊門也」を付載する。上巻の質韻当該例で分析した。

　▶番号6277a「匹」（匹夫）の仮名音注「ヒツ」については、基本的に -it で対応する。当該字には入声点を差す。熟字6277「匹夫」は右注「疋イ本」中注「下人也」を付載する。なお「夫」に上声点と入声点を差すが、後者の入声点は「匹」に差すべきものと判断する。観智院本類聚名義抄に反切「譬吉反」および和音「ヒチ」を見出す。承暦本金光明最勝王経音義には仮名音注「ヒツ」二例がある。日本呉音「ヒチ・ヒツ」を認める。

　　　匹　譬吉反 疋疋 トモ … タクヒ 和ヒチ　　　　　　　　（観智院本類聚名義抄／佛上064-1）

　　　倫匹［リ✓ヒツ：右傍］〔＊後筆朱書〕　　　　　　　　　（承暦本金光明最勝王経音義／06ウ5）

　　　匹［ヒツ：右傍］〔＊後筆墨書〕　　　　　　　　　　　　（承暦本金光明最勝王経音義／07ウ6）

　▶番号6103a「疋」（疋夫）の仮名音注「ヒツ［上上］」については、基本的に -it で対応する。当該字に声点はなく、その仮名音注に高平調の差声を施す。廣韻に拠れば、質韻（p'jiet）魚/語韻（ṣiʌ^{1/2}）馬韻（ŋa²）四音を有する。熟字6103「疋夫」は右注「ヒツフ［上上平］」仮名音注を付載する。図書寮本類聚名義抄に同音字注「音踈」を見出す。観智院本には同音字注「音踈」と同音字注「所雅二音」を見つけるが、仮名音注はない。

　　　疋　音踈 方云／古為雅□□□？　　　　　　　　　　　　（図書寮本類聚名義抄／120-7）

　　　疋　音踈 方云／古為雅字／所雅二音　　　　　　　　　　（観智院本類聚名義抄／法上089-5）

　　　疋　俗 匹字　　　　　　　　　　　　　　　　　　　　　（観智院本類聚名義抄／法上089-6）

3-5-3 -ie 系の字音的特徴 **1217**

▶番号 6207「疋」（疋）の仮名音注「ヒキ」については、異例 *-ik* を示す。当該字に声点はなく、左注「絹等賃」を付載する。元和本倭名類聚抄には地名「疋太」に対して借字「比木太」がある。現行多くの漢和辞典は慣用音「ヒキ」を掲げる。

　　上野國第九十二／邑樂郡　池田 伊岐太 疋太 比木太 …　　（元和本倭名類聚抄／巻七 11 オ 8）

▶番号 6388「弼」（弼）の仮名音注「ヒツ」については、基本的に *-it* で対応する。当該字に声点はなく、左注「在弾正」を付載する。上巻の質韻当該例で分析した。

　　次官　本朝職員令二方品員等所載 … 弾正曰弼 …　　（元和本倭名類聚抄／巻五 03 ウ 3）

▶番号 6269b「密」（秘密）の仮名音注「ミチ」については、基本的に *-it* で対応する。当該字には入声点を差す。図書寮本類聚名義抄に反切「玉云糜筆反」を見出す。観智院本には反切「眉筆反」および和音「ミチ」を見つける。長承本蒙求には仮名音注「ヒチ」二例があり、それらの掲出字一例に入声点を加える。日本漢音「ヒチ」入声、日本呉音「ミチ」を認める。

　　密密 玉云糜筆反 … キヒシ［平平濁上／詩：右注］…　　（図書寮本類聚名義抄／137-7）

　　密 正 宓密 通 眉筆反 カクス キヒシ … 和ミチ　　（観智院本類聚名義抄／法下 049-8）

　　窑［入］ヒチ　　（長承本蒙求／029）

　　窑〔*左下隅欠〕ヒチ　　（長承本蒙求／061）

▶番号 4386b「密」（過密）の仮名音注「ヒツ」については、基本的に *-it* で対応する。当該字には入声濁点を差すので、字音「ビツ」を想定する。熟字 4386「過密」は左注「五帝死也」を付載する。上述の分析を参照。

▶番号 6270a「密」（密通）の仮名音注「ヒツ」については、基本的に *-it* で対応する。当該字には入声点を差す。熟字 6270「密通」は右傍「ヒソカニ カヨフ」を付載する。上述の分析を参照。

▶番号 6273a「蜜」（蜜語）の仮名音注「ミツ」については、基本的に *-it* で対応する。当該字には入声点を差す。図書寮本類聚名義抄に反切「弥畢」〔*「反」表記なし〕を見出す。観智院本類聚名義抄に入声濁点を付した同音字注「音密」（その右傍に朱筆で仮名音注「ヒチ」その左注に墨筆で仮名音注「ミチ」）および低平調を示す仮名音注「此間云ミチ」を見つける。同書の凡例部分「朱音者正音也墨声者和音也」（篇目 7-6）に従えば、朱墨で正音と和音を分別する傾向がある。日本漢音「ビチ」入声、日本呉音「ミチ」入声を認める。

　　波 真云博／禾反 羅魯／何 蜜 弥／畢 多 得／何 …　　（図書寮本類聚名義抄／018-6）

　　蜜 音密［入濁／ヒチ：朱右傍／ミチ：墨左注］… 此間云 ミチ［平平］

　　　　　　　　　　　　　　　　　　　　　　　　（観智院本類聚名義抄／法下 055-7）

▶番号 6230a・6230b・6336a「蜜」（蜜ゝ・蜜ゝ・蜜突）の仮名音注「ヒツ」については、基本的に *-it* で対応する。当該諸字三例に声点はない。上述の分析を参照。

▶番号 5816b・6725b「慄」（悚慄・戦慄）の仮名音注「リツ」については、基本的に *-it* で対応する。両当該字には入声点を差す。熟字 5816「悚慄」は右傍「ヲソル」を、熟字 6725「戦慄」

1218　3．仮名音注の韻母別考察　3-5　ⅢA韻類

は右傍「ヲソル」を付載する。上巻の質韻当該例で分析したように、日本呉音「リチ」を認める。

　▶番号6148b「篥」（篳篥）の仮名音注「リキ」については、異例 -ik を示す。当該字には入声点を差す。観智院本類聚名義抄に同音字注「栗」と低平調を示す「俗云リキ」を見出す。定着久しい字音「リキ」入声を認める。

　　　篳篥 畢栗二／音 俗云ヒチリキ［平平平平］　　　　　　　　　　（観智院本類聚名義抄／僧上 062-7）

3-5-3-8　-iuen/-iuet（諄／準／稕／術韻）

　資料篇【表B-10】には諄韻（平声）準韻（上声）稕韻（去声）術韻（入声）所属の諸例が含まれる。前田本の示す仮名音注は基本的に -jun/-jut, -in/-it, -un/-ut で対応するが、他に -uun, -iwin, -win/-wit, -ot があり、介音 -iu- の複雑な受容過程を垣間見る。異例として、-im, -ju, -uu, -jok がある。

《上巻 諄韻諸例》

　▶番号0618「詢」（詢）の仮名音注「シキン」については、基本的に -iwin で対応する。当該字には平声点を差し、和訓「ハカル」の同訓異字として位置する。図書寮本類聚名義抄に東声点を付した同音字注「音詢」を見出す。これは「音詢」とすべきか。観智院本には東声点を付した同音字注「音詢」を見つける。長承本蒙求には仮名音注「スキン」があり、その掲出字に東声点を加える。日本漢音「スキン」東声（四声体系では平声）を認める。

　　　諮詢 音詢［東］… 季云波賀留［平平上］トフラフ［上上上平］　　　　（図書寮本類聚名義抄／075-7）
　　　詢 音詢 トフ トフラフ ノル ハカル …　　　　　　　　　　（観智院本類聚名義抄／法上 049-6）
　　　詢［東］スキ丶　　　　　　　　　　　　　　　　　　　　　　　　（長承本蒙求／089）

　▶番号0570b「旬」（破旬）の仮名音注「スン」については、基本的に -un で対応する。当該字に声点はない。その中古音が示す頭子音 z-（等韻学の術語で言う歯音濁邪母）は有声歯茎摩擦音であり、日本語のザ行音をもって受容するが、中国語音韻史上における濁音声母の無声化を反映する場合はサ行音で対応する。観智院本類聚名義抄に同音字注「音巡」および低平調と推測する和音「受ン」と上昇調と推測する「主ン」を見出す。同書では掲出字「訟・頌・誦」に対して和音「受ウ」があり、日本呉音「ズウ」であること（番号1643b・4378b）を、また掲出字「種・従・宗」に対して和音「主ウ」があり、日本呉音「シユウ・シウ」であること（番号 2872b・2988b・0813b）を分析した。それに従い、日本呉音「ズン」平声と「シユン」去声を認める。

　　　旬 音巡 十日／アネクス［平平上□□］和受ン［平□］主ン［□上］

　　　　　　　　　　　　　　　　　　　　　　　　　　　　　（観智院本類聚名義抄／法下 058-2）

3-5-3　-ie 系の字音的特徴　1219

▶番号1793b「春」（仲春）の仮名音注「シユン」については、基本的に -jun で対応する。当該字には平声点を差す。観智院本類聚名義抄に反切「齒均反」を見出すが、仮名音注はない。

　　　春 齒均反 ハル　　　　　　　　　　　　　　　（観智院本類聚名義抄／佛中 086-7）

▶番号1133「湑」（湑）の仮名音注「シン」については、基本的に -in で対応する。当該字には平声点を差し、右注「水際也」を付載する。また和訓「ホトリ」の同訓異字として位置する。図書寮本類聚名義抄に反切「玉云視均反」（その反切下字に平声点）を見つける。観智院本には反切「視均反」を見出すが、仮名音注はない。日本漢音は平声を認める。

　　　湑 玉云視均 [□平] 反 涯也　　　　　　　　　　　　（図書寮本類聚名義抄／058-1）

　　　湑 視均反 ホトリ／キシ ミキハ　　　　　　　　（観智院本類聚名義抄／法上 034-1）

▶番号2971b「脣」（高脣）の仮名音注「シン」については、基本的に -in で対応する。当該字には平声点を差す。観智院本類聚名義抄に同音字注「音純」二例を見出すが、仮名音注はない。承暦本金光明最勝王経音義には同音字注「信音」があり、その掲出字に平声点を加える。元和本倭名類聚抄には同音字注「音旬」を見つける。日本呉音は平声を認める。

　　　脣 音純 ホトリ [□? 上平] ／クチヒル [上上上濁□?]　（観智院本類聚名義抄／佛中 125-8）

　　　脣 … 音純／ホトリ [平上□]　　　　　　　　　（観智院本類聚名義抄／法下 108-8）

　　　脣 [平] 又作脈〔＊左右反転の字形〕信ゝ／久知比留 [上上上平]

　　　　　　　　　　　　　　　　　　　　　　　　（承暦本金光明最勝王経音義／04 オ 2）

　　　脣吻　說文云脣吻 上音旬久知比留下音粉久知佐岐良　　（元和本倭名類聚抄／巻三 05 ウ 3）

▶番号2662「醇」（醇）の仮名音注「スウ」〔＊スウンの誤認か〕については、異例 -uu を示す。当該字には平声点を差し、右注「カタサケ」を付載する。観智院本類聚名義抄に同音字注「音純」を見出すが、仮名音注はない。元和本倭名類聚抄には同音字注「音淳」がある。

　　　醇 音純 濁酒／アツシ [上上□] サケ [上上]　　（観智院本類聚名義抄／僧下 058-7）

　　　醇酒 カタサケ [上上上濁上]　　　　　　　　　（観智院本類聚名義抄／僧下 058-7）

　　　醇酒　唐韻云醇 音淳日本紀私記云醇酒加太佐介 厚酒也　（元和本倭名類聚抄／巻十六 10 ウ 3）

▶番号2147「蓴」（蓴）の仮名音注「スウン」については、基本的に -uun で対応する。当該字には平声点を差し、右注「ヌナハ」左注「有水邊欤」を付載する。観智院本類聚名義抄に同音字注「音純」を見出すが、仮名音注はない。元和本倭名類聚抄には反切「視倫反」がある。

　　　蓴 … 音純 水葵 ヌナハ／源用粕音今云有疑　　（観智院本類聚名義抄／僧上 020-8）

　　　蓴　野王案云蓴 視倫反和名沼奈波 水菜也 …　　（元和本倭名類聚抄／巻十七 20 オ 8）

▶番号1629b「倫」（等倫）の仮名音注「リム」については、異例 -im を示す。当該字には平声点を差す。その中古音が示す末子音の舌内撥音韻尾 -n を「ム」で対応する。観智院本類聚名義抄に入声点〔＊平声点の誤認〕を付した同音字注「隣」および和音「リン」を見出す。長承本蒙求には仮名音注「リゝ」五例があり、その掲出字に平声点を加える。承暦本金光明最勝王経音義には仮名音

1220　3．仮名音注の韻母別考察　3-5　ⅢA韻類

注「リ√」を見つける。日本漢音「リン」平声、日本呉音「リン」を認める。

　　　伶倫 二音靈隣［平入］樂人 下タクヒ［平平濁平］… 和リン　　　（観智院本類聚名義抄／佛上015-8）

　　　伶倫〔*←イ+命〕二音靈隣 下タクヒ … 和リン　　　　　　　（西念寺本類聚名義抄／08 オ 3）

　　　伶倫 二音靈隣［平平］樂人 下タクヒ［平平濁平］下リン …　（高山寺本三寶類字集／上09 オ7）

　　　倫 ［平］リヽ　　　　　　　　　（長承本蒙求／075・087・120・130・135）

　　　倫匹 ［リ√ヒツ：右傍／ヒトシク：左傍］二字共トヨムナリ〔*後筆朱書〕

　　　　　　　　　　　　　　　　　　　　　　　　　　（承暦本金光明最勝王経音義／06 ウ 5）

　▶番号1870b「淪」（沈淪）の仮名音注「リム」については、異例 -im を示す。当該字には平声点を差す。その中古音が示す末子音の舌内撥音韻尾 -n を「ム」で対応する。図書寮本類聚名義抄に平声点を付した同音字注「倫」と反切「又郎寸反・力均反」および低平調と推測する「真云リン」を見出す。観智院本には同音字注「音倫」と反切「又郎寸反」を見つける。鎮国守国神社本三寶類聚名義抄には平声点を付した同音字注「音倫」および和音「リン」がある。日本漢音は平声、日本呉音「リン」平声を認める。

　　　淪没 曇鸞云／没也 倫 ［平］音 東云 … 又郎寸反 … 真云リン ［□平］…

　　　　　　　　　　　　　　　　　　　　　　　　　　　　（図書寮本類聚名義抄／020-5）

　　　謾淪 广云麻／凍 力均反 …　　　　　　　（図書寮本類聚名義抄／096-6）

　　　淪 音倫 シツム ［□上濁□］… 又郎寸反　　（観智院本類聚名義抄／法上010-4）

　　　淪 音倫［平］… ワクルマノワ 和リン …　（鎮国守国神社本三寶類聚名義抄／下二01 ウ7）

　▶番号2052a・2055a「綸」（綸言・綸旨）の仮名音注「リン」については、基本的に -in で対応する。両当該字には平声点を差す。図書寮本類聚名義抄に平声点を付した同音字注「順云倫」と反切「又力均反」および低平調を示す仮名音注「真云リン」を見出す。観智院本には平声点を付した同音字注「音倫」（その右傍に墨筆で仮名音注「リン」）を見つける。日本漢音「リン」平声、日本呉音「リン」平声を認める。

　　　苦綸 順云倫［平］… 玉云 … 又力均反 … 真云リン［平平］　　（図書寮本類聚名義抄／096-6）

　　　綸 音倫［平／リン：墨右傍］ヲサム［平平□］　　（観智院本類聚名義抄／法中129-8）

　▶番号2056a「綸」（綸綍）の仮名音注「リム」については、異例 -im を示す。当該字には平声点を差す。その中古音が示す末子音の舌内撥音韻尾 -n を「ム」で対応する。熟字2056「綸綍」は右注「リムハイ」を付載する。漢字源改訂第五版は字音「リンフツ」で「① 青いおびひもと、棺を引く太い綱。② 転じて、詔勅のこと」と説明する。上述の分析を参照。

　▶番号1258b・2009a・2348「輪」（蒲輪・輪皷・輪）の仮名音注「リン」については、基本的に -in で対応する。当該諸字三例には平声点を差す。番号 2348「輪」は右注「ワ」左注「車輪」を付載する。観智院本類聚名義抄に同音字注「音倫」を見出す。長承本蒙求には仮名音注「リヽ」二例があり、それら掲出字を含む三例に平声点を加える。元和本倭名類聚抄には同音字注「音倫」

3-5-3　-ie 系の字音的特徴　1221

を見つける。日本漢音「リン」平声を認める。

　　　輪　音倫 メクル … ワ／クルマノワ［上上上上平］　　　（観智院本類聚名義抄／僧中 093-6）

　　　輪［平］リゝ　　　　　　　　　　　　　　　　　　　　　（長承本蒙求／033・077）

　　　輪［平］　　　　　　　　　　　　　　　　　　　　　　　（長承本蒙求／039）

　　　輪皷　本朝相撲記云輪皷二人 謂雜藝之中弄輪皷之者二人也今案此物所出未詳

　　　　　但其形如細腰皷而輪轉於糸上故以名之　　　　　　（元和本倭名類聚抄／巻四 08 ウ 4）

　　　輪　輳附 野王案輪 音倫和名和 車脚所以轉進也 …　　（元和本倭名類聚抄／巻十一 07 ウ 6）

　▶番号 2112a「輪」（輪轉）の仮名音注「リン」については、基本的に *-in* で対応する。当該字
には去声点を差す。上述の分析を参照。

　▶番号 2014「輪」（輪）の仮名音注「リン」については、基本的に *-in* で対応する。当該字に
声点はない。上述の分析を参照。

　▶番号 2006a「輪」（輪臺）の仮名音注「リム」については、異例 *-im* を示す。当該字には平声
点を差す。その中古音が示す末子音の舌内撥音韻尾 -n を「ム」で対応する。熟字 2006「輪臺」は
右注「盤渉調」を付載する。上述の分析を参照。

　　　盤渉調曲 … 輪臺 青海波 有詠 … 登貞樂　　　　　　（元和本倭名類聚抄／巻四 17 オ 3）

《下巻 諄韻諸例》

　▶番号 6206・6215「均」（均・均）の仮名音注「クキン」については、基本的に *-win* で対応
する。両当該字には平声点を差す。番号 6206「均」は右注「同（ヒトシ）」を、番号 6215「均」
は左注「居匀反」を付載する。また後者は和訓「ヒトシ」の同訓異字として位置する。図書寮本類
聚名義抄に反切「弘云居純反」（その反切下字に平声点）を見出す。観智院本には反切「居純反」
（その反切下字に平声点）を見つける。長承本蒙求には仮名音注「クキゝ」二例があり、それらの
掲出字に東声点を加える。日本漢音「クキン」東声（四声体系では平声）を認める。

　　　均 弘云居純 ［□平］反 … ヒトシ ［平平上／易：右注］　　（図書寮本類聚名義抄／219-5）

　　　均 居純 ［□平］反 ヒトシ ［平平□］ …　　　　　　　　（観智院本類聚名義抄／法中 050-8）

　　　均 ［東］貴反／クキゝ　　　　　　　　　　　　　　　　　（長承本蒙求／033）

　　　均 ［東］屈反／クキゝ　　　　　　　　　　　　　　　　　（長承本蒙求／033）

　▶番号 5510「遵」（遵）の仮名音注「シユン」については、基本的に *jun* で対応する。当該字
には平声点を差し、左右注「遵行／也」を付載する。また和訓「シタカフ」の同訓異字として位置
する。観智院本類聚名義抄に同音字注「俊之平」（俊：稕韻 tsiuen³）を見出すが、仮名音注はない。
当該字「遵」と同音の適切な候補がないと判断したか。長承本蒙求には仮名音注「スキゝ」〔*院政
期長承三年の墨加点〕と同音字注「春反」〔*平安時代中期の朱加点〕があり、それらの掲出字に東声点を加

1222　3．仮名音注の韻母別考察　3-5　ⅢA韻類

える。承暦本金光明最勝王経音義には同音字注「尊音」〔＊左隣に朱筆で同音字注「身音」〕と去濁朱圏点を付した同音字注「寸」〔＊「ズキン」を想定できるか〕があり、その掲出字に去声点を加える。石山寺一切経蔵本大般若経字抄には漢呉二音相同の同音字注「音春」を見つける。日本漢音「スキン」東声（四声体系では平声）日本呉音は去声を認める。

　　　遵 循也率也行也習也 将倫切五 踆 … 僎 … 噂 … 鷷 西方雉名　　　　　　（宋本廣韻／諄韻 tsiuen¹）

　　　遵 俊之平 モチヰル … シタカフ［上上□□］…　　　　　　（観智院本類聚名義抄／佛上 058-8）

　　　遵 ［東］ 春反〔＊平安時代中期の朱加点〕　　　　　　　　　　　　　　（長承本蒙求／043）

　　　遵 ［東］ □反／スキ゛　　　　　　　　　　　　　　　　　　　　　　　（長承本蒙求／075）

　　　遵 ［去／寸［去濁：朱圏点］：朱左傍］尊゛／身六［：朱筆］／之多何布］

　　　　　　　　　　　　　　　　　　　　　　　　（承暦本金光明最勝王経音義／06 オ 1）

　　　遵 ［音春：右傍］シタカフ　　　　　　　　（石山寺一切経蔵本大般若経字抄／09 オ 5）

　▶番号6938a「遵」（遵行）の仮名音注「スキン」については、基本的に -win で対応する。当該字には平声濁点を差すので、字音「ズキン」を想定する。その中古音が示す頭子音 ts-（等韻学の術語で言う歯音清精母）は無声無気破擦音であり、日本語のサ行音をもって受容する。ザ行音で対応することは許容できない。上述の分析を参照。

　▶番号5511「踆」（踆）の仮名音注「シユン」については、基本的に -jun で対応する。当該字には平声点を差し、和訓「シリソク」の同訓異字として位置する。図書寮本類聚名義抄に反切「且遵反」（その反切下字に上声点）を見出す。観智院本には反切「七旬反」（その反切下字に上声点）を見つけるが、仮名音注はない。日本漢音は上声を認める。

　　　踆 且遵［□上］反／季云之里曽久［平平上濁上］　　　　（図書寮本類聚名義抄／113-4）

　　　踆 七旬［□上］反 シリソク［平平上濁□］…　　　（観智院本類聚名義抄／法上 079-6）

　▶番号5813a「逡」（逡巡）の仮名音注「シユン」については、基本的に -jun で対応する。当該字には平声点を差す。熟字5813「逡巡」は右傍「タ、スムナリ」を付載する。観智院本類聚名義抄に平声点を付した同音字注「音皴」を見出すが、仮名音注はない。日本漢音は平声を認める。

　　　逡 音皴［平］シリソク／マカル ハル　　　　　　　（観智院本類聚名義抄／佛上 047-5）

　▶番号5342「皴」（皴）の仮名音注「スキン」については、基本的に -win で対応する。当該字には平声点を差し、右注「シワ」左注「七倫反」を付載する。観智院本類聚名義抄に同音字注「音逡」を見出すが、仮名音注はない。元和本倭名類聚抄には反切「七倫反」がある。

　　　皴 音逡 フクル ヒハル シワ［上上］／シハム［上上平］　　（観智院本類聚名義抄／僧中 069-4）

　　　皴 唐韻云皴 七倫反和名之和 皮細起也　　　　　　（元和本倭名類聚抄／巻三 10 ウ 9）

　▶番号5592a「巡」（巡檢）の仮名音注「シユン」については、基本的に -jun で対応する。当該字には平声点を差す。その中古音が示す頭子音 z-（等韻学の術語で言う邪母）は有声歯茎摩擦音であり、日本語のザ行音をもって受容するが、中国語音韻史上における濁音声母の無声化を反映す

る場合はサ行音で対応する。観智院本類聚名義抄に平声点を付した同音字注「音旬」および平声濁点を付した和音「順」を見出すが、仮名音注はない。日本漢音は平声、日本呉音は平声を認める。

　　巡　音旬［平］和順［平濁］メクル［上上濁平］…　　　　　（観智院本類聚名義抄／佛上 057-5）

▶番号5813b「巡」（逡巡）の仮名音注「スン」については、基本的に -un で対応する。当該字には平声濁点を差すので、字音「ズン」を想定する。上述の分析を参照。

▶番号5379a「春」（春鸎囀）の仮名音注「シユ」については、異例 -ju を示す。当該字には平声点を差す。熟字5379「春鸎囀［平平上濁］」は右注「同（壹越調）」を付載する。日本語の連声と連濁による音変化「シユンアウテン」→「シユンナウデン」を想定する。その撥音無表記により「シユナウデン」となる。上巻の諄韻当該例で分析した。

　　盤渉調曲　…　春鸎囀 大曲 …　古詠詩　　　　　　（元和本倭名類聚抄／巻四 14 オ 3）

▶番号4551b「春」（宜春）の仮名音注「シキン」については、基本的に -iwin で対応する。当該字に声点はない。上述の分析を参照。

▶番号6781a「春」（春興殿）の仮名音注「スキン」については、基本的に -win で対応する。当該字には平声点を差す。上述の分析を参照。

　　殿　名附出 唐令云殿電反 和名止乃 …　春興殿 東之南一 …　（元和本倭名類聚抄／巻十 02 オ 7）

▶番号5115b「春」（宜春）の仮名音注「スキン」については、基本的に -win で対応する。当該字に声点はない。上述の分析を参照。

▶番号3913b「楯」（歩楯）の仮名音注「スキン」については、基本的に -win で対応する。当該字には上声点を差す。廣韻に拠れば、諄韻（tśiuen¹）諄／準韻（ziuen¹ᐟ²）三音を有する。熟字3913「歩楯」は右注「テタテ」を付載する。観智院本類聚名義抄に反切「時変反」（その反切下字に上声点）および和音「受ン」を見出す。同書では掲出字「訟・頌・誦」に対して和音「受ウ」があり、日本呉音「ズウ」であること（番号 1643b・4378b）を分析した。それに従い、日本呉音「ズン」を認める。日本漢音は上声を認める。

　　楯　音時変［□上］反 …　タテ［平上］盾 正 …　又椿木 和受ン

　　　　　　　　　　　　　　　　　　　　　　　　（観智院本類聚名義抄／佛下本 109-6）

　　歩楯　釋名云狭而長日歩楯 和名天太天 歩兵所持也　　（元和本倭名類聚抄／巻十三 13 オ 3）

▶番号4193b「脣」（齦脣）の仮名音注「スキン」については、基本的に -win で対応する。当該字には平声点を差す。熟字4193「齦脣」は右注「アイクチ」左注「生善反」を付載する。上巻の諄韻当該例で分析したように、日本呉音は平声を認める。

　　齦脣　説文云齦 牛善反文選云齦齦師説阿比久知 …　　　　（元和本倭名類聚抄／巻三 19 ウ 6）

▶番号5892a「脣」（脣吻）の仮名音注「シム」については、異例 -im を示す。当該字に声点はない。その中古音が示す末子音の舌内撥音韻尾 -n を「ム」で対応する。熟字5982「脣吻」は右注「クチヒルニアフラサス」を付載する。上述の分析を参照。

1224 3．仮名音注の韻母別考察　3-5　ⅢA韻類

　　唇吻　說文云唇吻 上音旬久知比留下音粉久知佐岐良　　　　　（元和本倭名類聚抄／巻三05 ウ3）

　▶番号4546「醇」（醕）の仮名音注「シユン」については、基本的に -jun で対応する。当該字
には平声点を差し、和訓「サケ」の同訓異字として位置する。上巻の諄韻当該例で分析した。

　▶番号6782a「淳」（淳風房）の仮名音注「スキン」については、基本的に -win で対応する。
当該字には平声点を差す。その中古音が示す頭子音 ź-（等韻学の術語で言う歯音濁常母）は有声後
部歯茎摩擦音であり、日本語のザ行音をもって受容するが、中国語音韻史上における濁音声母の無
声化を反映する場合はサ行音で対応する。熟字6782「淳風房」は右注「六条東」を付載する。図書
寮本類聚名義抄に平声点を付した同音字注「音純」を見つける。観智院本には去声濁墨点を付した
同音字注「音純」（その右注に墨筆で仮名音注「シユム」）を見出す。同書の凡例部分「朱音者正
音也墨声者和音也」（篇目 7-6）に従えば、朱墨で正音と和音を分別する傾向がある。長承本蒙求
には同音字注「春反」〔＊平安時代中期の朱加点〕と仮名音注「スゝ」〔＊院政朝長承三年の墨加点〕があり、
その掲出字に平声点を加える。日本漢音「スン」平声、日本呉音「ジユン」去声を認める。

　　淳 音純［平］… アツシ［上上平／異：右注］　　　　　　（図書寮本類聚名義抄／054-2）

　　淳 音純［去濁：墨点／シユム：墨右注］アツシ［上上上］…　（観智院本類聚名義抄／法上041-8）

　　淳［平］春反／スゝ　　　　　　　　　　　　　　　　　　（長承本蒙求／060）

　　坊 名附出 聲類云房反 和名萬知 … 涼風坊 六條束 …　　　（元和本倭名類聚抄／巻十05 オ9）

　▶番号6908a「淳」（淳朴）の仮名音注「スキン」については、基本的に -win で対応する。当
該字には去声点を差す。上述の分析を参照。

　▶番号3349b「蒓」（石蒓）の仮名音注「スキン」については、基本的に -win で対応する。当
該字に声点はない。熟字3349「石蒓」は右注「コモ」左注「常倫反」を付載する。観智院本類聚名
義抄に同音字注「音純」を見出すが、仮名音注はない。元和本倭名類聚抄には反切「常倫反」があ
る。

　　蒓 音純　石蒓 コモ［平平］　　　　　　　　　　　　　（観智院本類聚名義抄／僧上041-7）

　　石蒓 唐韻云蒓 常倫反漢語云石蒓古毛一云水葵菜 …　　　（元和本倭名類聚抄／巻十七19 オ7）

　▶番号6921a「鶉」（鶉目）の仮名音注「スン」については、基本的に -un で対応する。当該字
には平声点を差す。熟字6921「鶉目」は左注「赤米也」を付載する。観智院本類聚名義抄に平声点
を付した同音字注「音純」を見出すが、仮名音注はない。元和本倭名類聚抄には反切「市綸反」が
ある。日本漢音は平声を認める。

　　鶉 … 音純［平］／ウツラ　　　　　　　　　　　　　　（観智院本類聚名義抄／僧中114-2）

　　鶉 淮南子云蝦蟇化爲鶉 市綸反和名宇都良　　　　　　　（元和本倭名類聚抄／巻十八08 オ6）

　▶番号6738b「倫」（絶倫）の仮名音注「リン」については、基本的に -in で対応する。当該字
に声点はない。熟字6738「絶倫」は左傍「トモニスクレタリ」を付載する。上巻の諄韻当該例で分
析したように、日本漢音「リン」平声、日本呉音「リン」を認める。

▶番号5495「淪」（淪）の仮名音注「リン」については、基本的に -in で対応する。当該字には平声点を差し、右注「力迍反」を付載する。また和訓「シツム」の同訓異字として位置する。上巻の諄韻当該例で分析したように、日本漢音は平声、日本呉音「リン」平声を認める。

▶番号5850b「輪」（朱輪）の仮名音注「リム」については、異例 -im を示す。当該字には平声点を差す。その中古音が示す末子音の舌内撥音韻尾 -n を「ム」で対応する。上巻の諄韻当該諸例で分析したように、日本漢音「リン」平声を認める。

　　　青盖車　続漢書輿服志云皇太子皇子皆朱輪青盖故曰青盖車

（元和本倭名類聚抄／巻十壹06 オ7）

《上巻 諄韻諸例》

▶番号0534「隼」（隼）の仮名音注「スキン」については、基本的に -win で対応する。当該字には上声点を差し、右注「ハヤフサ 作鶸」左注「鷙鳥名也」を付載する。観智院本類聚名義抄に上声点と去声点を付した同音字注「音笋」（その右傍に朱筆で仮名音注「スキン」）を見出す。元和本倭名類聚抄には同音字注「音笋」がある。日本漢音「スキン」上/去声を認める。

　　鶸 隼二正 鶸 [或：右注／ソ：朱右傍] ／音笋 [上・去／スキン：朱右傍] 祝鳩 …

（観智院本類聚名義抄／僧中111-8）

　　鶸 鶸二正 或鶸 音笋 祝鳩／ハヤシ ハヤフサ [上平□□]　（観智院本類聚名義抄／僧中134-6）

　　鶻　斐務斉切韻云 … 隼 音笋訓上同 鷙鳥也大名祝鳩　（元和本倭名類聚抄／巻十八04 オ6）

▶番号0339b「准」（因准）の仮名音注「スキン」については、基本的に -win で対応する。当該字には上声点を差す。熟字0339「因准」は右傍「ヨリ ナスラフ」を付載する。図書寮本類聚名義抄に反切「广云止尹反」（その反切下字に上声点）を見つける。この「广」は切韻系韻書を指す。引用によっては玄應音義の場合もある。日本漢音は上声を認める。

　　準 均也 … 止尹切又音拙四 准 俗 埻 射的 … 純 緑也又音淳　　　（宋本廣韻／準韻 tśiuen²）

　　准 之尹反 古作準平三 埻 射的 純 緑也　　　（王仁昫刊謬補缺切韻／軫韻 tśiuen²）

　　准陁 广云止／尹 [□上] 反 … サムシ [平平平／異：右注]　　（図書寮本類聚名義抄／067-5）

　　准 ナスラフ [上上濁上平] … 準 上通下正　　　（観智院本類聚名義抄／法上046-7）

　　准 ナスラフ／ヨル ヒトシ　　　（観智院本類聚名義抄／僧中134-7）

　　準 或為准 之允反　　　（観智院本類聚名義抄／法上043-6）

　　準 ナスラフ [上上濁上平]　　　（観智院本類聚名義抄／佛上085-3）

《下巻 準韻諸例》

1226　3．仮名音注の韻母別考察　3-5　ⅢA韻類

▶番号6071a「菌」（菌茸）の仮名音注「クキン」については、基本的に -win で対応する。当該字には上声点を差す。廣韻に拠れば、準韻 (giuen²) 阮韻 (giuan²) 二音を有する。両者の頭子音は牙音濁群母である。熟字6071「菌茸」は右注「ヒラタケ」を付載する。観智院本類聚名義抄に上声点を付した同音字注「音窘」を見出すが、仮名音注はない。元和本倭名類聚抄には反切「渠殞反上聲之重」がある。切韻を撰述して以降の中国語において、上声濁が次第に去声化を起こした状態を、日本漢音では反映する。これは上声を構成する上声軽と上声重とが allotone であり、後者の調値が去声と区別できないことを示すとも言える。日本漢音は上声を認める。

　　　菌 音窘［上］薫草／タケ［平平］クサヒラ［平平□□］　　　（観智院本類聚名義抄／僧上011-1）

　　　菌茸 タケ　　　　　　　　　　　　　　　　　　　　　　　（観智院本類聚名義抄／僧上011-2）

　　　菌茸　崔禹錫食經云菌茸 而容反上渠殞反上聲之重 … 和名皆多介

　　　　　　　　　　　　　　　　　　　　　　　　　　　　　　　　（元和本倭名類聚抄／巻十六 18 ウ 4）

▶番号5798a・5806a「准」（准擬・准的）の仮名音注「シユン」については、基本的に -jun で対応する。当該字には平声濁点を差すので、字音「ジユン」を想定する。熟字5806「准的」は左注「不定事也」を付載する。当該字の中古音が示す頭子音 tś-（等韻学の術語で言う歯音清章母）は無声無気破擦音であり、日本語のサ行音をもって受容する。ザ行音で対応することは許容しがたい。現行多くの漢和辞典は慣用音「ジユン」を掲げる。同音を有する「純」（諄韻 źiuen¹・準韻 tśiuen²）からの類推が働いたか。上巻の諄韻当該例で分析したように、日本漢音は上声を認める。

▶番号5796a「准」（准據）の仮名音注「シユン」については、基本的に -jun で対応する。当該字に声点はない。上述の分析を参照。

▶番号6948a「准」（准的）の仮名音注「スン」については、基本的に -un で対応する。当該字に声点はない。熟字6948「准的」は左注「不定之事也」を付載する。上述の分析を参照。

《上巻　諄韻諸例》

▶番号1450「駿」（駿）の仮名音注「スン」については、基本的に -un で対応する。当該字には去声点を差し、右注「トキムマ」を付載する。観智院本類聚名義抄に同音字注「音俊」を見出すが、仮名音注はない。元和本倭名類聚抄には同音字注「音俊」がある。

　　　駿 音俊 ハヤシトシ［平上］… スミヤカ　　　　　　（観智院本類聚名義抄／僧中099-1）

　　　駿馬　穆天子傳云駿 音俊漢語抄云土岐宇萬日本紀私記云須久禮太留宇萬 …

　　　　　　　　　　　　　　　　　　　　　　　　　　　　　　　　（元和本倭名類聚抄／巻十一 10 オ 4）

▶番号2109b「潤」（利潤）の仮名音注「スウン」については、基本的に -uun で対応する。当該字に声点はない。図書寮本類聚名義抄に去声濁点を付した同音字注「音閨」を見つける。観智院本には去声濁点を付した同音字注「音閨」および低平調を示す和音「ニン」を見出す。長承本蒙求

には仮名音注「スゝ・シキ✓」があり、その掲出字には去声加濁点を加える。日本漢音「ズン・ジキン」去声、日本呉音「ニン」平声を認める。

潤 音閏 [去濁] ウルフ [平平平／選：右注]　　　　　（図書寮本類聚名義抄／法上013-7）

潤 音閏 [去濁] ウルフ ハル／和ニン [平平：墨圏点]　（観智院本類聚名義抄／法上013-7）

潤 [去／去：加濁] スゝ・シキ✓　　　　　　　　　　（長承本蒙求／092）

《下巻 稕韻諸例》

▶番号5948a「俊」（俊士）の仮名音注「シユン」については、基本的に -jun で対応する。当該字に声点はない。観智院本類聚名義抄に同音字注「音駿」を見出すが、仮名音注はない。長承本蒙求には同音字注「春反」があり、その掲出字に去声点を加える。日本漢音は去声を認める。

俊儁 … 音駿 智出万人／トシ [□上] … スミヤカナリ　（観智院本類聚名義抄／佛上016-8）

俊 [去] 春反〔＊平安時代中期の朱加点〕　　　　　　（長承本蒙求／067）

▶番号6949a「駿」（駿河）の仮名音注「スル」については、異例 -uru を示す。州篇国郡部に属する。先んじて存在する地名に対して後から漢字表記を適用した。観智院本類聚名義抄に同音字注「音俊」を見出すが、仮名音注はない。元和本倭名類聚抄には借字による「須流加」がある。

駿 音俊 ハヤシ トシ [平上] …　　　　　　　　　　（観智院本類聚名義抄／僧中099-1）

東海國第五十三／伊賀 以加 … 駿河 須流加 …　　　（元和本倭名類聚抄／巻五08ウ6）

▶番号4862「蕣」（蕣）の仮名音注「スン」については、基本的に -un で対応する。当該字には去声点を差し、右注「キハチス」中左注「地蓮華朝生／夕落者也」を付載する。観智院本類聚名義抄に去声点を付した同音字注「音舜」を見出すが、仮名音注はない。元和本倭名類聚抄には同音字注「音舜」がある。日本漢音は去声を認める。

音舜 [去] キハチス [平平濁□□]／アサカホ [平平□□]　（観智院本類聚名義抄／僧上006-5）

蕣 文字集略云蕣 音舜和名木波知春 地蓮花朝生夕落者也

　　　　　　　　　　　　　　　　　　　　　　　　（元和本倭名類聚抄／巻二十18ウ1）

▶番号5686a「潤」（潤色）の仮名音注「シユン」については、基本的に -jun で対応する。当該字には去声点を差す。上巻の稕韻当該例で分析したように、日本漢音「ズン・ジキン」去声、日本呉音「ニン」平声を認める。

《上巻 術韻諸例》

▶番号1776b「橘」（陳橘皮）の仮名音注「クツ」については、基本的に -ut で対応する。当該字には入声点を差す。観智院本類聚名義抄に反切「古述反」を見出す。長承本蒙求には仮名音注「ク

1228　3．仮名音注の韻母別考察　3-5　ⅢA韻類

ヰチ」があり、その掲出字に徳声点を加える。元和本倭名類聚抄には反切「居密反」を見つける。
日本漢音「クヰチ」徳声（四声体系では入声）を認める。

　　　橘　古述反 タチハナ［平上上濁□］／一名金衣 柚也　　　　　（観智院本類聚名義抄／佛下本 106-4）

　　　橘皮 タチハナ［平上上平］ノカハ／一云キカハ［上上濁平］　（観智院本類聚名義抄／佛下本 106-5）

　　　橘 ［徳］ クヰチ　　　　　　　　　　　　　　　　　　　　　（長承本蒙求／035）

　　　橘皮　本草注云橘皮一名甘皮 和名太知波奈乃加波一云木加波

　　　　　　　　　　　　　　　　　　　　　　　　　　　　　　　（元和本倭名類聚抄／巻十六23ウ7）

　　　橘　兼名苑云橘 居密反 一名金衣 和名太知波奈　　　　　　　（元和本倭名類聚抄／巻十七10オ9）

　▶番号0189「戌」（戌）の仮名音注「シツ」については、基本的に -it で対応する。当該字には
入声点を差し、右注「イヌ」を付載する。観智院本類聚名義抄に同音字注「音恤」を見出すが、仮
名音注はない。

　　　戌 音恤　　　　　　　　　　　　　　　　　　　　　　　　　（観智院本類聚名義抄／僧中 042-3）

　▶番号1370b「黜」（貶黜）の仮名音注「チヨク」については、異例 -jok を示す。当該字には
入声点を差す。前田本の掲出字形「點」を「黜」に修正する。観智院本類聚名義抄に反切「丑律反」
を見出す。長承本蒙求には仮名音注「チツ」があり、その掲出字に去声点を加える。この去声点に
はについては疑義を残す。日本漢音「チツ」を認める。

　　　黜 貶下也亦作絀 丑律切八 …　　　　　　　　　　　　　　　（宋本廣韻／術韻 ţiuet）

　　　黜 丑律反 サル … シリソク［平平平濁平］…　　　　　　　（観智院本類聚名義抄／佛下末 054-2）

　　　黜 ［去］ チツ　　　　　　　　　　　　　　　　　　　　　（長承本蒙求／128）

　▶番号2211「朮」（朮）の仮名音注「クヰツ」については、基本的に -wit で対応する。前田本
の字形「术」を「朮」に修正する。当該字には入声点を差し、右注「ヲケラ［上上平］」左注「又
作荒」を付載する。本来は仮名音注「チユツ」を期待する。廣韻に拠れば、澄母術韻（ḍiuet）船母
術韻（dżiuet）二音を有する。前者は山野に自生する多年生の薬用植物「おけら・うけら」を、後者
は「餅粟（＝秫）」を指す。観智院本類聚名義抄に反切「時律反・直律反」を見出すが、仮名音注は
ない。元和本倭名類聚抄には反切「儲律反」がある。

　　　朮 ［＊←术］ 時律反 ヲケラ［上上平］… 直律反 述　　（観智院本類聚名義抄／佛下本 115-2）

　　　朮 ［＊←术］ 爾雅注云朮 儲律反和名乎介良 …　　　　　（元和本倭名類聚抄／巻二十04オ5）

　▶番号0245b「率」（引率）の仮名音注「ソツ」については、基本的に -ot で対応する。当該字
には入声点を差す。前田本が示す中心部分の字形は「玄」ではなく「言」である。これを「率」に
修正する。あるいは当該字を「攣」とすべきか。観智院本類聚名義抄に反切「所律反・又所類反」
および低平調と推測する和音「ソチ」を見出す。他の諸本も同様。長承本蒙求には仮名音注「スキ
ツ」があり、その掲出字に徳声点を加える。承暦本金光明最勝王経音義には「ソツ」を見つける。
日本漢音「スキツ」徳声（四声体系では入声）日本呉音「ソチ・ソツ」入声を認める。

3-5-3 -ie 系の字音的特徴 1229

　　率 正 所律反 オホムネ ［平平平平］… 又所類反 … 和ソチ ［平□］ ヲフ ［上平］

　　　　　　　　　　　　　　　　　　　　　　　（観智院本類聚名義抄／佛上 083-5）

　　率 … 正／所律反　　　　　　　　　　　　　　　（観智院本類聚名義抄／佛上 085-4）

　　攣 俗 率 正 所律反 又所類反 … 和ソ ヲ〔＊ソチの誤認〕　　（西念寺本類聚名義抄／47 ウ 3）

　　攣 俗 又所類反 オホムネ … 和ソチ　　　（鎮国守国神社本三寶類聚名義抄／上一 20 ウ 1）

　　率 正 所律反 …　　　　　　　　　　（鎮国守国神社本三寶類聚名義抄／上一 20 ウ 1）

　　攣率 所律反 俗正 オホムネ … 又所類反 … 音ソチ ［平平］　（高山寺本三寶類聚字集／上 44 ウ 6）

　　率〔＊部首「玄」ではなく「言」〕 ［德］ スキツ　　　　　　　　　（長承本蒙求／036）

　　率 ［ソツ：右傍］〔＊後筆墨書〕　　　（承暦本金光明最勝王経音義／10 オ 6）

▶番号 2136a「率」（率分）の仮名音注「ソツ」については、基本的に -ot で対応する。当該字に声点はない。前田本が示す中心部分の字形は「玄」ではなく「言」である。これを「率」に修正する。上述の分析を参照。

▶番号 2030b「出」（六出）の仮名音注「シユツ」については、基本的に -jut で対応する。当該字には入声点を差す。図書寮本類聚名義抄に反切「慈云昌遂反・經典釋文云尺遂反・真云尺律反・尺遂反」および「公云音遂」を見つける。観智院本には反切「吹律反」および和音「主ツ」〔＊←主冖〕を見出す。同書では掲出字「種・從・宗」に対して和音「主ウ」があり、日本呉音「シユウ・シウ」であること（番号 2872b・2988b・0813b）を分析した。長承本蒙求には仮名音注「シユツ」二例「シツ」一例があり、それらを含む掲出字三例に德声点を加える。日本漢音「シユツ・シツ」德声（四声体系では入声）日本呉音「シユツ」を認める。

　　出内 慈云昌遂反 … 至典釋文云尺遂反 …　　　　　（図書寮本類聚名義抄／140-6）

　　出 真云尺律反 … 尺遂反 … 公云音遂反 イタス ［平平濁上］ …　（図書寮本類聚名義抄／145-2）

　　出 吹律反 イツ ［平上濁］… 和主冖 イツ スイ ［□平：墨点］　（観智院本類聚名義抄／僧下 083-1）

　　出 ［德］ ス□□／シユツ　　　　　　　　　　　　　　　　（長承本蒙求／010）

　　出 ［德］ シユツ　　　　　　　　　　　　　　　　　　　　（長承本蒙求／116）

　　出 ［德］ シツ　　　　　　　　　　　　　　　　　　　　　（長承本蒙求／076）

　　出 ［德］　　　　　　　　　　　　　　　　　　　　　　　（長承本蒙求／088）

▶番号 1943b「術」（治術）の仮名音注「シユツ」については、基本的に -jut で対応する。当該字には入声濁点を差すので、字音「ジユツ」を想定する。観智院本類聚名義抄に入声点を付した同音字注「述音」を見出すが、仮名音注はない。日本漢音は入声を認める。

　　術 述 ［入］ 音 ノリ／ミチ ［上上］ … ハケ ［平濁平］　　（観智院本類聚名義抄／佛上 043-3）

　　術 音述 ノリ／ミチ … ハケ ［平濁平］　　　　（天理大学本最勝王経音義／18 オ 5）

▶番号 2000・2100a・2125b「律」（律・律呂・六律）の仮名音注「リツ」については、基本的に -it で対応する。当該諸字三例には入声点を差す。番号 2000「律」は左注「律呂」を付載する。

1230　3．仮名音注の韻母別考察　3-5　ⅢA韻類

図書寮本類聚名義抄に反切「盧骨」〔＊「反」表示なし〕を見出す。観智院本類聚名義抄に反切「力出反」（その反切下字に入声）および「和リチ」を見つける。長承本蒙求には仮名音注「リツ」三例があり、その掲出字に徳声点を加える。日本漢音「リツ」徳声（四声体系では入声）日本呉音「リチ」を認める。

　　　阿泥律 盧／骨 陁 …　　　　　　　　　　　　　　　　（図書寮本類聚名義抄／189-4）

　　　律 力出 [入] 反 ノリ … 和リチ　　　　　　　　　　（観智院本類聚名義抄／佛上036-8）

　　　律 [徳] リツ　　　　　　　　　　　　　　　　　　　（長承本蒙求／016・035・079）

▶番号2138a「律」（律師）の仮名音注「リツ」については、基本的に -it で対応する。当該字に声点はない。上述の分析を参照。

《下巻　術韻諸例》

▶番号5596b「恤」（賑恤）の仮名音注「シユツ」については、基本的に -jut で対応する。当該字に声点はない。図書寮本類聚名義抄に同音字注「音戌」（その右傍に仮名音注「スキチ」[徳□□]）および入声点を付した同音字注「公云音出」と低平調と推測する同音字注「真云シチ・スキチ」さらに反切「弘云思律反」（その反切下字に徳声点）を見出す。その同音字注「公云音出」は大般若経字抄による漢呉二音相同の同音字注「音出」を出典とする。観智院本には同音字注「音戌」および「呉出」と仮名音注「シチ スキチ」を見つける。図書寮本を引き継いでいる。日本漢音「スキチ」徳声（四声体系では入声）日本呉音「シチ・スキチ」入声を認める。

　　　恤 音戌 [スキチ [徳□□] ：右傍] 公云音出 [入] … 真云シチ [□平] スキチ [□□平]

　　　　　　　　　　　　　　　　　　　　　　　　　　　（図書寮本類聚名義抄／274-6）

　　　振恤 弘云思律 [□徳] 反 憂也 …　　　　　　　　　（図書寮本類聚名義抄／246-3）

　　　恤 音戌 ウレフ [平平上] … 呉、出 シチ スキチ　　（観智院本類聚名義抄／法中076-2）

　　　卹 須聿反 恤 或　　　　　　　　　　　　　　　　　（観智院本類聚名義抄／僧中016-3）

　　　恤 [音出：右傍] メクム　　　　　　　　　（石山寺一切経蔵本大般若経字抄／20 ウ 3）

▶番号5156b「恤」（矜恤）の仮名音注「スツ」については、基本的に -ut で対応する。当該字には入声点を差す。上述の分析を参照。

▶番号3379a・4874b「蟀」（蟀谷・蟋蟀）の仮名音注「スキツ」については、基本的に -wit で対応する。両当該字には入声点を差す。熟字3379「蟀谷」は右注「コメカミ」を、熟字4874「蟋蟀」は右注「同（キリ、、ス）」を付載する。観智院本類聚名義抄に同音字注「繂」を見出すが、仮名音注はない。元和本倭名類聚抄には同音字注「率」がある。

　　　蟋蟀 悉繂二音 キリ、、ス [上上□□□] … 和名木里木里須　（観智院本類聚名義抄／僧下027-4）

　　　蟀谷 髪際附 針灸經云 … 謂之蟀谷 和名古米加美 …　　（元和本倭名類聚抄／巻三02 オ 4）

蟀谷　兼名苑云蟋蟀 悉率二音 …　　　　　　　　（元和本倭名類聚抄／巻十九19 ウ 5）

▶番号 5808a・5886a・6287b「出」（出九・出納・攅出）の仮名音注「シユツ」については、基本的に -jut で対応する。当該諸字三例には入声点を差す。熟字 5808「出九」は左注「博葬ー」を、熟字 6287「攅出」は右傍「ヒキテ イタス」を付載する。上巻の術韻当該例で分析したように、日本漢音「シユツ」徳声（四声体系では入声）日本呉音「シユツ」を認める。

▶番号 5676a・5950a「出」（出擧・出納）の仮名音注「シユツ」については、基本的に -jut で対応する。両当該字に声点はない。熟字 5676「出擧」は右傍「イラス」を、熟字 5950「出納」は左注「三人在蔵人所」を付載する。上述の分析を参照。

▶番号 4854「秫」（秫）の仮名音注「シキツ」については、基本的に -wit で対応する。当該字には徳声点を差すが、疑義が残る。入声点の差声位置に適正な余白がないと判断できる。また右注「キヒノモチ」を付載する。廣韻に拠れば、当該字「秫」は歯音濁船母術韻（dźiuet）である。頭子音（等韻学の術語で言う声母）の清濁によって、徳声（清・次清・清濁）と入声（濁）は識別するので、当該字「秫」は入声を期待する。観智院本類聚名義抄に同音字注「音述」を見出すが、仮名音注はない。傍証ながら、同書で「述」を再検索すると、入声点を付した同音字注「術」を見つける。元和本倭名類聚抄には同音字注「音述」がある。

禾+朮 音述　秫 俗 キヒノモチ［□上濁平上上］…　　（観智院本類聚名義抄／法下 013-7）

述 音術［入］ノフ［平上濁］… キハム［平平上］　　（観智院本類聚名義抄／法下 013-7）

秫　爾雅注云秫 音述 黏粟也本草云稷米一名秫 稷音子力反和名木美乃毛智 …

　　　　　　　　　　　　　　　　　　　　　　　　（元和本倭名類聚抄／巻十七 05 オ 3）

▶番号 6332b・6712b「術」（秘術・為術）の仮名音注「スツ」については、基本的に -ut で対応する。当該字に声点はない。上巻の術韻当該例で分析したように、日本漢音は入声を認める。

▶番号 3808b「術」（厭術）の仮名音注「スキツ」については、基本的に -wit で対応する。当該字には入声点を差す。上述の分析を参照。

▶番号 4755b「術」（笇術）の仮名音注「スキツ」については、基本的に -wit で対応する。当該字に声点はない。上述の分析を参照。

▶番号 6394a「葎」（葎草）の仮名音注「リツ」については、基本的に -it で対応する。当該字には入声点を差す。熟字 6394「葎草」は右傍「モクラ」を付載する。観智院本類聚名義抄に入声点を付した同音字注「音律」を見出すが、仮名音注はない。元和本倭名類聚抄には同音字注「音律」がある。

葎草 音律［入］ムクラ／葎草 モクラ ハ、コ　　　（観智院本類聚名義抄／僧上 001-3）

葎草　本草云葎草 上音律和名毛久良　　　　　　（元和本倭名類聚抄／巻二十 11 ウ 4）

1232　3．仮名音注の韻母別考察　3-5　ⅢA韻類

3-5-3-9 　-ieŋ/-iek（清/静/勁/昔韻）

　資料篇【表B-10】には清韻（平声）静韻（上声）勁韻（去声）昔韻（入声）開口所属の諸例が含まれる。前田本の示す仮名音注は基本的に -jaŭ/-jak, -eĭ/-ek で対応する。異例として、-aŭ, -eŭ, -ak がある。

《上巻 清韻開口諸例》

　▶番号0981「瀛」〔＊←氵+赢〕（瀛）の仮名音注「エイ」については、基本的に -eĭ で対応する。当該字に声点はなく、右注「已上同（ニナフ）」左注「瀛粮」を付載する。観智院本類聚名義抄に同音字注「音盈」を見出すが、仮名音注はない。

　　　瀛 音盈 ニナフ　　　　　　　　　　　　　　　（観智院本類聚名義抄／佛下本065-5）
　▶番号2639「鼜」（鼜）の仮名音注「ケイ」については、基本的に -eĭ で対応する。当該字には平声点を差し、右注「カタシキリ」を付載する。図書寮本類聚名義抄に同音字注「季云音輕」を見出す。観智院本には反切「空定反」と同音字注「音輕」を見つけるが、仮名音注はない。

　　　鼜 季云音輕 宇豆 [平上] 賀多之岐利 [平平平上濁平]　　　（図書寮本類聚名義抄／113-5）
　　　鼜 空定反 足跳／音輕 ウツ [上上] カタシキリ [平平平上濁平]

　　　　　　　　　　　　　　　　　　　　　　　　　（観智院本類聚名義抄／法上086-4）

　▶番号0504c・0895b「精」（天名精・白精）の仮名音注「セイ」については、基本的に -eĭ で対応する。両当該字には平声点を差す。熟字0504「天名精」は右注「ハマタカナ [平平平上上]」左注「ハマフクラ [平平平平平]」を付載する。観智院本類聚名義抄に同音字注「音鶺」および上昇調と推測する和音「者ウ」（その右傍に喉内撥音韻尾「✓」表記）を見出す。同書では掲出諸字「正・聲・聖・唱・星・青・賞・將・牆・詳・請・章・鄭・裝・精・床・疜・政・生・尚」に対して和音「者ウ」がある。日本呉音「シヤウ」去声の蓋然性が高い。

　　　精 音鶺 マナコ [平平上] … 和者ウ [□上／□✓:墨右傍]　（観智院本類聚名義抄／法下029-8）
　　　天名精 ハマタカナ [平平平上平] 一云ハマフクラ [平平平上平] …

　　　　　　　　　　　　　　　　　　　　　　　　　（観智院本類聚名義抄／法下30-2）

　　　天名精　本草云天名精一名麦句薑 和名波末太加奈一云波萬不久良 …

　　　　　　　　　　　　　　　　　　　　　　　　　（元和本倭名類聚抄／巻二十06ウ2）

　▶番号0932「菁」（菁）の仮名音注「セイ」については、基本的に -eĭ で対応する。当該字には平声点を差し、右注「同（ニラ）冬菁」左注「又ニラノハナ」を付載する。観智院本類聚名義抄に平声点を付した同音字注「青」を見出すが、仮名音注はない。元和本倭名類聚抄には同音字注「青」

がある。日本漢音は平声を認める。

　　蔓菁　アヲナ［□□平］／上音巒 又万 ハヘリ　　　　　　　（観智院本類聚名義抄／僧上 013-4）

　　蕪菁　武青［上濁平］／二音 … 上又平 … 下ニラノハナ … ニラ …

　　　　　　　　　　　　　　　　　　　　　　　　　　　　　　（観智院本類聚名義抄／僧上 013-4）

　　蔓菁　蘇敬本草注云蕪菁 武青二音 …　　　　　　　　　　（元和本倭名類聚抄／巻十七 20 ウ 9）

▶番号 2750b「箐」（笿箐）の仮名音注「セイ」については、基本的に -ei で対応する。当該字
には平声点を差す。熟字 2750「笿箐」は右注「カタミ」を付載する。観智院本類聚名義抄に同音字
注「青」を見出すが、仮名音注はない。元和本倭名類聚抄には同音字注「青」がある。

　　笿箐　零青二音／カタミ［上上上］　　　　　　　　　　　　（観智院本類聚名義抄／僧上 071-7）

　　笿箐　四聲字苑云笿箐 二音與零青同漢語抄云賀太美 …　　（元和本倭名類聚抄／巻十六 09 オ 7）

▶番号 0072b「鶄」（鳽鶄）の仮名音注「セイ」については、基本的に -ei で対応する。当該字
には平声点を差す。熟字 0072「鳽鶄」は左注「海邊鳴也」を付載する。観智院本類聚名義抄に平声
点と上声点を付した同音字注「青」（その右傍に朱筆で仮名音注「セイ」）と低平調を示す仮名音
注「シヤウ」〔＊和音か〕を見出す。石山寺一切経蔵本大般若経字抄には漢呉二音相同の同音字注「青」
がある。元和本倭名類聚抄には同音字注「青」を見つける。日本漢音「セイ」平声、字音「シヤウ」
平声を認める。後者は日本呉音の可能性を指摘しておく。

　　鳽鶄　交［平・去／カウ：朱右傍］青［平・上／セイ：朱右傍］／二音

　　　　／イヒ［上平濁］ケウ シヤウ［平平平］　　　　　　　　（観智院本類聚名義抄／僧中 115-4）

　　鳽鶄　［音交青：右傍］　　　　　　　　　　　　　（石山寺一切経蔵本大般若経字抄／16 ウ 5）

　　鳽鶄　唐韻云鳽鶄 交青二音 鳥名也辨色立成云鳽 伊微 住海邊其鳴極喧者也

　　　　　　　　　　　　　　　　　　　　　　　　　　　　　　（元和本倭名類聚抄／巻十八 07 ウ 7）

▶番号 0651「旌」（旗）の仮名音注「セイ」については、基本的に -ei で対応する。当該字には
平声点を差し、右注「同（ハタ）」左注「又作旍」を付載する。観智院本類聚名義抄に同音字注「音
精」を見出すが、仮名音注はない。元和本倭名類聚抄には同音字注「音精」がある。

　　旌 … 音精 アラハス［平平上平］ハタ …　　　　　　　　　（観智院本類聚名義抄／僧中 028-7）

　　幡　旍附 考工記云幡 音翻和名波太 旌旗 精期二音 …　　　（元和本倭名類聚抄／巻十三 12 ウ 4）

▶番号 3055b「清」（看清）の仮名音注「セイ」については、基本的に -ei で対応する。当該字
には平声点を差す。図書寮本類聚名義抄に反切「真云七情反」を見出す。観智院本には同音字注「音
情」および去声相当の上昇調を示す和音「シヤウ」を見つける。長承本豪求には仮名音注「セイ」
二例があり、それら掲出字を含む四例に東声点を加える。日本漢音「セイ」東声（四声体系では平
声）日本呉音「シヤウ」去声を認める。

　　清淨 上真云七情反 … キヨム［平平上／選：右注］…　　　　（図書寮本類聚名義抄／011-5）

　　清　音情 キヨシ［平平上］… 和シヤウ［平平上：墨点］　　（観智院本類聚名義抄／法上 023-4）

1234　3．仮名音注の韻母別考察　3-5　ⅢA韻類

清 [東] 　　　　　　　　　　　　　　　　　　　　　　　（長承本蒙求／036・091）

清 [東] セイ　　　　　　　　　　　　　　　　　　　　　（長承本蒙求／093・108）

清 [上] 酒イ本〔＊：欄外〕　　　　　　　　　　　　　　（長承本蒙求／144）

▶番号3141a「請」（請降）の仮名音注「カウ」については、異例 -aū を示す。当該字に声点はない。和訓「コフ」との混同による字音把握か。廣韻に拠れば、清/靜韻（ts'ieŋ^{1/2}）勁韻（dzieŋ³）三音を有する。熟字3141「請降」は右注「カウコウ」仮名音注を付載する。図書寮本類聚名義抄に反切「中云七靜反（靜韻 ts'ien²）又疾政反（勁韻 dzien³）又疾盈反（清韻 dzien¹）」と反切「真云在性反（勁韻 dzien³）又清井反（靜韻 ts'ien²）」さらに同音字注「又音清（清韻 ts'ien¹）」を見出す。また反切「广云且領反」（その反切下字に上声点／靜韻 ts'ien²）がある。観智院本には反切「清井反」（その反切下字に上声点）と同音字注「又音清」および和音「者ウ」を見つける。同書では掲出諸字「正・聲・聖・唱・星・青・賞・將・牆・詳・請・章・鄙・裝・精・床・莊・政・生・尚」に対して和音「者ウ」がある。日本漢音は上声、日本呉音「シヤウ」上/去声の蓋然性が高い。

　　三請 … 中云七靜反 求請也 又疾政反 延屈也 又疾盈反 交也 …

　　　真云在性 [□去] 反 … 又清井 [□上] 反 … 又音清 …　　　（図書寮本類聚名義抄／091-1）

　　　無請 广云且領 [□上] 反 …　　　　　　　　　　　　　　（図書寮本類聚名義抄／091-3）

　　請 清井 [□上] 反 コフ [平上] … 又音清 和者ウ　　　（観智院本類聚名義抄／法上 059-3）

▶番号2963b「情」（感情）の仮名音注「セイ」については、基本的に -ei で対応する。当該字には平声点を差す。その中古音が示す頭子音 dz-（等韻学の術語で言う歯音濁従母）は有声歯茎破擦音であり、日本語のザ行音をもって受容するが、中国語音韻史上における濁音声母の無声化を反映する場合はサ行音で対応する。図書寮本類聚名義抄に反切「弘云似盈反」を見出す。これは篆隷萬象名義による引用である。観智院本には東声点を付した同音字注「音清」および和音「謝ウ」を見つける。同書では掲出諸字「状・靜・情・常・静・盛・讓」に対して和音「謝ウ」がある。このうち「状・盛」には和音「謝ウ」（その右傍に墨筆で濁音「✓」表記）があり、字音「ジヤウ」を想定できる。なお「謝」は歯音濁邪母禡韻（zia³）である。日本漢音は東声（四声体系では平声）日本呉音「ジヤウ」を認める。

　　有情 音清 弘云似盈反 靜也 實也 …　　　　　　　　　　（図書寮本類聚名義抄／237-4）

　　情 音清 [東] コ丶ロ [平平上] … 和謝ウ　　　　　（観智院本類聚名義抄／法中 096-3）

　　状状 … 鋤亮反 カタトル … 和謝ウ [✓□：墨右傍]　（観智院本類聚名義抄／佛下本 129-4）

　　盛 承正反 [□去] … 又平 和謝ウ [□上／✓✓：朱右傍] …　（観智院本類聚名義抄／僧中 038-7）

　　情 似盈反 靜也實也　　　　　　　　　　　　　（高山寺本篆隷萬象名義／第二帖 080 ウ 4）

▶番号0230b・0466・0600「晴」（陰晴・晴・晴）の仮名音注「セイ」については、基本的に-ei で対応する。当該諸字三例には平声点を差す。熟字0230「陰晴」は右傍「クモル ハル」を、番号0466「晴」は右注「ハレ又ハル」左注「天晴」を、番号0600「晴」は右注「ハレ」左注「褻晴

［ケ：右傍］」を付載する。観智院本類聚名義抄に東声点を付した同音字注「音情」を見出すが、仮名音注はない。日本漢音は東声（四声体系では平声）を認める。

暚晴 音情［東］ハル［□レ：墨右傍］／ハレタリ　　　　　　（観智院本類聚名義抄／佛中093-1）

▶番号2972b「聲」（高聲）の仮名音注「シヤウ」については、基本的に *-jaū* で対応する。当該字には上声点を差す。観智院本類聚名義抄に反切「舒盈反」および低平調と推測する和音「者ウ」を見出す。同書では掲出諸字「正・聲・聖・唱・星・青・賞・將・牆・詳・請・章・部・裝・精・床・荘・政・生・尚」に対して和音「者ウ」がある。日本呉音「シヤウ」平声の蓋然性が高い。

聲 舒盈反 コヱ … 和者ウ［平□：墨圏点］　　　　　　　　（観智院本類聚名義抄／佛中001-5）

者 諸野反 モノ／ヒト［上平］ミキ［上上濁］…　　　　　　（観智院本類聚名義抄／佛中100-3）

▶番号2371b「城」（皇城）の仮名音注「シヤウ」については、基本的に *-jaū* で対応する。当該字には上声濁点を差すので、字音「ジヤウ」を想定する。その中古音が示す頭子音 *ż-*（等韻学の術語で言う歯音濁常母）は有声歯茎摩擦音であり、日本語のザ行音をもって受容するが、中国語音韻史上における濁音声母の無声化を反映する場合はサ行音で対応する。図書寮本類聚名義抄に平声点を付した同音字注「音成」を見出す。観智院本には平声朱点と去声墨濁点を付した同音字注「音成」を見つける。同書の凡例部分「朱音者正音也墨濁者和音也」（篇目7-6）に従えば、朱墨で正音と和音を分別する傾向がある。これに従えば、平声点は正音、去声濁点は和音を示す。長承本蒙求には仮名音注「セイ」二例があり、それらの掲出字に平声点を加える。日本漢音「セイ」平声、日本呉音は去声を認める。

城 音成［平］弘云 守也 盛也 …　　　　　　　　　　　　（図書寮本類聚名義抄／217-1）

城 音成［平／去濁：墨点］ミヤコ［上上□］…　　　　　　（観智院本類聚名義抄／法中049-5）

城［平］セイ　　　　　　　　　　　　　　　　　　　　　（長承本蒙求／057・128）

▶番号2651b「城」（感城）の仮名音注「セイ」については、基本的に *-eī* で対応する。当該字には平声濁点を差すので、日本語音韻史上の連濁による字音「ゼイ」を想定する。上述の分析を参照。

▶番号3114b「盛」（強盛）の仮名音注「シヤウ」については、基本的に *-jaū* で対応する。当該字には去声濁点を差すので、字音「ジヤウ」を想定する。廣韻に拠れば、清/勁韻（$żieŋ^{1/3}$）二音を有する。観智院本類聚名義抄に反切「承正反」（その反切下字に去声点）と声調表記「又平」および上昇調と推測する和音「謝ウ」（その右傍に朱筆で濁音「✓」表記と喉内撥音韻尾「✓」表記）を見出す。同書では掲出諸字「状・靜・情・常・静・盛・讓」に対して和音「謝ウ」がある。このうち「状・盛」には和音「謝ウ」（その右傍に墨筆で濁音「✓」表記）があり、字音「ジヤウ」を想定できる。なお「謝」は歯音濁邪母禡韻（zia^3）である。長承本蒙求には仮名音注「セイ」四例があり、それらの掲出字に去声点を加える。承暦本金光明最勝王経音義には同音字注「成音」があり、その掲出字に去声点と上声圏点を加える。日本漢音「セイ」平/去声、日本呉音「ジヤウ」去声を認

1236　3．仮名音注の韻母別考察　3-5　ⅢA韻類

める。

　　盛 承正反 [□去] … 又平 貯也 和謝ウ [□上／√√：朱右傍] …

　　　　　　　　　　　　　　　　　　　　　　　　　　（観智院本類聚名義抄／僧中 038-7）

　　状状 … 鋤亮反 カタトル … 和謝ウ [√□：墨右傍]　　（観智院本類聚名義抄／佛下本 129-4）

　　盛 [去] セイ　　　　　　　　　　　　　　　　　　　（長承本蒙求／079・084・136）

　　盛 [去：圏点] セイ　　　　　　　　　　　　　　　　　　（長承本蒙求／126）

　　盛 [去／上：圏点＊後筆墨書] 成ゝ 親 [シタシク：右傍]／佐加利奈リ

　　　　　　　　　　　　　　　　　　　　　　　　（承暦本金光明最勝王経音義／07 ウ 5）

　▶番号 1717a「貞」（貞観殿）の仮名音注「チヤウ」については、基本的に -jaŭ で対応する。
当該字には平声濁点を差すので、字音「ヂヤウ」を想定する。その中古音が示す頭子音 ṭ（等韻学
の術語で言う舌音清知母）は無声無気反り舌閉鎖音であり、日本語のタ行音をもって受容する。ダ
行音による対応は許容しがたい。熟字 1717「貞観殿」は右傍「ミクシケトノ」を付載する。観智院
本類聚名義抄に反切「陟盈反」を見出す。長承本蒙求には仮名音注「テイ」があり、その掲出字に
東声点を加える。日本漢音「テイ」東声（四声体系では平声）を認める。

　　貞 正也 陟盈切六 … 郎 地名 又直貞切 …　　　　　（宋本廣韻／知母清韻 ṭieŋ¹）

　　貞 陟盈反 ヒシリ／トフラフ [上上濁□□] サタシ　　（観智院本類聚名義抄／佛下本 021-5）

　　貞 [東] テイ　　　　　　　　　　　　　　　　　　　（長承本蒙求／036）

　　殿 名附出 … 貞観殿 在常寧殿北謂之御匣殿　　　　　（元和本倭名類聚抄／巻十 02 オ 6）

　▶番号 1863b「貞」（忠貞）の仮名音注「テイ」については、基本的に -ei で対応する。当該字
には平声点を差す。上述の分析を参照。

　▶番号 1314a「綟」〔＊←赤+圣〕（綟粉）の仮名音注「テイ」については、基本的に -ei で対応す
る。当該字には平声点を差す。熟字 1314「綟粉」は右注「ヘニ [平濁上] 今案」中左注「綟即頳／
字也」を付載する。当該字「綟」と「頳・赬」とは相互に異体字である。観智院本類聚名義抄に反
切「丑貞」〔＊「反」表示なし〕と平声点を付した同音字注「音貞」（その右傍に朱筆で仮名音注「テ
イ」）を見出す。日本漢音「テイ」平声を認める。

　　頳 俗 頳經二正 丑貞 〔＊←刃貞〕／アカシ ハチ　　（観智院本類聚名義抄／佛下本 025-6）

　　經 音貞 [平／テイ：朱右傍] 浅赤／アカシ [上上□] ヘニ　（観智院本類聚名義抄／僧下 085-3）

　　頳粉 ヘニ [上濁上]　　　　　　　　　　　　　　（観智院本類聚名義抄／僧下 085-4）

　　綟粉 釋名云綟粉 和名阴匷 … 今案綟即頳字也　　（元和本倭名類聚抄／巻十四 05 オ 7）

　▶番号 2105b「并」（利并）の仮名音注「ヒヤウ」については、基本的に -jaŭ で対応する。当
該字には上声濁点を差すので、日本語音韻史上の連濁による字音「ビヤウ」を想定する。廣韻に拠
れば、清/勁韻（pieŋ¹ᐟ³）二音を有する。観智院本類聚名義抄に反切「渫盈反」および上昇調と推測
する和音「ヒヤウ」（その右傍に墨筆で喉内撥音韻尾「√」表記）を見出す。日本呉音「ヒヤウ」

3-5-3 -ie 系の字音的特徴　1237

去声を認める。

　　并　泙盈反 アハセタリ … 和ヒヤウ［□□上／□□✓：墨右傍］

　　　　　　　　　　　　　　　　　　　　（観智院本類聚名義抄／佛下末 023-7）

　▶番号 1368a「并」（并日）の仮名音注「ヘイ」については、基本的に -ei で対応する。当該字には平声点を差す。熟字 1368「并日」は右傍「アハス ヒヲ」を付載する。上述の分析を参照。

　▶番号 1284「屏」（屏）の仮名音注「ヘイ」については、基本的に -ei で対応する。当該字には平声点と上声点を差す。廣韻に拠れば、清/静韻（pieŋ¹ᐟ²）青韻（beŋ¹）三音を有する。観智院本類聚名義抄に同音字注「餅瓶二音」を見出す。承暦本金光明最勝王経音義には同音字注「平音」があり、その掲出字に平声点を加える。さらに仮名音注「ヒヤウ」を見つける。元和本倭名類聚抄には同音字注「音餅」がある。日本呉音「ヒヤウ」平声を認める。

　　屏　餅瓶二音／カクル［平上平／□□ス［平］：墨右傍］…　　（観智院本類聚名義抄／法下 090-3）

　　屏　［平］平ミ／可久須［平上□］〔＊左下欠損］　　（承暦本金光明最勝王経音義／04 ウ 5）

　　屏　［ヒヤウ：右傍］〔＊後筆墨書］　　（承暦本金光明最勝王経音義／08 ウ 2）

　　屏　… 爾雅注云屏 音餅 小墻当門中也　　（元和本倭名類聚抄／巻十 13 オ 2）

　▶番号 0504b「名」（天名精）の仮名音注「メイ」については、基本的に -ei で対応する。当該字には平声点を差す。熟字 0504「天名精」は右注「ハマタカナ［平平平上上］」左注「ハマフクラ［平平平平平］」を付載する。観智院本類聚名義抄に反切「弥名反」および上昇調と推測する和音「ミヤウ」（その右傍に墨筆で喉内撥音韻尾「✓」表記）を見出す。日本呉音「ミヤウ」去声を認める。

　　名 弥名反 ナ［平］… 和ミヤウ［□□上／□□✓：墨右傍］…　（観智院本類聚名義抄／佛中 058-1）

　　天名精　本草云天名精一名麥句薑 和名波末太加奈一云波萬不久良 …

　　　　　　　　　　　　　　　　　　　　　（元和本倭名類聚抄／巻二十 06 ウ 2）

　▶番号 1892b「名」（除名）の仮名音注「メイ／ミヤウ」については、基本的に -ei, -jaū で対応する。当該字には平声点を差し、中注で両仮名音注を左右併記する。前田本では極めて稀な字音注記である。熟字 1892「除名」は左注「除罪也」を付載する。上述の分析を参照。

　▶番号 1233b・1999・2054a・2090a「令」（令）の仮名音注「リヤウ」については、基本的に -jaū で対応する。当該諸字四例には平声点を差す。廣韻に拠れば、清/勁韻（lieŋ¹ᐟ³）青/徑韻（leŋ¹ᐟ³）仙韻（lian¹）五音を有する。観智院本類聚名義抄に反切「力政反」（その反切下字に去声点）と平声点を付した同音字注「又音連」さらに平声点と去声点を付した同音字注「又音零」（その左注に墨筆で仮名音注「リヤウ」）を見出す。なお、喉内撥音韻尾「✓」表記は「リヤウ」の「ウ」右傍に付載すべき誤認か。日本漢音は平/去声、字音「リヤウ」平/去声を認める。

　　令 力政［□去］反 ヨシ［平上］又音連［平］… 又音零［平・去／リ［✓：朱右傍］ヤウ：墨左注］…

　　　　　　　　　　　　　　　　　　　　（観智院本類聚名義抄／僧中 002-6）

1238　3．仮名音注の韻母別考察　3-5　ⅢA韻類

《下巻 清韻開口諸例》

▶番号3816a「嬰」（嬰児）の仮名音注「エイ」については、基本的に -ei で対応する。当該字には平声点を差す。観智院本類聚名義抄に反切「扵盈反」（その反切下字に平声点）および低平調を示す和音「ヤウ・アウ」を見出す。長承本蒙求には仮名音注「エイ」二例があり、それらの掲出字に東声点を加える。元和本倭名類聚抄には反切「於盈反」を見つける。日本漢音「エイ」東声（四声体系では平声）日本呉音「ヤウ・アウ」平声を認める。

　　　嬰 扵盈［□平］反 カ ル［平□上］音櫻 … 和ヤウ［平平］アウ［平平］

　　　　　　　　　　　　　　　　　　　（観智院本類聚名義抄／佛中012-1）

　　　嬰 玉云 … 扵盈反 カ ル … 音櫻 … 和ヤウ アウ

　　　　　　　　　　　　　　　（鎮国守国神社本三寶類聚名義抄／上一27 ウ2）

　　　嬰 扵盈［□平］反 カ ル … 和アウ　　（高山寺本三寶類聚名集／上054 オ3）

　　　嬰［東］江イ／エイ　　　　　　　　　　　　　（長承本蒙求／023）

　　　嬰［東］エイ　　　　　　　　　　　　　　　　（長承本蒙求／142）

　　　嬰児 蒼頡篇云女曰嬰 於盈反 男曰兒 女移反 …　　（元和本倭名類聚抄／巻二08 ウ1）

▶番号3817a「嚶」〔＊←嚶〕（嚶孩）の仮名音注「エイ」については、基本的に -ei で対応する。当該字には平声点を差す。前田本の当該字形「嚶」（鳥が調子良く鳴くさま）を「嬰」に修正する。上述の分析を参照。

　　　嚶児 … 一云嬰孩児 美止利古 一云孩 戸来反 始生小児也

　　　　　　　　　　　　　　　　　　　　　　（元和本倭名類聚抄／巻二08 ウ1）

▶番号3763a「嬰」（嬰孩）の仮名音注「エイ」については、基本的に -ei で対応する。当該字に声点はない。熟字3763「嬰孩」は右注「戸米反」中注「始生児也」を付載する。上述の分析を参照。

▶番号3819a「嬰」（嬰稚）の仮名音注「エウ」については、異例 -eŭ を示す。当該字に声点はない。熟字3819「嬰稚」は左注「エウチ」を付載するが、その直前に掲げる熟字3818「幼稚」の左注「エウチ」に牽引されたと推測する。本来は仮名音注「エイ」を期待する。上述の分析を参照。

▶番号3778・6917b「纓」（纓・垂纓）の仮名音注「エイ」については、基本的に -ei で対応する。当該字には平声点を差す。番号3778「纓」は右注「音嬰」中注「エヒ［去上濁］エイ［上平］」左注「冠纓也垂巻」右傍「エイ」仮名音注を付載する。図書寮本類聚名義抄に平声点を付した同音字注「音嬰」および「真云ヤウ」を見出す。観智院本類聚名義抄に平声点を付した同音字注「音嬰」（その右傍に墨筆で仮名音注「エイ」）を見つける。長承本蒙求には仮名音注「エイ」があり、その掲出字に東声点を加える。元和本倭名類聚抄には反切「於盈反」を見つける。注記「俗云燕尾

とは裾開きで先端が半円形になった纓（冠の付属具）を指して言う。日本漢音「エイ」東声（四声体系では平声）日本呉音「ヤウ」を認める。

　　　纓 季云音嬰［平］… 川云俗云燕尾［去上濁］真云ヤウ　　　　　（図書寮本類聚名義抄／311-3）

　　　纓 音嬰［平／エイ：墨右傍］冠糸 俗云エンヒ［平平上濁］…　（観智院本類聚名義抄／法中129-7）

　　　纓［東］エイ　　　　　　　　　　　　　　　　　　　　　　　　（長承本蒙求／094）

　　　纓　唐韻云纓 於盈反俗云燕尾 冠纓 …　　　　　　　（元和本倭名類聚抄／巻十二18ウ8）

　▶番号5057a「輕」（輕慢）の仮名音注「キヤウ」については、基本的に *-jaū* で対応する。当該字には平声点を差す。観智院本に反切「苦經反・又起政反」および和音「經」を見出す。傍証ながら、同書で「經」を再検索すると、和音「キヤウ」を見つける。長承本蒙求には仮名音注「ケイ」があり、その掲出字に東声点を加える。日本漢音「ケイ」東声（四声体系では平声）を認める。日本呉音「キヤウ」の蓋然性が高い。

　　　軽軽 苦經反 … 又起政反〔＊←故〕／和經　　　　　（観智院本類聚名義抄／僧中086-3）

　　　經 古靈反 ツ子ニ … 和キヤウ　　　　　　　　　　　（観智院本類聚名義抄／法中111-2）

　　　軽［東］ケイ　　　　　　　　　　　　　　　　　　　　　　　　（長承本蒙求／093）

　　　軽 欺盈反 車也 又起政反　　　　　（高山寺本篆隷萬象名義／第五帖071オ2）

　▶番号4961a・4961b「軽」（軽〻・軽〻）の仮名音注「キヤウ」については、基本的に *-jaū* で対応する。両当該字に声点はない。上述の分析を参照。

　▶番号5820a・6854b「精」（精代・水精）の仮名音注「シヤウ」については、基本的に *-jaū* で対応する。両当該字には上声点を差す。熟字6854「水精」は右傍「スイシヤウ俗」仮名音注を付載する。上巻の清韻当該諸例で分析したように、日本呉音「シヤウ」去声の蓋然性が高い。

　▶番号3917b「精」（鐵精）の仮名音注「シヤウ［上上上］」については、基本的に *-jaū* で対応する。当該字に声点はなく、その仮名音注に上声相当である高平調の差声を施す。熟字3917「鐵精」は右注「テツシヤウ［平上上上上］」仮名音注を付載する。上述の分析を参照。

　▶番号5065b・5827a「精」（氣精・精斯）の仮名音注「シヤウ」については、基本的に *-jaū* で対応する。両当該字に声点はない。上述の分析を参照。

　▶番号4600・6522・6657a・6692a・6701a「精」（精・精・精誠・精兵・精好）の仮名音注「セイ」については、基本的に *-eī* で対応する。当該諸字五例には平声点を差す。番号4600「精」は右注「同（サ〻ラ〻）」「〔＊サ〻ラの誤認か〕左注「鐵」〔＊←金+截〕を、番号6522「精」は右傍「ナ」左注「婬也」を付載する。上述の分析を参照。

　▶番号6893「精」（精）の仮名音注「セイ」については、基本的に *-eī* で対応する。当該字に声点はなく、和訓「スクレタリ」の同訓異字として位置する。上述の分析を参照。

　▶番号4099b「菁」（蔓菁）の仮名音注「セイ」については、基本的に *-eī* で対応する。当該字には平声点を差す。熟字4099「蔓菁」は右注「アヲナ」を付載する。上巻の清韻当該例で分析した

1240　3．仮名音注の韻母別考察　3-5　ⅢA韻類

ように、日本漢音は平声を認める。

　　　　蔓菁　蘇敬本草注云蕪菁 武青二音 北人名之蔓菁 上音蛮和名阿乎奈 …

　　　　　　　　　　　　　　　　　　　　　　　　（元和本倭名類聚抄／巻十七20 ウ 9）

　▶番号6200「晶」（晶）の仮名音注「セイ」については、基本的に -eĭ で対応する。当該字には平声点を差し、右注「同（ヒカリ）」左注「日晶也」を付載する。観智院本類聚名義抄に同音字注「音精」を見出すが、仮名音注はない。

　　　　晶 音精 アラハス／ヒカル［平平□／□□リ］…　　　　　（観智院本類聚名義抄／佛中086-3）

　▶番号5560a「清」（清浄）の仮名音注「シヤウ」については、基本的に -jaŭ で対応する。当該字に声点はない。上巻の清韻当該例で分析したように、日本漢音「セイ」東声（四声体系では平声）日本呉音「シヤウ」去声を認める。

　▶番号4202a・4954・6492a・6656a・6758a「清」（清盲・清・清涼殿・清廉・清浄潔白）の仮名音注「セイ」については、基本的に -eĭ で対応する。当該諸字五例には平声点を差す。熟字4202「清盲」は右注「アキシヒ」を、熟字6492「6492」は左右注「已上禁／中殿名」を、熟字6656「清廉」は右傍「キヨク キヨシ」を付載する。番号4954「清」は右注「七情反」左注「又キヨム」を付載し、和訓「キヨシ」の同訓異字として位置する。上述の分析を参照。

　　　　殿 名附出 唐令云殿電反 … 清涼殿 在校書殿北 …　　　　（元和本倭名類聚抄／巻十02 ウ 2）

　▶番号6728a・6745a「清」（清潔・清濁）の仮名音注「セイ」については、基本的に -eĭ で対応する。両当該字に声点はない。上述の分析を参照。

　▶番号5102b「請」（起請）の仮名音注「シヤウ」については、基本的に -jaŭ で対応する。当該字には上声点を差す。上巻の清韻当該例で分析したように、日本漢音は上声、日本呉音「シヤウ」上／去声の蓋然性が高い。

　▶番号5327a「請」（請僧）の仮名音注「シヤウ」については、基本的に -jaŭ で対応する。当該字に声点はない。上述の分析を参照。

　▶番号4989b「請」（祈請）の仮名音注「セイ」については、基本的に -eĭ で対応する。当該字には平声点を差す。上述の分析を参照。

　▶番号6669a・6687a「請」（請託・請益）の仮名音注「セイ」については、基本的に -eĭ で対応する。両当該字には上声点を差す。上述の分析を参照。

　▶番号6573b「晴」（霽晴）の仮名音注「セイ」については、基本的に -eĭ で対応する。当該字には平声点を差す。上巻の清韻当該諸例で分析したように、日本漢音は東声（四声体系では平声）を認める。

　▶番号5420a「鉦」（鉦鼓）の仮名音注「シヤウ」については、基本的に -jaŭ で対応する。当該字には平声点を差す。観智院本類聚名義抄に同音字注「音征」および「俗云シヤウ」を見出す。元和本倭名類聚抄には同音字注「音征」および「鉦鼓俗云常古」がある。定着久しい字音「シヤウ」

を認める。

鉦鈸 俗云 シヤウコ	（観智院本類聚名義抄／僧上128-1）
鉦 音征 フリツ、ミ／エル	（観智院本類聚名義抄／僧上128-2）
鉦鼓　後漢書云鉦鼓之聲 鉦音征鉦鼓俗云常古 …	（元和本倭名類聚抄／巻四08 ウ9）

▶番号 5817a「正」（正員）の仮名音注「シヤウ」については、基本的に *-jaū* で対応する。当該字には平声点を差す。図書寮本類聚名義抄に去声点を付した同音字注「宋云本音政」と平声点を付した同音字注「季云又音征」を見出す。観智院本には去声点を付した同音字注「音政」（その右傍に朱筆で仮名音注「セイ」）と平声点を付した同音字注「又音征」および和音「者ウ」（その右傍に墨筆で濁音「✓」表記〔＊「ウ」に付載すべき喉内撥音韻尾「✓」表記の誤認か〕）を見つける。同書では掲出諸字「正・聲・聖・唱・星・青・賞・將・牆・詳・請・章・鄣・裝・精・床・疰・政・生・尚」に対して和音「者ウ」がある。日本漢音「セイ」平/去声を認める。日本呉音「シヤウ」の蓋然性が高い。

正 宋云本音政 ［去］ … 季云又音征 ［平］ …	（図書寮本類聚名義抄／131-7）
正 音政 ［去／セイ：朱右傍］マサシ ［平平□／□□ニ：墨右傍］ …	
	（観智院本類聚名義抄／佛上074-8）
正 タ、シ ［平平濁上］ … 和者ウ ［✓□：朱右傍］	（観智院本類聚名義抄／佛上075-1）
正 音政 ［去］タ、ス ［平平濁上］ … 又音征 ［平］ …	（観智院本類聚名義抄／法上098-5）
者 諸野反 モノ／ヒト ［上平］ ミキ ［上上濁］ …	（観智院本類聚名義抄／佛中100-3）

▶番号 5100b「正」（糺正）の仮名音注「セイ」については、基本的に *-ei* で対応する。当該字には平声点と去声点を差す。上述の分析を参照。

▶番号 5748a「聲」（聲哥）の仮名音注「シヤウ」については、基本的に *-jaū* で対応する。当該字には去声点を差す。上巻の清韻当該例で分析したように、日本呉音「シヤウ」平声の蓋然性が高い。

▶番号 3386・4049b・4356b・6124b「聲」（聲・暗聲・暗聲・失聲）の仮名音注「セイ」については、基本的に *-ei* で対応する。当該諸字四例には平声点を差す。番号 3386「聲」は右注「同（コエ）」左注「書盈反」を、熟字 6124「失聲」は右注「ヒコエ」を付載する。上述の分析を参照。

▶番号 5735a「城」（城柵）の仮名音注「シヤウ」については、基本的に *-jaū* で対応する。当該字には去声点を差す。上巻の清韻当該諸例で分析したように、日本漢音「セイ」平声、日本呉音は去声を認める。

▶番号 5549a「城」（城外）の仮名音注「シヤウ」については、基本的に *-jaū* で対応する。当該字に声点はない。上述の分析を参照。

▶番号 5802a「成」（成就）の仮名音注「シヤウ」については、基本的に *-jaū* で対応する。当該字に声点はない。観智院本類聚名義抄に同音字注「音城」（その左注に墨筆で仮名音注「シヤウ」）

1242　3．仮名音注の韻母別考察　3-5　ⅢA韻類

を見出す。長承本蒙求には仮名音注「セイ」があり、その掲出字を含む四例に平声点を加える。日本漢音「セイ」平声、日本呉音「シヤウ」を認める。

　　　　成 音城 [シヤウ：墨左注] ナス [平上／囗ル [上]] …　　　　　（観智院本類聚名義抄／僧中 042-3）

　　　　成 [平] セイ　　　　　　　　　　　　　　　　　　　　　　　　　　　　　（長承本蒙求／003）

　　　　成 [平]　　　　　　　　　　　　　　　　　　　　　（長承本蒙求／042・137・137）

　▶番号6651a・6744a・6751a「成」（成長・成敗・成橋）の仮名音注「セイ」については、基本的に -eī で対応する。当該諸字三例には平声点を差す。熟字6651「成長」は右傍「ヒト丶ナル」を付載する。上述の分析を参照。

　▶番号6740a「成」（成命）の仮名音注「セイ」については、基本的に -eī で対応する。当該字には去声点を差す。上述の分析を参照。

　▶番号6756a「成」（成蹊）の仮名音注「セイ」については、基本的に -eī で対応する。当該字に声点はない。上述の分析を参照。

　▶番号5831b・5890a「盛」（熾盛・盛衰）の仮名音注「シヤウ」については、基本的に -jaū で対応する。両当該字には去声濁点を差すので、字音「ジヤウ」を想定する。上巻の清韻当該例で分析したように、日本漢音「セイ」平/去声、日本呉音「ジヤウ」去声を認める。

　▶番号6797a「盛」（盛蹊）の仮名音注「セイ」については、基本的に -eī で対応する。当該字には平声点を差す。上述の分析を参照。

　▶番号6657b「誠」（精誠）の仮名音注「セイ」については、基本的に -eī で対応する。当該字には平声点を差す。観智院本類聚名義抄に同音字注「音成」を見出すが、仮名音注はない。

　　　　誠 音成 マ丁 [上上] サネ …　　　　　　　　　（観智院本類聚名義抄／法上 058-7）

　　　　誠 音成 マ丁 サネ …　　　　　　　（鎮国守国神社本三寶類聚名義抄／中一 31 ウ 1）

　▶番号3567・6065b「楨」（楨・女楨）の仮名音注「テイ」については、基本的に -eī で対応する。両当該字には平声点を差す。番号3567「楨」は右注「同（コハシ [平平平] ）国楨」左注「佛楨」を、熟字6065「女楨」は右注「ヒツメハキ」左注「冬不凋木也」を付載する。観智院本類聚名義抄に同音字注「音貞」を見出す。長承本蒙求には仮名音注「テイ」があり、その掲出字に東声点を加える。日本漢音「テイ」東声（四声体系では平声）を認める。

　　　　楨 音貞 コハシ [平平囗] …　　　　　　　　　（観智院本類聚名義抄／佛下本 106-6）

　　　　楨 [東] テイ　　　　　　　　　　　　　　　　　　　　　　　（長承本蒙求／088）

　　　　女貞　拾遺本草云女貞一名冬青 和名太豆乃木楊氏漢語抄云比女都波木 …

　　　　　　　　　　　　　　　　　　　　　　　　（元和本倭名類聚抄／巻二十 29 オ 6）

　▶番号3348「楨」（楨）の仮名音注「テイ」については、基本的に -eī で対応する。当該字に声点はなく、右注「コハシ」左注「葉冬不落也」を付載する。上述の分析を参照。

　▶番号4527「禎」（禎）の仮名音注「テイ」については、基本的に -eī で対応する。当該字には

平声点を差し、和訓「サイハヒ」の同訓異字として位置する。観智院本類聚名義抄に平声点を付した同音字注「音貞」を見出す。承暦本金光明最勝王経音義には同音字注「頂」があり、その掲出字に平声点を加える。日本漢音・日本呉音ともに平声を認める。

　　禎　音貞［平］祥〔＊←詳〕／サイハヒ［上上□□］　　　　　　（観智院本類聚名義抄／法下 003-6）

　　禎　［平］頂［＊下部欠損／頂ミか］　　　　　　　　　　　　（承暦本金光明最勝王経音義／05 ウ 6）

　▶番号4342「呈」（呈）の仮名音注「テイ」については、基本的に -ei で対応する。当該字には平声点を差し、右注「作呈」左注「直真反」を付載する。また和訓「アラハス」の同訓異字として位置する。観智院本類聚名義抄に平声点を付した同音字注「音程」を見出すが、仮名音注はない。日本漢音は平声を認める。

　　呈　音程［平］シメス／アラハス …　　　　　　　　　　　（観智院本類聚名義抄／佛中 060-3）

　▶番号4533「酲」（酲）の仮名音注「テイ」については、基本的に -ei で対応する。当該字には平声点を差し、和訓「サカヤマヒ」の同訓異字として位置する。観智院本類聚名義抄・鎮国守国神社本三寶類聚名義抄に同音字注「音呈」を見出すが、仮名音注はない。

　　酲　音呈　エフ／サカヤモヒ／サマタル　　　　　　　　　　（観智院本類聚名義抄／僧下 061-1）

　　酲　音呈　エフ／サカヤモヒ［上上上上平］…　　　（鎮国守国神社本三寶類聚名義抄／下一 57 ウ 3）

　▶番号6312b「并」（裨并）の仮名音注「ヒヤウ」については、基本的に -jaū で対応する。当該字には上声点を差す。上巻の清韻当該諸例で分析したように、日本呉音「ヒヤウ」去声を認める。

　▶番号6181a「屏」（屏風）の仮名音注「ヒヤウ」については、基本的に -jaū で対応する。当該字には去濁声点を差すので、字音「ビヤウ」を想定する。廣韻に拠れば、清/靜韻（pieŋ$^{1/2}$）青韻（beŋ¹）三音を有する。熟字6181「屏風」は右注「ヒヤウフ俗」左注「雲母」を付載する。上巻の清韻当該例で分析したように、日本呉音「ヒヤウ」平声を認める。

　　屏風　西京雑記云七尺屏風 屏音薄經反　　　　　　　（元和本倭名類聚抄／巻十四 16 オ 4）

　▶番号6189a「屏」（屏繳）の仮名音注「ヒヤウ」については、基本的に -jaū で対応する。当該字には平声点と上濁声点を差す。熟字「屏繳」は右注6189「ヒヤウサン」左注「平織」右傍6190「ヘイ」を付載する。上述の分析を参照。

　▶番号6190a「屏」（屏繳）の仮名音注「ヘイ」については、基本的に -ei で対応する。当該字には平声点と上濁声点を差す。熟字「屏繳」は右傍6190「ヘイ」右注6189「ヒヤウサン」左注「平織」を付載する。上述の分析を参照。

　▶番号3983b「名」（逃名）の仮名音注「メイ」については、基本的に -ei で対応する。当該字には平声点を差す。熟字3983「逃名」は右傍「ノカル ナヲ」を付載する。上巻の清韻当該諸例で分析したように、日本呉音「ミヤウ」去声を認める。

　▶番号4415a・4416a「名」（名東・名西）の仮名音注「ミヤウ」については、基本的に -jaū で対応する。両当該字に声点はない。阿篈国郡部に属する地名である。上述の分析を参照。

1244　3．仮名音注の韻母別考察　3-5　ⅢA韻類

阿波國 國府在名東郡本是名方郡也今分爲東西二郡 … 名東　名西 …

(元和本倭名類聚抄／巻五 25 オ 6)

《上巻 靜韻開口諸例》

▶番号 0407a「瘦」（瘦瘦）の仮名音注「エイ」については、基本的に -eĭ で対応する。当該字
には上声点を差す。観智院本類聚名義抄に上声点を付した同音字注「郢」（その右傍に朱筆で仮名
音注「テイ」）を見出す。その仮名音注「テイ」は諧声符「呈」による字音把握で「エイ」の誤認
か。元和本倭名類聚抄には同音字注「郢」がある。日本漢音は上声を認める。また日本漢音「エイ」
の可能性を指摘しておく。

　　瘦瘦 郢［上／テイ：朱右傍］漏二音／俗云ロ　　　　　　　(観智院本類聚名義抄／法下 115-3)

　　瘦瘦　說文云瘦瘦 郢漏二音俗云路 頸腫也　　　　　　　　(元和本倭名類聚抄／巻三 25 ウ 7)

▶番号 1620b「靜」（動靜）の仮名音注「セイ」については、基本的に -eĭ で対応する。当該字
には去声点を差す。廣韻に拠れば、その中古音は從母濁靜韻上声（dzieŋ²）である。その濁声母は
上声之重に相当する。切韻を撰述して以降の中国語において、上声濁が次第に去声化を起こした状
態を、日本漢音では反映する。これは上声を構成する上声軽と上声重とが allotone であり、後者
の調値が去声と区別できないことを示すとも言える。観智院本類聚名義抄に上声点を付した同音字
注「音靖」と反切「疾井反」および和音「謝ウ」を見出す。同書では掲出諸字「状・靜・情・常・
靜・盛・讓」に対して低平調と推測する和音「謝ウ」がある。このうち「状・盛」には和音「謝ウ」
（その右傍に墨筆で濁音「✓」表記）があり、字音「ジャウ」を想定できる。なお「謝」は歯音濁
邪母禡韻（zia³）である。日本漢音は上声、日本呉音「ジャウ」平声を認める。

　　靜靜 正俗 音靖［上］… 和謝ウ［□平：墨点］　　　　　(観智院本類聚名義抄／僧下 099-3)

　　香+爭靜靜 俗今正 疾井反　　　　　　　　　　　　　　　(観智院本類聚名義抄／僧下 116-6)

　　状状 … 鋤亮反 カタトル … 和謝ウ［✓□：墨右傍］　(観智院本類聚名義抄／佛下本 129-4)

　　盛 承正反［□去］… 又平 … 和謝ウ［□上／✓✓：朱右傍］…　(観智院本類聚名義抄／僧中 038-7)

▶番号 2094b・2122a「領」（虜領・領状）の仮名音注「リヤウ」については、基本的に -jaŭ で
対応する。両当該字には平声点を差す。観智院本類聚名義抄に上声点を付した同音字注「音令」（そ
の右傍に朱筆で仮名音注「リヤウ」）を見出す。長承本蒙求には仮名音注「レイ」があり、その掲
出字に上声点を加える。日本漢音「レイ」上声、字音「リヤウ」上声を認める。

　　領 音令［上／リヤウ：朱右傍］アツカル［平上濁上□］…　(観智院本類聚名義抄／佛下本 024-3)

　　領［上］レイ／レイ　　　　　　　　　　　　　　　　　　(長承本蒙求／032)

▶番号 1697b・2020・2035a・2036a「領」（統領・領・領知・領掌）の仮名音注「リヤウ」に
ついては、基本的に -jaŭ で対応する。当該諸字四例に声点はない。熟字 1697「統領」は右注「在

太宰府」を、番号2020「領」は右注「リヤウス」サ変動詞を、熟字2035「領知」は右傍「ウケ シ レ」を付載する。上述の分析を参照。

《下巻 靜韻開口諸例》

▶番号3847a「郢」（郢曲）の仮名音注「エイ」については、基本的に -ei で対応する。当該字には上声点を差す。図書寮本類聚名義抄に反切「弘云以井反」（その反切下字に上声点）と反切「玉云又以政反」（その反切下字に去声点）を見出す。観智院本には反切「余井反」（その反切下字に上声点）と反切「又以政反」を見つける。長承本蒙求には仮名音注「エイ」があり、その掲出字に上声点を加える。日本漢音「エイ」上/去声を認める。

　　　郢 弘云以井［□上］反 … 玉云又以政［□去］反 …　　　　　　（図書寮本類聚名義抄／183-5）

　　　郢 余井［□上］反 地名／アラハル 又以政反　　　　　（観智院本類聚名義抄／法中027-5）

　　　郢［上］エキ〔＊エイの誤認〕　　　　　　　　　　　　　　　（長承本蒙求／128）

▶番号3885b「井」（天井）の仮名音注「シヤウ」については、基本的に jaū で対応する。当該字には上声濁点を差すので、日本語音韻史上の連濁による字音「ジヤウ」を想定する。熟字3885「天井」は左注「テンシヤウ俗」仮名音注を付載する。観智院本類聚名義抄に反切「子郢反」（その反切下字に上声点／同下字の右傍に朱筆で仮名音注「エイ」）を見出す。長承本蒙求には仮名音注「セイ」四例があり、それらの掲出字に上声点を加える。日本漢音「セイ」上声を認める。

　　　井 … 子郢［□上／エイ：朱右傍］／反 キ　　　　　（観智院本類聚名義抄／僧下081-8）

　　　井［上］セイ　　　　　　　　　　　　　（長承本蒙求／014・049・106・128）

▶番号4719b「靜」（躁靜）の仮名音注「シヤウ」については、基本的に jaū で対応する。当該字には去声濁点を差すので、字音「ジヤウ」を想定する。上巻の清韻当該例で分析したように、日本漢音は上声、日本呉音「ジヤウ」平声を認める。

▶番号5395b「餅」（粢餅）の仮名音注「ヘイ」については、基本的に -ei で対応する。当該字には上声点を差す。熟字5395「粢餅」は左注「祭餅也」を付載する。観智院本類聚名義抄に上声点を付した同音字注「音屏」を見出すが、仮名音注はない。元和本倭名類聚抄には同音字注「音屏」がある。日本漢音は上声を認める。

　　　餅餅 … 音屏［上］モチヒ［上上上］…　　　　　　（観智院本類聚名義抄／僧上108-2）

　　　粢餅 陸詞切韻云粢 音姿又疾脂反 … 祭餅也　　（元和本倭名類聚抄／巻十三08 オ5）

　　　餅 殕字附 釋名云餅 音餅和名毛知比 …　　　　（元和本倭名類聚抄／巻十六13 ウ1）

▶番号5558b「餅」（粢餅）の仮名音注「ヘイ」については、基本的に -ei で対応する。当該字には上声濁点を差すので、日本語音韻史上の連濁による字音「ベイ」を想定する。熟字5558「粢餅」は右傍「モトキ」を付載する。上述の分析を参照。

1246　3．仮名音注の韻母別考察　3-5　ⅢA韻類

▶番号6534b・6970b「餅」（煎餅・𩙿+専餅）の仮名音注「ヘイ［平濁上］」については、基本的に -ei で対応する。両当該字に声点はなく、その仮名音注に濁音を含む上昇調の差声を施すので、日本語音韻史上の連濁による字音「ベイ」を想定する。熟字6970「𩙿+専餅」は右注「同（センヘイ［平平平濁上］）」左注「上云銭」を付載する。上述の分析を参照。

　　煎餅　楊氏漢語抄云煎餅 此間云如字 …　　　　　　　　　　　（元和本倭名類聚抄／巻十六 15 オ 4）

▶番号4420b・6813b「領」（押領使・主領）の仮名音注「リヤウ」については、基本的に -jaū で対応する。両当該字に声点はない。上巻の静韻当該諸例で分析したように、日本漢音「レイ」上声、字音「リヤウ」上声を認める。

▶番号4649b「嶺」（山嶺）の仮名音注「レイ」については、基本的に -ei で対応する。当該字には上声点を差す。図書寮本類聚名義抄に同音字注「川云音領」と平声点を付した同音字注「公云音領」を見出す。大般若経字抄に「嶺」はない。観智院本には同音字注「音領」および和音「レイ」を見つける。元和本倭名類聚抄には同音字注「音領」がある。日本呉音「レイ」平声を認める。

　　嶺 川云音領／公云音領 ［平］ミネ［平平・上平］…　　　　　　（図書寮本類聚名義抄／136-5）

　　嶺 … 音領 ミネ／タケ サカル 和レイ　　　　　　　　（観智院本類聚名義抄／法上 114-3）

　　　峰　祝尚丘曰峰敷容反 和名三禰 又用下二字岑音尋嶺音領山尖高處也

　　　　　　　　　　　　　　　　　　　　　　　　　　　（元和本倭名類聚抄／巻一 07 オ 1）

▶番号3430「袊」（袊）の仮名音注「レイ」については、基本的に -ei で対応する。当該字には上声点を差し、右注「コロモノクヒ」左注「音令 頚」を付載する。図書寮本類聚名義抄に同音字注「川云音領」を見出す。観智院本には同音字注「音領」を見つけるが、仮名音注はない。元和本倭名類聚抄には同音字注「音領」がある。

　　袊 川云音領 古呂毛乃比久比 ［上上上上上濁］…　　　　　　（図書寮本類聚名義抄／332-4）

　　袊 音領 コロモノクヒ［平平上上上平濁］　　　　　　（観智院本類聚名義抄／法中 151-7）

　　袊 釋名云袊 音領古呂毛乃久比 頚也 …　　　　　（元和本倭名類聚抄／巻十二 22 ウ 1）

《上巻 勁韻開口諸例》

▶番号1276b「性」（法性寺）の仮名音注「シヤウ」については、基本的に -jaū で対応する。当該字に声点はない。図書寮本類聚名義抄に平声点を付した同音字注「音姓」を見出す。観智院本には平声点を付した同音字注「音姓」（その右注に墨筆で仮名音注「シヤウ」）を見つける。同書の凡例部分「朱音者正音也墨声者和音也」（篇目 7-6）に従えば、朱墨で正音と和音を分別する傾向がある。長承本蒙求には仮名音注「セイ」があり、その掲出字に去声点を加える。日本漢音「セイ」去声、日本呉音「シヤウ」平声を認める。

　　性 音姓 ［平］ 弘云生也 … ヒト、ナリ ［□□□上平］　　　（図書寮本類聚名義抄／237-6）

性 音姓［平／シヤウ：墨右注］コ丶ロ … ウム［上平］　　　　（観智院本類聚名義抄／法中 085-5）

　　性［去］セイ　　　　　　　　　　　　　　　　　　　　　　　　（長承本蒙求／079）

　▶番号 1204b「性」（稟性）の仮名音注「セイ」については、基本的に -ei で対応する。当該字
には去声点を差す。上述の分析を参照。

　▶番号 1873b「姓」（著姓）の仮名音注「シヤウ」については、基本的に -jau̅ で対応する。当
該字には平声点を差す。観智院本類聚名義抄に去声点を付した同音字注「音性」を見出すが、仮名
音注はない。日本漢音は去声を認める。

　　姓 音性［去］　　　　　　　　　　　　　　　　　　　　　（観智院本類聚名義抄／佛中 022-2）

　▶番号 2279b・3017b「政」（擁政・苛政）の仮名音注「セイ」については、基本的に -ei で対
応する。当該字には去声点を差す。熟字 2279「擁政」は右傍「ト、コホル」を付載する。観智院本
類聚名義抄に反切「之盛反」および低平調と推測する和音「者ウ」（その右傍に朱筆で喉内撥音韻
尾「✓」表記）を見出す。同書では掲出諸字「正・聲・聖・唱・星・青・賞・將・牆・詳・請・章・
鄙・裝・精・床・壯・政・生・尚」に対して和音「者ウ」〔＊シヤウを想定する〕がある。長承本蒙求
には仮名音注「セイ」があり、その掲出字に去声点を加える。日本漢音「セイ」去声を認める。日
本呉音「シヤウ」平声の蓋然性が高い。

　　政 之盛反 マツリ丆［上上上上］… 和者ウ［□平／□✓：朱右傍］

　　　　　　　　　　　　　　　　　　　　　　　　　　　　　（観智院本類聚名義抄／僧中 054-7）

　　政［去］セイ　　　　　　　　　　　　　　　　　　　　　　　（長承本蒙求／008）

　　者 諸睍反 モノ／ヒト［上平］ミキ［上上濁］…　　　　　（観智院本類聚名義抄／佛中 100-3）

　▶番号 1298「聘」（聘）の仮名音注「ヘイ［平上］」については、基本的に -ei で対応する。当
該字に声点はなく、その仮名音注に去声相当である上昇調の差声を施す。また左注「迎人也」を付
載する。観智院本類聚名義抄に反切「匹正反」を見出すが、仮名音注はない。長承本蒙求には仮名
音注「ヘイ」があり、その掲出字に去声点を加える。日本漢音「ヘイ」去声を認める。

　　聘 騁字 ウハナリ／サマタク キク　　　　　　　　　　　（観智院本類聚名義抄／佛上 004-1）

　　騁 匹正反 トフ［上平］／トフラフ［上上濁□□］ムカフ　　（観智院本類聚名義抄／佛上 088-4）

　　聘［去］へ　　　　　　　　　　　　　　　　　　　　　　　（長承本蒙求／080）

《下巻　勁韻開口諸例》

　▶番号 5560b「浄」（清浄）の仮名音注「シヤウ」については、基本的に -jau̅ で対応する。当
該字に声点はない。その中古音が示す頭子音 dz-（等韻学の術語で言う歯音濁従母）は有声歯茎破
擦音であり、日本語のザ行音をもって受容するが、中国語音韻史上における濁音声母の無声化を反
映する場合にはサ行音で対応する。図書寮本類聚名義抄に去声点を付した同音字注「音請」と反切

1248 3．仮名音注の韻母別考察 3-5 ⅢA韻類

「玉云 仕耕反 似勁反」を見出す。観智院本には同音字注「音請」と反切「才性反」および和音「シヤウ」を見つける。日本漢音は去声、日本呉音「シヤウ」を認める。

　　　清淨 … 下音請［去］… 玉云 仕耕反 似勁反 …　　　　　　　（図書寮本類聚名義抄／011-5）

　　　淨 音請 才性反／キヨム［平平□／□□シ］… 和シヤウ　　（観智院本類聚名義抄／法上 023-1）

▶番号6758b「浄」（清浄潔白）の仮名音注「セイ」については、基本的に *-eī* で対応する。当該字には去声濁点を差すので、連濁による字音「ゼイ」を想定する。熟字6758「清浄潔白」は右傍「セイ彡彡ケツハク」仮名音注を付載する。上述の分析を参照。

▶番号3634b「性」（根性）の仮名音注「シヤウ」については、基本的に *-jaū* で対応する。当該字には平声点を差す。上巻の勁韻当該諸例で分析したように、日本漢音「セイ」去声、日本呉音「シヤウ」平声を認める。

▶番号3973b「性」（天性）の仮名音注「セイ」については、基本的に *-eī* で対応する。当該字には去声濁点を差すので、日本語音韻史上の連濁による字音「ゼイ」を想定する。上述の分析を参照。

▶番号6525「性」（性）の仮名音注「セイ」については、基本的に *-eī* で対応する。当該字には去声点を差し、左注「息正反」を付載する。上述の分析を参照。

▶番号5331「姓」（姓）の仮名音注「シヤウ」については、基本的に *-jaū* で対応する。当該字に声点はなく、左注「息正反 姓氏」を付載する。上巻の勁韻当該例で分析したように、日本漢音は去声を認める。

▶番号5949a・6761b「政」（政官・攝政）の仮名音注「シヤウ」については、基本的に *-jaū* で対応する。熟字5949「政官」は右注「上官也」左注「云外記史也」を付載する。上巻の勁韻当該諸例で分析したように、日本漢音「セイ」去声を認める。日本呉音「シヤウ」平声の蓋然性が高い。

▶番号3742b「政」（延政門）の仮名音注「セイ」については、基本的に *-eī* で対応する。当該字には去声点を差す。熟字3742「延政門」は左注「禁中門」を付載する。上述の分析を参照。

▶番号5584b「政」（執政）の仮名音注「セイ」については、基本的に *-eī* で対応する。当該字に声点はない。上述の分析を参照。

▶番号5569a「聖」（聖教）の仮名音注「シヤウ」については、基本的に *-jaū* で対応する。当該字には平声点を差す。観智院本類聚名義抄に反切「舒政反」（その反切下字に去声点）および低平調と推測する和音「者ウ」（その右傍に墨筆で喉内撥音韻尾「✓」表記）を見出す。同書では掲出諸字「正・聲・聖・唱・星・青・賞・將・牆・詳・請・章・鄶・裝・精・床・莊・政・生・尚」に対して和音「者ウ」がある。長承本蒙求には仮名音注「セイ」があり、その掲出字に去声点を加える。日本漢音「セイ」去声を認める。日本呉音「シヤウ」平声の蓋然性が高い。

　　　聖 舒政［□去］反／ヒシリ … 和者ウ［平□：墨圏点／□✓：墨右傍］

　　　　　　　　　　　　　　　　　　　　　　　　　　　　（観智院本類聚名義抄／佛中 005-1）

者 諸野反 モノ／ヒト［上平］ミキ［上上濁］…　　　　　　（観智院本類聚名義抄／佛中100-3）

聖［去］セイ　　　　　　　　　　　　　　　　　　　　　　　（長承本蒙求／080）

▶番号5322a「聖」（聖人）の仮名音注「シヤウ」については、基本的に -jaū で対応する。当該字に声点はない。上述の分析を参照。

▶番号4779b「聖」（草聖）の仮名音注「セイ」については、基本的に -eī で対応する。当該字には去声点を差す。上述の分析を参照。

▶番号6733a「聖」（聖目）の仮名音注「セイ」については、基本的に -eī で対応する。当該字に声点はない。上述の分析を参照。

▶番号3971a「鄭」（鄭重）の仮名音注「テイ」については、基本的に -eī で対応する。当該字には去声点を差す。図書寮本類聚名義抄に反切「弘云馳敬反」（その反切下字に去声点）を見出す。観智院本には反切「馳敬反」を見つける。長承本蒙求に仮名音注「テイ」三例があり、それらを含む掲出字四例に去声点を加える。日本漢音「テイ」去声を認める。

鄭重 弘云馳敬［□去］反 重也　　　　　　　　　　（図書寮本類聚名義抄／181-5）

鄭 馳敬反／ネムコロ シキリ　　　　　　　　　　（観智院本類聚名義抄／法中036-2）

鄭［去］テイ　　　　　　　　　　　　　　　　　（長承本蒙求／011・033・124）

鄭［去］　　　　　　　　　　　　　　　　　　　　　　　（長承本蒙求／068）

《上巻 昔韻開口諸例》

▶番号3261b「益」（欲益）の仮名音注「ヤク」については、基本的に -jak で対応する。当該字には入声点を差す。観智院本類聚名義抄に反切「伊首反」（その反切下字「首」の右傍に朱筆で「昔」〔＊→ 伊昔反〕）および和音「ヤク」を見出す。日本呉音「ヤク」を認める。

益 俗 伊首反［□昔：朱右傍］マス［上平］… 和ヤク　　（観智院本類聚名義抄／僧中012-4）

▶番号2108b「益」（利益）の仮名音注「ヤク」については、基本的に -jak で対応する。当該字に声点はない。上述の分析を参照。

▶番号0850b「奕」（博奕）の仮名音注「エキ」については、基本的に -ek で対応する。当該字には入声点を差す。囲碁あるいは博打の意味である「弈」は同音別字であるが、熟字0850「博奕」のように混用することがある。観智院本類聚名義抄に同音字注「音亦」（昔韻 jiek）および「呉音厄」（麥韻 ʼek）を見出す。これらは大般若経字抄による漢呉二音相同の同音字注「厄」を出典とする。長承本蒙求には仮名音注「エキ」があり、その掲出字に徳声点を加える。承暦本金光明最勝王経音義には同音字注「益音」があり、その掲出字に入声点を加える。また仮名音注「ヤク」がある。日本漢音「エキ」徳声（四声体系では入声）日本呉音「ヤク」入声を認める。

奕 音亦 大也／呉−厄　　　　　　　　　　　　　（観智院本類聚名義抄／佛下末032-6）

1250　3．仮名音注の韻母別考察　3-5　ⅢA韻類

奕 ［厄：右傍］光盛也　　　　　　　　　　　　　（石山寺一切経蔵本大般若経字抄／18 ウ 2）

弈 ［亦：右傍］　　　　　　　　　　　　　　　　（石山寺一切経蔵本大般若経字抄／23 オ 4）

弈 ［徳］エキ　　　　　　　　　　　　　　　　　　　　　　　（長承本蒙求／114）

弈 ［入］益ミ／加ミ也久 又作奕　　　　　　　（承暦本金光明最勝王経音義／07 オ 1）

赫奕 ［カクヤク：右傍］〔＊後筆朱書〕　　　　（承暦本金光明最勝王経音義／06 ウ 4）

▶番号 0444b「驛」（露驛）の仮名音注「エキ」については、基本的に -ek で対応する。当該字には入声点を差す。観智院本類聚名義抄に同音字注「音譯」を見出す。長承本蒙求には仮名音注「エキ」があり、その掲出字に徳声点を加える。元和本倭名類聚抄には同音字注「音譯」を見つける。日本漢音「エキ」徳声（四声体系では入声）を認める。

驛 音譯 ツラヌ … ムマヤ［平平平］ハシル［平平□］　　　　（観智院本類聚名義抄／僧中 109-6）

驛 ［徳］江支／エキ　　　　　　　　　　　　　　　　　　　　（長承本蒙求／011）

驛 　唐令云諸道須置驛者毎三十里一驛 音繹和名無末夜 …　（元和本倭名類聚抄／巻十 19 ウ 4）

▶番号 1165b「譯」（翻譯）の仮名音注「ヤク」については、基本的に -jak で対応する。当該字には入声点を差す。図書寮本類聚名義抄に反切「弘云餘石反」と同音字注「类云亦音」を見出す。観智院本には同音字注「音亦」を見つける。承暦本金光明最勝王経音義には仮名音注「ヤク」がある。日本呉音「ヤク」を認める。

翻譯 弘云餘石反 … 說文傳日夷之語也 类云亦音　　　　　　（図書寮本類聚名義抄／093-6）

譯 音亦 サヘツル … 傳日夷之語也　　　　　　　　　　　（観智院本類聚名義抄／法上 069-1）

譯 ［ヤク：右傍］〔＊後筆墨書〕　　　　　　　（承暦本金光明最勝王経音義／09 ウ 6）

▶番号 2287「掖」（掖）の仮名音注「エキ」については、基本的に -ek で対応する。当該字に声点はなく、左右注「ワキ 正門之傍／小門也」を付載する。観智院本類聚名義抄に同音字注「音亦也」を見出すが、仮名音注はない。元和本倭名類聚抄には反切「盈迹反」がある。

掖 音亦也 … ワキヒタ［平平□□］又音夜郡 …　　　　　（観智院本類聚名義抄／佛下本 065-2）

縫掖 マツハシ［上上上□］ノウヘノキヌ　　　　（観智院本類聚名義抄／佛下本 065-3）

縫掖 　考聲切韻云掖 盈迹反 …　　　　　　　　　（元和本倭名類聚抄／巻十二 19 ウ 1）

▶番号 2302「腋」（腋）の仮名音注「エキ」については、基本的に -ek で対応する。当該字には入声点を差し、右注「ワキ」を付載する。観智院本類聚名義抄に同音字注「音亦・夜音〔＊液の誤認か〕」と反切「又之石反」を見出す。長承本蒙求に仮名音注「エキ」があり、その掲出字に徳声点を加える。元和本倭名類聚抄には同音字注「液反」を見つける。日本漢音「エキ」徳声（四声体系では入声）を認める。

腋 音亦 夜音／ワキ［平平］又之石反　　　　　　（観智院本類聚名義抄／佛中 130-8）

腋 ［徳］江支／エキ　　　　　　　　　　　　　　　　　　　　（長承本蒙求／012）

腋 　唐韻云腋 液反和名和岐 肘腋也 …　　　　　　　　（元和本倭名類聚抄／巻三 08 オ 6）

3-5-3　-ie 系の字音的特徴　1251

▶番号 2342・2343b「袬」〔*←衤+夜〕（袬・缺袬）の仮名音注「エキ」については、基本的に
-ek で対応する。両当該字には入声点を差す。番号 2342「袬」は右注「ワキ」左注「衣袬」を、熟
字 2343「缺袬」は左右注「ワキアケノ／ウエノキヌ」付載する。観智院本類聚名義抄に音注表記は
ない。元和本倭名類聚抄に同音字注「音與被同」がある。

　　袬 衣ノワキ　　　　　　　　　　　　　　　　（観智院本類聚名義抄／法中 151-2）
　　缺袬 ワキアケ［平平平□］ノコロモ　　　　　（観智院本類聚名義抄／佛下本 065-3）
　　袬　方言注云袬 音與被同和名古呂毛乃和岐 衣被也　（元和本倭名類聚抄／巻十二 23 オ 2）
　　欠被　楊氏漢語抄云蜀衫 和岐阿介乃古路毛 …　　（元和本倭名類聚抄／巻十二 19 ウ 3）

▶番号 3102b「易」（改易）の仮名音注「エキ」については、基本的に -ek で対応する。当該字
には入声点を差す。廣韻に拠れば、昔韻 (jiek) 寘韻 (jie³) 二音を有する。観智院本類聚名義抄に
入声点を付した同音字注「音亦」と反切「又以豉反」（その反切下字に去声点）および平声点を付
した和音「又イ」〔*←ヌイ〕を見出す。日本漢音は去/入声、日本呉音「イ」平声を認める。

　　易 音亦［入］カフ［上□］ … 又以豉［□去］反… 和ヌイ［平平］

　　　　　　　　　　　　　　　　　　　　　　　（観智院本類聚名義抄／佛中 090-5）

▶番号 1657b「跡」（投跡）の仮名音注「セキ」については、基本的に -ek で対応する。当該字
には入声点を差す。図書寮本類聚名義抄に同音字注「音積」（その右傍に仮名音注「セキ」）およ
び「真云シヤク」を見出す。後者は真興撰『大般若経音訓』いわゆる真興音義による和音である。
観智院本には同音字注「音積」（その右注に墨筆で仮名音注「セキ」左注に朱筆で仮名音注「シヤ
ク」）を見つける。日本漢音「セキ」日本呉音「シヤク」を認める。

　　道跡 音積［セキ：右傍］… アト［平上／異：右注］… 真云シヤク　（図書寮本類聚名義抄／118-1）
　　跡 迹並正 アトック［平上□□］ … 音積［セキ：墨右注／シヤク：墨左注］

　　　　　　　　　　　　　　　　　　　　　　　（観智院本類聚名義抄／法上 081-4）

▶番号 1728b「鰿」（海鰿）の仮名音注「セキ」については、基本的に -ek で対応する。当該字
には入声点を差す。熟字 1728「海鰿」は右注「チヌ」を付載する。観智院本類聚名義抄に同音字注
「音即」を見出すが、仮名音注はない。元和本倭名類聚抄には「音積」がある。

　　鰿 音即 一名／鮒臰　　　　　　　　　　　　（観智院本類聚名義抄／僧下 004-8）
　　海鰿臰 チヌ　　　　　　　　　　　　　　　　（観智院本類聚名義抄／僧下 005-1）
　　海鰿　辨色立成云海鰿魚 知沼鰿見下文　　　　（元和本倭名類聚抄／巻十九 03 ウ 8）
　　鮒　… 四聲字苑云鰆鰿鱗 音積今案三字通用也 鮒也　（元和本倭名類聚抄／巻十九 07 オ 2）

▶番号 2158「蹐」（蹐）の仮名音注「セキ」については、基本的に -ek で対応する。当該字に
声点はなく、右注「ヌキアシ」左注「軽足行也」を付載する。図書寮本類聚名義抄に反切「弘云子
亦反」と入声点を付した両同音字注「類 寂脊音」を見出す。観智院本には同音字注「寂脊二音」を
見つけるが、仮名音注はない。日本漢音は入声を認める。

1252 3．仮名音注の韻母別考察 3-5 ⅢA韻類

踖 弘云子亦反 黒足也 小歩也 类 寂［入］脊［入］音 （図書寮本類聚名義抄／107-3）

踖 寂脊二音 十歩行 ヌキアシ … （観智院本類聚名義抄／法上 082-8）

▶番号1446a「鶺」（鶺鴒）の仮名音注「セキ」については、基本的に -ek で対応する。当該字には入声点を差す。当該字「鶺」と「䳜」は相互に異体字である。熟字1446「鶺鴒」は右注「トツキヲシヘトリ」左注「䳜鴒〔＊上下配置〕イ本」を付載する。観智院本類聚名義抄に同音字注「積」を見出す。元和本倭名類聚抄には同音字注「積」がある。

鶺䳜 或正 鶺鴒名 下トツキヲシヘタリ／ニハクナフリ （観智院本類聚名義抄／僧中 122-7）

䳜鴒〔＊上下配置〕積零／二音 ニハクナフリ［上上上上平濁平］／

　　トツキ［上上上濁］ヲシヘトリ［上上上平濁平］ （観智院本類聚名義抄／僧中 122-7）

鶺鴒 崔禹錫食經云鶺鴒〔＊上下配置〕積霊二音字或作鶺鴒

　　和名爾波久奈布里日本紀私記曰止豆木乎之閇止里 … （元和本倭名類聚抄／巻十八 09 オ 6）

▶番号0944a「鶺」（鶺鴒）の仮名音注「セキ」については、基本的に -ek で対応する。当該字に声点はない。熟字0944「鶺鴒」は右注「ニハクナフリ」中注「又トツキヲシヘトリ」左注「又作䳜鴒〔＊上下配置〕［セキレイ：右傍］白／似鷰而高飛／作聲者也」を付載する。上述の分析を参照。

▶番号2282b「積」（擁積）の仮名音注「セキ」については、基本的に -ek で対応する。当該字には入声点を差す。熟字2282「擁積」は右傍「ト、マリ ツモル」を付載する。観智院本類聚名義抄に入声点を付した同音字注「音迹」と「者ク」〔＊和音か〕を見出す。長承本蒙求には仮名音注「セキ」があり、その掲出字に徳声点を加える。日本漢音「セキ」徳声（四声体系では入声）を認める。日本呉音「シヤク」の可能性を指摘しておく。

積 音迹［入］者ク ツム［上平］／ニハクナフリ （観智院本類聚名義抄／法下 024-1）

積［徳］セキ （長承本蒙求／128）

▶番号1844b・2377b「昔」（疇昔・往昔）の仮名音注「シヤク」については、基本的に -jak で対応する。両当該字に入声点を差す。熟字1844「疇昔」は右傍「ムカシ」を付載する。観智院本類聚名義抄に入声点を付した同音字注「音惜」を見出すが、仮名音注はない。日本漢音は入声を認める。

昔 音惜［入］始 ムカシ イニシヘ … （観智院本類聚名義抄／佛中 089-3）

▶番号2378b「昔」（往昔）の仮名音注「セキ」については、基本的に -ek で対応する。当該字には入声点を差す。上述の分析を参照。

▶番号2118b「惜」（悋惜）の仮名音注「セキ」については、基本的に -ek で対応する。当該字には入声点を差す。熟字2118「悋惜」は右傍「イナヒ ヲシム」を付載する。図書寮本類聚名義抄に反切「弘云昔亦反」を見出す。観智院本には入声点を付した同音字注「音昔」（その右傍に朱筆で仮名音注「シヤク」）を見つける。承暦本金光明最勝王経音義には同音字注「尺音」があり、その掲出字に入声点を加える。日本漢音は入声を認める。日本呉音「シヤク」入声の蓋然性が高い。

3-5-3 -ie系の字音的特徴 1253

恡惜 … 下 弘云𦾔亦反 … ヲシム［平平上／後：右注］…　　　　　　（図書寮本類聚名義抄／254-7）

惜 音昔［入／シヤク：朱左傍］ヲシム［平平上］…　　　　　　（観智院本類聚名義抄／法中078-2）

恡惜 イナフ［平平上濁］　　　　　　　　　　　　　　　　　　（観智院本類聚名義抄／法中078-3）

尺 音赤 者ク／十寸 サタム［平平濁上］　　　　　　　　　　　（観智院本類聚名義抄／僧下104-3）

惜［入］尺𛀁／乎志牟　　　　　　　　　　　　（承暦本金光明最勝王経音義／05ウ1）

▶番号2428「潟」（潟）の仮名音注「セキ」については、基本的に -ek で対応する。当該字には入声点を差し、右注「カタ［上平］」を付載する。図書寮本類聚名義抄に同音字注「川云音与昔同」を見出す。観智院本には同音字注「寫舄二音」を見つけるが、仮名音注はない。

潟 川云音与昔同 和云加太［上平］…　　　　　　　　　　　　（図書寮本類聚名義抄／055-6）

潟 寫舄二音／カタ［上平］　　　　　　　　　　　　　　　　　（観智院本類聚名義抄／法上037-1）

▶番号3105b「夕」（合夕）の仮名音注「シヤク」については、基本的に -jak で対応する。当該字には入声点を差す。観智院本類聚名義抄に入声点を付した同音字注「音席」を見出すが、仮名音注はない。日本漢音は入声を認める。

夕 音席［入］ユフヘ／ヨヒ［上上］　　　　　　　　　　　　　（観智院本類聚名義抄／法下134-5）

▶番号2863b「夕」（閑夕）の仮名音注「セキ」については、基本的に -ek で対応する。当該字には入声点を差す。上述の分析を参照。

▶番号2073b「席」（祖席）の仮名音注「セキ」については、基本的に -ek で対応する。当該字には入声点を差す。観智院本類聚名義抄に反切「詳石反」および低平調と推測する和音「者ク」を見出す。同書では掲出諸字「借・赤・嚼・責・矷・綽・席・藉・籍・錯・鑿」に対して和音「者ク」を付載する。長承本蒙求には「セキ」四例があり、それらの掲出字に入声点と徳声点を加える。日本漢音「セキ」徳声（四声体系では入声）を認める。また日本呉音「シヤク」の蓋然性が高い。

席 … 詳石反／ムシロ［平平平］… 和者ク［□平］　　　　　　（観智院本類聚名義抄／法下105-8）

者 諸野反 モノ／ヒト［上平］ ミキ［上上濁］…　　　　　　　（観智院本類聚名義抄／佛中100-3）

席［入］セキ／セキ　　　　　　　　　　　　　　　　　　　　（長承本蒙求／012）

席［徳］セキ　　　　　　　　　　　　　　　　　　（長承本蒙求／017・082・101）

▶番号0472b・1031b「石」（礜石・礜石）の仮名音注「シヤク」については、基本的に -jak で対応する。両当該字に声点はない。その中古音が示す頭子音 ź-（等韻学の術語で言う歯音濁常母）は有声歯茎摩擦音であり、日本語のザ行音をもって受容するが、中国語音韻史上における濁音声母の無声化を反映する場合はサ行音で対応する。図書寮本類聚名義抄に入声点を付した同音字注「音碩」を見出す。観智院本には反切「常隻反」と低平調を示す「シヤク［平濁平平］」を見つける。天理大学本最勝王経音義には反切「常隻反」があり、その反切下字「隻」の右傍に「セキ」を見出す。長承本蒙求には仮名音注「セキ」四例があり、その掲出字を含む五例に入声点を加える。元和本倭名類聚抄には反切「常尺反」を見つける。日本漢音「セキ」入声を認める。また近時の字音「ジ

1254　3．仮名音注の韻母別考察　3-5　ⅢA韻類

ヤク」平声の蓋然性が高い。

　　　　石 音碩［入］… 川云 和云以之［上平］ツチ［平平］　　　　　　　（図書寮本類聚名義抄／147-1）

　　　　石 常隻反 イシ［上平］／ツチ アツシ　　　　　　　　　　　　（観智院本類聚名義抄／法中 001-3）

　　　　石 常隻反［セキ：墨右傍］／イシ ツチ／アツシ　　　　　　　（天理大学本最勝王経音義／11 ウ 3）

　　　　礜〔＊礜石か〕音煩［平］此間之〔＊云か〕／ホム［平濁上］シヤク［平濁平平］

　　　　　　　　　　　　　　　　　　　　　　　　　　　　　　（観智院本類聚名義抄／法中 013-2）

　　　　石［入］セキ　　　　　　　　　　　　　　　　　　　　（長承本蒙求／018・086・089・094）

　　　　石［入］　　　　　　　　　　　　　　　　　　　　　　　　　（長承本蒙求／057）

　　　　石 陸詞云石凝土也常尺反 和名以之　　　　　　　　　　　　（元和本倭名類聚抄／巻一08 ウ 3）

　　　　礜石 蘇敬曰礜石有青白黒緑黄五種矣音繁此間云悶石　（元和本倭名類聚抄／巻一09 オ 5）

▶番号 1438a・1769b「石」（石楠草・鑢石）の仮名音注「サク」については、異例 -ak を示す。両当該字に声点はない。熟字 1438「石楠草」は右傍「サクナムサウ」を付載する。元和本倭名類聚抄に「俗云佐久奈無佐」を見出す。この俗表記は定着久しい字音と解釈できるか。熟字 1769「鑢石」は右注「鈆イ本」中注「チウサク俗」左注「唐物也」を付載する。元和本倭名類聚抄には「鑢石二音俗云中尺」がある。上述の分析を参照。

　　　　石楠草　本草云石楠草 楠音南和名止比良乃木俗云佐久奈無佐

　　　　　　　　　　　　　　　　　　　　　　　　　　　　（元和本倭名類聚抄／巻二十29 ウ 5）

　　　　鑢石　考聲切韻云鑢 他侯反字亦作鉚鑢石二音俗云中尺 …　（元和本倭名類聚抄／巻十一19 オ 7）

▶番号 1835b「石」（柱石）の仮名音注「セキ」については、基本的に -ek で対応する。当該字には入声点を差す。上述の分析を参照。

▶番号 2877b「石」（嚴石）の仮名音注「セキ」については、基本的に -ek で対応する。当該字には入声濁点を差すので、日本語音韻史上の連濁による字音「ゼキ」を想定する。熟字 2877「嚴石」は右傍「イハヲ」を付載する。上述の分析を参照。

▶番号 0064b「躑」（羊躑躅）の仮名音注「テキ」については、基本的に -ek で対応する。当該字には入声点を差す。その中古音が示す頭子音 ɖ-（等韻学の術語で言う舌音濁澄母）は有声反り舌閉鎖音であり、日本語のダ行音をもって受容するが、中国語音韻史上における濁音声母の無声化を反映する場合はタ行音で対応する。熟字 0064「羊躑躅」は右注「イハツヽシ」中左注「羊誤食之／躑躅而死／故以名之」を付載する。図書寮本類聚名義抄に入声点を付した同音字注「川云攊・公云音的」および「真云 チヤク」を見出す。このうち「公云音的」は大般若経字抄による漢呉二音相同の同音字注「的」を出典とする。観智院本には同音字注「音攊」（二例あり一例に入声点）と反切「又丁狄反」を見つける。元和本倭名類聚抄には同音字注「音攊」がある。日本漢音は入声、日本呉音「チヤク」を認める。

　　　　躑躅 川云攊直［入入］二音 … 方云又従玉反 … 公云音的［入］…　（図書寮本類聚名義抄／109-7）

3-5-3 -ie 系の字音的特徴 1255

跳躑 音迢［東］… 真云テウチヤク 　　　　　　　　（図書寮本類聚名義抄／110-7）

跳躑 ［条的：右傍］踊也 　　　　　　　（石山寺一切経蔵本大般若経字抄／25 オ 7）

躑 音擲 又丁狄反 コユ ツマツク … 　　　　　　（観智院本類聚名義抄／法上 075-1）

羊躑躅 イハツヽシ［上上□□□］… 擲直［入□］二音 　（観智院本類聚名義抄／法上 075-2）

羊躑躅 陶隱居本草注云羊躑躅 擲直二音和名以波豆々之一云毛知豆々之

　　　羊誤食之躑躅而死故以名之 　　　　　　　（元和本倭名類聚抄／巻二十 26 ウ 4）

　▶番号2643a「擲」（擲倒）の仮名音注「テキ」については、基本的に -ek で対応する。当該字には入声点を差す。その中古音が示す頭子音 d-（等韻学の術語で言う舌音濁澄母）は有声反り舌閉鎖音であり、日本語のダ行音をもって受容するが、中国語音韻史上における濁音声母の無声化を反映する場合はタ行音で対応する。熟字2643「擲倒」は右注「カヘリウツ」を付載する。観智院本類聚名義抄・天理大学本最勝王経音義に反切「鄭亦反」および和音「茶ク」を見出す。長承本蒙求には仮名音注「テキ」三例「チヤク」二例〔＊呉音系字音の混入か〕があり、それらの掲出字に入声点を加える。承暦本金光明最勝王経音義には同音字注「著音」があり、その掲出字に入声点を加える。観智院本で「著」を再検索すると、濁音を含む低平調の和音「チヤク」（その右傍に墨筆で濁音「✓」表記）を見つける。字音「ヂヤク」を想定できる。日本漢音「テキ」入声を認める。日本呉音「ヂヤク」入声の蓋然性が高い。

擲 鄭亦反 ナク［平上濁］… 和茶ク 　　　　　　　（観智院本類聚名義抄／佛下本 058-1）

擲 鄭亦反 ナク … 和茶ク〔＊禾茶は破損〕 　　　　（天理大学本最勝王経音義／05 オ 6）

鐸 音澤 … 和茶ク 　　　　　　　　　　　　　　（観智院本類聚名義抄／僧上 137-8）

著着 下俗 音除 … 和チヤク［平濁平平／✓□□：墨右傍］… 　（観智院本類聚名義抄／僧上 037-7）

擲［入］テキ 　　　　　　　　　　　　　　　　　（長承本蒙求／086・099）

擲［去・入］チヤク 　　　　　　　　　　　　　　（長承本蒙求／109）

擲［入］チヤク・テキ 　　　　　　　　　　　　　（長承本蒙求／147）

擲［入］著ゝ／投也 　　　　　　（承暦本金光明最勝王経音義／10 オ 3）

擲倒 楊氏漢語抄云擲倒 和名賀倍利宇都 … 　　　（元和本倭名類聚抄／巻四 07 オ 3）

　▶番号1326a・1339a・1380a「碧」（碧落・碧水・碧蒲）の仮名音注「ヘキ」については、基本的に -ek で対応する。当該諸字三例には入声点を差す。熟字1339「碧水」は右傍「アヲキミツ」を付載する。図書寮本類聚名義抄に反切「弘云彼戟反」および低平調を示す「真云ヘキ」〔＊漢音系字音の混入か〕と入声点を付した同音字注「白」を見出す。観智院本には反切「彼戟反」を見つける。字音「ヘキ」入声を認める。

碧玉 弘云彼戟反 … 真云ヘキ［平平］白［入］ 　　（図書寮本類聚名義抄／165-1）

碧 彼戟反 ミトリ［上上濁平］… アヲシ［平平上］… 　（観智院本類聚名義抄／法中 012-1）

　▶番号1378a「辟」（辟居）の仮名音注「ヘキ」については、基本的に -ek で対応する。当該字

1256　3．仮名音注の韻母別考察　3-5　ⅢA韻類

には入声点を差す。廣韻に拠れば、幫母昔韻・並母昔韻（piek・biek）二音を有する。熟字1378「辟居」は右傍「メシ スウ」を付載する。観智院本類聚名義抄に和音「ヒヤク」（その右傍に墨筆で濁音「✓」表記）を見出す。日本呉音「ビヤク」を認める。

　　　辟 ハリ［上平］メス … 和ヒヤク［✓□□：墨右傍］　　　　　（観智院本類聚名義抄／僧下066-5）

　▶番号1330a・1363a「僻」（僻遠・僻人）の仮名音注「ヘキ」については、基本的に -ek で対応する。両当該字には入声点を差す。熟字1330「僻遠」は右傍「サカリ トヲシ」を付載する。観智院本類聚名義抄に同音字注「音霹」を見出すが、仮名音注はない。

　　　僻 音霹 ヒカム［平平濁上］… サカル［上上平］…　　　　　（観智院本類聚名義抄／佛上017-6）

　▶番号1954d「僻」（沈惑之僻）の仮名音注「ヘキ」については、基本的に -ek で対応する。当該字に声点はない。熟字1954「沈惑之僻」は「ワクノ ヘキナリ」を付載する。池篇畳字部の長畳字に属する熟字である。実用の訓読を示すものか。上述の分析を参照。

《下巻 昔韻開口諸例》

　▶番号6687b「益」（請益）の仮名音注「エキ」については、基本的に -ek で対応する。当該字には入声点を差す。上巻の昔韻当該諸例で分析したように、日本呉音「ヤク」を認める。

　▶番号3849a・4859a「嶧」（嶧陽・嶧陽）の仮名音注「エキ」については、基本的に -ek で対応する。両当該字には入声点を差す。観智院本類聚名義抄に同音字注「音亦」を見出すが、仮名音注はない。

　　　嶧 音亦 山名　　　　　　　　　　　　　　　　（観智院本類聚名義抄／法上113-2）

　▶番号6007b「驛」（遠驛）の仮名音注「ヤク」については、基本的に -jak で対応する。当該字には入声点を差す。上巻の昔韻当該例で分析したように、日本漢音「エキ」徳声（四声体系では入声）を認める。

　▶番号6309b「驛」（飛驛）の仮名音注「ヤク」については、基本的に -jak で対応する。当該字に声点はない。上述の分析を参照。

　▶番号3840a「驛」（驛傳）の仮名音注「エキ」については、基本的に -ek で対応する。当該字には入声点を差す。熟字3840「驛傳」は右傍「ムマヤノツカヒ」を付載する。上述の分析を参照。

　▶番号4753b・6935b「驛」（山驛・水驛）の仮名音注「エキ」については、基本的に -ek で対応する。両当該字に声点はない。熟字4753「山驛」は右注「同（マヤ）」を付載する。上述の分析を参照。

　▶番号6039「帟」（帟）の仮名音注「エキ」については、基本的に -ek で対応する。当該字に声点はなく、右注「ヒラハリ」左注「平帳曰帟」を付載する。図書寮本類聚名義抄に同音字注「类云亦音」（その右傍に仮名音注「エキ」）を見出す。略称「类」が示す出典は明らかでないが、部

3-5-3 -ie 系の字音的特徴　1257

首水部の冒頭に出典名として『類聚抄莝垂類』がある。観智院本には同音字注「音亦」を見出す。元和本倭名類聚抄には反切「羊益反」がある。日本漢音「エキ」を認める。

　　　帟　类云亦音［エキ：右傍］… 川云 和云比良波利［上上上濁上］　　　　　（図書寮本類聚名義抄／283-2）

　　　帟　カフ ヒラハリ ツク　　　　　　　　　　　　　　（観智院本類聚名義抄／佛下末 023-4）

　　　帟　音亦 幕　　　　　　　　　　　　　　　　　　　（観智院本類聚名義抄／法中 105-5）

　　　帟　　周禮注云平帳日帟 羊益反和名比良波利　　　　（元和本倭名類聚抄／巻十四 15 オ 9）

　▶番号 6625b「袧」（枂袧）の仮名音注「エキ」については、基本的に -ek で対応する。当該字には入声点を差す。上巻の昔韻当該例で分析した。

　▶番号 3434「袳」（袴）の仮名音注「エキ」については、基本的に -ek で対応する。当該字には入声点を差し、右注「コロモノワキ」を付載する。上巻の昔韻当該諸例で分析した。

　▶番号 3806a・3846a「易」（易筮・易衣）の仮名音注「エキ」については、基本的に -ek で対応する。両当該字には入声点を差す。熟字 3806「易筮」は左注「易莁」を付載する。上巻の昔韻当該例で分析したように、日本漢音は去/入声、日本呉音「イ」平声を認める。

　▶番号 5048b「蹐」（踢蹐）の仮名音注「セキ」については、基本的に -ek で対応する。当該字には入声点を差す。上巻の昔韻当該例で分析したように、日本漢音は入声を認める。

　▶番号 6291b「跡」（筆跡）の仮名音注「セキ」については、基本的に -ek で対応する。当該字には入声点を差す。上巻の昔韻当該例で分析したように、日本漢音「セキ」日本呉音「シヤク」を認める。

　▶番号 6186b・6596a・6658a「積」（襞積・積流・積薪）の仮名音注「セキ」については、基本的に -ek で対応する。当該諸字三例には入声点を差す。熟字 6186「襞積」は右注「ヒタ［平平濁］」左注「ヒタメ」を付載する。上巻の昔韻当該例で分析したように、日本漢音「セキ」徳声（四声体系では入声）を認める。日本呉音「シヤク」の可能性を指摘しておく。

　▶番号 5814a「積」（積善）の仮名音注「シヤク」については、基本的に -jak で対応する。当該字に声点はない。上述の分析を参照。

　▶番号 4652b「磧」（砂磧）の仮名音注「セキ」については、基本的に -ek で対応する。当該字には入声点を差す。図書寮本類聚名義抄に入声点を付した同音字注「音戚」を見出す。観智院本には同音字注「音戚」を見つけるが、仮名音注はない。日本漢音は入声を認める。

　　　磧　東云音戚［入］…　　　　　　　　　　　　　　　（図書寮本類聚名義抄／153-2）

　　　磧　濫磧 ウス／オホキナリ 音戚　　　　　　　　　（観智院本類聚名義抄／法中 002-3）

　▶番号 6629a「碩」（碩德）の仮名音注「セキ」については、基本的に -ek で対応する。当該字には入声点を差す。観智院本類聚名義抄に入声点を付した同音字注「音石」を見出すが、仮名音注はない。日本漢音は入声を認める。

　　　碩　音石［入］オホキナリ［平平□□□／□□イ□□］…　　　（観智院本類聚名義抄／佛下本 031-3）

1258　3．仮名音注の韻母別考察　3-5　ⅢA韻類

　　碩 音石 オホイナリ［□□キ□□］…　　　　　　　　　　　（観智院本類聚名義抄／法中007-3）

▶番号3455b「籍」（戸籍）の仮名音注「セキ」については、基本的に *-ek* で対応する。当該字には入声点を差す。その中古音が示す頭子音 dz-（等韻学の術語で言う歯音濁従母）は有声歯茎破擦音であり、日本語のザ行音をもって受容するが、中国語音韻史上における濁音声母の無声化を反映する場合はサ行音で対応する。なお、当該字「籍」と「藉」は別字であるが、混用することがある。観智院本類聚名義抄に同音字注「音席」および和音「者ク」を見出す。和音としては「ジヤク」を期待するが、実際は「シヤク」である。同書では掲出諸字「借・赤・嚼・責・斫・綽・席・藉・籍・錯・鑿」に対して和音「者ク」を示す。長承本蒙求には仮名音注「セキ」二例があり、それぞれの掲出字に徳声点と入声点を加える。この徳声点は入声点の誤認であろう。当該字の頭子音は濁音声母であり入声を示す。元和本倭名類聚抄には同音字注「音席」を見つける。日本漢音「セキ」入声を認める。日本呉音「シヤク」の蓋然性が高い。

　　籍 音席 藉字 シキヰニス … 和者ク　　　　　　　　　（観智院本類聚名義抄／僧上077-8）

　　藉 音寂 亦徐夜反 ヨル［上平］… 和者ク　　　　　　　（観智院本類聚名義抄／僧上030-8）

　　者 諸野反 モノ／ヒト［上平］ミキ［上上濁］…　　　　　（観智院本類聚名義抄／佛中100-3）

　　藉［徳］セキ〔＊入声点の誤認か〕　　　　　　　　　　　（長承本蒙求／083）

　　藉［入］セキ　　　　　　　　　　　　　　　　　　　　（長承本蒙求／143）

　　戸籍　文字集略云籍 音席和名與簡札同 …　　　　　　（元和本倭名類聚抄／巻十三11オ1）

▶番号3456b「籍」（戸籍）の仮名音注「シヤク［平濁平平］」については、基本的に *-jak* で対応する。当該字には入声点を差し、その仮名音注には濁音を含む低平調の差声を施す。字音「ジヤク」入声を想定する。熟字3456「戸籍」は「与簡札同也」を付載する。上述の分析を参照。

▶番号5426「籍」（籍）の仮名音注「シヤク」については、基本的に *-jak* で対応する。当該字に声点はなく、右注「秦昔反」左注「簿之也」を付載する。上述の分析を参照。

▶番号3728b「惜」（拘惜）の仮名音注「シヤク」については、基本的に *-jak* で対応する。当該字に声点はない。熟字3728「拘惜」は別筆補入である。また左傍「カ、ヘモツ」を付載する。上巻の昔韻当該例で分析したように、日本漢音は入声を認める。日本呉音「シヤク」入声の蓋然性が高い。

▶番号4701b・5783b・5876b・6736b「席」（座席・寝席・枕席・絶席）の仮名音注「セキ」については、基本的に *-ek* で対応する。当該諸字四例には入声点を差す。上巻の昔韻当該例で分析したように、日本漢音「セキ」徳声（四声体系では入声）を認める。また日本呉音「シヤク」の蓋然性が高い。

▶番号6684a「席」（席門）の仮名音注「セキ」については、基本的に *-ek* で対応する。当該字に声点はない。上述の分析を参照。

▶番号4181「蹠」（蹠）の仮名音注「セキ」については、基本的に *-ek* で対応する。当該字に

は入声点を差し、右注「アナウラ」中注「之石反 又乍跖［シャク：右傍］」左注「足下也」を付載する。図書寮本類聚名義抄に同音字注「川云音尺」を見出す。観智院本には入声点を付した同音字注「音尺」を見つけるが、仮名音注はない。元和本倭名類聚抄には同音字注「音尺」がある。日本漢音は入声を認める。

<blockquote>

蹠 川云音尺 阿奈宇良［平平上平］广云又跖　　　　　（図書寮本類聚名義抄／115-1）

蹠 音尺［入］アナウラ［平平上□］…　　　　　（観智院本類聚名義抄／法上073-3）

蹠　説文云跖 音尺字亦作蹠和名阿奈宇良 足下也　　　（元和本倭名類聚抄／巻三15 オ3）
</blockquote>

▶番号4182「跖」（跖）の仮名音注「シャク」については、基本的に -jak で対応する。当該字に声点はない。当該字「跖」は「蹠」と相互に異体字である。図書寮本類聚名義抄に「千云並正入声」を見出す。これは直上に配置する「蹠」とともに正字で入声である旨を言う。日本漢音は入声を認める。

<blockquote>

跖下 千云並正入声 广云足下也 今亦作蹠　　　　　（図書寮本類聚名義抄／115-2）

跖 正／アナウラ［平平□□］　　　　　（観智院本類聚名義抄／法上073-4）
</blockquote>

▶番号4230・4330「炙」（炙・炙）の仮名音注「セキ」については、基本的に -ek で対応する。両当該字には入声点を差す。番号4230「炙」は右注「アフリモノ」左注「之夜反 炙害也」を、番号4330「炙」は右注「アフル」中注「之夜之石二反」左注「炙背」を付載する。観智院本類聚名義抄に反切「章適反」（その反切下字に入声点）と反切「又章夜反」および「呉尺・又シヤ」を見出す。この呉音は大般若経字抄による漢呉二音相同の同音字注「尺音・舎」を出典とする。元和本倭名類聚抄には反切「之夜反又之石反」がある。日本漢音は入声、日本呉音「シヤ」を認める。

<blockquote>

炙 章適［□入］反 又章夜反 アフリ物［平平濁平□］アフル［平上濁平］… 呉尺 又シヤ

　　　　　　　　　　　　　　　　　　（観智院本類聚名義抄／佛下末039-5）

炙［尺音：右傍／舎：左傍］アフル　　　（石山寺一切経蔵本大般若経字抄／23 オ7）

炙　唐韻云炙 之夜反又之石反和名阿布利毛乃…　　　（元和本倭名類聚抄／巻十六19 ウ5）
</blockquote>

▶番号5421a「赤」（赤銅）の仮名音注「シャク」については、基本的に -jak で対応する。当該字に声点はない。熟字5421「赤銅」は左注「唐物」を付載する。観智院本類聚名義抄に反切「昌石反」（その反切下字に入声点）および和音「者ク」を見出す。同書では掲出諸字「借・赤・嚼・責・斫・綽・席・藉・籍・錯・鑿」に対して和音「者ク」を示す。日本漢音は入声を認める。日本呉音「シヤク」の蓋然性が高い。

<blockquote>

赤 昌石［□入］反 … アカシ［上上上］… 和者ク　　　（観智院本類聚名義抄／佛上084-1）

者 諸野反 モノ／ヒト［上平］ミキ［上上濁］…　　　（観智院本類聚名義抄／佛中100-3）
</blockquote>

▶番号4309a・6517a「赤」（赤莧・赤松）の仮名音注「セキ」については、基本的に -ek で対応する。両当該字には入声点を差す。熟字4309「赤莧」は右注「アカヒユ」を付載する。上述の分析を参照。

1260　3．仮名音注の韻母別考察　3-5　ⅢA韻類

　　　赤莧　本草注云莧又有赤莧 和名阿加比由 …　　　　　　　　（元和本倭名類聚抄／巻十四 11 オ 9）

　▶番号 6747a「赤」（赤松）の仮名音注「セキ」については、基本的に -ek で対応する。当該字
に声点はない。上述の分析を参照。

　▶番号 5424a「尺」（尺八）の仮名音注「シヤク」については、基本的に -jak で対応する。当
該字には入声点を差す。熟字 5424「尺八」は右注「シヤクハチ俗」左注「短笛也」を付載する。観
智院本類聚名義抄に反切「昌石反」と同音字注「音赤」および「者ク」〔＊和音か〕を見出す。長承
本蒙求には仮名音注「セキ」があり、その掲出字に徳声点を加える。日本漢音「セキ」徳声（四声
体系では入声）を認める。また日本呉音「シヤク」の可能性を指摘しておく。

　　　尺 昌石反 十寸／タカハカリ［上上上濁上平］　　　　　　（観智院本類聚名義抄／法下 092-2）

　　　尺 音赤 者ク／十寸 サタム［平平濁上］　　　　　　　　（観智院本類聚名義抄／僧下 104-3）

　　　尺［徳］セキ　　　　　　　　　　　　　　　　　　　　　　　　　　（長承本蒙求／035）

　　　尺八 律書樂圖云尺八爲短笛縦向吹者也　　　　　　（元和本倭名類聚抄／巻四 13 ウ 7）

　▶番号 5483・4785b「尺」（尺・三尺）の仮名音注「シヤク」については、基本的に -jak で対
応する。両当該字に声点はない。番号 5483「尺」は左注「十寸為尺」を付載する。熟字 4785「三
尺」の左注「サンシヤク」は消去した跡がある。上述の分析を参照。

　▶番号 5548b「尺」（咫尺）の仮名音注「セキ」については、基本的に -ek で対応する。当該字
には入声点を差す。熟字 5548「咫尺」は中注「八寸也」左注「近ト云也」を付載する。上述の分析
を参照。

　▶番号 6746a「尺」（尺有所短）の仮名音注「セキ」については、基本的に -ek で対応する。当
該字に声点はない。上述の分析を参照。

　▶番号 5999b「釋」（會釋）の仮名音注「シヤク」については、基本的に -jak で対応する。当
該字には入声点を差す。観智院本類聚名義抄に反切「聖亦反」を見出す。長承本蒙求には仮名音注
「セキ」があり、その掲出字に徳声点を加える。日本漢音「セキ」徳声（四声体系では入声）を認
める。

　　　釋 聖亦反 トク［平上］ユルス［平平上］…　　　　　　（観智院本類聚名義抄／僧下 080-4）

　　　釋［徳］セキ　　　　　　　　　　　　　　　　　　　　　　　　　　（長承本蒙求／132）

　▶番号 4613「螫」（螫）の仮名音注「セキ」については、基本的に -ek で対応する。当該字に
は入声点を差し、左右注「毒虫之／螫也」を付載する。観智院本類聚名義抄に入声点を付した同音
字注「音釋」（その右注に墨筆で仮名音注「エキ」左注に墨筆で仮名音注「シヤク」）を見出す。
元和本倭名類聚抄には同音字注「音釋」がある。日本漢音「エキ」入声、日本呉音「シヤク」入声
を認める。

　　　蛆螫 … 下音釋［入／エキ：墨右注／シヤク：墨左注］／サス［平上］…

　　　　　　　　　　　　　　　　　　　　　　　　　　　　（観智院本類聚名義抄／僧下 018-7）

蛆螫 … 下音釋［シヤク：墨左注］／サス［平上］… 又呼各反

（鎮国守国神社本三寶類聚名義抄／下二 27 ウ 7）

螫 … 野王案螫 音釋訓佐須 蜂蠆行毒也　　　　（元和本倭名類聚抄／巻十九 29 オ 1）

▶番号 6257b「石」（匧石）の仮名音注「セキ」については、基本的に -ek で対応する。当該字には入声点を差す。上巻の昔韻当該諸例で分析したように、日本漢音「セキ」入声を認める。また近時の字音「ジヤク」平声の蓋然性が高い。

▶番号 6754a「石」（石髪）の仮名音注「セキ」については、基本的に -ek で対応する。当該字に声点はない。上述の分析を参照。

▶番号 4463a「石」（石楠草）の仮名音注「サク」については、異例 -ak を示す。熟字 4463「石楠草」は右注「サクサムサウ俗」左注「又トヒラス」を付載する。元和本倭名類聚抄は借字による「俗云佐久奈無佐」を注記する。上述の分析を参照。

石楠草　本草云石楠草 楠音南和名止比良乃木俗云佐久奈無佐

（元和本倭名類聚抄／巻二十 29 ウ 5）

▶番号 3438a・4029a「擲」（擲地・擲地）の仮名音注「テキ」については、基本的に -ek で対応する。両当該字には入声点を差す。上巻の昔韻当該例で分析したように、日本漢音「テキ」入声を認める。日本呉音「ヂヤク」入声の蓋然性が高い。

▶番号 6402b「躑」（羊躑躅）の仮名音注「テキ」については、基本的に -ek で対応する。当該字には入声点を差す。熟字 6402「羊躑躅」は右注「モチツ シ」を付載する。上巻の昔韻当該例で分析したように、日本漢音は入声、日本呉音「チヤク」を認める。

羊躑躅　陶隱居本草注云羊躑躅 擲直二音和名以波豆々之一云毛知豆々之

羊誤食之躑躅而死故以名之　　　　　（元和本倭名類聚抄／巻二十 26 ウ 4）

▶番号 3874a「碧」（碧落）の仮名音注「ヘキ」については、基本的に -ek で対応する。当該字には入声点を差す。上巻の昔韻当該諸例で分析したように、字音「ヘキ」入声を認める。

▶番号 6186a「襞」（襞積）の仮名音注「ヘキ」については、基本的に -ek で対応する。当該字には入声点を差す。熟字 6186「襞積」は右注「ヒタ［平平濁］」左注「ヒタメ」を付載する。図書寮本類聚名義抄に入声点を付した同音字注「川云辟」を見出す。観智院本には入声点を付した同音字注「辟」を見つける。元和本倭名類聚抄には同音字注「襞積二音辟積」がある。日本漢音は入声を認める。

襞積 川云辟積［入入］二音 訓比多米［平平濁平］見文選 …　　（図書寮本類聚名義抄／338-6）

襞積 辟積［入□］二音 ヒタメ［平平濁平］…　　　（観智院本類聚名義抄／法中 148-7）

襞積　周禮注云祭服朝服襞積無數 襞積二音辟積訓比多米見文選

（元和本倭名類聚抄／巻十二 23 ウ 2）

▶番号 4452b・6011b「璧」（藻璧門・圓璧）の仮名音注「ヘキ」については、基本的に -ek で

1262　3．仮名音注の韻母別考察　3-5　ⅢA韻類

対応する。両当該字には徳声点を差す。熟字4452「藻璧門」は右注「西中御門」左注「宮城門」を付載する。図書寮本類聚名義抄に同音字注「音甓」を見出す。観智院本には入声点を付した同音字注「音甓」（その右傍に墨筆で仮名音注「ヘキ」）および和音「ヒヤク・ヘキ」〔＊「ヘキ」は正音の重出か〕を見つける。長承本蒙求には仮名音注「ヘキ」があり、その掲出字に徳声点を加える。日本漢音「ヘキ」徳声（四声体系では入声）日本呉音「ヒヤク」を認める。

　　　璧玉 音甓 … 真云瑞玉也 …　　　　　　　　　　　　　　（図書寮本類聚名義抄／161-3）

　　　璧 音甓［入／ヘキ：墨右傍］タマ／和ヒヤク ヘキ　　　（観智院本類聚名義抄／法中 020-3）

　　　璧 音甓 タマ／和ヒヤク ヘキ　　　　　　　　　　　　（天理大学本最勝王経音義／11 ウ 2）

　　　璧［徳］ヘキ　　　　　　　　　　　　　　　　　　　　（長承本蒙求／040）

　　3-5-3-10　-iueŋ/-iuek（清/静/勁/昔韻）

　　資料篇【表B-10】には清韻（平声）昔韻（入声）合口所属の諸例が含まれる。静韻（上声）勁韻（去声）合口所属の該当例はない。前田本の示す仮名音注は基本的に -jak, -eĭ/-ek で対応する。規範とする -wjaŭ/-wjak, -weĭ/-wek は見出せない。

　　《上巻 清韻合口諸例》

　　▶番号0027・0207・1208b「営」（営・營・奔営）の仮名音注「エイ」については、基本的に -eĭ で対応する。当該諸字三例には平声点を差す。番号0027「営」は右注「イロリ」左注「軍営」を、番号0207「営」は右注「イトナム」を付載する。観智院本類聚名義抄に平声点を付した同音字注「音瑩」（その右傍に墨筆で仮名音注「キヤウ」）を見出す。同書の凡例部分「朱音者正音也墨声者和音也」（篇目7-6）に従えば、朱墨で正音と和音を分別する傾向がある。日本漢音は平声、日本呉音「キヤウ」を認める。

　　　営 音瑩［平／キヤウ：墨右傍］イトナム［平平平平］…　　（観智院本類聚名義抄／佛下末 050-8）

　　▶番号1577b・2834「傾」（東傾・傾）の仮名音注「ケイ」については、基本的に -eĭ で対応する。両当該字には平声点を差す。番号2834「傾」は右注「カタフク」を付載する。観智院本類聚名義抄に反切「口営反」および「和況」を見出す。傍証ながら、同書で「況」を再検索すると、上昇調と推測する和音「クキヤウ」がある。天理大学本最勝王経音義には仮名音注「音キヤウ」を見つける。長承本蒙求には仮名音注「ケイ」三例があり、それらの掲出字に東声点を加える。日本漢音「ケイ」東声（四声体系では平声）を認める。日本呉音「クキヤウ・キヤウ」去声の蓋然性が高い。

　　　傾 口営反 カタフク［平平上平］… 和況　　　　　　　（観智院本類聚名義抄／佛上 032-3）

　　　傾 音キヤウ／カタフク ウナシ／ヨシ　　　　　　　　（天理大学本最勝王経音義／21 オ 3）

況 俗況字 … 和クヰヤウ［□□□上：墨点／□□□✓：墨右傍］

(観智院本類聚名義抄／法上 046-6)

傾 ［東］□反／ケイ (長承本蒙求／039)

傾 ［東］ケイ (長承本蒙求／076・112)

《下巻 清韻合口諸例》

▶番号 3850a「營」（營造）の仮名音注「エイ」については、基本的に -ei で対応する。当該字には平声点を差す。上巻の清韻合口諸例で分析したように、日本漢音は平声、日本呉音「ヰヤウ」を認める。

《上巻 昔韻口諸例》

▶番号 1461「疫」（疫）の仮名音注「エキ」については、基本的に -ek で対応する。当該字には徳声点を差し、右傍 1461「エキ」右注 1462「ヤク俗」中注「トキノケ」左注「又エヤミ」を付載する。廣韻に拠れば、当該字「疫」は喉音清濁羊母昔韻（jiuek）である。頭子音（等韻学の術語で言う声母）の清濁によって、徳声（清・次清・清濁）と入声（濁）は識別するので、当該字「疫」は徳声である。ただし、前田本が示す当該字「疫」の字形を見ると、最終第九画の右下払いが多少長いため、入声の差声位置に制限がかかる状態とも考えられる。以下の番号 3767・3768 は明らかに入声点を差す。観智院本類聚名義抄に反切「又以睡反」と入声点を付した同音字注「音役」および和音「ヤク・キヤク」を見出す。元和本倭名類聚抄には同音字注「音役」がある。日本漢音は入声、日本呉音「ヤク・キヤク」を認める。

疫 … 又以睡反／音役 ［入］エヤミ［平平平］一云トキノケ［平平平平］／和ヤク キヤク

(観智院本類聚名義抄／法下 116-6)

疫 説文云疫 音役衣夜美一云度岐乃介 民皆病也 (元和本倭名類聚抄／巻三 23 オ 7)

▶番号 1462「疫」（疫）の仮名音注「ヤク」については、基本的に -jak で対応する。当該字には徳声点を差し、右傍 1461「エキ」右注 1462「ヤク俗」中注「トキノケ」左注「又エヤミ」を付載する。上述の分析を参照。

《下巻 昔韻口諸例》

▶番号 3767「疫」（疫）の仮名音注「エキ」については、基本的に -ek で対応する。当該字には入声点を差し、右傍 3767「エキ」右注 3768「ヤク俗」中注「エヤミ 又エ」左注「又トキノケ」

1264　3．仮名音注の韻母別考察　3-5　ⅢA韻類

を付載する。上巻の昔韻合口当該例で分析したように、日本漢音は入声、日本呉音「ヤク・ヰヤク」
を認める。

　▶番号3768「疫」（痩）の仮名音注「ヤク」については、基本的に -jak で対応する。当該字に
は入声点を差し、右傍3767「エキ」右注3768「ヤク俗」中注「エヤミ　又エ」左注「又トキノケ」
を付載する。上述の分析を参照。

　▶番号3857b「伇」（傛伇）の仮名音注「ヤク」については、基本的に -jak で対応する。当該
字には入声点を差す。観智院本類聚名義抄に反切「惟躄反」および和音「ヰヤウ・又ヤク」を見出
す。西念寺本類聚名義抄には反切「推躄反」および和音「ヰヤク・又ヤク」を見つける。高山寺本
三寶類字集には反切「惟躄反」（その反切下字に入声点）および音「ヰヤウ・又ヤク」がある。日
本漢音は入声、日本呉音「ヰヤク・ヤク」を認める。

伇 惟躄反 和音ヰヤウ 又ヤク ツカフ …	（観智院本類聚名義抄／佛上029-7）
伇 推躄反 和音ヰヤク 又ヤク／ツカフ …	（西念寺本類聚名義抄／16 オ 4）
伇 惟躄 〔□入〕反 音ヰヤウ 又ヤク …	（高山寺本三寶類字集／上17 オ 1）
役 伇字	（観智院本類聚名義抄／佛上040-6）

3-5-3-11　-ie 系の基本的な表記

　以下に資料篇【表B-10】を分析した結果をまとめる。なお、日本語の音韻史上における音変化な
どを反映する場合には *()* で囲む処理をする。それ以外の異例（例えば、諧声符読みや誤認など）
については *[]* を用いて表示する。

-ie	〔支/紙/寘韻〕	*-i, -e*		-iue	〔支/紙/寘韻〕	*-ui, -wi*
						(-i)
		[-o] [-et] [-it]				*[-am] [-i]*
-ie	〔脂/旨/至韻〕	*-i, -ii*		-iuei	〔脂/旨/至韻〕	*-ui, -wi*
						(-i)
		[-ei]				*[-win]*
-ieu	〔幽/黝/幼韻〕	*-eu, -iu*				
-iem	〔侵/寝/沁韻〕	*-im, -om*				
		(-in) (-on)				
		[-i] [[-imi] [-iu] [-ok] [-ou]				
-iep	〔緝韻〕	*-ip, -op*				
		(-iu) (-ou)				

3-5-3 -ie系の字音的特徴 1265

[-eu] [-i] [-it] [-ju] [-ipi] [-ipo] [-opa] [-opo]

-ien 〔眞/軫/震韻〕 *-in, -on* -iuen 〔諄/準/稕韻〕 *-jun , -in, -un*
(-im) *(-im) (-uun) (-iwin) (-win)*

[-i] [-ii] [-ina] [-it] [-o] [-uu]

-iet 〔質韻〕 *-it, -ot* -iuet 〔術韻〕 *-jut, -it, -ut,*
(-wit) (-ot)

[-i] [-ik] [-jok]

-ieŋ 〔清/靜/勁韻〕 *-jaŭ, -eĭ* -iueŋ 〔清/靜/勁韻〕 *-eĭ*
(-aŭ) (-eŭ)

-iek 〔昔韻〕 *-jak, -ek* -iuek 〔昔韻〕 *-jak, -ek*
(-ak)

　ここで、-ie系における前田本の仮名音注が示す基本的対応を表にまとめておくと、-ie系は *i*（日本語のイ列音）で対応し、日本漢字音として把握する。一部 *-ui* などで合口介音に対応する場合など個々の問題は当該箇所で述べた。やはり、呉音的特徴であるか、漢音的特徴であるか、その判別をし得ない場合が多い。しかし、清/靜/勁/昔韻のように、両者の特徴を判別できる諸韻も存在する。

【表12】

	-ø	-i	-u	-m	-p	-n	-t	-ŋ	-k
-ie-	*-i*	*-i*	*-iu*	*-im*	*-ip*	*-in*	*-it*		
	-ii			*(-in)*	*(-iu)*	*(-im)*			
				-om	*-op*	*-on*	*-ot*		
				(-on)	*(-ou)*			*-jaŭ*	*-jak*
								(-aŭ)	
	-e		*-eu*			*-en*		*-eĭ*	*-ek*
-iue-						*-jun*	*-jut*		
						-in	*-it*		
	-ui	*-ui*				*-un*	*-ut*		
						(-im)			
						(-uun)	*(-ot)*		
	-wi	*-wi*				*(-iwin)*			*-jak*

1266   3．仮名音注の韻母別考察

3-6　保留（廣韻不載諸例）

　資料篇【表B-11】には廣韻不載の諸例を集約する。諧声符による字音把握が多い。廣韻において
当該字はないが、異体字を掲載する場合がある。また字形の近似による誤認を含む。加えて国字を
示す諸例がある。

《上巻　廣韻不載諸例》

　▶番号0077「犭+于」（犭+于）の仮名音注「ウ」については、基本的に -u で対応する。当該
字には平声点を差し、右注「同（イヌ）」を付載する。廣韻不載字。その諧声符「于」（虞韻 ɣiuʌ¹）
による字音把握か。また字形の近似した「犴」（寒/翰韻 ŋɑn¹/³）と混同する場合を指摘できる。観
智院本類聚名義抄に同音字注「犴汙二音」を見出すが、仮名音注はない。高山寺本篆隷萬象名義に
は反切「胡旦反」がある。

　　　犴 胡地反狗似狐而小或作犴 俄寒切又音岸四 犴 上同 …　　　　　　　　（宋本廣韻／寒韻 ŋɑn¹）

　　　岸 水涯高者 五旰切九 犴 獄也 又五千切 豜 野狗 …　　　　　　　　　　（宋本廣韻／翰韻 ŋɑn³）

　　　犭+于 岸汙二音 胡／地野犬 野犭+于 一訟也/可作干　　　（観智院本類聚名義抄／佛下本132-2）

　　　犭+于 胡旦反 訟也 獄也 胡／犬　　　　　　　　　　（高山寺本篆隷萬象名義／第六帖046 ウ2）

　▶番号0079「猧」（猧）の仮名音注「ワ」については、仮名字形の相似による「カ」の誤認か。
当該字には平声点を差し、右注「同（イヌ）」左注「小猧也犬子也」右傍「ワ」仮名音注を付載す
る。廣韻不載字。その諧声符「咼」（佳韻 kʻuɐ¹）による字音把握か。

　▶番号0180「碇」（碇）の仮名音注「テイ」については、基本的に -ei で対応する。当該字に
は去声点を差し、右注「イカリ」中左注「海中以石／駐舟日碇」を付載する。廣韻不載字。異体字
として「矴」（徑韻 teŋ³）を掲げる。異体字「矴」に対して、図書寮本類聚名義抄に反切「广云都
定反」を見出す。同じく観智院本には反切「丁定反」と注記「或碇」を見つけるが、仮名音注はな
い。元和本倭名類聚抄には反切「丁定反」と注記「字亦作矴」がある。

　　　碇 イカリ　　　　　　　　　　　　　　　　　　　　　（観智院本類聚名義抄／法中011-5）

　　　矴石 广云都定／反 … 方云舩以矴石　　　　　　　　　　　　（図書寮本類聚名義抄／151-2）

　　　矴 丁定反 柱石／イカリ［上上上］或碇　　　　　　　　　　（観智院本類聚名義抄／法中006-2）

　　　碇　四聲字苑云海中以石駐舟日碇 丁定反字亦作矴和名伊加利

　　　　　　　　　　　　　　　　　　　　　　　　　　　（元和本倭名類聚抄／巻十一05 オ4）

　▶番号0499a「蓟」（薄蓟）の仮名音注「カ［上］」については、基本的に -a で対応する。当
該字に声点はなく、その仮名音注に上声点を差す。廣韻不載字。波篇植物部に属するので、仮に「荷」

3-6　保留（廣韻不載諸例）　1267

（歌/哿韻 ɣɑ$^{1/2}$）としておく。熟字0499「薄荕」は右注「ハカ［平濁上］」を付載する。本来の字音「バクカ」が軟口蓋閉鎖音であるカ行音の連続により促音化を起した結果、促音を無表記とする「バ（ッ）カ」となった。いわゆる植物の「薄荷」と同じか。観智院本類聚名義抄に仮名音注「ハカ［平濁上］」を見出す。元和本倭名類聚抄には和名「波加」がある。すでに字音の意識が薄れていたと推測する。加えて「今案荕字所出未詳」とあり、当該字「荕」の出自は不明。

　　　薄荕 ハカ［平濁上］下音　　　　　　　　　　　　（観智院本類聚名義抄／僧上029-1）

　　　薄荕　養生祕要云薄荕 和名波加今案荕字所出未詳　　（元和本倭名類聚抄／巻十六23 オ 4）

　▶番号0528「蘱」（蘱）の仮名音注「ヒツ」については、基本的に -it で対応する。当該字には入声濁点を差すので、字音「ビツ」を想定する。その右注「ハチスノハヒ」左注「其本蘱」を付載する。廣韻不載字。当該字は字形の近似による「蔤」（質韻 miet）の誤認であろう。蓮の地下茎、いわゆる蓮根を指す。その「蔤」に対して、観智院本類聚名義抄に入声濁点を付した同音字注「音密」を見出すが、仮名音注はない。元和本倭名類聚抄には同音字注「音密」がある。

　　　蔤 音密［入濁］／ハチスノハヒ／ハチスノネ／ハチスノハナ　　（観智院本類聚名義抄／僧上006-3）

　　　蔤　爾雅云其本蔤 音密和名波知須乃波比 …　　　　（元和本倭名類聚抄／巻二十17 ウ 9）

　▶番号0559b「蚸」（蜥蜴）の仮名音注「セキ」については、基本的に -ek で対応する。当該字には入声点を差す。前田本が示す諧声符の字形は「斥」である。熟字0559「蜥蜴」は右注「ハタゝゝ」を付載する。廣韻不載字。同義字に「蚇」を指摘できる。観智院本類聚名義抄・鎮国守国神社本三實類聚名義抄に音注表記はない。元和本倭名類聚抄には同音字注「赤」（昔韻 tśʻiek）がある。

　　　尺 … 昌石切十一 … 蚸 蜥蜴蟲名易亦作尺 …　　　　　　（宋本廣韻／昌母昔韻 tśʻiek）

　　　蚸蜴 俗蜥字／斥下　　　　　　　　　　　　　（観智院本類聚名義抄／僧下017-2）

　　　蚸蜴 俗蜥字　　　　　　　　　（鎮国守国神社本三實類聚名義抄／下二27 オ 3）

　　　蜥蜴　本草云蜥蜴 奚赤二音和名太波太 …　　　　　（元和本倭名類聚抄／巻十九19 ウ 2）

　▶番号0938a「磶」（磶道）の仮名音注「セン」については、基本的に -en で対応する。当該字には上声点を差す。廣韻不載字。熟字0938「磶道」は右注「カケチ」を付載する。観智院本類聚名義抄に反切「士免反」（獮韻 dʑianʔ）と同音字注「又音賤」（先韻 tsenʔ）を見出すが、仮名音注はない。元和本倭名類聚抄には反切「士輦反上聲之重」（獮韻 dʑianʔ）がある。切韻を撰述して以降の中国語において、上声濁が次第に去声化を起こした状態を、日本漢音では反映する。これは上声を構成する上声軽と上声重とが allotone であり、後者の調値が去声と区別できないことを示すとも言える。

　　　磶道 川云士輦反 … 夜末乃加介知 山路閣道也　　　（図書寮本類聚名義抄／156-1）

　　　磶 士免反 蜀道也／又音賤 ヤマノカケハシ　　　（観智院本類聚名義抄／法中007-2）

　　　磶道　文字集略云磶道 士輦反上聲之重漢語抄云夜末乃加介知 山路閣道也

　　　　　　　　　　　　　　　　　　　　　　　　（元和本倭名類聚抄／巻十18 オ 2）

1268　3．仮名音注の韻母別考察

▶番号1436「籐」（籐）の仮名音注「トウ」については、基本的に -oū で対応する。当該字には去声点を差す。廣韻不載字。新字源改訂新版は「ヤシ科の竹に似たつる性の熱帯植物。竹のように自由に曲げて家具などを造る。ラタン。」と説明する。字形の近似する「藤」（登韻 dʌŋ¹）との混同による字音把握と推測する。

　　　　藤 … 音／騰 フチ［上□］　　　　　　　　　　　　（観智院本類聚名義抄／僧上040-7）

▶番号1682a「馬平」（馬平隠）の仮名音注「ハウ」については、異例 -aū を示す。当該字には平声点を差す。諸声符「平」（庚韻 biaŋ¹）による字音把握か。その場合は仮名音注「ヘウ」（本来は「ヒヤウ」）の誤認と推測する。廣韻不載字。熟字1682「馬平隠」は右注「ト丶メク」を付載する。観智院本類聚名義抄に和訓「ト丶メク」を見出すが、音注表記はない。また和訓「とどめく（どどめく）」は音が響き渡ることを意味する。

　　　　馬平隠 ト丶メク　　　　　　　　　　　　　　　　（観智院本類聚名義抄／僧中110-3）

　　　　馬平隠 ト丶メク［上濁上濁□□］　　（鎮国守国神社本三實類聚名義抄／下二08 ウ5）

▶番号1782「幀」（幀）の仮名音注「チヤウ」については、基本的に -jaū で対応する。当該字に声点はなく、右注「紙數也」右傍「チヤウ」仮名音注を付載する。当該字は注も含めて別筆補入か。廣韻不載字。諸声符「貞」（清韻 țieŋ¹）による字音把握であろう。

▶番号2016a「襦」（襦襠）の仮名音注「リヤウ」については、基本的に -jaū で対応する。当該字には上声点を差す。廣韻不載字。諸声符「兩」（養韻 liɑŋ²）による字音把握か。熟字2016「襦襠」は左注「又ウチカケ」右注「リヤウタウ」仮名音注を付載する。図書本類聚名義抄に同音字注「兩」を見出す。観智院本に同音字注「兩」を見出すが、仮名音注はない。元和本倭名類聚抄には注記「今案兩或作襦和名宇知加介」がある。

　　　　襦襠 … 東云襦襠婦人衣 广云音兩 …　　　　　　　　（図書本類聚名義抄／338-1）

　　　　襦 音兩 襦襠 婦人／之衣 襦襠 音當／襦襠 ウチカケ［平上上上］

　　　　　　　　　　　　　　　　　　　　　　　　　　（観智院本類聚名義抄／法中144-1）

　　　　襦襠　唐韻云襠 音當 兩襠衣名也釋名云兩襠 今案兩或作襦和名宇知加介 …

　　　　　　　　　　　　　　　　　　　　　　　　（元和本倭名類聚抄／巻十二20 オ4）

▶番号2117b「槩」（利槩）の仮名音注「カイ」については、基本的に -ai で対応する。当該字には平声点を差す。廣韻不載字。熟字2117「利槩」は右注「リカイ」仮名音注を付載する。諸声符「界」（怪韻 kɐi³）による字音把握か。

▶番号2144「樗」（樗）の仮名音注「チヨ」については、基本的に -jo で対応する。当該字には平声点を差し、右注「ヌテ」左注「ヌルテ俗」右傍「チヨ」仮名音注を付載する。廣韻不載字。観智院本類聚名義抄に異体字として「檴」を掲げるので、これによる字音把握か。また同書には反切「勅臭反」（魚韻 țʰiʌ¹）を見出すが、仮名音注はない。元和本倭名類聚抄には反切「勅居反」（魚韻 țʰiʌ¹）がある。

3-6 保留（廣韻不載諸例） 1269

攄 舒也 丑居切四 檥 惡木也 … 　　　　　　　　　　　　　　　（宋本廣韻／魚韻 ṭʻiʌ¹）

樗 俗 勅臾反／ヌテ［上上濁］ 　檥 今　　　　　　（観智院本類聚名義抄／佛下本 101-1）

樗 陸詞切韻云樗 勅居反和名本草云沼天 惡木也 … 　　　（元和本倭名類聚抄／巻二十 27 オ）

▶番号2223a「淫+鳥」（淫+鳥鷟）の仮名音注「イム」については、基本的に -im で対応する。当該字に声点はない。廣韻不載字。諧声符「淫」（侵韻 (jiem¹)）による字音把握であろう。おそらく前田本が示す当該字形は「灘」（齊韻 kʻei¹）〔＊←溪+鳥／上下配置〕の誤認であろう。熟字2223「淫+鳥鷟」は右注「同（ヲシ）」を付載する。観智院本類聚名義抄には掲出字「灘」に対して平声点を付した同音字注「溪」を見出すが、仮名音注はない。元和本倭名類聚抄には「楊氏抄云灘鷟其音溪勅」がある。

灘鷟 同上正文 溪勅［平入］二音 久雨也 ソム

〔＊灘←溪+鳥／上下配置〕　（観智院本類聚名義抄／僧中 129-5）

鴛鴦 崔豹古今注云鴛鴦 宛鴛二音和名乎之楊氏抄云灘鷟其音溪勅 …

（元和本倭名類聚抄／巻十八 10 オ 2）

▶番号2537a「鯛」（鯛臾）の仮名音注「マウ」については、基本的に -aū で対応する。当該字には上声点を差す。廣韻不載字。熟字2357「鯛臾」は右注「カラカコ」を付載する。観智院本類聚名義抄に同音字注「音罔」（養韻 miɑŋ²）を見出すが、仮名音注はない。元和本倭名類聚抄には反切「莫往反」があり、続いて「與罔同」と注記する。

鯛 音罔 カラカコ 　　　　　　　　　　　　　　　　（観智院本類聚名義抄／僧下 007-1）

鯛魚 崔禹錫食經云鯛 莫往反與罔同和名加良加古 … 　　（元和本倭名類聚抄／巻十九 08 オ 7）

▶番号0063「枡」（枡）の仮名音注「セウ」については、基本的に -eū で対応する。当該字に声点はない。廣韻不載の国字である。熟字0062「蔓椒」は左注「枡」を掲げ、その左右注「イ本／セウ」を付載する。当該字「枡」と「椒」（宵韻 tsiau¹）を相互に異体字と把握している。諧声符「升」（蒸韻 śieŋ¹）による字音把握か。その場合は字音「ショウ」を想定する。日本語音韻史上の音変化 -eū>-joū>-joo を背景とする。観智院本類聚名義抄に平声点を付した同音字注「音升」と東声点を付した同音字注「音蕭」（蕭韻 seu¹）を見出すが、仮名音注はない。

椒枡 音蕭［東］ハシカミ／ホソキ 　　　　　（観智院本類聚名義抄／佛下本 101-3）

枡 音升［平］スクフ［上上□／手攴：右注］… 　　　　（観智院本類聚名義抄／佛下本 101-4）

▶番号1045b「枡」（蔓枡）の仮名音注「セウ」については、基本的に -eū で対応する。当該字には平声点と入声点を差す。入声点は誤認か、詳細不明。熟字1045「蔓枡」は右注「ホソキ」左注「又イタチハシカミ」右傍「マンセウ」仮名音注を付載する。上述の分析を参照。

蔓枡 イタチハシカミ［平平平□□□□］… 　　　（観智院本類聚名義抄／佛下本 101-4）

蔓枡 本草云蔓椒 和名以多知波之加美一云保曾木 　　（元和本倭名類聚抄／巻二十 24 ウ 9）

▶番号0069「鵤」（鵤）の仮名音注「カク」については、基本的に -ak で対応する。当該字に

1270　3．仮名音注の韻母別考察

は入声点を差し、右注「イカルカ」を付載する。廣韻不載の国字である。諧声符「角」（覺韻 kauk）による字音把握か。観智院本類聚名義抄に反切「古岳反」を見出すが、仮名音注はない。元和本倭名類聚抄には反切「胡岳反」がある。

　　　鵤 古岳反 ウ／ツフリ イカルカ［平平上濁平］　　　　　（観智院本類聚名義抄／僧中130-7）

　　　鵤　崔禹錫食經云鵤 胡岳反和名伊加流加 貌似鵠而白喙者也 …

　　　　　　　　　　　　　　　　　　　　　　　　　　　　　（元和本倭名類聚抄／巻十八05ウ5）

　▶番号0191b「攓」（一攓）の仮名音注「チヤク」については、基本的に -jak で対応する。当該字は伊篇員數部に属し、中左注「造佛／肘寸」を付載する。国字と認める新字源改訂新版は「手で物の長さを測る。また、その長さを測る単位。」と説明する。続いて熟字「攓手」を掲げ「手の親指と中指とを伸ばした長さをいい、仏像の高さを測るときに用いる。攓手」とする。字形の近似する「攓」を異体字と考える場合もある。観智院本類聚名義抄は「磔」（陌韻 ṭak）を「攓」（薛韻 giat）の異体字と扱い、反切「張宅反」を見出すが、仮名音注はない。高山寺本篆隷萬象名義は「攓」に対して反切「奇列反」がある。

　　　攓 … 磔字 張宅反　　　　　　　　　　　　　　　（観智院本類聚名義抄／佛下本072-8）

　　　桀 奇列反 攓字　　　　　　　　　　　　　　　　（高山寺本篆隷萬象名義／第六帖180オ5）

　　　磔 竹格辜 張也 開也　　　　　　　　　　　　　　（高山寺本篆隷萬象名義／第六帖180オ5）

　▶番号0476「畠」（畠）の仮名音注「ハク」については、基本的に -ak で対応する。当該字には入声点を差し、右注「ハタケ」中左注「白田二字／作一字訛也」を付載する。国字である。諧声符「白」（陌韻 bak）による字音把握か。観智院本類聚名義抄に和訓「ハタケ」を見出すが、音注表記はない。

　　　白田 ハタケ［平上平］　　　　　　　　　　　　　（観智院本類聚名義抄／佛中106-7）

　　　畠　續捜神記云江南畠種豆畠一曰陸田 和名八太介　　　（元和本倭名類聚抄／巻一12オ2）

　▶番号1763「襌」（襌）の仮名音注「ヒツ」については、基本的に -it で対応する。当該字には入声点を差し、右注「同（チハヤ）」を付載する。廣韻に拠れば、前田本が示す示偏「禪」〔＊部首の字形「ネ」〕は幫母質韻字（pjiet）であるが、注文を異にするので、これを国字である衣偏「襌」に修正する。観智院本類聚名義抄に音注表記はない。元和本倭名類聚抄には注記「襌讀知波夜今案不詳」を掲げる。漢字源改訂第五版は「襌」について「①巫女みこが用いるたすき。②巫女や女官が着る、花鳥の模様を出した衣服。千早ちはや」と説明する。

　　　必 … 卑吉切二十七 … 襌 竈上祭　　　　　　　　（宋本廣韻／幫母質韻 pjiet）

　　　襌 チハヤ／タスキ　　　　　　　　　　　　　　　（観智院本類聚名義抄／法中146-4）

　　　襷襌　…　本朝式云襷襌各一條 襌讀知波夜今案不詳　　（元和本倭名類聚抄／巻十二23ウ4）

　▶番号2699a「繳」（繳繳）の仮名音注「カウ」については、基本的に -au で対応する。当該字には入声点を差す。廣韻不載の国字である。諧声符「絞」（巧韻 kauˀ）による字音把握か。熟字2699

「纐纈」は中左注「又乍交纈／結帛為又糸也」右注「カウケチ」仮名音注を付載する。観智院本類聚名義抄は「夾纈」を掲げ、低平調を示す仮名音注「俗云カウケチ」を見出す。定着久しい字音「カウ」平声を認める。

夾纈 俗云／カウケチ［平平平平］　　　　　　　（観智院本類聚名義抄／法中 121-2）
革　説文云革 … 纐纈由波太即是夾纈之纈字也 …　　（元和本倭名類聚抄／巻十五 15 オ 8）

《下巻 廣韻不載諸例》

▶番号 3569a「糸+胡」（糸+胡外）の仮名音注「コ」については、基本的に -o で対応する。当該字には平声点を差す。廣韻不載字。諸声符「胡」（模韻 ɣuʌ¹）による字音把握か。熟字 3569「糸+胡外」は左注「藥名」右傍「コシク」仮名音注を付載する。あるいは熟字「胡椒」と関連するか。

丸藥　諸家方云 … 胡椒丸 治胸中冷気 …　　　　（元和本倭名類聚抄／巻十二 07 オ 2）

▶番号 4097a「艹+偏」（艹+偏豆）の仮名音注「ヘイ」については、異例 -ei を示す。仮名字形の相似による「ヘン」の誤認か。二巻本色葉字類抄は左傍「ヘム」を付載する。当該字には平声点を差す。廣韻に拠れば、当該字「艹+偏」はなく、注記からは「稨」が適合する。字形の近似する「萹」との混淆を生じたか。広辞苑第七版は「稨豆」を「ふじまめの古名」とする。熟字 4097「艹+偏豆」は右注「アチマメ［平平濁上上］」を付載する。観智院本類聚名義抄に同音字注「音邊」と反切「又此顕反」を見出すが、仮名音注はない。元和本倭名類聚抄には同音字注「音邊」と反切「又比顕反」がある。

邊 畔也 … 布玄切十四 … 稨 籬上豆也又方典切 … 萹 萹竹草 …　　（宋本廣韻／幫母先韻 pen¹）
編 編綃 方典切十一 … 萹 萹筑草 稨 豆名 …　　　　　　（宋本廣韻／幫母銑韻 pen²）
艹+偏豆 アチマメ［：右傍］ヘム［：左傍］　　（二巻本色葉字類抄／巻下下阿・02 オ 4・植物）
艹+偏豆 阿知万米［平平濁上上］籬／上豆也　　　（図書寮本類聚名義抄／128-6）
艹+偏豆 アチマメ［平平濁□□］　　　　　　（観智院本類聚名義抄／法上 095-7）
艹+偏豆 音邊 又此／顕反 アチマメ［平平濁□□］稨豆 音扁　（観智院本類聚名義抄／僧上 032-5）
艹+偏豆　辨色立成云 艹+偏豆 艹+偏音邊又比顕反和名阿知萬女 籬上豆也

（元和本倭名類聚抄／巻十七 06 ウ 2）

▶番号 4796a「泮」（泮浪）の仮名音注「ラウ」については、基本的に -au で対応する。当該字には平声点を差す。廣韻不載字。熟字 4796「泮浪」は左注「サナケトル［平上平濁平上］」を付載するが、詳細不詳。大漢和辞典に拠れば「驚き乱れるさま」あるいは「普く探し求める」と解説する。観智院本類聚名義抄・長承本蒙求・承暦本金光明最勝王経音義・高山寺本篆隷万象・天治本新撰字鏡いずれも該当例を見出せない。

▶番号 5353b「癜」（白癜）の仮名音注「テン」については、基本的に -en で対応する。当該字

に声点はない。廣韻不載字。諧声符「殿」（霰韻 ten^{3}・den^{3}）による字音把握か。熟字 5353「白癜」は右注「シラハタ」を付載する。元和本倭名類聚抄には注記「一云白電之良波太」がある。この「電」（霰韻 den^{3}）による字音把握の可能性も否定できない。

白癜 一云白電／シラハラ　　（観智院本類聚名義抄／法下 128-5）

白癜　病源論云白癜 一云白電之良波太 人面及身頸皮肉色変白亦不痛癢者也

（元和本倭名類聚抄／巻三 27 オ 9）

▶番号 5469b「籐」（紫籐）の仮名音注「トウ」については、基本的に *-oũ* で対応する。当該字に声点はない。廣韻不載字。新字源改訂新版は「ヤシ科の竹に似たつる性の熱帯植物。竹のように自由に曲げて家具などを造る。ラタン。」と説明する。字形の近似する「藤」（登韻 dʌŋ^{1}）との混同による字音把握か。熟字 5469「紫籐」は左注「唐物」右注「シトウ」を付載する。

藤 … 音／騰 フチ［上□］　　（観智院本類聚名義抄／僧上 040-7）

▶番号 5785a「惝」（惝怳）の仮名音注「シヤウ」については、基本的に *-jaũ* で対応する。当該字には去声点を差す。廣韻不載字。攵偏を加えた字形「惝+攵」の誤認か。廣韻に拠れば、熟字「惝+攵怳」を確認できる。熟字 5785「惝怳」は左右注「シヤウ／クヰヤウ」仮名音注を付載する。

敞 高也 昌兩切十 惝+攵 惝+攵況驚皃 …　　（宋本廣韻／養韻 tś'iɑŋ^{2}）

▶番号 6837b「芯」（墨芯）の仮名音注「シム」については、基本的に *-im* で対応する。当該字には去声点を差す。前田本が示す字形は「笒」であるが、これを「芯」に修正する。両字ともに廣韻不載字。熟字 6837「墨芯」は右注「スミサシ」を付載する。広辞苑第七版では見出し「墨刺」を掲げ「竹を箆のように作り、その先を細かく割り、墨壺に添えて、木材や石材に印を引き、字を書くのに用いる具。」と説明する。観智院本類聚名義抄に東声点を付した同音字注「音浸」（侵韻 ts'iem^{1}・沁韻 tsiem^{3}）を見出すが、仮名音注はない。元和本倭名類聚抄には同音字注「音浸」がある。日本漢音は東声（四声体系では平声）を認める。

笒 音浸［東］スミサシ［平平平濁平］　　（観智院本類聚名義抄／僧上 078-8）

墨笒　蔣魴切韻云以篾爲筆曰笒 音浸和名須美佐之 …　　（元和本倭名類聚抄／巻十五 13 ウ 2）

▶番号 6624a・6625a「桝」（桝園・桝掖）の仮名音注「セウ」については、基本的に *-eũ* で対応する。両当該字には平声点を差す。廣韻不載の国字である。異体字「枡」の諧声符「升」（蒸韻 śieŋ^{1}）による字音把握か。その場合は仮名音注「シヨウ」を期待する。日本語音韻史上の音変化 *-eũ* > *-joũ* > *-joo* を背景とする。観智院本類聚名義抄に上声点を付した同音字注「音主」を見出すが、仮名音注はない。

枡 音主［上］斟水器／或作斗　　（観智院本類聚名義抄／佛下本 101-4）

▶番号 6888「桝」（桝）の仮名音注「シヨウ」については、基本的に *joũ* で対応する。当該字には平声点を差し、左右注「奉也／已上同（スクフ）」を付載する。上述の分析を参照。

▶番号 6970a「飠+専」（飠+専餅）の仮名音注「セン［平平］」については、基本的に *-en* で

対応する。当該字に声点はなく、右注「同（センヘイ［平平平濁上］）」左注「上云銭」（仙韻 dzian¹・獮韻 tsian²）を付載する。当該字は廣韻を始め切韻系韻書に見出せない。あるいは「餞」（獮/線韻 dzian²³）の誤認か。なお、熟字6970「食+專餅」の直上に熟字6534「煎餅」〔*熟字前部「煎」の諸声符字形は「火」〕があり、右注「センヘイ［平平平濁上］」を付載する。

　　餞 音踐［上］物クル［上上□］／又去 ムマノハナムアケ …　　（観智院本類聚名義抄／僧上107-2）

　　煎餅　楊氏漢語抄云煎餅 此間云如字 以油熬小麦麺之名也

　　　　　　　　　　　　　　　　　　　　　　（元和本倭名類聚抄／巻十六15オ4）

1274　3．仮名音注の韻母別考察

3-7　韻母別考察による仮名音注の対応

　前田本が付載する仮名音注に対して、中古音の韻母別考察を 3-1〜3-5 において試みた。その対応結果は【表03】〜【表12】に集約した。仮名音注が目指す字音の把握は、すでに日本語に馴化した段階を示しており、いわゆる呉音的特徴と漢音的特徴を区別する状況にはない。両者の判別をし得ない場合もある。先んじて定着した字音が日本語に馴化して定着しており、すでに重層的な様相を呈していたと想像する。その後導入した異なる基層を持つ中国語音の特徴が混淆した状態を現出している。なお、仮名音注（単字・熟字いずれも）末尾に「俗」を付した諸例を散見する。これらは定着久しい字音を示すと考える。

注　1275

[注]

(20)　いわゆる「等韻図」とは、縦に声母を横に韻母を一定の音声学的な順序をもって配置し、縦横の組み合わせで中
　　　国語の音節を体系的に示した図表。一種の音節表で「韻図」とも言う。現存する最古の等韻図が『韻鏡』である。
　　　作者不明ながら、宋代初めごろに作成されたのではないかと推測する。隋唐時代の音韻体系を図表化したと分析し
　　　ている。

(21)　『篆隷万象名義』および『金剛頂經一字頂輪王儀軌音義』については、注 (12) の文献を参照した。
　　　▶引用文献名「弘」については、同書の『金剛頂經一字頂輪王儀軌音義』解説 (688〜698 頁) に詳しい。

(22)　中国語音韻史上において、切韻系韻書に代表される中古音 Ancient Chinese の音韻体系が唐代中期には相当の
　　　変貌をとげる。その顕著な音変化として、濁音声母の無声化と鼻音声母の非鼻音化現象 (denasalization) がある。
　　　次の文献に詳しい。当該部分を以下に引用する。
　　　・中国文化叢書 1 『言語』 (大修館書店、1967 年) 所収、II- 3 「中古漢語の音韻」 (平山久雄)
　　　　　「全濁音の無声化は、まず摩擦音である匣母 (直音)・禅母 (常母) について 7 世紀半ばの梵漢対音から観察
　　　　　される (水谷真成「唐代における中国語頭鼻音 Denasalization の進行過程」『東洋学報』39-4. 1954年)。
　　　　　… 日本漢音では全濁音一般を清音で写し、『日本書紀』 (720年) の字音仮名でも日本語の清音を写すのに中
　　　　　国語の清音字・全濁音字をともに用いており (大野晋『上代特殊仮名遣の研究』1953年参照)、全濁音無声化
　　　　　が聴覚上やがて閉鎖音・破擦音にも及びつつあったことが知られる。」 (p.161/l.08-15)
　　　▶まず等韻学の術語で言う全濁音が有気音に変化する音声現象が顕れた。これによって出わたりに粗い声帯の振動
　　　を伴い、持続部における「こえ」が弱化し、その持続部が無声化する特徴と考えられる。よって、聴覚上は摩擦音
　　　から始まり、やがて閉鎖音や破擦音にまで及んだ。
　　　・中国文化叢書 1 『言語』 (大修館書店、1967 年) 所収、II- 3 「中古漢語の音韻」 (平山久雄)
　　　　　「鼻音声母の調音に際して、破裂に先立って口蓋帆の上昇が行われるようになり、鼻音声母の後半が非鼻音化
　　　　　する現象をいう。したがって、明母 m → mb、泥母 n → nd、疑母 ŋ → ŋg、日母 ɲ → ɲʒ、微母 ɱ →
　　　　　ɱv の如くなるのである。この現象の存在は、はじめ Maspéro 氏が 8 世紀の梵漢対音・日本漢音・漢蔵対音
　　　　　などから明らかにしたところで (“le dialecte de Tch'ang-ngan sous les T'ang”)、唐代長安方言の特徴と考
　　　　　えられてきたが、水谷真成氏の研究により、日母についてはすでに隋末唐初の洛陽地方で非鼻音化が生じてい
　　　　　たことが証せられた (水谷氏上掲論文)。日母はつよく口蓋化された音であるから、出わたりの部分がまず非
　　　　　鼻音化された段階でも、すでに有声摩擦音を生じて非鼻音化が耳立ったのであろう。」 (p.161/l.17-27)

(23)　次の文献を参照した。
　　　・小倉肇『日本呉音の研究／第 I 部 研究篇』 (新典社、1994 年)
　　　　pp. 388-401 (III. 中国音韻学／4.1.7.6 ɣ- (匣母・喩母III))
　　　・小倉肇『続・日本呉音の研究／第 I 部 研究篇』 (新典社、2014 年)
　　　　pp. 127-147 (III. 中古漢語／4.1.7.6 ɣ- (匣母・于母/喩母III))

1276　3．仮名音注の韻母別考察

・小倉肇『続・日本呉音の研究／第Ⅰ部 研究篇』（新典社、2014 年）p.145/l.16-21

　　「以上、〈匣母〉は、開口韻母：g-/(k-)、合口韻母：w-、〈于母・喩母三等〉は w- で対応するのが基本的

　　であることが明らかとなった。このような日本呉音での反映の仕方は、母胎となった呉音系字音の原音（主層）

　　では、〈匣母〉が fi- と φ-/w- に分かれていた可能性が大きく、また〈于母〉も φ-/w- になっていたと考

　　えられる。」（『日本呉音』研究篇 p.398、本書「研究篇・付論」第 4 章参照）

(24)　次の文献を参照した。

・小松英雄「図書寮本類聚名義抄にみえる特殊な注音方式とその性格」（訓点語と訓点資料 10、pp. 23-42、1958）

▶図書寮本類聚名義抄においては、声点位置に仮名を注記して、その声調を示すという特殊な注音方式が発見され

　た。それを観智院本類聚名義抄において継承した例がある。掲出字「依」に付載する同音字注「衣」の東声点位置

　に「イ」（図書寮本）平声点位置に「エ」（観智院本）を見つけるが、両当該例については上記の論文に指摘がな

　い。以下は同論文で指摘があった図書寮本当該例（観智院本は新たに見出す）である。

　　悕取 季云音希［キ：東声点位置］慈云應作希 … 真云与希同 … 公云飢［ケ：去声点位置］

　　　　　　　　　　　　　　　　　　　　　　　　　　　　　　　　　　　　（図書寮本類聚名義抄／273-7）

　　　悕 音希［去：墨圏点／ケ：墨平声点位置／キ：墨右傍］ネカフ［平平濁平］… 或希

　　　　　　　　　　　　　　　　　　　　　　　　　　　　　　　　（観智院本類聚名義抄／法中 074-7）

(25)　次の字典を参照した。適宜 CD-ROM 版等の電子辞書も利用した。

・改訂第五版『漢字源』（学研プラス、2018 年）

・改訂新版『新字源』（KADOKAWA、2017 年）

・第二版『新漢語林』（大修館書店、2011 年）

・修訂第 2 版『大漢和辞典』（大修館書店、1990 年）

(26)　図書寮本類聚名義抄における「中云」は仲算撰『法華經釋文』からの引用であること、すでに指摘がある。

・吉田金彦「圖書寮本類聚名義抄出典攷（中）」（訓点語と訓点資料 03、pp.01-34、1954 年）

▶次の複製と索引を参照した。

・古辞書音義集成 04『妙法蓮華經釋文』（汲古書院、1979 年）

(27)　次の複製と索引を参照した。

・古辞書音義集成 03『大般若経音義・大般若経字抄』（汲古書院、1978 年）

(28)　次の論文に詳細を述べている。

・二戸麻砂彦「石山寺一切経蔵本大般若経字抄音注攷－『漢呉二音相同』の音注の資料的分析－」（國學院大學大学

　院紀要 12、pp.208-235、1981 年）

・二戸麻砂彦「石山寺一切経蔵本大般若経字抄音注攷・統一正音注・呉音注・仮名書音注などについて－」（山梨県

　立女子短期大学紀要 22、pp.23-38、1989 年）

▶公任によれば「今任 巻軸之次 注以 漢呉二音相同之字、雖 其音不 違、至 于淺智不遍知之字 不 敢用 之、偏

　依 呉音 別戴 正音、或以 假名 注 之」（同書 27 ウ 2～4 行目）と述べる。すなわち、同書の同音字注は漢呉二

音相同を原則とする。それを呉音で読めば掲出字の呉音を、漢音で読めば漢音を示すような注字選択を目指した

とする。ただし、その同音字注が難字と認める場合には呉音で読める同音字注を採用し、正音は別に（同音字注や

反切）示すか、仮名を以て加えた。なお、「別戴」を「別載」に修正する解釈もあるが、正音は掲出字の頭上に配

置する原則を確認すれば、修正の必要はない。

(29)　　次の複製を参照した。小學彙函本は梁穎野王撰『大廣益會玉篇』の複製本。

・『玉篇零簡』（台湾大通書局有限公司、1972 年）

・『玉篇』（小學彙函本、台湾中華書局、1968 年）

(30)　　次の文献を参照した。

・有坂秀世「『帽子』等の仮名について』（文学 1942 年／『国語音韻史の研究 増補新版』三省堂 1957 年再録）

(31)　　舌内撥音韻尾「ゝ」喉内撥音韻尾「✓」のように近似したフォント表記を選択したが、実際の字形は異なる。舌

内撥音韻尾 -n・喉内撥音韻尾 -ŋ の歴史的な表記について、ユニコード上で策定されてはいないので、相当するフ

ォントセットはない。そこで、代替措置として「✓」（チェックマーク／Unicode: U+2713）「ゝ」（平仮名繰返

し記号／Unicode: U+309D）を使う。別の代替記号「∨」（Logical OR／Unicode: U+2228）「>」（Greater-Than

Sign／Unicode: U+003E）を使う場合もある。注（08）に参照した複製で確認できる。

(32)　　反切上字「艹+補」は廣韻で確認できない。おそらくは「蒲」と相互に同字の認識がある。当該字は観智院本類

聚名義抄に散見する。和訓「アヤメクサ」に対して「菖蒲」と「菖艹+補」がある。

　　　伴 艹+補旦 ［□去］反 トモ … 和ハン ［平平／✓□：墨右傍］　　　　（観智院本類聚名義抄／佛上 034-3）

　　　蒲 音葡 ［平］ カマ ［上上］／州名 和フ ［去］　　　　　　　　　　（観智院本類聚名義抄／僧上 018-8）

　　　菖蒲 アヤメクサ 菖艹+補 同　　　　　　　　　　　　　　　　　　　（観智院本類聚名義抄／僧上 018-8）

　　　渼 艹+補勘反　　　　　　　　　　　　　　　　　　　　　　　　　（観智院本類聚名義抄／法上 041-6）

(33)　　観智院本類聚名義抄の掲出字「悪」に和アク［平上：墨点］を見出す。あるいは［平平：墨点］の誤認か。

・小倉肇『続・日本呉音の研究／第 I 部 研究篇』（新典社、2014 年）p.547/14

(34)　　次の複製および文献と索引を参照した。

・『日葡辞書／VOCABVLARIO DA LINGOA DE IPAM』（勉誠社、1973 年）

▶オックスフォード・ボドレイ文庫所蔵本の複製。

・『パリ本日葡辞書／VOCABVLARIO DA LINGOA DE IPAM』（勉誠社、1976 年）

▶パリ国民図書館所蔵本の複製。

・土井忠生・森田武・長南実 編訳『邦訳日葡辞書』（岩波書店、1980 年）

・森田武編『邦訳日葡辞書索引』（岩波書店、1989 年）

(35)　　次の文献を参照した。

・高松政雄「字音「惑ワク」、「軟ナン」について」（国語国文 51-5、1982 年）

(36)　　以下の文献に詳しい。下降調を調値とする東声は上声の一変異態であることを論じている。

・小松英雄「和訓に施された平声軽の声点－平安末期京都方言における下降調音節の確認－」（国語学 29、pp.17-

1278　3．仮名音注の韻母別考察

35、1957）

(37)　元和本倭名類聚抄に掲げる同音字音注は「音○」「○音」形式を原則とするが、巻三08オにおいては「○反」形
式が連続する。引用した先行文献の表記を踏襲したものか。

　　肩　陸詞云肩 堅反和名加太 髆也 博反字亦作髆 肩也　　　　　　　　　　　　（元和本倭名類聚抄／巻三08オ2）

　　胛　四聲字苑云胛 甲反和名加伊加禰 肩之下也　　　　　　　　　　　　　　　（元和本倭名類聚抄／巻三08オ4）

　　腋　唐韻云腋 液反和名和岐 肘腋也四聲字苑脇 虚業反字亦作胠又與脅同 腋下也

　　　　　　　　　　　　　　　　　　　　　　　　　　　　　　　　　　　　（元和本倭名類聚抄／巻三08オ6）

　　背　玉篇云脊 跡反和名世奈加 背也　　　　　　　　　　　　　　　　　　　　（元和本倭名類聚抄／巻三08オ8）

(38)　次の文献に指摘がある。以下に引用する。

　　・小倉肇『日本呉音の研究／第Ⅰ部 研究篇』（新典社、1994年）

　　　　「-a系は e ないし a で対応するのが基本的である。-auŋ/-auk（江講絳覺）で -oů/-ok のように o で反映す
　　　るのは，円唇的韻尾 -uŋ/-uk の影響によるものとも考えられるが、-u 韻尾の -au（看巧效）に o が現れない
　　　ところから見て，寧ろ異なった層の反映と見做すべきであろう。… 従って，〈江韻〉の o は a よりも古い層
　　　を反映すると考えることができる。」（p523/l.01-12）

(39)　次の論文に詳細な分析がある。

　　・池上禎造「方」字の合音用法（『島田教授古希記念国文学論集』所収、関西大学国文学会、1960年）

　　・福島邦道「四方なる石」（国語学46、国語学会、1961年）

　　・佐々木勇「「方」の日本漢字音ハウ・ホウ続貂」（国語国文62-6、pp.20-33、1993）

(40)　次の文献p.291/04-04の指摘を引用した。

　　・佐々木勇「天理図書館蔵正平七年写本『最勝王経音義』の性格―類聚名義抄諸本との比較を中心に―」（鎌倉時代
　　　語研究11、pp. 261-294、1988）

(41)　長承本蒙求の平安時代中期朱点においては万葉仮名による「支・久・介・己・太・不・万」表記がある。借字に
　　よる仮名音注と扱うべきか。

(42)　頭子音 k-（等韻学の術語で言う見母）を有する「軍」（見母文韻 kiuʌn'）が和音「グン」を示す点については、
　　以下に「母体となった原音が濁音であった蓋然性が高い」との指摘がある。

　　・小倉肇『続・日本呉音の研究／第Ⅰ部 研究篇』（新典社、2014年）p.114/20

(43)　以下の文献に詳しい。

　　・有坂秀世「後記」（『国語音韻史の研究』1944年、増補新版 pp.687-688 に所収、1957年）

(44)　以下の文献に詳しい。

　　・有坂秀世「メイ（明）ネイ（寧）の類は果たして漢音ならざるか」（音聲學協會會報第64號、1940年／『国語
　　　音韻史の研究』1944年、増補新版 pp.369-374 に所収、1957年）

(45)　次の複製と索引を参照した。所在は複製の頁と行を掲げる。これまでの研究成果により、信行撰の可能性が高い
　　とするが、確証までは得ていない。次の解題中（pp.127-129）に詳しい。

・古辞書音義集成 03『大般若經音義／大般若經字抄』（汲古書院、1978 年）

(46)　承暦本金光明最勝王経音義において、同音字注「知」（支韻 ʈie¹）は借字「知」とも解釈できる。その序文に続く以呂波の中で、千［平］知［上］を掲げる。これは奥書「音訓等用借字大底付之（音訓等は借字を用ゐて大底これを付す）」に呼応する。

(47)　借字「事」については「次可知濁音借字」として記述がある。

婆［平濁・去濁］毗［去濁］… 座［平濁］自［平濁］事 受［平濁］是［平濁］増［平濁］

(承暦本金光明最勝王経音義／02 オ 3)

(48)　借字「比」については「先可知付借字」として記述がある。

… 惠［平］會［平］廻［上］比［平］皮［平］非［上］毛［上］文［上］裳［平］…

(承暦本金光明最勝王経音義／01 ウ 7)

4. 仮名音注の声母別考察

　前章では、前田本に付載された仮名音注の分析をするため、便宜的基準の一つとして、中国語音韻史上における中古漢語が示す中古音（Ancient Chinese）の韻母別分類を提示・分析したが、本章では中古音の声母別分類を示し、その分析を試みる。分類の結果は一群の【表 C-01】～【表 C-07】が該当する。

　すでに「1. 序説」の【表01】において中国語の音節構造を示した。すなわち、中国語の音節構造は「IMVF/T」となる。再度これを掲げた上で、声母を確認する。

【表01】

I	Initial	頭子音	声母
M	Medial	介 音（韻頭）	韻母
V	Principal Vowel	主母音（韻腹）	
F	Final	韻 尾（韻尾）	
T	Tone	声 調	

【表13】

脣音		p- 系	p- 幫	p'- 滂	b- 並	m- 明			
		pj- 系	pj- 幫	p'j- 滂	bj- 並	mj- 明			
舌音	舌頭音	t- 系	t- 端	t'- 透	d- 定	n- 泥	l- 来		
	舌上音	ʈ- 系	ʈ- 知	ʈ'- 徹	ḍ- 澄	ṇ- 娘			
歯音	歯頭音	ts- 系	ts- 精	ts'- 清	dz- 從	s- 心	z- 邪	
	正歯音 二 等	tʂ- 系	tʂ- 荘	tʂ'- 初	dʐ- 崇	ʂ- 生	ʐ- 俟	
	正歯音 三 等	tɕ- 系	tɕ- 章	tɕ'- 昌	dʑ- 船	ń- 日	ɕ- 書	ź- 常	j- 羊

牙喉音		k- 系	k- 見	k'- 溪	g- 群	ŋ- 疑	x- 暁	ɣ- 匣/于	'- 影
		kj- 系	kj- 見	k'j- 溪	gj- 群	ŋj- 疑	xj- 暁		'j- 影

　中古音の示す声母は、p- 系, pj- 系, t- 系, t̪- 系, ts- 系, tʂ- 系, tɕ- 系, k- 系, kj- 系に分類される。l- は便宜的に t- 系または t̪- 系の後に配置する。いま声母名を加えた一覧を【表13】（「母」字は省略）として掲げる。なお、ⅢA韻類に出現する、いわゆる重紐甲類と同乙類との対立に関しては、三根谷説の解釈に従い、声母の口蓋化要素である /-j/ の有無をもって示す。必要に応じて、ⅢA韻類では甲乙の表示を加えるが、重紐対立のないⅢB韻類の場合においても声母名に乙の表示を付した。また、等韻学では声母を七音 (48) に分類する方法がある。

　なお「3-1　Ⅰ韻類」～「3-5　ⅢA韻類」においては、説明の都合上から韻母の分析に加えて声母の分析をも個別に試みた場合がある。よって、以下に掲げる声母の分析には重複するところもあるが、各声母に対する基本的な仮名音注の対応を中心にして記述する。ただし、日本語音韻史上の連濁による異例については以下の分析に含めない。

4-1　p- 系, pj- 系（脣音）

　資料篇【表C-01】p- 系, pj- 系（脣音）は、三十六字母の重脣音である「幫母・滂母・並母・明母」と軽脣音である「非母・敷母・奉母・微母」に関わる声母を含む。各声母ごとの分析結果を先んじて集約すれば、前田本の仮名音注における当該の脣音声母は、以下のように日本漢字音の基本的な対応を示す。

幫母・幫母乙	p-	⇒　p-	ハ行
滂母・滂母乙	p'-	⇒　p-	ハ行
並母・並母乙	b-	⇒　p-/b-	ハ行
明母・明母乙	m-	⇒　b-/m-	ハ・マ行
幫母甲	pj-	⇒　p-	ハ行
滂母甲	p'j-	⇒　p-	ハ行
並母甲	bj-	⇒　p-/b-	ハ行
明母甲	mj-	⇒　b-/m-	ハ・マ行

1282　4．仮名音注の声母別考察

4-1-1　p-（幫母・幫母₂）

資料篇【表C-01】を分析すると、p-（幫母・幫母₂）は基本的にハ行の仮名（ハ・ヒ・フ・ヘ・ホ）で対応することが認められる。なお、異例が存在するので、以下に述べておく。

▶番号0843a「飽」（飽滿）の仮名音注「ハウ」については、基本的に -au で対応する。当該字には去声濁点を差すので、字音「バウ」を想定する。廣韻に拠れば、その中古音は巧韻上声（pau²）である。頭子音 p-（等韻学の術語で言う脣音清幫母）は無声無気両脣閉鎖音であり、日本語のハ行音をもって受容する。原則的にバ行音による対応は許容しがたい。あるいは熟字「膨滿」（「膨」並母庚韻 baŋ¹）との混同による字音把握か。観智院本類聚名義抄に反切「補姣反」と上昇調を示す和音「ハウ」を見出す。和音「ハウ」を二回繰り返すが、これらは濁音を含む「バウ」と濁音を含まない「ハウ」を示す。承暦本金光明最勝王経音義には仮名音注「ハウ」がある。日本呉音「バウ・ハウ」去声を認める。

　　　飽 補姣反 アク［平上］… 和ハウ［平濁上］ ハウ［平上］　　　　（観智院本類聚名義抄／僧上112-8）

　　　飽 補姣反／アク … 和ハウ［平濁去］　　　　（天理大学本最勝王経音義本類聚名義抄／14 オ1）

　　　飽［ハウ：右傍］〔＊後筆墨書〕　　　　（承暦本金光明最勝王経音義／10 オ1）

▶番号0850a「博」（博奕）の仮名音注「ハク」については、基本的に -ak で対応する。当該字には入声濁点を差すので、字音「バク」を想定する。その中古音が示す頭子音 p-（等韻学の術語で言う脣音清幫母）は無声無気両脣閉鎖音であり、日本語のハ行音をもって受容する。バ行音で対応することは許容しがたい。類聚名義抄諸本に反切「補各反」を見出す。この反切上字「補」は幫母である。承暦本金光明最勝王経音義には借字による「八久反」があり、その「八」（脣音清幫母黠韻 pet）は日本語の清音「ハ」に相当する。同書が掲げる「先可知所付借字」からも証明できる。現存多くの漢和辞典は慣用音「バク」とするが、出自は不明。同じ諧声符「尃」を持つ「薄・簿」（脣音濁並母鐸韻 bɑk）や「縛」（脣音濁並母藥韻 biɑk）等との混同による誤認か。日本漢音・日本呉音ともに「ハク」入声を認める。

　　　博 補各［口入］反 廣也太也大通也／廣大無所不通也　　　　（図書寮本類聚名義抄／佛上269-4）

　　　博博 千云上通 … ヒロム［平平上／異：右注］　　　　（図書寮本類聚名義抄／佛上269-7）

　　　博 補各反 ヒロシ［平平上］／カフ［上平］　　　　（観智院本類聚名義抄／佛上082-7）

　　　博［入］ハク　　　　（長承本蒙求／005・009）

　　　博［入］八久反　　　　（承暦本金光明最勝王経音義／03 ウ1）

　　　博［入］ハク〔＊後筆墨書入〕　　　　（承暦本金光明最勝王経音義／08 ウ2・10 オ6）

　　　　先可知所付借字　　　　（承暦本金光明最勝王経音義／01 オ7）

以 [平] 伊 [上] 呂 [平] 路 [上] 波 [上] 八 [平] 耳 [平] 尓 [上]

(承暦本金光明最勝王経音義／01 ウ 1)

▶番号0768a「博」（博勞）の仮名音注「ハン」については、異例 -an を示す。当該字には入声濁点を差すので、字音「バン」を想定する。熟字0768「博勞」は右注「ハンシン」を付載するが、これは直上に配置する熟字0767「凡人」の右注「ハンシム」を再度付載した誤認と認める。上述の分析を参照。

▶番号0797a「班」（班級）の仮名音注「ハン」については、基本的に -an で対応する。当該字には去声濁点を差すので、字音「バン」を想定する。その中古音が示す頭子音 p- （等韻学の術語で言う脣音清幫母）は無声無気両脣閉鎖音であり、日本語のハ行音をもって受容する。バ行音で対応することは許容しがたい。熟字0797「班級」は右傍「イラス」を付載する。利息を取って貸すことを指す。図書寮本類聚名義抄に反切「弘云補姦反」（その反切下字に平声点）を見出す。観智院本には反切「補姦反」を見出す。長承本蒙求には仮名音注「ハヽ」二例と同音字注「伴反」（緩／換韻 ban²³）一例があり、それら掲出字に東声点を加える。この同音字注は平安中期点であり、馴化した字音把握「ハン」を想定する。日本漢音「ハン」東声（四声体系では平声）を認める。

班宣 弘云補姦 [□平] 反 … アカツ [平平上／異：右注] …		（図書寮本類聚名義抄／169-3）
班 補姦反 アカツ [平平平] … ツイツ [上平平濁]		（観智院本類聚名義抄／法中 014-5）
班合 イラス		（観智院本類聚名義抄／法中 014-5）
班 [東] 伴反／ハヽ		（長承本蒙求／064）
班 [東] ハヽ		（長承本蒙求／111）

▶番号0741a「播」（播殖）の仮名音注「ハン」については、異例 -an を示す。当該字には去声濁点を差すので、字音「バン」を想定する。廣韻に拠れば、その中古音は過韻（pɑ³）であるから、字音「ハ」を期待する。字音「バン」は諧声符「番」（元韻 bian¹・桓韻 ban¹）による字音の誤認と推測する。諧声符「番」を構成要素に持つ漢字で、その字音が「ハ」であるのは「幡・播・嶓・譒・鄱」などを指摘できるが、字音「ハン」（幡・嶓・旛・橎・潘・燔・璠・磻・藩・繙・翻・膰・蕃・藩・蟠・鐇・飜・鷭など）に比べて数は少ない。類推を生む原因と考える。

▶番号0178「箄」（箄）の仮名音注「ヘイ」については、基本的に -ei で対応する。当該字には去声濁点を差すので、字音「ベイ」を想定する。その中古音が示す頭子音 p- （等韻学の術語で言う脣音清幫母）は無声無気両脣閉鎖音であり、日本語のハ行音をもって受容する。バ行音で対応することは許容しがたい。また右注「イヒシタミ」中注「飯箄」左注「イヒカキ」を付載する。乾飯などを入れる小さな籠を指すか。観智院本類聚名義抄に同音字注「音籠」（その右傍に朱筆で仮名音注「ヘイ」）を見出す。元和本倭名類聚抄には反切「博繼反」がある。日本漢音「ヘイ」を認める。

箄 蔽悶二音／覆蔽		（観智院本類聚名義抄／僧上 066-1）
箄 界女+畀 [平去／ヒヒ：朱右傍] 二音 … イヒシタミ		（観智院本類聚名義抄／僧上 066-1）

1284　4．仮名音注の声母別考察

　　簞　同　音篦［ヘイ：朱右傍］冠飾　又蔽 … カウカイ　　　　（観智院本類聚名義抄／僧上 066-2）

　　飯簞　イヒシタミ［平平平上平］　　　　　　　　　　　　　　（観智院本類聚名義抄／僧上 066-2）

　　簞　四聲字苑云簞 博繼反漢語抄云飯簞以比之太美 …　　　　（元和本倭名類聚抄／巻十七 12 オ 2）

▶番号 1186a・5845b「卜」（卜筮・周卜）の仮名音注「ホク」については、基本的に -ok で対応する。当該字には入声濁点を差すので、字音「ボク」を想定する。廣韻に拠れば、その中古音は屋韻（pʌuk）である。頭子音 p-（等韻学の術語で言う唇音清幇母）は無声無気両唇閉鎖音であり、日本語のハ行音をもって対応する。バ行音での対応は許容しがたい。現行多くの漢和辞典は慣用音「ボク」を掲げるが、出自は不明。図書寮本類聚名義抄に反切「弘云補鹿反」（その反切下字に入声点）を見出す。観智院本には反切「補鹿反」を見つける。長承本蒙求には仮名音注「ホク」があり、その掲出字には入声点を加える。承暦本金光明最勝王経音義には同音字注「北音」（徳韻 pʌk）があり、その掲出字には入声点を付載する。日本漢音「ホク」入声、日本呉音は入声を認める。また日本呉音「ホク」の蓋然性が高い。

　　卜　弘云補鹿［□入］反 …　　　　　　　　　　　　　　　　（図書寮本類聚名義抄／131-1）

　　卜　補鹿反　ウラナフ［平平□□］／シム［平上］　　　　　　（観智院本類聚名義抄／法上 096-4）

　　卜［入］ホク　　　　　　　　　　　　　　　　　　　　　　（長承本蒙求／092）

　　卜［入］北ミ　　　　　　　　　　　　　　　　　　　　　　（承暦本金光明最勝王経音義／08 ウ 5）

　　北　補黙　キタ［上平］ノカル［平上濁平］ … 和ホク　　　　（観智院本類聚名義抄／法上 099-4）

4-1-2　pʻ-（滂母・滂母₂）

資料篇【表C-01】を分析すると、pʻ-（滂母・滂母₂）は基本的にハ行の仮名（ハ・ヒ・フ・ヘ・ホ）で対応することが認められる。中国語音韻史上の中古音において滂母は無声有気音と捉えられるが、日本語では無気と有気の音韻論的な対立がないため、前田本においても両者の区別を反映した仮名音注はない。なお、異例が存在するので、以下に述べておく。

▶番号 0558「醅」（醅）の仮名音注「ハイ」については、基本的に -ai で対応する。当該字には平声濁点を差すので、字音「バイ」を想定する。その中古音が示す頭子音 pʻ-（等韻学の術語で言う唇音次清滂母）は無声有気両唇閉鎖音であり、日本語のハ行音をもって受容する。バ行音での対応は受容しがたい。共通の諧声符を持つ「培・陪」（灰韻並母 buʌiˊ）や「倍」（海韻並母 bʌiˀ）等からの類推による字音把握か。熟字 0558「醅」は右注「ワサミ」左注「醇末醿也／カクサケノシタケ：右傍」を付載する。新酒あるいは漉していない酒を意味する。上述の分析を参照。

▶番号 2778「芬」（芬）の仮名音注「フン」については、基本的に -un で対応する。当該字には平声濁点を差すので、字音「ブン」を想定する。和訓「カウハシ」の同訓異字として位置する。

4-1　p-系．pj-系（脣音）　1285

当該字の中古音が示す頭子音 p'-（等韻学の術語で言う脣音次清滂母）は無声有気両唇閉鎖音であり、日本語のハ行音をもって受容する。バ行音による字音把握は許容しがたい。おそらくは諧声符「分」（問韻 biuʌn³）による類推であろう。観智院本類聚名義抄に東声点を付した同音字注「音紛」（吻韻 piuʌn²）を見出す。承暦本金光明最勝王経音義には借字を含む「布ゝ反」があり、その掲出字に去声点を加える。日本漢音は東声（四声体系では平声）日本呉音「フン」去声を認める。

　　芬 音紛［東］カウハシ［上上平濁□］…　　　　　（観智院本類聚名義抄／僧上 015-7）
　　芬［去］布ゝ反／加宇婆之［上上上□］　　　　（承暦本金光明最勝王経音義／03 ウ 3）
　　　先可知所付借字　　　　　　　　　　　　　（承暦本金光明最勝王経音義／01 オ 7）
　　… 不［上］布［平］符己［平］古［上］衣［上］延［平］天［上］弓［平］
　　　　　　　　　　　　　　　　　　　　　　（承暦本金光明最勝王経音義／01 ウ 5）
　　布 ヌノ［上平］シク［上平］／和ノフ〔＊「和音フ」か〕　（観智院本類聚名義抄／法中 110-4）

▶番号 0911b「幡」（八幡）の仮名音注「マン」については、基本的に -an で対応する。当該字に声点はない。その中古音が示す頭子音 p'-（等韻学の術語で言う脣音次清滂母）は無声有気両唇閉鎖音であり、日本語のハ行音をもって受容する。マ行音に対応することは許容しがたい。諧声符「番」（元韻 biɑn¹）による字音把握としても、合理的な説明は不可である。観智院本類聚名義抄に反切「孚袁反」および上昇調と推測する和音「ハン」を見出す。元和本倭名類聚抄に同音字注「音翻」（元韻 p'iɑn¹）がある。日本呉音「ハン」去声を認める。

　　幡 孚袁反／ハタ［上平］… 和ハン［□上］　　　（観智院本類聚名義抄／法中 103-2）
　　幡 涅槃經云諸香木上懸五色幡 和名波太 …　　　（元和本倭名類聚抄／巻十三 03 オ 6）
　　幡 旛附 考工記云幡 音翻和名波太 …　　　　　（元和本倭名類聚抄／巻十三 12 ウ 4）

▶番号 0871b「費」（費）の仮名音注「キ」については、異例 -wi を示す。当該字には去声点を差す。熟字 0871「繁費」は右注「ハンキ」仮名音注を付載する。これは「ハンヒ」が日本語音韻史上のハ行転呼による音変化を生じた結果である。観智院本類聚名義抄に同音字注「音髴」および和音「ヒ」を見出す。石山寺一切経蔵本大般若経字抄には漢呉二音相同の同音字注「秘」がある。日本呉音「ヒ」を認める。

　　費 音髴 ツヒヤス［□□ユ：墨右傍］… 和ヒ　　　（観智院本類聚名義抄／佛下本 020-5）
　　費［秘：右傍］ツヒユ　　　　　　　　　（石山寺一切経蔵本大般若経字抄／26 オ 5）

▶番号 6908b「朴」（淳朴）の仮名音注「ホク」については、基本的に -ok で対応する。当該字には入声濁点を差すので、字音「ボク」を想定する。その中古音が示す頭子音 p'-（等韻学の術語で言う脣音次清滂母）は無声有気両唇閉鎖音であり、日本語のハ行音をもって受容する。バ行音による字音把握は期待できない。現行多くの漢和辞典は慣用音「ボク」を掲げるが、出自は不明。諧声符「卜」（屋韻 pʌuk）による字音把握も想定できない。観智院本類聚名義抄に反切「普剥反」（その反切下字に入声点）と入声点を付した同音字注「又撲」（屋韻 p'ʌuk／その右傍に朱筆で仮名音

1286　4．仮名音注の声母別考察

注「ホク」）を見出す。日本漢音は去/入声、字音「ホク」入声を認める。

朴 普剥［□入］反 ホ、ノキ … 又赴［去］音 又撲［入／ホク：朱右傍］…

(観智院本類聚名義抄／佛下本099-3)

厚朴 重皮附 本草云厚朴一名厚皮 楊氏漢語抄云厚木保々加之波乃木 …

(元和本倭名類聚抄／巻二十／25 ウ 5)

4-1-3　b-（並母・並母₂）

資料篇【表C-01】を分析すると、b-（並母・並母₂）は基本的にハ行の仮名（ハ・ヒ・フ・ヘ・ホ）で対応することが認められる。中国語音韻史上の中古音において並母は有声音と捉えられるが、前田本の仮名音注には基本的に日本語の清濁表示がなく、掲出字に差した複点の濁声点により日本語の濁音を知ることができる。数は少ないが、仮名音注自体への複点により濁音を表示する場合がある。また、中国語音韻史上における濁音声母の無声化を反映し、ハ行音で対応する場合もある。個別の事例は韻母別考察で述べている。なお、異例が存在するので、以下に述べておく。

▶番号3178c「俻」（甘南俻）の仮名音注「ミ」については、基本的に -i で対応する。当該字に声点はない。加篇姓氏部に属する。当該字「俻」は「備」と相互に異体字である。その中古音が示す頭子音 b-（等韻学の術語で言う脣音濁並母）は有声両唇閉鎖音であり、日本語のバ行をもって受容する。マ行音で対応することは許容しがたい。熟字直前の「南」（覃韻 nʌm¹）が末子音 -m であるため、後退同化を起こし両唇鼻音の子音を含む「ミ」と把握したか。

▶番号2840「礬」（礬）の仮名音注「シウ」については、異例 -iu を示す。当該字に声点はなく、右注「同（カウサマ）」を付載する。廣韻に拠れば、その中古音は元韻（biɑn¹）である。当該字を「眔・衆」（東/送韻 tśiʌuŋ¹ᐟ³）と誤認か。図書寮本類聚名義抄に平声点を付した同音字注「川云音繁」を見出す。また熟字「礬石」に対しては注記「此間云悶石［去濁入］」があり、字音「ボン」を想定できる。観智院本には反切「房元反」を見つけるが、仮名音注はない。元和本倭名類聚抄には同音字注「音繁」がある。定着久しい字音は去声を認める。

礬石 川云音繁［平］此間云悶石［去濁入］…　　　　　　　(図書寮本類聚名義抄147-7)

礬 房元反　　　　　　　　　　　　(観智院本類聚名義抄／佛下本126-5)

礬 蘇敬曰礬石有青白黒緑黄五種矣音繁此間云悶石　　(元和本倭名類聚抄／巻一09 オ 5)

▶番号6868「礬」（礬）の仮名音注「シウ」については、異例 -iu を示す。当該字に声点はなく、右注「同（スミケタリ）」を付載する。当該字を「眔・衆」と誤認か。上述の分析を参照。

▶番号2163「拔」（拔）の仮名音注「チウ」については、異例 -iu を示す。当該字には平声点を差し、左注「ヌク［上平］」を付載する。字形の近似する「挧」（徹母尤韻 t'iʌu¹）と誤認した可能

性がある。観智院本類聚名義抄に同音字注「音惆・又音岫」を見出す。同書では当該字「抽」に続き、異体字として「挊」を掲げる。

　　抽 ヌク［上平］ヌキイツ ノソク 音惆 …又音岫 牛黒皆也　　　（観智院本類聚名義抄／佛下本 075-8）

　　挊 或 又云俗透字／式六反　　　　　　　　　　　　　　　　（観智院本類聚名義抄／佛下本 075-8）

　　惆 音抽 呉音籌 又／去 呼戒反／ウレフ［平平□］…　　　　（観智院本類聚名義抄／法中 071-7）

　　岫 音釉［去］山穴 … イハホ　　　　　　　　　　　　　　　（観智院本類聚名義抄／法上 113-7）

▶番号 2169「拔」（拔）の仮名音注「チウ」については、異例 -iu を示す。当該字に声点はなく、右注「ヌキイツ」を付載する。上述の分析を参照。

▶番号 0552「蚌」（蚌）の仮名音注「ハン」については、異例 -an を示す。当該字には去声点を差し、右注「同（ハマクリ）」左注「或作蜯」を付載する。前田本は当該字の諧声符を「半」（換韻 pan³）と誤写しており、いわゆる諧声符読みによる字音「ハン」を導き出した。本来は仮名音注「ハウ」を期待する。観智院本類聚名義抄に同音字注「放」を見出すが、仮名音注はない。元和本倭名類聚抄には同音字注「放」がある。

　　蚌蛤 放甲二音 ハマクリ［平平平濁上］… 上下俱ハマクリ　　　（観智院本類聚名義抄／僧下 027-7）

　　蚌蛤　兼名苑云蚌蛤 放甲二音蚌或作蜯和名波萬久理 …　　　（元和本倭名類聚抄／巻十九 12 ウ 8）

4-1-4　m-（明母・明母ⱼ）

資料篇【表C-01】を分析すると、m-（明母・明母ⱼ）は基本的にハ行の仮名（ハ・ヒ・フ・ヘ・ホ）およびマ行の仮名（マ・ミ・ム・メ・モ）で対応することが認められる。前者の場合は、中国語音韻史上における鼻音声母の非鼻音化（denasalization）現象 [49] によって、m- > mb- > b- の音変化を反映したものであろう。日本語の濁音表示はないが、日本漢音としてバ行（バ・ビ・ブ・ベ・ボ）を想定する。マ行の仮名で対応する仮名音注は、日本呉音を反映すると想定できる。なお、異例が存在するので、以下に述べておく。

▶番号 2526「麛」（麛）の仮名音注「スイ」については、異例 -ui を示す。当該字には平声点を差し、右注「同（カコ［平平濁］）」を付載する。その「スイ」は仮名の字形相似による「メイ」の誤認と推測する。観智院本類聚名義抄に平声点を付した同音字注「音迷」と反切「五号反」〔＊五分反の誤認か〕を見出すが、仮名音注はない。当該字「麛」と「麑」は相互に異体字で、和訓「カゴ」という認識である。元和本倭名類聚抄には同音字注「音迷」がある。日本漢音は平声を認める。

　　麑 音迷［平］五号反／カコ［平上濁］麛 亦　　　　　　　　（観智院本類聚名義抄／法下 110-7）

　　鹿　… 牝鹿曰麀 音優和名米加 其子曰麛 音迷字亦作麑和名加呉

　　　　　　　　　　　　　　　　　　　　　　　　　　　　　（元和本倭名類聚抄／巻十八 18 オ 7）

1288　4．仮名音注の声母別考察

▶番号4952「芴」（芴）の仮名音注「ク」については、異例 -u を示す。当該字には平声点を差し、和訓「キヒシ」の同訓異字として位置する。字形の近似する「苟」（厚韻 kʌu²／職韻 kiɐk）と混同したか。観智院本類聚名義抄に同音字注「音勿」を見出すが、仮名音注はない。

　　　芴 音勿　　　　　　　　　　　　　　　　　　（観智院本類聚名義抄／僧上 021-1）

▶番号4268「罠」（罠）の仮名音注「コ」については、異例 -o を示す。当該字には平声点を差し、右注「同（アミ）」左注「麋罠」を付載する。当該字の右隣に掲げる4260「罟」（姥韻 kuʌ²）の右傍「コ」仮名音注に牽引されたか。観智院本類聚名義抄に反切「忙巾反」を見出すが、仮名音注はない。元和本倭名類聚抄には反切「武巾反」がある。

　　　罠 … 忙／巾反 网　　　　　　　　　　　　　（観智院本類聚名義抄／僧中 008-7）
　　　罠 … アミ［平平］／麋網　　　　　　　　　　（観智院本類聚名義抄／僧中 008-8）
　　　罦網 紐附 纂要云獸網曰罦 音浮 麋網曰罠 武巾反 …　（元和本倭名類聚抄／巻十五 06 オ 8）

▶番号3587「眊」の仮名音注「ネウ」については、異例 -eu を示す。当該字に声点はなく、和訓「コノム」の同訓異字として位置する。その仮名音注は字形相似による「ホウ」の誤認か。観智院本類聚名義抄に同音字注「音昌」〔＊「冒」の誤認〕「又音邎」を見出すが、仮名音注はない。

　　　眊 メクラシ メホノカシ／音昌 又音邎 ／シノフ コノム　（観智院本類聚名義抄／佛中 075-6）

4-1-5　pj-（幫母甲）

資料篇【表C-01】を分析すると、pj-（幫母甲）は基本的にハ行の仮名（ヒ・ヘ）で対応することが認められる。重紐甲類が示す口蓋化を反映した仮名音注の表記はない。なお、異例が存在するので、以下に述べておく。

▶番号0770b・1197b「鬢」（白鬢・蓬鬢）の仮名音注「ヒン」については、基本的に -in で対応する。両当該字には去声濁点を差すので、字音「ビン」を想定する。前田本が示す諧声符の両字形は「寘」である。その中古音が示す頭子音 p-（等韻学の術語で言う脣音清幫母）は無声無気両脣閉鎖音であり、日本語のハ行音をもって受容する。バ行音で対応することは許容しがたい。同じ諧声符「賓（賓）」を有する諸字「嬪・玭・蠙・薲」（眞韻 bjien¹）や「牝・臏」（軫韻 bjien²）等と字音の類推を起こしやすい環境にあったか。観智院本類聚名義抄に去声点を付した同音字注「音擯」〔＊諧声符は寘〕および和音「鼻ン」を見出す。後者の和音を前行「俗云本音濁」の直下に挿入するよう朱筆で指示がある。宝菩提院本は同指示を反映する。定着久しい字音「ビン」があり、和音としても認識する。元和本倭名類聚抄には反切「卑吝反」がある。日本漢音は去声、定着久しい字音と日本呉音「ビン」を認める。

　　　鬢〔＊諧声符は寘〕音擯 ［去］俗云本音濁／ツラノカミ ホノカミ 和鼻ン

4-1 p-系，pj-系（脣音） 1289

（観智院本類聚名義抄／佛下本 038-5）

鬢〔＊諸声符は賓〕音擯 俗云本音濁 和鼻ン／ツラノカミ … 　　（宝菩提院本類聚名義抄／044-6）

鬢〔＊諸声符は賓〕音擯 ツラノカミ … 和鼻ン 　　　　（天理大学本最勝王経音義／22 オ 6）

鬢〔＊諸声符は賓〕髪根附 説文云鬢 卑吝反 頰髪也 … 　　（元和本倭名類聚抄／巻三 06 ウ 6）

▶番号 2008b「鬢」（龍鬢）の仮名音注「ヒン」については、基本的に -in で対応する。当該字
には平声濁点を差すので、字音「ビン」を想定する。前田本が示す諸声符の字形は「賓」である。
上述の分析を参照。

▶番号 6115「鬢」（鬢）の仮名音注「ヒン」については、基本的に -in で対応する。当該字に
は去声濁点を差すので、字音「ビン」を想定する。また右注「ヒタヒカミ」中注「在奴部」左注「又
ヌカゝミ」を付載する。前田本が示す諸声符の字形は「賓」である。上述の分析を参照。

4-1-6 pʻj-（滂母甲）

資料篇【表C-01】を分析すると、pʻj-（滂母甲）は基本的にハ行の仮名（ヒ・ヘ）で対応すること
が認められる。重紐甲類が示す口蓋化を反映した仮名音注の表記はない。

4-1-7 bj-（並母甲）

資料篇【表C-01】を分析すると、bj-（並母甲）は基本的にハ行の仮名（ヒ・ヘ）で対応すること
が認められる。中国語音韻史上の中古音において並母は有声音と捉えられるが、前田本の仮名音注
には基本的に日本語の清濁表示がなく、掲出字に差した複点の濁声点により日本語の濁音を知るこ
とができる。また、中国語音韻史上における濁音声母の無声化を反映し、無声音であるハ行音で対
応する場合もある。個別の事例は韻母別考察で述べている。重紐甲類が示す口蓋化を反映した仮名
音注の表記はない。

4-1-8 mj-（明母甲）

資料篇【表C-01】を分析すると、m-（明母甲）は基本的にハ行の仮名（ヒ・ヘ）およびマ行の仮
名（ミ・メ）で対応することが認められる。ハ行の仮名で対応する場合は、中国語音韻史上におけ
る鼻音声母の非鼻音化（denasalization）現象によって、m->mb->b- の音変化を反映したもので
あろう。日本語の濁音表示はないが、日本漢音としてバ行（ビ・ベ）を想定する。マ行の仮名で対
応する仮名音注は、日本呉音を反映すると想定できる。重紐甲類が示す口蓋化を反映した仮名音注
の表記はない。

1290　4．仮名音注の声母別考察

4-2　t- 系（舌頭音・半舌音）

　中古音が示す t- 系には、三十六字母の舌頭音である「端母・透母・定母・泥母」と半舌音である「来母」に関わる声母を含む。便宜上、ここに「泥母」n- および「来母」l- を加えて分析する。各声母ごとの分析結果を先んじて集約すれば、前田本の仮名音注における当該の t- 系声母は、以下のように日本漢字音の基本的な対応を示す。

$$
\begin{array}{lllll}
\text{端母} & \text{t-} & \Rightarrow & \textit{t-} & \text{タ行} \\
\text{透母} & \text{t'-} & \Rightarrow & \textit{t-} & \text{タ行} \\
\text{定母} & \text{d-} & \Rightarrow & \textit{t-/d-} & \text{タ行} \\
\text{泥母} & \text{n-} & \Rightarrow & \textit{n-/d-} & \text{ナ行・タ行} \\
\text{来母} & \text{l-} & \Rightarrow & \textit{r-} & \text{ラ行}
\end{array}
$$

4-2-1　t-（端母）

　資料篇【表C-02】を分析すると、t-（端母）は基本的にタ行の仮名（タ・チ・ツ・テ・ト）で対応することが認められる。なお、異例が存在するので、以下に述べておく。

▶番号1610a「頓」（頓滅）の仮名音注「トン」については、基本的に -on で対応する。当該字には去声濁点を差すので、字音「ドン」を想定する。その中古音が示す頭子音 t-（等韻学の術語で言う舌音清端母）は無声無気歯茎閉鎖音であり、日本語のタ行音をもって受容する。ダ行音で対応することは許容しがたい。諧声符「屯」（定母魂韻 duʌn¹）による字音把握か。観智院本類聚名義抄に同音字注「音敦之去声」および和音「平也」を見出す。なお、同音字注として選択した「敦」は四音（端母灰韻 tuʌi¹・端母魂/愿韻 tuʌn¹ᐟ³・定母桓韻 duɑn¹）を有するため、混乱を避けて「之去声」を追記したと推測する。日本漢音は去声、日本呉音は平声を認める。

　　頓 … 音敦之去声／ニハカニ … 和平也　　　　　　　　　（観智院本類聚名義抄／佛下本023-7）

▶番号0693「端」の仮名音注「ハン」については、基本的に -an で対応する。当該字には平声点を差し、右注「ハシ」右傍「ハン」仮名音注（右注の和訓に牽引された「タン」の誤認か）を付載する。図書寮本類聚名義抄に「玉云都丸反・弘云都丸反」（それらの反切下字に平声点）を見出す。観智院本には反切「都官反」と低平調を示す和音「タン」を見出す。長承本蒙求には仮名音注「タ✓」があり、その掲出字を含む二例に東声点を加える。同書は舌内撥音韻尾 -n を「ゝ」で対応することが多いが「✓」を使う場合もある。日本漢音「タン」東声（四声体系では平声）日本呉

音「タン」平声を認める。

端 玉云都丸［□平］反 … サキ［上上／集：右注］	（図書寮本類聚名義抄／124-2）
端嚴 … 弘云都丸［□平］反 題也 …	（図書寮本類聚名義抄／125-3）
端 都官反 ウツクヒ … 和タン［平平：墨点］	（観智院本類聚名義抄／法上090-2）
端［東］	（長承本蒙求／102）
端［東］タ✓	（長承本蒙求／120）

4-2-2　t‘-（透母）

　　資料篇【表C-02】を分析すると、t‘-（透母）は基本的にタ行の仮名（タ・チ・ツ・テ・ト）で対応することが認められる。中国語音韻史上の中古音において透母は無声有気音と捉えられるが、日本語では無気と有気の音韻論的な対立がないため、前田本においても両者の区別を反映した仮名音注はない。なお、異例が存在するので、以下に述べておく。

　▶番号1336b・1574a・1636a・1649a「土」（土邊・土毛・土代・土器）の仮名音注「ト」は、基本的に -o で対応する。当該諸字四例には平声濁点を差すので、字音「ド」を想定する。廣韻に拠れば、透母姥韻（t‘uʌ²）と定母姥韻（duʌ²）の二音を有する。後者の字音を反映すると考えたいが、前者を本来の音とする注記「本音吐」（姥/暮韻 t‘uʌ²³⁾）がある。王仁昫刊謬補缺切韻は前者の透母姥韻のみを掲げる。そのためか、現行多くの漢和辞典は「ド」を慣用音とする。図書寮本類聚名義抄に同音字注「宋云本音吐」と「川云俗音鴑空［平濁去］」〔＊熟字「土公」に対する同音字注〕さらに反切「中云徒古反・又他古反」（前者の反切下字に去声点）を見出す。観智院本には平声濁点を付した同音字注「音吐」（その右傍に墨筆で仮名音注「ト」）を見つける。本音とする「音吐」を示しながら、仮名音注「ト」平声濁点を補う。また同書は熟字「土公」に対して低平調を示す仮名音注「トクウ俗音」を掲げる。元和本倭名類聚抄には同音字注「鴑」（模韻 nuʌ¹）がある。日本漢音は去声、定着久しい字音「ド」平声を認める。

土 多魯切四 吐 □吐… 杜 徒古切九 … 土 土田地主也本音吐	（宋本廣韻／上声第十姥韻）
土 多古反四 吐 歐 … 杜 徒古反棠樹五 …	（王仁昫刊謬補缺切韻／上声第十姥韻）
土 宋云本音吐 … ツチフル［平平平上／異：右注］	（図書寮本類聚名義抄／213-1）
土公 川云本俗音／鴑空［平濁去］	（図書寮本類聚名義抄／213-2）
佛土 中云本徒古［□去］反 … 又他古反 …	（図書寮本類聚名義抄／213-3）
土土 上通下正 音吐［平濁／ト：墨右傍］ツチ［平平］ …	（観智院本類聚名義抄／法中048-1）
土公 トクウ［平平平］／俗音	（観智院本類聚名義抄／佛下末027-3）
土公　董仲舒書云土公鴑空二反春三月在 …	（元和本倭名類聚抄／巻二02 ウ 8）

1292　4．仮名音注の声母別考察

▶番号 3918b「土」（兆土）の仮名音注「ト」については、基本的に -o で対応する。当該字には平声濁点を差すので、字音「ド」を想定する。熟字 3918「兆土」は左注「雙六一」を付載する。上述の分析を参照。

▶番号 0236a「偸」（偸閑）の仮名音注「イウ」については、異例 -iu を示す。当該字には平声点を差す。廣韻に拠れば、その中古音は「偸」（端母侯韻 tʌuˡ）である。諧声符「兪」（羊母虞韻 jiuʌˡ）による字音把握と推測する。熟字 0236「偸閑」は「偸間」と同じで暇を盗むことであるが、仮初めの意味としても使う。

▶番号 3895「軆」（軆）の仮名音注「テイ［上上］」については、基本的に -ei で対応する。当該字には上声濁点を差し、左注「又乍躰」を付載する。その仮名音注には上声相当である高平調の差声を施す。中古音が示す頭子音 tʰ-（等韻学の術語で言う舌音次清透母）は無声有気歯茎閉鎖音であり、日本語のタ行音をもって受容する。ダ行音で対応することは許容しがたい。当該字に上声濁点を付載した理由は不明。日本漢音「テイ」上声、日本呉音「タイ」を認める。

　　軆 音渧［上］スカタ［平平濁□］… 軆 俗通 亦躰 ワタ［平平］／和タイ

（観智院本類聚名義抄／佛下本 005-5）

　　軆 他礼反［上］ミ［上］… 軆［正：右注］和タイ　　　（観智院本類聚名義抄／佛上 086-2）

　　軆［上］テイ　　　　　　　　　　　　　　　　　　　　　　（長承本蒙求／093）

　　軆［＊左上隅欠］　　　　　　　　　　　　　　　　　　　　（長承本蒙求／123）

　　軆［上］　　　　　　　　　　　　　　　　　　　　　　　　（長承本蒙求／127）

　　肢軆　野王案 … 軆 他禮反字亦作躰 …　　　　　　（元和本倭名類聚抄／巻三 07 ウ 7）

▶番号 3925「帖」（帖）の仮名音注「テウ［平濁平］」については、異例 -eu を示す。その中古音が示す末子音 -p 韻尾を日本語 -u で対応する。当該字には平声濁点を差すので、字音「デウ」を想定する。また右注の仮名音注は濁音を含む低平調を示す。その中古音が示す頭子音 tʰ-（等韻学の術語で言う舌音次清透母）は無声有気歯茎閉鎖音であり、日本語のタ行音をもって受容する。ダ行音で対応することは許容しがたい。左注「紙疊貟也」を付載する。紙を数える単位として使うため、多くは複合語の後半に位置し、日本語の連濁となる字音環境に牽引されたか。現行多くの漢和辞典は慣用音「デフ」とする。観智院本類聚名義抄に入声点を付した同音字注「音諜」を見出す。日本漢音は入声を認める。

　　帖 音諜［入］タ、ム／カサヌ　　　　　　　　　　　（観智院本類聚名義抄／法中 103-5）

▶番号 3930「帖」（帖）の仮名音注「テツ［平濁平／□フ：右傍］」については、異例 -et を示すが、その右傍から「テフ」と修正できるので、基本的に -ep で対応する。当該字に声点はなく、右注「テツス［平濁平平／□フ□：右傍］」左注「折重也」を付載する。その中古音が示す頭子音 tʰ-（等韻学の術語で言う舌音次清透母）は無声有気歯茎閉鎖音であり、日本語のタ行音をもって受容する。ダ行音で対応することは許容しがたい。漢語「デフ」をサ変動詞化して複合語「デフス」

となり、さらに促音化し字音「デツス」となったか。上述の分析を参照。

4-2-3　d-（定母）

　資料篇【表C-02】を分析すると、d-（定母）は基本的にタ行の仮名（タ・チ・ツ・テ・ト）で対応することが認められる。中国語音韻史上の中古音において定母は有声音と捉えられるが、前田本の仮名音注は基本的に日本語の清濁表示がなく、掲出字に差した複点の濁声点により日本語の濁音を知ることができる。数は少ないが、仮名音注自体への複点により濁音を表示する場合がある。また、中国語音韻史上における濁音声母の無声化 d- > t- の音変化を反映し、タ行音で対応する場合もある。個別の事例は韻母別考察で述べている。なお、異例が存在するので、以下に述べておく。

▶番号 0024「苐」（弟）の仮名音注「キ」については、異例 -I を示す。当該字に声点はなく、右注「同（イヘ）」を付載する。前田本の当該字形「苐」は「第」と同じ扱いであろう。草冠と竹冠は相互に紛れやすい。直上に番号 0023「家」を配置しており、その右注「イヘ」に対する同訓異字である点からも修正は首肯できる。右傍の仮名音注「キ」は単なる縦棒にも見える筆致である。あるいは当該字「第」を「笫」（旨韻 tsiei² ・止韻 tṣʻiei²）と誤認した可能性がある。その場合は仮名音注「シ」であろう。観智院本類聚名義抄に反切「持計反」（その反切下字に去声点）および低平調を示す和音「タイ［平濁平］」を見出す。日本漢音は去声、日本呉音「ダイ」平声を認める。

　　　第 持計［□去］反 去 ツイツ 弟［俗：右注］和タイ［平濁平］　　　（観智院本類聚名義抄／僧上 075-8）

▶番号 1085「跳」（跳）の仮名音注「セウ」については、基本的に -eu で対応する。当該字に声点はなく、和訓「ホトハシル」の同訓異字として位置する。右注「セウ」仮名音注は「テウ」の誤認か。その中古音が示す頭子音 d-（等韻学の術語で言う舌音濁定母）は有声歯茎閉鎖音であり、日本語のダ行音をもって受容するが、中国語音韻史上における濁音声母の無声化を反映する場合にはタ行音で対応する。図書寮本類聚名義抄に同音字注「音條」（その平声点位置に仮名音注「テウ」）と平声点を付した同音字注「音迢」さらに平声濁点を付した同音字注「公云条」および上昇調を示す「真云テウ」を見出す。観智院本には上声点を付した同音字注「音迢」（蕭韻 deu¹）および去声濁点を付した「呉条」（蕭韻 deu¹）を見つけるが、仮名音注はない。前者の上声点は疑義を残す。後者は大般若経字抄による引用で、漢呉二音相同の同音字注「条」である。また同書には掲出字「條」に対して平声点を付した同音字注「條」（その右傍に朱筆で仮名音注「テウ」）がある。日本漢音「テウ」平声、日本呉音「デウ」去声を認める。

　　　跳 音條［テウ：平声点位置］東云躍也 …

　　　　ホトハシル［上上上上平／集：右注］ヲトル［上上濁平］　　　　（図書寮本類聚名義抄／111-1）

　　　跳躑 音迢［平］弘云躍也 … 公云音条［平濁］…

1294　4．仮名音注の声母別考察

真云テウ［平上］チヤク［□□平］…　　　　　　　　　　（図書寮本類聚名義抄／110-7）

跳 音迢［上］ヲトル［上上濁□］ホトハシル［上上上□□］… 呉条［去濁］

　　　　　　　　　　　　　　　　　　　　　　　　（観智院本類聚名義抄／法上 079-2）

僀 音條［平／テウ：朱右傍］轡／クサリ［上上上］　　　　（観智院本類聚名義抄／僧中 079-5）

跳躑 ［条的：右傍］　　　　　　　　　　　　（石山寺一切経蔵本大般若経字抄／25 オ 7）

▶番号 4525「褅」（褅）の仮名音注「シ」については、異例 -I を示す。当該字には平声点を差
し、和訓「サイハヒ」の同訓異字として位置する。その下方に配置する「褆」に対する仮名音注か。
廣韻に拠れば、当該字の中古音は定母齊韻（dei³）である。観智院本類聚名義抄に反切「徒計反」お
よび和音「チ」〔＊テの誤認か〕を見出す。

褅 徒計反 マツル／アキラカ　　　　　　　　　　　　　（観智院本類聚名義抄／法下 004-1）

褅 サイハヒ … サイハヒ［上上□□］和チ〔＊テの誤認か〕　（観智院本類聚名義抄／法下 004-2）

褆 支提二音／サイハヒ ヤスシ［平平□］　　　　　　　（観智院本類聚名義抄／法下 004-5）

▶番号 6816「髫」（髫）の仮名音注「セウ」については、基本的に -eu で対応する。当該字に
は平声点を差し、右注「同（スミシロ）」左注「小兒髪也」を付載する。廣韻に拠れば、当該字の
中古音は定母蕭韻（deu³）であり、字音「デウ」を期待する。観智院本類聚名義抄に反切「徒彫反」
を見出すが、仮名音注はない。元和本倭名類聚抄には同音字注「召反」がある。これは諧声符「召」
（笑韻 ḍiau³・źiau³）による字音把握であり、仮名音注「テウ・セウ」を想定できる。

髫 徒彫反 髦／モトヽリ メサシ　　　　　　　　　　　（観智院本類聚名義抄／佛下本 037-4）

髫髪　後漢書注云髫髪 召反和名宇奈爲 俗用垂髪二字謂之童子垂髪也 髷同

　　　　　　　　　　　　　　　　　　　　　　　　　（元和本倭名類聚抄／巻二 08 オ 1）

髳　文字集略云髳 丁果反和名須々之呂 小兒剪髪所餘也　　（元和本倭名類聚抄／巻三 07 オ 5）

4-2-4　n-（泥母）

　資料篇【表C-02】を分析すると、n-（泥母）は基本的にタ行の仮名（タ・チ・テ・ト）およびナ
行（ナ・ヌ・ネ・ノ）で対応することが認められる。泥母が示す頭子音 n- は、中国語音韻史上に
おける鼻音声母の非鼻音化（denasalization）現象によって、n->nd->d- の音変化をする。原則
的に、この影響を受けた日本漢音ではダ行音を反映する。日本漢字音において、頭子音 n- がナ行
を示す場合には早い段階での字音享受ということが認められる。これを呉音的特徴とするが、中国
語音韻史上の基層を異にする点、留意しなければならない。なお、異例が存在するので、以下に述
べておく。

▶番号 5950b「納」（出納）の仮名音注「サウ」の仮名音注「サウ」については、異例 -au を示

4-2 t-系（舌頭音・半舌音） 1295

す。当該字に声点はない。この仮名音注は字形相似（「七」に近似した字形）による「ナウ」の誤認であろう。日本語音韻史上 *-ap* > *-au* の音変化を反映する。熟字5950「出納」は左注「三人在蔵人所」を付載する。日本漢字音において、頭子音 n- をナ行音で受容する場合は早い段階の字音享受であり、これを呉音的特徴とする。観智院本類聚名義抄が示す和音「ナフ」が端的に示している。ただし、和音「ノフ」も加えていることから、実際の音声上では長音化していたと認める。すなわち、*-au* > *-ou* > *-oo* の音変化である。日本呉音「ナフ・ノフ」入声を認める。

納處 中云奴荅［平濁入］反 … ヲサム［平平上／後：右注］ 　（図書寮本類聚名義抄／298-1）

納 奴荅［平濁入］反 … 和ナフ［平平］ノフ［平平］ 　（観智院本類聚名義抄／法中134-7）

▶番号4463b「楠」（石楠草）の仮名音注「サム」については、基本的に *-am* で対応する。当該字には平声点を差す。熟字4463「石楠草」は右注「サクサムサウ俗」左注「又トヒラス」を付載する。観智院本類聚名義抄に同音字注「音南」を見出す。また熟字「石楠草」に対して「俗云サクナムサ［平平平上平濁］」を見つける。元和本倭名類聚抄には同音字注「音南」がある。この仮名音注は字形相似（「七」に近似した字形）による「ナム」の誤認であろう。

楠 音南 クスノキ［平上平□］ 　（観智院本類聚名義抄／佛下本086-5）

柟 … 而占反／マセカキ タテキ 　（観智院本類聚名義抄／佛下本086-5）

石楠草 トヒラノキ［上上濁□□□］俗云サクナムサ［平平平上平濁］

（観智院本類聚名義抄／僧上003-3）

楠　唐韻云楠 音南字亦作柟和名本草久須乃木 　（元和本倭名類聚抄／巻二十31 オ5）

4-2-5 l-（来母）

資料篇【表C-02】を分析すると、l-（来母）は基本的にラ行の仮名（ラ・リ・ル・レ・ロ）で対応することが認められる。なお、異例が存在するので、以下に述べておく。

▶番号3093b「撿」（開撿）の仮名音注「ケム」については、基本的に *-em* で対応する。当該字には平声点を差す。廣韻に拠れば、当該字の中古音は来母琰韻（liam²）であり、本来は仮名音注「レム」を期待する。ただし、木扁の「檢」注文に「俗作撿撿本音斂」とあり、見母琰韻（kiam²）による字音「ケム」の把握も可能である。あるいは当該字「撿」を「檢」と混同した可能性がある。観智院本類聚名義抄に反切「臭斂反・七尖反」と同音字注「又斂音」および和音「ケム」を見出す。同書で「檢」を再検索すると、注文「撿通用」を見つける。日本呉音「ケム」を認める。

斂 收也 … 良冉切十三 撿 說文拱 … 　（宋本廣韻／来母琰韻 liam²）

檢 書檢 … 俗作撿撿本音斂 … 居奄切二 瞼 眼瞼 　（宋本廣韻／見母琰韻 kiam²）

撿 臭斂反 七尖反 又斂音 … カムカフ［平上上濁□］… 和ケム

1296　4．仮名音注の声母別考察

　　　　　　　　　　　　　　　　　　　　　　　　　　　　（観智院本類聚名義抄／佛下本053-8）

　　　検 居儼反 甲也 … 撿通用　　　　　　　　　　　　　（観智院本類聚名義抄／佛下本125-1）

▶番号5592b「撿」（巡撿）の仮名音注「ケン」については、異例 -en を示す。当該字には平声
点を差す。その中古音が示す末子音の脣内撥音韻尾 -m を「ン」で対応する。上述の分析を参照。

▶番号5593b「撿」（實撿）の仮名音注「ケム」については、基本的に -em で対応する。当該
字には平声点を差す。上述の分析を参照。

▶番号0653「旒」（旒）の仮名音注「サウ」については、異例 -au を示す。当該字には平声点
を差し、右注「ハタアシ」を付載する。当該字と字形の近似する「旗」（生母肴韻 ṣau'）の誤認か。
本来は字音「リウ」を期待する。観智院本類聚名義抄に同音字注「音留」を見出すが、仮名音注は
ない。元和本倭名類聚抄には同音字注「音流」がある。

　　　旒 … 音留／ハタアシ［上上上上］／ハタ 又流王　　　（観智院本類聚名義抄／僧中028-8）

　　　幡 旒附 … 唐韻云旒 音流和名波太阿之 旌旗之末垂者也　（元和本倭名類聚抄／巻十三12 ウ5）

▶番号0768b「勞」（博勞）の仮名音注「シン」については、異例 -in を示す。当該字には平声
点を差す。熟字0768「博勞」は右傍「伯樂」〔＊別筆の可能性あり〕右注「ハンシン〔＊字形は「ハ∨シ
∨」とも見えるが不鮮明〕善馬相也」中左注「今案賣馬者号／博勞此歟」を付載するが、これは直上に配
置する熟字0767「凡人」の右注「ハンシム」を再度付載した誤認と認める。日本呉音「ラウ」去声
を認める。

　　　勞 力高反 … ネキラフ［上上濁上平］和音 ラウ［□上／□∨：右傍］

　　　　　　　　　　　　　　　　　　　　　　　　　　　　（観智院本類聚名義抄／僧上083-2）

　　　勞 郎到反 ツトム／イトナム イコフ …　　　　　　　（観智院本類聚名義抄／佛下末038-6）

　　　勞［去］ラウ〔＊後筆墨書入〕　　　　　　　　（承暦本金光明最勝王経音義／07 ウ2）

　　　勞［去］良ミ／伊太八留　　　　　　　　　　　（承暦本金光明最勝王経音義／08 オ5）

▶番号2194b「璃」（瑠璃）の仮名音注「ト」については、異例 -o を示す。当該字には上声点
を差す。熟字2194「瑠璃」は左注「ルト」仮名音注を付載するが、これは「ルリ」の誤認か。図書
寮本類聚名義抄に平声点を付した同音字注「離」と上声点を付した俗云「利」を見出す。観智院本
には同音字注「離」と俗云「リ」を見つける。元和本倭名類聚抄には同音字注「離」と俗云「利」
がある。日本漢音は平声、定着久しい字音「リ」上声を認める。

　　　瑠璃 川云流離［平平］二音 俗云留利［去上］…　　　　（図書寮本類聚名義抄／158-4）

　　　瑠璃 流［リウ：墨右傍］離二音／俗云 ルリ　　　　　　（観智院本類聚名義抄／法中015-3）

　　　瑠璃 野王案瑠璃 流離二音俗云留利 青色而如玉者也　　（元和本倭名類聚抄／巻十一18 ウ2）

▶番号2628「變」（變）の仮名音注「ヘン」については、基本的に -en で対応する。当該字に
声点はなく、和訓「カホヨシ」の同訓異字として位置する。廣韻に拠れば、獮/線韻（liuan²³）二音
を有する。字形の近似する「變」（線韻 pian³）との混同による字音把握か。観智院本類聚名義抄

4-2　t-系（舌頭音・半舌音）　1297

に反切「力眷反」（その反切下字に去声点）と上声点を付した同音字注「音孌」（その右傍に朱筆で仮名音注「レン」）さらに声調表記「又去」を見出す。日本漢音「レン」上/去声を認める。

　　　變 力眷［□去］反/ウルハシ　　　　　　　　　（観智院本類聚名義抄/佛中011-2）

　　　變 音孌［上/レン：朱右傍］又去/孌慕子也/美貞　　（観智院本類聚名義抄/佛中023-3）

　▶番号3268a「膂」（膂力）の仮名音注「ヨウ」については、異例 -jou を示す。当該字には上声点を差す。熟字3268「膂力」は右注「ヨウリヨク」左注「云力強者也」を付載する。当該字を「膺」（影母蒸韻 'iǝŋ'）と誤認した可能性がある。本来は右注「リヨリヨク」である。観智院本類聚名義抄に同音字注「音呂」を見出すが、仮名音注はない。

　　　膂 音呂/セナカノホネ［□上平□□□］　　　　　（観智院本類聚名義抄/佛中115-8）

　▶番号3343b「粒」（五粒松）の仮名音注「エウ」については、異例 -eu を示す。当該字に声点はない。熟字3343「五粒松」は右注「コエウノマツ」を付載する。その直下には熟字3344「五葉松」を掲げる。仮名音注「エウ」は「葉」に対する字音である。観智院本類聚名義抄に入声点を付した同音字注「立」を見出すが、仮名音注はない。傍証ながら、同書で「立」を再検索すると、和音「リフ」がある。日本漢音は入声を認める。

　　　粒 音立［入］イナツヒ［□□平上濁］…　　　　（観智院本類聚名義抄/法下030-4）

　　　立 口［＊呂の誤認］蟄反 千［＊和の誤認］リフ［平平］…　（観智院本類聚名義抄/法上090-1）

　　　松子 … 楊氏漢語抄云五粒松 五葉松子和名萬豆乃美　（元和本倭名類聚抄/巻十七08ウ7）

　▶番号4347「㨨」（㨨）の仮名音注「タツ」については、異例 -at を示す。あるいは和訓「ウツ」の誤認か。当該字には入声点を差し、和訓「アヤツル」の同訓異字として位置する。観智院本類聚名義抄に同音字注「音歴」と反切「力狄反」を見出すが、仮名音注はない。

　　　㨨 音歴 ウツ［平上］コソクル/カキナラス　　　（観智院本類聚名義抄/佛下本066-4）

　　　擽 力狄反/コソクル　㨨 正 コソクル ウツ/カキナラス　（観智院本類聚名義抄/佛下本074-7）

　▶番号4030a「酈」（酈縣）の仮名音注「テキ」については、基本的に -ek で対応する。当該字には入声点を差す。熟字4030「酈縣」右注「菊名」左注「テキクエン」〔＊レキクエンの誤認か〕仮名音注を付載する。観智院本類聚名義抄に同音字注「音歴」と反切「又呂移反」を見出す。長承本蒙求には仮名音注「レキ」があり、その掲出字に徳声点を加える。日本漢音「レキ」徳声（四声体系では入声）を認める。

　　　酈 音歴 魯地也/又呂移反 コホリ　　　　　　　（観智院本類聚名義抄/法中027-5）

　　　酈［徳］レキ　　　　　　　　　　　　　　　　（長承本蒙求/083・098）

　▶番号4120b「蠹」（陟蠹）の仮名音注「テン」については、異例 -en を示す。当該字には平声点を差す。字形の近似する「鷹」（仙韻 dian'）との混同か。本来は仮名音注「リ」を期待する。熟字4120「陟蠹」は右注「アヲノリ」を付載する。日本漢音は平声を認める。

　　　陟厘 音糸+厘［平］/アヲノリ［平平上平］　　　（観智院本類聚名義抄/僧下108-2）

1298　4．仮名音注の声母別考察

　　　陜釐　本草云陜釐 音糸+厘一本作厘和名阿乎乃利俗用青苔　　（元和本倭名類聚抄／巻十七18オ2）

　▶番号4377b「陋」（暗陋）の仮名音注「ヘイ」については、異例 -ei を示す。当該字には去声点を差す。熟字4377「暗陋」は右傍「イヤシ」を付載する。諸声符「丙」（梗韻 piaŋ²）による字音把握か。本来は仮名音注「ロウ」あるいは「ル」を期待する。観智院本類聚名義抄に去声点を付した同音字注「音漏」と墨筆で去声圏点を付した和音「ル」を見出す。日本漢音は去声、日本呉音「ル」去声を認める。

　　　陋 音漏［去］イヤシ［平上上／□□ムス［平上］］ … 和ル［去：墨圏点］…

　　　　　　　　　　　　　　　　　　　　　　　　　　（観智院本類聚名義抄／法中046-7）

　▶番号6403a「林」（林蘭）の仮名音注「モク［平平］」については、異例 -ok を示す。当該字に声点はないが、その仮名音注に低平調の差声を施す。諸声符「木」（屋韻 mʌuk）による字音把握か。熟字6403「林蘭」は右注「同（モチツ、チ）」右傍「モクラン［平平平平］」仮名音注を付載する。元和本倭名類聚抄には「木蘭一名林蘭」とする。また字音ではなく和名として「毛久良邇」を示す。

　　　木蘭　本草云木蘭一名林蘭 和名毛久良邇　　　　（元和本倭名類聚抄／巻二十29ウ7）

　　　羊躑躅　陶隠居本草注云羊躑躅 擲直二音和名以波豆々之一云毛知豆々之

　　　　　　　　　　　　　　　　　　　　　　　　　　（元和本倭名類聚抄／巻二十26ウ4）

　4-3　ṭ 系（舌上音）

　中古音が示す ṭ 系には、三十六字母の舌上音である「知母・徹母・澄母・娘母」に関わる声母が含まれる。便宜上、ここに「娘母」ṇ- を加えて分析する。t- 系に加えた「泥母」n- と ṭ 系に加えた「娘母」ṇ- とは、切韻系韻書の『廣韻』において、それぞれの反切上字を通用させる場合が多く、結合する韻類に対しても相補的な関係を示すので、両者「泥母」と「娘母」とを併せて一つの声母と認める考え (50) もある。中国語音韻史上における中古音の体系では音韻論的に一つの声母と解釈する可能性である。しかし、梵語音との対応関係を考慮して、三十六字母では区分する立場を取る。つまり「泥母二・三等」を舌上音の「知母・徹母・澄母」に加えて、いわゆる「娘母」とすることを指す。このような経緯を考慮して、ここでは両者を分別して扱うこととした。

　各声母ごとの分析結果を先んじて集約すれば、前田本の仮名音注における当該の ṭ 系声母は、以下のように日本漢字音の基本的な対応を示す。

知母	ṭ-	⇒	t-	タ行
徹母	ṭʻ-	⇒	t-	タ行
澄母	ḍ-	⇒	t-/d-	タ行

　　　　　　　　　　　　　　　　　　　　　　　　4-3　ʈ-系（舌上音）　1299

　　　娘母　　ɳ-　⇒　n-/d-　　ナ行・ダ行

　　4-3-1　ʈ-（知母）

　　資料篇【表C-03】を分析すると、ʈ-（知母）は基本的にタ行の仮名（タ・チ・ツ・テ）で対応する
ことが認められる。なお、異例が存在するので、以下に述べておく。

▶番号1717a「貞」（貞観殿）の仮名音注「チヤウ」については、基本的に -jaũ で対応する。
当該字には平声濁点を差すので、字音「ヂヤウ」を想定する。その中古音が示す頭子音 ʈ-（等韻学
の術語で言う舌音清知母）は無声無気反り舌閉鎖音であり、日本語のタ行音をもって受容する。ダ
行音による対応は許容しがたい。熟字1717「貞観殿」は右傍「ミクシケトノ」を付載する。観智院
本類聚名義抄に反切「陟盈反」を見出す。長承本蒙求には仮名音注「テイ」があり、その掲出字に
東声点を加える。日本漢音「テイ」東声（四声体系では平声）を認める。

　　　　貞 正也 陟盈切六 … 鄖 地名 又直貞切 …　　　　　　　　　（宋本廣韻／知母清韻 ȶieŋ¹）
　　　　貞 陟盈反 ヒシリ／トフラフ［上上濁□□］サタシ　　　　（観智院本類聚名義抄／佛下本 021-5）
　　　　貞［東］テイ　　　　　　　　　　　　　　　　　　　　　　　　（長承本蒙求／036）
　　　　殿 名附出 … 貞観殿 在常寧殿北謂之御匣殿　　　　　　　（元和本倭名類聚抄／巻十 02 オ6）
▶番号5347・6129「瘃」（瘃・瘃）の仮名音注「キク」については、基本的に -ik で対応する。
両当該字には入声点を差す。本来仮名音注「チヨク」を期待する。仮名字形の相似する「チク」
の誤認か。番号5347「瘃」は右注「シモクチ」左注「又ヒミ 竹足反」を、番号6129「瘃」は右注
「ヒミ［平平］左注「ヒミ［平平濁］」を付載する。観智院本類聚名義抄に反切「竹足反」を見出
すが、仮名音注はない。元和本倭名類聚抄に反切「陟玉反」がある。

　　　　瘃 竹足反 ヒミ［平平／□ヒ［平］］／シモクチ［平平平濁平平］（観智院本類聚名義抄／法下 128-4）
　　　　瘃　漢書音義云瘃 陟玉反和名比美辨色立成云之毛久知 …　　（元和本倭名類聚抄／巻三 27 ウ9）
▶番号5375a「冢」（冢戯）の仮名音注「シヤウ」については、異例 -jaũ を示す。当該字を字
形の近似する「象」（邪母養韻 ziaŋ²）と混同したと推測する。本来は仮名音注「チヨウ・チユウ」
を期待する．熟字「象戯」は中国式の将棋を指す。観智院本類聚名義抄に反切「知隴反」を見出
すが、仮名音注はない。

　　　　冢 大也 … 釋名曰冢腫也象山頂之高腫起 知隴切二 塚 俗　　　（宋本廣韻／知母腫韻 ȶiɑuŋ²）
　　　　冢〔＊←丷+冢〕冢 下或　　　　　　　　　　　　　　　（観智院本類聚名義抄／法下 055-2）
　　　　匑 知隴反 冢 或／冢 正歀　　　　　　　　　　　　　　（観智院本類聚名義抄／法下 057-5）
▶番号5828a「啁」（啁噍）の仮名音注「シウ」については、基本的に -iu で対応する。当該字
には平声点を差す。廣韻に拠れば、尤韻（ȶiʌu¹）豪韻（tau¹）二音を有する。仮名音注「チウ」を期

1300　4．仮名音注の声母別考察

待するが、諧声符「周」（章母尤韻（tśiʌuˈ））による字音把握と推測する。熟字5828「啁噍」は左注「小鳥音也」を付載する。観智院本類聚名義抄に同音字注「音調」と反切「又直留反・又朱育反・竹交反」を見出すが、仮名音注はない。

　　啁啁 二正 竹交反／アサケル〔□上濁□□〕… サヘツル　　　　　（観智院本類聚名義抄／佛中050-4）
　　啁 音調 又直留反 又朱育反／竹交反 アサケル モテアフ　　　　（観智院本類聚名義抄／佛中050-5）

▶番号4215「侜」（侜）の仮名音注「ヒウ」については、基本的に -iu で対応する。仮名字形の相似による「シウ」の誤認か。当該字には平声点を差し、和訓「アサムク」の同訓異字として位置する。仮名音注「チウ」を期待するが、諧声符「舟」（章母尤韻 tśiʌuˈ）による字音把握と推測する。観智院本類聚名義抄に反切「張留反」（その反切下字に平声点）を見出すが、仮名音注はない。日本漢音は平声を認める。

　　侜 張留〔□平〕反／アサムル〔＊アサムクか〕　　　　　　　　（観智院本類聚名義抄／佛上035-3）

4-3-2　ṭʰ-（徹母）

資料篇【表C-03】を分析すると、ṭʰ-（徹母）は基本的にタ行の仮名（タ・チ・テ）で対応する。中国語音韻史上の中古音において徹母は無声有気音と捉えられるが、日本語では無気と有気の音韻論的な対立がないため、前田本においても両者の区別を反映した仮名音注はない。

4-3-3　ḍ-（澄母）

資料篇【表C-03】を分析すると、ḍ-（澄母）は基本的にタ行（タ・チ・ツ・テ・ト）で対応することが認められる。中国語音韻史上の中古音において澄母は有声音と捉えられるが、前田本の仮名音注は基本的に日本語の清濁表示がなく、掲出字に差した複点の濁声点により日本語の濁音を知ることができる。数は少ないが、仮名音注自体への複声点により濁音を表示する場合がある。また、中国語音韻史上における濁音声母の無声化 ḍ- > ṭʰ- の音変化を反映し、タ行音で対応する場合もある。個別の事例は韻母別考察で述べている。なお、異例が存在するので、以下に述べておく。

▶番号2211「朮」（朮）の仮名音注「クキツ」については、基本的に -wit で対応する。前田本の字形「术」を「朮」に修正する。当該字には入声点を差し、右注「ヲケラ［上上平］」左注「又作荒」を付載する。本来は仮名音注「チユツ」を期待する。廣韻に拠れば、澄母術韻（ḍiuet）船母術韻（dźiuet）二音を有する。前者は山野に自生する多年生の薬用植物「おけら・うけら」を、後者は「餅粟（＝秫）」を指す。観智院本類聚名義抄に反切「時律反・直律反」を見出すが、仮名音注はない。元和本倭名類聚抄には反切「儲律反」がある。

4-3　ṭ- 系（舌上音）　1301

朮〔＊←术〕時律反 ヲケラ［上上平］… 直律反 述　　　　（観智院本類聚名義抄／佛下本115-2）

朮〔＊←术〕爾雅注云朮 儲律反和名乎介良 …　　　　　（元和本倭名類聚抄／巻二十04 オ5）

▶番号2318「趍」（趍）の仮名音注「シ」については、基本的に -ì で対応する。当該字には平声点を差し、右注「ワシル」を付載する。廣韻に拠れば、支韻（die¹）虞韻（ts'iuʌ¹）二音を有する。本来は仮名音注「チ」と「シユ」を期待する。当該字「趍」を「趍」（脂韻 ts'iei¹）と誤認したか。観智院本類聚名義抄に平声点を付した同音字注「遅」と反切「七蹜反」（その反切下字に平声点）さらに注記「又作趨」〔＊←趨〕を見出すが、仮名音注はない。日本漢音は平声を認める。

郪 縣名在梓州 取私切又七西切九 趍 趍趌趍不進也 …　　　　　（宋本廣韻／脂韻 ts'iei¹）

趍 遅［平］音 今七蹜［□平］反／ワシル［平平上］… 又作趨　（観智院本類聚名義抄／佛上 067-5）

▶番号2319「趨」（趨）の仮名音注「シ」については、基本的に -ì で対応する。当該字に声点はなく、和訓「ワシル」の同訓異字として位置する。当該字「趨」と「趍」とは相互に異体字である。本来は仮名音注「チ」と「シユ」を期待する。上述の分析を参照。

4-3-4　ṇ-（娘母）

資料篇【表C-03】を分析すると、ṇ-（娘母）は基本的にナ行（ニ・ノ）およびタ行（チ・テ・ト）で対応することが認められる。娘母が示す頭子音 ṇ- は、中国語音韻史上における鼻音声母の非鼻音化（denasalization）現象によって、ṇ->ṇd->ḍ- の音変化をする。原則的に、この影響を受けた日本漢音ではダ行音を反映することになる。日本漢字音において、頭子音 ṇ- がナ行を示す場合には早い段階での字音享受ということが認められる。これを呉音的特徴とするが、中国語音韻史上の基層を異にする点、留意しなければならない。なお、異例が存在するので、以下に述べておく。

▶番号2341「絮」（絮）の仮名音注「シヨ」については、基本的に -jo で対応する。当該字には上声濁点を差すので、字音「ジヨ」を想定する。また右注「同（ワタ）」左右注「似綿／麁悪也」を付載する。廣韻に拠れば、その中古音は御韻去声三音である。前田本と廣韻の注記から看て、当該例は心母御韻（siʌ³／シヨ）に相当する。上声濁点を差すのは娘母御韻（ṇiʌ³／ヂヨ）との混淆による字音把握か。図書寮本類聚名義抄に反切「思攄反」（その反切下字に去声点）および平声濁点を付した「公云音序」を見出す。後者は大般若経字抄による漢呉二音相同の同音字注を出典とする。観智院本類聚名義抄には反切「思攄」（「反」表記欠落／その反切下字に去声点）および「呉序」を見つけるが、仮名音注はない。日本漢音は去声、日本呉音は平声を認める。

絮 説文曰敝緜也 息攄切又抽攄尼恕二切一　　　　　　（宋本廣韻／心母御韻 siʌ³）

女 以女妻人也 尼攄切二 絮 姓也漢有絮舜　　　　　　（宋本廣韻／娘母御韻 ṇiʌ³）

絮 和調食也 抽攄切三 …　　　　　　　　　　　　　（宋本廣韻／徹母御韻 ţ'iʌ³）

1302 4．仮名音注の声母別考察

　　絮 玉云思／據 ［□去］反 幣帛也 … 公云音序 ［平濁］…　　　　　（図書寮本類聚名義抄／315-5）

　　絮 真云自慮反 …　　　　　　　　　　　　　　　　　　　　　（図書寮本類聚名義抄／315-6）

　　絮 思據 ［□去］ツク … ワタ ［平平］… 與序　　　　　　（観智院本類聚名義抄／法中 131-1）

　　絮 ［音序：右傍］　　　　　　　（石山寺一切経蔵本大般若経字抄／09 オ 2・14 オ 6）

　▶番号6344b「絮」（飛絮）の仮名音注「シヨ」については、基本的に -jo で対応する。当該字には上声濁点を差すので、字音「ジヨ」を想定する。本来は仮名音注「チヨ・ヂヨ」を期待する。上述の分析を参照。

　▶番号4520「呥」（呥）の仮名音注「サン」については、異例 -an を示す。当該字には平声点を差し、和訓「サケフ」の同訓異字として位置する。仮名音注の字形「セン」から見て、類似する「セウ」の誤認か。その中古音が示す頭子音 ṇ-（等韻学の術語では娘母／反り舌鼻音）は中国語音韻史上における鼻音声母の非鼻音化（denasalization）現象によって、ṇ- > ṇḍ- > ḍ- の音変化をする。これを反映した日本漢音は一般的にダ行音で対応する。当該字は字音「ダウ」あるいは拗音化した字音「デウ」を期待する。観智院本類聚名義抄に平声濁点を付した同音字注「音饒」（宵/笑韻 ṇiau^{1/3}）と反切「女如反」を見出すが、仮名音注はない。日本漢音は平声を認める。

　　呥 音饒 ［平濁］サケフ ［□□平濁］　　　　　　　　　（観智院本類聚名義抄／佛中 060-8）

　　訤 女如反 呥 ［或：右注］ナマシヒ …　　　　　　　　（観智院本類聚名義抄／法上 065-4）

　▶番号3812b「娘」（窈娘）の仮名音注「ラウ」については、基本的に -aū で対応する。当該字には平声点を差す。仮名音注「ラウ」は諧声符「良」（陽韻 liaŋ^{l}）による字音把握か。本来は仮名音注「チヤウ（ヂヤウ）」を期待する。また「娘」は「孃」（本来は母の意味）と混同する場合がある。図書寮本類聚名義抄に反切「广云下而羊反」（その反切下字に平声濁点）を見出す。観智院本には反切「女良反」（その反切下字に平声点）と反切「如章反・如宰 ［平濁平］反」を見つけるが、仮名音注はない。日本漢音は平声を認める。

　　恇孃 … 广云下而羊 ［□平濁］反 …　　　　　　　　　　　（図書寮本類聚名義抄／257-6）

　　孃 女良 ［□平］反 ヲウナメ … 如章／如宰 ［平濁平］二反 … （観智院本類聚名義抄／佛中 011-8）

　　娘 今 ムスメ／ヨキヲウナ　　　　　　　　　　　　　　　（観智院本類聚名義抄／佛中 011-8）

　4-4　ts- 系（歯頭音）

　中古音が示す ts- 系には、三十六字母の歯頭音である「精母・清母・従母・心母・邪母」に関わる声母が含まれる。

　各声母ごとの分析結果を先んじて集約すれば、前田本の仮名音注における当該の ts- 系声母は、以下のように日本漢字音の基本的な対応を示す。

　　　　　　　　　　　　　　　　　　　　　　　　　　　4-4　ts- 系（歯頭音）　1303

　　精母 ts-　　⇒　　*s-*　　サ行

　　清母 ts'-　　⇒　　*s-*　　サ行

　　從母 dz-　　⇒　　*s-/z-*　サ行

　　心母 s-　　⇒　　*s-*　　サ行

　　邪母 z-　　⇒　　*s-/z-*　サ行

4-4-1　ts-（精母）

　資料篇【表C-04】を分析すると、ts-（精母）は基本的にサ行の仮名（サ・シ・ス・セ・ソ）で対応することが認められる。なお、異例が存在するので、以下に述べておく。

▶番号2266「逌」（逌）の仮名音注「イウ」については、基本的に *-iu* で対応する。当該字に声点はなく、和訓「ヲハル」の同訓異字として位置する。廣韻に拠れば、尤韻（tsiʌuˈ・dziʌuˈ）二音を有する。当該字を「猶」（羊母尤韻 jiʌuˈ）と誤認したか。本来は仮名音注「シウ」を期待する。観智院本類聚名義抄に反切「自祐反」（その切下字に去声点）「又即由反」（その反切下字に平声点）を見出すが、仮名音注はない。日本漢音は平/去声を認める。

　　逌 自祐［□去］反 … 又即由［□平］反 ⤳ ヲハル［上上平／□フ□：墨右傍］…

　　　　　　　　　　　　　　　　　　　　（観智院本類聚名義抄／佛上 055-2）

▶番号4326「逌」（逌）の仮名音注「イウ」については、基本的に *-iu* で対応する。当該字には平声点を差し、和訓「アツム」の同訓異字として位置する。当該字を「猶」（羊母尤韻 jiʌuˈ）と誤認したか。本来は仮名音注「シウ」を期待する。上述の分析を参照。

▶番号6556・6563「逌」（逌・逌）の仮名音注「イウ」については、基本的に *-iu* で対応する。当該字に声点はない。当該字を「猶」（羊母尤韻 jiʌuˈ）と誤認したか。本来は仮名音注「シウ」を期待する。番号6556「逌」は右注「盡也」左注「已上逼也」を付載する。また和訓「セム［平上］」の同訓異字として位置する。番号6563「逌」は右注「セメトル」を付載する。上述の分析を参照。

▶番号0920a「将」（将監）の仮名音注「ハン」については、異例 *-an* を示す。当該字に声点はない。廣韻に拠れば、陽/漾韻（tsiɑŋ¹ʲ³）二音を有する。熟字「将監」は中左注「舞人随人等／居此官之時／所云也」を付載する。近接する熟字「判官」に付載する右注「ハンクワン」仮名音注を牽引した字音把握であろう。本来は仮名音注「シヤウ」を期待する。図書寮本類聚名義抄に反切「广云紫羊反・中云即良反」（それぞれの反切下字に平声点）と反切「中云即亮反・真云即亮反」（それぞれの反切下字に去声点）を見出す。観智院本には反切「即良反」と「又去」および和音「者ウ」（その右傍に墨筆で喉内撥音韻尾「✓」表記）を見つける。長承本蒙求には仮名音注「シヤウ」があり、その掲出字に東声点を加える。日本漢音「シヤウ」東/去声（四声体系では平/去声）日本呉音

1304　4．仮名音注の声母別考察

「シヤウ」を認める。

　　　判官　本朝職貟令二方品貟等所載 … 近衞曰将監 …　　　（元和本倭名類聚抄／巻五04 オ4）

　　　諸將 中云即亮 [□去] 反 … 武臣也　　　　　　　　　　　（図書寮本類聚名義抄／068-3）

　　　將大 広云紫羊 [□平] 反 辟支佛名 …　　　　　　　　　　（図書寮本類聚名義抄／068-4）

　　　將將 … 中云即良 [□平] 反 欲也 … モテ [平上／集：右注]　（図書寮本類聚名義抄／068-4）

　　　將帥 … 真云即亮 [□去] 反 … ヒキヰル [上平上平]　　　（図書寮本類聚名義抄／284-5）

　　　將 即良反 又去 スト [□上濁] … 和者ウ [□✓：墨右傍]　　（観智院本類聚名義抄／佛下末008-4）

　　　將 通 將 正欵　　　　　　　　　　　　　　　　　　　　（観智院本類聚名義抄／佛下末008-5）

　　　将 [東] シヤウ　　　　　　　　　　　　　　　　　　　　（長承本蒙求／068・138）

▶番号1484b「罋」（調罋）の仮名音注「ヒ」については、基本的に -I で対応する。当該字に声点はない。諸声符「韭」（非と誤認）による字音把握か。熟字1484「調罋」は右注「ト、ノヘアフ」を付載する。観智院本類聚名義抄に反切「祖兮反」（反切下字の右傍に朱筆で仮名音注「ケイ」）を見出す。元和本倭名類聚抄には反切「即兮反」がある。日本漢音「セイ」の蓋然性が高い。

　　　罃 或罋 祖兮 [ケイ：朱右傍] 反 … アヘ物 [平□□]　　（観智院本類聚名義抄／佛上077-4）

　　　罃 アヘ物 [平平□] ／罋 同　　　　　　　　　　　　　（観智院本類聚名義抄／僧下126-1）

　　　罋 四聲字苑云罋 即甚反訓安不一云阿倍毛乃 …　　　　　（元和本倭名類聚抄／巻十六22 オ8）

▶番号6938a「遵」（遵行）の仮名音注「スキン」については、基本的に -win で対応する。当該字には平声濁点を差すので、字音「ズキン」を想定する。その中古音が示す頭子音 ts-（等韻学の術語で言う歯音清精母）は無声無気破擦音であり、日本語のサ行音をもって受容する。ザ行音で対応することは許容しがたい。観智院本類聚名義抄に同音字注「俊之平」（俊：稕韻 tsiuen³）を見出すが、仮名音注はない。当該字「遵」と同音の適切な候補がないと判断したか。長承本蒙求には仮名音注「スキヽ」〔＊院政朝長承三年の墨加点〕と同音字注「春反」〔＊平安時代中期の朱加点〕があり、それらの掲出字に東声点を加える。承暦本金光明最勝王経音義には同音字注「尊音」〔＊左隣に朱筆で同音字注「身音」〕と去濁圏点を付した同音字注「寸」〔＊ズキンを想定できるか〕があり、その掲出字に去声点を加える。石山寺一切経蔵本大般若経字抄には漢呉二音相同の同音字注「音春」を見つける。日本漢音「スキン」東声（四声体系では平声）日本呉音は去声を認める。

　　　遵 循也率也行也習也 將倫切五 踆 … 僔 … 噂 … 鷷 西方雄名　（宋本廣韻／諄韻 tsiuen¹）

　　　遵 俊之平 モチキル … シタカフ [上上□□] …　　　　（観智院本類聚名義抄／佛上058-8）

　　　遵 [東] 春反〔＊平安時代中期の朱加点〕　　　　　　　（長承本蒙求／043）

　　　遵 [東] □反／スキヽ　　　　　　　　　　　　　　　　（長承本蒙求／075）

　　　遵 [去] 尊ゝ／身六 [：朱筆] ／之多何布／寸 [去濁：圏点／：朱左傍]

　　　　　　　　　　　　　　　　　　　　　　　　　　　　（承暦本金光明最勝王経音義／06 オ1）

　　　遵 [音春：右傍] シタカフ　　　　　　　　　　　　　　（石山寺一切経蔵本大般若経字抄／09 オ5）

4-4　ts- 系（歯頭音）　1305

4-4-2　ts'-（清母）

資料篇【表C-04】を分析すると、ts'-（清母）は基本的にサ行（サ・シ・ス・セ・ソ）で対応することが認められる。中国語音韻史上の中古音において清母は無声有気音と捉えられるが、日本語では無気と有気の音韻論的な対立がないため、前田本においても両者の区別を反映した仮名音注はない。なお、異例が存在するので、以下に述べておく。

▶番号3141a「請」（請降）の仮名音注「カウ」については、異例 -aū を示す。当該字に声点はない。和訓「コフ」との混同による字音把握か。廣韻に拠れば、清/靜韻（ts'ieŋ¹ᐟ²）勁韻（dzieŋ³）三音を有する。熟字3141「請降」は右注「カウコウ」仮名音注を付載する。図書寮本類聚名義抄に反切「中云七靜反（靜韻 ts'ieŋ²）又疾政反（勁韻 dzieŋ³）又疾盈反（清韻 dzieŋ¹）」と反切「真云在性反（勁韻 dzieŋ³）又清井反（靜韻 ts'ieŋ²）」さらに同音字注「又音清（清韻 ts'ieŋ¹）」を見出す。また反切「广云且領反」（その反切下字に上声点/靜韻 ts'ieŋ²）がある。観智院本には反切「清井反」（その反切下字に上声点/靜韻 ts'ieŋ²）と同音字注「又音清」および和音「者ウ」を見つける。同書では掲出諸字「正・聲・聖・唱・星・青・賞・將・牆・詳・請・章・鄭・裝・精・床・疘・政・生・尚」に対して和音「者ウ」がある。日本漢音は上声、日本呉音「シヤウ」を認める。

　　　三請 … 中云七靜反 求請也 又疾政反 延屈也 又疾盈反 交也 …

　　　真云在性 [□去] 反 … 又清井 [□上] 反 … 又音清 …　　　　　　（図書寮本類聚名義抄／091-1）

　　　無請 广云且領 [□上] 反 …　　　　　　　　　　　　　　　　　（図書寮本類聚名義抄／091-3）

　　　請 清井 [□上] 反 コフ [平上] … 又音清 和者ウ　　　　（観智院本類聚名義抄／法上 059-3）

▶番号3104b「爨」（炊爨）の仮名音注「キウ」については、異例 -iu を示す。当該字に声点はない。熟字3104「炊爨」は右傍「イヒカシクナリ」右注「カムキウ」を付載する。本来は仮名音注「スイサン」を期待する。当該字の下部「焚」を字形の近似する「灸」（有/宥韻 kiʌu²ᐟ³）と認識した字音の誤認か。観智院本類聚名義抄に同音字注「音竄」と反切「倉亂反」を見出すが、仮名音注はない。

　　　爨爨 音竄　　　　　　　　　　　　　　　　　　　　　　（観智院本類聚名義抄／佛下末 040-2）

　　　爨 俗通 ヒタク [平平平] ／カシク [平平平]　　　　　　（観智院本類聚名義抄／佛下末 040-3）

　　　爨 倉亂反／炊　　　　　　　　　　　　　　　　　　　　（観智院本類聚名義抄／僧下 071-4）

1306　4．仮名音注の声母別考察

4-4-3　dz-（従母）

　資料篇【表C-04】を分析すると、dz-（従母）は基本的にサ行の仮名（サ・シ・ス・セ・ソ）で対応することが認められる。中国語音韻史上の中古音において従母は有声音と捉えられるが、前田本の仮名音注は基本的に日本語の清濁表示がなく、掲出字に差した複点の濁声点により日本語の濁音を知ることができる。数は少ないが、仮名音注自体への複声点により濁音を表示する場合がある。また、中国語音韻史上における濁音声母の無声化 dz- > ts- の音変化を反映し、サ行音清音で対応する場合もある。個別の事例は韻母別考察で述べている。なお、異例が存在するので、以下に述べておく。

　▶番号1565「曺」（曺）の仮名音注「チウ」については、異例 -iu を示す。当該字には平声点を差し、和訓「トモカラ」〔*←トカモラ〕の同訓異字として位置する。字形の近似する「胄」（宥韻 ḏɪɐuᶜ）との混同による字音把握か。観智院本類聚名義抄に同音字注「音槽」を見出す。長承本蒙求には仮名音注「サウ」二例があり、両掲出字それぞれに東声点と平声点を加える。なお、当該字「曺」と「曹」は相互に異体字である。日本漢音「サウ」東声（四声体系では平声）を認める。

　　　曹 音槽 トモカラ［上上上濁□］…　曹 同／正　　　　　　（観智院本類聚名義抄／佛中 099-7）
　　　曹［東］□ウ　　　　　　　　　　　　　　　　　　　　　　　　　（長承本蒙求／022）
　　　曹［平］サウ　　　　　　　　　　　　　　　　　　　　　　　　　（長承本蒙求／149）
　　　胄 音宙 カフト［平上濁平］／タネ 和チウ［平上］　　　　（観智院本類聚名義抄／佛中 117-5）
　　　胄［去］智宇反　　　　　　　　　　　　　　　（承暦本金光明最勝王経音義／12 オ 3）
　　　胄 說文云胄 音宙和名加布度 首鎧也　　　　　　　（元和本倭名類聚抄／巻十三 12 ウ 9）

　▶番号4674b「懯」（懴懯）の仮名音注「クヱ」については、異例 -we を示す。当該字には平声点を差し、中注「サンクヱ」左注「又下字悔」付載する。その「悔」（賄／隊韻 xuʌiᶜ）に対する仮名音注「クヱ」と推測する。観智院本類聚名義抄で「悔」を検索すると、去声点を付した同音字注「晦」と低平調と推測する和音「クヱ」を見出す。当該字「懯」については反切「辞甘反」および低平調と推測する和音「坐ム」を見つける。日本呉音「ザム」を認める。

　　　懯 辞甘反 ハツ／和坐ム［平□：墨点］　　　　　（観智院本類聚名義抄／法中 096-4）
　　　悔 クユ ムクユ …… 音晦［去］／恨也 … 和クヱ［□平］　　（観智院本類聚名義抄／法中 094-7）
　　　坐 徐果［□上］反 キル［上上］… 和サア［□平：墨点］　（観智院本類聚名義抄／法中 067-4）
　　　座 音坐［平濁］ヰモノヒキ／ナリ　　　　　　　　（観智院本類聚名義抄／法下 105-1）

4-4　ts-系（歯頭音）　1307

4-4-4　s-（心母）

　資料篇【表C-04】を分析すると、s-（心母）は基本的にサ行の仮名（サ・シ・ス・セ・ソ）で対応することが認められる。なお、異例が存在するので、以下に述べておく。

　▶番号1926a「箪」（箪量）の仮名音注「チウ」については、異例 -iu を示す。当該字には去声点を差すが、字形近似による「籌（籌）」（尤韻 ḍiɐu¹）との誤認と推測する。本来は仮名音注「サン」を期待する。観智院本類聚名義抄に去声点を付した同音字注「音蒜」（換韻 suɑn¹）と低平調を示す「俗音サム」および和音「平」を見出す。同書で「籌」を再検索すると、平声点を付した同音字注「紐」と「和去」があり、さらに注記「箪」（異体字「筭」の誤認）も見つかる。日本漢音は去声、日本呉音は平声、定着久しい字音「サム」平声を認める。

　　　竿箪 或正 音蒜 [去] カス 俗音サム [平平] … 和平　　　　　（観智院本類聚名義抄／僧上 066-4）

　　　籌 音紐 [平] カス [平上濁] 箪 … 和去　　　　　　　　　　（観智院本類聚名義抄／僧上 062-4）

　▶番号2494a「萆」（萆麻）の仮名音注「ヒ」については、基本的に -i で対応する。当該字には平声点を差す。熟字2494「萆麻」は右注「カラカシハ」を付載する。廣韻に拠れば、当該字は止韻（siei²）昔韻（biek）二音を有する。本来は仮名音注「シ」を期待する。諧声符「卑」（支韻 pjie¹）による字音把握か。あるいは竹冠の「箪」（至韻 pjiei³）と混同したか。観智院本類聚名義抄に反切「頻益反」（昔韻 biek）を見出す。また和訓「シタミ」も別途掲げるが、竹冠「箪」の誤認である。高山寺本篆隷萬象名義には反切「金赤反」（昔韻 biek）を見つける。元和本倭名類聚抄には反切「金示反」があるが、これは「金赤反」の誤認である。

　　　萆 シタミ　　　　　　　　　　　　　　　　　　　　　　（観智院本類聚名義抄／僧上 031-4）

　　　萆 頻益反／雨衣　　　　　　　　　　　　　　　　　　　（観智院本類聚名義抄／僧上 031-5）

　　　萆麻 カラカシハ／一云カラヱ　　　　　　　　　　　　　（観智院本類聚名義抄／僧上 031-5）

　　　箪 卑婢 [平去／ヒヒ：朱右傍] 二音 筬箪小籠篷也／交籠 イヒシタミ

　　　　　　　　　　　　　　　　　　　　　　　　　　　　　（観智院本類聚名義抄／僧上 066-1）

　　　萆 金赤反 雨衣襄似／鳥韭名萆　　　　　　　　　　　　（高山寺本篆隷萬象名義／第四帖 049 オ 2）

　　　萆麻　本草云萆麻 上音金示反和名加良可之波一云加良衣　　（元和本倭名類聚抄／巻二十 05 ウ 1）

　▶番号6640a「先」（先標）の仮名音注「セン」については、基本的に -en で対応する。当該字には去声濁点を差すので、字音「ゼン」を想定する。その中古音が示す頭子音 s-（等韻学の術語で言う歯音清心母）は無声無気歯茎摩擦音であり、原則的に日本語のサ行音をもって受容する。観智院本類聚名義抄に反切「蘇見反・蘇前反」および和音「是ン」を見出す。同書の和音に掲げる「是」は字音「ゼ」を示す。また同書には和音「是ン」六例を見出す。その中で「先」と「箭」（線韻 tsian³）以外「善・前・禪・全」四例は濁声母の頭子音である。長承本蒙求には仮名音注「セ〻」があり、

1308　4．仮名音注の声母別考察

その掲出字に東声点を加える。日本漢音「セン」東声（四声体系では平声）日本呉音「ゼン」を認
める。現行多くの漢和辞典は呉音「ゼン」を掲げない。

　　　先 藐見反 藐前反／サキ［上上］… 和是ン　　　　　　　（観智院本類聚名義抄／佛下末018-2）

　　　是 コレ／和セ［平濁］　　　　　　　　　　　　　　　　（観智院本類聚名義抄／佛中106-1）

　　　先［東］セヽ　　　　　　　　　　　　　　　　　　　　　　　　　　（長承本蒙求／026）

　　　箭 … 子賤反 ヤ［平］／和是ン　　　　　　　　　　　　（観智院本類聚名義抄／佛下末018-2）

　　　善 是闡反 ヨシ … 和是ン［□平］　　　　　　　　　　　（観智院本類聚名義抄／佛中056-4）

　　　前 マヘ［平上］サキ［上上］… 和是ン　　　　　　　　　（観智院本類聚名義抄／佛下末029-3）

　　　禪 時戰反 ユツル［上上濁平］… 和是ン［□上］　　　　（観智院本類聚名義抄／法下008-5）

　　　全 … 音泉［平］… ヨシ 和是ン［□上］　　　　　　　　（観智院本類聚名義抄／僧中001-6）

4-4-5　z-（邪母）

　　資料篇【表C-04】を分析すると、z-（邪母）は基本的にサ行の仮名（サ・シ・ス・セ・ソ）で対
応することが認められる。中国語音韻史上の中古音において邪母は有声音と捉えられるが、前田本
の仮名音注は基本的に日本語の清濁表示がなく、掲出字に差した複点の濁声点により日本語の濁音
を知ることができる。数は少ないが、仮名音注自体への複声点により濁音を表示する場合がある。
また、中国語音韻史上における濁音声母の無声化 z- > s- の音変化を反映し、サ行音で対応する場
合もある。なお、異例が存在するので、以下に述べておく。

　　▶番号1476c「旋」（團乱旋）の仮名音注「テン」については、基本的に -en で対応する。当該
字には上声濁点を差すので、字音「デン」を想定する。前田本の掲出字形「辶+㫃」を「旋」に修正
する。広辞苑第七版は「雅楽の唐楽、壱越調の大曲。6人または4人で舞う舞があった。近世廃曲。
后帝団乱旋。皇帝団乱旋。団蘭伝。后帝楽。とらんでん。」と説明する。観智院本類聚名義抄に平
声点を付した同音字注「音全」および上昇調と推測する和音「セム」を見出す。元和本倭名類聚抄
に同音字注「音賤」がある。日本漢音は平声、日本呉音「セム」去声を認める。

　　　旋 音全［平］又賤 メクル［平上濁平］… 和セム［□上］　　（観智院本類聚名義抄／僧中029-3）

　　　旋花 ハヤヒトクサ［平平平平上濁平］一名美草　　　　　（観智院本類聚名義抄／僧中029-3）

　　　旋花　本草云旋花一名美草 旋音賤和名波夜比止久佐　　（元和本倭名類聚抄／巻二十09 オ1）

　　　壹越調曲 … 團亂施 大曲 春鸎囀 大曲 …　　　　　　　　（元和本倭名類聚抄／巻四14 オ3）

4-5　tṣ- 系（正歯音二等/歯上音）

中古音が示す tṣ- 系には、三十六字母の正歯音である「照母・穿母・牀母・審母・禅母」に関わる声母が含まれる。韻鏡に代表される等韻図では二等欄に配置するため、それぞれ「照母二等・穿母二等・牀母二等・審母二等・禅母二等」のように呼び習わすことがある。正歯音である「照母・穿母・牀母・審母・禅母」は、反切上字の系聯から見て、二つに分別できる。そのうち、二等欄に該当する正歯音二等については「荘母・初母・崇母・生母・俟母」として別称を与えることもある。

各声母ごとの分析結果を先んじて集約すれば、前田本の仮名音注における当該の tṣ- 系声母は、以下のように日本漢字音の基本的な対応を示す。

荘母（照二）　tṣ-　⇒　s-　　　サ行
初母（穿二）　tṣʻ-　⇒　s-　　　サ行
崇母（牀二）　dẓ-　⇒　s-/z-　　サ行
生母（審二）　ṣ-　⇒　s-　　　　サ行
俟母（禅二）　ẓ-　⇒　該当例なし。

4-5-1　tṣ-（荘母あるいは照母二等）

資料篇【表C-05】を分析すると、tṣ-（荘母あるいは照母二等）は基本的にサ行（サ・シ・セ・ソ）で対応することが認められる。

4-5-2　tṣʻ-（初母あるいは穿母二等）

資料篇【表C-05】を分析すると、tṣʻ-（荘母あるいは照母二等）は基本的にサ行の仮名（サ・シ・ス・セ・ソ）で対応することが認められる。中国語音韻史上の中古音において初母は無声有気音と捉えられるが、日本語では無気と有気の音韻論的な対立がないため、前田本においても両者の区別を反映した仮名音注はない。なお、異例が存在するので、以下に述べておく。

▶番号 5248「靫」（靫）の仮名音注「ヒ」については、異例 -i を示す。これは字形相似による仮名音注「セ（サ）」の誤認と推測する。当該字には平声点を差し、右注「ユキ［平上濁］」中注「楚佳初牙歩人所帯也／以箭叉其中也」右注「鞁靫也」を付載する。観智院本類聚名義抄に同音字注「音叉」を見出すが、仮名音注はない。元和本倭名類聚抄には反切「初牙反」がある。

1310　4．仮名音注の声母別考察

靫 音叉 矢歩靫／ツホヤナクヒ　　　　　　　　　　　　（観智院本類聚名義抄／僧中 077-5）

靫　釋名云歩人所帶曰靫 初牙反和名由岐 以箭叉其中也

（元和本倭名類聚抄／巻十三 13 ウ 5）

　▶番号 4521「懺」（懴）の仮名音注「サム［去濁上］」については、基本的に -am で対応する。当該字には去声濁点を差すので、字音「ザム」（上昇調の調値○●［平濁上］）を想定する。その仮名音注には「サム［去濁上］（調値◖●）」を加える。仮名に去声点を付すことは極めて稀であり、また右肩位置に濁点を配する先例と言えるか。その中古音が示す頭子音 tṣʻ-（等韻学の術語で言う歯音次清初母）は無声有気音であり、日本語のサ行音をもって受容する。ザ行音で対応することは許容しがたい。現行多くの漢和辞典は慣用音として「ザン」を掲げる。図書寮本類聚名義抄に平声点を付した同音字注「季云音尖」を見出す。観智院本には平声点を付した同音字注「音尖」（精母鹽韻 tsiam¹）を見つけるが、仮名音注はない。これらの平声点は同音字注「尖」自体の声調を示す。天治本新撰字鏡には反切「子廉反」がある。

懺 自陳毎也 楚鑒切六 儳 雜同又食陷切 攕 攙 投也 甄 …　　　（宋本廣韻／初母鑑韻小韻代表字）

懺 楚鑒反 自陳四 儳 雜言 攕 投 甄 …　　　　（王仁昫刊謬補缺切韻／初母鑑韻小韻代表字）

懺悔 季云音尖［平］…　　　　　　　　　　　　　　　（図書寮本類聚名義抄／252-3）

懺 音尖［平］ハチ［平平濁］… クユ　　　　　　　（観智院本類聚名義抄／法中 101-4）

尖 子廉反 … トカル ヒトシ　　　　　　　　　　　（観智院本類聚名義抄／佛下末 034-5）

尖 鑯字 子廉反／銳也　　　　　　　　　　　　　　（観智院本類聚名義抄／佛下末 035-8）

懺 子廉反 淨也捨也洗也拭也不成也阿万祢波須又支流　　（天治本新撰字鏡／巻十 02 ウ 5）

　▶番号 4675a「懺」（懴愧）の仮名音注「サム」については、基本的に -am で対応する。当該字には去声濁点を差すので、字音「ザム」を想定する。その中古音が示す頭子音 tṣʻ-（等韻学の術語で言う歯音次清初母）は無声有気音であり、日本語のサ行音をもって受容する。ザ行音で対応することは許容しがたい。熟字 4675「懺愧」は右傍「ハチ ハツ」中注「上懺天下愧人」を付載する。過去の誤りを悟り悔やむの意味である。また同義に「愧懺」とも言い、日本語音韻史上の連濁による「キザン」と字音把握する。この「ザン」を当該字の字音としたか。上述の分析を参照。

4-5-3　 dʐ-（崇母あるいは牀母二等）

　資料篇【表C-05】を分析すると、dʐ-（崇母あるいは牀母二等）は基本的にサ行の仮名（サ・シ・ス・セ・ソ）で対応することが認められる。中国語音韻史上の中古音において崇母は有声音と捉えられるが、前田本の仮名音注は基本的に日本語の清濁表示がなく、掲出字に差した複点の濁声点により日本語の濁音を知ることができる。数は少ないが、仮名音注自体への複声点により濁音を表示する場合がある。また、中国語音韻史上における濁音声母の無声化 dʐ- > tṣ- の音変化を反映し、サ

4-5　tṣ-系（正歯音二等／歯上音）　1311

行音で対応する場合もある。なお、異例が存在するので、以下に述べておく。

　▶番号0463a「槏」（槏槍）の仮名音注「ロム」については、異例 -om を示す。当該字には平声点を差す。廣韻に拠れば、咸韻（dẓemˡ）鑑韻（dẓam³）二音を有する。この仮名音注は「サム」の誤認と推測する。熟字0463「槏槍」は右注「同（ハ、キホシ）」を付載する。観智院本類聚名義抄に同音字注「音讒」と「又去声」を見出すが、仮名音注はない。日本漢音は去声を認める。

　　　槏　音讒　檻木／又去声　水門　　　　　　　　　（観智院本類聚名義抄／佛下本099-7）
　▶番号4612「槏」（槏）の仮名音注「カン」については、異例 -an を示す。当該字には平声点を差し、和訓「サス」の同訓異字として位置する。その中古音が示す末子音の脣内撥音韻尾 -m を「ン」で対応する。この仮名音注は仮名字形の相似による「サン」の誤認と推測する。上述の分析を参照。

　4-5-4　ṣ-（生母あるいは審母二等）

　資料篇【表C-05】を分析すると、ṣ-（生母あるいは審母二等）は基本的にサ行の仮名（サ・シ・ス・セ・ソ）で対応することが認められる。なお、異例が存在するので、以下に述べておく。

　▶番号2087a「森」（森然）の仮名音注「リン」については、異例 -in を示す。当該字には平声点を差す。仮名字形の相似による「シン」の誤認か。あるいは当該字を「林」と混同したか。末子音の脣内撥音韻尾 -m を「ン」で対応する。熟字2087「森然」は右傍「イヨゝカナリ」を付載する。観智院本類聚名義抄に反切「所金反」（その反切下字に平声点）を見出すが、仮名音注はない。日本漢音は平声を認める。

　　　森　所金［□平］反 … イヨ、カナリ［平平上平上□］…　　（観智院本類聚名義抄／佛下本126-3）
　▶番号6852a「數」（數珠）の仮名音注「ス［平濁］」については、基本的に -u で対応する。当該字に声点はなく、その仮名音注に平声濁点を差すので、字音「ズ」を想定する。熟字6852「數珠」は右注「スゝ［平濁平］」を付載する。その中古音が示す頭子音 ṣ-（等韻学の術語で言う歯音清生母）は無声反り舌摩擦音であり、日本語のサ行音をもって受容する。ザ行音で対応することは許容しがたい。観智院本類聚名義抄に反切「色矩色角二反」と同音字注「又音速」および和音「シユ・又ソク」を見出す。所属字音が多いため、声調別に和訓を列挙する。長承本蒙求には仮名音注「スウ」があり、その掲出字に去声点を加える。日本漢音「スウ」去声、日本呉音「シユ・ソク」を認める。

　　　數 … 色矩色角二反　又音速　去声　カス［平上濁］… 上声　アマタ［平平上］… 和シユ　又ソク
　　　　　　　　　　　　　　　　　　　　　　　　　　　（観智院本類聚名義抄／僧中055-7）

1312　4．仮名音注の声母別考察

　　　數［去］スウ　　　　　　　　　　　　　　　　　　　　　　　（長承本蒙求／090）

　▶番号5252「潛」（潛）の仮名音注「ハン」については、基本的に -an で対応する。当該字に
は平声点を差し、右注「ユスル」を付載する。この仮名音注「ハン」は「サン」の誤認と推測する。
あるいは当該字を「渙」と認識したか。当該字「潛」と「渹」とは相互に異体字である。観智院本
類聚名義抄に反切「數板反」と同音字注「山音」を見出すが、仮名音注はない。

　　　渹 數板反 山音／ナミタ［平□入濁／□ム□：墨右傍］…　　　（観智院本類聚名義抄／法上 024-7）

　　　潛 俗　　　　　　　　　　　　　　　　　　　　　　　　　（観智院本類聚名義抄／法上 024-8）

　　　渙 蒲〔＊←艹＋補〕勘反　　　　　　　　　　　　　　　　（観智院本類聚名義抄／法上 041-6）

　▶番号5498「釃」（釃）の仮名音注「リ」については、基本的に -i で対応する。当該字に平声
点を差し、右注「又作麗」左注「下酒」を付載する。仮名字形の相似による「シ」の誤認か。廣韻
に拠れば、支/紙韻（ṣie^{1/2}）魚韻（ṣiʌ^1）三音を有する。あるいは諸声符「麗」（霽韻 lei^3）による字
音の類推か。観智院本類聚名義抄に反切「疎綺／又所宜反」と「所宜反」（その反切下字に平声濁
点）さらに声調表記「又上声」を見出す。元和本倭名類聚抄には反切と声調表記「所宜反又上聲」
がある。日本漢音は平/上声を認める。

　　　麗 釃二正 疎綺／又所宜反 …　　　　　　　　　　　　　　（観智院本類聚名義抄／僧中 010-4）

　　　釃 所宜［□平濁］反 又上声 シタム［平平上］俗云サケアク［上上上平濁］…

　　　　　　　　　　　　　　　　　　　　　　　　　　　　　（観智院本類聚名義抄／僧中僧下 056-3）

　　　酼 釃字附 … 唐韻云釃 所宜反又上聲釃酒佐介之太無俗云阿久 下酒也

　　　　　　　　　　　　　　　　　　　　　　　　　　　　　（元和本倭名類聚抄／巻十六 10 オ 9）

　▶番号5686b「匋」（潤匋）の仮名音注「ヲク」については、基本的に -ok で対応する。当該字
には入声点を差す。仮名音注「ヲク」は仮名字形の相似による「ソク」の誤認か。図書寮本類聚名
義抄に反切「中云所力反」（その反切下字に入声点）を見出す。観智院本類聚名義抄には反切「疎
側反」および低平調と推測する和音「シキ」を見つける。日本漢音は入声、日本呉音「シキ」入声
を認める。

　　　色 中云所力［□入］反 … イロ［平平／記：右注］　　　　　（図書寮本類聚名義抄／185-2）

　　　匋 疎側反 イロ［平平］／和シキ［□平］　　　　　　　　　（観智院本類聚名義抄／法中 026-2）

　　　4-5-5　ẓ-（俟母あるいは禅母二等）

　　該当例なし。

4-6　tś- 系（正歯音三等）　1313

4-6　tś- 系（正歯音三等）

　中古音が示す tś- 系には、三十六字母の正歯音である「照母・穿母・牀母・審母・禅母」および半歯音の「日母」と喉音の「羊母あるいは喩母四等」に関わる声母が含まれる。正歯音である「照母・穿母・牀母・審母・禅母」については、韻鏡に代表される等韻図では三等欄に配置するため、それぞれ「照母三等・穿母三等・牀母三等・審母三等・禅母三等」のように呼び習わすことがある。これら正歯音である「照母・穿母・牀母・審母・禅母」は、反切上字の系聯から見て、二つに分別できる。そのうち、三等欄に該当する正歯音三等については「章母・昌母・船母・書母・常母」として別称を与えることもある。同様に喉音の「喩母」も二つに分別できる。そのうち、四等欄に該当する「喩母四等」を「羊母」と呼ぶことがある。

　各声母ごとの分析結果を先んじて集約すれば、前田本の仮名音注における当該の tś- 系声母は、以下のように日本漢字音の基本的な対応を示す。

章母	（照三）	tś-	⇒	s-	サ行
昌母	（穿三）	tśʻ-	⇒	s-	サ行
船母	（牀三）	dź-	⇒	s-	サ行
書母	（審三）	ś-	⇒	s-	サ行
常母	（禅三）	ź-	⇒	s-/z-	サ行
日母		ń-	⇒	n-/z-	ナ行・サ行
羊母	（喩四）	j-	⇒	j-	ヤ行

4-6-1　tś-（章母あるいは照母三等）

　資料篇【表C-06】を分析すると、tś-（章母あるいは照母三等）は基本的にサ行の仮名（シ・ス・セ・ソ）で対応することが認められる。なお、異例が存在するので、以下に述べておく。

　▶番号0649「旃」（旃）の仮名音注「タン」については、異例 -an を示す。当該字には平声点を差し、右注「同（ハタ）」を付載する。諧声符「丹」（寒韻 tɑn¹）による字音把握であろう。観智院本類聚名義抄に反切「之延反」および上昇調を示す和音「セン」を見出す。長承本蒙求には仮名音注「セヽ」二例があり、それらの掲出字に東声点を加える。承暦本金光明最勝王経音義には仮名音注「セヽ音」を見つける。日本漢音「セン」東声（四声体系では平声）日本呉音「セン」去声を認める。

　　旃 之延反 旌 ユク … 赤旆 和セン［平上］　　　　　　　　（観智院本類聚名義抄／僧中 028-6）

1314　4．仮名音注の声母別考察

　　脧 [東] セ丶　　　　　　　　　　　　　　　　　　　　　（長承本蒙求／090・149）

　　脧 [セ丶六：右傍]〔＊後筆墨書〕　　　　　　　　（承暦本金光明最勝王経音義／10 ウ 2）

▶番号1904a「株」（株人）の仮名音注「チウ」については、基本的に -iu で対応する。当該字
には平声点を差す。熟字1904「株人」は右傍「ナカント」を付載する。廣韻に拠れば、当該字「株」
（虞韻 tśiuʌ¹）には「又音注」（遇韻 tśiuʌ³）を掲げるが、後者は異体字「祩」の字音に該当する。
当該字「株」は字音「シウ」を期待するが、その和訓「ナカ」から考えて、字形の近似する「种」
（東韻 ḍiʌuŋ¹）との誤認か。観智院本類聚名義抄に音注表記なく、和訓「マクサ」を付載するが、
これは「株」との字形近似による混同である。

　　朱 赤也 … 章俱切十 … 株 詛也又音注 …　　　　　　　　（宋本廣韻／章母虞韻 tśiuʌ¹）

　　注 灌注也又注記也 之戍切十六 … 祩 詛也祝也 …　　　　（宋本廣韻／章母遇韻 tśiuʌ³）

　　餗 馬食穀也 株 上同　　　　　　　　　　　　　　　（宋本廣韻／明母末韻 muɑt）

　　株 マクサ [上上□]　　　　　　　　　　　　（観智院本類聚名義抄／法下 012-8）

　　秼 … 音末 [入濁] クサ [平平] 秼馬／ナクサ [上上上] …　（観智院本類聚名義抄／法下 013-1）

　　餗 音末 [入濁] … 食馬／マクサトスルニカフ [上上上平上上上平上]

　　　　　　　　　　　　　　　　　　　　　　　　（観智院本類聚名義抄／法下 013-1）

　　秼　漢書注云秼 音末和名萬久佐 謂以粟米飼之　　　（元和本倭名類聚抄／巻十五 04 ウ 9）

▶番号1930a・1938a「注」（注記・注人）の仮名音注「チウ」については、基本的に -iu で対
応する。両当該字には平声点を差す。廣韻に拠れば、当該字「注」は章母遇韻（tśiuʌ³）であり、字
音「シウ」を期待する。一方で「註」（章母遇韻 tśiuʌ³・知母遇韻 ţiuʌ³）との混同を内在していた
と推測する。その場合は字音「チウ」を想定する。図書寮本類聚名義抄に去声点を付した同音字注
「音鑄」と同音字注「公云趣・音主」さらに反切「慈恩云丁住反・切韻之戌反・廣云之喻反」を見
出す。観智院本には同音字注「音鑄」および低平調を示す和音「シユ・チユ」を見つける。承暦本
金光明最勝王経音義には同音字注「主音」がある、また同音字注「主」と「シウ」（その仮名音注
は消し跡）があり、その掲出字に平声圏点を加える。石山寺一切経蔵本大般若経字抄には漢呉二音
相同の同音字注「音趣」三例を見つける。日本漢音は去声、日本呉音「シユ・チユ」平声を認める。

　　灌注 音鑄 [去] … 公云趣 ソ丶ク …　　　　　　　　　（図書寮本類聚名義抄／009-6）

　　專注 有記云 音主 止也 牟 …　　　　　　　　　　　　（図書寮本類聚名義抄／009-7）

　　注記 慈恩云 丁住反 記也 切韻之戌反 … 廣定之喻反 …　（図書寮本類聚名義抄／009-7）

　　注 音鑄 ソ丶ク [上上平] … 和シユ [平平：墨点] チユ [平平：墨点]

　　　　　　　　　　　　　　　　　　　　　　　　（観智院本類聚名義抄／法上 034-8）

　　註 シルス [上上平] … 和チユ／音住 [去] 又作注　　　（観智院本類聚名義抄／法上 059-8）

　　注 主丶／留也／此字又有㕦音 之流須 [上上平] 又訓曽丶久 [上□□] 不叶此義也

　　　　　　　　　　　　　　　　　　　　　　　　（承暦本金光明最勝王経音義／03 ウ 2）

4-6　tś-系（正歯音三等）　1315

注［平：圏点／主：右傍］シウ［：消し跡あり］〔＊後筆墨書〕

(承暦本金光明最勝王経音義／09 ウ 6)

注［音趣：右傍］ソ丶ク　　　　　　　　(石山寺一切経蔵本大般若経字抄／02 オ 7)

注［音趣：右傍］　　　　　　　　(石山寺一切経蔵本大般若経字抄／09 オ 1・14 ウ 1)

▶番号1976a「注」（注記）の仮名音注「チウ」については、基本的に -iu で対応する。当該字に声点はない。上述の分析を参照。

▶番号5121a「楷」（楷柱）の仮名音注「キ」については、基本的に i で対応する。当該字に平声点を差す。諧声符「耆」（脂韻 giei'）による字音把握と推測する。観智院本類聚名義抄に同音字注「音支」を見出すが、仮名音注はない。元和本倭名類聚抄に同音字注「音支」がある。

　　楷 音支 スケ［上上］／柱也 下也 載也　　　　　　(観智院本類聚名義抄／佛下本 108-3)

　　楷柱 唐韻云楷 音支 柱 今案和名須介 支屋敲也　　　(元和本倭名類聚抄／巻十五 11 ウ 5)

▶番号5798a・5806a「准」（准擬・准的）の仮名音注「シユン」については、基本的に -jun で対応する。当該字には平声濁点を差すので、字音「ジユン」を想定する。熟字5806「准的」は左注「不定事也」を付載する。当該字の中古音が示す頭子音 tś-（等韻学の術語で言う歯音清章母）は無声無気破擦音であり、日本語のサ行音をもって受容する。ザ行音で対応することは許容しがたい。図書寮本類聚名義抄に反切「广云止尹反」（その反切下字に上声点）を見つける。この「广」は切韻系韻書を指す。引用によっては玄應音義の場合もある。現行多くの漢和辞典は慣用音「ジユン」を掲げる。同音を有する「純」（諄韻 źiuen' ・準韻 tśiuen²）からの類推が働いたか。日本漢音は上声を認める。

　　準 均也 … 止尹切又音拙四 准 俗 埻 射的 … 純 緣也又音淳　　(宋本廣韻／準韻 tśiuen²)

　　准 之尹反 古作準平三 埻 射的 純 緣也　　　(王仁昫刊謬補缺切韻／軫韻 tśiuen²)

　　准陙 广云止／尹［□上］反 … サムシ［平平平／異：右注］　　(図書寮本類聚名義抄／067-5)

　　准 ナスラフ［上上濁上平］… 準 上通下正　　(観智院本類聚名義抄／法上 046-7)

　　准 ナスラフ／ヨル ヒトシ　　　　　(観智院本類聚名義抄／僧中 134-7)

　　準 或為准 之允反　　　　　　　(観智院本類聚名義抄／法上 043-6)

　　準 ナスラフ［上上濁上平］　　　　(観智院本類聚名義抄／佛上 085-3)

▶番号6445b「炷」（灸炷）の仮名音注「チウ」については、基本的に -iu で対応する。当該字には去声点を差す。廣韻に拠れば、麌/遇韻（tśiuʌ²⁾）二音を有する。仮名音注「チウ」は字形の近似する「柱」（澄母麌韻 ɖiuʌ²・知母麌韻 ţiuʌ²）との混用によるか。本来は字音「シウ」を期待する。観智院本類聚名義抄に上声点を付した同音字注「音主」と「又去」および呉音「趣」を見出すが、仮名音注はない。この呉音注は大般若経字抄による漢呉二音相同の同音字注「音趣」を出典とする。元和本倭名類聚抄には同音字注「音主又去声」がある。日本漢音は上/去声を認める。

　　炷 音主［上］又去 俗訛云トウシミ［　平平濁平］… トモシヒ［平平平□］呉趣

1316　4．仮名音注の声母別考察

（観智院本類聚名義抄／佛下末038-1）

燋炷［音消 音趣：右傍］上ヤク／下トウシミ　　　（石山寺一切経蔵本大般若経字抄／13ウ2）

燈心　考聲切韻云炷 音主又去声和名度字之美燈心音訛也 燈心也

（元和本倭名類聚抄／巻十二12ウ4）

4-6-2　tśʻ-（昌母あるいは穿母三等）

資料篇【表C-05】を分析すると、tśʻ-（昌母あるいは穿母三等）は基本的にサ行の仮名（シ・ス・セ・ソ）で対応することが認められる。中国語音韻史上の中古音において昌母は無声有気音と捉えられるが、日本語では無気と有気の音韻論的な対立がないため、前田本においても両者の区別を反映した仮名音注はない。なお、異例が存在するので、以下に述べておく。

▶番号3104a「炊」（炊爨）の仮名音注「カム」については、異例 -am を示す。当該字に声点はない。熟字3104「炊爨」は右傍「イヒカシクナリ」を付載する。仮名音注「カム」は諧声符「欠」（梵韻 kʻiʌm³）による字音把握であろう。観智院本類聚名義抄に平声点を付した同音字注「音吹」を見出すが、仮名音注はない。日本漢音は平声を認める。

炊 音吹［平］カシク［平平上］／ヒタク イヒカシク　　　（観智院本類聚名義抄／佛下末043-1）

▶番号2626「姝」（姝）の仮名音注「ユ」〔＊シユの誤認か〕については、基本的に -u で対応する。当該字に声点はなく、和訓「カホヨシ」の同訓異字として位置する。観智院本類聚名義抄に平声点を付した同音字注「音輸」（虞/遇韻 śiuʌ¹/³）を見出す。この同音字注を「ユ」と理解する場合があるが、それは諧声符「兪（俞）」による字音把握である。現行多くの漢和辞典は慣用音「ユ」として扱う。日本漢音は平声を認める。

姝 音輸［平］ヨシ ウルハシ／カホヨシ［上上□□］アケ　　　（観智院本類聚名義抄／佛中016-4）

姝 音輸 ヨシ ウルハシ／カホヨシ アケ　　　（天理大学本最勝王経音義／14オ4）

▶番号5768a「充」（充満）の仮名音注「シユ」については、基本的に -jū で対応する。当該字には去声濁点を差すので、字音「ジユ」を想定する。その中古音が示す頭子音 tśʻ-（等韻学の術語で言う昌母）は日本語のサ行音をもって受容する。原則としてザ行音で対応することは許容しがたい。現行多くの漢和辞典は慣用音「ジユウ」を掲げる。図書寮本類聚名義抄に反切「子俞反」（その反切下字に平声点）を見出す。観智院本には反切「齒戎反」と和音「壽ウ」を見つける。傍証ながら同書で「壽」を再検索すると、平声濁墨点を付した同音字注「受」（有韻 źiʌu²）を見つける。長承本蒙求には仮名音注「シウ」四例があり、それらの掲出字に東声点を加える。承暦本金光明最勝王経音義には同音字注「従」がある。日本漢音「シウ」東声（四声体系では平声）を認める。また日本呉音「ジウ」の可能性を指摘しておく。

4-6 tś- 系（正歯音三等） 1317

充足 广云 … 子俞 [□平] 反 … （図書寮本類聚名義抄／119-7）

充 齒戌反 アツ タル … 和壽ウ （観智院本類聚名義抄／佛下末016-1）

壽 … 音受 [上：朱点・平濁：墨点] … コトフキ （観智院本類聚名義抄／僧下091-2）

充 [東] シウ／シウ （長承本蒙求／019）

充 [東] シウ 〔＊平安時代中期点〕 （長承本蒙求／046）

充 [東] シウ （長承本蒙求／049・065）

充 [從：右傍] 〔＊後筆朱書〕 （承暦本金光明最勝王経音義／06 オ 5）

4-6-3 dź- （船母あるいは牀母三等）

資料篇【表C-05】を分析すると、dź- （船母あるいは牀母三等）は基本的にサ行の仮名（サ・シ・ス・セ）で対応することが認められる。中国語音韻史上の中古音において船母は有声音と捉えられるが、前田本の仮名音注は基本的に日本語の清濁表示がなく、掲出字に差した複点の濁声点により日本語の濁音を知ることができる。数は少ないが、仮名音注自体への複声点により濁音を表示する場合がある。また、中国語音韻史上における濁音声母の無声化 dź->tś- の音変化を反映し、サ行音清音で対応する場合もある。なお、異例が存在するので、以下に述べておく。

▶番号1801a「虵」（虵理）の仮名音注「チ」については、異例 -i を示す。当該字には平声濁点を差すので、字音「ヂ」を想定する。同じ諧声符「也」を持つ「池」（支韻 ḑie¹）「地」（至韻 ḑie²）などからの類推による字音把握か。廣韻に拠れば、当該字は麻韻（dźia¹）馬韻（jia²）支韻（jie¹）三音を有する。本来は字音「ジヤ」を期待する。熟字1801「虵理」は左注「地上」を付載するので、あるいは熟字「地理」の誤認か。観智院本類聚名義抄に反切「時遮反」および和音「自ヤ」と「下又陀音」を見出す。同書では「自キ・自フ・自ム・自ヤ・自ヤウ・自ヨ・自ン」があり、平声濁点を付した和音二例を含むので、これらの「自」は濁音「ジ」を示す。長承本蒙求には仮名音注「シヤ」があり、その掲出字に平声点を加える。元和本倭名類聚抄には反切「食遮反」を見つける。日本漢音「シヤ」平声、日本呉音「ジヤ」を認める。

虵蛇 時遮反／ヘミ [入上] … 和自ヤ 下又 陀音 （観智院本類聚名義抄／僧下016-5）

取虵尾 スサヒ （観智院本類聚名義抄／僧下016-6）

深 式林 [□去濁] 反 … 和自ム [平濁上：墨圏点] （観智院本類聚名義抄／法下010-3）

甚 常枕 [□上] 反 … 和自ン [平濁上：墨点] （観智院本類聚名義抄／僧下082-6）

虵 [平] シヤ （長承本蒙求／031）

蛇 孫愐切韻云蛇 食遮反和名倍美一云久知奈波日本紀私記云乎呂知 毒虫也

（元和本倭名類聚抄／巻十九17 オ 7）

1318　4．仮名音注の声母別考察

4-6-4　ś-（書母あるいは審母三等）

　資料篇【表C-05】を分析すると、ś-（書母あるいは審母三等）は基本的にサ行の仮名（シ・ス・セ）で対応することが認められる。なお、異例が存在するので、以下に述べておく。

　▶番号5499「涗」（涗）の仮名音注「エツ」については、異例 -et を示す。当該字には入声点を差し、和訓「シタム」の同訓異字として位置する。本来は仮名音注「セイ」を期待する。当該字「涗」と字形が近似する「悦」（薛韻 jiuat）との混同による字音把握と推測する。観智院本類聚名義抄に音注表記はない。同書で「悦」を再検索すると、徳声点を付した同音字注「音閲」と仮名音注「又音セイ」を見出す。

　　涗 キヨシ／シタム　　　　　　　　　　　　　　　（観智院本類聚名義抄／法上010-8）

　　悦 音閲［徳］ヨロコフ … 又音セイ　　　　　　　（観智院本類聚名義抄／法中099-8）

4-6-5　ź-（常母/禅母三等）

　資料篇【表C-05】を分析すると、ź-（常母/禅母三等）は基本的にサ行の仮名（サ・シ・ス・セ・ソ）で対応することが認められる。中国語音韻史上の中古音において常母は有声音と捉えられるが、前田本の仮名音注は基本的に日本語の清濁表示がなく、掲出字に差した複点の濁声点により日本語の濁音を知ることができる。数は少ないが、仮名音注自体への複声点により濁音を表示する場合がある。また、中国語音韻史上における濁音声母の無声化 ź- > ś- の音変化を反映し、サ行音で対応する場合もある。なお、異例が存在するので、以下に述べておく。

　▶番号2048a「竪」（竪義）の仮名音注「リウ」については、基本的に -iu で対応する。当該字には平声点を差す。諧声符「立」（緝韻 liep）による類推の字音把握と推測する。本来は字音「シウ」を期待する。観智院本類聚名義抄に反切「殊主反」および平声墨圏点を付した和音「主」を見出すが、仮名音注はない。

　　竪 殊主反 タツ［平上］… 或竪字 和主［平：墨圏点］　　　（観智院本類聚名義抄／法上090-8）

　▶番号2139a「竪」（竪者）の仮名音注「リツ」については、異例 -it を示す。当該字に声点はない。諧声符「立」（緝韻 liep）による類推の字音把握に加え、熟字の促音による音変化と推測する。熟字2139「竪者」は右注「リツシヤ」仮名音注を付載する。上述の分析を参照。

　▶番号2300「豎」（豎）の仮名音注「リフ」については、異例 -ip を示す。当該字に声点はなく、右注「同（ワラハ）」左注「東豎」〔＊童豎の誤認か〕を付載する。当該字「豎」と「竪」は相互

に異体字である。本来は字音「シウ」を期待する。観智院本類聚名義抄に反切「常主反」（その反切下字に上声点）を見出すが、仮名音注はない。日本漢音は上声を認める。

　　豎 常主［□上］反 豆也 立也　　　　　　　　　　　（観智院本類聚名義抄／法上 095-1）

　▶番号 6423「慵」（慵）の仮名音注「ヨウ」については、基本的に -joũ で対応する。当該字には平声点を差し、右注「モノウシ」左注「蜀用反」を付載する。その仮名音注「ヨウ」は諧声符「庸」（鍾韻 jiɑuŋ¹）による字音把握であり、本来は字音「シヤウ」を期待する。観智院本類聚名義抄に反切「蜀容反」を見出すが、仮名音注はない。

　　慵 蜀容反／物ウシ 物クサシ［平平□□］　　　　　（観智院本類聚名義抄／法中 084-4）

4-6-6　ń-（日母）

　資料篇【表C-05】を分析すると、ń-（日母）は基本的にナ行の仮名（ナ・ニ）あるいはサ行の仮名（シ・ス・セ・ソ）で対応することが認められる。サ行の仮名音注は中国唐代における鼻音声母の非鼻音化現象（denasalization）を反映した結果で、その字音把握は z- であろう。いわゆる漢音的特徴と考えられる。前田本の仮名音注は基本的に日本語の清音表示がなく、掲出字に差した複点の濁声点により日本語の濁音を知ることができる。数は少ないが、仮名音注自体への複声点により濁音を表示する場合がある。なお、異例が存在するので、以下に述べておく。

　▶番号 2353b「耳」（聏耳）の仮名音注「チ」については、基本的に -i で対応する。当該字には上声濁点を差すので、字音「ヂ」を想定する。その中古音が示す頭子音 ń-（等韻学の術語で言う半歯音清濁日母）は硬口蓋鼻音であり、日本語のナ行音をもって受容するが、中国語音韻史上における鼻音声母の非鼻音化（denasalization）を反映する場合はザ行音で対応する。本来は字音「ジ」を期待する。熟字 2353「聏耳」は右注「ワラクツノチ」を付載する。観智院本類聚名義抄に反切「如始反」（その反切上字に平声濁点・反切下字に上声点）および和音「ニ」を見出す。長承本蒙求には仮名音注「シ」があり、その掲出字に上声点を加える。日本漢音は上声、日本呉音「ニ」を認める。また日本漢音「ジ」の蓋然性が高い。

　　耳 如始［平濁上］反 ミ丶 … 和ニ　　　　　　　　　（観智院本類聚名義抄／佛中 001-3）
　　耳 如始反 ミ丶 … 和ニ　　　　　　　　　　　　　（天理大学本最勝王経音義／20 ウ 3）
　　耳［上］シ　　　　　　　　　　　　　　　　　　　（長承本蒙求／091）
　　聏耳　唐令云青耳聏 今案聏耳者俗人云聏之乳乎　　（元和本倭名類聚抄／巻十二 28 ウ 3）

　▶番号 2669a「飳」（飳飯）の仮名音注「チウ」については、基本的に -iu で対応する。当該字には去声濁点を差すので、字音「ヂウ」を想定する。その中古音が示す頭子音 ń-（等韻学の術語で言う日母）は硬口蓋鼻音であり、日本語のナ行音をもって受容するが、中国語音韻史上における鼻

1320　4．仮名音注の声母別考察

音声母の非鼻音化（denasalization）を反映する場合はザ行音で対応する。本来は字音「ジウ」を期待する。熟字2669「餰飯」は右注「カシキカテ」左注「又乍籾又糅」を付載する。観智院本類聚名義抄に去声濁点を付した同音字注「音糅」（その右傍に朱筆で仮名音注「チウ」）と反切「又女久反」を見出す。元和本倭名類聚抄に反切「女救反」がある。日本漢音「ヂウ」去声を認める。

　　　　餰 俗 音糅 ［去濁／チウ：朱右傍］又女久反 カシキカテ ［平平上上濁平］糅 ［正：墨右注］…

　　　　　　　　　　　　　　　　　　　　　　　　　（観智院本類聚名義抄／僧上106-7）

　　　　餰飯 カシキカテ ［平平上上濁平］籾 ［正：墨右注］…　　　　（観智院本類聚名義抄／僧上106-8）

　　　　餰飯 唐韻云餰 女救反字亦作糅和名加之木可天 雜飯也　　　（元和本倭名類聚抄／巻十六13オ3）

　▶番号0586「衄」（衄）の仮名音注「チク」については、基本的に -ik で対応する。当該字には入声濁点を差すので、字音「ヂク」を想定する。また右注「ハナチ」左注「鼻出血也」を付載する。その中古音が示す頭子音 ń-（等韻学の術語で言う日母）は硬口蓋鼻音であり、日本語のナ行音をもって受容するが、中国語音韻史上における鼻音声母の非鼻音化（denasalization）を反映する場合はザ行音で対応する。本来は字音「ジク」を期待する。観智院本類聚名義抄に反切「女鞠反」と同音字注「音肉」を見出すが、仮名音注はない。元和本倭名類聚抄には反切「女鞠反」がある。

　　　　衄 女鞠反 音肉 … ハナチ ［上上上濁］…　　　　　　　　（観智院本類聚名義抄／僧上095-1）

　　　　衄 … 音／肉 …女肉反／ハナチ ［上上上濁］　　　　　　　（観智院本類聚名義抄／僧中016-3）

　　　　衄 說文云衄 女鞠反和名波奈知 鼻出血也　　　　　　　　（元和本倭名類聚抄／巻三05オ5）

　▶番号3936a・3936b「蘘」（蘘ミ・蘘ミ）の仮名音注「テウ」については、異例 -eu を示す。当該字には上声濁点を差すので、字音「デウ」を想定する。日本語の音変化 -eu>-jou を背景とする。その中古音が示す頭子音 ń-（等韻学の術語で言う日母）は硬口蓋鼻音であり、日本語のナ行音をもって受容するが、中国語音韻史上における鼻音声母の非鼻音化（denasalization）を反映する場合はザ行音で対応する。熟字3936「蘘ミ」は左注「タヲヤカナリ」を付載する。観智院本類聚名義抄に平声濁点を付した同音字注「蘘音」（その右傍に朱筆で仮名音注「シヤウ」）を見出す。日本漢音「ジヤウ」平声を認める。

　　　　蘘荷 蘘 ［平濁／シヤウ：朱右傍］音／ヌカ　　　　　　　（観智院本類聚名義抄／僧上024-7）

　▶番号5383b「人」（庶人三臺）の仮名音注「ミ」については、異例 -i を示す。当該字に声点はない。熟字5383「庶人三臺」は右注「大食調」左傍「シヨミサハタイ」を付載する。仮名字形の相似による「シヨシサムタイ」の誤認で、撥音無表記の字音「シ」か。観智院本類聚名義抄に平声濁点を付した同音字注「音仁」（その右注に墨筆で仮名音注「ニン」）を見出す。同書の凡例部分「朱音者正音也墨声者和音也」（篇目7-6）に従えば、朱墨で正音と和音を分別する傾向がある。長承本蒙求には仮名音注「シ丶」があり、その掲出字に平声点を加える。日本漢音「ジン」平声、日本呉音「ニン」を認める。

　　　　人 音仁 ［平濁／ニン：墨右注］ヒト ［上平］ワレ ［平平］…　　（観智院本類聚名義抄／佛上001-3）

人〔平〕シゝ　　　　　　　　　　　　　　　　　　（長承本蒙求／114）

道調曲　上元樂 … 庶人三臺 … 五坊樂後散　　　　（元和本倭名類聚抄／巻四16 オ1）

4-6-7　j-（羊母あるいは喩母四等）

　資料篇【表C-05】を分析すると、j-（羊母・喩母四等）は基本的にヤ行の仮名（ヤ・イ・ユ・エ・ヨ）またはワ行の仮名（ヰ・ヱ）で対応する。便宜上からヤ行の仮名には「イ・エ」を含めたが、羊母あるいは喩母四等の特徴である口蓋化音に対する実際的な仮名音注の字音把握として捉える必要がある。ワ行の仮名（ヰ・ヱ）での対応は日本語音韻史における wi>i, we>je の音変化を反映している。なお、異例が存在するので、以下に述べておく。

▶番号0714「已」（巳）の仮名音注「キ」については、基本的に -I で対応する。当該字には上声点を差す。番号0714「已」は左右注「已上／ハナハタシ」を付載するので、字音「イ」を期待するが、当該字「已」を「己」と誤認し、仮名音注「キ」を右傍に付す。廣韻に拠れば、当該字は止/志韻 (jiei²³) 二音を有する。観智院本類聚名義抄に平声点を付した同音字注「以」を見出す。別には仮名音注「イ」と反切「羊里切・弋旨切」さらに仮名音注「シ」と反切「詳里切」を見出す。同書において仮名音注を掲出字直下の双行割注で配置することは極めて稀である。これらは「巳」（邪母止韻 ziei²）との混同した注記を含む。宋本廣韻あるいは篆隷万象名義や大廣益會玉篇においても、同様の混同を看取できる。日本漢音「イ」平声を認める。

　　　以　羊止反古作目用五　已　止 …　　　　　　　（王仁昫刊謬補缺切韻／羊母止韻 jiei²）
　　　以　用也 … 羊己切七　目　古文 … 止也此也甚也訖也　又音似　　（宋本廣韻／羊母止韻 jiei²）
　　　異　奇也說文分也　羊吏切七 … 已　過事語辤又去也弃也成也　　（宋本廣韻／羊母志韻 jiei³）
　　　已　音以〔平〕ステニ〔平上濁□〕ヲハル〔上上□〕／ヤム〔上平〕ワキマフ〔平上□□〕
　　　　　　　　　　　　　　　　　　　　　　　　　（観智院本類聚名義抄／佛下末014）
　　　已　已猶　決竟　　　　　　　　　　　　　　　（観智院本類聚名義抄／僧下124-6）
　　　已　イ　羊里切　止也　弋旨切／退也止也弃也畢也／シ　又訖也　詳里切
　　　　　　　　　　　　　　　　　　　　　　　　　（観智院本類聚名義抄／僧下124-6）
　　　已　徐里反 … 退也止也／基也去也成也瘉也記也畢也大也此也棄也
　　　　　　　　　　　　　　　　　　　　　　　（高山寺本篆隷萬象名義／第六帖183 オ3）
　　　已　徐里切　嗣也起也　又弋又切　退／也止也此也弃也畢也旨訖也
　　　　　　　　　　　　　　　　　　　　　　　（小學彙函本大廣益會玉篇／巻下62 ウ11）

▶番号0556「蠅」（蝿）の仮名音注「コウ」については、基本的に -oũ で対応する。当該字に声点はなく、右注「ハヘ」左注「垂也」右傍「コウ」仮名音注を付載する。右傍は仮名字形の相似

1322 4．仮名音注の声母別考察

による「ヨウ」の誤認と推測する。廣韻に拠れば、小韻代表一字（羊母蒸韻 jieŋ'）で同音字がない。そのため同音字注の選択には制約が掛かる。観智院本類聚名義抄に当該字を見出せない。鎮国守国神社本三寶類聚名義抄に同音字注「音庸」（鍾韻 jiɑuŋ'）を見出す。天理大学本最勝王経音義には同音字注「音庸」と仮名音注「シヨウ音」を見つける。長承本蒙求には仮名音注「シヨウ・ヨウ」があり、それらの掲出字に平声点を加える。承暦本金光明最勝王経音義には同音字注「用音」（用韻 jiɑuŋ³）と仮名音注「シヨウ音」があり、その掲出字に平声点を加える。仮名音注「シヨウ」は同じ諸声符「䖝」を有する諸字「繩・䋲・憴・䱉・澠」（船母蒸韻 dʑieŋ'）からの類推音か。元和本倭名類聚抄には同音字注「音膺」（影母蒸韻 'ieŋ'）を見つける。日本漢音「ヨウ」平声、日本呉音は平声を認める。

 虫+竜 音庸／ハヘ［上上］   （鎮国守国神社本三寶類聚名義抄／下二 32 オ 3）

 蠅 音庸／ハヘ［上上］／シヨウ云   （天理大学本最勝王経音義／15 オ 4）

 蠅［平］用反／シヨウ   （長承本蒙求／045）

 蠅［平］シヨウ・ヨウ   （長承本蒙求／141）

 蠅［平／シヨウ六：右傍］用ゝ／波ヘ［上上］〔＊後筆朱書〕

              （承暦本金光明最勝王経音義／04 オ 2）

 蠅 胆附 方言云陳楚之間謂之蠅 音膺和名波閇 … （元和本倭名類聚抄／巻十九 26 オ 8）

 狗蠅 兼名苑云狗蠅一名犬蠅 著於犬者也 （元和本倭名類聚抄／巻十九 26 ウ 3）

▶番号 0275b「泆」（婬泆）の仮名音注「シチ」については、基本的に -it で対応する。当該字には入声点を差す。諸声符「失」（質韻 ɕiet）による字音の把握である。観智院本類聚名義抄に反切「餘質反」（その反切下字に入声濁点）を見出すが、仮名音注はない。日本漢音は入声を認める。

 泆 餘質［平入濁］反／トラカス   （観智院本類聚名義抄／法上 016-3）

▶番号 2813「渝」（渝）の仮名音注「シユ」〔＊ユの誤認か〕については、基本的に -ju で対応する。当該字には平声点を差し、右注「又カヘル」を付載する。和訓「カフ」の同訓異字として位置する。二巻本色葉字類抄では左傍「ユ」仮名音注を付載する。図書寮本類聚名義抄に平声点を付した同音字注「音臾」と反切「广云以朱反」を見出す。観智院本には同音字注「音臾」を見つけるが、仮名音注はない。日本漢音は平声を認める。

 渝［カヘル：右傍／ユ：左傍］   （二巻本色葉字類抄／上下加・12 オ 6・辞字）

 渝 音臾［平］… カハル［上上□／易：右注］カヘス［平□□］ （図書寮本類聚名義抄／023-1）

 摩渝 广云以／朱反／人名 …   （図書寮本類聚名義抄／023-1）

 渝 音臾 … カヘル カハル …   （観智院本類聚名義抄／法上 010-5）

▶番号 2865b「腴」（膏腴）の仮名音注「ハシ」については、詳細不明。当該字には平声点を差す。熟字 2865「膏腴」は右傍「アフラツキコエタリ」左注「カウハシ」仮名音注を付載する。観智院本類聚名義抄に同音字注「音臾」（虞韻 jiuʌ'）を見出すが、仮名音注はない。元和本倭名類聚抄

4-6　tś-系（正歯音三等）　1323

に同音字注「音臾」がある。

　　腴　同［＊音臾］ツチスリ アフラ コエタリ［平上□□］…　　　　（観智院本類聚名義抄／佛中116-1）

　　腴　野王案腴 音臾和名豆知須里 魚腹下肥也　　　　　（元和本倭名類聚抄／巻十九10オ7）

　▶番号5537b「夜」（深夜）の仮名音注「カウ」については、異例 -au を示す。熟字5537「深夜」は左注「シムカウ」を付載するが、本来は次の熟字5538「深更」に付載すべき仮名音注である。

　▶番号6378b「碁」（碁碁）の仮名音注「キ」については、基本的に -i で対応する。当該字に声点はない。熟字6378「碁碁」は右傍「キキ」を付載するが、これは「キイ」の誤認であろう。飛驒郡郡部に属する地名である。観智院本類聚名義抄に反切「以示反」を見出すが、仮名音注はない。元和本倭名類聚抄は「基碁」に対して借字による「木伊」を掲げる。

　　碁　以示反 ナラフ／アマレリ［平平□□］　　　　　　　（観智院本類聚名義抄／僧下076-5）

　　肥前國　… 基碁 養父 夜不 … 高来 多加久　　　　　（元和本倭名類聚抄／巻五27オ2）

　　肥前國第百二十九／基碁郡／姫社 … 基碁 木伊 …　　　（元和本倭名類聚抄／巻九16ウ1）

　▶番号3866a「縁」（縁起）の仮名音注「キン」については、異例 -in を示す。当該字には去声点を差す。熟字3866「縁起」は左注「キン」の右傍に「エ」とあり、修正「エン」を想定する。廣韻に拠れば、当該字は仙/線韻（jiuan¹³）二音を有する。図書寮本類聚名義抄に同音字注「音鉛」（その平声点位置に仮名音注「エン」）と反切「玉曰又餘絹」（その反切下字に去声点）を見出す。観智院本には平声点と去声点を付した同音字注「音鉛」を見つけるが、仮名音注はない。日本漢音「エン」平/去声を認める。

　　縁　音鉛［エン：平声点位置］玉曰又餘絹［□去］反 脩也 …　　　（図書寮本類聚名義抄／289-6）

　　縁　音鉛［平・去］ウシノハナツラ … ユヱナリ［平平□□］　（観智院本類聚名義抄／法中134-8）

　▶番号4072「墠」（壝）の仮名音注「クヰ」については、基本的に -wi で対応する。当該字には平声点を差し、右注「同（アツチ）」を付載する。諧声符「貴」（未韻 kiuʌiⁱ）による字音把握か。本来は仮名音注「キ」を期待する。観智院本類聚名義抄に反切「弋隹反」を見出すが、仮名音注はない。

　　墠　弋隹反 壻／ツクル［平平□］　　　　　　　　　　（観智院本類聚名義抄／法中064-7）

　▶番号4047b「羊」（商羊）の仮名音注「シヤ」については、異例 -ja を示す。熟字4047「商羊」は掲出字「雨」の右注にあり、右傍「シヤウシヤ」〔＊シヤウシヤウの誤認か〕仮名音注を加える。当該字「羊」は「祥」と同義の用法があり、字音「シヤウ」を想定する。観智院本類聚名義抄に同音字注「音陽」を見出す。長承本蒙求には仮名音注「ヤウ」二例があり、それらを含む掲出諸字四例に平声点を加える。日本漢音「ヤウ」平声を認める。

　　羊𦍋　今正 音陽 ヒツシ［上上上濁］／養也　　　　　（観智院本類聚名義抄／僧中094-6）

　　羊［平］　　　　　　　　　　　　　　　　　　　　　（長承本蒙求／014・017）

　　羊［平］ヤウ　　　　　　　　　　　　　　　　　　　（長承本蒙求／097・103）

1324　4．仮名音注の声母別考察

▶番号6413「蛻」（蛻）の仮名音注「セツ」については、基本的に -et で対応する。当該字には入声点を差し、右注「同（モヌク［平上上］）舒芮反」中注「始悦反／蟬蛻之解皮也」左注「又戈雪反」を付載する。廣韻に拠れば、薛韻 (jiuat) 祭韻 (śiuai³) 泰韻 (tʻuɑi³) 過韻 (tʻuɑ³) 四音を有する。本来は仮名音注「エツ」を期待する。観智院本類聚名義抄は当該字を掲げていない。元和本倭名類聚抄には反切「始悦反」と同音字注「音税」がある。

　　　蛻 齒銳反 蟬蛻 所解反　　　　　　　　　　　　　（高山寺本篆隷萬象名義／第六帖091 ウ2）

　　　蛻 尸銳始悦二切 蛇皮也　　　　　　　　　　　　（小學彙凾本大廣益會玉篇／巻下35 オ11）

　　　蛻 蛻蛻附 野王案蛻 始悦反音税訓毛沼久 蟬蛇之解皮也 …

　　　　　　　　　　　　　　　　　　　　　　　　　　　（元和本倭名類聚抄／巻十九29 オ3）

▶番号3886a「鍱」（鍱木）の仮名音注「テウ［平濁平］」については、異例 -eu を示す。当該字に声点はなく、その仮名音注に濁音を含む低平調の差声を施す。廣韻に拠れば、その中古音は喩母葉韻 (jiap) であり、同じ諧声符を有する「牒・喋・蝶・諜・堞・惵・渫・蝶」（帖韻 dep）等との混同による字音把握か。本来は仮名音注「エフ」を期待する。熟字3886「鍱木」は右注「式渉反 テウキ［平濁平上濁］」左注「銅鍱戸具」を付載する。観智院本類聚名義抄に反切「羊渉反・式渉反」と「与葉同」を見出すが、仮名音注はない。

　　　葉 枝葉 … 與渉切又式渉切十 … 鍱 銅鍱　　　　　（宋本廣韻／葉韻 jiap）

　　　鍱 羊渉反 マク … 式渉反／与葉同 トノテフキ［上上平濁平上濁］

　　　　　　　　　　　　　　　　　　　　　　　　　　　（観智院本類聚名義抄／僧上121-8）

▶番号5354b「滛」（浸滛瘡）の仮名音注「ミ［去］」については、異例 -i を示す。当該字に声点はなく、その仮名音注「ミ」に去声点を差す。本来は仮名音注「イム」を期待する。熟字5354「浸滛瘡」は左右注「心ミサ／ウ［平去上上］俗」を付載するので、その調値は「心ミサウ：○○●●」であるが、連声による音変化を考慮すれば「シムミサウ：○○●●」と把握したか。同音字注「心」と仮名音注「ミサウ」との複合した音注形態である。おそらくは連声による音変化「シムミムサウ」/sim-im-sau/→/simmimsau/を示すための字音表記と推測する。撥音の無表記とオ列長音を経て「シミサウ・シムミサウ」/simmisoo/となる。元和本倭名類聚抄には「俗云心美佐宇」があり、やはり「心」を含む借字による字音表記を示す。観智院本類聚名義抄に同音字注「音婬」を見出すが、仮名音注はない。

　　　婬 音婬 久雨也 ソム　　　　　　　　　　　　　　（観智院本類聚名義抄／法上016-3）

　　　滛 俗𣥺 ウルフ …　　　　　　　　　　　　　　　（観智院本類聚名義抄／法上016-3）

　　　浸滛瘡 病源論云浸滛瘡 俗云心美佐宇 風熱発於肌膚也　（元和本倭名類聚抄／巻三25 ウ2）

4-7 k- 系, kj- 系（牙喉音）　1325

4-7　k- 系, kj- 系（牙喉音）

中古音が示す k- 系, kj- 系には、三十六字母の牙音である「見母・溪母・群母・疑母」および喉音である「影母・曉母・匣母・于母（喩母三等）」に関わる声母が含まれる。

各声母ごとの分析結果を先んじて集約すれば、前田本の仮名音注における当該の k- 系, kj- 系声母は、以下のように日本漢字音の基本的な対応を示す。

見母・見母乙	k-	⇒	*k-*	カ行
溪母・溪母乙	kʻ-	⇒	*k-*	カ行
群母乙	g-	⇒	*k-/g-*	カ行
疑母・疑母乙	ŋ-	⇒	*g-*	カ行
曉母・曉母乙	x-	⇒	*k-*	カ行
匣母	ɣ-	⇒	*g-/w-*	カ行・ワ行
于母（喩三）	ɣ-	⇒	*ø-/w-*	ア行・ワ行
影母・影母乙	ʼ-	⇒	*ø-/j-/w-*	ア行・ヤ行・ワ行

見母甲	kj-	⇒	*k-*	カ行
溪母甲	kʻj-	⇒	*k-*	カ行
群母甲	gj-	⇒	*k-/g-*	カ行
疑母甲	ŋj-	⇒	*g-*	カ行
曉母甲	xj-	⇒	該当例なし	
影母甲	ʼj-	⇒	*ø-*	ア行

4-7-1　k-（見母・見母乙）

資料篇【表C-07】を分析すると、k-（見母・見母乙）は基本的にカ行の仮名（カ・キ・ク・ケ・コ）で対応することが認められる。なお、異例が存在するので、以下に述べておく。

▶番号2789「姟」（姟）の仮名音注「カイ」については、基本的に -ai で対応する。当該字には平声濁点を差すので、字音「ガイ」を想定する。その中古音が示す頭子音 k-（等韻学の術語で言う牙音清見母）は無声無気軟口蓋閉鎖音であり、日本語のカ行音をもって受容する。ガ行音による対応は許容しがたい。諧声符「亥」（海韻 ɣʌiᵇ）に牽引された字音把握か。観智院本類聚名義抄に平声点を付した同音字注「音該」と和音「我イ」を見出す。同書の仮名音注において「我」を含む「我

1326　4．仮名音注の声母別考察

イ・我ウ・我ク・我チ・我フ・我ム・我ン」は濁音「ガ」を示す意図がある。日本漢音は平声、日本呉音「ガイ」を認める。

　　　姟 音該［平］數シ／十經曰姟 和我イ　　　　　　（観智院本類聚名義抄／佛中 014-7）

　　　我 吾可反 ワレ［上平］… 和カア［平濁平／✓□：朱右傍］　　（観智院本類聚名義抄／僧中 042-1）

▶番号 2939a「幹」（幹了）の仮名音注「カン」については、基本的に -an で対応する。当該字には去声濁点を差すので、字音「ガン」を想定する。その中古音が示す頭子音 k-（等韻学の術語で言う牙音清見母）は無声無気軟口蓋閉鎖音であるから、日本語のカ行音をもって受容する。ガ行音で対応する理由は不明。あるいは「翰」（匣母濁翰韻 ɣɑn³）との混同による字音把握か。元和本倭名類聚抄には同音字注「翰」がある。観智院本類聚名義抄に反切「工旦反」および上昇調を示す和音「カン」を見出す。日本呉音「カン」去声を認める。

　　　幹 工旦反 カラ［上平］… 和カン［平上］　　　　　　（観智院本類聚名義抄／法下 142-5）

　　　枝條 … 纂要云大枝曰幹 音翰和名加良 …　　　　　（元和本倭名類聚抄／巻二十 32 オ 4）

▶番号 1767b「靳」（逆靳）の仮名音注「ソ」については、異例 -o を示す。当該字に声点はない。熟字 1767「逆靳」は右注「チカラカハ」左注「又作粗」を付載する。仮名音注「ソ」は字形の近似する「靻」（從母姥韻 dzuʌ²）の字音による混同を起こしている。本来は仮名音注「キン」を期待する。観智院本類聚名義抄に同音字注「斤之去声」を見出すが、仮名音注はない。これは「斤」（欣／焮韻 kiʌn¹⁄³）が同音二声調を有するため、その去声であることを明示する。焮韻自体の所属字が少なく、注字選択に制限があることも背景に考え得る。

　　　靳 斤之去声 カタシ［上上平］… 車中馬也 …　　　　（観智院本類聚名義抄／僧中 079-6）

　　　逆靻 楊氏漢語抄云逆靻 知賀良加波 一云逆靳　　（元和本倭名類聚抄／巻十五 03 オ 2）

▶番号 2393a「蝸」（蝸舎）の仮名音注「ワ」については、基本的に -wa で対応する。当該字には去声点を差す。熟字 2393「蝸舎」は中注「云我宅詞」を付載する。廣韻に拠れば、当該字「蝸」は麻韻（kua¹）佳韻（kuɐ¹）二音を有する。王仁昫刊謬補欠切韻には別音として反切「又於果反」（'uɑ²）があるが、廣韻は「媧」の又反切と修正する。あるいは「蛙」（麻韻 'ua¹・佳韻 'uɐ¹）との混同に基づく字音把握か。詳細不明。観智院本類聚名義抄に同音字注「音過・又瓜」および「呉音倭又クワ」を見出す。後者の「呉音倭」は大般若経字抄による漢呉二音相同を目指した同音字注「音倭」を出典とする。元和本倭名類聚抄には反切「古華反」がある。字音「クワ」を認めるが、日本漢音かどうか判然としない。日本呉音「ワ」の可能性を指摘しておく。

　　　瓜 說文蓏 … 古華切七 … 媧 女侍又於果切 蝸 蝸牛小蠡 …　　　（宋本廣韻／見母麻韻 kua¹）

　　　瓜 古華反蓏屬五 … 蝸 蝸牛小蠡女侍又於果反 …　　（王仁昫刊謬補欠薛切韻／見母麻韻 kua¹）

　　　蝸 音過 又瓜／カタツフリ［上上平上濁平］カニ　　（観智院本類聚名義抄／僧下 021-1）

　　　蝸牛 カタツフリ［上上平上濁上］／呉音倭 又クワ　　（観智院本類聚名義抄／僧下 021-1）

　　　倭 扵為反 長也／又烏和反／カマト イタム …　　　（観智院本類聚名義抄／佛上 022-5）

蝸［音倭：右傍］カタツムリ　　　　　　　　　（石山寺一切経蔵本大般若経字抄／09 ウ 2）

　　蝸牛 … 本草云蝸牛 上古華反和名加太豆不利 …　　　（元和本倭名類聚抄／巻十九20 ウ 6）

▶番号 2395a「蝸」（蝸廬）の仮名音注「ワ」については、基本的に -wa で対応する。当該字には平声点を差す。上述の分析を参照。

▶番号 2380b「誆」（猥誆）の仮名音注「ワウ」については、基本的に -aū で対応する。当該字には平声点を差す。廣韻に拠れば、その中古音は見母漾韻（kiuɑŋ³）である。熟字2380「猥誆」は右傍「ミタリニ イツハル」を付載する。観智院本類聚名義抄に反切「俱況反」および低平調と推測する和音「ワウ」（その右傍に墨筆で喉内撥音韻尾「✓」表記）を見出す。この和音は「王」（陽／漾韻 ɣiuɑŋ^{1/3}）による類推の可能性がある。同書は「狂」（陽／漾韻 giuɑŋ^{1/3}）に対しても「和ワウ」（その右傍に墨筆で喉内撥音韻尾「✓」表記）を掲げる。なお「狂・誆」の字音については高松（1976／1982a 再録）を参照。特殊形ながら、現状では日本呉音「ワウ」平声を認める。

　　誆 欺也 居況切四 惑 惑惑也 …　　　　　　　（宋本廣韻／見母漾韻 kiuɑŋ³）

　　誆 俱況反 … イツハル［平平上平］ … 惑［マトフ：右注］惑字

　　　和音ワウ［□平：墨点／□✓：墨右傍］　　　　（観智院本類聚名義抄／法上 060-1）

　　狂 クルフ … イツハル ヨキル 和音ワウ［□✓：墨右傍］　　（観智院本類聚名義抄／佛下本 137-4）

▶番号 3876「昚」（香）の仮名音注「テン」については、異例 -en を示す。当該字に声点はなく、右注「同（テン）」仮名音注を付載する。諧声符「天」（先韻 t'en¹）による字音の把握か。観智院本類聚名義抄に反切「古恵反・古頂反」と同音字注「音桂」を見出すが、仮名音注はない。

　　昚香 古恵反 姓又 古頂反／ヒカリ［平平□］　　（観智院本類聚名義抄／佛中 097-1）

　　昚 香 二正 音桂／土向反　　　　　　　（観智院本類聚名義抄／佛下末 044-1）

▶番号 6120「肱」（肱）の仮名音注「トウ」については、基本的に -oū で対応する。当該字には平声点を差し、右注「同（ヒチ）」左注「古弘反」右傍「トウ」仮名音注を付載する。この「トウ」は「コウ」の誤認か。観智院本類聚名義抄に反切「古弘反」と和音「洪」（東韻 ɣʌuŋ¹）を見出す。和音を仮名音注でなく、同音字注によった理由は不明である。登韻合口字は所属数が少ない（廣韻が示す小韻代表字は「弘・肱・薨」のみ）ため、同音字注の選択に苦慮する状況があり、近似した字音である「洪」を付載したか。元和本倭名類聚抄には反切「古弘反」がある。

　　肱 古弘反 カヒチ／ヒチ［上平濁］モ、 和洪　　（観智院本類聚名義抄／佛中 135-1）

　　臂 廣雅云臂 音秘 謂之肱 古弘反 …　　　　　（元和本倭名類聚抄／巻三 13 ウ 8）

▶番号 5908d「果」（生天得果）の仮名音注「ワ」については、基本的に -wa で対応する。当該字に声点はない。熟字5908「生天得果」は右傍に「シヤウテントクワ」と付注する。本来は「トクヽワ」を期待するが、その踊り字「ヽ」を記入し忘れたか。あるいは促音無表記を反映した「ト（ッ）クワ」と想定すべきか。観智院本類聚名義抄に同音字注「音裏」を見出すが、仮名音注はない。同書で「裏」を再検索しても、同音字注「音果」を見出し、相互に掲出字と同音字注の循環関係に

1328 4．仮名音注の声母別考察

なる。長承本蒙求には仮名音注「クワ」があり、その掲出字に上声点を加える。日本漢音「クワ」
上声を認める。

果 俗作菓 音裏 コノミ［平平上］俗云 クタ物［平平濁囗］…

(観智院本類聚名義抄／佛下本108-6)

裏 音果 ツヽム［平平上］… フサ［平上］　　　(観智院本類聚名義抄／法中137-3)

果［上］クワ　　　　　　　　　　　　　　　　　　　　(長承本蒙求／057)

菓［上］クワ　　　　　　　　　　　　　　　　　　　　(長承本蒙求／119)

▶番号4584「竿」（竿）の仮名音注「ウ」については、異例 -u を示す。当該字には平声点を差
し、右注「サヲ」中注「古寒反」左注「漁竿釣竿竹竿也」を付載する。これは諧声符「干」（寒韻
kɑn¹）を「于」（虞韻 ɣiuʌ¹）と誤認した諧声符読みである。観智院本類聚名義抄に平声点を付し
た同音字注「音乾」を見出す。長承本蒙求には仮名音注「カヽ」があり、その掲出字に平声点と東
声点を加える。日本漢音「カン」東声（四声体系では平声）を認める。

干仐 今正 音乾［平］ヲカス［上上平］…　　　　(観智院本類聚名義抄／佛上083-3)

干［平・東］カヽ　　　　　　　　　　　　　　　　　(長承本蒙求／080)

▶番号5839b「景」（思景）の仮名音注「エイ」については、基本的に -ei で対応する。当該字
には上声点を差す。熟字「思景」は右注5839「シエイ」左注5840「シケイ」を付載する。仮名音
注「エイ」は当該字「景」（見母梗韻 kiaŋ²）を「影」（影母梗韻 'iaŋ²）と混同したか。観智院本類
聚名義抄に反切「居影反」を見出す。長承本蒙求に仮名音注「ケイ」があり、その掲出字に上声
点を加える。日本漢音「ケイ」上声を認める。

景 … 居影反 オホキナリ カケ［平上濁］…　　　(観智院本類聚名義抄／佛中100-1)

景［上］ケイ　　　　　　　　　　　　　　　　　　(長承本蒙求／110・129)

▶番号4204a「脚」（脚氣）の仮名音注「キヤク」については、基本的に -jak で対応する。当
該字には入声濁点を差すので、字音「ギヤク」を想定する。その中古音が示す頭子音 k-（等韻学の
術語で言う牙音清見母）は無声無気軟口蓋閉鎖音であり、日本語のカ行音をもって対応する。ガ行
音で対応することは許容しがたい。熟字4204「脚氣」は左右注「アシノ／ケ」を付載する。観智院
本類聚名義抄に反切「居略反」および「和カク」と「或キヤク」を見出す。日本呉音「カク」字音
「キヤク」を認める。後者は日本漢音と見るべきか。

脚 居略反 アシ［平上］… 和カク 或キヤク　　　(観智院本類聚名義抄／佛中132-8)

脚病 伯楽曰脚病 俗云知阿奈岐 …　　　　　　　(元和本倭名類聚抄／巻十一15 ウ4)

脚氣 醫家書有脚氣論 脚氣一云脚病俗云阿之乃介　　(元和本倭名類聚抄／巻三20 ウ7)

▶番号6976a「笄」（笄子）の仮名音注「サイ［平平］」右傍については、基本的に -ai で対応
する。当該字には平声点を差し、その仮名音注に低平調の差声を施す。熟字6976「笄子」は右注
「サイシ［平平上］」中注「婦人所戴／俗謂笄子」左注「又カンサシ」を付載する。観智院本類聚

名義抄に同音字注「音鷄」（齊韻 kei¹）を見出すが、仮名音注はない。元和本倭名類聚抄に「音雞此間云笄子上音如才」を見出す。熟字「笄子」の場合に限り、近時の字音「サイ」を認識したか。これは諧声符「开」を「才」（咍韻 dzʌi¹）と誤認する字音把握か。詳細不明。

　　　笄　音鷄／カムサシ［平平平濁平／□□□ス：墨右傍］　　　　　（觀智院本類聚名義抄／僧上066-3）

　　　簪　…　釋名云笄　音雞此間云笄子上音如才　係也 …　　　　（元和本倭名類聚抄／巻十二18ウ3）

4-7-2　k'-（溪母・溪母₂）

　資料篇【表C-07】を分析すると、k'-（溪母・溪母₂）は基本的にカ行の仮名（カ・キ・ク・ケ・コ）で対応することが認められる。中国語音韻史上の中古音において溪母は無声有気音と捉えられるが、日本語では無気と有気の音韻論的な対立がないため、前田本においても両者の区別を反映した仮名音注はない。なお、異例が存在するので、以下に述べておく。

　▶番号3021a「拷」（拷迅）の仮名音注「カウ」については、基本的に -au で対応する。当該字には平声濁点を差すので、字音「ガウ」を想定する。打ち据える、あるいは無理に奪い取るの意味である。当該字「拷」は廣韻など切韻系韻書に掲載しない。篆隷万象名義にもなく、後世の増補である大廣益會玉篇は当該字「拷」を掲げ、反切「苦老切」を見出す。その中古音が示す頭子音 k'-（等韻学の術語で言う牙音次清溪母）は無声有気軟口蓋閉鎖音であり、日本漢字音ではカ行音で受容する。現行多くの漢和辞典では慣用音「ガウ」を認めているが、有声音であるガ行音により受容する理由を述べてはいない。木篇の別字「栲・栲」は觀智院本類聚名義抄に上声点を付した同音字注「音考」を見出すが、仮名音注はない。

　　　考　校也 … 苦浩切十 … 栲　木名山樗也 …　　　　　　　（宋本廣韻／見母晧韻 k'ɑu²）

　　　考　苦浩反或俗作孝七　栲　木名亦作栲 …　　　　　　　（王仁昫刊謬補缺切韻／見母晧韻 k'ɑu²）

　　　拷　苦老切　打也　　　　　　　　　　　　　　　（小學彙函本大廣益會玉篇／巻上48ウ1）

　　　栲　音同〔＊音考［上］：前掲〕以繩織／柳枝爲器　　　（觀智院本類聚名義抄／佛下本103-7）

　　　栲　正　揉　　　　　　　　　　　　　　　　　　　（觀智院本類聚名義抄／佛下本104）

　　　栲　口考反　呉桃／久留比也　　　　　　　　　　　　　（新撰字鏡／巻七02ウ1）

　▶番号2875b「墾」（開墾）の仮名音注「メウ」については、異例 -eu を示す。当該字には上声点を差す。仮名音注「メウ」の出自が不明である。二巻本色葉字類抄や節用文字においても仮名音注「メウ」を確認する。諧声符を「貌」（効韻 mau³）と誤認した字音「メウ」による把握の可能性がある。図書寮本類聚名義抄に上声点を付した同音字注「音懇」（很韻 k'ʌn²）を見出す。觀智院本には反切「口很反」と同音字注「音懇」を見つけるが、仮名音注はない。同書で「貌」を再検索すると、和音「メウ」がある。日本漢音は上声を認める。

1330　4．仮名音注の声母別考察

開墾 ［メウ：左傍］	（尊経閣文庫蔵二巻本色葉字類抄／巻上下 15 ウ 7）
開墾 ［メウ：右傍］	（石川武美記念図書館蔵本節用文字／カ畳字 23 ウ 5）
墾 音懇 ［上］ 弘云耕也 … ヒタヽク	（図書寮本類聚名義抄／228-6）
墾 俗墾字／口很反	（観智院本類聚名義抄／佛下末 009-8）
墾 音懇	（観智院本類聚名義抄／法中 048-6）
墾開 ハリヒラク ［平平□□□］	（観智院本類聚名義抄／法中 048-7）
貌 … 皃正／カタチ 和メウ／莫考反 カホ	（観智院本類聚名義抄／佛下末 009-3）

▶番号2797「克」（克）の仮名音注「ヨク」については、異例 -jok を示す。当該字に声点はなく、和訓「カツ」の同訓異字として位置する。この右傍「ヨク」仮名音注は仮名字形の相似による「コク」の誤認か。観智院本類聚名義抄に同音字注「音尅」を見出すが、仮名音注はない。

克 音尅 又作剋／ヨシ ［去平］ カツ ［平上］ マタシ	（観智院本類聚名義抄／佛下末 017-2）

▶番号2069a「泣」（泣涕）の仮名音注「リウ」については、基本的に -iu で対応する。当該字には平声点を差す。日本語音韻史上の -ip > -iu を反映する。仮名音注「キウ」を期待するが、諧声符「立」（緝韻 liep）による字音把握「リウ」か、あるいは直前に位置する熟字2068「流涕」の右注「リウテイ」に牽引された結果か。入声ではなく平声を示すことは日本語に馴化した声調把握を示す。図書寮本類聚名義抄に同音字注「順云音急」を見出す。観智院本には同音字注「音急」を見つけるが、仮名音注はない。元和本倭名類聚抄には同音字注「急反」がある。

涕泣 川云音急 … 亦音利 ［去］ 訖也 …	（図書寮本類聚名義抄／037-6）
承泣 川云奈／美太ゝ利 ［平平平平平］	（図書寮本類聚名義抄／038-1）
泣 音急 ナク … 又音昙+余 又音利 訖也	（観智院本類聚名義抄／法上 014-7）
涕涙 承泣附 … 黄帝内經云目下謂之承泣 急反和名美太々利	
	（元和本倭名類聚抄／巻三 04 オ 9）

▶番号1587b「纊」（璜纊）の仮名音注「ワウ」については、基本的に -waü で対応する。当該字には去声点を差す。廣韻に拠れば、その中古音は溪母宕韻（k'uaŋ³）であり、仮名音注「クワウ」を期待する。熟字1587「璜纊」は左注「トウワウ」仮名音注を付載する。仮名の字形相似による左注「ワウクワウ」の誤認か。図書寮本類聚名義抄に去声点を付した同音字注「广云音曠」（宕韻 k'uaŋ³）を見出す。観智院本には去声点を付した同音字注「音曠」を見つけるが、仮名音注はない。傍証ながら、同書で「曠」を再検索すると、反切「苦浪反」と低平調と推測する和音「火ウ」を見つける。日本漢音は去声を認める。

繪纊 … 下广云音曠 ［去］ … ワタ ［平平／集：右注］	（図書寮本類聚名義抄／294-5）
纊 細絹 音曠 ［去］／ワタ ［平平］	（観智院本類聚名義抄／法中 119-4）
曠 苦浪反 ハルカ ［平上平］ … 和火ウ ［□平］	（観智院本類聚名義抄／佛中 088-1）

▶番号4191「皵」（皵）の仮名音注「チウ」については、異例 -iu を示す。当該字には去声点を

差し、右注「苦弔反」中注「アナ／穴也」左注「九竅是也」を付載する。仮名音注「チウ」は字形相似による「ケウ」の誤認か。観智院本類聚名義抄に反切「苦弔反」および去声点を付した「呉音叫」を見出すが、仮名音注はない。後者は大般若経字抄による漢呉二音相同の同音字注「音叫」を出典とする。元和本倭名類聚抄には反切「苦弔反」がある。日本呉音は去声を認める。

　　　竅　苦弔反 アナ［平平］… 呉音叫［去］　　　　　　　　　　（観智院本類聚名義抄／法下 059-4）

　　　竅［音叫：右傍］アナ　　　　　　　　　　（石山寺一切経蔵本大般若経字抄／15 ウ2）

　　　孔竅　唐韻云竅 苦弔反孔竅並和名阿奈 穴也　　　　　　　　（元和本倭名類聚抄／巻三 10 オ1）

▶番号6750b「骹」（青骹）の仮名音注「ヤウ」については、基本的に -au で対応する。当該字には平声点を差す。廣韻に拠れば、その中古音は溪母肴韻（k'au¹）である。熟字 6750「青骹」は右注「セイカウ［□□ヤ□：右傍］」から「セイヤウ」を導く。おそらくは左注「鷹名」に牽引され、熟字「青鷹」を念頭に置いた類推による字音把握か。

　　　鷹［キヨウ：朱右傍］音膺［平／オウ：墨左注／ヨウ：朱右傍］／タカ［上上］…

　　　　　　　　　　　　　　　　　　　　　　　　　　　　（観智院本類聚名義抄／佛下本 006-6）

4-7-3　g-（群母ℓ）

　資料篇【表C-07】を分析すると、g-（群母・群母ℓ）は基本的にカ行の仮名（カ・キ・ク・ケ・コ）で対応することが認められる。中国語音韻史上の中古音において群母は有声音と捉えられるが、前田本の仮名音注は基本的に日本語の清濁表示がなく、掲出字に差した複点の濁声点により日本語の濁音を知ることができる。数は少ないが、仮名音注自体への複点により濁音を表示する場合がある。また、中国語音韻史上における濁音声母の無声化 g- > k- の音変化を反映し、カ行音で対応する場合もある。なお、異例が存在するので、以下に述べておく。

▶番号0663「局」（局）の仮名音注「ハン」については、異例 -an を示す。当該字に声点はなく、右注「碁局雙」左注「六局類也」を付載する。当該字「局」の直前に掲げる「盤・柈・槃」は右注「ハン」がある。また下巻の熟字「某局」は右傍3559「キ キヨク」右注6978「コハン」左注「渠玉也」〔＊←渠玉也〕を付載する。いわゆる「棋盤・碁盤」のことである。これらの環境による字音「ハン」という類推による誤認が働いたか。観智院本類聚名義抄に音注表記を見出せない。天治本新撰字鏡には反切「渠玉反」がある。高山寺本篆隷萬象名義には反切「懼録反」を見つける。

　　　盤 ハン／食具 柈［平濁］同 槃 同 局 ハン 碁－雙／六－類也

　　　　　　　　　　　　　　　　　　　　（前田本色葉字類抄／巻上波・026 ウ6・雑物）

　　　局 カキル ツホネ …　　　　　　　　　　　　（観智院本類聚名義抄／法下 091-3）

　　　局 渠玉反 …　　　　　　　　　　　　　　　　（天治本新撰字鏡／巻三 17 オ2）

局 懼録反 曲也巻也俛也従也分也近也姦也　　　　　　　　　（高山寺本篆隷萬象名義／第二帖016 オ3）

　▶番号6978b「局」（局）の仮名音注「ハン」については、異例 -an を示す。当該字には入声点を差す。熟字「棊局」は右傍3559「キ キョク」右注6978「コハン」左注「渠玉也」を付載する。いわゆる「棋盤・碁盤」のことである。上巻の燭韻当該例で分析した。

　▶番号6831「鮨」（鮨）の仮名音注「シ」については、基本的に -i で対応する。当該字には平声点を差す。諧声符「旨」（旨韻 śiei²）による字音把握か。本来は仮名音注「キ」を期待する。現行幾つかの漢和辞典は慣用音「シ」を掲げる。観智院本類聚名義抄に平声点を付した同音字注「音者」（脂韻 giei¹）を見出すが、仮名音注はない。元和本倭名類聚抄には反切「渠脂反」と同音字注「與者同」がある。日本漢音は平声を認める。

　　　鮨 … 音者 [平] スシ [平平] …　　　　　　　　　　　　（観智院本類聚名義抄／僧下003-5）
　　　鮨　爾雅注云鮨 渠脂反與者同和名須之 鮓属也 …　　　　（元和本倭名類聚抄／巻十九10 オ3）

4-7-4　ŋ-（疑母・疑母₂）

資料篇【表C-07】を分析すると、ŋ-（疑母・疑母₂）は基本的にカ行の仮名（カ・キ・ク・ケ・コ）で対応することが認められる。疑母が示す頭子音 ŋ- は中国語音韻史上における濁音声母の非鼻音化（denasalization）現象によって、ŋ- > ŋg- > g- の音変化をするが、日本語のガ行音で受容することに変わりはない。なお、異例が存在するので、以下に述べておく。

　▶番号0078「獒」の仮名音注「ハウ」については、-au で対応するが、豪韻において円唇性を有する頭子音 p- 系の場合は基本的に -ou で対応する。いわゆる唇音を日本語の音節構造に馴化させた字音の把握である。当該字「獒」の頭子音 ŋ-（等韻学の術語で言う牙音清濁疑母）は軟口蓋鼻音であり唇音ではないので、日本語のガ行音をもって受容する。その諧声符「敖」を「放」（養／漾韻 piɑŋ²³）と誤認したことによる字音把握と推測する。当該字には平声点を差し、右注「イヌ」左注「大犬也」を付載する。観智院本類聚名義抄に同音字注「音敖」を見出すが、仮名音注はない。

　　　獒 音敖 犬高四尺　　　　　　　　　　　　　　　　　（観智院本類聚名義抄／佛下本135-7）

　▶番号6848「磋」（磋）の仮名音注「タイ」については、基本的に -ai で対応する。当該字は去声濁点を差すので、字音「ダイ」を想定する。右注「スリウス」左注「五灰五對二反」右傍「タイ」仮名音注を付載する。廣韻によれば、当該字は灰／隊韻（ŋuʌi¹³）の二音を有する。仮名の字形相似による「カイ」の誤認か。図書寮本類聚名義抄に同音字注「川云音豈」を見出す。また平声濁点を付した熟字「磋ゞ」（その右傍に仮名音注「カイ」）がある。観智院本には反切「五對反」（その反切下字に去声点）および平声濁点を付した同音字注「又音鬼」（灰韻 ŋuʌi¹）と「又音豈」（尾韻 kʰiʌi¹）を見出すが、仮名音注はない。元和本倭名類聚抄には反切「五對反」と同音字注「音豈」が

4-7 k-系，kj-系（牙喉音） 1333

ある。日本漢音「ガイ」平/去声を認める。

礒 川云音豈 一／名磧 礒ミ［平濁／カイ］トタ／カシ［□平平上］ 　　（図書寮本類聚名義抄／148-7）

礒 五對［□去］反 カラウス 又音機［平］又音鬼［平濁］又音豈／

　　一名磧 スリウス トク ミカク 　　　　　　　　　　　　（観智院本類聚名義抄／法中007-3）

礒 兼名苑云礒 五對反 … 和名須利字数 礒也 　　　　　　（元和本倭名類聚抄／巻十六05 ウ6）

磧 兼名苑云礒 音豈 一名磧 音黄和名阿良度 … 　　　　　（元和本倭名類聚抄／巻十五17 オ1）

4-7-5 x-（暁母・暁母ₒ）

資料篇【表C-07】を分析すると、x-（暁母・暁母ₒ）は基本的にカ行の仮名（カ・キ・ク・ケ・コ）で対応することが認められる。中国語音韻史上の中古音が示す喉音清暁母は無声軟口蓋摩擦音であり、日本語のカ行音をもって対応する。なお、異例が存在するので、以下に述べておく。

▶番号2381a・2382a「賄」（賄賂・賄貨）の仮名音注「ワイ」については、基本的に -ai で対応する。両当該字には上声点を差す。熟字 2381「賄賂」は右傍「マヒナヒ」を付載する。当該字「賄」は本来「クワイ」を期待するが、諧声符「有」（匣母有韻 ɣiʌu²）を持つためか、字音把握が容易ではない。現行多くの漢和辞典は慣用音「ワイ」を掲げる。同音の小韻所属字「蛕」も同様である。同じ賄韻所属の「猥」（影母有韻 'uʌi²）を類推した字音把握か。詳細不明。観智院本類聚名義抄に反切「呼罪反」を見出すが、仮名音注はない。

賄 財也又贈送也 呼罪切七 賄 同上 … 悔 悔吝 蛕 土蛕毒蟲 … 　　（宋本廣韻／暁母賄韻 xuʌi²）

賄 呼罪反 オクル／タカラ［平平□］ 　　　　　　　　　　（観智院本類聚名義抄／佛下本014-3）

▶番号1424「閾」（閾）の仮名音注「ヰキ」については、基本的に -iki で対応する。当該字に入声点を差し、右注「トシキミ」を付載する。諧声符「音域」（羊母職韻 jiuek）による字音把握であろう。観智院本類聚名義抄に同音字注「音域」と反切「亦許域反」を見出すが、仮名音注はない。元和本倭名類聚抄には同音字注「音域」がある。

閾 音域 一名閫 閾也 トシキミ［上上濁上平］ … 亦許域反 　　（観智院本類聚名義抄／法下078-6）

閾 爾雅注云閾 音域 門限也兼名苑云閾一名閫 苦本反和名之岐美俗云度之岐美

　　　　　　　　　　　　　　　　　　　　　　　　　　　（元和本倭名類聚抄／巻十16 ウ9）

▶番号2323「譿」（譿）の仮名音注「タフ」については、異例 -ap を示す。当該字に声点はなく、和訓「ワスル」の同訓異字として位置する。当該字の直前には「謟」（右傍に仮名音注「タウ」／合韻 dʌp）があり、そのため字形の近似する「謟」（豪韻 t'ɑu¹）と誤認したか。本来は仮名音注「クヱン」を期待する。観智院本類聚名義抄に反切「火玄反」を見出すが、仮名音注はない。

譿 或 儇字 火玄反／智 　　　　　　　　　　　　　　　　（観智院本類聚名義抄／法上067-2）

1334　4．仮名音注の声母別考察

▶番号3374「許」（許）の仮名音注「コ［平濁］」については、基本的に -o で対応する。当該字に声点はなく、右注「コ」仮名音注に平声濁点を差すので、字音「ゴ」を想定する。また左注「コツキ」を付載する。その中古音が示す頭子音 x-（等韻学の術語で言う喉音清暁母）は無声軟口蓋摩擦音であり、日本語のカ行音をもって受容する。ガ行音での対応は許容しがたい。諧声符「午」（姥韻 ŋuʌ²）による字音把握か。観智院本類聚名義抄に反切「虚語反」および和音「コ」を見出す。長承本蒙求に同音字注「舉反」と仮名音注「キヨ」五例があり、それらの掲出字に上声点を加える。日本漢音「キヨ」上声、日本呉音「コ」を認める。

> 許 虚語反 ユルス［平平□］… 和コ　　　　　　　　　　（観智院本類聚名義抄／法上061-2）
> 許［上］舉反／キヨ　　　　　　　　　　　　　　　　　　（長承本蒙求／019）
> 許［上］キヨ　　　　　　　　　　　　　　　　　（長承本蒙求／037・089・133）
> 許［上：圏点］キヨ　　　　　　　　　　　　　　　　　（長承本蒙求／126）

4-7-6　ɣ-（匣母・于母あるいは喩母三等）

資料篇【表C-07】を分析すると、ɣ-（匣母・于母あるいは喩母三等）は基本的にカ行（カ・キ・ク・ケ・コ）およびワ行（ワ・ヰ・ヱ・ヲ）とア行（イ・ウ・エ）で対応することが認められる。匣母は有声軟口蓋摩擦音であり、日本語のガ行音をもって受容するが、中国語音韻史上における濁音声母の無声化を反映する場合はカ行音で対応する。一方で、摩擦が弱化して聞こえると有声軟口蓋接近音 ɰ-（有声両唇軟口蓋接近音 w-）のように把握する可能性がある。日本呉音の基層において、匣母が ɣ-・ɰ- に二分していた [51] と推測する。于母あるいは喩母三等は有声軟口蓋接近音 ɰ-（有声両唇軟口蓋接近音 w-）であり、ア行音・ワ行音で対応する。なお、異例が存在するので、以下に述べておく。

▶番号2543「蠵」（蠵）の仮名音注「スイ」については、異例 -ui を示す。当該字には平声点を差し、右注「同（カメ）」左注「大龜也」を付載する。仮名字形の相似による仮名音注「ケイ」の誤読か。廣韻に拠れば、齊韻（ɣuei¹）支韻（jiue¹）二音を有する。観智院本類聚名義抄に同音字注「巂」（支韻 jiue¹）「下又音攜」（齊韻 ɣuei¹）を見出すが、仮名音注はない。元和本倭名類聚抄には同音字注「巂」がある。

> 蠵蠵 衰維／二音／イシカメ［上上平濁平］下又音攜 …　　（観智院本類聚名義抄／僧下027-2）
> 秦龜　本草云秦龜一名蠵蠵 衰維二音和名伊之加米 …　　（元和本倭名類聚抄／巻十九11オ1）

▶番号1587a「璜」（璜纊）の仮名音注「トウ」については、異例 -ou を示す。当該字には平声点を差す。廣韻に拠れば、その中古音は喉音濁匣母唐韻一等（ɣuɑŋ¹）である。頭子音 ɣ-（等韻学の術語で言う喉音濁匣母）は有声軟口蓋摩擦音であり、日本語のガ行音をもって受容するが、中国

語音韻史上における濁音声母の無声化を反映する場合はカ行音で対応する。一方で、摩擦が弱化して聞こえると有声軟口蓋接近音 ɰ-（有声両唇軟口蓋接近音 w-）のように把握する可能性がある。日本呉音の基層において、匣母が ɣ-・ɰ- に二分していたと推測する。熟字 1587「璜纊」は左注「トウワウ」仮名音注を付載する。仮名の字形相似による左注「ワウクワウ」の誤認か。観智院本類聚名義抄に同音字注「音黄」（唐韻 ɣuɑŋ¹）を見出すが、仮名音注はない。

  璜 音黄 半辟   （観智院本類聚名義抄／法中 018-2）

  璜 胡光反 半辟也   （高山寺本篆隷萬象名義／第一帖 023 オ 2）

▶番号 2392b「惑」（柱惑）の仮名音注「ホウ」については、異例 -ou を示す。当該字には入声点を差す。熟字 2392「柱惑」の直前に熟字 2391「柱法」を配置する。仮名音注「ホウ」は番号 2391b「法」に付載すべきもので、誤認があったと推測する。観智院本類聚名義抄に反切「胡國反」と和音「ワク」を見出す。同書が掲げる「或」には同音字注「音惑」（その左注に仮名音注「ワク」）も見つける。長承本蒙求には仮名音注「コク」二例があり、うち掲出字一例に入声点を加える。日本漢音「コク」入声、日本呉音「ワク」を認める。

  惑 マトフ［平平濁□］ウルハシ   （観智院本類聚名義抄／僧中 044）

  惑 胡國反 ウタカフ マトフ［平平濁上］… 和ワク   （観智院本類聚名義抄／僧中 039-6）

  或 … アリ［平上］… 音惑［ワク：墨左注］… クニ   （観智院本類聚名義抄／僧中 039-5）

  惑〔＊右下隅欠〕コク   （長承本蒙求／047）

  惑〔入〕コク   （長承本蒙求／147）

▶番号 3995b「攜」（提携）の仮名音注「タイ」については、異例 -ai を示す。仮名字形の相似による「ケイ」の誤認か。当該字には平声点を差す。熟字 3995「提携」は右傍「ナツサハル〔＊タツサハルの誤認〕」左注「テイタイ」仮名音注を付載する。観智院本類聚名義抄に反切「胡珪反・戸圭反」を見出すが、仮名音注はない。

  攜 胡珪反 ハナル／タツサフ   （観智院本類聚名義抄／佛下本 070-4）

  携 俗 ヒサク … ハナル［平平上］ヒク［上平］   （観智院本類聚名義抄／佛下本 070-4）

  攜携攜 二俗正 戸圭反   （観智院本類聚名義抄／僧下 117-8）

4-7-7 ’-（影母・影母ᴢ）

 資料篇【表15-07】を分析すると、’-（影母・影母ᴢ）は基本的にア行（ア・イ・ウ・エ・オ）とヤ行（ヤ・ヨ）およびワ行（ワ・ヰ・ヱ・ヲ）で対応することが認められる。これは頭子音である影母を φ-（ゼロ）と捉えた結果、次の韻母 -MVF（介音・主母音・末子音）で日本漢字音への対応をする必要が生じたためである。なお、異例が存在するので、以下に述べておく。

1336　4．仮名音注の声母別考察

▶番号 2848a・2848b「啞」（啞彡・啞彡）の仮名音注「カウ」については、異例 -au を示す。両当該字に声点はない。仮名の字形相似による「アク」の誤認と推測する。当該字「啞」は陌韻（'ak）麥韻（'ɐk）馬/禡韻（'a²³）四音を有する。熟字 2848「啞彡」は、直前「嗷彡：カウヽヽ」直後「咬：カウヽヽ」の間に位置するため、それらの仮名音注に牽引され混同を起こす要因となったか。

▶番号 1103「瓫」（瓫）の仮名音注「ホン」については、異例 -on を示す。当該字には平声点を差し、その右注「同（ホトキ［平平上］）」中左注「又乍盆」を付載する。廣韻には小韻代表字「瓫：説文罌也烏貢切五」とあり、異体字として「甕・罌」を同小韻中に見つけるので、本来は仮名音注「ヲウ」を期待する。しかし、同じく廣韻に小韻代表字「盆：瓦器亦作瓫蒲奔切四」とあり、同字と見做していたことがわかる。元和本倭名類聚抄にも「盆」に対して「又乍瓫」「比良加俗云保止岐」を見出すので、すでに「瓫＝盆」という認識があったと推測する。観智院本類聚名義抄に低平調と推測する和音「慕ン」を見出す。日本呉音「ボン」平声を認める。

瓫 説文罌也 烏貢切五 甕 上同 罌 瓶也 …　　　　　　　（宋本廣韻／影母送韻 'Λuŋ³）

盆 瓦器亦作瓫 蒲奔切四 …　　　　　　　　　　　　　（宋本廣韻／並母魂韻 buʌn¹）

瓫 ホトキ／和慕ン［□平］　　　　　　　　　（観智院本類聚名義抄／僧中 021-5）

甕瓫 並正／罌或　　　　　　　　　　　　　（観智院本類聚名義抄／僧中 018-2）

盆 蒲魂反 亦瓫 ヒラカ／俗云 ホトキ　　　　　（観智院本類聚名義抄／僧中 015-6）

慕 音暮／コヒシ［平平平］… 和ホ［平濁・去濁：墨点］　（観智院本類聚名義抄／僧上 002-3）

盆 唐韻云盆 蒲奔反亦作瓫辨色立成云比良加俗云保止岐　（元和本倭名類聚抄／巻十七 07 ウ 5）

盆 ［ホトキ：右傍］ホ✓六／〔＊後筆墨書〕　　（承暦本金光明最勝王経音義／09 オ 5）

▶番号 5913b「意」（任意）の仮名音注「ミ［平］」については、基本的に -i で対応する。当該字に声点はなく、その仮名音注に平声点を差す。熟字 5913「任意」は右注「シミ［去濁平］」を付載する。本来は仮名音注「シムイ」であるが、日本語音韻史上の連声による音変化を示し、撥音無表記の字音把握「シミ」である。字音表記が固定化すると、二音節三拍 /zimmi/「○●○」から二音節 /zimi/「●○」のように認識する。図書寮本類聚名義抄に反切「弘云抾記反」（その反切下字に上声点）〔＊去声ではなく不審〕を見出す。観智院本には「抾記反」および和音「イ」を見つける。日本呉音「イ」を認める。

意 弘云抾記［□上］反 志也 … 朱云去彡呂［平平上］…　　（図書寮本類聚名義抄／238-1）

意 抾記反 コヽロ［平平上］… 和イ　　　　　（観智院本類聚名義抄／法中 076-7）

▶番号 5379b「驫」（春驫嚩）の仮名音注「ナウ」については、基本的に -aū で対応する。当該字には平声点を差す。日本語音韻史上の連声を反映した字音把握である。本来は字音「アウ」を期待する。熟字 5379「春驫嚩」は右注「同（壱越調）」右傍「シユナウテン」仮名音注を付載する。観智院本類聚名義抄に反切「烏耕反」と俗表記を伴う「アウ［平平］」仮名音注を見出す。元和本倭名類聚抄には反切「烏莖反」がある。定着久しい字音「アウ」平声を認める。

鶯鸎鸎 烏耕反 鳥鳴／ウクヒス［平平濁上平］　　鸎 俗欵　　（観智院本類聚名義抄／僧中 112-7）

鸎實 俗云アウシチ［平平平濁平］…　　　　　　（観智院本類聚名義抄／法下 053-7）

鸎 陸詞切韻云鸎 烏莖反楊氏漢語抄云春鳥子宇久比須 …　（元和本倭名類聚抄／巻十八 07 ウ 9）

壹越調　皇帝破陣樂 大曲 … 春鸎囀 大曲 …　　　（元和本倭名類聚抄／巻四 14 オ 4）

　▶番号 6488「灣」（灣）の仮名音注「ラン」については、基本的に *-an* で対応する。当該字には平声点を差し、右注「烏関反」左注「水曲也」を付載する。その中古音（刪韻 'uan¹）から考えて、本来は仮名音注「ワン」を期待する。諧声符の一部分「縁」を字音「ラン」と誤認したか。あるいは「欒・灤・欒」（桓韻 luan¹）との混同か。観智院本類聚名義抄に音注を見出せないが、当該掲出字「灣」の直上に「欒」を配置し、同音字注「音欒」がある。

　　灣 センラク … ミナアヒ［上上□□／□ツ□□］　　（観智院本類聚名義抄／法上 034-5）

　　欒 音欒 ヒタス／コユ　　　　　　　　　　　（観智院本類聚名義抄／法上 034-5）

4-7-8　kj-（見母甲）

　資料篇【表 C-07】を分析すると、kj-（見母・見母甲）は基本的にカ行（キ・ク・ケ）で対応することが認められる。重紐甲類が示す口蓋化を反映した仮名音注の表記はない。

4-7-9　kʻj-（溪母甲）

　資料篇【表 C-07】を分析すると、kʻj-（溪母・溪母甲）は基本的にカ行（キ・ケ）で対応することが認められる。中国語音韻史上の中古音において溪母は無声有気音と捉えられるが、日本語では無気と有気の音韻論的な対立がないため、前田本においても両者の区別を反映した仮名音注はない。また重紐甲類が示す口蓋化を反映した仮名音注の表記はない。

4-7-10　gj-（群母甲）

　資料篇【表 C-07】を分析すると、gj-（群母甲）は基本的にカ行（キ・ク・ケ）で対応することが認められる。中国語音韻史上の中古音において群母は有声音と捉えられるが、前田本の仮名音注は基本的に日本語の清濁表示がなく、掲出字に差した複点の濁声点により日本語の濁音を知ることができる。中国語音韻史上における濁音声母の無声化 g- > k- の音変化を反映し、カ行音で対応する場合もある。また重紐甲類が示す口蓋化を反映した仮名音注の表記はない。なお、異例が存在するので、以下に述べておく。

1338 　4．仮名音注の声母別考察

▶番号0058b「翹」（連翹）の仮名音注「シ」については、異例 -i を示す。当該字には上声点を差す。廣韻に拠れば、宵/笑韻（gjiau¹ʹ³）二音を有する。字形の近似する「翅」（寘韻 śie³）との誤認による字音把握であろう。熟字0058「連翹」は右注「イタチクサ［平平平上平］」左注「イタチハセ［平平平平上］」を付載する。観智院本類聚名義抄に反切「巨遥反」および「和去」を見出すが、仮名音注はない。承暦本金光明最勝王経音義には同音字注「交音」があり、その掲出字に去声点を加える。日本呉音は去声を認める。

　　尭+羽 巨遥反 クハタツ［上上□□］… 和去　　　　　　　　　（観智院本類聚名義抄／僧上095-7）

　　翹 人口+盍反 起又/人嬌反　　　　　　　　　　　　　　　　（観智院本類聚名義抄／僧上095-8）

　　尭+羽 ［去］交ミ/𠆢也　　　　　　　　　　　（承暦本金光明最勝王経音義／09ウ1）

　　連翹 本草云連翹一名三廉草 和名以多知久佐一云以太知波勢

　　　　　　　　　　　　　　　　　　　　　　　　　（元和本倭名類聚抄／巻二十08オ8）

4-7-11　ŋj-（疑母甲）

資料篇【表C-07】を分析すると、gj-（群母甲）は基本的にカ行（キ・ケ）で対応することが認められる。疑母が示す頭子音 ŋ- は、中国語音韻史上における鼻音声母の非鼻音化（denasalization）現象によって、ŋ->ŋg->g- の音変化をするが、日本語のガ行音で受容することに変わりはない。前田本の仮名音注は基本的に日本語の清濁表示がなく、掲出字に差した複点の濁声点により日本語の濁音を知ることができる。数は少ないが、仮名音注自体への複声点により濁音を表示する場合がある。

4-7-12　xj-（暁母甲）

該当例なし。

4-7-13　ʼj-（影母甲）

資料篇【表C-07】を分析すると、ʼj-（影母甲）は基本的にア行（イ・エ）で対応することが認められる。これは頭子音である影母を φ-（ゼロ）と捉えた結果、次の韻母 -MVF（介音・主母音・末子音）で日本漢字音への対応をする必要が生じたためである。また重紐甲類が示す口蓋化を重紐乙類と弁別的に反映した仮名音注の表記はない。

4-8 声母別考察による仮名音注の対応

前田本が付載する仮名音注に対して、中古音の声母別考察を 4-1〜4-7 において試みた。ここで、その対応結果を【表14】に集約しておく。仮名音注が目指す字音の把握は、すでに日本語に馴化した段階を示しており、いわゆる呉音的特徴と漢音的特徴を区別する状況にはない。また、積極的な濁音表示は限定的であり、日本語の清濁に関わる区分は原則的になされてはいない。ただし、いわゆる中国唐代における鼻音声母の非鼻音化（denasalization）を反映する仮名音注の対応においては、日本語の濁音を想定可能な場合がある。

【表14】

中古音声母 （声母／推定音）			日本漢字音 （ローマ字転写／仮名対応）	
p- 系	幫母・幫母乙	p-	*p-*	ハ行
	滂母・滂母乙	p'-	*p-*	ハ行
	並母・並母乙	b-	*p-/b-*	ハ行
	明母・明母乙	m-	*b-/m-*	ハ行・マ行
pj- 系	幫母甲	pj-	*p-*	ハ行
	滂母甲	p'j-	*p-*	ハ行
	並母甲	bj-	*p-/b-*	ハ行
	明母甲	mj-	*b-/m-*	ハ行・マ行
t- 系	端母	t-	*t-*	タ行
	透母	t'-	*t-*	タ行
	定母	d-	*t-/d-*	タ行
	泥母	n-	*n-/d-*	ナ行・タ行
	来母	l-	*r-*	ラ行
ṭ- 系	知母	ṭ-	*t-*	タ行
	徹母	ṭ'-	*t-*	タ行
	澄母	ḍ-	*t-/d-*	タ行
	娘母	ṇ-	*n-/d-*	ナ行・タ行

	精母	ts-	*s-*	サ行
	清母	ts‘-	*s-*	サ行
ts-系	従母	dz-	*s-/z-*	サ行
	心母	s-	*s-*	サ行
	邪母	z-	*s-/z-*	サ行
	荘母（照二）	tṣ-	*s-*	サ行
	初母（穿二）	tṣ‘-	*s-*	サ行
tṣ-系	崇母（牀二）	dẓ-	*s-/z-*	サ行
	生母（審二）	ṣ-	*s-*	サ行
	俟母（禅二）	ẓ-		該当例なし
	章母（照三）	tś-	*s-*	サ行
	昌母（穿三）	tś‘-	*s-*	サ行
	船母（牀三）	dź-	*s-*	サ行
tś-系	書母（審三）	ś-	*s-*	サ行
	常母（禅三）	ź-	*s-/z-*	サ行
	日母	ń-	*n-/z-*	ナ行・サ行
	羊母（喩四）	j-	*j-/w-*	ヤ行・ワ行
	見母・見母乙	k-	*k-*	カ行
	溪母・溪母乙	k‘-	*k-*	カ行
	群母乙	g-	*k-/g-*	カ行
k-系	疑母・疑母乙	ŋ-	*g-*	カ行
	暁母・暁母乙	x-	*k-*	カ行
	匣母	γ-	*g-/w-*	カ行・ワ行
	于母（喩三）	γ-	*ø-/w-*	ア行・ワ行
	影母・影母乙	’-	*ø-/j-/w-*	ア行・ヤ行・ワ行
	見母甲	kj-	*k-*	カ行
	溪母甲	k‘j-	*k-*	カ行
kj-系	群母甲	gj-	*k-/g-*	カ行
	疑母甲	ŋj-	*g-*	カ行
	暁母甲	xj-		該当例なし
	影母甲	’j-	*ø-*	ア行

［注］

(48)　声母は「七音」に分類することができる。牙喉音とは牙音と喉音のこと。以下に、声母に関わる七音と三十六字母の関係を集約しておく。ただし、正歯音（照母・穿母・牀母・審母・禅母）は、反切上字の系聯で二つの声類に分かれるため、それぞれを「荘初崇生俟」「章昌船書常」の各声母に細分することがある。また、等韻図である韻鏡の配置により、両者を「正歯音二等（歯上音）」と「正歯音三等（正歯音）」のように区分することも行われる。中古音については三根谷説の推定音によった。

〈七音〉	唇音		舌音		牙音	歯音		喉音	半舌音	半歯音
	重唇音	軽唇音	舌頭音	舌上音		歯頭音	正歯音			
〈清〉	幫 p	非 f	端 t	知 ʈ	見 k	精 ts	照 tś	影 '		
〈次清〉	滂 pʻ	敷 fʻ	透 tʻ	徹 ʈʻ	溪 kʻ	清 tsʻ	穿 tśʻ			
〈濁〉	並 b	奉 v	定 d	澄 ɖ	群 g	從 dz	牀 dź			
〈清濁〉	明 m	微 ɱ	泥 n	娘 ɳ	疑 ŋ			喩 j	來 l	日 ń
〈清〉						心 s	審 ś	曉 x		
〈濁〉						邪 z	禅 ź	匣 ɣ		

〈七音〉	歯音		
	歯頭音	歯上音 （正歯音二等）	正歯音 （正歯音三等）
〈清〉	精 ts	莊（照$_2$）tʂ	章（照$_3$）tś
〈次清〉	清 tsʻ	初（穿$_2$）tʂʻ	昌（穿$_3$）tśʻ
〈濁〉	從 dz	崇（牀$_2$）dʐ	船（牀$_3$）dź
〈清濁〉			
〈清〉	心 s	生（審$_2$）ʂ	書（審$_3$）ś
〈濁〉	邪 z	俟（禅$_2$）ʐ	常（禅$_3$）ź

(49)　「3-7　韻母別考察による仮名音注の対応」に掲げる［注］(22)を参照。

(50)　次の文献に詳しい。当該部分を以下に引用する。

　・中国文化叢書1『言語』（大修館書店、1967年）所収、II-3「中古漢語の音韻」（平山久雄）

　　「また〈舌音〉の娘母と泥母も〈補い合う分布〉をなし、反切上字にも通用が多いので、娘母を泥母に併せる説が有力である。しかしなお検討すべき余地もあるので、本稿では両者の区別を認めておく。」（p.129/l.015-18）

(51)　「3-7　韻母別考察による仮名音注の対応」に掲げる［注］(23)を参照。

5．前田本色葉字類抄の声調別考察

　本章では、前田本に付載された仮名音注の分析をするため、便宜的基準の一つとして、中国語音韻史上における中古漢語が示す中古音（Ancient Chinese）の声調別分類を示し、その分析を試みる。分類の結果は一群の【表D-01】～【表D-24】が該当する。単字および熟字前部（第一字）と熟字後部（第二字以降）に分別し、それぞれを声調別に分類した。熟字は畳字部に属する場合が圧倒的に多い。意義分類の役割としては当然の結果である。

　すでに「1．序説」の【表01】において中国語の音節構造を示した。すなわち、中国語の音節構造は「IMVF/T」となる。再度これを掲げた上で、声調を確認する。

【表01】

I	Initial	頭子音	声母
M	Medial	介　音（韻頭）	韻母
V	Principal Vowel	主母音（韻腹）	
F	Final	韻　尾（韻尾）	
T	Tone	声　調	

　いわゆる日本漢音の声調については六声体系を基本とする。中古音の調類である四声（平・上・去・入）は日本漢音においても平・上・去・入として対応する。ただし、平声と入声はそれぞれ二種類に下位区分される。これを「軽」と「重」という術語で区別する。その中でも、平声軽は東声、入声軽は徳声と称する。また、中国語音韻史上の中古音が示す頭子音（声母）の清濁によって、東声と平声および徳声と入声が識別される。これを【表15】に纏めておく。なお、切韻を撰述して以降の中国語では、上声濁が次第に去声化を起こした状態を示す。以下の網掛部分であり、その移行過程を日本漢音が反映している。

【表15】

	清	次清	清濁	濁
平声	平声軽 (東声)		平声重 (平声)	
上声	上声			
去声	去声			
入声	入声軽 (徳声)		入声重 (入声)	

　この日本漢音における六声体系が示す調類は次のような調値であったと考えられる。なお、●は高いモーラ、○は低いモーラであることを示す。また、括弧内は一音節（一字仮名）の場合を、▶と▷は入声の末子音（韻尾）を指す。日本語への移入と馴化の過程で、音節あるいはモーラの相対的な高低で把握されたことになる。なかでも、徳声の調値は短促を特徴とした閉音節（1音節）の高平調、あるいは開音節化した2モーラの高平調［上上］と推定されている。

　　　平声軽（東声）　＝●○　下降調（◖）
　　　平声重　　　　　＝○○　低平調（○）
　　　上声　　　　　　＝●●　高平調（●）
　　　去声　　　　　　＝○●　上昇調（◗）
　　　入声軽（徳声）　＝●▶　高平調
　　　入声重　　　　　＝○▷　低平調

5-1　平声

　前田本が掲げる単字および熟字に平声点を差した諸例は以下の資料篇に集約する。なお、廣韻と一致しない諸例には網掛けをし、一致する諸例の後に配置する。

　　　【表D-01】平声（単字）上巻
　　　【表D-02】平声（単字）下巻
　　　【表D-13】平声（熟字前部）上巻
　　　【表D-14】平声（熟字前部）下巻

1344　5．前田本色葉字類抄の声調別考察

【表D-25】平声（熟字後部）上巻
【表D-26】平声（熟字後部）下巻

5-1-1　平声（単字）

資料篇【表D-01】【表D-02】は前田本が掲げる単字に対して平声点を差した諸例を掲げる。以下に廣韻との一致数・不一致数を集約する。廣韻に代表される切韻系韻書との一致率が極めて高いと認める。韻書そのものを参看し引用したとすれば、思いがけない誤認を除いて、ほぼ完全に一致することを期待する。実際には、ごく僅かながら、不一致の諸例が存在する。これら不一致の実態を含む何らかの先行文献があり、それを前田本が参看して差声したと推測する。今は特定できないが、候補となる文献として類聚名義抄と倭名類聚抄を指摘しておく。個々の実態は「3．仮名音注の韻母別考察における諸例」の分析で知ることができよう。

平声（単字）廣韻との一致数　　　511例（上巻）約97%
平声（単字）廣韻との不一致数　　018例（上巻）約03%
平声（単字）廣韻との一致数　　　540例（下巻）約95%
平声（単字）廣韻との不一致数　　030例（下巻）約05%

前田本の平声に対する不一致数は上巻で上声（09例）去声（08例）入声（01例）下巻で上声（10例）去声（17例）入声（03例）を示しており、日本呉音による声調把握を含むと推測する。不一致例の典型として「電・害・蜑」を次に掲げる。【表D-31】に含まれる番号1799b「電」は日本漢音が去声を示し、廣韻と一致する。当該の【表D-01】に含まれる番号0006「電」は平声点を差し、廣韻とは不一致であることがわかる。これは日本呉音が「デン」平声を示すためである。【表D-31】に含まれる番号2132b「害」は日本漢音が去声を示し、廣韻と一致する。【表D-01】に含まれる番号2833「害」は平声濁点を差し、廣韻とは不一致である。これも日本呉音が「ガイ」平声を示すためである。さらに【表D-02】に掲げる番号3366「蜑」は日本呉音が平声を示し、覃韻上声である廣韻とは不一致である。

▶番号0006「電」（電）の仮名音注「テン」については、基本的に -en で対応する。当該字には平声点を差し、右注「イナツルヒ」中注「イナツマ」左注「イナヒカリ」を付載する。観智院本類聚名義抄に去声点を付した同音字注「音甸」（霰韻 den³）および和音「テム」（その右傍に朱筆で濁音「✓」表記）を見出す。元和本倭名類聚抄に反切「堂練反」がある。日本漢音は去声、日本呉音「デン」を認める。

電 音甸［去］イナヒカリ［平平平濁上平］… 和テム［✓□：朱右傍］

(観智院本類聚名義抄／法下 066-5)

雷公 電等附 兼名苑云 … 電堂練反 和名伊奈比加利 …　　(元和本倭名類聚抄／巻二 02 オ 4)

▶番号2833「害」（害）の仮名音注「カイ」については、基本的に -ai で対応する。当該字には平声濁点を差すので、字音「ガイ」平声を想定する。日本呉音による声調把握と推測する。廣韻に拠れば、その中古音は泰韻（γɑiˀ）である。頭子音 γ-（等韻学の術語で言う喉音濁匣母）は有声軟口蓋摩擦音であり、ガ行音をもって受容するが、中国語音韻史上に現れる濁音声母の無声化を反映した場合はカ行音で対応する。観智院本類聚名義抄に反切「何頼反」と和音「我イ」を見出す。同書の和音において「我」を使う「我イ・我ウ・我ク・我チ・我フ・我ム・我ン」は濁音表記を示す意図があり、智韻諸例において分析したように、その「我」は日本呉音「ガ」平声である。長承本蒙求には仮名音注「カイ」があり、その掲出字に去声点を加える。日本漢音「カイ」去声、日本呉音「ガイ」を認める。

害 コロス … 何頼反 ナスンソ［去上濁平上］和我イ　　(観智院本類聚名義抄／法下 052-6)

我 吾可反 ワレ［平上］… 和カア［平濁平／✓□：朱右傍］　(観智院本類聚名義抄／僧中 042-1)

害［去］カイ　　　　　　　　　　　　　　　　　　　　　(長承本蒙求／007)

▶番号3366「蚕」（蚕）の仮名音注「サム」については、基本的に -am で対応する。当該字には平声点を差す。日本呉音による声調把握である。中注「コー」左注「コカイス」を付載する。観智院本類聚名義抄に反切「在含反」を見出す。承暦本金光明最勝王経音義には借字による「佐牟反」（その掲出字に平声点を差す）と仮名音注「サム サウ 二音」を見つける。元和本倭名類聚抄には反切「昨含反」二例があり、注記「俗爲蚕字」二例を加える。日本呉音「サム」平声を認める。

蚕 コカヒ［上上濁上］　　　　　　　　　　　　　　　　(観智院本類聚名義抄／僧下 038-4)

蠶蠶 … 在含反〔＊含←布〕／カヒコ［平上平］一訓 コカヒス［上上濁上□］

(観智院本類聚名義抄／僧下 038-5)

蠶 サム サウ 二六〔＊後筆墨書〕　　　　(承暦本金光明最勝王経音義／09 ウ 1)

蠶［平］佐牟反　　　　　　　　　　　　　(承暦本金光明最勝王経音義／09 ウ 3)

蠶　説文云蠶 昨含反和名加古比古一訓古加比須 虫吐絲也俗爲蚕字

(元和本倭名類聚抄／巻十四 13 ウ 3)

蠶　説文云蠶 昨含反俗爲蚕和名賀比古 虫吐絲也 …　(元和本倭名類聚抄／巻十九 23 オ 8)

その他、上巻に入声（01例）下巻に入声（03例）を示す異例がある。当該諸例を以下に掲げる。

▶番号2163「抜」（抜）の仮名音注「チウ」については、異例 -iu を示す。当該字には平声点を差し、左注「ヌク［上平］」を付載する。前田本では「ヌク」の同訓異字として「抜・抽」を掲げ

る。当該字「拔」に対しては、観智院本類聚名義抄に反切「歩八反」（黠韻 bet）と同音字注「又跋［入濁］音」（末韻 bɑt）を見出すので、明らかに入声音である。また同書では同じ和訓「ヌク」を有する「抽」に続き、異体字として「挏」を掲げ、反切「式六反」〔＊式尤反の誤認か〕を見出す。字形の近似する「挏」（尤韻徹母 t'iʌuˈ）と誤認した可能性がある。

　　　　拔［平］チウ／ヌク［上平］攌 挺 援 抽 抄［平］略也／セウ［：右傍］… 說 已上／ヌク

　　　　　　　　　　　　　　　　　　　（前田本色葉字類抄／上奴・078 オ4・辞字）

　　　　抔 歩八反 又跋［入濁］音／ヌキツ　　　　　（観智院本類聚名義抄／佛下本 050-7）

　　　　抽 ヌク［上平］ヌキイツ ノソク 音惆 …又音岫 牛黒晢也　（観智院本類聚名義抄／佛下本 075-8）

　　　　挏 或 又云俗透字／式六反　　　　　　　　　（観智院本類聚名義抄／佛下本 075-8）

　　　　惆 音抽 呉音籌 又／去 呼戒反／ウレフ［平平□］…　（観智院本類聚名義抄／法中 071-7）

　　　　岫 音袖［去］山穴 … イハホ　　　　　　　　（観智院本類聚名義抄／法上 113-7）

　▶番号3925「帖」（帖）の仮名音注「テウ［平濁平］」については、異例 -eu を示す。その中古音が示す末子音 -p 入声韻尾を日本語 -u で受容する。当該字には平声濁点を差すので、字音「デウ」平声を想定する。また右注の仮名音注は濁音を含む低平調を示す。その中古音が示す頭子音 t'-（等韻学の術語で言う舌音次清透母）は無声有気歯茎閉鎖音であり、日本語のタ行音をもって受容する。ダ行音で対応することは許容できない。左注「紙疊貟也」を付載する。紙を数える単位として使うため、多くは複合語の後半に位置し、日本語の連濁となる字音環境に牽引されたか。現行多くの漢和辞典は慣用音「デフ」とする。観智院本類聚名義抄に入声点を付した同音字注「音諜」を見出す。日本漢音は入声を認める。

　　　　帖 音諜［入］タ、ム／カサヌ　　　　　　　（観智院本類聚名義抄／法中 103-5）

　▶番号4952「茢」（茢）の仮名音注「ク」については、異例 -u を示す。当該字には平声点を差し、和訓「キヒシ」の同訓異字として位置する。廣韻に拠れば、その中古音は物韻入声（miuʌt）である。字形の近似する「苟」（厚韻 kʌu² ・職韻 kiɛk）と混同したか。観智院本類聚名義抄に同音字注「音勿」（物韻 miuʌt）を見出すが、仮名音注はない。

　　　　茢 音勿　　　　　　　　　　　　　　　　　（観智院本類聚名義抄／僧上 021-1）

　▶番号6455「索」は毛篇辞字部に属し、仮名音注はなく、平声濁点を差す。右注「山責反」左注「求也」を付載する。また「モトム」の同訓異字として位置する。右注に掲げる反切下字から見ても入声点を期待する。誤認と見るべきか。廣韻に拠れば、当該字「索」は麥韻（ʂek）鐸韻（sɑk）陌韻（ʂak）三音を有し、いずれも入声である。熟字1385「平索」番号3294「索」熟字6472「木索」熟字9739「蕭索」の「索」（いずれも仮名音注「サク」）には入声点を差す。

5-1-2　平声（熟字前部／第一字）

　資料篇【表D-13】【表D-14】は前田本が掲げる熟字前部／第一字（番号末尾に"a"を添加）に対して平声点を差した諸例を掲げる。以下に廣韻との一致数・不一致数を集約する。単字の場合とは異なり、相対的には不一致数が増えている。熟字の多くは二字構成を基本とし、前田本各篇の疊字部に属する諸例が圧倒的な数を占める。

　　　　平声（熟字前部／第一字）廣韻との一致数　　625例（上巻）約75%
　　　　平声（熟字前部／第一字）廣韻との不一致数　206例（上巻）約25%
　　　　平声（熟字前部／第一字）廣韻との一致数　　705例（下巻）約83%
　　　　平声（熟字前部／第一字）廣韻との不一致数　141例（下巻）約17%

　前田本の平声に対する不一致数は上巻で上声（105例）去声（99例）入声（02例）下巻で上声（78例）去声（61例）入声（02例）を示しており、日本呉音による声調把握を含むと推測する。日本呉音においては上声と去声が allotones の関係[52]にあり、上声は有標、去声は無標と考えられる。以下に不一致諸例の一部を掲げる。

▶番号1111a・1168a・1169a・1247a「寶」（寶鐸・寶幢・寶盖・寶冠）の仮名音注「ホウ」については、基本的に -ou で対応する。当該諸字四例には平声点を差す。日本呉音による声調把握である。廣韻に拠れば、その中古音は晧韻上声（pɑu²）である。熟字1111「寶鐸」は右注「ホウチヤク俗」左注「大領〔＊大鈴の誤認か〕也」を付載する。仏堂や塔の四方の簷に吊るして飾りとする大形の風鈴を指す。観智院本類聚名義抄に反切「補道反」と同音字注「音保」（晧韻 pɑu²）および低平調と推測する和音「ホウ」を見出す。長承本蒙求には仮名音注がないが、掲出諸字六例に上声点を差す。日本漢音は上声、日本呉音「ホウ」平声を認める。
　　寶寶 上通下正 補道反／音保 タカラ … 和ホウ［□平］　　　（観智院本類聚名義抄／法下044-8）
　　寶［上］　　　　　　　（長承本蒙求／040・044・066・066・069・093）

▶番号0431a・0450a・0451a「漏」（漏剋・漏宣・漏失）の仮名音注「ロ」については、基本的に -o で対応する。当該諸字三例には平声点を差す。日本呉音による声調把握 である。図書寮本類聚名義抄に去声点を付した同音字注「音陋」を見出す。観智院本には同音字注「音陋」（その右傍に朱筆で仮名音注「ロウ」）および平声墨点を付した和音「ロ」を見つける。長承本蒙求には仮名音注「ロウ」がある。日本漢音「ロウ」去声、日本呉音「ロ」平声を認める。
　　漏泄 上音陋［去］ … モラス［平上平／孝：右注］　　　（図書寮本類聚名義抄／035-6）

1348　5．前田本色葉字類抄の声調別考察

漏 音陋［ロウ：朱右傍］モル［平上］… 和口［平：墨点］　　　（観智院本類聚名義抄／法上012-2）

漏〔＊右上隅欠〕ロウ　　　　　　　　　　　　　　　　　　　　（長承本蒙求／125）

　その他、上巻に入声（02例）下巻に入声（02例）を示す異例がある。当該諸例を以下に掲げる。

▶番号0155a「壹」（壹團橋）に仮名音注はない。当該字には平声点を差し、右注「同（イツキムラク）〔＊直上「溢金樂」に付載する仮名音注〕」を付載する。入声点の誤認か、詳細不明。廣韻に拠れば、その中古音は質韻入声（'jiet）である。

▶番号2069a「泣」（泣涕）の仮名音注「リウ」については、異例 -iu を示す。当該字には平声点を差す。日本語音韻史上の音変化 -ip > -iu を反映する。仮名音注「キウ」を期待するが、諧声符「立」（緝韻 liep）による字音把握「リウ」と見るべきか。あるいは直前に位置する熟字2068「流涕」の右注「リウテイ」に牽引された結果か。加えて、入声ではなく平声を示すことは日本語に馴化した声調把握を示す。図書寮本類聚名義抄に倭名類聚抄を出典とする同音字注「順云音急」を見出す。徳声点を差すかどうか判然としない。観智院本には同音字注「音急」を見つけるが、仮名音注はない。元和本倭名類聚抄には同音字注「急反」がある。

涕泣 順云音急［徳？］… 赤音利［去］訖也 …　　　　　　（図書寮本類聚名義抄／037-6）

承泣 川云奈／美太ミ利［平平平平平］　　　　　　　　　　（図書寮本類聚名義抄／038-1）

泣 音急 ナク … 又音㤅+余 又音利 訖也　　　　　　　　（観智院本類聚名義抄／法上014-7）

涕涙 承泣附 … 黄帝内經云目下謂之承泣 急反和名奈美太々利

　　　　　　　　　　　　　　　　　　　　　　　　　　　（元和本倭名類聚抄／巻三04オ9）

▶番号3862a「壓」（壓状）の仮名音注「エン」については、異例 -en を示す。当該字には平声点を差す。声調を含む字音把握から考えて、当該字「壓」を「厭」と誤認した可能性が高い。観智院本類聚名義抄に入声点を付した同音字注「押」（その右傍に墨筆で仮名音注「アフ」）を、異体字「猒+土」に和音「エフ」見出す。同書で「厭・猒」を再検索すると、反切「扵拜反」（その反切下字に上声濁点）および和音「エム」を見出す。承暦本金光明最勝王経音義にも仮名音注「エム」二例がある。本来は、日本漢音「アフ」入声、日本呉音「エフ」を認める。

壓 音押［入／アフ：墨右傍］オス … 又伊䖇［平入］… 烏喋［□入］六反

　　　　　　　　　　　　　　　　　　　　　　　　　　　（観智院本類聚名義抄／法中053-8）

猒+土〔＊上下配置〕或／和エフ　　　　（観智院本類聚名義抄／法中053-8）

壓 烏甲反 … 又壓 音鴨鎮　　　　　　　　（観智院本類聚名義抄／法下107-7）

厭 … 扵拜［□上濁］反／鬼名 亦与猒同 …　　（観智院本類聚名義抄／法下107-4）

猒 … イトフ［平平上］厭離 … 和エム 又通用 又扵甲反［去上入／三音：割注］

　　　　　　　　　　　　　　　　　　　　　　　　　　　（観智院本類聚名義抄／佛下本137-3）

厭 エム［：右傍］〔＊後筆墨書〕　　　　　　　（承暦本金光明最勝王経音義／09 オ 5）

猒 エム［：右傍］〔＊後筆墨書〕　　　　　　　（承暦本金光明最勝王経音義／09 オ 5）

▶番号6724a「夕」（夕陽）に仮名音注はない。当該字には平声点を差し、右注「西名」を付載する。入声点の誤認か、詳細不明。廣韻に拠れば、その中古音は昔韻（ziek）である。

5-1-3　平声（熟字後部／第二字）

資料篇【表D-25】【表D-26】は前田本が掲げる熟字後部／第二字（番号末尾に"b"を添加）に対して平声点を差した諸例を掲げる。以下に廣韻との一致数・不一致数を集約する。単字の場合とは異なり、また熟字前部と比べても、相対的には不一致数が増えている。熟字の多くは二字構成を基本とし、前田本各篇の畳字部に属する諸例が圧倒的な数を占める。

　　　　平声（熟字後部／第二字）廣韻との一致数　　542例（上巻）約69％

　　　　平声（熟字後部／第二字）廣韻との不一致数　245例（上巻）約31％

　　　　平声（熟字後部／第二字）廣韻との一致数　　610例（下巻）約72％

　　　　平声（熟字後部／第二字）廣韻との不一致数　237例（下巻）約28％

前田本の平声に対する不一致数は上巻で上声（114例）去声（126例）入声（05例）下巻で上声（105例）去声（129例）入声（03例）を示しており、日本呉音による声調把握を含むと推測する。日本呉音においては上声と去声が allotones の関係[52]にあり、上声は有標、去声は無標と考えられる。以下に不一致諸例の一部を掲げる。

▶番号3606b「可」（許可）の仮名音注「カ」については、基本的に -a で対応する。当該字には平声点を差す。日本呉音による声調把握である。廣韻に拠れば、その中古音は哿韻上声（k‘ɑ²）である。観智院本類聚名義抄に反切「口我反」（その反切下字に上声濁点）および平声点を付した和音「カ」を見出す。長承本蒙求には仮名音注「カ」があり、その掲出字に上声点を加える。日本漢音「カ」上声、日本呉音「カ」平声を認める。

　　可 口我［上上濁］反 ヘシ［平濁平］… 和カ［平］…　　　　（観智院本類聚名義抄／佛上 076-5）

　　可［上］カ　　　　　　　　　　　　　　　　　　　　　　　（長承本蒙求／149）

▶番号3599b・4694b「地」（厚地・爽地）の仮名音注「チ」については、基本的に -i で対応する。両当該字には平声点を差す。日本呉音による声調把握である。廣韻に拠れば、その中古音は至韻去声（diei³）である。図書寮本類聚名義抄に反切「弘云題利反」（その反切下字に去声点）を見出す。観智院本には平声点を付した和音「チ」を見出す。日本漢音は去声、日本呉音「チ」平声を

1350　5．前田本色葉字類抄の声調別考察

認める。

　　　地 弘云題利 ［平去］ 反 易也 辟也／底也 …　　　　　　（図書寮本類聚名義抄／214-1）

　　　地 … トコロ ［上上□］ … 和チ ［平］ …　　　　　（観智院本類聚名義抄／法中 048-2）

　　　高麗樂曲 … 地久樂 即歌有桜人曲是也 納蘇利　　　（元和本倭名類聚抄／巻四 18 オ 1）

　その他、上巻に入声（05例）下巻に入声（03例）を示す異例がある。当該諸例を以下に掲げる。

▶番号 1489b・2742b「納」（兜納・艾納）の仮名音注「ナウ」については、異例 *-au* を示す。両当該字には平声点を差す。日本語音韻史上の音変化 *-ap > -au* を反映するが、字音の表記上のみならず、声調の把握においても入声の規範を失う。日本漢字音として一層馴化した姿を物語る。図書寮本類聚名義抄に反切「中云奴荅反」（反切上字は平声濁点、同下字は入声点）を見出す。観智院本には反切「奴荅反」（反切上字は平声濁点、同下字は入声点）と低平調を示す和音「ナフ・ノフ」を見つける。その中古音が示す頭子音 n-（等韻学の術語では泥母）は、いわゆる非鼻音化（denasalization）現象によって、n- > nd- > d- の音変化をする。原則的に、この影響を受けた日本漢音ではダ行音を反映することになる。日本漢字音において、頭子音 n- をナ行音で示す場合には早い段階の字音享受であり、これを呉音的特徴とする。観智院本の和音「ナフ・ノフ」が端的に示している。ただし、和音「ノフ」も加えていることから、実際の音声上では長音化していたと認める。すなわち、*-ap- > -au > -ou > -oo* の音変化である。日本呉音「ナフ・ノフ」入声を認める。

　　　納處 中云奴荅 ［平濁入］ 反 … ヲサム ［平平上／後：右注］　　　（図書寮本類聚名義抄／298-1）

　　　納 奴荅 ［平濁入］ 反 … 和ナフ ［平平］ ノフ ［平平］　　（観智院本類聚名義抄／法中 134-7）

▶番号 1637b「合」（讀合）の仮名音注「カウ」については、異例 *-au* を示す。当該字には平声濁点を差すので、字音「ガウ」を想定する。日本語音韻史上の音変化 *-ap > -au* を反映するが、字音の表記上のみならず、声調の把握においても入声の規範を失う。日本漢字音として一層馴化した姿を物語る。観智院本類聚名義抄に反切「胡荅反」（その反切下字に入声）と和音「我フ」を見出す。同書の和音において「我」を使う「我イ・我ウ・我ク・我チ・我フ・我ム・我シ」は濁音表記を示す意図がある。長承本蒙求には仮名音注「カフ」があり、その掲出字に入声点を加える。日本漢音「カフ」入声、日本呉音「ガフ」を認める。

　　　合 胡荅 ［平入］ 反 アハセテ ［平平上上］ … 又音閤 ［カク ［平□］ ：墨右傍］ 六合 和我フ

　　　　　　　　　　　　　　　　　　　　　　　　　　（観智院本類聚名義抄／僧中 001-3）

　　　合 ［入］ カフ　　　　　　　　　　　　　　　　　　　　　（長承本蒙求／124）

▶番号 1829b「荅」（勅荅）の仮名音注「タウ」については、異例 *-au* を示す。当該字には平声点を差す。日本語音韻史上の音変化 *-ap > -au* を反映し、字音「タウ」で対応する。字音の表記上のみならず、声調の把握においても入声の規範を失う。日本漢字音として一層馴化した姿を物語る。

観智院本類聚名義抄に反切「都合反」を見出す。また同書には掲出字「畓」〔*←〟+畗〕に付載した同音字注「荅」の右傍に朱筆で仮名音注「タフ」を見つける。日本漢音「タフ」入声を認める。

　　　荅　都合反／コタフ　　　　　　　　　　　　　　　　（観智院本類聚名義抄／僧上 047-2）

　　　荅　コタフ タムカフ … 今畓字　　　　　　　　　　（観智院本類聚名義抄／佛下末 029-6）

　　　畓 … 音荅［入／タフ：朱右傍］コタフ［平平上］… 荅 今　（観智院本類聚名義抄／僧中 001-6）

▶番号 2904b「牒」（戒牒）の仮名音注「テウ」については、異例 -eu を示す。当該字には平声点を差す。その中古音が示す末子音 -p 入声韻尾を日本語 -u で対応する。字音の表記上のみならず、声調の把握においても入声の規範を失う。観智院本類聚名義抄に同音字注「音疊」を見出すが、仮名音注はない。元和本倭名類聚抄には反切「徒協反」がある。

　　　牒　音疊 鈩牃／牀板　　　　　　　　　　　　　　　（観智院本類聚名義抄／佛下末 008-3）

　　　牒　帖附 説文云牒 徒協反 札長一尺二寸也 …　　　（元和本倭名類聚抄／巻十三 10 ウ 6）

▶番号 5219b「合」（百合）の仮名音注「カフ」については、基本的に -ap で対応する。当該字には平声濁点を差すので、字音「ガフ」を想定するが、声調は入声の規範を失う。日本語音韻史上 -ap > -au の音変化を背景とするためである。熟字 5219「百合」は右注「ユリ［去上］」を付載する。上述した番号 1637b を参照。

▶番号 5886b「納」（出納）の仮名音注「ナウ」については、異例 -au を示す。当該字には平声点を差す。日本語音韻史上の音変化 -ap > -au を反映するが、字音の表記上のみならず、声調の把握においても入声の規範を失う。上述した番号 1489b・2742 を参照。

▶番号 6690b「法」（制法）の仮名音注「ハウ」については、異例 -au を示す。当該字には平声点を差す。日本語音韻史上における音変化 -ap > -au を反映する字音把握である。字音の表記上のみならず、声調の把握においても入声の規範を失う。図書寮本類聚名義抄に反切「中云方乏反」（その反切下字に徳声点）を見つける。観智院本類聚名義抄には反切「方乏反」および和音「ホウ」を見出す。この和音は日本語音韻史上における音変化 -op > -ou を反映する字音把握である。円脣性を特徴とする頭子音 p- と入声の末子音 -p に挟まれた介音+主母音 -iʌ- は日本語のオ列音で受容した。日本漢音は徳声（四声体系では入声）日本呉音「ホウ」を認める。

　　　法 方乏反則正作㳒一　　　　　　　　　　　　　　　（王仁昫刊謬補缺切韻／幫母乏韻 piʌp）

　　　法 則也數也常也 … 方乏切二 灋 上同　　　　　　　（宋本廣韻／幫母乏韻 piʌp）

　　　法 中云方乏［□徳］反 … ノリ［上平／律：右注］ノトル［上平上／記：右注］…

　　　　　　　　　　　　　　　　　　　　　　　　　　　（図書寮本類聚名義抄／004-5）

　　　法 方乏反 ノリ［上平］ノトル［上上上］… 和ホウ　（観智院本類聚名義抄／法上 001-4）

1352　５．前田本色葉字類抄の声調別考察

5-1-4　平声（熟字後部／第三字）

　資料篇【表D-25】【表D-26】は前田本が掲げる熟字後部／第三字（番号末尾に"c"を添加）に対して平声点を差した諸例を掲げる。以下に廣韻との一致数・不一致数を集約する。熟字の多くは二字構成を基本とするが、三字・四字構成（長疊字として分類する場合がある）の熟字も僅かながら存在する。

　　　平声（熟字後部／第三字）廣韻との一致数　　　11例（上巻）約73％
　　　平声（熟字後部／第三字）廣韻との不一致数　　04例（上巻）約27％
　　　平声（熟字後部／第三字）廣韻との一致数　　　20例（下巻）約87％
　　　平声（熟字後部／第三字）廣韻との不一致数　　03例（下巻）約13％

　前田本の平声に対する不一致数は上巻で上声（02例）去声（01例）入声（01例）下巻で上声（02例）去声（01例）を示しており、日本呉音による声調把握を含むと推測する。番号6723c「錦」以外の五例は人事部に属する雅楽名である。

　▶番号1756c「子」（長慶子）の仮名音注「シ」については、基本的に *-i* で対応する。当該字には平声点を差す。日本呉音による声調把握と推測する。廣韻に拠れば、その中古音は止韻上声 (tsieǐ²) である。観智院本類聚名義抄に反切「即里反」および和音「シ」を見出す。長承本蒙求には仮名音注「シ」九例があり、それら掲出字を含む十四例に上声点を加える。日本漢音「シ」上声、日本呉音「シ」を認める。
　　　子 即里反 コ［上］ミ［上］… 和シ　　　　　　　（観智院本類聚名義抄／法下 137-2）
　　　子 ハ〻クソ［上上上上］　　　　　　　　　　　（観智院本類聚名義抄／法下 137-8）
　　　子［上］シ　　　　（長承本蒙求／009・030・090・096・102・117・128・132・140）
　　　子［上］　　　　　　　　　　　（長承本蒙求／015・039・040・044・060）
　　　平調曲 … 長慶子 … 夜半樂　　　　　　　（元和本倭名類聚抄／巻四15 ウ5）
　▶番号2004c「苑」（柳花苑）の仮名音注「ヱン」については、基本的に *-wen* で対応する。当該字には平声点を差す。日本呉音による声調把握と推測する。廣韻に拠れば、その中古音は阮韻上声 ('iuɑn²) である。熟字2004「柳花苑」は左注「雙詞」を付載する。双調による雅楽の曲を指す。観智院本類聚名義抄に同音字注「音遠」を見出すが、仮名音注はない。元和本倭名類聚抄には同音字注「遠」がある。
　　　苑 音遠 ソノ［平上］　　　　　　　　　　　　（観智院本類聚名義抄／僧上 043-6）

苑囿　周禮注云囿今之苑遠宥二音囿又音育　和名同上〔＊曾乃〕

（元和本倭名類聚抄／巻一 13 オ 3）

　　雙調曲　柳花苑 或譜云延暦寺遺唐舞生久禮真茂傳之 …　　　（元和本倭名類聚抄／巻四 15 オ 4）

▶番号 1477c「志」（都欝志）に仮名音注はなく、平声点を差す。日本呉音による声調把握である。廣韻に拠れば、その中古音は志韻去声（tśiei³）である。元和本倭名類聚抄は熟字「都欝」を掲げ、高麗樂曲「志與路岐」を指すことが判明する。図書寮本類聚名義抄に反切「弘云之異反」（その反切下字に東声点と去声点）および去声点を付した「和行円云志」を見出す。前者の東声点は疑義が残る。後者の「和行円」は出自不明である。図書寮本では出典名「行円」十二例を数える。観智院本には反切「之異反」（その反切下字に去声点）および平声墨点と去声墨点を付した和音「シ」を見つける。天理大学本最勝王経音義には反切「之異反」（その反切下字に去声点）および平声点を付した「和之」と去声点を付した和音「或之」がある。日本漢音は去声、日本呉音「シ」平/去声を認める。

　　志 弘云之 ［東］ 異 ［東・去］ 反 … コ丶ロサシ ［平平平平濁平／記：右注］ ／和行円云志 ［去］

（図書寮本類聚名義抄／258-1）

　　志 之異 ［□去］ 反 心サシ … 和シ ［平・去：墨点］　　（観智院本類聚名義抄／法中 098-6）

　　志 之異 ［□去］ 反 和之 ［平？］ ／或之 ［去］ 心サシ …　（天理大学本最勝王経音義／03 ウ 6）

　　高麗樂曲　新鳥蘇 … 都欝 志與路岐 …　　　　（元和本倭名類聚抄／巻四 17 ウ 3）

▶番号 4541c「老」（採菜老）の仮名音注「ラウ」については、基本的に -au で対応する。当該字には平声点を差す。日本呉音による声調把握と推測する。廣韻に拠れば、その中古音は晧韻上声（lɑu²）である。熟字 4541「採菜老」は右傍「盤渉調」を付載する。観智院本類聚名義抄に反切「旅道反」を見出す。長承本蒙求には仮名音注「ラウ」があり、その掲出字に上声点を加える。日本漢音「ラウ」上声を認める。

　　老 旅道反 オユ ［平上］ オイケラシ ［平上□□□］ … 七十　　（観智院本類聚名義抄／僧下 122-7）

　　老 ［上］ ラウ ［□丶：右肩］　　　　　　　　　　　（長承本蒙求／111）

　　盤渉調　蘇合香 … 採乗老 有詠　　　　　　　　（元和本倭名類聚抄／巻四 17 オ 4）

▶番号 6723c「錦」（千窠錦）に仮名音注はなく、平声点を差す。日本呉音による声調把握と推測する。廣韻に拠れば、その中古音は寝韻上声（kiem²）である。熟字 6723「千窠錦」は右注「クワノニシキ」左注「紅葉名」を付載する。観智院本類聚名義抄に反切「羈飲反」と高平調を示す仮名音注「コム」を見出す。長承本蒙求には仮名音注「キ丶」があり、その掲出字に上声点を加える。元和本倭名類聚抄には反切「居飲反」を見つける。日本漢音「キム」上声、字音「コム」上声を認める。

　　錦 羈飲反 ニシキ ［平平上］ カナシキ　　　　　　（観智院本類聚名義抄／僧上 138-1）

　　秘錦 ヒコム ［去上上］　　　　　　　　　　　　（観智院本類聚名義抄／僧上 138-2）

1354　5．前田本色葉字類抄の声調別考察

　　錦［上］キヽ　　　　　　　　　　　　　　　　　　　　（長承本蒙求／087）

　　錦　釋名云錦 居飮反和名邇之岐 …　　　　　　　（元和本倭名類聚抄／巻十二 14 ウ 2）

▶番号4543c「破」（散手破陣樂）に仮名音注はなく、平声点を差す。日本呉音による声調把握である。廣韻に拠れば、その中古音は過韻去声（p‘α³）である。図書寮本類聚名義抄に反切「中云普臥反」を見出す。この「中云」は仲算撰『法華經釋文』による引用[53]であり、同書の基本的引用文献の一つである。観智院本には反切「普臥反」と墨筆圏点による平声点を付した和音「ハ」を見つける。長承本蒙求には仮名音注「ハ」二例があり、それらの掲出字に去声点を加える。日本漢音「ハ」去声、日本呉音「ハ」平声を認める。

　　破 中云普臥反 … ワル［上平／詩：右注］　　　　　　（図書寮本類聚名義抄／156-2）

　　破 普臥反 釋氏云壞也　　　　　　　　　　（醍醐寺本妙法蓮華經釋文／上 20 オ 7）

　　破 普臥反 ヤフル … 和ハ［平：墨筆圏点］　　　（観智院本類聚名義抄／法中 011-6）

　　破 ［去］ハ　　　　　　　　　　　　　　　　　（長承本蒙求／034・050）

　　道調曲 … 散手破陣樂 俗云散手 …　　　　　　　　（元和本倭名類聚抄／巻四 15 ウ 8）

　その他、上巻に入声（01例）を示す異例がある。当該例を以下に掲げる。

▶番号0153c「樂」（壱弄樂）の仮名音注「ラウ」については、異例 -au を示す。当該字には平声点を差す。廣韻に拠れば、鐸韻（lαk）覺韻（ŋauk）効韻（ŋau³）三音を有する。字音の表記上のみならず、声調の把握においても入声の規範を失う。熟字0153「壱弄樂」は右注「イツロラウ」を付載する。元和本倭名類聚抄に注記「弄音如郎下皆同」を見出す。熟字中の「弄」は字音「郎」であり、次の「樂」も字音「郎」と同じ（「ラウラウ」）であるということか。この注記に従えば、*ituraurau > ituroorau > iturorau* を想定する。観智院本類聚名義抄に「盧各反」と和音「ラク」を見出す。日本呉音「ラク」を認める。

　　樂 盧各反 タノシヒ［平平上平濁］又五覺反 五声八音 惣名 又五孝反 … 或随音乙 … 和ラク ヌケウ

　　　　　　　　　　　　　　　　　　　　　　　（観智院本類聚名義抄／佛下本 105-1）

　　壹越調曲 … 壹弄樂 弄音如郎下皆同 …　　　　　　（元和本倭名類聚抄／巻四 14 オ 5）

5-1-5　平声（熟字後部／第四字）

　資料篇【表D-25】【表D-26】は前田本が掲げる熟字後部／第四字（番号末尾に"d"を添加）に対して平声点を差した諸例を掲げる。以下に廣韻との一致数・不一致数を集約する。熟字の多くは二字構成を基本とするが、三字・四字構成（長畳字として分類する場合がある）の熟字も僅かながら存在する。四字構成の熟字は極めて少ないため、有意性のある比率とは言いがたい。

平声（熟字後部／第四字）廣韻との一致数　　02例（上巻）100％
平声（熟字後部／第四字）廣韻との不一致数　00例（上巻）
平声（熟字後部／第四字）廣韻との一致数　　02例（下巻）50％
平声（熟字後部／第四字）廣韻との不一致数　02例（下巻）50％

　前田本の平声に対する不一致数は上巻になく、下巻で上声（01例）去声（01例）を示しており、日本呉音による声調把握を含むと推測する。日本呉音においては上声と去声が allotones の関係[52]にあり、上声は有標、去声は無標と考えられる。以下に不一致例を掲げる。

　▶番号 4223d「理」（阿夜岐理）の仮名音注「リ」については、基本的に -i で対応する。当該字には平声点を差す。日本呉音による声調把握と推測する。廣韻に拠れば、その中古音は過韻上声（liɐi²）である。図書寮本類聚名義抄に上声点を付した同音字注「音里」を見出す。観智院本には同音字注「音里」を見つける。長承本蒙求には仮名音注「リ」があり、その掲出字に上声点を加える。日本漢音「リ」上声を認める。

　　理 音里［上］… 朱云去止和利［平平平平］…　　　　　　　　（図書寮本類聚名義抄／160-1）
　　理 音里 … コワリ［□平平］メノマヽヨシ［平平□□平上］　（観智院本類聚名義抄／法中 024-4）
　　理［上］リ　　　　　　　　　　　　　　　　　　　　　　　（長承本蒙求／096）
　　高麗樂曲　新鳥蘇 … 阿夜岐理 …　　　　　　　　　（元和本倭名類聚抄／巻四 17 ウ 3）

　▶番号 4794d「怖」（造次顛怖）の仮名音注「ハイ」については、基本的に -ai で対応する。当該字には平声濁点を差すので、日本語音韻史上の連濁による字音「バイ」平声を想定する。廣韻を参照すると「怖：顛怖本亦作沛」とあり、異体字として「沛」（泰韻 pɑi³・p‘ɑi³）を認める。観智院本類聚名義抄・長承本蒙求・承暦本金光明最勝王経音義・高山寺本篆隷萬象名義に用例を見出せない。熟字 4794 は「造次顛沛」であり、咄嗟の時を意味する。

　　貝 … 博蓋切十四 … 怖 顛怖本亦作沛 …　　　　　　　　　　（宋本廣韻／泰韻 pɑi³）
　　造次必於₂是、顛沛必於₂是（造次ニモ必ズ是ニ於イテシ、顛沛ニモ必ズ是ニ於イテシ）　　（論語／里仁）

5-1-6　平声（熟字後部／第五字）

　資料篇【表D-26】は前田本が掲げる熟字後部／第五字（番号末尾に"e"を添加）に対して平声点を差した例を掲げる。以下に廣韻との一致数・不一致数を集約するが、不一致例はない。熟字の多くは二字構成を基本とするが、五字構成（長畳字として分類する場合がある）が存在する。五字構成の熟字は孤例であるため、有意性のある比率とは言いがたい。

1356　5．前田本色葉字類抄の声調別考察

平声（熟字後部／第四字）廣韻との一致数　　00例（上巻）
平声（熟字後部／第四字）廣韻との不一致数　00例（上巻）
平声（熟字後部／第五字）廣韻との一致数　　01例（下巻）100％
平声（熟字後部／第五字）廣韻との不一致数　00例（下巻）

5-2　東声

　前田本が掲げる単字および熟字に東声点を差した諸例は以下の資料篇に集約する。なお、廣韻と一致しない諸例には網掛けをし、一致する諸例の後に配置する。

【表D-03】東声（単字）上巻
【表D-04】東声（単字）下巻
【表D-15】東声（熟字前部）上巻
【表D-16】東声（熟字前部）下巻
【表D-27】東声（熟字後部）上巻
【表D-28】東声（熟字後部）下巻

5-2-1　東声（単字）

　資料篇【表D-03】【表D-04】は前田本が掲げる単字に対して東声点を差した諸例を掲げる。以下に廣韻との一致数・不一致数を集約する。廣韻は四声体系であるため、六声体系における東声は平声に含まれる。ただし、例数が少ないため、有意性のある比率とは言いがたい。

東声（単字）廣韻では平声　　04例（上巻）100％
東声（単字）廣韻では平声　　10例（下巻）約91％
東声（単字）廣韻では上声　　01例（下巻）約09％

　頭子音（声母）の清濁によって、東声（平声軽／清・次清）と平声（平声重／清濁・濁）は識別する。この点から、以下に示す上巻（02例）下巻（02例）については平声の誤認であると考える。

　▶番号1121「炎」（炎）の仮名音注「エム」については、基本的に *-em* で対応する。当該字には東声点を差し、右注「同（ホノホ）」左注「燄也」を付載する。その中古音が示す頭子音 ɣ-（等

韻学の術語で言う喉音清濁于母あるいは喩母三等）は有声軟口蓋接近音 ɰ-（有声両唇軟口蓋接近音 w-）であり、原則的にア行音・ワ行音で対応する。また頭子音は清音声母であるから、東声ではなく平声である。観智院本類聚名義抄に反切「烏胡反」〔＊爲䖉反の誤認〕を見出す。承暦本金光明最勝王経音義には仮名音注「エム」がある。高山寺本篆隷萬象名義には反切「爲䖉反」を見つける。日本呉音「エム」を認める。

炎 烏胡反 アツシ／ホノホ カケロフ 　　　　　　　　　　（観智院本類聚名義抄／佛下末 050-5）

炎 エム〔：右傍〕〔＊後筆墨書〕 　　　　　　　　　　　（承暦本金光明最勝王経音義／10 オ 6）

炎 爲䖉反 菩㳽反 褻也 燒也 重也 　　　　　　　　　　（高山寺本篆隷萬象名義／第五帖 143 オ 3）

▶番号 2641「嘈」の仮名音注「サウ」については、基本的に -au で対応する。当該字には東声点を差し、和訓「カマヒスシ」の同訓異字として位置する。その差声位置は諧声符「曹」の下部「日」左上部隅である。当該字「嘈」は等韻学の術語で言う従母濁豪韻一等（dzɑu¹）であり、東声ではなく平声を期待する。部首「口」を上部に書写したため、その下部に空間ができて適切な差声位置に苦慮した結果と推測する。観智院本類聚名義抄に同音字注「音曹」を見出すが、仮名音注はない。

嘈 音曹 … カマヒスシ 喧声嘈˧ 　　　　　　　　　　　（観智院本類聚名義抄／佛中 033-3）

▶番号 3883「亭」（亭）の仮名音注「テイ［平平］」については、基本的に -ei で対応する。当該字には東声点を差すが、当該字形は縦長に筆写しているため、実際には平声点と認めるべきであろう。その中古音は等韻学の術語で言う舌音濁定母青韻四等（deŋ¹）であり、六声体系の声調における濁声母は平声に相当する。しかも、当該字には低平調を示す仮名音注「テイ［平平］」を付載するので、東声ではなく平声に相違ない。

▶番号 4050「嵐」（嵐）の仮名音注「ラム」については、基本的に -am で対応する。当該字には東声点を差すが、その中古音は等韻学の術語で言う舌音清濁来母覃韻一等（lʌm¹）であるから、東声（清・次清）ではなく平声（濁・清濁）である。差声位置の誤認か。観智院本類聚名義抄に同音字注「音婪」二例を見出し、うち一例は右傍に朱筆で仮名音注「ラム」を付載する。元和本倭名類聚抄には反切「盧合反」がある。日本漢音「ラム」を認める。

嵐 音婪 アラシ［平平平］ 　　　　　　　　　　　　　（観智院本類聚名義抄／法上 122-2）

嵐 音婪〔ラム：朱右傍〕アラシ 又呼監反 　　　　　　　（観智院本類聚名義抄／僧下 054-8）

嵐 孫愐云嵐山下出風也盧合反 和名阿良之 　　　　　　（元和本倭名類聚抄／巻一 05 オ 6）

　前田本の東声に対する不一致例は上巻になく、下巻で上声（01例）を示している。当該例を以下に掲げる。

▶番号 3788「簡」（簡）に仮名音注はなく、東声点を差す。また右傍「古限ノ宅」を付載し、和訓「エラフ」の同訓異字として位置する。右傍「古限ノ宅」は「古限反」の誤認であろう。廣韻に

1358 5．前田本色葉字類抄の声調別考察

拠れば、その中古音は産韻上声（ken²）である。観智院本類聚名義抄に反切「居限反」と東声点を付した同音字注「簡」（山/襇韻 ken¹ᐟ³）を見出す。当該字「簡」に対する東声点の差声は諧声符「間」による字音把握を反映すると考える。元和本倭名類聚抄には反切「古限反」がある。

　　簡　居限反 フタ［上上濁／□ム：墨右傍／□ミ：墨右傍］…　　　（観智院本類聚名義抄／僧上078-4）

　　艹+間 間［東］音 …フムタ 或揀簡　　　　　　　　　　　　　（観智院本類聚名義抄／僧上016-2）

　　簡　野王案簡 古限反和名不美太 … 一名札 音察 簡也　　（元和本倭名類聚抄／巻十三10ウ3）

　5-2-2　東声（熟字前部／第一字）

　資料篇【表D-15】【表D-16】は前田本が掲げる熟字前部／第一字（番号末尾に"a"を添加）に対して東声点を差した諸例を掲げる。以下に廣韻との一致数・不一致数を集約する。廣韻は四声体系であるため、六声体系における東声は平声に含まれる。ただし、例数が相対的に少ないため、有意性のある比率とは言いがたい。不一致例は上下巻ともにない。なお、東声の調値は下降調である。これを示す仮名音注への差声があるので、以下に掲げておく。

　　　　東声（熟字前部／第一字）廣韻では平声　　　19例（上巻）100%

　　　　東声（熟字前部／第一字）廣韻では平声　　　16例（下巻）100%

　▶番号3921a「刁」（刁斗）の仮名音注「テウ［上平］」については、基本的に -eu で対応する。当該字には東声点を差す。その仮名音注にも東声相当である下降調の差声を施す。熟字3921「刁斗」は右注「上都聊反」中注「軍器」左注「テウトウ［上平上上］足鍋斷」を付載する。観智院本類聚名義抄に音注を見出せない。ただし、同書で「刀」を再検索すると、同音字注「又音凋」（蕭韻 teu¹）を見つける。当該字「刁」と字形が相似するための誤認した字音把握であろう。

　　刁〔＊注記なし〕　　　　　　　　　　　　　　　（観智院本類聚名義抄／僧上086-1）

　　刀 都高反 兵器 小舩也 カタナ／又凋音 … フネ［平上］和タウ［平上：墨点］

　　　　　　　　　　　　　　　　　　　　　　　（観智院本類聚名義抄／僧上085-6）

　東声（清・次清）と平声（清濁・濁）は頭子音（声母）の清濁によって識別する。この点から、以下に示す上巻（01例）については平声の誤認であると考える。

　▶番号3117a「函」（函谷）の仮名音注「カム」については、基本的に -am で対応する。当該字には東声点を差すが、その中古音は等韻学の術語で言う喉音濁匣母覃韻一等（ɣʌm¹）であるから、東声ではなく平声である。差声位置の誤認か。観智院本類聚名義抄に同音字注「含」を見出す。承

暦本金光明最勝王経音義には借字による「可牟反」があり、その掲出字に平声点を加える。日本呉音「カム」平声を認める。

　　　函 … 含咸二音 器 フムハコ［上上平濁平］… イル［上平］　　　　（観智院本類聚名義抄／僧下 071-8）
　　　函［平］可牟反／不牟比ツ［上上平平］　　　　　　　　　（承暦本金光明最勝王経音義／03 ウ 4）

5-2-3　東声（熟字後部／第二字）

資料篇【表D-25】【表D-26】は前田本が掲げる熟字後部／第二字（番号末尾に"b"を添加）に対して東声点を差した諸例を掲げる。以下に廣韻との一致数・不一致数を集約する。廣韻は四声体系であるため、六声体系における東声は平声に含まれる。ただし、例数が相対的に少ないため、有意性のある比率とは言いがたい。

　　　　　東声（熟字後部第二字）廣韻では平声　　03例（上巻）100％
　　　　　東声（熟字後部第二字）廣韻では平声　　15例（下巻）100％

東声（清・次清）と平声（清濁・濁）は頭子音（声母）の清濁によって識別する。この点から、以下に示す下巻（01例）については平声の誤認であると考える。

▶番号5188b「園」（淇園）の仮名音注「エン」については、基本的に -wen で対応する。当該字には東声点を差すが、当該字から少し離れた位置に差声するので、声点と見るべきか疑義が残る。その中古音が示す頭子音 ɣ-（等韻学の術語で言う喉音清濁于母あるいは喩母三等）は有声軟口蓋接近音 ɰ-（有声両唇軟口蓋接近音 w-）であり、原則的にア行音・ワ行音で対応する。また、同声母は喉音清濁であるから、東声ではなく平声と考え得る。観智院本類聚名義抄に同音字注「猿」と平声点を付した同音字注「音暄」を見出すが、仮名音注はない。元和本倭名類聚抄には同音字注「猨」（元韻 ɣiuan¹）がある。日本漢音は平声を認める。

　　　園圃 音上猿下浦 ソノ［平上］音暄［平］…　　　　　　　（観智院本類聚名義抄／法下 086-4）
　　　園圃　四聲字苑云園圃 … 猨浦二音 和名曽乃一云曽乃布　（元和本倭名類聚抄／巻一 13 オ 1）

5-3　上声

前田本が掲げる単字および熟字に上声点を差した諸例は以下の資料篇に集約する。なお、廣韻と一致しない諸例には網掛けをし、一致する諸例の後に配置する。

1360 　5．前田本色葉字類抄の声調別考察

　　　　【表D-05】上声（単字）上巻
　　　　【表D-06】上声（単字）下巻
　　　　【表D-17】上声（熟字前部）上巻
　　　　【表D-18】上声（熟字前部）下巻
　　　　【表D-29】上声（熟字後部）上巻
　　　　【表D-30】上声（熟字後部）下巻

　　5-3-1　上声（単字）

　　資料篇【表D-05】【表D-06】は前田本が掲げる単字に対して上声点を差した諸例を掲げる。以下
に廣韻との一致数・不一致数を集約する。廣韻に代表される切韻系韻書との一致が相当に高いと認
める。韻書そのものを参看し引用したとすれば、思いがけない誤認を除いて、ほぼ完全に一致する
ことを期待する。実際には、ごく僅かながら、不一致の諸例が存在する。これら不一致の実態を含
む何らかの先行文献があり、それを前田本が参看して差声したと推測する。それを今は特定できな
いが、候補となる文献として類聚名義抄と倭名類聚抄を指摘しておく。個々の実態は「3．仮名音
注の韻母別考察における諸例」の分析で知ることができよう。

　　　　　上声（単字）廣韻との一致数　　　　75例（上巻）約90%
　　　　　上声（単字）廣韻との不一致数　　　08例（上巻）約10%
　　　　　上声（単字）廣韻との一致数　　　　57例（下巻）約90%
　　　　　上声（単字）廣韻との不一致数　　　06例（下巻）約10%

　　前田本の上声に対する不一致数は上巻で平声（06例）去声（02例）下巻で平声（03例）去声（02
例）入声（01例）を示しており、日本呉音による声調把握を含むと推測する。日本呉音においては
上声と去声が allotones の関係（52）にあり、上声は有標、去声は無標と考えられる。以下に不一致諸
例の一部を掲げる。

　▶番号0417「鱸」（鱸）の仮名音注「ロ［上］」については、基本的に -o で対応する。当該字
には上声点（その仮名音注「ロ」にも上声点）を差し、右注「ロ 舟具」左注「イ本鱸」を付載する。
この上声点は日本呉音の声調を示すと推測する。廣韻に拠れば、当該字の中古音は模韻平声 (luʌ¹)
である。観智院本類聚名義抄に同音字注「音盧」（模韻 luʌ¹）を見出すが、仮名音注はない。元和
本倭名類聚抄には同音字注「音盧」がある。
　　鱸 音盧 トモ［平平］／ヘ　　　　　　　　　　　　　（観智院本類聚名義抄／佛下本002-6）

艫　兼名苑注云船後頭謂之艫 音盧 … 和語云度毛　　　　　　（元和本倭名類聚抄／巻十一 03 オ 4）

　▶番号1022「星」（星）の仮名音注「シヤウ」については、基本的に -jaŭ で対応する。当該字には上声点を差し、右傍1022「シヤウ上声俗」中注「ホシ」左注1023「セイ」を付載する。定着久しい字音「シヤウ」上声を想定する。廣韻に拠れば、当該字の中古音は青韻平声 (seŋ') である。観智院本類聚名義抄に反切「桑経反」および和音「者ウ」を見出す。長承本蒙求には仮名音注「セイ」があり、掲出字に東声点を加えた二例もある。日本漢音「セイ」東声（四声体系では平声）日本呉音「シヤウ」を認める。

　　　星 桑経反 ホシ／ハル 和者ウ　　　　　　　　（観智院本類聚名義抄／佛中 086-3）

　　　流星 ヨハヒホシ［平平濁□□□］　　　　　　（観智院本類聚名義抄／佛中 086-4）

　　　星〔＊左上隅欠〕セイ　　　　　　　　　　　　　（長承本蒙求／025）

　　　星［東］　　　　　　　　　　　　　　　　　　（長承本蒙求／050・061）

　　　流星　兼名苑云流星一名奔星 和名與八比保之　　（元和本倭名類聚抄／巻一 02 ウ 6）

　▶番号0137「暇」（暇）に仮名音注はない。当該字には上声点を差す。廣韻に拠れば、その中古音は喉音濁禡韻二等去声 (ɣa³) である。観智院本類聚名義抄に反切「下嫁反」を見出す。天理大学本最勝王経音義には「和カ［去］ケ［平］」〔＊「カ」去声は漢音系字音か〕を見つける。承暦本金光明最勝王経音義には同音字注「計音・假音」があり、掲出字それぞれに平声点を加える。同書が掲げる「先可知所付借字」に「計［平］介［平］氣［上］」を見つける。日本呉音「ケ」平声を認める。

　　　暇 下嫁反 安也／イトマ［平平□］…　　　　　（観智院本類聚名義抄／佛中 091-3）

　　　暇 イトマ … 和カ［去］ケ［平］　　　　　　　（天理大学本最勝王経音義／19 オ 2）

　　　暇［平］計ミ／以止万　　　　　　　　　　　　（承暦本金光明最勝王経音義／05 ウ 1）

　　　暇［平］假ミ　　　　　　　　　　　　　　　　（承暦本金光明最勝王経音義／11 ウ 3）

　　　　先可知所付借字　　　　　　　　　　　　　　（承暦本金光明最勝王経音義／01 オ 7）

　　　… 和王［平］加［上］可［平］　　　　　　　　（承暦本金光明最勝王経音義／01 ウ 2）

　　　… 計［平］介［平］氣［上］　　　　　　　　　（承暦本金光明最勝王経音義／01 ウ 5）

　▶番号2341「絮」（絮）の仮名音注「シヨ」については、基本的に -jo で対応する。当該字には上声濁点を差すので、字音「ジヨ」を想定する。また右注「同（ワタ）」左右注「似綿／麁悪也」を付載する。廣韻に拠れば、その中古音は御韻去声三音である。前田本と廣韻の注記から看て、当該例は心母御韻 (siʌ³／シヨ) に相当する。上声濁点を差すのは娘母御韻 (ɳiʌ³／ヂヨ) との混淆による字音把握か。図書寮本類聚名義抄に反切「思據反」（その反切下字に去声点）および平声濁点を付した「公云音序」を見出す。後者は大般若経字抄による漢呉二音相同の同音字注を出典とする。観智院本類聚名義抄には反切「思據」（「反」表記欠落／その反切下字に去声点）および「呉序」を見つけるが、仮名音注はない。日本漢音は去声、日本呉音は平声を認める。

　　　絮 説文曰敝緜也 息據切又抽據尼恕二切一　　　　（宋本廣韻／心母御韻 siʌ³）

女 以女妻人也 尼據切二 絮 姓也漢有絮舜　　　　　　　　　　　　　　（宋本廣韻／娘母御韻 n̩iʌ³）

絮 和調食也 抽據切三 …　　　　　　　　　　　　　　　　　　　　　　（宋本廣韻／徹母御韻 tʰiʌ³）

絮 玉云思／據 ［□去］反 幣帛也 … 公云音序 ［平濁］…　　　　　（図書寮本類聚名義抄／315-5）

絮 真玉自盧反 …　　　　　　　　　　　　　　　　　　　　　　　　（図書寮本類聚名義抄／315-6）

絮 思據 ［□去］ ツク … ワタ ［平平］ … 呉序　　　　　　　　　（観智院本類聚名義抄／法中 131-1）

絮 音序 ［：右傍］　　　　　　　　　　　（石山寺一切経蔵本大般若経字抄／09 オ 2・14 オ 6）

▶番号5404「銀」（銀）の仮名音注「コン」については、基本的に -on で対応する。当該字には上声濁点を差すので、字音「ゴン」を想定する。廣韻に拠れば、その中古音は眞韻平声（ŋien¹）である。当該字は右傍「キン コン」右注「上声俗」中注「シロカネ／語巾反」左注「白金謂銀」を付載する。観智院本類聚名義抄に同音字注「音䴴」および上昇調と推測する和音「コン」を見出す。元和本倭名類聚抄には反切「宜珍反」がある。日本呉音「コン」去声を認める。

銀 音䴴／シロカネ ［平平上上］ 和コン ［□上：墨点］　　　　（観智院本類聚名義抄／僧上 113-7）

銀 音䴴／シロカネ ［平平上上］ 和コン …　　　（鎮国守国神社本三寶類聚名義抄／下一 36 オ 2）

銀　爾雅云白金謂之銀 宜珍反 其美者謂之鐐 力周力弔二反和名之路加禰

　　　　　　　　　　　　　　　　　　　　　　　　（元和本倭名類聚抄／巻十一 16 オ 9）

▶番号5484「伋」（伋）の仮名音注「シム」については、基本的に -im で対応する。当該字には上声濁点を差すので、字音「ジム」を想定する。また中注「云遠路也」左注「七尺曰伋」を付載する。末子音の舌内撥音韻尾 -n を「ム」で対応する。観智院本類聚名義抄に去声濁点を付した同音字注「音刄」（その右傍に朱筆で仮名音注「シム」）を見出す。日本漢音「ジン」去声を認める。

伋 音刄 ［去濁／シム：朱右傍］一尋也 七尺也 八尺也 ヒロ …　（観智院本類聚名義抄／佛上 012-7）

その他、下巻に入声（01例）を示す異例がある。当該例を以下に掲げる。

▶番号6794「榲」（榲）の仮名音注「ウン」については、異例 -un を示す。当該字「榲」には上声点を差し、右注「スキ」左注「俗用之非也」を付載するので、国字「榲」と誤認したか。廣韻の注記には「榲：榲桲果似櫨也」（没韻 ʼuʌt）とあり、樹木の杉とは異なる。漢字源改訂第五版は「榲桲ォッボッ」を掲げ「果樹の名。バラ科マルメロ属の落葉高木。マルメロ。」と説明する。観智院本類聚名義抄に同音字注「音惲」（吻韻 ʼiuʌn²）を見出すが、仮名音注はない。この同音字注は切韻系韻書（王一・王二・全王）からの引用によるもので、小韻代表字「惲」に属する「榲」と注記「柱」を確認する。元和本倭名類聚抄に掲げる「杉」においては、注記「今案俗用榲字非也榲音於粉反柱也唐韻」があり、これは「俗に榲字を用いるが、本来は非であり、榲の字音は於粉反で柱を意味する。唐韻を見よ」と解釈できる。

榲 音惲 柱也 スキ　　　　　　　　　　　　　　（観智院本類聚名義抄／佛下本 088-7）

杉 音杉［平］一音繊［平］／スキ［上上濁］ 榲非也 　　　　（観智院本類聚名義抄／佛下本 088-7）

榲榑 スキクレ［上上濁□□］ 　　　　　　　　　　　　（観智院本類聚名義抄／佛下本 113-8）

杉　爾雅音義云杉 音杉一音繊和名須木見日本紀私記今案俗用字非也榲音於粉反柱也見唐韻

　　　　　　　　　　　　　　　　　　　　　　　　　　（元和本倭名類聚抄／巻二十 25 オ 3）

頮 内頭水中 烏没切九 … 榲 榲桲果似櫨也 … 　　　　　　　　（宋本廣韻／没韻 'uʌt）

惲 於粉反厚重七 … 榲 柱 　　　　（唐寫全本王仁昫刊謬補缺切韻／吻韻 'iuʌn²）

5-3-2　上声（熟字前部／第一字）

　資料篇【表D-17】【表D-18】は前田本が掲げる熟字前部／第一字（番号末尾に"a"を添加）に対して上声点を差した諸例を掲げる。以下に廣韻との一致数・不一致数を集約する。単字の場合とは異なり、相対的には不一致数が増えている。熟字の多くは二字構成を基本とし、前田本各篇の畳字部に属する諸例が圧倒的な数を占める。

　　　　上声（熟字前部／第一字）廣韻との一致数　　187例（上巻）約88%
　　　　上声（熟字前部／第一字）廣韻との不一致数　026例（上巻）約12%
　　　　上声（熟字前部／第一字）廣韻との一致数　　205例（下巻）約82%
　　　　上声（熟字前部／第一字）廣韻との不一致数　045例（下巻）約18%

　前田本の上声に対する不一致数は上巻で平声（18例）去声（06例）入声（02例）下巻で平声（30例）去声（14例）入声（01例）を示しており、日本呉音による声調把握を含むと推測する。日本呉音においては上声と去声が allotones の関係[52]にあり、上声は有標、去声は無標と考えられる。以下に不一致諸例の一部を掲げる。

　▶番号0172a「衣」（衣架）の仮名音注「イ［上］」については、基本的に i で対応する。当該字には上声点を差し、その仮名音注にも上声点を差す。熟字0172「衣架」は右注「イカ［上平］俗」左注「又ミソカケ」を付載する。定着久しい字音「イ」上声で把握し、和訓と紛れる環境があったか。廣韻に拠れば、微/未韻（'iʌi¹³）二音を有する。図書寮本類聚名義抄に同音字注「季云音依」（その東声点位置に仮名音注「イ」）を見出す。観智院本には平声点・去声点を付した同音字注「音依」（その右傍に墨筆で仮名音注「エ」）を見つける。同書の凡例部分「朱音者正音也墨声者和音也」（篇目 7-6）に従えば、朱墨で正音と和音を分別する傾向があるので、この仮名音注「エ」は和音を示すか。長承本蒙求には仮名音注「イ」三例があり、それらを含む掲出字四例に東声点を加える。日本漢音「イ」東/去声（四声体系では平/去声）日本呉音「エ」を認める。

1364　5．前田本色葉字類抄の声調別考察

衣 季云音依［イ：東声点位置］… コロモ［上上上／記：右注］…　　（図書寮本類聚名義抄／327-1）

衣 … 音依［平・去／エ：墨右傍］コロモ［上上□］…　　（観智院本類聚名義抄／法中136-5）

衣［東］イ　　　　　　　　　　　　　　　　　　　　　　　（長承本蒙求／033・111・135）

衣［東］　　　　　　　　　　　　　　　　　　　　　　　　　（長承本蒙求／074）

衣架 爾雅注云䈱 音移字亦作椸和名美曾加介 縣衣架也　　（元和本倭名類聚抄／巻十四16ウ4）

▶番号0325a・0326a「衣」（衣裳・衣冠）の仮名音注「イ」については、基本的に -i で対応する。両当該字には上声点を差す。上述の分析を参照。

▶番号0291a「異」（異體）の仮名音注「イ」については、基本的に -i で対応する。当該字には上声点を差す。廣韻に拠れば、その中古音は志韻（jiɐi³）である。観智院本類聚名義抄に反切「羊吏反」および平声点を付した和音「イ」を見出す。日本呉音「イ」平声を認める。

異 コトニ［□□ナリ：墨右傍］アヤシム …　　　　　（観智院本類聚名義抄／佛中111-4）

異 羊吏反 コトナリ［上上□□］… 和イ［平］　　　（観智院本類聚名義抄／佛下末026-1）

▶番号3336a「牛」（牛蒡）の仮名音注「コ［去］」については、基本的に -o で対応する。当該字には上声濁点を差すので、字音「ゴ」上／去声を想定する。廣韻に拠れば、その中古音は尤韻（ŋiʌu¹）である。熟字3336「牛蒡」は右注「北朗反」中注「キタキス」左注「又ウマフ彡キ」右傍「コハウ［去上濁上］」を付載する。仮名音注「コ」に去声点〔＊去声濁点か〕を差す。前田本においては稀な例である。日本語アクセントの相対的な高低を示すため、仮名音注には平声点と上声点を使うことが原則である。上昇調である去声が一音節二拍相当を示すとすれば、当該熟字の調値は「●●● → ○●●●」という認識か。観智院本類聚名義抄に反切「詰求反」および去声点を付した和音「コ」（その右傍に朱筆で濁音「✓」表記）を見出す。長承本蒙求には仮名音注「キウ」四例があり、それらの掲出字に平声加濁点と平声点を加える。元和本倭名類聚抄には反切「語丘反」がある。日本漢音「ギウ」平声、日本呉音「ゴ」去声を認める。

牛 詰求反 ウシ［上上］／和コ［去／✓：朱右傍］　（観智院本類聚名義抄／佛下末001-3）

牽牛 ヒコホシ［上上上濁□］　　　　　　　　　　　（観智院本類聚名義抄／佛下末001-4）

牛［平／平：加濁］キウ　　　　　　　　　　　　　　　　（長承本蒙求／031）

牛［平］キウ　　　　　　　　　　　　　　　　　　　（長承本蒙求／041・063・120）

牛 犨附 四聲字苑云牛 語丘反和名宇之 土畜也 …　　（元和本倭名類聚抄／巻十一09オ9）

▶番号4049a・4356a・4377a「暗」（暗聲・暗聲・暗陋）の仮名音注「アン」については、異例 -an を示す。当該諸字三例には上声点を差す。廣韻に拠れば、その中古音は勘韻（'ʌm³）である。脣内撥音韻尾 -m を「ン」で対応する。観智院本類聚名義抄に反切「烏紺反」と平声点を付した同音字注「音闇」（その右傍に朱筆で同音字注「アム」／勘韻 'ʌm³）を見出す。後者の平声点は疑義を残す。日本漢音「アム」を認める。

暗 音闇［平／アム：朱右傍］クラシ［上上□］… 又闇 ヨル［平上］

5-3　上声　1365

（観智院本類聚名義抄／佛中 092-5）

暗闇 烏紺反　　　　　　　　　　　　　　（観智院本類聚名義抄／法上 093-2）

その他、上巻に入声（02例）下巻に入声（01例）を示す異例がある。当該諸例を以下に掲げる。

▶番号0283a「邑」（邑老）の仮名音注「イウ」については、基本的に -iu で対応する。当該字には上声点を差す。日本語音韻史上の -ip > -iu を反映する。その音変化とともに、入声ではなく上声を示すことは日本語に馴化した声調把握を示す。図書寮本類聚名義抄に反切「弘云抅急反」を見つける。篆隷万象名義を出典とする反切である。観智院本には反切「依立反」および和音「オフ」を見出す。天理大学本最勝王経音義には和音「オフ・ヲフ」がある。日本呉音「オフ」を認める。

　　邑 弘云抅急反 里也 …　　　　　　　　　　　　（図書寮本類聚名義抄／171-1）

　　邑 依立反 ムラ［上平］… 和オフ　　　　　　　（観智院本類聚名義抄／法中 027-2）

　　邑 依立反 ムラ … 和オフ　　　　　　　　　　（天理大学本最勝王経音義／06 オ 5）

　　邑 依立反 ムラ … 和ヲフ　　　　　　　　　　（天理大学本最勝王経音義／13 ウ 2）

　　邑 抅急反 里也 …　　　　　　　　　　（高山寺本篆隷萬象名義／第一帖 041 ウ 1）

▶番号0628a「拔」（拔頭）の仮名音注「ハ」については、異例 -a を示す。当該字には上声濁点を差すので、字音「バ」を想定する。熟字0628「拔頭」は右注「大食調」左注「ハトウ」仮名音注を付載する。促音の無表記による字音把握である。この表記実態に牽制されて、入声の字音把握をできなかったか。観智院本類聚名義抄に反切「歩八反」（黠韻 bet）と入声濁点を付した同音字注「又跋音」（末韻 bɑt）を見出すが、仮名音注はない。元和本倭名類聚抄には同音字注相当の注記「拔音如末」がある。これは当該字「拔」（月韻 biɑt・末韻 bɑt・黠韻 bet）に対して、その諧声符「末」（末韻 mɑt）による字音把握を示す。日本漢音は入声を認める。

　　拔 歩八反 又跋［入濁］音／ヌキツ　　　　　　（観智院本類聚名義抄／佛下本 050-7）

　　道調曲 … 拔頭 拔音如末 …　　　　　　　　　（元和本倭名類聚抄／巻四 16 オ 3）

▶番号5029a「急」（急速）の仮名音注「キウ」については、基本的に -iu で対応する。当該字には上声点を差す。日本語音韻史上の音変化 -ip > -iu を反映する。廣韻に拠れば、その中古音は緝韻（kiep）である。入声ではなく上声を示すことは日本語に馴化した声調把握を示す。図書寮本類聚名義抄に徳声点を付した同音字注「給」（緝韻 kiep）と反切「居立反」を見つける。観智院本には同音字注「給」を見出す。長承本蒙求には仮名音注「キフ」がある。日本漢音「キフ」徳声（四声体系では入声）を認める。

　　急 音給［徳］弘云居立［徳徳濁：圏点］反 堅也 盡也 …　　（図書寮本類聚名義抄／246-7）

　　急 音給 スミヤカナリ［平平上平□□］…　　　（観智院本類聚名義抄／法中 084-6）

　　急〔＊右下隅欠〕キフ　　　　　　　　　　　　（長承本蒙求／084）

1366 5．前田本色葉字類抄の声調別考察

急 居立反 堅也 盡也　　　　　　　　　（高山寺本篆隷萬象名義／第二帖085オ3）

5-3-3　上声（熟字後部／第二字）

　資料篇【表D-29】【表D-30】は前田本が掲げる熟字後部／第二字（番号末尾に"b"を添加）に対
して上声点を差した諸例を掲げる。以下に廣韻との一致数・不一致数を集約する。単字の場合とは
異なり、また熟字前部と比べても、相対的には不一致数が相当増えている。熟字の多くは二字構成
を基本とし、前田各篇の疊字部に属する諸例が圧倒的な数を占める。

　　　　上声（熟字後部第二字）廣韻との一致数　　　223例（上巻）約59%
　　　　上声（熟字後部第二字）廣韻との不一致数　　158例（上巻）約41%
　　　　上声（熟字後部第二字）廣韻との一致数　　　194例（下巻）約56%
　　　　上声（熟字後部第二字）廣韻との不一致数　　150例（下巻）約44%

　前田本の上声に対する不一致数は上巻で平声（118例）去声（40例）下巻で平声（123例）去声
（26例）入声（01例）を示しており、日本呉音による声調把握を含むと推測する。日本呉音におい
ては上声と去声が allotones の関係[52]にあり、上声は有標、去声は無標と考えられる。以下に不一
致諸例の一部を掲げる。

　▶番号0265b・1231b・2987b「家」（醫家・法家・髙家）の仮名音注「ケ」については、基本
的に -e で対応する。掲出諸字三例すべてに上声点を差し、呉音声調を示す。廣韻に拠れば、その
中古音は麻韻平声（ka[1]）である。熟字0265「醫家」2987「高家」の差声は［去上］◐●であるが、
これらは［去去］◐◐からの声調変化か。観智院本類聚名義抄に平声点を付した同音字注「音嘉」
と去声点を付した和音「ケ」を見出す。漢音資料を代表する長承本蒙求には仮名音注「カ」二例が
あり、それらの掲出字には東声点を加える。元和本倭名類聚抄には同音字注「音嘉」を見つける。
日本漢音「カ」東声（四声体系では平声）日本呉音「ケ」去声を認める。
　　　家 音嘉［平］イヘ［平平］／シツカナリ 和ケ［去］　　　（観智院本類聚名義抄／法下052-3）
　　　家［東］カ　　　　　　　　　　　　　　　　　　　　　　（長承本蒙求／082・084）
　　　家 弟宅附 四聲字苑云家嘉反 和名伊閇 …　　　　　　　　（元和本倭名類聚抄／巻十06オ6）
　▶番号1616b「歩」（獨歩）の仮名音注「ホ」については、基本的に -o で対応する。当該字に
は上声点と去声点を差す。廣韻に拠れば、その中古音は暮韻去声（buʌ[3]）である。熟字1616「獨
歩」は中注「トクホ」左注「オ一名得詞」を付載する。複声調を示す両声点は入声字に後接する一
音節去声字が上声化する経緯を反映したと推測する。図書寮本類聚名義抄に反切「弘云蒲故反」を

5-3　上声　1367

見出す。観智院本には反切「蒲故反」と和音「フ」を見つける。長承本蒙求には仮名音注「ホ」二例があり、これらの掲出字には去声点を加える。日本漢音「ホ」去声、日本呉音「フ」を認める。

　　＊獨歩（トクホ）　［入去］○○◐「歩」去声を保持する

　　＊獨歩（トクホ）　［入上］○○●「歩」去声が上声に変化する

　　歩 弘云蒲故反 … アユム［平平上］／異：右注］…　　　　　　　　（図書寮本類聚名義抄／133-5）

　　歩 蒲故反 アユム … カチ［平上］和フ　　　　　　　　　　　　　（観智院本類聚名義抄／法上 097-6）

　　歩［去］ホ　　　　　　　　　　　　　　　　　　　　　　　　（長承本蒙求／096・145）

　　歩射　李太尉歩射法云夫歩射以目先領其特心射之 歩射和名加知由美 …

　　　　　　　　　　　　　　　　　　　　　　　　　　　　　　（元和本倭名類聚抄／巻四01 ウ4）

　▶番号3440b「剛」（金剛砂）の仮名音注「カウ［上濁上］」については、基本的に -aū で対応する。当該字には上声点を差す。その仮名音注には濁音を含む高平調の差声を施すので、字音「ガウ」上声を想定する。廣韻に拠れば、その中古音は唐韻平声（kɑŋ˥）である。観智院本類聚名義抄に同音字注「音罡」と和音「我ウ」（その右傍に墨筆で喉内撥音韻尾「✓」表記）を見出す。同書の仮名音注において「我」を使う「我イ・我ウ・我ク・我チ・我フ・我ム・我ン」は濁音表記を示す意図がある。さらに同書で「罡」を再検索すると、反切「古郎反」を見つける。その反切上字「古」は見母 k- を示すから、字音「カウ」を期待する。篆隷万象名義・新撰字鏡には反切「居郎反」があり、その反切上字は見母である。日本呉音「ガウ」を認めるが、その中古音からは許容できない。現行多くの漢和辞典は慣用音「ガウ」とする。意味の類似する「強」（陽韻群母 giɑŋ˥）による類推の字音か、定かならず。熟字3440「金剛砂」は［去上上］を差声する。おそらくは熟字後部／第二字の上昇調である去声が高平調である上声に変化したと推測する。仮名音注に施した「コムカウサ［平上上濁上口］」の差声にも反映している。

　　剛 … 音罡 コハシ［平平平］… 和我ウ［□✓：墨右傍］　　　（観智院本類聚名義抄／僧上 094-3）

　　岡 古郎反 ヲカ　罡 或岡 正［：右注］　　崗 俗通　　　　　（観智院本類聚名義抄／法上 109-8）

　　剛 居郎反 堅強也　　　　　　　　　　　　　　　（高山寺本篆隷萬象名義／第五帖043 オ6）

　　剛 居郎反 堅也強也　　　　　　　　　　　　　　　　　　（天治本新撰字鏡／巻十一16 オ3）

　▶番号6732b「言」（誓言）の仮名音注「コム」については、異例 -om を示す。当該字には上声濁点を差すので、字音「ゴム」を想定する。舌内撥音韻尾 -n を「ム」で対応する。廣韻に拠れば、その中古音は元韻平声（ŋiɑn˥）である。熟字0265「誓言」の差声は［去上］◐●であるが、これらは［去去］◐◐からの声調変化か。図書寮本類聚名義抄に反切「魚鞬反」を見出す。観智院本類聚名義抄に反切「魚鞬反」および上昇調と推測する和音「後ン」を見つける。長承本蒙求には仮名音注「ケ〻」があり、その掲出字に平声点を加える。承暦本金光明最勝王経音義には「五✓」があり、その掲出字に去声点を加える。日本漢音「ゲン」平声、日本呉音「ゴン」去声を認める。

　　＊誓　セイ［去］祭韻（ʑiɑi˥）日本漢音

1368　5．前田本色葉字類抄の声調別考察

＊言　コン［上濁］元韻（ŋianˡ）日本呉音

言 弘云魚鞬反 … コトハ［平平平濁／詩：右注］…　　　　　　（図書寮本類聚名義抄／070-1）

言 魚鞬反 … イフ［上平］… 和後ン［囗上：墨点］　　　　　　（観智院本類聚名義抄／法上047-4）

言［平］ケヽ　　　　　　　　　　　　　　　　　　　　　　（長承本蒙求／045）

言［去］五✓　　　　　　　　　　　　（承暦本金光明最勝王経音義／02ウ2）

▶番号3818b・3819b「稚」（幼稚・嬰稚）の仮名音注「チ」については、基本的に -i で対応する。両当該字には上声点と去声点を差す。廣韻に拠れば、その中古音は至韻去声（ḍiei³）である。熟字3818「幼稚」は声調［去去・去上］二様を示す。これは［去去］●●→［去上］●● のような熟字後部の声調変化による複声点と解する。観智院本類聚名義抄に去声点を付した同音字注「音緻」（至韻 ḍiei³）および「和同」を見出す。長承本蒙求には仮名音注「チ」二例があり、それぞれの掲出字に去声点と平声点を加える。その中古音から見て、平声点には疑義が残る。あるいは呉音系声調の混入か。日本漢音「チ」去声を認める。また日本呉音「チ」の可能性を指摘しておく。

稚 音緻［去］イトキナシ ヲサナシ［平平囗囗］… 和同　　　（観智院本類聚名義抄／法下017-1）

稚［去］チ　　　　　　　　　　　　　　　　　　　　　　　（長承本蒙求／009）

稚［平］チ　　　　　　　　　　　　　　　　　　　　　　　（長承本蒙求／130）

その他、下巻に入声（01例）を示す異例がある。当該例を以下に掲げる。

▶番号5052b「急」（救急）の仮名音注「キ」については、異例 -i を示す。当該字には上声点を差す。熟字5052「救急」は左注「キウキ」を付載するが、これは「キウキウ」の誤認か。廣韻に拠れば、当該字「急」の中古音は緝韻（kiep）である。日本語の音変化 -ip > -iu を反映して、徳声（あるいは入声）ではなく上声を示すことは日本語に馴化した声調把握を示す。図書寮本類聚名義抄に徳声点を付した同音字注「給」（緝韻 kiep）と反切「弘云居立反」（その反切下字に徳声圏点〔＊濁点か不審〕）を見つける。観智院本には同音字注「給」を見出す。長承本蒙求には仮名音注「キフ」がある。日本漢音「キフ」徳声（四声体系では入声）を認める。

急 音給［徳］弘云居立［平徳濁？：圏点］反 堅也 盡也 …　　（図書寮本類聚名義抄／246-7）

急 音給 スミヤカナリ［平平上平囗囗］…　　　　　　　　　（観智院本類聚名義抄／法中084-6）

急〔＊右下隅欠〕キフ　　　　　　　　　　　　　　　　　　（長承本蒙求／084）

急 居立反 堅也 盡也　　　　　　　　　（高山寺本篆隷萬象名義／第二帖085オ3）

5-3-4　上声（熟字後部／第三字）

資料篇【表D-29】【表D-30】は前田本が掲げる熟字後部／第三字（番号末尾に“c”を添加）に対

5-3　上声　1369

して上声点を差した諸例を掲げる。以下に廣韻との一致数・不一致数を集約する。熟字の多くは二字構成を基本とするが、三字・四字（長畳字として分類する場合がある）も僅かながら存在する。

上声（熟字後部第三字）廣韻との一致数　　　　該当例なし
上声（熟字後部第三字）廣韻との不一致数　　　該当例なし
上声（熟字後部第三字）廣韻との一致数　　　　06例（下巻）約43%
上声（熟字後部第三字）廣韻との不一致数　　　08例（下巻）約57%

　前田本の上声に対する不一致数は下巻で平声（07例）去声（01例）を示しており、日本呉音による声調把握を含むと推測する。日本呉音においては上声と去声が allotones の関係[52]にあり、上声は有標、去声は無標と考えられる。以下に不一致諸例の一部を掲げる。

　▶番号3409c「詩」（古詠詩）の仮名音注「シ」については、基本的に -i で対応する。当該字には上声濁点を差すので、日本語音韻史上の連濁による字音「ジ」を想定する。廣韻に拠れば、その中古音は之韻平声（śiei'）である。熟字3409「古詠詩」は右注「同（壹越調）」左注「コキヤウシ」を付載する。図書寮本類聚名義抄に篆隷万象名義を出典とする反切「弘云舒之反」（その反切下字に平声点）を見出す。観智院本には反切「舒之反」（その反切下字に平声点）を見つける。長承本蒙求には仮名音注「シ」があり、その掲出字を含む二例に東声点を加える。日本漢音「シ」東声（四声体系では平声）を認める。雅楽の曲名は日本呉音など早い段階における字音享受を反映する。熟字3409「古詠詩」に対する差声は［平去上濁］○○●であるが、これらは［平去去］○◑◑からの声調変化と推測する。

　　　　詩 弘云舒之 [□平] 反/極也 … ウタ [上平/切：右注]　　　　（図書寮本類聚名義抄／091-3）
　　　　詩 舒之 [□平] 反 ウタフ … ウク [平平]　　　　（観智院本類聚名義抄／法上 061-7）
　　　　詩 舒之反 極也　　　　（高山寺本篆隷萬象名義／第三 008 ウ 1）
　　　　詩 [東] シ　　　　（長承本蒙求／136）
　　　　詩 [東]　　　　（長承本蒙求／005）
　　　　壹越調曲　皇帝破陣樂 大曲 … 古詠詩　　　　（元和本倭名類聚抄／巻四 14 ウ 3）

　▶番号5379c「囀」（春鶯囀）の仮名音注「テン」については、基本的に -en で対応する。当該字には上声濁点を差すので、日本語音韻史上の連濁による字音「デン」を想定する。廣韻に拠れば、その中古音は線韻去声（ʈiuan³）である。熟字5379「春鶯囀」は右注「同（壹越調）」を付載する。熟字としての声調把握において、本来の「平平去○○◑」から「平平上○○●」と変化したか。観智院本類聚名義抄に同音字注「音傳」を見出すが、仮名音注はない。元和本倭名類聚抄には同音字注「音轉」がある。

1370　5．前田本色葉字類抄の声調別考察

嚩 音傳 サヘツル 疾／カマヒスシ ヒ丶ラク　　　　　　　　（観智院本類聚名義抄／佛中 051-7）

壹越調曲 … 團乱施 大曲 春鶯嚩 大曲 …　　　　　　　（元和本倭名類聚抄／巻四 14 オ 3）

5-4　去声

　前田本が掲げる単字および熟字に去声点を差した諸例は以下の資料篇に集約する。なお、廣韻と一致しない諸例には網掛けをし、一致する諸例の後に配置する。

　　　【表D-07】去声（単字）上巻

　　　【表D-08】去声（単字）下巻

　　　【表D-19】去声（熟字前部）上巻

　　　【表D-20】去声（熟字前部）下巻

　　　【表D-31】去声（熟字後部）上巻

　　　【表D-32】去声（熟字後部）下巻

5-4-1　去声（単字）

　資料篇【表D-07】【表D-08】は前田本が掲げる単字に対して去声点を差した諸例を掲げる。以下に廣韻との一致数・不一致数を集約する。廣韻に代表される切韻系韻書との一致が相当に高いと認める。韻書そのものを参照し引用したとすれば、思いがけない誤認を除いて、ほぼ完全に一致することを期待する。実際には、ごく僅かながら、不一致の諸例が存在する。これら不一致の実態を含む何らかの先行文献があり、それを前田本が参看して差声したと推測する。それを今は特定できないが、候補となる文献として類聚名義抄と倭名類聚抄を指摘しておく。個々の実態は「3．仮名音注の韻母別考察における諸例」の分析で知ることができよう。

　　　去声（単字）廣韻との一致数　　　78例（上巻）約80%

　　　去声（単字）廣韻との不一致数　　19例（上巻）約20%

　　　去声（単字）廣韻との一致数　　　63例（下巻）約82%

　　　去声（単字）廣韻との不一致数　　14例（下巻）約18%

　前田本の去声に対する不一致数は上巻で平声（12例）上声（07例）下巻で平声（07例）上声（06例）入声（01例）を示しており、日本呉音による声調把握を含むと推測する。日本呉音においては上声と去声が allotones の関係[52]にあり、上声は有標、去声は無標と考えられる。不一致諸例の一

部を掲げる。

▶番号 0083「嘷」の仮名音注「カウ」については、基本的に -au で対応する。当該字には去声
濁点を差すので、字音「ガウ」を想定する。また右注「イカム」左注「犬嘷也」を付載する。廣韻
に拠れば、その中古音は豪韻平声（ɣɑu¹）である。頭子音 ɣ-（等韻学の術語で言う喉音濁匣母）は
有声軟口蓋摩擦音であり、ガ行音をもって受容するが、中国語音韻史上に現れる濁音声母の無声化
を反映した場合はカ行音となる。観智院本類聚名義抄に反切「胡刀反」と上昇調を示す和音「カフ」
（日本語の音変化 -ap > -au を背景にした字音把握で「カウ」の誤認と推測する）を見出す。日本
呉音「カウ」去声を認める。

　　嘷 胡刀反 ホユ／イカム 和カフ［平上］　　　　　　　（観智院本類聚名義抄／佛中 052-3）

▶番号 1527「斗」（斗）の仮名音注「トウ」については、基本的に -ou で対応する。当該字に
は去声点を差し、右注 1527「トウ」中注 1528「ト俗」左注「又作㪷」を付載する。廣韻に拠れば、
その中古音は豪韻上声（tɑu²）である。観智院本類聚名義抄に反切「丁口反」と去声点を付した仮名
音注「俗音ト」を見出す。長承本蒙求には仮名音注「ト・トウ」があり、掲出字それぞれに上声点
を加える。日本漢音「ト・トウ」上声、定着久しい字音「ト」去声を認める。

　　斗 丁口反 俗音ト［去］十舛器斗十舛／アト フス　　　（観智院本類聚名義抄／法下 140-8）

　　斗［上］ト　　　　　　　　　　　　　　　　　　　　　　　　（長承本蒙求／054）

　　斗［上］トウ　　　　　　　　　　　　　　　　　　　　　　　（長承本蒙求／096）

▶番号 1528「斗」（斗）の仮名音注「ト」については、基本的に -o で対応する。当該字には去
声点を差し、右注 1527「トウ」中注 1528「ト俗」左注「又作㪷」を付載する。上述の分析を参照。

▶番号 5415・5416「箏」（箏）の仮名音注「シヤウ」については、基本的に -jaü で対応する。
当該字には去声点を差し、右注 5415「シヤウ俗 六律」中注 5416「シヤウノコト」左注「俎〔＊←
畑〕耕反 樂器也」を付載する。廣韻に拠れば、その中古音は耕韻平声（tʂɐŋ¹）である。観智院本類
聚名義抄に平声点を付した同音字注「争」（耕韻 tʂɐŋ¹）と仮名音注「シヤウ［平平平］」を見出す。
単字「箏」の日本呉音は去声相当の上昇調「シヤウ［平平上］○○●」と推測するが、助詞「ノ」
が介在することで低平調「シヤウノコト［平平平上平上］○○○●○●」と変化した可能性を指摘
できる。元和本倭名類聚抄には反切「俎耕反」と「俗云象乃古止」（象：zɪɑŋ² 養韻）がある。日本
漢音は平声を認める。また定着久しい字音「シヤウ」去声の蓋然性が高い。

　　箏 音争［平］シヤウ／ノコト［平平平上平上］タカムナ　　（観智院本類聚名義抄／僧上 079-1）

　　箏 柱附 風俗通云神農造箏 俎耕反俗云象乃古止 …　　　（元和本倭名類聚抄／巻四 11 オ 1）

▶番号 4319「飽」（飽）の仮名音注「ハウ」については、基本的に -au で対応する。当該字に
は去声点を差し、右注「アク［平上］」中注「愽巧反」左注「食多也」を付載する。廣韻に拠れば、
その中古音は巧韻上声（pau²）である。頭子音 p-（等韻学の術語で言う唇音清幇母）は無声無気両

唇閉鎖音であり、日本語のハ行音をもって受容する。バ行音による対応は許容しがたい。観智院本類聚名義抄に反切「補狡反」と上昇調を示す和音「ハウ」を見出す。和音「ハウ」を二回繰り返すが、これらは濁音を含む「バウ」と濁音を含まない「ハウ」を示す。承暦本金光明最勝王経音義には仮名音注「ハウ」がある。日本呉音「ハウ」去声を認める。日本呉音「バウ」去声は保留する。

飽 補狡反 アク［平上］… 和ハウ［平濁上］ハウ［平上］　(観智院本類聚名義抄／僧上112-8)

飽 ハウ［：右傍］〔*後筆墨書〕　(承暦本金光明最勝王経音義／10オ1)

その他、下巻に入声（01例）を示す異例がある。当該例を以下に掲げる。

▶番号6829「酢」（酢）の仮名音注「ソ」については、異例 *-o* を示す。当該字には去声点を差し、右注「倉故反」左注「又作醋」右傍「ソ」を付載する。洲篇飲食部に属すが、注記「ス」はない。廣韻に拠れば、当該字「酢」は鐸韻入声（dzɑk）であるが、異体字「醋」は清母暮韻去声（tsʻuʌ³）である。観智院本類聚名義抄に反切「倉故反」（その反切下字に去声点を付載）と入声点を付した同音字注「昨」および和音「ソ」を見出す。元和本倭名類聚抄には反切「倉故反」と和名「須」がある。天治本新撰字鏡には反切「七故反去」を見つける。高山寺本篆隷萬象名義には反切「且故反」がある。日本漢音は去/入声、日本呉音「ソ」を認める。

昨 昨日隔一宵 … 在各切二十 酢 酬酢 …　(宋本廣韻／従母鐸韻入声 dzɑk)

厝 置也 倉故切五 … 醋 醬醋說文作酢 …　(宋本廣韻／清母暮韻去声 tsʻuʌ³)

醋酢 倉故［□去］反／ス … 又昨［入］今二正 … スシ［平平］和ソ

(観智院本類聚名義抄／僧下060-1)

酢漿　本草云酢漿草 和名加太波美　(元和本倭名類聚抄／巻二十13オ1)

酢　本草云酢酒味酸溫無毒 酢音倉故反字亦作醋和名須 …　(元和本倭名類聚抄／巻十六21ウ4)

醋 徐各反 報也酢也酸也加良之又須之 酢 上同 七故反去 …　(天治本新撰字鏡／巻四24オ3)

酢 且故反 上文　(高山寺本篆隷萬象名義／第六帖186オ4)

5-4-2　去声（熟字前部／第一字）

資料篇【表D-19】【表D-20】は前田本が掲げる熟字前部／第一字（番号末尾に“a”を添加）に対して去声点を差した諸例を掲げる。以下に廣韻との一致数・不一致数を集約する。単字の場合とは異なり、不一致数が四割以上である。熟字の多くは二字構成を基本とし、前田本各篇の疊字部に属する諸例が圧倒的な数を占める。

去声（熟字前部／第一字）廣韻との一致数　　241例（上巻）約57％

去声（熟字前部／第一字）廣韻との不一致数　　181例（上巻）約43%

　　　去声（熟字前部／第一字）廣韻との一致数　　268例（下巻）約58%

　　　去声（熟字前部／第一字）廣韻との不一致数　　193例（下巻）約42%

　前田本の去声に対する不一致数は上巻で平声（141例）上声（37例）入声（03例）下巻で平声（145例）上声（46例）入声（02例）を示しており、日本呉音による声調把握を含むと推測する。日本呉音においては上声と去声が allotones の関係[52]にあり、上声は有標、去声は無標と考えられる。不一致諸例の一部を掲げる。

▶番号 0935a・0950a・0952a・0954a・0991a・1004a・1006a・1595b・1904b・1938b・3032b「人」（人烝・人魚・人民・人中・人定・人軆・人間・土人・株人・注人・降人）の仮名音注「ニン」については、基本的に -in で対応する。当該諸字十一例には去声点を差す。これらは日本呉音による声調把握と推測する。廣韻に拠れば、当該字「人」の中古音は眞韻平声（nien¹）である。熟字0935「人烝」は右注「ニンシン俗」左注「俗乍烝藥名」を、熟字0952「人民」は左注「或說云オホムタカラ」を、熟字0991「人定」は左注「死時也」を、熟字1904「株人」は右傍「ナカント」を付載する。観智院本類聚名義抄に平声濁点を付した同音字注「音仁」（その右注に墨筆で仮名音注「ニン」）を見出す。同書の凡例部分「朱音者正音也墨声者和音也」（篇目 7-6）に従えば、朱墨で正音と和音を分別する傾向がある。長承本蒙求には仮名音注「シ丶」があり、その掲出字に平声点を加える。日本漢音「ジン」平声、日本呉音「ニン」を認める。

　　人 音仁 [平濁／ニン：墨右注] ヒト [上平] ワレ [平平] …　　　　（観智院本類聚名義抄／佛上 001-3）

　　人 [平] シ丶　　　　　　　　　　　　　　　　　　　　　　　　（長承本蒙求／114）

▶番号 0843a「飽」（飽滿）の仮名音注「ハウ」については、基本的に -au で対応する。当該字には去声濁点を差すので、字音「バウ」を想定する。廣韻に拠れば、その中古音は巧韻上声（pau²）である。頭子音 p-（等韻学の術語で言う脣音清幇母）は無声無気両脣閉鎖音であり、日本語のハ行音をもって受容する。バ行音による対応は許容しがたい。あるいは熟字「膨滿」（膨：並母庚韻 baŋ¹）との混同による字音把握か。観智院本類聚名義抄に反切「補狡反」と上昇調を示す和音「ハウ」を見出す。和音「ハウ」を二回繰り返すが、これらは濁音を含む「バウ」と濁音を含まない「ハウ」を示す。承暦本金光明最勝王経音義には仮名音注「ハウ」がある。日本呉音「ハウ」去声を認める。日本呉音「バウ」去声は保留する。

　　飽 補狡反 アク [平上] … 和ハウ [平濁上] ハウ [平上]　　　　（観智院本類聚名義抄／僧上 112-8）

　　飽 補狡反 アク [平上] … 和ハウ [□平] ハウ　　　　（鎮国守国神社本三寶類聚名義抄／下一 35 オ7）

　　飽 補狡反／アク … 和ハウ [平濁去]　　　　（天理大学本最勝王経音義本類聚名義抄／14 オ1）

　　飽 ハウ [：右傍] 〔＊後筆墨書]　　　　（承暦本金光明最勝王経音義／10 オ1）

1374　5．前田本色葉字類抄の声調別考察

▶番号3311a・3341a・3439a・3572a・3603a・6151a「金」（金堂・金漆樹・金漆・金青・金乘・金皷）の仮名音注「コム」については、基本的に -om で対応する。当該諸字六例には去声点を差す。廣韻に拠れば、その中古音は侵韻平声（kiem¹）である。熟字3341「金漆樹」は右注「コシアフラノキ」左注「コムシツ俗」を、熟字3572「金青」は右注「コムシヤウ俗」を、熟字6151「金皷」は右注「ヒラカネ」を付載する。観智院本類聚名義抄に平声朱点と去声墨点を付した同音字注「音今」（その右傍に朱筆で仮名音注「キム」左傍に墨筆で仮名音注「コム」）を見出す。同書の凡例部分「朱音者正音也墨声者和音也」（篇目 7-6）に従えば、朱墨で正音と和音を分別する傾向がある。長承本蒙求には仮名音注「キム」二例があり、それらを含む掲出字三例に東声点を加える。日本漢音「キム」東声（四声体系では平声）日本呉音「コム」去声を認める。

　　　金 … 音今［平：朱点／去：墨点／キム：朱右傍／コム：墨左傍］カネ［上上］…

　　　　　　　　　　　　　　　　　　　　　　　　　（観智院本類聚名義抄／僧上113-6）

　　　金 … 音今［平：朱点／キム：墨右注／コム：墨左注］カネ［上上］…

　　　　　　　　　　　　　　　　　（鎮国守国神社本三實類聚名義抄／下一36 オ1）

　　　金［東］キム　　　　　　　　　　　　　　　　　（長承本蒙求／024・139）

　　　金［東］キム［＊長承三年点と同時期の別筆］　　　　　　　　（長承本蒙求／061）

　　　金［東］　　　　　　　　　　　　　　　　　（長承本蒙求／059・060・102）

　　　金漆　開元式云臺州有金漆樹 金漆和名古之阿布良　（元和本倭名類聚抄／巻十五14 ウ3）

　　　金青　本草稽疑云金青者空青之最上也　　　　（元和本倭名類聚抄／巻十三12 オ3）

　　　金皷　最勝經云妙幢菩薩於夢中見大金皷 和名比良加禰　（元和本倭名類聚抄／巻十三03 ウ5）

▶番号3443a「五」（五鈷）の仮名音注「コ［上］」については、基本的に -o で対応する。当該字には去声濁点を差すので、字音「ゴ」を想定する。一方で、その仮名音注に上声点を加える。廣韻に拠れば、その中古音は姥韻上声（ŋuʌ²）である。観智院本類聚名義抄に同音字注「音午」を見出す。長承本蒙求には仮名音注「コ」二例があり、これらを含む掲出諸字六例には上声点（上声加濁点が二例）を加える。日本漢音「ゴ」上声を認める。

　　　五 音午 イッ、［平平平］／トモ　　　　　　　（観智院本類聚名義抄／佛上074-2）

　　　五［上］　　　　　　　　　　　　　　　　　（長承本蒙求／049・062）

　　　五［上／上：加濁］　　　　　　　　　　　　　（長承本蒙求／072・117）

　　　五［上］コ　　　　　　　　　　　　　　　　　（長承本蒙求／100・145）

　その他、上巻に入声（03例）下巻に入声（02例）を示す異例がある。当該諸例を以下に掲げる。

▶番号0765a「末」（末仕）の仮名音注「ハ」については、異例 -a を示す。当該字には去声濁点を差すので、字音「バ」を想定する。熟字0765「末仕」は右注「ハシ」仮名音注を掲げるので、

三拍二音節語である促音の無表記「バ（ツ）シ」であると推測する。ただし、上昇調である去声濁点を差すので、二拍二音節語「バシ」［去濁平＝◑○］とも考え得る。観智院本類聚名義抄に反切「莫曷反」と和音「マチ」を見出す。傍証ながら、同書では「沫」に入声濁点を付した同音字注「末」があり、その右注「ハチ」左注「マチ」を付載する。日本呉音「マチ」を認める。

　　　末　莫曷反 スヱ［上上］和マチ ノチ［平平］… エタ　　　　（観智院本類聚名義抄／佛下 113-6）

　　　沫　音末［入濁／ハチ：右注・マチ：左注］…　　　　　　　　（観智院本類聚名義抄／法上 008-1）

　▶番号1755a「直」（直火鳳）に仮名音注はないが、去声点を差し、右注「平調」付載する。元和本倭名類聚抄には平調曲として「直大鳳」があり、続いて「連珠火鳳」を掲げる。熟字1755「直火鳳」は両者の混淆による誤認か。その字音「チョククワホウ」を想定するが、促音化して「チョックワホウ」と把握し、入声ではなく去声と声調把握した可能性がある。廣韻に拠れば、当該字「直」の中古音は職韻入声（diek）である。観智院本類聚名義抄に反切「除力反」および和音「地キ」（地：至韻 diei³）を見出す。高山寺本三寶類字集には反切「除力反」（その反切下字に入声点）および又音「地キ」を見つける。長承本蒙求には仮名音注「チョク」三例があり、それらの掲出字に入声点を加える。日本漢音「チョク」入声、日本呉音「ヂキ」を認める。

　　　直　除力反 … タ、 … 和地キ　　　　　　　　　　　　　　（観智院本類聚名義抄／佛上 084-5）

　　　直　除力［□入］反 … タ、［平平濁］… 又音地キ　　　　　（高山寺本三寶類字集／上 045-5）

　　　除　ノソク［平平濁上］… 音儲［平］和地ヨ［平濁上：墨点］　（観智院本類聚名義抄／法中 044-3）

　　　地　題利反 坤也／トコロ［上上□］… 和地［平］…　　　　（観智院本類聚名義抄／法中 048-2）

　　　直［入］チョク　　　　　　　　　　　　　　　　　　　　（長承本蒙求／045・047・121）

　　　平調曲　相夫憐 … 直大鳳 連珠火鳳 …　　　　　　　　　（元和本倭名類聚抄／巻四 15 ウ 5）

　▶番号2475a「酢」（酢漿）の仮名音注「ソ」については、異例 -o を示す。当該字には去声点を差す。熟字2475「酢漿」は右注「カタハミ」左注「又酢草」を付載する。「5-4-1　去声（単字）」で前掲した番号6829「酢」を参照。同様の分析ができる。

　▶番号4020a「糴」（糴糶［去入］）の仮名音注「テキ」については、基本的に -ek で対応する。当該字には去声点を差すが、近似した両熟字形であるがゆえ、熟字前部後部それぞれの声点を誤って逆に差す。当該字は入声を期待する。熟字4020「糴糶」は中注「入出穀也」を付載する。観智院本類聚名義抄に反切「徒歴反」と同音字注「笛」を見出すが、仮名音注はない。

　　　糶　徒歴反 買米／フカシ［平平□］正糴 ヒサク［上上平濁］　（観智院本類聚名義抄／法下 033-1）

　　　糴糶　笛／カフ　　　　　　　　　　　　　　　　　　　　（観智院本類聚名義抄／僧下 109-7）

　▶番号5386a「拾」（拾翠樂）に仮名音注はなく、去声点を差す。また右注「水調」を付載する。日本語音韻史上の音変化 -ip > -iu を反映する字音把握「ジウ」の意識があり、入声ではなく、去声を差したと推測する。日本漢音は入声を認める。

　　　拾　音十［入］ヒロフ［上上□］…　　　　　　　　　　　（観智院本類聚名義抄／佛下本 052-6）

水調曲　拾翠樂 律歌有伊勢海曲是 …　　　　　　　　　　（元和本倭名類聚抄／巻四16ウ8）

5-4-3　去声（熟字後部／第二字）

　資料篇【表D-31】【表D-32】は前田本が掲げる熟字後部／第二字（番号末尾に"b"を添加）に対して去声点を差した諸例を掲げる。以下に廣韻との一致数・不一致数を集約する。熟字前部／第一字ほどではないが、不一致数が二割以上である。熟字の多くは二字構成を基本とし、前田本各篇の疊字部に属する諸例が圧倒的な数を占める。

　　　　　去声（熟字後部／第二字）廣韻との一致数　　　176例（上巻）約74%
　　　　　去声（熟字後部／第二字）廣韻との不一致数　　062例（上巻）約26%
　　　　　去声（熟字後部／第二字）廣韻との一致数　　　196例（下巻）約77%
　　　　　去声（熟字後部／第二字）廣韻との不一致数　　058例（下巻）約23%

　前田本の去声に対する不一致数は上巻で平声（36例）上声（24例）入声（02例）下巻で平声（28例）上声（29例）入声（01例）を示しており、日本呉音による声調把握を含むと推測する。日本呉音においては上声と去声が allotones の関係[52]にあり、上声は有標、去声は無標と考えられる。また、日本漢音における上声濁声母（上声之重）の去声化が目立つ。以下に不一致諸例の一部を掲げる。

　▶番号0327b・1162b「文」（隠文・法文）の仮名音注「モン」については、基本的に -on で対応する。両当該字には去声点を差す。日本呉音による声調把握である。廣韻に拠れば、その中古音は文韻平声（miuʌn¹）である。観智院本類聚名義抄に同音字注「音聞」（その右注に墨筆で「モム」）を見出す。長承本蒙求には仮名音注「フ√」二例「フゝ」三例があり、それらの掲出字を含む八例に平声点を加える。承暦本金光明最勝王経音義には仮名音注「モゝ」があり、その掲出字に去声点を加える。日本漢音「フン」平声、日本呉音「モン」去声を認める。

　　　　文 … 音聞［モム：墨右注］ヒカリ カサル …　　　　　（観智院本類聚名義抄／僧中061-7）
　　　　文［平］フ√　　　　　　　　　　　　　　　　　　　　　（長承本蒙求／028・130）
　　　　文［平］フゝ　　　　　　　　　　　　　　　　　　　　　（長承本蒙求／072・091・124）
　　　　文［平］　　　　　　　　　　　　　　　　　　　　　　　（長承本蒙求／051・069・070）
　　　　文［去］モゝ　　　　　　　　　　　（承暦本金光明最勝王経音義／02字3）

　▶番号1903b「杖」（答杖）の仮名音注「チヤウ」については、基本的に -jaū で対応する。当該字には去声濁点を差すので、字音「ヂヤウ」を想定する。廣韻に拠れば、その中古音は養韻上声

（diɑŋ²）である。熟字1903「笞杖」は右傍「シモト ツヱ」を付載する。観智院本類聚名義抄に上声点を付した同音字注「音扶」を見出すが、仮名音注はない。長承本蒙求には同音字注「丈」があり、その掲出字に去声点を加える。元和本倭名類聚抄には同音字注「音扶」と反切「直兩反上声之重」を見つける。当該字の頭子音 ḍ-（等韻学の術語で言う澄母）が濁声母であり、上声之重に相当することを言う。切韻を撰述して以降の中国語において、上声濁が次第に去声化を起こした状態を、日本漢音では反映する。これは上声を構成する上声軽と上声重とが allotone であり、後者の調値が去声と区別できないことを示すとも言える。日本漢音は上/去声を認める。

杖 音扶 [上] ツヱ [上上] … モツ	（観智院本類聚名義抄／佛下本105-5）
杖 [去] 丈	（長承本蒙求／051）
杖 唐令云諸杖 音仗和名都恵 皆削去節目木爲輿也	（元和本倭名類聚抄／巻十三16 ウ9）
杖 四聲字苑云杖 直兩反上声之重和名都恵 …	（元和本倭名類聚抄／巻十四20 オ1）

▶番号0053b・1665b・1853a・1992b・2719b「杖」（眉杖・投杖・杖者・投杖・鹿杖）の仮名音注「チヤウ」については、基本的に -jau で対応する。当該諸字五例には去声点を差す。上声濁声母（上声之重）の去声化による声調把握である。熟字0053「眉杖」は右注「イタトリ」を、熟字1853「杖者」は左注「老人」を、熟字2719「鹿杖」は右注「カセツヱ」左注「上字又乍鳩」を付載する。上述の分析を参照。

▶番号5670b「心」（信心）の仮名音注「シム」については、基本的に -im で対応する。当該字には去声濁点を差すので、日本語音韻史上の連濁による字音「ジム」去声を想定する。日本呉音による声調把握である。廣韻に拠れば、その中古音は心母侵韻平声（siem¹）である。図書寮本類聚名義抄に東声点を付した同音字注「源爲憲口遊云音深」（侵/沁韻 śiem¹ᐟ³）を見出す。観智院本には平声点を付した同音字注「音深」を見つける。天理大学本最勝王経音義に同音字注「音深」および「和真」（眞韻 tśien¹）を見出す。長承本蒙求には仮名音注「シム」二例があり、それらを含む掲出字三例に東声点を加える。承暦本金光明最勝王経音義には「件〻音ムニハ異也可知之」を掲げる中に「真 [去] シ〻」を見出す。日本漢音「シム」東声（四声体系では平声）日本呉音は去声を認める。

心 源爲憲口遊云音深 [東] … コ〻ロ [平平上] …	（図書寮本類聚名義抄／236-1）
心 音深 [平] コ〻ロ [平上上] …	（観智院本類聚名義抄／法中068-7）
心 音深 コ〻ロ … 和真	（天理大学本最勝王経音義／03 ウ2）
心 [東] シム	（長承本蒙求／038・114）
心 [東]	（長承本蒙求／097）
天 [去] テ〻 … 真 [去] シ〻 神 [去濁] 事〻	（承暦本金光明最勝王経音義／02 ウ2）
件〻音ムニハ異也可知之	（承暦本金光明最勝王経音義／02 ウ4）

▶番号6532b「海」（青海波）の仮名音注「カイ」については、基本的に -ai で対応する。当該字には去声濁点を差すので、日本語音韻史上の連濁による字音「ガイ」を想定する。廣韻に拠れば、

1378　5．前田本色葉字類抄の声調別考察

その中古音は海韻上声（xʌi²）である。熟字6532「青海波」は右注「盤渉調」を付載する。観智院
本類聚名義抄に同音字注「音改」と和音「カイ」を見出す。長承本蒙求は掲出字「海」に上声点を
加える。元和本倭名類聚抄には同音字注「音改」を見つける。日本漢音は上声、日本呉音「カイ」
を認める。

　　　海 音川云改［上］和名宇美［平上］…　　　　　　　　　　（図書寮本類聚名義抄／005-4）

　　　海 音改 ウミ／和カイ　　　　　　　　　　　　　　　　（観智院本類聚名義抄／法上001-5）

　　　海［上］　　　　　　　　　　　　　　　　　　　　　　　　（長承本蒙求／069）

　　　海 四聲字苑云百川所歸也音改 和名宇三　　　　　（元和本倭名類聚抄／巻一16ウ6）

　　　盤渉調曲 … 青海波 有詠　　　　　　　　　　　（元和本倭名類聚抄／巻十六17オ4）

　その他、上巻に入声（02例）下巻に入声（01例）を示す異例がある。当該諸例を以下に掲げる。

　▶番号0250b「攝」（引攝）の仮名音注「セウ」については、基本的に -eu で対応する。当該字
には去声濁点を差すので、日本語音韻史上の連濁による字音「ゼウ」を想定する。また日本語の音
変化 -ep > -eu を反映する。この去声を示す音変化は日本語に馴化した声調把握を物語る。観智院
本類聚名義抄に反切「舒葉反」および和音「セフ」を見出す。日本呉音「セフ」を認める。

　　　攝 舒葉反 ヲサム［平?上］… 和セフ　　　　　　　（観智院本類聚名義抄／佛下本077-8）

　▶番号2056b「綍」（綸綍）の仮名音注「ハイ」については、異例 -ai を示す。当該字には去声
点を差す。廣韻に拠れば、その中古音は幇母物韻（piuʌt）である。字形の相似する「悖」（隊韻 buʌi³・
没韻 buʌt）と混同したか。熟字2056「綸綍」は右注「リムハイ」を付載する。漢字源（改訂第五
版）は字音「リンフツ」で「① 青いおびひもと、棺を引く太い綱。② 転じて、詔勅のこと」と説
明する。観智院本類聚名義抄に同音字注「音拂・又音弗」を見出すが、仮名音注はない。

　　　弗 説文橋也分勿切二十 … 綍 大素葬者引車 …　　　　（宋本廣韻／幇母物韻 piuʌt）

　　　綍 音拂 牛ノツナ … 又音弗 … 綍 俗　　　　　　　（観智院本類聚名義抄／法中120-2）

　▶番号5567b「迊」（周迊）の仮名音注「サウ」については、異例 -au を示す。当該字には去声
点を差す。日本語音韻史上の音変化 -ap > -au を反映する。入声について表記上の規範を失い、去
声により日本漢字音として馴化した姿を示す。観智院本類聚名義抄に反切「子荅反」二例（うち一
例には反切下字に入声点）と低平調と推測する和音「サフ」を見出す。日本漢音は入声、日本呉音
「サフ」入声を認める。

　　　迊 通市字／メクル［上上濁□］アマネシ　　　　　　　（観智院本類聚名義抄／佛上060-4）

　　　帀 子荅［□入］反／メクル 和サフ［□平］　　　　　　（観智院本類聚名義抄／佛上080-3）

　　　帀 子荅反 迊　　　　　　　　　　　　　　　　　　　（観智院本類聚名義抄／法中110-7）

5-4 去声　1379

5-4-4　去声（熟字後部／第三字）

資料篇【表D-31】【表D-32】は前田本が掲げる熟字後部／第三字（番号末尾に"c"を添加）に対して去声点を差した諸例を掲げる。以下に廣韻との一致数・不一致数を集約する。熟字の多くは二字構成を基本とするが、三字構成（長畳字として分類する場合がある）も僅かながら存在する。ただし、例数が少ないため、有意性のある比率とは言いがたい。

去声（熟字後部／第三字）廣韻との一致数　　03例（上巻）75%
去声（熟字後部／第三字）廣韻との不一致数　01例（上巻）25%
去声（熟字後部／第三字）廣韻との一致数　　01例（下巻）50%
去声（熟字後部／第三字）廣韻との不一致数　01例（下巻）50%

前田本の去声に対する不一致数は上巻で平声（01例）下巻で平声（01例）を示しており、日本呉音による声調把握である。以下に両例を掲げる。

▶番号0906c「香」（反魂香）の仮名音注「カウ」については、基本的に -aū で対応する。当該字には去声点を差す。日本呉音による声調把握である。廣韻に拠れば、その中古音は陽韻平声（xiɑŋ¹）である。観智院本類聚名義抄に同音字注「音卿」および和音「カウ」を見出す。長承本求には仮名音注「キヤウ」二例があり、その掲出字一例に東声点を加える。承暦本金光明最勝王経音義には喉内撥音韻尾の表記を含む仮名音注「カ✓」があり、その掲出字に去声点を加える。日本漢音「キヤウ」東声（四声体系では平声）日本呉音「カウ」去声を認める。

香　音卿 カウハシ［上上□□］／カ 在下　　　　　（観智院本類聚名義抄／法下015-2）
香　カウハシ［□□上濁□］／和カウ　　　　　　（観智院本類聚名義抄／法下027-3）
香［東］キヤウ　　　　　　　　　　　　　　　　　　　　　　（長承本蒙求／106）
香［平］〔＊他に入声点あり、存疑〕キヤウ　　　　　　（長承本蒙求／111）
香［去］カ✓　　　　　　　　　　　（承暦本金光明最勝王経音義／02 オ7）

▶番号4115c「榴」（安榗榴）の仮名音注「ロ」については、基本的に -o で対応する。当該字には去声点を差す。日本呉音による声調把握と推測する。廣韻に拠れば、その中古音は尤韻（liʌu¹）である。観智院本類聚名義抄に平声点を付した同音字注「音留」と熟字「榗榴」に対して和名「サクロ［平濁平上］」を見出す。この和名は字音に由来する。元和本倭名類聚抄に同音字注「音留」がある。日本漢音は平声、定着久しい字音「ロ」上声を認める。

榗榴　音留［平］… 和名サクロ［平濁平上］…　　（観智院本類聚名義抄／佛下本104-4）
山榴　アイツヽシ［平平平上平濁］　　　　　　　　（観智院本類聚名義抄／佛下本104-4）

1380 5．前田本色葉字類抄の声調別考察

山榴　兼名苑云山榴 和名阿伊豆々之 …　　　　　　　　　　（元和本倭名類聚抄／巻二十 26 ウ 9）

石榴　兼名苑云若榴一名安若榴 音留和名佐久呂今案若正作𣛤見四声字苑 石榴也

（元和本倭名類聚抄／巻十七 07 ウ 5）

5-4-5　去声（熟字後部／第四字）

資料篇【表D-31】【表D-32】は前田本が掲げる熟字後部／第三字（番号末尾に"d"を添加）に対して去声点を差した例を掲げるが、孤例である。以下に廣韻との一致数・不一致数を集約する。熟字の多くは二字構成を基本とするが、四字構成（長畳字として分類する場合がある）も存在する。ただし、例数が極少であるため、有意性のある比率とは言いがたい。

去声（熟字後部／第四字）廣韻との一致数　　00例（上巻）
去声（熟字後部／第四字）廣韻との不一致数　00例（上巻）
去声（熟字後部／第四字）廣韻との一致数　　01例（下巻）100%
去声（熟字後部／第四字）廣韻との不一致数　00例（下巻）

5-5　入声

前田本が掲げる単字および熟字に入声点を差した諸例は以下の資料篇に集約する。なお、廣韻と一致しない諸例には網掛けをし、一致する諸例の後に配置する。

【表D-09】入声（単字）上巻
【表D-10】入声（単字）下巻
【表D-21】入声（熟字前部）上巻
【表D-22】入声（熟字前部）下巻
【表D-33】入声（熟字後部）上巻
【表D-34】入声（熟字後部）下巻

5-5-1　入声（単字）

資料篇【表D-09】【表D-10】は前田本が掲げる単字に対して入声点を差した諸例を掲げる。以下に廣韻との一致数・不一致数を集約する。廣韻に代表される切韻系韻書との一致が極めて高いと認める。入声音は内破的閉鎖音（-k, -p, -t）を特徴に持つため、基本的に他の声調と紛れることはな

い。思いがけない誤認を除いて、ほぼ完全に一致することを期待できる。実際には、二例のみながら、不一致例が存在する。この不一致を含む何らかの先行文献があり、それを前田本が参看して差声したと推測する。今は特定できないが、候補となる文献として類聚名義抄と倭名類聚抄を指摘しておく。個々の実態は「3．仮名音注の韻母別考察における諸例」の分析で知ることができよう。

入声（単字）廣韻との一致数	83例（上巻）	100%
入声（単字）廣韻との不一致数	該当例なし	
入声（単字）廣韻との一致数	78例（下巻）	97.5%
入声（単字）廣韻との不一致数	02例（下巻）	2.5%

前田本の入声に対する不一致数は下巻で平声・去声（各01例）を示す。両例を以下に掲げる。

▶番号3761「兇」（兇）に仮名音注はなく、入声濁点を差し、右注「同（エヒス）」左注「許容反」を付載する。廣韻に拠れば、その中古音は喉音清鍾/鍾韻（xiauŋ $^{1/2}$）であるから、入声濁点による差声は許容しがたい。詳細は不明。あるいは、当該字「兇」の直前に同訓異字「狄」（定母濁錫韻入声 dek）を掲げるので、その声調と誤認を起こしたか。観智院本類聚名義抄に去声点を付した同音字注「音凶」を見出すが、仮名音注はない。また当該字は「凶」と同義に扱われる。日本漢音は去声を認める。また日本呉音「クウ」去声の蓋然性が高い。

兇 音凶［去］… アシ［平上］通凶字／オソル［平平平］　　　（観智院本類聚名義抄／佛下末 016-7）

凶 音脅 アシ［平上］… 和クウ［平上／□√］　　　（観智院本類聚名義抄／僧下 108-1）

▶番号5499「涗」（涗）の仮名音注「エツ」については、異例 -et を示す。当該字には入声点を差し、和訓「シタム」の同訓異字として位置する。廣韻に拠れば、その中古音は祭韻去声（śiuai ^{3}）であり、本来は仮名音注「セイ」を期待する。字形が近似する「悦」（薛韻 jiuat）との混同による字音把握と推測する。観智院本類聚名義抄に音注表記はない。同書で「悦」を再検索すると、徳声点を付した同音字注「音閲」と仮名音注「又音セイ」を見出す。

涗 斂也含也 … 舒芮切九 … 涗 温水又清也 …　　　（宋本廣韻／祭韻 śiuai ^{3}）

涗 キヨシ／シタム　　　（観智院本類聚名義抄／法上 010-8）

悦 音閲［徳］ヨロコフ … 又音セイ　　　（観智院本類聚名義抄／法中 099-8）

5-5-2　入声（熟字前部／第一字）

資料篇【表D-21】【表D-22】は前田本が掲げる熟字前部／第一字（番号末尾に"a"を添加）に対して入声点を差した諸例を掲げる。単字の場合と同じく、廣韻に代表される切韻系韻書との一致が

1382　5．前田本色葉字類抄の声調別考察

極めて高いと認める。入声音は内破的閉鎖音 (-k, -p, -t) を特徴に持つため、基本的に他の声調と紛れることはない。思いがけない誤認を除いて、ほぼ完全に一致することを期待できる。実際には、三例のみながら、不一致例が存在する。この不一致を含む何らかの先行文献があり、それを前田本が参看して差声したと推測する。今は特定できないが、候補となる文献として類聚名義抄と倭名類聚抄を指摘しておく。個々の実態は「3．仮名音注の韻母別考察における諸例」の分析で知ることができよう。熟字の多くは二字構成を基本とし、前田本各篇の畳字部に属する諸例が圧倒的な数を占める。

入声（熟字前部／第一字）廣韻との一致数　　286例（上巻）100%

入声（熟字前部／第一字）廣韻との不一致数　該当例なし

入声（熟字前部／第一字）廣韻との一致数　　213例（下巻）約99%

入声（熟字前部／第一字）廣韻との不一致数　003例（下巻）約01%

前田本の入声に対する不一致数は下巻で平声（02例）上声（01例）を示す。以下に掲げる。

▶番号4168a「商」（商客）に仮名音注はない。入声点を差すが、相対的に声点が小さめであり、誤差声の可能性がある。拡大して観察すると、複点の入声濁にも見える。詳細不明。

▶番号5728a「踤」（踤躝）の仮名音注「シフ」については、異例 -ip を示す。当該字には入声濁点を差す。日本語音韻史上における音変化 -ip > -iu という背景があるため、入声の認識をしたか。廣韻に拠れば、尤/有/有韻 (ńiʌiu^{1/2/3}) 三音を有する。本来は字音「ジウ」を想定する。熟字5728「踤躝」は右傍「フミニシル」を付載する。図書寮本類聚名義抄に反切「广云仁求仁柳反」（反切下字「柳」に上声点）を見出す。観智院本には反切「汝洲反」（その反切下字に平声点）「仁柳反」（その反切下字に上声点）を見つけるが、仮名音注はない。日本漢音は平/上声を認める。

踤躝 广云仁求仁柳［□上］反 … フミニシテ［平上平平濁上／異：右注］

（図書寮本類聚名義抄／法上 114-4）

踤 汝洲［□平］反 仁柳［□上］反／フム［上平］　　（観智院本類聚名義抄／法上 073-5）

▶番号5044a「朽」（朽邁）の仮名音注「キウ」については、基本的に -iu で対応する。当該字には入声点を差す。日本語音韻史上における音変化 -ip > -iu という背景があるため、入声の認識をしたか。廣韻に拠れば、その中古音は有韻上声 (xiʌiu^p) である。観智院本類聚名義抄に反切「虚柳反」および平声点を付した和音「ク」を見出す。日本呉音「ク」平声を認める。

朽 虚柳反 クチッタ … 和ク［平］　　（観智院本類聚名義抄／佛下本 109-5）

5-5　入声　1383

5-5-3　入声（熟字後部／第二字）

　資料篇【表D-33】【表D-34】は前田本が掲げる熟字後部／第二字（番号末尾に"b"を添加）に対して入声点を差した諸例を掲げる。以下に廣韻との一致数・不一致数を集約する。廣韻に代表される切韻系韻書との一致が極めて高いと認める。実際には、僅かながら、不一致の諸例が存在する。熟字の多くは二字構成を基本とし、前田本各篇の畳字部に属する諸例が圧倒的な数を占める。

　　　　　入声（熟字後部／第二字）廣韻との一致数　　　309例（上巻）100%
　　　　　入声（熟字後部／第二字）廣韻との不一致数　　該当例なし
　　　　　入声（熟字後部／第二字）廣韻との一致数　　　286例（下巻）約98%
　　　　　入声（熟字後部／第二字）廣韻との不一致数　　005例（下巻）約02%

　前田本の入声に対する不一致数は下巻において上声（02例）去声（03例）を示している。それら当該諸例を以下に掲げる。不一致の要因は諸声符による字音把握や熟字の前後錯綜による誤認に基づく。声調としての入声自体に関わる問題ではない。

　▶番号4394b「剃」（嶢剃）の仮名音注「レツ」については、異例 -et を示す。当該字には入声点を差す。廣韻に拠れば、その中古音は紙韻上声（lie²）である。諸声符「列」（薛韻 liat）による字音把握と推測する。前田本の当該字形「山+刺」を「剃」に修正した。熟字4394「嶢剃」は左右注「アヒモト／ホル」を付載する。観智院本類聚名義抄に反切「力綺反」を見出すが、仮名音注はない。
　　　剃 力綺反 剃嶐／山脊　　　　　　　　　　　　　　（観智院本類聚名義抄／法上116-3）
　▶番号6911b「吻」（唇吻）に仮名音注はなく、入声点を差す。熟字6911「唇吻」は右傍「クチヒル サカフ」を付載する。廣韻に拠れば、その中古音は吻韻（miuʌn²）である。諸声符「勿」（物韻 miuʌt）による声調把握と推測する。
　▶番号4020b「糶」（糶糶［去入］）の仮名音注「テウ」については、基本的に -eu で対応する。当該字には入声点を差すが、近似した両字形であるがゆえ、熟字前後部それぞれの声点を誤って逆に差す。廣韻に拠れば、その中古音は嘯韻去声（t'eu³）である。熟字4020「糶糶」は中注「入出穀也」を付載する。観智院本類聚名義抄に反切「他召反」二例を見出すが、仮名音注はない。
　　　粜 他召反 糶 正／俗　　　　　　　　　　　　　　　（観智院本類聚名義抄／法下033-1）
　　　粜糶 … 他召反 糶米　　　　　　　　　　　　　　　（観智院本類聚名義抄／僧下083-4）
　　　糶糶 笛／カフ　　　　　　　　　　　　　　　　　　（観智院本類聚名義抄／僧下109-7）

1384　5．前田本色葉字類抄の声調別考察

▶番号4205b「沸」（熱沸瘡）の仮名音注「フツ」については、異例 -ut を示す。当該字には入
声点を差す。廣韻に拠れば、その中古音は未韻去声（piʌi³）である。諸声符「弗」（物韻 piuʌt）に
よる類推の字音把握である。熟字4205「熱沸瘡」は右注「アセモ」を付載する。図書寮本類聚名義
抄に去声点を付した同音字注「音誹」（微/未韻 piʌi¹/³）と「又同弗」（その入声位置に仮名音注「フ
ツ」）を見出す。観智院本には同音字注「又音弗」（その右注に墨筆で仮名音注「フツ」）を見つ
ける。異体字と認識する「潰」には反切「方来反」と去声点を付した同音字注「音誹」がある。諸
声符読みによる字音「フツ」が早くから定着していたか。日本漢音は去声を認める。

沸 音誹 ［去］… 又 音同/弗 ［フツ：入声位置］…　　　　　　　　　　（図書寮本類聚名義抄／049-4）

潰 方来反/音誹 ［去］　　　　　　　　　　　　　　　　　　（観智院本類聚名義抄／法上 028-2）

沸 今 … アハ 又音弗 ［フツ：墨右注］　　　　　　　　　　　（観智院本類聚名義抄／法上 028-3）

熱沸瘡 … 新録方云治夏月熱沸瘡 和名阿世毛今案沸字宜作痱乎

　　　　　　　　　　　　　　　　　　　　　　　　　　　　　　（元和本倭名類聚抄／巻三 27 オ 3）

▶番号6346b「冨」（貧冨）に仮名音注はなく、入声点を差す。廣韻に拠れば、その中古音は宥
韻去声（piʌu³）である。入声点による差声は許容しがたい。詳細は不明。あるいは諸声符「畐」（屋
韻 biʌuk・職韻 p‘iɐk）による声調把握か。

5-5-4　入声（熟字後部／第三字）

資料篇【表D-33】【表D-34】は前田本が掲げる熟字後部／第三字（番号末尾に"c"を添加）に対
して入声点を差した諸例を掲げる。以下に廣韻との一致数・不一致数を集約する。廣韻に代表され
る切韻系韻書と完全に一致する。ただし、例数が少ないため、有意性のある比率とは言いがたい。
不一致例は上下巻ともにない。熟字の多くは二字構成を基本とするが、三字構成（長疊字として分
類する場合がある）も僅かながら存在する。

　　　　入声（熟字後部／第三字）廣韻との一致数　　　03例（上巻）100％
　　　　入声（熟字後部／第三字）廣韻との不一致数　　該当例なし
　　　　入声（熟字後部／第三字）廣韻との一致数　　　04例（下巻）100％
　　　　入声（熟字後部／第三字）廣韻との不一致数　　該当例なし

5-5-5　入声（熟字後部／第四字）

資料篇【表D-33】【表D-34】は前田本が掲げる熟字後部／第四字（番号末尾に"d"を添加）に対
して入声点を差した諸例を掲げる。以下に廣韻との一致数・不一致数を集約する。廣韻に代表され

る切韻系韻書と完全に一致する。ただし、例数が少ないため、有意性のある比率とは言いがたい。不一致例は上下巻ともにない。熟字の多くは二字構成を基本とするが、四字構成（長疊字として分類する場合がある）も僅少ながら存在する。

入声（熟字後部／第四字）廣韻との一致数　　01例（上巻）100％
入声（熟字後部／第四字）廣韻との不一致数　該当例なし
入声（熟字後部／第四字）廣韻との一致数　　02例（下巻）100％
入声（熟字後部／第四字）廣韻との不一致数　該当例なし

5-6　徳声

前田本が掲げる単字および熟字に徳声点を差した諸例は以下の資料篇に集約する。なお、廣韻と一致しない諸例には網掛けをし、一致する諸例の後に配置する。

【表D-11】徳声（単字）上巻
【表D-12】徳声（単字）下巻
【表D-23】徳声（熟字前部）上巻
【表D-24】徳声（熟字前部）下巻
【表D-35】徳声（熟字後部）上巻
【表D-36】徳声（熟字後部）下巻

5-6-1　徳声（単字）

資料篇【表D-11】【表D-12】は前田本が掲げる単字に対して徳声点を差した諸例を掲げる。以下に廣韻との一致数・不一致数を集約する。廣韻は四声体系であるため、六声体系における徳声は入声に含まれる。ただし、例数が極めて少ないため、有意性のある比率とは言いがたい。徳声による差声は徹底しておらず、恣意的な状況を示す。徳声と入声を含む何らかの先行文献があり、それを前田本が参看して差声したと推測する。今は特定できないが、候補となる文献として類聚名義抄と倭名類聚抄を指摘しておく。個々の実態は「３．仮名音注の韻母別考察における諸例」の分析で知ることができよう。

徳声（単字）廣韻では入声　　02例（上巻）100％
徳声（単字）廣韻では入声　　03例（下巻）100％

1386　5．前田本色葉字類抄の声調別考察

　頭子音（等韻学の術語で言う声母）の清濁によって、徳声（清・次清・清濁）と入声（濁）は識別する。この点から、以下に示す下巻（01例）については入声の誤認であると考える。なお、上巻（02例）は前田本の字形に関わる問題が存在する。

▶番号1461・1462「疫」（疫・疫）の仮名音注「エキ」については、基本的に -ek で対応する。当該字には徳声点を差し、右傍1461「エキ」右注1462「ヤク俗」中注「トキノケ」左注「又エヤミ」を付載する。廣韻に拠れば、当該字「疫」は喉音清濁昔韻（jiuek）である。頭子音（声母）の清濁によって、徳声（清・次清・清濁）と入声（濁）は識別するので、当該字「疫」は徳声である。ただし、前田本が示す当該字「疫」の字形を見ると、最終第九画の右下払いが多少長いため、入声の差声位置に制限がかかる状態とも考えられる。前田本の下巻に掲げる番号3767「疫」は明らかに入声点を差す。観智院本類聚名義抄に反切「又以睡反」と入声点を付した同音字注「音役」および和音「ヤク・キヤク」を見出す。元和本倭名類聚抄には同音字注「音役」がある。日本漢音は入声、日本呉音「ヤク・キヤク」を認める。

　　疫 … 又以睡反／音役［入］エヤミ［平平平］一云トキノケ［平平平平］／和ヤク キヤク
　　　　　　　　　　　　　　　　　　　　　　（観智院本類聚名義抄／法下 116-6）
　　疫　説文云疫 音役衣夜美一云度岐乃介 民皆病也　　　（元和本倭名類聚抄／巻三 23 オ 7）

▶番号4854「秫」（秫）の仮名音注「シキツ」については、基本的に -wit で対応する。当該字には徳声点を差すが、疑義が残る。入声点の差声位置に適正な余白がないと判断できる。また右注「キヒノモチ」を付載する。廣韻に拠れば、当該字「秫」は歯音濁船母術韻（dʑiuet）である。頭子音（声母）の清濁によって、徳声（清・次清・清濁）と入声（濁）は識別するので、当該字「秫」は入声を期待する。観智院本類聚名義抄に同音字注「音述」を見出すが、仮名音注はない。傍証ながら、同書で「述」を再検索すると、入声点を付した同音字注「術」を見つける。元和本倭名類聚抄には同音字注「音述」がある。

　　禾+朮 音述 秫 俗 キヒノモチ［囗上濁平上上］…　　（観智院本類聚名義抄／法下 013-7）
　　述 音術［入］ノフ［平上濁］… キハム［平平上］　　（観智院本類聚名義抄／法下 013-7）
　　秫　爾雅注云秫 音述 黏粟也本草云稷米一名秫 稷音子力反和名木美乃毛智 …
　　　　　　　　　　　　　　　　　　　　　　（元和本倭名類聚抄／巻十七 05 オ 3）

5-6-2　徳声（熟字前部／第一字）

　資料篇【表D-23】【表D-24】は前田本が掲げる熟字前部／第一字（番号末尾に"a"を添加）に対して徳声点を差した諸例を掲げる。以下に廣韻との一致数・不一致数を集約する。廣韻は四声体系

であるため、六声体系における徳声は入声に含まれる。不一致例はない。ただし、例数が相対的に少ないため、有意性のある比率とは言いがたい。徳声による差声は徹底しておらず、恣意的な状況を示す。徳声と入声を含む何らかの先行文献があり、それを前田本が参看して差声したと推測する。今は特定できないが、候補となる文献として類聚名義抄と倭名類聚抄を指摘しておく。個々の実態は「3．仮名音注の韻母別考察における諸例」の分析で知ることができよう。

<blockquote>
徳声（熟字前部／第一字）廣韻では入声　　　01例（上巻）100%
徳声（熟字前部／第一字）廣韻では入声　　　07例（下巻）100%
</blockquote>

5-6-3　徳声（熟字後部／第二字）

　資料篇【表D-35】【表D-36】は前田本が掲げる熟字後部／第二字（番号末尾に"b"を添加）に対して徳声点を差した諸例を掲げる。以下に廣韻との一致数・不一致数を集約する。廣韻は四声体系であるため、六声体系における徳声は入声に含まれる。不一致例はない。ただし、例数が相対的に少ないため、有意性のある比率とは言いがたい。徳声による差声は徹底しておらず、恣意的な状況を示す。徳声と入声を含む何らかの先行文献があり、それを前田本が参看して差声したと推測する。今は特定できないが、候補となる文献として類聚名義抄と倭名類聚抄を指摘しておく。個々の実態は「3．仮名音注の韻母別考察における諸例」の分析で知ることができよう。

<blockquote>
徳声（熟字後部／第二字）廣韻では入声　　　02例（上巻）100%
徳声（熟字後部／第二字）廣韻では入声　　　08例（下巻）100%
</blockquote>

　頭子音（等韻学の術語で言う声母）の清濁によって、徳声（清・次清・清濁）と入声（濁）は識別する。この点から、以下に示す上巻（02例）下巻（02例）については入声の誤認であると考える。なお、下巻（01例）は前田本の字形に関わる問題が存在する。

　▶番号0894b「峽」（巴峽）の仮名音注「カフ」については、基本的に -ap で対応する。当該字には徳声点を差す。廣韻に拠れば、その中古音は喉音濁匣母洽韻二等（ɣep）であるから、当該字は入声と認める。その最終第九画の右下払いが長いため、入声点の位置に制限があり、徳声点の位置に差さざるを得なかったか。熟字0894「巴峽」は右注「ハカフ」左注「猿名」を付載する。中国湖西省巴東県の西にある峡谷名で、長江に臨む急流の難所として有名であるが、ここでは巴峽の両岸に棲息する「巴猿」を指す。図書寮本類聚名義抄に入声点を付した同音字注「音洽」（洽韻 ɣep）を見出す。観智院本には同音字注「音狭」を見つけるが、仮名音注はない。元和本倭名類聚抄に反

1388　5．前田本色葉字類抄の声調別考察

切「咸夾反」がある。日本漢音は入声を認める。

　　　峽　音洽［入］… 川云俗云山乃賀比［上上］　　　　　（図書寮本類聚名義抄／139-7）

　　　峽　音狹 キル 巫峽 山名／セハシ 山ノカヒ［上上］ホラ　（観智院本類聚名義抄／法上109-5）

　　　峽　考聲切韻云峽山間陝處也咸夾反俗云 山乃加比　　（元和本倭名類聚抄／巻一07 オ 4）

　▶番号3140b「噍」（咀噍）の仮名音注「シヤク」については、基本的に -jak で対応する。当該字には徳声点を差す。その頭子音は dz-（等韻学の術語で言う歯音濁従母）であるから、徳声ではなく入声を期待する。諧声符「雀」の字形がやや縦長となり、入声点の差声位置が相対的に右下隅より上方になったか。熟字3140「咀噍」は右注「カミハム［平上平上］」中注「カミクラフ［平上上上平］」左注「下字嚼 同」を付載する。観智院本類聚名義抄に反切「在爵反」および和音「者ク」を見出す。日本呉音「シヤク」を認める。

　　　嚼　噍二今 在爵反 カム … 和者ク　　　　　　　　（観智院本類聚名義抄／佛中 055-3）

　▶番号5544b「絶」（勝絶）に仮名音注はなく、徳声点を差す。その頭子音は dz-（等韻学の術語で言う歯音濁従母）であるから、徳声ではなく、入声を期待する。当該字「絶」の最終第十二画が上方に跳ね上がっているため、入声を差すべき位置に制限がかかり、徳声点の位置に差さざるを得なかったか。

　▶番号5809b「澁」（所澁）の仮名音注「シフ」については、基本的に -ip で対応する。当該字には徳声点を差すが、差声位置は右下「止」部分の第一画横棒右端である。あるいは入声点か、疑義が残る。なお、番号5382a「澁」（仮名音注「シフ」）の場合は入声点を差す。観智院本類聚名義抄に反切「色立反」および和音「シフ」を見出す。承暦本金光明最勝王経音義には仮名音注「シフ音」を見つける。日本呉音「シフ」を認める。

　　　澁　色立反 シフル［右傍：□□カス］… 和シフ　　　（観智院本類聚名義抄／法上019-6）

　　　澀　䶚ゝ〔＊執音か〕　　　　　　　　　　　　　　（承暦本金光明最勝王経音義／08 ウ 6）

　　　澀　シフ六〔＊後筆墨書〕　　　　　　　　　　　　（承暦本金光明最勝王経音義／10 オ 1）

　　　平調曲　相夫憐 … 澁金樂 …　　　　　　　　　　　（元和本倭名類聚抄／巻四 15 ウ 4）

　▶番号5851b「白」（周白）の仮名音注「ハク」については、基本的に -ak で対応する。当該字には徳声点を差す。差声の位置から見て徳声であるが、当該字「白」の中古音（陌韻 bak）は等韻学の術語で言う脣音濁並母陌韻二等であるから、徳声ではなく入声の誤認である。

5-7　声調把握の実態

　前田本の声点が示す声調については廣韻に代表される切韻系韻書との一致率が相対的に高いと認める。韻書を座右に置いて差声を施したとすれば、思いがけない誤認を除いて、ほぼ完全に一致することを期待する。しかし、実際には不一致の諸例が存在する。これら不一致を含む何らかの先行

文献があり、それを前田本が参看して差声した可能性がある。今は特定できないが、候補となる文献として類聚名義抄と倭名類聚抄を指摘しておく。ただし、前者は単字による掲出を基本としており、熟字が相対的に少ないので、前田本が掲げる大量の熟字に対して、そのまま差声をすることには無理がある。後者は現在で言う百科事典のような内容を持つため、具体的な事物に関わる語彙を中心とし、抽象概念を標出する語彙は基本的に搭載していない。両特徴を考慮すると、差声において類聚名義抄と倭名類聚抄を参看することはあっても、それ以外の文献を参看していないとは考えにくい。

　また、不一致の諸例については多くが日本呉音の声調を反映していると推測する。その一部を掲げて分析したが、各個別状況は「３．仮名音注の韻母別考察における諸例」の分析で述べている。従来から「日本呉音の上／去声は日本漢音の平声に対応する」という声調関係の指摘があり、前田本の差声状況からも一応確認できる。この点も参看した先行文献を引き継いだ結果と推測する。

　以下には、前田本における声調把握の実態を集約しておく。横軸は廣韻が示す調類、縦軸は前田本が示す単字と熟字の差声状況である。

	平声	上声	去声	入声
平声・上巻	511例	9例	8例	1例
（単字）	約97%	約03%〔不一致〕		
平声・下巻	540例	10例	17例	3例
（単字）	約95%	約05%〔不一致〕		
平声・上巻	625例	105例	99例	2例
（熟字前部／第一字）	約75%	約25%〔不一致〕		
平声・下巻	705例	78例	61例	2例
（熟字前部／第一字）	約83%	約17%〔不一致〕		
平声・上巻	542例	114例	126例	5例
（熟字後部／第二字）	約69%	約31%〔不一致〕		
平声・下巻	610例	105例	129例	3例
（熟字後部／第二字）	約72%	約28%〔不一致〕		
平声・上巻	11例	2例	1例	1例
（熟字後部／第三字）	約73%	約27%〔不一致〕		
平声・下巻	20例	2例	1例	－
（熟字後部／第三字）	約87%	約13%〔不一致〕		

平声・上巻	2例	—	—	—
(熟字後部／第四字)	100%	—		
平声・下巻	2例	1例	1例	—
(熟字後部／第四字)	50%	50%〔不一致〕		
平声・上巻	—	—	—	—
(熟字後部／第五字)	—	—		
平声・下巻	1例	—	—	—
(熟字後部／第五字)	100%	—		

	平声	上声	去声	入声
東声・上巻	4例	—	—	—
(単字)	100%	—		
東声・下巻	10例	1例		
(単字)	約91%	約09%〔不一致〕		
東声・上巻	19例	—	—	
(熟字前部／第一字)	100%	—		
東声・下巻	16例	—	—	
(熟字前部／第一字)	100%	—		
東声・上巻	3例	—	—	—
(熟字後部／第二字)	100%	—		
東声・下巻	15例	—	—	—
(熟字後部／第二字)	100%	—		

	上声	平声	去声	入声
上声・上巻	75例	6例	2例	—
(単字)	約90%	約10%〔不一致〕		
上声・下巻	57例	3例	2例	1例
(単字)	約90%	約10%〔不一致〕		
上声・上巻	187例	18例	6例	2例
(熟字前部／第一字)	約88%	約12%〔不一致〕		
上声・下巻	205例	30例	14例	1例
(熟字前部／第一字)	約82%	約18%〔不一致〕		

	上声	平声	上声	入声
上声・上巻	223例	118例	40例	－
(熟字後部／第二字)	約59%	約41%〔不一致〕		
上声・下巻	194例	123例	26例	1例
(熟字後部／第二字)	約56%	約44%〔不一致〕		
上声・上巻	－	－	－	－
(熟字後部／第三字)	－	－		
上声・下巻	6例	7例	1例	
(熟字後部／第三字)	約43%	約57%〔不一致〕		

	去声	平声	上声	入声
去声・上巻	78例	12例	7例	－
(単字)	約80%	約20%〔不一致〕		
去声・下巻	63例	7例	6例	1例
(単字)	約82%	約18%〔不一致〕		
去声・上巻	241例	141例	37例	3例
(熟字前部／第一字)	約57%	約43%〔不一致〕		
去声・下巻	268例	145例	46例	2例
(熟字前部／第一字)	約58%	約42%〔不一致〕		
去声・上巻	176例	36例	24例	2例
(熟字後部／第二字)	約74%	約26%〔不一致〕		
去声・下巻	196例	28例	29例	1例
(熟字後部／第二字)	約77%	23%〔不一致〕		
去声・上巻	3例	1例	－	－
(熟字後部／第三字)	75%	25%		
去声・下巻	1例	1例	－	
(熟字後部／第三字)	50%	50%		
去声・上巻	－	－	－	－
(熟字後部／第四字)	－	－		
去声・下巻	1例	－	－	－
(熟字後部／第四字)	100%	－		

1392 5．前田本色葉字類抄の声調別考察

	入声	平声	上声	去声
入声・上巻	83例	－	－	－
（単字）	100%	－		
入声・下巻	78例	1例	－	1例
（単字）	97.5%	2.5%〔不一致〕		
入声・上巻	286例	－	－	－
（熟字前部／第一字）	100%	－		
入声・下巻	213例	2例	1例	－
（熟字前部／第一字）	約99%	約01%〔不一致〕		
入声・上巻	309例	－	－	－
（熟字後部／第二字）	100%	－		
入声・下巻	286例	－	2例	3例
（熟字後部／第二字）	約98%	約02%〔不一致〕		
入声・上巻	3例	－	－	－
（熟字後部／第三字）	100%			
入声・下巻	4例	－	－	－
（熟字後部／第三字）	100%			
入声・上巻	1例	－	－	－
（熟字後部／第四字）	100%			
入声・下巻	2例	－	－	－
（熟字後部／第四字）	100%	－		

	入声	平声	上声	去声
徳声・上巻	2例	－	－	－
（単字）	100%	－		
徳声・下巻	3例	－	－	－
（単字）	100%	－		
徳声・上巻	1例	－	－	－
（熟字前部／第一字）	100%	－		
徳声・下巻	7例	－	－	－
（熟字前部／第一字）	100%	－		

徳声・上巻	2例	－	－	－
（熟字後部／第二字）	100%		－	
徳声・下巻	8例	－	－	－
（熟字後部／第二字）	100%		－	

［注］

(52)　　次の文献を参照した。

　　・小倉肇『続・日本呉音の研究／第Ⅰ部 研究篇』（新典社、2014年）p.533/12-22、p.540/29- p.541/15

(53)　「3-7　韻母別考察による仮名音注の対応」に掲げる［注］ (26) を参照。

(54)　「3-7　韻母別考察による仮名音注の対応」に掲げる［注］ (22) を参照。

6．まとめ

　前田本の字音把握に際しては、初期の増補改訂段階において反切を基本とした。これは中国語音が示す規範性を重要視した結果と認められる。ただし、掲出字の字音把握に関して留意を必要とする場合（いわゆる呉音あるいは和音として定着している字音の把握などを含む場合）には反切に依らず、同音字注を付加することがあった。よって、増補改訂の早い段階における字音の把握は、反切・同音字注を用いたと推測する。

　しかし、さらなる利便性の高い要求があったのであろう。前田本のような字書は、漢文の訓読や作成において活用が期待されたであろうから、和訓の確認とともに、より多くの掲出字の字音を求める場面もあったはずである。それに応えて、字音語の充実という観点から仮名音注の増補に踏み切ったと想定できる。これは増補改訂の後段に当たると考えられる。実用的な字音把握を可能とするため、より日本語に馴化した仮名のレベルによる標音を目指したわけである。すでに「1．序説」でも述べたが、増補改訂の段階と字音付載の状況を纏めておきたい。

　　　（α）いわゆる「色葉和名」の基準に基づく和訓語彙の蒐集
　　　　〔分類体裁としてイロハ順の検索を採用した初期段階〕
　　　→　すでに反切・同音字注の付載をした可能性も残る
　　　（β）語彙数の増加と字音の付載
　　　　〔利便性の向上を目指した増補改訂段階〕
　　　→　反切・同音字注の付載（増補改訂の前段）
　　　→　仮名音注の付載（増補改訂の後段）

　現存する前田本は「色葉和名」の基準に基づく和訓語彙の蒐集を目的とした原初形態の原撰本系諸本から何度かの増補改訂を経た段階にある。その過程で付載されたであろう仮名音注について、その分析結果を集約しておく。なお、上巻と下巻併せた用例数は【表16】【表17】に掲げる。

　　・単字と熟字を併せた仮名音注は上巻（5,101例）下巻（4,758例）を数える。一定の編纂方針のもと、より多くの字音把握を目指す増補改訂が進んだ段階（増補改訂の後段）において加えられた可能性が高い。
　　・仮名音注が目指す字音の把握は日本語に馴化した段階を示している。いわゆる呉音的特徴と漢音的特徴を区別する意識はない。早くに中国語音を導入した段階では重層的であったが、やがて渾然と融合した馴化の状況を呈している。
　　・数は極めて少ないが、仮名音注（単字・熟字いずれも）末尾に「俗」を付した諸例を散見す

6. まとめ　1395

る。これらは定着久しい字音を示すと考える。

【表16】〔＊仮名音注を付載の諸例および声点のみを付載の諸例を集約する〕

上巻	伊篇	呂篇	波篇	仁篇	保篇	邊篇	度篇	池篇
仮名音注	584 例	106 例	708 例	139 例	404 例	232 例	457 例	482 例
声点のみ	054 例	004 例	046 例	014 例	039 例	008 例	018 例	023 例
計：各篇	638 例	110 例	754 例	153 例	443 例	240 例	475 例	505 例
上巻	利篇	奴篇	留篇	遠篇	和篇	加篇	与篇	合計
仮名音注	300 例	042 例	041 例	108 例	205 例	1,151 例	142 例	5,101 例
声点のみ	008 例	001 例	―	005 例	007 例	078 例	008 例	313 例
計：各篇	308 例	043 例	041 例	113 例	212 例	1,229 例	150 例	5,414 例

下巻	古篇	江篇	手篇	阿篇	佐篇	木篇	由篇
仮名音注	438 例	199 例	197 例	459 例	538 例	507 例	060 例
声点のみ	131 例	029 例	111 例	092 例	141 例	160 例	008 例
計：各篇	569 例	228 例	308 例	551 例	679 例	667 例	068 例
下巻	師篇	會篇	飛篇	毛篇	世篇	洲篇	跋文	合計
仮名音注	1,069 例	075 例	485 例	111 例	351 例	267 例	002 例	4,758 例
声点のみ	216 例	032 例	121 例	021 例	180 例	046 例	―	1,288 例
計：各篇	1,285 例	107 例	606 例	132 例	531 例	313 例	002 例	6,046 例

【表17】〔＊仮名音注を付載の諸例および声点のみを付載の諸例を併せ含む〕

	単字	熟字前部 第一字/a	熟字後部 第二字/b	熟字後部 第三字/c	熟字後部 第四字/d	熟字後部 第五字/e	合計
上巻	1,126 例	2,125 例	2,073 例	083 例	007 例	―	5,414 例
下巻	1,029 例	2,447 例	2,418 例	128 例	023 例	001 例	6,046 例

7. 引用文献・参考文献

相坂 一成	(1958)	色葉字類抄の一語彙群（「国語学」33）
青木 孝	(1957a)	色葉字類抄『辞字』考（「青山学院女子短期大学紀要」8）
	(1957b)	色葉字類抄の「辞字」について（「国語学」41）
	(1961)	色葉（伊呂波）字類抄（『国語国文学研究史大成 15 国語学』）
	(1963)	色葉字類抄畳字門語彙の出入りについて－三巻本と十巻本の比較（「青山学院女子短期大学紀要」17）
浅野 敏彦	(1981)	色葉字類抄「器量美人分」考（「解釈」27-8）
有坂 秀世	(1940)	メイ（明）ネイ（寧）の類は果たして漢音ならざるか（音聲學協會會報第64號）＊有坂（1597）再録
	(1942)	「帽子」等の仮名遣について（「文学」）＊有坂（1597）再録
	(1955)	『上代音韻攷』（三省堂）
	(1957)	『国語音韻史の研究 増補新版』（三省堂）
池上 禎造	(1960)	「方」字の合音用法（島田教授古希記念国文学論集』所収、関西大学国文学会）
池田 証寿	(1991a)	図書寮本類聚名義抄と玄応音義との関係について（「国語国文研究」88 北海道大学）
	(1991b)	図書寮本類聚名義抄所引玄応音義対照表（上）（「信州大学人文学部人文科学論集」25）
	(1992a)	図書寮本類聚名義抄所引玄応音義対照表（下）（「信州大学人文学部人文科学論集」26）
	(1992b)	図書寮本類聚名義抄と于禄字書（「国語学」168）
	(1993)	図書寮本類聚名義抄の単字字書的性格（「国語国文研究」94 北海道大学）
石野つる子	(1949)	節用文字の位置－色葉字類抄及び世俗字類抄との比較より見たる（「国語と国文学」26-7）
犬飼 隆	(1977)	古代語の「濁」拍について－観智院本類聚名義抄の複声点付和訓を中心に（「学習院女子短期大学紀要」15）
今西 浩子	(1976)	類聚名義抄・和訓の配列（「訓点語と訓点資料」57）
上田 正	(1973)	『切韻残巻諸本補正』（東洋学文献センター叢刊 19）
	(1975)	『切韻諸本反切總覧』（均社単刊第一 京大中文研究室）
	(1987)	『慧琳反切總覧』（汲古書院）
江口 泰生	(1995)	『和名類聚抄』の「俗」音注（「国語学」141）

		7. 引用文献・参考文献　1397

大熊　久子（1988）　　『十巻本伊呂波字類抄の研究』（群書類従刊行会）

大島　正二（1981）　　『唐代字音の研究』（汲古書院）

　　　　　（2006）　　『漢字伝来』（「岩波新書」1031　岩波書店）

　　　　　（2011）　　『中国語の歴史』（大修館書店）

大田晶二郎（1983）　　『尊経閣三巻本色葉字類抄』解説（勉誠社）

岡田　希雄（1941）　　二巻本世俗字類抄攷－附高麗国数詞の一資料－（「日本文化」19　天理図書館）

　　　　　（1944）　　『類聚名義抄の研究』（一條書房）

岡本　勲　（1991）　　『日本漢字音の比較音韻史的研究』（おうふう）

小川　知子（1999）　　節用文字と字類抄諸本の系譜（「国語国文研究」112　北海道大学）

奥村　三雄（1950）　　喉内韻尾の国語化に関して（「国語国文」19-3）

　　　　　（1957）　　呉音の声調体系（「訓点語と訓点資料」08）

　　　　　（1961）　　呉音声調の一性格（「訓点語と訓点資料」18）

　　　　　（1962）　　いわゆる漢呉音の声調について（「国語国文」31-1）

　　　　　（1966）　　漢語アクセント小考－三巻本色葉字類抄を中心として（「訓点語と訓点資料」32）

小倉　肇　（1981a）　　合拗音の生成過程について（「国語学」124）

　　　　　（1981b）　　上古漢語の音韻体系（「言語研究」79）

　　　　　（1995）　　『日本呉音の研究』（新典社）

　　　　　（2014）　　『続・日本呉音の研究』（新典社）

柏谷　嘉弘（1987）　　『日本漢語の系譜』（東宛社）

川瀬　一馬（1986）　　『古辞書の研究　増訂版』（雄松堂出版）

　　　　　（1977）　　『古辞書概説』（雄松堂出版）

木田　章義（1988）　　日本語の音節構造の歴史－「和語」と「漢語」－（『漢語史の諸問題』京都大学人文科学研究所）

木下　正俊（1967）　　「返」の假名（「国語国文」36-8）

黒沢　弘光（1967）　　前田家本色葉字類抄畳字門の字音声点─清濁表示よりの考察─（「言語と文芸」54）

河野　六郎（1937）　　玉篇に現れたる反切の音韻的研究（『河野六郎著作集 2』）

　　　　　（1968）　　『朝鮮漢字音の研究』（天理時報社）＊河野（1979）再録

　　　　　（1976）　　「日本呉音」に就いて（「言語学叢刊」最終号）＊河野（1979）再録

　　　　　（1978）　　朝鮮漢字音と日本呉音（『末松保和博士古稀記念古代東アジア史論集』上巻）＊河野（1980）再録

	(1979)	『河野六郎著作集 2』（平凡社）
	(1980)	『河野六郎著作集 3』（平凡社）
小林　明美	(1984)	「呉音」と「漢音」（「密教文化」145）
小林　恭治	(1992)	類聚名義抄諸本の仮名注の記載位置について（「訓点語と訓点資料」89）
	(1994)	観智院本類聚名義抄の筆跡による各帖の類別について（「訓点語と訓点資料」94）
小松　英雄	(1956)	日本字音における唇内入声音の促音化と舌内入声音への合流過程－中世博士家訓点資料からの跡付け－（「国語学」25）
	(1957)	和訓に施された平声軽の声点－平安末期京都方言における下降調音節の確認－（国語学 29）
	(1958)	図書寮本類聚名義抄にみえる特殊な注音方式とその性格（訓点語と訓点資料 10）
	(1970)	平安末期における漢音の一断面（国語と国文学、47 巻 10 号）
	(1971)	『日本声調史論考』（風間書房）
	(1976)	類聚名義抄の朱声点（「天理図書館善本叢書月報」31）
	(1978)	『韻鏡考・隋唐音図』解説（勉誠社文庫）
	(1981)	日本語の音韻（『日本語の世界 7』中央公論社）
佐々木　勇	(1984)	改編本『類聚名義抄』と三巻本『色葉字類抄』の漢音（「訓点語と訓点資料」116）
	(1988)	天理図書館蔵正平七年写本『最勝王経音義』の性格─類聚名義抄諸本との比較を中心に─（鎌倉時代語研究 11）
	(1993)	「方」の日本漢字音ハウ・ホウ続貂」（国語国文 62-6）
	(2009)	『平安鎌倉時代における日本漢音の研究』（汲古書院）
	(2022)	三巻本『色葉字類抄』前田家本に見られる字音注加点法（「訓点語と訓点資料」149）
佐々木　隆	(1984)	『類聚名義抄』『色葉字類抄』所引の『和名類聚抄』（「国語と国文学」61-09）
島田　友啓	(1963a)	『節用文字仮名索引』（私家版）
	(1963b)	『節用文字漢字索引』（私家版）
清水　登	(1973)	古辞書におけるウ列長拗音表記について（「二松学舎大学人文論叢」5）
清水　史	(1981)	承暦三年鈔本金光明最勝王経音義音注攷－意訳漢字の場合・声母篇－（「野州国文学」27）
	(1982)	承暦三年鈔本金光明最勝王経音義音注攷－意訳漢字の場合・韻母篇－（「國

7. 引用文献・参考文献　1399

		學院大學大学院文学研究科紀要」13)
	(1992)	規範と実際―〈韻〉と〈韻書〉の分類―（「愛文」27)
鈴木真喜男	(1963)	三巻本色葉字類抄の漢字音標記―直音音注について（「文芸と思想」24 福岡女子大学)
	(1966)	二巻本色葉字類抄における字音注の所在、および、直音音注（「文芸と思想」28 福岡女子大学)
	(1967)	永禄八年書写二巻本色葉字類抄について（『本邦辞書史論叢』三省堂)
髙橋　久子	(2000)	色葉字類抄『色葉字類抄』の価値
高松　政雄	(1976)	「狂」の字音―陽韻合口をめぐって（「国語国文」45-6）高松（1982a）再録
	(1980)	色葉字類抄の声点（訓点語と訓点資料65)
	(1982a)	『日本漢字音の研究』（風間書房)
	(1982b)	字音「惑ワク」「軟ナン」について（「国語国文」51-5)
	(1986)	『日本漢字音概説』（風間書房)
	(1989)	漢字音と国語音（「国語国文」58-6)
築島　裕	(1959)	『平安時代語新論』（東京大学出版会)
	(1977)	『大般若経音義の研究 本文篇』（汲古書院)
	(1978)	『大般若經音義中巻』解題（古辞書音義集成03 汲古書院)
	(1981)	『金光明最勝王経音義』解題・索引（古辞書音義集成12 汲古書院)
	(1983)	『大般若経音義の研究 索引篇』（汲古書院)
藤堂　明保	(1957)	『中国語音韻論』（光生館）＊1980年改版
	(1959)	呉音と漢音（「日本中国学会報」11)
	(1987)	『中国語学論集』（汲古書院)
中村　雅之	(1991)	孫メン「唐韻」について（「富山大学人文学部紀要」17)
西崎　亨	(1981)	天理図書館正平七年写本「寂勝王經音義」掲出字索引（訓点語と訓点資料66)
	(1985)	天理図書館蔵正平七年写 寂勝王經音義和訓のアクセント（訓点語と訓点資料73)
	(1995)	『日本古辞書を学ぶ人のために』（世界思想社)
二戸麻砂彦	(1979)	前田家本色葉字類抄音注攷（1）―同音字注の考察―（國學院大學国語研究42)
	(1981)	石山寺一切経蔵本大般若経字抄音注攷―「漢呉二音相同」の音注の資料的分析―（「國學院大學大学院紀要」12)

　　　　　　　(1986)　　　前田家本色葉字類抄音注攷（Ⅱ）－反切音注の考察（上）（山梨県立女子短期大学紀要 20）

　　　　　　　(1987)　　　前田家本色葉字類抄音注攷（Ⅱ）－反切音注の考察（下）（山梨県立女子短期大学紀要 21）

　　　　　　　(1989)　　　石山寺一切経蔵本大般若経字抄音注攷・続－正音注・呉音注・仮名書音注などについて－（「山梨県立女子短期大学紀要」22）

　　　　　　　(2001)　　　字類抄諸本の改編と反切音注（國學院雑誌 102-11）

　　　　　　　(2008)　　　二巻本色葉字類抄の同音字注（「山梨国際研究」03 山梨県立大学紀要）

　　　　　　　(2009)　　　二巻本世俗字類抄の音注「如音」（「山梨国際研究」04 山梨県立大学紀要）

　　　　　　　(2010)　　　『鎌倉初期色葉字類抄の音注』（「山梨国際研究」05 山梨県立大学紀要）

　　　　　　　(2011)　　　節用文字の反切（「山梨国際研究」06 山梨県立大学紀要）

　　　　　　　(2013a)　　節用文字の同音字注（「國學院雑誌」114-6）

　　　　　　　(2013b)　　節用文字の仮名音注（「山梨国際研究」07 山梨県立大学紀要）

　　　　　　　(2015)　　　『節用文字の音注研究』（汲古書院）

　　　　　　　(2018)　　　前田本色葉字類抄の徳声について（「山梨国際研究」14 山梨県立大学紀要）

　　　　　　　(2019)　　　前田本色葉字類抄の東声について（「山梨国際研究」15 山梨県立大学紀要）

沼本　克明 (1978)　　　『大般若經字抄』解題・索引（古辞書音義集成 03 汲古書院）

　　　　　　　(1982)　　　『平安鎌倉時代に於る日本漢字音に就ての研究』（武蔵野書院）

　　　　　　　(1986)　　　『日本漢字音の歴史』（国語学叢書 10 東京堂出版）

　　　　　　　(1997)　　　『日本漢字音の歴史的研究』（汲古書院）

　　　　　　　(2013)　　　『歴史の彼方に隠された濁音の源流を探る－附・半濁点の源流－』（汲古書院）

林　史典 (1974)　　　呉音のかな表記における舌内および喉内入声音のかきわけについて（「千葉大学教育学部紀要」23）

　　　　　　　(1980a)　　呉音系字音における舌内入声音のかな表記について（「国語学」122）

　　　　　　　(1980b)　　呉音系字音資料としての慈光寺本大般若経－法華経読誦音との比較による字音的特徴の概略と資料的位置づけ－（「日本漢字音研究」昭和53・4・5年度科学研究費報告論集）

　　　　　　　(1982)　　　日本の漢字（『日本語の世界』4 中央公論社）

　　　　　　　(1985)　　　日本呉音の清・濁について（「東洋大学 日本語研究」1）

原　卓司 (1984)　　　色葉字類抄における類書の受容（「広島大学文学部紀要」44）

東辻　保和 (1971)　　　安田八幡宮蔵大般若波羅蜜多経の音注（資料）（「訓点語と訓点資料」44）

平山　久雄 (1967)　　　中古漢語の音韻（『中国文化叢書 1 言語』大修館書店）

	(1968)	中古音における舌頭音・舌上音の対立語例の成因について（「日本中国学会報」20）
	(1991)	中古漢語における重紐韻介音の音価について（「東洋文化研究所紀要」114）
福島　邦道	(1912)	「四方なる石」（国語学46）
藤本　灯	(2016)	『色葉字類抄の研究』（勉誠出版）
馬淵　和夫	(1962)	『日本韻学史の研究』Ⅰ（日本学術振興会）
	(1963)	『日本韻学史の研究』Ⅱ（日本学術振興会）
	(1965)	『日本韻学史の研究』Ⅲ（日本学術振興会）
	(1973)	『韻鏡校本と広韻索引 新訂版』（巌南堂書店）
	(1977)	国語の清濁（『松村明教授還暦記念 国語学と国語史』明治書院）
	(1983)	三内説について（『中川喜教先生頌徳記念論集 仏教と文化』）
三澤諄治郎	(1960)	『韻鏡の研究』（韻鏡学会）
水谷　真成	(1957)	唐代における中国語語頭鼻音 Denasalization の進行過程（「東洋学報」39-4）
	(1960)	梵語の"ソリ舌"母音を表わす漢字－二等重韻と三四等重韻－（「言語研究」37）
	(1968)	梵語音を表わす漢字における声調の機能－声調史研究の一資料－（「名古屋大学文学部二十周年記念論集」）
満田　新造	(1920)	「スキ」「ツキ」「ユキ」「ルキ」の字音仮名遣は正しからず（「國學院雑誌」26-7）＊満田（1964）再録
	(1964)	『中国音韻史論考』（武蔵野書院）
峰岸　明	(1964)	前田家本色葉字類抄と和名類聚抄との関係について（国語と国文学41-10）
	(1965)	三巻本『色葉字類抄』に見える「俗」注記の意義について（「文学論藻」32 東洋大学国語国文学会）
	(1984a)	字類抄の系譜―人事・辞字両部所収語の検討を通して―(上)（「国語国文」53-09）
	(1984b)	字類抄の系譜―人事・辞字両部所収語の検討を通して―(中)（「国語国文」53-10）
	(1984c)	字類抄の系譜―人事・辞字両部所収語の検討を通して―(下)（「国語国文」53-11）
峯村　三郎	(1935)	韻鏡の内外轉に就て（『藤岡博士功績記念言語学論文集』岩波書店）
	(1974)	再び韻鏡の内外轉に就て（「国士舘大学人文学会紀要」6）
三根谷　徹	(1956)	中古音の韻母の体系−切韻の性格−（「言語研究」31）＊三根谷（1993a）

1402　7．引用文献・参考文献

　　　　　　　　　　再録

　　　　(1965)　韻鏡と越南漢字音（「言語研究」48）＊三根谷（1993a）再録

　　　　(1972)　『越南漢字音の研究』（東洋文庫論叢 53）＊三根谷（1993a）再録

　　　　(1976)　唐代の標準音について（「東洋学報」57-1/2）＊三根谷（1993a）再録

　　　　(1978)　唐代等韻図の構成（「東洋学報」60-1/2）＊三根谷（1993a）再録

　　　　(1993a)　『中古漢語と越南漢字音の研究』（汲古書院）

　　　　(1993b)　韻鏡と中古漢語（『中古漢語と越南漢字音の研究』所収）

三宅ちぐさ (1981)　二巻本「世俗字類抄」の所収語彙－二巻本及び三巻本「色葉字類抄」との比較から－（「岡大国文論稿」09 岡山大学）

　　　　(1983)　二巻本『世俗字類抄』仮名索引(1)～(13)（「東海学園国語国文」24-29/32-38)

宮澤　俊雄 (1988)　図書寮本類聚名義抄と法華音訓（『北大国語学講座二十周年記念 論編辞書・音義』汲古書院）

望月　郁子 (1979)　観智院本『類聚名義抄』の和音注－法華経字彙との関連において－（「訓点語と訓点資料」63）

森　　博達 (1991)　『古代の音韻と日本書紀』（大修館書店）

森山　隆 (1991)　『上代国語音韻の研究』（桜楓社）

山田　孝雄 (1977)　徳富猪一郎氏蔵節用文字解説（『原装影印版 古辞書叢刊「節用文字」』雄松堂書店）

湯沢　質幸 (1979)　漢音・唐音の一問題－灰韻のuイ韻について－（「国語国文」48-6）

　　　　(1980)　慈光寺蔵本大般若経の声点（「日本漢字音研究」昭和53・4・5年度科学研究費報告論集）

　　　　(1987)　『唐音の研究』（勉誠社）

　　　　(1988)　上代における漢音奨励（「筑波大学地域研究」6）

　　　　(1989)　上代における呉音と漢音（『奥村三雄教授退官記念 国語学論集』桜楓社）

吉田　金彦 (1954)　吉田金彦「圖書寮本類聚名義抄出典攷（上）（訓点語と訓点資料02）

　　　　(1954)　吉田金彦「圖書寮本類聚名義抄出典攷（中）（訓点語と訓点資料03）

　　　　(1955)　吉田金彦「圖書寮本類聚名義抄出典攷（下一）（訓点語と訓点資料05）

　　　　(1957)　中古日本呉音の表記史的研究－法華経単字の反切と字音をめぐって－（「静岡女子短期大学紀要」4）

　　　　(1979)　『醍醐寺蔵妙法蓮華経釈文』解題（古辞書音義集成 4 汲古書院）

頼　　惟勤 (1989)　『中国音韻論集 頼惟勤著作集Ⅰ』（汲古書院）

若杉　哲男 (1967)　世俗字類抄・節用文字から色葉字類抄へ（『本邦辞書史論叢』三省堂）

7. 引用文献・参考文献　1403

B.Karlgren (1915-26) Etudes sur la phonologie chinoise (Archives d'Etudes Orientales, publiees par J. -A. Lundell Vol.15)

(1940a) Grammata Serica, Script and Phonetics of Chinese and SinoJapanese (BMFEA 12)

(1940b) 『中国音韵学研究』高本漢著 趙元任・羅常培・李方桂合訳 (商務印書館)

(1954) Compendium of Phonetics in Ancient and Archaic Chinese (BMFEA 22)

(1957) Grammata Serica Recensa (BMFEA 29)

陳　彭年 (1974) 『校正宋本廣韻』 (藝文印書館)

周　祖謨 (1938) 『廣韻校本 附校勘記』 (中華書局 1960)

(1983) 『唐五代印書集存』上下 (中華書局)

余　廼永 (1938) 『互註校正宋本廣韻』 (聯貫出版社)

李　栄 (1952) 『切韻音系』 (語言学専刊第四種、中国科学院)　＊改定版 1956 年

劉　復 (1936) 『十韻彙編』 (學生書局 1963 縮刷版)

龍　宇純 (1968) 『唐寫全本王仁昫刊謬補缺切韻校箋』 (香港中文大学)

あとがき

　色葉字類の編纂者であろう橘忠兼は "analyser avec minutie"（綿密なる分析をする）と評するにふさわしい人である。例えば、辞字部における同訓異字が示す徹底主義には唖然とする。漢文の訓読や作成に際して、これほど頼りになるものはない。和訓のみならず、字音注も膨大に付載する。外国語として移入して来た漢語が日本語の根幹に定着した院政期の現状を、後世にまで伝えている。

　色葉字類抄および世俗字類抄等の諸本（字類抄諸本と略称）に存する音注（反切・同音字注・仮名音注）の集約と分析に取り組んで、すでに半世紀を過ぎた。その部分的成果として、前著『節用文字の音注研究』（汲古書院、2015）を公刊したが、このほど『前田本色葉字類抄の音注研究』を上梓することとなった。字類抄諸本の中核をなす『色葉字類抄』における音注の集約と分析を試みることは長年の懸案であった。日本語の歴史的変遷において、どのように外国語音である漢語を享受し馴化・定着させてきたかという問題は、広大で重要なテーマである。

　本書を上梓するに際して、多方面からのご教授やご助力があった。日本漢字音の関係としては、湯沢質幸先生、小倉肇先生、清水史先生が、さまざまな御教示をくださった。天理大学附属図書館には『類聚名義抄』諸本の参看に関して便宜をいただいた。また、図書寮本および観智院本『類聚名義抄』の検索については乾彩香・大場美奈（國學院大學2018年度学生）両氏の力を借りた。独立行政法人〈情報処理推進機構〉によるフォント「IPAmj明朝」を活用したことも加えておきたい。

　幸いにも、本書は独立行政法人日本学術振興会「2024年度科学研究費助成事業 研究成果公開促進費（学術図書・課題番号24HP5049）」の交付を受けて刊行できることになった。関係各位に感謝を申し上げる。

　末尾となったが、書籍の出版を取り巻く環境が厳しさを増す中、本書のごとき出版の難しい図書の刊行を快諾してくださった汲古書院の三井久人社長には、心より御礼を申し上げる。また、大江英夫さんを始め、編集部の方々には様々とお世話をいただいた。深く感謝申し上げる次第である。

2024年8月21日

二戸 麻砂彦

著者略歴

二戸麻砂彦（にと　まさひこ）

昭和31（1956）年、東京生まれ。
國學院大學大学院文学研究科博士課程後期満期退学。山梨県立女子短期大学
国文科教授、山梨県立大学国際政策学部教授を経て、現在は同大学名誉教授。
博士（文学）。日本語史、日本漢字音、日本語情報処理等の研究を中核とす
る。著書には『考えるための情報処理入門（改訂版）』（共著、山梨県立大学
国際政策学部、2007）、『節用文字の音注研究』（汲古書院、2015）がある。

前田本色葉字類抄の音注研究　　研究篇

2024年12月19日　初版発行

著　　者　二　戸　麻砂彦
発行者　三　井　久　人
製版印刷　富士リプロ㈱
発行所　汲　古　書　院

〒101-0065　東京都千代田区西神田2-4-3
電話03（3265）9764　FAX03（3222）1845

ISBN978-4-7629-3693-7　C3381
NITO Masahiko　Ⓒ2024
KYUKO-SHOIN, CO., LTD. TOKYO.